1 MONTH OF
FREE
READING

at
www.ForgottenBooks.com

By purchasing this book you are eligible for one month membership to ForgottenBooks.com, giving you unlimited access to our entire collection of over 1,000,000 titles via our web site and mobile apps.

To claim your free month visit:

www.forgottenbooks.com/free1306321

ISBN 978-0-428-75602-4
PIBN 11306321

Theologisch-praktische
Quartal-Schrift.

Herausgegeben von den
Professoren der bischöfl. theol. Diöz.-Lehranstalt.

Verantwortliche Redakteure:

Dr. Matthias Hiptmair,

päpstl. Ehren-Kämmerer, Besitzer des päpstlichen Ehrenkreuzes „Pro Ecclesia et
Pontifice", Konsistorialrat, Professor der Kirchengeschichte und des Kirchenrechtes

und

Dr. Martin Fuchs,

päpstl. Ehren-Kämmerer, Konsistorialrat, Professor der speziellen Dogmatik.

Zweiundsechzigster Jahrgang.

Linz, 1909.
In Kommission bei Quirin Haslinger.
Akad. Preßvereinsdruckerei in Linz.

FEB 15 1960

Alphabetisches Sachregister

des

Jahrganges 1909 der „Theol.-prakt. Quartalschrift".

(Der Jahrgang zählt einschließlich des Registers 938 Seiten.)

A) Abhandlungen.

B) Pastoral-Fragen und -Fälle.

C) Literatur.

A) Neue Werke.

B) Neue Auflagen.

Seite

✝

Dr. Franz Maria Doppelbauer

Bischof von Linz.

Das erste Heft dieser Zeitschrift für das Jahr 1909 erscheint im Trauergewande. Am Morgen des 2. Dezember verkündeten die dumpfen ehernen Töne der Glocken vom Turme des neuen Domes herab der Stadt und dem ganzen Lande Oberösterreich, daß der Todesengel dem allverehrten Bischof um 7¼ Uhr früh den Hirtenstab aus der Hand genommen habe, den er nahezu zwanzig Jahre mit Ehren, voller Rüstigkeit und rastloser Tätigkeit getragen.

Da das Heft schon im Drucke fertig gestellt ist, können wir hier leider nur eine kurze Lebensskizze bringen.

Franz Maria war seit Gründung der Diözese der erste Bischof, dessen Wiege innerhalb der Diözesangrenze gestanden. Er war geboren am 21. Jänner 1845 zu Waizenkirchen. Seine Eltern waren Bürgersleute. Die Gymnasialstudien machte er von 1857—1865 im Bischöflichen Knabenseminar auf dem Freinberg bei Linz, das unter der Leitung der Jesuiten stand und damals noch das Oeffentlichkeitsrecht besaß. Nach ausgezeichneter Vollendung derselben trat er in das Priesterseminar in Linz ein, mit dem die theologische Lehranstalt verbunden ist, und empfing am 26. Juli 1868 von Bischof Franz Josef Rudigier, dessen Beatifikationsprozeß er als sein zweiter Nachfolger einleiten sollte, die höheren Weihen. Im nächsten Jahre erhielt er seinen ersten Posten als Kooperator an der Vorstadtpfarre St. Michael in Steyr, wo er mit allem Eifer in der Seelsorge und auch im öffentlichen Leben, in der Presse — durch Gründung der bis heute sehr tüchtigen und blühenden „Steyrer Zeitung" — wirkte. Im Jahre 1876 kam er als Kaplan in das Priesterkollegium der Anima in Rom und erwarb sich daselbst in der ewigen Stadt den Doktorgrad des kanonischen und römischen Rechtes. Hierauf berief ihn Bischof Franz Josef an seine Seite als Sekretär, welche Stellung er auch unter Bischof Ernest Maria bis Februar 1887 inne hatte, in welchem Jahre er zum Rektor der Anima ernannt wurde. Obwohl er nur vom Februar des genannten Jahres bis zum Februar 1889 dieses Amt bekleidete, konnte doch der Geschicht= schreiber der Anima, Schmidlin, sagen: „Den wahren inneren Aufschwung der Anstalt leitete das Rektorat des Msgr. Dr. Franz Doppelbauer aus Linz ein." Aber sein segensreiches Wirken in Rom erfuhr ein baldiges Ende, da Seine k. u. k. Apostolische Majestät den in der Blüte der Jahre stehenden Rektor am 17. Dezember 1888 zum Bischof von Linz ernannte und Leo XIII. am 11. Februar 1889 die Konfirmation erteilte. An einem der schönsten Maientage (5.) fand die feierliche In= thronisation im neuen Dome (die erste) statt, nachdem er die Bischöfliche Konsekration noch in der Anima am 10. März von Kardinal Serafino Vannutelli empfangen hatte.

Mit jugendlichem Feuereifer trat der neue Oberhirt die geistliche Regierung seiner Heimatsdiözese an. Es lag ihm am Herzen, die von seinen Vorgängern begonnenen großen Werke, wie z. B. den Dombau, fortzusetzen, aber auch neue große Auf= gaben hatte er sich gestellt. Dazu gehörten vor allem der Er= weiterungsbau des großen Seminars, der Bau des Knaben= seminars „Petrinum" mit der Errichtung eines Gymnasiums daselbst und der Heranbildung der Lehrkräfte, die Einleitung des beinahe vollendeten Beatifikationsprozesses des „Ehrwür= digen Dieners Gottes" Franz Josef, die Errichtung neuer Seelsorge= und Katechetenstellen u. s. f. Großartige Festlichkeiten verstand er zu veranstalten, die Vereinstätigkeit, die Presse und überhaupt alle den modernen Bedürfnissen entsprechenden Dinge zu fördern, so daß die zwei Dezennien seiner Amtsführung ohne Zweifel sehr fruchtbare genannt werden müssen. Ad limina Apostolorum begab er sich fast jedes Jahr, sowie er auch ein dem allerhöchsten Kaiserhause treuergebener Bischof war. Ge= rade an dem Tage, an welchem der Kaiser sein sechzigstes Regierungsjahr zur außerordentlichen Freude von ganz Oester= reich vollendete, vollendete Franz Maria zum größten Schmerze des Landes seine irdische Laufbahn. Möge er nun im Himmel für Kirche und Vaterland Fürbitte einlegen. Er befindet sich im sicheren Hafen, Kirche und Vaterland aber werden von fürchter= lichen Stürmen umtobt und gehen wahrscheinlich noch fürchter= licheren entgegen, wenn nicht Gottes Barmherzigkeit Einhalt gebietet. Insbesondere aber möge der Verewigte auch für die verwaiste Diözese einen guten würdigen Nachfolger erflehen.

R. i. p.

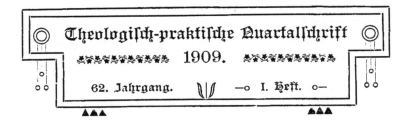

Theologisch-praktische Quartalschrift
1909.
62. Jahrgang. — I. Heft.

Religiöse Gefahr oder religiöse Weltkrise?

Von Universitäts-Professor P. Albert M. Weiß O. Pr. in Freiburg (Schweiz).

(Zeitbetrachtungen zum Verständnis des Modernismus I.)

Das Jahr 1907 mit seinen Ereignissen bedeutet zweifellos einen Einschnitt in die geistige Bewegung der Zeit. Ob auch einen Zeitabschnitt, das können wir noch nicht beurteilen. Das hängt auch, zum Teil wenigstens, ab von dem Verständnis und der Treue, womit wir die kirchlichen Weisungen aufnehmen.

Das Verständnis für eine im vollen Fluß begriffene geistige Bewegung ist schon an sich nicht so leicht zu gewinnen. Ist diese Bewegung so rasch und so allgemein, wie das heute der Fall ist, dann sind die Schwierigkeiten übergroß. Den meisten ergeht es, wie wenn sie in einem Schnellzug durch eine dichtbestellte Landschaft fahren: alles schwimmt vor ihren Augen, das Nahe wie das Ferne, es wird ihnen selber unheimlich und sie schließen verwirrt die Augen.

Das mag auf der Bahn hingehen. Für die, denen es darum zu tun sein muß, ihre eigene Zeit verstehen zu lernen, wäre es kein kleiner Vorwurf, wenn sie sich in die Kissen drücken wollten, aus Furcht, es könnten ihnen unangenehme Eindrücke zurückbleiben. Schon die gewöhnlichen Mitreisenden auf der Fahrt durch das Leben sind nicht ganz zu entschuldigen, wenn sie sich blind weiterschleppen lassen mit der bequemen Ausrede, sie könnten ja doch nichts anders machen. Das mag immerhin sein. Wissen sollten doch aber auch sie, durch welche Umgebung sie geführt werden und wohin die Reise geht. Dagegen wäre es unverantwortlich, wenn die, denen Gott die Leitung oder doch die Aufklärung der Geister anvertraut hat, sich der Mühe um die Einsicht in die geistige Bewegung der Zeit entschlagen wollten.

Wir maßen uns nicht an, ein Urteil darüber zu fällen, ob dies immer genügend gewürdigt werde. Aber wenn wir uns um der geziemenden Bescheidenheit willen hüten, eine allgemeine Anklage auszusprechen, so möge man es uns auch nicht gleich als unziemliche Unbescheidenheit auslegen, wenn wir uns herausnehmen, eine kleine Klage auszusprechen. Wir können uns hiefür auf die eigene Erfahrung berufen. Wir wissen schon selber, daß es nicht schön ist, von der eigenen Person zu reden. Diesmal glauben wir aber einige Gründe dafür zu haben. Wem diese nicht genügend erscheinen, der wende auf sich und auf uns den Grundsatz an: Plus ab insipiente sapiens dicit, quam insipiens a sapiente.

Unsere Armseligkeit hat vor etlichen Jahren ein Buch über die „Religiöse Gefahr" veröffentlicht. Das Buch ist übel angekommen. Soweit die Gründe hiefür in der Person anderer zu suchen sind, bewahren wir das Schweigen, das wir uns zum Grundsatz gemacht haben. Soweit sie in der Unvollkommenheit des Buches und des Verfassers gelegen sind, nehmen wir schweigend und demütig alle Vorwürfe und Anklagen hin. Warum wir trotzdem darüber reden, das kommt aus einer ganz anderen Rücksicht. Hier sind doch schon auch Ursachen im Spiel, die allgemeinere Bedeutung haben. Ein Lehrer der Theologie sagte von dem Buch, die ganze öffentliche Meinung in Deutschland habe es einhellig abgelehnt. Damit dürfte er in der Tat die Wahrheit gesagt haben. Ein anderer, der die Lage genügend kennt, um zu wissen, daß er dieselbe öffentliche Meinung auf seiner Seite hat, schrieb, das Buch würde wohl den größten Tiefstand der theologischen Literatur bedeuten, wenn nicht das Buch von Commer ihm den untersten Platz streitig machte. Diese Aussprüche beweisen, daß es sich hier um Dinge handelt, die mit der Person nichts zu schaffen haben. Darum erlauben wir uns auch, davon zu sprechen, denn die Person bleibt hier völlig außer Betracht. Wie Commer alle Zornesausbrüche hinnehmen und alle Hiebe auffangen muß, die einer ganz anderen Person vermeint sind, und wie man seinem Buch Ungerechtigkeit gegen eine Persönlichkeit vorwirft, in der man die eigene Richtung verkörpert findet, so gilt der Spott über das Wort „Religiöse Gefahr" nicht dem Buch und nicht der Person, sondern er ist nur ein Zeugnis für die Abneigung, den Blick nach dieser Seite hin zu wenden. Bezöge sich die allgemeine Ablehnung nicht auf den Gegenstand selbst, sondern nur auf die Schwäche der Darstellung, gäbe man zu, daß es ein Bedürfnis sei, über die bedenkliche Lage der Religion im Großen ein zusammenfassendes Urteil zu fällen, fürchtete man nicht, das Ergebnis könnte so ernst ausfallen, daß es zu einer gründlichen Aenderung der Ideen und der Handlungsweise zwingen müßte, so wäre längst ein anderes Werk erschienen, das die Unvollkommenheiten dieses ersten Versuches wett machte.

Aber durch Augenzudrücken und durch Totschreien kann man den Gang der Dinge nicht ändern und das dringende Bedürfnis nach Einsicht in die Lage nicht ersticken. Verschließen sich die, denen es zusteht, das Verständnis für den Ruf der Zeit zu fördern, der Aufgabe, so fällt die Ausführung in Hände, in denen sie nichts als den größten Schaden anrichten kann. So war es zu allen Zeiten, von Noe bis zur Stunde. Als die Kölner am Beginn des 16. Jahrhunderts auf die drohende Gefahr hinwiesen, wurden sie von ihren eigenen Standesgenossen als Schande für die Wissenschaft, als lächerliche Fanatiker, als ärgerliche Finsterlinge abgeschüttelt, und niemand nahm eifriger Teil an dem Kesseltreiben gegen sie, als jene liberalen Geistlichen, die auf diesem wohlfeilen Weg der Welt ihre Vorurteilslosigkeit und ihre Liebe zur Zeit am besten erweisen zu können glaubten. Da hatten dann freilich Luther und Hutten geebnete Wege vor sich. Und abermals in der Aufklärungszeit mußten jene Ehrenmänner wie Merz, Faist und Weißenbach nicht minder durch die Teilnahmslosigkeit der ihnen zunächst Stehenden als durch den giftigen Hohn der Neuerer für ihren heroischen Widerstand büßen. Als dann die große Flut hereinbrach und alle miteinander hinwegschwemmte, dann versanken die Guten mit dem Ruf: Aber wie haben wir das verdient? Haben wir uns nicht stets als Freunde der Welt und als Feinde ihrer Feinde gezeigt? Haben wir nicht immer den Frieden gepredigt? Warum schont man nicht wenigstens uns?

Indes, lassen wir all die bitteren Erinnerungen an die vergangenen Zeiten und all die gerechten Befürchtungen für die künftigen Tage. Erwarten wir lieber das Beste oder doch Gutes von der Gegenwart. Denn gerade die Erscheinung, auf die wir hier hinzuweisen haben, kann uns von großem Nutzen sein, wenn wir sie richtig zu verwerten wissen. Wir meinen hier eine Veröffentlichung über die religiöse Lage der Gegenwart, die sich in einem neuen, höchst modernen internationalen Unternehmen findet, in den „Dokumenten des Fort-

1*

schritts".[1]) Diese ausführliche Sammlung von Studien läßt viel, sehr viel zu wünschen übrig. Dessenungeachtet können wir erhebliche Belehrung aus ihr ziehen, wenn wir nur nicht immer hervorheben, was wir anders wünschten, sondern vorerst das ausnützen, was wir unter den Händen haben.

Das erste, was wir hier lernen können, ist der Weitblick, um nicht zu sagen Universalblick, ohne den ein Urteil über die Lage der Zeit nicht wahrheitsgemäß ausfallen kann. Hier muß auf unserer Seite eine gründliche Aenderung eintreten, es hilft nichts, wenn wir uns das verbergen wollen. Eine eingehende Verhandlung über den angedeuteten Gegenstand ist nur in seltenen Fällen unter uns möglich. Beginne ich darüber mit einem Seelsorgsgeistlichen zu sprechen, so wird er fast an meinem Verstand irre und unter= bricht mich mit den Worten: Aber ich bitte Sie, schauen Sie doch die Dinge nicht so schlimm an! Sehen Sie, in meiner Pfarrei, nun ja, räudige Schafe gibt es überall, aber die Mehrzahl ist ja doch brav. Wie viele gehen alle acht Tage zu den Sakramenten! Selbst unter den Männern habe ich nicht wenige, die doch das eine= oder das anderemal unterm Jahr beichten, und aus der ganzen Pfarrei sind mir letzte Ostern nur drei um die Kirche gegangen. Nein, nein, so schlimm steht es nicht, man muß nur das wirkliche Leben kennen. So mein alter Herr Pfarrer, dem die ganze Welt in seiner Pfarrei aufgeht, sicher zur Ehre für ihn, aber nicht zum Nutzen für eine Verhandlung über die allgemeine Zeitlage. Auf der Bahn fahre ich mit einem der Herren, die den undankbaren Beruf haben, von der Kanzleistube aus einen großen Sprengel verwalten zu müssen. Da mit mir über Akten und Berichte schlechterdings kein vernünftiges Wort zu verhandeln ist, so kommen wir notgedrungen auf die Zeit= verhältnisse zu sprechen. Der ergraute ehrwürdige Herr nimmt die Sache schon ernst, denn seine langen Erfahrungen in einer so aus= gedehnten Diözese sind nicht immer die angenehmsten. Namentlich machen ihm die Städte, die öffentliche Sittlichkeit und die Schulen tiefe Sorgen. Gleichwohl kann doch auch er nicht glauben, daß zu

---

[1]) Dieses Unternehmen erscheint gleichzeitig französisch (Les Documents du Progrès. Paris, Felix Alcan), englisch (The international Review of the Worlds Progress. London, Fisher-Unwin) und deutsch (Dokumente des Fort= schritts. Berlin, Georg Reimer) unter der Leitung von Rudolf Broda in Paris. Die hier besprochenen Abhandlungen bilden das 4. Heft des ersten Jahrganges vom März 1908.

Befürchtungen eigentlich Grund vorhanden sei. In unserer Diözese
wenigstens, sagt er, blüht das Vereinsleben, daß es nicht besser stehen
könnte. Im abgelaufenen Jahr haben wir an fünfzig Kirchen restau-
riert, fast ebenso viele Bruderschaften neu eingeführt, überall hält
man Missionen, und welche Summen unsere Bauern und Dienstboten
für kirchliche Zwecke, für Wohltätigkeitsanstalten und für den Mis-
sionsverein geben, das ist geradezu staunenswert. Wo die Dinge so
stehen, da kann uns Gott nicht verlassen. Beiderseits mit Trost und
neuer Hoffnung erfüllt, nehmen wir voneinander Abschied. Hinterher
finde ich allerdings, daß wir damit von unserem Thema ziemlich ab-
gekommen sind. Nun fügt es sich, daß ein gelehrter Herr, ein Mann
des Wortes und der Feder, ein Meister der Gottesweisheit, sich zu
mir gesellt. Es dauert nicht lange, so kommt das Gespräch auf die
Enzyklika und die Tätigkeit Pius X. und auf den leidigen Modernismus. Zu meiner größten Genugtuung erweist sich mein Herr
Professor als abgesagter Feind aller und jener Unruhestifter, denn er ist
grundsätzlich gegen jedes Extrem, sei es nach rechts, sei es nach links.
„Ja, es war hoch an der Zeit, daß der Papst den Strudelköpfen in
Frankreich und Italien den Kopf gewaschen hat, denn diese hätten
zuletzt jeden in Verdacht gebracht, der nur ein wenig seine eigenen
Gedanken zu hegen wagt und nicht gerade nach der Pfeife der Scholastik zu tanzen gedenkt. Aber bei uns hat das alles nichts zu bedeuten, denn bei uns gibt es solche Ausschreitungen nicht. Ueberhaupt stehen die Dinge nicht so arg. Man muß halt nicht überall
den Maßstab des Mittelalters anlegen. Mag sein, daß manche nicht
gerade kirchlich sind, Religion haben sie ja doch. Selbst meine Kollegen an der Universität, wenn sie schon nicht alle das Christentum
üben, gehen doch mit mir ganz erträglich um. Man muß halt auch
mit ihnen umzugehen wissen." Damit sind wir wieder am Ende
unserer Verhandlung angelangt, wenn es nicht auf Streit und Ver-
drießlichkeit ankommen soll, und darauf ist es nicht angelegt.

Immer und überall diese Einschränkung auf das jedem persönlich zunächstliegende Gebiet, sei es nun enger oder weiter, und
daher die Unfähigkeit, über die Lage der Dinge ein vollgiltiges Urteil
abzugeben. Und das gilt nicht bloß für die, denen die Erhaltung des
Guten am Herzen liegt, sondern auch von jenen, die nicht genug von
neuen Aufgaben zu reden wissen. Welch engen Gesichtskreis umfaßt
nun z. B. und mit welch kleinlichen Waffen kämpft die mit solchem

Selbstbewußtsein auftretende Schrift „Inderbewegung und Kultur=
gesellschaft"! Und auch die Herren Modernisten und Reformer haben
nicht viel Grund, ihren Gegnern hierüber Vorwürfe zu machen.
Nehmen wir die kleine Broschüre „A Pio X." und das „Programma
dei Modernisti" aus, zwei Erzeugnisse, die einen weiten Gesichtskreis
zu überblicken wenigstens bestrebt sind, so fällt uns im Augenblick
kein weiteres Erzeugnis aus diesen Kreisen ein, das dieselbe Aner=
kennung verdient. Loisy, einst ein Mann von allumfassendem Blick,
ist vollständig in sich selbst zusammengeschrumpft. Und Tyrrell, der
es mit großen Worten so hoch treibt, ist weit davon entfernt, die
Universalität zu besitzen, die er wahrscheinlich zu besitzen vermeint.
Daher kommt es ja eben, daß nicht wenige aus diesen Kreisen so
unbefangen mit ihrer Kritik und mit ihren Vorschlägen in die Welt
hinaus und vor das Haupt der Kirche treten. Hätten sie eine Ahnung
von der wirklichen Lage, wüßten sie, wie viel Brennstoff angehäuft
liegt, wie groß, wie allgemein, wie naheliegend die Gefahr des voll=
ständigen Abfalles ist, wie schwach das Licht des Glaubens in den
großen Massen flackert, wie wenig dazu gehört, um die Wankenden
zum Fall zu bringen, gewiß, sie würden vorsichtiger handeln, und
würden es der Kirche weniger verdenken, daß sie unruhig über Dinge
wird, denen sie durchaus keine so große Bedeutung abzugewinnen
wissen. Die Kirche kennt eben die allgemeine Lage, und sie weiß,
wie sehr auf dem geistigen Gebiet alles zusammenhängt und in=
einander greift, Wissenschaft und Leben, Philosophie und Glauben,
Literatur, Kunst und Sittlichkeit, gesellschaftliche und kirchliche Tä=
tigkeit. Demgemäß kann es für den, der die Zeit verstehen und auf
die Zeit einwirken will, gar nicht gleichgiltig sein, ob er wisse oder
nicht wisse, was in den Hörsälen der Theologie zu Berlin vorge=
tragen wird, was im Schoß des Judentums vorgeht, was die Uni=
tarier in Boston oder die Theosophisten in Madras tun, und nicht
einmal, was Männer wie Böthlink, Hoensbroch und Horneffer
poltern. Sagt mir einer, ich werde hoffentlich nicht glauben, daß sich
die Welt um die barocken Ideen kümmere, die ein Philosoph auf
dem Katheder loslasse, so gebe ich ihm schon recht, so weit es sich
um das Wort kümmern handelt, bedaure ihn aber, daß er nicht
faßt, wie oft sich die Welt solchen philosophischen Ideen fügt, von
denen sie keine Ahnung hat. Und macht er sich damit groß, daß er
gleich Döllinger die Freimaurerei als eine Anstalt für gut Essen er=

klärt, so mag er neunundneunzigmal mit allem Grund die zurück=
weisen, die für alle Uebel nur zwei Ursachen kennen, den Satan und
die Freimaurer, und wird doch das hundertstemal gerade in der ent=
scheidendsten Frage den größten Irrtum begehen, weil er den Einfluß
der geheimen Sekten und der geheimen und der offenen Cliquen auf
den Gang der Dinge nicht in Rechnung zieht.

Auch in diesen Stücken könnten wir von unseren Gegnern viel
lernen. Sie lassen gewiß keine, auch nicht die kleinste Gelegenheit
unbenützt, bei der sie ihre Zwecke fördern können. Und je mehr sie
im Einzelnen gewinnen, desto mehr suchen sie dann einen Ueberblick
über die religiöse Weltlage zu gewinnen, um dann mit verdoppeltem
Eifer den Kampf fortzusetzen und den großen Massen sagen zu können:
Soweit sind wir bereits, nur voran, es fehlt nicht mehr viel zum
vollständigen Sieg! Nach beiden Seiten hin dürften wir sie zum
Vorbild nehmen. Was ihnen Mut zum verdoppelten Angriff gibt,
das sollte uns zum größeren Eifer im Verteidigungskampf ermuntern.

Doch gehen wir auf die Untersuchungen selber ein, die zu diesen
Erwägungen Anlaß boten. Da finden wir nun aber in den genannten
„Dokumenten des Fortschritts", wie man sich auszudrücken pflegt,
eine höchst gemischte Gesellschaft unter einem Dach versammelt. Was
jeden am meisten verwundern wird, das ist die Entdeckung, daß hier
zwischen Juden und Heiden, umgeben von Männern wie Gorki,
Hoensbroech, Bruno Wille, Göhre auch ein katholischer Geist=
licher auftritt, kein Geringerer als Abbé Naudet. Schon die Tat=
sache, daß er sich hiezu hergibt, muß uns mit tiefem Staunen er=
füllen, ganz abgesehen von den Nebenumständen, die sein Auftreten
in so grelles Licht stellen, und von dem Inhalt seiner Darstel=
lung selber.

Man sollte meinen, schon die Vorsicht und die Klugheit sollte
einen katholischen Schriftsteller abhalten, sich an einem derartigen
Unternehmen zu beteiligen. Wir haben auch in Deutschland verschie=
dene Beispiele erlebt, bei denen hinterher den Teilnehmern zu ihrer
großen Enttäuschung — wir hoffen es wenigstens — klar geworden
ist, daß sie unter dem Schein der Unparteilichkeit zur Förderung von
sehr bedenklichen und bedauerlichen Zwecken beigezogen wurden. Dann
aber auch die Rücksicht auf die eigene Ehre. Es heißt doch nur sich
selber täuschen, wenn man sagt, es sei eine Ehre für die katholische
Sache, wenn ihre Vertreter eingeladen werden, in freisinnigen Or=

ganen ihre Ansichten niederzulegen. Die Antwort hierauf wollen wir
lieber unterdrücken. Wir stellen nur die Frage, ob es auch eine Ehre
sei eben für jene Vertreter, die man dort hiefür auswählte? Warum
wenden sich denn die jetzt beliebten allgemeinen Umfragen, warum
wenden sich die Internationale Wochenschrift und das Türmerjahrbuch (jetzt führt es den Titel „Am Webstuhl der Zeit") und der
Tag und der Rinnovamento und die „Dokumente des Fortschritts"
nicht an Männer wie Bardenhewer, Heiner, Braig, Commer und
P. Hurter? Kann man von diesen auch nicht erfahren, was katholisch ist
und wie es um die Kirche steht? Sind dazu Murri, Semeria,
Minocchi, Schnitzer, Kennerknecht, Turmel und Naudet besser oder
gar allein geeignet? Warum müssen es denn gerade ausschließlich
Männer sein wie die eben genannten? Es ist unnötig, daß wir eine
Antwort darauf geben, die bloßen Tatsachen geben schon selber Antwort. Die Inquisition sah sich genötigt, dem jahrelang in Frankreich
gegen die Justice sociale von Naudet und gegen die Vie catholique
von Dabry geführten Kampf durch die Unterdrückung der beiden
Zeitschriften und durch Androhung der Suspension gegen die Herausgeber ein Ende zu machen. Das geschah am 13. Februar 1908. Der
eine wie der andere erklärte seine Unterwerfung. Das war gut und
nachahmungswert. Minder lobenswert ist es, daß der nämliche Abbé
Naudet unmittelbar darauf zu einem dem Einfluß der Kirche ent-
rückten Unternehmen überging. Am allerwenigsten kann man es
billigen, daß er dort über die Lage der katholischen Sache in der
Weise spricht, wie es ihm gefallen hat. Er jubelt darüber, daß der
„Klerikalismus", das Werk der Ungeschicklichkeit, dem Aussterben
nahe sei. Unter den „Katholiken" — das sind die, die sich unter die
Fahne von Naudet, Sangnier, Lemire und Dabry stellen — mehrten
sich erfreulicherweise die Geister, die den „Köhlerglauben" nicht mehr
als Brot für den Hunger der Zeit gelten lassen wollten, allem
Klatschen der „Gevatterinnen" zum Trotz. Insbesondere habe der junge
Klerus die Brücken hinter sich abgebrochen; an eine Umkehr sei nicht
mehr zu denken. Dagegen wollten sie, nämlich die unbefangenen
Geister, die allein die Zeit verstünden, Brücken bauen hinüber zu
denen, „die nicht unsere christlichen Anschauungen teilen". Wie aufrichtig es ihnen um einen Ausgleich mit diesen zu tun sei, das möge
man daraus entnehmen, daß sie kein Bedenken trügen zu gestehen,
sie betrachteten gerade den Mißkredit, in den die Theologie und die

Theologen geraten sind, als ein Zeichen des Fortschreitens — und
nicht als das einzige. Dies ein paar von den Hauptgedanken der
merkwürdigen Berichterstattung über die religiöse Lage in Frankreich.

Es wird keiner lebhaften Phantasie bedürfen, um die richtige
Antwort auf die Frage zu finden, warum ein solcher Mann zum
Vortrag über die katholische Kirche ausersehen worden ist. Es ist
auch ebenso leicht einzusehen, welchen Eindruck seine Stimmabgabe
in den Kreisen der Gegner hervorrufen muß. Wir verlieren darüber
weiter kein Wort.

Sonst beschäftigt sich die vorliegende Sammlung mit der katholischen Kirche im Einzelnen nicht weiter. Nur zum Schluß bespricht
Duprat mit wenigen Worten die schon genannte Broschüre „Programma
dei Modernisti", um zu zeigen, daß es auch in Italien bedeutend
gährt. Mit Recht legt er dieser Broschüre eine große Bedeutung bei,
nur wird er dieser nicht gerecht, da er augenscheinlich die Tragweite
der hier behandelten Fragen nicht faßt. Unseres Wissens gibt es
kaum eine Schrift, die so geschickt, freilich auch so verhängnisvoll die
tiefsten Gedanken des sogenannten Modernismus darstellt. Wo diese
Broschüre als Programm gilt, dort hat der katholische Glaube seine
letzte Wurzel und den letzten Rest von Inhalt verloren. Leider ist
sie nicht bloß in Italien als Programm aufgestellt, sondern auch in
Frankreich, Deutschland und England durch Uebersetzungen eingebürgert
worden. Das gibt ihr eine weit über ihr Vaterland hinausreichende
Wichtigkeit[1]) und zeigt, wie weit ihre Ideen Anklang finden, und
bis zu welchem Grade diese ihre auflösenden Wirkungen äußern.

Ob es Zufall, ob es Absicht ist, daß der Aufsatz von Naudet
zwischen zwei Aufsätze von Maxim Gorki und von Hoensbroech ein-
geschoben ist, läßt sich natürlich nicht feststellen. Genug, unmittelbar
vor Naudet kommt Gorki zur Sprache, und er verkündigt in begeisterten Worten, daß wir am Vorabend der universellen Wiedergeburt der Volksmassen stehen, weil die drei Schlupfwinkel des „Spieß-
bürgertums" nun endlich zerstört sind, der Zynismus, die Metaphysik
und — Gott. Und unmittelbar nach Naudet meldet sich Hoensbroech
zum Wort und erklärt unter grimmigem Spott über Ehrhard und
über Pius X. die katholische Kirche für ein Leichenfeld, nicht ohne
Regierung, Parlament und Presse der Mitschuld anzuklagen. Naudet
kann sich über diese Zusammenstellung nicht beklagen und wird es

---

[1]) Ueber ihren Inhalt wird der nächste Artikel berichten.

auch nicht tun, denn er rühmt ja gerade das als ein Zeichen des
Fortschritts, daß er in einer solchen Zeitschrift neben Männern von
so ganz verschiedener Richtung seinen Namen nennen kann, was noch
vor zehn Jahren, wie er sagt, nicht wäre möglich gewesen.

Vom Protestantismus ist in diesem Heft keine Rede, da
über ihn schon in einem früheren durch Martin Rade, den Heraus=
geber der radikalen „Christlichen Welt", berichtet worden war. Dann
kommt der Sozialismus an die Reihe. Ueber ihn spricht Paul
Göhre, protestantischer Expfarrer und sozialdemokratischer Exabgeord=
neter. Für ihn liegt die Bedeutung des Sozialismus darin, daß er
einer gereinigten und weiterentwickelten Religion der Zukunft die
Bahn frei macht. Menschen, die selber ein religiöses Bedürfnis haben,
gebe es ja nur sehr wenige. Die meisten fügten sich nur dem äußern
Zwang zur Religion. Je mehr dieser hinwegfalle, desto mehr würden
die Massen frei für etwas Höheres. So sei der Sozialismus der
Fels, auf dem die Kirche der Zukunft entstehen werde.

Wie diese aussehen werde, darüber sind die Meinungen geteilt.
Darüber sind alle einig, daß die geistige Weltherrschaft des
positiven Christentums gebrochen sei, und daß keine Macht
diese wieder herstellen könne. Etwas brauche aber die Menschheit,
um es an die Stelle des überwundenen Christentums zu setzen.
Dafür erachtet Ernst Broda die Entwicklungslehre als geeignet,
und Delbet den mit ihr blutsverwandten Positivismus. Beide
sehen in der allgemeinen Herrschaft, die sich diese Geistesrichtung be=
reits erworben hat, eine glückverheißende Aussicht in die Zukunft.
Am allermeisten Anwartschaft auf den allgemeinen Sieg hat aber
der Mehrzahl zufolge das Freidenkertum. Die zahlreichen Artikel,
die diesem und seinen verschiedenen Abstufungen und Hilfsgesell=
schaften gewidmet sind, verdienen die höchste Aufmerksamkeit aller
derer, die ein Interesse daran haben, die Zeichen der Zeit zu deuten.
Selbstverständlich beanspruchen Bruno Wille für Deutschland und
Mc. Cabe, der ehemalige Franziskaner, für England schon um ihres
Namens und ihrer Tätigkeit willen hiebei die meiste Beachtung.
Daneben finden wir Abhandlungen über dieselben oder verwandte
Richtungen in Amerika, in Australien, in Frankreich, im freien Juden=
tum. Die Gestalt, die sich das Freidenkertum unter den Juden ge=
geben hat, muß ganz besonders beachtet werden. Denn hier ist es
ihm gelungen, für den Nihilismus biblische Formen und biblische

Ausdrücke zu finden, so daß davon selbst solche berückt werden können, die doch nicht gerade alle Erinnerungen an die alte Religion wegwerfen wollen. Das deutsche Freidenkertum lenkt ebenfalls unsere ganze Achtsamkeit auf sich, da es nunmehr gelungen ist, durch das Weimarer Kartell alle bisher getrennten Gesellschaften — darunter die für ethische Kultur und den Monistenbund — zu einer geschlossenen Vereinigung aneinanderzugliedern und zur gemeinsamen Tätigkeit nach einem festgesetzten Programm anzuleiten. Es ist unschwer einzusehen, daß dadurch deren Einfluß bedeutend verstärkt werden muß, wenn diese Verbindung Bestand behält, wozu übrigens glücklicherweise nicht allzu große Aussicht besteht.

Ueberall Neuerung, überall Versuche, die alten Formen und Formeln zu sprengen, überall Modernismus, das ist das allgemein gleiche Kennzeichen der Zeit, wohin wir unseren Blick wenden. Auch in Siam und in Japan, ja in Tibet finden wir Ansätze zu einem Reform-Buddhismus. Sogar in der griechischen Kirche und in der Türkei reckt die Reformerei ihre Fühlhörner, sehr vorsichtig und bescheiden zwar, aber schon das ist ein Ereignis. Darum stimmen all die verschiedenen Berichterstatter zuletzt in dem Ausruf zusammen: „Das religiöse Bedürfnis ist noch immer in der Seele des Menschen lebendig. Es sucht sich nicht bloß nach außen neue Gestaltungen, sondern auch innerlich einen neuen Geist. Das alles erfüllt den Menschenfreund mit Freude und mit Trost und mit großer Sehnsucht nach Erschaffung neuer Formen für eine neue Kultur."

Auf Grund all dieser verschiedenen Einzeldarstellungen versucht es der Herausgeber des Unternehmens, eine gedrängte Zusammenfassung der gegenwärtigen religiösen Weltlage zu geben. Es ist schon bedeutsam, daß er dieser die Ueberschrift gibt: Die religiöse Weltkrise. Auf ihn hat das alles den Eindruck gemacht, daß das charakteristische Unterscheidungsmerkmal und eines der bedeutungsvollsten Momente für die gegenwärtige Kulturepoche der Menschheit die religiöse Krise sei, durch die alle hauptsächlichsten Kulturvölker der Gegenwart hindurchgingen. Noch nie in der Geschichte der Menschheit seien derart alle religiösen Mächte ins Wanken gekommen. Die Gründe hiefür sucht er in dem Geist, den das Studium der Naturwissenschaften, der Betrieb des vergleichenden Religionsstudiums, und insbesondere der autoritätsfeindliche Zug des modernen Geschlechtes großgezogen habe, ein Geist, den er zu allermeist gerade in der Arbeiterschaft ausgebildet glaubt. Soweit seine allgemeine Ueberzeugung.

Folgen wir ihm ein wenig in der weiteren Ausführung seiner Darstellung. In den romanischen Ländern habe sich ein großer Teil der Gebildeten von der katholischen Kirche getrennt. Frankreich, so behauptet er, kann bereits heute kaum mehr als ein christliches Land gelten; Italien und im weiteren Abstand Spanien und Südamerika folgen — wir geben die Worte von Rudolf Broda wieder, wie sie lauten. Auch die germanischen und die slavischen Völker, so fährt er fort, sind in ihren gebildeten Schichten überwiegend zum Agnostizismus übergegangen. Von allen Gliedern der weißen Rasse hätten noch die Anglosachsen in England, Amerika, Südafrika und Australien dem Christentum am meisten Macht über das geistige Leben bewahrt; doch seien selbst bei ihnen so viele moderne Einflüsse tätig, daß man von einer völligen Umwertung aller religiösen Werte auch bei den Anglosachsen reden müsse. Die religiöse Krise habe sogar im Schoße der asiatischen Kulturvölker begonnen. Die Gebildeten in Japan seien der Mehrzahl nach zur agnostischen Weltanschauung übergegangen. In Persien sucht der Behaismus[1] das Beste aus allen Religionen zu sammeln, in Indien lehnt sich die Reform der Brahma-Samadsch[2] an die Unitarier, die liberalste Richtung im Christentum an, im Islam, im Buddhismus, im Brahmanismus bilden sich neue freireligiöse Gemeinden. Dazu kommt der Theosophismus,[3] der von Indien aus die christlichen Länder missioniert.

Dann wendet er sich zur katholischen Kirche im besondern und betrachtet jene „Strömungen, welche die Versöhnung ihrer Dogmen mit moderner Wissenschaft und Kultur anstreben". Hier glaubt er zwei Tatsachen von allgemeiner Bedeutung feststellen zu müssen. Wo konservative Kirchen, wie die griechische und die katholische, den Weg zu einer innerlichen Umwandlung versperren, dort wende sich die fortschrittliche Entwickelung mehr zur Ausbildung des Freidenkertums. „In Ländern mit noch lebenskräftiger religiöser Kultur" dagegen beschränke sich „der große Wahrheitsimperativ" darauf, im

---

[1] Der Behaismus ist eine Abart oder Weiterbildung des Babismus. S. Orelli, Allgemeine Religionsgeschichte 388; Religious Systems of the World[6], 333 ff. — [2] Orelli 523 ff. Religious Systems, 124. — [3] Religious Systems 640 ff. Religiöse Gefahr. 124 ff.

„Schoß der bestehenden Religionen selber eine Fortentwickelung in der Richtung zur wissenschaftlichen Weltauffassung zu bewirken". In einfältige Sprache umgesetzt, will das sagen, daß die Vertreter des modernen Geistes dort, wo ihnen ein festes kirchliches Gefüge unüberschreitbare Schranken setzt, gezwungen sind, aus der Kirche selbst auszuscheiden, während dieser Geist in religiösen Genossenschaften, die keine Bindung durch eine kirchliche Autorität kennen, seine Tätigkeit ungestört im Innern entwickeln kann, ohne einen deshalb zum Austritt aus der Gemeinschaft zu nötigen. Das schließt aber nicht aus, daß der Geist des Modernismus gleichwohl versucht, auch im Schoß der katholischen Kirche selber eine Wirksamkeit zu äußern. Und hier möchte Rudolf Broda eine zweite Tatsache hervorheben. Doch gelingt es ihm nicht recht, sie in bündige und deutliche Worte zu fassen. Er will offenbar sagen, daß dort, wo das Zusammenleben mit nichtkatholischen Kreisen unter den Katholiken selber schon seit langem eine mehr oder minder umfassende Annäherung an die moderne Denkweise mit sich gebracht hat, das Eindringen des Modernismus nicht so heftige Wirkungen und so auffallende Erscheinungen zu Tage fördert wie in Ländern, die bisher von der Berührung mit den Keimen der Gährung und der Zersetzung im ganzen ferngehalten waren. Deshalb sagt er, daß sich in jenen Ländern, in denen protestantische Sekten so gut wie gänzlich fehlen, jede „freiere religiöse Stimmung" notwendig zuerst im Innern der Kirche zur Geltung bringe. Da stehe Italien in erster Reihe; dessen „lebensvolle modernistische Strömung lasse sich durch keine Enzyklifen des Papstes ersticken". In Frankreich herrsche zwar auch „edler Enthusiasmus" für diese Bestrebungen, doch biete der völlige Abfall so vieler fortschrittlicher Elemente schon nicht mehr so günstigen Boden dafür. Die fortschrittlichen Katholiken Deutschlands seien zwar im Wesen gleichgerichtet, jedoch vorsichtiger. In Amerika mit seiner fortschrittlichreligiösen Gesamtstimmung hätten die katholischen Gemeinden — es ist Broda, der das behauptet — offen die Leitsätze moderner Wissenschaft, so die Entwickelungslehre, angenommen.

Endlich geht er auf den Protestantismus ein. In Deutschland und in Frankreich sei dieser durchaus liberal, in Amerika werde das historische Christentum zu einer modernen Sozial- und Morallehre, Dogmen und religiöse Geschichtsberichte zu leeren Erbauungslegenden. Die äußerste Linke sowohl hier wie in England setze alle kirchlichen

Dogmen und positiven Glaubensjätze bei Seite und schließe sich der
sogenannten ethischen Bewegung an. Das große Unheil sei, daß man
sich dort zu sehr dem leeren Utilitarismus ergebe, während die Freidenker
in Deutschland und in Australien doch noch anerkennen, daß „die
Schaffung seelischer Weihestimmungen wesentliche Daseinszwecke der
Religion" seien.

„Von ganz anderer Seite kommend vermittle der Sozialismus
den Arbeitermassen neue Lebens= und Zukunftsideale", lasse sie die
drückende Enge des eigenen individuellen Daseins über der Hingabe
an die Massenbewegung vergessen, und flöße ihnen „neue psychische
Werte" ein, die den religiösen nahe verwandt seien.

Alles in allem gerechnet dränge der Universalismus am meisten,
zunächst in Amerika, zur Schaffung einer „höheren Einheit" aus all
den großen Kulturreligionen; der geistige Besitz aller Völker soll zu
dieser neuen Weltreligion beitragen. Auch in Deutschland wollen
sich die agnostischen Kreise, die sich der Notwendigkeit religiöser Werte
für unser Geistesleben nicht verschließen, der „bewußten Neubildung
religiöser Stimmungen" widmen. Das bezwecke besonders der Kepler=
bund. Dieselben Absichten hätten in Frankreich zur Vereinigung der
Freidenker und der Freireligiösen geführt. Die ethischen Gesellschaften
in England und in Amerika strebten auf das gleiche Ziel hin und
so auch der deutsche Monistenbund. Gerade der Agnostizismus
dränge immer mehr zur Begründung einer neuen religiösen Welt=
anschauung auf Grundlage naturwissenschaftlicher Erkenntnis und „so=
zialer Imperative". Von allen Seiten gehe das gleiche Streben auf
das gleiche Ergebnis hin. „Und so möge die Zeit kommen, da eine
neue Weltreligion aus den Trümmern der alten Glaubens=
systeme emporwachse" und in höherer Synthese die reli=
giöse Weltkrise beendige.

Wir haben uns bemüht, den Inhalt all dieser Ausführungen
so kurz und so deutlich als möglich zusammenzufassen. Es ist sicher
begreiflich und leicht verzeihlich, daß uns selber hiebei auch ein per=
sönliches Interesse leitete. Wir wollten diese Darstellung mit un=
serer eigenen vergleichen und die Richtigkeit oder die Unrichtigkeit der
unsrigen durch die Gegenüberstellung dieser prüfen. Im Ganzen, so
glauben wir sagen zu dürfen, finden wir an unserer früheren Dar=
stellung auch jetzt nicht viel zu ändern, einzelne untergeordnete Aeußer=
lichkeiten abgerechnet. So schlimm, wie hier die Dinge geschildert

sind, können wir auch jetzt nicht alles erklären. Daß sie aber ge=
eignet sind, ernste Besorgnisse hervorzurufen, und daß sie allen An=
spruch darauf haben, die Beachtung ernster Geister zu erregen, das
meinen wir jetzt mit doppeltem Nachdruck sagen zu müssen.

Deshalb geben wir uns der zuversichtlichen Hoffnung hin, daß
diese neue Abrechnung besseres Entgegenkommen finden werde, als
die von uns angestellte. Wir selber haben nur erst von religiöser
Gefahr gesprochen. Diese Männer reden von einer religiösen Welt=
krise, und halten diese bereits für soweit fortgeschritten, daß sie zur
Auflösung der alten und zur Bildung einer neuen Religion führen
müsse. Wenn dem wirklich so wäre, dann hätten wir freilich die Zeit
versäumt und könnten höchstens noch einige vergessene Reste retten.
Wir können nicht glauben, daß die Auflösung bereits so weit ge=
diehen sei, und halten deshalb die Festigkeit, mit der die Gegner des
Christentums den Sieg des Antichristentums prophezeien, für über=
trieben und für Selbsttäuschung. Das aber wollen wir nicht ver=
hehlen, daß die Lage bedenklich ist. Wenn sogar die, denen die Ver=
teidigung der Wahrheit von Berufswegen auferlegt ist, die Warnung
vor der religiösen Gefahr mit Verachtung oder gar mit Hohn ab=
lehnen, dann könnte es allerdings kommen, daß die Gefahr zur Krise
werde. Gott möge uns helfen, daß dies verhütet werde.

P. J. M. L. Monsabré, Ord. Praed.
ein Kanzelredner und Apologet Frankreichs.
Von A. Donders in Münster, Westfalen.

Am 22. Februar 1907 verschied zu Le Havre (in Nordfrank=
reich) einer der Größten und Edelsten unter den führenden Geistern
der Kirche Frankreichs, der Dominikaner P. Monsabré. Mitten in
den Wirren des Kulturkampfes, der an seinem Leben zehrte und tief=
dunkle Schatten über die Tage seines Alters legte, endete sein Wirken
für das Reich Gottes, das mehr als ein halbes Jahrhundert um=
faßte. Ueber 20 Jahre lang hatte er auf der ersten Kanzel seines
Landes gestanden, und von der Notre Dame zu Paris war sein
mächtiges, majestätisches Wort weit hinausgegangen, um das wankende
Glaubensleben wieder zu festigen und die Irrenden zurückzurufen.
In diesem Dienste des kirchlichen Lehramtes hat sich seine Kraft
verzehrt, und nun ist sein Licht erloschen. Er war der erste und be=
deutendste Kanzelredner Frankreichs im vorigen Jahrhundert nach
und neben P. Lacordaire. Längst ist sein Name auch bei uns in
Deutschland bekannt geworden, freilich nicht soviel, als er es verdient

hätte. In seinem Vaterlande aber hat er seinen Platz unter den glänzendsten Apologeten des Christentums und der Kirche. Die öffentlichen Blätter haben wiederholt eingehende Charakteristiken seines Wirkens und Redens gebracht. Mit hoher Feierlichkeit beging man 1901 sein 50jähriges Priesterjubiläum, und im letzten Mai feierte der Greis einsam und still den 50. Jahrestag seiner Ordensprofeß: Ein herber Schmerz, daß sein teures Kloster zu Le Havre, in dem er mehreremale Prior gewesen, dem Orden durch eiserne Gewalt genommen war, ließ keine ungetrübte Freude aufkommen. Der müde Greis bereitete sich zum Abschied von der Erde. Er nahte schneller, als seine Freunde gedacht. Seine letzten Lebenswochen waren noch der treuen Arbeit gewidmet, und nun überlebt ihn sein Werk.

Mit den ersten Jahren des öffentlichen Auftretens P. Monsabrés ist der Name Lacordaire unzertrennlich verknüpft. Zur Zeit, als P. Lacordaire sein glorreiches Apostolat beendete, um sich in die Verborgenheit der Schule von Sorèze in Südfrankreich zurückzuziehen, die ihm nach seinen eigenen Worten „Erquickung, Grabstätte und Heimat" bieten sollte, klagte einer seiner Biographen, daß nun die Kanzel von Notre Dame verwitwet sei; sie beweinte einen geistesgewaltigen Streiter, einen Helden, einen Prediger von Gottes Gnaden, der sie kühn „ma grande patrie" genannt und mit einem Glanze der Beredsamkeit umgeben hatte, wie sie vielleicht auf Jahrhunderte im Gottesreich in solcher Pracht nicht mehr wiederkehren wird. Wie aber der Tod stets mit scharfer Sichel niedermäht, so füllt die Kirche die durch ihn gerissenen Lücken allzeit wieder aus: ihre Fruchtbarkeit ist so unerschöpflich, wie ihre Liebe. An der Seite des Soldaten, der fällt, erheben sich bald andere, um den Kampf fortzusetzen und zu siegen. Die göttliche Vorsehung sorgte.

P. Monsabré hatte sich bereits am Tage nach seiner Priesterweihe zu Blois 1851 entschlossen, in den erst seit kurzem in Frankreich wieder eingeführten Dominikaner-Orden einzutreten. Aber sein Bischof ließ ihn einstweilen nicht ohne weiteres ziehen. Vier Jahre mußte er warten; es war eine ruhige Zeit der Pastoration und des Unterrichtes. Dann schrieb er wieder an P. Lacordaire, erwirkte sich die Erlaubnis zum Eintritt und wurde freudigst aufgenommen.

Die Jahre des Noviziates zu Flavigny und der friedlichen Studien zu Chalais zählte er zeitlebens zu seinen beglückendsten Erinnerungen. Dort legte er den Grund zum späteren Dombau thomistischer Theologie und Philosophie, wie er ihn in seinen Conférences herrlich errichtet hat. Ist es immer von hohem Interesse, den Stromlauf eines mächtigen Geisteslebens bis zu den Quellen hinauf zu verfolgen, so überraschen und erfreuen auch hier die bescheidenen Anfänge.

Der junge Mönch im altehrwürdigen Habit des heiligen Dominikus, der in seinen Falten viel herrliche Erinnerungen trug, begann seine Mission, nachdem er sich durch anhaltende Studien, Gebet, Meditation und Nachtwachen vorbereitet hatte, mit einem Fastenzyklus zu Lyon im Jahre 1857. Dieses erste Auftreten begründete bereits seinen späteren Ruf. Einige Zeit nachher wurde er beauftragt, den Studenten von Sorèze Exerzitien zu geben, denen Lacordaire anwohnte. Bei ihrem Schluß erhob sich der Meister und sprach: „Meine lieben Freunde, es ist nicht nötig, Euch den Prediger noch zu loben: ich bin stolz auf ihn, je suis fier de lui." Es war vier Jahre vor dem Tode Lacordaires: damals werden beide es nicht geahnt haben, daß der junge feurige Prediger zwölf Jahre später das Schwert Lacordaires aufzuheben berufen würde. Nie hat er sich dem Gedanken an jenen großen Vater und Lehrer entzogen: ihm hat er die ersten Blätter seiner Konferenzen gewidmet, und auf ihnen befiehlt er pietätvoll das ganze Werk in seinen Schutz: „Du, der Du unter den Steinen zu Sorèze den letzten Schlummer schläfst, mein teurer Vater, Du lebst in meiner ehrfurchtsvollen, unvergänglichen Liebe. Hätte Dich der Tod nicht allzufrüh dieser Erde entrissen, die noch vom Andenken an Deine Beredsamkeit und Deine Tugenden ganz erfüllt ist, dann hätte ich Dir diese meine Reden gewidmet. Nimm auch jetzt sie an, meine Huldigung für Dich, und segne sie. Von dem Wohnsitz der Religion herab, wo Du jetzt das Licht im Lichte selbst schaust, da vermagst Du es noch mehr, sie zu segnen, als in diesem Tränentale. Wer immer mein Werk liest, wird sehen, wie klein ich bin, und wie groß Du warst. So habe ich wenigstens das Glück, zu Deinem Ruhme etwas getan zu haben, da ich arbeitete zur Ehre unseres gemeinsamen Vaters." (Introduktion I, p. XVI.)

Das Werk, von dem er hier redet, ist der ganz unscheinbare Anfang seines Lebenswerkes. Aehnlich wie der Meister selbst 25 Jahre früher im Collège Stanislas seine Konferenzen vor jungen Studenten gehalten, begann auch P. Monsabré in der kleinen bescheidenen Kirche „des Carmes" jenes Apostolat, das vier Jahrzehnte umfassen sollte: es ging von der Kirche aus, die so viele und kostbare Erinnerungen an die Jahre Lacordaires birgt. „Im Jahre 1857, zu Beginn des Winters, nahm ein teurer Freund mich an die Hand" (es war P. Chocarne, der dort damals Prior war) „und zeigte mir eine kleine Schar junger Leute, welche Unterricht in den Glaubenswahrheiten wünschten. Ich war selber ein Neuling, noch wenig durchgebildet; aber es gibt ja Befehle, die mit soviel Liebenswürdigkeit gegeben werden, daß man sich ihnen auf keine Weise entziehen kann. So gehorchte ich dem liebenswürdigen Ordensobern, dessen kleinste Wünsche mir lieb und teuer waren. Noch sehe ich unsere kleinen Anfänge, am Abend, im Kapitelsaal. Das Feuer flackerte im Herd, eine Lampe verbreitete ihr ruhiges Licht über die 50 aufmerksamen jungen Männer, und ich erklärte ihnen, fast mit zitternder Stimme, das erste Wort des apostolischen Glaubensbekenntnisses, Kredo — ich glaube."

Aus diesen kleinen Konferenzen wuchsen allmählich jene vierzig formvollendeten, geistestiefen Vorträge heraus, die die Vorhalle

zum Dom der Apologie bilden und die Einleitungsfragen, die „prae-
ambula fidei" meisterhaft behandeln. Man sieht den Architekten, der
zum Aufbau seiner großen Ideen das Terrain freilegt und befestigt,
um die ersten Fundamentschichten aufzuführen. Er will hier die Vernunft für den Glauben vorbereiten, ihr die Klippen bezeichnen, die
sie zu umgehen, die Opfer, die sie zu bringen hat, ihre Stelle im
Glaubensakt anweisen, und ihr dann an der Hand der Zeugnisse —
Propheten, Wunder, Weissagungen, Martyrium und Kirche — die
Glaubenspflicht einschärfen. „Mein Plan war einfach: Nach einer
kurzen Einführung wollte ich die katholische Glaubenslehre
nach dem Vorgehen unseres großen Lehrers Thomas von Aquin
darlegen." Das war der ursprüngliche Plan. Aber die Arbeit
wuchs ihm unter der Hand, im Werden, gewaltig an. So blieb er
weit länger, als er gedacht, in der Vorhalle stehen, und die Hauptaufgabe, die Darlegung der einzelnen Dogmen, hatte die Vorsehung
ihm für die Domkanzel von Notre Dame aufgespart. „Das eine
Wort: Kredo rief so viele Fragen wach, daß ich sie notwendig zunächst alle im einzelnen behandeln mußte. Es war eine lange, schwere,
dornenreiche Aufgabe." (Introduktion I, p. XII.)

Jetzt, wo wir wie von einer Bergeshöhe aus den viel verschlungenen Weg dieses „Kredo" überschauen, das nunmehr 22 starke
Bände umfaßt mit 148 „Conférences", will es einen bedünken, es
habe ein ungeheurer Mut dazu gehört, an eine solche, auf Jahrzehnte
sich ausdehnende Arbeit heranzutreten. Jedoch ist es wahrscheinlich,
daß der geniale Apologet sie nicht von vornherein sich in einem
solchen Umfang und auf solche Zeitdauer gedacht hatte, sicherlich
nicht bei jenen kleinen Konferenzen an den Winterabenden von Paris,
wo er inmitten der Weltstadt einige eifrige und begeisterte Studenten
an sein Wort und die Lehre der Kirche fesselte.

Die tiefste Kraft begründete der Mönch schon damals gleich
in seinen Vorträgen dadurch, daß er sie eng an die Lehren des
heiligen Thomas von Aquin anschloß und diesen seinen Predigten zu Grunde legte.

Monsabré hat in einer ganz einzigartigen Weise es gezeigt,
wie sich die Fülle der tiefen und umfassenden Gedankenwelt des
Aquinaten in die Sprache des 19. Jahrhunderts übertragen läßt
und wie sie zu unserer Welt redet. „Wenn dieser Mönch — so
schildert ihn einer seiner Zuhörer, der Graf Platel — vor der
Menge erscheint, dann spricht er weniger von dem, was er gesehen
hat im Leben und auf den Straßen von Paris, als von dem, was
er in seinem Buche gelesen und studiert hat, und dieses sein Buch
ist die ‚Summa' des heiligen Thomas. Er ist in Wahrheit der Mann
eines einzigen Buches, von dem es gilt: ‚Timeo virum unius libri.'"
Wo hätte er zum echten Unterricht im Dogma einen zuverlässigeren
Führer und Berater finden können? „Dank meinem Lehrer," so
sagt er selbst einmal. „Sein teures Wort war stets meinem Ge-

dächtnis gegenwärtig während dieser meiner Vorträge, und seine Lehre hat mir als unbeugsame Regel gedient. Ich empfehle ihn allen denen, die ernste Studien in der Theologie machen wollen. Er ist stark, lichtvoll, tiefsinnig, bewundernswert; er wohnt im Himmel, aber unseren Händen sind seine unvergänglichen Werke geblieben — Thomas von Aquin, der Ruhm und die Zierde unseres Ordens, der Lehrer des göttlichen Lichtes."

Aus dieser Quelle schöpfend, ist P. Monsabré der ausgezeichnete Lehrer, Prediger, Apologet, und fast möchte man sagen, im höchsten und edelsten Sinne der Katechet des gebildeten Frankreich geworden. Aus dieser Quelle schöpfend, konnte er in rastloser Arbeit vieler Jahre das doppelte Werk zustande bringen, das ihn nun überlebt: die lebendigen Reden, die er vor den Tausenden in der Notre Dame mehr als zwei Jahrzehnte hindurch gehalten, sowie alle jene Reden, die ihn und sein Wirken durch ganz Frankreich geführt haben; und dann das Echo dieser Reden und seines apostolischen Arbeitens, wie es aus den stattlichen Reihen der Bände seines geschriebenen Wortes noch weiter spricht. Das alles wuchs aus so leisem und wenig beachtetem Anfang.

P. Lacordaire selbst ist es gewesen, der ihn nach zwei Jahren schon, 1859, für einige Zeit die begonnene und liebgewonnene Arbeit für die Jugend unterbrechen hieß: er glaubte, den geistvollen Prediger mehr auf den Gefilden der eigentlichen „Predigt" in Missionen, Exerzitien, Fasten= und Adventsstationen verwenden zu sollen. Erst 1867 nahm P. Monsabré, nach einer wahrhaft vielseitigen apostolischen Tätigkeit in den verschiedensten Städten des Landes, seine Konferenzen für die jungen Männer an dem Punkte wieder auf, wo er ehedem den Faden im Gehorsam hatte fallen lassen. Außerdem aber predigte er mit nimmermüdem Eifer in den Hauptkirchen von Paris, London, Brüssel, sowie in den größten Städten Frankreichs.

Das Jahr 1869 rief ihn für die Adventzeit zum erstenmale auf die Kanzel von Notre Dame. Er behandelte „das Konzil und Jubiläum": alle Vorzüge seiner späteren Werke finden sich schon hier, Tiefe und Originalität der Gedanken, Klarheit des Aufbaues, Großzügigkeit in der Anlage und Schönheit der hochbegeisterten, oft geradezu hinreißenden Darstellung. Der Eindruck dieses seines ersten Auftretens war so groß, daß er bald danach zum Fastenprediger für Notre Dame berufen und dadurch mit jener Arbeit betraut wurde, die seine Lebensaufgabe werden sollte. Da kam der unheilvolle Krieg. Er hinderte die Ausführung des Planes. Anstatt nach Paris, wurde Monsabré nach Metz gesandt und predigte dort während der Schreckenstage des Krieges. Ehe er nach dessen Beendigung in die Begründung des katholischen Dogmas zu Paris eintrat, wollte er die von den furchtbaren Ereignissen noch so tief erregten Geister durch einleitende Vorträge darauf vorbereiten: „Radicalisme contre Radicalisme" lautete sonderbarerweise sein Thema.

2*

Man möchte darüber staunen: solch ein Titel, und das bei einem Ordensmann? Aber was findet man? Die eindringlichsten Warnungen an das katholische Frankreich, daß es sicher dem Sturze anheimfällt, wenn es nicht ernst darauf sinnt, dem Radikalismus im Bösen die entsprechende Stärke im Radikalismus des Guten entgegenzustellen. Leider ward dieser Ruf eines Propheten nur allzubald und allzusehr zur Wahrheit.

Achtzehn Jahre, in ununterbrochener Folge, konnte P. Monsabré alsdann die Glaubenslehren des Katholizismus, in einer wahrhaft genialen Anlage und Ausführung, darlegen. Die liberalen Blätter zürnten anfänglich dem redegewaltigen Mönch nicht wenig, namentlich in dem Vorwurf, „mit Thomas von Aquin zöge er das Dunkel des Mittelalters wieder auf die Kanzel der Neuzeit, anstatt der Lichtstrahlen, die sie brauche" — eine ganz unbegründete Anklage, da keiner daran zu zweifeln brauchte, daß der Prediger mit glücklichstem Griff jedesmal die Fäden seiner Gedanken in die heutige Zeit und Welt hinüberführen würde. „Er wollte," so sagt der geistvolle Pfarrer Grüter von Ballwyl, der in Luzern vor mehreren Jahren bereits ihn in einem Vortrag lebenswahr schilderte, „das Denkmal theologischer Meisterschaft des 13. Jahrhunderts in unseren Tagen entfalten, das auf den großen Orgeln der Gottesliebe und des Genies gesungene Kredo". Dieser Anschluß an Thomas hat (nach einem Worte Bischof Kepplers) das Schiff des Redners nicht mit Schulweisheit überfrachtet, so daß es in seinen Bewegungen schwerfällig würde und, anstatt in den Strömungen der Gegenwart, vielmehr in den Meeren der Vergangenheit segle; nein, es trägt die Flagge der Gegenwart und kennt sich in deren Gewässern aus; ein frischer oratorischer Hauch weht ihm in die Segel.

Die großen Wahrheiten über „Gott, Weltschöpfung, Sündenfall, Menschwerdung, Erlösung, Kirche, Gnade, Sakramente, Ewiges Leben" werden langsam und konsequent behandelt. Für die Karwoche ging ihnen jedesmal die „Retraite pascale" zur Seite, die sie mehr für das praktisch-religiöse Leben ausmünzte, und die Glaubenswahrheit zum Glaubensleben werden ließ. Dementsprechend sind diese fünf Reden jeder Retraite auch kraftvoller, begeisterter, praktischer als die „Conférences", und P. Monsabré hat es verstanden, mit seinem hochgebildeten Auditorium vor der Osterbeicht und Osterkommunion gründlich „deutsch zu reden". Bei der gemeinsamen Kommunionfeier der Männer, die in der Notre Dame an jedem Ostermorgen stattfand, begrüßte er sie nochmals mit einer kurzen, warmen Ansprache. Dann zog der Prediger sich wieder in die Einsamkeit seines Klosters zu Le Havre zurück. Freilich predigte er auch im Laufe der übrigen Zeit sehr häufig, überall dort, wo man sein mannhaftes, überzeugendes Wort verlangte. Aber lange Monate des Gebetes und Studiums widmete er wieder der gewissenhaftesten Vorbereitung des folgenden Zyklus, um kurz vor Beginn der Fastenzeit wieder nach

Paris in das Kloster der Straße St. Jean de Beauvais zu kommen:
dort ging der gefeierte Mann ein und aus. Der Justizpalast, die
Polizeipräfektur, die Morgue, die Schulen, das große Gefängnis,
die Seine umgaben seine Zelle, in der er die letzte Hand an seine
Manuskripte legte, die bis aufs letzte Wort peinlich genau vorbereitet
waren. Und diese eigenartige Atmosphäre der nächsten Umgebung tat
das ihrige, um seinen Reden erst ganz das Siegel der Neuzeit und
ihres vollen Lebens aufzuprägen.

So bestieg er die Kanzel seines großen Meisters, vor der die
Tausende erwartungsvoll sich drängten. Er zog sie stark zu seinen
Höhen hinauf. Das ganze Auditorium schien zu lesen, indem es
dem Finger folgte, der von der Höhe des Lehrstuhles aus im Buch
des heiligen Thomas die einzelnen Sätze unterstrich. Graf F. Platel
hat einmal ein anschauliches Bild dieser Stunden im Heiligtum der
alten Kathedrale entworfen:

„Wir sind in Notre Dame, der majestätischen Kathedrale in
Paris. Es ist an einem Fastensonntag nachmittags; der Zeiger der
Uhr, die sich oberhalb der großen Orgel befindet, weist auf Eins.
Man hört auf den Steinplatten die Hellebarden der sogenannten
„Domschweizer" ertönen, die gemessenen Schrittes im Schiff der gewaltigen Kirche umherschreiten, um bei dem Gedränge der versammelten Zuhörer die Ordnung und die dem Orte angemessene Ruhe
zu erhalten. Msgr. Richard, der greise Kardinalerzbischof von Paris,
sowie andere hohe kirchliche Würdenträger, Bischöfe, Prälaten, Domherren u. s. w. erscheinen und nehmen auf der eigens bei diesem Anlasse für zirka 200 Zuhörer hergerichteten Bank Platz. Im Schiff
sind über 6000 Männer aus allen Ständen: Priester, Universitätsprofessoren, Staatsmänner, Deputierte, Senatoren, Herzoge, Grafen,
Generäle und Offiziere in ihren Uniformen, Advokaten, Journalisten,
Gläubige, Rationalisten, Positivisten u. s. w. anwesend; sie erheben
sich entblößten Hauptes. Auf der gewaltigen, in Holz geschnitzten
und ein Hexagon bildenden Kanzel erscheint P. Jakob Maria Ludwig
Monsabré im weiß-schwarzen Mönchsgewande des Dominikaners.
Der Erzbischof, gleich einer ehrwürdigen Marmorgestalt dastehend,
segnet den Mönch, der allein auf den Knien liegt. Es ist ein erhebender Augenblick . . . Der Mönch hat sich wieder erhoben, schon
klingt es von seinem Munde: ‚Messeigneurs, Messieurs!' . . . . .
Er ist klein, aber von kräftigem Körperbau. Stehend auf einem Fuß-
schemel, den der Kirchendiener kurz vor Beginn ohne Geheimnistuerei
in der mächtigen Kanzel angebracht hat, beide Hände gestützt auf den
Kanzelrand, mißt der Redner mit scharfem, durchdringendem Blick
das enorme Kirchenschiff, das seine Stimme ausfüllen soll. Dann
senkt er seine Augen auf das Menschengewoge zu seinen Füßen. Und
Tausende sehen voll Spannung zu ihm hinauf. Ein starker Hals und
darauf ein schönes Haupt erheben sich frei über der schwarzen Kapuze
des Mantels.

P. Monsabré hat das Aussehen eines Mannes in den sechziger Jahren. Seine Haartonsur scheint schwarz und wenig gebleicht zu sein. Das Auge ist lebhaft und sehr beweglich, der Mund breit mit zwei ironischen Falten in den etwas gesenkten Winkeln. Das Gesicht ist rundlich mit vollen starken Wangen. Die Nase erscheint klein auf dem etwas breiten Antlitz. Der allgemeine Ausdruck ist ein Gemisch von Kraft und gutem Humor. Sein Profil ist eher das eines Mönches aus dem Mittelalter, als aus unserer Zeit. Wenn sein Stimmorgan von großem Umfang ist und der Gedanke sowie der Satzbau seiner Rede von edler Geburt, sein Gesichtsschnitt bietet nichts außergewöhnliches. P. Monsabré hat eine starke und klare Stimme; ohne bemerkbare Anstrengung füllt sie die weiten Räume der Notre Dame aus. Ein gewöhnlicher Prediger, der sich bemühen muß, hier verstanden zu werden, schwächt durch diese physische Anstrengung die Energie seines Gedankens ab. Das erklärt den Mißerfolg mancher sonst hervorragender Geister. P. Monsabré ist an diese gewaltige Wölbung gewöhnt. Seine starke Brust enthält den rechten Ton, dessen er gerade bedarf, und er hält ihn ebenso erhaben als voll während mehr als einer Stunde. Daher rührt freilich eine gewisse Monotonie. Aber der Redner unterbricht sie zuweilen durch plötzliche Senkung der Stimme; öfters auch nimmt seine Rede, deren Akzent individuell, persönlich ist, eine neue Intonation an.

Man hat ihn während der Konferenz dreimal steigen sehen bis zum höchsten Punkt der geheimnisvollen Tonleiter der Beredsamkeit. Man fühlte ihn schweben! Er hält inne auf der letzten Stufe seines erhabenen Tones. Er fällt wieder mit der Stimme, gleichsam erschöpft. Kein Redner besitzt seinen langen Atem. Keiner selbst in der stolzen Vergangenheit, hat es verstanden, länger einen stärker erhabeneren Ton festzuhalten, mit einer Stimme, schwach dem Anschein nach! Man kann sagen, daß Notre Dame an den Tagen dieser Konferenzen die Menge anzieht durch ein Spiel, erhaben über jedes Spiel großer Orgeln, durch das göttliche Spiel der Menschenstimme. Welch überraschende Macht in der Entwicklung seines Gedankens! Und mit welcher Deutlichkeit tritt jedes Wort, jeder Vokal, ja jeder Konsonant hervor! ‚Während einer ganzen Stunde,‘ bemerkt ein französischer Kritiker, ‚hat P. Monsabré nicht einen einzigen Riß gemacht in die langen Draperien seiner Rede.‘“

Auch nach Deutschland sind einige seiner Werke gekommen, und es bleibt ein dauerndes Verdienst des Oberpfarrers Dr. Drammer in Aachen, sie in mustergiltiger Uebersetzung weiteren Kreisen zugänglich gemacht zu haben. („Das künftige Leben“ und „Die andere Welt“. Köln, Bachem 1890. — „Parabeln des Heiles“ und „Die Versuchung“. Mainz, Kirchheim 1892 und 1894.) In Italien hat der Bischof Bonomelli fast alle Bände des gefeierten Apologeten teils selbst übertragen, teils von seinen Freunden übertragen lassen. Interessant ist das Urteil P. Baumgartners über sie, der im fünften

Band seiner Literaturgeschichte (S. 708) schreibt: „P. Monsabré predigte in der Weise Lacordaires, war aber ein weit gründlicher geschulter Theologe und legte seinen begeisterten, oft überpoetischen Ausführungen immer die gediegene Doktrin des heiligen Thomas zu Grunde." Von besonderem Werte ist sein „Avant — pendant — après la Prédication", Ratschläge und Anleitungen für den Prediger des Wortes Gottes.[1])

Der Eindruck dieser Konferenzen ging weit über die Mauern der Notre Dame hinaus, er war ungewöhnlich tief und blieb dauernd. Gewiß lebt auch heute in dem hart geschlagenen Lande, über das der Orkan des Kulturkampfes wild hinbraust, noch viel ernster, klarer Glaube, bis hinauf zu den Männern der Wissenschaft: daran hat P. Monsabré einen hohen Anteil. Sein Wort ist nicht verhallt und es wird weiter fort leben, es überlebt ihn. Schon jetzt sind seine Werke in zahlreichen Auflagen verbreitet.

Es war der kostbarste Trost seiner letzten Jahre, die der stillen Arbeit gewidmet blieben, — wie er überhaupt ein Riesenarbeiter gewesen ist, — zu sehen, daß eine neue, jüngere Kraft, sein Ordensbruder P. Jauvier als sein Nachfolger auf der Kanzel geradezu Herrliches leistete, und ebenso gründlich und großzügig zugleich, wie er einst das Dogma entfaltet hatte, nun die Probleme der katholischen Moral zum Gegenstand seiner eindrucksvollen Vorträge machte. Mit einem heiligen Stolz schaute er auf ihn.

Beide haben Lacordaire nicht erreicht. Lacordaire war ein Genie. Aber sie sind unter seinen vielen geistigen Söhnen diejenigen, die dem Vater am nächsten gekommen. Durch die großen französischen Zeitungen der verschiedensten Schattierungen ging bei Monsabrés Tod die einmütige Anerkennung des demütigen, gelehrten Mönches, wie alle Parteien sie seinem Apostolat zollen mußten. Seine Kräfte waren längst schon verzehrt. Dennoch hielt er sich tapfer aufrecht und niemand ahnte so bald das Ende seines reichen Lebens. Mit ihm ging ein mutiger Soldat zum ewigen König heim. —

---

[1]) Seine sämtlichen Konferenzen erschienen zu Paris (VI) bei P. Letbielleux, Editeur, rue Cassette 10. Es sind folgende Werke: 1. Introduction au dogme catholique, Nouvelle édition corrigée et complétée 4 volumes in-8 carré 16 fr., 4 volumes in-12 12 fr. 2. Exposition du dogme catholique, Conférences de Notre-Dame de Paris données durant les carêmes 1873—1890, 18 volumes in-8 carré 72 fr., 18 volumes in-12 54 fr. 3. Retraites Pascales (1872—1890), Données a Notre-Dame de Paris, 9 volumes in-8 carré 36 fr., 9 volumes in-12 27 fr. 4. Discours et Panégyriques, 6 vol. in-8 carré 24 fr., 6 vol. in-12 18 fr. 5. Petits Carêmes (cinq Carêmes complets), 2 vol. in-8 carré 8 fr., 2 vol. in-12 5 fr. 6. Méditations sur le Saint Rosaire, in-18, caractères elzévir., cadres rouges 4 fr. Or et Alliage dans la vie dévote, gracieux volume in-18 2 fr. 7. Avant, pendant, après la Prédication, Conseils aux jeunes ecclésiastiques, Fort vol. in-8 carré 4 fr., Fort vol. in-12 3 fr. 8. Dimanches et Fêtes de l'Avent, Avent Prêché a Rome eu 1890—1891, dans l'Eglise s. Andrea della Valle, 1 vol. in-8 carré 4 fr., 1 vol. in-12 3 fr. 9. La Prière, Philosophie et Théologie de la Prière, 1 vol. in-8 carré 4 fr., le même ouvrage, in-12 3 fr. 50.

Am Sonntag, den 3. März, schloß P. Jauvier in Notre Dame seine Fastenpredigt mit einem tiefempfundenen Nachruf auf den Toten:

„P. Monsabré ist nicht mehr! In seinem Tod hat der Orden des heiligen Dominikus seinen erlauchtesten Sohn, die ganze Kirche einen großen, treuen Diener verloren. Mehr als 20 Jahre lang hat er auf **dieser** Kanzel gestanden und das Wort Gottes mit einer Sicherheit des Gedankens, einer Majestät der Sprache, einem stets nachhaltigen Eindruck verkündet, dessen Erinnerungen niemals erlöschen werden. Denn sie gehören zu jenen kostbaren, deren die Schutzengel dieser Basilika immerfort werden gedenken müssen. Aus seinem Kloster verbannt starb er in der Einsamkeit, wie ein Geächteter, und es war ihm nicht vergönnt, in seiner Todesstunde die beglückenden Gesänge seiner Ordensbrüder zu hören, die die Hoffnungen auf Gott alsdann höher flammen lassen und die letzten Augenblicke des Sterbenden im Todeskampfe versüßen. Nun ist seine fromme Seele droben bei Gott, sie schaut — dessen bin ich überzeugt — im hellsten, reinsten Lichte die Wahrheit all der Geheimnisse, deren ewige Gewißheit er hier so oft verteidigt hat. Sie Alle werden sein Andenken treu bewahren, und über das, was sterblich an ihm war, ergießen sich nun ungezählt die treuen Gebete, auf die er ein heiliges Recht hat, wegen des Segens, der von hier in alle Welt ausgegangen ist."

Nach diesen ergreifenden Worten erhob sich Bischof Msgr. Amette und mit ihm die 6000 Männer. Sie knieten tiefbewegt nieder und beteten das De profundis für die Seelenruhe dessen, der der ganzen Nation so viel Glaubenslicht gegeben, und sie nun nach seinem Tode noch weiter fort zur Glaubenstreue mahnt in schwerer Zeit.

R. I. P.

―――――

Die Wahrheit auf der Kanzel.
Von Universitäts-Professor Dr. Goepfert in Würzburg.

Der Prediger soll auf der Kanzel die Wahrheit verkündigen. Das ist eine Forderung, so einfach, natürlich und selbstverständlich, daß man sie nicht lange zu beweisen braucht. Der Heiland sagt von sich: „Ich bin dazu geboren und in die Welt gekommen, daß ich der Wahrheit Zeugnis gebe" (Joh. 18. 37) und er beruft sich immer wieder darauf, daß er die Wahrheit sage (Joh. 8. 40, 45, 46). Und das Lob, das man ihm spendet, lautet: „Du lehrst den Weg Gottes in Wahrheit" (Matth. 22. 16; Mark. 12. 14; Luk. 20. 21). Die Wahrheit zu verkündigen hat der Herr auch seinen Aposteln und deren Nachfolgern aufgetragen, und der Apostel kann sich rühmen: „Die Wahrheit Christi ist in mir" (2 Cor. 11. 10). So ergibt sich auch als erste Pflicht des Predigers, daß er die Wahrheit verkündige und jede Lüge und Un-

wahrheit gerade auf der Kanzel meide. Der Geist der Wahrheit, den
er mit der Gemeinde vor der Predigt anruft, kann zur Lüge und
Unwahrheit nicht seinen Segen geben. Und doch ist es eine Tatsache,
daß man nicht selten auf der Kanzel Behauptungen hören kann,
welche die Probe der Wahrheit nicht bestehen. Gewiß ist es eine
schwere Uebertreibung, wenn man die Behauptung ausgesprochen hat,
es würden nirgends soviele Häresien vorgetragen, als auf der Kanzel
und man darf es auch nicht zu schwer nehmen, wenn dem Redner
im Eifer der Rede ein wenig stichhaltiger Satz entschlüpft. Aber doch
ist es wahr: wenn man die Predigten prüft, wie viele schiefe, halbwahre, unwahre Behauptungen werden da ausgesprochen! Nun ist
auch wieder wahr, daß manche, vielleicht viele der Zuhörer wegen
ihrer habituellen Kenntnis der Wahrheit dasjenige, was unrichtig oder
weniger richtig gesagt worden ist, bei sich selbst korrigieren oder richtig
verstehen. Aber oft wird man auch sagen müssen, daß die Gefahr
besteht, daß auch bei den Zuhörern irrige, schiefe, halbwahre Meinungen sich festsetzen und so der Irrtum in die Herzen hinübergeleitet
wird. Also nochmals die Forderung strengster Wahrheit!

Die Wurzel des Fehlers kann im Mangel von theologischem
Studium überhaupt oder in einer gewissen Leichtfertigkeit oder
Bequemlichkeit beim Ausarbeiten oder Studium der Predigt liegen.
Gerade auf der Kanzel zeigt sich der Wert eines gründlichen theologischen Wissens. Die Sicherheit, Kraft und Wirksamkeit des homiletischen Wertes hängt vielfach von dem Fond des Wissens ab, aus
welchem heraus der Prediger spricht, und auch der einfache Mann
aus dem Volke fühlt ganz instinktiv heraus, ob der Prediger aus
der Fülle der Wahrheit spricht oder nur einiges Wenige äußerlich
Angelernte vorträgt. Wir dürfen das Verständnis unserer Zuhörer
nicht überschätzen, aber auch nicht unterschätzen, besonders bei einzelnen
Personen. Man hat gerade mit Rücksicht auf die Bedürfnisse des
gewöhnlichen Publikums die Behauptung gewagt, in einem gewissen
Sinne bedürfe der Prediger mehr theologisches Wissen, als der Professor auf dem Katheder. Des letzteren Zuhörer könnten, sei es aus
ihrer eigenen Geistesbildung heraus, sei es durch Hören anderer Lehrer,
durch Studium von Büchern, das Irrige richtig stellen, das Lücken-
hafte ergänzen; das gewöhnliche Volk aber ist auf diesen Prediger
(Pfarrer, Kaplan) als seinen Lehrer angewiesen. — Oft ist es aber
auch eine gewisse Leichtfertigkeit oder Bequemlichkeit beim Ausarbeiten
der Predigt, welche abhält sich näher zu orientieren, infolge dessen
man dann unwahre Behauptungen auf die Kanzel bringt, oder auch
eine gewisse Gedankenlosigkeit, welche Behauptungen wagt, gleichviel
ob sie wahr sind oder nicht. Hier muß man sich vor allem an die
Verantwortung erinnern, welche der Prediger betreffs der Verwaltung
des Wortes Gottes hat, damit er diese Tätigkeit mit dem gebührenden
Ernst und Eifer übe. Dann aber ist es notwendig, wenn der Gegenstand
der Predigt uns fremd geworden ist, oder wenn wir zweifeln, ob wir

eine Behauptung wagen dürfen, daß wir uns aus unseren Lehr=
büchern der Dogmatik oder der Moral, aus einem guten Kommentar
der heiligen Schrift Aufschluß erholen. Den aufgewendeten Fleiß wird
der heilige Geist gewiß segnen: „Auf der Arbeit ruht der Segen."
Aber es ist nicht bloß notwendig, daß wir die Wahrheit kennen,
sondern auch, daß wir den richtigen Ausdruck finden, zumal es un=
sere Aufgabe ist, die Sprache der Theologie in die Sprache des
Volkes zu übersetzen. Man empfiehlt deswegen dem jungen Predigt=
amtskandidaten, der bisher gewohnt war, bloß mit theologischen Be=
griffen umzugehen, daß er ein gutes katechetisches Handbuch zu Rate
ziehe, damit er lerne, wie er eine Wahrheit in klarer, populärer und
doch richtiger Sprache wiedergeben könne, was gerade für den an=
gehenden Prediger nicht immer so leicht ist.

Ein zweiter Fehler gegen die Wahrheit entspringt aus dem
Mangel an Diskretion. Man bringt auf die Kanzel Schulmei=
nungen, Lieblingsmeinungen des Professors, den man gehört und
dessen Gedankengänge man sich angeeignet hat, und so kommt es, daß
man Anklänge an reformerische, auch modernistische Ideen von der
Kanzel vernehmen kann. Nun ist die Kanzel vor allem nicht dazu
bestimmt, um Schulmeinungen auszukramen, noch weniger für einen
Professor Propaganda zu machen, sondern das Wort Gottes vorzu=
tragen.

Dann aber darf man Schulmeinungen, selbst den Meinungen
großer Theologen nicht den Charakter von Glaubenswahrheiten bei=
legen. Es ist ein direkter Frevel am göttlichen Wort, ein adulterare
verbum Dei (2 Cor. 2. 17; 4. 2), eine unverantwortliche Fälschung, wenn
man auf diese Weise solche moderne Ideen einzuschmuggeln sucht.
Selbstverständlich darf man aber auch nicht aus übertriebenem Eifer
etwas als Glaubenssatz, als kirchliche Lehre ausgeben, was über eine
auch noch so begründete Schulmeinung nicht hinausgeht.

Den gleichen Mangel an Diskretion verrät es, wenn man
Privatoffenbarungen auf die Kanzel bringt und sie in solcher
Art vorträgt, als seien diese Dinge als unfehlbare, unumstößliche
Wahrheit anzusehen. Das hat seinen großen Nachteil, weil diese
Privatoffenbarungen niemals den Charakter von Glaubenswahrheiten
annehmen können, man also auch niemals einen übernatürlichen
Glaubensakt betreffs derselben erwecken kann, weil ferner diese Privat=
offenbarungen sich manchmal widersprechen, wenn nicht gar offenbare
Irrtümer enthalten, weil kritisch angelegte Köpfe, die es überall gibt,
dieselben nicht glauben wollen und deswegen, weil sie mit den
Glaubenswahrheiten vermengt sind, auch den Glaubenswahrheiten
Zweifel entgegenbringen. (Vergleiche über diesen Gegenstand das neuestens
erschienene, herrliche Buch von Zahn, Einführung in die Mystik, S. 570,
dessen Studium nicht genug jedem Theologen und Seelsorgsgeistlichen
empfohlen werden kann). In die gleiche Klasse gehört es, wenn man
für seine Zwecke nicht hinreichend beglaubigte Wunder=Erscheinungen

auf der Kanzel vorträgt. Das gilt auch von den Legenden der Heiligen, besonders wo sie offenbar Unwahrscheinliches enthalten. Hier soll man sich zunächst auf das beschränken, was sicher beglaubigt ist; was das Uebrige, Traditionelle aus dem Leben der Heiligen angeht, wofern es nicht von vornherein als unglaubwürdig und zweifelhaft erscheint, so mag es zur Erbauung verwendet werden, aber nur als Legende („die Legende erzählt"), nicht als feststehende Wahrheit. Auch sonstige Erzählungen, welche der Kirchen= oder Profangeschichte, der eigenen oder fremden Lebens= und Seelsorgeerfahrung entstammen, sollen nur dann auf die Kanzel kommen, wenn sie hinreichend verbürgt sind. Es ist deswegen auch nicht zu billigen, wenn manche Prediger uns sagen: „Wenn ich keine Geschichte weiß, so erfinde ich mir eine." Das geht nur an, wenn die ganze Erzählung nur als Gleichnis, als Parabel vorgetragen wird; es ist aber Lüge, sobald sie so vorgetragen wird, als ob sie sich wirklich zugetragen hätte. Gott braucht unsere Lügen nicht, um seine Gnadenwirkungen in den Seelen hervorzubringen.

Auf dem Gebiete der Sittenlehre sind es besonders die Uebertreibungen, welche die Wahrheit gefährden. Zunächst besteht für den Prediger (auch Vorstände von Anstalten, Seminarien geht das an) die Versuchung, daß er, um eine Verpflichtung recht einzuschärfen, dieselbe übertreibt, schwere Sünde feststellt, wo eine schwere Sünde nicht zu finden ist. Und doch dürfen wir etwas bloß dann als schwere Sünde bezeichnen, wenn es gewiß schwere Sünde ist; und daß so viele sich auch aus der schweren Sünde nichts machen, hat seinen Grund auch darin, daß der große Unterschied zwischen schwerer und läßlicher Sünde nicht festgehalten wird. Natürlich, wenn man infolge irrigen Gewissens glaubt, bei jeder Gelegenheit schwer zu sündigen, macht man sich auch nichts daraus, wenn dann wirklich die Versuchung zu einer objektiv schweren Sünde herantritt. Aber auch wirklich schwere Sünden darf man nicht übertreiben. Ein häufiges Beispiel ist die unwürdige Kommunion. Sie wird dem Verrat des Judas gleich und allenfalls als eine noch schwerere Sünde dargestellt u. s. w. Wir haben gewiß keinen Grund, die Sünde der unwürdigen Kommunion abzuschwächen, nachdem uns der Apostel sagt, daß, wer unwürdig dieses Brot ißt und den Kelch des Herrn trinkt, sich das Gericht hineinißt und trinkt. Aber es besteht auch gar kein Grund, die Sünde zu übertreiben, vor der Beicht derselben zurückzuschrecken und allenfalls der Verzweiflung zu überliefern. Wohl vergleichen auch die Väter (auch der Katechismus) die unwürdige Kommunion mit dem Verrate des Judas und eine Aehnlichkeit ist da, insoferne der Sünder den Herrn schwer beleidigt im Augenblicke, wo er den höchsten Liebesbeweis von ihm empfängt, auch in der äußeren Handlung kann man den Judaskuß zu dem Empfang mit sündhafter Zunge in Beziehung bringen. Es kann auch sein, daß eine frevelhafte Kommunion an den Verrat des Judas heranreicht, wo der Unglaube, die Bosheit, die

Verachtung die Ursache ist. Aber sonst? Warum kommunizieren denn so manche unwürdig? Weil sie sich geschämt haben, eine Sünde in der Beicht anzugeben und doch von der Kommunion nicht weg=bleiben wollen. Wie froh wären sie, wenn die Last vom Herzen wäre! Und nun vergleiche man damit den harten Unglauben und die kalte Bosheit, mit welcher Judas aus Habsucht seinen Herrn verkauft. Wie kann man sagen: Wer unwürdig kommuniziere, liefere den Herrn nicht bloß den Henkern, sondern dem Satan aus, der in seinem Herzen wohne? Zeigt uns nicht die heilige Schrift, daß gerade Satan es ist, der hinter den Gegnern Jesu steht und sie zum Gottesmorde treibt und dem Judas Hilfe leistet, doch wahrlich mehr, als bei den Un=glücklichen, welche unwürdig kommunizieren? Man braucht auch noch einen anderen Vergleich, man sagt: wer den Heiland in sein sündiges Herz aufnehme, sei schlimmer, als wer die heilige Hostie in den Unrat werfe; denn der moralische Unrat der Sünde sei in den Augen Gottes viel verwerflicher, als der physische Unrat. Letzteres geben wir zu, aber die Folgerung leugnen wir. Welche häßliche Verkommenheit ge=hört dazu, das heiligste Sakrament in eine Kloake zu werfen oder durch Stechen, Schneiden, Zertreten der heiligen Gestalten seine Ver=achtung auszudrücken; aber ist auch nur eine annähernde Bosheit bei den sonst unwürdig Kommunizierenden?

Aehnlich übertreibt man, wenn man von der Verführung spricht. Der Verführer sei schlimmer, als der Mörder; denn dieser raube seinem Opfer nur das Leben des Leibes, der Verführer aber das Leben der Seele. Ist die Beweisführung stichhaltig? Der Mörder nimmt seinem Opfer das zeitliche Leben wider dessen Willen, fügt ihm damit einen Schaden zu, der nicht mehr gut gemacht werden kann, nimmt ihm oft mit dem zeitlichen auch das ewige Leben, weil er ihn unvermutet im Stande der Sünde aus dem Leben schafft. Der Verführer aber kann seinem Opfer das Leben der Seele gar nicht rauben, wenn es nicht frei einwilligt; denn eine schwere Sünde gibt es doch bloß, wenn volle Einwilligung vorhanden ist. Der Verführte kann auch jederzeit durch Reue, Empfang der Sakramente das Uebel wieder aufheben. Die Verführung geht ferner regelmäßig nicht aus kalter, überlegter Bosheit, sondern aus erregter Leidenschaft hervor. Wir sehen hier vom diabolischen Aergernis ab, das direkt auf das Verderben der Seelen ausgeht und wollen auch keineswegs den Ernst des Herrenwortes vom Aergernis abschwächen.

Wie unwahr ist es ferner, wenn man sagt, alle Sünden der Unkeuschheit seien schwere Sünden. Das trifft schon nicht einmal zu bei den halbüberlegten Sünden der direkt gewollten Unkeuschheit, noch viel weniger bei den verschiedenartigen Sünden der Unscham=haftigkeit, wie die Moral lehrt, so sehr man berechtigt ist, vor ihnen zu warnen. Die Folge davon ist falsches Gewissen, Mehrung der Sünden, das lähmende Bewußtsein in einer Todsünde zu sein, wenn man einen solchen Fehler begangen hat.

Welche Uebertreibungen kann man hören oder lesen betreffs der Tanzmusiken, so gefährlich sie vielfach sind! Ein guter Freund von mir bekam von einer angesehenen Dame eine große Anzahl von Büchlein über die Tanzmusik zugesandt, um sie in seiner Gemeinde zu verteilen. Er weigerte sich, weil eine solche Schilderung den Leuten eine Entschuldigung für ihre Tanzmusiken bieten würde: „bei unseren Tanzmusiken kommt das nicht vor!“ Nebenbei bemerkt, hat er in seiner Gemeinde die Tanzmusiken abgeschafft. Aehnliche Uebertreibungen kann man hören, wenn über die „Jährlinge“, „Osterlämmer“ gepredigt wird, welche bloß einmal im Jahre die heiligen Sakramente empfangen. Gewiß sind das regelmäßig keine besonderen „Tugendbolde“, besonders wenn es junge Leute sind; trotzdem wäre ein allgemein verwerfendes Urteil, besonders wo es sich um ruhige Männer von Stand und Beruf handelt, unrichtig. Hier wirkt man überhaupt besser durch Anregung, als durch Tadel.

Uebertreibungen werden aber auch begangen, indem man den Wert der einzelnen Tugenden und Tugendübungen zu hoch erhebt. Man hüte sich hier, wie überhaupt auf der Kanzel, vor dem Superlativ, in dem wir Menschen so gerne sprechen. Denn viele Superlative sind Lügen. Wenn man einmal einen Superlativ niedergeschrieben hat, prüfe man sich, ob man ihn beibehalten kann. Man wird ihn oft streichen müssen. Die Tugend, von der man heute predigt, wird als die wichtigste, notwendigste dargestellt. Das nächstemal eine andere. Hier möchte ich auch darauf aufmerksam machen, daß, um über die Tugenden richtig predigen zu können, nicht so eine allgemeine, unbestimmte, unklare Auffassung genügt, sondern daß man auch hier über das Wesen der Tugend, die Art und Weise ihrer Betätigung, ihren Zusammenhang mit anderen Tugenden, ihre Stellung im christlichen Leben klar sein muß. Es wird nichts schaden, wenn man sich vor der Ausarbeitung der Predigt die betreffende quaestio aus der Summa des heiligen Thomas von Aquin oder sonst ein gediegenes aszetisches Buch ansieht.

Es ist auch nur in gewissem Sinne richtig, wenn man nur den höchsten Grad der Tugend als wahre Tugend bezeichnet: „das ist wahre Demut, wahre Nächstenliebe!“ Das ist ja in einem gewissen Sinne zu rechtfertigen, weil wirklich erst die vollendete, die vollkommene Tugend ihre ganze Wahrheit erlangt hat. Aber es wäre unrichtig, wenn man die anfängliche, die unvollkommene Tugend, besonders die Tugendakte nicht als wahre Tugend anerkennen wollte.

Wie viele falsche Behauptungen werden auch wieder aufgestellt über die Schwierigkeit, ja moralische Unmöglichkeit, die vollkommene Liebe und Reue zu erwecken. Und doch sagt man mit dem gleichen Munde, jeder Mensch solle gleich nach der Todsünde und an jedem Abend eine vollkommene Reue erwecken. Wenn es gut geht, fügt man nach der strengeren Ansicht noch bei, jeden Sonntag müsse man die vollkommene Liebe erwecken, was aber moralisch unmöglich sein soll.

Eine Unwahrheit wird auch sehr oft begangen, wenn man die einzelnen Gebets= oder Andachtsübungen in ihrem Werte übertreibt, besonders wenn es sich um solche Gebetsübungen handelt, die nicht wie z. B. die gute Meinung, Gewissenserforschung, für geistliche Per= sonen die Betrachtung, das innerliche Gebet zum geistlichen Hausinventar gehören, sondern die sich mehr nach Geschmack und Bedürfnis des Einzelnen richten. Da predigt einer auf Skapulierfest, und natürlich ist das Skapulier der sicherste Weg zur ewigen Seligkeit. Dann wird auf Rosenkranzfest gepredigt und hier trifft man mit den Kügelchen des Rosenkranzes ganz sicher in das Herz Gottes hinein. Dann kommt das Fest des heiligen Franziskus und jetzt ist der dritte Orden das Allheilmittel. Es wäre gewiß verkehrt, diese Andachten, wie sie der heilige Geist im Laufe der Jahrhunderte in der Kirche hervorgerufen hat, gering zu schätzen und zu verspotten; aber es ist doch auch nicht notwendig, daß man seine „Ware" marktschreierisch anpreist. Predigt, heilige Messe und Sakramentenempfang sind doch zunächst die ordent= lichen, zuerst zu betonenden Mittel der Seelsorge.

Neben diesen Unwahrheiten, welche aus der Uebertreibung stammen, sind aber sicher auch die formellen Unwahrheiten, eigentlichen Lügen ausgeschlossen. Damit niemand erschrecke, will ich gleich bemerken, daß der Vorwurf, die Geistlichen glaubten oft selbst nicht, was sie predigten, auf die katholischen Geistlichen angewendet, eine schwere Verleumdung ist. Ich denke hier zunächst an die Zitation der heiligen Schrift und der Kirchenväter. Da wird als Wort eines Kirchenvaters ausgegeben, was niemals einem Kirchenvater angehört hat oder das Wort eines Kirchenvaters wird einem andern zugeschrieben. Die Worte des Evangeliums werden dem heiligen Paulus zugeschrieben und umgekehrt; oder die Stelle wird falsch, unvollständig, in verkehrtem Sinne zitiert. Man zitiert als Vorspruch eine Stelle, gibt ein falsches Buch, eine falsche Zahl des Kapitels und Verses an. Kleinigkeiten! wird man sagen. Gut, Kleinigkeiten, aber Lügen, die nicht auf die Kanzel gehören. Es kann ja vorkommen, daß jemand nicht mehr weiß, in welchem Kapitel oder Vers die betreffende Stelle enthalten ist, auch keine Zeit mehr zum Nachschlagen hat; nun, dann zitiere er nur das Buch, weiß er auch das Buch nicht mehr, dann zitiere er ganz all= gemein: „Wort des Evangeliums, der heiligen Schrift." Es heißt manchmal: „Der heilige Geist sagt"; aber es sind nur Worte von Menschen, die in der heiligen Schrift angeführt sind, z. B. von den Freunden Jobs. Die Texte sollen auch wörtlich angeführt werden. Es kann ja vorkommen, daß man den Text nicht mehr genau weiß; dann bleibt freilich nichts übrig, als ihn dem Sinne nach zu zitieren; sonst aber heißt es, wörtlich zitieren und darum vorher nachschlagen. Man darf sich aber auch die Stelle nicht erst zuschneiden, daß sie für unsere Beweisführung paßt; denn das ist nicht Gottes Wort, sondern Menschenmachwerk. Man muß aber auch nachsehen, ob die Stelle im Zusammenhang wirklich den Sinn hat, den man ihr unter=

legt; sonst sagt man wieder die Unwahrheit. Man lasse sich die
Mühe nicht verdrießen, allenfalls mit einer Konkordanz die Stelle zu
verifizieren und durch Nachschlagen ihren Sinn festzustellen. Auch
diese Arbeit, die der Wahrheit dient, wird Gott segnen. Wenn man
eine Stelle bloß im akkommodierten Sinne anwendet, der vom eigent=
lichen Sinne abweicht, so kann das ja niemals zum Beweise geschehen,
und auch sonst sollte dies für gewöhnlich angedeutet sein. „Man
könnte in diesem Sinne das Wort der Schrift anwenden oder ähnlich".[1]

Eine eigene Besprechung verdienen die Leichenreden. Wir
wollen uns auf die Frage, ob Leichenreden gehalten werden sollen,
nicht einlassen, ob insbesondere der in manchen Städten bestehende
Gebrauch, daß allem und jedem eine Leichenrede gehalten werden muß,
so daß der Geistliche gleich eine Anzahl Leichenreden an einem Tage
zu halten hat, zu billigen sei. — Man hat mir gesagt — und der
Grund ist nicht zu verwerfen: wenn man die Leichenreden bei jeder
Beerdigung ernst hält, ein paar Ewigkeitsgedanken den Zuhörern
nahelegt, hören manche öfters im Jahre eine Predigt, die sonst nie
in die Kirche zur Predigt kommen. Also über Leichenreden überhaupt
wollen wir nicht sprechen. Aber wenn Leichenreden gehalten werden,
dann gilt auch für sie das Gesetz unverbrüchlicher Wahrheit. Das
erfordert ja nicht, daß man einen Verstorbenen, der kein erbauliches
Leben geführt hat und keines erbaulichen Todes gestorben ist, aber
doch kirchlich beerdigt werden kann und muß, jetzt öffentlich an den
Pranger stellt — manchmal schaden ein paar ernste Worte, welche
aber weder die Nächstenliebe noch den Takt verletzen dürfen, gerade
nicht. Aber im übrigen besteht auch hier die Forderung der Wahr=
heit. Diese Forderung der Wahrheit gilt auch, wenn hohen fürst=
lichen Persönlichkeiten eine Leichenrede gehalten werden muß. Es geht
ja auch da nicht an, den betreffenden Fürsten öffentlich zu tadeln,
wenigstens nicht in direkt verletzender Weise. Aber daß er als Aus=
bund höchster Weisheit und Güte und christlicher Gesinnung dar=
gestellt wird, während oft das Gegenteil zutrifft, ist auch nicht in
Ordnung. Man kann in schwierigen Fällen historisch referieren oder
wenn die Zeit der Regierung des Verstorbenen eine Zeit der Be=
drückung der katholischen Kirche und der Katholiken war, in einer
kurzen Bemerkung darüber hinweggehen: „Wir Katholiken wollen
heute dessen nicht gedenken u. s. w." Unwahre Lobhudeleien sind in
jedem Falle auszuschließen. Das gilt in seinen Abstufungen von allen
denen, welche ein öffentliches Amt bekleiden und die man nun öffent=
lich verherrlichen soll. Aber auch bei Priestern soll nicht die Un=
wahrheit am Grabe das Wort führen. Wenn das Leben des Priesters
nicht einwandfrei war, da braucht man ja keinen Stein auf das Grab
zu werfen; aber man kann ja das Gute in seiner Wirksamkeit hervorheben

---

[1] Vgl. Bainvel J. V., Les contresens bibliques des prédicateurs.
2. ed. Paris Lethielleux. Jungmann, Theorie der geistlichen Beredsamkeit,
4. Aufl., S. 123, 451 f. Der katholische Seelsorger, Jahrg. XV, XVIII.

oder man kann vom Priestertum überhaupt und seiner Betätigung in der katholischen Gemeinde reden. Ueberhaupt soll man nicht vergessen, daß, wenn der Priester, angetan mit den liturgischen Gewändern, spricht, er auch in der Leichenrede noch Prediger ist, daß seine Worte immer erbauen und zum Gebete für die Verstorbenen auffordern sollen. Auch das am Grabe gesprochene Wort soll Gottes Wort sein.

Möge von uns allen gelten, was der Apostel sagt (2 Cor. 13. 8): Non enim possumus aliquid adversus veritatem, sed pro veritate.

Priesterbeichten.

Priesterbeichten — ein wichtiges Kapitel. Priesterbeichten — ein wundes Kapitel! Ist mein Urteil verwegen? Entspricht es nicht den landläufigen Zuständen? Hand aufs Herz, lieber Konfrater, bist Du wirklich zufrieden mit Deinem Beichtvater? Hand aufs Herz, lieber Konfrater in der Welt und im Ordensstande, bist Du wirklich ein Beichtvater für Deinen Konfrater oder Deine Konfratres, wie er sein soll?

Ein wichtiges Kapitel, das ich hier in empfehlende Erinnerung bringe; wichtig zunächst für den Priester selbst.

Es ist vielleicht nicht übertrieben, wenn ich behaupte, daß gerade der katholische Geistliche eine der unabhängigsten selbständigsten Persönlichkeiten des Dorfes, der Stadt ist. Sozusagen autonom im bürgerlichen Leben, insofern er den weltlichen Behörden mehr koordiniert als wirklich subordiniert erscheint, sozusagen autonom im kirchlichen Leben, insofern er in seiner Kirche, in seiner Seelsorge, in seinen Vereinen, in seiner Schule, in den allermeisten Dingen — natürlich nach Norm der gegebenen Vorschriften — selbst die An= ordnungen trifft; denn wohl keine Behörde schenkt den ausführenden Organen soviel Vertrauen, gewährt soviel Selbständigkeit, wie gerade die kirchliche. Zudem ist der katholische Priester, namentlich auf dem Lande, sozusagen in allen wichtigen Dingen der Berater seiner Pfarrkinder. Mit Recht dürfen wir also behaupten, der Priester ist erfüllt von einem starken Bewußtsein der Selbständigkeit. Die Folge ist, daß er nicht selten alles für gut hält, was er tut, auch seine Fehler.

Wo wird es aber ein Laie wagen, ihn auf seine Fehler auf= merksam zu machen? Und die guten Konfratres? Die hüten sich; denn sie fürchten — und vielleicht oft mit Recht — eine nicht gerade freundliche Aufnahme ihrer wohlgemeinten correctio. Da bleibt also nur noch der Beichtvater übrig als die berufene Instanz, und zwar von Gott berufen, dem Priester hie und da ein ernstes Wort zu sagen. Und wenn hier auch nichts gesagt wird?? . . . — Dann wird das Sündenregister, oder besser vielleicht, das Register der Unvollkommenheiten, wenn es gut geht, stereotyp, von Fortschritt keine Rede! Hat sich der junge Priester dann einmal an diesen „Beichtschlendrian" gewöhnt, dann kann er auch singen: „Jung

gewohnt, alt getan." Und gerade der junge Priester hätte eine gute
Seelenleitung so bitter notwendig. Weshalb? Die zarte Treibhaus=
pflanze, herausgenommen aus der Pflanzstätte des Seminars, wird gleich
allen möglichen Witterungsverhältnissen ausgesetzt. Ich sage, die „zarte"
Treibhauspflanze! denn der junge Kaplan ist oft recht zart und
nervös, besitzt oft eine zarte Frömmigkeit, hat oft wenig Ahnung
von der rauhen Wirklichkeit, in die er nun mit einemmale hinein=
gestellt ist. Da stürmt die rauhe Wirklichkeit im Beichtstuhl zuweilen
ganz niederdrückend auf ihn ein, da heißt es, so und so viele Schul=
stunden halten, da heißt es Predigten machen, Kranke versehen und
besuchen, Vereine leiten und bis zum späten Abend darin sitzen.
Da heißt es denn auf der anderen Seite zur Erholung die lieben
Konfratres besuchen, da heißt es hier einen „Skat drehen" und
dort einen Namenstag feiern, da heißt es Musik machen und
lesen u. s. w.

Wir sprechen nicht gegen diese notwendigen Abwechslungen. Aber!
Was geschieht oft? Diese Abwechslungen tun außerordentlich wohl im
Gegensatz zum Studium und der früher immer wiederkehrenden Tages=
ordnung des Seminarlebens. Wie nahe liegt da die Versuchung, einen
„neuen Menschen anzuziehen"! Wie nahe liegt da die Versuchung,
allmählich die Betrachtung von der Tagesordnung verschwinden zu
lassen, das andächtige Gebet verschwinden zu lassen, die Vor=
bereitung zur Messe und die Danksagung verschwinden zu lassen,
die Vorbereitung auf die Katechese verschwinden zu lassen, und so
schwindet und verschwindet schließlich die ganze Tagesordnung,
statt dessen schleichen sich allerhand Fehler und Unordnungen ein.
Nun kommt dieser junge Priester, der mit sich selbst ganz unzu=
frieden ist, aber guten Willen hat, zu seinem Beichtvater, um hier
neuen Mut und neue Kraft zu holen. Wenn er aber hier nichts
Aufmunterndes hört, wenn er hier nichts Begeisterndes hört, wenn
er hier keine ernste Ermahnung zur Pflichttreue vernimmt, dann
fühlt er keine Veranlassung, seinen Schlendrian abzulegen: und
dann? „Jung gewohnt, alt getan!" Wir wissen nicht, ob wir
behaupten sollen, mancher Priester wäre vielleicht nicht auf Abwege
geraten oder wäre davon umgekehrt, wenn sein Beichtvater immer
seine Pflicht getan hätte.

Ueberaus notwendig erscheint also die gewissenhafte Pflicht=
erfüllung des Beichtvaters gerade seinem Konfrater gegenüber, in
Rücksicht auf diesen selbst. Der Einwand: „Es handelt sich ja meistens
doch nur um Kleinigkeiten", erledigt sich unseres Erachtens von selbst,
wenn man bedenkt, daß gerade der sogenannte Schlendrian, das
Fehlen des Strebens nach Vervollkommnung, das Stagnieren des
Seelenlebens die Priestertätigkeit zum Handwerk erniedrigt. Wenn
der Priester sich nicht bemüht, seine kleinen Fehler abzulegen, wer
soll dann nach Vollkommenheit streben? „Wer heilig ist, werde
noch heiliger!" „Weil Du lau bist, deshalb werde ich Dich aus=

speien!" Der Priester soll doch die Höhe erstreben, auf der
Christus steht!

Notwendig ist für Priester ein pflichteifriger Beichtvater wegen
der Pfarrkinder des Priesters — und das ist wohl zu beachten!
Wenn in der Priesterseele nicht das Feuer der Begeisterung für
seinen hohen Beruf von Zeit zu Zeit geschürt wird, wie sollte es
da möglich sein, daß dieser Priester in den Herzen seiner Pfarr=
kinder das Feuer der Gottes= und Nächstenliebe entfacht? Wenn
der Priester selbst gleichgiltig ist, wie könnte er die anvertrauten
Seelen zum Eifer erziehen? Wenn der Lehrer träge und nachlässig
ist, werden es die Schüler nicht auch sein? Es erübrigt sich, das
Bild der Pfarrei auszumalen, die von einem Priester verwaltet wird,
der nicht von heiliger Freude für seinen Beruf getrieben wird. Und
wer hat mit die Aufgabe, die Begeisterungsfrische im Priester wach=
zuhalten? Sein Beichtvater!

Priesterbeichten, ein wichtiges Kapitel, aber auch ein wundes
Kapitel!

Es sei gestattet, einen „landläufigen" Beichtvater, Ordens=
beichtväter nicht allgemein ausgeschlossen, in sede vorzuführen. Nachdem
der poenitens fertig, beginnt der Confessarius sein „Sprüchlein",
das, von besonderen Ausnahmen abgesehen, öfters wohl ungefähr so
lautet: „Wir Priester sind ja nicht frei von Versuchungen, und der
Teufel weiß recht wohl, wenn er einen Priester zu Fall bringt, daß
er einen guten Fang getan hat. Wachet und betet, sagt daher der
Heiland. Der Priester vor allem muß ein Mann des Gebetes sein.
Das Gebet muß die tägliche Nahrung des Priesters sein. Ein
Priester, der nicht betet, ist kein guter Priester. Nun, machen Sie
wieder recht gute Vorsätze und dann schließen Sie alles noch einmal
recht gut ein und beten dann zur Buße . . . ."

Ich stelle mir noch lebhaft einen . . . pater vor, der, während
er sein Sprüchlein heruntersagte, sich noch nebenbei bemühte, seinem
Schopfe einige Haare zu entreißen. Andere Confessarii gewähren
ihrer Nase während des Sprüchelchens wohl eine Prise oder spielen
mit der Stola. Jedenfalls, manche sagen das obligate Sprüchlein
mit einer non chalance herunter, als ob sie im Akkord arbeiteten
oder als ob sie es nur sagten, um fertig zu werden. Wir behaupten
natürlich nicht, daß dies die Regel ist.

Soll denn derjenige Priester, — so fragt man sich —, über
den ein derart beschaffenes, ganz allgemein gehaltenes Sprüchlein
herabgeflossen, Nutzen davon haben?

Es ist aber doch in der Tat sehr schwer, einem Priester, der
alle acht Tage beichtet, immer etwas Neues zu sagen. Ganz recht,
etwas Neues wirst Du ihm überhaupt kaum jemals sagen können.
Aber das Alte kann man doch auf neue Weise und mit Energie
sagen, dann macht es sicher Eindruck. Statt vieler Theorie und
Praxis:

Halte nicht so allgemeine Reden (Gemeinplätze), sondern greife einen einzigen gebeichteten Fehler heraus und fordere, daß dein Konfrater sich bemüht, den abzulegen, gib ihm Gründe an, ermahne ihn, jeden Abend sich über seinen Fortschritt hierin zu erforschen und ruhe nicht eher, bis der Fehler abgelegt ist: Da hast du Stoff und Ziel für ein halbes Jahr oder mehr. Damit die Ermahnungen, die in diesem halben Jahr etwa stets auf das nämliche Ziel sich richten, nicht ermüdend wirken, ermuntere, einen bestimmten Heiligen um Mithilfe anzuflehen, das Herz Jesu, das anderemal die Gottes= mutter, dann den Schutzengel, ermuntere, den Fehler direkt zu be= kämpfen, jeden Tag einmal die entgegengesetzte Tugend zu üben, gib eine disjunktive Buße auf, lege als Buße ein Almosen auf, einen kleinen Abbruch in der bewußten Absicht (rauchen, lesen . . .), ermuntere, eine Hore des Breviers in dieser Meinung täglich lang= sam und andächtig zu beten u. s. w. Ermuntere durch eine Erzählung aus deiner Praxis, aus dem, was du gelesen und gehört, weise darauf hin, daß der Pönitent in der Absicht, bei der Bekämpfung des Fehlers sich die Hilfe Gottes zu sichern, sich besonders gut auf die Katechese oder Predigt vorbereite, gegen Arme und Sünder besonders liebevoll sei u. s. w.

Mancher hat vielleicht nur einen einzigen Konfrater in der „Kundschaft". Wäre es denn zuviel Anstrengung und nicht der Mühe wert, sich zu präparieren auf das, was man dem Konfrater in sede sagen will? Man weiß ja gewöhnlich, was er „bringen" wird.

Wenn man auf diese Weise seinen Zuspruch einrichtet, etwas Abwechslung hineinbringt und dann sieht, wie der Konfrater allmäh= lich Fortschritte macht, dann haben beide Konfratres Freude und Nutzen von der Beicht; denn nachdem ein Fehler ausgerottet, hat man gesehen, daß die Beicht des Priesters für ihn doch mehr sein kann als bloße „Ablagerungsstätte für Schutt", daß sie für ihn „Jungbrunnen" sein kann, aus dem er gekräftigt und ermutigt hervorgeht.

Noch einem Einwand trete ich entgegen. Oben habe ich gesagt, der Beichtvater müsse auf seinen Konfrater in sede mit Energie ein= wirken. Fühlt man denn nicht ein natürliches Widerstreben, Seines= gleichen rauh und schroff anzufahren? — Energie zeigen, mit Energie sprechen und schroff und rauh anfahren sind aber doch ganz ver= schiedene Dinge! Bei Gebildeten genügt oft eine einzige Rede= wendung, ein leiser Vorwurf, Vorhalten einer einzigen ernsten Wahrheit, um einen ganz nachhaltigen Eindruck hervorzurufen, ohne zu verletzen. Der Deutlichkeit halber einige Beispiele:

Der Konfrater klagt sich etwa oft an über sein Gebet. Folgender Zuspruch oder ein ähnlicher könnte vielleicht mit Nutzen erteilt werden: „In fast allen Beichten klagen Sie sich über Mangelhaftig= keit im Gebet an. Ich glaube, lieber Konfrater, Sie nehmen es hierin etwas leicht. Ich empfehle Ihnen daher dringend, daß Sie bis zur

3*

nächsten Beicht jeden Abend sich darüber Rechenschaft geben. Wie oft
haben Sie selbst anderen vielleicht schon geprebigt, daß der Christ
ohne Gebet nicht gottgefällig bestehen kann! Und nun erst der
Priester! Sehen Sie, lieber Freund, Sie wollen und sollen ein
Nachfolger Christi sein. Und was lesen Sie in der heiligen Schrift
von Ihrem Herrn? . . . Ich bin überzeugt, daß Sie nicht mit sich
selbst zufrieden sind. Nun bitte ich Sie, seien Sie barmherzig gegen
Ihre arme Seele und beten Sie von jetzt ab recht gut! Manche
Priester sind hierin wirklich musterhaft. Und man sieht es auch an dem
Zustande der Pfarrei . . . Also bis zur nächsten Beicht werden Sie
sicher recht gut beten, nicht wahr? Wir Priester dürfen nicht so lau
sein. Nun, lieber Freund, raffen Sie sich auf und beten Sie gut,
Sie haben sicher guten Willen. Wenn Sie innig beten, werden Sie
staunen über den Frieden, der Sie erfüllen wird und Gott und Ihr
heiliger Schutzengel werden Freude an Ihnen haben. Ihrer ganzen
Seelsorge werden Sie sehr nützen!" Kommt dieser Priester wieder
und hat Fortschritte gemacht, so lobe der Beichtvater ihn und zeige
ihm die Größe seines Glückes durch Vergleich mit früher. Fällt er
wieder zurück in denselben Fehler, so erinnere er ihn an den Eifer
und die Entschlüsse der Seminarzeit, an die Priesterweihe, ans ewige
Gericht u. s. w. Folgende Redewendungen werden sicher ihren Eindruck nicht verfehlen, ohne indes zu verletzen: „An Ihrer Stelle
würde ich mir Gewissensbedenken machen, immer in demselben Fehler
fortzuleben", oder: „Denken Sie einmal, der Heiland würde hier an
meiner Stelle sitzen und sollte Ihnen einen Zuspruch geben. Was
würde der Ihnen wohl sagen? Würde er Sie loben? . . ." oder
„Lieber Konfrater, haben Sie schon einmal daran gedacht, daß Sie
jeden Tag einen Schritt dem Tode näher gehen? Daß jede Beicht,
die Sie ablegen, Sie Ihrer letzten Beicht näherrückt?" oder: „Sie
haben vor . . . Jahr . . Exerzitien gemacht. Haben die Ihnen wirklich
Nutzen gebracht? Haben Sie auch nur einen einzigen Fehler abgelegt? Weshalb nicht?" . . . oder: „Sie haben vielleicht eine fromme
Seele als Beichtkind, die aber jeden Samstag die nämlichen Fehler
beichtet. Was raten Sie der? . . ."

Was den Ton angeht, in welchem der Zuspruch erteilt wird,
so wirkt ohne Zweifel eine etwas energische und langsam akzentuierende,
dabei aber wohlwollende, begütigende Sprechweise ganz wunderbar
bestimmend auf den Willen des Pönitenten ein. Wenn dagegen der
Zuspruch so handwerksmäßig heruntergeleiert wird, so werden die
besten Ermahnungen nutzlos bleiben. Es kommt ja nicht nur darauf
an, was man sagt, sondern noch viel mehr, wie man es sagt.

Möchten diese Gedanken und Darlegungen anregend wirken!
Wenn hochwürdige Konfratres vielleicht in dieser Zeitschrift über
gegenwärtigen Artikel sich kritisierend oder ergänzend äußern, was
sehr zu begrüßen ist, so wird das einen Beweis dafür bieten, daß
die Besprechung des Gegenstandes Interesse gefunden. Für Laien

werden so viele, vielleicht zu viele Erbauungs= und Belehrungs=
bücher geschrieben: vielleicht findet sich auch einer, der ein Belehrungs=
buch schreibt für den Priesterbeichtvater mit praktischen Ermahnungen
für einzelne Fälle.   R—s.

Die Versuchung Jesu.

Von P. Tezelin Italusa O. Cist.

Schubert beschreibt in seiner „Reise in das Morgenland" (Bd. 3,
S. 72) die Wüste Quarantania, zwischen Jerusalem und Jericho, mit
diesen Worten: „Ich habe kaum eine grausenhaftere, meiner Natur
widerwärtigere Gegend gesehen und durchreist. Die Wüste des Peträ=
ischen Arabiens und Aegyptens gleicht mit ihren Sandmatten und
vereinzelten Felsen einem Totenacker voller, zum Teil bedeutungsvoller
Leichensteine, über den der Wanderer nicht ohne Grauen hingeht. Die
Landschaft aber . . gleicht einem Sterbebette, auf welchem der letzte
Funke des Lebens mit dem Tode ringt und immer am Auslöschen
ist, ohne doch zum Abscheiden kommen zu können. Was das Röcheln
eines Sterbenden, der noch hart mit dem Ersticken kämpft, für das
Ohr, das ist die Gestalt und Farbe der armseligen Gewächse und
hungernden Tierlein, die dort schmachten, für das Auge. Dazu fühlt
sich hier die Brust in der Mittagshitze wie durch die heißen Dünste
eines Ziegelofens beengt." Hier am Berg gleichen Namens, auch
Teufelsberg genannt, soll nach der Ueberlieferung der Heiland, ent=
sprechend der dreifachen bösen Begierlichkeit, dreimal vom Fürsten
dieser Welt versucht worden sein, der sich dadurch von Jesu Natur
und Bestimmung nähere Kenntnis verschaffen wollte, da er um das
Geheimnis der Menschwerdung nicht wußte (cfr. St. Ignat. M. Eph.
c. 19). Satan hielt also Jesum für einen bloßen Menschen, freilich
für einen Menschen von hoher, außerordentlicher Bestimmung, der
möglicherweise auch der Messias, der Gesalbte des Herrn sein konnte.
Unter dieser Voraussetzung versuchte er ihn, der als der neue Adam
die Begierlichkeit und den Fall des ersten sühnen und uns belehren
wollte, wie man die Versuchungen bekämpfen und überwinden, be=
ziehungsweise ihnen vorbeugen und zuvorkommen müsse.

1. Christi Vorbereitung auf die Versuchung.

a) Er geht in die Wüste, das Gegenstück des Paradieses
und Sinnbild der nach Adams Fall verfluchten Erde, in die der
Mensch versetzt wird, um versucht, geprüft zu werden. Danach ist
also Einsamkeit und Zurückgezogenheit ein Weg, um sich auf den
Kampf vorzubereiten, weshalb es bei Mark. 6, 31 heißt: „Kommet
beiseits an einen öden Ort und ruhet ein wenig aus." Die Ein=
samkeit ist die Mutter großer Taten und tiefer Gedanken, sie er=
leichtert und fördert die Einkehr in sich selbst, aber nur — wenn

man sie zu benützen weiß. Versteht man dies nicht, dann wird sie
zum Verhängnis; denn „in müßiger Weile schafft der böse Geist",
wie Schiller sagt. Darum vae soli!

b) **Er unterzieht sich verschiedenen Uebungen, die
den Geist erstarken machen.** „Er aß nichts," sagt der heilige Lukas,
und: „Er war bei den Tieren der Einöde," fügt der heilige Markus
hinzu. Moses und Elias hatten als seine Vorbilder und Wegbereiter
vor ihm ein Gleiches getan und sein Vorläufer bereits „teneris sub
annis", wie die Kirche an seinem Feste singt, Leib und Seele auf
die künftige große Mission zuzubereiten begonnen. Im vernünftig
geübten Fasten liegt eine große Kraft: einerseits stählt es den Geist,
der durch ein üppiges Leben eingeengt und in seinen freien Be=
wegungen und seinem Aufschwung niedergehalten wird; und ander=
seits hilft es den widerspenstigen Leib leichter bezähmen, jenen Leib,
der nach St. Bernhard stets mit unseren Feinden geheime Verbin=
dung unterhält und immerdar auf unser Verderben sinnt. Ueber=
mäßiges Fasten stört die Gehirnfunktionen, ruft Halluzinationen ꝛc.
hervor, weshalb es schon von dem heiligen Hieronymus scharf gerügt
wird. Höher als dieses Fasten steht indes das geistige, die Bezähmung
der Glieder und Sinneswerkzeuge, mit denen der Mensch gemeiniglich
sündigt. „Haben sie aber gesündigt," fragt der heilige Abt von Clair=
vaur, „warum sollen sie dann nicht fasten? Es enthalte sich also
das Auge, welches die Seele beraubt hat, vorwitziger, mutwilliger
Blicke" u. s. w. (in cap. ieiun. s. 3, n. 4). Christus betrachtete und betete. Gebet und Betrachtung sind
die zwei Flügel, welche die Seele zu Gott erheben; die zwei Füße,
die uns befähigen, die Jakobsleiter hinanzusteigen bis zu dem, der
an der Spitze thront. Wer nicht beten kann, vermag die Einsamkeit
nicht zu ertragen; und weiterhin erlangt das Gebet die Kraft zu
fasten, das Fasten wieder erwirbt die Gnade des Gebetes, es stärkt
das Gebet, während dieses das Fasten heiligt und es vor den Herrn
trägt (l. c. s. 4, n. 2). Auf diese Weise wird der Mensch befähigt,
„bei den Tieren der Einöde" auf die Dauer wohnen zu können,
ohne überwunden zu werden; die „tauri pingues", die ihn stets
umlagern, sowie den „leo rapiens et rugiens", der ihn nimmer=
müde beschleicht und umlauert, abzuwehren oder niederzuringen. Dieser
Machtmittel bedürfen alle, die ihr Heil wirken wollen; vor allem
also jene, „die fromm in Christo leben wollen"; und unter diesen
ganz insbesondere, die ein beschauliches Leben führen; denn, versichert
die heilige Theresia, die Welt ahnt kaum, was man in kontemplativen
Orden leiden muß. Da wird dem Widersacher und „den wilden Tieren"
über manche Seele bisweilen eine Gewalt eingeräumt, daß alles ver=
loren scheint. Das ist vor allem dann der Fall, wenn der Mensch
durch die drei dunkeln Nächte geführt wird, die der heilige Johannes
vom Kreuz in seinem „Aufstieg zum Berge Karmel" klassisch be=
schrieben und der Psalmist mit den Worten gekennzeichnet hat:

Posuisti tenebras et facta est nox: in ipsa pertransibunt omnes bestiae silvae (Ps. 103).

So vorbereitet und gestärkt, und entzündet durch Lesung im Leben der Heiligen, durch ihre Handlungsweise und ihre Grundsätze in ähnlicher Lage und Verfassung, kann die Seele, wofern sie nur den nicht vergißt, der hilft am Tage der Trübsal, getrost den Kampf erwarten. Denn derjenige, der uns zum Streit geschaffen und ausgerüstet, „schaut," wie der heilige Augustinus bemerkt (Enarr. in ps. 32), „selbst dem Ringen zu und hilft dem Menschen, daß er siege; er richtet ihn auf, wenn er ermattet, und krönt ihn, wenn er gesiegt."

2. Art und Weise die Versuchungen zu bestreiten.

Die erste der drei Versuchungen Jesu knüpft an die sinnliche Begierlichkeit an, die zweite an die Hoffart und Ehrsucht, die dritte an die Augenlust, das Verlangen nach den irdischen Gütern an, in welchen auch die Fleischeslust und Hoffart des Lebens die Mittel zu ihrer Befriedigung suchen. Die erste war:

Eine Versuchung des Herzens. Sie greift den Menschen an, indem sie seinen Neigungen und etwaigen Bedürfnissen schmeichelt. Du leidest Not, sprach der Satan, aber Du weißt doch, daß Gott die Seinen nicht verläßt. Als Sohn Gottes (wie der Heiland bei der Taufe vom Vater war genannt worden) kannst Du ohne Mühe aus Steinen Brot machen. Wie hier macht sich der Teufel auch beim Menschen seine Bedürfnisse zunutze, um ihn zu verführen. Er beobachtet und studiert unser Temperament, die Gemütsbeschaffenheit, unsere Neigungen und Leidenschaften, kurz, unsere schwache Seite und flüstert uns zu, wir möchten sie nur befriedigen. Anfangs hat es den Anschein, als würde uns damit nur eine notwendige Linderung, ein erlaubter Wohlstand, ein ehrbares Vergnügen vorgeschlagen, späterhin aber, und gar nicht selten zu spät, war das nur der lockende Anfang eines schmachvollen Endes.

Wie verteidigt sich nun Jesus dem Versucher gegenüber? Durch das Wort Gottes. Die Grundsätze der Heiligen Schrift helfen uns allenthalben, den Versucher aus dem Felde zu schlagen. Will er etwa zur Wollust verleiten, dann sage ihm: Gibt es denn kein anderes Vergnügen als die Befriedigung der Leidenschaften? Keine andere Freude als im Strudel der Welt? Keine Lust außer einem reichlichen, sinnlichen Leben? Christus ist mein Leben; darum ist im Worte Gottes und seiner Liebe ein weit größeres Vergnügen verborgen; in der Ueberwindung der Leidenschaften, im Gebete und im öfteren Genusse des heiligen Sakramentes weit mehr Süßigkeit und Seligkeit gelegen als in allen Freuden, welche die Welt ihren Kindern zu bieten vermag. Doch nur „expertus potest credere, quid sit Jesum diligere" (Hym: „Jesu dulcis memoria").

Die zweite Versuchung (von der Zinne des Tempels ins Cedron=
tal etwa 100 Meter hinabzuspringen) war eine Versuchung des
Verstandes. Sie schmeichelt der menschlichen Eitelkeit und dem
Stolze und will zu Vermessenheit und Irrtum verleiten. Der Teufel
kann den Menschen an den Rand des Abgrundes führen und ihm
raten, nur den Schritt zu wagen — aber er kann uns nicht hinab=
stürzen. Er kann dem Menschen nahelegen, außerordentliche Wege
einzuschlagen, Wege, die ihm wohlgefallen, da sie nur von wenigen
gefunden und betreten werden; Wege, die uns von vielen anderen
unterscheiden; auf denen wir bemerkt und angestaunt werden müssen;
die Aufsehen erregen — aber wehe uns, wenn wir den gemeinen
Pfad der Einfältigkeit, des Gehorsams und der Demut verlassen;
wenn wir uns unsern Vorgesetzten, unsern Obern und der Kirche
entziehen! Sie nur und sie allein bieten uns hinreichende Sicherheit,
daß wir recht gehen, und die Gewähr, daß wir ans Ziel gelangen.
Eine Seele, die sich unbedenklich unterwirft und blind leiten läßt,
kann nicht verloren gehen. Tut sie es nicht, dann schlägt sie den
Weg ein, den alle Neuerer durch Eigensinn, Ungehorsam und Miß=
brauch der Heiligen Schrift vor ihr gegangen.

Die dritte Versuchung war eine Versuchung der Phantasie
oder der Sinne überhaupt. Derlei Versuchungen fallen uns an, indem
sie uns mit den glänzendsten Hoffnungen und Aussichten betören
wollen. Unter der blendenden Hülle der meisten Güter dieser Welt
sucht der Teufel die menschliche Einbildungskraft zu erhitzen und
die Sinne in Unordnung und Verwirrung zu bringen, um im Trüben
fischen zu können. Die Phantasie ist so recht der Tummelplatz des
bösen Feindes, zumal wenn sie in der Vergangenheit (in der Welt)
vielfach mißbraucht und befleckt worden. Da erübrigt nichts anderes,
als nach dem Vorgang des Heilandes ihm alsogleich mit Unwillen
oder Entrüstung entgegen zu treten; denn es steht geschrieben: „Du
sollst den Herrn, deinen Gott, anbeten und ihm allein dienen." Diese
Anbetung Gottes und sein Dienst fordern, daß wir den Gütern dieser
Welt und ihren Reizen, insofern sie uns unordentlich beeinflussen,
sowie unseren Begierden und Leidenschaften entsagen; mit anderen
Worten, daß wir über Augen, Ohren, Zunge und Hände, kurz, über
alle Glieder und Sinne des Leibes und noch mehr über das Ge=
dächtnis wachen und der Versuchung gleich zu Beginn Widerstand
leisten. Vom Willen als dem König der Seelenvermögen hängt, wie
Romanus in seinem „goldenen Schatzkästlein für Priester" (1. Band,
S. 353) schreibt, die Entscheidung im geistigen Kampfe ab. Er kann
sowohl dem Verstande als auch dem Gedächtnis jedes Wohlgefallen
untersagen, da er unumschränkt über sie herrscht. Tut er das, so ist
sein Sieg gewiß, wenn auch die anderen Seelenkräfte bereits in
Verwirrung geraten sind. Unterläßt er es aber aus Trägheit, aus
Gleichgiltigkeit oder aus Feigheit, so dringt der böse Feind alsbald
wie ein grausamer Eroberer durch das Gedächtnis und den Verstand,

der für die Seelenkräfte das Amt eines Richters ausübt, bis in den Willen und in das Herz hinein, um daselbst seine Schreckensherrschaft über die verblendeten Ueberläufer zu beginnen. Da erfüllt sich dann an einer solchen Seele das Wort des Propheten, der über Jerusalem also klagend ausruft: „Seine Hand · legte der Feind an alle ihre Kostbarkeiten, denn sie sieht eingedrungen in ihr Heiligtum die Heiden, denen Du geboten, daß sie nicht eintreten sollten in Deine Gemeine" (Klagl. Jer. 1, 10).

3. Beweggründe, die Versuchungen zu überwinden.

Hergenommen a) vonseiten Jesu. Er wollte, „in similitudinem hominum factus," uns ein Beispiel hinterlassen, α) um uns, tentatus per omnia pro similitudine (Hebr. 4, 15), hiedurch zu stärken, aufzurichten und zu trösten; β) um uns zu zeigen, wie wir dem Versucher widerstehen müssen, wenn er uns angreift. Es kann demnach die Versuchung so heftig als nur immer sein; sie kann beliebig lang dauern, etwa zwei Monate wie einmal bei der heiligen Katharina von Siena oder zwei Jahre wie bei dem großen Bettler von Assisi; und wir können zu den schändlichsten Dingen aufgereizt werden, beispielsweise wie der heilige Hugo von Grenoble zu den greulichsten Gotteslästerungen während der heiligsten Handlungen — wir sind darum so wenig als Christus verloren, solange wir dem Versucher Jesum entgegen halten und mit St. Bernhard sprechen: „Du hast keinen Teil an mir," oder nach dem Vorgang des heiligen Franz von Sales mit dem Munde oder im Herzen ausrufen: „Es lebe Jesus." Erst die Einwilligung macht uns schuldig und strafbar. Christi Macht kann uns in diesem Kampfe helfen: Er ist unser Haupt; er hat überwunden, auf daß auch wir zu überwinden vermöchten; nur dürfen wir nicht zu sehr auf unsere Kraft, auf unser Alter, unseren Stand oder unsere erprobte Tugend uns verlassen, vielmehr uns jederzeit mißtrauen; dafür aber auf ihn bauen und hoffen, „sicut mons Sion," um mit ihm zu überwinden.

b) Vonseiten der Versuchung. α) Keine ist unüberwindlich. Gott läßt uns nicht über unsere Kräfte versucht werden (1 Kor. 10, 13); wir müssen aber dabei uns rühren, unsere Kräfte brauchen und, wenn wir sie nicht haben, darum bitten; β) sie währt nicht immer: „Widerstehet dem Teufel, und er wird von euch lassen" (Jac. 4, 7); zum mindesten muß sie mit dem Leben endigen. Vielleicht ist das Ziel und mit dem Ziel der Lohn, die Krone schon nahe.

c) Vonseiten des Versuchers. α) Er ist ein Lügner und Betrüger. Wer sich mit ihm einläßt, wird bald hintergangen und betrogen sein. Selbst Heilige, wie St. Simon der Säulensteher, waren nahe daran ihm in die Falle zu gehen. Er aber hat für seine Opfer schließlich nur Hohn und Spott und Qual. Wer ihm jedoch kein Gehör gibt, kann seiner lachen und spotten. β) Er ist unser Feind, der trotz aller Versprechungen, trotz aller glänzenden, gleißenden Aus=

sichten, so er eröffnet, nur unser Verderben will, um an uns Teil=
nehmer seiner Empörung und Strafe zu gewinnen. γ) Er ist ein
Feind Gottes, also unseres Vaters, der uns zur Glückseligkeit ge=
schaffen und uns den Weg dazu bereitet hat. Unter Satans Banner
streiten heißt nach dem Lose Luzifers verlangen; vom Herrn der
Heerscharen aber sagt der Prophet, daß er über seine Kinder den
Frieden herableitet wie einen Strom: ad ubera portabimini et
super genua blandientur vobis, quomodo si cui mater blandia-
tur (Is. 66, 12. 13); weshalb ihm Dank gebührt für alle seine Güter
und Treue und Lob in alle Ewigkeit (vgl. Tob. 13, 12). „Niemals,"
muß in solchen bangen Augenblicken die bedrängte Seele mit dem
heiligen Polykarp sprechen, „hat mir Christus ein Leid getan: wie
könnte ich also meinen König lästern," indem ich ihn seinem und
meinem Widersacher ausliefere!

d) Von unserem Nutzen. Die Versuchung fördert α) unser
geistiges Wachstum: Wie das Salz Fleisch vor Fäulnis bewahrt, so
die Versuchung das Herz vor Lauheit, Trägheit und Rückschritt; sie
reinigt und läutert die Tugend; sie mehrt sie. Sie erhält demütig;
sie macht die Demut stetig wachsen. Sie verschafft, wenn glücklich
bestanden, neue, größere Gnaden; führt näher zu Gott, vereinigt
inniger mit ihm. β) Die innere Zufriedenheit und Freude: Jesus
ward nach der Versuchung von Engeln bedient, das ist wunderbar
gespeist. Das Bewußtsein, einer heftigen Versuchung widerstanden zu
haben, ist eine Speise super mel et favum. Wie mundet dann
nicht das Brot der Engel!

e) Von unserem ewigen Geschick. Dieses hängt davon ab,
wie wir im Leben die Versuchungen bestanden haben: Accipiet
coronam vitae, wenn wir einen guten Kampf gekämpft; oder: „In
eine Grube senkte man mein Leben und legte einen Stein auf mich"
(Jer. Klagl. 3, 53), falls wir uns aus Trägheit von den Wassern
überfluten ließen.

Wer aus seinen Fehlern und den verschiedenen Heimsuchungen
Nutzen zu ziehen weiß, der versteht eine große Kunst. Diese Schickungen,
sowie die Empörung der Leidenschaften sind nichts anderes als
Zulassungen Gottes, der heilt, wenn er schlägt, in die Unterwelt
führt und wieder zurück (Tob. 13, 2), um uns als seine Kinder
näher an sich zu ziehen. Sie alle zielen einzig und allein dahin, den
Menschen für Fehltritte zu züchtigen und zu strafen oder ihn auf
dem Wege der Vollkommenheit vorwärts zu bringen. „Weil du an=
genehm warst vor Gott," sprach der Erzengel Raphael zu Tobias,
„mußte die Versuchung dich bewähren" (Tob. 12, 13). Die heilige
Maria Magdalena von Pazzis wurde also schrecklich angefochten,
daß sie sich nach eigenem Geständnis mitten im Kloster in eine Art
Löwengrube versetzt sah und ihre Seele, sonst so reich an innerer
Ordnung und Schönheit, ebenso vielen wilden Tieren preisgegeben
schien. Wer zur Vollkommenheit, zur Vereinigung mit Gott gelangen

will, muß einen langen Weg durchlaufen und viele schwere Kämpfe
bestehen, denn es lagern, mit dem heiligen Papst Gregorius M. zu
reden, Riesen links und rechts, um uns zu schrecken und zu ängstigen,
nämlich der Teufel und unsere ungebändigten Leidenschaften. Doch
sei getrost, fürchte dich nicht, tröstet der honigfließende Lehrer: Wer
unter dem Schutze des Allerhöchsten wohnt, wer sein Heil mit Furcht
und Zittern wirkt, der kann zwar bisweilen fallen, aber er wird
dabei nicht zertreten, weil Gottes Hand ihn wieder aufrichtet und
ihn schirmend hält (St. Bern. Ps. 90, s. 2, n. 1).

Das Maß des Verdienstes in den einzelnen Werken.

Von P. Julius Müllendorff S. J. in St. Andrä (Kärnten).

(Erster Teil.)

Das Maß der Verdienste, welche sich die Gerechten und Auserwählten für die ewige Seligkeit erwerben, ist nicht für alle das
gleiche. An vielen Stellen der Evangelien ist nämlich von den
„Größeren" und „Kleineren" im Himmelreiche die Rede. In dem
Hause des himmlischen Vaters sind viele (verschiedene) Wohnungen.
Von den Knechten im Reiche Christi erwerben sich die einen fünf,
die anderen nur zwei Talente. Die arme Witwe, welche zwei Heller
in den Schatzkasten hineinwarf, hat mehr hineingeworfen, als alle
andern. Jedem wird der Lohn angerechnet nach Schuldigkeit. Es ist
nun aber nicht wahrscheinlich, daß dieser Unterschied der Verdienstlichkeit einzig von der größeren oder geringeren Zahl der guten Werke
herrührt, welche die Auserwählten üben; unter den Werken selbst
besteht auch ein Unterschied. Die einen sind besser und verdienstlicher
als die anderen. Diese Verschiedenheit des Maßes der Verdienstlichkeit
möchten wir hier besprechen.

Wir handeln nur von der Verdienstlichkeit im eigentlichen
Sinne, von dem meritum de condigno. Eine praktische Bedeutung
dürfte den Fragen über diese Verschiedenheit wohl zuerkannt werden,
nachdem heute die Theologen so ziemlich alle sich überzeugt haben,
daß alle nicht sündhaften Werke, die im Stande der Gnade mit Bewußtsein verrichtet werden, für die ewige Seligkeit verdienstlich sind.
Den Gläubigen, welche diese Ueberzeugung zu der ihrigen gemacht
haben, wird wohl nicht selten daran gelegen sein, zu wissen, auf
welche Weise sie die Verdienstlichkeit ihrer guten Werke vermehren
können, und der Seelsorger wird ihnen doch in den hierauf bezüglichen Fragen über das, was sicher oder was wenigstens wahrscheinlich
ist, einen Aufschluß erteilen müssen. Eine genauere Belehrung hierüber
wird ohne Zweifel die Gläubigen auch zu einer eifrigeren Verdiensterwerbung antreiben. Wir möchten daher untersuchen, erstens auf
welcher Grundlage in den guten Werken diese Verschiedenheit des
Verdienstlichkeitsgrades beruht, und zweitens welche Bedingungen oder

Umstände eine Steigerung desselben zur Folge haben. In diesem zweiten Teile besonders wollen wir beachten, daß es äußere und innere, schwierige und leichte Werke gibt; daß die Werke verschiedenen Tugenden angehören; daß die einen Gegenstand eines Gebotes, die anderen etwa nur Gegenstand eines Rates sind; daß die einen mehr, die anderen weniger Zeit zu ihrer Ausführung brauchen; daß das wirkende Subjekt entweder mit mehr oder mit weniger heiligmachender Gnade, welche seine Würde vor Gott ausmacht, ausgestattet ist. Auf die zwei letzten Fragen werden wir aber aus dem Grunde, den wir angeben werden, nicht weitläufig eingehen.

1. Die Wurzel und gleichsam die Quintessenz des Verdienstes ist die Liebe Gottes. Ohne die Liebe, welche das letzte Ziel zum Gegenstande hat, besteht kein (eigentliches, vollkommenes) Verdienst, da Gott nur belohnt, was auf ihn bezogen wird. In jedem (vollkommen) verdienstlichen Akte muß wenigstens virtuell (im Sinne des heiligen Thomas, wie wir früher weitläufig erklärt haben) die Liebe Gottes tätig sein. Das Maß der in einem guten Werke tätigen Liebe ist also auch das seiner Verdienstlichkeit. „Semper quantitas meriti attenditur secundum radicem caritatis.“[1] Die Liebe Gottes (ihre Tätigkeit) ist wie der Grund und das Prinzip so auch das Maß der Verdienstlichkeit im guten Werke.

Die Tätigkeit der Liebe Gottes ist nun aber nicht in allen guten Werken derjenigen, die geistlich leben, gleich. Sehr klar wird in der heiligen Schrift eine große Tätigkeit der Liebe Gottes (Luk. 7, 47) und eine größere (Joh. 21, 15; Luk. 7, 42) einer geringen oder wenigstens einer nicht so großen gegenübergestellt. Es wird ja auch ganz allgemein unter Katholiken als Tatsache angenommen, daß die Gerechten in der Vollkommenheit einen höheren und einen niederen Grad besitzen; die ganze geistliche Vollkommenheit und Heiligkeit eines jeden geht aber aus der Tätigkeit seiner Liebe Gottes hervor; also muß auch diese Tätigkeit in den guten Werken der Diener Gottes eine ungleiche sein. Je mehr sich die vollkommene Liebe Gottes in einem guten Werke betätigt, desto größer ist das Maß des Verdienstes, das der Gerechte sich in demselben erwirbt.

So begründet nach dem Aquinaten die Verschiedenheit der Tätigkeit in der Liebe Gottes die Verschiedenheit der Wohnungen im Hause des himmlischen Vaters. Das nächste Unterscheidungsprinzip der verschiedenen Grade in der ewigen Seligkeit ist nämlich jene Er-

---

[1] „. . In aliis autem (est meritum) secundum quod caritati informantur.“ (In 3. dist. 30. q. 1. a. 5.) — „Vis merendi est in omnibus virtutibus ex caritate, quae habet ipsum finem pro objecto, et ideo diversitas in merendo tota revertitur ad diversitatem caritatis, et sic caritas viae distinguet mansiones per modum meriti.“ (In 4. dist. 49. q. 1. a. 4. sol. 4.) — In 3. dist. 24. q. 1. a. 3. sol. 3: „Principalitas merendi est ex caritate; ipsa enim est in voluntate sicut in subjecto, ipsam perficiens quantum ad primum actum ejus et principalem. Et iterum cum sit amor Dei, facit amatum ipsum, quod est primum, esse suum, inquantum unit ei.

kenntnis und Liebe, die der Seele im Jenseits verliehen wird, und
der Grad dieser Erkenntnis und Liebe entspricht dem Grade der
Liebe, den sie beim Uebergange in das Jenseits erreicht hat. Die
Verschiedenheit der Stärke in der Liebe, wie die Seele sie im Diesseits erwirbt, ist das entfernte Prinzip der Verschiedenheit in der
ewigen Seligkeit, da die Seele um so fähiger ist, vom himmlischen
Lichte erleuchtet und der Anschauung Gottes teilhaft zu werden, als
ihre Liebe stärker oder vollkommener geworden ist.

Hierin stimmen alle Theologen heute dem heiligen Thomas
bei. Es ist auch eine ganz allgemein angenommene Lehre, daß jedes
Werk, das wenigstens virtuell aus der Liebe Gottes hervorgeht, den
habitus caritatis vermehrt und zwar umsomehr, je stärker sich die
Liebe in demselben betätigt.

Die einst vor Suarez von einigen Theologen verteidigte Ansicht, die Intensität des himmlischen Lohnes für den Gerechten richte sich nur nach dem vollkommensten Akte der Liebe, den er je auf Erden erweckt habe und der intensiver gewesen sei als seine habituelle Liebe, ist heute von allen Theologen aufgegeben. Doch wollen wir die besondere Ansicht des Aquinaten nicht unerwähnt
lassen, nach welcher die Vermehrung des habitus caritatis durch das gute Werk
nicht sogleich eintritt, falls dieses Werk die ganze Kraft (Intensität) des vorhandenen Habitus nicht übersteigt oder wenigstens erreicht; in diesem Falle werde
die Vermehrung des Habitus, die der Akt verdient hat, erst beim Eintreten eines
diesem Habitus entsprechenden Aktes oder, wenn kein solcher erfolgt, erst vor
dem Uebergehen der Seele in das Jenseits zuerteilt.[1]

Es versteht sich aber, daß auch in den nicht förmlichen Akten
der Liebe, wenn sie vollkommen verdienstlich sind, etwas von der
Liebe Gottes (nach der Lehre des Aquinaten über die Verdienstlichkeit) enthalten ist. Selbst jede sittliche Gutheit eines Werkes steht in
einem Verhältnisse zu dem letzten Ziele des vernünftigen Geschöpfes,
obgleich nicht alle sittlich guten Werke, sondern nur die der förmlichen Gottesliebe sich auf dieses Ziel beziehen. Hiemit kommen wir
zur Frage, unter welchen Hinsichten das Maß der Liebe Gottes, die
in den einzelnen verdienstlichen Werken enthalten ist, ein größeres
oder geringeres sein kann.

2. Eine doppelte Rücksicht ist hier vor allem wohl zu unterscheiden. Das Maß der in den verdienstlichen Werken enthaltenen
Liebe Gottes ist verschieden, entweder 1. objektiv (qualitativ) durch
das Objekt, auf welches das Werk sich bezieht, die Art der sittlichen
Gutheit, zu welcher es gehört; oder 2. subjektiv (quantitativ) durch
die Stärke der Tätigkeit der Seelenkräfte, die es ausführen, besonders
des Willens. Schon in betreff der Sittlichkeit überhaupt werden die

---

[1] Die Argumente, welche Thomas (In 1. dist. 17. q. 2. a. 3. und In 2.
dist. 27. q. 1. a. 5.) für diese Ansicht vorbringt, sind bereits längst von vielen
Theologen bekämpft worden und werden heute kaum noch von jemand verteidigt;
eine vollständige Sicherheit scheint aber doch in dieser Frage nicht zu bestehen;
in der Summa theologica hat Thomas seine Ansicht nicht geändert. (Vgl. 1. 2.
q. 114. a. 8. ad 3.)

menschlichen Werke in dieser doppelten Hinsicht unterschieden.[1]) Die eine wie die andere dieser zwei Quellen sind also auch ins Auge zu fassen, um die Steigerung des Verdienstes zu beurteilen, und zwar so, daß wir immer voraussetzen, die Werke, die wir unter einer Rück= sicht miteinander vergleichen, seien unter der andern einander gleich; denn es versteht sich, daß ein Akt, der seinem Objekte nach wert= voller und verdienstlicher ist, als ein anderer, dennoch wegen der Willensstärke, mit welcher dieser ausgeführt wird, weniger verdienstlich für das Subjekt sein kann, als dieser.

Wir beginnen mit dem Vergleiche von Seite des Objektes oder der Art des guten Werkes.[2]) In Bezug auf Objekt oder Art des Werkes ist aus dem eben (n. 1) angegebenen Grunde der förm= liche Akt der vollkommenen Liebe Gottes der beste und verdienst= lichste unter allen. In der vollkommensten Weise, deren der Wille fähig ist, bezieht er sich auf das unendlich vollkommene höchste Gut wegen seiner selbst, überragt daher an Wert und Verdienstlichkeit alle anderen Tugendakte, die Akte der moralischen Tugenden, weil diese nicht unmittelbar und formell auf das letzte Ziel bezogen sind, die Akte der zwei anderen göttlichen Tugenden, weil diese zwar auch, wie die Liebe, Gott selbst zum materiellen und formellen Gegen= stande haben, aber nicht in so vollkommener Weise sich auf ihn be= ziehen, wie die Liebe.

Näher erklärt uns dies der heilige Thomas. Der Akt des Glaubens ist Akt der Erkenntnis, er findet seine Vollendung in seinem Gegenstande insofern, als dieser erkannt wird, mit andern Worten als dessen Erkenntnis in uns ist. Der Akt der Hoffnung und der Akt der Liebe dagegen wird vollbracht durch die Vereinigung des Willens mit dem Gegenstande, inwiefern dieser außer uns ist und wir nach ihm streben, und zwar (in den göttlichen Tugenden) mit dem Gegenstande, der unendlich über uns ist. Daher ist sowohl der Akt der Hoffnung als der der Liebe vorzüglicher als der des Glau= bens.[3]) Uebrigens muß ja sowohl der Akt des Glaubens als der der Hoffnung, um vollkommen verdienstlich zu sein, etwas von dem der Liebe haben.

Zudem schließen Glauben und Hoffen in ihrem Begriffe eine Entfernung von ihrem Gegenstande ein, jenes im Sehen, dieses im

---

[1]) So unterscheidet z. B. Thomas die Gutheit des Werkes und die Gutheit des Willens 1. 2. qq. 18. et 19. — „Bonitas (meritoria) actus ad duo mensuratur, ex quibus bonitatem recipit, scilicet ex termino vel objecto, et ex principio. quod est voluntas. Ex termino autem habet speciem boni- tatis, sed ex voluntate habet rationem merendi, quia secundum hoc est in potestate facientis quod ex voluntate procedit." (In 3. dist. 30. q. 1. a. 3. in c.) Vgl. die Texte, die wir unten n. 7 anführen werden. — [2]) Unter dem Objekte ist hier im weiteren Sinne des Wortes alles zu verstehen, worauf das Werk moralisch sich bezieht, also der Gegenstand desselben mit allen Umständen, die dabei moralisch in Betracht kommen, besonders auch der mit dem Gegen- stande identische oder ihm übergeordnete Zweck. — [3]) S. Thom. 2. 2. q. 23. a. 6. ad 1.; cf. 1. 2. q. 66. a. 6. ad 1.

Besitzen; der vollkommene Liebesakt dagegen bezieht sich auf das, was man schon hat, um sich mit dem Gegenstande wegen seiner selbst zu vereinigen.[1]) Doch genüge es uns hier, für diese Wahrheit den Ausspruch des Apostels anzuführen: „Manent fides, spes, caritas, tria haec: major autem horum est caritas." Bekanntlich setzt aber der Akt der Liebe den der Hoffnung und des Glaubens voraus.

Gehen wir nun über zu den intellektuellen und moralischen Tugenden, die den theologischen, wie gesagt, an Wert nachstehen. Die intellektuellen wären zwar, physisch und an sich betrachtet, vorzüglicher als die moralischen, weil sie das an sich edlere Seelenvermögen, die Erkenntnis, vervollkommnen; aber da sie das Strebevermögen nicht vervollkommnen (sich nicht auf den freien Gebrauch des guten Habitus beziehen), sind sie nicht einmal im vollen Sinne Tugenden, können daher auch nicht als Tugenden mit den sittlichen verglichen werden, und von ihrer Verdienstlichkeit kann nur insofern die Rede sein, als sie von den anderen Tugenden, namentlich der Liebe, angewendet und gebraucht werden.[2])

Aber auch die moralischen Tugenden stehen den theologischen nach, weil sie nicht unmittelbar an die höchste und erste Regel aller sittlichen Gutheit, welche Gott ist, hinanreichen, sondern nur an die aus Gott abgeleitete menschliche Regel (humana ratio) der Mittel zum Zwecke.[3])

Vergleichen wir also jetzt die moralischen Tugenden miteinander.

3. Unter den moralischen Tugenden gehen ohne Zweifel diejenigen an Wert und Verdienstlichkeit voran, die sich insofern auf Gott selbst beziehen, als sie eine ihm selbst (als objectum cui) zu leistende Pflicht erfüllen. Auch diese moralischen Tugenden, welche zur Kardinaltugend der Gerechtigkeit gehören, haben ein von Gott verschiedenes nächstes Objekt, die Religion die Akte, wodurch Gott die schuldige Verehrung erwiesen, die Buße die Akte, wodurch Gott für die ihm zugefügte Beleidigung Genugtuung geleistet, der Gehorsam die Akte, wodurch seinen Forderungen entsprochen, die Demut die Akte, wodurch das Streben nach einer von Gott unabhängigen (nichtigen) Größe ertötet wird durch die ihm zukommende Unterwerfung.

Zur Demut gehört es allerdings auch überhaupt, das ungeregelte Streben nach Hoheit abzuwehren, weshalb sie der heilige Thomas (2 2. q. 161. a. 4.)

---

[1]) S. Thom. 1. 2. q. 66. a. 6. in c.; 2. 2. q. 23. a. 6. in c. — [2]) Hieher gehört die Frage, ob das kontemplative Leben vollkommener und verdienstlicher sei als das aktive, oder umgekehrt. Als intellektuelle Tätigkeit (also an und für sich) ist das kontemplative allerdings mehr als das aktive: in diesem Sinne hat der heilige Gregor der Große (Moral. l. 6. c 18) dem Verdienste des kontemplativen Lebens den Vorrang angewiesen. Aber das aktive Leben kann doch eine gewisse „Fülle der (erworbenen oder von Gott erteilten) Kontemplation" voraussetzen, und in diesem Sinne ist es vollkommener und verdienstlicher, als das bloß kontemplative; so hat auch Christus es für sich erwählt. (S. Thom. 2. 2. q. 182. a. 1.: q 188. a. 6.; 3. q. 40. a. 1. ad 2.) — [3]) S. Thom. 2. 2. q. 23. a. 6. in c.

als pars potentialis zur Karbinaltugend der Mäßigkeit zählt. Indes betont auch er immer (besonders l. c. aa. 5. et 6.), daß es zum Wesen dieser Tugend ge=höre, sich dem göttlichen Einflusse mit Unterdrückung der falschen (eingebildeten) eigenen Größe zu unterwerfen; diese Unterwerfung dürfte daher wohl mit Recht als ein Bestandteil der Gerechtigkeit betrachtet werden, die wir Gott schulden, womit dann die Demut, in ihrer vollständigen Entwicklung betrachtet, der Kar=binaltugend der Gerechtigkeit beigezählt würde. Auch so könnte man dem heiligen Lehrer noch beistimmen, wenn er die vana gloria (wohl mit der sogenannten superbia imperfecta identisch) als der magnanimitas entgegen zu den Ver=letzungen des Starkmutes zählt; denn die Art eines guten oder schlechten Aktes wird nicht bestimmt nach dem, woraus er hervorgeht, sondern nach der Weise, wie er zustande kommt. Bei den Verletzungen der Demut durch die zur äußersten Entwicklung gelangte superbia (perfecta) ist das subjectum dieser, wie Thomas (2. 2. q. 162. a. 3) auch zugibt, bereits nicht mehr die irascibilis proprie dicta, sondern die irascibilis „prout invenitur in appetitu intellect vo" (dem Willen). Vielleicht läßt sich das gleiche von der in ihrer vollständigen Entwicklung be=trachteten Demut sagen, deren Materie ebenfalls in irascibili ist.

Die Akte der eben erwähnten Tugenden dürften wohl mit Recht als die verdienstlichsten aller moralischen Tugenden angesehen werden. Aber eine absolute Rangstufe der Vorzüglichkeit unter den moralischen Tugenden aufzustellen, ist kaum möglich, da die einen in einer Be=ziehung, die anderen in einer anderen den Vorrang beanspruchen. Nur einige Andeutungen möchten wir hier aus Thomas über die bis heute von den Theologen ziemlich vernachlässigte Frage beifügen.

Vor allen moralischen Tugenden macht zwar gewissermaßen die ihren Vorrang geltend, welche alle anderen moralischen lenkt und regelt, indem sie allen den Weg zeigt und die von ihnen einzuhal=tende Mitte anweist, die Klugheit. Gewiß mit Recht räumen die Theologen allgemein mit Thomas ihr unter diesen Tugenden den ersten Platz ein, weil sie als Führerin die rechten Mittel zur Er=reichung des Zieles derselben lehrt, weshalb sie auch vor allem an=deren von der Liebe angewendet und befördert werden muß, wenigstens die schlechthin sogenannte Klugheit, die sich auf das eigene Gut (Wohl) bezieht.[1] Zudem verleiht das intellektuelle Element, das der Klugheit vor den drei andern Karbinaltugenden eigen ist, ihr auch vor diesen eine Würde oder einen Adel, der beachtet zu werden ver=dient. Aber wie unbedingt auch die Notwendigkeit und wie erhaben der Adel der Klugheit sein mag, kann man doch, wo es sich wie hier um das praktische Resultat, das Verdienst der guten Werke handelt, der Karbinaltugend der Gerechtigkeit ohne Bedenken, wie es auch Thomas getan hat, den ersten Rang nach den theologischen Tugenden anweisen.[2] Es ist hiezu nur noch besonders zu beachten, daß es zur

---

[1] Thomas sagt daher wirklich: „Prudentia, quae attingit rationem secundum se, est excellent or quam aliae virtutes morales, · quae attingunt rationem secundum quod ex ea medium constituitur in operationibus vel passionibus humanis." (2. 2. q. 23. a. 6. in c) Das doppelte quae gibt aber nur den Grund dieses Vorranges, daher die Rücksicht an, unter welche er auf=zufassen und zu verstehen ist. — [2] Wegen des intellektuellen Elementes, das der Klugheit eigen ist, läßt sich auch auf sie das gewissermaßen anwenden, was Thomas, die moralischen Tugenden mit den intellektuellen vergleichend, sagt:

Gerechtigkeit gehört, nicht nur die allgemeine Klugheit, die sich auf das eigene Wohl bezieht, immer, sondern auch die, welche Haus oder Familie betrifft (oeconomica) oder das Wohl der Gemeinde, des Reiches, der Gesellschaft 2c. vorschreibt (politica, socialis etc.), je nach den Verhältnissen, zu entwickeln und zu befördern.[1] Gewiß wären hierüber denen, die sich Verdienste erwerben wollen, heilsame Winke zu geben.

Nun wollen wir aber die Tugenden, die zur Gerechtigkeit gehören, miteinander und mit den anderen Kardinaltugenden vergleichen.

4. Die Werke der Gerechtigkeit gehen denen der anderen Kardinaltugenden, der Stärke und der Mäßigkeit, voraus, weil diese Tugenden unmittelbar nur das niedere Begehrungsvermögen, in welchem sie ihren Sitz haben, vervollkommnen, wogegen die Gerechtigkeitstugenden den Willen selbst zum eigenen Subjekt haben. Diese Werke entrichten das, was wir Gott und dem Nächsten schulden, sie stehen daher der Liebe Gottes am nächsten, der sie die wichtigsten und edelsten Dienste leisten. Ihre Verdiensterwerbung wird daher auch, wenn der Wert der guten Werke nur berücksichtigt wird, der reichlichste von allen moralischen Tugenden sein.[2]

Unter diesen Werken ist ferner denen der Gottesverehrung (Religion) schlechthin der erste Rang, also auch am meisten Verdienstlichkeit bezüglich des Objektes der Werke zuzuerkennen, weil der Gegenstand dieser Tugend am nächsten zu Gott hingehört, auf welchen als Ziel alle moralischen Tugenden mit ihren Werken als Mittel gerichtet sind; denn die Werke dieser Tugend beziehen sich direkt und unmittelbar auf die göttliche Ehre.[3]

In einer Hinsicht jedoch erkennt der heilige Lehrer, dem wir den eben vorgebrachten Beweis entnommen haben, einer anderen Tugend unter den moralischen den Vorrang zu, nämlich der des Gehorsams. Betrachtet man nämlich das, was eine Tugend unter diesen gleichsam hingibt, damit es Gott diene, so muß wohl die als die vorzüglichste und verdienstreichste angesehen werden, welche das kostbarste der dem Menschen gehörenden Güter hiezu darbietet und Gott gleichsam zu Diensten stellt. Diese Tugend ist der Gehorsam; dieser bringt Gott, um dessen Willen zu erfüllen, den eigenen Willen

---

„Simpliciter loquendo virtutes intellectuales quae perficiunt rationem, sunt nobiliores quam morales, quae perficiunt appetitum. Sed si consideretur virtus in ordine ad actum, sic virtus moralis, quae perficit appetitum, cujus est movere alias potentias ad actum, nobilior est," etc (1. 2. q. 66. a. 3.) Im unmittelbar folgenden Artikel kommt daher ohne Berücksichtigung der Klugheit die Behauptung, daß die Gerechtigkeit die vorzüglichste aller moralischen Tugenden ist, worüber wir demnächst noch einiges sagen werden. — [1] Vgl. S. Thom. 2. 2. q. 47 a. 11. — [2] Das höhere Gut, das in den Werken der Kardinaltugend der Gerechtigkeit hervorleuchtet, gibt sich kund sowohl daraus, daß sie den Willen vervollkommnen durch sich selbst, als daraus, daß sie den Menschen nicht einzig in sich, sondern auch gegenüber Gott und dem Nächsten in das rechte Verhältnis bringen. (S. Thom. 1. 2. q. 66. a. 4.) — [3] S. Thom. 2. 2. q. 81. a. 6.

bar, der mehr ift als die äußern Güter, mehr als die des Leibes und felbft unter den geiftlichen das höchfte, inwiefern der Menfch durch ihn alle andern Güter gebraucht.

S. Thom 2. 2 q. 104. a. 3. Selbstverftändlich ift hier nur von folchen Gütern die Rede, auf welche der Menfch, um Gott zu dienen, verzichten tann; daher ift unter dem Willen hier eigentlich die Freiheit (nämlich gegen den Willen Gottes zu handeln) zu verftehen; diefe wird weggefchafft, der gute Wille aber Gott dargebracht. Der freie Wille bringt fich felbft dar, indem er fich dem göttlichen Willen gleichförmig macht und hieburch feinen wahren Wert erlangt und die Vollkommenheit erreicht. Er hebt die Möglichkeit auf, in diefem Afte noch das Böfe zu wählen, und die Aufhebung diefer Freiheit ift ein Glück.

Die eine diefer Tugenden nimmt alfo nach der einen, die andere nach der anderen Rückficht einen Vorrang vor allen anderen ein. Es ift nicht nötig, daß wir uns weiter auf einen Vergleich der Verdienftlichkeit ihrer Werke einlaffen. Das Verdienft befteht eben darin, daß der Menfch mit Hintanfetzung der gefchaffenen Güter dem höchften Gute, welches Gott ift, als feinem Ziele anhange; die Vereinigung mit Gott bringen förmlich die theologifchen Tugenden zur Ausfüh= rung, das Verzichtleiften auf die gefchaffenen Güter und das Er= greifen der pofitiven Mittel zur Erreichung des Zieles die mora= lifchen. Die in ihrer Art vollkommenften Mittel dazu find die Ver= ehrung Gottes durch die Religion und die Erfüllung feines Willens durch den Gehorfam. Die Werke diefer Tugenden find alfo auch unter den Werken aller moralifchen Tugenden die verdienftlichften.

Wie verhalten fich nun Starkmut und Mäßigkeit zu einander? Beide Tugenden vervollkommnen unmittelbar das niedere Begehrungs= vermögen, haben in diefem ihren Sitz, jene in irascibili, diefe in concupiscibili.[1] Die Stärke wird der Mäßigkeit an Wert oder Be= deutung vorangeftellt, weil fie das niedere Begehren der Vernunft= regel in betreff eines höheren oder wichtigeren Gegenftandes als diefe unterwirft.[2] Indes kann diefe Rangordnung wohl keinen großen Unterfchied bezüglich der Verdienftlichkeit der diefen Tugenden zuge= hörigen Werke hervorbringen. Uebrigens wird diefe Rangordnung von Thomas felbft in einer Hinficht modifiziert. Er hat die Demut zur Mäßigkeit gezählt, und reiht fie dann doch unmittelbar dem Range nach der Gerechtigkeit an, weil fie eine Allgemeinheit befitzt, die weder einer anderen zur Mäßigkeit gehörenden Tugend noch auch der Stärke zukommt, indem fie den Menfchen in allem der Vernunftregel und Ordnung unterwirft, wie ihn die Gerechtigkeit in allem derfelben gleichförmig macht. Wir möchten fie ohnehin, wie gefagt, den Ge= rechtigkeitstugenden beizählen, wenigftens inwiefern ihr die superbia

---

[1] Wir fetzen diefe Einteilung des appetitus sensibilis als bekannt voraus, wie fie Thomas erklärt in der Theol. Summa 1. q. 81.; 1. 2. q. 23. —
[2] „Fortitudo. quae appetitivum motum subdit rationi in his quae ad mortem et vitam pertinent. primum locum tenet inter virtutes morales, quae sunt circa passiones .. Temperantia subjicit rationi appeti um circa ea quae immediate ordinantur ad vitam .. scilicet in cibis et venereis." S. Thom. 1. 2 p. 66. a. 4. Cf. 2. 2. q 141. a. 8.

perfecta entgegenſteht, die zu ihrer äußerſten Entwicklung gelangt iſt (vgl. Seite 48), und wenn man das „removens prohibens“ als maßgebend für die Rangordnung gelten läßt, gebührt ihr, wie auch Thomas zugibt, ein erſter Platz unter allen moraliſchen Tugenden; denn da ſie den Menſchen für den Einfluß der göttlichen Gnade empfänglich macht, wird ſie mit Recht als Fundament des geiſtlichen Lebens bezeichnet. Inwiefern jedoch die poſitive Vervollkommnung vorzüglicher iſt, als die Vorbereitung dazu, ſind die Tugenden, welche den Menſchen direkt und poſitiv zu Gott erheben, nämlich die theo= logiſchen und die zur Gerechtigkeit gehörenden moraliſchen, vorzüg= licher als ſie.[1]

Es verſteht ſich, daß die Gläubigen kräftig zur Verdienſterwer= bung dadurch angetrieben werden, daß ſie die Notwendigkeit und den vom Objekte abhängigen Wert der verdienſtlichen Werke genauer kennen lernen. Praktiſch hängt es aber doch ſehr oft nicht ſowohl von ihrer freien Wahl, als von ihren Lebensverhältniſſen, ihrem Cha= rakter und den ſich darbietenden Gelegenheiten ab, auf welche Art von verdienſtlichen Werken ſie ſich beſonders verlegen können oder ſollen. Nur darauf möchten wir noch beſonders aufmerkſam machen, wie ratſam und nützlich die Beachtung des objektiven Maßes der Verdienſtlichkeit denen ſein dürfte, welche ſich mehr Schätze für die Ewigkeit ſammeln wollen, bei der Standeswahl. Ein Stand, dem es eigen iſt, nicht nur zur notwendigen Sorgfalt für das eigene Seelenheil mit beſonderer Kraft anzutreiben, ſondern auch beſtändig zu Werken der Nächſtenliebe wegen Gott zu verpflichten; ein Stand ferner, der allen, auch den geringſten guten Werken, welche geſchehen, außer dem Werte jener Tugenden, aus welchen ſie hervorgehen, den Charakter und das Verdienſt eines Aktes der Religion mitteilt: ein ſolcher Stand, meinen wir, iſt doch wohl jenen Ständen, die ſolche Vorteile nicht bieten, an und für ſich vorzuziehen.

5. Hiemit gelangen wir zu der, ebenfalls noch auf das Objekt der verdienſtlichen Werke ſich beziehenden Frage, ob ein gutes Werk verdienſtlicher iſt, wenn es die Erfüllung eines evangeliſchen Rates zum Gegenſtande hat, oder wenn es nur ein ſtrenges Gebot erfüllt, oder wenn es etwa weder Gegenſtand eines Gebotes noch eines eigentlichen Rates iſt.

Vor allem iſt es ſicher, daß die Erfüllung eines Gebotes (unter den ſonſt zu erfüllenden Bedingungen) ein verdienſtliches Werk iſt.[2] Das Werk iſt auch deswegen, weil es geboten iſt, nicht weniger ver=

---

[1] S. Thom. 2. 2. q. 161. a. 5. ad 2—4. — [2] Die entgegengeſetzte Anſicht, einſt von Dionyſius dem Karthäuſer verteidigt, wird von Suarez mit Recht als sententia temeraria et erronea bezeichnet. (De gratia, l. 12. c. 5. n. 2.) Es findet bei dieſem Werke das Prinzip ſeine Anwendung: „Homo inquantum propria voluntate facit illud quod debet meretur.“ (S. Thom. 1. 2. q 114. a. 1. ad 1.) Es bewährt ſich dabei, was von dem Gerechten geſagt iſt: „Er konnte ſündigen und hat nicht geſündigt, Böſes tun und hat es nicht getan: dafür ſind ſeine Güter ſichergeſtellt im Herrn.“ (Sir. 31, 10 f.)

dienſtlich, als wenn es nicht geboten wäre. Denn durch das Gebot wird weder das voluntarium, das das Werk vollzieht, noch die Güte des Werkes, wenn es eine ſolche ſchon an ſich beſitzt, vermindert. Das Verdienſt wird vielmehr in dieſem Falle noch vermehrt; denn zu der Güte, die das Werk in dieſem Falle ſchon an ſich hat und welche (wie vorausgeſetzt werden darf) intendiert wird, kommt die des formellen oder virtuellen Gehorſams hinzu, der das Gebot als ſolches erfüllt.[1]) Allerdings kommt es oft vor, daß das nicht gebotene, freiwillig aus eigenem großmütigen Antriebe unternommene Werk mit verhältnismäßig größerem Eifer und ſtärkerer Willenskraft ausgeführt wird als das gebotene. Aber das gebotene hat doch darin gerade, daß es geboten iſt, einen beſondern und entſcheidenden Grund, die Willenskraft in Anſpruch zu nehmen.[2])

Ueber den Unterſchied, der auf der Willensſtärke beruht, werden wir aber nachher handeln. Den objektiven Unterſchied, der in betreff der evangeliſchen Räte beſteht, dürfen wir hier nicht unerwähnt laſſen. Das Gebot erſtreckt ſich nur auf das, was ſtreng genommen zur Liebe Gottes erfordert iſt, auf das letzte Ziel und die zu demſelben notwendigen Mittel; der Rat dagegen bezieht ſich auf jene Mittel, welche dazu dienen, das Ziel beſſer und vollkommener zu erreichen. Durch Befolgung der evangeliſchen Räte werden nämlich von vorneherein jene Hinderniſſe beſeitigt, die ſich der Wirkſamkeit der Liebe Gottes vorzüglich entgegenſtellen, ſie bezweckt ſomit, dieſe Wirkſamkeit weiter auszudehnen und zu befördern. Der Gegenſtand des Rates iſt alſo an ſich beſſer und deſſen Befolgung an ſich verdienſtlicher, als die Erfüllung des Gebotes, wofern die allgemeinen Bedingungen der Verdienſterwerbung, folglich auch dieſe Erfüllung, dabei nicht fehlen.[3])

---

[1]) Es kann wohl nur höchſt ſelten vorkommen, daß ein in jeder Hinſicht (mit all ſeinen Umſtänden) indifferentes Werk Gegenſtand eines Gebotes werde. In dieſem Falle wäre dem Werke nur das Verdienſt des Gehorſams zuzuſchreiben. Wenn aber jemand ein gutes Werk tut, ohne zu wiſſen, daß es geboten iſt, erfüllt er doch das Gebot, weil er den Willen hat, alles Gute dabei zu tun, was er kann. — [2]) „Debitum non diminuit rationem meriti, nisi quatenus diminuit rationem voluntarii, secundum quod quandam necessitatem importat; sed si voluntarie debitum reddatur, nihilominus ibi erit tantum meriti, quantum est ibi de ratione voluntarii." (S. Thom. In 3. d st. 30. q. 1. a. 3. ad 4.) Bemerkenswert iſt hiezu, was Suarez ſagt: „Quia in operibus non praeceptis solet esse major occasio ostendendi hanc liberalem voluntatem, ideo solent etiam ex hac parte praeferri secundum quid opera non praecepta. Et ideo etiam abstinetur interdum a praeceptis, ut illud facilius locum habeat: ‚Non ex tristitia aut necessitate, hilarem enim datorem diligit Deus.‘ (2 Cor. 9. 7.; cf. Philem. 9.)" Suarez. De gratia, l. 12. c. 5. n. 4. (Ed. Vives. t. 10. pag. 27.) — [3]) S. Thom. 2. 2. q. 184. a. 3. und beſonders 1. 2. q. 108. a. 4. — Wer die evangeliſchen Räte auf verdienſtliche Weiſe befolgen will, muß offenbar auch den Willen haben, die Gebote zu halten. Indem daher die heiligen Väter allgemein (z. B. Chryſoſtomus, hom. 22. in 1. Cor.) die Befolgung der evangeliſchen Räte über die Erfüllung der Gebote ſtellen, ſetzen ſie voraus, daß dieſe in jener ſchon enthalten iſt. Sie leugnen damit nicht, daß das Gebot an und für ſich dem Verdienſte nichts entzieht, ſondern es vermehrt.

Es ist schließlich zu bemerken, daß die, welche sich durch Gelübde zur Befolgung eines oder mehrerer Räte verpflichten, nicht nur das Verdienst jener Tugend erwerben, die sie dem evangelischen Rate gemäß in einem guten Werke üben, sondern auch das der Tugend der Gottesverehrung, inwiefern das Werk zu ihrem Gelübde gehört, und das des Gehorsams, wenn die Verpflichtung sich auf dasselbe erstreckt.

Noch ein interessantes Beispiel, wie die verschiedenen Gründe einer höheren Verdienstlichkeit aus den formellen Objekten der guten Werke zu erheben sind, gibt uns Thomas, indem er das gute Werk der Freundesliebe mit dem der Feindesliebe vergleicht. Hat Christus der Herr letzteres seinen Jüngern so eindringlich deswegen empfohlen, weil dasselbe überhaupt besser und verdienstlicher ist (seinem Objekte nach) als das erstere? Eine einfach bejahende Antwort auf diese Frage wäre nicht zutreffend. Die Feindesliebe kann allerdings, wenn sie eine wahre Liebe ist, kaum jemals einen andern Beweggrund haben, als die Liebe zu Gott, während zur Freundesliebe, selbst wenn sie tugendhaft ist, leicht auch andere, unvollkommenere Gründe bewegen können. Indes kann auch letztere aus der Liebe zu Gott hervorgehen, und dann ist sie, wie Thomas sagt, an sich besser und vollkommener, daher auch an sich verdienstlicher als die Feindesliebe, weil ihr Gegenstand, als besser und mehr mit uns verbunden, mehr geliebt zu werden verdient, als der der Feindesliebe, weshalb es auch schlimmer ist, den Freund zu hassen als den Feind.[1] Christus hat uns also deswegen die Feindesliebe besonders empfohlen, damit wir uns überhaupt versichern, die Liebe Gottes zum Beweggrunde unserer Nächstenliebe zu haben, was wir mit Ueberwindung der Hindernisse (Schwierigkeiten), welche die Feindschaft bereitet, wohl ohne Zweifel zustande bringen; dann werden wir, die wir die Feinde um Gotteswillen lieben, hoffentlich auch die Freunde, die wir aus unvollkommeneren Beweggründen zu lieben ohne Schwierigkeit geneigt sind, aus dem höheren Beweggrunde, den hier die innere Vortrefflichkeit des Gegenstandes bietet, lieben. Dann wird die Willenskraft der Gottesliebe, wie ein Feuer, die ihr näher liegenden und brennbareren Gegenstände mit mehr Stärke verzehren, als die entfernten und weniger brennbaren.[2] Ueber die Schwierigkeiten werden wir jedoch unten (n. 8) noch eigens handeln.

6. Eine weitere Frage, die sich noch auf das Objekt der verdienstlichen Werke bezieht, ist die, ob dem äußerlichen Akte als solchem ein eigenes von dem des Willensaktes irgendwie verschiedenes Verdienst zukomme; ob, mit anderen Worten, das äußerliche Element, die äußerliche Ausführung eines guten Werkes an sich die Verdienstlichkeit desselben vermehre. Wir können uns hier kurz fassen. Alle Moralisten stimmen heute darin überein, daß die Sittlichkeit des

---

[1] S. Thom. 2. 2. q. 27. a. 7.; In 3. dist. 30. q. 1. a. 3. et a. 4. ad 3. et al. — [2] So dem Inhalte nach der prächtige Art. 7. des heiligen Thomas l. c.

äußeren Aktes mit der des inneren nur Eines ausmacht; daß, mit anderen Worten, zwei Akte, die nach ihrem inneren Elemente durchaus gleich sind, während bei dem einen die äußerliche Ausführung erfolgt und bei dem anderen nicht, in moralischer Hinsicht durchaus denselben Wert oder Unwert haben, weil in diesem Falle das Nichterfolgen der Ausführung bei einem dieser Akte vom Willen des Subjektes ganz unabhängig sein muß.

Was bezüglich der sittlichen Güte der Werke gilt, muß auch auf deren Verdienstlichkeit seine Anwendung finden. Lohn verdient nur, was vom freien Willen abhängt. Wenn aber von zweien, die mit gleichem Willensakte z. B. ein Almosen geben wollen, der eine es wirklich gibt, der andere nicht, so kann offenbar dieser Unterschied nur daher rühren, daß dem einen die Ausführung möglich ist, dem andern nicht. Daher kann die Ausführung dem Verdienste jenes an sich keine Vermehrung bringen und deren Mangel dem Verdienste dieses keinen Eintrag tun. Gegenstand und Stärke des Willensaktes ist, wie vorausgesetzt wird, bei dem einen wie dem anderen gleich; die Ausführung tritt bei dem einen, dem sie möglich ist, notwendig ein, und bleibt bei dem andern, dem sie nicht möglich ist, notwendig aus; sie kann also für die Verdienstlichkeit nicht in Betracht kommen, es sei denn, inwiefern die Ausführung eine Vervollkommnung, Vermehrung oder Vervielfältigung des inneren Aktes selbst veranlaßt, worüber wir hier nicht weiter zu handeln brauchen.[1]) Nach dieser Erklärung ist das Sprichwort richtig: „Wille gilt für Tat im Guten und im Schlechten."

Eine Erklärung zur Verdienstlichkeitslehre des Aquinaten läßt sich hieraus folgern. Da der vorgelegte Grund, mit welchem Thomas vollständig einverstanden ist, aus der Sittlichkeit und Güte des Werkes selbst gezogen ist, so muß er, wie auch Suarez mit Recht schließt, von jedem Lohne, sowohl dem accidentellen als dem essentiellen gelten.[2]) Wie kommt es nun, daß Thomas den accidentellen Lohn speziell dem äußeren Werke zuschreibt?[3]) — Um zu verstehen, daß hier kein Widerspruch in der Lehre des Aquinaten besteht, genügt es zu beachten, daß auch jener Akt, dem die äußerliche Ausführung fehlt, dennoch ein äußerlicher ist, wenn sein Objekt ein äußerliches ist: dann ist er ein äußerlicher „non quidem ex eo secundum quod

---

[1]) Vgl. S. Thom. 1. 2. q. 20. a. 4.; In 2. dist. 40. q. 1. a. 3. — Es ist bekannt, welche praktische Schlüsse aus der hier vorgelegten Lehre namentlich über die Verdienstlichkeit frommer Wünsche und gottliebenden Verlangens gezogen werden. (Vgl. Rogacci, Von dem Einen Notwendigen. 2. Teil nach der neuen Ausgabe (bearb. von Müllendorff. Regensb. 1901) 20. u. 24. Hauptst.) — [2]) „Si rationes supra factae efficaces sunt, de omni merito proprio cujuscunque praemii procedunt, quia etiam meritum accidentalis praemii requirit suam libertatem." De gratia, l. c. n. 21. — [3]) „Ad praemium autem accidentale ordinatur (operans) per bonitatem quae est ipsius actus exterioris secundum se: et ideo actus exterior adjungit aliquid ad praemium accidentale: verbi gratia martyr, inquantum exterius patitur, victoriam de adversariis fidei habet, et ex hoc sibi aureola debetur." In 2. l. c.

est exercitus, sed secundum quod est intentus et volitus". Die Verdienstlichkeit quoad praemium accidentale schreibt Thomas dem äußerlichen Akte nicht einzig zu secundum quod est exercitus, nämlich inwiefern die äußerliche Ausführung wirklich erfolgt, sondern secundum quod est intentus et volitus: in diesem Sinne bereits ist der Akt ein äußerlicher, dem, inwiefern er ein solcher ist, der accidentelle Lohn zukommt.

Mit der ganzen Auffassung des accidentellen Lohnes bei Thomas stimmt diese Erklärung überein.[1] Die äußerliche Ausführung kann aber Folgen haben, die ohne sie nicht eintreten. Jemand, nehmen wir an, ist ganz entschlossen, sein Geld unter die Armen zu verteilen, wird aber durch Diebstahl oder einen Unfall an der Ausführung verhindert. Sein Verdienst wird hieburch an sich nicht vermindert, aber das Gebet der Armen für ihn bleibt aus. Wenn er mit dem Gelde heilige Messen lesen lassen wollte für die Verstorbenen, und es begegnet ihm solcher Unfall, so wird diesen tatsächlich nicht geholfen und er kann sich über den Ausgang nicht erfreuen. Etwas ähnliches scheint in betreff der Märtyrer, Lehrer und Jungfrauen, denen ein besonderer accidenteller Lohn (aureola) zuerkannt wird, sich zu bewähren. Nach einer sehr wahrscheinlichen Ansicht sind diese durch eine besondere Freigebigkeit Gottes befähigt, sich diesen Lohn, aber nur bei der Ausführung des guten Werkes, fast wie ex opere operato, zu erwerben; ohne die Ausführung erfolgt bei auch gleich gutem Willen diese Wirkung nicht, wie auch ein Sakrament in voto nicht alle Wirkungen hervorbringt, die es, in re empfangen, mitteilt. So kann auch die wirkliche Ausführung einen genugtuenden Wert besitzen, der dem durchaus gleich verdienstlichen Werke ohne die Ausführung fehlt.[2] An der eigentlichen Verdienstlichkeit, selbst der des accidentellen Lohnes, wird aber hiemit nichts geändert.

Zwei Selbstmörder.

Von P. Adelgott Caviezel O. Cist. in Marienstatt, Nassau.

Ein tief bedauerliches Zeichen unserer Zeit ist die ganz bedeutende Zunahme des Selbstmordes. "Im Jahrzehnt 1831 bis 1840 betrug

---

[1] Vgl. In 2. dist. 29. a. 4. — Die Verdienstlichkeit des accidentellen Lohnes kommt dem Werke zu wegen der Art (genus, species), wie es geschieht, und eine besondere Art verleiht ihm der äußere Akt, inwiefern dieser mit seinen Umständen Objekt desselben ist und zur Erreichung des Zieles des Menschen dient. Dieser Lohn ist, wie es scheint, so enge mit dem essentiellen verknüpft, wie die äußere, konkrete Umkleidung des menschlichen Aktes mit dem ihn konstituierenden Willensakte, besonders dem Akte der Liebe. In diesem eigentlichen Sinne ist der accidentelle Lohn von dem Erfolge der Ausführung nicht abhängig. — Supplem. 9. 96. — [2] Es kann sein, daß auch Thomas den accidentellen Lohn an einigen Stellen in diesem weiteren (uneigentlichen) Sinne verstanden hat, z. B. in 2. dist. 10. q 1. a. 3. ad 5.; an anderen Stellen wird vielleicht eine Andeutung in diesem Sinne gegeben, z. B. in 2. l. c.: De malo q. 2. a. 2. ad 8.

die Gesamtsumme der amtlich konstatierten Selbstmordfälle 6521 im
jährlichen Durchschnitt. Einschließlich der Gebiete, für welche die
Angaben fehlen, dürfte die Gesamtzahl der Selbstmorde in Europa
im genannten Jahrzehnt auf ungefähr 10.000 jährlich zu veran=
schlagen sein. Für das letzte Jahrzehnt des 19. Jahrhunderts ergibt
sich eine Gesamtsumme von jährlich 38.727 Selbstmorden im Durch=
schnitt, die sich bei Miteinrechnung einiger nicht berücksichtigten
Staatsgebiete auf rund 40.000 erhöhen würde. Ein Vergleich der
Jahrzehnte 1831 bis 1840 und 1891 bis 1900 ergibt also eine
Vermehrung der Selbstmorde um 400 Prozent. Die Bevölkerung
Europas vermehrte sich von Mitte der dreißiger bis Mitte der
neunziger Jahre des vorigen Jahrhunderts etwa um 60 Prozent.
Die Zunahme der Selbstmorde bleibt also auch bei Berücksichtigung
der Volksvermehrung eine ganz enorme.[1] Naturgemäß ist bei der
städtischen Bevölkerung überall eine höhere Selbstmordfrequenz zu
finden; indessen bestätigen die Statistiken, daß auch auf dem Lande
der Prozentsatz der Selbstmörder im fortwährenden Steigen begriffen ist.

Da nun der Selbstmord und Selbstmörder nach mehr als
einer Seite hin in den Bereich der Seelsorge gehören, so bildet die
genannte traurige Tatsache häufig eines der schwierigsten Momente
auf dem Gebiete der Pastoration in Stadt und Land, und ist darum
gewiß geeignet, das Thema für eine eingehende Untersuchung zu
bilden. Wir wollen dieselbe an folgende zwei Fälle anknüpfen.

In X. erhängte sich ein armer, hochbetagter Mann. Die Ur=
sache dieser unseligen Tat war die Angst und Furcht, der weltlichen
Gerechtigkeit in die Hände zu fallen. Der alte Mann hatte sich mit
Kindern contra sextum verfehlt, wie er auf einem hinterlassenen
Schriftstücke bemerkte. Daß der Tote nicht kirchlich begraben werde,
fanden die Angehörigen für selbstverständlich und stellten daher
auch keinen diesbezüglichen Antrag beim Pfarrer. So wurde denn
der Tote ohne Sang und Klang in aller Stille der Erde übergeben.

Nicht lange darnach erschoß sich in derselben Gemeinde ein
reicher Mann. Seine Frau, eine brave, gut katholische Person,
meldete den Tod ihres unglücklichen Mannes beim Geistlichen an
und bat gleichzeitig, man möge doch ihren Mann kirchlich beerdigen.
Darauf konnte natürlich der Geistliche nicht eingehen, solange nicht
wenigstens ein ärztliches Zeugnis über die Unzurechnungsfähigkeit
des Mannes bei dieser traurigen Tat vorgezeigt würde. Tags darauf
hatte der Geistliche das gewünschte Zeugnis in der Hand, welches
er an die bischöfliche Behörde einsandte mit der Bitte um Verhaltungs=
maßregeln. Auf das ärztliche Zeugnis hin entschied sich das bischöf=
liche Ordinariat für das kirchliche Begräbnis und der Herr nahm
die Beerdigung des Toten solemni ritu vor. Dieser Fall bildete
natürlich das allgemeine Gespräch in der ganzen Gemeinde. Man

---

[1] Krose, „Der Selbstmord im 19. Jahrh“. S. 101.

zog Vergleiche zwischen „arm und reich"; der Arme wird ohne
Sang und Klang verscharrt, der Reiche erhält ein kirchliches Be=
gräbnis. Dabei habe der reiche Selbstmörder seine Pflichten als
Katholik vernachlässigt, jahrelang schon habe er den Empfang der
heiligen Sakramente versäumt, sei selten in der·Kirche zu sehen ge=
wesen usw. — Nur wenige Leute erschienen zur Beerdigung, die
meisten hielten sich absichtlich ferne und übten dadurch strenge Zensur
an dem bedauerlichen Vorfall. Soweit die beiden Fälle.

Behufs weiterer Ausführungen wollen wir nun zunächst eine
Begriffsbestimmung des Selbstmordes geben, wie er für eine
moraltheologische Untersuchung in Betracht kommt.

„Selbstmord heißt in der katholischen Sittenlehre
die freiwillig selbst verursachte und direkt beabsichtigte
Vernichtung des eigenen leiblichen Lebens"; mit anderen
Worten: „Der Selbstmord ist eine Handlung oder Unterlassung,
durch welche der Handelnde absichtlich und wissentlich seinem
Leben unmittelbar ein Ende bereitet."[1]

Der Selbstmord ist ein Verbrechen gegen die eigene Natur,
gegen das Sittengesetz und ein Verbrechen, das auch in den Augen
der gewöhnlichen Menschen entehrt und so hat die Kirche mit Recht
diese schändliche Handlung noch mit einer besonderen Strafe belegt,
indem sie dem Selbstmörder das kirchliche Begräbnis ver=
weigert. Die diesbezüglichen kirchlichen Bestimmungen lauten:

„Negatur ecclesiastica sepultura se ipsos occidentibus ob desperationem vel iracundiam, non tamen si ex
insania id accidat, nisi ante mortem dederint signa
poenitentiae."[2]

Die kirchliche Beerdigung ist nach der Anschauung der Kirche,
sowie nach der innersten Ueberzeugung der Gläubigen eine Aus=
zeichnung, welche jenen zu teil wird, die im Leben und im Tode
als treue Mitglieder der Kirche sich gezeigt haben. Sie ist aber
auch ein Recht der Gläubigen infolge ihrer Gemeinschaft mit der
Kirche, welche nach katholischer Lehre und beständiger kirchlicher
Praxis mit dem Tode keineswegs aufgehoben, sondern auch nach
demselben fortgesetzt wird.[3] Nach dem Gesagten läßt sich die Schwere
der Strafe erkennen, welche jenen trifft, dem die kirchliche Beerdigung
versagt wird.

Die kirchliche Beerdigung verweigern, heißt soviel als ein
moralisches Todesurteil fällen; denn der Verstorbene gilt da=
mit formell als ausgeschlossen aus der Gemeinschaft der Gläubigen,
ist in deren Augen nicht bloß physisch, sondern auch moralisch tot.
Er wird nach dieser Seite hin den Ungetauften oder von der Kirche

---

[1] Pruner, „Der Selbstmord", in KL. XI. Sp. 73. Cf Cathrein, Moral=
philos. H. 51; S. Alph. Theol. Moral. 1. 4. n 366.; Goepfert Moraltheol. Bd. II.
p. 6.; Koch, Moraltheol. § 72. — [2] Rit. rom „de exequiis". — [3] Cf Theol.
pratt. Quartalschr. 1896. pag. 116.

Getrennten gleichgestellt. — Folgenschwer ist die Verweigerung des kirchlichen Begräbnisses für das Ansehen des Verstorbenen, aber folgenschwer auch für die Anverwandten desselben; denn diese empfinden eine solche Maßregel als eine bittere Schmach und würden es dem Priester nicht verzeihen, wenn er etwa vorschnell geurteilt hätte. Allein diese Rücksichten können nur Nebensache sein, sie können und dürfen das strenge Gesetz der Kirche nicht aufheben. Andererseits aber bemerkt Lehmkuhl treffend zu diesem Gesichts= punkte: „Gerechte Schonung kannte die Kirche stets, nicht bloß gegen die hinterbliebenen Verwandten, sondern gegen den Toten selbst und zwar gegen diesen in erster Linie. Deßhalb schloß und schließt sie ihn nicht aus von der Zahl derer, welche sie noch nach diesem Leben durch ihre Gebete und Opfer begleitet, so lange nur ein vernünftiger Grund zur Annahme vorliegt, daß der Selbstmord nicht der eigentlichen Verantwortlichkeit und vollkommenen Zu= rechnungsfähigkeit des Täters beigelegt werden müsse. Dies ist nicht etwa ein Abschwächen der Neuzeit, sondern es war von altersher das Urteil der Theologen."[1] Auch hier geht die Kirche nach dem theologischen Grundsatze vor: „Odiosa sunt restringenda."

Nach diesen Bemerkungen allgemeiner Natur schreiten wir zur eigentlichen Ausführung, indem wir dabei Bezug nehmen auf die oben gegebene Definition des Selbstmordes, sowie auf die dies= bezüglichen kirchlichen Strafbestimmungen.

I. Zur wesentlichen Konstitution des Selbstmordes gehört nach der oben angeführten Begriffsbestimmung, daß derselbe direkt als solcher beabsichtigt ist. Begeht demnach eine Person eine Handlung, welche leicht den Tod zur Folge haben könnte, oder unterläßt sie andererseits eine Tat nicht, von welcher sie voraussieht, daß sie indirekt Ursache des Todes werden könnte, so liegt kein Selbstmord im strengen Sinne des Wortes vor, es tritt also auch die kirchliche Strafe nicht in Kraft, vorausgesetzt natürlich, daß bei der handelnden Person die Absicht der Lebensvernichtung gefehlt hatte. Man kann in diesem Falle mit den Strafrechtslehrern von einer Selbst= tötung, nicht aber von Selbstmord reden. Diese Handlung mag immerhin manchmal schwer sündhaft sein, sie zieht aber die auf den Selbstmord als solchen gelegte kirchliche Zensur nicht nach sich. So haben verschiedene Päpste (z. B. Pius V., Gregor XIII.) strenge Verbote der Stiergefechte erlassen, weil diese Kämpfe stets mit großer Lebensgefahr verbunden sind, allein die Verweigerung des kirchlichen Begräbnisses wurde niemals auf getötete Stierkämpfer ausgedehnt. Der Grund hievon liegt eben darin, daß man es hier nicht mit einer direkt beabsichtigten Vernichtung des eigenen leiblichen Lebens zu tun hat. Dasselbe ließe sich auf jene waghalsige Menschen

[1] A. Lehmkuhl, Rechtsgeschichtliches über den Selbstmord in St. ML. XXIII. 279.

anwenden, welche sehr gefährliche Luftschiffahrten machen, oder ohne Führer sehr schwierige Bergbesteigungen unternehmen u. s. w.

Der Tod muß ferner in direktem, sicherem Zusammenhang zu der vom Selbstmörder gesetzten Handlung stehen, durch welche er die Selbstvernichtung beabsichtigte, er muß sich zu dieser also wie die Wirkung zur Ursache verhalten, d. h. der Akt muß in suo genere komplett sein. Wäre das nicht der Fall, so würde ebenfalls die kirchliche Strafe nicht eintreten. Es hatte z. B. jemand die Absicht, sich zu erschießen, indessen verwundete er sich nur schwer. Die Kugel muß durch einen operativen Eingriff entfernt werden, welchem der Kranke erliegt. Hier ist wohl eine schwere Sünde vorhanden, allein die kirchliche Strafe tritt nicht in Kraft.

II. Zum Wesen des Selbstmordes gehört ferner, daß derselbe freiwillig und absichtlich ausgeführt wurde. Alles, was also den Verstand und konsequent den Willen des Handelnden im Momente der Tat derart beeinflußte, daß deren normale Betätigung aufgehoben oder stark gehemmt war, hebt die Sünde und ipso facto die Strafe auf oder vermindert die Schwere der ersteren. Wir haben gesagt: „im Moment der Tat“: der Handelnde kann vor der Tat bei vollem Vernunftgebrauch gewesen sein, es kann ferner die Unzurechnungsfähigkeit bei der Handlung eine selbst verschuldete, sie kann in sich schwer sündhaft sein, ohne daß sie deshalb die strafbaren Folgen nach sich zieht. Wenn jemand z. B. aus schwerer Melancholie oder im Irrsinn sich das Leben nimmt, die betreffende Seelenkrankheit aber war durch einen schlechten Lebenswandel entstanden, so haben wir es wieder mit einer Art Selbsttötung, nicht aber mit einem Selbstmord zu tun. Allerdings wird hierbei vorausgesetzt, daß die Krankheit nicht direkt intendiert war zum Zwecke des Selbstmordes oder daß dieser wenigstens in confuso vorausgesehen wurde. So würde ein Selbstmörder, der sich sinnlos betrinkt, um einen Selbstmord zu begehen, natürlich der kirchlichen Strafe unterliegen.

Damit der Selbstmörder der kirchlichen Strafe verfalle, wird sodann auch die Kenntnis der Schwere seines Verbrechens gefordert. Es wird jedoch selten der Fall sein, daß ein Mensch, welcher die positiv göttliche Offenbarung gläubig annimmt, in unüberwindlicher und entschuldbarer Unwissenheit (ignorantia invincibilis) sich befindet. Dagegen kann es vorkommen und ist nur allzu oft schon vorgekommen, daß jemand durch irgend einen verkehrten Einfluß die geoffenbarte Wahrheit falsch interpretiert, also sich eine conscientia erronea hierüber bildet. So kann jemand der Ansicht sein, es sei tugendhaft, ja unter Umständen sogar strenge Pflicht, für die Güter höherer Ordnung selbst das Leben zu opfern. Handlungen, welche aus einem solchen Irrtume hervorgehen, stehen dann allerdings objektiv und materiell mit dem Sittengesetze in Widerspruch, sind aber schuldfrei, was die formelle Moralität und Imputation betrifft.

— „Es wäre ebenfalls ein großer Irrtum, anzunehmen, eine direkte Vernichtung des eigenen Lebens könne ein Mittel der Buße und Genugtuung für begangene Sünden sein, oder könne gestattet sein, um sich vor Sünde zu schützen, um der Gefahr, welche der Jungfräulichkeit droht, zu entgehen; oder der Selbstmord sei ein Martyrium, wenn man in der Gewalt solcher Menschen sich befindet, welche zum Abfall vom Glauben zwingen wollen, oder schließlich er sei notwendig, um ein großes Unglück von der Kirche, vom Staate oder von der Familie abzuwenden."[1]

In einer Mission wurde gepredigt, man müsse fest entschlossen sein, eher tausendmal zu sterben, als eine schwere Sünde zu begehen. Das gab einer Person Anlaß zu einer recht bedauerlichen Tat. Dieselbe machte sich folgenden Syllogismus: „Wenn ich noch länger lebe, werde ich sicher wieder in schwere Sünde fallen; es ist aber tausendmal besser, zu sterben, als eine Sünde zu begehen, also kann es für mich nur heilsam sein, jetzt zu sterben, damit ich der Gefahr zu sündigen entgehe." Sie öffnete sich deshalb die Pulsader, wurde aber glücklicherweise noch rechtzeitig entdeckt und gerettet. Davon erhielt eine andere Person Kunde und glaubte, in ihrem Wahne dasselbe tun zu sollen. Die Unglückliche wurde auch tatsächlich eines Tages tot in ihrem Bette gefunden; sie hatte sich eine Ader geöffnet und war an Verblutung gestorben. Solche Fälle sind nicht selten.

Zum Wesen des Selbstmordes gehört, wie gesagt, von seiten des Subjektes die diesbezügliche Absicht und der freie Willensgebrauch. Hier müssen wir uns zunächst mit einer These verschiedener moderner Psychiater befassen. Der Selbstmord ist ein unnatürliches Verbrechen gegen das eigene Menschenwesen, insofern hier der mächtigste Trieb des Menschen, nämlich der Selbsterhaltungstrieb, widernatürlich unterdrückt wird. „Selbst Männer, welche dem Selbstmord nicht gerade ablehnend gegenüberstehen, haben doch eingestehen müssen, daß das Grauen vor dem Tod am stärksten sich äußere, wenn jemand selbst die Hand gegen sein Leben erhebt. So schreckt die menschliche Natur kraft des in sie tief eingesenkten Selbsterhaltungstriebes beinahe instinktiv vor der freiwilligen Vernichtung des leiblichen Lebens zurück. Der Selbstmord bleibt daher immer ein schweres psychologisches Rätsel."[2] Das ist der Grund, weshalb verschiedene Psychiater beim Selbstmord die Geistesstörung als stets vorhanden voraussetzen. Dem gegenüber steht freilich die Ansicht bedeutender Autoritäten, welche auf Grund zweifelloser Erfahrung dartun, daß ein Selbstmord auch mit voller Ueberlegung, ohne Spur von Geistesstörung ausgeführt werden könne und auch häufig ausgeführt werde. So schreibt z. B. J. Maschka[3]: „Wir dürfen es offen eingestehen, daß auch vollkommen geistesgesunde Menschen Selbstmörder werden können. Und Dr. Senfelder[4] bemerkt

---

[1] Pruner KL. XI. Sp. 75. — [2] Walter, Staatslexik. 2. Aufl. 4. Bd. Sp. 1380. — [3] Cf. Koch a. a. O. — [4] Selbstmordgedanken. S. 25.

zu diesem Kapitel: „Statistische Berechnungen ergeben ungefähr den dritten Teil aller Selbstmorde zu Ungunsten der Geisteskranken." Gewiß, es wird wenige Selbstmörder geben, die nicht vorher einen harten inneren Kampf durchkämpfen mußten, ehe sie Hand an ihr eigenes Leben gelegt haben, und es bedarf ohne Zweifel eines sehr erschütternden Einflusses, der den so stark entwickelten Selbsterhaltungstrieb zu Gunsten eines unnatürlichen Todes zurückdrängt; allein damit kann keineswegs erwiesen werden, daß der Selbstmörder im Momente der Tat geistesgestört sein muß. Die aufopfernde Tat eines Themistokles, der den Giftbecher trank, um nicht gegen sein Vaterland kämpfen zu müssen und ähnliche Handlungen anderer Männer in der Geschichte werden von der Nachwelt als Heroismus gerühmt; gottesfürchtige Jungfrauen haben den Tod dem Verluste der Jungfräulichkeit vorgezogen, — sie mögen immerhin in conscientia erronea gehandelt haben — aber niemand hat bis jetzt behauptet, daß diese Männer und Frauen im Zustande der Geistesstörung in den freiwilligen Tod gingen. Warum soll es also keinen, bei klarem Verstande ausgeführten Selbstmord geben? Andererseits ist freilich sicher, daß eine Großzahl der heutigen Selbstmordfälle auf Rechnung partieller oder vollständiger Geistesstörung zu setzen ist. In der Praxis ist in den einzelnen Fällen zu untersuchen, inwieweit die Tat imputierbar ist; wir müssen uns damit begnügen, auf die verschiedenen Gesichtspunkte aufmerksam zu machen, die hier zu berücksichtigen sind. Der Uebersicht halber wollen wir dieselben in drei Klassen einreihen, bemerken aber gleich hier, daß in der Praxis nicht immer eine scharfe Grenzlinie zwischen den einzelnen Klassen gezogen werden kann. Wir behandeln demnach:

1. Die Fälle, in denen mit moralischer Sicherheit angenommen werden darf, daß ein Selbstmord vorliegt.

2. Die Fälle, in denen es zweifelhaft ist, ob ein Selbstmord im eigentlichen Sinne vorhanden.

3. Die Fälle, in denen es moralisch sicher ist, daß es sich um keinen Selbstmord handeln kann.

1. Fälle, bei denen man nach ruhiger und vernünftiger Beurteilung der Umstände anzunehmen berechtigt ist, daß ein eigentlicher Selbstmord vorliegt.

In Bezug auf diesen Gesichtspunkt lautet die Bestimmung des Rit. rom.: Negatur ecclesiastica sepultura se ipsos occidentibus ob desperationem vel iracundiam. Es darf also ein Selbstmörder nicht kirchlich beerdigt werden, welcher aus Verzagung resp. Verzweiflung sich das Leben genommen, sowie derjenige nicht, der aus Zorn, Aerger oder Verdruß sich getötet. Vorausgesetzt ist natürlich, daß der Selbstmord nicht als actus primo primus aus diesen irasciblen Affekten erfolgt ist. Mit dieser Aufführung des Rit. rom. sind jedoch die Fälle keineswegs erschöpft, in welchen wir einen Selbstmord im strikten Sinne des Wortes anzunehmen haben.

Nach allgemeiner Ansicht soll auch demjenigen das kirchliche Begräbnis verweigert werden, der sich aus Ehrsucht, falschem Ehrgefühl
entleibt hat.[1] Man denke z. B. nur an das sogenannte amerikanische
Duell, wonach einer der Gegner, welcher durch das Los zu bestimmen
ist, verpflichtet ist, innerhalb einer bestimmten Zeit sich auf eine
bestimmte Weise das Leben zu nehmen. Diesbezüglich sagt Walter[2]
treffend, daß ein solcher Selbstmord nichts anderes sei, als ein feiges
Strecken der Waffen und nur jemand, der vollständigen Bankrott
am christlichen Glauben gelitten, könne seine verletzte Ehre durch
Selbstmord herzustellen suchen wollen. In diesem Zusammenhange
nennen wir auch jene Vereine, deren unsinnige Statuten es ihren
Mitgliedern zur Pflicht machen, mit Eintritt eines bestimmten Lebens-
alters freiwillig aus dem Leben zu scheiden, um einer jüngeren
Generation Platz zu machen. Wir fragen: „Sind hier nicht alle
konstituierenden Momente zum Selbstmord gegeben? Doch gewiß.
Hieher gehören sodann, wenigstens in der Regel, die so häufig vor-
kommenden Fälle, wo sich ein Liebespaar nach vorausgegangener
Bestimmung und Uebereinstimmung das Leben nimmt, oder der eine
Teil nach Tötung des anderen selbst in den Tod geht. Eine eigene
Rubrik der Selbstmordstatistik können ferner heutzutage diejenigen
gewissen- und herzlosen Verbrecher bilden, die nach Unterschlagung
oder Diebstahl von Kassen- oder Bankgeldern ihrem genußsüchtigen
und unwürdigen Leben durch einen ebenso unwürdigen Tod ein
Ende machen. Bezüglich dieser Klasse von Selbstmördern bemerkt
selbst ein Paulsen, der sonst dem Selbstmord nicht absolut feind ist:
„Ein Bankier bringt die Gelder seiner Kunden durch und schießt
sich dann eine Kugel durch den Kopf: „gewiß, das ist Feigheit und
Niedertracht.[3] Geradezu epidemisch aber treten in unseren Tagen
die Familienmorde auf, welche nach den näheren Umständen zu
schließen, wirklich systematisch durchgeführt werden. Der Vater oder
Mutter töten der Reihe nach alle übrigen Familienglieder und
nehmen sich dann selbst das Leben. Ursache ist gewöhnlich zerrüttetes
Familienleben oder Schande oder materieller Ruin oder sonst ein
Mißgeschick. Hier gelten wiederum die Worte Paulsens[4]: „Ein
Mensch ohne Kraft zu handeln und zu leiden wird von einem Mißgeschick getroffen und sieht keinen anderen Ausweg als den Strick,
wo ein tapferer und tüchtiger Mann durch Geduld und Widerstands-
kraft die Schwierigkeiten überwunden, sein Leben wiederhergestellt"
und sagen wir, seine Familie vor dem Verderben gerettet hätte.

Einem Manne ferner, welcher nach Verübung von Verbrechen
in den Tod geht, um nicht der irdischen Gerechtigkeit in die Hände
zu fallen, wird man wohl in der Regel ebenfalls das kirchliche
Begräbnis verweigern müssen.[5] Gewöhnlich rechnen die Autoren

---

[1] Cf. v. Olfers. Pastoralmedizin pag. 170. — [2] Staatsl. a. a. O. 1384.
— [3] Staatsl. 4. Bd. 1383. — [4] Staatsl. a. a. O. — [5] Cf. Kapellmann,
Pastoralmed. pag. 59.

zu dieser Kategorie von Selbstmördern auch diejenigen, welche wegen anhaltenden unerträglichen körperlichen Schmerzen Selbstmord begehen.[1]) Wir kommen hierauf im folgenden Teile zurück. Ebenso kann diese Ehre demjenigen nicht zuteil werden, der nach einem sündhaften ärgeniserregenden Lebenswandel sich das Leben nimmt. In all diesen Fällen ist ceteris paribus kein Grund vorhanden, die Zurechnungsfähigkeit der Selbstmörder vernünftigerweise in Zweifel zu ziehen.

2. Fälle, in denen es zweifelhaft ist, ob ein wirklicher Selbstmord vorliegt, insofern sich nicht sicher entscheiden läßt, ob der Selbstmord absichtlich und freiwillig ausgeführt wurde.

a) Hieher gehören zunächst die Fälle, in denen sich aus irgend einem oder mehreren Umständen nachweisen läßt, daß der Selbstmörder unter dem Einfluß **heftiger Affekte und Leidenschaften** gehandelt. Diesbezüglich gelten die allgemeinen Prinzipien der Moral hinsichtlich der Einwirkung der Affekte auf den Willensakt. Jede Leidenschaft beeinflußt mehr oder weniger den Verstand beziehungsweise den Willen; hier handelt es sich jedoch nur um die Fälle, wo unter der Macht der Affekte eine freie, somit imputierbare Handlung nicht stattfinden kann. Wir nennen zunächst

α. den **Affekt der Furcht.** „Die Furcht ist eine Erschütterung des menschlichen Gemütes durch die Wahrnehmung oder Einbildung eines drohenden Uebels.“[2]) Sie hebt an sich die Freiwilligkeit der Handlung nicht auf; der aus ihr hervorgehende Akt ist voluntarius simpliciter, in der Regel aber auch involuntarius secundum quid.“[3]) Die Furcht ist nicht selten die Veranlassung zum Selbstmord. Es kommt hierbei nun zunächst die Person selbst in Betracht, sodann das Motiv des Selbstmordes. Wenn Kinder, besonders Mädchen, sich aus Furcht vor irgend einem Uebel das Leben nehmen, so wird man sicher milde zu urteilen haben. Dasselbe gilt im allgemeinen vom weiblichen Geschlechte. Ein 17 Jahre altes Mädchen, das dem Vater den Haushalt führen muß, wird von diesem, der vollständig dem Trunke ergeben ist, fortwährend in grausamer Weise unschuldig mißhandelt. In dieser trostlosen Lage nimmt das Mädchen eines Morgens Gift; es ist in den Tod getrieben worden. — Nicht selten sind heute Selbstmorde unter den Soldaten, besonders unter den Rekruten. Wer bedenkt, wie brutal und menschenunwürdig solche Leute bisweilen von ihren direkten Vorgesetzten und oft noch mehr von den älteren Kameraden behandelt und geradezu gequält werden, der wird über solche Unglückliche so schnell den Stab nicht brechen.

β. **Trauer, Sorgen und Kummer** sind oft Ursache des Selbstmordes, sei es, daß diese Affekte vorher lange Zeit das Herz durchwühlt und gemartert haben, bis die unselige Tat erfolgte, oder sei es, daß sie plötzlich wie eine dunkle Wolke sich auf dasselbe gelegt und den Geist verdunkelt haben. Dr. Senfelder[4]) erzählt, er

---

[1]) Cf. v. Olfers, Pastoralmed. p. 170. — [2]) Simar, Moraltheol. 3. Aufl. § 34. — [3]) Goepfert, Moraltheol. 5. Aufl. I. B. § 136. — [4]) A. a. O.

habe einen sehr frommen Priester gekannt, der viel Herzeleid zu
dulden hatte. Eines Morgens fand man seine Leiche, er hatte sich
selbst entleibt. Ein Nachbar will nachmittags vorher bemerkt haben,
wie der Unglückliche mit verstörtem Gesichte händeringend im Zimmer
auf und ab lief. Was für Höllenqualen mögen dieses arme Herz
gepeinigt haben, bevor der verzweifelte Entschluß reifte. Niemand
wagte es, den Toten zu schmähen. — Eine Frau erhält Kunde von
einer großen Schuld ihres Mannes, welche derselbe ihr verheimlicht
hatte und läuft sofort ins Wasser. Sie wurde aber zufälligerweise
beobachtet und gerettet, worauf sie ihre unselige Tat bereute und
unter vielen Tränen beichtete. Kurze Zeit darnach wiederholte sich
der Anfall, sie geht wieder ins Wasser und findet den gesuchten
Tod. — Ein Herr befand sich eines Tages auf der Jagd, als er
unerwartet die im höchsten Grade erschütternde Nachricht von dem
plötzlichen Ableben seiner Gattin erhielt. Er erfaßt sein Jagdgewehr
und schießt sich eine Kugel durch den Kopf. Hier trat die Ver=
zweiflung gewissermaßen als motus primo primus ein und führte
den Selbstmord herbei, ehe es noch zu einiger Ueberlegung kam. Es
ist also zweifellos, daß schwerer Kummer oder Seelenschmerz das
Gemüt derart zerrütten können, daß der Mensch in einem Anfalle
von Verzweiflung Hand an sich legt. „Wer dies nicht begreifen
kann und hart darüber urteilt, versteht die Menschenseele nicht, hat
wohl noch nicht über den Schmerzensschrei des Erlösers am Kreuze
nachgedacht: „Mein Gott, mein Gott, warum hast Du mich ver=
lassen!" — Im höchsten Affekt kommt es häufig zu unüberlegtem
Tun; der Täter greift nach dem nächsten besten, ohne die Tragweite
seiner Tat zu ermessen. Hieher gehören die im Augenblicke des Aergers,
der Aufregung u. s. w. begangenen Selbstmorde der Frauen und
Mädchen."[1] Gelingt es solche Unglückliche im Augenblicke der Tat
an ihrem Vorhaben zu hindern, so ist alle Gefahr wenigstens für
diesmal vorüber. Hier ist doch gewiß überall eine milde Beurteilung
am Platze.

γ. Wie bereits oben bemerkt wurde, urteilen verschiedene
Autoritäten über den Selbstmord, der wegen heftigen andauernden
körperlichen Schmerzen erfolgt ist, sehr strenge und wollen allen der=
artigen Selbstmördern das kirchliche Begräbnis versagen. Wir glauben,
daß diese Ansicht, wenigstens in dieser Allgemeinheit genommen, zu
hart ist. Ganz abgesehen davon, daß ein Schmerz derart heftig auf=
treten kann, daß er momentan dem Menschen die Besinnung raubt,
gibt es Schmerzen, die an sich schon wegen ihres Zusammenhanges
mit dem sympathischen Nervensystem einen besonders ungünstigen
Einfluß zugleich auch auf das Gemütsleben ausüben. Das gilt in
hervorragendem Maße bei Erkrankungen des Magens, der Leber, des
Darmkanales u. s. w. Wenn dazu noch eine mit der Neurasthenie

---

[1] Senfelder a. a. O. p. 30. u. 26.

häufig verbundene Hyperästhesie tritt, so braucht es in solchen Fällen
schon eine heroische Kraft, solche Schmerzen, besonders wenn sie
lange anhalten, mutig zu ertragen; diese Kraft aber fehlt eben
gerade in solchen Krankheiten.

δ. Das andere Hindernis betreffend den Willensakt, der Zwang,
wird hier kaum in Betracht kommen. Die Moralisten behandeln im
Anschluß an den hl. Alphons die Frage, ob es einem zum Tode
Verurteilten erlaubt sei, auf richterlichen Spruch hin sich selbst zu
töten. Da auf beiden Seiten gewichtige Moralisten stehen, lautet
heute die Antwort allgemein: „probabiliter licet se ipsum occidere
auctoritate publica." [1]

b) In zweiter Linie kommen in Betracht die unter dem Begriff
Seelenkrankheiten zusammengefaßten Abnormitäten des geistigen
Lebens. „Negatur eccl. sepult. . . . . non tamen si ex insania
id accidat." Wir befinden uns hier auf einem Gebiete, dessen
Grenzen sich heute gar nicht mehr absehen lassen, und dessen vielfach
verschlungene Wege man nicht übersehen kann. Je mehr hier Forschungen
angestellt werden, umsomehr Entdeckungen werden nach dieser Seite
hin gemacht. Denn Alles in unserem Jahrhundert, im öffentlichen
wie Privatleben ist geeignet, die abnormen Erscheinungen zu fördern.
Wir führen nur einige derartige Erscheinungen an, die am häufigsten
die Ursache zum Selbstmorde bilden, bemerken aber, daß es sich
hier noch nicht um die eigentliche entwickelte Psychose handelt, sondern
nur um größere oder geringere Abnormitäten und Störungen des
Seelenlebens.

α. Die Hallucinationen resp. Illusionen, die nicht
selten Anlaß zum Selbstmord sind, und unter diesen sind es wieder
besonders die religiösen Hallucinationen. Die Kranken sehen
z. B. beständig den bösen Feind vor sich, oder hören seine Stimme.
Er ruft ihnen zu, daß sie verloren seien, daß sie ihm angehören; sie
sehen Erscheinungen, Christus oder die Heiligen, die ihnen denselben
Gedanken aufdrängen: „all Dein Gebet ist umsonst, Du kannst
machen, was Du willst, Du bist ewig verloren." Daß solche Hallucinationen über kurz oder lang zu der sogenannten religiösen Depression
führen müssen, bedarf keiner besonderen Erwähnung. — Eine sonst
recht energische und in ihrem ganzen Leben tadellose Person trat in
ein Kloster. Kurze Zeit darauf stellten sich bei ihr derartige Hallucinationen ein; sie sah, wie Christus am Kreuze sie mit der Hand
von sich stieß, sie verspottete ob ihres Gebetes u. s. w. Sie war nahe
daran, in der Verzweiflung darüber sich das Leben zu nehmen
und konnte nur durch beständige Beaufsichtigung daran verhindert
werden. Ihre Schwester, die bis dahin keine Ahnung von solchen
abnormen Zuständen hatte, wurde nur zu bald durch die Kranke
angesteckt und verfiel denselben Hallucinationen. Eines Tages zog

[1] Cf. S. Alph. l. c. n. 369.; Noldin Summa Theol. Mor. t. II. p. 328.

man sie als Leiche aus dem Wasser. Beispiele dieser Art sind leider
nicht vereinzelt. Nicht selten beten solche arme Kranken noch laut,
bevor sie in den Tod gehen, sie hängen den Rosenkranz um, oder
halten das Kreuz oder sonst einen geweihten Gegenstand in der
Hand. Andere freilich verfallen vollständig der religiösen Apathie.

β. Noch häufiger sind die sogenannten Zwangsideen, besonders
die Zwangsgedanken hinsichtlich des Selbstmordes selbst, die
Selbstmordmonomanie. Der Kranke ist mit der unabweisbaren
Idee behaftet, daß er sich das Leben nehmen müsse, daß er von An=
fang an dafür bestimmt sei, eines unnatürlichen Todes zu sterben.
Auf der einen Seite erfaßt schon der Gedanke an den Selbstmord
sein ganzes Wesen und macht ihn erbeben und andererseits wird er
versucht, unwillkürlich bei den geringsten Anlässen sich das Leben zu
nehmen. Er sieht ein Messer, einen Strick oder sonst eine Mord=
waffe — der Zwangsgedanke ist da. — „Suicide Zwangsgedanken
drängen sich nicht selten auch auf bei Personen, die sonst nie mit
Gedanken des Lebensüberdrusses zu kämpfen haben und deren ganze
Grundstimmung solchen Gedanken entgegengesetzt ist, daher auch die
Qual dieser Gedanken umso größer ist.[1]) Es gibt Kranke, die jahre=
ja jahrzehntelang mit diesen Gedanken ringen, bis sie schließlich den=
selben in einem unglücklichen Augenblicke erliegen. Ein Mann trägt
jahrelang den Strick mit sich, er legt ihn abends neben sein Bett,
nimmt ihn mit zur Arbeit, legt ihn bei Tisch neben sich. Eines
Morgens findet man ihn an demselben erhängt. Dabei ist wohl zu
beachten, daß diese Personen, die nach innen hin wahre Todesqualen
erdulden, häufig nach außen hin nichts merken lassen, ja sie haben
geradezu eine anormale Scheu, irgend etwas von ihrem Zustande
zu offenbaren. Dabei erfüllen sie ihre Berufspflichten, haben ein
richtiges, ja scharfes Urteil über alles, was außer dem Bereich ihrer
Monomanie liegt. Höchstens die nächsten Angehörigen merken hie
und da, daß etwas nicht in Ordnung sein kann, aber auch sie haben
kaum eine Ahnung von den gewaltigen Stürmen, die ein solches
Herz durchtoben.

γ. Am meisten Opfer aber liefert dem Selbstmord die
Melancholie. Der Kranke befindet sich wie in einer Nacht, er
schaut alles von pessimistischer Seite an. Die geringsten Anlässe
regen ihn furchtbar auf und Verhältnisse, die an einem gewöhn=
lichen Menschen ohne Eindruck vorübergehen, können ihm die ent=
setzlichsten Qualen verursachen. Er überträgt all die schwarzen Ge=
danken auf alle Orte, alle Personen, seine ganze Arbeit. Er klagt,
jammert, weint, ist tat= und ratlos. Es ist nicht nötig, hier Beispiele
anzuführen, jedes Tagesblatt berichtet von unglücklichen Opfern dieses
elenden Zustandes. „Die Melancholiker sind die hartnäckigsten Selbst=
mörder, die es gibt, und benützen ohne besondere Wahl jede Gelegen=

---

[1]) S. Weber, „Zwangsgedanken und Zwangszustände" p. 43.

heit dazu, wenn sie nur sicher und rasch zum Ziele führt; selbst in den
bestüberwachten Irrenanstalten kommen Selbstmorde von Melancho=
likern vor. Frühere fromme Gesinnung, selbst ausgebildete Religiosität
schützen den Melancholiker nicht vor dem Trieb zum Selbstmord."[1]
Da der Melancholiker gewöhnlich geneigt ist, seine Leiden zu offen=
baren, ja andere nur zu sehr fühlen zu lassen, so ist hier in der
Praxis die Untersuchung der Fälle leichter als bei den Selbstmördern
der vorangehenden Spezies.

δ. Hieher gehören endlich noch alle jene Abnormitäten des
Seelenlebens, die man gewöhnlich unter dem Begriffe Hysterie
zusammenfaßt.

Daß in den angegebenen Fällen eine milde Auffassung am
Platze ist, bedarf kaum weiterer Betonung.

3. Einfach gestaltet sich die Sache im dritten Falle, wenn
feststeht oder festgestellt werden kann, daß der Selbstmörder in actu
des Verstandes und der Willensfreiheit gänzlich beraubt
war. — Hieher gehören all die Fälle von ausgebildetem Wahn=
und Irrsinn, sei es nun, daß der Kranke permanent der Geistes=
kräfte beraubt war oder nur zeitweise, oder vielleicht erst im Falle
der Tat selbst, z. B. bei plötzlich ausgebrochener Tobsucht. Ebenso
würde hieher der Fall gehören, daß einer in sinnloser Trunkenheit
sich das Leben nimmt, allerdings unter der Voraussetzung, daß er
sich nicht zu dem Zwecke berauscht hat, um auf diese Weise die Tat
leichter auszuführen, oder, daß er wenigstens nicht in confuso vor=
ausgesehen hat, daß er sich in diesem Zustande umbringe. Es liegt
uns ferne, hier einem notorischen Trunkenbold das Wort reden zu
wollen, der durch sein liederliches Leben der Gemeinde Aergernis
gegeben hat und dasselbe nun durch Selbstmord endet. Einem solchen
würden wir die Ehre eines kirchlichen Begräbnisses versagen auf
Grund seines schlechten Lebenswandels. — In den Fällen plötzlichen
Irrsinns kann es nicht selten vorkommen, daß der Selbstmord das
erste Symptom der Krankheit ist.

„Man bemerkt vorher," sagt v. Olfers[2] in diesem Zusammen=
hang, „auch nicht ein Merkmal einer Seelenstörung; der Mensch
redet und handelt vernünftig und die verbrecherische Handlung ist
die erste Aeußerung der Tobsucht." So erzählt Dr. Schürmayer
von einem zehnjährigen Knaben, der eines Morgens, statt sich zum
Frühstück hinzusetzen, seinen Hut ergreift und ziemlich haftig ins
Freie geht, ohne zu sagen wohin. Bald darnach fand man ihn in
der Nähe des Hauses an einem Baume erhängt; obgleich noch Leben
in ihm war, gelang es doch nicht, ihm dasselbe zu erhalten. An
diesem Knaben war, leichten Kopfschmerz abgerechnet, nie etwas
Krankhaftes bemerkt worden, nicht die geringste psychische Veran=
lassung zum Selbstmord konnte entdeckt werden, nur die Leichen=

[1] Stöhr, a. a. O. p. 418. — [2] a. a. O. S. 170.

öffnung wies sowohl im Kopfe als im Unterleibe Krankheitssymptome auf."[1] Ein rechtschaffener, allgemein geachteter Herr in bester Lebens= stellung erhängte sich, nachdem er eben noch in heiterster Stimmung im gewohnten Freundeskreise verkehrt. Der Arzt stellt plötzlich aus= gebrochenen Irrsinn fest. Solche Tatsachen hat auch schon oft genug die Leichenobduktion bestätigt.

Für die praktische Behandlung solcher Selbstmörder kommen im allgemeinen folgende Prinzipien zur Geltung:

1. Wo die unselige Tat nicht dem freien Willensentschluß, sondern geistiger Störung entspringt, tritt auch das Mitleid mit dem Unglücklichen in sein volles Recht; da findet die kirchliche Zensur keine Anwendung. Zur Gestattung des kirchlichen Begräbnisses genügt schon der Nachweis partieller psychischer Störung und sie darf an= genommen werden, nicht bloß auf ärztliches Gutachten, sondern schon auf glaubwürdige Indizien hin. Wo aber nach reiflicher Erwägung das kirchliche Begräbnis zu verweigern ist, da gilt es auch, diese Maßregel konsequent und unparteiisch zur Anwendung zu bringen, ohne Rücksicht, ob es sich um reich oder arm, um Hochstehende oder Proletarier handelt. Hier einen Klassenunterschied zu machen, wäre äußerst verwerflich und würde den gerechten Vorwurf einseitiger Parteilichkeit mit furchtbarer Erbitterung der Armen und Geringen im Gefolge haben."[2]

2. In dubio facti, ob der Tote sich selbst den Tod gegeben oder durch ein unglückliches Ereignis denselben gefunden, ist das praejudicium zu Gunsten des Toten, d. h. er muß kirchlich beerdigt werden, quia „delictum tam atrox et contra naturam non prae= sumitur sine evidentibus indiciis."[3]

3. Im Zweifel, ob der Selbstmord freiwillig sei, entschieden sich die älteren Theologen gegen das kirchliche Begräbnis „cum praesumatur secundum opus externum voluntarie esse factum, nisi tamen ex circumstantiis contrarium colligatur."[4] Man darf nur an den früheren tiefen Stand der medizinischen Wissenschaft und an die Schwierigkeiten denken, mit welchen eine Untersuchung über den Seelenzustand eines Selbstmörders verbunden war und man wird leicht einsehen, warum die Hauptfrage für dessen Charakteri= sierung, die Frage nach der Zurechnungsfähigkeit desselben mit Still= schweigen übergangen oder zu dessen Ungunsten entschieden wurde."[5] Neuere Entscheidungen Roms gestatten jedoch in zweifelhaften Fällen das kirchliche Begräbnis und gewiß mit Recht, denn das Prinzip: „In dubio pro reo", gilt auch hier, zumal die in der Entziehung des kirchlichen Begräbnisses gelegene Schande und Strafe für die

---

[1] bei v. Olfers a. a. O. S. 170. — [2] Walter a. a. O. Sp. 1385. — [3] S. Alph. l. c. n. 375; Cf. Laymann l. 3. tr 3 c 1. n. 8. — [4] S Alph. l. c. — [5] K. A. Geiger, „Krit. Bemerk. betr. die Ges. über den Selbstmord". Archiv f. Kirchenrecht Jhrg. 1891. Hft. 2. p. 202.

doch nicht sicher strafbare Handlung nicht allein den Selbstmörder, sondern vielleicht noch mehr die Hinterbliebenen trifft.[1]

Bei Untersuchung eines Selbstmordfalles sind folgende Momente besonders zu beachten: a) die **Motive**, z. B. Schande, Vermögens= verlust, Strafe, schwere Krankheit u. s. w., wie schon oben ausgeführt wurde. b) Das **Vorleben** des Selbstmörders; denn, wenn es fest= steht, daß der Selbstmörder vorher ein rechtschaffenes und hinreichend frommes Leben geführt, kann man mit ruhigem Gewissen annehmen, daß er infolge eines geistigen Defektes den Tod gesucht hat, wogegen ein gottloses, verschwenderisches oder lasterhaftes Vorleben auf einen vorsätzlichen, freiwilligen Selbstmord schließen läßt. c) „Eine Geistes= störung ist als wahrscheinlich anzunehmen, wenn in der Familie des Selbstmörders früher schon Fälle von Geistesstörung oder von anderen Gehirnkrankheiten beobachtet worden sind",[2] da die Erb= lichkeit der Psychosen durch statistische Erhebungen ganz unzweifelhaft festgestellt worden ist. „Dabei ist zu bemerken, daß das Vererbungs= gesetz nicht immer notwendig auf dieselbe Form sich beziehen muß, es kann erbliche Belastung selbst dann vorhanden sein, wenn unter den Ahnen nicht gerade eigentliche Geisteskrankheiten, sondern über= haupt nur Erkrankungen ähnlicher Art in Form psychischer Abnormitäten und „Raritäten" nachgewiesen werden können."[3] d) Bei Beurteilung eines Selbstmordes darf auch die Art der Ausführung nicht über= sehen werden. Wer bei voller Verstandesklarheit einen Selbstmord plant, wird denselben so ausführen, daß der Tod sicher, schnell und möglichst schmerzlos erfolgt. So belehrt uns ein Blick auf die Statistik[4] über die Arten des Selbstmords, daß die meisten Selbstmörder sich durch Erhängen, Ertränken und Erschießen töten, also eine Todesart wählen, welche schnell und weniger schmerzlich dem Leben ein Ende macht. „Wenn nun ein Mensch, der schon lange mit Selbst= mordplänen umging, trotzdem eine Todesart wählt, welche ihm die gräßlichsten Schmerzen bereiten muß, dann kann man wohl einen geistigen Defekt voraussetzen. Vor Brandwunden, dem Verbrennungstod schaudert jeder vernünftige Mensch und trotzdem ereignen sich Fälle, daß Leute ihre Kleider am Leibe mit Petroleum begießen und an= zünden. Kann man da von Zurechnungsfähigkeit sprechen? Wir glauben nicht, denn nur ein schwachsinniger Mensch oder ein Narr wird so wahnwitzig handeln."[5] In ähnlicher Weise äußert sich auch v. Olfers[6]: „je ungewöhnlicher, unsicherer und schmerzhafter die gewählte Todesart ist, desto eher muß angenommen werden, daß entweder der Abscheu vor dem Schmerz im Selbstmörder erloschen oder durch andere mächtig aufgeregte Triebe in ihm unterdrückt oder die psychologische Schmerzempfindlichkeit in ihm aufgehoben

---

[1] Cf. Walter a. a. O.; Capellmann a. a. O. pag. 61; Goepfert a. a. O. pag. 7. — [2] Olfers a. a. O. p. 170. — [3] Stöhr a. a. O. p. 402. — [4] Krose, Ursachen der Selbstmordhäufigkeit. S. 73. ff. — [5] Senfelder a. a. O. p. 25. — [6] a. a. O. p. 171.

ist, in welchen Fällen man auf Geisteskrankheit zu schließen berechtigt
ist." e) Endlich kommt natürlich auch das Zeugnis des Arztes in
Betracht, welches ohne Zweifel auch dann Geltung hat, wenn bekannt
wäre, daß der betreffende Arzt hinsichtlich des Selbstmordes und der
Selbstmörder eine andere Auffassung hätte als die Kirche, ja selbst
dann, wenn positiv feststehen würde, derselbe huldige der Ansicht,
daß alle Selbstmörder in geistiger Umnachtung sich den Tod geben;
es müßte denn in den einzelnen Fällen erwiesen werden können,
daß der Arzt im Unrecht ist, d. h. die Unwahrheit vorbringt. Denn
ohne Zweifel ist er es, der das legitime Urteil in solchen Fällen
abzugeben hat. Demgemäß bestimmt auch das Wiener Provinzial-
Konzil[1]), daß man bei Beantwortung der Frage über die Zurechnungsfähigkeit oder Unzurechnungsfähigkeit des Selbstmörders sich nach
dem Urteile des Arztes zu richten habe, „nisi circumstantiae, ex
quibus eum mentis compotem fuisse merito colligeretur, plene
probatae essent."[2])

Da es sich hier um eine so folgenschwere Entscheidung handelt,
ist große Klugheit notwendig. Daher bemerkt Pruner: „Es ist im
allgemeinen dringend zu mahnen, doch in allen zweifelhaften Fällen
sich ungesäumt die bischöfliche Entscheidung zu erholen, wie es ausdrücklich das Rit. Rom. vorschreibt. Ist solche nicht mehr zu erwarten, so entscheide man für Gewährung des kirchlichen Begräbnisses, außer es wären die Gründe für Vollzug der Strafe so stark,
daß er ohne Aergernis der Gemeinde nicht umgangen werden könnte."

III. Beerdigung. In der Entscheidung des röm. Rituale
bezüglich der Beerdigung der Selbstmörder heißt es: „negatur
ecclesiastica sepultura . . . . nisi ante mortem dederint signa
poenitentiae". Fand also der Pfarrer oder ein anderer Priester,
welcher zum sterbenden Selbstmörder gerufen wurde, daß der Unglückliche seine böse Tat bereute, so muß die kirchliche Beerdigung erfolgen, selbst wenn der Tod so schnell eintrat, daß die heiligen
Sakramente nicht gespendet werden konnten. War jedoch der Tod
schon vor dem Eintreffen des Priesters eingetreten, so hat der Pfarrer
sich zu erkundigen, ob der Verstorbene Reue über seine unheilvolle
Tat geäußert. Günstigen Aeußerungen kann er in dieser Hinsicht
umso eher Glauben schenken, wenn er weiß oder erfährt, daß der
Unglückliche sich sonst in seinem Leben immer als gläubigen Christen
gezeigt und bewährt hat. Sollten indes die Zweifel bestehen bleiben,
sei es, weil die Zeichen der Reue, welche der Verstorbene geäußert
haben soll, als solche unsicher waren und auch das frühere Leben
desselben kein günstiges Urteil fällen läßt, oder sei es, daß der
Pfarrer nicht ohne Grund befürchten muß, daß die Angehörigen,
um für den Unglücklichen das kirchliche Begräbnis zu erlangen, in
ihren Aussagen nicht wahrhaft seien, so möge er die Bestimmung des

---

[1]) Tit. 4. c. 14. — [2]) Pastoraltheol. II. B. p. 243.

Rit. rom. beachten: „Ubi vero in praedictis casibus dubium occurrerit, Ordinarius consulatur."

Ein Mann, welcher in religiöser Beziehung in nicht besonders gutem Rufe stand, hatte sich eines Tages wegen eines größeren Geldverlustes erhängt. Nach kaum vollbrachter Tat kommen Leute hinzu und schneiden den Lebensmüden ab. Zwar ist noch Leben in ihm, allein er vermag gar keine Zeichen zu geben. Der schnell herbeigerufene Geistliche findet den Selbstmörder in bewußtlosem Zustande und gibt demselben die bedingte Absolution. Kurz darauf stirbt der Selbstmörder, ohne das Bewußtsein wieder erlangt zu haben. Der Fall wird dem Pfarrer vorgelegt und dieser entscheidet sich mit Recht gegen das kirchliche Begräbnis mit der Begründung, daß die Bedingung, unter welchen die Kirchensatzungen bei vorsätzlichem freiwilligem Selbstmorde die Strafe aufheben, nämlich die Aeußerung von Zeichen der Reue, nicht erfüllt sei. Negatur ecclesiastica sepultura . . . . nisi ante mortem dederint signa poenitentiae.[1]

Hinsichtlich des Begräbnisses selbst kommt ein doppelter Modus in Betracht:

a) Ist es moralisch sicher, daß der Selbstmörder im Zustande der Unzurechnungsfähigkeit gehandelt hat, so hindert den Seelsorger nichts, auch das feierliche Begräbnis vorzunehmen.

b) Anders ist es, wo trotz vorausgegangener Untersuchung der Zweifel nicht gehoben werden kann. Hier soll, wie schon oben bemerkt, das kirchliche Begräbnis nicht verweigert werden, jedoch soll die Beerdigung in aller Stille ohne feierliches Gepränge stattfinden. „Prudente obversante dubio funus ecclesiastico quidem ritu, sed omni majori apparatu secluso terrae mandetur."[2] Dieselbe Norm ist in manchen Diözesen auch bei anderen zweifelhaften Fällen dieser Art vorgeschrieben, z. B. „wenn es zweifelhaft ist, ob der Verstorbene durch eigene Schuld oder durch einen anderen oder durch Zufall das Leben verlor,[3] ob er Katholik oder Akatholik war."[4]

Kommen wir nun auf unsere beiden Fälle zurück. Im ersten liegt ein freiwilliger, bewußter und offenkundiger Selbstmord vor, weshalb der Geistliche mit Recht das kirchliche Begräbnis unterlassen hat. Nehmen wir an, der Selbstmord wäre geheim geblieben; die Familie macht dem Seelsorger hiervon privatim Mitteilung und bringt sogar ein ärztliches Zeugnis bei, demgemäß der Tod infolge eines Schlagflusses eingetreten ist, da, wie manche behaupten, der Tod beim Erhängen meistens durch einen Schlagfluß erfolgt. Ein späteres Offenkundigwerden des Verbrechens ist wohl kaum zu befürchten, weil es im Interesse der betreffenden Familie liegt, dieses Geheimnis sorgfältig zu bewahren. Hätte der Geistliche in diesem

---

[1] Cfr. Münst. Pb. 1866 n. 8; J. Bertolotti. „Sylloge casuum" p. II pag. 425. — [2] Conc. Pr. Vienn. A. 4. c. 14. — [3] Inst. Eyst. pag. 124. — [4] Schüch Past. pag. 188, Anm. 7.

Falle das kirchliche Begräbnis vornehmen können? Diese Frage ist
aus verschiedenen Gründen zu bejahen. Die Verweigerung des kirch=
lichen Begräbnisses würde hier den Frevel des Selbstmordes offen=
kundig und aus demselben ein scandalum machen, was jedoch nach
den Grundsätzen der Moral soviel wie möglich vermieden werden
muß. Sodann könnte der Geistliche durch Bekanntmachung einer
solchen vertraulichen Mitteilung sich selber große Unannehmlichkeiten
bereiten, wozu wir ihn nicht verpflichtet halten. Aehnlich ist ja auch
der Fall: „si sacerdos solus testis fuerit repulsae et impoenitentiae
moribundi“, den Gury[1]) mit den Worten entscheidet: „Tacere debet
sacerdos de impia dispositione moribundi et sinere, ut credatur,
eum fuisse sacramentis rite expiatum.“

Auch im zweiten Falle hat der Geistliche ganz richtig gehandelt.
Das ärztliche Zeugnis sagt ihm, daß der Selbstmörder die Tat in
unzurechnungsfähigem Zustande vollbracht habe; sodann wandte sich
der Geistliche vorsichtshalber und auch vorschriftsgemäß an das
bischöfliche Ordinariat und nahm auf dessen Anweisung hin das
kirchliche Begräbnis vor. Freilich war das Vorleben des Selbst=
mörders nicht das eines guten, sondern das eines lauen Katholiken,
„allein bloß auf das hin, daß der Verstorbene der Osterpflicht, sei
es auch öfter, nicht nachkam, wird die Verweigerung des kirchlichen
Begräbnisses selten zur Anwendung kommen.“[2]) Da der Selbstmörder,
obgleich er religiös ziemlich gleichgültig war, doch nicht als notorius
impoenitens galt, so konnte ihm von diesem Standpunkte aus das
kirchliche Begräbnis nicht verweigert werden. Wäre das indessen der
Fall gewesen, so war vor allem der Umstand zu berücksichtigen, ob
der Irrsinn ein momentaner, plötzlich aufgetretener war, oder ob er
permanent, respektive wenigstens habituell vorhanden gewesen. Im
ersten Falle hätte dem Selbstmörder die sepultura ecclesiastica
verweigert werden müssen als peccator publicus, dem sein sünd=
haftes Leben imputiert werden mußte, im letzteren Falle jedoch hätte
die Geistesgestörtheit auch eine Entschuldigung für das sündhafte Vor=
leben gebildet Das letztere wäre der Fall gewesen, wenn der Selbst=
mörder in seinem Tun und Handeln Disnormalität gezeigt, oder
aber, wenn die Obduktion der Leiche irgend welche Abnormitäten
geoffenbart haben würde, die nach dem Zeugnis des Arztes das
geistige Leben des Betreffenden störend beeinflußt hätten, auch wenn
das nach außen hin nicht zutage getreten wäre. — Es ergibt sich
nun für unseren zweiten casus die Frage: Konnte oder sollte der
Selbstmörder feierlich oder nur privatim kirchlich begraben
werden? Die Entscheidung der Frage hängt offenbar damit zusammen,
ob der Selbstmörder im Zustande plötzlich aufgetretener Geistesstörung
gehandelt, oder aber erwiesenermaßen sein Vorleben schon von Geistes=

---

[1]) Theol. M. Comp. tom. II. 1013. p. 4. — [2]) Gaßner, Pastoraltheol.
pag. 1147.

krankheit beeinflußt war. Das erstere angenommen, konnte der Tote offenbar kirchlich, aber nicht feierlich beerdigt werden, im letzteren Falle dagegen würde kein Grund vorliegen, das feierliche Begräbnis zu versagen, auch wenn die Leute daran unberechtigterweise Aergernis nehmen. Ein solches Aergernis kann und soll jedoch durch Aufklärung des Tatbestandes gehoben werden. So hätte der Priester, der in unserem Falle das Begräbnis vornahm, mit wenigen Worten das Volk auf= klären sollen, um sich selbst und sein Verhalten zu rechtfertigen. Er konnte etwa am Tage vor der Beerdigung in der Kirche verkünden: Morgen findet die Beerdigung des N. N. statt, die kirchliche Behörde hat auf Grund eines ärztlichen Attestes hin die rechtmäßige Be= erdigung gestattet.

Wir erinnern uns hier eines ähnlichen Falles. Ein sehr an= gesehener und beliebter Herr war wegen eines ihm zur Last gelegten Vergehens gegen die Sittlichkeit in Untersuchungshaft genommen. Er erhängte sich dort, nachdem er kurz zuvor ein Schriftstück von ergreifendem Inhalte abgefaßt hatte. Man war allgemein sehr gespannt, ob dem Toten die kirchlichen Ehren zuteil würden und allgemein ging das böswillige Gerede, daß man hier wohl, wie oft bei reichen und angesehenen Selbstmördern eine Ausnahme machen werde. Die gesetz= lich vorgenommene Leichenöffnung ergab wirklich eine Abnormität des Gehirns und infolgedessen gestattete das bischöfliche Ordinariat die sepultura ecclesiastica. Klugerweise veröffentlichte nun der Pfarrer der betreffenden Stadt den Sachverhalt in der Kirche mit folgenden Worten: Ihr wißt alle, daß N. N. im Gefängnis sich das Leben genommen. Die gerichtliche Oeffnung der Leiche hat ergeben, daß der Tote an einer Gehirnkrankheit gelitten. Auf diese Tatsache hin hat das bischöfliche Ordinariat das kirchliche Begräbnis des N. gestattet. Für uns alle ist damit die Sache entschieden und gelten nun die Worte der Schrift[1]): „Richtet nicht, damit ihr nicht gerichtet werdet". Diese klugen Worte machten einen großen Eindruck auf die Leute und das böse Gerede verstummte.

Dieselbe Praxis bezüglich der Beerdigung von Selbstmördern schreibt ein Erlaß des ungarischen Bischofes von Temesvar pro stricto observamine vor.

1) Ut justum de imputatione patrati criminis possit statui judicium. inprimis requirendum est testimonium medicum, unius vel ubi id fieri potest, duorum etiam medicorum scripto ex= arandum, super statu mentis sano vel insano. in quo suicidium patratum sit.

2) Hoc testimonium (unum vel plura) si faveant suicidae ad exculpandum patratum flagitium, antequam Sacerdos exequias inchoet, per Cantorem confluentibus per comitiva funeris fidelibus est perlegendum et publicandum. super quo dein fungens. ad

---

1) Matth. 7, 1.

praecavenda sinistra judicia, et scandalum pusillorum fideles praemonebit. in hoc casu (nempe insaniae praecedentis vel concomitantis delictum) ab Ecclesia non denegari sepulturam.

3) Si vero testimonium medicum non valeat ad delicti excusationem et sepultura ecclesiastica deneganda sit, testimonium medicum itidem erit in ecclesia occasione divinorum fidelibus per Curatum praelegendum et publicandum, ac super eo simpliciter, missis omnibus ad adjuncta personalia digressionibus declarandum, sepulturam in hoc casu ab Ecclesia denegari.[1]

Hinsichtlich des Modus der Beerdigung müssen wir noch darauf hinweisen, daß hier auch die bürgerlichen Gesetze zu berücksichtigen sind, die jedoch in den einzelnen Landesgebieten verschiedene Bestimmungen enthalten.

Zum Schlusse möchten wir es nicht unterlassen, recht sehr zu betonen, daß die Seelsorger bei passender Gelegenheit das Volk über die sittliche Verwerflichkeit des Selbstmordes, sowie über dessen traurigen Folgen und schweren, aber gerechten kirchlichen Strafen belehren und aufklären sollen.

Die Mensa im Altarbau.

Von Otto Drinkwelder S. J. in Innsbruck.

Die Altarbauten, welche gegenwärtig innerhalb der katholischen Kirche der heiligen Liturgie dienen, weisen eine ungemein große Verschiedenheit der Formen auf. Jeder der zu Recht bestehenden Riten stellt seine besonderen Anforderungen an den dazu gehörigen Altarbau und in allen Riten findet sich wieder eine große Verschiedenheit zwischen fixen Altären und jenen mehr oder weniger altarähnlichen Bauten, die zur Aufnahme des konsekrierten Altarsteines oder des Antimensiums mit den heiligen Reliquien dienen. Wechselnde Gebräuche und Geschmacksrichtungen taten das ihre, verschiedene typische Altarformen auszubilden und dieselben in verschiedenen Stilen herzustellen.

Der großen Mannigfaltigkeit in den Formen des Altarbaues entspricht der große Unterschied im Verhältnis der Mensa zum Altarbau. In einigen Altarbauten erscheint die Mensa als der bedeutsamste Teil des ganzen Baues, in andern hingegen ist sie gegenüber dem Gesamtbau des Altars recht unscheinbar und vernachlässigt. Welches Verhältnis ist das richtige?

Gewiß nur jenes, welches der liturgischen Bedeutung der Mensa im Altarbau entspricht. Wie groß aber diese ist, geht daraus hervor, daß in den Liturgien aller Riten nur die Mensa unmittelbar berücksichtigt wird, während der übrige Altarbau in den liturgischen Funktionen kaum Beachtung findet. Nur die Mensa ist zur heiligen

---

[1] A. f. K. Kirchenrecht I. pag. 383.

Opferfeier notwendig, um die hochheilige Eucharistie aufzunehmen und zu tragen; nur sie wird zu diesem Zwecke feierlich konsekriert, sei es als fixer Altar oder als altare portatile. In der feierlichen Konsekration des fixen Altares wird nur die Mensa vom Bischof mit: „Pax tibi!" begrüßt; von ihr gilt das oft wiederholte Gebet: „Sanctificetur hoc altare . . .", während sie der Bischof mit dem heiligen Kreuze bezeichnet. Sie ist gemeint, wenn der Bischof betet: „. . . supplices tibi, Domine, preces fundimus, ut lapidis huius expoliatam materiam, supernis sacrificiis imbuendam, ipse tuae ditari sanctificationis ubertate praecipias . . ." Siebenmal geht der Bischof um die Mensa herum, während er sie und den stipes fortwährend mit Weihwasser besprengt. Um die Mensa zu ihrer hohen Aufgabe zu heiligen, schließt er unter oder in ihr im sepulcrum Reliquien von heiligen Märtyrern ein, und der Chor singt dabei die erhabene Vision aus der geheimen Offenbarung: „Sub altare Dei audivi voces occisorum dicentium: Quare non defendis sanguinem nostrum? Et acceperunt divinum responsum: Adhuc sustinete modicum tempus, donec impleatur numerus fratrum vestrorum". — Darauf hin folgt die feierliche Inzensation der Mensa, teils durch den Bischof selbst, teils durch einen Priester, welcher beständig inzensierend um den Altar geht, während der Bischof die Mensa mit dem heiligen Oele und Chrisam salbt. Auf der Mensa wird sodann über den fünf gesalbten Kreuzen Weihrauch verbrannt, worauf der Bischof betet: „. . .praesta, ut in hac mensa sint libamina tibi accepta, sint grata, sint pinguia, et Sancti Spiritus tui semper rore perfusa." Erst nachdem die Mensa selbst konsekriert ist, wird sie durch Salbung mit Chrisma an den vier Ecken mit dem Unterbau verbunden und so zu einem fixen Altar gemacht.[1]) Von der Weihe einer Altarrückwand oder eines Altar-Hochbaues findet sich nicht die leiseste Andeutung. Es ist daher auch nur notwendig, daß die Mensa unverletzt an ihrer Stelle über dem unversehrten sepulcrum und dem stipes bleibe, damit die Konsekration nicht verloren gehe. Alle übrigen Teile des Altarbaues können entfernt oder durch andere ersetzt werden, ohne daß dies im geringsten auf die Exsekration des Altares Einfluß hätte. Dementsprechend treten sie auch bei den übrigen liturgischen Akten stets so zurück, daß die liturgischen Vorschriften nur die Mensa berücksichtigen. Sie muß vom Priester wiederholt geküßt werden, sie wird im Hochamte und bei der feierlichen Vesper von allen Seiten inzensiert, sie wird beim sonntäglichen Asperges mit Weihwasser besprengt. Nur für sie ist das Material (Stein) vorgeschrieben, wenigstens für den Teil, auf welchem die eucharistischen Gaben zu liegen kommen.

Die Mensa ist geradezu das Zentrum des ganzen Schauplatzes der heiligen Liturgie. Auf ihr vollzieht sich das Opfer des neuen

---

[1]) Ritus consecrationis ecclesiae juxta Pontificale Romanum. Tornaci-Romae 1902.

Bundes, um sie geschart beten die Priester und Religiosen das feier=
liche Stundengebet der Kirche. Ja, die Mensa ist der Brennpunkt
alles religiösen Lebens; zu ihr führen die religiösen Orden ihre
Glieder, wenn sie ihnen gestatten, sich durch die Ordensgelübde in
besonderer Weise mit dem Opfer des Altares zu vereinen. An die
Gebete beim Altare schließen die Gläubigen am liebsten und besten
ihre Gebete an; von der Mensa empfangen sie die heilige Kommu=
nion als Speise — „in vitam aeternam".

Außerdem macht eine reiche und tiefe Symbolik den Altar und
speziell die Mensa mehr als alles andere zum Bild und Ausdruck
gar großer Geheimnisse. Die Mensa erinnert an die Opferstätten,
auf denen die vorbildlichen Opfer dargebracht wurden, an jenen Tisch,
auf welchem Christus das eucharistische Opfer und Opfermahl feierte,
an das Kreuz, wo in der Fülle der Zeit das blutige Opfer der Er=
lösung vollbracht worden, an die steinerne Grabeshöhle, in welcher
der Opferleib Christi ruhte. „Hauptsächlich versinnbildet der Altar
den Gottmenschen selber, in dem und durch den wir Gott wohlge=
fällige Opfer und Gebete darbringen können ... Der steinerne Altar
ist nämlich geeignet hinzuweisen auf Christus, den lebendigen Grund=
und Eckstein ... Bei der Konsekration wird reichlich Chrisam aus=
gegossen über den Stein, zum Zeichen, daß der Altar Christum, den
„ewig Gesegneten" und mit „dem Wonneöl" des heiligen Geistes
„Gesalbten" darstelle, aus dessen Wunden die Heilsalbe aller Gnaden
quillt."[1]

Aus dieser tiefinnersten Bedeutung der Mensa ergibt sich, daß
nicht allein sepulcrum und stipes nur der Mensa wegen da ist, sondern,
daß auch die ganze künstlerische Ausgestaltung des Altarbaues nur
insoweit ihrer Aufgabe entspricht, als sie die zentrale Stellung der
Mensa in künstlerisch schönen Formen hervortreten läßt.

Die Unterordnung des sepulcrum und stipes unter die Altar=
mensa ist, abgesehen von den bereits angedeuteten Gründen, ganz beson=
ders durch die historische Entwicklung des Altarbaues außer allen Zweifel
gestellt. Ursprünglich war ja der Altar nichts anderes als eine Mensa,
eine Tischfläche, — und jede Tischfläche konnte als Altar dienen. So
war es im Abendmahlssaale zu Jerusalem, so während der ganzen
apostolischen Zeit und die ersten christlichen Jahrhunderte hindurch,
nicht etwa, weil jener Zeit der wahre Begriff des eucharistischen Opfers
fehlte, sondern weil das eucharistische Opfer überhaupt keinen anderen
Altar, keine andere Opferstätte verlangt. Ebensowenig aber als man
anfänglich daran dachte, die beim eucharistischen Opfer gebrauchte
Kleidung dem profanen Gebrauche zu entziehen oder ihr gar eine
besondere Form zu geben, ebensowenig wurde die zum heiligen Opfer
gebrauchte Mensa ausschließlich zum Gottesdienst verwendet oder gar

---

[1] Gihr, Dr. Nikolaus, Das heilige Meßopfer. 7 Freiburg im Br. 1904.
II. Teil § 26 n. 5 a).

durch feierliche Weihe zum gottesdienstlichen Gebrauche ausschließlich
bestimmt. Nur wenn regelmäßig in denselben Häusern die Feier der
Eucharistie wiederholt wurde, diente wohl jedesmal derselbe Tisch als
Altar. Brachte man das heilige Opfer an den Gräbern der Verstor=
benen und besonders der heiligen Märtyrer dar, so suchte man auch
hier zum Altar nichts anderes als eine passende tischartige Fläche,
mochte sich nun dieselbe über dem Märtyrergrabe selbst oder in der
Nähe desselben bieten. Oefters als an den Gräbern feierte man die
Eucharistie in Privathäusern und Hauskirchen in völliger Abwesenheit
aller Reliquien, ohne aber diese Abwesenheit als einen Mangel des
Altares zu empfinden. Erst viel später gewöhnte man sich so sehr
an das Vorhandensein von Reliquien in oder unter dem Altare, daß
man nur ungern darauf verzichtete.[1]) So verlangte das Volk in Mai=
land vom heiligen Ambrosius, daß er in der neuerbauten Kirche Leiber
von Märtyrern bestatte, obwohl er die Grabstätte zuerst für sich be=
stimmt hatte: erst nach der Beisetzung von Märtyrern hielt es Kirche
und Altar für entsprechend geweiht.[2]) Noch später erhielt dieser Ge=
brauch der Reliquienbeisetzung Gesetzeskraft. Aber gerade die Art und
Weise, wie dieser Gebrauch allmählich in Uebung kam und wie er dem=
gemäß noch heute geübt wird, zeigte am deutlichsten die Unterordnung
des sepulcrum unter dem sepulcrum. Denn um die Mensa zur Opfer=
stätte einzuweihen, werden im sepulcrum Märtyrerreliquien geborgen.

Daß der stipes nur als Unterbau der Mensa wegen da ist,
ohne eine selbständige Bedeutung zu beanspruchen, ergibt sich aus der
Natur der Sache. Die heiligen Väter bezeichnen auch den Altar
ohne Unterscheidung von tisch= und sarkophagähnlichem Unterbau als
τράπεζα = mensa mit Beifügung der auszeichnenden Attribute: ἱερά,
ἁγία, μυστική, θεία, τιμία, φρικτή, φοβερά, πνευματική, βασιλική,
beziehungsweise: dominica, sacra, mystica, tremenda, divina, regia,
spiritualis, coelestis, immortalis.[3]) „Zum Tisch hinzutreten" heißt
bei Eusebius „die Eucharistie empfangen".[4])

Wie wenig man auf die Form des Unterbaues hielt, zeigt unter
anderem die Tatsache, daß man nicht selten als Stütze für die Mensa=
platte die kleinen Steinaltäre benützte, die den Heiden zur Götter=
verehrung gedient hatten.[5]) Es kam eben dem Unterbau keine selbst=
ständige Bedeutung zu; er stand nur im Dienste der Mensa. Dieses
Verhältnis fand in der Verwendung der heidnischen Altäre als Unterbau
der christlichen Mensa einen passenden Ausdruck. Zugleich wurde so
in treffender Weise der Sieg des Christentums über das Heidentum
dargestellt.

---

[1]) Grisar, Hartmann, „Geschichte Roms und der Päpste im Mittelalter",
Freiburg im Br. 1901. I. u. 405 ff. — [2]) St. Ambrosius, Epist. XXII. —
[3]) Vgl. Cabrol, Dom Fernand, Dictionaire d'archeologie chrétienne et de
la liturgie. Paris 1907 I. 2 col. 3157 f. und Schmid, Dr. Andreas, „Der christ=
liche Altar und sein Schmuck", Regensburg 1871. S. 20 ff. — [4]) Eusebius,
historia ecclesiastica VII. c 9. — [5]) Cabrol a. a. O.

Mochte der Unterbau des Altares was immer für eine Form haben, jedenfalls erschien die Mensa ganz unzweifelhaft als die Haupt=sache des Altarbaues, so lange dieser nur aus Mensa und Unterbau bestand. Als aber die Kunst den Altarbau weiter entwickelte und den vorhandenen Bestandteilen desselben neue hinzufügte, entstand die Gefahr, daß die Mensa im übrigen Altarbau eine zu unscheinbare Stellung einnahm; freilich waren zugleich damit auch reiche Mittel gegeben, die Bedeutung der Mensa zu heben. Die zweckmäßige Ver=wertung dieser Mittel führte nach einigen Versuchen zur Bildung des ersten künstlerisch vollendeten Typus des Altarbaues, des Ziborium=altars der nachkonstantinischen Basilika.

In ihm war die Mensa das Zentrum eines Baues, der selbst als der wichtigste Bestandteil in der inneren Einrichtung der Basilika erschien und zugleich alle Aufmerksamkeit, die er dadurch auf sich lenkte, sofort und notwendig auf die Mensa konzentrierte. Diese war von unten durch Stufen erhöht und von oben durch das Ziborium überdacht; die Ueberdachung lenkte den Blick nach unten, die Erhöhung nach oben: in der Mitte, wo die Mensa war, suchte und fand das Auge einen Ruhepunkt. Die Ueberdachung war von vier Säulen ge=tragen, die im Quadrate aufgestellt waren; der Schnittpunkt der sie verbindenden Diagonale lag in der Mensa. So wurde sie auch in der Horizontalebene zum Zentrum des ganzen durch das Ziborium abgeschlossenen Raumes, der überdies häufig durch die ringsum zwischen den Säulen angebrachten Vorhänge (Tetravelen) in sehr markanter Weise als das Allerheiligste des Heiligtums charakterisiert wurde. Zu=dem war noch der Raum um den Altar durch Schranken (cancelli) vom übrigen Kirchenraum getrennt, um dadurch seine Heiligkeit und Unzugänglichkeit für die Laien anzudeuten. Ferner war der ganze Altarbau ziemlich weit von der Rückwand der Kirche entfernt, die durch eine Nische (Apsis) abgeschlossen war. Das mußte noch mehr die Aufmerksamkeit auf den davor stehenden Altar lenken; denn das Auge ruht nicht auf einer konvexen Rückwand, sondern sucht seinen Ruhepunkt vor derselben. Meist stand in der Apsis die Kathedra des Bischofs inmitten der Sitze für die Priester und Kleriker, so daß der Altar zwischen Klerus und Volk zu stehen kam, — wieder ein Mittel, die Aufmerksamkeit aller auf die Mensa zu richten.

Dieser Typus des Ziboriumaltares, wie er sich in den alt=christlichen Basiliken ausgebildet hat, ist eine für immer wertvolle Errungenschaft des Altarbaues und alle späteren Baustile haben diesen Grundtypus des Altarbaues beibehalten und in ihrer Formensprache dargestellt. Man baute romanische und gotische Ziborienaltäre nicht weniger als solche im Stile der Renaissance und des Barocks.

Daneben bildeten sich noch einige andere Altartypen aus. In den morgenländischen Kirchen war die Abweichung vom ursprünglichen Typus des Ziborienaltares nie sehr bedeutend. Ein anderer neuer Typus trat nie an dessen Stelle; nur wurden die Kan=

zellen vor dem Altar zur Bilderwand mit drei Portalen; dadurch wurde der heiligste Teil des Gotteshauses sehr scharf abgegrenzt und die Mensa, welche immer in der Mitte dieses heiligsten Teiles frei und von der Rückwand ziemlich weit entfernt stand, war so hinreichend als Zentrum des Allerheiligsten hervorgehoben. Infolgedessen hielt man den Ziboriumbau über dem Altar manchmal für überflüssig und begnügte sich mit der auf einem Unterbau ruhenden Mensa allein.

Andere Altartypen entwickelten sich bei den Abendländern, und zwar zunächst der romanische Retable= und dann der gotische Bilder= altar, dem später der Altar mit dem Hochbau des Renaissance= und Barockstils, sowie einige moderne Versuche im Altarbau folgten.

Die Retable der romanischen Altäre ohne Ziborium ist zwar nicht so großartig und selbständig behandelt, daß dadurch die Auf= merksamkeit von der Mensa allzusehr abgelenkt würde. Ja, sie ist sogar meist der Mensa so angepaßt, daß sie ohne ihre Stellung über derselben unverständlich wäre. Auch bildet sie ein passendes Gegenstück zum Unterbau des Altares und trägt dadurch dazu bei, daß die Mensa immerhin noch eine gewisse zentrale Stellung zwischen Unterbau und Retable einnimmt. Aber über den Reichtum an Mitteln, von allen Seiten auf die Mensa hinzuweisen, verfügt der Retable=Altar nicht.

Ebensowenig findet sich dieser Reichtum im Typus des go= tischen Bilderaltars; ja der Bilderschrein zieht die Aufmerksamkeit schon sehr bedeutend von der Mensa ab. Immerhin erscheint er noch der Mensa untergeordnet und durch die Predella mit der Mensa organisch verbunden. Dadurch wird die Vorstellung erweckt, daß die ganze Bilderfülle aus der Mensa emporwächst und blüht. Der Bilder= reichtum ist überdies meist so groß, daß kein einzelnes Bild die aus= schließliche Herrschaft beansprucht, sondern alle sich in der Beziehung zur Mensa zu einer höheren Einheit als Schmuck eines Altars verbinden.

Dem Renaissance= und noch weit weniger dem Barockstile ge= nügte der Raum einer kleinen Retable oder eines Bilderschreins zur Entfaltung seiner Formen nicht. Auch die Herstellung eines Ziboriums verlangt mehr Zurückhaltung und Unterordnung unter die Mensa, als sich diese Kunstperiode in der Regel auferlegen wollte. Ihre Ten= denz ging dahin, einen möglichst großen Raum zu gewinnen, der ihr gestattete, sich frei und ungehindert zu entfalten. Darum wurde die Rückwand des Altars in kolossalen Dimensionen ausgebaut, so daß sie die ganze Rückwand der Kirche einnahm. Infolgedessen wurde der Altar meist auch ganz an die Rückwand des Chores verlegt. Den Mittelpunkt des Hochbaues bildete das Altarbild; dessen Um= rahmung „wird zu einem majestätischen Portal entwickelt, aus dem entweder das Himmlische zum Irdischen heraustritt oder das Irdische zum Ewigen hinaufgeht. Säulen oder Säulenpaare flankieren das Hauptbild rechts und links; ein flacher Giebel krönt und schließt das Ganze. Die ganze Nische ist jetzt für den Altarbau verwertet, der in seinem Grundriß außerdem sich biegen und beugen, hervortreten und zurückweichen kann; im Streben nach möglichster Lebendigkeit liebt dieser Stil eben starke Profile mit kräftigster Licht= und Schatten= wirkung."[1] Ein solcher Altartypus mußte wohl die Aufmerksamkeit in hohem Grade auf sich lenken, aber der Gesamtbau ließ diese Aufmerksamkeit auf sich ruhen, ohne sie auf die Mensa zu konzentrieren. Ja dadurch, daß sich die Mensa naturgemäß vor dem Fundamente des Hochbaues befand, wurde sie der Beachtung sehr entzogen, da das Fundament nach oben, aber nicht nach vorne weist. In der Tat könnte man sich manche dieser Altäre mit Hoch= bauten ganz gut ohne jede Mensa denken; sie würden dadurch keines ihrer organischen Bauglieder verlieren und auch für sich allein ver= ständlich sein. Die Statuen, Engel, Strahlen, Wolken 2c., womit die Hochbauten nicht selten geziert sind, tun das ihre, um sich möglichst effektvoll um das Altarblatt zu gruppieren, ohne sich um die Be= deutung der Mensa zu kümmern.

Dazu kam in der Periode des Barockes noch ein anderer Um= stand, welcher die Bedeutung der Mensa im Altarbau sich kaum voll entfalten ließ, nämlich die Erbauung eines Tabernakels über, bezw. hinter der Mensa. Sollte der Tabernakel für die häufigen Exposi= tionen des Allerheiligsten Sakramentes zweckmäßig eingerichtet sein, so nahm er einen ziemlichen Raum ein. Seine Bestimmung als Wohnung und Thron Gottes erforderte eine würdige und nach dem Geschmack der Zeit prunkvolle Ausstattung. Die notwendige Folge davon war, daß die Mensa häufig vernachlässigt wurde. In etwas unbeholfener Weise wollte man öfters die Bedeutung der Mensa noch dadurch kenntlich machen, daß man sie entweder beständig oder we= nigstens an hohen Festen scheinbar zu einer sehr bedeutenden Länge ausdehnte, die der Breite des Hochbaues nur um ein weniges nach= stand. Aber dies gereichte der Mensa zum Nachteile; denn ihre Grenzen wurden dadurch fast unkenntlich, anstatt klar hervorzutreten.

Wo die Fehler des Barockstiles sorgfältig vermieden werden, kann er nicht nur in den früheren Altartypen, sondern auch in dem ihm eigenen Typus des Altares mit Hochbau ganz gut zur Anwen= dung kommen; unter keinen Umständen jedoch darf den Manieren dieses oder eines anderen Stiles der richtige Ausdruck der inneren Bedeutung des dargestellten Objektes zum Opfer gebracht werden.

Dieser Grundsatz ist umsomehr der sorgfältigsten Beachtung wert, da gegenwärtig die moderne Kunst einige Versuche zu einem neuen Altartypus zu wagen beginnt. Bis jetzt ist es freilich noch bei Versuchen geblieben, die zur Fixierung eines neuen Typus noch nicht hinreichen. Wenn man etwa nach dem Hochaltar im modernen katho= lischen Kirchenraum auf der Kunstgewerbe=Ausstellung in Dresden

---

[1] Wietmann Gerhard S. J. und Johannes Sörensen S. J. Kunstlehre, IV. Malerei, Bildnerei und schmückende Kunst von J. Sörensen. Freib. im Br. 1901. Seite 245.

(1906) und dem Hochaltar der modernen Kirche des Steinhofes in Wien (1907) urteilen darf, so drängt sich die Beobachtung auf, daß man doch noch zu sehr die Rückwand gegenüber der Mensa bevorzugt. Will die moderne Kunst das Problem eines neuen Altartypus befriedigend lösen, so muß sie sich gänzlich von der hemmenden Vorstellung befreien, als gehöre zum Altare eine Rückwand; sie muß vielmehr zur Quelle alles lebensfähigen Kunstschaffens zurückgehen, zur inneren Bedeutung des auszuführenden Kunstwerkes, in diesem Falle zur inneren Bedeutung der Mensa im Altarbau. Wann und wie der moderne Stil dieses Problem lösen wird, läßt sich noch nicht bestimmen; daß er aber einen neuen Altartypus schaffen wird, ist ebenso wahrscheinlich, als daß er die älteren historisch gegebenen Typen mit seinen Formen umkleiden wird. Die Darstellung der Mensa in ihrer vollen Bedeutung wird dabei die erste und fundamentalste Aufgabe des Altarbaues sein und bleiben.

Jeder Altarbau wird demzufolge vor allem dahin zu prüfen sein, inwieweit er dieser Aufgabe entspricht. Tritt man in eine Kirche ein, so betrachte man ruhig die Führung der Baulinien im Innenraum der Kirche. Wird bei dieser Betrachtung der Blick unwillkürlich auf den Altarbau gelenkt, dann steht dieser an der richtigen Stelle im Kirchenraum. Wieder verfolge man die architektonischen Linien des Altarbaues selbst; wird man dabei auf die Mensa in solchem Grade aufmerksam, daß man unwillkürlich auf ihr seinen Blick ruhen läßt, dann entspricht der Altarbau seinem Zweck. Wird man hingegen dabei notwendig von irgend einem Gliede des Altarbaues außer der Mensa; z. B. vom Altarbild, so sehr gefesselt, daß man darüber auf die Mensa fast vergißt, dann widerspricht der Altarbau seinem Zweck. Ist aber der Altarbau so gearbeitet, daß er auf gar kein Zentrum hinweist, aus dem heraus er verständlich wird, dann ist überhaupt der ganze Altarbau zwecklos.

Dieselbe Studie kann man an Photographien und Bildern, wären es auch nur Ansichtskarten, machen. Dabei hat man den Vorteil, daß man räumlich weit entfernte Bauten unmittelbar nebeneinander nach verschiedenen Gesichtspunkten gruppiert betrachten kann. Kommt man bei der Betrachtung der Bilder zum Ergebnis, der Altarbau wäre ganz verständlich und in sich gerechtfertigt, auch wenn die Mensa gar nicht da wäre — man kann sie behufs dieser Prüfung im Bilde verdecken, — dann ist der Altarbau entschieden als verfehlt zu betrachten. —

Hat man sich vom Grundsatze überzeugt, daß die Mensa im Altarbaue die ihr gebührende zentrale Stellung einnehmen müßte, so wird man zugeben müssen, daß die erste Frage beim Neubau von Altären lauten muß: „Wie kann und soll in dem zu errichtenden Altar die innere Bedeutung der Mensa ausgedrückt werden?" nicht aber, wie nicht selten gefragt wird: „Wie hoch soll der Altarbau werden, welche Bilder und Statuen soll er aufnehmen ꝛc.?" Daß bei

Neuerrichtung eines Altars gewöhnlich ein fixer Altar einem Altar=
baue zur Aufnahme des altare portatile vorzuziehen sei, liegt auf
der Hand. Ob mit dem Altarbau ein Tabernakel zur Aufnahme des
Allerheiligsten verbunden werden soll, hängt vom jeweiligen Bedürf=
nisse ab. Für das feierliche Hochamt eignet sich immer ein Altar
ohne Tabernakel am besten und darum findet sich auch in den bischöf=
lichen Kirchen am Hochaltar kein Tabernakel. Dafür kann dann in
einer Seitenkapelle oder an einem Seitenaltare der Tabernakel umso=
mehr Berücksichtigung und künstlerisch wertvolle Ausgestaltung er=
fahren. An solchen Seitenaltären ist der Tabernakel die Hauptsache
und die Mensa ihm ganz untergeordnet, da sie nie zur feierlichen
Darbringung des heiligen Meßopfers verwendet wird.

Ist man aber genötigt, den Tabernakel mit dem Hochaltare zu
verbinden, dann ist sorgfältig darauf zu achten, daß Tabernakel und
Mensa in gebührender Weise zu ihrem Rechte kommen, ohne daß
eines das andere in den Schatten stellt. Es darf also nicht der Taber=
nakelbau eine solche Bedeutung in Anspruch nehmen, daß ihm
gegenüber die Mensa unscheinbar und bedeutungslos erscheint; denn
die Mensa ist nicht der vor dem Tabernakel aufgestellte Opfertisch,
sondern die im Tabernakel aufbewahrte Eucharistie ist die auf der
Mensa gewonnene Opferfrucht. Andererseits darf auch der Taber=
nakel nicht so bedeutungslos erscheinen, daß er in nichts die wahre
und wirkliche Gegenwart Jesu Christi im Allerheiligsten Sakramente
zur Schau trägt.

Diese beiden Gesichtspunkte müssen den Künstler im Entwurf
des Planes für einen Tabernakelaltar leiten. Die befriedigende Lösung
dieses Problems ist gerade keine leichte Aufgabe, zumal oft ein Taber=
nakelaltar im gotischen oder romanischen Stil gebaut werden soll,
während doch weder die gotische noch die romanische Periode Taber=
nakelaltäre im heutigen Sinne kannte. Jedenfalls würde man der
Bedeutung des Tabernakels nicht gerecht werden, wollte man ihn ein=
fach in Form eines Schrankes in die Retable oder die Predella des
Bilderschreines einbauen. Am besten dürfte sich der Tabernakelbau in
vorherrschend vertikaler Richtung entwickeln, während sich die Mensa
naturgemäß horizontal ausdehnen muß. Dadurch nun, daß sich so
die horizontale Achse der Mensa und die vertikale des Tabernakels
schneiden, wird die Aufmerksamkeit notwendig auf den Schnittpunkt
beider Achsen gelenkt, wo sich zugleich die wichtigste Stelle der Mensa
befindet. Von dieser Stelle geht also beides aus: die Mensa und der
Tabernakel; und beides weist wieder auf diese Stelle hin. Keines von
beiden leidet durch das andere, eines unterstützt und hebt das andere.

Freilich ein großes Altarbild läßt sich mit einem solchen Taber=
nakelaltar kaum gut verbinden, wenigstens dürfte es sich nur schwer
in einem Hochbau anbringen lassen, der mit dem Altare unmittelbar
verbunden ist; denn es würde auf diese Weise die freie Entfaltung
des Tabernakelbaues hemmen.

Zu beiden Seiten des Tabernakels kann man ja Bilder und Statuen im Altarbau selbst anbringen und durch geschickte Anordnung derselben die Wirkung des Tabernakels und der Mensa zugleich heben.

Wie im ganzen Bau des Altars, so muß sich auch in seinem Schmucke der Gedanke ausprägen: die Hauptsache des Altars ist die Mensa. Durch geeigneten Schmuck kann es nicht selten gelingen, Fehler in der baulichen Anlage des Altares zu verdecken; umgekehrt kann ein unpassender Schmuck auch den schönsten Altarbau verunstalten und seinen wahren Grundgedanken unkenntlich machen. Namentlich ist zu vermeiden, daß irgend etwas außer der Mensa, etwa eine Statue oder ein Bild als Zentrum des ganzen Schmuckes erscheine, so daß man den Eindruck bekommt, die Mensa sei nichts weiter als eben auch ein Glied im Schmucke des Bildes oder der Statue. Darum sollte über der Mensa nichts sein, was nicht unter ihr im Unterbau und den dazu emporführenden teppichbelegten Stufen ein entsprechendes Gegenstück hat. Große Aufmerksamkeit auf die Mensa lenkt ein darüber ausgespannter Baldachin, der zum Teil die Wirkung eines Ziboriums ersetzt. Auch der Schmuck zu beiden Seiten der Mensa, wie Blumen, Kränze, Lichter, Wandteppiche ꝛc. können und sollen zur Hervorhebung der Mensa dienen.

Die wenigen kirchlichen Bestimmungen über den Altarschmuck sind ebenso viel Fingerzeige zur Schmückung der Mensa. Mit welcher Gewalt lenkt das zu beiden Seiten bis zum Boden herabwallende Altartuch den Blick auf die Mensa! Wie herrlich machen sich bei der feierlichen Messe die von beiden Seiten gegen das Kruzifix hin ansteigenden Kerzen. Die Linien ihrer Flammen bilden mit der Horizontalachse der Mensa ein gleichschenkeliges Dreieck, als dessen tragende und stützende Basis die Mensa erscheint. Kein Lichtermeer brennender Kerzen und keine elektrische Beleuchtung ersetzt die vornehme Einfachheit der 6 (7) brennenden Kerzen, wie sie die Kirche für das bischöfliche Hochamt verlangt.

Zwischen den Kerzenleuchtern können nach Anweisung der Kirche duftende Blumen und heilige Reliquien gestellt werden. Sie gleichen Blüten und Früchten, welche dem Altare — der Mensa — entsprießen; aus ihr schöpfen sie gleichsam ihre Lebenskraft und sind so ein Symbol der gnadenreichen Fruchtbarkeit des Altars.

Liebevolle Aufmerksamkeit und ein geläuterter Geschmack wird noch so manches ausfindig machen, den Altar seiner Bedeutung entsprechend zu zieren. Befriedigend kann dies freilich nur dort gelingen, wo schon der Altarbau selbst seiner Aufgabe entspricht. Denn „es ist ja nicht Aufgabe der schmückenden Kunst, die Fehler der Baukunst zu büßen, sondern dort, wo jene aufhört, einzusetzen, ihre Motive ornamental auszugestalten, ihr Werk zu ergänzen, ihm Glanz und Gefälligkeit zu geben."[1]

---

[1] Gietmann-Sörensen, Kunstlehre IV. S. 246.

Damit dies ausführbar sei, muß der Altarbau ein Mittelglied zwischen Kirche und Mensa bilden: die Baulinien der Kirche sollen sich in ihm vereinigen und er selbst soll sich organisch aus der Mensa entwickeln.

Eine Stimme über das Bußsakrament aus der Zeit Karls des Großen.

Von Dr. J. Rieder, Theologie-Professor in Salzburg.

Die abscheuliche Hetze der jüngsten Zeit gerade gegen jenes Sakrament, das ganz besonders geeignet ist, dem Erdenpilger Trost und Hilfe zu bringen, ist nicht ohne Wirkung geblieben. Mehr als man glaubt, ist auch unter Katholiken die Meinung verbreitet, das Bußsakrament, sowie es jetzt in der katholischen Kirche in Uebung ist, sei gar nicht von Christus eingesetzt, es sei eine Erfindung der Priester und erst durch das IV. Laterankonzil allgemein in der Kirche eingeführt worden. Man schließt sich dieser Meinung um so lieber an, weil ja der Empfang dieses Sakramentes immerhin von dem Pönitenten ein Opfer verlangt, das gerade jenen am schwersten fällt, die dieses Sakramentes am meisten bedürften. Die Behauptung nun, die Beicht sei eine bloße Erfindung der Priester, ist ihnen willkommen, sie klammern sich an dieselbe, weil sie so leichter ihr Gewissen zur Ruhe bringen zu können glauben.

Der Beweis, daß in der katholischen Kirche nicht bloß das Bußsakrament immer bestanden habe, sondern daß auch — um schon das unschöne Wort zu gebrauchen — die Ohrenbeicht, nämlich das Bekenntnis der einzelnen Sünden vor dem Priester, stets in Uebung war, wird von den Dogmatikern allerdings in hinreichender Weise geführt. Es möchten aber die Väterzitate, oft aus dem Zusammenhang gerissen oder auch zu allgemein lautend, besonders Halbgebildeten gegenüber nicht immer jene überzeugende Beweiskraft haben, die ihnen allerdings zukommt.

Da fand ich nun im großen Werke Monumenta Germaniae historica tom. IV. n. 131 einen überaus **schönen Brief Alkuins**, des weisen Beraters Karls des Großen und „Lehrers des Frankenreiches" († 804). Dieser Brief ist an die Jünglinge gerichtet, die im Kloster des heiligen Martin zu Tours Unterricht und Erziehung erhielten, und sein Inhalt ist eine herrliche Aufmunterung zum Empfange des Bußsakramentes. Nicht etwa bloß so obenhin oder zufällig wird die Notwendigkeit des Bekenntnisses der Sünden erwähnt, sondern der ganze Brief handelt ex professo über das Bußsakrament, über das Bekenntnis auch der geheimen Sünden vor dem Priester und zwar in einer Art und Weise, daß man Alkuins Worte auch heute noch auf jeder katholischen Kanzel gebrauchen könnte. Das Katholische bleibt sich eben immer gleich; die Protestanten könnten allerdings mit diesem Briefe nichts anfangen.

Also lange vor dem IV. Lateranensischen Konzil (1215) spricht Alkuin jene katholische Sprache, die wir auch heute in betreff des Bußsakramentes sprechen.

Es ist mir nicht bekannt, daß dieser Brief einmal in deutscher Uebersetzung gedruckt worden wäre, und so möchte ich mir erlauben, denselben in getreuer Uebersetzung wiederzugeben, in der Ueberzeugung, daß man sich an seinem tiefen Gehalte erfreuen werde, da er auch in schöner Form und in originellen Wendungen verschiedene Motive vorführt, die das Herz zu einem aufrichtigen Bekenntnisse zu bewegen geeignet sind.

Der Brief lautet:

„Den in Christo geliebten Söhnen, den hoffnungsvollen Jünglingen, die in der Kirche des heiligen Martin Jesu, unserem Gott, dienen und von geistlichen Lehrern im Hause Gottes erzogen werden, bringe ich, Alkuin, euer ewiges Heil wünschend, meinen Segensgruß in Christus!

Da ich, geliebte Söhne, das Heil und den Fortschritt eurer Seelen innigst wünsche, möchte ich in väterlicher Liebe einige Mahnungen in freundschaftlicher Weise an euch richten, damit ihr glücklich werden möchtet im gegenwärtigen Leben und mit der Gnade Gottes die Seligkeit des zukünftigen Lebens erlanget und die kurzen und gebrechlichen Jahre eures Lebens so zubringet, daß ihr einst schauen könnet den Tag der Vollkommenheit und der Vollendung.

Auch euch, heilige Väter, die ihr das Licht dieses brüderlichen Vereines, die Lehrer und Führer der Jugend seid, bitte ich, daß ihr sie, d. i. eure Schüler, ermahnet, sie möchten eifrig bestrebt sein für alles, was Gott wohlgefällig ist und zum Heile ihrer Seelen dient, damit ihr Fortschritt euch ewigen Lohn bringe bei Gott. Ermahnet sie also, nüchtern, keusch, rein, in aller Demut und im Gehorsam Gott zu dienen, in guter Zucht, in frommem Wandel und heiliger Keuschheit; mahnet sie besonders auch in betreff der Beicht ihrer Sünden, weil gerade gegen Jünglinge so viele Nachstellungen teuflischer List sich richten durch die Begierde des Fleisches und jene bösen Neigungen, die dem jugendlichen Alter eigentümlich sind.

Aber, da Gott uns beisteht, kann der böse Feind in seiner Bosheit nichts erreichen, wenn die Jünglinge nur bereit sind, gut zu beichten und würdige Früchte der Buße zu bringen, d. i. wenn sie zu den alten Wunden nicht neue hinzufügen und das, was geheilt wurde, nicht noch einmal verwunden. Denn gar heilbringend ist die Arznei der Buße, wenn man das Bereute nicht wieder begeht; es steht ja geschrieben: „den Büßenden gibt Gott Anteil an der Gerechtigkeit" (Eccli 17, 20).

Wohlan nun, Büßer, bekenne deine Sünden, decke durch die Beicht auf deine geheimen Missetaten; Gott dem Herrn ist bekannt, was du im Verborgenen getan hast. Wenn es die Zunge nicht bekennt, wird das Gewissen nicht zur Ruhe kommen. Umsonst glaubst du, deine Sünde innerhalb der Wände verbergen zu können. Vor Gott ist alles offenbar, auch was du verborgen wähnst. Wenn du auch in deinen Sünden den Augen der Menschen dich entziehen kannst, so kann es doch vor dem Angesichte Gottes nicht verborgen bleiben, was du im Verborgenen getan. Bekenne in der Beicht deine Sünden, bevor dich der Zorn des Richters trifft. Glaube mir, alles was du gefehlt hast, kann verziehen werden, wenn du nur nicht errötest es zu bekennen und Sorge trägst, durch die Buße dich zu reinigen, wie der Psalmist sagt: „Ich habe gegen mich meine Ungerechtigkeit dem Herrn bekannt, und du hast die Bosheit meiner Sünde mir verziehen" (Pf. 31, 5).

Der Herr erwartet von uns das Opfer des Bekenntnisses, um uns das Geschenk seiner Huld zu geben, da er will, daß alle Menschen gerettet werden und niemand zugrunde gehe (I. Tim. 2, 4), wie er auch an einer anderen Stelle der Schrift sagt: „An dem Tage, an welchem der Sünder sich bekehrt, wird er leben und nicht sterben" (Ez. 33, 12. 15). O große Wohltat des barmherzigen Richters, o herrlicher Schatz der göttlichen Milde! deshalb will er von den Fehlenden das Opfer des Bekenntnisses entgegennehmen, damit er nichts finde, was er strafen müßte. Seien wir nicht undankbar gegen das so große Wohlwollen unseres Erlösers, der lieber verzeihen will als strafen, lieber selig machen als verdammen. Das ist ein Gewinn für den Herrn, was nicht gestraft wird am Knechte, und es gereicht dem Schöpfer zur Ehre, wenn der Verurteilte begnadigt wird. Er will ja nicht strafen, der bereit ist zu verzeihen, er, der selbst sagt durch den Propheten: „Ich will nicht den Tod des Sünders, sondern daß er sich bekehre und lebe" (Ez. 33, 11). Siehe, das ist der wahre Lebensspender, der nicht will den Tod des Sünders, sondern das Leben des Bekehrten. Deshalb spricht im Evangelium die Wahrheit selbst: „So wird Freude sein im Himmel bei eurem Vater und seinen Engeln über einen Sünder, der Buße tut" (Luk. 15, 7), und beim Propheten: „Bekenne du zuerst deine Missetaten, damit du gerechtfertigt werdest" (If. 43, 26). Siehe, mild ist der Spender der Verzeihung, welcher für kurze Trauer ewige Freude gibt, da er sagt: „Selig sind die Trauernden, sie werden getröstet werden" (Mt. 5, 5), und an einer anderen Stelle: „Kommet alle zu mir, die ihr mühselig und beladen seid, ich werde euch erquicken" (Mt. 11, 28); denn er spricht, wie wir bereits gesagt haben: „Bekenne du zuerst deine Missetaten, damit du gerechtfertigt und nicht verurteilt werdest", damit dir bleibe der Lohn der Buße und nicht die Strafe der Sünde.

Verlangt etwa Gott das Bekenntnis der Sünden, als wüßte er dieselben nicht, er, der sie voraus wußte, bevor sie geschehen sind, und für dessen Vorauswissen alles Geheime offen ist? Aber nur dann kannst du die heilende Arznei erhalten, wenn du dem Arzte die Wunden deines Gewissens nicht verbirgst. Ich glaube nämlich, wenn man sich mit dem Arzte nicht bespricht, kann der Kranke nicht geheilt werden. Dein Bekenntnis ist die Arznei für deine Wunde und das sicherste Mittel für dein Heil. Der Kranke begehrt ein Heilmittel vom Arzte, der sich oft mit unsicherem Erfolge beim Kranken bemüht. Gott aber heilt ohne Mühe und ohne Aufschub gibt er das Heil= mittel der Verzeihung, wenn die demütige, mit Tränen geschriebene Beicht laut gelesen wird vor den Ohren seiner Barmherzigkeit. Nie= mand, o Mensch, kann dich besser wieder herstellen als jener, der dich erschaffen hat, und kein anderer dich heilen als „der schlägt und heilt". Er allein nämlich erkennt die Gebrechlichkeit seines Werkes, er, der nur darauf wartet, daß du es bekennst; schnell wird er dich gesund machen, da er durch den Propheten spricht: „Wenn du umkehrest und aufseufzest, dann wirst du gerettet sein." (Ez. 33, 12.)

Vor dem barmherzigen Richter wird uns Gelegenheit gegeben, uns unserer Sünden anzuklagen vor dem Priester Gottes, damit uns nicht der böse Feind darüber anklage vor Christus, dem Richter. Er will, daß die Sünden nachgelassen werden in dieser Welt, damit sie nicht gestraft werden in der andern. Wenn er sieht, daß wir unsere Sünden in der Beicht verdammen, so freut sich der gute Vater, verzeihen zu können, und er wünscht, das ihm eigene Werk der Barm= herzigkeit ausüben zu können gegen die Reuigen, wie er es bezeugt beim Propheten Isaias: „Ich bin es, der ich tilge deine Missetaten." (Is. 42, 25) und wiederum: „Bekehret euch zum Herrn, euren Gott, denn er ist barmherzig und gütig, langmütig und von großer Er= barmung". (Joel 2, 13). Dieses wissend, sagt der selige David: „Meine Sünden habe ich dir bekannt und meine Ungerechtigkeit nicht verborgen vor dir." (Ps. 31, 5). Hingegen wird die Sünde, die nicht bekannt wird, um so schwerer bestraft, weil auch die Hals= starrigkeit, die im Nichteingestehen der Sünde liegt, bestraft wird.

Aber vielleicht sagst du: Mich schreckt die Größe meiner Sünden; aber dann mußt du erst recht, o Sünder, das Heilmittel der Beicht suchen, damit du nicht in der Fäulnis der Wunden zugrunde gehst, wenn du dich nämlich schämst, die vielfachen Schmerzen deiner Ge= schwüre dem Arzte zu entdecken. Keineswegs kann die Zahl deiner Sünden das Uebermaß der göttlichen Barmherzigkeit übertreffen. „Verschiebe es nicht," sagt die Schrift, „von einem Tage auf den andern, dich zu bekehren, denn du weißt nicht, was der kommende Tag bringt." (Eccli 5, 8). Wie beschaffen der letzte Tag dich findet, so wirst du gerichtet werden. Wie du wünschest, vor dem Richter zu stehen, so bereite dich vor. So lange du Zeit hast zu wirken, beeifere dich, erkaufe dir das Reich Gottes durch die Buße, die so herrlichen Zins bringt, eingedenk der Worte des Herrn: „Tuet Buße, das Himmelreich hat sich euch genaht." (Mt. 2, 3).

Für dich also, o Jüngling, ist Gott Mensch geworden, um dich zu erlösen und, um dir das Leben zu geben, gab er sich selbst in den Tod. Warum solltest du liegen bleiben im Tode der Sünde? Stehe auf und sprich: „Vater, ich habe gesündigt vor dem Himmel."

(Luk. 15, 18. 21). Ziehe einen treuen Zeugen deiner Buße bei. Du willst ein reines Kleid haben, warum bist du nicht viel mehr besorgt, ein reines Gewissen zu haben? Du willst nicht im Schmuße vor den Menschen erscheinen, warum fürchtest du nicht viel mehr, beschmutzt durch deine Sünden zu erscheinen vor dem Angesichte Gottes? Wasche dich mit der Tränenquelle, damit du nichts auf dir habest, was die Augen seiner Majestät beleidigen würde. Wer, bitte ich, der gefallen, sucht nicht wieder aufzustehen? Wer ist krank und sucht nicht gesund zu werden? Wer ist in Gefahr und sucht nicht Rettung? Dein Zaudern würde dich später reuen, wenn du an das, was deiner Seele zum Heile dient, nicht denken würdest.

Erhebe dich, mein Sohn, stehe auf, versöhne den Vater durch Buße, den du beleidiget durch die Sünde. Bekenne die Schuld, damit der Arzt dich heile; sei besorgt um dein Heil. Wenn du selbst um dich keine Sorge hast, wer wird dir zum Heile verhelfen können? Wer wird dir treu sein, wenn du dir selbst kein treuer Freund bist? Es ist eine große Untreue, um dein Heil nicht besorgt zu sein, dich, da du in den Sünden dahinstirbst, nicht aufzuerwecken zum Leben durch die Buße. Je weiter du dich nach der Größe deiner Sünden entfernt hast von Gott, um so kräftiger bemühe dich, durch Buße dich wieder ihm zu nähern. Der milde Vater ist bereit dich aufzunehmen, wenn du nicht zögerst zurückzukehren. Es scheint dir eine harte Rückkehr, die fleischlichen Begierden zu verlassen; aber viel härter ist es, in ewigen Flammen zu brennen und für die Lust kurzer Zeit ewigen Strafen überliefert zu werden. Wie viele, die jetzt den Peinen der Hölle übergeben sind, würden gerne Buße tun wollen, wenn ihnen eine Möglichkeit der Bekehrung gegeben würde. Denn alles Harte in dieser Welt scheint im Vergleiche zu den Qualen der Hölle leicht und sozusagen angenehm. Du hast dem bösen Feinde gedient durch Unzucht, diene Christo in Keuschheit; beachte das Ende von beiden. Jenes, nämlich die Unzucht, führt den Menschen in die Flammen der Hölle, die Keuschheit, mit der Liebe verbunden, führt uns zum Reiche Gottes. Kehre zurück auf den Weg, von welchem du abgewichen. Der Leib mag durch Fasten entstellt werden, aber die Schönheit der Seele soll hergestellt werden. Ziere nicht den Körper, denn das Schönste ist der Schmuck der Heiligkeit. Wer häufig die Nächte durchwacht im Gebete und Lobe Gottes, ahmt das Leben der Engel nach. Fasten ist Nahrung für die Seele. Wenn du etwas hast, gib es in die Hand des Armen, denn die Hand des Armen ist der Opferkasten Christi; nicht leicht kannst du dich bei den Werken der Barmherzigkeit für entschuldigt halten; da ja schon ein Becher kalten Wassers mit ewigem Lohne vergolten wird; Kranke besuchen, Trauernde trösten, Fremden entgegenkommen, Hungernde und Dürstende erquicken, erwirbt das Himmelreich, wie man im Evangelium liest. In der Ausübung solcher Werke, o Sohn, erlangt man Sündenvergebung und noch darüber die ewige Seligkeit.

Wolle nicht aus der Art schlagen; in der Taufe wurdest du zum Kinde Gottes geweiht, aber ein so herrlicher Adel kann nicht ohne würdiges sittliches Leben erhalten werden. Der himmlische Vater, der Herr des Weltalls, kann nicht zu Kindern haben, die der Sünde ergeben sind. Wirf ab von deinem Nacken das Joch der teuflischen Knechtschaft; eile zurück zur Barmherzigkeit väterlicher Liebe. Kehre zu Gott zurück, o Sohn, kehre zurück; du warst tot, lebe wieder auf; du warst verloren, laß dich finden. Der gute Hirt sucht das irrende Schäflein und freut sich mehr über das gefundene als über jenes, das nie verloren ging; auf seinen Schultern trägt er es zu den Engelscharen zurück. Beachte die so milden Worte des liebevollen Heilandes, der spricht: „Ich bin nicht gekommen, um die Gerechten zu rufen, sondern um die Sünder zu rufen zur Buße." (Luk. 5, 32.) Der Herr ruft also die Sünder zur Buße, weil er lieber selig machen will als verdammen und weil er mehr wünscht, daß wir mit den Heiligen uns freuen, als daß wir mit dem Teufel gestraft werden. Er ruft uns selbst, er ruft uns durch die heiligen Schriften, er ruft uns auch durch die Lehrer der Kirche, daß wir zurückkehren zu ihm, der bereit ist, uns aufzunehmen, wenn wir nur nicht zu träg sind, zu ihm zu kommen. Hören wir den heiligen Evangelisten Johannes, wie er uns zur Buße mahnt. Er sagt nämlich in seinem Briefe: „Wenn wir sagen, daß wir keine Sünde haben, so täuschen wir uns selbst und die Wahrheit ist nicht in uns; wenn wir aber unsere Sünden bekennen, so ist Gott treu und gerecht, daß er uns die Sünden verzeiht und uns reinigt von aller Missetat." (I. Joh. 1, 8.) Wenn niemand ohne Sünde ist, wer bedarf also nicht der Buße, die ohne Bekenntnis wohl nicht fruchtbringend sein kann? Betrachten wir die Mahnung des heiligen Apostels Jakobus, der sagt: „Bekennet einander eure Sünden." (Jak. 5, 16.) Erinnern wir uns, daß unser Erlöser den öffentlichen Sünder, der seine Sünden bekannte, dem Pharisäer vorzog, der sich seiner Gerechtigkeit rühmte. Denn der Schöpfer weiß die Gebrechlichkeit unserer Natur, deshalb gab er uns für unsere Wunden die Arznei der Buße. Sprechen wir mit dem Propheten: „Heile mich, o Herr, und ich werde gesund sein." (Jer. 17. 14), und: „Herr, heile meine Seele, denn ich habe gegen dich gesündigt." (Ps. 40, 5.)

Wohlan, geliebte Söhne, eilet zum Heilmittel der Beicht. Decket auf die Wunden durch das Bekenntnis, damit die Arznei des Heiles euch nützen kann. Die Tage dieses Lebens gehen vorüber und ungewiß für jeden aus uns ist die Stunde, in welcher der Staub wiederkehrt zum Staube und der Geist zu Gott, der ihn gegeben, damit er gerichtet werde nach seinen Werken. Dort wird die Seele hören, was sie hier, mit dem Fleische vereinigt, getan im geheimen. Wenn sie jetzt sich schämt, die Sünden zu bekennen und durch Buße sich zu reinigen, so wird der boshafte Ankläger gegen sie aufstehen, der sie einst verleitet zur Sünde, wenn wir es versäumt hätten, dem Angesichte des

Richters zuvorzukommen durch die Beicht. Denn was wir von unseren
Sünden in Demut bekennen, von dem kann der Teufel uns nichts
mehr vorwerfen bei jenem schrecklichen Gerichte über unser Leben.
Wohlan nun, Jünglinge und Knaben, befreiet euch selbst von der
Knechtschaft des Teufels; eilet durch Buße zur barmherzigen Milde
des allmächtigen Gottes. Wollet nicht durch fleischliche Gelüste verlieren die ewigen Freuden und die Seligkeit des ewigen Reiches bei
den Engeln, sondern ermannet euch selbst und kämpfet tapfer mit
eurem Widersacher, damit ihr verdienet, glücklich gekrönt zu werden
mit den Heiligen Gottes und die ewige Herrlichkeit mit ihnen zu
besitzen.

Ihr nun, heilige Lehrer und Väter dieser Familie, unterweiset
eure Söhne, daß sie fromm, nüchtern und keusch leben, vor Gott in
aller Demut, in Gehorsam und Reinheit und daß sie ein aufrichtiges
Bekenntnis ihrer Sünden vor den Priestern Christi ablegen und durch
Bußtränen abwaschen jede Makel der Fleischessünden und nicht noch
einmal solche begehen, weil die späteren Wunden schlimmer sind als
die ersten, indem ihr wohl wisset, daß ihr, wenn eure Söhne gerettet
werden, ewigen Lohn habet bei Gott und daß das Heil jener, die euch
auf Erden anvertraut waren, euch ewige Vergeltung bringt im Himmel.“
Auch bei anderer Gelegenheit kommt Alkuin auf denselben
Gegenstand zu sprechen, so besonders in einem Briefe, den er an die
Mönche des Klosters Lerin in der Provence (Provincia Gothorum)
gerichtet hat (Monumenta Germ. hist. t. IV. No. 138). Wir entnehmen
demselben folgende Stellen:

„Was soll die Gewalt des Priesters lösen, wenn er die Bande
nicht sieht, womit der Sünder gefesselt ist? Nutzlos ist die Bemühung
des Arztes, wenn ihm die Wunden des Kranken nicht gezeigt werden.
Wenn die Wunden des Körpers auf die Hand des leiblichen Arztes
angewiesen sind, um wie viel mehr fordern die Wunden der Seele
die Pflege des geistlichen Arztes?

Du willst, o Mensch, nur Gott deine Sünden bekennen, vor
dem du sie ohnedies nicht verbergen kannst, und versäumst es der
Kirche Christi, in der du gesündiget, Genugtuung zu leisten?
Warum hat Christus selbst den Aussätzigen, den er geheilt hatte,
befohlen, sich den Priestern zu zeigen? Warum befahl er, daß
Lazarus, den er nach vier Tagen vom Tode erweckte, von anderen
von seinen Banden sollte befreit werden? Hätte er nicht die Fatschen
des Toten durch dasselbe Wort lösen können, womit er den Auf-
erweckten aus dem Grabe hervorgehen hieß? Warum fragte er
die Blinden, die zu ihm riefen, was sie wollten? Oder wußte er
nicht den Wunsch ihres Herzens, er, der das ersehnte Augenlicht ihnen
zurückzugeben vermochte? Vielleicht, wenn du vor Gott dich so verbergen könntest wie vor den Menschen, dann würdest du auch Gott
nicht lieber als den Menschen deine Sünden bekennen. Es scheint
eine Art Stolzes zu sein, den Priester als Richter zu verachten.

Du schämst dich, zu deinem Heile das einem Menschen zu bekennen, was du dich nicht schämst, zu deinem Verderben mit einem Menschen zu tun? Durch einen Feind kamst du zum Falle und du willst nicht durch einen Freund dich erheben? Du hast Gott schwer beleidigt und du willst keinen anderen Vermittler als dich selbst?

Du hoffst durch deine Gebete das Heil zu erlangen? Aber du verachtest den Befehl des Apostels, der sagt: „Betet für einander, damit ihr das Heil erlanget"; und wiederum: „Wenn jemand gesündiget, so soll der Priester für ihn beten, damit er gerettet werde." (Jak. 5.) Und was sagst du zu dem, was im gleichen Briefe folgt: „Bekennet einander eure Sünden", damit eure Missetaten getilgt werden. Was ist es, was er sagt „einander", wenn nicht ein Mensch einem anderen Menschen, der Schuldige dem Richter, der Kranke dem Arzt? Auch die Weisheit selbst spricht durch Salomon: „Wer sein Vergehen verbirgt, wird nicht geleitet werden" (Prov. 28, 13). d. i. der wird nicht geleitet werden auf den Weg des Heiles, der seine Sünden geheimzuhalten trachtet.

Hat nicht David vor Nathan gesprochen: „Ich habe gegen den Herrn gesündigt?" Siehe, dieser große Mann wollte den Propheten zum Zeugen seines Bekenntnisses haben, und weil er sich nicht schämte die Sünde zu bekennen, hörte er sogleich die Worte: „Siehe, Gott hat deine Sünde weggenommen." (2. Kön. 12, 13). Einem Menschen deckte er seine Wunde auf und sogleich erhielt er von Gott das Heilmittel. Denn auch im Buche Leviticus wird auf Befehl Gottes der Sünder mit seiner Opfergabe zum Priester geschickt, damit dieser sie Gott darbringe und für ihn bete, und so wird ihm verziehen werden. Was sind unsere Opfergaben für die von uns begangenen Sünden, wenn nicht das Bekenntnis unserer Sünden, das wir Gott durch den Priester darbringen müssen, damit durch dessen Gebete das Opfer unseres Bekenntnisses Gott wohlgefällig werde und wir Verzeihung erhalten von ihm, dem ein Opfer ist ein betrübter Geist und der ein zerknirschtes und gedemütigtes Herz nicht verachtet. (Ps. 50, 19).

Wenn die Sünden den Priestern nicht zu offenbaren sind, wozu stehen dann im Sacramentarium (= Rituale) die Gebete der Lossprechung geschrieben? Wie kann der Priester jemanden lossprechen, wenn er nicht weiß, daß er gesündigt? Umsonst stünden in den Kirchen die Heilmittel bereit und die Bußwerke nach Synodalbeschlüssen aufgeschrieben gegen alle Wunden unserer Sünden, wenn sie nicht jenen aufgedeckt werden, welche in der Kirche Christi gesetzt sind, die Fäulnis unserer Missetaten zu heilen.

Wer sündigt, liegt am Boden; wer beichtet, steht auf; wer Buße tut, kehrt zurück zu seinem Vater, wie der verlorne Sohn im Evangelium spricht: „Ich will aufstehen und zu meinem Vater gehen und ihm sagen: Vater, ich habe gesündigt gegen den Himmel und vor dir." Wer gesund ist, schütze sich durch den Schild des Glaubens, damit ihn nicht der verborgene Pfeil des alten Feindes verwunde; wenn aber jemand infolge der Gebrechlichkeit des Fleisches oder des Mangels an Vorsicht verwundet wurde, so eile er um so schneller zur Arznei der Beicht, damit er nicht, wenn die Sünde zur Gewohnheit geworden, fast nicht mehr imstande ist, sie auszurotten."

Erzählungen für Kranke.

1. Für die Jugend.

Von Johann Langthaler, reg. Chorherr und Stiftshofmeister in St. Florian (Oberösterreich).

Um der Aufgabe, eine Krankenliteratur zusammenzustellen, vollkommen gerecht zu werden, müssen wir auch Bücher erzählenden Inhaltes in ausreichender Zahl anführen. Wir könnten auf die lange Reihe von Artikeln verweisen, in denen im Laufe der Jahre Erzählungen bester Tendenz für verschiedene Altersstufen und Stände empfohlen und besprochen worden sind: einerseits ist es nicht so leicht, aus den Heften der früheren Jahrgänge der „Quartalschrift" das ausreichende Materiale zusammenzusuchen, anderseits sind wir der Ansicht, daß nicht jede Erzählung, die man Gesunden unbedenklich zugestehen kann, auch für Kranke paßt; zum mindesten wollen wir den Leidenden nicht Bücher geben, deren Inhalt aufregend oder geeignet ist, Leidenschaften wachzurufen und körperlich oder seelisch Schaden zu verursachen; ja wir legen auf solche Bücher und Erzählungen einen besonderen Wert, die durch ihren Inhalt erbauen, Gottvertrauen erwecken, eine Seelenstimmung bewirken, wie sie der Kranke, um Gott zu gefallen, haben soll. Die im folgenden zu empfehlenden Bücher sollen den Zweck verfolgen, Mithilfe zur Erreichung dieser Seelenverfassung zu leisten oder doch einen harmlosen Zeitvertreib zu bieten.

Vorerst bringen wir Bücher für das kindliche, jugendliche Alter, dann solche für reife Jugend und Erwachsene. Auf eine ausführliche Kritik können wir uns nicht einlassen, großenteils sind die Erzählungen schon von uns besprochen — auch würde sich die Arbeit weiter hinausziehen, als es unsere Kräfte erlauben.

Bücher für Kranke jugendlichen Alters.

An die Spitze der Bücher für jugendliche Kranke stellen wir die **Erzählungen von Christoph von Schmid.** Es ist bekannt, daß Christoph von Schmid jeder Erzählung eine moralische Grundlage gegeben hat, die verschiedensten Tugenden sucht er zu fördern, ihren Segen für Zeit und Ewigkeit, die Art ihrer Uebung zu zeigen; er weist so gern hin auf die waltende und schützende Hand Gottes und weckt so kindliches Gottvertrauen, regt an zur Erfüllung des vierten Gebotes, zur Rechtschaffenheit, Ehrlichkeit, treuer Pflichterfüllung, werktätiger Nächstenliebe u. s. w. Die Erzählungen: „Genovefa", „Der gute Fridolin und der böse Dietrich", „Eustachius", „Hirlanda", „Itha Gräfin von Toggenburg", „Eierdieb", sind für die Schuljugend weniger passend, sonst können wir alle Erzählungen des vorzüglichen Verfassers für Kranke nur empfehlen; der Ton der Erzählung ist bekanntlich so ergreifend und rührend, daß selbst Erwachsene sich der Tränen nicht immer erwehren können. Wir kannten einen Professor, der mit Vorliebe die Schmid'schen Erzählungen las und recht herzlich dabei weinte. Von den vielen Ausgaben empfehlen wir:

Gesammelte Schriften von Christoph von Schmid. Vollständige Ausgabe in 28 Bänden. G. J. Manz in Regensburg. 8°. Gebunden in Leinwand. Preis à M. 1.20.

Eine billigere Ausgabe: **Christoph von Schmids ausgewählte Erzählungen für die Jugend.** Neu herausgegeben von Jos. Ambros. 36 Bändchen. 16°. Preis gbd. je nach der Größe des Bändchens 40—90 h. Pichlers Witwe & Sohn in Wien.

Sehr billig wären die in die „**Katholische Volksbibliothek**" von C. A. Seyfried in München aufgenommenen Bändchen mit Erzählungen von Christoph von Schmid. Jedes Bändchen hat zirka 64 Seiten und kostet gbd. 25 Pfg. Wir nennen die Bändchen: 1—29, 48, 70—74, 84, 90, 128.

Im Geiste des vorzüglichen Jugendschriftstellers Christoph von Schmid schreibt P. Heinrich Schwarz; wir machen auf eine hübsch ausgestattete Sammlung von kurzen Erzählungen (aus dem literarischen Nachlasse) aufmerksam: **Jugendschatz.** 4 Bändchen. 8°. Kath. Preßverein in Linz. Jedes Bändchen mit 50—60 Seiten, in Leinwand gbd., mit hübschen Bildern illustriert 60 h.

Im gleichen Verlage sind 3 Bändchen von dem „österreichischen Christoph von Schmid", dem fruchtbaren Schriftsteller Leopold Chimani († 1843) erschienen; von ihm erhielt die Jugend nicht weniger als 150 Werke, die ungemein verbreitet waren und reichen Segen stifteten; leider sind nur mehr wenige in Buchhandel und auch diese sind veraltet — es ist ein Verdienst, daß der kath. Preßverein in Linz folgende Bändchen mit neuem Gewande ausstaffiert der Jugend spendiert hat:

1. **Gute Kinder, des Himmels reichster Segen.** Mit Porträt und Lebensgeschichte des Verfassers. 4. Aufl. 1905. 8°. 68 Seiten, gbd. K 1. — 2. **Vaterländische Erzählungen.** Neu bearbeitet von Anton Brousil und J. Grünwald. 2. Aufl. 113 S., gbd. K 1 — 3. **Tom und Zabi, die treuen Insulaner und die Schiffbrüchigen.** Neu bearbeitet von A. Brousil. 8°. 93 S., gbd. 80 h.

Weil wir schon beim Verlage des Preßvereines sind, so sei gleich erwähnt: Zeitvertreib und manch Anregendes bringen die vier Bändchen: **Kaiser-Anekdoten.** Für die Jugend gesammelt vom Chorherrn von St. Florian Franz Althuber. Kath. Preßverein in Linz. 8°. Karton. à Bändchen 70—80 Seiten. Preis 50 h.

Sehr empfehlenswert: **Heldenjugend.** Lebensskizzen katholischer Jünglinge. Von Albert M. Boegle S. J. 2 Bändchen. Alphonsus=Buchhandlung in Münster, Westfalen. 1906. 12°. 198 u. 185 Seiten, gbd. in Leinwand M. 3. — Vortreffliche Lebens= und Sterbebilder charaktervoller Jünglinge aus hohen und niederen Ständen, die niemand ohne Ergriffenheit und Erbauung lesen wird. Für Kranke ganz besonders tröstlich.

Erzählungsschriften von Robert Weissenhofer, Benediktiner und Professor in Seitenstetten. Ebenhöch (H. Korb) in Linz. 8°. Karton. K 1.20. 6 Bände. — Die Erzählungen Weissenhofers verfechten religiös=sittliche Grundsätze, verarbeiten Stoffe aus der vaterländischen Geschichte und sind gerne gelesen. 1. **Die Waise von Ybbstal.** 2. **Schwedenpeter.** 3. **Das Glöcklein von Schwallenbach** oder **Die Vorsehung wacht.** 4. **Erwin von Prolingstein.** 5. **Der kleine Tiroler** oder **Die Macht der kindlichen Liebe.** 6. **Edelweiß.** Märchen und Sagen aus den niederösterreichischen Bergen.

Gesammelte Erzählungen und Gedichte von Hermine Proschko. Mit Bildern von Emilie Proschko. Opitz in Warnsdorf. 5 Bände. Jeder über 200 Seiten, gbd. K 1.

Dr. Franz Isidor Proschkos gesammelte Schriften. Herausgegeben von Hermine Proschko. Mit Originalzeichnungen von Em. Proschko. Opitz in Warnsdorf. 8°. 5 Bände. à zirka 200 Seiten, gbd. K 1. — Vater und Tochter sind bekannt durch den patriotischen und religiösen Geist, der aus ihren Schriften spricht: der Stoff für ihre Erzählungen ist größtenteils der vaterländischen Geschichte entnommen. Jugend und Volk wird sich derselben gern bedienen.

Jugendlaube. Herausgegeben von Hermine Proschko. Bibliothek für die Jugend. Verlagshandlung „St. Norbertus" in Wien. kl. 8°. 18 Bändchen. à zirka 110 Seiten. Karton. 70 h. — Alle Bändchen sind im besten Geiste geschrieben, eine Herz und Geist bildende Lektüre.

Das Vater unser in Erzählungen für jung und alt. Von Isabella Braun. Mit 8 kolor. Bildern von Ferdinand Rothbart. 4. Aufl. L. Auer in Donauwörth. gr. 8°. 154 S. gbd. M. 2. — Die Erzählungen erklären und bekräftigen die einzelnen Bitten des Vater unser.

Eine billige, wegen des schönen, deutlichen Druckes und des handsamen Formates praktische Sammlung mit durchaus guter Tendenz: **Münchener Jugendschriften.** Herausgegeben vom Münchener Volksschriften=Verlag. Bis jetzt 25 Hefte, à 70—80 S. 8°. Preis 15 Pfg. = 18 h. — Die Erzählungen sind von bewährten Jugenderziehern ausgesucht, resp. bearbeitet worden. Sie taugen sowohl für Familien= als auch Schülerbibliotheken. Wer die Hefte gebunden haben will, bekommt je fünf in einem Leinenbande. Preis M. 1.35. Wir empfehlen diese Sammlung als eine der besten.

Allerlei Märlein und Geschichten für meine freundlichen kleinen Leser von Emilie Trauner. Mit 24 Bildern von Alexander Pock. Verlag Heinrich Kirsch in Wien, I., Singerstraße 7. gr. 8°. 170 S. gbd. *K* 3. — Besonders jüngere Patienten dürften an dem Inhalte des gut und kindlich geschriebenen Buches viel Vergnügen finden — ebenso an den schönen Illustrationen: zugleich lernen sie, wie man schön demütig, mitleidig, folgsam sein, Vorwitz, Eitelkeit und sonstige Fehler meiden soll. Für Volksschulen auch gut brauchbar.

Aus fernen Landen. Eine Reihe illustrierter Erzählungen für die Jugend. Aus den Beilagen der „Katholischen Missionen" gesammelt von Joseph Spillmann S. J. Jedes dieser Bändchen ist mit 4 Originalbildern geschmückt. Herder in Freiburg. kl. 8°. Jedes Bändchen zirka 80 Seiten. Preis des 1.—18. Bändchens gbd. 80 Pfg.; des 19.—24. Bändchens je M. 1. — Die Erzählungen erhalten die jugendlichen Leser in gespannter Aufmerksamkeit, handeln fast ausnahmslos in fernen, unbekannten Ländern, schildern deren Sitten und Gebräuche, zeigen den Kampf, welcher in diesen Ländern das Christentum mit dem Heidentum zu bestehen hat; meistens sind es jugendliche, für das Christentum gewonnene Helden, welche die schönsten Beispiele der Glaubenstreue, des Vertrauens auf Gott und die seligste Jungfrau, der Barmherzigkeit u. s. w. geben. Wir haben die einzelnen Bändchen schon in den früheren Artikeln besprochen und empfohlen. Bändchen 22: **Der Engel der Sklaven** von P. Ambros Schupp S. J. ist eine Zierde der Sammlung: Die Tochter eines reichen Gutsbesitzers in Brasilien macht, von einer schweren Krankheit genesen, der Mutter Gottes das Gelübde, sich ganz besonders der armen Sklaven annehmen zu wollen und sie auf den Weg des Heiles zu führen. Sie führt ihr Versprechen aus: die Sklavenketten werden gelöst, die Behandlung derselben wird eine humane. „Der Engel der Sklaven unterrichtet selbst diese in den Wahrheiten des Christentums. 23. Bändchen: **Der Findling von Hongkong und andere Geschichten.** Von Anton Huonder S. J. Erzählungen aus dem Leben junger Chinesen, wie sie für das Christentum gewonnen wurden und mancherlei herbe Geschicke zu leiden hatten. 24. Bändchen: **Der heilige Brunnen von Chitzen-Itza.** Eine Erzählung aus Alt-Yukatan. Von Anton Huonder S. J. Geschichte zweier Kinder, die nach Yukatan verschlagen, in die größte Gefahr kamen, als Opfer der Götzen verbrannt, resp. ertränkt zu werden, aber, nachdem sie ihren Glauben glänzend bekannt, noch im letzten Augenblicke gerettet wurden. Huonder stellen wir das Eine aus, daß er Derbheiten nicht ängstlich genug vermeidet.

Sagen und geschichtliche Erzählungen der Stadt Wien. Nach den besten Quellen bearbeitet von J. W. Holczabek und A. Winter. 5. Aufl. Gräser in Wien. gr. 8°. 165 S. eleg. gbd. *K* 2.50. — 48 verschiedene Sagen und Erzählungen, die das Wesen und den biederen Charakter der Wiener in alter Zeit gut schildern.

Bachems Jugenderzählungen. Neue gediegene Unterhaltungs=
bücher für Kinder im Alter von 9 bis 14 Jahren. Bachem in Köln.
kl. 8°. Jedes Bändchen mit 4 Kunstdruckbildern, dauerhaft gebunden
zirka 150 Seiten M. 1.20. — Wir können diese Sammlung als
durchaus katholisch, sittlich tadellos empfehlen. Die Ausstattung ist
eine solide und schöne.

Für Studenten und reifere männliche Jugend taugen vorzüg=
lich: **Bachems neue illustrierte Jugendschriften.** Eine Reihe fes=
selnder Erzählungen belehrenden Inhaltes auf geschichtlicher Grund=
lage für die reifere Jugend. Jeder Band in vornehmer, gediegener
Ausstattung mit 4 farbigen Kunstdruckbildern in starkem Kaliko=
Prachtband. gr. 8°. zirka 200 S. Deutlicher, schöner Druck. Preis
M. 3. — Uns sind 33 Bände bekannt. Hervorragende Schriftsteller
sind die Verfasser: Rob. Munchgesang, E. v. Pütz, H. Kerner,
Th. Kellner, Ad. Goldschmidt, H. Ritter, A. J. Cüppers,
John Bennett u. s. w. Der Stoff der Erzählungen ist der Geschichte
entnommen, zum Teile der Zeit des ersten Christentums, der Völker=
wanderung; die Schreibweise ist gediegen, der Inhalt veredelnd.

Bachems illustrierte Erzählungen für Mädchen. Bachem
in Köln. Eine Reihe fesselnder Erzählungen gediegenen Inhaltes für
die jüngere und reifere Mädchenwelt. Jeder Band in vornehmer,
gediegener Ausstattung. 24 Bände. 8°. à zirka 160 Seiten. Die
Bände 1—13, 15, 18, 20—24 je M. 2.50, die Bände 14, 16, 17,
19 M. 4.—.

Für Mädchen aus besseren Ständen, besonders für Pensionats=
zöglinge:

Patienten, welche Zeitvertreib und Kenntnisse aus geschicht=
lichen Werken schöpfen wollen, empfehlen wir die „**Geschichtliche
Jugend= und Volksbibliothek.**" Verlagsanstalt G. J. Manz in
Regensburg. 8°. zirka 200 S. gut gebunden. Preis pr. Band M. 1.70.
Mit Ausnahme des 1. Bändchens sind alle reich illustriert. — Uns
sind bis jetzt 17 Bändchen bekannt geworden: wie bei den oben em=
pfohlenen Sammlungen des Bachem'schen Verlages sind auch von
der Geschichtlichen Jugend= und Volksbibliothek die Bändchen einzeln
zu haben. Wir führen behufs Auswahl die Bändchen der Bibliothek
an: 1. **Wiederherstellung des katholischen Bekenntnisses in
Deutschland** von Hermann Sickenberger. 2. **Die Ursachen der
großen französischen Revolution** von Dr. S. Widmann. Mit
20 Illustrationen. 3. **Die deutsche Erhebung im Jahre 1813** von
Karl Ritter v. Landmann. Mit 17 Illustrationen. 4. **Schule,
Unterricht und Wissenschaft im Mittelalter** von Dr. Franz Falk,
Professor und Pfarrer. 23 Illustr. 5. **Der heilige Benedikt und sein
Orden** von P. Gabriel Meier, Bibliothekar des Stiftes Einsiedeln.
13 Illustr. 6. **Die deutschen Franziskaner und ihre Verdienste
um die Lösung der sozialen Frage** von P. Schlager, Franziskaner.
12 Illustr. 7. **Mexiko unter Kaiser Maximilian** I. von J. Kemper,

Rektor. 13 Illustr. 8. **Bonifatius** oder: der Sieg des Christen=
tums bei den Deutschen von J. Niessen, Seminarlehrer. 11 Illustr.
9. **Rudolf von Habsburg und Albrecht von Oesterreich** von Dr.
Steinberger. 10 Illustr. 10. **Aegypten und seine Kultur** von
Heinrich Bals, Lehrer. 28 Illustr. 11./12. **Die französische Re=
volution vom Jahre 1789—1795** von W. Oberle, Gymnasial=
Oberlehrer. 49 Illustr. 13. **Die Bartholomäusnacht des Jahres
1572** von Dr. S. P. Widmann. 16 Illustr. 14. **Kurfürst Max
Emanuel** von Karl Ritter von Landmann, k. Generalleutnant.
17 Illustr. 15. **Die Zeit der Verfolgungen** von K. Kellner.
16 Illustr. 17. **Geschichte der Christenverfolgungen.**

Die Sammlung wird fortgesetzt; selbstverständlich wollen wir
sie für studierte Jugend empfohlen haben.

Kaiserin Elisabeth. Lebensbild für Volk und Jugend. Von
Othmar Kleinschmied. Mit zahlreichen Illustrationen. Preßverein
in Linz. 1905. 8°. 70 S. gbd. K 1.—. — Ein sowohl dem Inhalte
als der Ausstattung nach schönes Buch, das keinem Oesterreicher un=
bekannt bleiben sollte: eine vollständige Darstellung des Lebensganges
unserer verewigten Kaiserin; mit Wärme geschrieben und geeignet,
den edlen Charakter der hohen Frau darzulegen, Liebe und Verehrung
gegen sie zu erwecken. Die beigefügten Aussprüche der Kaiserin lassen
so recht ihren Edelsinn erkennen.

Hervorragende geschichtliche Persönlichkeiten finden eine ein=
gehende Würdigung in der alles Lobes würdigen **Illustrierten Ge=
schichtsbibliothek** für Jung und Alt. "Styria" in Graz. 8°. —
Geschrieben von bewährten Kräften mit besonderer Berücksichtigung
der Jugend, volkstümlich und verständlich. Jeder Band für sich ab=
geschlossen. Uns liegen vor: 1. **Prinz Eugen von Savoyen, der
Begründer der Großmachtstellung Oesterreichs.** Ein Lebens= und
Zeitbild von Dr. Leo Smolle. 1906. 23 Illustrationen. 139 S.
gbd. K 1.60. — 2. **Karl der Große.** Ein Lebensbild von Dr.
P. Macherl. Mit 13 Illustrationen. 78 S. gbd. K 1.40. —
3. **Erzherzog Karl.** Von Professor Dr. Karl Fuchs. 15 Illustr.
1907. 158 S. gbd. K 1.80. — 4. **Maximilian I., der letzte Ritter.**
Ein Lebens= und Zeitbild von Josef Niessen. 18 Illustr. 1907.
103 S. gbd. K 1.60. — 5. **Napoleon I.** Von Dr. Leo Smolle. Mit
43 Illustr. 1907. 198 S. gbd. K 2.10. — 6. **Peter der Große.**
Von H. Brentano. 14 Illustr. 1907. 172 S. gbd. K 1.80. —
7. **Feldmarschall Graf Radetzky.** Nach authentischen Quellen be=
arbeitet von Hans von der Sann (Johann Krainz). 1907. 8°.
24 Illustr. gbd. K 1.80.

Im Verlage von J. Habbel in Regensburg erscheint: **Jugend=
bücherei,** von der wir vier Bände kennen. Der 1. Band: **Herzog
von Dodendorf,** Erzählung für die Jugend von Josef Baierlein,
8°. 122 S. gbd. M. 1.20, berichtet in interessanter Weise über die

Heldentaten, die der ehemalige Maurergeselle Mundt als Angehöriger der Schillschen Freischaren im Kampfe gegen die Franzosen ausgeführt hat. Mit Ausnahme einer (Seite 41) vorkommenden Notlüge tadellos. — 2. Band: **Schmiersieders Christel.** Von Josef Baierlein. 8°. 130 S. gbd. M. 1.20. Der Zundelkaspar und sein Enkel, der Christl, werden von einer wilden Hussitenhorde gefangen und sollen den Hussiten den Weg zum Städtchen Diessenreith zeigen; die beiden entfliehen, sie bringen eilig die Kunde vom drohenden Ueberfalle in die Stadt und retten diese. 3. Band: **Im Pandurengraben.** Von Josef Baierlein. 8°. 117 S. gbd. M. 1.20. Ein hartherziger, reicher Mann bedrängt seine Schuldner auf das Aeußerste. Die Strafe bleibt nicht aus: der Geizhals fällt in finsterer Nacht in einen tiefen Abgrund, den Pandurengraben; die von ihm dem Untergange zugeführte Familie rettet ihn und erhält zum Lohne den Nachlaß der ganzen Schuld. Einige für die Jugend unverständliche Fremdwörter, sonst gut. 4. Band: **Zakkes, der Findling.** Von Josef Baierlein. 8°. 117 S. gbd. M. 1.20. Ein Findelkind zieht Förster Hubert Stricker auf, sodaß aus ihm ein braver Jüngling und hernach ein tapferer Soldat wird, der im deutsch-französischen Kriege es bis zum ordengeschmückten Leutnant bringt.

Ebenso schön als nützlich sind die zwei Büchlein der Sammlung: **Sonnenschein.** Geschichte für Kinder und Kinderfreunde. Benziger & Ko. in Einsiedeln und Waldshut. 1. Bändchen: **Der Geißhirt vom Gotthard.** Von Elisabeth Müller. Mit farbigen Bildern. 1907. 8°. 134 S. gbd. M. 1.—. — Rudi, ein geweckter, frischer, unverdorbener Knabe, will von den Geißen, die er auf St. Gotthards Höhen weiden muß, in die weite Welt hinaus, eine vornehme Familie nimmt ihn mit nach Köln. Rudi hält sich gut und es geht ihm gut. Da kommt aber ein Verführer in Person eines lumpigen Gärtners, durch diesen lernt der Knabe schlechte Lektüre kennen, schon scheint er verloren; da erfaßt ihn das Heimweh mit solcher Gewalt, daß er sich auf und davon macht und heimkehrt, gerade recht, um noch den Segen der sterbenden Großmutter, die beständig für ihn gebetet, zu erlangen. — 2. Bändchen: **Jutta, das Ritterkind.** Von Elisabeth Müller. Mit farbigen Bildern 1907. 8°. 147 S. gbd. M. 1.—. Jutta, das edle Kind des harten und grausamen Ritters Kurt, bringt es durch Bitten und List dahin, daß den in der väterlichen Burg in harter Gefangenschaft Schmachtenden Rettung zu teil wird.

Der um die katholische Literatur sehr verdiente Verlag J. Habbel in Regensburg bietet der Jugend Erzählungen guter Tendenz: **Aus seliger Jugendzeit.** 4 Bände à zirka 170 S. gbd. M. 1.20. Kurze Erzählungen für Kinder der ersten Schuljahre. Für die Jugend von zehn Jahren an: **Jugend-Lust und -Leid.** 4 Bände. Jeder Band 120—140 S. gbd. M. 1.20. — Erzählungen und einige Gedichte; im 1. Bändchen eine Notlüge, sonst alles korrekt.

Für kleine Schüler: **Aus Wald und Flur.** Tiergeschichten mit vier bunten Illustr. Von Louise Thalheim. Trewendt in Breslau. 8°. 180 S. gbd. M. 3.—

Aus dem Herderschen Verlage in Freiburg, der fast nur Vorzügliches und Veredelndes liefert, für junge Leute aus besseren Familien: **Herders illustrierte Jugendschriften.** 8°. 12 Bändchen à 200—300 S. gbd. M. 2. — Jedes Bändchen eigens zu haben. Besonders möchten wir empfehlen: **Das kleine Familienhaupt.** Von Z. Fleuriot. Nach dem Französischen von Joh. Laicus. Mit 70 Illustr. von H. Castelli. 3. verbesserte Aufl. 300 S. und in Fortsetzung von der gleichen Verfasserin: **Das junge Familienhaupt.** 77 Illustr. von E. Bayard. 2. Aufl. 324 S. Erzählt von Kindern aus besserer Familie, deren Vater gestorben, deren Mutter so krank war, daß sie ihre Kinder fremden Leuten überlassen mußte. Der Sohn Rudolf, obwohl selbst noch Kind, übernimmt die Rolle eines Familienhauptes und entspricht vollkommen dieser Vertrauensstellung. Lehrreich ist auch das Bändchen: **Die beiden Prosper.** Von Madame de Stolz. Frei aus dem Französischen von M. Hoffmann. 43 Illustr. 246 S. Der Segen einer guten Erziehung wird dargetan: eine christliche, gute Erziehung ist mehr als Reichtum.

Zum Meer. Ferientage in Triest und am Quarnero. Von H. Stöckl. Mit einer größeren Zahl von Bildern. Prohaska in Wien und Teschen. 8°. 187 S. gbd. K 3.—. — Eine Schilderung der Ferienreise eines Onkels mit seinem Neffen in Briefform. Ist anziehend geschrieben, unterhaltend und belehrend.

Der kleine Lord. Von Frances Hodgson Burnett. Aus dem Englischen übersetzt von Hans Willy Mertens. Regensberg in Münster. 12°. 215 S. gbd. M. 1.—. — Der Sohn eines reichen englischen Grafen heiratet die Gesellschafterin einer vornehmen Dame. Er wird darob vom Vater enterbt, stirbt bald und hinterläßt seiner Witwe ein allerliebstes Söhnlein in bescheidenen Verhältnissen. Nach längerer Zeit wird der Graf weich, nimmt die Witwe und deren Kind zu sich; der Enkel versteht es, durch sein liebevolles Benehmen das Herz des Großvaters, dessen Titel und Reichtum zu gewinnen. Für Mittelschüler.

Unterm Strohdach. Von M. von Campfranc. Von der französischen Akademie preisgekrönt. Regensberg in Münster. 12°. 186 S. gbd. M. 1.—. — Ein Leutnant muß am Kriege in China teilnehmen. Den alten blinden Vater überläßt er der treuen Obsorge seiner Braut. Er zeichnet sich im Kriege sehr aus, bringt es zum Hauptmann, wird aber gefangen, sechs Jahre in einem eisernen Käfige gefangen gehalten und erst durch den Heldenmut eines Mädchens befreit, das ihr Leben opfert. Endlich kommt der Arme in seine Heimat, findet Vater und Braut. „Tugenden und nicht Gold ist die Grundlage wahren Glückes." Für reifere Jugend.

Kapitän. Erzählung von Frau von Nanteuil. Regensberg in Münster. 12°. 235 S. gbd. M. 1.20. — Der Held der Geschichte

verfuchte als Seemann sein Glück und fand es auch trotz der vielen
Gefahren; er stieg von Stufe zu Stufe; als vielfach ausgezeichneter
Offizier kehrte er in die Heimat. Ein treuer Beschützer in den ver=
schiedenften und größten Gefahren war ihm „Kapitän", ein Neu=
fundländer=Hund. Tendenz: Segen der guten Erziehung einer chrift=
lichen Mutter.

Erlebniffe auf der Flucht aus Sibirien. Von Rufin Pio=
trovsky. Nach dem Polnischen. Regensberg in Münfter. 12°. 181 S.
gbd. M. 1.—. — Die hier erzählten Erlebniffe fallen in die Zeit
nach dem polnischen Aufftande 1831, an dem Piotrovsky lebhaften
Anteil nahm. Wie so viele andere mußte er als Verbannter nach
Sibirien und war den schrecklichften Quälereien und Graufamkeiten
ausgefetzt, bis es ihm gelang, nach Frankreich zu entfliehen.

Von Weg und Steg. Bilder aus Natur und Leben. Von
Anton David S. J. Unterberger in Feldkirch, Vorarlberg. 1906. 8°.
283 S. gbd. *K* 1.80. Naturbetrachtungen mit recht nützlichen reli=
giöfen Anwendungen.

Lebensbilder aus Oesterreich=Ungarn. Von Ferdinand
Zöhrer. Illuftriert mit mehreren Bildern. 3. Aufl. Kath. Preß=
verein in Linz. 1905. 8°. 112 S. gbd. *K* 1.20. In der gewohnt
anziehenden Weise und mit echt patriotischer Begeifterung zeichnet der
rühmlich bekannte Jugend= und Volksschriftfteller — leider viel zu
früh geftorben — in wenigen kräftigen Zügen kurze Lebensbilder:
Regenten aus dem Hause Habsburg und Babenberg, hervorragend
durch Edelfinn und Herrschertugenden, Kriegshelden voll Tapferkeit
und Vaterlandsliebe, Dichter, Künftler, Aerzte, Männer der Arbeit.
Der Jugend zum Vorbilde und sittlichem Anfporn.

Die Gnaden des Chriftentums. Volks= und Jugendschriften=
verlag O. Manz in Straubing. 10 Bände à zirka 100 S. 8°. gbd.
M. 1.20. Diefe Bändchen verfolgen den edlen Zweck, der Jugend
und dem Volke die Wohltaten des Chriftentums durch Erzählungen
recht klar vor Augen zu ftellen und dadurch Anhänglichkeit an die
Kirche, Hochschätzung des Glaubens und seiner Gnadenmittel zu er=
wirken. Für jugendliche Lefer empfehlen wir hiervon: 1. **Die drei
Pilger** oder **Der Glaube.** 2. **Margarethe** oder **Die Hoffnung.**
3. **Die Wilden** oder **Die chriftliche Liebe.** 4. **Clotilde** oder **Die
Taufe.** 5. **Franz Xaver** oder **Die Firmung.** 6. **König Ludwig**
des Heiligen letzter Kreuzzug ins heilige Land oder **Die letzte
Oelung.** 7. **Das chriftliche Rom** oder **Die Priefterweihe.**

Baftian oder **Denen, die Gott lieben, muß alles zum
Beften gereichen.** Eine Erzählung für chriftliche Jugend und chrift=
liches Volk. Von Ottmar Lautenschlager. Rieger in Augsburg.
1879. 8°. 64 S. gbd. M. 1.—. Die Geschichte zeigt, wie Gott oft
ein scheinbares Unglück zum größten Glücke wendet.

Wir müffen nun auch die **Jugendschriften von Franz Hoff=
mann** berückfichtigen. Alle ohne Unterschied könnten wir auf keinen

Fall empfehlen. Hoffmann ist Protestant und nichts weniger als ein Freund der katholischen Kirche: Gegen Oesterreich und seine Regenten ist er geradezu verbissen. Wir werden also viele Bändchen ausscheiden müssen; die wir im folgenden anführen, sind gut, haben eine moralische Tendenz, die Darstellung ist dem jugendlichen Gemüte entsprechend warm und lebendig: die Tendenz ist meistens schon im Titel der Erzählung ausgedrückt. Verlag Schmidt & Spring, Stuttgart. Jedes Bändchen zirka 100 S. kartoniert 75 Pfg. 1. **Gott lenkt.** 2. **Die Not am höchsten, die Hilfe am nächsten.** 3. **Der Pachthof.** (Liebe überwindet alles.) 4. **Keine Rückkehr.** (Das Andenken an Gottes Gegenwart bringt Gottvertrauen.) 5. **An Gottes Segen ist alles gelegen.** 6. **Tust du was Gutes, wirf's ins Meer.** 7. **Die Ansiedler am Strande.** (Mit Fleiß und Gottvertrauen bringt es jeder zu was.) 8. **Hoch im Norden.** (Vorbild kindlicher Liebe.) 9. **Friedl und Nazi.** (Vaterlandsliebe.) 10. **Nur immer gerade durch.** 11. **Der alte Gott lebt noch.** 12. **Säen und Ernten.** (Segen des Fleißes.) 13. **Wohltun trägt Zinsen.** 14. **Selig sind die Barmherzigen.** 15. **Die Kinder sollen dankbar sein den Eltern.** 16. **Jung gewohnt, alt getan.** 17. **Fritz Heiter.** (Frömmigkeit, Fleiß, Sparsamkeit, Liebe sind Grundpfeiler dauernden Glückes.) 18. **Jeder in seiner Weise.** (Jeder soll in dem ihm von Gott angewiesenen Berufe nach Maßgabe seiner Kräfte und Fähigkeiten wirken.) 19. **Der Eisenkopf.** (Die besten Anlagen werden durch Eigensinn unnütz und bringen sogar Unglück und Verderben.)

Die Lügner. Erzählung von Wilhelm Herchenbach. Mit Illustr. G. J. Manz in Regensburg. 1880. 8°. 152 S. kartoniert M. 1.—. Diese Erzählung flößt der Jugend Liebe zur Aufrichtigkeit, Abscheu vor lügenhaftem Wesen ein, feuert zur Elternliebe, zur Verehrung des heiligen Altarssakramentes, der lieben Mutter Gottes an.

Illustrierte Zeitschriften für die Jugend sind gewiß angezeigt; sie sprechen an durch die Mannigfaltigkeit des Inhaltes und bringen Bilder, die ja besonders gern auch von Kranken beschaut werden. Für schulpflichtiges Alter empfehlen wir: **Schutzengel.** Ein Freund, Lehrer und Führer der Kinder. L. Auer in Donauwörth. 26 Nummern. Preis 80 Pfg., gbd. M. 1.—. — **Edelsteine.** Illustrierte katholische Jugendschrift. Herausgegeben von Karl Poppe, Pfarrer in Mengenrode. Verlag Cordier in Heiligenstadt, Eichsfeld. Erscheint wöchentlich einmal, Preis pro Vierteljahr 40 Pfg. 4°. Ein Jahrgang schön gebunden. M. 2.40. Enthält Gedichte, religiöse Belehrungen, Erzählungen, Märchen, Aufsätze aus der Naturgeschichte, Geschichte usw. besonders für deutsche Jugend. — **Escuranken.** Reich illustrierte Jugendzeitschrift. Redigiert von Otto von Schaching. 24 Hefte. G. J. Manz in Regensburg. In Prachteinband *K* 5.76. Inhalt ähnlich wie oben.

Jugendheimat. Herausgegeben von Hermine Proschko. Norbertusdruckerei in Wien. Jeder Band zirka 400 S. in reicher Aus-

stattung mit Vollbildern in Farbendruck und Textbildern. Schön
gbd. *K* 6.—. Für größere Schüler. — **Der treue Kamerad.** Illu=
strierte Lehr= und Lernmittel für Fortbildungsschüler und zum Selbst=
unterrichte der christlichen Jugend. Redigiert von Fidel Burger.
Herausgegeben vom katholischen Erziehungsverein für Vorarlberg.
Bregenz. 12 Monatshefte. 8⁰. Preis mit Postversendung *K* 1.44.
Unterhaltung, besonders aber Unterricht und Belehrung sind der
Zweck dieser sehr guten Zeitschrift. — Für Studenten: **Stern der
Jugend.** Illustrierte Zeitschrift zur Bildung von Geist und Herz.
Redigiert von Dr. Proxmarer. L. Auer in Donauwörth. Jährlich
26 Nummern. *K* 4.—. Einband dazu *K* —.90. — Für reife männ=
liche Jugend aller Stände: **Raphael.** Illustrierte Zeitschrift. Jährlich
52 Nummern. L. Auer in Donauwörth. gr. 4⁰. M. 2.50. Ganz
vorzüglich; seit Jahren können wir dieser vom ausgezeichneten Päda=
gogen J. M. Schmidinger redigierten Zeitschrift das beste Lob
spenden. Der Inhalt ist durchaus edel, entschieden christlich, der Bilder=
schmuck reich. Die Zeitschrift ist ein wahrer Schutzengel für die Jugend.
Eine sehr verbreitete Zeitschrift, besonders schön illustriert, ist: **Ave
Maria.** Illustrierte Marienzeitschrift. Redigiert von Friedrich Pesen=
dorfer. Kath. Preßverein in Linz. 12 Hefte *K* 1.60. Zugleich mit
dieser erscheint die illustrierte Kinderzeitschrift **„Das kleine Ave
Maria.** Von Fr. Pesendorfer redigiert. Preßverein in Linz. —
Immergrün. Katholische Monatsschrift für Unterhaltung und Be=
lehrung. Von J. Gürtler in Warnsdorf, Böhmen. 12 Hefte. *K* 3.20.
Der Inhalt ist zum größten Teile belletristisch und sucht auf dem
Wege der Erzählung katholische Ideale in die christliche Familie zu
bringen. Schön illustriert. Auch von der reiferen Jugend gut zu
brauchen.

Kurz führen wir noch an für zartere Jugend: **Für brave
Kinder.** Ausgewählte Sprüche, Märchen und Erzählungen. Heraus=
gegeben von Martin Weber. Frankfurt a. M. Fössers Nachfolger.
8⁰. 112 S. 5 Bilder. Aus der **Kinderlegende** von Laumann in
Dülmen: **Der heilige Vinzenz von Paul. Die heilige Rosa von
Lima. Der heilige Karl Borromäus. Der heilige Bruno.**

Ein schönes Vorbild im Leben und Sterben finden jugendliche
Kranke in dem Büchlein: **Biographie des jungen Florian Anton
Coller.** Von Johann Bosco, Priester. Aus dem Französischen.
L. Auer in Donauwörth. 1888. 8⁰. 80 S. brosch. M. —.45.

Pastoral=Fragen und =Fälle.

I. (Protestantische Taufpatin.) Der in Mischehe mit
einer Katholikin lebende protestantische Vater kam bis jetzt seinem
Versprechen nach, die Kinder katholisch taufen zu lassen. Als das
jüngste Kind zur Taufe gebracht werden soll, ist die katholische

Taufpatin verhindert. Daher will der Vater seine protestantische Mutter als Stellvertreterin der Patin haben. Da der katholische Pfarrer dies nicht zuläßt, läßt der Vater des Kindes den protestantischen Prediger zur Vollziehung der Taufhandlung herbeiholen. Hat der katholische Pfarrer recht gehandelt? ·

Antwort. Zunächst muß bemerkt werden, daß nicht durch bloße Bezeichnung des protestantischen Ehemannes dessen Mutter Stellvertreterin der katholischen Patin werden konnte: Das mußte wesentlich durch die katholische Patin selber geschehen.

Angenommen nun, die katholische Patin sei auf den diesfallsigen Wunsch eingegangen und habe die protestantische Großmutter des Kindes zu ihrer Stellvertreterin bestimmt, so daß letztere im Namen der katholischen Patin das Kind aus der Taufe hätte heben sollen, so tritt jetzt die Frage auf, hat der katholische Pfarrer recht gehandelt, diese Stellvertretung durch eine Protestantin zurückzuweisen?

Hätte es sich um eine protestantische Patin gehandelt, dann liegen allerdings einige Antworten des heiligen Offiziums vom 3. Mai 1893 und vom 27. Juni 1900 vor, welche dahin lauten: „protestantische Paten seien nicht zuzulassen, und es sei vorzuziehen, die Taufe ohne alle Paten zu spenden"; ja eine Instruktion aus dem Jahre 1723 fügt selbst hinzu: „Der katholische Pfarrer habe sich nicht deshalb zu scheuen, akatholische Paten abzuweisen, weil etwa in diesem Falle die Taufe protestantisch oder schismatisch würde vollzogen werden." Bei diesen Entscheidungen des heiligen Offiziums ist es schwer, in irgend einem Falle die Zulassung eines akatholischen Paten als tunlich zu erklären, wiewohl es noch nicht als ausgemacht gelten dürfte, daß kein akuter Fall denkbar wäre, der eine Ausnahme und eine Epikie zuließe. — Allein in unserem Falle handelt es sich nicht um einen akatholischen Paten oder eine akatholische Patin, sondern nur um die Stellvertreterin einer katholischen Patin. Man ist nicht berechtigt, sofort dasjenige, was vom Paten gilt, auch auf dessen Stellvertreter zu übertragen. Daher ist das Verhalten des katholischen Pfarrers entschieden zu verurteilen, zumal er die so schlimme Wirkung voraussehen konnte, daß durch die protestantische Taufe das so getaufte Kind und vielleicht mit demselben alle nachfolgenden Kinder jener Mischehe der katholischen Kirche verloren gehen. (Vgl. Lehmkuhl, Casus conscientiae II cas. 24.)

II. **(Mitwirkung.)** Es wird uns folgender Fall von Fragen vorgelegt:

1. Ich bin Kassierer einer Bank, a) es wird Geld gebracht -- als Darlehen eingezahlt. — Ich vermute, daß das Geld zum Teil auf unredliche Weise (etwa durch Betrug oder Verkauf von obscönen Sachen) erworben worden ist. — b) Es wird Geld geholt (als Darlehen empfangen). — Ich vermute, daß das Geld teilweise oder sogar ganz zu unerlaubten, vielleicht unsittlichen Zwecken verwendet wird.

Darf ich das Geld annehmen, bezw. geben unter der Annahme, daß bisher noch kein Schuldverhältnis (Verkehr) zwischen der Bank und den „unsauberen Elementen" stattfand; ebenso unter der Annahme, daß bereits ein solches Schuldverhältnis besteht?

2. Bin ich verpflichtet nachzuforschen, ob meine Vermutungen zutreffen?

3. Wie ist zu antworten, wenn in den Fällen 1 statt der Vermutung Gewißheit besteht?

4. Angenommen, der Kassier hätte in den aufgeworfenen Fragen das Geld nicht annehmen, bezw. geben dürfen, dürfen die übrigen Beamten die ein=, bezw. ausgezahlten Posten buchen, verrechnen?

5. Darf man trotz solcher Eventualitäten das Bankgeschäft er=greifen?

6. Darf ich gegen jemand klagen oder etwa als Rechtsanwalt oder als Syndikus bei einer Bank oder sonstigem Unternehmen den Rat dazu geben, wenn eine juridische, aber keine theologische Schuld vorliegt?

Die ersten Fragen beziehen sich auf die Mitwirkung zur Sünde des Nebenmenschen. Nach der Lehre der Moralisten ist die formelle Mitwirkung zur Sünde des Nebenmenschen, bei welcher man auf die sündhafte Intention des Haupthandelnden eingeht, immer unerlaubt; denn man wirkt zur Sünde mit, weil man die Sünde will. Da=gegen ist die materielle Mitwirkung, bei welcher man die Sünde des Andern nicht will, aber zur Ausführung mithilft, zwar an sich unerlaubt, weil die Liebe uns verpflichtet, die Sünde des Nächsten zu hindern, also umsomehr verbietet, sie zu fördern. Sie kann aber erlaubt werden, wenn die mitwirkende Handlung wenigstens indifferent und ein verhältnismäßiger Grund vorhanden ist, wie ihn die Regeln der geordneten Selbst= und Nächstenliebe fordern. Der Grund muß umso wichtiger sein, je schwerer die Sünde ist, zu der man mitwirkt, ja je notwendiger die Handlung zur Ausführung ist und je sicherer die Sünde ohne die Mitwirkung unterbleibt, und je näher die mitwirkende Handlung sich an der Sünde beteiligt. Insbesonders wird die Frage behandelt, ob ein Dienstverhältnis die Mitwirkung entschuldige. Bei entfernter und weniger wichtiger Dingen kann das Dienstver=hältnis allein entschuldigen, bei näherer Mitwirkung muß ein mehr oder weniger wichtiger Grund zum Dienstverhältnis hinzukommen. Auf Grund des Gesagten können wir an die Beantwortung der Fragen herantreten:

ad 1. Der Kassier kann das Geld annehmen, bezw. auszahlen, wenn er auch vermutet, es stamme aus „unlauteren Geschäften" oder werden zu solchen verwendet, selbst, wenn er Grund für seine Vermutung hat. Die Mitwirkung ist hier eine entfernte, die Sünde des Nebenmenschen ist nicht gewiß. Hier entschuldigt sicher das Dienst=verhältnis. Dies gilt, ob bisher schon ein Geschäftsverkehr zwischen der Bank und dem Kunden stattfand oder nicht.

ad 2. Der Kassier braucht auch nicht nachzuforschen, wie es mit dem Geschäftsgebaren des Kunden steht, weil dies eine zu große Last, für ihn selbst und für die Bank mit Nachteilen verbunden sein kann.

ad 3. Das Gleiche wie 1 gilt aber auch, wenn der Kassier nicht bloß vermutet, sondern gewiß ist, daß das Geld aus „unsauberen Geschäften" stammt oder zu solchen verwendet wird. Die Herkunft und die Verwendung des Geldes ist eine Frage, die ihn gar nichts angeht; er hat einfach seine Pflicht als Kassier zu tun. Die Bestimmung, mit wem die Bank in Geschäftsverkehr treten will, ist Sache des Bankiers oder der Direktion u. s. w. Für diese könnte viel eher die Frage entstehen, ob sie „unsaubere Geschäfte" durch Geschäftsverkehr, Gewährung von Kredit unterstützen dürfen. Aber auch hier kann man sagen, daß der allen gewährte Bankverkehr für gewöhnliche Fälle ein entschuldigender Grund ist.

ad 4. Ebenso erledigt sich die Frage 4. Selbst angenommen, der Kassier (oder der Bankier) hätten unrecht, wenn sie mit solchen Personen Geschäftsverkehr unterhielten, so sind die Buchhalter u. s. w., welche die Gelder buchen, verrechnen u. s. w. nur so entfernt an der Sache beteiligt, daß sie ihr Dienstverhältnis sicher entschuldigt.

ad 5. Daraus geht hervor, daß jemand trotz solcher Eventualitäten das Bankfach ergreifen darf.

Die Frage 6 bedarf noch einer Erörterung. Bekanntlich setzt die Restitutionspflicht aus einer ungerechten Schädigung eine theologische Schuld, eine Sünde voraus. Aus bloß juridischer Schuld entsteht die Restitutionspflicht bloß dann, wenn man durch Richterspruch zum Schadenersatz verurteilt ist, wenn nur dieser Richterspruch nicht auf einer unrichtigen praesumptio facti beruht, oder wenn man sich vertragsmäßig auch für diesen Fall verpflichtet hat. — Wer also ohne jede theologische Schuld Schaden zugefügt hat und auch vertragsmäßig nicht verpflichtet ist, kann ruhig den Richterspruch abwarten und ist von jeder Restitutionspflicht frei, wenn ein solcher nicht erfolgt. Anders ist die Frage, ob nicht die Billigkeit oder Liebe in gewissen Fällen eine Entschädigung nahelegt. Das erzeugt aber keine Pflicht der Gerechtigkeit. Darf nun aber der Geschädigte den Richterspruch anrufen? Ja; denn das Gesetz räumt ihm das Recht ein, auf diese Weise Schadenersatz zu erlangen und dieses gesetzliche Recht kann er gebrauchen. Dies Gesetz ist auch nicht ungerecht, weil es einmal bestimmt ist, die Eigentümer gegen unvorsichtige Schädigung sicher zu stellen, die Vorsicht im Verkehr zu fördern. Dann kommt es an sich allen zu gut, wenn es auch im einzelnen Falle eine bestimmte Person beschwert.

Würzburg. Prof. Dr. Goepfert.

III. (Eine von einem Dritten schwangere Braut.)
Laura, ein Mädchen auf dem Lande, erfreut sich des besten Rufes und ist eben deshalb von ihrem achtzigjährigen Onkel in seinem Te-

ftament mit einem bedeutenden Legate bedacht. Unglücklicherweise
unterhält sie seit einiger Zeit heimlich einen unlauteren Umgang mit
einem verheirateten Mann, der in der Gemeinde für sehr religiös gilt
und das größte Ansehen genießt, und weiß sich von ihm seit einigen
Tagen schwanger. In der größten Verzweiflung faßt Laura nun den
Entschluß, durch Herbeiführung des Abortus ihre Ehre und ihre Erb=
schaft zu retten. Nun erscheint ein rettender Engel, indem Norbert,
ein ihr wohlbekannter Jüngling, der von ihrem Zustande keine Ahnung
hat, sie zu Ehe begehrt und dieselbe schon in einigen Tagen eingehen
will. Wenn Laura ihm ihren Zustand offenbart, so nimmt er seinen
Antrag ohne Zweifel zurück und sie bleibt in ihrer alten Verzweif=
lung. Darum eilt sie in die Stadt, um Herrn Dr. Philipp, einem
Priester, welchem sie gänzlich fremd ist, die ganze Angelegenheit mit=
zuteilen und ihn zu befragen, ob es ihr in diesem Falle erlaubt sei,
mit Verheimlichung ihrer Schwangerschaft zu heiraten.

Frage: Was ist darauf zu antworten?

Die Schwangerschaft der Braut von einem Dritten ist unstreitig
ein Defekt, der die Ehe für den Bräutigam nach dem Ausdrucke der
Theologen nicht bloß „minus appetibile" macht, sondern ihm sogar
zum Schaden gereichen muß: „defectus nocivus." — Darum sagt
der heilige Alfonsus: „Sicut peccat contra justitiam, qui alteri
vendit merces noxias credenti bonas, ita a fortiori, qui cum pernici-
oso defectu vult matrimonium contrahere." l. VI. n. 864. Die von
einem Dritten schwangere Braut versetzt durch ihre Heirat den Mann
in die Notwendigkeit, gegen seinen Willen ein fremdes Kind als sein
eigenes erhalten und erziehen zu müssen, und wird Ursache, daß die
rechtmäßigen Kinder ihr väterliches Erbe unfreiwillig mit dem fremden
teilen müssen. Ferner bringt sie den Mann, die Kinder und sich selbst
in Gefahr, allen Uebeln einer unglücklichen Ehe anheimzufallen, wenn
ihr Betrug, was leicht geschehen kann, dem Manne später bekannt
wird, ja in Oesterreich könnte dieser alsdann gegen das göttliche und
kirchliche Recht beim weltlichen Gericht auf Grund des § 58 des bür=
gerlichen Gesetzbuches sogar die Auflösung des Ehebandes erwirken.
Darum verpflichten in der Regel auch alle Autoren eine solche Braut
sub gravi, entweder von der Ehe abzustehen oder dem Bräutigam
ihren Zustand noch vor Schließung derselben zu offenbaren. Dies
alles stellt Dr. Philipp der Laura vor Augen.

Diese erwidert dagegen, die Heirat sei für sie das einzige
Mittel, um ihren guten Ruf und ihre Erbschaft zu retten, um das
Vergehen ihres Mitschuldigen geheim zu halten und dadurch dessen
Familie vor Zerrüttung und die ganze Gemeinde vor dem größten
öffentlichen Aergernisse zu bewahren; was aber die ihr soeben ge=
schilderten Gefahren anbelange, so hoffe sie unter den obwaltenden
Umständen ganz sicher, daß ihre Schuld dem Manne niemals werde
bekannt werden, und daß es ihr gelingen werde, ihn und die recht=

mäßigen Kinder aus ihrem eigenen Vermögen vollständig schadlos zu halten.

In diesen Umständen glaubt nun Dr. Philipp folgende zu Gunsten Lauras sprechende Gründe zu finden:

1. Das Heiratsverbot in unserem Falle stützt sich auf die Gefahr, durch die Heirat die eben genannten Rechtsverletzungen zu verursachen; allein diese Gefahr ist bei Laura, wie aus den von ihr dargelegten Umständen hervorgeht, nicht sehr wahrscheinlich und darum auch das Verbot nicht so sehr zu urgieren. Darum sagt auch Lehmkuhl in seinen „Casus consc". II. n. 845; in einem ähnlichen Falle: „Quodsi puella arte matrimonium occulte pareret prolique bene consuleret, ita tamen, ut ipsius maternitas maneret omnino tecta, de graviditate non aliter judicandum est, ac de fornicatione sine sequelis"; von dieser aber sagt der heilige Alfonsus l. VI. n. 865, daß es der Braut nach den Autoren erlaubt wäre, auf eine diesbezügliche Frage des Bräutigams ausweichend zu antworten oder ihm ihre Schuld mit einer restrictio non pure mentalis zu verbergen, da ihm dieselbe höchst wahrscheinlich keinen Schaden bringen wird.

2. Ferner kann es Laura wohl kaum zur Sünde angerechnet werden, wenn sie durch ihre Heirat mit Verheimlichung der Schwangerschaft von einem Dritten einen Akt setzt, der einerseits non in se, sed solum propter periculum damni proximi unerlaubt, andererseits aber das einzige Mittel ist, um so viele Uebel höherer Ordnung zu verhüten. In diesem Sinne schreibt Gury in seinen „Casus consc." II. n. 871 über einen ähnlichen Fall: „excipiunt plures: si instantibus nuptiis, puella aliter quam per matrimonium famae consulere non posset, quia tunc non teneretur tantum famae detrimentum subire ad damnum temporale sponsi avertendum".

3. Den wichtigsten Grund aber, die Eheschließung in unserem Falle nicht zu inhibieren, findet Dr. Philipp in der extrema necessitas des Kindes, an welchem Laura schwanger geht; denn wenn sie nicht jetzt heiraten kann, so ist sie in der größten Gefahr, der Versuchung zur procuratio abortus zu unterliegen. Hiermit befindet sich das Kind in der äußersten geistlichen und leiblichen Not und Norbert ist unter den gegenwärtigen Umständen der einzige, der dasselbe retten kann. In einem solchen Falle ist aber jedermann zu noch viel größeren Opfern strenge verpflichtet, als jenes ist, welches Norbert durch diese Heirat bringen muß. Darum kann er auch nicht rationabiliter invitus sein, wenn ihm dasselbe durch die Entscheidung des Dr. Philipp auferlegt wird, da dieser aus den angeführten Gründen sich nicht entschließen kann, ihm die Heirat zu verbieten oder sie zur Offenbarung ihres Zustandes zu verpflichten, sondern sich mit der Ermahnung begnügt, alles zu tun, was in ihren Kräften ist, um von ihrem Manne und von der ganzen Familie die oben genannten Gefahren abzuwenden.

Wien.   P. Joh. Schwienbacher C. Ss. R.

IV. (Pfarrgottesdienst oder Versehgang?) Sempro=
nius, ein alleinstehender Pfarrer in einer Gemeinde, wird, als er
sich gerade anschickt, am Sonntage zur Abhaltung des pfarrlichen
Gottesdienstes zur Kirche zu gehen, ersucht, sich sogleich behufs
Spendung der heiligen Wegzehrung zu einer Kranken — wir wollen
sie Paula nennen — zu begeben, die schon seit längerer Zeit bett=
lägerig und plötzlich vom Schlage getroffen worden war. Nachdem
die ganze Gemeinde zum Gottesdienst bereits versammelt und auch
die Entfernung bis zur Wohnung der Kranken hin eine derartige
war, daß die Leute bis zu seiner Rückkunft hätten ziemlich lange
warten müssen, so kann man sich denken, daß ein Versehgang gerade
zu dieser Zeit unserem Pfarrer höchst unangenehm war. Da war
es nun ein glücklicher Zufall, der ihn aus seiner peinlichen Lage,
respektive aus der Pflichtenkollision, vor die er sich auf einmal
gestellt sah, heraushelfen sollte. Paula hatte nämlich 5—6 Tage
vorher gelegentlich eines allgemeinen Krankenversehganges auch
andachtshalber die heilige Kommunion empfangen. Sempronius
glaubte nun, diese einstweilen als Viatikum gelten lassen zu dürfen,
las der versammelten Pfarrgemeinde eine stille heilige Messe und
machte sich dann sofort auf, um der in Todesgefahr Schwebenden
die Wegzehrung ritu praescripto zu spenden und, wenn dies nicht
mehr möglich, doch wenigstens die letzte Delung. Doch auch letztere
sollte nicht mehr möglich sein; denn als er ankam, war die Kranke
gerade kurz vorher verschieden. — Es fragt sich nun: 1. Durfte
Sempronius die heilige Kommunion, die Paula ex devotione in
der angegebenen Zeit empfangen hatte, zugleich als Viatikum gelten
lassen? 2. War es in unserem Falle erlaubt, die Spendung der
heiligen Wegzehrung bezw. der letzten Delung erst bis nach der
heiligen Messe zu verschieben? Hätte er sie nicht sofort spenden
sollen?

Ad 1. Diese Frage findet eine verschiedene Beantwortung.
So sagt z. B. Schüch in seinem „Handb. d. Pastoral=Theol.", 10. Aufl.,
S. 700: „Wer erst vor dem einen oder anderen Tage aus An=
dacht kommuniziert hat, kann, muß aber nicht bei darauf eintre=
tender Todesgefahr die Wegzehrung empfangen, wenn die gegenwärtige
Gefahr (wie z. B. in unserem Kasus) eine Folge einer schon vorher
(nämlich zur Zeit der aus Andacht empfangenen Kommunion) da=
gewesenen Kränklichkeit wäre." Dagegen nach Lehmkuhl (Teol.
mor. II. n. 140, 4) und Noldin (Summa Theol. mor. III. n. 143)
bestünde aber schon dann keine, bezw. keine sichere Verpflichtung
mehr, das Viatikum zu empfangen, wenn jemand im Verlaufe
einer Woche oder „circiter una ante hebdomada" ex devotione kommuniziert hätte, „cum praecepto jam satis fecerit, praesertim si periculum ex morbo invaluit, quia moraliter tum
periculum jam instabat vel, ut censet Lugo, quia sufficit communicare in fine vitae seu paulo ante mortem." (Noldin l. c.)

Nach diesen Autoren könnte also Paula in unserem Falle nicht strenge obligiert werden, das Viatikum zu empfangen. Sempronius kann dementsprechend die vorher empfangene Kommunion als Wegzehrung gelten lassen, ist aber selbstverständlich verhalten, dieselbe zu spenden, wenn sie verlangt würde.

Ad 2. Wie wir voraussetzen können, hat Paula in Anbetracht ihres gefährlichen Zustandes trotz der bereits empfangenen Kommunion sicher auch noch das Viatikum empfangen wollen und war daher Sempronius zur Spendung desselben auch verpflichtet. Wenn er aber nun glaubte, es doch nicht sofort tun zu müssen, so wird er deswegen noch nicht der Vernachlässigung einer strengen, seelsorgerlichen Pflicht geziehen werden können, da er ja einerseits auf den kurz vorher geschehenen Empfang der heiligen Sakramente hin einen guten Gewissenszustand bei der Kranken rationabiliter voraussetzen durfte, andererseits aber eine längere Verschiebung des pfarrlichen Gottesdienstes mit einem nicht geringen incommodum verbunden war. Würde Paula nicht kurz vorher kommuniziert haben, so hätte Sempronius selbstverständlich ihr das Viatikum sofort geben und den Gottesdienst unter allen Umständen verschieben, resp. sogar unterbrechen müssen, wenn er ihn bereits angefangen gehabt hätte. Dies gilt auch dann, wenn er auch nur die letzte Oelung zu erteilen gehabt haben würde, weil die Schwerkranke das heilige Bußsakrament und die Wegzehrung zu empfangen nicht mehr imstande war. Würde dies der Fall gewesen sein, und Paula sich überdies noch in statu peccati mortalis befunden haben, so wäre zum Empfange der letzten Oelung eine Verpflichtung sub gravi sicher vorhanden gewesen, die keinen Aufschub erduldet hätte, da ja in hoc casu das Heil des Sterbenden einzig und allein nur vom rechtzeitigen Empfange dieses Sakramentes hätte abhängen können. Nachdem aber außer diesen Umständen nach der sententia communior (Alphons. l. VI. n. 733; Lehmk. Theol. mor. II. n. 578) zum Empfange der letzten Oelung keine Verpflichtung sub gravi besteht, so kann auch im gegenwärtigen Falle eine solche nicht vorhanden sein, einerseits, weil nach dem sub 1. Gesagten die von Paula bereits vorher empfangene Kommunion schon als Viatikum betrachtet und andererseits ein status in peccato mortali mit Grund nicht befürchtet werden kann.

Hätte Sempronius sogleich, als er gerufen wurde, den Verschgang unternommen, so würde freilich Paula, wenn auch die Spendung des Viatikums aus irgend einem Grunde nicht möglich gewesen wäre, doch noch wenigstens die heilige Oelung empfangen haben können. Nachdem jedoch, wie der Kasus liegt, eine strenge Verpflichtung von Seite Paulas zum Empfang des Viatikums, wie auch der extrema unctio, nicht urgiert werden kann, eine längere Verschiebung des Gottesdienstes aber für die ganze, zu demselben bereits versammelte Pfarrgemeinde immerhin ein recht bedeutendes

incommodum gewesen wäre, so werden wir unseren Parochus keines=
wegs tadeln dürfen, wenn er erst nach der heiligen Messe den
Versehgang unternommen hat. Etwas anderes wäre es natürlich
gewesen, wenn Paula sich ganz in der Nähe der Kirche befunden
haben würde, sodaß ein längeres Aufschieben des pfarrlichen Gottes=
dienstes nicht notwendig war, oder Sempronius ohne Rücksicht auf
den so dringenden Versehgang den gewohnten sonntäglichen Gottes=
dienst abgehalten haben würde. In diesen Fällen freilich müßte sich
unser Pfarrer wohl zum mindesten den Vorwurf der Unklugheit
gefallen lassen. P. D. G. O. F. M.

V. (Eine ungiltige Ehe zweimal saniert.) Rufina
fiel vom katholischen Glauben ab und heiratete, nachdem sie Jüdin
geworden, vor dem Rabbiner einen gewissen Samuel. — Nach
längerer Zeit meldet dieser sich zur Taufe. Der Priester, an den er
sich wendete, erbat sich mit Erlaubnis des Pfarrers alle nötigen
Vollmachten vom hochwürdigen Ordinariate: Tauflizenz, Vollmacht,
die Apostatin in die Kirche aufzunehmen, Dispens von den drei Auf=
geboten. Der Pfarrer fragte noch ausdrücklich den (außerhalb der
ordentlichen Seelsorge stehenden) Priester: „Sie übernehmen
alles?" worauf der Priester sich bereit erklärte, im Falle der Er=
laubnis des Pfarrers, der darauf entgegnete: „Ja, gut." Am
betreffenden Tage erwartete der Priester in der Sakristei noch die
Ankunft des Pfarrers, der ihm zurief: „Nun also, worauf warten
Sie? Machen Sie keine Umstände!" und entfernte sich. Ueberzeugt,
daß er zu allem ermächtigt sei, taufte der Priester den Samuel
(Rufina hatte er schon rekonziliiert), nahm den Manifestationseid
und die Trauung vor zwei Zeugen vor. Nach beendigter Funktion
ließ ihn der Pfarrer in die Kanzlei rufen und empfing ihn mit den
Worten: „Ja, Sie haben auch kopuliert? Dazu hatten Sie doch
keine Delegation." Der Priester stand verblüfft da und erklärte, die
Leute also zur Konsenserneuerung nochmals rufen zu wollen, worauf
der Pfarrer entgegnete: „Ist nicht nötig, die Delegation konnten
Sie voraussetzen." (!) (Die Taxe war entrichtet, die Matriken
alle bereits ausgefüllt.) „Entschuldigen, Herr Pfarrer, eine delegatio
praesumta gibt es nicht; höchstens eine tacita, insoferne Herr
Pfarrer eine Ahnung hatten, daß ich Ihren Worten zufolge vielleicht
auch kopuliere und damit im Eventualfalle einverstanden waren."
Der Pfarrer entgegnete kurz: „Ja . . ." —

Was war da zu machen? Offenbar war der Priester im
Rechte mit seiner Handlung sowohl als mit seinem Urteile.

Er wählte folgenden Ausweg: Er ging zum hochwürdigsten
Bischof der Diözese (für eine rein kirchliche Trauung könnte auch
der Generalvikar delegieren; für eine staatlich giltige ist es in
Oesterreich zweifelhaft) und bat ihn, als parochus ordinariüs ihn
vorsichtshalber zu delegieren, ließ kurze Zeit die beiden Kontrahenten
im guten Glauben und nahm ihnen etwas später bei Gelegenheit

in Gegenwart zweier Zeugen unter dem Vorwande eines unter=
laufenen Formfehlers bedingungsweise einen neuen Konsens ab.
Wien. P. Honorius Rett O. F. M.

VI. (**Kann man die Pflichtmesse hören und zugleich
beichten?**) Man pflegt bei uns an Sonn= und Festtagen während
der Frühmesse Beicht zu hören. Da trifft es sich nun nicht selten, daß
Personen, welche zu dieser Zeit beichten, weder vorher eine heilige
Messe gehört haben, noch nachher eine Messe zu hören gedenken, und
es kommt sogar öfters, namentlich auf dem Lande, vor, daß sie voraus=
sichtlich nachher keine Messe mehr hören können. Auch an gewöhnlichen
Sonntagen bleibt vielen Personen, zumal den Dienstboten in Städten
nicht selten kaum eine andere Zeit für die heilige Beichte übrig als jene,
während welcher sie zugleich ihre Pflichtmesse anhören wollen. Es ist
daher die Frage von praktischer Bedeutung, ob man dem Kirchen=
gebote, an Sonn= und Festtagen eine heilige Messe zu hören, genüge,
wenn man während derselben seine Beichte ablegt? Diese Frage dürfte
umsomehr am Platze sein, als sie unseres Erachtens von mehreren
neueren Theologen mit viel zu großer Sicherheit verneint wird.

Lösung 1. Um die Sache allseitig zu beleuchten, bringen wir
zuerst jene allgemeinen Grundsätze in Erinnerung, welche in bezug
auf das positive Gebot des Messehörens an Sonn= und gebotenen
Festtagen geltend gemacht werden. Dr. Joh. Ev. Pruner lehrt: „Um
dem Gebote zu genügen, ist erfordert: a) Anhörung einer ganzen
heiligen Messe eines Priesters, der nicht unter die nicht tolerierten
Exkommunizierten gehört ... b) Teilnahme mit Gegenwart des Leibes
und der Seele. Ersterer wird genügt, wenn man entweder durch
unmittelbare Sinnenwahrnehmung Zeuge des auf dem Altare voll=
zogenen heiligen Aktes ist, oder durch Anschluß an die anwesende
Gemeinde und Beobachtung der Akte, durch welche diese ihre Teil=
nahme an der heiligen Messe kundgibt ... Die Gegenwart der Seele
erheischt α, daß man der heiligen Messe beiwohne „voluntarie et
libere“, d. i. in Kraft der Intention, Gott zu ehren, einen Religions=
akt zu üben. Gegenwärtig sein, z. B. um sich die Kirche zu besehen,
oder nur aus Neugierde, wäre nicht Religionsakt; ein solcher aber
ist Gegenstand des Gebotes; — β, mit attentio *externa*. d. h. mit
Ausschluß und Unterlassung einer jeden Beschäftigung, welche mit
der Achtsamkeit auf die heilige Handlung unvereinbar ist, und we=
nigstens jenem Grade von attentio *interna*, ohne welche der Akt
nicht mehr menschlich freier Akt in der Spezies der Religion genannt
werden könnte, d. h. mit der Achtsamkeit des Geistes, in welcher man
sich bewußt ist, der heilige Akt der Religion, welchem man zur Uebung
der Tugend der Religion beiwohnen will, werde jetzt am Altare wirk=
lich vollzogen.“[1] Es fragt sich demnach: **Ist die Beichte eine mit
der Anhörung der heiligen Messe unverträgliche Handlung?**

[1] Lehrbuch der katholischen Moraltheologie. Freiburg 1884. Herder (2. Auf=
lage.) S. 316 f

oder mit anderen Worten: Genügen jene Personen dem Kirchen=
gebote, welche während der heiligen Messe an Sonn= und Feiertagen
beichten und dabei die Meinung haben, zugleich der heiligen Messe
anzuwohnen? Falls ihre Beichte nicht besonders lang dauert,
wenigstens nicht den größeren Teil der heiligen Messe in Anspruch
nimmt oder nicht unter einem Hauptteile der heiligen Messe statt=
findet, kann es kaum einem begründeten Zweifel unterliegen, das
Kirchengebot erfüllt zu haben.[1] Selbst Theologen, die sehr zum Ri=
gorismus geneigt sind, erheben in dieser Beziehung kein Bedenken.
Anders verhält sich die Sache, wenn die Beichte **lange** dauert, be=
sonders wenn sie die **ganze Messe** oder den **größeren Teil**, nament=
lich die **Hauptteile** derselben in Anspruch nimmt.

2. Unter dieser Voraussetzung wird die vorwürfige Frage von
einem sehr großen Teile der Theologen **verneint.** Von den älteren
nennen wir Suarez, Bonacina, Lugo, Kollet, Natalis Ale=
xander, Antoine S. J.,[2] den heiligen Alfons.[3] Von den neu=
eren Dr. Pruner. Dieser cl. Autor spricht sich über unsere Frage
also aus: „Ablegung der Beichte während der heiligen Messe kann nicht
gelten als Erfüllung des Gebotes der Teilnahme am heiligen Opfer,
wenn sie auf so lange Zeit alle Aufmerksamkeit für sich allein in
Anspruch nimmt, daß man nicht mehr sagen kann, man habe einer
ganzen heiligen Messe beigewohnt. (S. Lig. n. 314.)"[4] Ferner nennen
wir Gury. Dieser Theologe gibt auf die Frage: „An satisfaciat
praecepto, qui tempore missae peccata confitetur?" folgende Ant=
wort: „*Negative*, saltem si confessio sit prolixa, i. e. si toto tempore aut maiori parte missae perduret, quia deest tum attentio
interna tum etiam externa; *qui enim confitetur suas culpas, rei
personam agit, non vero offerentis sacrificium cum sacerdote nec
missam audire moraliter censetur.*"[5] Auch Kardinal Gousset, Paul
Palasthy, Friedhoff verneinen unsere vorwürfige Frage. Gousset
schreibt: „Allgemein nimmt man an, daß der, welcher während der
Messe sein Gewissen für die Beicht erforscht oder aus Andacht ein
geistliches Buch z. B. die Nachfolge Christi liest oder die Tagzeiten,
wozu man verpflichtet ist, betet, das Gebot (die heilige Messe zu hören)
erfülle. Es ist aber nicht wahrscheinlich, daß man die Messe
hören und beichten könne."[6] Friedhoff und Palasthy stellen die

[1] Cf. Goepfert, Moraltheologie. Paderborn 1889. Schöningh. (2. Aufl.)
I., 408, c. Lehmkuhl, Theol. mor. I., 538. — [2] Theologia moralis universa,
Romae 1757 pars prima Tract. de virtute religionis cap. II. quaest. V. Resp. 4.
— [3] Theologia moralis lib III. n. 314 und 315. — [4] l. c. — [5] Compendium
Theol. moralis. Ratisb. 1874, Manz. ed. in Germ. V. p. I. u. 346. —
[6] Dies Urteil ist etwas schärfer gehalten als das des heiligen Alfons
von Liguori, welcher zugibt, man habe nicht unwichtige Gründe für die
Meinung, daß man zugleich die Messe hören und beichten könne, aber im
Hinblick auf die großen Autoritäten, die dies verneinen, also nur aus äußeren
Gründen, vermöge seiner großen Bescheidenheit, Bedenken trägt, diese mil=
dere Ansicht, die er früher aus inneren Gründen für probabel gehalten habe,
für probabel zu erklären.

Sache so dar, als sei es gewiß, daß man nicht beichten und zugleich
dem Kirchengebote, die heilige Messe zu hören, genügen könne. Beide
berufen sich hiefür auf innere Gründe, die jedoch bereits der heilige
Alfons sehr wohl kannte und die auch jenen Theologen nichts weniger
als unbekannt waren, die trotzdem dieser Meinung nicht beipflichten
zu sollen glaubten. Es dürfte daher von vornherein klar sein, daß
diese inneren Gründe jene Gewißheit, die man hier geltend machen
will, nicht darzutun vermögen.

3. Fragen wir nach den inneren Gründen, auf welche sich
die eben erwähnte Lehrmeinung stützt, so antworten einige, zur Anhörung der heiligen Messe sei die Verrichtung von Gebeten notwendig,
wer aber beichte, der verrichte wohl einen religiösen Akt, aber nicht
in Weise eines Gebetes, sondern in Weise der Aufzählung seiner Sünden,
er bete also nicht. — Da jedoch die Beicht ganz gewiß ein Akt der
Gottesverehrung ist und sehr gewichtige Autoritäten lehren, es genüge
zur Anhörung der heiligen Messe die Intention, Gott zu verehren,
so ist klar, daß mit dem angeführten Argumente noch gar nichts bewiesen ist, wie dies selbst von Verteidigern der vorwürfigen Lehrmeinung, namentlich vom heiligen Alfons, anerkannt wird. Man sagt
daher weiter: Wohl ist die Beicht ein Akt der Gottesverehrung, aber
kein solcher, welcher sich mit der Anhörung der heiligen Messe verträgt; denn der Beichtende benimmt sich nicht als ein solcher, der
mit dem Priester opfert, sondern als solcher, der seine Sünden bekennt;
„rei personam agit, non vero offerentis sacrificium cum sacerdote"
(Gury); diese Selbstanklage hat aber keinen Bezug auf das Opfer:
accusatio aut persona rei non spectat ad sacrificium: enarratio
peccatorum non est res ad sacrificium spectans. Der Beichtende
wird durch die Aufzählung seiner Sünden in bezug auf die Messe so
zerstreut, daß er wohl kaum in irgend einer Weise an dieselbe denkt;
er ist mit dem Geiste abwesend und darum kann man auch nicht mehr
in moralischem Sinne sagen, daß er bei einer Opferhandlung zugegen
sei. „Sacras et pias lectiones facere, e libro vel breviario precari
licet, solum ea, quae mentem a missa abstraherent, facere non
licet, v. g. confiteri, profana legere." (Palasthy). Aehnlich Friedhoff.

4. Andere Moralisten, unter ihnen Theologen, deren Name einen
guten Klang hat — „haud parvi nominis theologi" (Kenrick tract.
4. p. 2. n. 12.) — bejahen die von uns gestellte Frage. Edm. Voit
S. J.[1] schreibt, auf Lacroix gestützt: „Qui sub Missa *per longum
tempus* confitetur, Missam audit, *quia habet intentionem audiendi*
(uti suppono); *adest corpore,* quia confitetur in templo; *assistit
moraliter,* quia praesens est humano et religioso modo; *sufficienter
potest attendere* et licet forte *actu non attendat,* actione tamen pia
occupatur et censetur cum sacrificante et circumstantibus Deo

---

[1] Theologia moralis, Wirceburgi 1769. pars secunda n. 480. — Cf.
Busenbaum, Medulla theol. mor. Lib. III. Tract. III. cap. I. dub. III. (edit. Monasterii Westphaliae 1659).

cultum exhibere." — Dagegen könnte man nun freilich einwenden, nicht jede fromme Handlung („actio pia") sei als ein Akt zu betrachten, welcher sich mit der Anhörung der heiligen Messe vertrage; sonst müßte man auch sagen, wie Kardinal Lugo bemerkt, dies gelte wie von der Beicht, so auch von der Krankenbedienung u. s. w. Nur ein solcher Akt der Gottesverehrung vertrage sich mit der Anhörung der heiligen Messe, welcher auf das Opfer Bezug habe. Gegen diesen Einwand wird sich nichts Stichhaltiges erwidern lassen, aber wir müssen fragen, ob es denn nicht wirklich eine Sache sei, die auf das heilige Meßopfer Bezug habe, wenn jemand nicht bloß so erzählt, was er seit einer bestimmten Zeit Unrechtes getan habe, sondern seine Sünden dem Priester an Gottes statt reumütig beichtet und im Aufblick zu Gott gute und ernste Vorsätze macht?

5. Wir können unmöglich jener Ansicht beipflichten, die der obigen strengen Lehrmeinung zu Grunde liegt, daß nämlich jener Gläubige, welcher sich vor Gott und seinem Stellvertreter über seine Sünden reumütig anklagt, um Gnade und Erbarmung fleht und im Vertrauen auf die Opfergnade Christi, worin ja alle unsere Kraft wurzelt, Besserung verspricht, einen religiösen Akt vollbringe, der auf das eucharistische Opfer keinen Bezug habe und in dieser Hinsicht auf die gleiche Stufe gestellt wird mit der „Betrachtung der Inschriften in der Kirche" oder „einer freiwilligen Zerstreuung" oder „der Lektüre profaner Bücher". Führen wir uns einmal den innigen Zusammenhang, in welchem die unblutige Erneuerung des Kreuzopfers zu dem Sakramente der Sündenvergebung bei Sünden nach der Taufe steht, ernstlich zu Gemüte, so dürften wir nicht unschwer zu der Ansicht gelangen, daß jener Gläubige dem positiven Gebote des Meßhörens an Sonn- oder gebotenen Feiertagen genüge, wenn er während der Pflichtmesse seine Beichte ablegt, mag sie auch den größeren Teil derselben in Anspruch nehmen. Ist denn nicht das eucharistische Opfer κατ' ἐξοχήν das Opfer der Versöhnung und darum auch ein Opfer der Teilnahme an der Rechtfertigungsgnade durch das Sakrament der Buße, bei dem es sich wahrhaftig nicht bloß um ein Hersagen der Sünden handelt. Man sagt: „Wer seine Sünden bekennt, der erscheint als ein Schuldiger, nicht als ein Opfernder"; aber beteilige ich mich nicht an dem Opfer der Versöhnung auf dem Altare, wenn ich im Geiste des bußfertigen Schächers und in der Meinung, die heilige Messe zu hören, Christo in seinem Stellvertreter reumütig meine Sünden bekenne? Wenn ich um des hochheiligen Opfers willen um Erbarmung flehe und gute Vorsätze mache? Wenn ich im Anschlusse an den opfernden Heiland auf dem Altare das Opfer der Buße darbringe? Wenn man darin einig ist, daß es sich mit der Anhörung der heiligen Messe sehr wohl vertrage, vor Gott in Reue zu beichten; warum sollte dies nicht auch von der sakramentalen Beichte gelten, in welcher wir ja Gott (Christo) principaliter unsere Sünden reu-

mütig bekennen? Gewiß, wenn sich jemand während der heiligen Messe in das Confiteor, Kyrie eleison, Agnus Dei oder andere Gebete um Verzeihung der Sünden ganz vertieft, so verträgt sich eine solche Andacht sehr gut mit der Anhörung der heiligen Messe. In einer reumütigen Beichte finden wir aber dem Wesen nach dieselbe Andacht wieder, und so glauben wir denn, es geschehe dem Kirchengebote, an Sonn= und Festtagen die heilige Messe anzuhören, genüge, wenn man während derselben seine Beichte ablegt und im übrigen die Meinung hat, die heilige Messe zu hören, bei der man körperlich gegenwärtig ist.

6. Nach unserem Dafürhalten betonen die Gegner unserer An= sicht allzuwenig die um Christi willen, der für uns zum Sühn= opfer geworden, bußfertige Gesinnung, deren Aussprache das sakramentale Sündenbekenntnis ist und bleiben dafür allzusehr bei dem bloßen Hersagen der Sünden und der Unterredung mit dem Beicht= vater stehen. Oder muß es auf den Leser nicht diesen Eindruck machen, wenn er, z. B. bei Antoine[1]) liest: „Qui notabili tempore missae confitetur, non satisfacit praecepto: nam caret attentione ad mis- sam requisita, videlicet *attentione ad Deum* divinaque mysteria: *qualis esse nequit in narrandis et investigandis peccatis* eorumque circumstantiis et in *colloquio cum confessario.*" Einen ähnlichen Eindruck muß es machen, wenn man sieht, wie der eine die Beicht während der Messe und eine freiwillige Zerstreuung (Friedhoff), der andere die Beicht und eine profane Lektüre (Palasthy) sei es auch nur beispielsweise als unverträglich mit der Anhörung der heiligen Messe zusammenstellt. Wenn Gury[2]) u. a. zugeben, daß dem Kirchengebote, die heilige Messe zu hören, genüge geschehe, falls man während derselben sein Gewissen erforsche, so sehen wir nicht ein, warum dasselbe nicht auch dann gelten sollte, wo jemand seinen Gewissenszustand Christo in seinem Stellvertreter reumütig bekennt. Mit Gobat fragen wir: „Quis negabit. confitentem Christo peccata sua, missae non satis facere?" Wer aber dem Priester an Gottes statt beichtet, der beichtet Christo selbst.

7. So glauben wir denn, unsere Ansicht sei innerlich wohl= begründet. Wie aber, wenn ein Seelsorger Bedenken trägt, diese mil= dere Meinung für wohlbegründet zu halten? Selbst in diesem Falle wäre der Rigorismus eines Natalis Alexander zu vermeiden, welcher an den Beichtvater das Ansinnen stellt, er solle jene Personen, die an Sonn= und Festtagen während der letzten Messe, resp. während des Hochamtes seinen Beichtstuhl betreten, vor allem und unterschiedlos fragen, ob sie schon eine heilige Messe gehört hätten; im Verneinungs= falle solle er sie zurückweisen, damit sie zuerst die heilige Messe hören; nach geendigter Messe könne er dann ihre Beichte hören oder wenn das nicht tunlich wäre, an einem anderen Tage. Viel milder urteilt

---

[1]) l. c. — [2]) l. c. p 347: „Satisfaciunt. qui conscientiam tempore missae discutiunt, ut confiteantur."

der heilige Alfons. Obwohl er daran festhält, daß man nicht zugleich die Messe hören und beichten könne, so gestattet er doch die
Beichte unter der heiligen Messe für den Fall, daß einer sonst eine
Zeitlang im Stande der Ungnade verharren müßte und schließt sich
der Meinung an, daß bezüglich der Dienstboten, die anders nicht
beichten könnten, die Kirche zufrieden sei, wenn sie unter der heiligen
Messe ihre Beichte ablegen. Der Heilige führt sogar ohne irgend eine
Mißbilligung die Meinung des Jesuiten Lacroix an, Dienstboten
und andere Personen, die sonst wohl nicht beichten könnten, könne
man den Rat erteilen, sie möchten dies unter der heiligen Messe tun,
der sie eben anwohnen. „Quodsi confessio alioquin esset omittenda,
uti saepe fieret ancillis et famulis, suaderi potest, ut fiat sub
missa, quia voluntas ecclesiae praesumitur esse potius, ut sic
audiatur missa et confessio fiat quam ut attentius audiatur et
confessio non fiat.“[1]

Breitenbach (Tirol).   Josef Schweizer.

VII. (**Mischehekasus.**) Der Redaktion wurden folgende
zwei Fälle zur Lösung vorgelegt:

I. Zum Beichtvater Resolutus kommt an einem Nachmittage
Berta, um nach langen Jahren wieder einmal zu beichten. Vor der
Absolution erfährt der Beichtvater ganz zufällig, daß Berta morgen
vormittags heiraten will und zwar einen Schismatiker; die Trauung
wird in der schismatischen Kirche stattfinden. Resolutus ist sofort
fertig: „Da kann ich Sie nicht absolvieren; selbst der heilige Vater
kann Sie nicht absolvieren. Sie begehen dadurch eine furchtbare
Sünde; Sie sind überdies exkommuniziert. Beim Heile Ihrer Seele
beschwöre ich Sie: Tun Sie das nicht!“ „Gut, Hochwürden“, antwortete Berta; „ich habe das früher nicht so aufgefaßt. Die katholische Erziehung aller Kinder habe ich ja vor dem Pfarrer versprochen. Da hat nun mein Bräutigam den Wunsch geäußert, daß
die Trauung in seiner Kirche stattfinde. Ich habe ihm zugesagt.
Jetzt wird es freilich schwer sein, ihn davon abzubringen, denn die
Trauung ist bereits angesagt und morgen in der Frühe reisen wir
an den betreffenden Ort ab. Aber ich werde es sicher versuchen, noch
heute ihn davon abzubringen.“ Darauf Resolutus: „Das müssen
Sie auf jeden Fall tun, koste es was es wolle, und wenn sich
auch die ganze Heirat zerschlägt. Aber damit dies sicher geschieht,

---

[1] Auch Lehmkuhl ist derselben Ansicht, wenn er schreibt: „Si quis vero
plene absorbebatur in enumerandis peccatis suis per principaliorem Missae
partem, non videtur quidem satisfecisse: verum aliquando ex hoc ipso oritur
causa a missa (alia) audienda excusans, Nimirum si tempus pro alia missa
non suppetit, et proin electio datur aut omittendi confessionem et missam
audiendi, aut omittendi missam et instituendi confessionem: *ultimum tuto
eligi potest ab eo, qui alias, quum reconciliatione cum Deo indigeat, aliquan-
diu in statu peccati deberet manere.* (v. St. Alf. n. 332) *aut cui nimis grave
esset, diu a sacramento poenitentiae alienum manere. Sic etiam Lacr. I. n. 676.“*
Theol. moralis 1901[10]. I. n. 558.

gebe ich Ihnen jetzt keine Absolution; kommen Sie morgen in der
Frühe noch einmal her!" — Berta geht. Am anderen Morgen aber
wartet Resolutus vergebens. — Er bekommt Skrupel und fragt
seinen Amtskollegen Benignus um Rat. Dieser nun ist ganz anderer
Meinung. „Da haben Sie aber einmal ordentlich über's Ziel
hinausgeschossen. Wozu denn diese Strenge? Und warum gar von
der Exkommunifation sprechen? Berta war ja bona fide: da hätten
Sie sie einfach ruhig lassen und absolvieren sollen." „Das geht
nicht," repliziert Resolutus; „die Aufklärung Bertas ist einfach gefordert durch das bonum commune, quod praevalet bono privato."
„Ach ja, dieses bonum commune", meint darauf Benignus: „theoretisch ist ja das Prinzip klar. Aber in praxi operiert man damit
zu viel und zu schnell. Ich kann mich in unserem Falle nicht überzeugen, wie denn das Gemeinwohl in Frage käme. Wer kennt denn
die Brautleute? Sie werden an einem abgelegenen Orte heiraten;
kein Mensch wird danach fragen, ob denn Berta ihren Entschluß,
vor dem ministellus schismaticus zu heiraten, gebeichtet hat oder
nicht. Niemand wird also verleitet, es ähnlich zu machen, niemand
wird ein scandalum daran nehmen. Und um dieses, zum mindesten
zweifelhafte scandalum zu verhüten, haben Sie Berta den größten
Schaden zugefügt; sie empfängt das Sakrament der Ehe sakrilegisch,
ist exkommuniziert, bleibt weiters in ihren Sünden und ist verbittert
in ihrer Seele — vielleicht für immer. Nein, nein, praevalet certum damnum privatum incerto damno communi. Auf jeden
Fall aber hätten Sie ihr sagen sollen, sie müsse nach einigen Tagen
wieder kommen, damit Sie sie wenigstens post factum absolviert
hätten."

Wer hat Recht, Resolutus oder Benignus?

II. Benignus zweifelt natürlich nicht im mindesten, daß er
recht hat. Zur Belehrung erzählt er seinem Freunde Resolutus
folgende Geschichte aus der eigenen Praxis. Auch ich hatte eine
Pönitentin, um deren Hand sich ein Schismatiker bewarb. Die
Sache kam vor den Pfarrer, der natürlich einen Revers über katholische Kindererziehung verlangte. Der Bräutigam verweigerte ihn
hartnäckig, und schließlich blieb der Braut nur die Wahl, entweder
auf die Heirat zu verzichten oder — wozu der Bräutigam drängte
— in einer schismatischen Kirche sich trauen zu lassen.[1])

In dieser Seelenangst kam sie zur Beichte. Ich tat das
Menschenmögliche, um sie zum Verzicht auf die Heirat zu bewegen,
doch alles umsonst. Eine Absolution war da nicht möglich; von
einer bona fides konnte keine Rede sein; durch die Verhandlungen
im Pfarramte war sie über den Sachverhalt vollkommen aufgeklärt.
Was tun? Soll ich die arme Seele der Gefahr aussetzen, daß sie
förmlich zum Schisma abfällt? Nein! die Trauung sollte in einer

---

[1]) Die Trauung coram ministro acatholico wäre in diesem Falle giltig

entfernten schismatischen Kirche stattfinden; von dort sollten sich die jungen Leute an den Ort begeben, wo der Bräutigam dienstlich angestellt war. So bestand also keine Möglichkeit, daß die Pönitentin bald wieder in meinem Beichtstuhle erscheine. Aus der Erzählung derselben entnahm ich jedoch, daß sie ein oder zwei Tage nach der Trauung eine Stadt passieren werde, in der sich mein guter Freund, ein seeleneifriger Priester, aufhält. An diesen wies ich sie: sie solle ihn sofort nach ihrer Ankunft aufsuchen und bei ihm die heilige Beichte ablegen, damit er sie wieder mit der Kirche aussöhne. Sie versprachs und ging.

Noch an demselben Tage setzte ich meinen Freund brieflich von allem in Kenntnis, indem ich ihn bat, daß er sich von seinem Bischofe mit allen nötigen Vollmachten ausrüsten lasse und das verirrte Schäflein in den Schafstall Christi zurückführe. Es dauerte nicht lange, so erhielt ich die freudige Antwort, meine schismatisch getraute Pönitentin habe gebeichtet und sei, mit der Kirche ausgesöhnt, an ihren neuen Aufenthaltsort weitergereist.

Mit wachsendem Staunen hatte Resolutus diese Geschichte angehört. Endlich brach er in die Worte aus: „Das ist ja der reinste Laxismus! Ein ganz schreiender Vorgang in fraudem legis! Die Person hatte ja damals, im ersten Hochzeitstaumel, ihre Sünde, die schismatische Trauung, ohne Zweifel noch nicht bereut. Wie konnte sie absolviert, wie von der Exkommunikation losgesprochen werden?"

Etwas gereizt entgegnete der sanfte Benignus: „Wäre es also besser gewesen, die Unglückliche für immer dem Schisma anheim= fallen zu lassen?"

Es fragt sich also wieder: Wer hat recht? Benignus oder Resolutus?

Wir wollen zunächst die kirchlichen Vorschriften bezüglich der Mischehen geben und dann dieselben auf unsere zwei Fälle anwenden.

Aus bekannten Gründen hat die Kirche Mischehen, d. i. Ehen zwischen Katholiken und Akatholiken (Häretikern, Schismatikern) stets verboten. Bisweilen jedoch erlaubt sie die Eingehung einer solchen Ehe, wenn nämlich ein triftiger Grund dazu vorliegt und gewisse Garantien geleistet werden. Diese sind:

1. „ut conjux catholicus ab acatholico perverti non possit, quin

2. potius ille teneri se sciret ad hunc pro viribus ab errore retrahendum, sed

3. insuper ut proles utriusque sexus ex hisce conjugiis procreanda in catholicae religionis sanctitate omnino educetur[1]

4. dummodo neque ante neque post matrimonium coram parocho catholico initum partes adeant ministellum acatholicum."

---

[1] Instruktion Gregors XVI. „Quum Romanus Pontifex" vom 22. Mai 1841.

Die vierte Bedingung ist Zusatz in der Quinquennal-Fakultät zur Erteilung der Dispens vom Eheverbot der Religionsverschiedenheit, pflegt auch den Dispensen selbst beigefügt zu werden, wird vielfach auch partikularrechtlich gestellt und ist übrigens selbstverständlich.

Wenn das Brautpaar die vier Garantien leistet[1]) und die Dispens[2]) gewährt wird, kann der katholische Pfarrer die Trauung nach katholischem Ritus vornehmen,[3]) der katholische Brautteil ohneweiters zu den Sakramenten zugelassen werden. Allerdings herrscht in einigen Diözesen eine strengere Praxis, der zufolge auch in diesem Falle, wo alle erforderlichen Bedingungen erfüllt werden, nur die sogenannte assistentia passiva[4]) geleistet wird. Allein, die Instruktion Pius IX. vom 15. November 1858 „Etsi Sanctissimus" erlaubt, daß den dispensierten Mischehen zur Vermeidung größerer Uebel die aktive Assistenz mit den im Rituale vorgeschriebenen Zeremonien geleistet werde. Zu diesen „größeren Uebeln" gehört namentlich die Gefahr, daß die Verweigerung der aktiven Assistenz leicht den „aditus acatholici ministelli" zur Folge haben könnte.[5])

Leisten die Brautleute die nötigen Garantien nicht, so kann selbstverständlich von einer Dispens keine Rede sein, von Seite des katholischen Pfarrers nur passive Assistenz geleistet werden;[6]) der katholische Teil darf nicht absolviert werden, außer er würde später den Fehltritt bereuen und versprechen, denselben nach Kräften gut zu machen. Leistet das Brautpaar nachträglich die verlangten Kautelen, so ist es wie im vorhergehenden Falle — mutatis mutandis — zu behandeln.

Erklären endlich die Brautleute, ihre Ehe nur vor dem akatholischen Religionsdiener schließen zu wollen, dann darf der katholische Pfarrer bei der Schließung dieser Ehe in keinerlei Weise kooperieren. Ist der Konsens bei dem akatholischen Minister bereits erklärt worden und ist dies öffentlich bekannt oder dem Pfarrer von den Brautleuten selbst mitgeteilt worden, so soll der Pfarrer einer Erneuerung

---

[1]) Bezüglich der Form, in welcher dies zu geschehen hat, vgl. Instruktion über die Eheschließung unter sog. pass. Assistenz in Oesterreich. (Genehmigt in der VI. Sitzung der bischöfl. Generalversammlung vom 16. November 1901.) Linzer Diözesanblatt 1902, Nr. 9: Archiv f. kath. Kirchenrecht 83, 350 ff. — [2]) Kraft päpstlicher Fakultät, welche die Bischöfe außer den üblichen Quinquennal-Fakultäten gewöhnlich für ein Quinquennium erhalten. — [3]) Es unterbleibt nur die missa pro sponsis mit der benedictio solemnis. — [4]) „Excluso quovis ecclesiastico ritu." — [5]) Diese Gefahr besteht besonders bei uns in Oesterreich. Vgl. Art. II des Ges. vom 31. Dezember 1868, R.-G.-Bl. Nr. 4 ex anno 1869. — [6]) Mit Recht bemerkt Haring (Grundzüge des kath. Kirchenrechtes, S. 508), daß die passive Assistenz heutzutage an Bedeutung verloren hat, da es bereits ausgedehnte Gebiete gibt, in denen für Mischehen die kirchliche Eheschließungsform zur Gültigkeit nicht mehr notwendig ist; daß ferner der Pfarrer die Konsensabgabe wegen der Unbeholfenheit der Brautleute vielfach veranlassen muß, sich also nicht ganz passiv verhalten kann, namentlich mit Rücksicht auf das neue Ehedekret „Ne temere" vom 2. August 1907, n. IV, § 3.

des Konfenfes für gewöhnlich nicht affiftieren, befonders dann nicht, wenn die Gegenwart des katholifchen Pfarrers zur Gültigkeit der Ehe ohnehin nicht notwendig ift. Etwas anderes wäre es freilich, wenn die nur vor dem akatholifchen Minifter eingegangene Ehe propter impedimentum clandestinitatis ungültig wäre; in diefem Falle müßte wohl der Pfarrer einer gewünfchten Konfenserneuerung affiftieren, die Kontrahenten aber verfchieden behandeln, je nachdem fie die nötigen Kautelen leiften oder nicht.

Als Hauptgrund der ftrengen Vorfchrift, daß der katholifche Pfarrer bei Mifchehen, die nur vor dem akatholifchen Minifter ab= gefchloffen werden, in keinerlei Weife kooperieren dürfe, muß wohl, abgefehen von der fchwer fündhaften communicatio in sacris, der Umftand bezeichnet werden, daß folche Ehen kirchlich meift ungültig find, wenn fie auch ftaatsgefetzlich vielfach gültig find. Kirchlich un= gültig find nämlich alle derartigen Mifchehen auf tridentinifchem Rechtsgebiete. Eine Ausnahme hievon machen nur jene Gegenden, für welche eine anderweitige Erklärung des apoftolifchen Stuhles erfolgt ift. Diesbezüglich müffen zwei neuefte kirchliche Entfcheidungen angeführt werden: Die apoftolifche Konftitution „Provida" vom 18. Jänner 1906, worin es heißt: „Nihilominus matrimonia mixta in quibusvis Imperii Germanici provinciis et locis . . . pro validis omnino haberi volumus", und Punkt IV der Entfcheidungen der Konzilskongregation zum Dekret „Ne temere" vom 1. Februar 1908,[1] der befagt, daß die Benediktina und alle derartigen, auf die Mifch= ehen bezüglichen Indulte, mit Ausnahme der Beftimmungen der für das deutfche Reich ergangenen Konftitution „Provida" aufgehoben find. Der Zufatz „et ad mentem" deutet freilich an, daß diefe Frage noch nicht vollftändig abgetan ift.

Etwas milder ift die kirchliche Praxis hinfichtlich einer akatho= lifchen Vor= oder Nachtrauung, d. i. einer akatholifchen Trauung vor oder nach, alfo neben der katholifchen Trauung. Freilich ift auch diefe sub gravi verboten,[2] felbft dann, wenn fie der katholifche Teil nur ad vitanda gravia incommoda a parte acatholica vel eius parentibus et propinquis oritura ex voluntate eorum neglecta" zulaffen würde.[3] Eine Ausnahme könnte nur dann ftattfinden, wenn der akatholifche Minifter lediglich als ftaatlicher Standesbeamter fungiert,[4] was aber z. B. bezüglich Deutfchland entfchieden in Abrede zu ftellen ift.[5] Der Pfarrer ift verpflichtet, vom katholifchen Teile unter Hinweis auf die überaus fchwere Sünde und Androhung der Zenfur zu fordern, daß er von der akatholifchen Trauung abftehe, wenn dies das Diözefangefetz vorfchreibt, oder wenn er vom katho=

---

[1] Acta S. Sedis 41, 80 ss. — [2] Congr. S. Officii de die 21. April 1874. — [3] Müller, Theologia moralis, ed. sept., l. III., p. 534. — [4] Pius IX., Schreiben an die Hannoverfchen Bifchöfe vom 17. Febr. 1864; Congr. S. Officii de die 22. Martii 1879. — [5] Heiner, Kath. Kirchenrecht 2, 268 f.; Leitner, Lehrb d. kath. Eherechts, S. 367.

lifchen Teile diesbezüglich interpelliert wird, oder es beftimmt weiß, daß fich die Brautleute auch vom akatholifchen Religionsdiener trauen laffen wollen.[1]) Sonft aber hat er nicht die Pflicht, die Abficht der Nupturienten im voraus zu erforfchen;[2]) ja, wenn er von den Braut= leuten nicht gefragt noch über ihr Vorhaben ausdrücklich in Kenntnis gefeßt wird, die akatholifche Trauung aber gleichwohl befürchtet und von einer diesbezüglichen Ermahnung keinen Erfolg erwartet, kann er fogar diffimulieren, vorausgefeßt, daß kein Aergernis zu befürchten ift und die anderen erforderlichen Bürgfchaften geleiftet werden.[3])

Katholiken, welche vor dem akatholifchen Minifter als folchem eine Mifchehe eingehen, verfallen nach den Dekreten der Congr. S. Officii vom 9. März 1842, 17. Februar 1864, 17. März 1874, 22. März 1879, 29. Auguft 1888, 11. Mai 1892 wegen communi= catio activa in sacris cum acatholicis[4]) als haereticorum fautores[5]) oder credentes[6]) der excommunicatio latae sententiae speciali modo R. Pontifici reservata auf Grund der Konftitution Pius IX. „Apostolicae Sedis" vom 12. Oktober 1869, n. 1. Propter ignoran= tiam können jedoch die Brautleute pro foro interno von diefer Zenfur frei fein.[7]) Nach Leitner[8]) ift dies auch dann der Fall, wenn Katholiken nur aus menfchlichen Rückfichten, ohne die Härefie an= erkennen zu wollen, vor dem akatholifchen Religionsdiener die Ehe= erklärung abgeben und dabei ohne jegliche Schuld handeln. Viel milder urteilen in diefer Frage Scherer[9]) und Höhler[10]), der geradezu beweift, daß die in der akatholifchen Trauung gelegene communi= catio in sacris keine Zenfur nach fich zieht, denen wir uns aber nicht anzufchließen vermögen.

Aus dem Gefagten geht hervor, daß im erften Falle Refolutus wenigftens in der Hauptfache recht hat. Refolutus wußte ficher von dem Vorhaben der Berta, fich vom fchismatifchen Minifter trauen zu laffen. Daß er es „ganz zufällig" erfuhr, tut nichts zur Sache. Er durfte alfo nicht fchweigen; denn, was das kirchliche Gefeß dem Pfarrer folchen Brautleuten gegenüber vorfchreibt, gilt ohne Zweifel auch für den Beichtvater folcher Nupturienten.

---

[1]) Congr. S. Officii de die 21. April. 1847. Ganz fo auch Schnißer, Kath. Eherecht, 5. Aufl., S. 262; Leitner, a. a. O., S. 365. — [2]) Congr. S Officii de die 22. Jan. 1851. — [3]) Instructio S. Rom. et Univ. Inquis. de die 17. Febr. 1864. Vgl. dazu auch Binder=Scheicher, Prakt. Handbuch des kath Eherechtes, 4. Aufl., S. 279. — [4]) Congr. S. Officii de die 21. April. 1847. [5]) Wernz, Jus decretalium IV, 842; Schnißer, a. a. O., S. 262; Heiner, a. a O., S. 269; Sägmüller, Lehrbuch des kath. Kirchenrechts, S. 562. — [6]) Feije, De impedimentis et dispensationibus matrimonialibus p 481; Leitner, a. a O, S. 367 f. — [7]) Wernz, a. a. O. IV, 843, nota 42; Binder=Scheicher, a. a. O, S. 280; Schnißer, a. a. O., S. 262, Anm. 2. — [8]) A. a O, S. 368. — [9]) Hand= buch des Kirchenrechtes, 2. Bd., 1. Abt., S. 416, Anm. 42 — [10]) Die feelforg= liche Behandlung von Katholiken, welche vor dem Religionsdiener einer anderen Konfeffion eine gemifchte Ehe eingegangen haben. Linzer Theol=prakt. Quartal= Schrift 1893, 19 ff u. 300 ff.

Wir können übrigens im vorliegenden Falle noch weiter gehen. Da mit keinem Worte gesagt wird, daß es sich nur um eine akatholische Vor- oder Nachtrauung handle, so liegt hier offenbar jener Mischehefall vor, in welchem sich die Kontrahenten mit der akatholischen Trauung allein begnügen, der aber jede Kooperation von Seite des katholischen Geistlichen strenge verbietet.

An dem Vorgehen des Resolutus wäre höchstens zweierlei auszusetzen: Fürs erste hätte er sich zuerst um die näheren Umstände des Falles erkundigen und dann erst sein Urteil fällen sollen; fürs zweite hätte er, besonders da er sah, daß kaum ein Erfolg zu erwarten sei, etwas mildere Ausdrücke wählen sollen. Ja, bezüglich der Exkommunikation hätte er vielleicht besser ganz geschwiegen; denn es ist kaum zu zweifeln, daß Berta bona fide war. Das geht hervor aus ihren Worten: „Ich habe das früher nicht so aufgefaßt. Die katholische Erziehung aller Kinder habe ich ja vor dem Pfarrer[1]) versprochen." Daß Berta hinsichtlich der Trauung vom schismatischen Religionsdiener nachgab, geschah offenbar nur aus Konnivenz gegen den Bräutigam, und daher konnte auch von einem Favor haeresis keine Rede sein. Hätte darum Resolutus bezüglich der Zensur geschwiegen, so wäre Berta propter ignorantiam wenigstens pro foro conscientiae von derselben frei geblieben. „Ob der Priester solche Brautpersonen auf die Exkommunikation aufmerksam machen soll, hängt von der Hoffnung ab, die er auf Wirksamkeit hat. Jedenfalls muß er erklären, daß von einem würdigen Empfange der heiligen Sakramente nicht die Rede sein könne, eine Lossprechung im Bußsakramente unmöglich sei 2c.", schreibt Binder.[2])

Resolutus durfte auch aus einem anderen wichtigen Grunde nicht schweigen. Da nämlich im vorliegenden Falle nicht näher gesagt wird, wo die schismatische Trauung stattfinden soll,[3]) so konnte Resolutus mit Recht befürchten, daß durch die nur vom schismatischen Religionsdiener vorgenommene Trauung propter impedimentum clandestinitatis vielleicht gar keine gültige Ehe zustande kommen würde, und mußte daher, um dem vorzubeugen, Berta ernstlich von ihrem Vorhaben abmahnen.

Es kann dem Resolutus auch deswegen kein Vorwurf gemacht werden, daß er Berta die Absolution aufschob. Das geht schon aus dem oben Gesagten hervor, daß nämlich der katholische Geistliche in einem Mischehefalle, wie der vorliegende es ist, in keinerlei Weise kooperieren dürfe, also auch nicht durch Erteilung der Absolution. Mit Recht sagt Schnitzer:[4]) „Steht aber die Zusicherung der Bürgschaften nicht in Aussicht, dann ist das Beichtkind aufs ernstlichste zu belehren, daß es eine solche vor Gott und seiner Kirche verbotene Ehe nicht eingehen dürfe, und falls es gleichwohl auf seinem Ent-

---

[1]) Dieser hat jedenfalls eine akatholische Vor- oder Nachtrauung befürchtet und darum dissimuliert. — [2]) A. a. O., S. 280, Anm. 3. — [3]) Darum hätte Resolutus jedenfalls fragen sollen. — [4]) A. a. O., S 264.

schlusse beharrt, der Absolution unfähig." Die Aufschiebung der Los=
sprechung war aber auch noch aus einem anderen Grunde geboten.
Resolutus konnte nur geringe Hoffnung auf Erfolg haben. Sagte
doch Berta: „Jetzt wird es freilich schwer sein, ihn davon abzubringen;
denn die Trauung ist bereits angesagt und morgen in der Frühe reisen
wir an den betreffenden Ort ab." Wollte also Resolutus überhaupt
einen Erfolg erwarten, so konnte derselbe nur durch Aufschub der
Absolution erreicht werden; denn daß Berta nicht gerade die eifrigste
Katholikin war, liegt auf der Hand. Das ergibt sich schon daraus,
daß sie schon seit langen Jahren nicht mehr zur Beichte gekommen
war. Und daß sie es auch jetzt nicht besonders ernst nahm, beweist
wohl am besten der Umstand, daß sie, obwohl sie nicht absolviert
worden war, dennoch nicht mehr zu Resolutus zurückkehrte.[1] Man
kann daher ohne Uebertreibung behaupten: Noch viel sicherer hätte
sich Berta nicht um die Mahnungen des Resolutus gekümmert, wenn
sie die Absolution bereits gehabt hätte.

Abgesehen ferner davon, daß durch den zum mindesten merk=
würdigen Ausspruch des Benignus: „Praevalet certum damnum
privatum incerto damno communi" das allgemeine Prinzip:
„Bonum commune maius est bono privato" in Frage gestellt
wird, trifft derselbe hier auch gar nicht zu. Vor allem muß ganz ent=
schieden der Vorwurf des Benignus zurückgewiesen werden, daß Reso=
lutus durch sein Vorgehen der Berta den größten Schaden zufüge.
Resolutus will im Gegenteil Berta durch sein Abmahnen vor jedem
Schaden bewahren. Wenn also Berta einen Schaden erleidet, so ist
sie selbst schuld daran. Nach Benignus besteht in unserem Falle das
damnum privatum zunächst in der schweren Sünde des sakrilegischen
Empfanges des Ehesakramentes und in der Exkommunikation; allein,
beide sind ja notwendig verbunden mit der akatholischen Trauung,
der sich Berta trotz der Aufklärung des Resolutus unterzieht. Was
dann Benignus weiter über das damnum privatum sagt, daß näm=
lich Berta weiters in ihren Sünden bleibt, daß sie in ihrer Seele
verbittert ist, vielleicht für immer, ist nur seine Vermutung. Das
erstere würde vielleicht auch sonst geschehen, das letztere ist allem Anscheine
nach bei Berta nicht zu befürchten. Aber auch zugegeben, es würde
geschehen, so könnte doch nie und nimmer Resolutus dafür verant=
wortlich gemacht werden; denn er hat nur seine Pflicht getan. Hätte
Benignus recht, dann dürfte man überhaupt keinen Menschen mehr
vor einer Sünde warnen, weil ja auch im günstigsten Falle immer
zu befürchten ist, daß er die Sünde dennoch begehe und dadurch

---

[1] Natürlich vorausgesetzt, daß ihr das überhaupt noch möglich gewesen
wäre. Und das darf wohl angenommen werden, weil ja Berta ohne weiteres
auf den Vorschlag des Beichtvaters einging. Jedenfalls aber hätte Resolutus
diesbezüglich fragen sollen, da es ja möglich ist, daß Berta — vielleicht etwas
verwirrt — momentan gar nicht daran dachte, daß sie am anderen Tage nicht
mehr in den Beichtstuhl werde zurückkehren können.

Schaden erleide. Abgesehen davon, daß ein Teil des damnum privatum an sich schon incertum ist, weil eben nur von Benignus vermutet, ist das ganze damnum privatum wenigstens für Resolutus incertum; denn wenn auch nicht viel Aussicht auf Erfolg vorhanden war, so konnte Resolutus immerhin noch einen Erfolg erwarten, besonders, wenn er sich die Worte der Berta vor Augen hielt: „Ich werde es sicher versuchen, noch heute ihn davon abzubringen."

Ueber das damnum commune geht Benignus ziemlich leichtfertig hinweg. Wenn er meint: „Ich kann mich in unserem Falle nicht überzeugen, wie denn das Gemeinwohl in Frage käme," so mag er vielleicht insofern recht haben, als das Vorgehen der Berta nicht notwendig Nachahmung finden muß; allein, es kann bekannt werden und Nachahmer finden, und das ist genug zu einem incertum damnum commune. Hätte ferner Resolutus, unbekümmert um die strenge kirchliche Vorschrift, Berta nachgegeben,[1] so wäre ein solches Vorgehen gewiß nicht geeignet gewesen, dem kirchlichen Gesetze Ansehen zu verschaffen. Im Gegenteil, Nichtbeachtung der Gesetze der Kirche gerade von Seite desjenigen, der vermöge seiner Stellung berufen ist, dieselben zu verteidigen und nicht preiszugeben, muß die kirchlichen Vorschriften in Mißkredit bringen sowohl in den Augen der Katholiken als auch bei den Akatholiken. Ist aber das nicht auch ein damnum commune? Und wenn das auch in unserem Falle nicht ganz sicher geschieht, so können wir doch dem kühnen Ausspruch des Benignus zum mindesten den Satz entgegenstellen: „Incertum damnum commune praevalet incerto damno privato."

Und wenn Benignus schließlich sagt, Resolutus hätte Berta auf jeden Fall sagen müssen, sie müsse nach einigen Tagen wiederkommen, um sie wenigstens post factum zu absolvieren, so ist das zwar sehr gut gemeint, schlau aber nicht; denn das heißt nichts anderes, als Berta nahelegen, hinzugehen und schwer zu sündigen und dann gütigst wiederzukommen und sich absolvieren zu lassen.

Was hiermit Benignus dem Resolutus geraten, das hat er selbst in einem ähnlichen Falle, der ihm in seiner Praxis begegnete und den er nun dem Resolutus zur Belehrung (?) erzählt, getan. Er gestattete seiner Pönitentin, sich vom schismatischen Religionsdiener trauen zu lassen, also schwer zu sündigen, und wies sie zugleich an einen ihm befreundeten Priester, damit sie von diesem wieder absolviert werde. Und das tat er, weil er — nach unserer Meinung ohne Grund — befürchtete, die Pönitenten würde sonst förmlich zum Schisma abfallen. Aber auch wenn er Grund gehabt hätte, das zu befürchten, hätte er doch diesen Rat nicht erteilen dürfen.

---

[1] Das kann nur die Kirche tun, die das Gesetz gegeben hat, und tut es auch, wenn triftige Gründe vorhanden sind; der einzelne aber hat nicht das Recht dazu.

Er hätte vielmehr, als sich seine Bemühungen, die Pönitentin von der schwer sündhaften Heirat abzuhalten, fruchtlos erwiesen, dieselbe auffordern sollen, auf jeden Fall von der schismatischen Trauung abzustehen und wenigstens zur passiven Assistenz zu kommen; denn wenn auch in einem Mischehefalle die erforderlichen Bürgschaften, besonders die Zusicherung der katholischen Erziehung der Kinder[1]), verweigert werden und daher keine Dispens gewährt werden kann, so „duldet doch der Heilige Stuhl unter schwierigen Verhältnissen, daß selbst hier . . . die passive Assistenz geleistet werde, falls sich die Brautleute sonst an den akatholischen Religionsdiener wenden würden."[2])

Der Freund des Benignus mußte sich freilich der Pönitentin annehmen, als sie post factum zu ihm kam, um zu beichten, und konnte sie auch[3]) absolvieren, wenn sie gehörig disponiert war, d. h. ihren Fehltritt aufrichtig bereute und ernstlich versprach, das Versäumte, d. i. die Zusicherung der Kautelen, namentlich der katholischen Kindererziehung, nach Kräften nachzuholen. Ob aber die Pönitentin diese Disposition auch wirklich besaß, muß mit Resolutus aus mehr als einem Grunde sehr bezweifelt werden. Jedenfalls wäre die Absolution sub conditione: „Si dignus es" hier angezeigt gewesen. Eine Konsenserneuerung vor dem katholischen Pfarrer brauchte der Beichtvater nicht zu verlangen, weil in diesem speziellen Falle die Trauung vor dem schismatischen Religionsdiener gültig war.

Aus dem Gesagten ergibt sich, daß Resolutus auch im zweiten Falle Recht hat.

St. Florian.   G. Schneidergruber.

VIII. (Praktische Vorschläge zur Verbreitung der Presse.) Ueber die Bedeutung und Wichtigkeit der Presse, sowohl der politischen Tages- wie der Fachpresse, hier auch nur ein Wort zu verlieren, hielte ich für eine Beleidigung der Leser.

Wohl aber dürfte eine kurze Andeutung über verschiedene wirksame Verbreitungsmöglichkeiten der christlichen Presse nicht gerade unwillkommen sein, da man die Zauberformel, die den gegnerischen Blättern an so vielen Orten Tür und Tor erschließt, auf christlicher Seite noch immer nicht gefunden hat und die Antwort auf die Frage, wie man unsere Presse praktisch und erfolgreich verbreiten könne, nach wie vor zumeist ein dunkles Rätsel und Geheimnis ist.

Um bei meinem „Leisten" zu bleiben, beschränke ich mich hier auf Vorschläge über die Verbreitung der politischen Presse. Es dürfte wohl keinen Widerspruch begegnen, wenn ich sage, daß es Pflicht

---

[1]) Dieselbe hat — wenigstens bei uns in Oesterreich — nicht mittels Reverses, wie Benignus sagt, sondern durch einen schriftlichen Vertrag zu geschehen, der noch mit einem Eide zu bekräftigen ist, wenn der Bischof nicht die moralische Sicherheit hat, daß die Nupturienten die im Vertrage angenommenen Bedingungen erfüllen werden. Congr. S. Officii de die 17. Febr. 1875. — [2]) Schnitzer, a. a. O., S. 263. — [3]) Von seinem Bischofe mit den nötigen Vollmachten versehen.

eines jeden Katholiken ist, in allererster Linie für die führende
Tagespresse zu agitieren und bei dieser Agitation ganz besonders
den Grundsatz nicht zu übersehen, daß uns auch hier das Hemd
näher liegen muß als der Rock. Es wäre eine verhängnisvolle
Kurzsichtigkeit, wenn jemand z. B. selbst die christliche Zentralpresse
auf Kosten der täglichen, tonangebenden Provinzpresse fördern wollte.
Das hieße die ganze Sache auf den Kopf stellen und den Preß=
organismus vollkommen verkennen.

Denn die Reichspresse ist gleichsam die Resultierende aus den
verschiedenen Landespressen, die Krone und Blüte der Provinzpresse.
Wenn die Tagespresse der einzelnen Länder kräftig entwickelt ist und
überall auf der Höhe der Zeit steht, dann wird die Zentralpresse
ohneweiters daraus auch für sich selbst die größten Vorteile ziehen.
Man muß sich doch immer vom Kleinen zum Großen erheben, von
unten nach oben steigen und stets aufwärts ringen, alles andere ist
hier unnatürlich und darum zum mindesten auch unnütz, wenn nicht
gar verderblich. Es soll dies selbstverständlich nicht im entferntesten
eine Spitze gegen die Reichs= und Zentralpresse sein, im Gegenteile,
ich anerkenne ihre Feldherrnrolle im großen Geisterkampfe unserer
Zeit mit dankbarer Bewunderung und Anerkennung, möchte aber
auch an die unleugbare Tatsache erinnern, daß ein Feldherr ohne
Armee noch ohnmächtiger und erbärmlicher ist als ein Heer ohne
eigentlichen Führer und Kriegsherrn.

Aber gerade das übersieht man am öftesten und darum ist die
christliche Tagespresse in den Provinzen noch immer das vernach=
lässigte Stiefkind. Die Wochenblätter leben meist schon, wenig=
stens bei uns, in ganz guten Verhältnissen, und sind deshalb auch
Gott sei Dank ihren Kolleginnen aus dem gegnerischen Lager sowohl
an Gehalt als auch an Abonnentenzahl weit überlegen. Unsere Tages=
presse jedoch steht zumeist einer 5—10fachen feindlichen Uebermacht
gegenüber. Die Folge davon ist, daß ihre Aktionsfähigkeit ungemein
darunter leidet. Entweder muß sie eine Unmasse interessanten Ma=
terials zurückstellen und sich den Vorwurf „langsamer Berichterstat=
tung", des „Nachhinkens nach den gegnerischen Zeitungen" 2c.
gefallen lassen oder sie kürzt und ruft dadurch wieder einen Hagel
von Beschwerden und Vergleichen mit den liberalen Blättern über
sich herab oder aber sie sucht auch gleichen Schritt zu halten mit ihrem
Widerpart und hat dann die monatlichen Mahnungen und Ausweise
des Herausgebers über ein bedeutendes Defizit im „Haushalte" zu
gewärtigen. Daß es in Bezug auf die Ausgestaltung des Nachrichten=,
ganz besonders des so wichtigen Drahtnachrichtendienstes ebenfalls
nicht gleichgiltig ist, ob eine Zeitung mit Defizit arbeitet oder mit
einem ansehnlichen Reingewinn, liegt auf der Hand.

Wenn, um ein naheliegendes Beispiel zu streifen, die liberale
Linzer „Tages=Post" eine Tagesauflage von 16.000 und eine Sonntags=
auflage von 18.000 Exemplaren absetzt und das „Linzer Volksblatt"

sich mit 4000 Abnehmern bescheiden muß; so kann auch der Blinde ermessen, wie sich, vom Annoncenteil ganz abgesehen, die Konkurrenz zwischen den beiden Blättern entwickeln wird und muß.

Doch das bedenken die Kritiker der christlichen Zeitungen in den meisten Fällen nicht, daß die christliche Presse, relativ genommen, weit mehr leisten muß als die gegnerische, daß nur christlicher Idealismus, der oft genug die Martyrpalme des Heroismus tragen muß, imstande ist, mit solchen Mitteln und bei derartigen Chancen den Kampf unverdrossen weiter zu führen.

Die liberale Redaktion kann das Prinzip der Arbeitsteilung leicht zur Durchführung bringen, indem sie eine entsprechende Anzahl von Redakteuren anstellt, die christliche Redaktion muß ihr Personal immer auf das Minimum beschränken — schon aus Sparsamkeits= rücksichten. Die liberale Redaktion kann für einen auserlesenen Mit= arbeiterstab Sorge tragen, weil es ihr die Mittel erlauben; die christ= liche Redaktion muß oft die besten Arbeiten ablehnen, weil sie ihr Finanzminister nicht bezahlen kann.

Die liberale Redaktion hat viel mehr und bessere Behelfe, kann die Redaktionsbibliothek ꝛc. viel reichlicher und systematischer aus= gestalten, weil sie das nötige Kleingeld hiezu besitzt, die christliche Redaktion muß sich mit dem zufrieden geben, was ihr der Zufall als Rezensionsexemplar wahllos auf den Tisch weht. Von der mate= riellen Stellung der katholischen Redakteure im Vergleich zum Ge= halte ihrer liberalen Kollegen gar nicht zu reden. Der letzte liberale Redakteur und Reporter bezieht bekanntlich mehr Gehalt als der Chefredakteur einer christlichen Tageszeitung.

Ist's also nicht hoch an der Zeit, daß den christlichen Redak= tionen endlich einmal ein Bruchteil all der physischen, psychischen und materiellen Opfer abgenommen werde, nicht hoch an der Zeit, daß, wenn ich so sagen darf, die vielen und schweren Preßsorgen und =lasten endlich einmal zwischen „Produzenten und Konsumenten" der katholischen Tagesliteratur gerechter verteilt werden?

Dies umsomehr, als von den „Konsumenten" nur sehr wenig verlangt wird, und ihr ganzes Programm nur den einen Punkt zu enthalten braucht: Umsichtige, praktisch organisierte Ver= breitung der christlichen Tagespresse. Aber wie ist eine solche Werbearbeit anzustellen? Bisher hat man verschiedene Mittel probiert, doch keines wollte helfen.

Man gab die Parole aus: Jeder Abonnent gewinne einen neuen und das Blatt hat noch einmal so viele Abnehmer wie früher. Schade um jedes Wort und um die Druckerschwärze — diese Parole kann keinen greifbaren Erfolg haben, weil sie zu hoch gespannt ist und vom Einzelnen viel zu viel fordert.

Man hat es in Wien nach der roten Woche der Sozialdemo= kraten mit einer weißen Woche versucht, mit Ausnahme eines einzigen Bezirkes aber ein betrübendes Fiasko erlebt. Nicht zu verwundern, denn man ließ auch hier dem Optimismus zu sehr die Zügel schießen und hat sich mehr mit allgemeinem Tam=Tam, mit nichtssagenden Utopien zufriedengegeben, anstatt die ganze Aktion systematisch ein= zuleiten und durchzuführen.

Vom einzelnen Abonnenten können wir die Gewinnung eines neuen Abnehmers weder verlangen noch erwarten, wohl aber von den einzelnen Pfarren, den einzelnen Gemeinden.

Mein Vorschlag lautet daher in erster Linie:

Mit dem neuen Jahre in jeder Pfarre nur einen einzigen neuen Abnehmer des Tagblattes! Diesen einen Ab= nehmer hat ein in der Pfarre bestehender Verein aufzutreiben, der zu diesem Zwecke ein eigenes Komitee einsetzt. Damit würden beispiels= weise dem „Linzer Volksblatt" in Oberösterreich allein mehr als 400 neue Leser zugeführt. Ein ungeheurer Aufschwung für ein Tagblatt! Und warum sollte dieser Modus in einem zweiten und dritten Jahre nicht mit dem gleichen Resultate wiederholt werden können? Dann haben wir in drei Jahren 12—1500 Abnehmer mehr, die wir, wenn die Agitation für die Presse in der bisherigen Weise fortgesetzt wird, auch bis zum jüngsten Tage nicht gewinnen werden.

Diesem Vorschlag kann gewiß ein stichhältiger Gegengrund nicht in den Weg gelegt werden.

Das zweite Rezept, das ebenso leicht zu befolgen ist und noch größeren Effekt erzielen muß, heißt: Mit dem neuen Jahr wirbt jede katholische Bruderschaft, jede marianische Kongrega= tion, jeder christliche Verein, ob männlich oder weiblich, ob politisch oder nicht, nur einen einzigen neuen Abon= nenten für das christliche Tagblatt!

Wir müßten so mit einem Schlage sicherlich weit mehr als 1000 neue Abnehmer für das katholische Tagblatt Oberösterreichs allein erhalten.

Also nicht so sehr die einzelnen Leser, die Vereine und Bruderschaften als solche müssen die Verbreitung der Presse zu fördern suchen, das ist das schönste Feld sozialpolitischer, charitativer und apostolischer Betätigung für unsere wackeren Vereine. Das sind sie aber auch der christlichen Presse durchaus schuldig. Wie viel Dienste muß die Presse in selbstlosester Weise gerade den Vereinen erweisen! Diese Unsumme von Voranzeigen, Versammlungs= und Festberichten, die den Blättern oft ganze Spalten wegnehmen und die wenigsten Leser interessieren, sind sie etwa zu teuer bezahlt, wenn es sich der Verein gleichsam als kleine Anerkennung hiefür zur Ehren= aufgabe macht, dem christlichen Tagblatt einen neuen Freund zu= zuführen? Dem ganzen Vereine kann es nicht schwer fallen, diesen neuen Abonnenten entweder aus seiner eigenen Mitte zu finden oder einen Wirt, Geschäftsmann u. s. w. zum Abonnement zu bestimmen.

Und wenn der Wirt wirklich nicht in der Lage sein sollte, alles aus eigener Kasse zu bestreiten, nun, so leistet der Verein eine kleine

Beisteuer; und wenn das Unglaubliche eintreffen sollte, daß ein ganzer Verein keinen einzigen Abonnenten entdecken könnte, nun, so greift er zum Kommune=Abonnement oder wenn der Verein das Blatt schon bezieht, warum soll er nicht ein zweites Exemplar auch noch auf eigene Faust bestellen und es weiteren Lesekreisen zugänglich machen können? Der Lohn für dieses Opfer wird nicht ausbleiben und sich in der Gestalt neuer Mitglieder und Anhänger einstellen. Denn je mehr Aufklärung, desto besser wird es um die christliche Vereinssache stehen. Ich habe hier namentlich auch die weiblichen Bruderschaften und Kongregationen 2c. im Auge und glaube es ruhig aussprechen zu dürfen, daß auf diese Weise so manche Vereinsgelder in eminent segensreichem Sinne verwertet werden könnten, die sonst vielleicht auf Luxus und Nebensächlichkeiten verausgabt würden. Das schönste Gartenfest, das ein katholischer Verein im Jahre feiern kann, soll darin bestehen, daß er sich das Zeugnis ausstellen kann, im großen Blätterwald so manchen morschen Giftbaum jüdischer Zeitungen gefällt und dafür so manchen Segensbaum christlicher Organe neu gepflanzt zu haben.

Ich sage, ohne eine Widerrede zu befürchten, ein Verein, der selbst für das oben angedeutete winzige Opfer kein Verständnis hat, ist überhaupt nicht wert, daß er existiert. Denn die Preßfrage ist wesentlich auch Vereinsfrage, so daß man nicht von neuen Lasten sprechen kann, die mit meinem Vorschlag den Vereinen aufgebürdet werden sollen.

Meine dritte Anregung endlich geht dahin: Mit dem neuen Jahre führe jeder Verein, der hiezu in der Lage ist, dem christlichen Tagblatt einen neuen Inserenten zu! Diese Anregung wird nicht jeder Verein erfüllen können, aber wenn nur die Vereine in den Städten und größeren Industrieorten ihr Folge leisten, wird das Blatt einen Riesenfortschritt machen können.

Das also wären die Richtlinien für praktische Preßagitation. Sie sind auf das Mindestmaß von Anforderungen reduziert, so daß es zumeist wohl heißen dürfte, mit dieser Kleinigkeit begnügen wir uns nicht. Um so besser. Wo ein Wille, dort ist auch ein Weg. Hier gehört nur ein wenig guter Wille dazu und der Erfolg ist unausbleiblich. Ich habe den Gedanken, den ich hier entwickelt, vor kurzem in einem katholischen Arbeitervereine auf dem Lande nur angedeutet, die Leute hatten ihre helle Freude darüber und am nächsten Tage schon zwei neue Abonnenten gewonnen und versprachen die Agitation fortzusetzen.

Wenn ein armes, blindes Waisenkind, das vom Korbflechten lebte, seinem Pfarrer 30 Kronen zu guten Zwecken überbringen konnte, weil es, wie es sich rührend ausdrückte, sich infolge seiner Blindheit die Geldausgaben für das Licht zur Nachtarbeit erspare, dann möchte ich jenen Verein sehen, der angesichts dieser heroischen Opferwilligkeit, die sogar das Unglück zur Ursache für Wohltaten

nimmt, noch zögern und zagen wollte, auf meinen Vorschlag ein=
zugehen. Ich müßte meiner Einladung keinen größeren Nachdruck zu
geben, als es die herrlichen Worte tun, die der gegenwärtige Papst
Pius X. als Patriarch von Venedig sprach, als in der Versammlung
des dortigen Diözesanvereines Klage geführt wurde über die kümmer=
liche Stellung der „La Difesa", eines gut katholischen Blattes. Er
sagte: „Es wäre sehr zu bedauern, wenn die „Difesa", nachdem sie
viele Jahre hindurch mannhaft für die gute Sache gekämpft, nun
aus Mangel an Hilfsmitteln eingehen müßte. Für mich, den Bischof
dieser Diözese, wäre es sehr betrübend, wenn dies während meiner
Regierung vorkommen sollte. Aber das soll unter keinen Umständen
geschehen. Ich hoffe, daß die Katholiken von Venedig ihre
Zeitung nicht fallen lassen. — — —

Ich werde kein Opfer scheuen, um die „Difesa" zu erhalten.
Wenn es nötig sein sollte, werde ich zu diesem Zwecke
meinen Ring, mein Brustkreuz, selbst meinen Kardinals=
habit hergeben, denn ich will durchaus, daß die Zeitung
weiter existiere."

Linz.   Redakteur Josef Pfeneberger.

Literatur.

A) Neue Werke.

1) **P. Antonio de Escobar y Mendoza als Moral=
theologe** in Pascals Beleuchtung und im Lichte der Wahrheit. Von
Dr. Karl Weiß, k. k. o. ö. Universitätsprofessor in Graz. Klagenfurt
1908. St. Josefs=Vereins=Buchdruckerei. Gr. 8°. 336 S. *K* 5.40
= M. 4.50.

In diesem Titel des sehr zeitgemäßen Werkes hat sein gelehrter
Autor den Zweck desselben prägnant ausgedrückt. Die „Festschrift der k. k.
Karl=Franzens=Universität in Graz aus Anlaß der Jahresfeier am 15. No=
vember 1907", wie die Widmung lautet, ist eine siegreiche Apologie des
gelehrten Moraltheologen P. A. Escobar y Mendoza, indem sie ihn „im
Lichte der Wahrheit" darstellt, gegenüber der entstellenden „Beleuchtung
Pascals" in seinen Lettres provinciales. Wahrlich, eine würdige Fest=
schrift der k. k. Universität in Graz; denn „der Wissenschaft kann keine
edlere Aufgabe zuteil werden, als die Wahrheit und das Recht zum Siege
zu führen". (Vorrede des Autors, S. 5.)

Die Festschrift ist auf solider Basis, „auf Grund der Quellen" auf=
gebaut. Historische Zeichnung des Charakters Escobars, des Sprößlings
der berühmten hochadeligen Familie der Mendoza, genaue Analyse seiner
Moralwerke und ihrer Methode im historischen Zusammenhange mit den
herrschenden Ideen jener Zeit, — verraten den umsichtigen Fachmann,
welcher Personen und ihre Werke im Rahmen des historischen Gesamtbildes

ihrer Zeit bewertet. Für die Bewertung von Pascals Provinzialbriefen
orientiert uns der Autor, indem er konstatiert (S. 48):

„Es saßen .. anfangs des Jahres 1656 in Port royal des Champs die
Jansenistenhäupter im Kriegsrate beisammen, um den literarischen Kampf gegen
die Jesuiten in die Bahnen zu leiten. Arnaulds Probestück fand im Kreise der
Seinen keinen Anklang; Pascals Arbeit hingegen gefiel. Und so erschien am
23. Jänner 1656 sein erster Brief an einen Freund in der Provinz, ...
Der fünfzehnte am 25. November 1656." „So war Pascal in den Kampf mit
den Jesuiten verwickelt worden." Und da man „ihrem persönlichen Lebenswandel
nicht leicht etwas anhängen konnte . . ., versuchte man es mit einem Angriff
auf ihre Lehrtätigkeit und wählte als Angriffspunkt die Moraltheologen des
Ordens." (S. 46.) Und da Escobars Liber theologiae moralis in seiner Praxis
ex societatis Jesu schola eine Sammlung von Kasuslösungen verschiedener
Moraltheologen seines Ordens darbot, so machte es sich Nicole (Jansenist) und
der von ihm beratene Pascal bequem, ihre Auslese zumeist daher zu entnehmen,
ohne die Autoren selbst zu befragen." (S. 48.) „Dieses Werk hatte (in
seinem spanischen Original) in fortschreitender Vermehrung bereits 37 Auflagen
erlebt, ehe es der Autor zum liber theologiae moralis verarbeitete." Der Grund
der großen Verbreitung dieses Werkes Escobars war seine synoptische Kürze
gegenüber den Folianten damaliger moraltheologischer Literatur, wodurch es
„einerseits ob der Billigkeit auch den Minderbemittelten zugänglich war, anderer=
seits zum ersten Memorieren des Lehrstoffes, wie zum späteren Wiederholen als
Repetitorium für Jurisdiktions= und Pfarrkonkursprüfungen leistete",
daher auch . summula" genannt wurde. (S. 20.) „Man überschätzt die Bedeu=
tung solcher Kompendien, . . wenn ihnen ein besonderer Einfluß auf den Gang
der wissenschaftlichen Lehrentwicklung zugeschrieben wird. Das war nach
ihrer ganzen Einrichtung gar nicht ihr Zweck. Ein klassisches Beispiel hiefür
bietet Escobar selbst in seinem großen Moralwerke, in dem überall, wo es ver=
schiedene Meinungen gab, diese mit ihren Gründen nebeneinander gestellt und
gewürdigt werden . . ."

„Daß aber solche summulae nicht die geeigneten Quellen sind, aus denen
eine richtige und gerechte Beurteilung darin zitierter Autoren zu schöpfen ist,
kann keinem Zweifel unterliegen."

„Die Praxis (Escobars) enthält keine grundsätzlichen Erörterungen, son=
dern nur Beurteilungen seltener und schwieriger Fälle, .. die ihre sittliche Wer=
tung heischen. Mögen demnach hierin Irrungen vorkommen, . . . so ist das das=
selbe, als die falsche Diagnose eines Arztes betreffs einer Krankheit oder das
falsche Urteil eines Richters in einer Klagesache; keineswegs läßt sich daraus
eine Anklage erheben gegen die richtige Doktrin selbst, noch viel weniger ein
Schluß ziehen hinsichtlich der Moralität oder Absicht des betreffenden Autors;
denn errare humanum est. Das hat Pascal, das haben viele andere, die
Gegner der Jesuiten waren, nicht bedacht, daher sind sie so ungerecht gegen
letztere geworden." (S 28.)

„Eine Ungerechtigkeit war also schon Pascals Methode, sich mit
den dürftigen Angaben Escobars in seinem theol. mor. zu begnügen und
darauf seine Polemik zu gründen. Eine noch größere Ungerechtigkeit aber lag
in der Verdächtigung, als ließen sich die Moraltheologen des Jesuitenordens
in ihren Entscheidungen nicht leiten durch die Liebe zur Wahrheit, sondern
lediglich durch die Rücksicht auf die Gunst der Menschen und das Ansehen
des Ordens. Ja, alle Tätigkeit im Orden — und damit setzt Pascal seiner
Ungerechtigkeit die Krone auf — hätte nur das eine Ziel — die Macht des
Ordens. Und zu diesem Zwecke gäben sie selbst die Strenge der sittlichen
Grundsätze preis, denen zuliebe, welche sie nicht ertrügen. Sie hätten daher zwei
Klassen von Moraltheologen, von denen die einen, allerdings wenige, eine strenge
Moral vortrügen, während die übrigen den Leidenschaften und Lastern der
großen indolenten Menge sich anbequemen. Und dasselbe gelte von ihren Ge=
wissensführern." (S. 49—50.) „Escobar habe, gleich allen übrigen, der Herrsch=

sucht des Ordens zu dienen. Er ist ja „Kasuist" und fällt als solcher nach Pascal unter die Klasse der sogenannten Milderen .. So mußte der Schein entstehen, als sei Escobar (im Hinblick auf sein Werk liber theol. mor.) die Verkörperung aller Verirrungen auf moraltheologischem Gebiete, das vollkommenste Spiegel=bild jener angeblichen Jesuitenpolitik, die sich jedes Mittels, auch des ver=worfensten bediente, um nur die Herrschaft über die Menge nicht zu verlieren. Daher kommt es, daß selbst Männer, die auf den Ruf eines Gelehrten Anspruch erheben, Escobar als einen Ausbund der Verworfenheit betrachten, und ihn „den berüchtigten" nennen (S. 52), z. B. Dr. J. G. Th. Gräße, Lehrb. d. allg. Lit.=Gesch., 2. Bd. 2. Abt, § 121, Leipzig 1854. „In dieser Anschuldigung ist bereits die weitere enthalten, die Pascal später ausdrücklich aussprach, daß die Jesuiten dem Grundsatze huldigten: ‚Der gute Zweck heilige schlechte Mittel." (S. 51.) Pascal fingiert einen Jesuiten, der als Eingeweihter glaubwürdig den Geist des Jesuitenordens ihm offenbart. (S. 53, Anm.) „Wie sein (Pascals) Jesuit als ein ehrlicher, aber geistig beschränkter Mensch erscheint, der in kritikloser Bewunderung alles dessen, was vom Orden stammt .. gleich=sam erstirbt, so prägt sich unter Pascals spöttischen Bemerkungen ein ähnliches Bild von Escobar aus .. er läßt seinen Jesuiten — in einem Kolleg des Ordens .. Kasuistik vortragen."

Zum Schlusse der orientierenden „Einleitung" bespricht Dr. C. Weiß „Pascals Methode in der Behandlung der moraltheologischen Fragen" (S. 55), nachdem er konstatiert hatte, daß er weder die nötige moraltheologische Fach=bildung besaß, noch auch vorurteilslos seinen Gegnern gegenübertrat, indem er die Jesuiten .. durch die Brille der Jansenistenhäupter betrachten gelernt hatte." (S. 54.)

Pascals Methode erscheint im Lichte der Wahrheit folgende: 1. „Nicht eine gründlichere Untersuchung des Problems, noch eine genauere Abwägung der vorliegenden Gründe oder die Erbringung neuer durchschlagender Beweise ist seine Sorge, sondern er hat nur Hohn und Spott als Waffe .. Aber eine solche Kampfesweise ist auf dem Gebiete der Wissenschaft, der Religion und Sitte unerträglich; denn sie fördert an sich nicht im mindesten die wissen=schaftliche Lösung einer strittigen Frage." (S. 55 ff.) 2. „Durch freie Erfindung einer gewissenlosen, vor keinem Mittel zu=rückschreckenden Jesuitenordenspolitik — sucht er (gewissenlos) seine Absicht zu erreichen." Ein Typus sogenannter „freier Forschung", d. h. eine Forschung, die losgelöst ist von der bindenden Norm der Wahrheit und Sitte. „An eine bona fides" vermag Dr. C. Weiß nach seinen gründlichen Studien der Frage nicht zu glauben. (S. 55, Anm.)

Diese Fiktion der „Jesuiten=Politik" „ist das ordnende Prinzip Pascals" — der in Briefform zu behandelnden Moraltheologie; „dieses (Prinzip) ist es auch, das den angeführten Sentenzen (des liber theol. mor) das Brandmal unsittlicher Willkür, das Schandmal der verwerflichsten Endabsicht seitens der Jesuiten aufgeprägt hat; und darin liegt .. eine Ungerechtigkeit, wie sich eine ärgere nicht denken läßt." (S. 67.)

Wenn von einzelnen Ordensmitgliedern, „die sich dem Lehramte und den Wissenschaften widmeten und daher an den wissenschaftlichen Kontroversen ihrer Zeit sich beteiligten, nicht ein jeder sofort das Richtige traf" — teilten sie das Schicksal aller Sterblichen in der mühsamen Erforschung der Wahrheit. „Genug, daß sie alle nach bestem Wissen und Gewissen nach der Wahrheit forschten. Warum leistete denn Pascal nicht ihnen und der ganzen christlichen Welt den Dienst, alle Streitfragen auf einmal richtig zu lösen?" Weil es eben unmöglich ist. „Warum ist er also so ungerecht, von den einzelnen Jesuiten Unmögliches zu verlangen?" ‚Er hat es also auch zu verantworten, daß die Mit= und Nach=welt in sein Unrecht verstrickte und zu Vorurteilen verleitete" — die heute noch als „vorurteilslose, freie Wissenschaft" von Unwissenden ausgegeben werden. Solche Tendenzbeleuchtung Escobars durch Pascal dem Lichte der Wahrheit gegenüber zu stellen und den Lorbeerkranz, den Unwissenheit und Parteilichkeit

für angebliche Verdienste um die Moral Pascal um die Stirne wand, vom
Haupte zu nehmen und dem verspotteten Escobar zu reichen, um seine tiefe
Gelehrsamkeit wie seine erhabene Tugend zu ehren und zu krönen" (S. 332)
— ist ein zweifelloser Vorzug der Festschrift und ein großes Verdienst deren Autors.

Diese prinzipiellen Feststellungen in der grundlegenden Einleitung
der Festschrift finden ihre tatsächlichen, quellenmäßigen Belege und zutreffende
Applikation in der Erörterung der von Pascal beanständeten moraltheologischen
Fragen, welche Dr. Weiß zweckmäßig in den drei Gruppen behandelt: 1. und II.
Fragen der generellen und speziellen Moraltheologie. III. Gnadenmittel.

In allen diesen Fragen ist die Festschrift nicht nur eine glänzende
Apologie Escobars, sondern auch eine gründliche Belehrung für
weite Kreise der Laienintelligenz, welcher auch heutzutage die „Jesuitenmoral"
als Ausbund aller Schlechtigkeit, nicht ohne Erfolg suggeriert wird. Beweis
hiefür ist der Wahrmund-Skandal und die dummdreisten Angriffe auf die
„Liguori=Moral", welche zur Schmach des aufgeklärten XX. Jahrhunderts sogar
im österreichischen Parlamente, unter der Lügenmaske „der freien Wissenschaft",
unter dem Schutze der Immunität und — Ignoranz — unternommen wer=
den durften.

Wie aktuell diese Fragen auch jetzt noch sind, erhellt aus deren bloßen
Aufzählung. Näher auf ihr Meritum einzugehen, gestattet der Rahmen einer
literarischen Besprechung nicht. Darum verweise ich Priester und Laien auf die
Festschrift selbst.

Im ersten Teile der allgemeinen Moral kommen zur Behandlung die
philosophisch-ethischen Fragen über das „voluntarium, Sünden der Unwissenheit,
der Probabilismus, die Quellen oder Elemente der Sittlichkeit einer Handlung
und die Hauptsünden".

Charakteristisch für Pascals „wissenschaftliche Akribie" und sittlichen Ernst
ist das Resultat, zu dem wahre Forschung Dr. Weiß führt. Auf S. 111 schreibt
er: „Falsch und maßlos sind Pascals Aeußerungen über den Probabilismus;
falsch und geradezu unerträglich, weil im höchsten Grade ungerecht, ist seine
Anklage, die Jesuiten huldigten dem Grundsatze, der gute Zweck heilige
die schlechten Mittel. Und was dieselbe noch erschwert, ist der Umstand,
daß er diesen Grundsatz durch den Mund seines Jesuiten aussprechen läßt.
Durch diese raffinierte Methode gewinnt es für Oberflächliche und Unwissende
den Anschein, als sei das, was nur bitterer Hohn ist, eine tatsächliche Bestäti=
gung von eingeweihter Seite. So kam es denn, daß dies die Quelle wurde, aus
der jener infame Vorwurf durch die Jahrhunderte sich ergoß bis auf unsere Zeit."

Das früher über die Unkenntnis der Moraltheologie und Mangel an
bona fides Pascals Gesagte kann der Autor mit dem bewiesenen Schlußsatze
bestätigen (S. 74.): „Seine (Pascals) Ausführungen (gegen Escobar) bekommen
nur dadurch einen Schein von Wahrheit, daß das Zitat aus seinem Zusammen=
hange gerissen und eben dadurch tatsächlich gefälscht ist. Und das preist sich als
erleuchtete Wissenschaft und wissenschaftliche Akribie? Das ist im Typus der
Fälschung". Aehnlich S. 175, 24, 214, 4 und S. 283, 2. „Für den Unter=
richteten sind die Ausstellungen an den diesbezüglichen Resolutionen der Theologen
(über das Fastengebot) so läppisch, daß es sich nicht der Mühe lohnt, auf das
Einzelne einzugehen."

Im zweiten Teil kommen folgende Fragen der speziellen Moral=
theologie zur Besprechung: „Die theologischen Tugenden und die Tugend der
Gottesverehrung. Die Uebung der göttlichen Tugend der Liebe." — In Bezug
auf diese „erhebt Pascal die schwerste Beschuldigung gegen die Jesuiten, daß sie
die Pflicht, Gott zu lieben, beseitigen und diese Dispensation als ein Privileg
Christi erklären." (S. 139.)

Betreffs der Frage „der christlichen Nächstenliebe" erhebt Pascal
die Anklage gegen die Lehre, daß es unter Umständen erlaubt sei, dem Nächsten
ein Uebel zu wünschen. (S. 154.) Beim „Aergernis und Mitwirkung zur Sünde"
beschäftigt sich Pascal mit zwei Punkten der Lehre Escobars, betreffend die

Mitwirkung der Diener zur Sünde ihrer Herrschaft und dem ärgernisgebenden Kleiderschmuck der Frau. Es folgen die weiteren Fragen über „Eid und geheimer Vorbehalt", „das zweite Kirchengebot und dessen Erfüllung" und über die „Simonie".

Aus dem Bereiche der Gerechtigkeit werden behandelt: „Die Sittlichkeit des Vertragsobjektes; das Versprechen; der contractus binus et trinus; Geschenkannahme anläßlich des Darlehens und contractus mohatra; Verletzung der kommutativen Gerechtigkeit; das Recht einer Ehefrau auf einen standesgemäßen Lebensunterhalt; der richterliche Urteilsspruch in unsicheren Rechtssachen; die Notwehr; verschiedene Fragen über kirchliches Fasten; Interpretation eines Gesetzes überhaupt und die Ordenspflichten."

Im dritten Teil — „über die Gnadenmittel" — kommt zur Sprache: „Disposition zur würdigen Feier des Meßopfers, Applikationspflicht des Priesters und das Sakrament der Buße."

Wir heben aus der irreführenden „Beleuchtung Pascals" im Gegensatz zum orientierenden „Lichte der Wahrheit" unserer Festschrift die Stellen hervor: „Es muß festgestellt werden.., daß das Beichtkind dem Bußpriester gegenüber nicht rechtlos ist und daß dieser unter Verweigerung der Absolution nicht mehr fordern darf, als wozu jenes unter einer Sünde verpflichtet ist. — Das und nur das allein ist der Grund, warum Moraltheologen sich hüten, etwas als Sünde oder gar als Todsünde zu erklären, so lange dies nicht überzeugend nachgewiesen oder durch die Kirche entschieden ist, und falls gegenteilige Meinungen entstehen, es nicht wagen, die eigene als die allein verpflichtende hinzustellen, beziehungsweise den Pönitenten aufzuzwingen.."

Auf den Vorwurf Pascals, den seine Parteigänger heute noch wiederholen, daß die Kasuisten die Sünden gegen das sechste Gebot ungebührlich breit behandeln, erwidert Dr. Weiß mit den Fragen: „Wer hat Pascal verpflichtet, die berührte Materie zu lesen — wenn er sie anders gelesen? Meint Pascal, daß die Kommentare über gewisse Verbrechen gegen die Keuschheit, welche jedes christliche Strafgesetz verbietet und ahndet, vor die große Menge gehören? .. Glaubt er nicht, daß die ganze Gynäkologie in ihrer breiten Ausführlichkeit vor keinen anderen Zuhörer- und Leserkreis gehört als den Fachgelehrten oder solcher, die ein pflichtmäßiges Interesse daran zu nehmen haben? .. Oder meint er, daß die Mediziner und Juristen, die Aerzte und Richter über eine größere sittliche Kraft verfügen als die Theologen, die Beichtväter und Seelsorger, um jenen zu erlauben, was er diesen verbieten will .. Die priesterliche Berufspflicht darf ebensowenig leiden als die des richterlichen und ärztlichen Standes... Wer gibt Aergernis? Der Moralist, der die pflichtmäßige Belehrung .. in der nüchternsten Form und in einer toten Sprache vermittelt, oder der Laie, der .. gerade die Punkte herausgreift, die die Sinnlichkeit zu reizen und die schlimmste aller Leidenschaften aufzustacheln geeignet sind und sie den Lesern in der Muttersprache darbietet — losgelöst von dem ernsten Zusammenhang und der tiefen und daher sehr ernst stimmenden Begründung, hingegen umkleidet mit der ganzen Leichtfertigkeit und der schamlosen Frivolität zynischer Satyre? Pascal ist im Typus aller moralisierenden Pamphletisten der Folgezeit geworden." (S. 176—7.)

Betreffend die Gerechtigkeitsfragen: „Das Nehmen fremden Eigentums in der Not, die geheime Schadloshaltung, das Zurückbehalten des zum Lebensunterhalt Nötigen im Konkurs" — sagt Dr. Weiß S. 237: „gehören diese drei Punkte seit Pascal zum eisernen Bestand der Angriffe wider die Moraltheologen. Daß bei dem Streben nach vollständiger Durchdringung und erschöpfender Behandlung einer moraltheologischen Materie, bezüglich der einschlägigen Gewissensfälle Irrungen vorkommen, ist selbstverständlich .. Welche Wissenschaft ist davon frei? Genug an dem, daß sie im Laufe der Zeit ihre Irrtümer korrigiert. Und niemanden fällt es ein, alle diese Irrtümer in steter Evidenz zu halten und daraus gegen eine Wissenschaft in ihrem gegenwärtigen Stande und gegen ihre dermaligen Vertreter Anklagen zu erheben und dem Gespötte auszusetzen."

„Aber . . bei der Moraltheologie hält man das für zuläſſig . . Und
Sätze, die durch das Urteil der Kirche oder durch die Uebereinstimmung der
Theologen ſchon längſt als Irrtümer erkannt und für immer abgetan ſind,
werden als noch geltend hingeſtellt, werden als jetziger Beſtand der Moraltheologie ausgegeben. Und das geſchieht nicht bloß von Demagogen . . dazu
geben ſich auch Männer der Wiſſenſchaft her" . . (S. 237 ff.) Und das Kapitel
über die Fragen der Gerechtigkeit beſchließend, ſagt Dr. Weiß (S. 282): „Trotzdem (das Kapitel) einige irrige Anſichten uns enthüllte, kann alle Welt daraus
entnehmen, daß die Moraltheologen mit Gründen und Prinzipien operieren
und daß demnach ihnen gegenüber die einzig zuläſſige Methode es iſt, durch
Gegengründe die Unrichtigkeit derſelben zu beweiſen und nicht in einer ſo
unendlich wichtigen Sache, wie es die chriſtliche Moral iſt, zum Schaden der
Menſchheit nur zu ſpotten oder gar zu verdrehen." Beides tut Pascal in
ſeinen Provinzialbriefen gegenüber Escobar und dem Jeſuitenorden — und
hat die ſeichten modernen Spötter heute noch auf ſeiner Seite, die mit Pascal
„keine blaſſe Ahnung haben von der Hoheit der Probleme der chriſtlichen Moral."
(S. 299.) Doch Unwiſſenheit allein erklärt das hartnäckige Beharren auf hundertmal widerlegten Vorurteilen nicht —; das Herz, der Wille iſt es, der ſeinen
Einfluß auf den Verſtand kundgibt. „Iſt das Herz gottentfremdet, ſo zwingt
es auch den Verſtand, wie alle Seelenkräfte in ſeine Richtung; denn der Wille
iſt König im Reiche der Seele und ſeine Liebe iſt beſtimmend, maß- und rich-
tunggebend auch für die Tätigkeit des Verſtandes" — beſchließt Dr. Weiß ſeine
Apologie (S. 334) zur völligen Erklärung der Inkonſequenz der „freien Wiſſenſchaft", welche dem Glauben und der theologiſchen Wiſſenſchaft theoretiſch doziert
und praktiſch übt, was ſie allen anderen Wiſſenſchaften gegenüber mit Verachtung ſtraft.

Aber Monographien, wie die vorliegende „Feſtſchrift" von Dr. C. Weiß,
liefern Barren edlen Goldes der Wahrheit, welche im Depoſitum der kirchlichen
Wiſſenſchaft aufbewahrt, allen, die guten Willens ſind, Zeugnis geben von
dem ſteten Fortſchritte, welchen die theologiſche Wiſſenſchaft weſentlich mit allen
anderen gemein hat. Die Schlacken des Irrtums früherer Studien der Forſchung geben Zeugnis von der Lebenskraft der Kirche, welche den Läuterungs-
prozeß der Wahrheit im Feuer der Gründe und Gegengründe der Wiſſenſchaft
als das elementum humanum für den göttlichen Beiſtand ihres unfehlbaren
Lehramtes zur Vorausſetzung hat.

Prag.   Dr. Kordač, Univ.-Prof.

2) **Gnade und Natur.** Ihre innere Harmonie im Weltlauf und
Menſchheitsleben. Eine apologetiſche Studie von Dr. Theolog. A. Rade-
macher. Apologetiſche Tagesfragen 7. Heft. M.-Gladbach. 1908. Volksvereinsverlag. 136 S. M. 1.25 = K 1.50.

Dieſes ſiebente Heft apologetiſcher Tagesfragen an ſich nicht umfangreich,
enthält nicht bloß einen ſehr wichtigen Gegenſtand, ſondern iſt reich an Mannigfaltigkeit und Tiefe der Gedanken. Es mögen einige Stichproben folgen. Der
Autor behandelt zuerſt das harmoniſche Zuſammenwirken von Natur und Gnade.
Tiefſinnig und dogmatiſch richtig wird Natur und Gnade im Gottmenſchen und
in ſeinem Erlöſungswerke behandelt. Es werden gegenübergeſtellt Glaube und
freie Forſchung, Theologie und Philoſophie, unfehlbares Lehramt und menſchliche Gewißheit, natürliches und chriſtliches Sittengeſetz, Aszeſe und natürliche
Anlagen, Heiligkeit und Natur, Gottesliebe und Menſchenliebe, chriſtliche Charitas
und Humanitätsbeſtrebungen, Glaube und religiöſes Gefühl, Chriſtentum und
weltliche Kultur, Kirche und Staat, Religion und Nationalität. Die Abſicht des
Verfaſſers iſt die Einheit von Natur und Gnade auf den verſchiedenen Lebens-
gebieten aufzuzeigen. Zwiſchen Vernunft und Glaube, Natur und Gnade darf
nicht der geringſte Widerſpruch ſein. Die Veredlung der Natur durch die
Gnade wird ſchön durch Bilder veranſchaulicht. Wie nämlich das Eiſen, ins
Feuer gelegt, ſelbſt feurig wird, und die Eigenſchaft des Feuers annimmt, ohne

seine Eisennatur mit allen Eigenschaften, die ihr zukommt, einzubüßen, und wie
die Luft, von der Sonne erleuchtet, selbst Licht wird, ohne aufzuhören zu sein,
was sie war; so nimmt auch die Natur, wenn sie von der göttlichen Gnade be-
strahlt wird, gottähnliche Eigenschaften an; die Natur wird durch die Gnade
geläutert, erhöht, vervollkommnet, veredelt. Die Natur ist vorzüglich empfänglich
für die Gnade. Die Gnade wirkt in der Regel allmählich; wie man nicht auf
einmal verkehrt, böse wird, so wird man nicht auf einmal vollkommen und
heilig. Auch ist kein Temperament feindlich der Gnade; nur läutert und vervollkommnet die Gnade die individuellen Anlagen; jedenfalls steht der Christ,
noch mehr der gute Katholik höher als der Naturmensch, der Humanist. Auch
die Heiligen blieben Menschen; sie waren nicht Menschen anderer Art; sie waren
keine Sonderlinge, wenn auch die Gnade durch sie zeitweilig außerordentlich und
wunderbar wirkte.

Das Geheimnis der Menschwerdung des Sohnes Gottes ist das Zentrum
und der Angelpunkt des Christentums. Die menschliche Natur in Christus ist
vollkommen, Christus ist der Idealmensch, in ihm war nichts Unnatürliches; in
ihm erglänzte das menschlich Edle, Schöne, Harmonische, Vollkommene. Nicht
bloß die Kirche ist Jesu Werk, die gesamte Lebensführung, auch die soziale, soll
christlich, vom Geiste Christi geleitet, durchdrungen sein. Die Religion ist nicht
bloß für das Volk, sondern auch für die Gebildeten; das Volk wie der Staat
sollen vom Geiste des Christentums belebt und geführt sein.

Innsbruck.   † P. Gottfried Noggler O. Cap.
                                                   Lektor der Dogmatik.

3) **Kirche und Bibellesen** oder die grundsätzliche Stellung der katho-
lischen Kirche zum Bibellesen in der Landessprache. Von Dr. Norbert
Peters, Professor der Theologie an der B. theologischen Fakultät zu
Paderborn. Paderborn. 1908. Ferdinand Schöningh. VI u. 58 S.
M. 1.— = K 1.20).

Der hochverdiente Professor hat die bibelwissenschaftlichen Vorträge, die
er im Dezember 1906 im großen Saal des Architektenhauses zu Berlin hielt,
als vorliegende erweiterte, sehr gediegene Schrift herausgegeben. Die nächste
Glaubensregel ist für den Katholiken nicht das Bibelbuch, sondern die lebendige
Lehre der unfehlbaren Kirche. Die Kirche bürgt uns für die Echtheit der Bücher
der Heiligen Schrift und deren Sinn. Darum hat nicht jeder Christ die Pflicht
die Bibel zu lesen, damit er wisse, was er zu glauben hat. Unbedenklich nützlich
ist das Lesen der Heiligen Schrift; diese ist die einmütige Anschauung der heiligen
Väter und der Kirche. Unter andern sagt der heilige Chrisostomus in einer
seiner Homilien: „Wisset, daß uns die Heiligen Schriften nicht als eitler Schmuck
unserer Bibliotheken gegeben sind, sondern damit wir uns unsere göttlichen
Lehren einprägen. Ich wünschte, daß ihr durch das beharrliche Lesen von ihnen
erfüllt und durchdrungen wäret." Pius VI. schrieb an den Erzbischof Martini,
den Herausgeber eines italienischen Bibelwerkes: „Du denkst sehr richtig, wenn
du die Gläubigen zum Lesen der Heiligen Schriften nachdrücklich ermahnen zu
müssen glaubst; denn sie sind die überaus reichen Quellen, die jedem offen stehen
müssen."

Die Kirche hat aber auch des Hirtenamtes zu walten; sie hat das Recht
zu bestimmen, welche ihrer Kinder und in welcher Form diese die Heilige Schrift
lesen sollen. Dazu birgt die Schrift Abschnitte, die sogar eine Gefahr für gute
Sitten bilden können. Denken wir an manche undelikate geschichtliche Daten im
Pentateuch; das Hohelied wird man nicht unterschiedslos jedem in die Hand
geben. Das wird selbst von Protestanten anerkannt; sie beschränken darum gerne,
namentlich für Kinder, das Bibellesen auf das Neue Testament und das Psalmenbuch
Es ist eben nicht alles für alle. Auch gibt es sittlich unreife Menschen, nicht selten
auch unter den Erwachsenen. Vom Geiste Gottes geleitet, verbot Leo XIII. den
Katholiken Uebersetzungen der Heiligen Schrift in der Volkssprache, wofern sie nicht
vom Apostolischen Stuhle approbiert, oder mit Anmerkungen aus den Werken

der Kirchenväter oder katholischer Gelehrten versehen und die bischöfliche Druck=
erlaubnis erhalten haben. Constit. offic. ac muner. cap. 2 und 3. Für Priester
insbesondere gilt in betreff der Lesung der Heiligen Schrift: „Attende lectioni".
Wer bei Lesung der Heiligen Schrift den Stab des Glaubens festhält und die
heiligen Väter zu Führern nimmt, der entspricht der Weisung und Anforderung
des Apostelfürsten: „Omnis prophetia Scripturae propria interpretatione non
fit. Non enim voluntate humana allata est aliquando prophetia; sed Spiritu
sancto inspirati, locuti sunt sancti Dei homines." II. Petr. 1, 20 21.

Innsbruck.   P. Gottfried Roggler O. Cap.

4) Lehrbuch der Dogmatik. Von Thomas Specht, Professor der
Theologie am k. Lyzeum zu Dillingen und bisch. geistlicher Rat. II. Band.
Regensburg. 1908. Verlagsanstalt vorm. G. J. Manz, Buch= und Kunst=
druckerei A.=G., München=Regensburg. VIII u. 494 S. M. 8.— =
K 9.60; gbd. M. 10.— = K 12.—.

Die Vorzüge des ersten Bandes sind auch diesem zweiten eigen, nämlich
Klarheit, Bestimmtheit und Gründlichkeit. Der Rezensent möchte aber jene Par=
tien hervorheben, die ihm als besonders gediegen erscheinen. Vor allem ist über=
raschend die reichhaltige, mannigfache, theologische Literatur; nach den Ueber=
schriften der einzelnen wichtigen Gegenstände werden überraschend viele und verschie=
dene Autoren angeführt, die man kaum in einem großartig angelegten Werke findet.
Recht gut gefiel dem Rezensenten, daß die Prädestination bei der Gnadenlehre
behandelt wird; denn hier ist ihr rechter Platz, da die Prädestination der Ab=
schluß des Gnadenlebens, die Krone und kostbarste Perle der Gnade ist. Dabei
urteilt der Verfasser S. 84 sehr richtig, daß er einzelne in absoluter Weise —
ante praevisa merita — prädestiniert sein läßt, jene namentlich, welchen Gott
eine besondere Aufgabe in seinem Reiche zugewiesen hat, wie z. B. die seligste
Jungfrau, die Kinder, die mit der Taufe sterben, hervorragende, wunderbare
Heilige. Hier muß Gott seines Erfolges sicher sein. Im übrigen entscheidet sich
der Autor für die hypothetische, bedingte Prädestination. Denn es läßt sich schwer
annehmen, daß Gott bloß einen Teil der Menschen zur Seligkeit bestimmt hat
und in der Zeit durch die wirksame Gnade unfehlbar zu ihrem Ziele führt,
während der andere Teil nur hinreichende Gnaden erhält und verloren geht.
Mit einer solchen Annahme scheint die zweifellos feststehende Wahrheit, daß Gott
das Heil aller ernstlich will, nicht mehr vereinbar zu sein, und überdies ist die
Folgerung kaum abzuweisen, daß die Nichtauserwählten von der himmlischen
Seligkeit im vorhinein ausgeschlossen sind. Wenn S. 207 verschiedene Ansichten
angeführt werden, die als Ersatzmittel dienen sollen für Kinder, die ohne Taufe
sterben, so ist recht lieb und begründet die Auffassung, daß der liebe Gott ex
peculiari gratia et privilegio die Gebete und Wünsche der Eltern für das Heil
ihrer Kinder erhöre, und ihnen die Wirkung der Wassertaufe zuwende. Die vor=
züglich gediegene, überraschend gründliche und eingehende Abhandlung dürfte die
spekulativ-theologische Betrachtung der Transsubstantiation sein; besseres dürfte
man diesbezüglich wohl kaum finden. Vortrefflich ist auch die Abhandlung über
das Wesen des heiligen Meßopfers. Nachdem mit Recht nach der Lehre der
heiligen Kirche das Wesen des eucharistischen Opfers in die Konsekration gesetzt
wird, werden des weiteren die verschiedenen Ansichten angeführt, worin die Im=
mutation und geheimnisvolle Destruktion bestehe. Die Ansichten schließen sich
wechselseitig nicht aus, sie ergänzen vielmehr einander, wie ich in meinem Werke
(2. Band, S. 769—774) eingehender behandelt habe. — Beim genauen Durch=
gehen des Werkes fiel dem Rezensenten doch einiges auf, was er hier offen, ohne
die mindeste Voreingenommenheit anführen will. Bei den verschiedenen Ein=
teilungen der Gnade ist anfangs die gratia medicinalis und elevans, die gratia
praeveniens und adjuvans, die gratia efficax und inefficax übergangen worden,
die jedoch später zur Sprache kommen. Der Autor ist der Ansicht, daß bei den
Heiden die Gnade ohne Zweifel in vielen Fällen nur heilend wirke, d. h. die
natürlichen Kräfte des Verstandes und Willens stärke. Mit dieser Auffassung

dürften nicht alle Theologen einverstanden sein; denn bei der übernatürlichen Bestimmung des Menschen dürfte die gratia elevans schwer von der medicinalis zu trennen sein; welch letztere ja bei den Heiden vorherrschend sein kann. Der Verfasser ist der Ansicht, daß der habitus der theologischen Tugenden des Glaubens und der Hoffnung erst mit der Rechtfertigung eingegossen werden. Jedoch nicht alle Theologen pflichten dieser Ansicht bei. Viele halten dafür, wie Glaube und Hoffnung beim Sünder zurückbleiben, so gehen beide Tugenden durch wiederholte Uebung der Rechtfertigung voraus. Bei der Gnade der Beharrlichkeit hätte angeführt werden können, daß dieselbe nach der Ansicht mehrerer, besonders neuerer Theologen de congruo infallibili verdient werden kann. — Die Systeme über die Gnadenlehre werden der Reihe nach geordnet und genau angeführt. Gut ist die Bemerkung, daß die besprochenen Systeme auf kirchlichem Boden stehen, und bei dem gegenwärtigen Stande der Angelegenheit tue man am besten, sich nicht einseitig auf ein System festzulegen. Daraus würde dann folgen, daß das synkretistische System am besten berechtigt sei, wie dasselbe jetzt von Theologen wohl allgemein entwickelt und festgehalten wird. Die Erfahrung bestätigt ja, wie verschieden und mannigfaltig die Gnade wirke, ja wie die Gnade gerade auf den freien Willen einwirke. Darum gibt es tatsächlich keine Berechtigung, ein bestimmtes System einseitig zu verteidigen; denn jedes System schließt etwas Wahres und Gutes in sich, und ist zutreffend innerhalb bestimmter Grenzen. Wenn bei der Verteilung der Gnaden Ungläubige und Ketzer zusammengestellt werden, so dürfte zwischen beiden doch ein Unterschied zu machen sein, da letztere getauft sind, und sich in anderer Gnadenordnung befinden, als die Heiden. Die Behauptung, daß die Worte des Herrn „baptizantes eos in nomine Patris et Filii et Spiritus Sancti" kein ausdrückliches Gebot enthalten, die Taufe unter Anrufung der Trinität zu spenden, dürfte zu gewagt sein; denn die Taufe ist unbedingt notwendig, und kann nur unter Anrufung der heiligsten Dreieinigkeit giltig gespendet werden, und diese hat der Herr in genannter Stelle als Form vorgeschrieben. Bei der Firmung wird gesagt, der Balsam sei nach der wahrscheinlicheren Meinung kein wesentlicher Bestandteil der Firmungsmaterie. Diese Auffassung dürfte nicht ganz zutreffend sein; denn es ist wenigstens sententia communis, daß die Beimengung von Balsam gefordert sei um so mehr, da der Balsam auch in der Form enthalten ist. Wenn es S. 371 heißt, daß die bischöfliche Konsekration von der Mehrzahl der Scholastiker nicht als Sakrament angesehen werde, weil nach ihnen der Episkopat kein vom Presbyterat verschiedener ordo, sondern nur eine Ergänzung und Vollendung des Presbyterats sei, so dürfte hier einige Unklarheit der Behauptung zugrunde liegen. Daß der Episkopat sakramentalen Charakter hat, ist zum wenigsten fidei proxima seutentia, ob er aber als achter ordo zu zählen, oder mit dem Presbyterate als ein ordo zu nehmen sei, ist immer noch disputierbar. Der Hauptgrund ist wohl dieser, weil das Konzilium von Trient nur sieben Weihen zählt. Die Anschauung, daß Eugen IV. im Dekrete für die Armenier bei Erteilung des Presbyterates nur bekannt machen wollte, daß in der abendländischen Kirche auch die Praxis bestehe, die Instrumente zu überreichen, dürfte eine zu gewagte Behauptung sein; denn das Dekret bietet über die Sakramente eine so genauen Unterricht wie in einem Katechismus. S. 409 heißt es, „nach verschiedenen Auffassungen ist eine jenseitige religiöse Entwicklung möglich", das lautet um so überraschender, da voraus Hirscher und Schell angeführt werden. Ist der Urteilsspruch im Gerichte gefällt, so beginnt für die Seele die verdiente unabänderliche Ewigkeit; auf den Tod folgt sofort das Gericht.

Der Autor möge es dem Rezensenten nicht ungütig nehmen, wenn er die Eschatologie für die wenigst gelungene Arbeit des Werkes bezeichnet. Ich führe nur allgemein an, daß die aureola Martyrum, Doctorum et Virginum nur erwähnt ist. Die Strafen des Fegfeuers werden zu kurz und zu wenig bestimmt behandelt; daß die armen Seelen für uns beten, wird mit einem Satze abgetan. Von der Art und Weise der Bilderverehrung kommt gar nichts vor. Die Lehre vom Antichrist wird mit sieben Zeilen fertiggestellt; von Henoch und Elias, ihrer zukünftigen Tätigkeit kommt gar nichts vor. Die Himmelfahrt Mariens wird eine „sentientia pia et probabilis" genannt, jedoch ist sie derart fidei proxima, daß nur mehr die Definition der Kirche erfordert ist. Die dotes gloriosi corporis werden nur erwähnt. Die Lehre vom Richter, den zu Richtenden und dem Orte des Gerichtes macht zwei Seiten aus. Aehnlich kurz ist das Weltende und die Welterneuerung behandelt.

Diese Ausstellungen sollen dem vortrefflichen Werke keinen Eintrag tun. Es liegt ja klar vor, daß der Autor Meister in seinem Fache ist, und übrigens stets gründlich zu Werke geht. Nichtsdestoweniger fügt der Rezensent die Bitte bei, daß der Autor bei einer Neuauflage die angeführten Punkte berücksichtigen möge.

Innsbruck.   P. Gottfried Noggler O. Cap.

5) Der alte und der neue Glaube. Ein Beitrag zur Verteidigung des katholischen Christentums gegen seine modernen Gegner. Für gebildete Katholiken geschrieben von Dr. Georg Reinhold, k. k. Universitäts=Professor in Wien. Wien. 1908. Verlag von Heinrich Kirsch, I. Singerstraße 7. L.=8°. 330 S. K 6.—.

Der Titel erinnert an Dr. F. Strauß, dessen Anschauungen bei der ungläu= bigen Intelligenz herrschend sind, weshalb der Verfasser besonders diesen Gegner ins Auge faßt und auch in seiner Widerlegung der Einwürfe ungefähr dieselbe Reihenfolge beibehält.

Nach einer ausführlichen Einleitung wird im ersten Teile (157 S.) die Vernunftgrundlage des Christentums festgestellt, im zweiten Teile (170 S.) dessen geschichtliche Grundlage, im dritten (94 S.) dessen Lehrinhalt. Der reiche Stoff ist in mehr als hundert Teile zergliedert, was nicht nur zur Durchsichtigkeit viel beiträgt, sondern auch die Ermüdung des Lesens fern hält.

Der Verfasser erweist sich als gründlicher Kenner der religionsfeindlichen Literatur und läßt die Gegner häufig ausführlich zum Worte kommen, selbst Renan, dessen freche Lästerungen soviel Aufmerksamkeit eigentlich nicht verdienen. Besonders wohltuend ist die gründliche Behandlung des spekulativen Stoffes und die öftere Berufung auf die sichere Führung des heiligen Thomas. Aber auch auf naturwissenschaftlichem Gebiete offenbart sich eine gediegene Kenntnis der neueren Forschungen. Man wird auch neben gründlichem theologischen Wissen, richtiger Aszese und eindringender Betrachtung originelle Behandlung gewahren. Besondere Aufmerksamkeit wendet der Verfasser mit Recht dem Wunder zu, denn das Wunder ist als unwiderleglicher Beweis für die göttliche Offenbarung die einfachste und beste Widerlegung aller Feinde der Religion, auch der Natur= religion, weil es einen persönlichen Gott notwendig voraussetzt; das Christentum hat das Wunder der Auferstehung zur notwendigen Grundlage.

Im dritten Teile wird eine gute Anzahl landläufiger Einwendungen gegen das Christentum zurückgewiesen, allerdings in knapper Form, denn der Verfasser will nur die Hauptgesichtspunkte geben. Vielleicht ließe sich in einer hoffentlich nahe bevorstehenden 2. Auflage auf Manches doch etwas näher eingehen ohne den Umfang des Buches zu vergrößern, z. B. durch Kürzung der widerlichen und völlig grundlosen Anwürfe Renans und Havets. Auch die Einwendung Paulsens in bezug auf den im Christentum vermißten Rechtsinn ließe sich kürzer und richtiger durch eine einfache Unterscheidung zwischen der Erdulung persönlicher Beleidigungen und Duldung des Unrechtes beantworten. Christus protestierte vor Annas nicht gegen die persönliche Beleidigung, die er ja in der Folge im Uebermaße auf sich nahm, sondern gegen den Vorwurf der Unbescheidenheit gegen den Hohenpriester. Die Unsterblichkeit der Seele und die Vorteile der Leiden auf Erden sollten in jeder Apologetik möglichst gründlich behandelt werden. Die Voll= kommenheiten Gottes bieten dafür eine sichere Grundlage.

Unter den Ausführungen, die einiges Bedenken erregen oder Mißverständ= nisse veranlassen könnten, sind zu nennen die zwei Gleichnisse (S. 53), für die Allgegenwart Gottes. cf. Apostg. 17, 28. — Ferner der Satz S. 196: „Gott dem

Vater gegenüber benimmt sich Jesus nicht wie das Geschöpf gegenüber dem Schöpfer." Hier wäre wohl die Unterscheidung zu machen zwischen dem Wirken Jesu in seiner göttlichen Natur und in seiner menschlichen Natur, — dem göttlichen und dem menschlichen Willen u. s. w. „Nicht mein Wille geschehe, sondern der deine." Das fragliche „alsbald" Matth. 24, 29 (S. 207) findet im Cursus s. scr. von Knabenbauer eine befriedigende Lösung. Für den Beweis der Auferstehung Christi (S. 211) wäre das 15. Kap. im 1. Cor. und besonders v. 6 von großer Wichtigkeit S. 214 wird die augenfällige Wirksamkeit des heiligen Geistes vermißt. Der Selbstmordunterricht Senekas (S. 266) sollte wegbleiben. Sollten einige vorstehende Bedenken und Wünsche als kleinlich erscheinen, so möge wenigstens die gute Absicht des Rezensenten nicht verkannt werden. Gerade darin zeigt sich die Hochschätzung gegen den Künstler und sein Werk, daß man auch jedes Stäubchen beseitigen möchte. Daß vorliegende Schrift ein höchst schätzenswerter Beitrag für die apologetische Literatur ist, davon werden sich hoffentlich in Bälde recht Viele überzeugen.

Linz-Freinberg.   P. Karl Friedrich S. J.

6) **Menschliche Freiheit und göttliches Vorherwissen nach Augustin.** Von Dr. Karl Kolb. Freiburg. 1908. Herder. Gr.8°. XII u. 130 S. M. 3.— = K 3.60.

Dem tiefsinnigen Pfadfinder Augustinus nachzugehen in der Ergründung eines der tiefsten Probleme, ist ein Beginnen, für welches der Herr Verfasser von vornherein auf ein warmes Interesse namentlich seitens der Freunde spekulativer Theologie rechnen durfte. Die treffliche Durchführung seines Vorhabens sichert ihm auch die ebenso warme Anerkennung seiner Leser. Zum rezensionsüblichen Nörgeln sah ich mich nur an wenigen Stellen veranlaßt. Aufgefallen ist mir zunächst, daß der Verfasser in der Einleitung, welche einen geschichtlichen Ueberblick über die Entwicklung der Frage gibt, das Problem durch die griechische Spekulation zurück verfolgt bis hinauf zu den vorphilosophischen religiösen Vorstellungen der Griechen, während er das alte Testament nur im Vorbeigehen erwähnt und zwar erst dort, wo er auf das Einwirken christlicher Ideen auf die zeitgenössische Gedankenbildung zu reden kommt. Hätte der Verfasser bei Ausarbeitung dieses Teiles neben den philosophiegeschichtlichen Werken Ueberwegs und Windelbands auch Willmanns „Geschichte des Idealismus" zurate gezogen, so hätte er dort zwar kein fertiges Material, aber doch eine Reihe von Winken bekommen, deren Befolgung der Vollständigkeit seines historischen Ueberblicks sehr zugute gekommen wäre. Befremdet hat mich ferner die Anschauung des Verfassers bezüglich der Stellung des heiligen Augustin zu den späteren Schulen der Thomisten und Molinisten: Der heilige Lehrer stehe außerhalb der Parteien (S. 121) und könne weder für die eine noch für die andere in Anspruch genommen werden (S. 127); ich für meine Person fühle mich verpflichtet, dem Verfasser zu danken, daß gerade durch die Lektüre seiner systematisch-historischen Darstellung des gesamten einschlägigen Materials eine bisherige Meinung in mir zur vollen Ueberzeugung ausgereift ist, die Meinung nämlich, daß der heilige Augustin in seinen letzten und reifsten Werken, anachronistisch gesprochen, ein Thomist war. Selbstverständlich ist es nicht möglich, im engen Rahmen einer kurzen Besprechung dieses Urteil näher zu begründen; was der Verfasser S. 127 zur Begründung seiner ablehnenden Stellung beibringt, beruht auf einer irrigen Auffassung des Thomismus; es wäre eine leichte Aufgabe, zu jeder hiehergehörigen Augustinusstelle, welche der Verfasser anführt, eine Reihe gleichbedeutender Zitate aus der thomistischen Literatur zusammenzustellen. In der irrigen Auffassung des Thomismus ist auch der Grund zu suchen, weshalb der Verfasser S. 108–113 der Lehre des Heiligen über die Gnade, welche den Willen indeclinabiliter, insuperabiliter, invicti sime antreibt und doch die menschliche Wahlfreiheit nicht aufhebt, nicht gerecht wird und dort einen Widerspruch findet, wo der heilige Augustin keinen zu finden nachdrücklichst erklärt und wo auch der heilige Thomas keinen gefunden hat. — Die kühne Doppelautologie „omnipotentissima potestas" (S. 109) scheint mir ein etwas verunglückter Ausdruck zu sein für die energische augustinisch-thomistische Betonung der göttlichen Allmacht als Urheberin der menschlichen Willenshandlungen und Bürgen ihrer Freiheit.

Mautern in Steiermark.   Dr. Heinrich Kirfel C. Ss. R.

7) **Die kulturellen Grundlagen und Ziele der christlichen Lehrer-Organisation.** Von Bernhard Merth, Uebungsschullehrer am Pädagogium in Wien. Wien. Kirsch. 1908. 8°. VIII u. 61 S. K —.80.

Gut christlich, national (deutsch), österreichisch wollen die organisierten christlichen Lehrer und Lehrerinnen, zunächst Niederösterreichs, sein und wirken. Dies wird auf Grund eines Referates bei der Hauptversammlung (vom 5. Jan. 1908) des dortigen Landesverbandes, der bereits die ansehnliche Zahl von 4000 Mitgliedern aufweist, für die weitere Oeffentlichkeit näher erläutert. Wie billig liegt aber der Hauptnachdruck auf dem „christlich". Gute Christen werden ohnehin gute Patrioten sein, und das Kind, das von der Mutter eben deutsch gelernt hat, wird von selbst mit Vorliebe wieder deutsch reden und reden hören. Chauvinisten aber zu züchten, dazu ist die Volksschule nicht da. Sehr warm wird eingetreten für Schaffung einer christlichen Atmosphäre im gesamten Unterrichtsbetrieb, die freilich etwas anderes bedeutet, als fortwährendes aufdringliches Moralisieren. „Freie Schule" und religiöse Uebungen, und was drum und dran hängt, werden treffend gewertet, überhaupt dem heute beliebten einseitigen Drängen auch Vielwissen auf profanem Gebiete das echte christliche Bildungsideal entschieden entgegengehalten. Mögen sich recht viele Lehrer auch in anderen Ländern unseres schönen Oesterreich dafür wieder erwärmen! Es gibt kein anderes Heil für das Volk und — seine Lehrer. Auch das Dichterglück (S. 4), die ‚Persönlichkeit", tut's nicht.

Mariaschein.   P. Jos. Schellauf S. J.

8) **Praktische Ratschläge und Belehrungen** zunächst für Lehrerinnen. Von Dr. K. Kirchberg, Pfarrer in Büttstedt. Dingelstädt. 1908. H. Wetzel. Kl. 8°. VIII u. 202 S. gbd. M. 1.80 = K 2.16.

Ein ehemaliger Leiter einer Lehrerinnen-Bildungs-Anstalt bietet hier weiteren Kreisen dar, was er dereinst seinen Schülerinnen als väterlicher Freund und Berater zu sagen pflegte. Wie das natürlicherweise nicht bloß die Art und Weise ihres Lehrens in der Schule betraf, sondern ihr eigenes ganzes Wohl und Wehe berücksichtigte, so hat sich auch das hübsche Büchlein zu einem vollständigen Leitfaden standesgemäßer Vollkommenheit gestaltet, die Leib und Geist, Schule und Leben, Ewiges und Zeitliches nach Vernunft und Glauben regelt. Gewisse Anweisungen sind freilich nach reichsdeutschen Verhältnissen (Gesetzen) zugeschnitten, wie die Kapitel 3 u. 19 über Anstellung und Gehalt und über das Testament; das tut aber dem Ganzen keinen Eintrag. Eher würden österreichische Lehrerinnen bei den geradezu haarsträubenden Zuständen in unserer Lehrerschaft angemessene Belehrungen wünschen, wie sie sich in solcher Umgebung zu benehmen hätten, um weder die gute Sache noch sich zu schädigen, wie sie den gewissen kirchenfeindlichen Organisationen ihrer Berufsgenossen gegenüber ihre Freiheit wahren können u. d. l. Das Büchlein wird übrigens nicht bloß Lehrerinnen mit Nutzen in die Hände gespielt werden, sondern auch geistlichen Leitern von solchen und von Lehramtskandidatinnen gute Dienste leisten.

Die einzelnen Ausführungen sind im ganzen verläßlich und fleißig mit Belegstellen erhärtet. Ungenauigkeiten lassen sich bei einer Neuauflage leicht berichtigen. „Nach der einstimmigen Erklärung der heiligen Väter war der heilige Johannes unter dem Kreuze der Repräsentant der Gläubigen aller Orte und aller Zeiten", meint der Verfasser mit so vielen frommen Büchern (S. 91). Er dürfte jedoch Mühe haben, auch nur „eine Stimme" unter den Vätern für besagte Erklärung aufzutreiben. Rupert von Deutz (13. Jahrh.) hat sie zuerst (Cf. H. Legnani S. J. De theologica certitud. mat rnitatis B. V. quoad fidele‚ iuxta Christi verba „Mulier, ecce filius tuus." Venetiis 1899). — Ob das letzte Wort über den Ursprung des heiligen Rosenkranzes vom heiligen Dominikus schon gesprochen ist (S. 95 A.)? Kritik empfiehlt sich gar sehr und Vorsicht auch gegenüber der heutigen Kritik. — „Sterbend am Kreuze wird er .. mit Galle (?) und Essig getränkt." Anders Matth 27, 34. 48 (S. 116). — S. 145 wäre mit einigen Worten zu sagen, wie man sich im Zweifel über die Erlaubtheit einer Handlung Gewißheit (praktische!) verschaffen kann. Sonst ist die betreffende Anweisung eine Quelle zahlloser Aengsten. Wonach ist ferner die Wichtigkeit einer Sache behufs Annahme einer Todsünde zu bemessen? — „Quäle nie ein Tier zum Scherz; denn es fühlt wie du den Schmerz!" so sagt wohl der Reim: indes reimt sich die Wirklichkeit nicht so ganz. Die weitere Begründung (S. 148) ist die richtige. — Die „Hauptsünden" (S. 151) hießen richtiger „Hauptquellen von Sünden"; es sind nämlich eigentlich die Leidenschaften, aus denen die Sünden gegen die Gebote hervorgehen. Streng genommen ist es daher überflüssig, sich für die Beicht eigens darüber zu erforschen. Sündigen Kinder wirklich, „wenn sie an Werktagen aus Trägheit die heilige Messe oder auch den Nachmittagsgottesdienst versäumen"? Erst wo eine Pflicht verletzt wird, ist Sünde! — S. 161: „Wer vollkommene Liebe erweckt .. hat nicht zugleich vollkommene Reue" dist. nicht immer formell, wohl aber virtuell! — S. 164: „Man ist nicht verpflichtet, die durch die vollkommene Reue getilgten (ja wenn man dessen so sicher wäre!) schweren Sünden sofort zu beichten, auch nicht, ‚sobald man Gelegenheit hat‘, sondern man muß sie in der nächsten Beichte beichten", also z. B. zu den nächsten Ostern. Die (an sich richtige) Theorie ist wohl stark grau und die Vollkommenheit der Reue nicht wenig verdächtig, die es über sich bringt, trotz günstiger nächster Gelegenheit ein Jahr lang zuzuwarten, bis ein größeres Päckchen zusammenkommt! Gewissenhaften, um ihr Heil besorgten Christen läßt es keine Ruhe. Ich möchte daher jenes ‚sobald man Gelegenheit hat‘ im Katechismus nicht missen. Die Beicht ist ja auch als ordentliches Mittel zur Vergebung der schweren Sünden eingesetzt und kann allein von den Sakramenten unbeschränkt oft angewendet werden. Die vernünftig praktische Folgerung liegt nahe.

Mariaschein.   P. Jos. Schellauf S. J.

9) Rettet die Ehe und die Kinder! Von Em. Huch. Innsbruck, Kinderfreund-Anstalt. Kl. 8⁰. 56 S.

Die Ehe kein Freiplatz für die Sinnenlust, die Kinder ihr schönster Segen, der all das Ehekreuz christlichen Eheleuten reichlich lohnt. — Diese höchst zeitgemäße Lehre weiß die bekannte Verfasserin warm und eindringlich zu vertreten. Selbst Priester dürften hier manche praktische Anregung für zweckmäßige Seelsorge finden. Kaum denkt man sonst z. B. an die Bedenklichkeit gewisser Zeitungsinserate, in denen Mietwohnungen an „kinderlose Parteien" ausgeboten sind oder Dienstmädchen bei ebensolchen oder solchen mit höchstens „2 ..." Kindern unterzukommen suchen. Das Schriftchen verdiente Massenverbreitung in den betreffenden Kreisen.

Mariaschein.   P. Jos. Schellauf S. J.

10) Tod oder Leben. Von Em. Huch Ebda. 135 S.

Gemeinfaßliche Begründung der Unsterblichkeit der Seele und des Fortlebens nach dem Tode aus der Stimme der Vernunft, des Gewissens, der Heidenvölker, Gottes, der Weltweisheit, der Naturforscher, sowie Lösung gegnerischer Schwierigkeiten, will die Schrift bieten, ohne etwa neue Wege zu bahnen. Man findet da z. B. einen dankenswerten Auszug aus Kneller S. J. „Das Christentum und die Vertreter der neueren Naturwissenschaft." Die Schrift wird viel Nutzen bringen; sie ist wirklich gemeinfaßlich und zugleich gründlich.

Mariaschein.   P. Jos. Schellauf S. J.

11) **Mutterliebe** oder Pflichten und Fehler in der Erziehung. Von F. C. B. Ebda. 1907. 130 S.

Die beiden vorgenannten Schriften tragen den allerdings etwas unzulänglichen Vermerk: „Mit Approbation des f b. Ordinariates", diese aber nicht. Warum nicht? Vermutlich liegt nur eine Vergeßlichkeit vor; denn diese 10 Gebote einer Mutter verdienen jegliche Gutheißung vollauf und könnten als ausführliche Standeslehre allen Müttern zu größtem Nutzen in die Hand gegeben werden, den jungen als eindringliche Anleitung zum Erziehen, den alten in etwa zur Gewissenserforschung. Erfahrungsgemäß pflegen die Gewissen in bezug auf solche Standespflichten mehr, als gut ist, zu schlummern.

Mariaschein.   P. Jof. Schellauf S. J.

12) **Leitfaden der Erziehungslehre.** Von Jak. Englhart, Instituts-Inspektor in Seligenthal. Landshut. 1907. Verlag der Jos. Hochnederschen Buchhandlung. 8⁰. 171 S. Gbd. M. 2.20 = K 2.44.

Ein sehr nützliches Buch für jene Erzieher und Lehrer, die eine systematisch gegliederte, Theorie und Praxis umfassende, gediegene Belehrung über Aufgabe und Mittel einer wahrhaft christlichen Erziehung wünschen. Der Verfasser, durchdrungen von der Liebe zu seinem Berufe und getragen von einer übernatürlichen Auffassung desselben, zugleich aber auch im vollen Bewußtsein der Schwierigkeiten, die namentlich einer christlichen Erziehung in den Weg treten, macht uns in einer anmutend klaren Weise mit all jenen pädagogischen Prinzipien bekannt, die einmal aufgenommen und mit kluger Konsequenz durchgeführt, nach menschlicher Berechnung nicht ohne großen, dauernden Erfolg sein können.

Mariaschein.   Vinzenz Pernička S. J.

13) **Alte Ziele — neue Wege** oder: Die Aufgaben des Cassianeums. Von Ludwig Auer, Gründer und Leiter des Cassianeums. II. Teil: Erziehungslehre. 1. Abteilung: Die Erziehung im Reiche Gottes. 2. Abteilung: Die Erziehung zur christlichen Freiheit. Donauwörth. 1908. Auer. Gr. 8⁰. 455 S. M. 4.60 = K 5.52.

1. „Abdruck aus dem ‚Monika-Kalender' 1900," 2. „Abdruck aus der ‚Katholischen Schulzeitung', Jahrgang 1905, 1906 und 1907." Hierin liegt zum Teil die Erklärung für manche formelle Eigenheiten des Buches, wie die vielen Wiederholungen, die oft biderbe Ausdrucksweise, die geringe Sorge um wissenschaftlich unanfechtbare Fassung der Gedanken. Nicht selten fühlt man sich zu scharfem Widerspruch herausgefordert; indes stellt sich hinterdrein in der Regel heraus, daß die Sache nicht so schlimm ist und mit einem „Körnchen Salz" genommen sein will. Man wird solche und ähnliche Mängel dem seit fast 50 Jahren in der erzieherischen Praxis unausgesetzt und mit Erfolg beschäftigten Verfasser nicht allzu strenge anrechnen dürfen, zumal er sich derselben ohnehin bewußt ist, aber bei dem Mangel an zusammenhängender Muße im Drange der Geschäfte eben manches hingehen lassen muß. Immerhin wäre der Wunsch berechtigt, daß eine verständige Hand das hier etwas unordentlich zusammengehäufte Golderz kunstgerecht verarbeiten möchte. Der breite Raum würde dann bedeutend eingeengt werden und die Wirkung entschieden gewinnen.

Die in der Schrift niedergelegten Erziehungsgrundsätze selbst verdienen alles Lob. „Erst Mensch, dann Christ und so erst ein ganzer Mensch!" Entwicklung erst der natürlichen leiblichen und geistigen Anlagen als Grundlage zur übernatürlichen Vollkommenheit, als deren Gipfel die christliche Freiheit in Liebe umfängt, was Gottes Wille zu des Menschen Heil verlangt und verordnet: das sind in der Tat die einzig richtigen obersten Leitsterne einer gesunden Erziehung. Einseitige Körperpflege und maßlose Viellernerei im erst erwachenden Geiste und rein weltliche Bildung für das Diesseits ist da ebenso verurteilt, wie überspannte Betonung des Uebernatürlichen unter Vernachläſſigung der Natur, auf der die Gnade aufbauen, die dieſe veredeln ſoll.

Da die Geiſtesbildung nach Pſychologie und Erfahrung von den Sinnen ausgeht, verlangt der Verfaſſer mit Recht vom Erzieher, daß die Kinder vor allem zum richtigen Gebrauch ihrer Sinne durch geeignete „Sinnesübungen" angeleitet werden ſollen, indem ſie für ihre nächſte Umgebung offenes Aug und Ohr und Aufmerkſamkeit bekunden, dort wahrnehmen, vergleichen, unterſcheiden, ſo wahre Begriffe bilden lernen und geiſtig in ſich wachſen, bevor man ihnen fremdes Wiſſen über Ferneliegendes vermittelt, das ſonſt unverdaut bleibt und höchſtens den Dünkel nährt. So lernt der Menſch ſelbſtändig denken und urteilen und läßt ſich dann nicht von einer gewiſſen Mode und öffentlichen Meinung jämmerlich gängeln und zum Beſten halten, was zur wahren ſittlichen Freiheit ganz und gar erforderlich iſt. In der Beziehung iſt wohl der Verfaſſer ſelber ein klaſſiſches Exempel. Er prüft alles, um nur das Beſte zu behalten und lehnt freimütigſt die viele bureaukratiſch feſtgelegte Unnatur im heutigen Schul= weſen ab, das trotz mancher ſchöner Redensarten von Erziehung praktiſch doch nur auf oberflächliches Vielwiſſen abzielt. Wiſſen ohne Frömmigkeit iſt ein zweiſchneidiges Schwert in der Hand eines Narren. Die Frömmigkeit aber wird weder durch ein paar Religionsſtunden wöchentlich, noch durch erzwungene „religiöſe Uebungen" erreicht, ſondern durch ein ganz chriſtliches Leben. Doch von wem ſollen die Kinder ſolches lernen, wenn weder das Elternhaus, noch deſſen Hilfsanſtalt, die Schule, darauf geſtimmt iſt? wenn weder Eltern noch Lehrer ſelber richtig erzogen ſind?

Was denkt der erfahrene Erzieher über die berüchtigte ſexuelle Aufklärung? In die Schule gehört ſie einmal nicht, taugt nicht für Maſſenbehandlung. Wo ſie bei Einzelnen notwendig wird, muß ſie von den dazu Berufenen, wie Vater oder Mutter, mit Umſicht und hohem ſittlichen Ernſte geſchehen. Dagegen iſt nichts zu erinnern.

Als Glaubensbekenntnis eines weithin bekannten Erziehers hat das Buch Anſpruch auf gebührende Beachtung; alle Erzieher werden daraus mancherlei Anregung zu eigenem Nachdenken nach ſeiner Weiſe und Abſicht des Verfaſſers ſchöpfen. Da aber religiöſe Materien darin nicht nur obenhin geſtreift werden, wie ſchon aus dem Titel erſichtlich, ſollte es im Sinne der Konſtitution Officiorum et munerum Leos XIII. biſchöfliche Druckerlaubnis aufweiſen.

Wien=Lainz.   P. Joſ. Schellauf S. J.

14) **Lehrbuch der allgemeinen Erziehungskunde.** Von Vinzenz Eduard Milde. Für den Schul= und Selbſtgebrauch bearbeitet von Gerhard Karl Kahl, Seminardirektor. Mit einem Bildniſſe Mildes. Paderborn. 1908. Druck und Verlag von Ferd. Schöningh. Einl. 12 S., XII. u. I. T. 214 S., II. T. 128 S. M. 2.80 = K 3.36.

„Milde iſt der bedeutendſte Pädagoge, den Deutſch=Oeſterreich hervor= gebracht hat", meint Wotke, und H. Baumgarten ſagt von Mildes Werk „es gehöre unbeſtritten zu den hervorragendſten pädagogiſchen Werken des verfloſſenen Jahrhunderts." Der erſte Teil des ungemein praktiſch und anregend angelegten Werkes handelt „von der Kultur der phyſiſchen und intellektuellen Anlagen", der zweite „von der Kultur des Gefühls — und Begehrungsvermögens". Die kurzen Paragraphe ermöglichen eine gute Ueberſicht und bequeme Leſung des Werkes, das Lehrern und Erziehern ihre Arbeit um vieles erleichtern wird

Hotz.

15) **Propädeutik der Psychiatrie** für Theologen und Pädagogen. Von Dr. Heinrich Schlöß, k. k. Regierungsrat, Direktor der niederöſterr. Landesanſtalten „am Steinhof" in Wien. Mit einem Vorwort von Dr. Heinrich Swoboda, Hauesprälat Sr. päpſtl. Heiligkeit, k. k. o. ö. Univer=

fitätsprofeffor in Wien. Wien. 1908. H. Kirfch. Gr. 8°. VIII u. 125 S. *K* 3.—.

Es wird gewiß von jedem Menfchenfreunde mit Freude begrüßt werden, daß sich in den letzteren Jahren immer mehr das Bestreben kundgibt, den unglücklichen Geistesgestörten mit vereinten Kräften zu Hilfe zu kommen, indem man die Ursachen und die Entwicklung dieser sich leider ·so sehr ausbreitenden Krankheiten durch eingehendes Studium stets besser kennen zu lernen sucht, um wo möglich schon im ersten Krankheitsstadium das notwendige Heilverfahren einzuleiten. Hierzu mitzuwirken sind an Seite des Arztes wohl am meisten die Seelsorger und Erzieher berufen, denen sich wohl auch oft genug Gelegenheit darbietet. Die vorliegende bündige und für jedermann faßliche Propädeutik, welche zu obgenanntem Zwecke sehr dienlich sein kann, entstand aus einzelnen Vorträgen, welche der berühmte Psychiater Dr. H. Schlöß auf Ansuchen seines Freundes, des Pastoralprofessors an der theologischen Fakultät der Wiener Universität Dr. H. Swoboda, den dort studierenden Alumnen des 4. Jahrganges mit Vorführung der wichtigsten Typen der Psychosen in ausgezeichneter Weise hielt.

Den medizinischen Darlegungen der Krankheitsformen werden die nötigsten Winke für die Behandlung der Erkrankten von Seite des Seelsorgers oder Erziehers angereiht. In dieser Beziehung sind besonders die letzten Kapitel wichtig, die über die Ursachen der Geistesstörungen überhaupt, dann über die Trunksucht und deren Folgen, ebenso über die nervösen Störungen im Kindesalter und über „entartete Kinder" handeln. In manchen Abschnitten werden auch gute Winke für die juristische Beurteilung von objektiv verbrecherischen Handlungen der Geisteskranken gegeben. Der Anhang, welcher über die Aufnahme der Geisteskranken in Irrenanstalten und über eventuelle Entlassung derselben handelt, wird dem Seelsorger, der in Landgemeinden öfter diesbezüglich Ratgeber sein muß, willkommen sein. Die notwendige Kürze brachte es mit sich, daß die für Seelsorger zunächst wichtigen Abschnitte über religiöse Verrücktheit, über Hysterie und Zwangsvorstellungen nicht mit zahlreicheren Beispielen belegt werden konnten. Bezüglich der Abnormitäten des Geschlechtstriebes bemerkten wir, daß anstatt des in der Moral gebräuchlichen Ausdruckes des Lasters der Bestialität (S. 57) der Ausdruck Sodomie gebraucht wurde, der sich auf einige Formen der vorher nur kurz besprochenen Homosexualität bezieht. Im übrigen ist mit Vermeidung oder Erklärung der medizinischen Ausdrücke die verdienstvolle Arbeit für jeden Gebildeten verständlich Bei einer neuen Auflage wäre nebst dem sorgfältigen alphabetischen Sachregister auch ein Verzeichnis der 22 Kapitel wünschenswert.   K.

16) **Geschichte des Bistums Limburg** mit besonderer Rücksichtnahme auf das Leben und Wirken des dritten Bischofs Peter Josef Blum. Von Dr. Matthias Höhler, Domkapitular. Mit 81 Illustrationen und zwei Karten. Druck und Verlag Limburger Vereinsdruckerei. 8°. XCVII u. 408 S. M. 3.75 = *K* 4.50; gbd. M. 4.75 = *K* 5.70.

Das schöne Buch zerfällt in zwei Teile: Im ersten Teile wird der langwierige, sehr verwickelte Werbeprozeß der Diözese Limburg dargelegt. Es vollzog sich diese Bildung in einer sehr kritischen Zeit von 1794 bis zum Ablauf des darauffolgenden ersten Vierteljahrhunderts. Der Historiker wird diesen Abschnitt mit großem Interesse lesen. Es kommen da zwei Bilder in harmonische Verbindung, das größere der oberrheinischen Kirchenprovinz und das kleinere der Limburger Diözese, beide in Stil und Charakter der damaligen Zeit, voll Kämpfe und Wirrnisse.

Der zweite Teil ist spezieller Natur und zeigt uns die Bischöfe der neuen Diözese, besonders den ausgezeichneten Bekennerbischof Blum. Der Verfasser war seit 1872 in seiner unmittelbaren Nähe, war unmittelbarer Zeuge seines Wirkens und Leidens und Genosse seiner Verbannung in Böhmen. Daher befand er sich) wie nicht ein zweiter in der Lage, das Leben dieses Kirchenfürsten zu beschreiben wie es war. Man fühlt in der Tat bei jedem Satze, den man liest, daß ihm dies gelungen ist. Und man übertreibt gewiß nicht, wenn man dieses Lebensbild ein Meisterstück nennt. Die heutige Generation wird gut tun, diese Biographie zu lesen und zu studieren. Sie wird nicht bloß geistigen Genuß daran finden, sondern auch erfahren, wie große Bischöfe entstehen und von welchem Geiste man beseelt sein müsse, um in der Kirche und für die Kirche Großes leisten zu können. Dem Verfasser sei zu seiner gelungenen Arbeit herzlichst gratuliert.

Linz.   Dr. M. Hiptmair.

17) **Das theologische Konvikt zu Innsbruck einst und jetzt.** Den Alt- und Jung-Konviktoren zum 50jährigen Jubiläum 1858—1908 in herzlicher Verehrung und Liebe gewidmet von Michael Hofmann S. J, Regens. Innsbruck. 1908. Als Manuskript gedruckt bei Felizian Rauch (Pustet). Im Verlage des theologischen Konviktes. Gr. 8°. IV u. 215 S.

Im Laufe dieses Jahres feierte das theologische Konvikt in Innsbruck ein großes Fest: es wurden fünfzig Jahre voll, seitdem dasselbe im Jahre 1858 gewissermaßen neu erstanden war. „Wohl niemand", lesen wir im ‚Geleitwort', „konnte 1858 ahnen, daß dieses kleine Samenkörnlein im Laufe von 50 Jahren zu einem mächtigen Baume heranwachsen würde, der seine Aeste und Zweige allein im Jahre 1908 auf rund 70 Diözesen von Europa und Amerika ausstrecken würde, so daß unter seinen Zweigen rund 250 Alumnen aus 9 verschiedenen Reichen und rund 16 verschiedenen Nationen in Frieden und in Liebe zusammenwohnen würden, derart, daß kein Wort größere Begeisterung in ihren jugendlichen Herzen hervorruft als der selbstgewählte Sinnspruch: „Cor unum et anima una."

Ein solches Konvikt und ein solches Fest verdiente auch, durch eine besondere Festschrift verherrlicht zu werden und eine solche hat die bewährte Feder des derzeitigen Leiters des Konviktes, des P. Michael Hofmann geliefert, eine Festschrift in des Wortes vollster Bedeutung. Inhalt und Sprache, herrliche Illustrationen und Porträte, Druck, Papier, Einband, kurz alles stimmt zusammen und gestaltet das Buch zu einem Prachtwerke für die Konviktoren, jung und alt, ist es ein kostbares Andenken an die Anstalt, in der sie die beste Erziehung und wissenschaftliche Ausbildung genossen haben. Anderen gewährt sie einen höchst interessanten Einblick in die Geschichte dieses Hauses, dessen allmähliches Wachstum, die Stürme, die es umbrausten, die Stellung der Männer, die es der Kirche gegeben, die wissenschaftlichen Bestrebungen der Lehrer und Schüler und so fort. Der Katholik freut sich bei der aufmerksamen Durchlesung des Gebotenen, der Oesterreicher ist stolz darauf, daß in seinem Vaterlande eine solche Anstalt existiert. Auf den Inhalt können wir leider nicht näher eingehen, so verlockend es auch wäre, Näheres aus demselben mitzuteilen. Man lese die herrliche Schrift selbst. Dem hochwürdigen Herrn Verfasser und seinen Mitarbeitern sei auch hier für ihre ausgezeichnete Leistung, die ihnen nicht wenig Mühe gekostet haben mag, der beste Dank ausgesprochen.

Linz.   Dr. Martin Fuchs.

18) **In Jus Antepianum et Pianum ex decreto „Ne temere" commentarii.** Von Benedikt Ojetti S. J., Professor an der Gregorianischen Universität in Rom. Druck von Friedrich Pustet. Kl. 8°. 174 S. Lir. 3.— = K 3.—.

Das neue Dekret „Ne temere" hat sofort nach seinem Erscheinen viele Kommentatoren gefunden. Wir nennen folgende deutsche Autoren: Dr. Alois Schmöger in St. Pölten, Dr. Joh. Haring in Graz, Martin Leitner in Passau, Aug. Knecht in Freiburg; von Italienern: Kard. Gennari, Trenta, Arendt S. J.; die Franzosen: Boudinhon und Besson und der Belgier Vermeersch. Die meisten

Kommentatoren schrieben in ihrer Landessprache, einige lateinisch und lateinisch geschrieben ist auch das oben angekündigte Buch.

Der Autor behandelt die diesbezüglichen Fragen in wissenschaftlicher Methode. Daher wird das Sponsalien- und Eheschließungsrecht in seiner ganzen Entwicklung vor dem Tridentinum und im Tridentinum mit allen seinen Folgen dargelegt, sowie alles, was Benedikt XIV. darüber festgesetzt hat, mitgeteilt wird, auch das was sich auf die Publikation des Trid. Dekretes bezieht. Daher finden wir auch eine Ortsangabe, wo das Dekret verkündet worden. Im zweiten Teile des Buches wird auf das Dekret Pius X. selbst eingegangen. In sieben Artikeln werden alle Fragen bezüglich der Sponsalien und der Eheschließungsrisis behandelt. Ein Appendix bringt die Lösung einiger Schwierigkeiten, die sich bald nach Erscheinen des Dekretes herausgestellt haben. Das Buch gehört jedenfalls zu den besten, die über den Gegenstand erschienen sind. Uniere speziell österreichischen Verhältnisse sind freilich nicht berührt.

Linz.   M. Hiptmair.

19) **Die Neuordnung der päpstlichen Behörden** auf Grund der Konstitution Sapienti consilio, 29. Juni 1908. Von Dr. Joh. Haring. Graz. Styria. 8°. 12 S. K —.40.

Da die erwähnte Konstitution eine eingreifende Aenderung in die päpstlichen Behörden mit sich bringt, muß auch der Seelsorger, der die betreffenden kirchlichen Behörden kennen muß, sich mit denselben befassen. Das obige Büchlein ist ein recht guter Behelf dazu. Eine Ergänzung durch einen Auszug aus den anderen „wichtigen Bestimmungen" nach ihrer allgemeinen praktischen Bedeutung z. B. betreffs Verkehr mit der Kurie, Agenden- und Gebührenwesen wäre wünschenswert.

St. Florian.   Prof. Asenstorfer.

20) **Im Flug an südliche Gestade.** Reiseeindrücke aus Spanien, Marokko und Italien. Von Georg Baumberger. Mit dem Bilde des Verfassers und über 100 Textillustrationen. Einsiedeln, Waldshut, Köln a. Rh. Verlagsanstalt Benzinger & Co., A. G. 8°. 496 S. Broschiert M. 6.— = K 7.20. In Originaleinband M. 7.— = K 8.40.

Die Lektüre dieses Buches ist sehr belehrend und zugleich sehr anziehend. Man hat keine gewöhnliche Reisebeschreibung in der Hand. Alles ist geschickt ineinander verwoben, das Kleine eines einfachen Touristen und das Große im modernen Weltgetriebe, die alten Bilder der Weltgeschichte und die Gestaltungen der Gegenwart, die feinen Beobachtungen an Menschen und Landschaften und die Regungen des eigenen Gemütes. Solche Reisebücher muß man mit Dank entgegennehmen.   M. H.

21. **Die Verehrung des heiligsten Herzens Jesu und des reinsten Herzens Mariä.** Von H. J. Nix S. J. Nach der 3. lateinischen Auflage ins Deutsche übersetzt. Freiburg. 1908. Herder. 8°. XII u. 212 S. M. 2.20 = K 2.64, gbd. in Leinwand M. 3.— = K 3.60.

In gedrängter Weise sind in diesem Werke die Geschichte, Natur und Früchte der Herz Jesu-Andacht, sowie die Art sie zu üben gezeigt. Die lateinische 3. Auflage ist bereits im 2. Hefte des vorigen Jahres dieser Zeitschrift besprochen. Der vielfach geäußerte Wunsch, für Ordenspersonen und Laien auch eine deutsche Bearbeitung erscheinen zu lassen, veranlaßte diese Ausgabe und bestätigt zugleich deren Brauchbarkeit. Das letzte Kapitel liefert auch hier eine bündige Abhandlung über die Verehrung des reinsten Herzens Mariä. Mögen durch diese Arbeit die segensreichen Wirkungen der für unsere Zeit so wichtigen Andachten zu den heiligsten Herzen Jesu und Mariä wieder vermehrt werden.   K.

10*

22) **Himmelstau fürs Christenherz.** Anweisungen für die Heiligung unseres Lebens nach dem heiligen Franz von Sales. Von P. Josef Lebeau, apost. Missionar. Provinzial der Oblaten des heiligen Franz von Sales. Linz. 1908. Kath. Preßverein. 16°. 235 S. Gbd. K 1.50.

In 24 Kapiteln werden Gegenstände des inneren Lebens behandelt — eine Tagesordnung für den Katholiken. Vom Aufstehen, von der Betrachtung, von der heiligen Messe, von der Mahlzeit, vom Abendgebet. Der heiligen Kommunion sind drei Kapitel gewidmet. Alles ist durchdrungen von dem milden Geist der Lehrweise des heiligen Franz von Sales. Den Oblaten des heiligen Franz von Sales — selbst nur eine Kongregation — haben sich Weltleute angegliedert, die analog wie die Tertiaren der Franziskaner, Tertiaren des heiligen Franz von Sales oder Dritter Orden des heiligen Franz von Sales genannt werden. Als geistiges Band dienen die Zirkularbriefe, welche der P. Provinzial herausgibt und an die Mitglieder sendet. Dieselben erklären und passen den heutigen Zeitverhältnissen das Direktorium des heiligen Franz von Sales an. Aus diesen Zirkularbriefen ist obiges Büchlein entstanden. Mildes und heilsames Oel für die Schäden unserer Zeit, die nach Aeußerlichkeiten und äußeren Effekt hascht. Innerliches Leben ist die Parole des Büchleins. Probetur.

Wien, Pfarre Altlerchenfeld.   Karl Krasa, Kooperator.

23) **Die große Verheißung des göttlichen Herzens Jesu.** Eine Trostbotschaft für das christliche Volk. Von P. Hättenschwiller. Innsbruck. Innsbruck. Felizian Rauch. 8°. 74 S. K —.70.

Die vorliegende Broschüre verbreitet sich mit der dem Verfasser eigenen Gründlichkeit über die zwölfte, sogenannte große Verheißung des göttlichen Herzens Jesu, in der allen, die an 9 aufeinander folgenden ersten Monats-Freitagen die heilige Kommunion als Sühnungskommunion empfangen, die Gnade eines guten Todes verheißen wird. In klarer Weise ist der Wortlaut, die Geschichte, der wahre Sinn, die Aufnahme der Verheißung im Volke dargetan. Einige rührende Sterbebilder zeigen die Verheißung als Trostbotschaft für das christliche Volk. Eine Anweisung, die Verheißung dem Volke darzutun, bildet den Schluß. Die Broschüre verdient besondere Beachtung des Klerus, der sich nach Lesung desselben zur Einführung der großen Novene im Volke und selbst zu halten gewiß mächtig getrieben fühlt und so auch den 10. Verheißung des Herzens Jesu; die härtesten Herzen zu rühren und der 11. Verheißung: für die Verbreitung der Andacht unauslöschlich ins Erlöserherz eingeschrieben zu sein, teilhaftig wird. Das Linz. Diöz.-Bl. 1907, Nr. 1, S. 2 empfiehlt ebenfalls eindringlich diese Andacht. Es sei der Leser noch auf den Auszug aus dieser Broschüre für das Volk zum Verteilen aufmerksam gemacht. 100 Stück kosten 5 K und fördern, an Beichtkinder, Vereine verteilt, erfahrungsgemäß die Abhaltung der großen Novene. Dieser 12seitige Auszug ist ebenfalls bei Fel. Rauch, Innsbruck, erschienen.   F. K.

24) **Weidenauer Studien.** Herausgegeben in Verbindung mit der Leo-Gesellschaft von den Professoren des f.-b. Priesterseminars in Weidenau (Oesterr.-Schlesien). 2. Bd. Wien. 1908. Opitz Nachf. 8°. 464 S. K 6.—.

Dieser neue Band ist wiederum ein erfreulicher Beweis für die allenthalben in katholisch-wissenschaftlichen Kreisen sich regende Rührigkeit und seinem Inhalte nach eine durchwegs anerkennenswerte Leistung Bei der Verschiedenheit des Inhaltes ist es sinnlos, in der Besprechung auf Einzelheiten einzugehen. Indem wir versichern, daß sämtliche Artikel in der betreffenden Fachliteratur mit Ehren genannt zu werden verdienen, begnügen wir uns mit einer kurzen Skizzierung des Inhaltes. Prof. Nikel (Breslau) bespricht „Neue Quellen zur ältesten Geschichte der jüdischen Diaspora" und hebt besonders hervor, welches Licht die Funde der letzten Zeit auf die religiösen Verhältnisse der Diaspora werfen: Nach den Kannuäer-Urkunden scheinen die deportierten „Israeliten" in

Kannu einen Jahvetempel errichtet zu haben, sowie die Papyri von Elefantine sicherstellen, daß in Assuan (= Syene) ein Tempel Jahves existierte. (S. 1—42.)

Prof. Miketta (Weidenau) kommt nach Besprechung der modernsten Theorien über „Die Entstehung des Volkes Israel" zum Resultat, daß die Bibel immer noch über die Vorzeit Israels „den sichersten Aufschluß gibt". (S. 43—81.) Prof. Al. Bukowsky S. J. bespricht in einem 1. Artikel „Die Genugtuungsidee in der russisch-orthodoxen Theologie": Die symbolischen Schriften der Russen stimmen mit dem katholischen Dogma völlig überein; die Polemik moderner russischer Theologen beruht zumeist auf einem Mißverständnisse des katholischen Standpunktes. (S. 83—132.) In seinem Artikel über den „Verpflichtungsgrund des Zölibates der Geistlichen in der lateinischen Kirche" tritt Prof. Stampfl geschickt und entschieden dafür ein, daß die Pflicht zur Keuschheit nicht auf einem votum, sondern auf einer lex beruht. (S. 133—184.) Den Prof. Buchwald (Breslau) führt seine Untersuchung über „das sogenannte Sacramentarium Leonianum und sein Verhältnis zu den beiden anderen römischen Sakramentarien" zum Ergebnis, daß das Leonianum eine Materialiensammlung für ein römisches Meßbuch nie gewesen ist, sondern in Frankreich entstand, und vielleicht auf Gregor von Tours zurückzuführen ist. (S. 185—251.) Für Homiletik und Pastoral bemerkenswert ist die Arbeit des Prof. Fischer über „die Würde und Bedeutung der Predigt". (S. 186—253.) Prof. Fr. Schubert behandelt die ep. Hieron. ad Nepotianum („Eine altchristliche Pastoralinstruktion"). (S. 254—317.) Allgemeines Interesse dürfte die sorgfältige Untersuchung des Religionslehrers R. Tomanek (Teschen) über „die innerkirchlichen Zustände in Norikum nach der vita Severini des Eugippius" wecken. Alles Lob aber müssen wir der Schlußnummer spenden: „Besteht zwischen dem 2. und 1. Briefe an die Gemeinde von Thessalonich eine literarische Abhängigkeit?" Kaplan Stephan Gruner (Niklasdorf) erweist sich darin als ein schlagfertiger Verteidiger der Echtheit des zweitersten Paulusbriefes.

St. Florian.   Dr. Vinzenz Hartl.

25) Vorträge über geistliche Themata. Von P. Judde S. J. Aus dem Französischen des Abbé Lenoir-Dupauc. Als Manuskript gedruckt. Regensburg. 1907. Friedrich Pustet. 388 S. M. 2.60 = K 3.12.

Der bestbekannte Verfasser hat diese Vorträge einst den Novizen der Gesellschaft Jesu gehalten und es werden darin die wichtigsten, das Ordensleben betreffenden Gegenstände in gründlichster Weise erörtert, nämlich: „Das geistliche Leben überhaupt, die geistlichen Uebungen, die christliche Nächstenliebe, Demut, Abtötung, Menschenfurcht, der apostolische Beruf, die Studien apostolischer Männer, die heilige Armut, der Gehorsam, die Keuschheit und der Missionsgeist."

Wenn dieses Buch auch in erster Linie dem Ordensklerus zu empfehlen ist, so wird es dennoch jedem Priester eine bildende, segenbringende Lektüre sein, ja selbst der gebildete Laie wird es nicht nutzlos lesen.   W. Sch.

26) Jahrbuch des Stiftes Klosterneuburg. Herausgegeben von Mitgliedern des Chorherrenstiftes. Wien. 1908. Kirsch. 8° VI u. 252 S., 7 Tafeln in Lichtdruck. K 8.—.

Der erste Band dieses neuen Jahrbuches enthält 4 interessante und wertvolle Aufsätze. H. Pfeiffer teilt den von B. Pez erwähnten, später verschollenen, nunmehr von ihm wieder aufgefundenen Text eines Osterspieles aus dem 13. Jahrhundert mit, dem er eine historische Einleitung und Beschreibung der Handschrift vorausschickt, sowie eine Analyse und einen Vergleich mit anderen Osterspielen. Mit Bezugnahme auf den Chorherrn W. Winthager (gest. 6. August 1467), der einen Kommentar zu den Lustspielen des Terenz verfaßte, schildert Prof. B. Cernik die Anfänge des Humanismus im Chorherrnstift Klosterneuburg, die er durch 2 Beilagen erläutert. — Ein Kapitel zur Geschichte der noch wenig gewürdigten innerpolitischen Tätigkeit des Prälatenstandes im Lande ob und unter der Enns hat Prof. B. Ludwig bearbeitet. In „Propst

Thomas Ruef" erzählt er die Beteiligung der Prälaten an den Verhandlungen mit Kaiser Rudolf und Erzherzog Matthias, die Teilnahme derselben und besonders des Propstes Ruef an der Preßburger Versammlung (1. Februar 1608), deren Beschlüsse der Propst aus Gewissensbedenken nicht unterschreiben wollte, bis er durch Drohungen des Erzherzogs dazu genötigt wurde. Ruef war im November 1608 wieder in Preßburg, wo er in den Verhandlungen zwischen den österreichischen und ungarischen Ständen vor der Königskrönung des Matthias eine ausgezeichnete Friedensrede hielt, die in der 5. Beilage mitgeteilt wird. Auch die anderen 4 Beilagen haben großen historischen Wert. — Der durch seine Schriften schon bekannte Kunsthistoriker Dr. W. Pauker berichtet auf Grund der Originalbriefe von der Tätigkeit des noch wenig bekannten Meisters Daniel Gran (geb. um 1694, † 1757 in St. Pölten) im Stifte Klosterneuburg, wo er u. a. das große Deckengemälde im Marmorsaale verfertigte.

Bilden auch die literarischen und Kunstschätze des Stiftes die Grundlage dieser Arbeiten, so sind dabei auch andere Quellen und die betreffende Literatur sorgsam herbeigezogen und benützt worden. Nicht bloß der Entstehungsort, sondern auch der geschichtliche Charakter der Arbeiten gibt ihnen ein eigenes Band, während der innere Wert sicher auch die Bedenken jener beschwichtigt, die mit einer Lokalisierung der Geschichtschreibung vielleicht weniger einverstanden sind. Die äußere Ausstattung ist geradezu vornehm.

St. Florian. Prof. Asenstorfer.

27) **Entstehung der Perikopen des Römischen Meßbuches.** Von Stephan Beissel S. J. Freiburg. 1907. Herder. 8°. VIII u. 220 S. M. 4. — K 4.80.

Es ist eine für jeden Seelsorger interessante Frage: Wann und wie sind die im Meßbuch enthaltenen Perikopen aus den Evangelien zusammengestellt worden? Der Verfasser gibt im Anschlusse an sein früher erschienenes Buch: „Geschichte der Evangelienbücher in der ersten Hälfte des Mittelalters" auf Grund einer ausführlichen Literatur und besonders eines langjährigen Handschriftenstudiums eine allseits befriedigende Antwort. Die Perikopeneinteilung geht nach Beissel auf Gregor d G., Gelasius, teilweise sogar auf Damasus, beziehungsweise Hieronymus zurück. Seit dem 11. Jahrhundert erhielt sie keine wesentliche Aenderung mehr. Lehrreich und übersichtlich sind die mannigfachen Tabellen, aus denen die Feier der verschiedenen Feste in Bezug auf Zeit und Gegend ersehen werden kann. Wie gar manche Meinung muß da der bewiesenen Wahrheit weichen! Es sei dieser wertvolle Beitrag zur Geschichte der Liturgie angelegentlich empfohlen.

St. Florian. Prof. Asenstorfer.

28) **Das Evangelium, dem Volke erklärt.** I. u. II. Band. Vom Advent bis Ostern. Von Josef Frassinetti, übersetzt von P. Leo Schlegel, Cisterzienser von Mehrerau. München. Druck und Verlag C. A. Seyfried & Comp. Gbd. M. 1.70 = K 2.04 pro Band.

Was Frassinetti schrieb, ist durchwegs gediegen. Und gediegen ist auch diese Evangelienerklärung, von der die zwei nächsten Bände im nächsten Jahr erscheinen werden. Frassinetti war ein Geistesmann und tüchtiger Praktiker in der Seelsorge. Beide Eigenschaften leuchten auch aus den vorliegenden Erklärungen hervor. Die originellen Gedanken, die ihm bei der Betrachtung kommen, verraten den geschulten aszetischen Geist und die trefflichen Anwendungen, die er auf seine Zuhörer zu machen versteht, zeigen den Mann, der im Volke lebte, mit ihm arbeitete und fühlte, es verstand und innig liebte und der stets, was als Hauptsache gilt, die goldene Mittelstraße wandelte. Wenn auch Italiener, ist er doch kein breitspuriger Redner, sondern nähert er sich mehr dem deutschen Charakter mit dem italienischen Vorzug der Klarheit und Eleganz. Die Uebersetzung verdient alles Lob. Das Werk ist somit allen Homileten zum Gebrauche bestens zu empfehlen.

Linz. Dr. M. Hiptmair.

29) **Tractatus de gratia Christi,** quem in usum auditorum suorum concinnavit G. Van Noort, s. Theol. in sem. Warmundano professor. Amstelodami. 1908. Van Langenhuysen. 8⁰. 216 S. M. 2.70 = K 3.24.

Vorliegender Traktat, in dem die Gnadenlehre in herkömmlicher Ordnung behandelt wird, reiht sich würdig den übrigen Schriften des Verfassers an. Er bietet wie seine Vorgänger bei mäßiger Ausdehnung einen reichen Stoff, der teils in Thesenform, teils in freierer Darstellung vorgelegt wird. Der Begründung der These geht stets eine klare Auseinandersetzung des Fragepunktes voraus. Durchgehends wird auch der dogmatische Gewißheitsgrad mit Anführung einer etwaigen Konzilsentscheidung angegeben. In der Untersuchung über das physische Sein der wirklichen Gnade, sowie in der Kontroverse über die wirksame Gnade und ihr Verhältnis zur Willensfreiheit gibt der Autor der thomistischen Lehrmeinung den Vorzug vor den anderen Systemen, setzt aber auch diese wohlwollend auseinander und hebt bei allen wie die Schwierigkeiten so auch die Vorteile hervor. Auch in der Frage, ob die Prädestination der Auserwählten vor oder nach Voraussicht der guten Werke geschehen sei, legt er beide Ansichten klar vor, ohne jedoch seine Entscheidung für die eine oder die andere bestimmt auszusprechen. Sich entschieden für die zweite einzusetzen, mag ihn wohl das thomistische Gnadensystem gehindert haben.

Das ganze Buch ist eine reife Frucht der Lehrtätigkeit des gelehrten Verfassers. Klarheit der Sprache, Kürze des Ausdruckes, Gediegenheit der Lehre und äußere Einrichtung machen es sehr geeignet zum Lehrbuche, freilich an Anstalten, an denen die Zeit für dogmatische Vorlesungen nicht zu karg zugemessen ist.

Klagenfurt.   Joh. Vorter S. J.

30) **Die Katholiken im Kultur- und Wirtschaftsleben der Gegenwart.** Von Dr. oec. publ. Hans Rost. Mit einer Einführung von Kanonikus Professor Meyenberg, Luzern. Köln. 1908. Verlag und Druck von J. P. Bachem. 8⁰. 88 S. M. 2.— = K 2.40.

Trotz aller glänzenden Taten der deutschen Katholiken — das stolze Wort „Germania docet" ist gewiß in mehr denn einer Hinsicht berechtigt — wurden im eigenen Lager wiederholt Stimmen laut, welche auf eine Inferiorität der Katholiken, zumal und dem Gebiete des Studiums und der Wissenschaft, hinwiesen. Die vorliegende Studie prüft auf Grund von statistischem Material (wir hätten im 2. Abschnitte eine Statistik aller süddeutschen Hochschulen gewünscht) die Berechtigung der Klage (2. Abschnitt), geht aber tiefer, um die Wurzel des Uebels aufzudecken, welche in der aus geographischen, historischen, sozialen und politischen Gründen sich erklärenden größeren Armut der deutschen Katholiken zu suchen ist. (1. und 3. Abschnitt.) Nicht die katholische Religion ist in irgend einer Weise der Hemmschuh. (4. Abschnitt.) Rost konstatiert im 5. Abschnitte, daß in letzter Zeit allenthalben ein erfreulicher Aufschwung sich zeigt, und gibt schließlich noch die Mittel an, welche anzuwenden sind, damit der letzte Rest inferioren Verhaltens der deutschen Katholiken auf allen Gebieten der materiellen und geistigen Kultur untergraben werde. — Das ist kurz der Inhalt des kleinen, aber ungemein interessanten und anregenden Buches. Kanonikus Meyenberg gab ihm ein Geleitwort voll Geist und Wärme mit, in welchem er die Pflicht der Anteilnahme der Katholiken an dem Aufschwung der Gesamtkultur darlegt. — Möge das Buch jene Beachtung und Verbreitung finden, die es verdient. Auch wir Oesterreicher können daraus lernen.

Marburg a. d. Drau.   Dr. Lukman.

31) **Die christliche Kunst.** Verlag München, Karlstraße 6. Vierteljährlich M. 3.— = K 3.60.

Der vierte Jahrgang 1907—08 dieses schon wiederholt empfohlenen katholischen Unternehmens erfuhr eine nicht unbedeutende Vermehrung der

Seitenzahl und umfaßt jetzt 300 Seiten nebst 116 Seiten der ständigen Beilage; die Zahl der durchwegs vorzüglichen Illustrationen stieg mit den 18, teils far= bigen Sonderbeilagen auf fast 400. An illustrativer Ausstattung stehen diese Monatshefte auf der Höhe moderner Reproduktionstechnik und das ist gerade bei einer Zeitschrift für das gesamte Kunstleben ein entscheidender Faktor; sagt uns ja doch eine einzige gute Wiedergabe mehr über Eigenart und ästhetischen Wert eines beliebigen Werkes der bildenden Künste als seitenlange ermüdende Beschreibung mit bloßen Worten. Wenn aber Text und Bild sich gegenseitig unterstützen und fördern, wird die Lektüre ein Genuß. So schilderte Dr. Holland eine der lieblichsten deutschen Frauengestalten, die heilige Elisabeth, in Geschichte und Kunst, anläßlich ihres siebenhundertjährigen Geburtstages. Dr. Bone orien= tiert über den berühmten Eduard von Gebhardt und seine Gemälde in der Friedenskirche zu Düsseldorf. Dieser protestantische, christusgläubige Künstler zeichnet sich aus durch ganz deutsches Empfinden, sowie eine herbe Realistik in seinen zahlreichen biblischen Vorwürfen. Mögen auch der beinahe derbe Charakter mancher Typen und seine eben nicht sehr traditionelle Komposition anfangs be= fremden, es zeigen sich darin so viele gesunde und ästhetisch berechtigte Elemente, daß man es nur begrüßen kann, wenn auch katholische Künstler sich bestreben, einen kräftigeren, lebenswahren Zug in unsere Kirchenkunst zu bringen, die sich vielfach noch in abgeleierten Formen und veralteter, übertriebener Stilisierung bewegt. So z. B. hat R. Seuffert es in seinen Kreuzwegbildern meisterhaft ver= standen, einen gut modernen Zug hineinzulegen ohne das erbauende Moment zu beeinträchtigen. Ein weiteres Monographieheft beschäftigt sich mit dem hoch= originellen A. Pacher und seinen eminent malerischen Glasfensterentwürfen. Pacher ist entschieden eine schöpferische Kraft auf diesem Gebiete, ein phantasie= voller, ideenreicher und ganz individuell schaffender Meister, dessen Entwürfen man Kirchlichkeit nicht absprechen darf, wenn auch nicht jede seiner Skizzen ge= nügend ausgereift ist. Der hochwürdige Herr Redakteur selber macht uns bekannt mit einem jungen französischen Künstler, Maurice Denis, der ebenfalls neue Wege einschlägt in der religiösen Malerei; ein weiterer Aufsatz aus der gleichen gewandten Feder schildert die Porträtmalerei und die verschiedenen, von einzelnen Künstlern dabei bevorzugten Auffassungen. In den zahlreichen Entwürfen für Taufsteine bekundet sich durchwegs eine gute Schulung des jungen Münchener Nachwuchses. Daß es auch im heutigen Italien nicht fehlt an bemerkenswerter Begabung, beweisen die plastischen Meisterwerke der neuen Immakulatakirche zu Genua. Die vor einigen Jahren restaurierten Fresken in der Ludwigskirche zu München vom großen Peter von Cornelius werden textlich und illustrativ eingehend gewürdigt. Aus dem übrigen reichen Inhalte seien nur noch kurz er= wähnt die vielbesprochene Ausstellung München, die Abteikirche Maria Laach und die zu Knechtsteden, „Neue Goldschmiedearbeiten", „Biblische Wandbilder" und „Einfache künstlerische Grabdenkmäler", ferner die Maler Frank, Fugel, Uhde und endlich der genialsten einer, L. Samberger. — Möge dem zeitgemäßen Unternehmen und seinen Bestrebungen die redlich verdiente Anerkennung voll= auf zu teil werden, zumal bei der hochwürdigen Geistlichkeit, und zwar nicht nur durch treues Abonnement, sondern auch durch grundsätzliches Meiden aller Bestellungen auf billige, unkünstlerische Fabrikware, wobei die wirklich berufenen Künstler darben müssen. Gegebenenfalls wolle man sich der Vermittlung obigen Verlags bedienen! Unsere zahlreich vorhandenen Talente für religiöse bildende Kunst sind leider nur allzusehr angewiesen auf ausgiebige finanzielle Förderung. Mit schönen Idealen allein und billigem Theoretisieren bekommen wir keine neue Blütezeit christlicher Kunst; dazu bedarf es vereinten praktischen Handelns aller berufenen Faktoren, also ganz besonders des hochwürdigen Klerus!

P. Berthold Tuttine S. D. S.

B) Neue Auflagen.

1` **De Minusprobabilismo** auctore Lud. Wouters C. Ss. R. theologiae moralis et pastoralis professore. Editio altera penitus recognita et aucta, additis imprimis responsis ad novissimas obiectiones. Galopiae. M. Albers. Pag. 154 in 8º.

Zweck dieser neuen, gegen den Probabilismus gerichteten Schrift ist, sich mit den Entgegnungen abzufinden, welche die erste Auflage erfahren hat.

Das leistet sie allerdings nur recht unvollständig. Darum ist es schwer begreiflich, wie der Verfasser in der Vorrede sich für berechtigt halten konnte zu glauben, er habe alle Entgegnungen entkräftet.

Dem Verfasser ist es zunächst zum stehenden Axiom geworden, die Päpste und die Kirche hätten den Probabilismus so oft zurückgewiesen (S. 132 und 145), und er spricht deshalb den sehnlichsten Wunsch aus, daß doch „alle, sowohl Welt- als Ordensleute, welche nur die Wahrheit und den Frieden liebten, . . . jenes System verlassen möchten"! Wie wenig jene „Zurückweisung seitens der Kirche" auf sich habe, wie sehr im Gegenteil das Verhalten der Kirche und der Päpste seit mehr als einem vollen Jahrhundert als Billigung des Probabilismus gelten müsse: hatte Rezensent in seiner Schrift Probabilismus vindicatus (S. 112 ff.) dargetan. Darauf erwidert Wouters kein Wort.

Als Beweis für die Berechtigung des Probabilismus wurde und wird von den Probabilisten stets der Grundsatz betont „Lex dubia non obligat" und zwar in dem Sinne, daß zur Verpflichtung eine moralisch sichere Kenntnis des Gesetzes erfordert werde, welche nach dem heiligen Thomas von Aquin eine scientia sei; eine solche liege aber nicht vor, solange gegen das Bestehen des Gesetzes wichtige Gründe (vere probabiles) sprechen. Wie widerlegt nun Wouters diesen Beweis zugunsten des Probabilismus? Dadurch, daß er aus der scientia des heiligen Thomas eine cognitio opinativa macht; diese cognitio opinativa eines Gesetzes müsse zur Verpflichtung genügen. — Dabei geht er wiederum nicht auf die Beweisgründe, welche Rezensent (a. a. O. S. 28 ff.) gebracht hat, daß der heilige Thomas scientia und opinio sehr wohl von einander unterscheidet. Und was noch schwerwiegend ist, Wouters setzt sich damit in den flagrantesten Gegensatz zum heiligen Alphons selbst, der l. 1 n. 74 gegen Patuzzi hervorhebt: „Daß aber unter der Bezeichnung scientia eine probabilis notitia verstanden werde, ist eine ganz neue Worterklärung; denn alle Philosophen unterscheiden mit dem heiligen Thomas die opinio von der scientia: letztere wird genommen als die sichere Kenntnis einer Wahrheit." Wouters hätte beweisen müssen, daß wir von der Richtigkeit eines Satzes, gegen den schwerwiegende Gründe vorliegen, dennoch eine sichere Kenntnis hätten oder haben könnten: statt dessen eignet er sich den Einwurf eines Patuzzi gegen St. Alphons an.

Trotz solcher verunglückten Widerlegungen des Probabilismus, von denen die angeführte nur ein Beispiel ist, bleibt Wouters in der Meinung, den Probabilismus widerlegt und die Alleinberechtigung des strikten Aequiprobabilismus bewiesen zu haben.

Der innere Beweis zur Widerlegung des erstern, dem die meiste Beweiskraft beigelegt wird, ist folgender: „Man ist gehalten, aufrichtig nach Uebereinstimmung mit der objektiven Sittlichkeitsnorm zu streben, d. h. nach Uebereinstimmung mit der lex aeterna. Das tue ich aber nicht, wenn ich eine Richtschnur wähle oder befolge, welche nach meinem eigenen Urteile der besagten Sittlichkeitsnorm wahrscheinlicher zuwiderläuft als mit ihr übereinstimmt, und diejenige Richtschnur verlasse, welche mit jener Sittlichkeitsnorm wahrscheinlicher übereinstimmt, als nicht übereinstimmt, mit andern Worten, wenn ich als Richtschnur meines Handelns den Satz nehme: diese und jene Handlung ist erlaubt, da sie doch nach meiner Meinung wahrscheinlicher vom ewigen Gesetze nicht erlaubt, sondern verboten wird."

Diesen Beweis hatte Rezensent durch eine ganze Reihe von Gegengründen zu entkräften gesucht, d. h. den Ober= und Untersatz jenes Beweises auf verschiedene Weise distinguiert, um dadurch ihm die Beweiskraft zu nehmen. Auf keinen dieser Einwürfe und Gegengründe finde ich in der zweiten Auflage eine genügende Antwort.

Der eine Gegengrund lautete: Allerdings müssen wir nach Uebereinstimmung mit der lex aeterna streben, aber soweit wir sie kennen, mit der lex cognita, nicht mit der lex non cognita. Die erstere Uebereinstimmung wahrt der Probabilist, und deshalb genügt er den Anforderungen der lex aeterna.

Darauf hat Wouters geantwortet, diese Unterscheidung treffe seinen Obersatz nicht, weil er nicht von der sicher oder wahrscheinlicher erkannten lex rede, sondern von der lex selber, wie sie Gott gegeben habe. Diese Antwort habe ich als „höchst sonderbar" bezeichnet, da ich ja eben das unterscheide, was Wouters undistinguiert lasse. Das will Wouters jetzt S. 78 nicht gelten lassen und behauptet von neuem, ich rede von einem andern Gegenstand als er; er rede von der lex in se spectata, ich von der lex in mente hominum, als ob von der Kenntnis des Gesetzes das Gesetz selbst zu einem andern Gegenstand würde! Nein, auch ich rede von der wirklichen lex aeterna, d. h. der wirklichen durch Gott von Ewigkeit her gewollten und notwendig gewollten Ordnung; aber eben diese ewig von Gott gewollte Ordnung wird entweder von uns erkannt, oder sie bleibt uns dunkel und unbekannt. Auf diese Unterscheidung muß geachtet werden, wenn wir die Sittlichkeitsnorm fürs menschliche Handeln und ihre Verpflichtung erklären wollen. Wouters will um keinen Preis diese Unterscheidung, und deshalb gerade kann er scheinbar einen Beweis für seine These aufstellen, die aber durch jene notwendige Unterscheidung in Nichts zerrinnt.[1]

---

[1] Der Verfasser schreibt am Ende der Broschüre S. 145: „Id unum ab egregiis meis adversariis peto, ut ipsi dissertationem hanc impugnaturi, et argumenta nostra eaque integra et ulteriorem argumentorum probationem et nostra ad objectiones responsa cum lectoribus communicent." Das ist allerdings bezüglich aller in dem Werke zu beanstandenden Stellen unmöglich, wenn man nicht eine doppelt so umfangreiche Gegenbroschüre schreiben will. Bezüglich der einen hier besprochenen Detailfrage soll dem Wunsche des Verfassers insoweit willfahrt werden, als die von mir beanstandeten Punkte vollständig im Wortlaute des Verfassers mitgeteilt werden.

S. 72. „Sit argumentum. Debeo sincere tendere ad convenientiam cum moralitate objectiva seu cum Legis aeternae ordinatione objectiva vel antecedenti circa actionem. Atqui, id haudquaquam praesto, quum eligo seu sequor normam quae meo judicio praedictae moralitati seu ordinationi probabilius adversatur quam convenit cum ea, relicta norma quae eidem ordinationi probabilius congruit, quam non congruit ei: aliis verbis, quum tamquam normam agendi eligo seu sequor propositionem hanc: Actus hic vel ille permittitur, dum mea opinione probabilius antecedenter non permittitur sed prohibetur."

Dagegen hatte ich nach weitläufiger Erklärung jenes Strebens nach Gleichförmigkeit mit dem göttlichen Willen und Gesetze, wie weit es wirklich für uns Pflicht ist, kurz resümierend bemerkt: „Distinguo mai: Debeo sincere tendere ad convenientiam actionis mea cum lege aeterna cognita .. conc. maiorem ...; debeo id facere quoad legem aeternam non cognitam et cognitu impossibilem, subdist ...... eo sensu, ut, neglectis opinionibus solide probabilibus circa legem non exsistentem, pro norma agendi sumam probabiliores, nego hanc partem maioris ...."

Darauf antwortete Wouters: „Respondeo, distinctione ista principium nostrum haudquaquam distingui. Etenim non edicit principium, tentendum nobis esse ad convenientiam cum ordinatione divina certo aut probabilius cognita, at, ut supra videre est, in convenientiam cum ipsissima ordinatione divina. Ex eo principio indubitanter efficitur, eam quae nostra persuasione cum praedicta ordinatione probabilius convenit opinionem

Ferner hat Rezensent gegen jenen Hauptbeweis Wouters folgendes geltend gemacht: Wenn das notwendige Streben nach möglichster Uebereinstimmung mit der lex aeterna den Gebrauch der sententia minus probabilis (die Probabilisten halten denselben in dem Falle, daß jene sententia noch vere probabilis bleibt, für erlaubt) unerlaubt macht: dann macht es auch den Gebrauch der sententia paullo minus und der dubie minus probabilis unerlaubt und zerstört somit das Prinzip der Aequiprobabilisten.

Wouters gibt hierauf die Antwort, daß dieses Abmessen der Meinungen nicht möglich sei und die Beachtung solcher Unterschiede zu steten Schwankungen und Aengstlichkeiten führen müßte. — Ja; das beweist aber nichts gegen die logische Folgerichtigkeit meines Einwurfes, sondern es beweist höchstens, daß das System, aus welchem sich solche Folgerungen ergeben, revidiert werden muß, oder vielmehr, daß es nicht richtig sein kann.

Ein anderer Einwurf gegen die Beweiskraft des Wouter'schen Arguments besteht darin, daß ich behauptete: Wenn das Streben nach Gleichförmigkeit mit der lex aeterna pflichtgemäß sei, dann sei mehr noch als das Streben nach positiver Uebereinstimmung das andere Streben oder die andere Seite jenes Strebens pflichtgemäß, welche suchte jeden Widerstreit unserer Handlungen mit dem ewigen Gesetz zu vermeiden; es müsse dann also alles, was „vielleicht" vom ewigen Gesetze geboten wäre, geleistet, alles, was von ihm „vielleicht" verboten wäre, gemieden werden — mit andern Worten, es sei dann der absolute Tutiorismus zu wählen.

Darauf erwidert Wouters mit Leugnung beider Sätze (S. 85); denn 1. sei es unrichtig, daß die Verbote stärker verpflichteten als die Gebote; beide verpflichteten gleichmäßig. — Darauf antwortete ich: Wenn dem so wäre, so wäre es für den Beweisgang höchst nebensächlich. In der Tat aber leugnet Wouters damit einen von allen Theologen anerkannten Satz, daß das Verbot

sequendam esse. Liquet ergo, adversarium sensum principii non rite perspexisse."

Darauf entgegnete ich: „Valde mirum est, illa distinctione non peti principium enuntiatum, cum sententia, quam distinxi, sit verbotenus principium enuntiatum . . . . . in hoc enim sita est oppugnatio per distinctionem. ut qui oppugnet id distinguat, quod alter non distinxerat. Sumo sane ipsissimam ordinationem divinam, seu ipsissimam legem divinam, a que eam distinguo in legem homini cognitam vel cognoscibilem, et in legem non cognitam neque cognoscibilem; hanc nego esse normam cui me conformare debeam, illam normam esse fateor."

Wouters antwortet: „Praecise quia adversarius legem divinam, quae a nobis solum in se ipsa et independenter a nostra cognitione spectatur, distinguere conatur in legem certo cognitam et in legem non certo cognitam, principium nostrum re ipsa non distinguit. Etenim distinctio exigit, ut unum e distinctis involvat obiectum distinguendum. Atqui id in casu nostro non obtinet, quum viso nostro p incipio, objectum in quod tendere debeamus, neque sit lex certo cognita neque lex non certo cognita, sed lex in se spectata seu lex quatenus in se, et non in mente hominum sit."

Außer den oben im Texte gemachten Bemerkungen erlaube ich mir hier noch das eine zu sagen: Bei einer logisch richtigen Distinktion muß nicht das eine der Distinktionsglieder den distinguierten Gegenstand umfassen; sondern beide Distinktionsglieder zusammengenommen müssen den distinguierten Gegenstand ausmachen. Das geschieht aber bei der von mir gemachten Distinktion. Die lex aeterna, wie sie in Gott ist, besteht entweder aus Vorschriften, die uns Menschen bekannt oder erkennbar sind, oder aus solchen, die uns nicht bekannt und nicht erkennbar sind: beide Kategorien zusammengenommen erschöpfen das ganze Gebiet der lex aeterna; aber unser Erkennen oder Nichterkennen ändert nicht den Gegenstand selbst, sondern läßt ihn unberührt. Deshalb muß ich von neuem sagen, die Antwort Wouters ist und bleibt mir unverständlich.

vor dem positiven Gebot den Vorrang habe, und daß deshalb bei sogenanntem Widerstreit der Pflichten vor allem das Verbot beachtet werden müsse.

2. Antwortet Wouters, es handle sich in der ganzen Frage nicht um Uebereinstimmung oder Widerspruch mit dem ewigen Gesetze bezüglich der einzelnen Handlungen als solchen, sondern bezüglich der allgemeinen Handelsnorm; diese müsse vom Streben nach Uebereinstimmung mit dem ewigen Gesetze geleitet sein, und das fehle eben bei der allgemeinen Handlungsnorm der Probabilisten. — Darauf ist zu erwidern: Die allgemeine Handlungsnorm ist doch zur Regelung der einzelnen Handlungen da; ihre Aufgabe ist es nur, die einzelnen Handlungen in die notwendige Uebereinstimmung mit dem göttlichen Gesetze zu bringen; sie braucht daher auch selbst keine größere Uebereinstimmung mit der lex aeterna zu haben und zu erstreben, als die einzelnen Handlungen sie haben müssen. Mithin ist diese von Wouters gemachte Unterscheidung ein Schlag ins Wasser. Und es sind damit auch all die Klagen Wouters gegenstandslos, welche er mehrmals erhebt, sein Axiom über die Notwendigkeit, sich in Uebereinstimmung mit der lex aeterna zu setzen, sei von den Probabilisten nicht recht verstanden.

Doch es sei, es möge sich um die Handlungsnorm des probabilistischen Systems handeln: Dieses soll nach Wouters das pflichtschuldige Streben nach Uebereinstimmung mit der lex aeterna außer acht lassen. Jene Norm des Probabilismus wird von Wouters in dem Satze ausgedrückt: „Diese oder jene Handlung ist erlaubt, da sie doch nach meiner Ansicht wahrscheinlicher von der lex antecedens nicht erlaubt, sondern bezüglich verboten ist"; das enthält aber deutlich, wie Wouters weiter sagt, eine Mißachtung der lex antecedens oder aeterna. (Wouters, S. 72 f.). — Dagegen ist nun 1. zu sagen: Das probabilistische Axiom oder seine Handlungsnorm lautet allerdings etwas anders; es heißt: „Ist ein Gesetz zweifelhaft, dann ist diese oder jene Handlung erlaubt, welche gegen ein solches zweifelhaftes Gesetz verstoßen würde, falls triftige Gründe für das Nichtbestehen des Gesetzes vorliegen, selbst dann noch, wenn für das Bestehen des Gesetzes wichtigere, aber nicht beweisende Gründe vorgebracht werden sollten." Also der von Wouters formulierte Satz ist so weit davon entfernt, die Handlungsnorm des Probabilismus auszudrücken, daß er höchstens in einem recht selten vorkommenden Falle seine Anwendung hat, und auch dann in einer Gestalt, die einen ganz anderen Geist atmet, als die von Wouters gebrauchte Form. Wouters sagt nämlich: „Actus hic vel ille permittitur, dum mea opinione probabilius antecedenter non permittitur sed prohibetur", während es heißen muß: etiam si prohibetur. Ob gerade durch diese Fassung und durch die Gegenüberstellung des „permittitur, dum antecedenter probabilius prohibetur" das Unsittliche des Probabilismus so recht in die Augen springen soll, weiß ich nicht. Das könnte aber nur einen Unkundigen täuschen. Auch der Grundsatz des Aequiprobabilismus läßt sich mit gleichem Fug und Recht auf folgenden Satz bringen; „Actus hic et ille permittitur, dum mea opinione saltem aeque probabilius et fortasse probabilius antecedenter non permittitur sed prohibetur." Probabilismus wie Aequiprobabilismus muß darauf antworten: Eben weil das Verbot der lex antecedens nicht feststeht, tann es außer acht gelassen werden.

Daher ist 2. durchaus zu leugnen, daß es ein Verstoß gegen die lex aeterna sei oder eine Mißachtung derselben enthalte, wenn man eine Handlung für erlaubt erklärt, gegen welche kein nachweisbares Verbot der lex aeterna vorliegt, sondern nur probable, wenn auch probabelere, Gründe geltend gemacht werden können. Denn damit diese probabeleren, aber immer unsicheren und sehr anfechtbaren Gründe die genannten Handlungen unerlaubt machten, müßte eben die Falschheit des Probabilismus und die Richtigkeit des Probabiliorismus oder des in diesem Punkte ihm gleichen Aequiprobabilismus schon bewiesen sein. Und doch handelt es sich hier gerade um den Nachweis der Unrichtigkeit des erstern und der Richtigkeit des zweiten Systems. Dieser Nachweis durch das in Rede stehende Argument Wouters wäre also in Wirklichkeit die reinste petitio principii,

und Wouters würde damit in den Fehler gegen die Logik fallen, den er nicht
selten, wiewohl mit Unrecht, seinen Gegnern vorwirft.

Eine solche petitio principii findet er unter anderem S. 120 in dem Be=
weise des Rezensenten zugunsten des Probabilismus aus dem Mangel der
genügenden Promulgation. Rezensent geht nämlich so voran: Ein nicht
genügend promulgiertes Gesetz verpflichtet nicht. Nun aber ist ein Gesetz, dessen
Existenz durch triftige Gründe bestritten wird, nicht genügend promulgiert. Also
verpflichtet ein durch triftige (probable) Gründe bestrittenes Gesetz nicht. Den
Obersatz nehmen alle an, auch Wouters; den Untersatz beweise ich. Und das
soll petitio principii sein, d. h. ich soll etwas als bewiesen unterstellen, was eben
zu beweisen ist!

Will also Wouters jenen Beweis zugunsten des Probabilismus anfechten,
dann muß er den Beweis des Untersatzes widerlegen, nicht aber von petitio
principii sprechen.

Eine Widerlegung des Untersatzes wird in der Tat versucht bei dem
andern Beweise zugunsten des Probabilismus, der aus der unüberwindlichen
Unkenntnis des Gesetzes hergeleitet wird. Allein es gelingt nur dadurch,
daß Wouters sich im Gegensatz zum heiligen Thomas setzt oder diesen die opinio
zur scientia rechnen läßt, was der heilige Alphons, wie oben schon bemerkt ist,
als eine bis da unerhörte Neuerung bezeichnet.

Freilich versucht Wouters noch eine andere Widerlegung des Beweises
aus der unüberwindlichen Unkenntnis des Gesetzes auf indirektem Wege durch
Umkehr des ganzen Beweisganges gegen die Freiheit, indem er sagt (S 11),
man könne ebensogut behaupten: solange ein triftiger Grund gegen die Freiheit
vom Gesetze vorliege, sei man in unüberwindlicher Unkenntnis der Freiheit; eine
solche ungekannte Freiheit sei aber keine Freiheit; also bestehe diese gegenüber
einem wahrscheinlichen Gesetze nicht. Allein dieser Einwurf und diese Beweis=
führung kann dem Verfasser der Broschüre schwerlich ernst gemeint sein, sonst
sägt er sich selber den einzigen Ast ab, auf welchen er sein System des Aequi=
probabilismus setzt. Als einzigen inneren Beweis für die Haltbarkeit des Aequi=
probabilismus nämlich führt er S. 146 den Besitztitel der Freiheit vor dem
des Gesetzes an. Und doch leugnet er diesen in der obigen Widerlegung des
Probabilismus; denn er fordert ebenso den positiven Beweis der Freiheit, um
nicht verpflichtet zu sein, als der Beweis des Gesetzes gefordert wird, um ver=
pflichtet zu sein. Allein es wird jeder Leser unschwer zugeben: Das Gesetz muß
seine Existenz beweisen, wo sein Bestehen in Frage kommt, nicht die Freiheit!
Sollte aber Wouters sagen, jene sogenannte retorsio argumenti und die Gleich=
stellung von Gesetz und Freiheit mache er nur im Sinne der Gegner; dann
wird dadurch seine Lage nicht verbessert. Dann hat sein Argument nur Beweis=
kraft jenen Gegnern gegenüber, welche wirklich Gesetz und Freiheit gleichstellen.
Daß dazu die Probabilisten gehören, wird Wouters selber nicht behaupten wollen.
Und doch sollte und müßte die retorsio argumenti die Probabilisten treffen.

Aus dem Gesagten dürfte zur Genüge hervorgehen, ob und in wie weit
der Zweck der Broschüre erreicht ist, den Probabilismus zu entkräften und den
Nachweis zu führen, daß dessen Grundsätze aufgegeben werden müssen (S. 145).
Statt zur Entkräftung dürfte die Schrift eher zur Bestärkung des Probabilis=
mus dienen; denn die Schwächen der Angriffe können dem denkenden Leser
nicht entgehen.

Uebrigens ist der praktische Unterschied zwischen der Handlungsnorm eines
vernünftigen Probabilisten und der eines vernünftigen Aequiprobabilisten ein
nicht nennenswerter. Der Probabilist läßt eine minus probabilis sententia zu=
gunsten der Freiheit nicht mehr gelten, wenn sie durch das größere Gewicht der
entgegengesetzten Meinung zu einer nicht mehr vere et solide probabilis gewor=
den ist, und der Aequiprobabilist wird eine sententia minus probabilis, welche
in Anbetracht aller Umstände noch vere et solide probabilis bleibt, nie eine
sententia certe et notabiliter probabilis nennen, sondern nur dubie oder
paullo minus probabilis und sie deshalb nach seinem System für praktisch be=

folgbar halten. So wenigstens der heilige Alphons. Bei dieser Sachlage ist es in der Tat nicht der Mühe wert, sich viel zu streiten um Probabilismus und Aequiprobabilismus. Die Zeit und die Kräfte können jedenfalls zu nützlicheren und notwendigeren Arbeiten verwendet werden.

Valkenburg (Holland).   Aug. Lehmkuhl S. J.

2) **Felix Molmann** oder: Das Leben und Wirken eines christ= lichen Mustererziehers vor hundert Jahren. Nebst Auszügen pädagogischer Lehren und Grundsätze aus dessen Tagebuche. Bearbeitet von Josef Pieper. Fünfte Auflage. Paderborn. 1908. Druck und Verlag von Ferd. Schöningh. 68 S. 50 Pf. = 60 h.

Das Büchlein bringt im ersten Teil Molmanns Leben und Wirken. Eine edle, einfache Lehrergestalt mit tiefer Auffassung seines Berufes tritt vor uns auf; seine Beziehungen zu den Kindern, seinen Amtskollegen, zur Kirche, Familie . . . sind von den denkbar edelsten, durch und durch katholischen Grund= sätzen getragen. „Die Kinder gehören dem Himmel an und sollen für denselben erzogen werden." „Was du bilden und erziehen willst, das werde zuerst selbst!" Das sind seine leitenden Sterne.

Der zweite Teil enthält Auszüge aus seinem pädagogischen Tagebuch. Wie der erste Teil weniger durch große Ereignisse als durch die edlen und so wahren ausgeprägten Grundsätze interessiert, so auch der zweite, der für jeden Lehrer, namentlich der Kleinen, dem es an Muße fehlt, ausführliche Werke zu lesen, eine unschätzbare Quelle von Anregungen und sicherer Führung bietet. Wirklich ein kostbares Büchlein für jeden Erzieher.   Hotzy.

3) **Gebt mir große Gedanken!** Ein Buch für die Krisen des Lebens. Von Franz X. Kerer. Zweite verbesserte Auflage. Regensburg. 1908. Manz. 8°. VIII u. 152 S. Brosch. M. 1.20 = K 1.44.

Wem wären heute nicht große Gedanken eine Notwendigkeit! Der Jugend, daß sie nicht in die seichte, unchristliche Weltanschauung verfalle, den Eltern, Lehrern und Erziehern, die der Jugend mit Rat und Tat beistehen und sie hinüberheben sollen über die Krisen des Lebens. Dem Seelsorger der heutigen Zeit tun namentlich große Gedanken not, daß er in seiner Arbeit, die scheinbar oft wenig gelohnt ist, nicht die Arbeitsfreude verliere. Daher ist das Büchlein in den Händen junger Leute, die vor der Berufswahl stehen, der Eltern, Er= zieher und Seelsorger gerne zu sehen. Wir würden nach Lesung des Büchleins mit großen Gedanken bestärkt, auch sagen, was Kaiser Wilhelm I. am Sterbe= bette sagte: „Wir haben keine Zeit, müde zu sein" und mit einem römischen Kaiser rufen: „Laboremus!"   F. K.

4 **Die Macht der Persönlichkeit im Priesterwirken.** Von Franz X. Kerer, Pfarrer in Langengeisling. Zweite Auflage, 3. und 4. Tausend. Regensburg. Manz. VIII u. 114 S. M. 1.— = K 1.20.

Dieses für Priester und Priesteramtskandidaten besonders empfehlens= werte Büchlein betont die Notwendigkeit und Wirksamkeit der Güte und Men= schenfreundlichkeit im seelsorglichen Wirken. Der Verfasser versteht es mit Texten der Heiligen Schrift, der heiligen Kirchenväter, geistlicher und weltlicher Dichter und Schriftsteller immer wieder die geheime Kraft der Güte in allen Zweigen der Seelsorge zu beweisen. Nach Lesung dieses Büchleins findet mancher Seel= sorgpriester vielleicht einen „error corrigendus". Was er früher als heiligen Zorn und Eifer ansah, wird er als ungeordnete Leidenschaftlichkeit, Egoismus, Eigendünkel verwerfen und ferner nach dem Muster des „guten Hirten" seine Herde führen.   F. K.

5) **Predigt=Entwürfe für das katholische Kirchenjahr.** Von Josef Schuen. I. Band. 2. Teil. Dritte vermehrte Auflage.

Paderborn. 1907. Verlag von Ferdinand Schöningh. 328 S. Brosch.
K 2.64.

Schuens Predigten erfreuen sich allüberall des besten Rufes. Der vor=
liegende Band enthält Entwürfe für die Festtage der Heiligen, für die Fastenzeit
und verschiedene Anlässe. Besondere Erwähnung verdienen die 50 Predigten für
die verschiedensten Heiligenfeste, welche vielen Predigern ein willkommener Behelf
sein werden.   W. Sch.

6 Der Weg zur Erkenntnis des Wahren. Von J. Balmes.
Frei nach dem Spanischen und mit einem Anhang versehen von Theodor
M. Nißl Dritte Auflage, aufs neue durchgesehen von Dr. Ver=
meulen. Regensburg. 1896. Nationale Verlagsbuchhandlung (früher
G. J. Manz). XXXII u. 561 S. Gr. 8°. Brosch. M. 4. — = *K* 4.80.

„Ein klarer, gesunder Verstand, tiefe Menschenkenntnis, die innerste Ueber=
zeugung von der Wahrheit des Christentums, eine durch ernste und umfassende
Studien erlangte Uebung im Denken, Ruhe des Herzens, Heiterkeit des Geistes,
Schweigen der Leidenschaften — diese Eigenschaften durchwehen alle Gedanken
des spanischen Philosophen". Vorwort S. XII.

„Vorliegendes Buch dürfte sich zunächst für solche eignen, die sich für
eine einfache, gesunde, praktische Lebensphilosophie interessieren. l. c. S. IV.

Um die Vortrefflichkeit und Ueberfülle des genannten Werkes zu zeigen,
seien einige Kapitel und Paragraphe angeführt.

„Aufmerksamkeit. Berufswahl. Möglichkeit. Logit im Einklang mit der
Liebe; Prüfung des Grundsatzes: Glaube das Schlimme und du wirst dich nicht
täuschen. Zeitungen Geschichte; einige Regeln, deren man sich beim Studium
der Geschichte bedienen soll."

Eine großartige Abhandlung, der Glanzpunkt des ganzen Werkes ist das
XXI. Kap. Religion; Anhang: die Fundamentalwahrheiten der Religion aus der
Vernunft bewiesen. Dieses Kapitel ist eine Fundgrube für apologetische Predigten
und Vorträge.

Der ergänzende Anhang XXIII. Kap. „Der Staat", stellt sich dem Voraus=
gehenden würdig zur Seite.

Was dem Werke fehlt, ist ein alphabetisches Inhaltsverzeichnis. Bei dieser
Ueberfülle des Stoffes wäre ein solches von großem Vorteile.

Wer ein Buch wünscht, das ihm auf die verschiedensten Fragen Antwort
gibt; wer ein Buch wünscht, das ihm eine allseits gediegene Lebensphilosophie
bietet; wer ein Buch wünscht, das ihm verhilft, nicht nur ein guter Theologe,
sondern auch ein praktischer Philosoph zu werden, der greife zu obgenanntem Werke.

Neumarkt (Südtirol).   P. Camill Bröll Ord. Cap.

C) Ausländische Literatur.

Ueber die französische Literatur im Jahre 1907.

Lepin (M.). Evangiles canoniques et évangiles
apocryphes. (Kanonische Evangelien und apokryphe Evangelien.) Paris,
Blond & Cie. 8°. 128 S.

Eine kleine, aber höchst interessante Schrift! Neben den vier Evangelien,
welche von der Kirche als von Gott inspiriert immer angesehen wurden, gab
es noch eine größere Anzahl Schriften, die sich den Titel Evangelien anmaßten,
deren Inhalt mehr legendenhaft, ja fabelhaft war. Die heutige Kritik kennt 27
von dieser Art. Zwölf von ihnen tragen eigentlich nur den Namen und enthalten
nichts Evangelisches. Es bleiben somit noch etwa 15, welche einige Beachtung
verdienen. Auch von diesen gibt es nur sechs, von denen man den Text kennt
Die Zeit ihrer Abfassung fällt in das 4. und 5. Jahrhundert. Einzelne Teile

derselben mögen aus einer früheren Zeit stammen. M. Lepin prüfte genau die Beziehungen der apokryphen Evangelien zu den kanonischen und er weist nach, daß sie Produkte der Phantasie seien und den Stempel der Unwahrheit an der Stirne tragen.

Die apokryphen Evangelien, deren Text wir nicht mehr haben oder nur noch Fragmente von demselben, stammen aus der Mitte oder aus dem Ende des zweiten Jahrhunderts. Auch bei ihnen spielt die Phantasie eine große Rolle, zudem sind sie tendenziös gefärbt. M. Lepin schenkt dann noch besondere Aufmerksamkeit dem Evangelium der Aegypter und dem der Hebräer, welche von Schriftstellern des 3. und 4. Jahrhunderts zitiert werden; diese mögen aus dem 2. Jahrhunderte stammen. Das Evangelium der Aegypter ist häretischen Ursprungs; das der Hebräer lehnt sich an Matthäus an, allein mit vielen Lücken und noch häufiger mit Zutaten. Der Verfasser schließt mit dem Gedanken, man könne der Kirche nicht genug danken, daß sie all diese traurigen Auswüchse, wie es die apokryphen Evangelien offenbar sind, sogleich, alwies und als unecht verurteilte.

Leroy (P. Hippolythe S. J.). Leçons d'Ecriture sainte: Jésus Christ, sa vie, son temps. (Vorträge über die Heilige Schrift: Christus, sein Leben und seine Zeit.) Paris, Beauchesne. 12⁰. 18 Bde., jeder zirka 350 S.

P. Leroy hat einen Teil dieser Vorträge in Paris gehalten; den andern Teil hielt er, da die Jesuiten von Paris ausgewiesen wurden, in Brüssel. Die große Zuhörerschaft, welche in beiden Städten auf sein beredtes Wort lauschten, wäre schon ein hinreichender Beweis für die Vortrefflichkeit dieses bändereichen Werkes. Nebst anderen Vorzügen wird allgemein gelobt, daß der Verfasser es verstanden habe, alle exegetischen Fragen, welche gegenwärtig ventiliert werden sowie auch die wichtigsten Fragen des sozialen Lebens der Gegenwart herbeizuziehen und an der Hand der Heiligen Schrift dieselben gründlich und klar zu lösen. Das Werk ist daher ganz besonders aktuell und zeitgemäß. Für Prediger und Konferenzredner wird es dadurch noch verwendbarer, daß ihm reichhaltige Sach- und Personenregister beigegeben sind.

Grat (R. S. J.). La Théologie de St. Paul. Première partie. (Die Theologie des heiligen Paulus. Erster Teil.) Paris, Beauchesne. 8⁰. II. 640 S.

Der bescheidene Verfasser nennt seine Arbeit nur einen Versuch; in Wirklichkeit aber übergibt er seinen Lesern ein schönes großes Buch, reich an Inhalt, die Frucht vieler, gründlicher Studien. Wohl selten sind die Schriften des heiligen Paulus so eingehend und so scharfsinnig durchforscht worden. Der angekündigte erste Teil enthält zwei Kapitel Einleitung. Das erste handelt von der Methode, von der biblischen Theologie überhaupt, vom gegenwärtigen Stadium der Kritik, von den Schriften des heiligen Paulus, von den wichtigsten Zeitpunkten im Leben des heiligen Paulus und von der Reihenfolge seiner Briefe. Das zweite Kapitel handelt von der Abstammung des heiligen Paulus, seiner rabbinischen Erziehung, von der Erscheinung Christi auf dem Wege nach Damaskus, von dem Fortschreiten der Offenbarung bei der eifrigen Betrachtung und der Erleuchtung von oben. Das Werk selbst enthält sodann sechs Bücher. Das erste Buch zeigt uns den heiligen Paulus als den Apostel der Heiden und bespricht die damit verknüpften Frauen; es enthält ferner seine in den Akten der Apostel enthaltenen Predigten und seine Briefe an die Thessalonizenser. Das zweite Buch versetzt uns nach Korinth. Wir erfahren in der Besprechung der zwei Briefe an die Korinther die wichtigsten Fragen, welche damals die Christen in Korinth beschäftigten und die Lösung derselben durch den heiligen Paulus. Das dritte Buch handelt vom Brief an die Galater und den Brief an die Römer. Das vierte Buch enthält die Briefe, welche der heilige Paulus in der Gefangenschaft schrieb, das fünfte die Pastoralbriefe und das sechste den

Brief an die Hebräer. Ueberall werden die historischen und exegetischen Fragen, wozu der Text Anlaß bietet, besprochen und gelöst. Endlich enthält ein Anhang (40 S.) eine kurze Analyse aller Briefe.

Der Verfasser ist in den Geist des Apostels tief eingedrungen; er hat sich ganz in ihn hineingelebt. Dadurch ist die Arbeit für jedermann höchst interessant.

d'Hulst (L. Msgr.). Nouveaux mélanges oratoires. Sermons et Allocutions de circonstances. (Neue Samm= lung verschiedener Reden. Gelegenheits=Reden und =Ansprachen.) Paris, Poussielgue. 8⁰. VII. 564 S.

Diese Reden zeichnen sich wie alles, was der mit Recht berühmte Ver= fasser geschrieben hat, durch tiefe, geistreiche Gedanken aus, sowie durch scharfe, streng=logische Beweisführung und durch schwungvolle schöne Sprache. Msgr. d'Hulst ist die Grundlage der Pflichten, eine göttliche, Gott selbst. Für Gott sind wir in dieser Welt, ihm, dem Allmächtigen, müssen wir jederzeit dienen und zwar dadurch, daß wir seine Gebote beobachten. Das Vorhandensein des Ge= wissens bedarf keines Beweises; es macht sich selbst geltend. Diese innere Stimme ist unabhängig im Loben und Strafen meiner Gedanken, Worte und Werke. Sie sagt mir: du hast gut getan, wenn alle Menschen mich tadeln, und um= gekehrt macht es mir Vorwürfe, wenn ich gefehlt habe, unbekümmert um das Lob der Menschen. Nicht ich bin Herr über das Gewissen, sondern das Gewissen ist Herr über mich: Es vertritt denjenigen, der das substantielle, lebende Gute ist. Durch dasselbe werden mir Pflichten auferlegt und es wacht als Zeuge darüber, ob ich sie erfülle oder nicht. Das Gewissen wird mich auch einst zur Belohnung oder Bestrafung dem höchsten Richter vorführen. Man versuche einmal das Gewissen zu erklären, wenn es keinen Gott gibt. Ohne Gott ist das Ge= wissen nur ein soziales Vorurteil, eine ererbte Angewöhnung u. s. w. u. s. w.

Lavrand (H.). La Suggestion et les guérisons de Lourdes. (Die Suggestion und die Heilungen von Lourdes.) Paris, Blond. (Collection Science et Réligion).

Man hat vielleicht früher bei Heilungen von Krankheiten der Suggestion zu wenig Aufmerksamkeit geschenkt. Jetzt dürfte ihr zu große Wirksamkeit zu= geschrieben werden. So werden die wunderbaren Heilungen, welche in Lourdes geschehen, gerne als Erfolge der Suggestion hingestellt. Der Verfasser dieser Schrift, Dr. Lavrand, ein sehr angesehener Arzt, hat sich daher große Verdienste erworben, daß er hierüber einen wissenschaftlichen, gründlichen Aufschluß gibt. Er sagt, die Suggestion wirke am ehesten mit Erfolg bei nervösen Leiden, aber auch dann nicht immer und sehr selten plötzlich. Wo aber ein organischer Fehler, eine Aenderung der Zellen, ein Geschwür, ein Bruch u. s. w. vorhanden ist, da sei jede Wirksamkeit der Suggestion ausgeschlossen.

Nun aber, sagt M. Lavrand, werden in Lourdes über Nervenleidende und alle, bei denen eine Suggestion möglich wäre, keine Urteile abgegeben. Es kommen nur organische Fehler oder Verletzungen, Wunden, Geschwüre, tuber= kulose Leiden u. s. w. in Betracht. Die Geheilten sind oft ganz kleine Kinder, bei denen von Suggestion noch keine Rede sein kann; nicht selten sind die Ge= heilten Ungläubige oder ganz resignierte, d. h. solche, welche sich in ihren unheil= baren Zustand ergeben, ferner auch solche, die an der Heilung verzweifeln. Wohl zu bemerken ist, daß das Gebet der Flehenden immer ein bedingtes ist: „Herr, wenn du willst, kannst du mich heilen (kannst du mir helfen)."

Schmidt (Ch.) Les Sources de l'histoire de France depuis 1789 aux archives nationales. (Die Quellen der Ge= schichte Frankreichs seit dem Jahre 1789 in den National=Archiven.) Paris, Champion. 8⁰. 288 S.

Für Geschichtsforscher ist dieses Werk von großer Bedeutung. Es ist so= zusagen ein Inventar über alles, was in den Staatsarchiven über die an Er=

eignissen so reiche und so wichtige Zeit sich vorfindet. Man spendet dem Verfasser allgemein Lob und Dank.

Vandal (A.) l'Avènement de Bonaparte. (Das Emporkommen Bonapartes.) Paris, Blond. 2. Bd. 8 . 540 S.

Im ersten Bande, den wir besprochen haben, schildert der ebenso sachkundige als sprachgewandte Verfasser das Emporsteigen Napoleons bis zur Würde des ersten Konsuls. Dasselbe ist ein in der Geschichte unerhörtes. Napoleons Siegeslauf in Oberitalien übertrifft schon deshalb alles früher Geschehene, weil er sich zuerst eine Armee schaffen, sie kleiden, ausrüsten und besolden mußte. Ebenso staunenswert ist sein Wirken als Konsul, sein weiteres Emporsteigen. Frankreich glich damals einer Wildnis; alle Bande der Gesellschaft waren gelöst, der Kredit des Landes zerstört, nirgends Ordnung, Sicherheit. Dazu kamen noch Schwierigkeiten von allen Seiten. Die Jakobiner knirschten vor Wut, schmiedeten Komplotte, die Generäle und hohen Beamten waren eifersüchtig, die Bourbonen und der Adel suchten bald durch Schmeicheleien und Versprechungen ihn für sich zu gewinnen, bald durch Drohungen ihm Furcht einzuflößen. Gesetze gab es sozusagen keine mehr. Dazu kam noch das Grollen und Drohen der feindlichen Mächte. Wie der Konsul Napoleon alle diese Hindernisse überwand, wie er die Ordnung herstellte, dem Lande eine musterhafte Verwaltung gab, den Kredit des Landes hob, wie er Gesetze erließ und sammelte (Code Napoléon, der bei all seinen Fehlern dennoch von allen Juristen bewundert wird), wie er die Kerker, in denen Tausende unschuldig schmachteten, öffnete, die Verbannten zur Rückkehr einlud und wie er die religiösen Verhältnisse ordnete: das alles führt uns der Verfasser anschaulich vor Augen.

Der Verfasser ist jedoch nicht blind an seinem Helden; er tadelt strenge dessen persönliche Fehler und Maßnahmen, die der Klugheit oder der Moral nicht entsprachen. Besonders macht er auf die Selbstüberschätzung, allerdings eine erklärliche Folge seines außerordentlichen Glückes, aufmerksam, welche auch die eigentliche Ursache des so fürchterlichen Sturzes war.

Monnier (Philippe). Vénise au XVIII siècle. (Venedig im 18. Jahrhundert.) Paris, Perrin. 8°. 412 S.

Wer hört nicht gern von Venedig erzählen, der Stadt, einzig in ihrer Art, der einst so reichen, so stolzen Republik, um deren Freundschaft sich Könige, Kaiser und Päpste bewarben? Der Verfasser (M. Monnier) dieser Schrift schildert uns sehr anschaulich, auf gleichzeitige Schriftsteller gestützt, das Leben in der Lagunenstadt im 18. Jahrhundert, am Ende seiner politischen Existenz als Republik und schließlich den Untergang der alten Herrlichkeit. Im allgemeinen herrschte in Venedig in der zweiten Hälfte des 18. Jahrhunderts große Leichtfertigkeit und eine unbegreifliche Sorglosigkeit. Um uns die Venetianer jener Zeit in ihrem Tun und Lassen zu zeigen, führt uns der Verfasser uns auf die öffentlichen Plätze, in die Theater, Kasinos, Caféhäuser, in die Wohnungen der Aristokraten, der Reichen, der Handwerker, der Armen. Ueberall herrscht Leichtsinn, Sorglosigkeit, Genuß- und Vergnügungssucht. Den Höhepunkt des damaligen Lebens finden wir in den Freuden des Karnevals. Venedigs Karneval war in ganz Europa berühmt und lockte immer eine große Menge Schaulustiger und Genußsüchtiger aus allen Ländern herbei.

Einen größeren Teil seines Werkes — wohl den besten und verdienstvollsten — widmet der Verfasser den damaligen Künstlern, Gelehrten und Dichtern. Ueber die Politik, die damaligen Staatsmänner und Beamten erhalten wir leider zu wenig Aufschluß. Man begreift immer noch nicht, wie die früher so patriotischen und tapfern Venetianer, ohne Schwertstreich, ruhmlos sich unterwarfen. Wohl wären sie Napoleon unterlegen, aber doch, wie Helden unterliegen.

Hoffmann (Charles). L'Alsace au XVIIIème **siècle.** (Elsaß im 18. Jahrhundert.) Colmar, Hoffel. 8°. 2 Bde. XII, 728 und 869 S.

Es ist ein vom Abbé Ch. Hoffmann bei seinem Tode hinterlassenes Werk. Hoffmann galt als vorzüglicher Historiker. Seine Heimat „Elsaß" lag ihm besonders am Herzen. Er kannte es und dessen Geschichte wie kaum ein zweiter. Da diese von ihm hinterlassene Arbeit in jeder Beziehung ein bedeutendes wichtiges Werk ist, hat H. Ingold, der in gewisser Beziehung der Nachfolger Hoffmanns ist, nämlich als Geschichtsforscher des Elsaßes, um welches er sich auch schon große Verdienste erworben hat, sehr gut getan, diese vortreffliche Arbeit dem Vergessen zu entziehen und sie zu veröffentlichen.

Ch. Hoffmann lebte für sein Elsaß; mit Begeisterung hing er an dem- selben. Alles, was dieses schöne Land betraf, war ihm wichtig. Herz und Geist sprechen daher zugleich aus seinen Arbeiten. Der Verfasser schildert uns sein Elsaß im 18. Jahrhundert und zwar in sozialer, ökonomischer, politischer und religiöser Beziehung. Er bespricht die Verhältnisse der verschiedenen Stände, des Adels, des sogenannten dritten Standes (der Bürger), der landwirtschaftlichen Bevölkerung und die des Handels und der Industrie. Er gibt ferner Bericht über das Schulwesen, über die charitativen Werke, über das Gerichtswesen und über die Steuern und Abgaben. Um in all diesen Sachen genauen und zuver- lässigen Aufschluß geben zu können, bedurfte es einer ganz außerordentlichen Arbeit. Der Verfasser hat wirklich keine Mühe, keinen Zeitaufwand gescheut, um alle Archive und Bibliotheken, sowohl die öffentlichen, als die der Familien zu durchforschen.

Targes (Albert). **La crise de la certitude. Etudes sur la base de la connaissance et de la croyance.** (Die Krisis [das Entscheidende und Maßgebende] der Gewißheit. Studien über die Grund- lage der Kenntnis und des Glaubens.) Paris, Berche et Trabies. 8⁰. 396 S.

Eine bedeutende philosophische Arbeit! Sie bildet den Schluß — es ist dies der neunte Band — zu den philosophischen Studien des A. Targes. Vierzig Jahre hat der Verfasser unermüdlich an seinem Werke gearbeitet. Sein Haupt- zweck war, die Theorien des großen Aristoteles und die des heiligen Thomas von Aquin mit der Wissenschaft in Uebereinstimmung zu bringen und dadurch zu bewirken, daß diese zwei Koryphäen der Philosophie zahlreichere Verehrer, einen größeren Leserkreis erhalten. Der Verfasser hat in der Tat seinen Zweck erreicht. Sogar die französische Akademie hat dem Werke großes Lob gespendet. Papst Leo XIII. hat für die bei seinen Lebzeiten veröffentlichten Bände dem Verfasser seine Glückwünsche ausgesprochen und ihn gelobt, daß er sich Mühe gebe, die alten Philosophen (Aristoteles und Thomas) wieder zu Ehren zu bringen und ihre Uebereinstimmung mit der wahren Wissenschaft zu zeigen.

Der Inhalt des neunten Bandes ist folgender: Zuerst wird die Natur (das Wesen) der Gewißheit näher bestimmt und der Kantsche sowie der neue Kritizismus widerlegt. In sechs Kapiteln werden sodann die Kriterien und die Quellen der Gewißheit besprochen: die Sinne, die Idee, das Urteil, die Schluß- folgerung, das Zeugnis Gottes. Hierauf handelt der Verfasser von den Ver- suchen, die Kriterien auf innere und äußere zurückzuführen. Im zehnten Kapitel wird die objektive Evidenz als höchster Grad (Motiv, Beweggrund) der Gewißheit aufgestellt. Im folgenden Kapitel wird gezeigt, wie eine gewisse Art Zweifel (fictio und bedingt) beim Forschen nach der Wahrheit nützlich sein könne. Im zwölften (letzten) Kapitel handelt es sich um die verschiedenen Methoden, welche bei der Mathematik, bei der Physik und bei der Moral zur Erlangung der Sicherheit und Gewißheit angewendet werden, und welchen Grad der Sicherheit diese Methoden erreichen. Wie leicht ersichtlich, ist dieses Buch nicht zum Zeit- vertreib, zur Unterhaltung geschrieben. Es erfordert vielmehr ein ernstes Studium dann aber ist es sehr lehrreich.

Franklin (Alfred). **La Civilité, l'Etiquette, la Mode, le Bonton du treizième au dixneuvième siècle.** (Die

Höflichkeit, die Etiquette, die Mode, der gute Ton vom 13.—19. Jahr=
hundert) Paris, Emile Bovet. Erster Band. 8°. XXXIX, 315 S.

Der Verfasser dieses interessanten Werkes ist ein in Frankreich wohl=
bekannter und angesehener Kulturhistorifer. Das Werk ist auf mehrere Bände
berechnet. Der erste schön ausgestattete ist der angekündigte. Das in demselben
für uns bemerkenswerteste ist die Schilderung der Erziehung der Jugend. Die
Kinder, auch die größeren und älteren, waren einer sehr strengen Disziplin
unterworfen. Man verlangte einen unbedingten Gehorsam gegen alle Vorge=
setzten. Die Kinder sollten dadurch schon frühzeitig zu festen Charafteren erzogen
werden. Auf diese Weise sollten die jungen Leute schon bei Zeiten als brauch=
bare Mitglieder der Gesellschaft auftreten können; sie sollten die verschiedenen
Schicksalschläge, welche das Leben gewöhnlich mit sich bringt, männlich ertragen
lernen. Ein Haupterziehungsmittel war in der Familie, in der Klosterschule,
ja selbst auf den Universitäten — sit venia verbo — die Rute! Diese wurde
gewissenhaft und unermüdlich angewendet bei Bürgerlichen, bei Adeligen, ja
selbst bei Prinzen, bei Knaben und bei Mädchen. Niemand, der einen Fehler
begangen hatte, wurde verschont, selbst der Dauphn (der Thronfolger) nicht.
Die Tagebücher geben selbst die Umstände und die Zahl der Streiche an. Der
Sohn des Königs Heinrich III. mußte schon mit zwei Jahren die Süßigkeit
dieses Heilmittels und zwar auf Befehl des Vaters erfahren. Später erhielt er
bei jedem Fehler eine neue Dosis dieser Medizin. Zuerst hatte die Gouvernante
den Auftrag, sie zu verabreichen, später der Gouverneur. Am 14. Mai 1610 wurde
Ludwig XIII., erst neun Jahre alt, als König proflamiert; 15 Tage später er=
hielt er noch eine ordentliche Anzahl Rutenstreiche, so daß er ausrief: „Ich wollte,
man würde mir weniger Ehre erweisen, dafür mich mit der Rute verschonen."

(Anmerkung. In Böhmen züchtigte ein Vater seinen ungehorsamen
Sprößling auf diese Weise. Ein Fremder, der hinzukam, mahnte den Vater,
davon abzulassen und dem Jungen zu Herzen zu reden; durch das Herz werde
jetzt die Jugend erzogen. Der Vater sagte, er sei auch dieser Ansicht, aber in dieser
Gegend sei der nächste Weg zum Herzen durch die Hinterteile)

Das Buch enthält viel Interessantes über die Reinlichkeit zu den ver=
schiedenen Zeiten, über die Anforderungen an einen honnête homme, die Be=
suche, die Mode und über die Kleider (Hüte, Handschuhe, die Sacktücher u. s. w.),
die Art zu grüßen, das Briefschreiben, die Spiele, die Bälle, über das Benehmen
in der Kirche, die Krankenpflege, die Aerzte, die Beerdigungen, die Trauer, die
Mahlzeiten u. s. w., alles nach den verschiedenen Zeiten.

Salzburg.   J. Näf, Prof.

Neueste Bewilligungen oder Entscheidungen in Sachen der Ablässe.

Von P. Franz Beringer S. J. in Rom.

I. **Die folgenden vier Stoßgebete** sind mit je 300 Tagen
Ablaß bereichert worden, den man jedesmal gewinnen und auch den
Seelen des Fegfeuers zuwenden kann.

1. **Heiliges Herz Jesu, ich glaube an deine Liebe zu mir.**
— 29. Juli 1907.

2. **Gelobt und gepriesen sei das heiligste Herz und das kost=
bare Blut Jesu im heiligsten Altarsakrament.** — 25. August 1908.

3. Bonitatem et disciplinam | Güte, Zucht und Erkenntnis lehre
te scientiam doce me, Domine, | mich, o Herr; denn auf deine Gebote
quia mandatis tuis credidi. | setze ich mein Vertrauen.

Dieser Ablaß gilt für alle, welche die Jugend christlich unterrichten oder sich dazu vorbereiten. — 14. Mai 1908.

4. Te ergo quaesumus, animabus igne purgatorii detenti subveni, quas pretioso Sanguine redemisti.	Dich bitten wir also, komme den im Fegfeuer noch leidenden Seelen zu Hilfe, welche du mit deinem kostbaren Blute erlöset hast.

— 13. September 1908.

II. Weihe unserer Familie an das heiligste Herz Jesu.

Heiligstes Herz Jesu, du hast der seligen Margareta Maria deinen Wunsch kundgegeben, über die christlichen Familien zu herrschen; so kommen wir denn heute, um deine unbeschränkte Herrschaft über unsere Familie offen zu bekennen. Wir wollen fortan leben von deinem Leben; wir wollen bei uns jene Tugenden erblühen lassen, welchen du den Frieden hier auf Erden schon versprochen hast; wir wollen den Geist dieser Welt, über welchen du den Fluch ausgesprochen, weit von uns verbannen.

So herrsche denn über unseren Verstand durch die Einfalt des Glaubens; herrsche auch über unsere Herzen durch die Liebe, in der sie ohne Vorbehalt für dich brennen sollen und deren Glut wir durch den häufigen Empfang der heiligen Kommunion wach erhalten wollen.

Würdige dich, o göttliches Herz, bei unseren Versammlungen den Vorsitz zu führen, unsere geistigen und zeitlichen Unternehmungen zu segnen, unsere Sorgen zu zerstreuen; unsere Freuden zu heiligen und unsere Leiden zu lindern. Sollte jemals der eine oder andere von uns das Unglück haben, dich zu betrüben, so erinnere ihn daran, daß du, o Herz Jesu, gütig und barmherzig bist gegen den reuigen Sünder. Und wenn die Stunde der Trennung schlägt, wenn der Tod kommt und seine Trauer über uns ausbreitet, so wollen wir alle, sowohl die Dahinscheidenden, als auch die Zurückbleibenden deinen ewigen Ratschlüssen uns unterwerfen. Wir wollen uns mit dem Gedanken trösten, daß ein Tag kommen wird, an welchem unsere ganze Familie, im Himmel vereinigt, auf immer deine Herrlichkeit und deine Wohltaten wird preisen können.

Das unbefleckte Herz Mariä und der glorreiche Patriarch, der heilige Josef, mögen dir diese Weihe darbringen und alle Tage unseres Lebens uns daran erinnern. — Es lebe das Herz Jesu, unseres Königs und unseres Vaters.

Vollkommener Ablaß, zuwendbar, für alle Gläubigen, welche nach dem Empfang der heiligen Kommunion sich selbst und ihre Familie feierlich dem heiligsten Herzen Jesu weihen. Man gewinnt diesen Ablaß das erste Mal, wenn man diese Weihe vornimmt, und dann einmal in jedem Jahre, an dem Tage der feierlichen Erneuerung dieser Weihe. — Pius X. 19. Mai 1908.

III. Durch die apostolische Konstitution „Sapienti consilio" vom 29. Juni 1908 ist eine Neuregelung der römischen Kongregationen und anderen Behörden der Kurie angeordnet worden. Demgemäß wird die bisherige Kongregation der Ablässe und heiligen Reliquien als besondere Kongregation nicht weiter bestehen. Während die auf die heiligen

Reliquien bezüglichen Fragen an die Ritenkongregation übergegangen
sind, wurden alle Ablaßangelegenheiten, mögen sie die Lehre oder den Ge=
brauch der Ablässe betreffen, der Kongregation des heiligen Offi=
ziums zugewiesen.

In einem weiteren durch den Kardinalstaatssekretär aus besonderem
Auftrage des Papstes veröffentlichten Erlaß mit dem Titel „Ordo servandus" (Regolamento) vom 29. September 1908 heißt es, daß die
Kongregation des heiligen Offiziums sich bezüglich der Ablässe an die von
Papst Klemens IX. bei Einführung der Ablaßkongregation in der Kon=
stitution „In ipsis" vom 6. Juli 1669 vorgelegten Normen halten wird,
welche in voller Geltung bleiben. Ihre Aufgabe ist es also, Schwierigkeiten
und Zweifel bezüglich der Ablässe zu lösen, so jedoch, daß sie in wichti=
geren und schwierigeren Fragen den Rat des Papstes einholt; ferner soll
sie etwaige Mißbräuche verbessern und abstellen mit Hintansetzung jeglicher
gerichtlicher Formalität; die Anliegen aber, welche gerichtliches Vorgehen
erheischen, an die bezüglichen Richter verweisen. Sie soll den Druck falscher,
unechter und indiskreter Ablässe verbieten; die bereits gedruckten aber prüfen
und untersuchen und dieselben, nachdem sie dem Papste Bericht erstattet,
im Namen desselben verwerfen; in Bewilligung der Ablässe soll sie Mäßi=
gung einhalten. In Kraft bleibt auch die Verordnung des von Benedikt XIV. am
28. Januar 1756 gutgeheißenen und von Pius IX. am 14. April 1856
wiederum bestätigten Dekretes der Ablaßkongregation, daß nämlich alle,
welche künftig allgemeine Ablaßbewilligungen erlangen, unter Strafe
der Nichtigkeit der erwirkten Gnade gehalten sind, eine Abschrift dieser
Bewilligungen bei der Sekretarie der nämlichen Kongregation vorzulegen.

Für die Ablaßangelegenheiten wird beim heiligen Offizium ein Proto=
kollbuch bestimmt und ein gesondertes Archiv. Es werden auch ein höherer
Beamter mit dem Titel Substitut und eigene Konsultoren sein.

Durch Breve werden die für immer bewilligten Ablässe ausgefer=
tigt; ebenso die nur für eine bestimmte Zeit geltenden, wenn sie für eine
ganze Diözese oder Provinz, für ein Land oder die ganze Kirche gegeben
werden; desgleichen auch die für immer bewilligten Vollmachten, Andachts=
gegenstände mit Ablässen zu versehen.

Erlässe und Bestimmungen römischer Kongregationen.

Zusammengestellt von D. Bruno Albers O. S. B. in Monte Cassino (Italien).

Tabernakeltür. In Amerika wird von der Raureald ecclesiastical
art Mfg. C eine Tabernakeltür halbkreisförmig und ohne Türhaken hergestellt,
so daß ein eigener Mechanismus erlaubt, die halbkreisförmige Tür zu öffnen
und zu schließen. Als man in Rom anfrug, ob diese Tabernakeltür von den
Diözesanobern empfohlen werden dürfe, antwortete man, die Sache sei der
Klugheit und Verantwortung eben dieser Oberen zu überlassen. Eine neue
Anfrage erfolgte nun von dem hochwürdigsten Herrn Bischof A. Schinner,

und darauf erfolgte die Antwort: Im gegenwärtigen Falle seien keine Bedenken zu erheben, im übrigen solle der Bischof entscheiden.[1])

(S. Rit. Congreg. d. d. 8 Maii 1908.)

Altar in Begräbniskapellen. Auf eine erneute Anfrage, wie weit der Altar von der Gruft entfernt sein müsse, wiederholte die Ritenkongregation das Dekret (Romana 12 Jan. 1899) Nr. 3944, ad II, daß der Altar von der Gruft 3 Ellen also zirka 1 Meter entfernt sein müsse und daß diese Entfernung genüge. Es sei nicht notwendig, daß der Altar ein altare fixum sei, doch müsse er an einer Stelle der Kapelle beständig aufgestellt werden. (S. Rit. Congreg. d. d. 19 Junii 1908.)

Ehegelöbnisse. Das neue Dekret „Ne temere" hat Anlaß zu einer Reihe von Zweifeln gegeben, und wurden deshalb eine Anzahl von Anfragen an die Konzilskongregation gerichtet, welche wir nachstehend vollständig mitteilen.

1. Ist es nötig, daß zur Giltigkeit der Eheverlöbnisse der schriftliche Kontrakt von dem Brautpaare von beiden Zeugen mit dem Ordinarius oder dem Pfarrer unterschrieben wird, oder genügt es, daß der Kontrakt von dem einem Teile mit dem Pfarrer und zwei Zeugen unterschrieben wird und daß dieser so unterschriebene Kontrakt dem anderen Teile zugesandt wird, der ihn dann ebenfalls mit dem Pfarrer und zwei Zeugen unterschreibt?

Antwort: Beide Brautleute müssen in Gegenwart des Pfarrers und zweier Zeugen den Ehekontrakt unterschreiben.

2. Ist zur Giltigkeit des Kontraktes erforderlich, daß demselben das Datum, Jahr und Tag, beigefügt werde?

Antwort: Ja.

3. Ist auch für giltige Eingehung der Mischehen (matrimonia mixta) der Konsens schriftlich von beiden Brautleuten vor dem Ordinarius oder dem Pfarrer abzugeben?

Antwort: Ja, und hinsichtlich der Erlaubtheit der Eingehung der Verlöbnisse bleiben alle diesbezüglichen Bestimmungen des heiligen Stuhles bestehen.

4. Ob zur giltigen und erlaubten Assistenz bei Eheschließung nach Norm des Art. VI des Dekretes immer eine spezielle Delegation gefordert werde, oder ob eine generelle genüge?

Antwort: Hinsichtlich der Delegation sei nichts geändert, es sei denn die Notwendigkeit gegeben, dieselbe einem bestimmten Priester ausschließlich zu geben, dieselbe sei auf das Territorium des Delegierenden beschränkt.

5. Ob in abgelegenen Gegenden, in welche der Missionär einmal monatlich kommt, — in welchen aber die Brautleute, wenn es gewünscht wird, entweder ihn oder einen anderen Missionär, der Pfarrer sei im Sinne des angezogenen Dekretes, ohne große Schwierigkeit aufsuchen könnten —

---

[1]) Die Art und Weise wie die Tabernakeltür sich bewegt ist nicht deutlich aus der Anfrage ersichtlich, ich setze zum weiteren Verständnis die lateinische Anfrage her: an satisfaciat regulis liturgicis descripta forma ostii semicircularis, quod globulis impositum sine cardinibus (aperiendo et claudendo) volvitur?

die ohne Gegenwart des Pfarrers oder des Missionärs eingegangenen Ehen als giltig angesehen werden dürften?

Antwort: Nein.

6. Ob infolge eines ganz kurzen, unerwarteten und den Gläubigen völlig unbekannten Durchgang der Gegend, aus welcher der Missionär schon seit einem Monat entfernt ist, jene Lage der Dinge als unterbrochen angesehen sei, von welcher der Art. VIII des Dekretes spricht?

Antwort: Nein.

(Die beiden letzten Anfragen betreffen gewisse Verhältnisse in China und in Ostindien.)   (S. Congegr. d. d. 27 Julii 1908.)

Ueber den Propheten Isaias. Der Bibelkommission sind die folgenden Fragen über den Propheten Isaias und seine Schriften vorgelegt und wie nachfolgend beantwortet worden.

1. Sind die Weissagungen, welche im Propheten Isaias — und stellenweise in dessen Schriften — gelesen werden, keine wahren Weissagungen, sondern nach dem Eintreffen erdichtete Erzählungen, oder wenn vor dem Eintreffen angekündigt, doch so aufzufassen, daß der Prophet dieselben nicht aus übernatürlicher Offenbarung Gottes habe, sondern aus den Ereignissen mit seinem Scharfsinn vorausehend zusammengesetzt habe, und kann dies gelehrt werden? Antwort: Nein.

2. Kann die Meinung gehalten werden, welche lehrt, daß Isaias und die anderen Propheten ihre Weissagungen nur über das herausgegeben haben, was recht bald eintreffen mußte mit der anderen Meinung, welche auch die gemeinsame der heiligen Väter ist, in Einklang gebracht werden, daß die Propheten Weissagungen über den Messias und die letzten Dinge vorausgesagt haben? Antwort: Nein.

3. Kann die Meinung zugelassen werden, daß der 2. Teil des Buches Isaias (cap. XL—XLVI), in dem der Seher nicht seine Zeitgenossen, sondern die Juden im Babylonischen Exil weilend anredet und tröstet, nicht den schon längst gestorbenen Isaias, sondern einen anderen unbekannten im Exil lebenden Seher, zum Verfasser habe? Antwort: Nein.

4. Sind die philologischen Gründe derart, daß durch sie die Mehrheit der Verfasser des Buches Isaias zwingend dargetan wird und deshalb eine Mehrzahl der Verfasser angenommen werden muß? Antwort: Nein.

5. Gibt es überhaupt stichhaltige Gründe, welche überzeugend darlegen, daß das Buch Isaias mehrere Verfasser habe? Antwort: Nein.

(Ex. Commiss. Biblica Romae 29 Junii 1908.)

Kirchliche Zeitläufe.

Von Professor Dr. M. Hiptmair.

Die bosnische Frage und die Konfessionen. Haltung der serbischen Kirche. Katholische Fürsten dürfen Rom nicht besuchen. Der deutsche Hochschullehrertag in Jena und die Freiheit. Der eucharistische Kongreß in London.

Die Einverleibung Bosniens und der Herzegowina in die österreichisch-ungarische Monarchie beschäftigt jetzt die ganze alte Welt, und wenn es auch in erster Linie die politische Seite dieser Tat der Staatsmänner Oesterreich-Ungarns ist, welche alles in Bewegung setzt und in Atem hält, so zeigt sich doch sehr deutlich schon, daß dabei auch die konfessionelle oder religiöse Frage als Gewicht in die Wagschale geworfen wird. In Bosnien und der Herzegowina leben vorzugsweise drei konfessionelle Gruppen: Die Mohammedaner (zirka 560.000), die griechisch-orientalischen Serben (zirka 700.000) und die Katholiken (zirka 350.000), die hauptsächlich der kroatischen Nationalität angehören. Bald nach der Okkupation dieser Länder sagte uns ein Kenner der dortigen Verhältnisse, daß der Serbe allein der Feind bleiben werde, und die Entwicklung der Dinge scheint ihm recht zu geben. Die großserbische Propaganda stand schon im Begriffe, die Früchte der dreißigjährigen Kulturarbeit der Habsburger Monarchie zu pflücken und ein schismatisches Großserbien zu errichten. Die internationale Freimaurerei ließ diesem Bestreben ihre mächtige Unterstützung und jetzt, nachdem Oesterreich den Fuß auf das Haupt des Drachen gesetzt, zeigt die tolle Wut der Serben, wie nahe man bereits am Ziele zu sein hoffte. Die Verwaltung trat niemals weder den Serben, noch den Mohammedanern in nationaler oder religiöser Hinsicht nahe, sie bevorzugte in keiner Weise die Katholiken. Gerade von katholischer Seite konnten die berechtigtsten Klagen erhoben werden wegen mancherlei Hindernisse, die ihr von der Verwaltung geschaffen wurden. Trotzdem wurden die Serben nicht gewonnen, sondern setzten ihre Konspiration gegen die Monarchie fort. Sie benützten fleißig die Kirchen- und Schulautonomie zur Förderung ihrer politischen Ziele und machten Kirchen und Schulen zu rein politischen Agitationslokalen, wodurch der Einfluß auf die Volksmassen gewaltig gesteigert worden ist.

Wenn seit 1878 die Zahl der Katholiken und der katholischen Anstalten zugenommen hat, so ist das auf Rechnung der Freizügigkeit, der Einwanderung und der Verwaltung zu setzen, durchaus aber nicht der systematischen Nachhilfe des Staates und der Proselytenmacherei, wie „Die Chr. Welt" meinte. Sie hat denn auch sofort diese Behauptung in der folgenden Nummer wieder zurücknehmen müssen, indem sie einer Zuschrift Raum zu geben hatte, in der es heißt: „Von einer systematischen Katholisierung Bosniens durch die Regierungsbehörden kann in der Tat nicht die Rede sein. Bosnien ist bisher von Oesterreich-Ungarn, nicht von Oesterreich allein verwaltet worden, und das Mitreden der transleithanischen Reichshälfte kam einer paritätischen Behandlung aller Religionen im Okkupationsgebiet zu gut. Auch die Moslims und die Orientalisch-Orthodoxen („Serben") haben in ihrer kirchlichen Organisation solche Fortschritte gemacht, wie sie den Katholiken nachgezählt werden. Wir Protestanten vollends haben gar nicht zu klagen. Gab es doch vor zwanzig Jahren noch so gut wie keinen Evangelischen im Lande, während jetzt vier blühende Pfarrgemeinden mit einem reichen Kranz von Filialen, und

zwar deutschen Dorfgemeinden, vorhanden sind, die sich großer finan=
zieller Unterstützung durch die bosnische Landesregierung erfreuen."
In dieser Berichtigung ist nur das eine noch zu berichtigen, daß die
paritätische Behandlung der Konfessionen dem Einflusse Ungarns zu=
geschrieben wird. Das ist falsch. Wir haben auch in Cisleithanien
eine andere Methode als die paritätische nicht. Die Notiz aber, welche
durch Obiges richtiggestellt worden, lautete: „Interessant ist, was
Oesterreich=Ungarn seit 1878 für die Katholisierung Bosniens und
der Herzegowina getan hat. Damals besaßen die Katholiken in diesem
Gebiet 1 Kirche, 1 Schule und 1 Anstaltsgebäude, während sie jetzt
über 200 Kirchen, 12 Männerklöster, 11 Frauenklöster, 7 humane
Anstalten, 11 Gymnasien, 72 Schulen und eine Truppe von 800
Mönchen verfügen, die dem Jesuiten=, Franziskaner= und Trappisten=
orden angehören. Freizügigkeit und Okkupation erklären ja gewiß
eine große Zunahme des römisch=katholischen Elements, und gute
kirchliche Versorgung der Zugewanderten ist nur zu loben; aber ein
systematisches Nachhelfen von Staatswegen kann nicht bezweifelt
werden." Wir wissen nun nicht, ob diese Angaben stimmen, glauben
aber, daß eine Förderung der Katholiken in diesen Ländern eine
Staatsnotwendigkeit erster Klasse bildet. Sie allein sind verläßlich,
kaisertreu und patriotisch. Man sehe nur, wie die Serben im Nach=
barlande es machen. Sie erheben gegen die Annexion fort und fort
Protest, nicht bloß vom nationalen, sondern auch vom konfessionellen
Standpunkte aus. Der Metropolit von Belgrad, Dimitrije, richtete
sogar ein Sendschreiben an alle orthodoxen Bischöfe und Metropoliten
Rußlands, um durch sie auf die russische Regierung einzuwirken,
daß sie die notwendig gewordene Tat der österreichischen Diplomatie
rückgängig mache. „Wenn Rußland der Annexion zustimmt", schrieb
er, „so wird Serbien nichts anderes übrig bleiben, als den schweren
und blutigen Weg der Selbstverteidigung zu betreten und für das
Slaventum zu sterben. Ich, der ich als Metropolit für den Frieden
der ganzen Welt zu beten verpflichtet bin, muß mit tiefem Schmerz
und unter Tränen erklären, daß es für Serbien einen anderen Aus=
weg nicht gibt."

Es mobilisiert somit der ausländische schismatische Klerus gegen
die Monarchie, die während der ganzen dreißigjährigen Herrschaft im
Okkupationsgebiet den Schismatikern im Lande kein Haar gekrümmt,
ihre Entwicklung nicht im mindesten gehemmt hat, ohne daß diese
Verwahrung einlegen. Das Blut der Soldaten, das bei der Okku=
pation geflossen ist, und die mehr als 200 Millionen Gelder, die
bisher zur Kultur des Landes verwendet wurden, sind doch auch den
Serben zugute gekommen sowie den Moslim und den katholischen
Kroaten. Diese jubeln über die staatsrechtliche Aenderung und danken
dem Kaiser dafür. Die Diplomaten könnten daher wissen, auf wen
der Staat sich stützen kann, wem er dankbar zu sein hat. Leider
glauben sie in ihre Rechnungen andere Posten setzen zu müssen. Und

gerade gelegentlich der Einverleibung Bosniens fanden wir einen
solchen, sehr sonderbaren Posten in den Rechnungen des auswärtigen
Amtes, nämlich den Besuch unseres Thronfolgers in Rom. Um die
italienische Regierung beim Dreibund festzuhalten und für die Annexion zu gewinnen, hat Aehrenthal sich bemüht, diesen Besuch zu
bewerkstelligen. Für den König von Italien und Tittoni hätte wohl
nichts besseres geschehen können. Wenn endlich ein katholischer Fürst
Rom beträte, welch ein Triumph für die Regierung! Zum Glück
scheiterte das diplomatische Schifflein am Felsen Petri. Das Wiener
„Vaterland" schrieb zur Sache:

Katholische Fürsten in Rom.

Als vor einigen Wochen in der Presse die Behauptung auftauchte, der Wiener Nuntius Fürst Granito di Belmonte verhandle
in Rom, um einen Besuch des Thronfolgers Erzherzog Franz
Ferdinand dortselbst zu ermöglichen, haben wir auf Grund authen-
tischer Informationen diese Nachricht sofort dementiert.

Wie wir nunmehr erfahren, ist nunmehr über die Frage des
Besuches katholischer Fürsten in Rom von maßgebender Stelle im
Vatikan an alle in Frage kommenden Instanzen ein auf-
klärendes Schreiben ergangen, dem wir nachstehende Sätze entnehmen:

„Die römische Frage ist noch nicht erledigt, wenn
auch der Teil, der ein Interesse daran hatte, sie als erledigt erklärt
hat. Der andere Teil hat stets gegen die vollendete Tatsache, gegen
die Gewalt, im Namen des Rechtes protestiert. Es ist eine offenkundige Tatsache, daß der Heilige Stuhl seine Vorbehalte, seinen
Protest und seine Rechte noch immer aufrecht hält: das mag
gefallen oder mißfallen; es wäre aber naiv, sich darüber zu wundern oder sich darüber hinwegzusetzen.

Nicht weniger bekannt ist die doppelte Form, in der der
Heilige Stuhl klar und feierlich seinen Standpunkt darlegt: 1. Der
Papst verläßt den Vatikan nicht, 2. er erklärt es als eine ihm
persönlich und der Kirche zugefügte Beleidigung, wenn ein katho-
lisches Staatsoberhaupt oder ein Stellvertreter eines solchen einen
Besuch im ‚dritten Rom" machen wollte.

Wenn das Unterbleiben solcher Besuche einigen mißfällt,
so müssen sie sich selbst oder anderen die Schuld geben; nicht
aber dem Papst, der zu einem Verhalten gezwungen wurde, das
für ihn eine Gewissenspflicht ist. Uebrigens ist die Behauptung, das Unterbleiben dieser Besuche schade den Interessen Italiens,
falsch und tendenziös; hat es doch nicht das Bestehen einer langjährigen Bundesgenossenschaft und immer engere Beziehungen verhindert.

Die beiden Verhaltungsregeln des Papstes, durch die er
seinen fortwährenden Protest bekundet, bilden einen Präzedenzfall

und es erscheint nicht ernsthaft, Ausflüchte und Vorwände zu suchen, um dem fraglichen Besuche den Charakter einer Beleidigung des Papstes und der katholischen Kirche zu nehmen.

Aus diesem Grunde kann Pius X. nicht umhin, das Verhalten und die Erklärungen seines Vorgängers auch seinerseits zu befolgen. — Der Versuch, glauben zu machen, daß der Besuch des Erzherzogs im dritten Rom vom Heiligen Vater annehmbar gefunden oder doch geduldet werde, muß daher als irreführend bezeichnet werden."

Nach einer so kategorischen Erklärung des Apostolischen Stuhles mußte wohl der Plan, den Thronfolger nach Rom gehen zu lassen, aufgegeben werden. Wir freuen uns darüber. Das Land der Revolution, in welchem gerade jetzt alles wider uns tobt, verdient keinen österreichischen Erzherzog zu sehen.

Der deutsche Hochschullehrertag, der im vorigen Jahre in Salzburg begründet worden und der sich zur Aufgabe gemacht, Vorgänge wie den Fall Schrörs in Bonn, den Fall Günter in Tübingen, den Fall Wahrmund in Innsbruck, zu verhüten, tagte Ende September d. J. in Jena. Professor v. Amira in München legte daselbst eine Anzahl von Resolutionen vor, von denen uns die erste und sechste interessieren. Die erste lautete: „Die wissenschaftliche Forschung und die Mitteilung ihrer Ergebnisse müssen gemäß ihrem Zweck unabhängig sein von jeder Rücksicht, die nicht in der wissenschaftlichen Methode selbst liegt." Und die sechste lautete: „Ausnahmen von obigen Sätzen (noch fünf andere) sind auch nicht bei akademischen Lehrern der Theologie anzuerkennen. Sollte etwa ihre wissenschaftliche Ueberzeugung von dem Inhalt der Theologie, die zu lehren sie übernommen haben, in Widerspruch mit den Ansichten einer Kirchenbehörde treten, so würde die Staatsregierung sich in einen Glaubensstreit einmischen, wenn sie um eines solchen Konfliktes willen jene Theologen von ihren Aemtern entfernen oder auch nur an deren Ausübung hindern würde."

Um diese zwei Sätze richtig zu verstehen, muß mitgeteilt werden, daß die 60 in Jena versammelten Vertreter der sogenannten „Professoren-Gewerkschaft" laut bekannt haben, diese Leitsätze seien gegen das Zentrum, das heißt gegen die katholische Weltanschauung und gegen die kirchliche Autorität gerichtet und jedes Wort, das zu ihrer Begründung und Verteidigung gesagt werde, müsse wie ein Faustschlag ins Gesicht der katholischen theologischen Fakultäten wirken. Es handelt sich somit um einen Schlag auf das Wesen und die Natur der katholischen Kirche. Die Freiheit der Forschung wird gestellt gegen die Freiheit des authentischen Lehramtes der Kirche, das individuelle Recht zu dieser Forschung gegen das soziale Recht der Existenz der Kirche; diese hat sich zu beugen vor dem forschenden Individuum, wenn es auch ein Plagiator oder Träumer oder boshafter Feind ist, ja sie muß sich das sogar gefallen lassen, wenn der angebliche For-

scher in ihren Diensten steht und z. B. Kirchenrecht doziert. Für eine
solche Freiheit würde man sich sonst wohl überall bedanken. Man
könnte fragen, was die Sechzig sagen möchten, wenn ein diebischer
Kammerdiener oder sonstiger Hausgenosse in ihren Truhen und Kästen
und Taschen eine freie Forschung anstellen würde. Dieser Forscher
versichert z. B., er sei bei seiner wissenschaftlichen Forschung zur
Ueberzeugung gekommen, daß Diebstahl nicht Unrecht sei, daß er
ein Recht auf fremdes Eigentum habe, (Eigentum sei überhaupt
Diebstahl) und seine persönliche Freiheit, es in Besitz zu nehmen,
ihm niemand unterbinden dürfe. Mit der Kirche Christi glaubt man so
verfahren zu dürfen. Sie, die als Gründerin der Universitäten und
größte Förderin derselben vor der Geschichte dasteht, muß die theologische Fakultät auf dem Jenaer Kongreß als Fremdkörper bezeichnen
lassen und ein jüdischer Wiener Professor, Hartmann, ein Schild-
knappe Wahrmunds, erlaubt sich, die Existenz der katholischen Fakultäten eine Abnormität zu heißen und seinen giftigen, jüdischen Spott
über sie auszugießen. Wie ein weißer Rabe nahm sich in dieser Versammlung der Leipziger Professor Binding aus, der den vernünftigen
Satz aufstellte: „Wer als Lehrer der Theologie einen bestimmten
Lehrauftrag übernimmt und dann seine Meinung ändert, der handelt
in meinen Augen unsittlich, wenn er an seinem Lehramt klebt."
Ganz natürlich; wenn z. B. den Wahrmund seine freie Forschung
dahin gebracht hat, daß er die katholische Kirche nicht mehr nehmen
kann, wie sie leibt und lebt, dann hat er infolge seiner freien Forschung das Amt eines Lehrers des katholischen Kirchenrechtes aufzugeben. Sonst handelt er unlogisch und inkonsequent und ißt ein
Brot, das ihm nicht mehr gebührt. Im protestantischen Deutschland
zieht man die nämlichen Konsequenzen. Da lebt in Bremen ein Pastor,
Steudel mit Namen, der sich offen zum Monismus bekennt, und
eine monistische „Ethik" als Kulturprodukt und Kulturfaktor predigt.
Ueber diesen sonderbaren Prediger des reinen Evangeliums schrieb
kürzlich das „Hamburger Kirchenblatt":

„Man gewöhnt sich ja das Verwundern in unserer Zeit je länger desto
gründlicher ab: aber soweit man auch darin fortgeschritten sein mag, dieser
monistische Christenpastor bedeutet für ein normales Durchschnittsgehirn doch
eine Ungeheuerlichkeit, eine Abnormität, die sich schwer auf den rechten Ausdruck
bringen läßt. Dieser Mann läßt sich jahraus, jahrein sein Gehalt als Pastor
einer Kirche zahlen, die er mit aller Nachdrücklichkeit bekämpft. Er tauft Kinder
auf den dreieinigen Gott — bekennt sich offen als Gottesleugner in der bestimm-
testen Form. Er hat sich bei seiner Ordination verpflichtet, in irgend einem Sinn
Gottes Wort zu predigen — und er tut das genaue Gegenteil davon. Er redet
von der christlichen Religion, wie wir etwa von der griechischen Göttermythologie,
— wie von einer historischen Größe, die für ihn als persönliche Ueberzeugung
niemals in Betracht gekommen ist. Er bekommt es fertig, vor dieser monistischen
Gesellschaft mit widerwärtigem Hohn im Ausdruck von einem „Bruder in Christo"
zu berichten, der ein Sonntagsblatt, „Der Pilger zur Heimat", redigiere, und
fügt hinzu: wir sind uns wohl alle einig, daß wir diesem Pilger nicht in seine
Heimat folgen. Ich muß gestehen, neben diesem „Pastor" wird Voltaire mit all
seiner Frivolität und seinem fanatischen Haß gegen alles Christentum zu einer
sympathischen und liebenswürdigen Erscheinung — —."

Dieses Räsonnement ist richtig. Das einzelne Individuum mag
seine Freiheit für sich selbst genießen nach Belieben, aber wenn es
im Dienste eines andern steht, hat es sich nach dessen Willen zu
richten oder den Dienst zu verlassen. Würde der Staat diesen Grundsatz nicht anerkennen und der Kirche seinen Schutz versagen, so würde
er für sich selbst die größten Gefahren heraufbeschwören. Die Sozialdemokraten und Anarchisten könnten sich mit eben demselben Rechte
auf das Resultat ihrer Forschungen, ihrer Prinzipien berufen. Also
das individuelle Recht der freien Forschung darf nicht zur Knebelung
anderer, zur Unfreiheit für andere mißbraucht werden.

England. (Der eucharistische Kongreß.) Das große Ereignis
der letzten drei Monate ist der eucharistische Kongreß in London.
Als Augenzeuge und Teilnehmer habe ich wieder einmal in meinem
Alter die Gefühle durchlebt, die ich als junger Germaniker bei den
großen Aufzügen in der Peterskirche empfand, z. B. 1865 bei der
Corpus Christi-Prozession und dem Zentenarium der Apostelfürsten
1867. Bei solchen Gelegenheiten drücken sich die Kennzeichen der
Kirche, ihre Einheit, ihre Heiligkeit, ihre Allgemeinheit so tief in die
junge Seele ein, daß kein Zucken und Zerren im späteren Leben sie
derselben entreißen kann. Ganz London, ja ganz England, Katholiken
und Protestanten sind diesem Drucke von oben unterlegen und nur
wenige haben versucht, ihm zu entfliehen — keinem ist es gelungen!
Denn auch die Widersacher, d. i. eine Handvoll ungehobelter Kensiten,
haben sich einen ganzen Monat lang mit heiligen Dingen beschäftigen müssen und haben in ihrer erbärmlichen Niederlage gelernt,
wie schwach sie sind und wie verachtet vom gesunden Sinn der Mehrzahl des englischen Volkes. Die Katholiken haben natürlich die reichste
Ernte eingesammelt. Die Andacht zum hochheiligsten Altarssakramente,
die überhaupt schon gut gepflegt war, hat einen neuen Aufschwung
erhalten durch die allgemeinen Kommunionen, die feierlichen Hochämter
und Segen, die im ganzen Lande während des Kongresses von den
Bischöfen vorgeschrieben waren. Doch sind die Früchte der Gnade
in einzelnen Seelen ein Geheimnis, das dem Chronisten verborgen
bleibt. Nicht so die gesellschaftlichen Früchte. Vor hundert, ja vor
achtzig Jahren, waren die englischen Katholiken schlechter daran als
das Vieh ihm Stalle oder auf der Weide. Wie schädliches Ungeziefer
mußten sie sich in Höhlen und Winkeln verbergen. Ihre armseligen
Kapellchen waren weit vom Zentrum des feinern Lebens in schmutzigen
Gassen versteckt; manche Messe wurde unter dem Dache eines gemeinen
Wirtshauses unter Biergeruch und Pfeifendampf gelesen. Der Priester
trug jede Kleidung, ausgenommen eine geistliche. Kein öffentliches
Amt stand den Katholiken offen. Sie waren im vollsten Sinne der
Auswurf der Gesellschaft, nur geduldet, weil ihre gebrochenen Ge-
müter sie unschädlich machten. Hatte sich irgend einer zum Besitz
eines Pferdes erschwungen, so stand es dem ersten besten Protestanten
frei, es ihm gegen 100 Mark (L. 5) abzunehmen. Und heute? Ein

katholischer Erzbischof mit fünfzehn Suffraganen, sechs Kardinäle, Bischöfe und Priester und hervorragende Persönlichkeiten umgeben einen päpstlichen Legaten in der größten Kirche der Stadt, feiern mit allem Pomp die so lange unter Todesstrafe verbotene Messe, durchziehen die Straßen in Prozessionen unter dem Schutze der Polizei, besprochen, bewundert, beneidet, aber nicht beschimpft. „Das Schwarze Meer überschwemmt London", bemerkte ein Herr beim Anblicke der zahlreichen französischen Talare und Mönchskutten unter den Kongressisten; es fiel ihm jedoch nicht ein, das Gesetz in Anwendung zu bringen, welches jetzt noch eine Strafe von 1000 Mark über das Tragen geistlicher Trachten verhängt. Das Gesetz, und die ganze Reihe der Sondergesetze, welche die Katholiken auf eine untergeordnete Stufe der Bürgerschaft setzen, haben durch den Kongreß den Todesstoß erhalten. Faktisch sind die meisten maustot; nächstes Jahr werden sie hoffentlich alle aus dem Statutenbuch verschwinden. Also hat sich die soziale Stellung der „Römer" bedeutend gehoben. Wie mancher armer Kerl, der sich seiner „fremden" Religion vor dem Kongresse noch schämte, ist aus seiner Verborgenheit hervorgekommen, um in seinem besten Sonntagsanzug zu paradieren als „auch einer". Wenn die Magd zum Petrus sagt „du bist auch einer davon", dann läuft Petrus nicht mehr feige weg, sondern sagt stolz mit seinem Meister: Ja! ich bin es. Das Gute dabei ist, daß das katholische Gespenst immer mehr Leib annimmt und eher Neugierde als Furcht verursacht. Vor 60 Jahren konnte Newman noch die Herzen erweichen durch seine Schilderung der gespensterhaften alten verkümmerten Gestalten, die in der Dämmerung aus einsamen, oft halb verfallenen Wohnungen hervorkamen; denen die Kinder auswichen und von denen die Erwachsenen nur zu sagen mußten: das ist noch ein Katholik; er kommt aus dem Grabe, das ihm die Königin Elisabeth gegraben. Doch auch damals schon, wie derselbe Newman bemerkt, erregte jede katholische Niederlassung ein Interesse der Neugierde. Solche Erscheinungen waren Rätsel, die man zu lösen suchte: Die Lösung kam, in den meisten Fällen durch Betrachtung der Standhaftigkeit im Glauben inmitten unsäglicher Opfer an Habe, Gut und Ehre und der nie müden Charitas, die von jedem katholischen Zentrum ausstrahlte. An ihren Früchten erkannte man sie. Möge unser Kongreß, die reifste Frucht, die wir bisher getragen, noch vielen das Rätsel lösen.

Gehen wir nun zu den Eindrücken über, von welchen die protestantischen Kirchenzeitungen Zeugnis ablegen, dann finden wir wieder viel erfreuliches. Von den Non-Konformisten erwarteten wir keine Sympathie — und doch haben wir sie empfangen. Die Non-Konformisten haben nämlich so viel für ihre eigene religiöse Freiheit kämpfen müssen, daß sie in unserem Triumph ihren eigenen sehen; daher ihre Sympathie. „Wir sind stark genug in unserem protestantischen Glauben, um jedem anderen Glauben freie Ausbildung zu gewähren." Dieses Motiv kehrte in jeder Zeitung wieder. Eine geringe Ausnahme bildeten die Kensiten und Protestantenvereinler, deren Geschäft und Lebensunterhalt es ist, in den römischen Kloaken zu arbeiten. Vielleicht kommen auch diese eines Tages ans Licht und sehen die eigentliche Stadt. Die Anglikaner, besonders die Ritualisten, haben uns wirklich ihr Herz geöffnet. Sie finden weniger zu tadeln am eucharistischen Kongresse als an seinem Vorläufer, dem pan=angli= kanischen. Das Schlagwort: it is the mass that matters (die Messe entscheidet), welches vor etwa zehn Jahren vom jetzigen Minister Birrell (Kongregationalist) geschaffen wurde, kommt überall zum Vorschein und zwar als die richtige Probe wahren Christentumes. Ein Korrespondent der Church Times, stolz auf seine Messe, schlägt vor, daß sich die anglikanische Kirche der römischen anschließe wie die Unierten Griechen oder Maroniten. Für die Ritualisten wäre das ein Leichtes. Und vielleicht kommt noch ein Papst, wenn er nicht schon da ist, der den Gedanken aufnimmt und durchführt. Die größte Schwierigkeit läge in der Verschmelzung oder Nichtverschmelzung der jetzigen Katholiken mit den „Unierten". Unsere zahlreichen Konvertiten würden stark versucht werden, in die Unierte Kirche einzutreten; die vom alten Stock, so reich an irischem Blute, würden sich arg dagegen sträuben. Die Sache ist Gott empfohlen. Eine zweite Moral ziehen die genannten Zeitungen aus dem Kongreß zum Gebrauch ihrer Bischöfe. Woher die Siege der römisch=katholischen Kirche in den letzten 60 Jahren? fragt St. Cuthberts Sonntagsblatt. Und es ant= wortet: Weil sie Führer hatte, die wußten, was sie wollten und ent= schieden auf ihre Zwecke hinarbeiteten. Die meisten unserer (d. i. anglikanischen) Bischöfe sind sich bewußt, daß das Wiederaufleben des katholischen Glaubens in England (unter den Ritualisten) das Werk Gottes ist. Doch was haben sie für uns getan? Immer schwanken, zittern und beben sie, bis es zu einer Verständigung (compromise) kommt, in welcher den Nonkonformisten und Prote= stanten alles zugestanden wird. Und so weiter. In derselben Nummer steht ein langer Artikel über Krankenbesuch, worin geschichtlich nach= gewiesen wird, daß es von jeher, auch in England, Sitte war, das hochheiligste Sakrament als Wegzehrung für die Kranken zu reser= vieren. Also nach allen Richtungen hin hat der eucharistische Kongreß segensreich gewirkt. Es würde zu lang werden, die einzelnen Phasen zu beschreiben. Nur einige Hauptmomente sollen hier Platz finden.

Am Abende des 9. September bestieg Kardinal Vincenzo Vannutelli den Thron in der Kathedrale und verlas das päpstliche Beglaubigungsschreiben vor 5000 Zuhörern ohne Furcht der Todes= strafe, welche ein Gesetz von 1571 über römische Eindringlinge ver= hängt. Am Freitag=Abende fand eine große Versammlung in der Albert= Halle statt. Diese Halle, die größte in London, hat 11.000 Sitze — doch war sie zu klein. Um allen Sitzbegierigen zu genügen, räumten die ersten Ankömmlinge den Platz für andere, so daß drei Stunden

lang ein wahres Menschenmeer durch die Portale ein und aus floß.
Der folgende Tag sah die Feier der Byzantinischen Messe, welche
doch für uns im Westen etwas zu lang und zu zeremoniell ist.
Viele gingen vor dem Ende weg, wurden aber gleich von den draußen
Harrenden ersetzt. Kein Sitz blieb während der ganzen Funktion leer.
Samstags, nach Mittag, fand die wunderbare Kinderprozession statt.
Wenigstens 17.000 (man schätzt die Zahl auch höher, bis 25.000)
katholische Schulkinder zogen mit Kreuz und Fahnen den Ufern der
Themse entlang, bis die ganze Masse sich um die Kathedrale drängte
und den Segen vom Kardinal=Legaten empfing. Die Kleinen mar=
schierten in 4 Reihen, zwei und zwei an jeder Seite mit freiem
Platz in der Mitte für Fahnenträger. Die Polizei hielt prächtige
Ordnung: es galt die Eltern und die Gönner in Schranken zu
halten. Sicher hat nichts einen größern Eindruck auf das gemeine
Volk gemacht als diese netten, wohlgeschulten Kinder mit den Schwestern
und Brüdern und Lehrern und Lehrerinnen, denen sie ihre gute Er=
ziehung verdanken. Eine ernstere Sache war die Sonntagsprozession.
„Darf man es wagen, das Sanctissimum feierlich durch die prote=
stantischen Volksmassen zu tragen?" Diese Frage wurde von Anfang
an mit Ja und Nein beantwortet. Der Erzbischof selbst scheint eher
für das Nein gewesen zu sein, obschon er später, von der allgemeinen
Begeisterung mitgerissen, seine Zustimmung gab. Während des Kongresses
griffen die feindlichen Zeitungen die Prozession cum Sanctissimo an
als eine freche Herausforderung des Königs, der ja in seinem Krö=
nungseide die Transubstantion abgeschworen, als eine öffentliche Ver=
höhnung des Gesetzes, welches solchen Kultusakt verbietet; als eine
Beleidigung der protestantischen Nation, welche den Kongreß erlaubt
und beschützt hatte; als eine Herabwürdigung der Polizei, die fremde
und heimische Uebertreter des Gesetzes in Schutz nehmen solle. Auch
die modernste Presse sprach in diesem Sinne. Den Kongressisten
wurde bange. Dann kam Rettung von unerwarteter Seite. Der erste
Minister teilte dem Erzbischofe in einem privaten Brief mit, daß es
ratsam sei, die Prozession zu unterlassen. Zugleich bat er, seine Inter=
vention geheim zu halten. Gleich antwortete der Bischof, daß er das
Odium einer Rücknahme seines Wortes durch Verbot der Prozession
nicht auf sich nehmen wolle: nur unter Bedingung, daß der Minister,
der früher keine Einsprache gemacht, ein knappes Verbot erlasse und
die Korrespondenz veröffentlichen lasse, würde das Programm der
Prozession verändert werden. Der Premier lenkte ein vor dem Primas:
in höflichster Weise kam man zu dem Verständnis, daß die Prozession
ohne das Sanctissimum ausgehen würde. Manchem wurde dadurch
ein Stein vom Herzen gewälzt. Jedem, der beim großen Umzuge
war, wurde es klar, daß das hochwürdigste Gut nicht ohne Unfug
und Unbilde hätte erscheinen können. Die Straßen waren so dicht
mit Menschen gefüllt, daß die Prozessionisten an vielen Orten nur
mit Mühe, einer hinter dem andern, vorankommen konnten. Den

Druck von den Seitenstraßen vermochte die Polizei nicht zu verhüten. Was wäre da aus dem Baldachin und seiner Umgebung geworden? Kampflustige beider Parteien standen überall bereit zum Angriff und zur Verteidigung; aus dem kleinsten Zufall wäre eine Balgerei und noch Schlechteres entstanden. Im veränderten Plan aber ging alles in bester Ordnung. Der Zug war eine Meile lang und bestand aus allen Graden der Hierarchie, des Adels und der Bürgerschaft. Nur Männer waren zugelassen. Den Schluß der Funktion bildete der feierliche Segen mit dem Sanctissimum, welchen der Legat von einer Loggia des Domes den Tausenden erteilte, die sich auf dem Platze und in den anlaufenden Straßen fromm vor dem Gotte im Sakramente verbeugten — zum Knieen war kein Raum. So schloß dieser merkwürdigste und großartigste aller eucharistischen Kongresse. Die Pan-Anglikanische Versammlung ist schon vergessen; unsere Pan-Petrinische Versammlung (wie man sie genannt) trägt täglich neue Früchte. Deo gratias.

Battle, 17. November 1908. Josef Wilhelm.

— — —

Bericht über die Erfolge der katholischen Missionen.

Von Joh. G. Huber, Dechant und Stadtpfarrer in Schwanenstadt.

Ein Jubiläumsjahr geht eben zu Ende. Wir verbinden mit dem Worte Jubiläum gerne den Begriff unseres deutschen Wortes „Jubel", d. i. Freude, fröhliche Feier, was sich aber nicht immer gegenseitig deckt. So ists auch mit den Jubiläen dieses Jahres.

Es feiert das Oberhaupt der katholischen Kirche, unser Heiliger Vater Papst Pius X. sein 50jähriges Priester-Jubiläum und unter allen Völkern der Welt haben Tausende und Millionen in freudigen Festlichkeiten gezeigt, daß sie kindliche Freude und Liebe hegen zu ihrem gemeinsamen Vater und an dessen Jubiläumsfreude Anteil nehmen wollen.

In unserem Staate Oesterreich feiert unser Kaiser Franz Josef I. das Jubiläum seiner 60jährigen Regierung, und die Völker und Nationen dieses Reiches, so sehr sie sonst getrennt, ja auseinander gerissen sich geberden, überall fanden sie ein Gemeinsames: In Jubelfeiern aller Art und allerorts zeigten sie mit Freude: Wir haben einen Kaiser, unter dessen leitender Hand wir länger stehen als irgend ein Volk der Welt, wir lieben ihn und Alle freuen wir uns seiner Jubelfeier!

Also in beiden Jubiläen kam der Begriff Jubel als Freude zum Ausklange.

Und doch liegt in beiden Jubiläen sehr viel Ernstes, ihre Feier fiel in eine sehr ernste Zeitlage!

Allbekannt ist ja und uns allen wohl bewußt, daß die Lage der heiligen katholischen Kirche in unseren Tagen ernster ist als je. Umgeben und bedroht von Feinden ohne Zahl, die sich immer mehren, immer grimmiger toben in ihren Angriffen, weil sie auch an Bord des Schiffes der Kirche auf viele rechnen dürfen, die nur als „blinde Passagiere' mit-fahren und solche, die schon Deserteure sind oder es werden wollen, — trägt unsere heilige Kirche mit Recht den Namen: die streitende Kirche und hat ihr Jubelvater in heiliger Gottesrüstung einherzugehen.

Und unser gutes altehrwürdiges Oesterreich ist durch den Zwist seiner Nationen, der seit langer Zeit systematisch wie aus nimmermüdem Blasbalge in sie hineingefaucht wird, in eine Lage geraten, die wir für sehr ernst und bedenklich ansehen müssen, die uns auch von auswärts viel-fach bedrohlich vorgehalten wird. Alle Welt spricht und schreibt und tele-graphiert darüber, als ob es sein müßte, daß das österreichische Jubeljahr mit einem Völkerkriege enden sollte und die Morgenröte des neuen Jahres einen traurigen Widerschein fände im Blute der Völker, die im Frieden so leicht nebeneinander Platz hätten.

So ist für den Priestergreis auf St. Petri Stuhle, wie für den greisen Kaiser auf dem ältesten Kaiserthrone ihr Jubeljahr ein wirklich ernstes geworden und sind in den Becher der Jubelfreude schon viele bittere Tropfen gefallen. Sie beide haben ihn zu trinken und mögen und werden dabei ihre Augen im festen Vertrauen zu dem erheben, bei dessen Erscheinen auf Erden vom Himmel der Jubelruf erscholl: Gloria in excelsis Deo et in terra pax hominibus bonae voluntatis! Der wird alles so wenden, wie es zum Besten ist. Der Friede ist in Gottes Hand, Er wird ihn geben!

*   *   *

Der Schreiber dieser Zeilen konnte nicht anders, als dieses zwie-fache Jubiläum auch hier zur Sprache bringen. Dazu wagt er es gar, noch eines Jubiläums zu erwähnen, welches gerade an diesem Berichte hängt.

Es ist der hundertste Bericht, mit welchem er vor seine Leserschaft tritt, also gibt es da auch ein Jubiläum, das freilich mit den vorbesprochenen keinen Vergleich aushält, auch keinen Anspruch auf Bedeutung erhebt, es will sich nur anschließen, wie sich eben Kleines gern an Großes schmiegt. Eines hat's ja doch mit den Obigen gemein: den zwiefachen Geschmack von Freude und bitterem Ernste.

Gewiß freue ich mich daran, daß ich so oft im Dienste der Quartalschrift und der Mission die Feder führen durfte, — ob dies auch die P. T. Leser so freut, darüber bestehen noch etliche Zweifel!

Als ich in Heft II 1884 an die Arbeit trat, stand ich in der Vollkraft des Lebens und alles freute mich; jetzt bin ich ein alter Knabe, dem die Arbeit und allerhand leibliche Gebrechen den weißen Stempel fest und tief aufgepreßt haben, Sorgen und Stürme haben über den Geist hingefegt und ihn gezaust, daß er auch nachgerade Schwingenlahmheit merken läßt. Sicher wäre es ratsam, die Feder in eine jungfrische Hand zu legen. Was noch vor mir steht, ist der Ernst mit strengem Gesichte!

Und das Missionswerk hat ebenfalls Ernstes und viel Bedrohliches vor sich.

Allein der Herr, der Lenker der Welt, der Oberherr aller Staaten und Völker, Er ist auch das Haupt Seiner Kirche, der Vater ihrer Mission und Er wird sie nie aus Seiner Hand lassen!

Darum gehe ich auch mit diesem Jubiläumsberichte getrost hinaus und sage wohlgemut: Grüß Gott! und frohe Weihnacht und ein glück-seliges neues Jahr! allen Mitgenossen im heiligen Berufe und besonders den Mitpriestern, Brüdern und Schwestern in den Missionen aller Weltteile.

12*

Ehre sei Gott in der Höhe und Friede den Menschen auf Erden, die guten Willens sind.

I. Asien.

Palästina. Msgr. Haggear, Erzbischof von Ptolomais, weiß seine und seines Klerus Arbeitskraft gut auszunützen: In seinem Kirchensprengel, der ganz Galiläa umfaßt, wurden im letzten Jahre 4 Kirchenbauten vollendet, für den Klerus jährliche Exerzitien eingeführt, zur Dotation der Pfarreien Olivengärten teils angekauft, teils neu angelegt, eine ganze Reihe religiöser Vereine gegründet; 125 Missionsschulen sind gut besucht und mit Lehrkräften besetzt, müssen aber noch vom Bischofe dotiert oder erhalten werden. Die der Schule Entwachsenen sucht man in Kongregationen zu einigen zum Schutze gegen den Einfluß der Häretiker.

In Schefr=Amar ist die Schule neu gebaut, zählt 250 Schüler und 5 Lehrkräfte. In Kaipha haben die barmherzigen Schwestern an ihrer Anstalt auch ein Pilgerhospiz eröffnet, worin im ersten Jahre schon 277 Pilger Aufnahme fanden. Die dortige Schule hat 152 Schüler, im Krankenhause fanden 334 Kranke Verpflegung. Also, Gott sei Dank! im heiligen Lande ist katholisches Wirken und Leben im Aufsteigen. (Ver. d. Mar. Ver.)

Syrien. Der syrische Patriarch Rachmani meldet, daß in seinem Sprengel seit einigen Jahren unter den Monophysiten eine günstige Annäherung zur katholischen Kirche sich zeige. Im vorigen Jahre ist ein schismatischer Bischof, 1 Priester und eine Anzahl Laien zur katholischen Kirche zurückgekehrt. Er hofft beste Erfolge, wenn er nur genug Priester habe; es steht auch kräftiger Nachwuchs zu erwarten aus dem syrischen Seminar am Libanon, sowie aus den syrischen Seminarien St. Benedikt und St. Ephrem in Jerusalem. (Ver. d. M. V.)

Kleinasien. Die Mission der Assumptionisten, welche schon 32 Niederlassungen im Oriente besetzt halten, hat diesen noch 6 Gründungen beigefügt. In Eski=Schehir wurde die durch Erdbeben 1905 schwer ruinierte Missionsanstalt wieder hergestellt und von Schwestern bezogen. Die Schulen zeigen von Jahr zu Jahr zunehmende Schülerzahl. Die Seminare, die unter Leitung dieser Missionäre stehen, entwickeln sich kräftig, sind wirklich die Hoffnung der Mission; gelingt es, aus diesen eine genügende Zahl von Priestern heranzuziehen, so ist nicht zu zweifeln, daß man auch viele Schismatiker für die katholische Kirche gewinnen werde, um so mehr, als man jetzt schon beobachten kann, daß vielfach die Schismatiker Vorliebe für den katholischen Gottesdienst hegen und eifrigen katholischen Missionären Verehrung bezeugen. (Ver. d. M. V.)

Armenien. Die von den Jesuiten 1883 gegründete Mission hat in ihrem Bezirke neben 2 Millionen Moslims 50.000 Schismatikern und 10.000 Protestanten jetzt in 7 Stationen 7000 Katholiken. Das Missionspersonale bestand aus nur 16 Mitgliedern, es wollte anfangs gar nicht vorwärts gehen, jetzt sind 48 Priester und Brüder, auch 4 Marienbrüder und 83 Schwestern.

Es wird eifrig im Schulunterricht gearbeitet, sowie im Vereinswesen, Volksmissionen, geistlichen Exerzitien u. s. w. Nun mehren sich die Bekehrungen, so neuestens mehrerer Priester und deren Familien. Es bestehen in den Missionsschulen schon 113 Schulklassen mit nahezu 3700 Kindern, dazu Waisenhäuser mit 400 Kindern, Armen=Apotheken, Vinzenzvereine u. dgl. Aus solchem gutem Samen wird mit der Zeit auch gute Ernte reifen. (Ver. d. M. V.)

Border-Indien. In dem Jahresberichte der Millhiller-Kongregation finden sich über ihre Mission in der Erzdiözese Madras erfreuliche Angaben:

In 25 Stationen zählt ihre Mission schon 30.700 Katholiken; im Berichtsjahre wurden 767 Erwachsene getauft, 1483 Kinder und 632 in Todesgefahr. In 79 Missionsschulen sind 3075 Kinder; die Mission hat auch 9 Waisenhäuser und Asyle, 2 Armen-Apotheken, 6 Klöster; es arbeiten nun an der Mission derzeit 38 Priester, 27 europäische und 45 einheimische Klosterschwestern. (S. Jos. M.-B.)

Apostolische Präfektur Kaschmir und Kafiristan. Auch dort wirkten die Millhiller in Raval-Pindi, Yusufpur, Muree und Srinagar. Dort wie in den Nebenstationen sind 13 Priester, 1 Bruder und 18 Schwestern verteilt, sie haben auch 3 Schulen mit 365 Kindern und 3 Waisenhäuser. (S. J. M. B.)

China. Apostolisches Vikariat Süd-Schantung. Das Dekanat Tsing-tau, zu welchem auch das deutsche Gebiet Kiautschou gehört, ist seit 1898 missioniert und in Erfolgen bedeutend vorwärts gekommen, besonders im Bezirke Kiautschou hat sich das Jahr 1907 gut eingestellt. Zu Beginn desselben waren nur 3 Katechisten und 1 Lehrerin vorhanden, zum Schlusse standen 16 Katechisten und 9 einheimische Jungfrauen im Dienste der Mission und gibt es schon 30 Christengemeinden.

In der Gemeinde Jütjatsuin nahmen an der Weihnachtsfeier über 1000 Christen teil und gab es bald darauf in Kiautschou über 100 Taufen Erwachsener.

Im Dekanate Itschoufu, wo die Mission schon früher eintrat, sind die Erfolge noch größer. Im Jahre 1907 wurden 193 Erwachsene getauft und 63 Kinder und war die Zahl der Katholiken 1715 und 1832 Katechumenen, 94 Kinder in der Schule; auch machten 62 Katechisten und Katechistinnen dort einen Repetitionskurs und zum Abschlusse desselben Exerzitien. Leider hat Itschoufu, wo doch der weiten Umgebung ist, noch keine Kirche, es muß der Gottesdienst im Schulraume gehalten werden. Bischof Hennighaus ließ schon einen Aufruf ergehen um Bausteine für eine St. Johannes-Kirche dort zur Erinnerung an seinen Vorgänger, † Bischof Anzer; leider ist aber der Baufond noch so gering, daß der Bau noch wird länger warten müssen. Hiemit wird auch um Beihilfe gebeten.

In Südschantung herrscht Hungersnot: nach einer Richtung hin wurde durch große Ueberschwemmung, nach einer andern Richtung durch Hitze und Dürre alle Ernteaussicht vernichtet. (Stl. M. B.)

Japan. Mitte September war es ein Jahr, seit die Steyler Missionäre nach Japan gekommen sind zur Uebernahme der ihnen übertragenen Mission. Das erste Jahr lieferte schon den Beweis, daß man sehr recht tat, sie dahin zu stellen; es zeigt sich große Tatkraft und Hoffnung auf schöne Erfolge.

Aus dem Berichte des P. Weig sei folgendes erwähnt:

Schon in der ersten Station Akita, wo sie ihre Zeit hauptsächlich auf Erlernung der japanischen Sprache verwenden mußten, machten sie den Versuch, in einer Abendschule Unterricht in europäischen Sprachen zu erteilen und hatten nicht wenige Schüler aus vornehmen Kreisen.

Im Mai wagten sie schon eine neue Gründung und zwar in der 70.000 Bewohner zählenden Handelsstadt Niigata, wo sie ein Grundstück tauften und sofort den Bau eines Missionshauses begannen, welches zu einem St. Josef-

Kolleg ausgestaltet werden soll. Dabei setzen sie ihre Anwartschaft auf die höheren Staatsschulen, deren mehrere in nächster Nähe sind, besonders auf die von der Regierung neu eröffnete Akademie für Mediziner. Das Kolleg soll zuerst eine Sprachschule eröffnen für europäische lebende Sprachen, sowie für Latein und Griechisch, deren ja die Studierenden bedürfen. Wenn sich dieses günstig anläßt, so soll im Kollege auch ein Studentenheim sich auftun, wo die Studenten Nachhilfe in ihren Studien erhalten und durch Verkehr mit den Missionären auch Einblick in die christliche Religion und Achtung derselben gewinnen sollen. Auch ist die Gründung einer Anstalt für Lehrer und Katechisten geplant, die ja für die Mission so notwendig sind. Der Plan ist gewiß gut! Möge Gott zur Durchführung helfen!

Auf der Niigata gegenüberliegenden Insel Sado mit 120.000 Bewohnern übernahmen die Steyler auch das Missionswerk.

Auch der Bischof von Tokio möchte die Steyler berufen und trug ihnen in der Stadt Kanazawa (100.000 Einwohner) das seiner Mission gehörige Haus an zur Errichtung einer Schule. — Also ist an Arbeit kein Mangel, an Arbeitsfreude auch nicht! Lieber Gott, gib du dazu Hilfe und Segen! (St. M. B.)

Aus Imamura in der Provinz Shikogu schreibt der einheimische Priester P. Huda an die Freib. K. M. einen Bittbrief.

Er war in seiner Kindheit bei der Christenverfolgung 1869 mit einer Menge seiner Landsleute aus Urakami in Verbannung nach Tosa geschleppt und jahrelang in Kerkerhaft gehalten worden; endlich entflohen, fand er Zuflucht bei einem in Verborgenheit lebenden Missionär, der ihn zum Studium vorbereitete und ins Seminar brachte. Vor 21 Jahren zum Priester geweiht, ist er seit 11 Jahren in der Mission Imamura angestellt als der einzige Priester eines weiten Gebietes.

Er arbeitet mit Fleiß und Erfolg unter seinen armen Landsleuten: — sein einziger Kummer ist, daß die Missionskirche ein baufälliger Holzkasten ist, dem Einsturze nahe, worüber die Heiden viel spotten, während die Christen um eine neue Kirche bitten, die Mittel für den Bau aber nicht aufbringen können. Der arme Missionär wendet sich in seiner Bedrängnis mit flehentlicher Bitte an die Missionsfreunde um Almosen zum Kirchenbaue. Der ist einer vielfachen Gewährung vollauf wert!

Borneo. Aus der apostolischen Präfektur Labuan und Nord-Borneo melden die Millhiller im letzten Jahresberichte den gegenwärtigen Bestand von 16 Stationen mit 2307 Katholiken, 6 Missionsschulen mit 476 Kindern, die Taufe von 192 Erwachsenen.

In der apostolischen Präfektur Süd-Borneo wirken die holländischen Kapuziner, 8 Patres, 4 Brüder und 5 Schwestern und bringen reges Missionsleben zur Entfaltung. Sie haben bis jetzt 4 Stationen: Singhawang, Nanga-Sedjiram, Laham und Penangkat, deren Bevölkerung meist Chinesen sind, die ihre Kinder gern in die Missionsschulen schicken, wo sie durch chinesische Laienlehrer in ihrer Sprache unterrichtet werden und bei den Missionären gründlichen Religionsunterricht erhalten.

Von der Regierung wurden auch einige Patres erbeten zur Missionierung bei den wilden Daiak in Batang Loepar, die als gefürchtete Kopfjäger durch ihre Streifzüge die weite Umgebung ängstigen. Die Missionäre sind nun schon ein Jahr bei ihnen, erlernten deren Sprache; es muß erst abgewartet werden, ob die Bekehrung gelingen werde. (S. I. M. B.)

Ceylon. Die Erzdiözese Colombo feierte 1908 ein Missions=
jubiläum.

Vor 25 Jahren übernahmen die Obl. M. J. im Auftrage der Propa=
ganda das Missionswerk im damaligen Vikariate Colombo unter Leitung
des Msgr. Bonjean, ehemals apostolischen Vikars von Jaffna, der
18 Missionäre nach Colombo mitbrachte.

Die Mission kann auf eine ehrenvolle Vergangenheit hinweisen: Msgr. Bon=
jean errichtete das Priesterseminar in Borella, aus welchem schon 19 ein=
heimische Priester hervorgingen; ferners ein Knabenseminar, die Kathedrale wurde
fertig gebaut, neu gebaut zwei große Kirchen in Negombo und Borella,
ebenso noch 81 Missionskirchen. Auf dem Schulgebiete kam man ebenso glücklich
vorwärts; 1883 gab es 140 Schulen mit 11.146 Schülern; jetzt aber bestehen
412 Missionschulen mit 36.400 Schülern. Dazu gibt es noch das Benediktus=
Institut der Schulbrüder mit damals 400, jetzt 1000 Zöglingen, die Herz Jesu=
Schule zu Kotahama unter Leitung der Schwestern, damals mit 250, jetzt
mit 410 Zöglingen. Das St. Josef=Kolleg, 1896 eröffnet mit 8 Obl.=Patres und
7 Laien=Professoren, hat jetzt ein Professoren=Kollegium von 12 Patres und 9 Laien
und ist die Schülerschaft 300. Noch andere Erziehungsanstalten werden von
Schwestern geleitet. Auch für das Vordringen der katholischen Presse ist viel ge=
schehen, ebenso für Förderung der charitativen und sozialen Bestrebungen.

Dieses und noch vieles andere ist ein herrlicher Erfolg der 25 Jahre,
eines Jubiläums würdig! (Mar. Imm.)

Philippinen. Für die seinerzeit im Kriege vielfach durch ameri=
kanische Truppen angerichteten Schäden an Kirchen wurde durch die Bischöfe
ein Gesuch um Entschädigung an die Regierung der Vereinigten Staaten
gerichtet, worauf wirklich das Abgeordnetenhaus in Washington auch
einging und eine Entschädigung von 403.000 Dollars festsetzte und an
die Bischöfe der Philippinnen zur Verteilung flüssig machte.

P. Gföllner schreibt in einem Berichte über eine Reise, die er als Be=
gleiter des Missionsoberen zu machen hatte, daß der Großteil des Volkes gut
katholisch gesinnt sich zeige und sehnlich nach katholischen Priestern verlange, die
Aglypay=Sekte dagegen nie eigentlich populär geworden sei und nur in wenigen
Orten sich noch erhalte. Er spricht die sichere Hoffnung aus, daß, wenn genug
katholische Priester sich einstellen, auch das katholische Leben wieder neu erwachen
und die Sekte zerfallen werde. (S. J. M. B.)

II. Afrika.

Apostolisches Vikariat Zentralafrika. Der apostolische Vikar
Msgr. Geyer machte wieder eine weite Reise durch das Schilluk=Land
und gab darüber Bericht an den P. General seiner Ordensgenossenschaft.

Aus den gemachten Erfahrungen schildert er die mühevollen Arbeiten
der Missionäre und Schwestern, die besonders bei der Kindheit und Jugend
viele gute Erfolge zustande bringen, während bei den älteren Leuten nur
wenig zu erzielen ist, als etwa Taufen in Todesgefahr. Dafür ist der
Schulunterricht und Einfluß auf die jungen Leute ein so gesegneter, daß
man daraus das Heranwachsen eines besseren Geschlechtes erwarten dürfe.

Am besten bewähren sich in dieser Hinsicht die Stationen Attigo und
Lul, die nun über das schwierige Anfangsstadium hinaus sind. Dort konnte
der Bischof von den Schulprüfungen die Ueberzeugung mitnehmen, daß das
junge Volk prächtig unterrichtet sei und daß ihnen die religiösen Wahrheiten
nicht etwa bloß eingepaukt, sondern, daß sie gut verstanden und in das Seelen=

leben tief eingedrungen seien. Auch die der Schule entwachsene Jugend hält sich wirklich brav.

Auf der Dampferfahrt, den Lolo aufwärts, kamen ganze Reihen von Schilluk=Dörfern in Sicht, die bis jetzt noch nicht missioniert werden konnten; so sehr die Errichtungen von Missionsstationen dort notwendig wäre. Arbeit wäre genug, leider reichen die verfügbaren Arbeitskräfte nicht aus, noch weniger das notwendige Geld. (St. d. N.)

Apostolisches Vikariat Ober=Nil. Im Gebiete der Mülhiller=Mission arbeiten 30 Priester und 261 Katechisten an 14 Stationen und 17 Schulen, auch besteht eine auffallend große Zahl von Katechumenatanstalten.

Im letzten Jahre wurden 1031 Erwachsene getauft und 1300 Kinder und nahezu 2300 in Todesgefahr. Die Zahl der Katholiken ist 18.786, in den Missionsschulen sind 660 Kinder. Zu diesem Missionsgebiete gehört auch das in gutem Missionsrufe stehende Uganda. (S. Jos. M. B.)

Deutsch=Ostafrika. Apostolisches Vikariat Dar es Salam. Es kommen immerzu Nachrichten aus den nach dem Zerstörungssturme wieder auflebenden Stationen: so aus Peramiho. Dort ist nun doch die Hungersnot zu Ende und das nach allen Richtungen verstreute Volk findet sich wieder ein, hat aber mancherlei Beschwerde und Gefahr zu bestehen, besonders von Löwen und Leoparden, die sich in den verlassenen Landstrichen ein= genistet haben und nun ihr Heimrecht nicht aufgeben wollen.

In Peramiho wurde ein Kloster gebaut, wozu die Missionäre die Ziegel selber schlugen und brannten. In Kigonsera wurde der Neubau der Kirche fertig gestellt und das Missionshaus. Von dort aus drang der P. Prior in das Bergland von Matengo vor, wo er vorläufig eine Schule errichtete. (M. Bl. Ott.)

Apostolisches Vikariat Bagamoyo. Von Kilema aus wurde P. Alfons Balthasar (C. S. Sp.) in das Pare=Gebirge ausgeschickt zur Gründung einer Missionsstation und Errichtung einiger Katechistenposten.

Er hatte eine harte Reise, gewann aber gute Erfolge. Mehrere Häuptlinge erklärten sich sofort bereit zur Eröffnung von Schulen und stellten Baugründe zur Verfügung und wird die weitere Arbeit folgen. (E. v. Kn.)

Apostolisches Vikariat Tanganjika. Aus diesem Missionsgebiete der weißen Väter berichtet P. Majerus in Karema über geschehene Arbeit und die gegenwärtige Lage:

Karema bildet mit den umliegenden Dörfern eine Pfarre von nahezu 1400 Katholiken, die in Betätigung des kirchlichen Lebens sich halten wie brave Pfarreien in christlichen Ländern, besonders in genauer Erfüllung der Sonntagspflicht, Anhörung der Predigt und eifrigen Sakraments= empfang; dort, wie in sämtlichen Stationen bestehen Missionsschulen; es gibt keinen Schulzwang, dennoch ist der Schulbesuch ein ganz regelmäßiger.

Für Missionstätigkeit für die Heiden ist genug Gelegenheit bei dem Wabende=Stamme, die sich bereitwillig zum Unterrichte stellen und durch lange Vorbereitungszeit (4 Jahre!), nicht sich abschrecken lassen; in allen größeren Ort= schaften sind Katechisten angestellt und jede Woche kommt ein Missionär, um auf der von den Katechisten gelegten Grundlage weiterzubauen und zu voll= enden. Es besteht dort auch eine Katechistenschule, welche derzeit 70 Zöglinge zählt; die besten haben auch Latein=Unterricht und hofft man, aus ihnen auch Priester bilden zu können. Auch gibt es dort ein Noviziat für einheimische Schwestern; angezogen vom guten Beispiele der weißen Schwestern, entschlossen sich schon viele schwarze Jungfrauen, darunter gar die Königstochter von Ufipa, auch Klosterschwestern werden und der Mission dienen zu wollen, und ist für sie schon eine eigene Niederlassung am Rukwa=See gegründet.

Derselbe Bericht weist auch auf die gräßlichen Verheerungen durch die Schlafkrankheit hin. In Kissubi leitet die Mission eine Verpflege= anstalt für die von der Krankheit Ergriffenen, die von ihren Angehörigen in die Wildnis hinaus vertrieben, von den Missionären aufgesucht und aufgenommen werden, jährlich durchschnittlich 100, deren Leiden ist ein schreckliches und ganz entsetzlich liest sich die Erwähnung, daß von den 300.000 Bewohnern von Viktoria=Nyanza schon 200.000 von dieser Seuche dahingerafft wurden, von dem Reste auch schon wieder 20.000 ergriffen sind, daß zu befürchten ist, es werde das ganze Volk daran zu= grunde gehen. (Af. Bt.)

Apostolisches Vikariat Natal. In Marianhill empfingen am 4. Juli 1908 fünf junge Trappisten=Religiosen die Priesterweihe durch den hochwürdigsten Bischof Delalle und feierten tags darauf ihre Primizen; 3 derselben: die PP. Schweiger, Feuerer und Neuschwanger sind aus Bayern, die PP. Heinze und Hanisch aus Schlesien.

Kurz darauf, 3. August, verunglückte dort Bruder Paul Großraben= reiter (geboren 1874 in Großraming, Oberösterreich) bei der Arbeit durch einen Sturz vom Wagen und starb noch denselben Tag an inneren Verletzungen Er war ein außergewöhnlich frommer Jüngling, allgemein beliebt und hoch= geschätzt; sein Tod war der eines Heiligen. R. I. P. Nahe bei Lourdes wurde an der am kleinen Ibisa gelegenen bisherigen Katechesenstelle eine Franz Xaver=Kirche gebaut und eine Christengemeinde gegründet, die schon eine schöne Zahl Christen und noch mehr Katechumenen zählt. Im Turme hängt eine 174 Jahre alte Glocke, die aus Europa dorthin gespendet wurde.

Nun wird eben daran gegangen, eine Tagreise weiter flußaufwärts eben= falls an einer bisherigen Katechesenstelle eine Kirche zu bauen. Dort sind schon Protestanten an der Arbeit, aber der einheimische Katechist Gotsho gewann schon weit mehr Katechumenen als sie; also ist für eine katholische Gemeinde beste Aussicht. (Verg)

Deutsch=Südwestafrika. In der Station Warmbad wurden 25. März 1908 nach sorgfältiger Vorbereitung 32 Erwachsene und 1 Kind feierlich getauft und damit eine kleine Christengemeinde eröffnet, deren Leitung P. Gineiger übernahm.

Sie ist zwar noch sehr klein, aber die gute Haltung der Neubekehrten und der altbewährte Eifer des Missionärs werden hoffentlich noch viele nach sich ziehen, besonders wenn es mit der Zeit gelingt, eine Kirche herzustellen, statt der armen Kammer, die jetzt dem Gottesdienste dienen muß. Da wäre auch Nachhilfe am Platze. (Lcht.)

Die jung aufblühende Mission Omaruru gibt den Oblaten=Mis= sionären genug zu schaffen, bringt aber auch Trost und Freude. Kirche und Missionshaus sind im Rohbau fertiggestellt, der Schulbau in Angriff ge= nommen.

Die Station Usakos ist noch in den Anfangsbeschwerden, die Missio= näre müssen erst das Vertrauen des Volkes gewinnen, dem durch die Gegner die häßlichsten Vorurteile eingeflößt worden waren, so daß die Leute die Rö= mischen für Teufelsdiener ansahen und sich vor ihnen fürchteten. Dennoch kamen im letzten Jahre gegen 40 zur heiligen Taufe. Dort ist auch ein Internat mit

18 Kindern, die ganz erhalten werden müffen, weil es anders kaum deutbar ift, einen Grundftock junger Chriften in diefen Boden zu legen. Die jüngfte Station Gobabis, in wafferreicher Gegend, bewohnt von 500 Herero und Kaffern, läßt befte Erfolge hoffen. Das Volk ift für jeden Unterricht empfänglich; es gab fchon 95 Taufen und werden jetzt 50 Katechumenen vorbereitet; auch ift durch Garten= und Feldwirtfchaft für die Erhaltung der Miffion fchon gut vorgeforgt.

In Klein=Windhoek konzentriert fich die Haupttätigkeit auf die Schule und Anleitung zur Arbeit in Feldbau und Weingärten.

Die Obl. M. J. haben im ganzen 10 Stationen mit 1241 Katholiten, 16 Schulen mit 370 Kindern und 3 Krankenhäufern. Von diefen ift das jüngfte in Swakopmund am 28. März 1908 vom apoftolifchen Präfekten P. Nacht= wey eingeweiht worden, ein fchöner, allen Forderungen und Einrichtungen der Hygiene entfprechender Bau. (M. Jm.)

In Okombahe, einem Kaffern=Refervate, wurde vor 2 Jahren die Miffion begonnen unter argen Widerwärtigkeiten und Befchwerden, die auch dem Gründer P. Mühlhaus das Leben kofteten. Jetzt fteht fchon ein Miffionshaus an Stelle des früheren Blechkaftens und eine Kirche. Seither geht es an die Miffionsarbeit unter der 1000 Köpfe zählenden Bewohnerfchaft. (M. Jm.)

Aus der St. Jofef=Station Gabis meldet P. Auner von feiner und feiner Mitarbeiter anftrengenden Tätigkeit.

Den Schweftern gelingt der Schulunterricht ungewöhnlich gut, die Priefter haben vollauf zu tun dort und mit den regelmäßigen Befuchen in den Nebenftationen Haib, Kalkfontain und Keraib. Wegen argen Waffermangels wurde in Gabis ein Brunnen gebohrt, der zwar Waffer gab, das aber ungenießbar ift und wie das bekannte Rizinusöl wirkt — alfo nur für Obftruktioniften verwendbar wäre.

Belgifch=Kongo. Das Miffionswefen ift dort gut beftellt: Es wirken 233 Welt= und Ordenspriefter, viele Brüder und über 100 Schweftern, verteilt auf 73 Niederlaffungen, 104 Schulen, 24 Waifenhäufer, 21 Spitäler, 20 Armenapotheken ufw. Die Arbeit bringt auch gute Früchte: Es find fchon über 26.000 Neger getauft und beträgt die Zahl der Katechumenen jetzt 60.000! Die katholifche Miffion und ihre Erfolge find offenbar das Befte an dem Kongo=Staate!

Die weltliche Verwaltung diefes ungeheuren Gebietes (245 Millionen Hektar) war feit langem eine grauenhaft fchmähliche!

Trotz der internationalen Abmachungen wurde dort der Sklavenhandel en gros betrieben und waren in manchen Gegenden fcheußliche Menfchenopfer an der Tagesordnung. Ueber die Graufamkeit, wie diefe vollzogen wurden, fchrieben wiederholt auch Miffionäre und enthüllten Dinge, worüber auch Hart= nervigen die Haare zu Berge fteigen mußten. Die Welt nahm davon wenig Notiz, dafür wurden dort wiederholt den katholifchen Miffionären haarfträubende Verleumdungen angehängt.

Der Kongoftaat war bisher Privateigentum des Königs Leopold II. von Belgien; feit 20. Auguft 1908 ift er belgifche Staatskolonie, fteht nun unter Verwaltung der belgifchen Regierung; diefe wird hoffentlich, ihrer Pflicht bewußt, die Verwaltung fo durchführen, daß es jenem Lande das verfchafft, was ihm zum Wohle ift.

III. Amerika.

Nordamerika. Apostolisches Vikariat Saskatchewan. Vor 25 Jahren, zur Zeit, da die Kanadian=Pacificbahn angelegt ward, die ganz Kanada durchquert, wurden auch einzelne Plätze zur Anlage von künftigen Stationen und Städten bestimmt. Damals geschah auch die Anlage der jetzigen Stadt Regina, genannt die Königin der Prärie.

Ein Häuflein unternehmungslustiger Ansiedler schlug dort ihre Zelte auf zu fröhlichem Lagerleben; andere folgten und es wurde eine Stadt und der Sitz der Verwaltung der Nordwest=Territorien; heutzutage, seit 1905, ist es die Hauptstadt der Provinz Saskatchewan mit 10.000 Bewohnern, ein bedeutender Handelsplatz und Knotenpunkt mehrerer Bahnen, hat schöne Bauten, darunter auch eine im gotischen Stile gebaute herrliche katholische Kirche.

Die St. Josefs=Kolonie am Tramping=See, erst seit etlichen Jahren bestehend, hat auch schon 10 Gemeinden besetzt rings um den See. Zwei derselben: Selz und St. Michael haben auch schon Kirchen. 3 Missionäre, PP. Krist, Schwebius und Schweers O. M. J. müssen die Arbeit besorgen und tun es mit guten Erfolgen. (M. J.)

Apostolisches Vikariat Athabaska. Eine neue Station St. Xaver am Stör=See wurde gegründet. Die Urbarmachung des Waldes, Anlage von Feld und Wiese ist Hauptverdienst der deutschen Laienbrüder. Mittlerweile, bis der Grund für den Bestand der Mission gelegt sein wird, wird man auch bald von den Erfolgen der Missionsarbeit hören. (M. J.)

Kanada. Eine wahre Freude und dem eigentlichen Missionswerke an Wert gleich zu schätzen, ist das Wirken der Mission bei den zahlreichen deutschen Ansiedlungen.

Deren bestehen ganze Reihen und mehren sich noch immer, besonders seit die Pacificbahngesellschaft auch dort hinauf mehrere Linien anlegte, wodurch es den fleißigen Farmern möglich wird, ihre Produkte auf den Markt zu bringen. Da entstehen Dörfer und Städtchen längs den Bahnstrecken. Allen voran sind die Deutschen, fast sämtlich Katholiken und zwar viele brave, frommgläubige Leute. Lange Zeit blieben sie verlassen, fanden keine Gelegenheit, ihr religiöses Verlangen zu befriedigen; nun aber, seit die Obl. M. J. sich ihrer annehmen, geht es erfreulich vorwärts mit Gründung von Gemeinden, Erbauung von Kirchen, Eröffnung von Schulen u. s. w. so in Spring=Lake, Pincher=Creet, S. Heinrich und in der St. Josef=Pfarre in Winipeg, welche eigentlich die Zentrale ist für das Deutschtum in West=Kanada. Die Missionäre verwenden großen Fleiß auf die Schulen, Vereinswesen und auch Pflege der deutschen Muttersprache und deutschen Gesanges und zeigen die Leute hiefür freudiges Entgegenkommen. Für Betätigung des öffentlichen Lebens sorgen auch gute deutsche Zeitungen, so der „St. Peter Bote" der Benediktiner und die „West= Kanada" der Oblaten. (M. J.)

IV. Australien und Ozeanien.

Neu=Seeland. An der Maori=Mission der Diözese Aukland sind von der Millhiller=Kongregation 17 Priester in Tätigkeit (darunter 12 Tiroler) und 12 Schwestern; sind auf 10 Stationen verteilt, wo es überall mühevoll vorwärts geht. Das letzte Jahr ergab 68 Taufen Erwachsener, 387 von Kindern. Aus dieser kleinen Zahl und den dort obwaltenden Verhältnissen läßt sich schließen, daß die Missionäre dort einen großen Vorrat an Geduld und Selbstüberwindung auf Lager haben müssen. (S. Jos. M. B.)

Deutsch-Neuguinea. Das Missionspersonale besteht aus 21 Patres, 16 Brüdern und 28 Schwestern; es sind 8 Stationen, die jüngste Jnó erst seit 1 Jahr bestehend, eine 9. Station wurde kürzlich errichtet. Die größte Schwierigkeit liegt dort in dem Sprachengewirre.

Es ist dieses kaum anders zu erklären, als daß nach dem Turmbau zu Babel, als die Besitzer der neuen Sprachen sich gruppierten und in die weite Welt marschierten, von jeder Gruppe einige Säumlinge zurückblieben, von keinem Haufen mehr mitgenommen wurden, dann gemeinsam auf Wanderschaft bedacht waren und schließlich die Südsee erreichten und Neu-Guinea eroberten! Ob die Gelehrten sothane Erklärung gelten lassen, steht dahin! Sei es wie immer, sie haben ihre Sprachschätze gehütet und so sind z. B. in der Missions-schule auf Tumleo elf Sprachen und wo nur eine Station eröffnet wird, sind wieder mehrere andere Sprachen, in welchen der Unterricht in der heiligen Religion zu erteilen ist. Für den Unterricht in den übrigen Gegenständen müssen sich die Kinder in die deutsche Unterrichtssprache einigen, was für Lehrer und Schüler große Schwierigkeit bietet, aber gut gelingt.

Aus den der Schule Entwachsenen können nicht wenige als Katechisten herangebildet werden, die meisten werden für Handwerke ausgebildet, wobei man sehr gute Ergebnisse erzielt. (Stl. M. B.)

V. Europa.

Aus den Missionshäusern. Das Steyler Missionshaus konnte wieder eine stattliche Schar ins Feld ausrücken lassen und zwar:

Nach Süd-Schantung 6 Priester, 2 Brüder, 4 Schwestern; nach Togo 3 Priester; nach Wilhelmsland (Ozeanien) 1 Priester, 3 Brüder; nach Argentinien 2 Priester, 3 Brüder; fast sämtliche sind deutsche Reichsange-hörige, die Mehrzahl aus Westfalen und dem Rheinlande. (Stl. M. B.)

Das Missionshaus Knechtsteden (Kongr. S. Sp.) konnte wieder 5 junge Priester dem Missionswerke zur Verfügung stellen.

Das Missionshaus Zabern im Elsaß hatte 15. Juli eine große Abschiedsfeier für seine in die Mission ausrückenden Mitglieder. (Kongr S. Sp.)

Dazu erschienen als Gäste und Zeugen: Der apostolische Vikar von Madagaskar, Msgr. Corbet, der Provinzial P. Acker und mehr als 80 Priester aus Elsaß und Lothringen, sowie zahlreiches Volk. Das Land Elsaß erntete dabei großes Lob, da es unter allen Reichsländern verhältnismäßig die größte Anzahl Missionäre stellt und daher als der „klassische Boden des Missions-werkes" bezeichnet wird. (E. v. Kn.)

Salzburg. Die St. Peter Claver-Sodalität kommt mehr und mehr ihrem Ziele näher, sie übt eine immer mehr umsichgreifende Förde-rung des Missionswerkes.

Unter den beiden Zentralen in Rom und Maria Sorg bei Salz-burg stehen schon eine Menge von Filialen in Oesterreich, Deutschland, Schweiz, Italien und Frankreich. Im Berichtsjahre 1907 wurde eine Einnahme von 172.851 Kronen erreicht, welche an 40 Missionsgenossenschaften und Werke in Afrika verteilt wurden, auch gingen in 77 Kisten für Mission brauchbare Ge-genstände im Werte von 27.200 Kronen nach Afrika. (E. a. Af.)

Oberösterreich. In Urfahr-Linz eröffnete die Kongregation der Oblatinen vom heiligen Franz von Sales, deren Mitglieder schon vielfach auf dem Missionsfelde dienen, vor 4 Jahren ein Noviziat, welches zuerst in einer Mietwohnung untergebracht wurde. Das kleine Samenkorn ging

frisch auf und begann zu wachsen. Um die sich mehrende Zahl der Kandi=
datinnen unterzubringen, mußte ein Neubau geschaffen werden, ein Kloster
mit großem Oratorium, welches heuer von Sr. Erz. Bischof Doppelbauer
eingeweiht wurde.

Gott segne den jungen Baum, daß er seine Aeste bald weithin breite
und reichliche Frucht trage! (Licht.)

Die Gesellschaft der Marienbrüder, von deren Mitwirken in der Mis=
sion schon wiederholt auch in diesen Heften Erwähnung geschah, gründete in
neuester Zeit mehrere Anstalten, in welchen besonders für die so wichtige
Mission Japan Lehrkräfte und Katechisten herangebildet werden sollen, so
in Japan selbst in Tokio, Nagasaki, Osako und Kumamoto, die bisher
sehr gesegnet sich erwiesen und zusammen schon 1800 Zöglinge zählen.
Damit ist aber dem Bedarfe noch lange nicht Genüge geleistet.

Um nun noch mehr Hilfe zu bringen und auch das Landvolk mehr
für diesen Zweck zu interessieren, hat die genannte Gesellschaft eine Lehr=
und Erziehungsanstalt in Greisinghof, Pfarre Tragwein (O.=Oe.), ge=
gründet, in welcher junge Hilfskräfte für diesen Zweck ausgebildet werden sollen.

Es ist eine neue Perle an dem Rosenkranze, welchen das Missions=
werk unserer Zeit in unermüdlicher Tätigkeit aneinander reiht, um das
gläubige Volk unserer Länder in diesen lebendigen Rosenkranz einzufügen.

Engl and. In London tagte im Juni 1908 der Pananglikan=
Kongreß, d. i. ein Konzil der anglikanischen Staatskirche, an welcher nebst
Bischöfen auch viele Reverends und Missionäre teilnahmen.

Einer der Hauptgegenstände der Tagesordnung war das Missionswesen
und die Besprechung, in welcher sie sich ergingen, hat auch für uns Interesse.
Es wurde mit allseitigem Einverständnisse die Behauptung anerkannt, daß durch=
greifende Erfolge der Mission nur zu erwarten seien, wenn die Wiedervereinigung
aller christlichen Konfessionen vorausginge.

Als Beispiel wurde vorerst Indien hingestellt mit seinen 300 Millionen
Heiden, unter denen erst 1 Perzent Christen seien. Da stellen sie als Tatsache
hin, daß Bekehrungen in großem Umfange überhaupt nicht zu erhoffen seien,
solange die Indier sehen: das Christentum, welches Anspruch macht, die wahre
Religion zu sein, zeigt sich nirgends als ein fest geeintes Ganzes, sondern es ist zer=
rissen und gespalten im ärgsten gegenseitigen Widerspruche, ärger als unsere
Religion, die man heidnisch nennt. So wie dort, sei es überall! Die Mission
könne große Wirkung nur erzielen, wenn alle christlichen Konfessionen sich einigen,
zu Einem Glauben, zu einem Abbilde der Einheit Gottes!

Das ist gewiß eine richtige Behauptung, man kann sie unterschreiben,
nur müßten diese Herren vorher unterschreiben und vorangehen und der
wahren Kirche Jesu, der römisch=katholischen Kirche sich anschließen.

(Mehrere Missionsberichte aus den Balkan=Länder mußten für nächstes
Heft zurückgestellt werden.)

Sammelstelle.

Gaben=Verzeichnis.

Bisher ausgewiesen: 25.924 K 75 h. Neu eingelaufen:
a) Mit speziell angegebener Bestimmung: Hochw. Per. Bjelik, Pf. in Csics=
mann, Ungarn, für Missionär P. Huda in Imamura, Japan 5 K 80 h;
hochw. Benef. Eder, Neukirchen a. W., für P. Huda in Imamura 50 K;
Pf.=A. Aichkirchen für Aussätzigen=Anstalt 5 K 40 h; Summe 61 K 20 h.
b) Für die dürftigsten Missionen: Hochw. Balth. Reichl in Csicsmann 4 K

80 *h*; Ungenannt 1 *K* 80 *h*; hochw. Pf. Pfaffenhuber in Moosdorf 10 *K*;
hochw. Professor Desid. Löbermann in Komotau 100 *K*; hochw. Fortunat
Gritsch in St. Martin in Gsies, Tirol 3 *K*; Summe 119 *K* 60 *h*; zuge=
teilt an Erzb. Haggear in Ptolomais 25 *K*, Süd=Schantung für Jtschoufu
Kirchenbau 25 *K*; Eski=Schehir 25 *K*, Japan: Steyler Mission 25 *K*, P. Huda
in Jmarura 19 *K* 60 *h*. c) Hochw. Stadtpf. Obermüller in Böcklabruck für
afrikanische Mission 450 *K*; zugeteilt Zentral=Afrika 100 *K*, Apost. Vik. Baga=
moyo 50 *K*, Apost. Vik. Dar es Salam 50 *K*; Stat. Warmbad 50 *K*, Mission
Obl. M. J. 50 *K*, Kamerun (Stat. Einsiedeln) 50 *K*, Togo 50 *K*; Tangan=
jika 50 *K*; Summe 450 *K*. d) Durch Red. d. Qu.=Schr.: Stift Klosterneuburg
100 *K* für Mission Indien; Frl. Lang, Schwanenstadt 10 *K*; Pf.=A. St. Josef
Linz 2 *K* für P. Cor. Kumamotto, Japan. — Summe der neuen Einläufe:
742 *K* 80 *h*; Gesamtsumme der bisherigen Spenden: 26.667 *K* 55 *h*.

Jubiläums=Spenden für die Missionen fänden noch gut Platz!

Kurze Fragen und Mitteilungen.

**I. (Jansenistische Ungeheuerlichkeiten in Bezug auf
die heilige Kommunion.)** Ueber den Rigorismus der Jansenisten
des 17. Jahrhunderts in Betreff der Zulassung zur heiligen Kommunion
sind wir hinlänglich aufgeklärt durch die Briefe des heiligen Vinzenz von
Paul und anderer Zeitgenossen. Weniger bekannt sind folgende geradezu haar=
sträubende Einzelheiten über die noch viel schlimmeren Verheerungen dieser
Sekte in Frankreich um die Mitte des 18. Jahrhunderts, also unter den
Vätern der Revolutionsmänner. Wir entnehmen diese Daten einem uns
von P. Joseph Maria Cros S. J. gütig zur Benützung zugesandten Manuskript
über die Geschichte der täglichen Kommunion. Im Auszug wird uns ein
hochinteressanter Brief mitgeteilt, den der eifrige Kardinal von York[1], Heinrich
Benedikt Stuart (1725—1807), im Jahre 1748 zu Rom von seinem
englischen Korrespondenten aus Paris erhielt. Der Korrespondent befürchtet
die mittlerweile ohne sein Wissen schon erfolgte Verurteilung der Schrift
des P. Pichon S. J. über die häufige Kommunion und schreibt: „Was
wird das Volk denken?" Um nun den Kardinal zu kräftigem Einschreiten
gegen die Jansenisten zu bewegen, macht er ihn auf folgende Tatsachen
aufmerksam:

„In Frankreich ist es selbst den Barbieren (Anspielung auf das
bekannte Sprichwort: „lippis et tonsoribus notum". D. Red.) nicht un=
bekannt, daß die Jansenisten seit 100 Jahren die Unterdrückung der Eucharistie
anstreben . . . Die bereits erzielten Resultate wären kaum glaublich, wenn
man sie nicht mit Augen sehen würde. Jahre lang wird die Absolution
nicht nur den Todsündern verweigert, sondern auch jenen, die sich nur läßlicher
Sünden im Beichtstuhl anzuklagen haben. In Frankreich ist die Lehre sehr
verbreitet, daß zahlreiche läßliche Sünden die Einwirkung der heiligmachenden
Gnade nicht bloß verhindern, sondern sie in der Seele zerstören, falls sie
dieselbe darin vorfinden. Alles dies ist soeben ostentativ (avec éclat) in
einem Pastoralschreiben des Erzbischofs von Tours gelehrt worden.

---

[1] S. Herders Kirchenlexikon XII. 1840—2.

Enthaltung von der Kommunion gilt als Vollkommenheit. Eine Menge Studenten von 18, 19, 20 Jahren verläßt die verschiedenen Kollegien der Universität, ohne auch nur die erste heilige Kommunion empfangen zu haben. Jeden Tag melden sich bei den Priestern zur Heirat Jünglinge und Mädchen von 25 Jahren und darüber, die um der Leitung, ihrer Pfarrer zu folgen, ihre erste heilige Kommunion noch nicht gefeiert haben. Vor drei Jahren erhielt der neue Bischof von Troyes in der Champagne die Klagen aus 83 Pfarreien seiner Diözese, welche besagen, daß seit 12, 15, 20, 25 Jahren niemand dort zur ersten heiligen Kommunion zugelassen worden war, und daß zur Osterkommunion kaum vier oder fünf von jenen zugelassen wurden, die bereits kommuniziert hatten.

Diese öffentlich bekannten Tatsachen könnte ich endlos vermehren und die Beweise dafür erbringen. Und so groß ist die Dreistheit der Neuerer, daß die Priester von gesunder Lehre diese nicht in der Praxis zu befolgen wagen, aus Furcht, sofort denunziert, beleidigt und verspottet zu werden als Priester von laxer Moral . . ."

Einen anderen Grund der stets fortschreitenden Verheerungen berichtet der Korrespondent, indem er meldet, der Hof habe den zahlreichen Bischöfen, die in der Angelegenheit Pichons die Gesellschaft Jesu verteidigen wollten, „Schweigen auferlegt". Wer möchte sich da noch allzu sehr wundern über die heutigen Zustände in Frankreich?

Sarajewo.   J. P. Bock S. J.

II. (Ein Wort zu den verschiedenen Arten der Aussetzung des allerheiligsten Altarssakramentes.) Wer durch Leistung von Aushilfen im Seelsorgedienst in verschiedene Pfarreien kommt, hat Gelegenheit, viel des Erbaulichen, aber auch manches weniger Lobenswerte zu beobachten. Besonders ist es die Behandlung des Allerheiligsten, die mancherorts zu wünschen übrig läßt. Bei uns sind die Aussetzungen des Allerheiligsten und der sakramentale Segen so vielfach wiederkehrende liturgische Funktionen, daß es wahrlich der Mühe wert erscheint, die zunächst hiebei in Betracht kommenden Vorschriften genau zu kennen und gewissenhaft zu beobachten. Es wäre verkehrt, wollte man sich hiebei einfach an das Althergebrachte und Ortsübliche halten, das oft nur den Mesner zum einzigen Gewährsmann hat. Im nachfolgenden sei deshalb eine kurze Zusammenfassung der diesbezüglichen kirchlichen Bestimmungen geboten.

Nach der zweifachen Art und Weise der Aufbewahrung des Allerheiligsten Altarssakramentes: im Speiskelch, Ziborium, oder im Ostensorium, Monstranz, unterscheidet man auch eine zweifache Art von sakramentalen Andachten: solche, welche mit dem Ziborium, und solche, welche mit der Monstranz gehalten werden.

Eine und vielfach auch die einzige sakramentale Andacht mit dem Ziborium ist die sogenannte Litanei an den Samstag- und Vorfeiertags-Abenden. Der Priester, angetan mit Rochett und weißer Stola, die eigens hiezu bestimmte weiße Bursa samt Korporale, sowie den Tabernakelschlüssel in Händen, begibt sich zur bestimmten Zeit zum Altare, macht vor der

unterften Stufe deſſelben eine einfache Kniebeuge, ſteigt die Altarſtufen
hinan und breitet, nachdem er die Burſa auf der Evangelienſeite nieder=
gelegt hat, das Korporale in der Mitte des Altares aus. Jetzt öffnet er
das Tabernakel, genuflektiert und ſtellt das Ziborium auf das Korporale. So=
dann ſchließt er das Tabernakel wieder, genuflektiert abermals und geht, nicht
in der Mitte, um dem Allerheiligſten nicht den Rücken zu kehren, ſondern
etwas gegen die Evangelienſeite hin die Altarſtufen herunter. Unten an=
gelangt, kniet er in die Mitte der unterſten Stufe, läßt ſich vom Miniſtranten
das Schultervelum umlegen, macht eine Verneigung, ſteht auf und ſteigt
die Altarſtufen hinauf. Oben angelangt genuflektiert er, legt die beiden äußeren
Enden des Schultervelums (das rechte über das linke) über das Ziborium
und zwar ſo, daß dieſes ſamt ſeinem Mäntelchen bedeckt iſt. Dann wendet
er ſich nach ſeiner rechten Seite (alſo nach der Epiſtelſeite hin) um, und
bleibt zum Volke gewandt ſtehen, bis der Geſang beendet iſt, wenn er es
nicht vorzieht, erſt gegen Schluß des Geſanges, der ja bei ſakramentalen
Andachten mit dem Ziborium nicht vorgeſchrieben iſt, hinaufzugehen. Hierauf
ſpendet er, während der Miniſtrant das Zeichen mit der Glocke gibt, den
Segen und wendet ſich, indem er die kreisförmige Umdrehung vollendet,
wieder zum Altare. Hier ſtellt er das Ziborium auf das Korporale, zieht
die Enden des Schultervelums zurück, genuflektiert und ſteigt gegen die
Evangelienſeite hin die Altarſtufen herab. Unten angekommen kniet er in
die Mitte der unterſten Stufe und läßt ſich das Schultervelum abnehmen.
Wo es die Altaranlage mit ſich bringt, ſtellt er nunmehr unter denſelben
Zeremonien wie vorhin das Ziborium auf den hiefür beſtimmten höher an=
gebrachten Platz; richtiger jedoch läßt er es auf dem Korporale auf dem
Altare ſtehen und beginnt alſo gleich mit den üblichen Gebeten. Sind die=
ſelben beendet, ſo gibt er in der eben beſchriebenen Weiſe nochmals den
heiligen Segen.

Was den Weihrauch betrifft, kann er zwar bei Andachten mit dem
Ziborium verwendet werden; der allgemeinen Praxis der Kirche entſpricht
es jedoch, denſelben hiebei nicht zur Verwendung zu bringen.

Unter den ſakramentalen Andachten mit Monſtranz iſt die Missa
cantata coram exposito sᵐᵒ. Sacramento: das Segenamt an Sonn=
und Feiertagen an erſter Stelle zu nennen. Bei uns iſt ein doppelter ſakra=
mentaler Segen am Anfang und am Schluß des Amtes in Uebung. Der
Prieſter ſchreitet im vollen Meßornate zum Altare, macht dortſelbſt an=
gelangt die vorgeſchriebene Kniebeugung, ſtellt den Kelch auf die Evangelien=
ſeite des Altares, breitet das Korporale aus und entnimmt dem Tabernakel
unter Beobachtung der oben angegebenen Zeremonien die Monſtranz. Nach=
dem er die Monſtranz auf das ausgebreitete Korporale geſtellt und genuflektiert
hat, ſteigt er die Altarſtufen, wie oben angegeben, herab, kniet in der Mitte
der unterſten Stufe mit beiden Knieen nieder, macht eine Verneigung, ſteht
auf und legt Inzens ein (absque benedictione). Dann kniet er wie vor=
hin nieder, macht wieder eine Verneigung und inzenſiert das Allerheiligſte
(triplici ductu et duplici ictu, d. h. bei jedesmaliger Führung des Armes
läßt man das Weihrauchfaß zweimal an ſeine Ketten anſchlagen, ſodaß

im ganzen sechs Schläge zu zählen sind). Hierauf gibt er nach abermaliger Verneigung das Rauchfaß zurück, empfängt das Schultervelum und steigt unter den oben beschriebenen Zeremonien zum Altare hinauf. Jetzt bedeckt er den Fuß der Monstranz mit den beiden Enden des Schultervelums, wendet sich wie oben zum Volke und stimmt die betreffende Strophe des Pange lingua an, die der Chor fortsetzt und vollendet. Während dieser ganzen Zeit, eventuell auch noch bis das Amen gesungen ist, verharrt der Priester in seiner Stellung und gibt erst, wenn der Chor geendet, unter dem üblichen Glockenzeichen den heiligen Segen. Hierauf steigt der Priester in der schon geschilderten Weise wieder herab, läßt sich das Schultervelum abnehmen und inzensiert das Allerheiligste wie vorhin. Dann steigt er die Altarstufen wieder hinauf, hebt nach gemachter Kniebeugung die Monstranz in die Ex=positionsnische, stellt den Kelch in die Mitte auf das Korporale und wieder=holt die Kniebeugung. Hierauf begibt er sich zum Meßbuche, das er auf=schlägt, kehrt in die Mitte zurück, genuflektiert und begibt sich, ohne in der Mitte zu verweilen, sofort zum Staffelgebet.

Die einzelnen Vorschriften für die Missa coram exposito ss. Sacramento dürfen hier wohl als bekannt vorausgesetzt, und deshalb über=gangen werden. Nur die allgemeine, leicht zu merkende Regel für die Genuflexion möge Erwähnung finden. Man genuflektiert in der Missa coram exposito stets, bevor man aus der Mitte heraustritt und wenn man in die Mitte zurückgekehrt ist, und vor und nach der Wendung zum Volke. Bei der zu=letzt genannten Vorschrift ist noch genauerhin zu merken: findet die Wendung zum Volke statt, nachdem der Priester eben erst in die Mitte des Altares gelangt ist, so erfolgt Genuflexion, Altarkuß und Wendung in der eben genannten Ordnung. . Befindet sich jedoch der Priester bereits in der Mitte (z. B. Orate fratres), so ist die Reihenfolge der genannten Zeremonien: Altarkuß, Genuflexion und Wendung. Nach vollendeter Wendung ist jedes=mal wieder eine Genuflexion zu leisten.

Einer besonderen Erwähnung. bedarf der Ausnahmefall, daß in einer solchen Segenmesse nach dem Evangelium die Predigt stattfindet. Ich nenne dies einen Ausnahmefall, denn alle Liturgiker stimmen darin überein, daß ein derartiges Vorkommnis möglichst vermieden werden soll. Findet sich jedoch ein oder das anderemal die Notwendigkeit hiezu gegeben, so ist es durchaus unstatthaft, das Tabernakel einfach nach dem Evangelium zu schließen, oder das leider immer noch da und dort vorhandene Drehtabernakel herumzudrehen und so der Exposition ein Ende zu machen und die Lichter zu löschen. Es ist vielmehr in diesem Falle ein Schirm von weißer Seide, der reich gestickt sein kann, vor das Allerheiligste zu stellen. Die Lichter haben brennen zu bleiben und zwei oder vier Ministranten sind an den Altarstufen zur Anbetung zu belassen. Der Priester entfernt sich vom Altare nach einer Genuflexion mit beiden Knieen, legt bei dem Kredenztischchen Manipel und Kasula ab und begibt sich entblößten Hauptes zur Kanzel, wo er sich auch während der ganzen Predigt nicht bedecken darf. Nach Vollendung der Predigt kehrt er zur Kredenz zurück, nimmt wieder Manipel und Kasel, während der Schirm vor dem Allerheiligsten entfernt wird.

Hierauf macht der Priester vor der ersten Stufe eine Genuflexion mit beiden Knieen, und fährt mit dem Kredo in der heiligen Messe fort.

Für den heiligen Segen am Schlusse der heiligen Messe gilt das oben Gesagte.

Zu bemerken wäre noch, daß es nach den neuesten römischen Ent-scheidungen nicht mehr erlaubt ist, in unmittelbarer Verbindung mit dem Amte die heilige Kommunion weder am Anfange noch am Schlusse der heiligen Messe auszuteilen. Finden sich daher nach dem Amte noch Kommu-nikanten an der Kommunionbank ein, so hat der Priester desungeachtet gleich nach der Reposition der Monstranz das Tabernakel zu schließen und sich in die Sakristei zu begeben. Dort angelangt, legt er Manipel und Kasula ab, nimmt die Bursa mit dem Korporale und begibt sich wieder zum Hochaltare, um nun die heilige Kommunion auszuteilen.

Sonn- und Feiertag-Nachmittag findet manchmal eine sakramentale Andacht statt. Je nachdem dieselbe als „Vesper" oder als „Litanei" be-trachtet wird, ist die Farbe der Paramente entweder die Tagesfarbe, oder die weiße Farbe. Da diese Andacht immer mit Monstranz gehalten wird, so hat auch der Priester hiezu das Pluviale, den Vespermantel anzulegen, und es ist für den entsprechenden Chorgesang und die Anwendung von Weihrauch Sorge zu tragen. Im übrigen ist das bereits oben Gesagte zur entsprechenden Anwendung zu bringen.

Was schließlich die Zahl der für die verschiedenen Arten der Aus-setzung erforderten brennenden Kerzen betrifft, so sei daran erinnert, daß für das Ziborium wenigstens sechs, für die Monstranz wenigstens zwölf Wachskerzen vorgeschrieben sind, jedoch so, daß der Devotion und Feier entsprechend, diese Zahlen auch vergrößert werden können. Die Zahl der hiebei zur Verwendung kommenden Leuchter ist nicht bestimmt. Es bekundet jedoch ein geringes liturgisches Verständnis, wollte man bei einer sakra-mentalen Andacht den ganzen Expositionsaltar unbeleuchtet lassen und die unbedingt erforderte Kerzenanzahl nur auf den Tabernakelleuchtern anbringen.

Dies in Kürze über die bei uns gebräuchlichen Arten der Aussetzung des allerheiligsten Altarsakramentes. Wenn bei allen gottesdienstlichen Hand-lungen der Grundsatz gilt: sancta sancte, so muß bei dem allerheiligsten Altarsakramente gesagt werden: sanctissimum sanctissime. —

Stift Seckau.   P. Hildebrand Waagen O. S. B.

III. (Kann der Priester das Berühren der Zunge oder Lippe des Kommunikanten vermeiden?)

Es gibt Priester, die der Ansicht sind, er könne es fast nicht. Vor mehr als 50 Jahren empfing ich die heilige Kommunion von einem Seelsorger, der die Lippe und Zunge jedes Kommunikanten berührte, weshalb man sich auch über ihn beklagte. Seither las ich in Büchern, namentlich Katechismen, die Unter-weisung, welche namentlich für Kinder und ungebildete Leute paßt, wie der Kommunikant sich zu benehmen habe. Er soll, heißt es, „das Haupt erheben, den Mund öffnen, die Augen schließen und die Zungenspitze auf die Unterlippe legen". Unter der Voraussetzung, daß diese Belehrung dem Volke, namentlich den Kindern, gelegentlich erteilt wird, möge es mir gestattet sein, die Ansicht zu verteidigen, der kommunizierende Priester könne das Berühren der Zunge und Lippe leicht vermeiden, ohne die Hostie der Gefahr auszusetzen zu fallen. Die Begründung ist folgende:

Der Spender der Kommunion kann und soll die Hostie nicht gerade in der Mitte, sondern am Rande anfassen; er kann und soll, beim Einlegen der Hostie, diese nicht, wie vorher beim Zeigen derselben, senkrecht und höher als die Finger, sondern horizontal und fast niedriger als die Finger halten. Dann wird der Vorderteil der Hostie (also die ganze) auf der Zunge, die zudem fast immer etwas feucht (naß) ist, liegen bleiben, ohne daß der Finger die Zunge berührt hat. So ist mir von den Tausenden, die ich gespendet habe, keine herabgefallen. Nur manchmal kam ich bei dieser Praxis in die Notwendigkeit zu warten, bis der Kommunikant den Mund geöffnet hatte.

In die größte und fast einzige Gefahr zu fallen kommt die Hostie gerade dadurch, daß der Spender sie mit feuchten (nassen) Fingern anfaßt und dieselbe, die seinen Fingern anklebt, von der Zunge des Kommunikanten herabzieht. Die Feuchtigkeit kommt aber eben daher, daß der Spender nicht gemieden hat, die Zunge oder Lippe zu berühren. Allerdings kann der Priester sich mit dem Purifikatorium helfen, das er gewöhnlich bei längerer Kommunionausteilung um das Ziborium trägt. Aber wenn er obige Praxis nicht einhielte, würde er vielleicht selbst nicht wahrnehmen, daß seine Finger naß sind. Zudem müßte er öfters zum Purifikatorium greifen, und die Finger würden kaum recht rein.

Warum sollte man das Berühren nicht vermeiden, wenn man kann? Warum den nicht ganz unbegründeten, wenn auch übertriebenen Bedenken der Hygiene nicht genügeleisten? Auch Vorwänden wollen wir begegnen, wo es sich darum handelt, das Gute zu befördern.   D.

IV. (Vollmacht der Benediktion von Paramenten.)

Lälius ist Beichtvater von Klosterfrauen, die verschiedene Paramente ausarbeiten. Da es umständlich wäre, dieselben immer an den Bischof oder den Dechant zu senden, so erteilt der Bischof Lälius die Vollmacht, sie zu benedizieren, soweit hiebei keine Salbung mit dem heiligen Oel nötig ist. Nun bringt aber ein Nachbarpfarrer einige Korporalien ins Kloster, ohne sie reparieren zu lassen, nur der Benediktion halber; ja, eines schönen Tages wird Lälius, der eben in der Bischofstadt wohnt, ersucht, einige an den Bischof gesendete Pallen und Amikte zu segnen, da der Bischof abwesend sei! Lälius weigert sich in beiden Fällen und wundert sich besonders über das Personal der Domsakristei, daß dieses ein solches Ansinnen an ihn stelle.

Lälius hat ganz recht. Er ist zur Segnung jener Paramente ermächtigt worden, die von den Schwestern des betreffenden Klosters gearbeitet werden, aber nicht zur Segnung anderer.

Bei dieser Gelegenheit sei auch darauf hingewiesen, daß man auf die von einer Firma besorgte Segnung oder Weihe sich sehr selten mit Sicherheit verlassen kann, wenn man von echt religiöser Gesinnung derselben nicht überzeugt ist; denn oft geschieht es, wenn ein rector

Ecclesiae mit der Lieferung drängt, daß die Firma, da das Parament noch nicht fertig ist, ein a n d e r e s segnen läßt um dann, nach Beendigung der Arbeit, sofort das fertiggestellte mit dem für die Benediktion des a n d e r e n erhaltenen Zertifikat dem rector ecclesiae zu liefern. (Selbst mit Kelchen und Patenen wird so verfahren!)

Wien. P. Honorius Rett, O. F. M.

V. (Was soll man nicht predigen?) Möge es gestattet sein, einige praktische Bemerkungen, wie sie der bekannte P. A. Jais in seinem „Handbuch des Seelsorgers" gemacht hat, frei und mit Berücksichtigung auf unsere Zeit hier mitzuteilen. Demnach soll man nicht predigen

1. s i ch s e l b st, — nicht sein eigenes Lob predigen; sordet enim. wenn man auch bisweilen anführen will, was man s e l b st gesehen, s e l b st beobachtet oder erfahren hat, so soll man doch nie si ch s e l b st zum H e l d e n d e s L i e d e s machen.

2. Man soll nicht f ü r e i n e n a l l e i n — noch weniger g e g e n e i n e n a l l e i n, oder von einem Laster predigen, welchem höchstens nur der eine oder andere von den Zuhörern notorisch ergeben ist. — Ein Pfarrer predigte vor seiner kleinen Gemeinde von der Trunkenheit. Nach der Predigt schlich ein Bauersmann zu ihm, zupfte ihn beim Rocke und sagte: „Die heutige Predigt hätten si ch Euer Hochwürden wohl ersparen können; sie traf ja niemanden als mi ch und S i e."

3. Man mache auch Verordnungen der weltlichen Obrigkeit nicht zum T h e m a seiner Predigt. Nebst dem, daß dieses schon an si ch selbst verfänglich ist, wird man nichts ändern oder gut machen können. — Ein Pfarrer predigte in der besten Absicht von der Aushebung der Rekruten. Nach der Predigt sagte eine betrübte Mutter zu ihm: „Herr Pfarrer! verschonen Sie uns künftig mit solchen Predigten; es bleibt doch, wie's ist." — Oder was soll man von jenem Geistlichen sagen, der am Feste des heiligen Josef vom Impfen (!) predigte? Der Prediger sagte nämlich im Eingange: Der heilige Josef war gewiß auch für die Gesundheit seines Pflegekindes besorgt; er hätte also ohne Zweifel das Jesukind auch i m p f e n lassen, wenn es damals schon bekannt gewesen wäre. Er sprang dann geradewegs auf die Kuhpocken über und handelte in seiner ganzen Predigt der Länge und Breite nach von — den Kuhpocken. Um den Unsinn voll zu machen, wurde die „Predigt" gar noch in den Druck gegeben! Welch' eines Geistlichen unwürdiger Servilismus! Hoffentlich sind die Zeiten vorbei, wo ein solcher si ch auf Kosten des Wortes Gottes sogar auf die Kanzel hinaufdrängen konnte.

4. Man predige nicht, was den Verdacht erregen könnte, d e r P r e d i g e r h e g e g e g e n e i n e g e w i s s e P a r t e i o d e r g e g e n e i n e n S t a n d e i n e A b n e i g u n g. Dies könnte der Fall sein, wenn der Prediger auf dem Lande z. B. in einemfort losziehen würde gegen die modernen Dienstboten, ihre Unbotmäßigkeit, Verschwendungssucht u. s. w., was ja sehr naheliegend ist, oder in der Stadt gegen eine gewisse, herrschende Partei unter dem arbeitenden Volke. Es gilt auch hier der Spruch: Omne nimium vertitur in vitium, und könnte so etwas eher Abneigung und

Entfremdung gegen den Prediger erzeugen gerade unter jener Klasse von Zuhörern, der doch zuerst und zu allermeist die Worte des Heilandes gelten: „Venite ad me omnes, qui laboratis et onerati estis, et ego reficiam vos!" (Matth. XI. 28.), und die darum auch vom Priester mit ganz besonderer Rücksichtnahme behandelt werden soll. — Ein berühmter Prediger unserer Zeit und ein wahrer Apostel einer Großstadt unterläßt es sogar geflissentlich, auch den Namen jener Partei zu nennen, gegen die er öfters Stellung zu nehmen gezwungen ist, nachdem er in Erfahrung gebracht, daß die Anhänger derselben ihren eigenen Namen (Sozialdemo= kraten) auf der Kanzel nicht gerne hören, und hat diese Rücksicht bei seinen Zuhörern aus dieser Partei auch Anerkennung gefunden. Nomina sunt odiosa!

5. Man soll nicht von Sünden und Lastern reden, welche den Zuhörern nicht bekannt sind und nicht bekannt sein sollten, z. B. von Selbst= und Kindsmorde, insbesonders aber nicht von gewissen geheimen oder abscheulichen Sünden der Unzucht; „nec nominentur in vobis!" (Ephes. 5, 3.) Wenn man von der Unkeuschheit predigt, soll man mit Würde und Behutsamkeit sprechen — weder zu frei, noch so versteckt oder geheimnisvoll, daß die Zuhörer erst recht für die Sünde interessiert und zum Nachdenken verleitet werden. (Vgl. den gediegenen Artikel in der Quartalschrift 1900, S. 284—306: „Die Verwertung der Kanzel gegen die Sünde der Unkeuschheit" von Max Huber S. J.) Selbst manches, was in der heiligen Schrift vorkommt, wäre unseren Zuhörern mehr auffallend, als es zu den Zeiten des Heilandes und nach den Sitten der Juden und Heiden war. Wer würde sich z. B. getrauen, alles zu predigen, was Paulus an die Römer, an die Korinther ꝛc. schrieb? Endlich

6. soll man auf der Kanzel nicht lärmen und poltern, nie schimpfen, nie beleidigen, nie verdammen. „Increpavit illos, die erhitzten und auf= gebrachten Jünger, dicens: Nescitis, cujus spiritus estis." (Luk. IX., 55.) Der gute Geist, der Geist des Heilandes, war milde und sanft, — war Liebe. „Dedi spiritum meum super eum, judicium proferet gentibus. Non clamabit — calamum quassatum non conteret, et linum fumigans non exstinguet. Non erit tristis neque turbu- lentus" etc. (Js. 42, 1—4.)

Jesus — nur den Heuchlern und Verführern des Volkes schrecklich — war auch gegen den größten Sünder so liebreich; er bemerkte bei den Menschen jedes Gute und suchte es zu benützen. Er lobte öfters gute Handlungen, oft schon den guten Willen; er entschuldigte, statt zu ver- dammen. „Spiritus quidem promptus est, caro autem infirma." (Matth. 26, 41.) „Pater dimitte illis; non enim sciunt, quid faciunt!" (Luk. 23., 24,) — Und doch — tun sich viele, viele Prediger, sagte P. Jais, ich weiß nicht, was zugute, wenn sie immer nur tadeln, wenn sie nur, wie sie sich ausdrücken, die Leute recht herabputzen; aber dadurch werden die Zuhörer nur erbittert oder verzagt, — nicht erbaut und gebessert. Sollte man nicht vielmehr nach dem Beispiele Jesu, und

selbst um der guten Sache willen, bei seinen Zuhörern öfters auch das
Gute loben, und so die Kleinmütigen ermuntern, die Guten im Guten
bestärken und auch andere zu ihrer Nachahmung anfeuern? Dies würde
unendlich mehr frommen als das ewige und ewige Tadeln. Wohlgemerkt!
                                                                        D.

VI. (Zur Praxis des Ehedekretes Ne temere.) Die

Seelsorger der Großstädte bedauerten wegen der Freizügigkeit besonders der
arbeitenden und dienenden Klasse die große Anzahl zwar vor dem katho=
lischen Pfarrer und vor 2 Zeugen abgeschlossenen Ehen, die aber kirchlich
clandestin waren. Der Pfarrer, der die Trauung vornahm, war nicht
mehr parochus proprius gewesen. Der Bräutigam war z. B. Geselle in
der Pfarre St. Georg, die Braut Dienstmagd in St. Afra. Wenige Tage
vor der Trauung zogen beide in die in der Pfarre St. Maria gemietete
Wohnung, gingen aber doch noch nach St. Georg oder St. Afra zur
Trauung. Der Konfessarius erfuhr dies oft in confessionali, durfte aber
keinen Gebrauch machen. Jetzt sind alle Ehen giltig, welche der Pfarrer
auf seinem Territorium traut.

Die Ehen der Akatholiken waren bis jetzt in Orten, wo die Tridentina
galt, ungiltig. Das Werk des heiligen Johannes Franziskus Regis konnte
sich bis jetzt um die Ehen armer Protestanten nicht annehmen. Seit dem
Ehedekret „Ne temere“ kann es auch diesen helfen.

Die Braut Amalia war in Todesgefahr in der katholischen Kirche
getauft, wurde aber von ihrer protestantischen Mutter dem augsburgischen
Bekenntnisse zugeführt. Als sie sich mit einem zum Protestantismus ab=
gefallenen Katholiken verehelichen wollte, konnte in diesem Falle die Vor=
stehung des Werkes des heiligen Johannes Franziskus Regis nicht helfen,
da die Ehe ungiltig vor dem akatholischen Religionsdiener geschlossen wird.

Das Ehedekret bringt große Erleichterung den Pfarrern jener Orte,
in welchen viele Sommerparteien und Kurgäste verkehren. Sobald diese
30 Tage (in Oesterreich wegen der politischen Gesetze 42 Tage) wohnhaft
sind, kann der Pfarrer giltig und erlaubt die Eheschließung vornehmen.
Um einen animus manendi braucht er nicht zu fragen.

Die Spitze ist hauptsächlich gegen die Zivilehe gerichtet. Jede Zivilehe
ist vor der katholischen Kirche ungiltig. Es nützt also das Ehedekret im
vorhinein schon jenen Ländern, die die Zivilehe nicht haben, aber demnächst
damit beglückt werden.

Sehr zu wünschen wäre, wenn das Ehedekret pro praeterito alle
ungiltigen Ehen in radice saniert hätte, wenn die Mischehen giltig erklärt
worden wären, auch coram ministello geschlossen. Die Bulle „Provida“
für Deutschland hat diese Bestimmungen. Schließlich hat der Beichtvater
das Kreuz, wenn der katholische Teil ad confessionem kommt. Er kann
gar nichts machen, weil solche Ehen — mit Ausnahme der in Teutschland
geschlossenen — ungiltig sind. Es muß Trauung stattfinden, wozu viele
Protestanten sich nicht einfinden wollen, oder sanatio in radice, die der
Beichtvater in den meisten Fällen mit 10—20 Lire bezahlen muß. Für
Beichtväter an Wallfahrtsorten eine wahre crux! Ist aber die Mischehe

giltig, so kann der Beichtvater den reumütigen Katholiken, wenn die Verschiebung der Absolution ihm schwer fällt, von den Zensuren gleich absolvieren und innerhalb eines Monates an den kirchlichen Obern sich wenden.

Wien, Pfarre Altlerchenfeld.   Karl Krasa, Kooperator.

VII. (Stempelfreiheit für Legitimationsprotokolle.)

Die k. k. Finanz-Landesdirektion Wien hat mit Erlaß vom 3. April 1908, Z. V.—994, dem Werke des heiligen Johannes Franziskus Regis in Wien für die Ehen der Armen und Legitimation der vorehelichen Kinder mitgeteilt, daß Protokolle, welche bei Matrikenführern zwecks Vorbereitung der Eintragung der Legitimierung vorehelicher Kinder in die Geburtsmatrik mit dem Kindesvater, der Kindesmutter und Identitätszeugen im Sinne der Matrikenvorschriften, wenngleich über Ansuchen der beteiligten Personen aufgenommen werden, gemäß § 1 des Gebührengesetzes vom 9. Februar 1850, R.-G.-Bl. Nr. 50 und T. P. 79 des Gesetzes vom 13. Dezember 1862, R.-G.-Bl. Nr. 89, sowie im Sinne der T. P. 44, lit. g, und 102, lit b. des erstgedachten Gesetzes kein Gegenstand der Stempelgebühr sind.

Wien, Pfarre Altlerchenfeld.   Karl Krasa, Kooperator.

VIII. (Ansichtskarten.)

Nicht etwa gegen künstlerische Reproduktionen soll der Erzieher ankämpfen, sondern lediglich gegen jene grob, sinnlichen Darstellungen auf Karten, wie sie in Verkaufsläden und Wirtshäusern verkauft werden, ferner gegen die sogenannten „Auskleideserien", wie man sie in den Schaufenstern der Großstädte ausgestellt sieht. Und all diese Karten sind dem schulpflichtigen Kinde ebenso leicht erreichbar wie dem blasierten Lebemann. In der letzten Zeit wurden solche „Serien" bei Schulmädchen gefunden und man hat dabei nur zu oft die Erfahrung gemacht, welchen schamlosen Zweck erwachsene Unholde mit solchen „Geschenken" an Schulkinder verfolgen. Aber nicht nur auf die sittlichen Gefahren dieses Ansichtskarten-Kaufes und Tausches sollten Lehrer und Katecheten die Eltern und deren Stellvertreter aufmerksam machen, sondern auch auf die Kostspieligkeit dieses oft unsinnig betriebenen Sports. Man berechne nur in der Schule vor den Kindern die Summe, welche Familien auf Reisen und Ausflügen und bei Gedenktagen für diesen Zweck ausgeben und man wird finden, daß dieselben ganz bedeutende sind und für weit Besseres verwendet werden könnten als für solche Spielereien, die nur momentan beachtet und dann zur Seite geworfen werden.   H. M.

IX. (Bildliche Darstellungen beim Religionsunterricht)

haben, in der rechten Weise gebraucht, einen hohen bildenden und erzieherischen Wert. Durch sie wird der Geist des Kindes auf einen bestimmten Zweck gelenkt. Das Bild prägt sich tief in die Kinderseele ein. Die Geschichte, die das Kind vom Hörensagen kennt, erhält durch das Bild einen reellen Hintergrund. Schwachbegabte Kinder, denen die Erzählung vielleicht unverständlich ist, erfassen beim Anblick des Bildes die geschichtliche Tatsache, ja, gewisse tiefempfundene Bilder bleiben unauslöschlich dem Menschenherzen eingegraben und treten in den Stunden ernster, schwerer Prüfung lebhaft vor die Seele.

Aber man beobachte beim Vorweisen religiöser Bilder eine gewisse Vorsicht. Vor allem zeige man nicht zu viele Bilder auf einmal vor, damit das Kind nicht irre gemacht und der Eindruck, den ein Bild hervorruft, durch das nachfolgende zerstört werde.

Man nehme ferners nur solche Bilder, die geeignet sind, den in Frage stehenden Gegenstand zu erläutern.

Es ist nicht gut, verschiedene Bilder zu zeigen, welche eine und dieselbe Begebenheit zur Darstellung bringen. Die bildlichen Darstellungen müssen wahr sein, den Angaben der heiligen Schrift, der kirchlichen Tradition und Geschichte entsprechen. Sie müssen aber auch in künstlerischer Hinsicht vollendet sein; denn für die Schule ist das Beste kaum gut genug.   H. M.

X. (Das Gebührenäquivalent wird vom vollen Werte eines Gebäudes bemessen, wenn auch nur ein Teil eine Miete abwirft.) Die Sparkassa Laibach beanspruchte im Sinne der Anmerkung 2, b, zur Tarifpost 106 B, e für das ihr gehörige Realschulgebäude, in welchem nur die Wohnung des Direktors vermietet ist, die Befreiung vom Gebührenäquivalent, wurde aber vom V.-G.-H. mit Erkenntnis vom 10. Juni 1907, Z. 4465, abgewiesen. Nach der bezogenen Anmerkung sind unbewegliche Sachen vom Gebührenäquivalent befreit, welche der Gebäudesteuer nicht unterliegen. Objekt der Gebäudesteuer ist immer nur das Gebäude als Einheit, nicht die einzelnen Teile. Ist daher nur ein einziger Raum vermietbar, so stellt sich das ganze Gebäude als miet-zinsertragsfähig dar, das daher nicht mehr die Begünstigung der zitierten Anmerkung genießen kann, denn diese verlangt, daß das Gebäude zur Gänze der Gebäudesteuer nicht unterliege.   Anton Pinzger.

XI. (Die Quinquennien des Hilfspriesters können dem Einkommen der Pfarrpfründe nicht zur Last geschrieben werden.) Dem Pfarrer in G., welcher einen nicht unbedeutenden Kongruaüberschuß in seiner Fassion aufweist, wurden auch zwei Quinquennien seines Kooperators zur Zahlung überbunden. Dem dagegen eingebrachten Rekurse wurde vom k. k. Ministerium für Kultus und Unterricht mit Erlaß vom 28. August 1908, Z. 33.962, mit folgender Begründung Folge gegeben: Wenngleich der Pfarrpfründner in G. unbestrittenermaßen für die Bestreitung des Unterhaltes des Hilfspriesters verpflichtet erscheint, so kann diese Verpflichtung lediglich die Beistellung der nötigen Hilfsmittel zur standesgemäßen Lebensführung, beziehungsweise des kongruamäßigen Mindesteinkommens in sich begreifen, keineswegs aber in dem Sinne ausgedehnt werden, daß dieselbe auch die Vermehrung desselben, wie diese durch das Gesetz vom 24. Februar 1907 (über die Quinquennien) normiert erscheint und nach Maßgabe der Dienstzeit ad personam gebührt, involviert. Es ist daher die in Frage stehende Kongruaerhöhung gemäß § 1, al 3 l. cit. aus dem Religionsfonde zu bestreiten.   A. P.

XII. (Die Thesaurierung der Stiftungen zu Wohltätigkeitszwecken ist vom Gebührenäquivalente frei.) A. Z. hatte im Jahre 1842 ein Kapital von 1000 fl. C. M. derart gestiftet,

daß, wenn dasselbe die Höhe von 32.000 fl. erreicht hat, hievon 22.000 fl.
zur Errichtung eines Waisenhauses und Unterstützung verarmter Waisen
verwendet, 10.000 fl. aber weiter durch 100 Jahre fruktifiziert werden
sollen, wonach zu Gunsten des Waisenhauses, Unterhalt der Priester und
Erbauung einer Kirche die Verteilung geschehen möge. Von Seite der
Finanzbehörde wurde dieser Stiftung, deren Kapital mittlerweile auf
139.353 *K* angewachsen war, die Gebührenfreiheit aberkannt, was aber der
V.-G.-H. laut Erkenntnis vom 14. Jänner 1908, Z. 321, im Gesetze nicht
begründet fand. Denn nach dem Stiftbrief sollten 46.200 *K* für die
Erbauung eines Waisenhauses und zur Unterstützung verarmter Waisen
verwendet werden, also offensichtlich zu wohltätigen Zwecken, und war daher
nach Anm. 2, lit. d zur Tarifpost 106 B, e dieser Betrag und konsequenter
Weise auch der durch Thesaurierung entstandene Mehrbetrag von 93.153 *K*
pro rata vom Gebührenäquivalente befreit.   A. P.

XIII. (Präsentationsrecht des Patrons.) Karl Ritter

von J. in Galizien als Patron der Pfarrei in P. beschwerte sich, daß
die Pfarre J. mit Verletzung seines Präsentationsrechtes dem P. Andreas
verliehen worden sei. Das Konsistorium in Lemberg habe ihm 3 Kompetenten bekannt gegeben; von diesen habe er den P. Severin auf J. präsentiert. Als aber dieser von der Bewerbung zurücktrat, sei er aufgefordert
worden, einen der beiden übrig gebliebenen zu nominieren. Er, der Patron,
habe aber den P. Gregor präsentiert, der wegen angeblicher Fristversäumnis
von der Kompetenz zurückgewiesen worden sei. Würde dieser Präsentations-
akt nicht berücksichtigt, so müßte ein neuerlicher Pfarrkonkurs ausgeschrieben
werden. Der V.-G.-H. hat aber mit Erkenntnis vom 19. Juni 1907, Z. 4340,
diese Beschwerde abgewiesen, denn es ist konstatiert, daß P. Gregor nach
Ablauf des Termines sein Bittgesuch eingebracht habe. Das Hofdekret vom
19. Juni 1784 bestimmt aber, daß die Nachtragung der Bittschrift nach
abgehaltenem Konkurse dem Kandidaten nicht zu gestatten sei. Wenn der
Patron meint, er sei bei Namhaftmachung bloß zweier Kompetenten nach
Hofdekret vom 1. August 1785 berechtigt, einen andern tauglichen Priester
zu präsentieren, so ist zu bemerken, daß dieses Dekret sich auf jene Fälle
bezieht, wo sich kein Bewerber mit Pfarrkonkursprüfung gemeldet hätte.
Weiters bestehe keine gesetzliche Vorschrift, daß dem Patron drei Kandidaten vorgeschlagen werden müßten. Endlich besagt das Hofkanzleidekret
vom 18. Juni 1805, daß dann, wenn der Kollator binnen 6 Wochen
sein Patronatsrecht auszuüben verzögert, dem Ordinarius das Ernennungs-
recht dergestalt einzuräumen sei, daß er jenem Kandidaten, den er dem
Kollator primo loco vorgeschlagen habe, die erledigte Pfründe verleihe.
                                                                A. P.

XIV. (Wann unterliegen die in einem geistlichen Institute geleiteten Mädchenpensionate nicht der Erwerbsteuer?) Der Oberin der englischen Fräulein in Prag wurde

für ihr Pensionat eine Erwerbsteuer vorgeschrieben, was aber vom V.-G.-H.
laut Erkenntnis vom 13. November 1907, Z. 10.148, als im Gesetze
nicht begründet bezeichnet wurde. Die Verpflichtung zur allg. Erwerbsteuer

hänge allerdings nicht davon ab, daß ein Gewinn von dem Unternehmen tatsächlich erzielt werde, und bleibe eine solche Verpflichtung auch dann, wenn das Unternehmen wohltätige oder gemeinnützige Zwecke verfolge. Wenn aber bei der Organisation des Betriebes einer Unternehmung der Erwerbszweck von vornhinein ausgeschlossen und dasselbe nicht auf Gewinn berechnet ist, dann fehlen die Voraussetzungen, an welche § 1 Pers.-St.-G. die Pflicht zur allg. Erwerbsteuer knüpft. Nach den Konstitutionen des in Rede stehenden Institutes ist dieses hauptsächlich zu dem Zwecke gestiftet, dem Heile der Menschen durch Unterricht und christliche Erziehung der Mädchen mit allem Eifer sich zu widmen. Nach Punkt 501 dieser Statuten sind die Kostgelder so zu berechnen, daß sie zum Unterhalte der Kinder ausreichen, womit aber jede Art des Gewinnes ausgeschlossen ist. Bei dem fraglichen Institute würden auch die Kostgelder nicht ausreichen, wenn nicht die Räumlichkeiten und Einrichtungen von demselben beigestellt würden.

A. P.

XV. (Auch bei Bestellung der Obern eines Jesuitenkonventes ist das ¹/₄%ige Pauschale vom Jahreseinkommen zu entrichten.) Im Jesuitenkonvent zu Wehrla in Krakau wurde ein neuer Rektor bestellt. Die Finanzbehörden forderten zum Einkommensbekenntnis auf, um nach Anm. 4 zur Tar.-P. 40/a hiernach das ¹/₄% Jahrespauschale bemessen zu können. Der Jesuitenkonvent beschwerte sich dagegen, weil die Ernennung nur mündlich, ohne Dekret erfolge und auch keine Wahl stattfinde. Der V.-G.-H. wies aber mit Erkenntnis vom 14. November 1807, Z. 10.229, die Beschwerde als im Gesetze nicht begründet ab. Nach § 14 der Ordens-Konstitutionen muß ein jedes Haus einen Lokalobern haben und ist dies auch tatsächlich der Fall, wie dies die Unterschriften auf den Eingaben, Rekursen, Beschwerden bezeugen. Die Bemessung der Pauschalgebühr ist an die Ausstellung einer Urkunde nicht gebunden. Wenn auch die Anstellung eines Obern mündlich durch den General erfolgt, so wird dies doch dem Provinzial brieflich mitgeteilt. In dieser brieflichen Mitteilung muß aber nach der Sachlage eine genügende Beurkundung der seitens des Ordensgenerals vollzogenen Wahl, bezw. Ernennung, erblickt werden. Die Einwendung, daß beim Ordenskonvente keine Wahlen stattfinden und auch nie Wahlbestätigungstaxen entrichtet wurden, ist rechtsirrtümlich, da die Bestimmung des § 17, Gesetz vom 13. Dezember 1862, beziehungsweise der Anm. 4 zu Tar. 40/a, auf die sich berufen wurde, nicht bloß auf die eine Wahlbestätigungstaxe entrichtenden, sondern auf alle geistlichen Kommunitäten sich bezieht. Auch der Umstand, daß die Ernennung nach dem Wohlbefinden des Ordensgenerals und jederzeit widerruflich erfolge, ist irrelevant, weil die Pauschalgebühr von der Zeitdauer des verliehenen Amtes unabhängig ist und als eine konstant wiederkehrende Abgabe für solche Ernennungsakte sich darstellt. A. P.

XVI. (Auslagen für Ausbildung der Kleriker eines Stiftes sind keine Abzugspost bei Bemessung der Personaleinkommensteuer.) Das Benediktinerstift St. Paul hat an Unterhaltungsauslagen zur Heranbildung der Kleriker 4012 K zu zahlen und stellte diesen Betrag bei der Einkommensfassion zur Bemessung der Personaleinkommensteuer, und zwar als eine dauernde, pflichtgemäße Last in Ausgabe. Die Finanzbehörde und zuletzt der B.-G.-H. mit Erkenntnis vom 20. November 1907, Z. 10.268, fand diese Ausgabsstellung im Gesetze nicht begründet. Nach § 162, 4 P.-E.-St.-G., sind nämlich Ausgaben für den Unterhalt der Steuerpflichtigen nicht abzugsfähig. Zu den Konventualen gehören aber auch die Kleriker und sind deshalb im Sinne des § 158, Abs. 2, P.-E.-St.-G., als Steuersubjekte in Betracht zu ziehen. Das steuerbare Einkommen der Kleriker beziffert sich mit dem für die Konventualen überhaupt berechneten Bruchteil des Gesamteinkommens des Stiftes. Tatsächlich wurde das Einkommen der Kleriker mit dem dreißigsten Teile des Stiftseinkommens bemessen und es ist daher nicht richtig, wenn die Beschwerde voraussetzt, es seien die für die Kleriker verwendeten Beträge als spezielles Einkommen dieser Kleriker in Anschlag gebracht worden. A. P.

XVII. (Zur Kirchenbaukonkurrenz sind die Eisenbahnen nach Maßgabe der Erwerbsteuer verpflichtet.)

Bei der Konkurrenzverhandlung wegen Herstellungen bei der Pfarrkirche Pungau wurde auch die Kaschau—Oderbergerbahn nach Maßgabe ihrer Erwerbsteuer (P.-St.-G. 1896, § 104) und auf Grund des Forensengesetzes vom 31. Dezember 1894, § 1 und 2, herangezogen. Dagegen beschwerte sich die betreffende Eisenbahnverwaltung, da im Pfarrsprengel von Pungau sich keine Betriebsstätte, sondern nur ein Teil der Geleiseanlage befinde. Nach dem Wortlaute des zitierten Forensengesetzes könne sie lediglich nach dem weit niedrigen Maßstabe ihrer Grundsteuer herangezogen werden. Dieses Begehren wurde zuletzt auch vom B.-G.-H. mit Erkenntnis vom 19. Mai 1907, Z. 3322, abgewiesen. Der Betrieb eines Eisenbahnunternehmens bestehe in der Beförderung von Personen und Gütern von einem Ort zum andern. Die Betriebstätigkeit umfaßt das ganze Schienennetz und gehört es nicht zum Begriffe desselben, daß sich an einem Orte der ganze Betrieb mit allen seinen Werkstätten, Räumen 2c. vollzieht, sondern es genügt, wenn nur einzelne der Betriebshandlungen ständig vorgenommen werden. Zur Betriebsstätte gehört das ganze befahrene Schienennetz und die Unternehmung hatte somit in Pungau, wo nur der Schienenstrang läuft, auch eine solche Stätte und war die Heranziehung der betreffenden Bahn nach Maßgabe der nach § 104 des P.-St.-G. vorgeschriebene Erwerbsteuer gesetzlich begründet. A. P.

XVIII. (Religionsbekenntnis der Kinder konfessionslos gewordener Eltern.)

Die Eheleute Piscel in Rovereto hatten ihren Austritt aus der katholischen Kirche angemeldet und sich konfessionslos erklärt und verlangten, daß auch ihre noch nicht sieben Jahre alten Kinder nach Artikel II des Gesetzes vom 25. Mai 1868 hiernach behandelt werden. Dieses Verlangen wurde zuletzt vom B.-G.-H. mit Entscheidung vom 7. Dezember 1907, Z. 9157, abgelehnt. Der Austritt aus einer Religionsgesellschaft ohne Eintritt in andere vom Staate anerkannte, sei nicht als Religionswechsel im Sinne des Gesetzes anzusehen, so daß die Regel des

Artikel I und nicht die Ausnahme des Artikel II zur Anwendung komme. Die Kinder mußten daher bei der katholischen Kirche bis zur Mündigkeit, d. i. vom 14. Jahre, verbleiben. Nun meldeten die Eheleute ihre Absicht, in die evangelische Kirche einzutreten und sohin auch den Uebertritt der Kinder zur selben. Allein die Regierung sagte, auch hier könne der Staat nicht mitwirken, weil die Eltern ja konfessionslos seien, also vom Austritt aus einer Religionsgesellschaft, von einem Religionswechsel nicht die Rede sein könne. Im übrigen wurden die Eltern ohnehin nicht von der evangelischen Kirche aufgenommen. A. P.

XIX. (Die Krönung der Herz Jesu=Statuen) findet Rom nicht für passend. Wie L' ami du clergé (Nr. 36, 3. September 1908 nach den Acta s. Sedis mitteilt, hatte Msgr. Ganthey, Bischof von Nevers, den Heiligen Vater um die Vollmacht gebeten, eine Statue des heiligen Herzens Jesu nach ihrer Aufstellung krönen zu dürfen. Er erhielt vom Heiligen Vater ein eigenhändiges Schreiben, datiert vom 9. Juli 1908, in welchem es heißt: „Venerabilis Frater, — Me taedet preces tuas exaudire non posse, eo quod S. Rituum Congr. ultimis hisce diebus incongruum declaravit imaginibus divini Cordis Jesu coronas imponere et tantum permisit ut (si populorum pietas hoc devotionis tributum exhibere desideret), corona ad simulacri pedes deponatur: quod quidem et tu meo nomine facere poteris."

XX. (Ist es erlaubt, am Sonntage mit der Schreib=maschine zu schreiben?) Zweifellos werden die meisten Leser der Quartalschrift verwundert ausrufen: Wie kann man denn nur eine solche Frage aufstellen, da es doch niemanden einfällt, an der Erlaubtheit der in Frage gestellten Beschäftigung zu zweifeln. Auch der Gefertigte war dieser Ansicht und meinte, der recht nahe liegende Gedanke oder Hinweis auf das Klavierspiel, das von niemanden, mag es auch von Anfängern oder Stümpern noch so handwerksmäßig oder im Schweiße des Angesichtes geübt werden, als Sonntagsentheiligung betrachtet wird, würde sofort jedes diesbezügliche Bedenken oder Zweifeln im Keime ersticken. Indes belehrte ihn die Lektüre des Ami du clergé Nr. 18 vom 30. April 1908 eines anderen. Daselbst findet sich obige Anfrage. Der Fragesteller bemerkt wohl, ihm scheine die bejahende Antwort als evident; aber einige Beicht=väter in seiner Umgebung verbieten das Schreiben mit der Schreibmaschine am Sonntag als eine Arbeit, bei welcher der Körper mehr beteiligt sei als der Geist. Da es demnach nicht ausgeschlossen ist, daß es hie und da solche ängstliche Beichtväter oder Beichtkinder gibt; so sei die in der zitierten Zeitschrift gegebene Antwort hier mitgeteilt.

Verboten sind, so lautet die Ausführung, an Sonn= und Feiertagen die sogenannten knechtlichen Arbeiten, d. h. jene, die einst von den Sklaven und jetzt von den Arbeitern und Dienstboten verrichtet werden, bei denen mehr der Körper als der Geist in Anspruch genommen ist, und die vor=nehmlich auf körperlichen Nutzen abzielen. Erlaubt sind die sogenannten freien Arbeiten (opera liberalia), d. h. solche, die vorzüglich vom Geiste ausgehen und die Ausbildung des Geistes oder Erholung und Beschäftigung bezwecken. Zu welcher Gattung von Arbeiten die eine oder die andere Beschäftigung gehört, ist bei vielen schon aus ihrer Natur und Art be= stimmt und leicht erkennbar; bei anderen jedoch muß man sich an den allgemeinen Gebrauch und die allgemeine Anschauung halten, die in dieser Materie von großem Gewichte und Bedeutung sind.

Was das Schreiben betrifft, so wurde es niemals für eine knechtliche, sondern stets für eine „freie" Arbeit oder Beschäftigung gehalten. Mag es nun mit der Maschine oder mit der Feder geschehen, es ist doch immer der Geist, der die Feder oder die Maschine führt, und selbst wenn beim Schreiben mit der Maschine der Körper mehr in Anspruch genommen wäre als der Geist, so bleibt es nichts desto weniger eine „freie" Be= schäftigung, da es seine erste und gewissermaßen wesentliche Bestimmung ist, der Ausbildung und dem Nutzen des Geistes, nicht des Körpers zu dienen. — Daher ist jede weitere Erörterung unnötig. Wenn selbst die sogenannten „gemischten" Arbeiten am Sonntag nicht verboten sind, wie sollte eine infolge ihrer Bestimmung und Natur ganz freie Beschäftigung verboten sein einzig deswegen, weil man sich zum Zwecke größerer Schnelligkeit, Nettigkeit und Sauberkeit einer Maschine bedient? So L' ami du clergé.   Moisl.

XXI. (Ehrenbezeugung der Priester vor dem Bischof.) Ein Priester machte die Exerzitien, an welchen sich auch der Bischof und einige Domherren beteiligten. Während nun die Domherren vor dem Bischof sich verneigten, machten die übrigen Priester (in nigris) zuerst vor dem Altare und dann vor dem Bischof eine Kniebeugung. Da dem Priester dies letztere übertrieben vorkam, umsomehr, als er sich erinnerte, eines Tages aus dem Munde eines Erzbischofes den Ausspruch gehört zu haben: „Außerhalb der Zereremonien kniet sich der Priester vor dem Bischof nicht nieder," fragte er sich bei der Redaktion des Ami du clergé an, wer Recht habe, der Erzbischof oder die betreffenden Priester.

Die Antwort lautete: Der Erzbischof. Dies lehren Msgr. Martinucci apostolischer Zeremonienmeister (Manuale sacrarum caeremoniarum lib. V, cap. VI, n 3 et 57), Bourbon (Introduction aux Ceremonies Romaines n. 321 et 339), Victorius ab Appeltern (Manuale liturgi= cum tom. I p. 95, not.), welche die Kniebeugung vor dem Bischof nur fordern, wenn er feierlichen Gottesdienst hält, und nur von denen, die dabei irgend einen Dienst zu verrichten haben und nicht Kanoniker sind. Daraus folgt wohl, daß sie außerhalb des feierlichen Gottesdienstes die Kniebeugung nicht auferlegen würden.

Aus l' ami du clergé, Nr. 22, 28. V. 1908, S. 511. Moisl.

XXII. (Liturgisches.) 1. Wenn eines der Feste der Leidens= werkzeuge, die als Feste des Herrn gelten, auf einen ersten Monatsfreitag fällt, an welchem sonst die Votivmesse zum heiligsten Herzen Jesu gestattet ist, muß man die heilige Messe vom betreffenden Feste und nicht die Votiv= messe lesen. Das ist die Ansicht aller Autoren und auch der Ephemerides liturgicae 1900, p. 178 und Nouvelle Revue theologique 1892, p. 215.

2. In einer Requiemsmesse für zwei verstorbene Brüder ist die
Oratio pro pluribus defunctis n. 11 oder 12 unter den Orationes
diversae pro defunctis zu nehmen und bloß das Wort famularumque
auszulassen. (F. Ephem. 1899, p. 110.)

Ebenso ist vorzugehen, wenn die Intention auf e i n e n verstorbenen
Mann und eine verstorbene Frau geht, weil in diesem Falle das Wort
famulorum sich auf beide Geschlechter erstreckt. — Nicht darf man die
Oration ändern und etwa sagen: famuli tui et famulae tuae. (S. R. C.
14. Jun. 1901 ad 9.)

Ami du clergé Nr 28, 9. Juli 1908, S. 656.

**XXIII. (Zur Gewinnung des Ablasses beim Gebete:
O bone et dulcissime Jesu!)** ist es nicht notwendig, daß man
das Kruzifix, vor dem es zu beten ist, sehe. So antwortete l'ami du
clergé einem Fragesteller, dem ein Beichtkind die Frage stellte, ob man
dies Gebet, ohne des Ablasses verlustig zu gehen, vor dem während der
Passionszeit verhüllten Altarkreuze, oder hinter einem Pfeiler der Kirche,
so daß man das Kreuz nicht sehen kann, beten dürfe. Als Begründung
wird angegeben: für die Ablaßgewinnung darf keine Bedingung aufgenommen
werden, die nicht wenigstens in der Verleihungsurkunde angedeutet ist. Nun
lautet der italienische Originaltext: dinanzi ad una immagine del ss.
Crocifisso, den Beringer übersetzt: Vor irgend einem Bilde des Gekreuzigten.

Nun kann man ganz gut vor einem Kruzifix knieen, ohne es zu
sehen, z. B. im Finstern. Auch wird Niemand den Blinden, die das Kreuz
nicht sehen können, die Möglichkeit der Gewinnung dieses Ablasses in
Frage stellen. Ami du clergé N 29, 16. Juli 1908, S. 672.

XXIV. (Welche Sprache soll ich kennen?) Unter diesem
Motto findet sich in Nr. 1 vom 13. Jänner 1907 der Korrespondenz
N. P. G. „Associatio Perseverantiae sacerdotalis" folgendes Ein-
gesendet aus der Diözese Seckau: „Längere Zeit beschäftigte ich mich mit
Erlernen des Englischen und freute mich, den „Hamlet" im Original lesen
zu können. Da werde ich unlängst zu einem Kranken gerufen. Die Andacht
der Anwesenden beim Eintritte mit dem Allerheiligsten erbaute mich sehr.
Ich trete zum Bette des Schwerkranken, da sagt mir der Sohn: „Hochwürden, unser Vater ist einige Tage bei uns zu Besuch; plötzlich ist er
so erkrankt; er versteht kein Wort deutsch, er spricht nur slovenisch.". Die
bittenden Augen des sterbenden Greises, die Enttäuschung der Verwandten,
daß ich nicht slovenisch verstehe — kurz, meine Verlegenheit, — wie gern
hätte ich mein ganzes Englisch hingegeben, um Trost sprechen zu können!
In einer gemischtsprachigen Diözese hättest du zuerst die zweite Sprache lernen
sollen — das war der Vorwurf, den ich mir machte und der Vorsatz,
den ich faßte.

XXV. (Maggi's Suppen-Würze, eine Fastenspeise.)
Bei Beginn der Fastenzeit fanden sich in manchen Zeitungen empfehlende
Ankündigungen von Maggi's Suppen-Würze, die besonders klösterlichen An-
stalten zur Bereitung einer schmackhaften Fastensuppe angepriesen wurde.
Darf sie dazu auch benützt werden? Daß Maggi's Bouillon-Kapseln, Fleisch-

Extrakt von Liebig oder anderen Fabrikanten zwar eine kräftige, klare Fleisch=
brühe, aber keine Fastensuppe gebe, ist selbstverständlich, da eben Teile vom
Fleisch warmblütiger Tiere zur Verwendung kommen. Maggi's Suppenwürze
enthält aber keinen Fleischextrakt; die Salze und Extraktivstoffe sind im wesent=
lichen aus den gewöhnlichen Suppenkräutern, Gemüsen und Pilzen genommen.
Daher wird sie auch den Vegetariern und Anhängern einer naturgemäßen
Lebensweise sehr empfohlen. (Vergl. Oberrh. Past.=Bl. 1906, Nr. 2,
wo mehrere ärztliche Urteile mitgeteilt sind.) In Maggi's Suppen=Würfeln
ist dagegen tierisches Fett enthalten. Da jedoch in den meisten Diözesen Tier=
fett zur Bereitung von Fastenspeisen gestattet ist, so können auch die Würfel
an Abstinenztagen benützt werden.   A.

XXVI. **(Die heilige Helena als Kirchenbauerin im**
heiligen Lande.) Wie die alten Schriftsteller Eusebius von Caesarea
(Eccl. hist. III. 43), Sokrates (Eccl. hist. I. 17) und Sozomenos
(Eccl. hist. II. 1) übereinstimmend berichten, hat die heilige Helena in
Palästina nur zwei Kirchen errichten lassen: eine in Bethlehem über der
Geburtsgrotte, die andere auf der Spitze des Oelberges über den Fuß=
stapfen Christi. Im Laufe der Zeit wurde durch die schöpferische Sage die
Zahl der Helenakirchen so gemehrt, daß der byzantinische Schriftsteller
Nicephoros Kallistos bereits von 24 solchen Kirchen berichtet, der Franzose
Felix Beaugerand im Jahre 1699 den Ursprung von 400 Kirchen und
Heiligtümern in Palästina auf die heilige Helena zurückführte. Aehnlich
ist es auch in anderen Gegenden und ebenso auch bei den verschiedenen Volks=
andachten.   F. A.

XXVII. **(Religion und Nervosität.)** Dr. med. Gustav Marx,
Vertrauensarzt der Oberschulbehörde in Hamburg, hat für das bei Voß in
Hamburg soeben erschienene sehr empfehlenswerte „Schulhygienische Taschen=
buch" einen beachtenswerten Beitrag über „Krankheiten der Lehrer und
Lehrerinnen" geliefert. Auch er kommt zu dem Resultate, daß die ‚Berufs=
krankheit' dieser Stände die Nervosität ist und sagt dann darüber Seite 324
folgendes: „Ich schließe mich der Ansicht des alten Schularztes an, der
erklärte, daß Religion ohne Heuchelei das beste prophylaktische
Mittel sei, um die Lehrer gesund zu erhalten. Sie ist der un=
ergründliche Born, aus dem die unruhige, gehetzte Seele, die wir heute
nervös nennen, sich immer wieder neue Kraft und Ruhe, Gleichmaß der
Stimmung und Befreiung von Angst und Druck schöpfen kann. Dies Mittel
läßt sich nicht aus der Apotheke verschreiben; jeder hüte daher seinen Besitz
und werfe ihn nicht achtlos und geringschätzig beiseite. Wer unter den
Lehrern durch naturwissenschaftliche oder philosophische Studien zum Ver=
ächter der Religion geworden ist, entbehrt den besten Schutz und geht zu
leicht im Kampf mit dem eigenen Ehrgeiz, durch innere Ueberschätzung bei
nicht genügender Würdigung durch die Vorgesetzten, durch die Verärgerungen
durch die Schuljugend als Neurastheniker zugrunde." Möchten die Religions=
lehrer der Seminarien nicht versäumen, auch diese Seite der Wirkung reli=
giöser Festigkeit den jungen Leute vorzuführen.
Aus „Kath. Schulzeitung" Donauwörth, 18. Jän. 1908. S. 30.

XXVIII. **(Die Philothea des heiligen Franz von
Sales)** ist nach P. Bauer S. J. im Herderschen Kirchenlexikon² IV. Bd.
S. 1833 auf Bitten vieler hochstehender Personen und insbesondere des
Königs Heinrichs IV. von Frankreich verfaßt worden. Eine hievon etwas
abweichende Darstellung bringt Nr. 34 des L' ami de clergé vom 20. Au=
gust d. J. S. 778, nach welcher auf Grund einer Studie Henry Bordeaus
über das Leben der Frau Charmoisy das Büchlein in seiner ersten Aus=
gabe 1609 unter dem Titel L' introduction à la vie dévote für die
genannte Dame geschrieben worden ist. Madame de Charmoisy stammte
aus der Normandie, ward geboren ums Jahr 1580, und heiratete 1600
Herrn von Charmoisy, einen Verwandten des heiligen Franz von Sales,
Jagd= und Forstmeister von Savoien. Sie war nach der Schilderung
Bordeaus ihrem Manne ganz ergeben, ertrug nur schwer dessen häufige
Abwesenheit, zu der ihn seine Stellung nötigte, war gegen Fremde sehr
zurückhaltend und mangels eines tieferen inneren Lebens zur Melancholie
geneigt. Franz von Sales sah sie zum ersten Mal im Jahre 1601.
Eine Predigt des Heiligen am 24. Jänner 1604 gab ihrem Leben eine
frömmere Richtung, aber erst 1606 gewährte sie dem Heiligen tieferen
Einblick in ihr Seelenleben. Der erste Brief des Heiligen an sie ist datiert
vom 20. Mai dieses Jahres, und bildet den Anfang ihrer Seelenleitung
durch den Heiligen, deren Grundsätze drei Jahre später unter dem Titel
L' introduction à la vie dévote veröffentlicht wurden.   Moisl.

XXIX. **(Cautio observanda adversus feminas.)** In
einem uralten „Memoriale vitae sacerdotalis" vom Jahre 1794 steht
eine Abhandlung, betitelt: prudentia erga feminas servanda; dort
heißt es unter anderem: „Dixi Tibi, fili mi et verum est: Per
speciem mulieris multi perierunt. Propter Evam primus homo,
propter Dalilam fortissimus, propter uxorem Uriae religio-
sissimus, propter alienigenas mulieres sapientissimus miser-
rime cecidit ... Disce ergo à me rarum, brevem et auste-
rum ad illas habere sermonem."   G.

XXX. **(Was ist und wem gehört der Priester?)**
Ueber dieses Kapitel habe ich kürzlich folgende schöne Worte gelesen: „Der
Priester ist der Mann, der in den Tagen der Jugend, wenn die Leiden=
schaften erwachen, wenn die Natur ihre Forderungen auf das kräftigste
geltend macht, zu sich selbst sagt: „Ich bringe mein Herz, meine Neigungen,
mein Leben, meinen Leib und meine Seele zum Opfer." Wem? Gott
allein? Nein! Denn er geht nicht hinaus in die Wüste, sondern er be=
gibt sich unter die Menschen, ergreift die Hände aller, die um ihn sind,
drückt sie herzlich und sagt: Ich gehöre Gott und euch an!
St. Florian.   J. G.

XXXI. **(Suffragium — commemoratio — de s. Maria.)**
1. Wann ist diese commemoratio zu unterlassen?
Resp.: Rubr. gen. 35.: Commemoratio de s. Maria non
fit cum aliis, quando dicitur ejus officium parvum nec quando-
cumque fit officium de ea. Die Frage ist klar gelöst in der cit. Rubr.

gen. Daher sollte es aber auch ebenso klar gegeben sein in den suffragia sanctor. in Archidioecesi Salisburgensi, wo aber bloß die Rubr. steht: „quando non dicitur ejus (s. Mariae) officium parvum." Dies zur Aufklärung der Mitbrüder in Salzburg.

2. Ist die marianische Antiphon: Alma redemptoris mater mit dem Post partum und der Oratio: Deus, qui salutis . . . fortzulassen an jenen Tagen, wo das suffragium de s. Maria dieselbe Oratio hat, wie von Epiphania bis zur Purificatio, oder ist das suffragium zu streichen oder muß beides gebetet werden?

Resp.: Die Rubr. gen. verpflichten zu beiden, weil sie keine Ausnahme diesbezüglich machen: ubi lex non distinguit, neque nos distinguere licet.

XXXII. (Gebrauch des Biretes.)

Ueber den kirchlichen Gebrauch des Biretes herrscht eine sehr verschiedene Praxis. Viele Geistliche tragen das Biret auch wenn sie ohne Paramente durch die Kirche gehen. Das ist gegen die Entscheidung der Ritenkongregation, welche hierüber einen klaren Aufschluß gibt:

Quaestio: Quando Clericus per ecclesiam procedere potest capite cooperto (scilicet bireto)?

Respondendum: In accessu ad sacras functiones et in recessu ab eisdem, quando indutus est paramentis, et non aliter. Decr. s. R. C. 28. Apr. 1708.

Siehe Pastoralblatt für die Diözese Ermland. Jahrgang 1876, S. 72.

Wusen.   Lingnau, Pfarrer.

XXXIII. (Sind uneheliche Kinder einer adeligen Mutter auch adelig?)

Diese Frage ist zu verneinen. Der § 165 des allgemeinen bürgerlichen Gesetzbuches lautet nämlich:

Uneheliche Kinder sind überhaupt von den Rechten der Familie und der Verwandtschaft ausgeschlossen; sie haben weder auf den Familien-Namen des Vaters, noch auf den Adel, das Wappen und andere Vorzüge der Eltern Anspruch; sie führen den Geschlechtsnamen der Mutter.

Was ist in der Rubrik: Name des Täuflings einzutragen?

Der oder die Taufnamen.

Der Familien- oder Schreibname wird weder bei ehelichen noch bei unehelichen Kindern dem Taufnamen beigefügt, da er aus der Rubrik „Vater" beziehungsweise „Mutter" ohnehin zu entnehmen ist. Uebrigens steht nichts im Wege, unter dieser Rubrik auch in gewöhnlichen Fällen mit dem Taufnamen ebenfalls den Familiennamen einzuschreiben; in außergewöhnlichen, in denen auf den ersten Blick Zweifel entstehen können, erscheint es sogar notwendig, an den Taufnamen auch den Familiennamen anzuschließen, z. B. beim Kinde einer Witwe, die noch vor dem zehnten Monate nach dem Tode des Mannes geboren hat, den Geschlechtsnamen des Vaters mit dem Beisatze postumus, und in der Anmerkung den Todestag desselben einzutragen; das Kind jener Witwe aber, die erst nach dem zehnten Monate nach dem Tode des Mannes geboren hat, erhält ·den ur=sprünglichen Geschlechtsnamen der Mutter, den sie im ledigen Stande geführt hatte. Dasselbe gilt auch von Kindern, welche von einer Ehegattin nach dem zehnten Monate nach gerichtlicher Scheidung geboren wurden. (Vide: Dannerbauer, 2. Aufl. S. 461.) Man wird also auch bei Matrikulierung von unehelichen Kindern adeliger Mütter in der Rubrik: „Name des Täuflings" mit dem Taufnamen auch den Familiennamen der Mutter ohne das Adelsprädikat eintragen und in der Anmerkung bei=fügen, daß der Täufling nach § 165 des a. b. G.=B. auf den Adel der Mutter keinen Anspruch hat.

In diesem Sinne erledigte der Gefertigte eine Anfrage des k. k. Bezirksgerichtes, ob die Eintragung des unehelichen Kindes Marie der Zäzilia Schürer von Waldheim einfach „Marie Schürer" ist.

Harbach bei Weitra, N.=Oest.   Ernest Schinzel, Pfarrer.

XXXIV. (Kirchenfenster und Glasgemälde.) Die älteste christliche Kunst gebrauchte das Glas zu den sogenannten Goldgläsern, mit Bildern aus Goldblättchen auf dem Boden, geschützt durch eine dünne Unterfangsschicht, ganz ähnlich wie später die Goldglaswürfel hergestellt wurden zur Glasmosaik. In der christlichen Symbolik ist das Glas als Gleichnisbild auf die allerseligste Jungfrau Maria bezogen worden, so von Walther von der Vogelweide. Die Glaser verehrten im Mittelalter den heiligen Evangelisten Lukas, den Patron der Maler, weil zur Zeit der Blüte der Glasmalerei die Glaser mit den Malern eine Zunft bildeten. Als Patrone der Glaser werden ferner genannt der ·heilige Jakobus, Alemannus und der heilige Serapion. In Frankreich war der heilige Evangelist Markus Patron der Glasarbeiter (vitriers et lanterniers); denn in Venedig, dessen Patron St. Markus war, erlangte die Glas=industrie schon im frühen Mittelalter eine große Vollendung, und von dort kam diese Industrie und mit ihr das genannte Patronat nach Frank=reich. Die Glaser führten im Wappen ein gotisches Fenster oder Hand=werkzeug im silbernen Felde. Manche nehmen an, die romanischen Fenster seien deshalb so klein, weil vor der allgemeinen Einführung des Glases der Fensterverschluß sehr teuer war. Die gotischen Fenster wurden bedeutend größer gemacht, weil man damals schon regelmäßig Butzenscheiben und Glasgemälde einsetzte.

In alter Zeit wurden die Fenster durch Häute, dann auch durch Papier, das man in Oel tränkte, verwahrt. Der heilige Hieronymus er=wähnt für Kirchen schon Glas in Holzrahmen (vitrum lignis inclusum), Sidonius Apollinaris († 484) grünes Glas mit bunten Figuren. Die Handwerker, welche das in Oel getränkte Papier für den Fensterverschluß zubereiteten, hießen „Sliemer". Auch überzog man die Fenster und Laternen mit durchscheinenden Hornplatten. In Italien schloß man die Fenster mit dünngesägten Marmorplatten oder auch mit Teppichen. Von dieser Sitte soll es stammen, daß man auch heute noch den Fensterverschließungen an

Kirchen gern ein Teppichmuster gibt oder auch irgend ein geometrisches Gittermuster, weil die Fenster auch mit feindurchbrochenen Steingittern verschlossen wurden.

Die Stadt Wien zeichnete sich schon früh durch den Gebrauch der Glasfenster aus; der Kanzler Aeneas Sylvius führt es im Jahre 1450 als etwas Besonderes und Auffallendes an, daß die Häuser in Wien gläserne Fenster hätten. Um das Jahr 930 erhielt das Kloster Reichenau Fenster, die aus kleinen Rundscheiben zusammengesetzt waren. Am liebsten wurden Butzenscheiben verwendet. Die Butzenscheibe, auch Mondglas oder Gallglas genannt, ist eine runde, gewöhnlich grünliche Fensterscheibe von 10—15 cm Durchmesser, die in der Mitte, wo das Blasrohr des Glas= bläsers angesessen hat, eine Erhöhung, den Butzen, die Galle und meistens auch einen erhöhten Rand hat. Namentlich für Kirchen wurde ein etwas grünliches Glas verwendet, weil dieses den Lichtstrahl angenehmer bricht als helldurchsichtiges Glas.

Die hohen farbigen Glasfenster in den Kirchen stellen den Gläubigen durch ihre Farbenpracht die Herrlichkeit des himmlischen Jerusalem vor Augen, das äußere Licht, das in die Kirche fällt, muß durch die Glas= malereien hindurchgehen, um vermittelst der heiligen Gegenstände, welche sie enthalten, erst die Weihe zu empfangen.

Das größte Fenster ist regelmäßig der Chorschluß, um das Licht von Osten in reicher Fülle aufzunehmen. Die Bedeutung der Glasmalereien in den Kirchen wird vom Bischofe Eberhard von Trier in folgender Weise erklärt: „Wenn unsere Väter die herrlichen gotischen Kirchen bauten, ließen sie nicht zu, daß das helle Sonnenlicht, wie es in die Bürgerhäuser hinein= scheint und zu irdischen Beschäftigungen leuchtet, so auch in die Kirche hineinleuchte. Sie gestatteten es nicht, daß man durch das weiße Fenster= glas in den Kirchen noch die Gebäude und all die irdischen Dinge draußen sehen und an sie in Zerstreuung seinen Blick heften konnte. Darum haben sie die Fensterscheiben mit Glasur überzogen, die Glut der Farben zündeten sie am Fenster an und die Gestalten der Heiligen deckten den zerstreuenden Ausblick, damit der Geist ungestört in heiliger Betrachtung sich versenke. Ein Aehnliches soll der Christ geistiger Weise tun, wenn er die Kirche betritt. Der Schleier der Vergessenheit soll über die zerstreuenden Außen= dinge gezogen werden: die höhere Welt soll ihm aufgehen, heilige Bilder sollen durch seine Erinnerung gehen und höhere Betrachtung soll seinen Geist beschäftigen."

Eigentliche Glasmalerei finden wir erst im elften Jahrhunderte erwähnt. Es wurde diese Kunst zuerst geübt im Kloster Tegernsee durch die dortigen Benediktiner, die eine eigene Glashütte errichteten. Von nun an breitete sich diese Kunst in alle Länder aus. Die ältesten gemalten Fenster, welche noch bis auf unsere Zeit aufbewahrt blieben, sind die im Dome zu Augsburg, fünf an der Zahl, mit alttestamentlichen Darstellungen. In der Zeit der Gotik haben namentlich die Deutschen und Niederländer in der Glasmalerei sich ausgezeichnet und die Kirchen nicht nur in ihrer

Heimat, sondern auch in Spanien und England mit ihren Werken geschmückt. In Italien waren es besonders die Dominikaner, welche diese Kunst pflegten.

Der Stil der Glasgemälde folgte in der romanischen Periode mehr dem der Mosaik und in der gotischen nach Ornament und Bild dem der reicheren Teppichmalerei. Gegen Ende des vierzehnten Jahrhunderts erhielt diese Kunst große Vorteile durch die Erfindung der Schmelzmalerei. Die Blütezeit der Glasmalerei war das 15. und das 16. Jahrhundert. Frankreich, England und die Niederlande haben große Meister in dieser Kunst aufzuweisen, z. B. Henriet, Monier von Blois, Abraham von Diepenbrok. In Deutschland erwarb sich Albrecht Dürrer um dieselbe große Verdienste. Im 17. Jahrhundert verfiel diese Kunst und hörte im 18. Jahrhundert, verdrängt durch die Mode, beinahe ganz auf. Nur in England wurde sie noch, wenn auch meist von ausländischen Künstlern, weiter gepflegt. Dazu mag der folgende Umstand beigetragen haben: In England wurden die Fenster an den Wohnhäusern infolge der hohen Fenstersteuer in tunlichst geringer Anzahl, aber so breit als möglich angelegt. Diese großen Fenster wurden oft mit Glasmalereien geschmückt. Unter Jakob I. stiftete der Niederländer Bernhard van Linge, den man als den Vater der neueren Glasmalerei ansieht, eine Schule, die sich bis auf die neuere Zeit erhalten hat. Im 17. und 18. Jahrhundert zeichneten sich als Glasmaler aus Eginton zu Birmingham und Wolfgang Baumgartner zu Kufstein († 1761). In Deutschland ist die Glasmalerei erst im 19. Jahrhundert wieder erstanden, namentlich durch Mohn in Dresden und Michael Siegmund Frant in Nürnberg, der später als Glasmaler in München angestellt wurde bei der königlichen Porzellan-Manufaktur. König Ludwig I. ließ zwei Fenster des alten Domes zu Regensburg mit neuen Glasmalereien versehen. Man kann sagen, daß die Wiederbelebung dieser schönen Kunst von Bayern ausgegangen ist.

In der gotischen Zeit bestand die Technik der Glasmalerei darin, daß man auf farbigen, der Zeichnung möglichst entsprechenden Glasstücken mit sogenanntem Schwarzbrot in dickeren und dünneren Schichten die Konturen und Schattierungen auftrug und darin einbrannte und sodann die einzelnen Stücke mosaikartig mittels Bleistreifen zu einem ganzen Bilde verband. Die eigentliche Glasmalerei besteht in der Kunst, auf Glas in unveränderter Farbe Gemälde durch Einschmelzen derselben herzustellen. Gemalte Fenster sind für eine Kirche ein sehr erhebender Schmuck; indes, um hier, so mahnt Atz, die rechte Mitte zu treffen, daß solche mit dem Ganzen gut stimmen, ist Vorsicht nötig; in vielen Fällen hat man des Guten zu viel getan, sowohl durch Teppichformen, als auch durch Figuren, welch letztere nicht selten zu groß oder zu plastisch erscheinen, während jede Darstellung in den Fenstern den Charakter eines aufgehängten, flach gestickten Vorhanges an sich tragen soll, selbst im Renaissance-Stile. Auch was an Architektur erscheint, hat nichts mit dem reizvollen Wechselspiele der Perspektive zu tun. Säulen, Gewölbe sind streng dekorativ zu behandeln. Zudem soll das Ganze ein musivisch zusammengesetztes Bild bieten und

daher aus vielen und kleinen Stücken bestehen, welche durch Bleilinien
kräftig abgegrenzt sind. „Viele größere Glastafeln", so sagt Atz, „machen
jede Glasmalerei ekelhaft; und Unverständige wünschen das viele Blei und
die kräftigen Eisenstangen weg, obgleich letztere auch wegen des Anstürmens
des Windes und der Gewitter höchst notwendig sind. Bei gotischen Fenstern
denke man auch immer daran, die Teilungspfosten und das Maßwerk
herzustellen. Denn ohne diese erscheint in ihnen auch das beste Glasgemälde
als eine Pfuscherei. Was man den Steinmetzen zahlen muß, erspart man
sich beim Glasmaler."

In unserer Zeit geschieht für die Anschaffung von Glasgemälden
in den Kirchen sehr viel, da die Ueberzeugung von dem praktischen und
ästhetischen Werte derselben allgemein zur Geltung kommt. Gemalte Fenster
sind ein geziemender und erhebender Schmuck einer Kirche, gleichsam das
seelenvolle Auge des Kirchenbaues. Jakob warnt mit Recht vor der Auf=
nahme der Surrogate. Hierher gehören jene Transparente auf Leinwand
oder Papier, vor deren Gebrauch jedoch die Erfahrung bereits hinlänglich
gewarnt hat: die den Glaserschildern ähnlichen, so unästhetischen Zusammen=
stellungen von bloß farbigen Gläsern; die mit Oelfarben gemalten Hütten=
gläser, die Herstellung der Glasmalereien durch mechanischen Ueberdruck
u. s. w. Auch in besseren Zeiten konnte man nicht überall und alsogleich
die Kirchen mit figurenreichen Fenstern schmücken: gleichwohl fiel es nie=
manden ein, etwa gewöhnliche, große, viereckige Glasplatten in noch ge=
wöhnlichere hölzerne Rahmen zu schließen oder gar zu den erwähnten
Auskunftsmitteln zu greifen. Man gebrauchte in diesem Falle schlichte,
leicht zu brennende Muster, also meist geometrische Figuren oder einfach
stilisierte Blattformen, oder man malte die Fenster nur grau in grau,
was auch jetzt noch das Ratsamste wäre und eine nicht größere Auslage
verursacht als für Fenster in gutem, weißem Glase, oder man nahm farb=
loses Glas und faßte dasselbe durch Bleistreifen in mannigfachen Zeich=
nungen zusammen, so daß sich ein Netz von geometrischen Ornamenten
in großer Abwechslung über die Fenster hinzog. Daher hießen die Glaser
in den Zunftchroniken oft „Glasstricker".

Hiebei ist zu bemerken, daß man dazu etwas zinnliches Glas nahm,
wie solches auch jetzt wieder in England und in vorzüglicher Art in
Venedig (durch Salviati) hergestellt wird, weil dieses den Lichtstrahl an=
genehmer bricht als helldurchsichtiges Glas, sodann daß man bei allen
Fensterverbleiungen nicht gezogenes, sondern gegossenes Blei verwendete,
weil letzteres um seiner ungleich größeren Dauerhaftigkeit willen allgemein
wieder gebraucht werden sollte.

Bezüglich der Glassorten ist hervorzuheben, daß besonders drei Gat=
tungen oder Texturen verwendet wurden:. Antik=Kathedralglas, gegossenes
Kathedralglas und gewöhnliches Farbenglas. Das Antik=Kathedralglas ist
nach Art der alten Gläser stark im Glase, uneben und wellig in der
Textur, mit vielen Rauheiten und Ungleichheiten versehen, dafür sehr
brillant in der Farbe; es eignet sich gut für monumentale Glasmalereien

im strengen, alten Stile. Das gegossene Kathedralglas ist ebenfalls stark im Glase, durch das Gießen auf der einen Seite rauh und uneben, daher mehr durchscheinend als durchsichtig, ohne matt zu sein, und eignet sich vorzüglich für monumentale und ornamentale Glasmalereien im alten und neuen Stile. Wegen seiner rauhen Seite braucht es nicht wie das gewöhnliche Glas mit einem matten Ueberzuge vor dem Durchbrechen der Sonnenstrahlen geschützt zu werden und ist deshalb auch viel lebendiger und in der Farbe intensiver und brillanter als das gewöhnliche Glas. Das gewöhnliche Farbenglas, mäßig stark und glatt, ist mehr für moderne und profane Arbeiten angezeigt und dürfte für Kirchenfenster nicht zu empfehlen sein.

So schön und dauerhaft auch die farbigen Gläser und Glasmalereien sind, so muß doch in deren Anwendung ein richtiges Maß eingehalten werden, entsprechend den Raumverhältnissen des Gotteshauses. Für kleinere gotische Kirchen, welche gewöhnlich dunkel sind, dürfte es hinreichend sein, bloß das Presbyterium mit Glasgemälden zu versehen und die Fenster des Schiffsraumes licht und hell zu halten. Für die Fenster des Schiffes wären dann entweder Butzenscheiben mit farbiger, stilgerechter Bordüre, oder auch einfach graue Fenster mit entsprechender Bordüre angezeigt. Und selbst im Presbyterium wäre in kleineren Kirchen, besonders wenn sie nicht hoch sind, eine einfachere Behandlung der Glasmalereien anzuempfehlen, z. B. ein Brustbild, mit Teppichmuster umgeben. Wenn eine Kirche schon an und für sich dunkel und noch dazu alle Fenster mit Glasgemälden versehen werden, so wird dadurch die Dunkelheit noch gesteigert, so daß man die Gemälde und Statuen und selbst die Altäre nicht mehr gut wahrnehmen kann und die Gläubigen in der düsteren Zeit des Spätherbstes und des Winters selbst zur Zeit des Hauptgottesdienstes ohne Licht kaum in den Gebetbüchern lesen können. Es muß deshalb in kleineren und ohnehin mehr düsteren Kirchen bei Anschaffung von Glasgemälden sowohl auf die Raum= als auch auf die Lichtverhältnisse der Kirche Rücksicht genommen und ein richtiges Maß eingehalten werden, auch ist bei dieser Prüfung zu beachten, daß die Glasgemälde oft nachdunkeln.

XXXV. (Maria, Mutter des guten Rates.) Durch Dekret der Ritenkongregation vom 22. April 1903 ist in die lauretanische Litanei die Anrufung „mater boni consilii, ora pro nobis!" eingefügt worden, die nach der Lobpreisung „mater admirabilis" ihre Stelle haben soll. Kirchen unter dem Titel „Maria vom guten Rate" gibt es zu Hurwath in der Erzdiözese Köln, zu Enneberg im Bistum Brixen und zu Böckstein in der Erzdiözese Salzburg. Unter dem Titel „Maria vom guten Rate" hat sich in der Christenheit ein Gebetsverein gebildet zur Verehrung der heiligen Gottesmutter. Namentlich in den Augustinerkirchen besteht die Bruderschaft „Maria vom guten Rate", weil sie von der Augustinerklosterkirche zu Genazzano (Bistum Palestrina) ausgegangen ist. Eine Bruderschaft dieses Titels befindet sich nach Reitlechner (Patrozinienbuch S. 77) seit 1768 bei der unter dem gleichnamigen Mutter=

Gottespatronate im Jahre 1764 erbauten Pfarrkirche zu Böckstein im Gasteiner Tale, am 26. Juli 1767 vom Erzbischof Sigismund geweiht; das Hochaltarbild „Maria vom guten Rate" von der Gemahlin des Hofstatuärs Hagenauer gemalt. Am Plafond ist die Uebertragung des Bildnisses nach Genazzano dargestellt. Treffliche Kopien des Gnadenbildes sind in den Augustinerklosterkirchen zu Mülln bei Salzburg, zu Tittmoning und zu Hallein.

Die Klosterkirche der Augustinermönche zu Genazzano führte schon im Anfange des 15. Jahrhunderts den Titel „Maria vom guten Rate", der dann auf das Gnadenbild überging, das ursprünglich „Unsere liebe Frau vom Paradiese" genannt wurde. Beringer (die Ablässe S. 685) schreibt darüber: „Gott der Herr würdigte sich, die Gegend von Genazzano mit einem Bildnisse der seligsten Jungfrau und des göttlichen Kindes zu bereichern. Dieses Bildnis wurde von Skutari, einer Stadt in Albanien, kurz vor ihrer Eroberung durch die Türken, den 25. April 1467, von Engeln in die Gegend von Genazzano gebracht und da fortwährend in die Klosterkirche der ehrwürdigen Augustinermönche unter obigem Titel verehrt. Dem Allerhöchsten hat es auch gefallen, hier auf die Fürbitte der seligsten Jungfrau viele geistliche Gnaden und zeitliche Wohltaten jenen Gläubigen zu erteilen, die zu ihr die Zuflucht nahmen. Deshalb hat das vatikanische Domkapitel in Rücksicht auf die authentischen Berichte über die erlangten Gnaden dieses Bildnis schon am 25. November 1682 mit einer goldenen Krone ausgezeichnet." Der von Beringer erwähnte Tag der Krönung des Gnadenbildes ist vielleicht mit Absicht so gewählt, der Gedenktag der heiligen Martyrin Katharina von Alexandrien, deren Leib durch den Dienst der Engel auf den Berg Sinai übertragen wurde, wie es im Kirchengebete heißt. Auf die Uebertragung des Gnadenbildes nach Genazzano deutet auch die Oration des am 26. April zu feiernden Festes Mariä „de bono consilio" hin, welche im römischen Brevier folgenden Wortlaut hat: „Gott, du Spender aller Güter, der du das berühmte Bild der Mutter deines geliebten Sohnes durch eine wunderbare Erscheinung verherrlicht hast, gewähre uns, wir bitten dich, daß wir durch die Fürbitte der allerseligsten Jungfrau Maria zu dem himmlischen Vaterlande gelangen mögen."

Das Bild „Maria vom guten Rate" ist schön und zur Andacht stimmend, darum auch von manchen christlichen Familien für den religiösen Bilderschmuck des Hauses mit Vorliebe ausgewählt. Das Antlitz der gebenedeiten Gottesmutter, von himmlischer Liebe verklärt, zeigt jugendliche Schönheit und Unschuld. „Maria vom guten Rate" hält das göttliche Kind und beide haben keine anderen Abzeichen als den über ihren Häuptern angebrachten Regenbogen, von dem es im Buche Ekklesiastikus (43, 12) heißt: „Siehe den Regenbogen und preise seinen Schöpfer. Er ist sehr schön in seinem Glanze. Er umzieht den Himmel in der Runde seiner Herrlichkeit. Die Hände des Allerhöchsten haben ihn ausgespannt." Der Regenbogen ist das Zeichen des Bundes und der Gnade. Er entsteht nicht, so sagt Bischof Eberhard von Trier, durch ein Wunder, er ist eine natürliche Erscheinung; in natürlicher Weise brechen sich die Sonnenstrahlen im Wolkengehänge und bilden den siebenfarbigen Halbzirkel des Regen= bogens. Aber Gott machte die natürliche Erscheinung zum Zeichen des Uebernatürlichen. Auf daß die Erinnerung an die Sündflut nicht neue Schrecken einflöße, wenn der Himmel sich mit Wolken bedeckt, daß niemand mehr zittere, ob etwa die Erde und das Menschengeschlecht auf ihr von neuem im Wasser begraben werde, bindet Gott seine Verheißung, daß er die Erde nicht mehr mit Wasser verderben wolle, an dieses Zeichen. Wie nicht das Verderben, sondern die Sonne durch das Wolkengitter bricht, ist er das Bild göttlicher Versöhnung und Erbauung. Wie die dunklen Wolken sich mit lieblichen Farben säumen, welche sie nicht von selbst haben, so deutet der Regenbogen nach Gottes Verheißung auf den neuen Schmuck, den die sündigen Menschenseelen durch den allerheiligsten Erlöser, die Sonne der Gerechtigkeit, empfangen sollen. An den Regenbogen hat Gott Bund und Eidschwur der Versöhnung und des geistigen Friedens gebunden. Darum hat schon die alte Christenheit der gebenedeiten Gottesmutter den Regen= bogen als bedeutungsvolles Abzeichen gegeben; denn sie ist „die Arche des Bundes", „die Königin des Friedens", „die Mutter der Gnade und des guten Rates".

Die Bruderschaft „Maria vom guten Rate" wurde vom Papste Benedikt XIV. durch apostolisches Schreiben vom 2. Juli 1753 bestätigt. Der Heilige Vater Papst Leo XIII. hat die Wallfahrtskirche zu Genazzano zur Würde einer Basilika (Basilica minor) erhoben und am 22. No= vember 1880 einen Ablaß von 100 Tagen verbunden mit dem folgenden Gebete zu Unserer lieben Frau vom guten Rate: „O glorreiche Jungfrau, durch ewigen Ratschluß des Allerhöchsten zur Mutter des ewigen, mensch= gewordenen Wortes auserwählt, Schatzmeisterin der göttlichen Gnaden und Fürsprecherin der Sünder; ich, dein unwürdiger Diener, nehme meine Zuflucht zu dir, auf daß du mir gnädig Führerin und Ratgeberin seiest in diesem Tale der Zähren. Erflehe mir doch um des kostbaren Blutes deines göttlichen Sohnes willen die Verzeihung meiner Sünden, die Rettung meiner Seele und alles, was mir zur Erlangung derselben notwendig und nützlich ist. Bitte auch um den Triumph der heiligen Kirche über ihre Feinde und um die Ausbreitung des Reiches Jesu Christi auf der ganzen Erde. Amen." — Der kleine geringe Anfang und die rasche, reiche Ent= wicklung der Andacht zu unserer lieben Frau vom guten Rate erinnert an das Gleichnis vom Senfkörnlein. Die Verehrung der allerseligsten Gottesmutter findet sich schon in der ältesten christlichen Zeit; aber manche Weisen und Formen der Betätigung dieser Verehrung sind späteren Ursprungs. Die Kirche ist kein toter Mechanismus, sondern ein lebensvoller Orga= nismus; manches in dem kirchlichen Gebetsleben, was ursprünglich ein kleiner Zweig war, hat sich entwickelt und ist im Laufe der Zeiten zum reichen Aste geworden, voll Blätterschmuck und Blüten und Früchten. Die heilige Liebe der Kirche, der fromme Eifer der Gläubigen, vom Heiligen Geiste entzündet und geleitet, fand immer neue und reichere Formen der Andacht zur gebenedeiten Gottesmutter.

Das Kirchenlied zu Ehren unserer lieben Frau vom guten Rate hat folgenden Wortlaut:

1. Jungfrau auserkoren,
Reich an gutem Rat,
Uns zum Heil geboren,
Hilf zur guten Tat!

2. Jungfrau, voll der Gnade,
Reich an gutem Rat,
Führ' uns deine Pfade,
Hilf zur guten Tat!

3. Jungfrau, voll der Güte,
Reich an gutem Rat,
Schenk uns dein Gemüte
Hilf zur guten Tat!

4. Jungfrau, voll der Freude,
Reich an gutem Rat,
Mach uns froh im Leide,
Hilf zur guten Tat!

5. Jungfrau, voll der Ehre,
Reich an gutem Rat,
Schmach der Sünd' abwehre,
Hilf zur guten Tat!

6. Jungfrau, Licht der Sünder,
Reich an gutem Rat,
Krön' die Gotteskinder,
Hilf zur guten Tat!

7. Jungfrau, Hilf' im Sterben,
Reich an gutem Rat,
Laß uns nicht verderben,
Hilf zur guten Tat!

Das Lied ist nachgebildet dem Mutter Gottes-Liede „Jungfrau auserkoren, novum gaudium" im Würzburger Gesangbuche vom Jahre 1628. Es preist die Mutter des guten Rates und enthält die demütige Bitte um große Güter, um Gottes Trost und Gnade, um ein frommes Leben. um ein seliges Sterben, um Beharrlichkeit bis an das Ende durch die Fürbitte der allerseligsten Jungfrau. Die Sprache des Liedes ist schlicht und herzlich; in mehreren Strophen auch durch die glückliche Anwendung der Antithese lebhaft und beredt.

Wird die heilige Gottesmutter Königin genannt, z. B. in dem Titel „Königin des Friedens", so denkt die christliche Andacht an die Macht ihrer Fürbitte: wird sie als Mutter gepriesen und angerufen, dann wird uns ihre Güte, Sorgfalt und Treue vor Augen gestellt. Schon eine irdische Mutter, und sei sie auch nur eine einfache, fromme Frau, kann ihren Kindern guten Rat erteilen, weil sie im heiligen Sakramente der Ehe auch die Gabe des Rates empfangen hat, weil sie im frommen Gebete Erleuchtung gewinnt, weil die Mutterliebe ihren Blick schärft zur Ahnung und zum Erkennen der Gefahren, weil Gott ihre Ermahnungen, Gebete und ihr gutes Beispiel segnet zum Heile der Kinder. Das tugendreiche Leben der Mutter bleibt den Kindern ein Vorbild durch das ganze Leben; die Abschiedsworte einer sterbenden Mutter an ihre Kinder sind fast immer Worte des guten Rates und. werden nicht leicht aus der Erinnerung ausgelöscht. Die erste Erziehung ist das Geheimnis und die Gnadengabe der christlichen Mutter. Alle natürlichen Anlagen der Frau sind berechnet auf diesen heiligen Beruf: die Zartheit und Innigkeit des Gemütes, die Unvergänglichkeit eines stillen und sanften Geistes, die der Apostel Paulus preist, die angeborene Frömmigkeit und die Geduld im Leiden. Der gute Rat und das anhaltende vertrauensvolle Gebet einer frommen Mutter retten aus Gefahren und bringen das Gute zur Vollendung. Das wird durch zahlreiche Beispiele der Heiligenlegende und der täglichen Erfahrung bewiesen. Was hat nicht der heilige Augustinus seiner heiligen Mutter Monika, der heilige Ludwig seiner frommen Mutter Blanka, was haben die sieben Söhne der heiligen Felizitas dem Worte und dem Beispiele ihrer Mutter zu verdanken! Wie mancher hoffnungsreiche Jüngling, wie mancher bedeutende Mann, wie mancher Heiliger hat es seiner Mutter zu verdanken, allein und einzig nächst Gott seiner Mutter, daß er den Weg zum Heile wiederfand oder vor Irrwegen und sittlichem Verderben bewahrt blieb. „Ihr Wort, ihr Bild und ihr Beispiel schwebten noch lange nach ihrem Tode belehrend und mahnend vor meiner Seele", sagt der heilige Bernhard von seiner Mutter, der seligen Alath, die er in jungen Jahren durch den Tod verloren hatte. In den großen Gefahren der Zeit vertraut darum die heilige Kirche auf die christlichen Mütter und ruft sie zu Hilfe gegen das drohende Verderbnis der Sitten und segnet ihr wichtiges Amt, ihren Kindern gut zu raten und Gottes Reich in den Seelen der Kinder aufzubauen.

Kann schon jede fromme christliche Mutter auf Erden ihren Kindern guten Rat erteilen, um so mehr wird die himmlische Mutter, „der Sitz der Weisheit und die Mutter des guten Rates", ihren Kindern, die vertrauensvoll zu ihr im Gebete die Zuflucht nehmen, dazu verhelfen, daß sie bei der Standeswahl und in anderen wichtigen Anliegen das Rechte erwählen, daß sie in Versuchungen die Treue und die Kindschaft Gottes, in Leiden und Trübsalen die Geduld und Ergebung, im Sterben den Glauben und das Gottvertrauen bewahren. Als Mutter des guten Rates wird die allerseligste Jungfrau gefeiert, weil der Heilige Geist in ihr war, ihr seine Gaben mitteilte und auch die Fülle des Rates in ihre Seele ausgoß. Die Kirche wendet das Wort des Evangeliums auf die heilige Gottesmutter an: „Maria hat den besten Teil erwählt", denn sie hat inniger mit Gott verkehrt, als die anderen Heiligen und ihm reichlicher ihre Opfer und Liebeswerke dargebracht. Sie übertrifft an Gebetseifer, so sagt Bischof Eberhard, die Propheten und die Apostel, an Schmerz und Geduld die Märtyrer, an Demut und Entsagung die Bekenner, sie übertrifft alle Heiligen. Sie hat den besten Teil erwählt, immerfort von neuem ihn erwählt in den entscheidenden Augenblicken. Deshalb nehmen fromme Christen bei wichtigen Anliegen, in denen es gilt, das Rechte und Gottgefällige zu erwählen, in andächtigem Gebete ihre Zuflucht zur Mutter der Gnade, die den besten Teil erwählt hat. Am Tage der frohen Verkündigung hat die allerseligste Jungfrau Maria die Aufgabe übernommen, die Mutter des allerheiligsten Erlösers zu werden. Wir feiern das Andenken daran, so oft wir im Kredo der heiligen Messe die Knie vor der undurchdringlichen Tiefe des Geheimnisses beugen und sprechen: „Et incarnatus est de Spiritu Sancto ex Maria Virgine et homo factus est". Das waren flüchtige Augenblicke, schnell verrinnend wie alle anderen, diese Augenblicke, als der Erzengel Gabriel der allerseligsten Jungfrau erschien und ihrer freien Einwilligung es anbot, Mutter des Heilandes zu werden; diese Augenblicke waren für Maria im vollsten Sinne unwiderruflich; sie bestimmten und beherrschten von nun an ihr ganzes Leben mit seinen höchsten Freuden und seinen tiefsten Leiden. Deshalb wird die hoch= gebenedeite Mutter des Herrn, welche selbst in Augenblicken sich befand, die zu großen Entscheidungen drängten und in denen sie sich die Krone erwarb, als die Fürbitterin und Leiterin unserer Erwägungen und Ent= schlüsse in dringenden, bedeutungsvollen, auf viele Jahre hin bestimmenden, einflußreichen Augenblicken verehrt, als die Beschützerin frommer Christen in wichtigen Lebenslagen, als Mutter des guten Rates, wie schlicht und doch so tiefsinnig schön die früheren Zeiten sagten: Ihr Leben, wie es uns im Evangelium vor Augen gestellt wird, ihre Demut und ihr Glaube, ihre Geduld und Gottesliebe, ihr Gehorsam und ihr ganzes tugendreiches Beispiel ist für fromme Christen ein guter Rat. Auch das einzige, im Evangelium mitgeteilte Wort der heiligen Gottesmutter an die Menschen enthält einen guten Rat, ihr Wort an die Diener auf der Hochzeit zu Kana: „Alles, was er euch sagt, das tuet!". Auf die Christenheit ange= wendet, enthält dieses Wort eine Aufforderung zur Nachfolge Christi. In dem Gruße des heiligen Erzengels Gabriel: „Du bist voll der Gnade, der Herr ist mit dir", ist die allerseligste Jungfrau als die Mutter des guten Rates vorausverkündet. Jedes Ave Maria erinnert an diesen ihren Ehrentitel.

XXXVI. (Die Glockenweihe.) Die kirchlichen Gebete bei der Glockenweihe enthalten beredte Hinweise auf die Bedeutung der Glocken für das christliche Leben. Das kirchliche Rechtsbuch (Gloss. zu c. un Extrav com. 1, 5) gibt den Zweck der Kirchenglocken an mit den Worten:

„Laudo Deum verum, plebem voco, congrego clerum.
Defunctos ploro, nimbum fugo, festa decoro.

Die Glocke gilt als „das Herz des Turmes"; durch das Aufhängen der geweihten Glocken ist auch der Turm geweiht, weshalb Letzterer bei der Konsekration der Kirche nicht besonders geweiht wird. Der Ritus der feier= lichen Glockenweihe ist von Amberger in seiner Pastoraltheologie ausführlich beschrieben. Wegen der Aehnlichkeit der Glockenweihe mit einigen bei der heutigen Taufe vorkommenden Zeremonien wird dieselbe mit einem volks= tümlichen Ausdrucke „Glockentaufe" genannt; doch hat die Kirche, wie Benedikt XIV. hervorhebt, diese Bezeichnung nicht angenommen.

Durch die Weihe werden die Glocken res sacrae bestimmt, zum gottesdienstlichen Gebrauche. Die kirchliche Glockenweihe ist ein Vorrecht der Bischöfe. Das Pontificale Romanum (tit. „de benedictione cam= panae") schreibt uns deutlich vor, daß die Glocke geweiht werden muß (Debet benedici), bevor sie in den Glockenturm aufgehängt wird. Der Bischof kann es verhindern, daß nicht geweihte Glocken geläutet werden; er kann nach der Entscheidung der Riten=Kongregation auch die Ordens= leute zwingen, die Glocken vom Turm herabzunehmen, wenn letztere ungeweiht dort aufgehängt wurden. (S. R. C. 5. Juli 1614). Sollte die Glocke bereits in dem Turm aufgezogen sein, so daß die feierliche Benediktion nicht entsprechend vorgenommen werden kann, dann müßte, so meint Streber im neuen Kirchen=Lexikon, eine einfache Benediktion mittelst Weihwasser und

Kreuzzeichen an ihre Stelle treten. Die Glockenweihe kann vom Bischofe nur auf Grund eines päpstlichen Indultes durch Delegation einem Priester übertragen werden. (S. R. C. 18. April 1687). Wer zur Glockenweihe delegiert ist, darf nicht einen anderen subdelegieren, es sei denn, daß ihm dies in dem Indulte ausdrücklich gestattet wurde. (S. R. C. im September 1703). Ein besonderes Privileg zur Vornahme der Glockenweihe besitzen die Aebte und Prälaten, denen der Gebrauch der Pontifikalien zusteht, aber nur für die Glocken ihrer eigenen Kirchen, wie Ferrari (prompta Bibliotheca s. v. campana) aus mehreren Entscheidungen der Riten=Kongregation nachweist. Daß auch Glocken aus Gußstahl in feierlicher Weise zu benedizieren sind, erklärte die Kongregation der Riten am 6. Februar 1858.

Nach dem alten Rechte war die geweihte Glocke als eine dem Verkehre entzogene Sache (res extra commercium) zu betrachten. Nach heutigem Rechte kann eine Zivilgemeinde oder eine Privatperson Eigentümerin einer Kirchenglocke sein. Für das Verfügungsrecht an einer solchen Glocke ist aber als Grundsatz auszusprechen, daß der geistlichen Obrigkeit allein das Recht zustehe, Bestimmungen über den Gebrauch der zum Gottesdienst geweihten Glocke zu treffen. Sollten solche Glocken zu profanen Zwecken gebraucht werden, so ist hiefür vom Bischofe entweder generell oder bei besonderen Anlässen die Erlaubnis einzuholen.

XXXVII. (Eucharistische Predigten.) Im k.k. Bezirksgericht zu X. war schon seit langer Zeit kein Religionsunterricht für die Sträflinge. Die Kapelle war verlassen. Da kommt der Kaplan Plautus. Der Gefangenaufseher, ein braver, biederer Mann, hatte große Freude, daß seine unfreiwilligen Kinder unterrichtet werden. Alles zeigt er in seiner Herzensfreude dem Plautus. Er steigt die Stufen des Altares hinauf, öffnet das Tabernakeltürchen und meint naiv: "Sehen's, Hochwürden, alles haben wir da, wenn S' wollen können Sie auch einen Segen halten, nur das weiße Ding da in der Monstranze fehlt. Bis Sie das nächstemal kommen, schneide ich eines aus Papier und gib's hinein! Tableau. — Das ist ja die reinste Zauberei, gab ein adeliger Zögling, der Religionsunterricht erhielt, zur Antwort, als ihm der Religionslehrer die Verwandlung von Brot und Wein lehrte. — In einem Badeorte schloß sich ein höherer Beamter, der sich als zur christlichen Partei gehörend vorstellte, einem Priester an. Dieser lud ihn ein, morgens mit ihm zur heiligen Messe zu gehen. Beim Frühstück fragte der hohe Herr: "Erlauben Sie schon Hochwürden, was tun Sie in der Frühe. Nicht wahr, Sie trinken Essig und Galle aus." — Bei einem Versehgange in der Großstadt X. sagte die Dame des Hauses zu ihrer sterbenden Schwester, als ihr die heilige Wegzehrung gereicht wurde: Geh', nimm nur die Oblate, sie ist gut für die Husten!

Diese aus dem Leben gegriffenen Vorfälle mögen uns anspornen, eifrigst zu predigen über den verborgenen Gott im hochheiligsten Sakramente.

Wien, Pfarre Altlerchenfeld.   Karl Kraja, Kooperator.

XXXVIII. (Chriſtenlehre.) Der Fürſtbiſchof von Brixen, Anton von Croſino (1647—1663), den Kardinal Steinhuber in ſeiner Geſchichte des Kollegium Germanikum (2. Aufl., I., S. 455) einen „Biſchof von größtem Eifer, Frömmigkeit, Klugheit und Feſtigkeit" nennt, pflegte noch in hohem Alter jeden Sonntag von Brixen nach dem eine Stunde ent= fernten Bergdörfchen Pinzagen zu gehen, um die Kinder in der Chriſten= lehre zu unterrichten. (Freiſeiſen, Rückblick auf die dreihundertjährige Ge= ſchichte des Prieſterſeminars zu Brixen. 1908. S. 11.)

XXXIX. (Vorſchrift über Heiraten in der k. k. Land= **wehr.)** Unter dieſem Titel erſchien als Beilage zum Verordnungsblatt für die k. k. Landwehr Nr. 12 vom 18. April 1908 die neue Auflage des Dienſtbuches A—36, genehmigt mit Allerhöchſter Entſchließung Seiner k. u. k. Apoſtoliſchen Majeſtät vom 8. April 1908, wodurch die früheren, mit der jetzigen nicht im Einklang ſtehenden Beſtimmungen außer Kraft geſetzt werden. — Die mit Erlaß des k. k. Miniſteriums für Kultus und Unterricht, Z. 33.814, vom 15. Oktober 1906 verlautbarten „Orga= niſchen Beſtimmungen für den Seelſorgedienſt bei der k. k. Land= wehr" enthalten den wichtigen Grundſatz, daß „zur Ausübung der Seelſorge und zur Matrikenführung über die in aktiver Dienſtleiſtung befindlichen Perſonen der k. k. Landwehr im Frieden die Zivilgeiſtlichen berufen ſind". Nachdem ſomit ſämt= liche Offiziere und Mannſchaftsperſonen der k. k. Landwehr, ſowie die bei der k. k. Landwehr zugeteilten aktiven Perſonen des k. u. k. Heeres für die Dauer dieſer Dienſtleiſtung,[1] im Frieden der zivilgeiſtlichen Juris= diktion unterſtehen, iſt die Kenntnis der neuen Heiratsvorſchrift in der k. k. Landwehr für die Zivilgeiſtlichkeit von eminenter Wichtigkeit. Im Nach= folgenden werden deshalb die wichtigſten Beſtimmungen derſelben angeführt.

Allgemeine Beſtimmungen.

§ 1. Zur Eheſchließung bedürfen einer militärbehördlichen Bewilligung: a) aktive Landwehrperſonen; b) die mit der Vormerkung für Lokaldienſte in den Ruheſtand verſetzten Offiziere; c) die in der Lokoverſorgung eines Militärinvalidenhauſes untergebrachten Land= wehrperſonen; d) die uneingereihten Rekruten. § 2. Die militärbehördliche Heiratsbewilligung darf nur mit dem Vor= behalte erteilt werden, daß der beabſichtigten Eheſchließung keine geſetzlichen Hinderniſſe entgegenſtehen. Die etwa erforderliche Dispens von einem geſetzlichen Ehehinderniſſe iſt von den Brautleuten nach den Beſtimmungen der bürgerlichen Geſetze bei der zuſtändigen Stelle zu erwirken. Welche Folgen eine ohne militärbehördliche Bewilligung eingegangene Ehe nach ſich zieht, iſt in beſonderen Geſetzen und Vorſchriften enthalten.

---

[1] Allerhöchſte Entſchließung Seiner k. u. k. Apoſtol. Majeſtät vom 21. Juni 1907, publiziert durch die Zirkularverordnung des k. u. k. Reichskriegsminiſte= riums vom 15. Juli 1907, Präſ. Nr. 4703 (Vdg.=Bl. für das k. u. k. Heer, Normalverordn., 23. Stück vom 18. Juli 1907), mitgeteilt vom k. k. Miniſterium für Landesverteidigung Nr. 3342 vom 16. Auguſt 1907 dem k. k. Miniſterium für Kultus und Unterricht, ad Erlaß Nr. 35.073 vom 26. Oktober 1907.

I. Heiraten der Offiziere, Landwehrbeamten und der in keine Rangklasse eingeteilten Gagisten.

§ 5. Die Eheschließung ist nicht gestattet:

1. Den Frequentanten der Kriegsschule, des Militär-Reitlehrerinstitutes und des Militär-Reit- und Fahrlehrerinstitutes;
2. den Hörern der militärärztlichen Applikationsschule;
3. den Praktikanten.

§ 7. Das Kautionskapital, dessen Sicherstellung aktive Offiziere und Landwehrbeamte nachzuweisen haben, ist in der folgenden Tabelle festgesetzt:

Rang-klasse	Charge oder Diensteigenschaft des Ehewerbers	Kautions-kapital in Kronen[1])
XI.	Leutnant	60.000
	Leutnantproviantoffizier	30.000
	Leutnantrechnungsführer	30.000
	Landwehrbeamter	30.000
X.	Oberleutnant	50.000
	Oberleutnantproviantoffizier	25.000
	Oberleutnantauditor	50.000
	Oberarzt	50.000
	Oberleutnantrechnungsführer	25.000
	Landwehrbeamter	25.000
IX.	Hauptmann des Generalstabskorps	60.000
	Hauptmann (Rittmeister)	40.000
	Hauptmannproviantoffizier	20.000
	Hauptmannauditor	40.000
	Regimentsarzt	40.000
	Hauptmannrechnungsführer	20.000
	Landwehrunterintendant	20.000
	Landwehrbauingenieur	20.000
	Landwehrbeamter niederer Gehaltklasse . .	20.000
VIII.	Major des Generalstabskorps	50.000
	Major	30.000
	Majorauditor	30.000
	Stabsarzt	30.000
	Landwehrintendant	15.000
	Landwehrbauoberingenieur 3. Klasse . . .	15.000
VII.	Oberstleutnant des Generalstabskorps . . .	50.000
VI.	Oberst des Generalstabskorps	50.000

Anmerkung. Von Offizieren des Soldatenstandes (mit Ausnahme der Proviantoffiziere), die das 30. Lebensjahr noch nicht zurückgelegt haben, ist ein um 50 Prozent erhöhtes Heiratskautionskapital sicherzustellen.

[1]) Mit mindestens 4%iger Verzinsung. Bei Wertpapieren ist der Nominalwert maßgebend.

Alle in dieser Tabelle nicht bezeichneten Ehewerber sind von dem Nach=
weise der Sicherstellung eines Kautionskapitals befreit.

§ 8. Die in keine Rangklasse eingereihten Gagisten haben den Nachweis
für den unbescholtenen Ruf und für eine dem Stande des Ehewerbers entsprechende
soziale Bildung und Abstammung der Braut durch ein von dem zuständigen
Seelsorger ausgefertigtes und von der Bezirksbehörde (dem Bezirksbeamten) be=
stätigtes Zeugnis zu erbringen.

§ 12. Gesuche um Heiratsbewilligung sind im Dienstwege vorzulegen;
denselben sind beizuschließen:
a) Die Taufscheine (Geburtsscheine), beziehungsweise die staatlichen Geburts=
matrikenauszüge der Brautleute;
b) im Falle der Minderjährigkeit eines der Brautleute die Zustimmungserklärung
der gesetzlich hiezu berufenen Personen und Behörden;
c) im Falle des Witwenstandes eines der Brautleute der Totenschein, beziehungs=
weise der staatliche Sterbematrikenauszug des verstorbenen Gatten;
d) falls eines der Brautleute bereits verehelicht war, die Ehe aber gerichtlich
aufgelöst oder für nichtig erklärt worden war, die Dokumente über die
Schließung und Auflösung (Nichtigerklärung) dieser Ehe, sowie über die
Heimatsberechtigung (Zuständigkeit) der Brautleute;
e) bei Offizieren und Landwehrbeamten, die in einem Orte die Ehe eingehen
wollen, woselbst die staatliche Eheschließung vorgeschrieben ist, die Erklärung
der Brautleute, ob sie sich auch kirchlich (konfessionell) trauen lassen wollen
und können;
f) bei in keine Rangklasse eingereihten Gagisten das oben (§ 8) geforderte Zeugnis.

§ 13. Die Heiratsbewilligung wird erteilt:

A. Von Seiner k. u. k. Apostolischen Majestät.

Allen Offizieren und Landwehrbeamten von der VI. Rangklasse aufwärts.

B. Vom Ministerium für Landesverteidigung.

a) Allen aktiven Offizieren und Landwehrbeamten von der VII. Rangklasse
abwärts;
b) den beim Ministerium für Landesverteidigung in Dienstleistung stehenden,
mit der Vormerkung für Lokaldienste im Ruhestande befindlichen Offizieren;
c) den beim Ministerium für Landesverteidigung und bei dessen Hilfsorganen,
dann in der Landwehrkadettenschule angestellten, in keine Rangklasse ein=
gereihten Gagisten, sowie allen Landwehrbezirksfeldwebeln (Landwehrbezirks=
oberjägern) und Oberwaffenmeistern.

C. Von den Landwehrterritorialkommanden.

a) Den in ihrem Bereiche mit der Vormerkung für Lokaldienste im Ruhestande
befindlichen Stabs= und Oberoffizieren von der VII. Rangklasse abwärts, mit
Ausnahme der unter B, b angeführten, dann den in der Lokoversorgung
eines Militärinvalidenhauses befindlichen Offizieren und Landwehrbeamten;
b) allen in ihrem Bereiche angestellten und nicht unter B, c erwähnten, in keine
Rangklasse eingereihten Gagisten.

§ 14. Die Heiratsbewilligung wird vom Ministerium für Landesver=
teidigung, beziehungsweise vom Landwehrterritorialkommando schriftlich aus=
gefertigt.[1]) Die Heiratsbewilligung erlischt, wenn binnen einem Jahre vom Tage
der Ausfertigung die Eheschließung nicht stattgefunden hat.

. § 15. Die erfolgte Trauung, sowie die staatliche Eheschließung ist dem
Ministerium für Landesverteidigung, wenn aber die Heiratsbewilligung von

---

[1]) Zur Vornahme der Trauung ist bei den zur Leistung einer Heirats=
kaution verpflichteten Landwehrpersonen die Beibringung der vom Ministerium
für Landesverteidigung ausgefertigten Legitimation über die richtigbefundene
Sicherstellung des Nebeneinkommens (oder die Nachsicht von derselben) un=
bedingt erforderlich. (§ 22.)

einem Landwehrterritorialkommando erteilt worden ist, diesem im Dienstwege zu melden.[1]

II. Heiraten der Personen des Mannschaftsstandes.

§ 30. Die Ehen der Personen des Mannschaftsstandes teilen sich in zwei Klassen:

a) In Ehen erster Klasse, während welcher die Gattinen und ehelichen Kinder besondere in der Gebührenvorschrift näher bezeichnete Vorteile genießen, und

b) in Ehen zweiter Klasse, bei welcher den Gattinen und den Kindern diese Vorteile nicht eingeräumt sind.

§ 34. Die Bitte um Bewilligung zur Schließung einer Ehe ist im Dienstwege zu stellen und es sind dem zur Erteilung der Heiratsbewilligung berufenen Kommando nachstehende Dokumente vorzulegen:

a) Die Taufscheine (Geburtscheine), beziehungsweise die staatlichen Geburtsmatrikenauszüge der Brautleute;

b) im Falle der Minderjährigkeit eines der Brautleute die Zustimmungserklärung der gesetzlich hiezu berufenen Personen und Behörden;

c) das Sittenzeugnis der Braut;

d) im Falle des Witwenstandes eines der Brautleute der Totenschein, beziehungsweise der staatliche Sterbematrikenauszug des verstorbenen Gatten;

e) falls eines der Brautleute bereits verehelicht war, die Ehe aber gerichtlich aufgelöst oder für nichtig erklärt wurde, die Dokumente über die Schließung und Auflösung (Nichtigerklärung) dieser Ehe, sowie über die Heimatsberechtigung (Zuständigkeit) der Brautleute.

§ 35. Die Bewilligung zur Schließung der Ehe erster Klasse erteilen: bei Truppenkörpern und Anstalten die Kommandanten, den Unteroffizieren, die für die Ernennung zu Landwehrbeamten vorgemerkt sind, und denjenigen, die bei Ueberkomplettführung auswärts kommandiert sind, das Ministerium für Landesverteidigung. — Die Heiratsbewilligung ist schriftlich auszufertigen. Die Bewilligung erlischt, wenn der Unteroffizier vor der Eheschließung zum Landwehrbeamten ernannt wird.

§ 37. Bitten um Bewilligung zur Schließung einer Ehe zweiter Klasse sind einzubringen:

Von aktiven Mannschaftspersonen im Dienstwege;

von uneingereihten Rekruten durch die politische Bezirksbehörde, in deren Bereich sie heimatberechtigt sind, beim zuständigen Landwehr-Ergänzungsbezirkskommando.

§ 38. Die Bewilligung zur Schließung einer Ehe zweiter Klasse erteilen:

Den aktiven Mannschaftspersonen die oben (§ 35) bezeichneten Kommandanten;

den uneingereihten Rekruten die zuständigen Landwehr-Ergänzungsbezirkskommandanten.

Den uneingereihten Rekruten steht gegen die Verweigerung der Bewilligung das Berufungsrecht an die Landwehrterritorialkommanden zu.

§ 40. Die Bewilligung zur Schließung einer Ehe darf nicht erteilt werden: Nach der ersten und zweiten Klasse an Kadetten (Gleichgestellte), Offiziersaspiranten, Frequentanten des Militär-Bauwerkmeisterkurses und Einjährig-Freiwillige, sofern diese Kategorien dem Aktivstande angehören; nach der ersten Klasse an die in der Lokoversorgung eines Militärinvalidenhauses befindliche Mannschaft.

Dr. Rudolf Zhánĕl.

---

[1] Diese Pflicht obliegt den Ehewerbern; der Seelsorger stellt ihnen bloß den erforderlichen Trauungsschein aus. Mit dem Erlasse des k. k. Ministeriums des Innern vom 25. Februar 1890, Nr. 17.554, werden die Zivilmatrikenführer angewiesen, zur Standesbehandlung über Matrikelfälle von Angehörigen des k. u. k. Heeres und der k. k. Landwehr ungestempelte Matrikenscheine gebührenfrei auszustellen.

Zeitschriftenschau.

Von Prof. Dr. Hartmann Strohsacker O. S. B. in Rom, S. Anselmo.

Laacher Stimmen, 4. Heft. Baumgartner widmet (357 ff.) dem verewigten P. Cornely eine Lebensskizze. Beßmer, „Jesus Christus, Gottes Sohn und Erlöser", 371 ff. Kommentar zu den Sätzen 27—38 des Dekretes Lamentabili, Kritik des ganz unevangelischen Christusbildes der Modernisten (Loisy). — H. Pesch, „Die sozialen Klassen", 394 ff. Die sozialistische Theorie der sozialen Schichten, die gebildet und voneinander getrennt sind durch die Tatsache des Besitzes oder Nichtbesitzes der Produktionsmittel. Theorie des Nationalökonomen Schmoller und des Soziologen van Overbergh. (Schluß, 5. H., 519 ff.: Formal= und Materialursache der Klassenbildung; die beiden derzeit im Kampfe liegenden Klassen der Bourgeoisie und des Proletariates; Aufgabe der Zukunft: nicht Beseitigung der Klassenunterschiede, sondern des Klassengegensatzes; Mittel hiezu.) — Kemp führt (407 ff.) die Methoden der chemischen Forschung vor; die empirische Forschung und deren grundlegende Ergebnisse; die hypothetische Forschung, ihr Wert und ihre Gefahren; die Berechnung auf Grund von Beobachtungen. Notwendigkeit der Verbindung von Experiment und Spekulation. — Cathrein, „Zur Schulaufsichtsfrage", Schluß. 425 ff. Die Stellung der kath. Kirche: sie muß eine wirksame Schulaufsicht als ihr unveräußerliches Recht fordern; dies ergibt sich aus der Mission der Kirche im Zusammenhalt mit der Aufgabe der Schule; diesen Standpunkt hat die kirchliche Autorität wiederholt betont. Kritik verschiedener seitens der Lehrerschaft gemachter Vorschläge.

5. Heft (s. o.). H. Pesch, „Kultur, Fortschritt, Reform", 473 ff. Gewaltige Schattenseiten unserer heutigen Kulturentwicklung; Kultur und daher auch Fortschritt und Reform sind nach der Hebung und Besserung des ganzen Menschen zu bemessen, daher das religiöse Moment, das Christentum alles durchdringen muß; somit das katholische Christentum wahrhaft kulturbringend. — Knabenbauer, „Jesus und die Erwartung des Weltendes", 487 ff. Kritik der rationalistischen und modernistischen Behauptung, wonach der Heiland das Weltende nahe glaubte; daß in urchristlicher Zeit dieser Glaube verbreitet war, ist leicht begreiflich. — Beßmer, „Die heil. Sakramente", 498 ff. Kommentar zu den Sätzen 39—51 des Dekretes Lamentabili; die rationalistischen Aufstellungen basieren auf der Leugnung der übernatürlichen Ordnung und der Gottheit Christi, woraus sich die Auffassung der Sakramente als später erfundener Symbole ableitet. — Braun berichtet (532 ff.) über die von P. Grisar in der Kapelle Sancta Sanctorum zu Rom angestellten Nachforschungen und deren reiche Ausbeute an hochwichtigen Schatzstücken.

6. Heft. Blume zeigt (1 ff.), wie die neue vatikanische Ausgabe des Graduales einen Markstein in der liturgischen Hymnologie bedeutet, indem die fünf Hymnen desselben wiederum den ursprünglichen, unter Urban VIII. „korrigierten" Text aufweisen, womit ein bedeutender Schritt getan ist zur Wiederherstellung der gesamten Hymnodie. — Breitung, „Entwicklungslehre und Monismus", 13 ff. Referat über die Schriften von P. Wasmann S. J. und Plate

die beide, aber von ganz entgegengesetztem Standpunkte, sich mit den Berliner
Vorträgen Wasmanns und der anschließenden Diskussion (Febr. 1907) be=
schäftigen. Hauptinhalt der Vorträge Wasmanns: Darlegung des Entwick=
lungsproblems vom naturwissenschaftlichen und philosophischen Standpunkte,
Widerlegung des Haeckelianismus. (Schluß, 7. H., 152 ff.: Die Diskussion:
merkwürdige Diskussionsordnung, indem P. Wasmann nur einmal sprechen
durfte, während seine Gegner zuvor ganz nach Belieben reden konnten. In den
Reden der Gegner streiten unglaubliche Begriffsverwirrung und naturwissen=
schaftlicher Leichtsinn um die Palme; trotzdem verkündete die freisinnige Presse
einen großen Sieg.) — Beßmer, „Die Kirche Christi“, 28 ff. Kommentar
zu Satz 52—65 des Dekretes Lamentabili; Gegenüberstellung der verur=
teilten, durchwegs aus Loisy entnommenen Sätze betreffend die Stiftung der
Kirche durch Christus, den Primat und die Befugnis der Kirche zur Verkün=
digung einer unwandelbaren Lehre einerseits und der entsprechenden Offen=
barungslehre andererseits. — Schlitz, „Der Panamakanal“, 53 ff. schildert
großenteils im Anschlusse an den Inspektionsbericht des nordamerikanischen
Präsidenten die Geschichte des Kanalprojektes, die Inspektionsreise Roose=
velts, 1906, die Sanierung der Kanalzone, die noch erforderlichen An=
lagen, den gegenwärtigen Arbeitsbetrieb. (Schluß, 7. H., 181 ff.: An=
griffe gegen das gegenwärtig angenommene Schleußen=Projekt, Aussichten
für die Fertigstellung, Bedeutung und wirtschaftlichen Folgen des Kanals.)
— Stockmann befaßt sich (71 ff.) mit dem von den Modernen so
überschwenglich gefeierten Dichter O. Wilde; sein Leben weist düstere
Schatten auf, indem er wegen arger Ausschweifungen schließlich in
England zwei Jahre Zuchthaus verbüßen mußte; in seinen Werken zeigt
sich als Hauptfehler eine ganz abnorme Affektiertheit, die zu groben
Entgleisungen führt; gegen Ende seines Lebens wird seine Lebensauffassung
etwas besser.

7. Heft. (s. o.). Baumgartner widmet (121 ff.) dem Hl. Vater zum
Priesterjubiläum ein Festgedicht. — Zimmermann, „Das religiöse Erlebnis“,
133 ff. Der Sinn dieser heute so viel gebrauchten Phrase: nicht Erkenntnis
und Autorität, sondern Fühlen, Wollen und Bedürfnis des Menschen sind in
der Religion maßgebend; Kritik des Schlagwortes, womit schließlich die wahre
Religion untergraben wird. — Beissel, „Der Bischofsstab“, 170 ff. Schon
seit dem 7.—9. Jahrh. findet sich der bischöfliche Krummstab im Gebrauch,
selbst im 5. Jahrh. schon bezeugt; doch hatte er in älterer Zeit vielfach dieselbe
Form wie die Stäbe (Szepter) der Fürsten, daher auch die Konfusion bei der
Belehnung, welche zum Investiturstreit in enger Beziehung steht; nach Been=
digung des Streites wurde der oben gekrümmte Stab definitiv üblich, während
der Stab des Papstes ungekrümmt blieb. Kunstgeschichte des liturgischen Stabes.
— Scheid bespricht (197 ff.) die modernste Christusdichtung, Karl Weisers
„Jesus“, ein widerliches, alles Göttliche ausschaltendes Lästerwerk.

8. Heft. Beßmer, „Die krankhaften Hemmnisse der Willensfreiheit“,
241 ff. Vergleich der pathologischen Hemmnisse mit den traditionellen Hinder=
nissen der Moral (vis, ignorantia, concupiscentia, metus); die von den
Psychiatern aufgestellten Hemmnisse lassen sich ganz gut auf jene vier Katego=

rien zurückführen. — Krose, „Das Gartenstadtprojekt", 259 ff. Darlegung
des Howardschen Projektes, welches die Vorteile des Stadt= und Landlebens
verbindend, der großstädtischen Wohnungsmisere gründlich abhelfen würde.
— Meschler entwickelt (269 ff.) an der Hand des Exerzitienbuches, welches
das eigenste Werk des Heiligen ist, das aszetische System des hl. Ignatius nach
seinem Ziel und seinen Mitteln. — H. Pesch untersucht (281 ff.) das Be=
völkerungsproblem, wie es Th. R. Malthus entwickelt, unter Aufzeigung der
Mängel und Irrtümer. — Cathrein, „Tierstrafen", 290 ff. Die Vertreter
der Gleichheit von Mensch und Tier behaupten neuestens, der Urmensch habe
das Tier als seinesgleichen betrachtet und bestraft, und dies geschehe vielfach
noch heute; so besonders Westermarck. Prüfung und Widerlegung der Behaup=
tung und der hiefür angeführten Belege.

Zeitschrift für kath. Theologie, 2. Heft. Michael, „Ueber geist=
liche Baumeister im Mittelalter", 213 ff. Beispiele von sicher nachweisbaren
geistlichen Baumeistern (meist Laienbrüder); andere sind in den Quellen nicht
unzweideutig als Baumeister bezeichnet. Stellungnahme zu den bisherigen dies=
bezüglichen Publikationen, besonders zu Violett-le-Duc. — Szczepánski,
„Der Durchzug der Israeliten durch das rote Meer", 230 ff. Textkritische
Untersuchung und Auslegung von Exod. 14, 21. 22. 29; Geschichtlichkeit und
wunderbarer Charakter des Durchzuges stehen fest; doch genügt die Annahme,
daß beim Durchzuge nach Nord und Süd schützende Gewässer standen, die einen
Seitenangriff der Aegypter verhinderten. Hinsichtlich der Lokalisation des Er=
eignisses die Hypothese vorzuziehen, daß der Durchzug über den Meeresarm
zwischen dem See Timsah und den sogen. bitteren Seen erfolgte. — Fr. Schmid
setzt seine Studie über die Gewalt der Kirche bezüglich der Sakramente fort
(254 ff.). Was die Materie anlangt, scheint die Kirche sowohl hinsichtlich der
Firmung (Salbung, bischöfl. Konsekration des Oeles), als auch hinsichtlich des
Ordo (Ueberreichung der Instrumente) eine die Gültigkeit des Sakramentes
tangierende Gewalt ausgeübt zu haben; ähnlich verhält es sich mit der letzten
Oelung (bischöfl. Vorweihe des Oeles) und der Ehe. Somit ist die Lehre, daß die
Kirche innerhalb gewisser Grenzen eine die Gültigkeit berührende Gewalt über
die Sakramente habe, wahrscheinlich und ernstlich zu berücksichtigen. — Jansen
untersucht (289 ff.) die Definition des Konzils zu Vienne über die menschliche
Seele als Form des Leibes nach den Quellen. Entstehung und Bedeutung der
Begriffe Materie und Form in der Scholastik bis zum Konzil. Die Lehre des
hl. Thomas von bloß einer Form im Menschen fand vielfachen Widerspruch,
auch unter den Dominikanern, dies war der Streitpunkt. (Forts. 3. Heft,
471 ff.: Das Konzil wollte die Lehre Olivis verurteilen und nur diese; selbe
bestand wohl nicht in der Annahme von drei Seelen, sondern darin, daß er die
geistige Seele bloß ihrer vegetativen und sinnlichen Form nach, nicht aber for=
mell (per se) den Körper informieren ließ; dadurch wird freilich die Einheit
des Menschen zerrissen und gefährlichen Konsequenzen vorgearbeitet). — Dorsch
übt (307 ff.) scharfe Kritik an Wielands Studie „Mensa und Confessio",
wonach die älteste Christenheit ein äußeres reales Opfer, bestehend in der Dar=
bringung der Eucharistie, nicht gekannt haben soll; Prüfung der Methode und
der Argumente Wielands.

3. Heft (s. o.). Paulus, „Mittelalterliche Absolutionen als angebliche Ablässe', 433 ff. Besprechung einer langen Reihe päpstlicher Schreiben von Gregor d. Gr. bis herauf ins 13. Jahrh., worin Lebenden oder auch Verstorbenen eine „Absolution" erteilt wird; Nachweis, daß (g nz wenige Fälle ausgenommen) darunter kein Ablaß zu verstehen ist, sondern bloß eine Fürbitte oder ein Segenswunsch. — Stufler, „Die Sündenvergebung bei Irenäus", 488 ff. Bekämpft die Ansicht von H. Koch, wonach Irenäus ein Vertreter des Rigorismus sein soll. — Kröß, „Die Erpressung des Majestätsbriefes von Kaiser Rudolf II. durch die böhmischen Stände i. J. 1609", Fortsetzung, 498 ff. Schilderung des konsequenten sich immer drohender gestaltenden Vordrängens der protest. Stände, vor welchen der ängstliche unschlüssige Kaiser schrittweise zurückweicht; da der Kaiser den Entwurf ines Majestätsbriefes doch nicht annehmen will, sprengen die Stände den Landtag, beschließen die Anwerbung von Truppen und betreten den Weg des Aufruhrs.

Tübinger Quartalschrift, 2. Heft. Rießler, „Wo lag das Paradies?", 169 ff. Erörterung von Gen. 2, 10—14 unter Beiziehung der Keilinschriften; der Text eine sehr alte Glosse. Resultat: Das bibl. Eden lag in der Nähe der Einmündung des Pischon Belich in den Euphrat, flußaufwärts; das bibl. Paradies an der südl. Grenze der Landschaft Eden=Adini; so auch nach der Tradition der semitischen Völker. — Schulte gibt (182 ff.) die deutsche Uebersetzung einer von Neubauer veröffentlichten aramäischen Bearbeitung des Buches Tobias; ein Vergleich mit dem Vulgata Text führt auf eine gemeinsame Quelle beider hin. — Hontheim, „Die Abfolge der evangelischen Perikopen im Diatessaron Tatians", 204 ff. Vorführung der vorhandenen Rezensionen. Nach diesen und sonstigen Quellen beabsichtigte Tatian im allgemeinen eine chronologische Folge unter Zugrundelegung des Matthäus=Evangeliums, einzelne Verstellungen finden sich in allen Rezensionen oder auch in der einen oder anderen. Schlüsse für die Textgeschichte des Diatessaron: bloß zwei Verstellungen ursprünglich; hinsichtlich der Einfügung der Johannes=Perikopen hat die griech. Rezension die anfängliche Ordnung bewahrt; die Markus=Perikopen sind einfach neben die Matthäus=Parallelen gestellt. (Fortf., 3. Heft, 339 ff.: Auch die Lukas=Perikopen fast durchwegs neben die entsprechenden Matth.= (resp. Mark.= oder Jo.=) Perikopen gesetzt; wo keine Parallelen vorhanden, möglichst der Ordnung des Lukas Evangeliums angepaßt. Vergleich der Rezensionen in ihrem Verhältnisse zur Urform, Modifikation derselben im Laufe der Zeiten. Tatian ebenfalls ein Anhänger der Ansicht von einer bloß ein ganzes und zwei gebrochene Jahre umfassenden öffentlichen Wirksamkeit Jesu; außerdem ein wichtiger Zeuge für die Identität unserer heutigen Evangelien mit den schon im 2. Jahrh. anerkannten.) — Sägmüller, „Der Begriff des exercitium religionis publicum, exercit. rel. privatum und der devotio domestica im Westphälischen Frieden", 255 ff. Diese noch im 18. Jahrh. klaren Begriffe erst neuestens verschieden gefaßt: nach der alten im Ueberzeugung bestel t das Hauptmerkmal der öffentlichen Religionsübung in deren öffentlicher Erkennbarkeit; die neuere Anschauung, wonach das wesentliche Moment in der Rechtsstellung der religiösen Gemeinden liegt, führt zur Identifizierung der privaten Religionsübung mit der im Westphäl.

Frieden klar unterschiedenen Hausandacht (ohne Zuziehung eines Geistlichen), und trägt eine moderne Auffassung in die Zeit des 17. Jahrh. hinein. — Zeller bringt (280 ff.) Belege für die Urheberschaft des Erasmus Rotter od. an der ersten Lauretanischen Liturgie, die aber zur Loreto=Frage selbst keine Anhaltspunkte enthält. — Ludwig retraktiert (285 ff.) seine frühere An= schauung, wonach eine Dekretale des Papstes Felix III. den Versuch darstellte, Bußgrade in der abendländischen Kirche einzuführen.

3. Heft (s. o.). Belser vergleicht (329 ff.) den offiziellen Vulgata-Text des Jakobusbriefes mit dem griech. Texte, unter Aufzeigung und Be= sprechung der ziemlich zahlreichen Abweichungen. — Döller berichtet (376 ff.) über drei neue aramäische Papyri, aufgefunden 1906 auf der Nilinsel Ele= phantine, aus dem 5. Jahrh. v. Chr., angehörig dem Archiv einer daselbst be= standenen jüdischen Gemeinde, die einen eigenen Tempel besaß. — Diekamp untersucht (384 ff.) einen bisher unbeachtet gebliebenen Brief des hl. Gregor Nyss. (ep. 19 bei Migne), aus welchem hervorzugehen scheint, daß der Heilige i. J. 380 zum Metropoliten von Sebaste gewählt wurde. — Chrys. Baur erörtert (401 ff.) den Ursprung der (nunmehr als unhistorisch geltenden) von Sozomenos überlieferten Kirchentürszene zwischen Ambrosius und Theodosius: wahrscheinlich stammt die Legende vom hl. Chrysostomus her, der eine ganz ähnliche Szene von einem ungenannten Kaiser erzählt, die dann auf Theodosius übertragen wurde. — Minges, „Die distinctio formalis des Duns Scotus", 409 ff. Philosophische Bestimmung und Erklärung. Theologische Tragweite der Distinktion in ihrer Anwendung auf die Lehre von Gott im Gegensatze zu St. Thomas. Die distinctio formalis des Scotus deckt sich schließlich mit der thomistischen (und gewöhnlichen) distinctio rationis cum fundamento in re, der gegenüber sie ihre Vorzüge aber auch ihre Schwächen hat, d. h. beide ergänzen sich. — Baumgarten bietet (436 ff.) historische Notizen betreffend einige Kardinäle und Kardinalskonsistorien des 13. Jahrh., teilweise auch Richtigstellungen und Ergänzungen zu Eubels Hierarchia Cath. Medii Aevi.

4. Heft. Rießler gibt (489 ff.) textkritische und exegetische Bemer= kungen zum Jakobssegen, Gen. 49, 3—27. — Pfättisch, „Christus und Sokrates bei Justin", 503 ff. Untersuchung der Stellung Justins zu Sokrates, gegen Harnack: nach Justin geht von Christus das Heil aus für alle Menschen; Sokrates erkannte die Wahrheit wie andere Menschen durch den Logos, der in Christus persönlich erschien; konstant wird die Kraft des nur beispielsweise angeführten Sokrates der Kraft Christi gegenübergestellt. — Di Pauli er= widert (523 ff.) auf die Gründe, womit Dräseke die Abhängigkeit der Irrisio des Hermias von der Cohortatio zu beweisen sucht. — J. Zeller, „Zur Loreto=Frage", 531 ff. Nachträge zu dem Werke von U. Chevalier. Die Quellen der ersten drei Jahrh. berichten weder von einer durch Helena in Nazareth er= bauten Kirche, noch von dem Schicksal des hl. Hauses, das übrigens sicher i. J. 1263 bis auf die Fundamente zerstört wurde. Vorführung mehrerer (von Chevalier nicht benützter) deutscher Pilgerberichte aus der Zeit von 1291 bis zirka 1525; erst die Berichte aus der ersten Hälfte des 16. Jahrh. bezeugen den Glauben an die Uebertragung des hl. Hauses, während die früheren davon nichts wissen, oder (seit dem 15. Jahrh.) nur ziemlich schüchtern und in un=

glaubwürdiger Weise davon Erwähnung tun. — Ernst verteidigt (579 ff.) seine bereits wiederholt vorgetragene These von der Abfassung des pseudo= cyprianischen Traktates De rebaptismate gegen Nelke, Beck und H. Koch.

Revue Bénédictine, 2. Heft. De Bruyne publiziert und bespricht (149 ff.) neue Fragmente zu den apokryphen Akten des Petrus, Paulus, Jo= hannes und Andreas, sowie zur Elias=Apokalypse, entnommen einem Homiliar Burchards (Univ.=Bibl. zu Würzburg) aus dem 8. Jahrh. — Morin beschreibt (161 ff.) ein Lektionar des 7./8. Jahrh. der Bibl. von Schettstadt; der Schrift= text der Handschrift ist hinsichtlich der Apostelgeschichte sehr merkwürdig, indem er der sogen. okzidentalischen Familie angehört und deren ältester bis jetzt be kannter Zeuge ist. — Gougaud führt (167 ff.) die zahlreichen teils lateinisch, teils irländisch vorliegenden, großenteils noch unedierten Mönchsregeln vor, prüft deren Herkunft, notiert die Handschriften und bisherigen Bearbeitungen. (Fortf. 3. H., 321 ff.). — Berlière liefert (185 ff.) urkundliche Beiträge zu den Beziehungen des in der belgischen Geschichte bedeutenden Bischofes Jakob de Vitry zu den Abteien von Aywières und Doorezeele. — Ancel setzt (194 ff.) die Arbeit über den Fall und Prozeß der Carafa fort: der neugewählte Papst Pius IV. zeigt sich zunächst den Carafa gutgesinnt und unterstützt ihre auf Er= langung einer Kompensation gerichteten Schritte bei Philipp II.; aber sie hatten in Rom mächtige Feinde, auch im Kardinalskollegium, die gegen sie arbeiteten und immer mehr zu Einfluß kamen; im Frühjahr 1560 gelangten die Gegner zu den wichtigen Aemtern des Gouverneurs von Rom und des Procurator fiscalis, Philipp II. ließ die Carafa im Stich. Der Papst ließ zunächst von seinen Absichten nichts merken, schritt aber plötzlich am 7. Juni 1560 zur Verhaftung der beiden Kardinäle Carafa und ihres Bruders; sie wurden in der Engelsburg inhaftiert, und die Untersuchung wegen Verrat gegen Spanien, Mord, Diebstahl päpstlichen Eigentums u. s. w. gegen sie ge= führt; darauf folgte die eigentliche Anklage und das Prozeßverfahren, welches sich für die Angeklagten immer bedrohlicher gestaltete und bis anfangs Oktober dauerte.

3. Heft (s. o.). Morin untersucht (277 ff.) auf Grund älterer Quellen, sowie der Ausgrabungen von 1877—1879 und seiner eigenen Nachforschungen die topographischen Fragen nach der Lage des Apollotempels (= Oratorium des hl. Martin) und des vom hl. Benedikt bewohnten Turmes in Monte Cassino. — Flicoteaux bespricht (304 ff.) die sogen. Eclogae de officio missae von Amalarius: Uebersicht über die zahlreichen Handschriften; der heutige Text stammt in dieser Gestalt nicht von Amalarius, sondern das Summarium und das eigentliche Werk gehören zwei verschiedenen Schriften Amalars an, daher die Eclogae eine spätere Kompilation aus Stücken seiner Expositio missae und des Liber officialis. — Berlière macht (334 ff.) Mitteilung von drei bisher unedierten Traktaten über die Flagellanten aus d. J. 1349 (Cod. Cu- sanus); der eine Traktat („Dicta") stammt vom Dekan zu Courtrai, Egydius de Feno, und äußert Bedenken über die Flagellantenbewegung; Propst Alard von Ypern nimmt die Bewegung in einer Gegenschrift in Schutz; ein dritter ebenfalls gegen die Flagellanten gerichteter anonymer Traktat dürfte aus Flandern stammen.

Katholik, 5. Heft. Hild, „Die Enzyklika Pascendi und die moder=
nistische Apologetik“, 321 ff. Die Hauptgedanken der (französischen) neuen
apologetischen Theorie: der Glaube soll erlebt werden; Zusammenhang der
Theorie mit der Entwicklung des geistigen Lebens in Frankreich; Hauptfehler
der Kantianismus und Agnostizismus. — Adam faßt (341 ff.) die bisherigen
Ergebnisse betreffs der Chronologie der Schriften Tertullians zusammen und
versucht die noch offenen Fragen zu lösen. (Schluß, 6. H., 416 ff.) — Helm=
ling referiert (370 ff.) über das grundlegende Werk des Benediktiners H. Quen=
tin zur Geschichte der Martyrologien. — Zimmermann entwirft (378 ff)
ein trauriges Bild von dem derzeitigen Zustande des französischen Protestan=
tismus, dem auch das Paktieren mit der Staatsgewalt nichts geholfen hat. —
„Die Privatbeicht in der evangelischen Christenheit“, 381 ff. Nach dem Buch
von Franke; interessant die Tatsache, daß bis ins 18. Jahrh. herauf in Sachsen
die Privatbeicht sogar unter Strafe der Landesverweisung gefordert wurde. —
Eberharter liefert (386 ff.) textkritische und exegetische Noten zu Eccli. 16, 1—5.

6. Heft (s. o.). Schmidlin stellt (401 ff.) im Anschlusse an die jüngsten
Diskussionen mehrere viel gebrauchte Begriffe und Schlagworte nach ihrem
richtigen Sinne dar und zeigt, daß sie so verstanden, keineswegs im Wider=
spruch zu den neuesten kirchlichen Kundgebungen stehen (Kultur, Wissenschaft,
Kritik, Reform, Fortschritt, Neuerung, modern). — Huppertz, „Ueber den
Opferbegriff der drei ersten christl. Jahrhunderte, 434 ff. Nachweis, daß die
überlieferte kath. Anschauung über den Glauben der ältesten Kirche durch Renz
und Wieland keineswegs erschüttert wird. — „Aphorismen über das Brevier‘,
445 ff. Gegenüber der leider auch von geistlicher Seite geäußerten Gering=
schätzung des Breviergebetes wird dessen Schönheit, Notwendigkeit und Nutzen
dargelegt.

7. Heft. Kneib, „Der Beweis für die Unsterblichkeit der Seele aus
der Notwendigkeit der Vergeltung“, 1 ff. Fundament dieses Beweises; dessen
einseitige Verzerrung durch die Gegner, Apologie desselben. — Schiwietz, „Die
altchristliche Tradition über den Berg Sinai und Kosmas Indikopleustes“,
9 ff. Bis ins 19. Jahrh. galt das Katharinenkloster als Stelle des brennenden
Dornbusches und der Dschebel Musa als Berg der Gesetzgebung; die Gegner
dieser Tradition, nach welchen der Berg Serbâl ursprünglich als Stätte der
Gesetzgebnng betrachtet wurde, beriefen sich besonders auf den Bericht des Kos=
mas (6. Jahrh.). Autor führt den Nachweis, daß die christliche Tradition vom
4. bis 6. Jahrh. keine Aenderung erfuhr, daß für eine Transferierung kein
Zeugnis vorliegt, und auch der Bericht des Kosmas nicht für eine ältere ver=
schiedene Tradition spricht. — Schmitt referiert (31 ff.) über das Werk des
P. Duhr, die Geschichte der Jesuiten in Deutschland bis zum Ende des
16. Jahrh. — Stiglmayr, „Der hl. Maximus ‚mit seinen beiden Schülern‘“
39 ff. Die Angabe, wonach der hl. Bekenner i. J. 653 mit zwei Schülern nach
Konstantinopel abgeführt worden sei, dürfte unrichtig sein, es war nur ein
Anastasius mit ihm, der andere Anastasius, Apokrisiar und Gefährte seines
Martyriums, befand sich schon seit 646 in der Verbannung. — Sauren,
„Zur Orientierung in der Loretofrage“, 45 ff. Neueste Literatur gegen und
für die Ueberlieferung; Einwendungen gegen die Arbeit und Methode des

Hauptgegners Chevalier; die Zerstörung des hl. Hauses vor 1291 ist nicht erwiesen. — Königer bietet (49 ff.) den jüngst erstmals veröffentlichten Bücherkatalog von Ebersberg (12. Jahrh.), samt Erklärungen und Identifizierungsversuchen. — Zimmermann schildert (55 ff.) die Stellung der anglikanischen Zweigkirche in den Vereinigten Staaten, welcher zwar ihre Unabhängigkeit vom Staate zugute kommt, die aber unter dem Laienregiment und der Mitgliedschaft laxer Elemente leidet.

8. Heft. Schips, „Vom Unterbewußtsein und was damit zusammenhängt", 81 ff. Zur Erläuterung des ersten Teiles der Modernismus=Enzyklika, die eigentlich gegen die grundlegenden psychologischen Irrtümer des Modernismus gerichtet ist. Erklärung und Kritik des von den modernen monistischen Psychologen so vielfach verwendeten äußerst dehnbaren Begriffes „Unterbewußtsein", worin der Modernismus den Ursprung der Religion sucht; Kiefls Ausführungen mißverständlich. Propaganda für diese destruktive Psychologie in Deutschland. — Wiesmann bringt (111 ff.) einige textkritische und exegetische Bemerkungen zum Buche Jonas. — Zimmermann berichtet (125 ff.) über das Werk Mayers v. Kronau, dessen maßgebendes Endurteil für Kaiser Heinrich IV. recht ungünstig und desto günstiger für Gregor VII. lautet. — Magnus bringt (133 ff.) auf planmäßige Predigt, d. h. Vollständigkeit, adäquaten Vortrag und Vertiefung der Lehre. — Fruhstorfer charakterisiert und kritisiert (149 ff.) die biblischen Prinzipien, welche Th. Engert in seiner Schrift „Die Urzeit der Bibel" dargelegt. — 149 ff. wird die Konstitution Pius X. (Sapienti consilio) betreffs Neuordnung der obersten kirchl. Verwaltungsbehörden und Gerichtshöfe übersichtlich nach den wesentlichsten Punkten mitgeteilt.

Aus der Civiltà Cattolica seien hervorgehoben: Die antimodernistischen Artikel im 1. Juni= und 2. Sept.=Heft (547 ff.; 657 ff.); eine Studie über des hl. Irenäus Lehre von der röm. Kirche 2. Mai=Heft, 291 ff.; 1. Juli=Heft, 33 ff.); die Uebersicht über die neuesten Arbeiten zur Liberius-Frage (2. Juli=Heft, 143 ff.; 2. Aug.=Heft, 398 ff.; 2. Sept.=Heft, 676 ff.: 2. Okt.=Heft, 164 ff.); ein Bericht über den eucharistischen Kongreß zu London (2. Okt.=Heft, 129 ff.).

Wiener Universität.

Aus der Lackenbacherschen Stiftung ist eine Prämie von 800 Kronen für die beste Lösung nachstehender biblischer Preisfragen zu vergeben: „Das Aposteldekret. Seine Entstehung und Geltung in den ersten vier christlichen Jahrhunderten." Beizufügen ist ein genaues Verzeichnis der benützten literarischen Hilfsmittel und ein alphabetisches Sachregister.

Die Bedingungen zur Erlangung dieser Prämie sind folgende: 1. Diejenige konkurrierende Arbeit hat keinen Anspruch auf den Preis, welche sich nicht im Sinne der Enzyklika „Providentissimus Deus" als gediegen erweist und zum Fortschritte der wissenschaftlichen Forschung beiträgt. Auch wird jene Arbeit nicht zur Preiskonkurrenz zugelassen, aus welcher nicht zu ersehen ist, ob der Verfasser in jenen Sprachen versiert ist, deren Kenntnis zu einem gedeihlichen Bibelstudium unerläßlich ist und zu deren Erlernung der Lackenbachersche Stiftbrief aneifern will. 2. Die Sprache der um den Lackenbacherschen biblischen Preis konkurrierenden Arbeiten ist die lateinische oder die deutsche; jedoch wird den in lateinischer Sprache abgefaßten Arbeiten bei sonstiger vollkommener Gleich= wertigkeit der Vorzug gegeben. 3. Die Bewerbung um obige Prämie steht jedem ordentlichen Hörer der vier beteiligten theologischen Fakultäten (Universität Wien, deutsche und böhmische Universität Prag und Universität Budapest) und jedem römisch katholischen Priester in Oesterreich=Ungarn offen mit Ausschluß der Universitätsprofessoren. 4. Die mit der Lösung der Preisaufgaben sich beschäf= tigenden Konkurrenzarbeiten sind an das Dekanat der theologischen Fakultät der k. k. Wiener Universität spätestens bis zum 15. Mai 1910 einzusenden. 5. Diese Elaborate dürfen bei sonstiger Ausschließung vom Konkurse weder außen noch innen irgendwie den Namen des Autors verraten, sondern sind mit einem Motto zu versehen und in Begleitung eines versiegelten Kuverts einzureichen, welches auf der Außenseite des gleiche Motto, im Innern aber den Namen und den Wohnort des Verfassers angibt. Die von der Zensurkommission preisgekrönte Arbeit ist mit den Aenderungen, Zusätzen und Verbesserungen, welche die Zensur= kommission nahegelegt oder bestimmt hat, in Druck zu legen. (Pauschalsumme 400 Kronen ö. W.) Anmerkung: Es ist daher erwünscht, daß die Arbeiten nicht gebunden und nur auf einer Blattseite geschrieben, eingereicht werden.

Wien, 14. Juli 1908.

Von der k. k. n.=ö. Statthalterei.

Verzeichnis eingesendeter Bücher.

Erhebungen des Geistes zu Gott. Betrachtungspunkte über das Leben unseres Herrn Jesu Christi. Von P. Ludwig Lercher S. J. 3 Bände gbd. M. 9 40. Verlag von Friedrich Pustet, Regensburg.

Die sel. Magdalena Sophia Barat, ein Lebensabriß, herausgegeben im Jahre ihrer Seligsprechung 1908. Verlag Herder, Freiburg, gbd. M. 1.30.

Das allerheiligste Sakrament, das wahre Brot der Seele. Belehrungs= und Erbauungsbuch für das christliche Volk. Von Prälat Dr. Josef Walter. 4. Aufl. Brixen, kath. Preßverein.

Des Kindes geheiligtes Jahr, die Festtage des Herrn, der Mutter Gottes und der Heiligen. Nebst Gebeten und lehrreichen Geschichten für Kinder. Von Josefine Baehren. Kühlen, M.=Gladbach.

Seltsame Abenteuer von Berta und Muz. Erzählung für artige Kinder. Von Rosa Ritter. Bachem, Köln.

Bachems Jugenderzählungen:

Bd. 40: Klemens Brentano: **Klopfstock, Murmeltier, Myrtenfräulein.** 3 Erzählungen.

—— Bd. 41: **Das Tagebuch des Bruders.** 4 Erzählungen. Von Lorenz.

—— Bd. 42: **Die heiligen drei Könige.** 3 Erzählungen. Von Lorenz.

Bachems illustrierte Erzählungen für Mädchen:

Bd. 27: **Winifred.** Aus dem Englischen von C. von Pütz.

—— Bd. 28: **Im Waldparadies.** Von Angelika Harten.

Bachems neue illustrierte Jugendschriften:

Bd. 37: **Klodwig, der Frankenkönig.** Von Ad. Jos. Cüppers.

—— Bd. 38: **Die Märtyrer von Lyon.** Von Ad. Jos. Cüppers.

Gesammelte Werke von Alban Stolz (Volksausgabe). Verlag Herder, Freiburg:

Kompaß für Leben und Sterben.

—— **Witterungen der Seele.**

—— **Die Nachtigall Gottes.**

—— **Wilder Honig.**

Bibliothek deutscher Klassiker für Schule und Haus. Begründet von Dr. W. Lindemann. 2. Auflage, herausgegeben von Dr. Otto Hellinghaus. Verlag Herder, Freiburg.

X. Bd.: **Romantik, Dichtung der Freiheitskriege, Chamisso, Platen.**
—— XI Bd.: **Der schwäbische Dichterkreis, österreichische Dichter.**
—— XII. Schlußbd.: **Vom jungen Deutschland bis zur Gegenwart.**
„Abende am Genfersee". Von P. Marian Morawsky S. J. Uebersetzt von Jakob Overmans S. J. 3. Auflage. Herder, Freiburg.
Der Blumenstrauß der christlichen Jungfrau. 4. Aufl. Von Julius Müllendorf S. J. Pustet, Regensburg.
Die Schule Mariens. Kleine Lesungen für die marianischen Kongregationen. Von P. Opitz S. J. 2. Aufl. Styria, Graz.
Nimm und lies! Erwägungen über den Gruß des Christentums im 20. Jahrhundert. Von Ansgar Albing. Pustet, Regensburg.

Missions-Bibliothek:

P. **Florian Baneke.** Von Aug. Bringmann S. J. Herder, Freiburg.
Gottestal. Preisgekrönter Roman von Anton Schott. 2. Aufl. Bachem, Köln.
Das gottgeeinte beschauliche Leben und die dazu führenden Mittel. Von A. Saudreau. Styria, Graz.
Exhorten für die studierende Jugend. Von David Mark. 1. Bd. 3. Aufl. Brixen, Wegers Buchhandlung.
Gott, Christus und die Kirche. Erklärende Abhandlungen, Widerlegung von Einwürfen und Beispiele. Von P. Bonaventura Hammer O. F. M. 2. Aufl. Benziger, Einsiedeln.
Vorwärts, aufwärts. Illustrierung religiös-sittlicher Wahrheiten für Jünglinge. Von P. Cölestin Muff. Benziger, Einsiedeln.
Die christliche Krankenstube. Lehr-, Gebet- und Erbauungsbuch für Kranke. Von Reinhold Albers. 2. Aufl. Paderborn, Bonifazius-Druckerei.
Das Dorfleben. Von Willibald Herlein. Manz, Regensburg.

Geschichtliche Jugend- und Volksbibliothek:

XVIII. Bd. **Savonarola und seine Zeit.** Von H. Riesch. Regensburg, Manz.
—— XIX. Bd. **Friedrich Barbarossa.** Von Brentano. Manz, Regensburg.
Auf zur Freude! Von Franz Xaver Kerer. Manz, Regensburg.
Das größte Geheimnis der göttlichen Liebe. Neuntägige Andacht zum heiligsten Herzen Jesu. Von P. Karl Borg S. J. 5. Aufl. Regensburg, Manz.
Tugendschule. Anleitung zur christlichen Vollkommenheit. 3. Auflage. Von P. Johannes Janssen aus der Gesellschaft des göttlichen Wortes. Steyl. Verlag Missionsdruckerei. Drei Bände, geb. 9 M. 50 Pf.
Pius X. als Förderer der Verehrung des allerheiligsten Altarsakramentes. Anhang zu den 9 Bändchen der Betrachtungsentwürfe: „Die Eucharistie, das himmlische Brot der Seelen". Von J. Müllendorf S. J. Innsbruck, Verlag Rauch.
Eine Freudenbotschaft an alle Katholiken. Das päpstliche Dekret über die tägliche Kommunion mit Einleitung und Erklärung versehen. Von Emil Springer S. J. in Sarajewo. Verlag Bonifazius-Druckerei in Paderborn.

————————

Redaktionsschluß: 30. November 1908. — **Ausgabe 9.**—22. Dezember 1908.

Inferate.

Ein Bericht der 4. General=Versammlung der katholischen Vereine Deutschlands

in Linz an der Donau 1850

wird zu kaufen gesucht.

Angebote erbeten an:

Justizrat Dr. Carl Bachem, Steglitz bei Berlin, Filandastraße 22.

Herdersche Verlagshandlung, Freiburg i. Br. — B. Herder Verlag, Wien I., Wollzeile 33.

Soeben sind erschienen und können durch alle Buchhandlungen bezogen werden:

Habsburger Chronik. Herausg. von W. Ruland. 8°. (X u 184) Geb. M. 3.— = K 3.60.
Dieses poetische Sammelwerk ist in erster Linie als Festschrift zum Jubiläum des Kaisers Franz Josef gedacht. Eine stattliche Reihe zeitgenössischer Autoren hat zu der Sammlung beigesteuert. Jeder Freund des Hauses Habsburg wird das Werk mit Freuden begrüßen.

Bach, Dr. J., Die Zeit- und Festrechnung der Juden unter besonderer Berücksichtigung der Gaussschen Osterformel nebst einem immerwährenden Kalender. 4° (4) M. 2.— = K 2.40.

Barat — Die selige Magdalena Sophia Barat. Ein Lebensabriß, herausgegeben im Jahre ihrer Seligsprechung 1908. Mit dem Bildnis der Seligen. 12°. (XII u. 128) M. 1.— ; geb. in Halbleinwand M. 1.30 = K 1.56.
Vielen wird dieses warm geschriebene Lebensbild der vor kurzem seliggesprochenen Stifterin der Gesellschaft der Jungfrauen von hl. Herzen Jesu willkommen sein.

Meschler, M., S. J., Leitgedanken katholischer Erziehung. (Gesammelte Kleinere Schriften, 2. Heft.) 8°. (IV u. 156) M. 1.80 = K 2.16.
Die Kapitel: Verstandesbildung, Bildung des Willens, Bildung des Herzens, Erziehung und Bildung der Phantasie, Bildung des Charakters, Erziehung und Heranbildung des Leibes, verraten den langjährigen Erzieher. Priestern — vor allem der Jugend selbst — sollte dieses ein liebes Vademekum werden.
Früher ist erschienen: 1. Heft: Zum Charakterbild Jesu. 8°. (VIII u. 112) M. 1.40 = K 1.68.

Missions-Bibliothek: P. Florian Baucke, ein deutscher Missionär in Paraguay (1749—1768). Nach den Aufzeichnungen Bauckes neu bearbeitet von A. Bringmann S. J. Mit 25 Bildern und einer Karte. gr. 8°. (X u. 140) M. 1.60 = K 1.92; geb. in Leinwand M. 2.20 = K 2.64.
Diese volkstümliche Missions-Bibliothek wird in zwangloser Reihenfolge und gemeinverständliche Behandlung Schriften bieten, welche Beiträge zur Missionsgeschichte, Darstellungen einzelner Missionsgebiete, Lebensbilder bedeutender Missionäre u. ä. sowie aktuelle Fragen des katholischen Missionswesens behandeln.

Morawski, P. M., S. J., Abende am Genfer See. Grundzüge einer einheitlichen Weltanschauung. Genehmigte Uebertragung aus dem Polnischen von J. Overmans S. J. Dritte Auflage. 8°. (XVI u. 258) M 2.20 = K 2.64; geb. M. 2.80 = K 3.36.
Dies Meisterwerkchen anregender Darstellung und scharfer Logik bietet sich jetzt, wo die Weltanschauungsfragen vor die Front gerückt sind, allen Gebildeten zur Führung an.

Pesch, Chr., S. J., Glaubenspflicht und Glaubensschwierigkeiten. (Theologische Zeitfragen. 5. Folge.) gr. 8°. (VIII u. 220) M. 3.20 = K 3.84.
Manchem, dem bisher die Glaubenspflicht vielleicht Schwierigkeiten und Zweifel brachte, wird das Buch eine befriedigende Lösung bieten.

—— **De Sacramentis.** Pars I: De sacramentis in genere. De baptismo. De confirmatione. Editio tertia (Praelectiones dogmaticae VI. Band.) gr. 8° (XVIII u. 452) M. 7.— = K 8.40 geb. in Halbfranz M. 8.60 = K 10.32.

Ponte, P. Lud. de, S. J., Meditationes de praecipuis fidei nostrae mysteriis, de Hispanico in Latinum translatae a M. Trevinnio S. J., de novo in lucem datae cura A. Lehmkuhl S. J., Editio altera recognita.
Pars II: Meditationes de incarnatione e de infantia Christi eiusque vita usque ad baptismum, similiter de matre Maria. (XXVI u. 266) M. 2.25 = K. 2.70; geb. in Leinw. M. 3.25 = K. 3.90.
Pars III: Meditationes circa v.tam Christi publicam ab eius baptismo usque ad passionem, eius gesta, doctrinam miracula, parabolas. (XLII u. 530) M. 4.— = K 4.80. geb. M. 5.— = K 6.—.
Diese auf sechs handliche Bändchen berechnete Ausgabe des Klassikers der Aszese L. de Ponte gehört zu der auf Anregung Sr Em. Kard. Fischer von P. Lehmkuhl herausgegebenen Bibliotheca ascetica mystica.

Zimmermann, O., S. J., Ohne Grenzen und Enden. Gedanken über den unendlichen Gott. Den Gebildeten dargelegt. 8°. (VIII u. 188) M. 1.80 = K 2.16; geb. in Leinwand M. 2.50 = K 3.—.
Geschichte des Menschengedankens, philosophische Schlüsse, Stimmen des Gemütes vereinigen sich hier, um aus der Endlichkeit der Weltdinge Gottes Dasein und Wesen zu erschließen und die Sehnsucht der neuen Zeit zum unendlichen Gott zu zeigen.

Staatslexikon. Dritte, neubearbeitete Auflage. Unter Mitwirkung von Fachmännern herausgegeben im Auftrag der Görres-Gesellschaft zur Pflege der Wissenschaft im katholischen Deutschland von Dr. J. Bachem. Erster Band: Abidon bis Elsaß-Lothringen. Lex.-8°. (X u. 1584 Sp.) Geb. in Halbfranz M. 18.— = K 21.60.
Diese Neuauflage erscheint in rascher Folge wieder in fünf Bänden, jeder Band in verstärktem Umfang. Der Charakter des Werkes bleibt gewahrt. Manche nicht unwesentliche Erweiterungen durch Aufnahme neuer Artikel und eine weitgehende Umgestaltung der Artikel der zweiten Auflage werden die Neuauflage für die heutigen Bedürfnisse besonders brauchbar machen. Ausführlicher Prospekt kostenfrei vom Verlag.

— 6* —

Verlag von Fel. Rauch's Buchhandlung in Innsbruck.

Zeitschrift für katholische Theologie.

XXXII. Jahrgang.

Jährlich 4 Hefte. Preis 6 *K* österr. Währung — 6 M.

Inhalt des soeben erschienenen 4. Heftes:

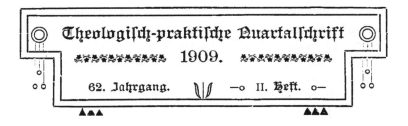

Theologisch-praktische Quartalschrift
1909.
62. Jahrgang. — II. Heft.

Der Hunger nach dem Liberalismus.

(Zeitbetrachtungen zum Verständnis des Modernismus II.)

Von Universitäts-Professor P. Albert M. Weiß O. Pr. in Freiburg (Schweiz).

Bei einem flüchtigen Blick in unseren letzten Artikel mag mancher Leser gedacht haben: Das ist leicht gesagt, man solle suchen, einen weiten, einen allgemeinen Blick über die religiöse Lage der Gegenwart zu erlangen. Aber wie soll unsereiner dazu gelangen inmitten der ewigen Arbeit? Und wo soll man die Mittel hernehmen, um die Bewegungen der Zeit kennen zu lernen? So waren jedoch jene Worte auch nicht gemeint. Daß ein Pfarrer auf einem abgelegenen Dorfe, und daß ein Seelsorgsgeistlicher, den die Arbeit in der Großstadt aufzehrt, dieser Aufgabe nicht nachkommen kann, das versteht sich für jeden von selber. Möchte sie nur von denen erfüllt werden, die in der Presse das große Wort führen, und insbesondere von jenen, deren Beruf es ist, die Zeichen der Zeit zu deuten, um den jungen kirchlichen Nachwuchs im Geiste des kirchlichen Ernstes zu erziehen und ihren Mitbrüdern die Frucht ihrer Studien mitzuteilen!

Uebrigens wird es für die Zukunft ganz bedeutend leichter werden, diesen Weg selbständig zu beschreiten. Die beiden neuen Unternehmungen, das Jahrbuch der Kulturwissenschaft und das kirchliche Jahrbuch — vielleicht dürfen wir auch das Konversations-Lexikon hinzufügen — ermöglichen jedem, seinen Gesichtskreis über die kirchlichen Vorgänge und über die sogenannte Bewegung der modernen Ideen zu erweitern. Es hängt nur von dem Interesse der katholischen Kreise ab, daß sie die nötige Unterstützung finden, um sich halten und immer weiter entwickeln zu können. Welche Wohltat solche Erscheinungen sind, das kann am besten der beurteilen, der sich bisher mit

großem Zeitverluſt und mit bedeutendem Opfer ſelber die Hilfsmittel
verſchaffen mußte, um ſeine jährliche Rundſchau einigermaßen voll=
ſtändig zu machen. Für Deutſchland hatten wir zur unmittelbaren
Auskunft faſt nur das proteſtantiſche „kirchliche Jahrbuch“ von
Schneider und die Ueberſichten, die jährlich im „Türmer=Jahrbuch“
(jetzt heißt es „Am Webſtuhl der Zeit“) erſchienen. Für England
ſtand es ja etwas beſſer. Das iſt endlich anders geworden. Nach
langen Verſuchen ſind die eben genannten Unternehmungen zu=
ſtande gekommen, auch eine der ſegensreichen Folgen, die das „Kon=
verſations=Lexikon“ von Herder nach ſich gezogen hat.

In dem ſoeben genannten Jahrbuch für 1908 ſchreibt Richard
Bahr einen Aufſatz über den deutſchen Liberalismus. Ihm iſt aus
der Seele geſprochen, was Ernſt Baſſermann vor ein paar Jahren
geſagt hat: „Unſer Volk hungert nach Liberalismus.“ Nur
möchte er das Wort viel weiter gemeint wiſſen, als es damals ge=
dacht war, nicht bloß vom politiſchen und vom „Kulturliberalismus“,
ſondern vom Liberalismus auf allen Gebieten des geiſtigen Lebens,
ſelbſtverſtändlich und am allermeiſten auf dem Gebiet der Religion
oder des Religionserſatzes. Denn, ſagt er, der Liberalismus iſt vor
allem eine Weltanſchauung. Weltanſchauung iſt aber bekanntlich jenes
Wort, das den Begriff Religion erſetzen und verdrängen ſoll.[1]

Wir haben nicht nötig zu ſagen, daß der Ausdruck von Baſſer=
mann eine gewaltige Uebertreibung iſt. Das katholiſche Volk hat
nicht bloß keinen Hunger nach dem Liberalismus, ſondern einen
gründlichen Haß, man darf ſchon ſagen, einen inſtinktiven Haß da=
gegen. Das proteſtantiſche Volk wird zwar den Liberalismus nie los
und wird ihm ſtets, man darf auch ſagen, durch einen inſtinktiven
Zug anheimfallen. Denn auch dort, wo es ſozialdemokratiſch iſt,
folgt es ja doch den liberalen Grundgedanken und fördert zuletzt die
Zwecke des Liberalismus. Aber daß es einen Hunger nach dem
Liberalismus habe, das kann man nur von einzelnen, vielleicht nicht
eben ſehr großen Teilen im mittleren und nördlichen Deutſchland
ſagen. Indes, dieſe Herren treiben es hier wie ſo oft. Sie verwechſeln
ſich und das Volk, und möchten ihren Beſtrebungen eine größere
Bedeutung beilegen, vielleicht auch einige Entſchuldigung verſchaffen,
indem ſie ſich zu Stimmführern des Volkes aufwerfen, obſchon ſie
von dieſem keine Vollmacht haben. Wir haben keineswegs die Auf=

---

[1] S. Religiöſe Gefahr, 106 f.

gabe, diesen Gegenstand weiter zu verfolgen und gehen deshalb über ihn hinweg. Für uns handelt es sich nur um eine Betrachtung der religiösen Zeitlage. Darum beschränken wir uns auf das religiöse Gebiet im besonderen.

Gerade hier sind aber die Dinge derart, daß man in der Tat an einen Hunger nach dem Liberalismus denken möchte. An allen Enden der Welt geberden sich die Menschen, als müßten sie verhungern, wenn sie nicht, sobald es sich um Religion handelt, das neueste liberale Gebäck verschlängen, wie es eben warm aus dem Ofen kommt. Von der sogenannten gebildeten Welt wollen wir nicht weiter sprechen, es ist das letzte Mal schon geschehen. Aber selbst der junge Theolog, der mit Mühe die Kosten zu seinen Studien zusammenbringt, kauft den teuersten Schund zusammen, wenn er nur weiß, daß dort die bedenklichsten Grundsätze vorgetragen und die Grundlagen des Glaubens erschüttert werden. Wenn dann alles in ihm wankend wird, dann soll man ihm mit ein paar Zaubersprüchen den Glauben wieder lebendig machen, den er freventlich untergraben hat. Ja, warum lesen Sie dann diese Schriften, ohne daß Sie dazu genötigt und ohne daß Sie dafür genügend vorgebildet sind? Man muß das halt doch kennen. Aber lesen Sie denn auch die heilige Schrift? Muß ein Theolog diese nicht auch kennen? Tiefes Stillschweigen und Erröten. Sagen Sie mir aufrichtig: Haben Sie auch eine heilige Schrift? Wiederum Stillschweigen und noch größeres Erröten. Das ist ein Beispiel aus vielen für den Hunger nach dem Liberalismus.

Das Wort Liberalismus im religiösen Sinn hat nämlich heute eine viel weitere Bedeutung angenommen als es ehedem besaß. Früher verstand man darunter nur jene Gesinnung, die man sonst auch Minimismus nannte, der zufolge einer das Gebiet dessen, was man glauben und befolgen müsse, auf das Unerläßliche einschränkte und deshalb mit Preisgebung der kirchlichen Lehre und der kirchlichen Autorität so freigebig als möglich war. Damals ging der Liberalismus noch mit dem Kinderläppchen zur Milchsuppe. Nun ist er zum Mann geworden, der aus der kindischen Neinsagerei eine systematische Weltanschauung gemacht hat, und wenn keine systematische, so vielleicht eine desto radikalere. Der alte Liberalismus wollte schon glauben, nur nicht zu viel; der neue schafft sich einen neuen Begriff vom Glauben und legt sich die Gegenstände des Glau-

16*

bens für seinen Zweck kritisch zurecht, dann kann er alles glauben
und braucht doch nichts zu glauben. Der alte ließ übernatürliche
Prophezeiung gelten, nur nicht auf zu lange Zeit hinaus, z. B. in
der Apokalypse höchstens für die ersten drei Jahrhunderte, denn für
länger wäre es ihm doch nicht mehr annehmbar gewesen; der neue
bringt auf religionsgeschichtlichem und auf psychologischem Weg eine
Erklärung der Weissagung fertig, nach der auch die Eselin des
Balaam als geborne Pythia erscheint. Der alte Liberalismus ließ
doch noch die Begriffe Dogma und Offenbarung gelten; im neuen
verlieren diese ihre objektive Bedeutung und wachsen aus dem Inneren
des Geistes als subjektive Gebilde von relativer Wahrheit und un=
beweisbarer Möglichkeit heraus. Kurz, es handelt sich jetzt nicht mehr
bloß um eine Einschränkung der Glaubenspflicht und der Glaubens=
wahrheiten, sondern um vollständige Umgestaltung aller reli=
giösen Begriffe, und um den Versuch, den fälschlich noch soge=
nannten Glauben auf die Grundlage einer rein persönlichen Psycho=
logie zu stellen. Das ist jener Liberalismus, nach dem die Zeit
hungert und alles, was sich modernistisch nennt.

Wenn es je eine Zeit gegeden hat, so ist es die unsere, in der
sich die Worte erfüllen: „Siehe, es kommen die Tage, so spricht der
Herr, da ich Hunger ins Land sende, nicht Hunger nach Brot noch
Durst nach Wasser, sondern das Wort des Herrn zu vernehmen.
Da läuft man von Meer zu Meer und vom Norden bis zum Osten,
man läuft umher, um das Wort des Herrn zu juchen, aber man
wird es nicht finden. An dem Tage verschmachten die schönen Jung=
frauen und die Jünglinge vor Durst, sie stürzen zu Boden und stehen
nicht wieder auf" (Amos 8, 11 ff.). Eine furchtbare Weissagung,
deren furchtbare Erfüllung wir täglich mit Augen sehen. Sie juchen,
aber sie verstehen nicht die Mahnung: „Wenn ihr sucht, so sucht
auch recht" (Is. 21, 12). Sie suchen bei allen Götzen von Dan bis
Bersabee, aber nicht beim lebendigen Gott des Himmels. Sie suchen
bei den Menschen, sie suchen bei sich selbst, aber wenn ihnen die
Wahrheit von selber entgegenkommt, so ergreifen sie die Flucht oder
jagen sie in die Flucht — eo quod charitatem veritatis non
receperunt, ut salvi fierent (2. Theß. 2. 10).

Es kehrt sich einem das Herz um bei diesem erschütternden
Anblick. Hunger überall im Lande, die ganze Bevölkerung auf der
Suche wie die Knechte Achabs zur Zeit des Elias, und nichts, was

den Hunger stillen könnte. In der Unterhaltungs=Literatur ein auf=
reibendes Hetzen und Jagen nach einem Ideal, das die Geister be=
friedigen könnte, in den schönen Künsten ein Ringen, dessen Erzeug=
nissen man die Verzweiflung oder den Wahnsinn ansieht. In der
Philosophie darf nur ein Mann eine überspannte Idee zum Besten
geben, so hängt sich an ihn ein Knäuel von Schriftstellern — man
blättere Ueberweg durch — daß man an einen ausgeflogenen Bienen=
schwarm denkt. Und schreibt einer über einen halbwegs neuen Ge=
danken, so wird er in der nächsten Minute an das Wort des Pro=
pheten erinnert: „Zur selben Zeit fallen sieben Weiber über einen
Mann her und sprechen: Wir wollen ja gern unser eigenes Brot
essen und uns mit unseren Kleidern kleiden, nur laß uns nach deinem
Namen heißen" (Is. 4, 1). Am ärgsten aber zeigt sich dieser unge=
sunde Zustand auf dem Gebiet der Theologie, wenigstens der pro=
testantischen und der rein ungläubigen Theologie.

Drei Gegenstände sind es, an denen man das zumeist beobachten
kann. Vorerst die sogenannte Leben=Jesu=Forschung. Diese hat
einen Umfang angenommen, daß sich bereits wieder eine neue Literatur
über diese Literatur bildet. Die wichtigsten Werke dieser Art sind das
von Weinel: Jesus im 19. Jahrhundert, das von Pfannmüller: Jesus
im Urteil der Jahrhunderte, und das von Albert Schweitzer: Von
Reimarus zu Wrede, eine Geschichte der Leben=Jesu=Forschung, von
kleineren nicht zu reden. Diese Bücher ersparen uns viele mühsame
Forschungen und erleichtern uns das Urteil über die gegenwärtige
Lage. Sie stellen als letztes Ergebnis langer geschichtlicher Unter=
suchungen fest, was Schnehen mit kürzeren Worten als Ueberzeugung
aller wahrhaft im modernen Sinn Gebildeten ausspricht, der „ro=
mantische Jesuskult mit seinem ästhetisch angehauchten Kultus einer
rein menschlichen Persönlichkeit" sei „die äußerste Verflachung der
Religion und das letzte Hindernis eines wahren religiösen Fort=
schritts".[1] Sagt doch Schweitzer von seiner eigenen Arbeit: „Dieses
Buch kann zuletzt nicht anders, als dem Irrewerden an dem histo=
rischen Jesus, wie ihn die moderne Theologie zeichnet, Ausdruck zu
geben, weil dieses Irrewerden ein Resultat des Einblicks in den ge=
samten Verlauf der Leben=Jesu=Forschung ist".[2] „Die, welche gern
von negativer Theologie reden, haben es hier nicht schwer. Es gibt

---

[1] Schnehen, Der moderne Jesuskultus, 41. — [2] Schweitzer, Vor=
rede S. VIII.

nichts Negativeres, als das Ergebnis der Leben-Jesu-Forschung. Der
Jesus von Nazareth, der als Messias auftrat, die Sittlichkeit des
Gottesreiches verkündigte, das Himmelreich auf Erden gründete und
starb, um seinem Werk die Weihe zu geben, hat nie existiert . . . . .
Der historische Jesus wird unserer Zeit ein Fremdling oder ein
Rätsel sein".[1] Um dieses Endergebnis zu erringen, hat die Kritik
seit anderthalbhundert Jahren eine Arbeit getan, von der die langen
Listen bei Schweitzer nur einen schwachen Begriff geben. Wie sich
nach solchen Ergebnissen noch immer Forscher in Menge auf dieses
Leichenfeld begeben mögen, da sie doch den Ausgang zum voraus
kennen, das wäre unbegreiflich, triebe sie nicht der Hunger nach dem
Liberalismus.

Das zweite Gebiet, das die moderne Forschung mit ebenso
rastlosem Eifer umwühlt, ist die Frage um die Entstehung des
Christentums und, was ja damit zusammenhängt, um das Wesen
des Christentums. Auch hier haben wir eine Literatur, die sich
kaum noch überblicken läßt, und jeder Tag bringt neuen Zuwachs
an Papier, wenngleich nicht an Inhalt. Denn all diesen Erörterungen liegt zum voraus schon die Ueberzeugung zu Grunde, die
Otto Pfleiderer in die Worte kleidet: „Die wirklich geschichtliche
Auffassung (von) der Entstehung des Christentums . . . . war unmöglich, so lange man mit den Voraussetzungen des kirchlichen
Glaubens an die Frage herantrat . . . . Dabei konnte sich die Christenheit so lange beruhigen, als das religiöse Bewußtsein noch unbefangen
in der Welt des Wunders, des Uebernatürlichen und Geheimnisvollen
lebte . . . . Aus ihren romantischen Illusionen ist die deutsche Theologie erstmals kräftig aufgerüttelt worden durch das berühmte Buch
von Dav. Friedr. Strauß über das Leben Jesu . . . . Die Entstehung
des Christentums ist als ein Entwicklungsprozeß zu denken, in dem
. . . . die durch Jesu Leben und Tod in Fluß gebrachten Strebungen
jener Zeit auf- und gegeneinander wirkten, bis sie sich zu dem neuen
Gebilde der christlichen Kirche verbanden . . . . Wir bleiben dabei,
daß die Entstehung des Christentums sich nur dann wirklich geschichtlich
verstehen läßt, wenn nicht mehr das Dogma die Geschichte beherrscht,
sondern diese Geschichte nach denselben Grundsätzen und Methoden
wie jede andere erforscht wird."[2] Das heißt, mit deutlichen Worten

---

[1] Ebenda, 396. f. — [2] Pfleiderer, Die Entstehung des Christentums
1. 2· S. 12. 16

gesagt, die drei Voraussetzungen für diese Art von Forschung sind
die, daß es keine übernatürliche Ordnung gebe, daß deshalb das
Christentum keine positive übernatürliche Offenbarung sein könne,
sondern daß hier alles auf dem Weg rein natürlicher Entwicklung
müsse vorgegangen sein, und daß das kirchliche Dogma vom geschichtlichen Christus unter allen Umständen als unannehmbar abzulehnen
sei. In diesem Sinn ruft Pfleiderer jedem Leser gleich zu Anfang
die Warnung zu: „Daher werden wir gut daran tun, uns mit dem
Gedanken immer mehr vertraut zu machen, daß der eigentliche Gegenstand unseres frommen Glaubens nicht das Vergangene, sondern
das Ewige ist: Was sich nie und nirgends hat begeben, das
allein veraltet nie."[1] Was bei solchen Voraussetzungen vom Wesen
des Christentums übrig bleiben kann, läßt sich leicht erraten. Pastor
von Broecker faßt die bekannten Ergebnisse von Harnack in wenige
Sätze zusammen, die nicht schlichter sein könnten. Zwar erschreckt er
zuerst den modernen Menschen, oder er glaubt wenigstens ihn zu
erschrecken durch die Ankündigung: „Christus . . . . tritt mit unerhörten
Versprechungen auf, und sein ganzes Leben voll kühner Aufrichtigkeit
und hoher Schlichtheit macht nicht den Eindruck, als ob er schwärme
oder lüge." Aber der moderne Mensch erschrickt nicht, denn er weiß
längst, was zuletzt kommen wird. „An Gott, die rettende Liebe
glauben, an den ewigen Wert der eigenen Seele glauben, an den
Bruderbund aller Menschen glauben, das ist, im tiefsten Sinn verstanden, für uns Christentum im Sinne Christi."[2] Und um dieses
Ertrages willen eine solche Summe von Schriften? Da haben wir
wieder den Hunger nach dem Liberalismus.

Die dritte Frage, die wohl die meisten Arbeitskräfte der Gegenwart in Anspruch nimmt, ist die um das Wesen der Religion.
Hier kann man allerdings nicht mehr in gleichem Grade die Berufung
auf die angeblichen Gesetze der historischen Kritik als undurchdringlichen Schild vorhalten. Desto bessere Dienste tun bei dieser Darstellung die Grundsätze des positivistischen Relativismus und der
neuen religiösen Psychologie. Die Lösung aller religiösen Rätsel liegt
für die moderne Religionsphilosophie in dem kurzen Satz „Alles
ist relativ" oder, was zuletzt dasselbe bedeutet: Alles ist persönlich. „Diese Formel, sagt Delbet, macht dem Absoluten endgültig
ein Ende . . . Sie versieht in der Religion der Humanität die gleiche

[1] Ebenda, Vorrede, V. — [2] Broecker, Moderner Christusglaube, 13.

Rolle, die einst die an Christus geknüpfte Formel „Christus regnat, Christus imperat" versehen hat. Sie umschließt die Erkenntnis, daß wir lediglich einfache Beobachter und Zuschauer der Erscheinungen sind, die unabhängig von unserem Willen, festen Naturgesetzen unter= worfen bleiben .... und umschließt den Verzicht auf alles Grübeln nach Anfangs= und nach Endursachen."[1]) Dieser Auffassung zufolge ist die Religion weiter nichts als das naturnotwendige Ergebnis aus der persönlichen seelischen Anlage oder Nichtanlage des Einzelnen, auf dessen Ausgestaltung freilich die äußeren geschichtlichen und ge= sellschaftlichen Verhältnisse, am allermeisten die Erziehung und der menschliche Herdentrieb, einen bedeutenden Einfluß äußern. Somit ist jede Religion ebenso berechtigt wie jede Unreligion, wenn sie nur nicht von außen aufgedrängt oder gar gesetzlich befohlen ist. Sie ist das Allerpersönlichste, das Allerinnerlichste und gleichwohl etwas, worüber keiner Herr ist. Sie erfaßt den einen, den anderen erfaßt sie nicht; sie erfaßt denselben Menschen heute so und morgen in anderer Weise, nur jagt sie keinem etwas über das, was hinter allem liegt. Hier ist die Frage wohl am Platze: Aber was jagt sie uns dann? Oder jagt sie uns überhaupt gar nichts? Wenn alles relativ ist, dann kann es keine objektive, keine gleichbleibende, keine für alle gültige, keine verpflichtende Wahrheit geben, weder auf dem sittlichen, noch auf dem religiösen Gebiet. In der Tat legt Weinel den Zweifel vor: „Hat nicht die Naturwissenschaft unter deren kritischer Forschung die Dämonen als Ursachen der Krankheiten, der Teufel, die Geister und Wunder schwanden, hat nicht die Geschichte, die uns zeigt, wie die Gottheit von niederer Stufe aus, von Fetisch und Ahnengeist langsam und schrittweise bis zum himmlischen Vater Jesu sich mühsam emporgearbeitet hat, und die andererseits zeigt, daß jede Weltkata= strophe bis jetzt noch zu Unrecht erwartet worden ist, hat nicht die Wissenschaft überhaupt bewiesen, daß es keinen Gott, keine Ewigkeit und keine Unsterblichkeit gibt?"[2]) Hüten wir uns jedoch, auf alle diese und ähnlichen Fragen mit einem unzweideutigen Ja oder Nein zu antworten, wir würden sonst den Geist des modernen Gedankens nicht richtig jaffen. Hören wir die Antwort Weinels: „Es hat einmal eine Zeit gegeben, wo man geglaubt hat, die Wissenschaft könne be= weisen, daß ein Gott sei und ein ewiges Leben; und es hat eine

---

[1]) Dokumente des Fortschritts 1908. I, 417. f. — [2]) Weinel, Jesu im neunzehnten Jahrhundert, [1], 294.

Zeit gegeben, wo man glaubte, sie könne das Gegenteil beweisen. Heute weiß man, daß beides falsch ist. Die Wissenschaft ist bescheiden auf ihr Gebiet zurückgetreten, da sie eingesehen hat, daß sie wohl in Bezug auf die Einzeldinge in der Welt Gesetze aufstellen kann, daß ihr aber nicht zusteht, über das Woher und das Ziel des Weltganzen etwas auszusagen, und über eine ewige Welt außer und in der unsern. Sie hat das Gebiet wieder denen überlassen, denen es gehört, den Propheten . . . . . Ohne Gemüts= und Verstandeskämpfe gibt es keinen Gottesglauben. Und stets haben Menschen nur so ihren Gott besessen, daß sie es auf ihn — wagten.“[1]) Dies also ist die Er= rungenschaft all der endlosen Untersuchungen über das Wesen der Religion. Ob es hinter der sichtbaren Welt etwas weiteres gibt, das kann dir niemand sagen als höchstens ein Prophet. Was du in dir selber findest, das mußt du am besten wissen. Was dann weiter kommt, darauf mußt du es eben ankommen lassen, ob so oder so, du mußt es wagen. Und um solchen Trost, solche Sisyphusarbeit — Hunger nach dem Liberalismus!

Dank dem kurzen Ueberblick, den wir soeben angestellt haben, ist uns auch zugleich ein Urteil über den Geist und den Inhalt der modernistischen und protestantischen Theologie gegeben. Liberalismus bis zur vollkommenen Auflösung aller und jeder Wahrheit, Libera= lismus, der selbst über die Leugnung und über die Bekämpfung der Wahrheit hinaus ist, Liberalismus, der keinem mehr raten kann und keinem helfen will, der jeden auf seine eigene Gefahr sich selber überläßt, das ist hier das letzte, das einzige Wort. Und trotzdem, vielleicht gerade auch deshalb, das aufreibende Jagen und Hetzen auf dieses furchtbare Ziel hin! Man kann die Wahrheit von sich stoßen, aber man kann den Drang nach Wahrheit nicht ertöten. Will einer die Wahrheit, die ihm vor den Augen liegt, nicht annehmen, dann wird er erfahren, was Lenau im Faust sagt:

> So zog mich stets mit kläglichem Betrug
> Zu Leichen ein geheimer Hoffnungszug.

In dieser Gestalt, das ist klar, kann es keinen Liberalismus und keinen Hunger nach dem Liberalismus auf katholischem Gebiet geben, denn damit verträgt sich das Christentum nicht mehr. Haben wir jedoch darum ein Recht zu sagen, das Wort Hunger nach dem Liberalismus lasse überhaupt keine Anwendung auf die katholischen

---

[1]) Ebenda, 295. f

Kreise zu? Es wäre sehr zu wünschen, könnten wir das kurzweg be=
haupten. Ehe wir uns aber darüber ein Urteil erlauben, ist es nötig,
die Sachlage näher ins Auge zu fassen.

Wir haben schon im vorausgehenden Artikel auf das italienische
„Programma dei Modernisti“ und dessen Verbreitung in
Frankreich und in den Ländern englischer Zunge hingewiesen. Diesem
steht an Gesinnung, wenn schon nicht an Gehalt, durchaus ebenbürtig
die französische Schrift „Lendemains d’Encyclique par Catholici“
zur Seite. Nun, wenn diese Schriften nicht der Ausfluß des Hungers
nach dem Liberalismus, und zwar nach dem äußersten Liberalismus
sind, dann dürfen wir ruhig sagen, daß das Wort überhaupt keiner
Anwendung fähig ist. Keine der großen Glaubenswahrheiten, nicht
eine von den Grundlagen des Glaubens, die hier unangetastet bliebe.
Die Kirche könne nicht mehr bestehen, wenn die Geistesrichtung, die
auf dem Konzil von Trient den Sieg davongetragen habe, nuver=
ändert fortdauere. Die angeblichen Fundamente des Glaubens seien
unheilbar hinfällig geworden. Es sei jetzt unsere Aufgabe, das Ge=
bände des Glaubens von den wankenden Grundsteinen einer unkri=
tischen Schriftauslegung hinweg auf eine gediegene Unterlage zu ver=
schieben. Die traditionellen Lehren über die Gründung der Kirche,
über die Einsetzung der Sakramente, über den Ursprung der Dog=
matik aus der Lehre Christi müßten alle umgestaltet werden. Die
Begriffe Inspiration und Offenbarung müßten durch den der reli=
giösen Evolution ersetzt, der Unterschied zwischen dem geschichtlichen
Christus und dem mystischen Christus, das heißt dem Christus des
Glaubens müsse entschieden durchgeführt, das kritische Studium über
das Wesen der Religion rücksichtslos verfolgt werden, wenn auch
darüber manches Stück der Dogmatik in Trümmer gehe, das Wesen
des religiösen Glaubens bleibe ja doch bestehen. Dazu sei freilich not=
wendig, daß sich unser Geist von vielen Vorurteilen losmache. Das
Mittel hiezu sei die historische Kritik. Für diese sei das Christentum
eine Tatsache wie jede andere, entstanden aus dem Milieu, weiter=
gebildet durch die religiöse Stimmung der folgenden Geschlechter und
allmählich versteinert durch die Niederschläge exaltierter Gemütszustände,
endlich entstellt unter dem Einfluß der Theologie, die sich völlig dem
Bann der herrschenden Zeitphilosophie verschrieben habe. Den Glauben
aus all diesen Ueberwucherungen zu befreien und ihn auf den ur=
sprünglichen reinen, gestalt= und dogmenlosen Gedanken Jesu zurück=

znführen, sei nun die Aufgabe der geschichtlichen Kritik und der reli=
giösen Psychologie. Da finde sich, daß noch Paulus von einer trini=
tarischen Formel nichts gewußt, daß er jedoch bereits die Ansätze zu
einer Spekulation über die Vorzeitlichkeit Christi gelegt habe. Da
finde sich, daß alles in der Geschichte des Christentums sich geändert
habe, Denkweise, Hierarchie, Kultur. Da finde sich, daß die alten
Schlagbäume, zumal die der Theologie, weggeräumt werden, daß die
neue Denk= und Geistesrichtung angenommen werden müsse. Nur so
könne eine Apologetik zustande kommen, die den Bedürfnissen unserer
Zeit entspreche. Die hergebrachte Apologetik sei vollständig ungenü=
gend, die Beweisführung für das Dasein Gottes unbrauchbar, der
Gedanke an eine Uroffenbarung haltlos. Die Vorstellung vom Alten
und vom Neuen Testament bedeute nur eine fortdauernde Offen=
barung, die „das Göttliche in dem menschlichen Gedanken selber
immer klarer hervorbringe". Eine Schöpfung des menschlichen Geistes
könne jedoch nie eine absolute Geltung beanspruchen. Veränderung,
Anpassung an die Zeitbedürfnisse und Zeitverhältnisse seien unab=
weislich damit verbunden. Betrachtet im Lichte dieser Auffassung seien
also alle Religionen für ihre Umgebung nützlich. In all diesen An=
schauungen eine Gefahr für das Christentum wittern, beweise nur
Verknechtung an die Scholastik und Unfähigkeit, die dringende Auf=
gabe der Zeit zu verstehen.

So einige der hervorstechendsten Sätze, die das „Programma
dei Modernisti" entwickelt. Dabei sind sie vorgetragen mit einer
geistigen Anstrengung, die auf jeder Seite fühlen läßt, daß die Ver=
fasser nach all diesen umstürzenden Lehren haschen, als gelte es
Leben oder Tod. Und in der Tat, hier gilt es Leben oder Tod. Ein
derartiges Drängen und Ringen ist sicher sehr milde beurteilt, wenn
man es Hunger nach dem Liberalismus nennt.

Bis hieher werden wir wohl nicht viel auf Widerspruch stoßen.
Vielmehr ist es gerade in unserer Mitte üblich geworden, über den
extremen Liberalismus in Italien und Frankreich mit der äußersten
Schärfe ins Gericht zu gehen, damit dann mit größerer Zuversicht
der Schluß gemacht werden könne: So weit fehlt es bei uns nicht,
also kann man bei uns nicht von der gleichen Erscheinung reden.
Inwieweit diese Folgerung beweiskräftig sei, wollen wir nicht unter=
suchen. Wir beschränken uns darauf, die Tatsachen sprechen zu lassen.
Wir rechnen zu diesen Tatsachen auch nicht Erscheinungen wie das

„Zwanzigſte Jahrhundert" oder die Krausgeſellſchaft und andere ver=
wandte Dinge. Wir beſchränken uns auf Vorgänge und Perſonen,
die unter katholiſcher Flagge ſegeln, ja ſich wohl noch rühmen,
den wahren katholiſchen Geiſt in ſeiner echteſten Geſtalt, frei von
allen Einſeitigkeiten nach rechts und nach links zu vertreten. Eine
Reihe naheliegender Beiſpiele liefert uns das bereits früher erwähnte
„Türmerjahrbuch", das jetzt den Titel „Am Webſtuhl der Zeit" führt.
Dieſes bringt jedesmal eine vielfach recht nützliche Ueberſicht über
die Vorgänge des letzten Jahres auf den Gebieten des geſamten
Kulturlebens, der Religion, der Philoſophie, der Pädagogik, der
Literaturen und Künſte, der Naturwiſſenſchaften u. ſ. f. Der Bericht
über die katholiſche Kirche war früher Schell anvertraut, nach deſſen
Tod Joſef Müller, im Jahre 1908 lag er in den Händen von Profeſſor
Dr. Kennerknecht. Allen dieſen drei Berichterſtattern iſt der gleiche Zug
gemeinſam, daß ſie über die Zuſtände innerhalb der katholiſchen Kirche
ſehr wenig Erfreuliches und viel Beklagenswertes erzählen. Das fällt
an dieſem Ort ganz beſonders auf, denn die übrigen Darſteller ſingen
das Lob der modernen Kultur auf allen ihnen zugewieſenen Gebieten
in hellen Tonarten. Höchſtens hören wir klagen darüber, daß die
moderne Pädagogik noch immer nicht weit genug fortgeſchritten ſei.
Auf dieſe Weiſe gewinnt der Leſer den Eindruck, als ob es überall
aufwärts, dem Lichte zu, gehe, nur von der katholiſchen Kirche laſſe
ſich kaum etwas Tröſtliches ſagen. Joſef Müller weiß im Jahrbuch
für 1907 nur zwei erfreuliche Erſcheinungen zu nennen, Schell und
ſeine eigene Renaiſſance. Sonſt iſt alles düſter und öde, dank der
doppelten Diktatur, der hierarchiſchen und der laienpolitiſchen. Ver=
ſuche und Anregungen zur Reform verfielen erbarmungslos dem
Index. Die katholiſch=theologiſche Literatur ſei bedeutungslos, die
beſſeren Geiſter ſchwiegen.[1]) Der katholiſche Theologe ſei „der ver=
laſſenſte von allen Standesangehörigen"; er dürfe nicht einmal, „was
der geringſte Lehrbube darf", ſich mit Standesgenoſſen über kirch=
liche Dinge beraten.[2]) Minder verzweifelt ſieht Profeſſor Kennerknecht
in die Zeit. Zwar erklärt er den Willen der Kirche, daß die Theo=
logie ſich an die Scholaſtik halten ſolle, für eine Hoffnung, „daß

---

[1]) Wo nur dieſe „beſſeren Geiſter" ſein müſſen? Unter den Anti=Moder=
niſten nicht, das verſteht ſich von ſelber, wenngleich viele von dieſen ſchweigen.
Unter den Moderniſten aber erſt recht nicht, denn dieſe ſchweigen nicht. —
[2]) Türmer=Jahrbuch 1907, 197. ff.

Fossilien wieder ins Leben zurückkehren" und für einen Versuch „un=
geschehen zu machen, daß wir bereits sechs Jahrhunderte von der
scholastischen Blütezeit eines Thomas von Aquin entfernt sind".
Selbstverständlich erfüllt ihn auch das „tief bedauerliche Pamphlet"
Commers mit „Unmut, mit Trauer und Scham". Dagegen gibt ihm
die Bewegung gegen den Index Hoffnung, ebenso das „kraftvolle
Auftreten der fortschrittlich gesinnten Richtung" in Frankreich, wo
sich „die Schwingen der katholischen Fortschrittsidee mächtig regen",
die „modernen Gedanken, die selbst im Lande des päpstlichen Sitzes
viele Geister entflammt haben", und der „bei uns unbekannte Freimut
in der anglo=amerikanischen Welt". Er begrüßt im Anschluß an
Ehrhard die freisinnigen Regungen in Frankreich und in Italien als
„hocherfreuliche Anfänge einer Wendung zum Bessern", bedauert aber
gerade deshalb, daß das katholische Deutschland hinter diesen beiden
Ländern so weit zurückstehe, und daß sich dessen Literatur „ziemlich
mager ausnehme". Das „Haupthindernis einer regeren Geistesent=
faltung sei die hyperkonservative Geistesrichtung". „Es streitet, sagt
er, der katholische Fortschrittsgedanke mit dem Geiste des bedrückendsten
und schärfsten Reaktionismus." Der neue Syllabus habe vor allem
die französische theologische Gelehrtenwelt schwer getroffen, und be=
drohe auch in Italien „die schönsten Hoffnungen im Sinne des in=
dizierten Fogazzaro und des suspendierten Romulo Murri". Und
für das alles führt er als Kronzeugen — Paul Sabatier an, „welcher
der katholischen Kirche mit Bewunderung gegenübersteht"; dieser habe
der „wenig erleuchteten Auslassung" des Kardinals Gibbons ge=
genüber „mit aller Noblesse, aber auch mit aller Energie" klar ge=
macht, daß das Unheil (zunächst in Frankreich) „im Klerikalismus
selbst liege, welcher nicht glauben wolle, daß die Kirche für die
Menschen und nicht die Menschen für die Kirche da sind". Das
Endurteil, das Kennerknecht aus alledem zieht, lautet: „Es geht ein
belebender Lenzhauch fortschrittlichen Denkens und Strebens durch
die katholische Welt aller Länder. Doch ist's ein Lenzesnahen unter
Winterstürmen, weil keine neue Zeit ohne heftige Kämpfe je anbrach.
Wer wird Sieger im Streit? Die große Majorität nicht, denn sie
versteint zusehends in alten Formeln und scheut jeden frischen Wind=
hauch. Aber auch die Extrem=Fortschrittlichen nicht, denn sie zerstören
den Inhalt des alten Kredo und verflüchtigen alles zur Allegorie.
Die Wahrheit, der Sieg und die Zukunft gehören, wie wir mit

A. Ehrhard zuversichtlich hoffen, der gemäßigt-fortschrittlichen Rich-
tung, welche die empirisch-psychologische und die historisch-kritische
Methode anerkennt und das uralte Gesetz der Entwicklung und des
Fortschritts als Wille des schöpferischen Gottesgeistes zur machtvollen
Geltung zu bringen bestrebt ist. „Nunquam retrorsum!"[1])

Ein solches „System der rechten Mitte", eine derartige Jere-
miade über die Zustände innerhalb der Kirche und der Theologie,
eine so bittere Tadelsucht über den Geist und die Praxis der Kirche,
eine so unwürdige Sehnsucht nach allen von der Kirche mit den
schwersten Strafen belegten modernistischen Erscheinungen, wie soll
man das alles benennen, wenn nicht als Hunger nach dem
Liberalismus?

Es hieße sich und die Welt täuschen wollen, wenn sich einer
einredete, die von der Kirche verurteilte Richtung habe bei uns keinen
Boden. Sie mag anderswo offener und, dem Volkscharakter entsprechend, mit größerer Heftigkeit, mit rücksichtsloserer Konsequenz
und mit anerkennenswerter Klarheit vertreten werden. Aber deshalb,
weil sie auf deutschem Boden kühler, vorsichtiger und dunkler ausgesprochen wird, hört sie nicht auf, den Charakter zu tragen, den sie
vielleicht nur zur Hälfte kundgibt. Sie mag dort, wo dergleichen
Ideen bisher völlig unbekannt waren, größeren Heißhunger bei den
Neuerern und größeren Widerstand bei den Männern des Beharrens
finden, während sie in einer Atmosphäre, die seit Jahrhunderten
mit den Keimen des Protestantismus, des Rationalismus und des
Liberalismus erfüllt ist, nicht einmal besonders auffällig wirkt, das
ändert aber nichts an ihrer Gefährlichkeit. Ein verführerisches Kunstwerk bleibt ja auch verwerflich und verderblich, wenn schon ein Arzt
kaltblütig daran vorübergeht, und wenn hundert Sachverständige erklären, nur die Unerfahrenheit der uneingeweihten Jugend könne
dadurch sinnlich erregt werden. Es wäre im höchsten Grade zu bedauern, wenn die Dinge eine Wendung nähmen, daß schon die
Jugend an solchen Darstellungen nichts Verfängliches mehr fände,
und gewiß würde in diesem Fall niemand sagen, man dürfe sie ungescheut zur Schau bringen, da sie ja nichts mehr verderben könnten,
sondern man würde im Gegenteil mit desto größerem Ernst gegen
deren Verbreitung einschreiten, je mehr der Hunger nach derlei Dingen
zunähme. Dann darf man es aber auch der Kirche nicht verdenken,

---

[1]) Am Webstuhl der Zeit. 1908, 174—178.

wenn sie sich nicht beruhigt bei der Erklärung, daß bei uns der
Hunger nach dem Liberalismus nicht so viel zu bedeuten habe, weil
dieser ohnehin unsere Verhältnisse alle durchdringe, sondern wenn sie
gerade daraus Grund zu neuen Sorgen und Anlaß zu ernsten Maß=
regeln nimmt.

Der Einfluß des Gewissens auf die Zurechnung der sündhaften Handlung.

Von Universitätsprofessor Dr. Goepfert, Würzburg.

Die Frage nach dem Einflusse des Gewissens auf die Zu=
rechnung der sündhaften Handlung ist von größter Wichtigkeit, wie
für das christliche Leben, so auch für die Verwaltung des Buß=
sakramentes, weil bei vielen das irrige Gewissen Verwirrung an=
richtet. Sie wird ja in allen Lehr= und Handbüchern der Moral
behandelt. Doch aber ist es gut, die Hauptpunkte hier wieder einmal
zusammenzufassen und die praktische Anwendung etwas näher zu
beleuchten.

Wir unterscheiden eine doppelte Regel unseres Handelns, eine
entfernte und objektive, sie ist das Sittengesetz, und eine nächste
und formelle, und diese Regel ist das Gewissen. Ohne Beziehung
auf das Gewissen kann die Handlung zwar in sich, objektiv, materiell
beurteilt werden; aber die sittliche Beurteilung für den Handelnden
selbst hängt von seinem Gewissen ab. Niemand kann eine Handlung
als gut oder bös zugerechnet werden, wenn er sich derselben nicht
in ihrer Beziehung auf das Sittengesetz bewußt wird. Dies gilt vom
vorausgehenden Gewissen. Daher verpflichtet uns das Gesetz, soweit
als wir es zur Zeit der Handlung erkennen, nicht inwieweit wir es
nachher erkennen, und die formale Güte und Schlechtigkeit einer
Handlung, die Beantwortung der Frage, ob wir dabei gesündigt
haben oder nicht, hängt von dem Gewissen ab, das wir bei der
Handlung selbst gehabt haben. Die spätere Reife des sittlichen Urteils,
seine Entfaltung, wie sie durch Unterricht, durch die Predigt, durch
das Studium der Moral, durch Befragung sachverständiger, gewissen=
hafter Männer erlangt wird, die klarere Erkenntnis, wie sie bei
Exerzitien, Missionen gewonnen wird, sind ja sehr wertvoll für die
zukünftige Ordnung unseres Lebens, haben aber auf die vergangenen
Handlungen keinen Einfluß mehr. Wie mein Gewissen bei der
Handlung selbst deren sittliche Beschaffenheit beurteilt hat, so wird
sie auch von Gott beurteilt. Der Grund liegt nach dem heiligen
Thomas (Quodlibet 3 a, 27) darin, daß das Objekt nur insoweit
auf die formale Güte oder Schlechtigkeit der Handlung Einfluß
hat, als es von der Vernunft vorgelegt wird.

Hierüber sind Ungebildete und Ängstliche aufzuklären, weil
sie oft, wenn sie eine ernste Predigt hören oder ein aszetisches Buch

lejen, meinen, in einer Sache schwer gesündigt zu haben, während sie bei der Handlung an eine Sünde oder an eine schwere Sünde gar nicht gedacht haben. So kommt es auch häufig vor, daß Leute bei der Vorbereitung auf die Beicht unruhig werden und Dinge für sündhaft oder schwer sündhaft ansehen, bei deren Uebung sie an nichts Schlimmes gedacht haben. Kinder begehen oft aus Mutwillen, aus einer gewissen Unart Handlungen, welche man im reiferen Alter als schwer sündhaft oder sehr gefährlich erklären muß; es entscheidet aber das Urteil, das sie als Kinder gehabt haben, nicht aber die Art, wie sie als reife Männer darüber urteilen.

Aber auch umgekehrt ist es der Fall. Wer zur Zeit der Handlung diese als sündhaft oder schwer sündhaft angesehen hat, während er sie später als erlaubt oder läßlich sündhaft erkennt, hat sich damals einer Sünde oder einer schweren Sünde schuldig gemacht. Die später erhaltene Aufklärung kann an der Verantwortlichkeit und Schuld nichts mehr ändern. Es mag eine gewisse Beruhigung und Befriedigung gewähren, daß man nicht auch objektiv und nach außen die sittliche Ordnung verletzt hat; aber subjektiv ist nichts geändert, die Sünde ist begangen. Das ist oft auch bei jungen Leuten zu beachten, weil sie, wie die Jugend zwar persönlich leichtsinnig, aber im sittlichen Urteil rigoros ist, eine Sünde, z. B. Lügen, Stehlen kleiner Dinge, für schwer ansehen, die sich als objektiv leicht herausstellt. Doch ist da zu beachten, daß gerade Kinder eine Handlung bei der Vorbereitung auf die Beicht als schwer sündhaft ansehen, während sie bei der Handlung selbst an eine schwere Sünde nicht gedacht haben. Darnach ist die Frage zu beurteilen, welche die Leute manchmal im Beichtstuhl stellen: „Ich habe das und das getan; war das eine schwere Sünde?" Der Beichtvater kann diese Frage gar nicht beantworten; er kann wohl sagen, was eine schwere Sünde ist, aber er kann für sich allein nicht entscheiden, ob das Beichtkind wirklich schwer gesündigt hat. Er muß also fragen: „Hast du das damals für eine schwere Sünde gehalten? Hast du geglaubt, schwer zu sündigen, wenn du das unterläffest?" Aber auch trotz dieser Fragen wird er nicht immer Gewißheit erhalten, weil die Leute ihren jetzigen Gewissenszustand leicht in die Vergangenheit verlegen und gewissenhafte Personen eher geneigt sind, die Frage zu bejahen als zu verneinen, weil sie, wie sie meinen, sicher gehen möchten. Das Gleiche gilt, wenn man nach einer Handlung Bücher nachschlägt, um zu erfahren, ob und wie man bei der Handlung gesündigt hat. Die gewonnene Belehrung hat Bedeutung für die Zukunft, das Nachforschen ist, wenn man zweifelt, Pflicht; für die Vergangenheit ist nichts zu machen. Freilich wird es sich, wie schon bemerkt, oft nicht mehr feststellen lassen, welches das Gewissensurteil des Handelnden im Augenblicke der Tat gewesen ist. Dann natürlich ist zunächst das objektive Gesetz Maßstab für die Beurteilung der Handlung, wofern uns nicht die sittliche Beschaffenheit des Subjektes, das ein zartes, wachsames

Gewissen, sittlichen Ernst, gediegene Frömmigkeit besitzt, eine be=
gründete Vermutung nach der anderen Seite nahelegen.

Wie schon aus den angeführten Beispielen hervorgeht, kommt
hier vor allem das irrige oder zweifelhafte Gewissen in Frage. Denn
wenn das Gewissen in der früheren Zeit über die Erlaubtheit oder
Unerlaubtheit der Handlung, über die Schwere der Sünde im Wesent=
lichen richtig geurteilt hat, so verschlägt es nichts, wenn sein Aus=
spruch jetzt klarer, bestimmter, nachdrücklicher das Gesetz vorhält.
Was nun das irrige Gewissen angeht, so unterscheidet man das
überwindlich und unüberwindlich irrige Gewissen. Ueberwindlich ist
der Irrtum, wenn man nicht bloß die physische und moralische
Möglichkeit hat ihn zu berichtigen, sondern auch den Irrtum selbst er=
kennt oder vermutet, auch die Verpflichtung erkennt, ihn abzulegen.
Sonst ist der Irrtum unüberwindlich, wenn auch nur eines der ge=
nannten Merkmale fehlt.

Das unüberwindlich irrige Gewissen nun gilt in bezug auf
die Beurteilung der daraus hervorgehenden Handlung dem richtigen
Gewissen gleich. Wer also mit einem solchen Gewissen etwas Sünd=
haftes für erlaubt oder geboten ansieht, sündigt nicht, sondern begeht
im Gegenteil eine gute Handlung und zwar gehört seine Handlung
der Tugend an, aus deren Beweggrund er handelt. Es glaubt
z. B. jemand, er sei aus Liebe, um Zank und Streit zu verhüten,
verpflichtet zu lügen. Er würde wirklich einen Akt der Liebe setzen,
wenn er lügt, und würde sündigen, wenn er nicht lügt. So können
auch junge Leute bei der Selbstbefleckung, Eheleute beim Mißbrauch
der Ehe von der Sünde entschuldigt sein, weil sie die Handlungen
für erlaubt halten. Aber ebenso wer infolge seines Irrtums etwas
tut, was er für sündhaft und verboten ansieht, begeht eine Sünde
von der Art und Schwere, wie er sie in seiner Handlung erkennt, wofern
er überhaupt nur anders handeln kann. Die sittliche Güte und
Schlechtigkeit unserer Handlung richtet sich nach der erkannten, vor=
gestellten, nicht nach der wirklichen Beschaffenheit des Objektes. Im
ersteren Falle sieht der Mensch das Objekt als sittlich erlaubt und
gut an, sein Wille richtet sich demnach auf ein als gut vorgestelltes
Objekt und darum ist die Willensrichtung und die Handlung selbst
gut. Im zweiten Falle wird das Objekt von der Erkenntnis als sittlich
schlecht vorgestellt und so geht die Willensrichtung auf ein als schlecht
erkanntes Objekt, wird dadurch selbst schlecht, die Handlung ist Sünde.
Wer also z. B. glaubt, er sei heute zur Abstinenz verpflichtet und
trotzdem Fleisch ißt, begeht eine Sünde gegen das kirchliche Fasten=
gebot, auch wenn tatsächlich kein Fasttag ist. Er will ja das Gebot,
das er vorhanden glaubt, übertreten. Wenn jemand einen Gegenstand
zerstört, den er für das Eigentum des Nachbarn hält, während es
sein Eigentum ist, begeht er eine Sünde der Ungerechtigkeit, der un=
gerechten Beschädigung, und zwar eine schwere oder leichte, je nachdem
er die Handlung beurteilt. Er wollte den Nächsten schädigen, wenn

er auch tatsächlich nicht den Nachbarn, sondern sich geschädigt hat. Restitution braucht er natürlich keine zu leisten, weil die Schädigung des Nebenmenschen nicht erfolgt ist. Aehnliches gilt von der im äußeren Rechtsbereich angedrohten Strafe. Sie tritt nicht ein trotz der verkehrten Willensrichtung, wenn nicht auch der äußere Tatbestand dem Strafgesetze entspricht. Wer einen Laien schlägt, in der Meinung, es sei ein Kleriker, begeht eine Sünde des Sakrilegs, wegen gewaltsamer Verletzung einer gottgeweihten Person, aber er verfällt nicht der Strafe der Exkommunikation. Er hat zwar die Sünde, aber nicht das kirchliche Verbrechen des Sakrilegs begangen.

So entscheidet also immer der Ausspruch des unüberwindlich irrigen Gewissens. Nur wenn der Mensch physisch dem Ausspruche desselben nicht folgen kann, so besteht keine Sünde, z. B. jemand, der eingesperrt oder so krank ist, daß er sich nicht vom Lager erheben kann, meint er sündige, weil er heute den Gottesdienst versäumt; er sündigt nicht trotz aller Gewissensängste. Es ist ihm physisch unmöglich, die Kirche zu besuchen. Wenn aber nur eine moralische Unmöglichkeit vorhanden wäre, welche, wenn auch schwer, noch überwunden werden könnte, oder wenn ein hinreichender Entschuldigungsgrund vorhanden wäre, dann könnte das irrige Gewissen wiederum eine Sünde herdeiführen, z. B. es wäre jemand so unwohl, daß er vom Kirchenbesuch entschuldigt wäre, absolut aber könte er noch in die Kirche gehen. Wenn er sich dazu verpflichtet hält und nicht geht, würde er sündigen. Ein anderes Beispiel: Jemand kann der abscheulichsten, unreinen oder gotteslästerlichen Gedanken nicht los werden, die wie Zwangsgedanken auf ihn einstürmen; er ist höchst beunruhigt, weil er sie für Sünden hält. Dieses sein Urteil kann nicht bewirken, daß sie wirklich Sünden sind, weil er überhaupt keine Möglichkeit hat, sie abzuwehren.

Anders lauten die Entscheidungen beim verschuldet irrigen Gewissen. Zunächst darf man niemals gegen sein irriges Gewissen handeln; sonst würde man sicher sündigen, weil man gegen das handelt, was man als Willen Gottes ansieht. Man darf aber diesem Gewissen auch nicht folgen, wenn es etwas Sündhaftes als erlaubt oder gedoten darstellt. Die Schwere der Sünde aber richtet sich nicht sowohl nach dem Gegenstande, als nach der Schuldbarkeit des Irrtums, für welche freilich zunächst die Bedeutung der Sache den Maßstab abgibt, aber auch die mehr oder minder klare Erkenntnis oder Vermutung des Irrtums, die größere oder geringere Schwierigkeit den Irrtum abzulegen, in Betracht kommen. Je klarer die Erkenntnis des Irrtums und der Pflicht, ihn abzulegen, je leichter es ist, sich Aufklärung zu verschaffen, desto schuldbarer ist die Unwissenheit und infolge dessen die daraus hervorgehende Handlung. Es kann nun aber vorkommen, daß man sich im konkreten Falle des Irrtums zwar bewußt ist, aber keine Möglichkeit hat, ihn abzulegen. Hier besteht die

Pflicht, die Handlung aufzuschieben; ist das nicht möglich, so muß man das Sichere wählen, d. h. für jene Seite sich entscheiden, welche die geringere Gefahr der Sünde in sich zu schließen scheint.

Soweit ist die Sache ziemlich einfach; aber es fragt sich hier, inwieweit man im konkreten Einzelfall eine schuldbare Unwissenheit annehmen muß. Zunächst wird die Unwissenheit leichter als sündhaft angesehen werden können, wo sie sich bezieht auf die allgemeinen Gebote des christlichen Lebens, die Gebote Gottes in ihren Haupt= bestimmungen, die Gebote der Kirche, oder auch wo es sich handelt um die Pflichten, welche der Stand, Beruf, die Lebensstellung auf= erlegt; denn jedermann hat die Verpflichtung, sich die Kenntnisse anzueignen, welche er zur christlichen Lebensführung, zur Erfüllung seines Berufes u. s. w. nötig hat. Ebenso ist die Unwissenheit leichter sündhaft, wo es sich um den Mangel der gebührenden Kenntnisse (error negativus), als um irrtümliche Auffassung der Pflichten (error positivus) handelt. Da wir alle irrtumsfähig sind und häufig irren, bietet ein solcher Irrtum leichter Anlaß zur Entschuldigung. Noch viel leichter entschuldigt die Unachtsamkeit, Unüberlegtheit, Vergeß= lichkeit. Wir haben es nicht immer in unserer Gewalt, unsere Auf= merksamkeit auf einen Gegenstand in allen seinen Beziehungen zu konzentrieren. So kann es sein, daß man aus Unachtsamkeit etwas redet oder tut, was man nicht hätte reden oder tun dürfen, z. B. es weiß jemand ganz gut, daß heute Vigil von Allerheiligen ist und daß an diesem Tage Fasttag ist, aber denkt beim Essen nicht an den Fasttag, er sündigt nicht. Aehnlich ist es mit der Unüberlegtheit. Es kann jemand unmöglich sein, im Drange der auf ihn einstür= menden Ereignisse oder Geschäfte die notwendige Ueberlegung an= zuwenden. Es wird an jemand plötzlich eine überraschende Frage gestellt. Er verneint die Frage, die er hätte bejahen sollen, oder er verrät ein Geheimnis, das er hätte verschweigen sollen. Geradeso verhält es sich mit der Vergeßlichkeit. Es liegt nicht in unserer Gewalt, daß wir nichts vergessen. Es hat jemand vielleicht ganz gut das Gebot gekannt, er kann aber auch ohne Schuld auf das ganze Gebot oder auf die Erfüllung im einzelnen vergessen haben, z. B. es hat jemand vollständig vergessen, daß er seinem Nachbar soviel Mark schuldig ist, oder er hat am gestrigen Abend sein ge= lobtes Gebet vergessen. Gewiß kann auch die Unachtsamkeit, Un= überlegtheit, Vergeßlichkeit schwer sündhaft sein, wenn sie (in einer wichtigen Sache) direkt oder indirekt freiwillig ist, und oft kann wenigstens eine läßliche Sünde gegeben sein. Aber trotzdem wird sehr häufig der Mangel jeder Achtsamkeit, die Unüberlegtheit und Vergeßlichkeit von jeder Sünde entschuldigen. Beachten wir nur, welches die Kriterien der Todsünde sind (plena advertentia, plenus consensus zum schwer sündhaften Objekt). Und doch besteht auf diesem Gebiete recht viel Unklarheit: Wie oft klagen sich die Leute im Beichtstuhl an, wenn sie, ohne daran zu denken, am Freitage

Fleisch gegessen haben! Manchmal auch Kleriker, welche einzelne
Horen des Breviers zu beten vergessen haben! Während der Ferien
kam ich mit einem gebildeten katholischen Herrn gerade auf die Frage
des unachtsamen Fleischessens am Freitag zu sprechen, der meinte,
er könne sich bei einer solchen Entschuldigung nicht beruhigen und
argumentierend sagte er, wenn sein Sohn ihm sage, er habe betreffs
einer Pflichterfüllung nicht daran gedacht oder darauf vergessen, so
lasse er diese Entschuldigung auch nicht hingehen, sondern weise ihn
zurecht und strafe ihn. Darauf ist zweierlei zu antworten. Im Rechts=
bereich (in foro externo) kann der Richter auf vorgeschützte Un=
kenntnis, Unachtsamkeit u. s. w. nicht Rücksicht nehmen und selbst
wo Unkenntnis entschuldigt, muß sie bewiesen werden, außer wo das
Gesetz die wissentliche Uebertretung straft, weil dann das Wissen
bewiesen werden muß. Sonst genügt die juridische Schuld. Die Strafe
soll hier achtsamer, vorsichtiger machen und das kommt der ganzen
Kommunität und ihren Mitgliedern zugute, wenn im konkreten Fall
der Täter auch leidet. Denken wir an Automobilunfälle, Eisenbahn=
unglücksfälle, an die vielen Sachbeschädigungen. Aehnliches gilt auch
bei der Erziehung. Einmal ist auch hier, wie schon oben bemerkt,
oft eine wenn auch geringe Schuld vorhanden: dann bedarf gerade
die Jugend mit ihrem Leichtsinn, ihrer Flatterhaftigkeit, Vergeßlichkeit
das Korrektiv der äußeren Strafe und ohnehin braucht der Erzieher
gar nicht ohneweiters zu glauben und kann es gar nicht immer glauben,
daß der „Delinquent" wirklich ohne Schuld gehandelt hat. Die äußere
Straffolge wird für die Zukunft günstig wirken; sie muß aber doch
eine andere sein als bei absichtlicher Uebertretung. Aus all dem folgt
aber doch nicht, daß alle diese Unachtsamkeiten, Unüberlegtheiten,
Vergeßlichkeiten Sünden oder gar schwere Sünden seien.

Zweitens ist hier einschlägig die Frage, ob der Mangel einer
Kenntnis, einer Achtsamkeit, welche der Mensch hätte haben können
und sollen, samt deren Folgen ihm zngerechnet werden können,
mit anderen Worten: Ob die virtuelle oder interpretative Aufmerk=
samkeit auf die Sündhaftigkeit der Handlung zur Sünde genüge.
Die Autoren scheiden sich anscheinend in zwei Lager, die einen be=
jahen, die anderen verneinen die Frage, je nach dem Begriffe, den
sie von der virtuellen Aufmerksamkeit haben. Es ist aber gewiß:
Wenn man unter virtueller Aufmerksamkeit nur die allgemeine Mög=
lichkeit und Verpflichtung versteht, auf die Sündhaftigkeit zu achten,
ohne daß irgend ein Gedanke, ein Zweifel betreffs dieser Sündhaftigkeit
vorausgegangen ist, so reicht diese virtuelle Aufmerksamkeit zur Sünde
nicht aus. Wenn gar kein Gedanke vorausgegangen ist, ist es zwar
nicht physisch, aber moralisch unmöglich aufzumerken; jede Verpflich=
tung muß doch irgendwie erkannt werden. Wenn ich im Augenblicke,
wo ich Fleisch esse, gar nicht daran denke, daß heute Freitag ist,
so mag ich heute vielleicht schon öfter an den Freitag gedacht haben,
aber ich begehe jetzt keine Sünde. Dagegen muß man zngeben, daß

der Mangel jener Kenntnis, welche man kraft seines Amtes, Berufes hätte haben können und sollen, regelmäßig verschuldet und die daraus hervorgehenden Handlungen schuldbar sind, z. B. bei einem Arzt, Beichtvater, Rechtsanwalt, Richter u. s. w. Trotzdem aber, wenn der Betreffende sich seiner Unkenntnis gar nicht bewußt ist, gar keinen Zweifel hat, ob er die nötigen Kenntnisse habe, so ist auch diese Unkenntnis unverschuldet und die daraus hervorgehende Handlung ihm nicht zurechenbar.

Was wir oben entwickelt haben vom irrigen Gewissen, findet Anwendung auch auf das zweifelhafte Gewissen. Im praktischen Zweifel an der Erlaubtheit der Handlung darf man nicht handeln. Wenn also jemand zweifelt, ob die Handlung eine Sünde sei und sie doch begeht, so begeht er eine Sünde von der Art und Schwere, wegen deren er zweifelt. Wenn jemand zweifelt, ob seine Rede eine Verleumdung sei, ob das, was er vom Nebenmenschen erzählt, wahr sei oder nicht, es aber doch behauptet, so begeht er eine Verleumdung. Wenn jemand zweifelt, ob eine unschamhafte Handlung schwere oder läßliche Sünde ist und sie doch tut, begeht er eine schwere Sünde. Er setzt sich der Gefahr aus, eine Verleumdung, eine schwere Sünde zu tun; er will die Rede, die Handlung, auch wenn sie eine Verleumdung, eine schwere Sünde ist.

Es erübrigt hier noch die ungemein wichtige Frage, was für eine Sünde der begeht, der nur im allgemeinen zweifelt, ob etwas Sünde sei oder beachtet, daß es Sünde sei, aber nicht daran denkt, ob es schwere oder läßliche Sünde sei. Die Autoren gehen hier nach allen Richtungen auseinander, weil sie von verschiedenen Standpunkten ausgehen. Die Schwierigkeit liegt darin, daß der Betreffende sich anscheinend der Gefahr einer schweren Sünde aussetzt. Nach den meisten Autoren mit dem heiligen Alphons wird hier auch in bedeutender Sache nur läßlich gesündigt, wenn der Betreffende sonst ein gottesfürchtiges Gewissen hat, die schwere Sündhaftigkeit auch nicht im allgemeinen erkannte oder aus dem Objekte erkennen mußte oder wenigstens die Verpflichtung erkannte, die Sache näher zu untersuchen. Sonst könnte man eine Todsünde annehmen. Bei dem, der ein gottesfürchtiges Gewissen hat, spricht die Präsumption dafür, daß er die Handlung nicht vorgenommen hätte, wenn er darin eine Todsünde erkannt oder ernstlich vermutet hätte. Dies gilt selbst dann, wenn ihm Bedenken wegen einer Todsünde aufgestiegen sind, die er aber nicht als begründet erkannt hat. Dies mag als praktische Regel genügen, wenn wir auch mit Ballerini (Op. mor. T. II., pag. 157) festhalten müssen, daß zwischen der einfachen Phantasievorstellung und dem unbegründeten Bedenken bis zum wohlbegründeten Zweifel eine unbegrenzte Zahl von Zwischenstufen sind, die dem Beichtvater ein sicheres Urteil erschweren. Es gibt aber auch Objekte, bei denen jedermann ihre schwere Sündhaftigkeit erkennt, wie Unzucht, schwerer Diebstahl, Meineid; hier kann sich niemand nachher ent=

ſchuldigen, er habe die ſchwere Sündhaftigkeit nicht erkannt. Ebenſo kann ſich ein Gewohnheitsſünder nicht leicht ausreden, er habe bei ſeinen Handlungen nicht die nötige Achtſamkeit auf ihre Sündhaftigkeit gehabt, z. B. bei ſeinen Uebertretungen der Faſttage, des Sonntags= gebotes, unzüchtigen Reden u. ſ. w. Es mag ja ſein, daß aktuell wenig, vielleicht gar keine Achtſamkeit da war; er hat vielleicht wirklich an den Freitag, die Sonntagspflicht, gar nicht gedacht. Aber habituell weiß er, daß ſeine Handlungen ſchwere Sünden ſind und daß er ſich auch leichtſinnig darüber hinwegſetzt: er will auch dieſe Gebote gar nicht erfüllen. Darum kann dieſe Unachtſamkeit nicht entſchuldigen, weil ſie ſelbſt ſchwer ſündhaft iſt. Er denkt an Faſten und Pflicht= meſſe nicht mehr, weil er ſie ſchon lange zu unterlaſſen gewohnt iſt. Oft fehlt auch bloß die reflexe, nicht die aktuelle und eingeſchloſſene Erkenntnis.

Noch eine kurze Bemerkung über das perplexe (verwirrte) Ge= wiſſen, mit welchem jemand, zwiſchen zwei Pflichten geſtellt, in jedem Falle zu ſündigen glaubt, ob er ſich für die eine oder die andere Seite entſcheidet, z. B. es muß jemand einen ſchwer Kranken pflegen, glaubt aber auch zum Beſuche des Gottesdienſtes verpflichtet zu ſein. Zu= nächſt beſteht die Pflicht, die Handlung aufzuſchieben, bis der Zweifel gelöſt iſt. Kann die Handlung nicht aufgeſchoben und der Zweifel nicht gelöſt werden, ſo hat man ſich für die Seite zu entſcheiden, auf der man das geringere Uedel ſieht. Für das größere Uedel ſich entſcheiden wäre Sünde und zwar ſchwere Sünde, wenn man den Unterſchied zwiſchen beiden als bedeutend erkennt, ſonſt läßliche Sünde. Kann man auch das nicht unterſcheiden, ſo kann man handeln wie man will, man ſündigt nicht. Es kann keine Notwendigkeit zum Sündigen geben; es fehlt die notwendige Freiheit. Das ſind Regeln, nach denen man die ſubjektive Verantwortlichkeit auf Grund des Gewiſſenszuſtandes zu beurteilen hat. Gewiß kann der Beichtvater nicht immer ein ſicheres Urteil erlangen, ob der Pönitent ſchwer ge= ſündigt hat; aber das iſt zur Ausübung ſeines Amtes auch nicht nötig. Davor aber muß er ſich hüten, daß er einen Pönitenten einer ſchweren Sünde für ſchuldig erklärt, wenn dies nicht gewiß iſt.

Der Rituswechſel in Polen.

Hiſtoriſche Skizze.

Von J. Roth S. J., Profeſſor des Kirchenrechts in Krakau.

Die auf dem Konzil zu Florenz im Jahre 1439 vollzogene Union der Ruthenen mit der abendländiſchen Kirche vermochte nicht tiefere Wurzel zu ſchlagen. Ungeachtet ihrer Verkündigung und kirchen= amtlichen Aufnahme bekannte ſich in der zweiten Hälfte des XV. Jahr=

hunderts noch eine große Anzahl von Ruthenen zum Schisma,[1]) und wenn auch in jener Periode noch einige ruthenische Bischöfe und Metro= politen eine gewisse Verbindung mit dem Heiligen Stuhle unterhielten,[2]) so waren die Verweser des Metropolitansitzes zu Kiew im XVI. Jahr= hundert ausgesprochene Schismatiker und förderten mit dem Schisma ungehindert die Feindschaft gegen Rom und die katholische Kirche.

Mit der Erkaltung des Eifers für die Aufrechterhaltung der Union hielten aber auch der sittliche Verfall des höheren und niederen Klerus und die Verwahrlosung des Volkes gleichen Schritt. Glaub= würdige und unverdächtige Zeitgenossen, wie Fürst Konstantin Ostrogski[3]) und die Lemberger Bruderschaft,[4]) entwerfen in ihren Berichten ein wahr= haft trauriges Bild von dem zerrütteten Zustand der ruthenischen Kirche gegen Ende des XVI. Jahrhunderts. Während aber die ruthenische Kirche verwüstet darnieder lag, entfaltete in unmittelbarer Nähe die katholische Kirche eine gesegnete Tätigkeit, nahm mit jedem Tage an geistiger Kraft zu und stieg im Ansehen und Einfluß bei dem ganzen Volke. Unwillkürlich mußte angesichts einer solchen geistigen und moralischen Machtentfaltung der katholischen Kirche in den besser= gesinnten Bischöfen und Laien Rutheniens der Gedanke wachgerufen werden, daß nur aus der Vereinigung mit Rom eine durchgreifende Reform in hohem Maße entarteten ruthenischen Kirche zu erwarten sei. „Die Kirche befindet sich in großer Betrübnis“, schreibt die Lem= berger Bruderschaft in ihrem Bericht an den Patriarchen vom Jahre 1592 über die inneren Zustände der ruthenischen Kirche. „Männer von hohem Rang fielen in verschiedene Irrtümer, und die zum Glauben ihrer Väter zurückkehren wollten, weigern sich jetzt dessen, indem sie auf die Mißstände der Kirche hinweisen; alle aber sagen einstimmig: wenn den kirchlichen Mißständen nicht abgeholfen wird, werden wir uns schließlich trennen; wir werden uns der römischen Kirche unterwerfen und dann in ungetrübtem Frieden leben.“ Am 7. September desselben Jahres berichtet dieselbe Bruderschaft: „Viele haben sich vorgenommen, sich dem Papst in Rom zu unterwerfen und unter seiner Gewalt zu leben unter ungehinderter Beibehaltung des gesamten griechischen Ritus.“[5])

Nach mehrjährigen Verhandlungen kam auch wirklich die von vielen ersehnte Wiedervereinigung mit Rom glücklich zustande, sie wurde am 9. Oktober 1595 auf der Synode zu Brest feierlich ver= kündigt.

Doch kaum hatte die Union den Sieg über ihre heftigsten Gegner errungen, da schien ihrem weiteren Aufblühen eine nicht geringe Gefahr

---

[1]) Vgl. das Schreiben Pauls II. vom J. 1468 an den Abt von Mogilno (Theiner, Vetera monumenta Polon. et Lithuan. II, Nr. 196). — [2]) Li= towski, Die ruthenisch=römische Kirchenvereinigung, genannt Union zu Brest. Deutsch von Jedzink. 1904, 22 f. — [3]) Akty otnosiaszczyjesia k' istorij zapadnoj Rossij sobrannyje i izdannyje archeograficzeskoju kommissieju. Petersburg 1851. IV, Nr. 45. — [4]) Ebend. IV, Nr. 33. — [5]) Ebend. IV, Nr. 33.

seitens ihrer eigenen Kinder zu drohen. Mit großer Betrübnis und Besorgnis um das künftige Los der Kirche mußten nämlich die unierten Bischöfe wahrnehmen, wie gerade ihre edelsten und wohlhabendsten Diözesanen sich dem griechischen Ritus entfremdeten und scharenweise zum lateinischen übertraten. Im Jahre 1624 berichtete Metropolit Rutzki nach Rom, daß seit der Annahme der Union etwa 200 Söhne aus adeligen Familien an lateinischen Lehranstalten und ebensoviele an polnischen Adelshöfen und beim Militär sich befindende Personen den Ritus vertauscht hätten, ja daß in jedem Jahre wenigstens 100 Personen aus dem Adel von der ruthenisch-unierten Kirche zur lateinischen überträten.[1] Viel gefährlicher gestaltete sich die Lage der unierten Kirche, als seit dem Jahre 1623 auch unter der unierten Ordensgeistlichkeit sich die Tendenz bemerkbar machte, dem lateinischen Ritus den Vorzug zu geben und zu demselben überzugehen.[2]

Es kann nicht unsere Aufgabe sein, an diesem Orte die Gründe, welche jene zahlreichen Uebertritte von Ruthenen zum lateinischen Ritus veranlaßten, darzulegen und ihre Berechtigung zu prüfen, noch auch die Frage zu erörtern, ob die Zulassung der zum lateinischen Ritus übertretenden Ruthenen seitens der lateinischen Geistlichkeit gerade in den Anfängen der Union opportun gewesen sei. Uns beschäftigt hier einzig und allein die rechtliche Seite dieser Tatsache. Und vom rechtlichen Standpunkt kann man meines Erachtens das Verhalten des lateinischen Klerus keineswegs tadeln. Denn weder auf dem Konzil zu Florenz, noch in dem Schreiben vom 12. Juni 1595, in welchem die ruthenischen Bischöfe um die Wiederaufnahme in die Gemeinschaft der katholischen Kirche baten, noch endlich in der Unionsbulle Klemens VIII. vom Jahre 1595 wurde auch nur mit einem Worte die Frage des Rituswechsels berührt, geschweige denn letzterer verboten.

Als nämlich im Jahre 1590 die vier Bischöfe Terlezki, Balaban, Pelczyzki und Zbirujski zum erstenmal solidarisch den Entschluß faßten, sich dem Apostolischen Stuhl zu unterwerfen, forderten sie in ihrem aus Brest datierten Schreiben bloß, „daß die Zeremonien und alle Einrichtungen, d. i. der Gottesdienst und die gesamte Kirchenverfassung, wie sie seit altersher in unserer orientalischen Kirche bestehen, von dem Heiligen Vater in Rom nicht geändert, sondern in derselben Ordnung unversehrt belassen werden."[3] Auch in ihrem Synodalschreiben an Klemens VIII. vom 12. Juni 1595 erklärten die ruthenischen Bischöfe der in Florenz abgeschlossenen Union beitreten zu wollen, „sofern der Papst ihnen die fernere Beibehaltung der orientalischen Liturgie sowie des gesamten kirchlichen Ritus zusichere."[4] Auf

---

[1] Informatio Episcoporum Ruthenorum, bei Harasiewicz, Annales Ecclesiae Ruthenicae. Leopoli 1862. 274, 281. — [2] Likowski a. a. O. 287. — [3] Vgl. Likowski a. a. O. 96. — [4] Mittimus ad Sanctitatem Vestram charissimos fratres nostros, Reverendos in Christo Hypatium Pociey, Episcopum Volodomiriensem Brestensemque, et Cyrillum Terlecki, Episcopum

diese Erklärung des ruthenischen Episkopates hin erließ Klemens VIII. am 23. Dezember 1595 die Unionsbulle Magnus Dominus, in welcher er den Ritus der Ruthenen in allen seinen Teilen bestätigte mit Ausnahme dessen, was der Wahrheit und der Lehre des katho= lischen Glaubens etwa zuwider wäre.[1] Daraus folgt allerdings, daß niemand zum Aufgeben seines griechischen Ritus gezwungen werden dürfe; ein formelles Verbot des Rituswechsels ist aber in den ange= führten Kundgebungen der ruthenischen Bischöfe und des Heiligen Stuhles noch keineswegs gegeben.

Nicht mit mehr Recht kann das Breve Pauls V. Solet circumspecta vom 10. Dezember 1615 als Beweis für den Be= stand eines derartigen Verbotes ins Feld geführt werden, wie es Likowski[2] tut. Bekanntlich verschmähten die Schismatiker kein Mittel, um nur die Union verächtlich und den Klerus sowohl als auch das Volk von derselben abwendig zu machen. Unter anderem logen sie allenthalben dem Volke vor, die Union sei gegen den ruthenischen Ritus gerichtet und diene bloß als Brücke zur Einführung des lateinischen Ritus.[3] Den Ungebildeten im Klerus und Volke, die mehr dem äußeren Ritus als dem Glauben anhingen, genügten der= artige Befürchtungen, um sowohl sich selbst von der Union fern zu halten, als auch der Entfaltung der unierten Kirche mächtig entgegen= zntreten. Um solche Gerüchte Lügen zu strafen, sandte Papst Paul V. am 10. Dezember 1615 eine Erklärung an die Ruthenen, in der er ausdrücklich hervorhob, daß es niemals in der Absicht des Heiligen Stuhles gelegen habe noch liege, den griechischen Ritus in irgend einem Punkte zu ändern, geschweige denn ihn zu beseitigen und an seine Stelle den lateinischen einzuführen; daß vielmehr das gerade Gegenteil ersichtlich sei sowohl aus den Unionsdekreten der Floren= tiner Synode und Klemens VIII wie endlich daraus, daß die Alumnen des griechischen Kollegs in Rom den Eid ablegen müssen, ohne Geneh=

Luceoriensem Ostrogiensemque, quibus mandavimus, ut Sanctitatem Vestram adeant ac, siquidem Sanctitas Vestra administrationem sacramentorum ritusque et ceremonias orientalis ecclesiae integre, inviolabiliter atque eo modo, quo tempore unionis illis utebamur, nobis conservare confirmareque pro se et successoribus suis nihil in hac parte innovaturis unquam dignetur, suo et omnium nostrum Archiepiscopi et Episcoporum totiusque ecclesiastici nostri status et ovium commissarum nobis divinitus nomine Sedi S. Petri et Sanctitati Vestrae uti Summo Pastori Ecclesiae Christi debitam obedientiam deferant (Malinowski, Die Kirchen= und Staatssatzungen bezüglich des griechisch= katholischen Ritus der Ruthenen in Galizien. Lemberg 1861. 25). — [1] .... ad maiorem charitatis nostrae erga ipsos significationem omnes sacros ritus et ceremonias, quibus Rutheni Episcopi et clerus iuxta Sanctorum Patrum Graecorum instituta in Divinis Officiis ac Sacrosanctae Missae sacrificio ceterorumque Sacramentorum administratione aliisve sacris functionibus utuntur, dummodo veritati et Doctrinae Fidei Catholicae non adversentur et communionem cum Romana Ecclesia non excludant, eisdem Rutheuis Episcopis et Clero ex Apostolica benignitate permittimus, concedimus et indulgemus (Malinowski a. a. O. 27). — [2] a. a. O. 292[1]. — [3] Vgl. die Konstitution Benedikts XIV. Allatae sunt vom 26. Juli 1755, § 14.

migung des Heiligen Stuhles nicht zum lateinischen Ritus überzu=
treten.¹) Der Papst protestiert demnach bloß gegen die lügenhaften
Behauptungen der Schismatiker, als ob die Absicht des Heiligen
Stuhles darauf hinausginge, die Ruthenen zu latinisieren. Daraus
aber, daß die Alumnen des griechischen Kollegs zu Rom sich eidlich
verpflichten mußten, ihren orientalischen Ritus ohne päpstliche Er=
laubnis nicht zu ändern, kann wieder nicht gefolgert werden, eine
derartige Verpflichtung wäre zu jener Zeit allen Ruthenen gemein
gewesen.

Ein formelles Verbot der Annahme des lateinischen Ritus
seitens der Ruthenen erließ zum erstenmal Papst Urban VIII. mit
Dekret vom 7. Februar 1624,²) in dem es unter anderem heißt:
„Niemandem, weder einer weltlichen noch einer geistlichen Person,
noch weniger den Basilianern ist es gestattet, auch nicht aus den
wichtigsten Beweggründen, ohne besondere Erlaubnis des Apostolischen
Stuhles den Ritus zu ändern und zum lateinischen überzugehen.“

Diese päpstliche Verordnung stieß aber am polnischen Königshofe
auf nicht geringe Schwierigkeiten. Der lateinische Episkopat erblickte
in obigem Verbote eine Beeinträchtigung und Gefährdung des latei=
nischen Ritus. Infolgedessen verweigerte Sigismund III. seine Zu=
stimmung zu dessen Ausführung und verlangte, das päpstliche Verbot
möchte auf die geistlichen Personen, in erster Linie auf die Basilianer
beschränkt werden. Urban VIII. sah sich gezwungen, dem Willen des
Königs nachzugeben, und änderte wirklich schon unter dem 7. Juli
desselben Jahres obiges Dekret dahin ab, daß es bloß den geistlichen

---

¹) Ritus universos, quibus Rutheni antiquitus usi fuerant, dummodo
veritati et doctrinae catholicae non adversentur et communionem cum Ecclesia Romana non excludant, per unionem praemissam tollere aut extinguere
Ecclesiae Romanae intentionem, mentem et voluntatem non fuisse nec esse nec
id dici vel censeri potuisse nec posse; quinimo dictos ritus eisdem Ruthenis
Episcopis et Clero ex Apostolica benignitate permissos, concessos et indultos
esse, ex litteris Clementis Papao VIII et Concilio Florentino et ex instituto
collegii Graecorum urbis Romae, cuius alumni praestant iuramentum de non
transeundo ad ritum latinum sine Apostolicae Sedis licentia, apparet (Malinowski, a. a. O. 33). — ²) Ad conservandam pacem et concordiam
inter Ruthenos unitos et ob alias gravissimas causas SS. in Christo
Pater et Dominus Noster, D. Urbanus div. prov. Papa VIII . . . . .
decrevit, ne de cetero Ruthenis unitis, sive laicis sive ecclesiasticis,
tam saecularibus quam regularibus et praesertim monachis S. Basilii M,
ad latinum ritum quacunque de causa etiam urgentissima sine speciali
Sedis Apost. licentia transire liceat, et proinde omnibus Archiepiscopis,
Episcopis et Officialibus Ruthenorum unitorum districte praecipiendo
mandavit, ne deinceps licentias pro huiusmodi transitu subditis suis,
cuiuscunque gradus et conditionis existant, concedere praesumant; et
Archiepiscopis, Episcopis et aliis Praelatis latinis et eorum Officialibus, ne
Ruthenos praedictos unitos ad latinum ritum transire volentes, quovis prae-
textu aut causa, etiam cum licentia Ruthenorum Praelatorum suorum reci-
pere audeant, sub paena nullitatis actus et aliis arbitrio Sanctitatis Suae
et Romanorum Pontificum, successorum suorum, transgressoribus infligendis
(Collectio Lacensis II, 603).

Perſonen verbot, ohne beſondere Erlaubnis des Heiligen Stuhles den griechiſchen Ritus zu wechſeln.[1]

Daß durch letzteres Dekret die Verordnung vom 7. Februar 1624 Geſetzeskraft verloren hatte, ſteht außer Zweifel. Es erhellt dies ſchon aus dem Wortlaut des Julidekretes, durch das der Papſt ausdrücklich „befahl, das den Rituswechſel betreffende Dekret auf die geiſtlichen Perſonen zu beſchränken". Selbſt im XVIII. Jahrhundert noch, als die Streitfrage über die Zuläſſigkeit des Rituswechſels wieder mit erneuter Heftigkeit auftauchte, konnte ſich der polniſche Epiſkopat in ſeinem, auf dem Reichstag zu Grodno dem König überreichten Memo= randum vom 20. Oktober 1752[2] mit Recht auf das Julidekret Ur= bans VIII. berufen; und in ſeinem an den apoſtoliſchen Nuntius gerichteten Antwortſchreiben vom 28. März 1752 berichtet der Prze= myśler Biſchof Sierakowſki: „Nach Erlaß des Dekretes vom 7. Juli 1624 haben zwar einige Laien den Apoſtoliſchen Stuhl um Dispens zum Uebertritt vom griechiſchen zum lateiniſchen Ritus gebeten, doch die Kongregation hat ſtets geantwortet: Laien bedürfen keiner Dispens auf Grund des genannten Dekretes vom 7. Juli 1624. Auch in der Angelegenheit des adeligen Szczawinſki iſt ein Dispensgeſuch für überflüſſig erachtet worden, da derſelbe als Laie ohne Dispens den lateiniſchen Ritus annehmen und hierauf zum Prieſter geweiht werden darf."[3] Selbſt Malinowſki[4] kann nicht in Abrede ſtellen, daß noch in der erſten Hälfte des XVIII. Jahrhunderts die Propaganda einigen rutheniſchen Laien, die zum lateiniſchen Ritus entlaſſen zu werden verlangten, geantwortet habe: „Ipsos vigore decreti sub 7. Juli 1624 editi non indigere dispensatione s. Sedis Romanae, commisitque Nuntio, ut huiusmodi responsum daret non publice, sed summa cum cautela."

War auch der Rituswechſel durch ein formelles Geſetz nicht verboten, ſo lag es doch unzweifelhaft im Geiſte der Kirche, zur An= nahme eines anderen Ritus die päpſtliche Genehmigung zu fordern. Wir ſahen oben, wie der Heilige Stuhl die Veröffentlichung des Detretes vom 7. Februar 1624 nicht durchzuſetzen vermochte, viel= mehr gezwungen wurde, es auf die Prieſter und vor allem auf die Baſilianer zu beſchränken. Trotzdem verſäumte Rom nicht durch Ermahnungen und Befehle den Lateinern in Polen das genannte Dekret zur Beobachtung einzuſchärfen. So erklärte z. B. die Propa= ganda unterm 29. Juli 1631, in Sachen des Rituswechſels der Ruthenen ſei von dem erſten Dekret Urbans VIII. nicht abzugehen; weil aber der König die Publikation desſelben verhindert habe und

---

[1] In Congregatione habita die 7. Julii 1624 coram SSmo, referente Illmo D. Card. Bandino rationes, quas Nuntius Poloniae significabat a rege opponi publicationi decreti de transitu Ruthenorum ad ritum Iatinum, de quibus latius in literis eiusdem Nuntii sub die 31. Maii 1624, SSmus iussit decretum de transitu restringi ad ecclesiasticos ... (Collect. Lac. II, 603). — [2] Malinowſki a. a. O. 76. — [3] Malinowſki a. a. O. 70. — [4] a. a. O. 50 ff.

noch verhindere, so habe sie dem Nuntius in Polen den Auftrag erteilt, mit den Ordensprovinzialen, besonders mit dem der Jesuiten, Rücksprache zu nehmen und sie anzuweisen, daß sie im Namen des Heiligen Vaters und der Propaganda die ihnen untergebenen Beicht= väter ermahnen, sich künftighin der Zurückführung (reductio) der unierten Ruthenen zum lateinischen Ritus zu enthalten.[1] Eine ähn= liche Ermahnung wiederholte der polnische Nuntius in seinem unterm 24. August 1707 an den ruthenischen Bischof von Przemysl, Win= nitzki, gerichteten Schreiben, „in dem der Prior der Przemysler Dominikaner ermahnt wird, Ruthenen zur Annahme des lateinischen Ritus nicht zu verleiten". In einem zweiten Schreiben vom 5. Oktober desselben Jahres versicherte der Nuntius in Polen, „er trage Sorge dafür, daß die Ruthenen in ihrem Ritus verbleiben". Und in der Tat, schon am 6. Februar 1708 wurde dem Nuntius eine Abschrift des Februardekretes Urbans VIII. von der Propaganda mit der Weisung übermittelt: „ut eo prudenter utatur obtutu antiquarum regiae aulae oppositionum". Wahrscheinlich glaubte Bischof Winnitzki, der Apostolische Nuntius gehe unnötigerweise mit übertriebener Vorsicht zu Werke; denn durch wiederholte Bitten setzte er bei der Propaganda einen Beschluß vom 11. November 1710 durch: „Scribatur fortiter Domino Nuntio, ut decretum Urbani VIII. ad amussim observetur, et ne Rutheni ab Episcopis et Religiosis r. l. ac in specie a missionariis Samboriensibus ad ritum latinum pertrahantur"; woraufhin die gedachte Kongregation nach Erörterung der von Winnitzki gestellten Frage, ob den Ruthenen der Uebertritt zum lateinischen Ritus gestattet sei, im Jahre 1712 dem Nuntius in Polen den Befehl zugehen ließ: „Publicare primum Urbani VIII. decretum."[2]

Aus leicht begreiflichen Gründen mußte ein erneuter Versuch, das genannte Dekret zu publizieren, auf ähnliche Schwierigkeiten stoßen, wie im Jahre 1624. Deshalb unterließ auch der Apostolische Nuntius die feierliche Promulgation des Dekretes, teilte es aber den Bischöfen und Provinzialobern mit, die ihrerseits versprachen, sich genau nach den Vorschriften des genannten Dekretes zu halten.[3] Daß die latei= nischen Bischöfe es ernst meinten mit ihrem Versprechen, geht klar hervor aus den Hirtenschreiben, in welchen sie ihren Untergebenen die Beobachtung des Februardekretes Urbans VIII. einschärften. So erließ der Wilnaer Bischof Konstantin Kasimir Brzozowski am 14. Ja= nuar 1712 an seine Diözesanen einen Hirtenbrief folgenden Inhalts: „In der Absicht, durch seine väterliche Fürsorge der Unzufriedenheit und den Zwistigkeiten, welche zwischen Angehörigen des lateinischen

---

[1] Malinowski a. a. O. 37. — [2] Malinowski a. a. O. 41. —
[3] Quod praedictum decretum Polonis fuerit ignotum quodque, illo Episcopis Ordinumque regularium capitibus communicato acceptaque istorum sponsione super observantia Pontificii decreti, abstinuerit ab eius publicatione (Malinowski a. a. O. 41).

und griechisch=unierten Ritus wegen des Uebertrittes von einem Ritus
zum anderen häufig entstanden, ein Ende zu machen, erließ Unser
Hlst. Herr Urban VIII. sel. And. ein Breve folgendes Inhaltes . . . .
Da dieses Breve Dank den Unruhen jener Zeit nicht genügend ver=
öffentlicht worden ist und deshalb diejenigen nicht verpflichtete, die
von demselben keine Kenntnis hatten, entzog es der Apostolische Nun=
tius von Polen und Lithauen auf Verlangen des ruthenischen Metro=
politen und anderer Prälaten Rutheniens dem Dunkel der Vergangen=
heit und übermittelte es Uns zur Veröffentlichung. Infolgedessen ver=
öffentlichen Wir das genannte Breve durch dieses Unser Schreiben
und ermahnen Wir den Welt= und Ordensklerus, unierte Griechen,
die von ihrem Ritus zum lateinischen übertreten möchten, von nun
ab unter keinem Vorwand aufzunehmen, geschweige denn sie auf un=
erlaubte Weise zum Verlassen ihres Ritus zu verleiten."[1] Auch der
lateinische Erzbischof von Lemberg, Johann Skarbek, richtete im Ein=
vernehmen mit dem ruthenischen Erzbischof Barlaam Szeptyzki am
14. Juni 1714 an seinen Klerus eine Verordnung, in welcher das
gegenseitige Verhältnis zwischen Lateinern und Ruthenen nach mehreren
Richtungen hin geregelt und im § 7 insbesondere die Zulassung der Ru=
thenen zum lateinischen Ritus verboten wurde.[2] Am 15. Februar 1728
erklärte der lateinische Bischof von Lutzk und Brest, Boguslaus Rupnizki:
„Wie Wir bisher den Uebertritt der Ruthenen zum lateinischen Ritus nie=
mals gestatteten, so werden Wir auch in Zukunft Unsere Genehmigung
dazu verweigern, da Wir wohl wissen, daß dies Uns durch das Breve
Urbans VIII. sel. And. geboten ist. So oft aber jemand dabei betroffen
würde, daß er, von anderen verleitet, zum lateinischen Ritus über=
getreten ist, werden Wir auf Verlangen des griechischen Metropoliten
von Kiew alle Unsere Autorität einsetzen, damit derselbe zu seinem
früheren Ritus zurückkehre; wofern dieser Uns das Gleiche nicht ver=
weigere jenen gegenüber, die in Unserer Diözese vom lateinischen Ritus
zum ruthenischen übergetreten sind."[3]

An der gewünschten Gegenseitigkeit ließen es aber die Ruthenen
von jeher fehlen. Mochten auch die Klagen des ruthenischen Episkopates
über den lateinischen Klerus noch so gerechtfertigt erscheinen, das ähn=
liche Vorgehen der ruthenischen Geistlichkeit gegenüber den Lateinern
mußte die lateinischen Priester in ihrer Praxis bestärken und gegen
alle Vorstellungen ihrer Oberen taub machen, zumal sie sahen, wie
die Ruthenen in Rom fortwährend Klage gegen sie führten, aber
ungescheut das taten, was sie an den Lateinern tadelten. Schon auf
der am 12. April 1644 zu Krasnostaw gefeierten Synode beklagt sich
der Chelmer Bischof Paul Piasetzki darüber, daß die unierten Ruthenen
dem lateinischen Klerus und der lateinischen Kirche weit mehr Kummer
und Unannehmlichkeiten bereiten, als zu Zeiten, wo sie der katholischen

---

[1] Malinowski a. a. O. — [2] Malinowski a. a. O. 42. — [3] Ma=
linowski a. a. O. 44.

Kirche noch fernstanden; denn sie verderben die lateinische Jugend, verleiten sie zur Annahme des ruthenischen Ritus und verbieten bei lateinischen Priestern zu beichten.[1]) Unter dem Vorwand eines Notgrundes, schreibt der Przemysler Bischof Sierakowski am 28. März 1752, taufen die ruthenischen Priester öfters Kinder lateinischer Eltern, welche sie dann, sobald sie herangewachsen sind, durch Prozesse für ihren Ritus zu gewinnen suchen.[2]) Dieselben Klagen erheben die polnischen Bischöfe in ihrem unterm 20. Oktober 1752 an den König gerichteten Schreiben, und fügen hinzu: „verius et iustius contra Reverendissimos Episcopos ritus graeci in eo conqueri possumus, quod ipsi iniuriose nobis obiiciunt."[3]) Als am 3. Juni 1757 der ruthenische Bischof von Chelm an den Apostolischen Nuntius in Polen sich wendete mit der Bitte, die Ruthenen, welche von den Lateinern augenscheinlich beeinträchtigt würden, in Schutz nehmen zu wollen, fand der Nuntius bloß die eine Antwort: die ruthenischen Priester seien zu ermahnen, nicht das zu tun, was sie den polnischen zum Vorwurf machten.[4])

Unter Benedikt XIV. ging die römische Kurie neuerdings an die Regelung des Verhältnisses zwischen Lateinern und Ruthenen. Am 24. November, bezw. 10. Dezember 1748 erließ sie ein provisorisches Dekret, das den ruthenischen Laien verbot, zum lateinischen Ritus überzugehen ohne Genehmigung des kompetenten lateinischen Bischofs, und überwies die gesamte Streitfrage einem Referenten zur Begutachtung. Aus nicht weiter zu ermittelnden Gründen geriet aber die diesbezügliche Arbeit der Kurie bald ins Stocken. Doch schon am 18. September 1751 stellte Benedikt XIV. in seinem Breve an die ruthenischen Bischöfe die baldige Wiederaufnahme der Verhandlungen in Aussicht und versicherte sie, er werde alle Hebel in Bewegung setzen, damit der Uebertritt der Ruthenen zum lateinischen Ritus nicht nur verboten, sondern dem Verbote auch die Exekution gesichert werde.[5]) Nun wurden die Verhandlungen zwischen Rom einerseits und dem königlichen Hofe und dem Episkopate beider Riten andererseits wieder in Fluß gebracht. Mehrere Jahre zogen sie sich in die Länge, vermochten aber nicht, ein positives Resultat herbeizuführen.[6]) Bei dem heftigen Kampfe und den geteilten Interessen zwischen Polen und Ruthenen war es eben ein Ding der Unmöglichkeit, den Wünschen und Forderungen beider Parteien in gleichem Maße gerecht zu werden und in der Streitfrage eine Entscheidung herbeizuführen, die nach dem Geschmacke der Ruthenen gewesen und nicht zugleich den wahren oder auch nur eingebildeten Interessen der Lateiner zu nahe getreten wäre.

Erst nach der ersten Teilung Polens ward es dem Heiligen Stuhle ermöglicht, wenigstens für einen Teil des früheren Königreichs den fast zweihundertjährigen Streit zwischen den Ruthenen und La-

---

[1]) Malinowski a. a. O. 38. — [2]) Malinowski a. a. O. 68. — [3]) Malinowski a. a. O. 80. — [4]) .... commonendosque esse presbyteros Ruthenos, ne idem agant, quod in latinis improbant (Malinowski a. a. O. 177). — [5]) Malinowski a. a. O. 65. — [6]) Malinowski a. a. O 644 ff.

teinern endgiltig beizulegen. Mit Breve vom 16. April 1774 bestätigte
Papst Klemens XIV. das Dekret Urbans VIII. vom 7. Februar 1624
für alle zu Rußland gehörigen Provinzen und schärfte dessen Beobachtung auf das strengste ein.[1] Im österreichischen Anteil des früheren Polens dagegen nahm die Streitfrage eine ganz andere Wendung. Hier legte sich die Regierung ins Mittel und versuchte eine
Lösung derselben aus eigener Machtvollkommenheit. Nach Einverneh-
mung des galizischen Gouverneurs erfolgte an diesen am 3. August 1776
eine Hofentschließung des Inhaltes: „Desselben Einrathen, daß in künftigen Fällen, wo über den transitum ab uno ritu ad alterum eine
Streitigkeit entsteht, jedesmal die Ortspfarrer utriusque ritus die
Sache de casu ad casum an ihren betreffenden Ordinarium anzeigen, diese solche mit Beifügen ihrer Gründe an dasselbe ein-
berichten, von ihme k. Gubernio aber endlich nach Vernehmung derer
gegentheiligen Behörden der gutächtliche Bericht anher erstattet werden
solle, wird hiemit vollkommen begenehmiget.“[2] Auf diese Weise wurde
die Einholung der päpstlichen Genehmigung deim Rituswechsel kurzweg für überflüssig erklärt, — eine Maßnahme, die in dem Staats-
rechte des „aufgeklärten“ Zeitalters ihre Erklärung findet. Diese staat-
licherseits eingeführte Prozedur deim Rituswechsel schärfte Josef II.
neuerdings ein mittels Hofdekretes vom 19. Juni 1787, und eine vom
griechisch-katholischen Konsistorium in Lemberg am 22. Oktober 1787
eingelegte Beschwerde[3] faud deim Gubernium keine Berücksichtigung.
     Da in den folgenden Jahren griechisch-katholische Laien und
aus Rußland flüchtige Basilianer polnischer Herkunft von den lateinischen Ordinariaten Galiziens öfters ohne voraufgehende Erlaubnis
des Apostolischen Stuhles zum lateinischen Ritus zugelassen wurden,
beschwerten sich darüber in Rom zu wiederholten Malen sowohl die Oberen
der Basilianerklöster als auch die ruthenischen Bischöfe Galiziens. Daraufhin glaubte Papst Pius VII. dem unerquicklichen Streite zwischen den beiden
Riten der katholischen Kirche doch ein Ende machen zu müssen. Mit Dekret
vom 13. Juni 1802 bestätigte er die Uebertrittsverbote Urbans VIII.
vom 7. Februar 1624 und Klemens XIV. vom 16. April 1677 und
befahl, dasselbe durch den Wiener Nuntius dem ruthenischen Metropoliten Anton Angellowicz zukommen zu lassen. Der letztere suchte
aber vergebens das staatliche Plazet zur Ausführung des päpstlichen
Erlasses zu erwirken. Mit Gubernialverordnung vom 11. März 1808,
Z. 10.504, wurde ihm ein Hofdekret vom 11. Februar desselben Jahres
intimiert, das bestimmte, bezüglich des Uebertrittes von einem Ritus
zum anderen solle es bei den bereits hierüber erflossenen Verordnungen sein Verbleiben haben und folglich von dem neuen Dekrete
des Heiligen Stuhles keine Notiz genommen werden. Und dann
wieder am 20. Februar 1818, Z. 7897, eröffnete das k. k. Guber-

---

[1] Collectio Lac. II, 607. — [2] Malinowski a. a. O. 649. —
[3] Malinowski a. a. O. 652.

nium den ruthenischen Bischöfen, Se. Majestät habe mit Resolution vom 25. Jannar d. J. für die Zukunft zur Richtschnur vorzuschreiben geruht, daß zum Rituswechsel die Genehmigung des Heiligen Stuhles naturgemäß (?) nicht notwendig sei; auch erwarte Hochdieselbe, daß jenen griechisch-katholischen Laien, die sich dem geistlichen Stande in dem lateinischen Ritus widmen wollen, die Bewilligung hierzu seitens der griechisch-katholischen Ordinariate nicht verweigert werde; bei gemischten Ehen aber solle es den Gatten freistehen, bei ihrem Ritus zu verbleiben und ihre Kinder nach deren Geschlechtsverschiedenheit im Ritus ihrer Eltern taufen und erziehen zu laffen.

Mit dem Eingreifen der staatlichen Gewalt hatte somit die Streitfrage eine konkretere Gestalt angenommen. Es fragte sich vor allem, ob auf die Ruthenen Galiziens sich die von Benedikt XIV. am 26. Mai 1742 für die Italo-Griechen erlassene, auf dem Standpunkte des Dekretes Urbans VIII. vom 7. Juli 1624 stehende Konstitution Etsi pastoralis Anwendung finde,[1]) oder einzig und allein das Dekret Urbans VIII. vom 7. Februar 1624 für die galizischen Zustände maßgebend sei. Während der lateinische Episkopat und im großen und ganzen auch die Regierung sich auf den Standpunkt der Konstitution Etsi pastoralis stellten, erklärten die ruthenischen Bischöfe, — allerdings mit Recht — das Februardekret Urbans VIII. als einzig giltige und zu Recht bestehende Norm für die Beurteilung des gegenseitigen Verhältnisses beider Riten in Galizien. Hartnäckig wurde von beiden Parteien der einmal eingenommene Standpunkt behauptet, allerdings nicht zum Wohl der katholischen Kirche noch zur Erbauung des Volkes.

Die nicht endenwollenden Zwistigkeiten bewogen endlich das Kultusministerium, mit Erlaß vom 18. Mai 1852, Z. 1048/921, intimiert durch Präsidialschreiben vom 9. März 1853, Z. 4956, eine Zusammenkunft der Bischöfe beider Riten behufs Regelung des beiderseitigen kirchenrechtlichen Verhältnisses zu veranlassen. Das Resultat der Bischofskonferenz war eine Uebereinkunft der Kirchenfürsten in einzelnen strittigen Punkten, welche am 23. Dezember 1853 dem Heiligen Stuhle zur Bestätigung unterbreitet wurde. Aus nicht näher bekannten Gründen mußte in Rom die Prüfung der von den Bischöfen

---

[1]) Die Konstitution Etsi pastoralis bestimmte im § 2 n. 14 bezüglich des Rituswechsels: „Quodsi infans graecum ritum in baptismate susceperit, tunc requirendus est primum patris graeci consensus, deinde episcopi latini licentia, ut possit mater latina filium suum graece baptizatum ad latinas caeremonias traducere. Adultis autem, si quidem sunt ecclesiastici in quocunque ordine minori vel etiam maiori constituti, saeculares, vel regulares, a ritu graeco ad latinum sine expressa Sedis Apostolicae licentia transire non liceat; si laici, ut ad ritum latinum transire possint, episcopus dioecesanus pro sua prudentia permittere valeat; non tamen communitati Graecorum sive Albanensium huiusmodi sine Sedis Apostolicae licentia, sed solum privatis personis, attenta uniuscuiusque necessitate" (Bullar. Bened. XIV. ed. Romae 1760 I, 76).

gemachten Eingabe hinausgeschoben werden.[1]) Unterdessen wandte sich der ruthenische Erzbischof am 19. Februar 1862 durch die k. k. Statthalterei an das Staatsministerium mit der Bitte, daß auf Grund des Art. 35 des österreichischen Konkordates „das k. k. Hofkanzleidekret vom 25. Jänner 1818 (Gub.-Intimat vom 20. Februar 1818, Z. 7897) bezüglich der auf die Konstitution Etsi pastoralis basierten Bestimmungen außer Kraft gesetzt werde, um auf diese Art dem lateinischen Klerus in Galizien den Vorwand mit Berufung auf das gedachte k. k. Hofkanzleidekret zu benehmen, den griechisch-katholischen Klerus zu bedrängen und zu schmälern". Unterm 5. September 1862, Z. 410, antwortete jedoch die k. k. Statthalterei: „Wie Se. Exzellenz der Herr Staatsminister unterm 23. August l. J., Z. 3880 St. M. I., eröffnet hat, ist die Regelung des kirchlichen Wechselverhältnisses zwischen den Katholiken des lateinischen und griechischen Ritus zunächst Sache der Kirchengewalt. Von diesem Standpunkte ist diese Angelegenheit in neuerer Zeit angesehen und behandelt worden, und es vermag demnach das hohe Ministerium zur Austragung derselben nur dadurch mitzuwirken, daß, was unter Einem geschieht, im Wege des Ministeriums des Äußeren die Intervention des kaiserlichen Botschafters bei dem Heiligen Stuhle in Anspruch genommen wird, damit die schon im Jahre 1855 (?) in nahe Aussicht gestellte Regelung der katholischen Ritusverhältnisse in Galizien durch die kompetente kirchliche Auktorität endlich zustande gebracht werde." Es wäre aber zweckdienlich, daß auch der katholische Episkopat Galiziens seinerseits die geeigneten Schritte beim Heiligen Stuhle mache; bis zu einer endgültigen Regelung der Angelegenheit könnten jedoch die Bestimmungen des bezogenen Hofkanzleidekretes nicht außer Kraft gesetzt werden.[2])

Bevor noch der kaiserliche Botschafter beim Heiligen Stuhle sich ins Mittel legen konnte, hatte die Propaganda die diesbezüglichen Arbeiten schon am 4. und 12. August 1862 in Angriff genommen und zur Klarstellung einiger Punkte der im Jahre 1853 eingereichten Uebereinkunft dem Nuntius in Wien aufgetragen, die galizischen Bischöfe um ihr Gutachten zu bitten. Doch vergebens wartete man in Rom auf eine Aeußerung des galizischen Episkopates beider Riten. Infolgedessen erging an denselben seitens des Heiligen Stuhles am 2. März 1863 die erneute Aufforderung, doch endlich einmal die zur Abhilfe der schreienden Mißstände geeigneten Mittel in Vorschlag zu bringen und binnen kurzem einen Vertrauensmann nach Rom zu entsenden, der dem Heiligen Stuhle über die Sachlage eingehenden Bericht erstatte.

Die unheilvolle Kluft, welche zwischen den beiden Riten seit jeher bestanden, hatte gerade im letzten Jahre um ein bedeutendes sich erweitert, und eine endgültige Einigung der Parteien war zur unabweislichen Notwendigkeit geworden. So glaubten die Bischöfe

---

[1]) Vgl. das Dekret der Propaganda vom 6. Oktober 1863 (Collect. Lac. II, 561). — [2]) Malinowski a. a. O. 684 ff.

der Lemberger Kirchenprovinz nicht länger zögern zu dürfen, die
letzte Hand an das Friedenswerk anzulegen. Sie erschienen persönlich
in Rom, und nach wiederholten Beratungen gelang es ihnen auch,
am 17. Juli 1863 eine Vereinbarung in den wichtigsten Kontrovers=
punkten zu treffen. Nachdem dieselbe in der Plenarsitzung der Pro=
paganda vom 30. September überprüft worden war, erhielt sie am
6. Oktober 1863 seitens des Heiligen Vaters die allerhöchste Be=
stätigung und wurde unter gleichem Datum von der Kongregation der
Propaganda als deren eigenes Dekret herausgegeben, um ihr eine
höhere Autorität zu verleihen und größere Stetigkeit zu sichern.

Nebst einigen anderen kontroversen Punkten, die die liturgischen
Verrichtungen, die Verwaltung der Sakramente und die gegenseitigen
Beziehungen der Priester, bezw. der Gläubigen beider Riten betrafen,
fand in der auf diese Weise sanktionierten Vereinbarung — allgemein
unter dem Namen Konkordia bekannt — an erster Stelle die Streit=
frage über den Rituswechsel eine Erledigung, die beide Parteien auf
das vollkommenste befriedigen mußte.

Es wurde nämlich bestimmt, daß ein jeder verpflichtet sei, in
seinem ursprünglichen Ritus zu verbleiben. Der eigenmächtige
Uebertritt zu einem anderen ist strengstens verboten und überdies
null und nichtig, auf welche Weise er immer vollzogen worden
(Konkordia A. a.). Weder die von einem Priester des anderen Ritus
im Notfalle — wegen der Lebensgefahr des Kindes oder wegen Ver=
hinderung des eigenen Priesters — gespendete Taufe, noch die Beichte
bei einem Priester des fremden Ritus, noch die heilige Kommunion,
mag sie selbst in der Absicht den Ritus zu wechseln empfangen sein,
endlich auch nicht die in Todesgefahr von einem Priester des anderen
Ritus erhaltene letzte Oelung vermögen den Uebergang zu einem
anderen Ritus zu begründen oder zur Folge zu haben (Konkordia C.).

Fordert jedoch eine dringende Notwendigkeit den Uebertritt zu
einem anderen Ritus, oder machen einen solchen vernünftige Gründe
ratsam, so ist zur Erteilung der hierzu erforderlichen Erlaubnis einzig
und allein der Heilige Stuhl kompetent, und ist bei Nachsuchen
dieser Erlaubnis folgendes Verfahren gewissenhaft zu beobachten. Wer
von seinem Ritus zu einem anderen überzutreten wünscht, muß seine
Bitte bei dem Diözesanbischof mit genauer und treuer Angabe der
Gründe vortragen. Dieser begutachtet die Bitte und Gründe des Ge=
suches und sendet es an den Bischof desjenigen Ritus, zu dem der
Uebergang gewünscht wird. Nachdem auch dieser seinerseits Be=
merkungen zu Gunsten oder Ungunsten des Uebertrittes dem Gesuche
beigefügt und dieses nach Rom gesendet, entscheidet schließlich der
Heilige Stuhl entweder selbst oder durch seinen Delegaten, ob der
Uebertritt zu gestatten sei oder nicht. In dringenden Fällen jedoch,
die keinen Aufschub dulden, erteilt der Bischof, zu dessen Ritus der
Bittsteller übergehen will, unter Beobachtung des soeben dargestellten
Verfahrens die gewünschte Erlaubnis provisorisch und unter der

Bedingung, wenn der Heilige Stuhl den Uebergang gutheißt (Kon=
kordia A. a.).

Eine Aufnahme in die Kirche des fremden Ritus, die ohne
rechtmäßige Erlaubnis stattfindet, ist null und nichtig, wenn der
Priester jemanden mit Wissen und absichtlich seinem eigenen Ritus
zugesellt hat. Ebenso ist, wie schon oben hervorgehoben wurde, ein
heimlich bewerkstelligter Rituswechsel rechtlich ungültig, und der Emp=
fang der heiligen Sakramente von dem nach·eigenem Belieben er=
wählten Priester selbst dann kein genügender Titel zur Begründung
eines Anspruches auf Zugehörigkeit zu diesem Ritus, wenn der Trug
erst nach Jahren aufgedeckt wird (Konkordia A. a, c.).

Um eine gewissenhafte Beobachtung der hier besprochenen Be=
stimmungen der Konkordia seitens des Klerus zu erzielen, wurden
gleicherzeit Strafen angesetzt gegen Priester, welche es wagten, je=
manden widerrechtlich in seinen Ritus aufzunehmen. Und zwar
wurden Ordenspriester, die jemanden, der gegen obige Bestim=
mungen zu ihrem Ritus übergeht, mit Wissen und absichtlich auf=
nehmen, denjenigen Strafen als verfallen erklärt, welche Benedikt XIV.
in der Konstitution Demandatam nobis vom 24. Dezember 1743
§ 19 bestimmt.[1] Nach dieser Konstitution gehen Ordenspriester ipso
facto ihres aktiven und passiven Stimmrechtes verlustig und werden
unfähig zu jedem Amte und Grade im Orden. Macht sich aber ein
Weltpriester, sei er nun Pfarrer oder Kooperator, des obigen Ver=
gehens schuldig, so büßt er dasselbe das erste Mal mit acht Tagen,
das zweite Mal mit vierzehn Tagen Exerzitien, und verfällt beim
dritten Mal ipso facto der Suspension von den priesterlichen
Funktionen; ja es kann, je nach der Schwere des Falles, im Prozeß=
wege selbst auf Beraubung des Benefiziums erkannt werden, wenn
der Priester Pfarrer ist, — auf Unfähigkeit innerhalb der nächsten
drei Jahre eine Pfarrei zu erlangen, wenn es sich um einen anderen
in der Seelsorge tätigen Priester handelt (Konkordia A. c.). Denselben
Strafen verfällt auch jener Priester, welcher zweifellose Gewißheit
darüber erhalten hat, daß jemand widerrechtlich sich der ihm an=
vertrauten Herde beigestellt, und trotzdem den Fremdling nicht seiner
Pflicht gemäß zu seinem eigenen Ritus zurückweist, sondern fortfährt,
ihm die Heilsmittel der Kirche zu gewähren. Hat sich jedoch ein
Angehöriger des fremden Ritus ohne Wissen des Pfarrers der ihm
anvertrauten Gemeinde widerrechtlich angeschlossen, so trifft den un=
schuldigen Pfarrer allerdings keine Strafe, sofern er nur nach Er=
langung sicherer Kenntnis von dem eigentlichen Ritus des An=
kömmlings denselben zurückweist (Konkordia A. c.).

Wer unparteiisch obige Bestimmungen der durch den Heiligen
Stuhl bestätigten Konkordia bezüglich des Rituswechsels in Er=
wägung zieht, kann sich unmöglich des Eindruckes erwehren, daß in

---

[1] Bullar. Bened. XIV ed. Romae 1760 I, 131.

18*

denselben der in der kirchlichen Gesetzgebung des öfteren ausgesprochene Grundsatz von der G l e i ch b e r e ch t i g u n g des lateinischen und griechischen Ritus auf würdige Weise zum Ausdruck kommt. In der völligen Gleich= stellung der Lateiner und Ruthenen Polens auf kirchlichem Gebiete erblickte die Kirche stets die Grundlage und Garantie für ein einheit= liches Zusammenwirken beider Riten zur Ehre Gottes und zum Heile der Seelen. Soll aber diese rechtliche Gleichberechtigung auch die ersehnten Früchte zeitigen, muß sie von den Lateinern sowohl als auch von den Ruthenen in die Praxis übergesetzt werden. Sich faktisch über dieselbe hinwegsetzen, bedeutet eine Versündigung an dem großen Friedenswerke, das die Kirche mit so großer Mühe gestiftet, eine Lösung des Bandes, welches die Angehörigen beider Riten zu einer großen Familie verbindet.

Das Praeconium paschale.

Eine liturgiegeschichtliche Studie.

Von Beda Kleinschmidt O. F. M. in Harreveld (Holland).

Kein Zeitabschnitt des ganzen Kirchenjahres vereinigt in sich so zahlreiche, die Seele mächtig ergreifende, zur tiefsten Wehmut wie zum höchsten Jubel stimmende Festgeheimnisse, als die zweite Hälfte der Karwoche mit dem sich anschließenden Osterfeste. Nachdem wir am Gründonnerstag mit dem göttlichen Heiland das wunderbare Liebes= mahl gefeiert, versenken wir uns am Karfreitag geistig in das uner= gründliche Meer des Leidens und der Bitterkeit, durch welches er freiwillig hindurchgegangen ist. Aber nur wenige Stunden dauert die eigentliche Trauerzeit. Bereits am Karsamstag-Morgen verkünden Glockengeläute und Orgelklang im Verein mit den helljauchzenden Tönen des Alleluja die nahende Osterfreude. Die Einleitung zu der hoch= feierlichen Ostervigil bildet nach der Feuerweihe die Absingung des großartigen Jubelhymnus, den wir als Praeconium paschale oder nach seinem Anfangsworte als Exsultet bezeichnen. Wenn wir heute diesem einzigartigen Jubelliede einige Worte widmen, so dürfen wir von vornherein des Interesses der Leser gewiß sein, denn sicher hat noch niemand diese wundervollen Melodien gesungen oder angehört, ohne sich innerlich bewegt und ergriffen zu fühlen. Wir wollen hier indes weder von der Gesangkomposition des Hymnus noch von seinem reichen Inhalt sprechen, wir möchten uns heute ausschließlich mit seiner Geschichte befassen, da sie uns am sichersten zu seiner rechten Wertschätzung führen wird.

I. Die Frage nach dem Alter des Präkoniums hängt aufs engste zusammen mit dem Alter und dem Ursprung der Osterkerze, deren feierliche Benediktion es ja eigentlich ist. Obgleich wiederholt Gegenstand sorgfältiger Untersuchung, konnte das Alter der Osterkerze bis heute nicht mit Sicherheit bestimmt werden.[1]) Gewiß ist, daß ihre feierliche Weihe um das Jahr 600 bereits in Gallien, Spanien und Oberitalien üblich war, wenn auch nicht in allen Kirchen. Damals antwortete die Synode von Toledo (632) auf die Anfrage einzelner Kirchen, weshalb man vielerorts diese Weihe vornehme, und verordnete zugleich, daß sie künftighin auch in den Kirchen Galliens erfolgen solle.[2]) Die mittelalterlichen Liturgiker schreiben teilweise die Einführung der Osterkerze dem Papste Zosimus (418) zu und zwar mit Rücksicht auf eine Stelle des alten „Papstbuches", welches meldet, der genannte Papst habe den Diakonen „die Benediktion des Wachses" gestattet,[3]) teilweise auch dem heiligen Augustin oder Ambrosius. So liest man bei Bischof Durand von Mende in Frankreich (1296), dem bedeutendsten Liturgiker des Mittelalters, der heilige Ambrosius sei der Verfasser des Exsultet, allerdings hätten auch Augustin und der Diakon Petrus von Monte Cassino eine Weiheformel verfaßt, aber dieselbe werde nicht gebraucht.[4]) Die neuere Forschung hat dem Durandus nicht recht gegeben; nicht Ambrosius, sondern Augustinus dürfte der Verfasser des Präkoniums sein.[5]) Jedenfalls reicht der Text unserer ‚Laus cerei', wie das Exsultet oft genannt wird, im wesentlichen bis in die Zeit des großen Kirchenlehrers hinauf. Hierfür spricht nicht nur die Ausdrucksweise und die Wortstellung, welche jenem Zeitalter angehören, sowie der Umstand, daß Augustinus unter seinen Arbeiten „ein Lob der Wachskerze" erwähnt, sondern noch mehr der interessante Briefwechsel, welchen der heilige Hieronymus über den Gegenstand mit dem Diakon Präsidius von Piacenza führte;[6]) letzterer hatte den großen Exegeten gebeten, ihm für das nächste Osterfest einen Hymnus auf die Kerze zu verfassen. In einem noch erhaltenen umfangreichen Briefe schlägt Hieronymus diese Bitte ab, mit der Begründung, eine solche Lobpreisung sei sehr schwierig, zumal die Heilige Schrift keine Anhaltspunkte biete, diejenigen, welche es trotzdem versuchten, ergingen sich in bombastischem Redeschwall und phrasenhaftem Wortgeklingel. Sie beschreiben mit oratorischen Floskeln Blumen und Wiesen, Lebens- und Entstehungsweise der Bienen, wobei sie das ganze Buch Vergils über den Landbau (Georgika) verwenden. Mag solch ein rednerischer Erguß immerhin dem Ohre schmeicheln, wie paßt er sich für den Diakon, der nur an diesem Tage in Gegenwart des Bischofes und der Priester in der Kirche seine Stimme ertönen läßt, wie zu den Sakramenten der Kirche, wie zu der österlichen Zeit, in der das Lamm getötet wird? Doch verspricht der Brief-

---

[1]) Vergl. meinen Aufsatz: Die Osterkerze in: Der katholische Seelsorger, VIII (1898) 122 ff. — [2]) Can. 9. Harduin, Collect. concil. III, 582. — [3]) Liber pontific., ed. Mommsen (Berlin 1898) p. 91. — [4]) Rationale, ad Hagenau 1509, 1. 6. fol. 168. — [5]) Vergl. Sante Pieralesi, Il Preconio pasquale del codice Barberiniano; dell'Autore del più antico Preconio. Roma 1893. Duchesne, Origines du culte chrétien, Paris 1898, 240 ss. [6]) Migne, P. L., 30, 188—194.

schreiber, seine Gedanken über ein geeignetes Präkonium, die er dem
Papier nicht anvertrauen will, dem Diakon später mündlich mitzuteilen.
Schließlich mahnt er ihn, den Vergnügungen Piacenzas Lebewohl zu
sagen und sich in die Einsamkeit zurückzuziehen.

Aus diesem Schreiben ergibt sich ein Vierfaches. Zunächst war
die Absingung des Präkoniums schon damals ein Vorrecht der Dia=
konen, obwohl ihnen eine eigentliche Weihegewalt nicht zusteht; auch
heute sehen wir in der rituellen Handlung des Diakons nicht so sehr
eine Benediktion der Kerze, als vielmehr einen großartigen Lobes=
hymnus auf die göttlichen Gnadenerweise und besonders auf den
Auferstandenen, der durch die Kerze symbolisiert wird. Anscheinend
war indes die Praxis in den einzelnen Kirchen nicht überall gleich.
So ermahnte noch der heilige Gregor I. in einem Briefe den Bischof
Marinianus von Ravenna, sich seiner Schwäche wegen zu schonen
und die Gebete, welche über die Kerze ausgesprochen würden, durch
einen anderen verrichten zu lassen.[1] Ebenso deutet der Text des Exsultet
im Missale gothicum darauf hin, daß die Weihen in Gallien; we=
nigstens mancherorts, durch einen Priester vorgenommen wurden.[2]
Zweitens folgt aus dem Briefe des heiligen Hieronymus, daß der
Wortlaut des Präkoniums damals noch nicht festgelegt war, nur die
wesentlichsten Gedanken waren gegeben. Aufgabe des Diakons war
es, sie in eine schöne Form zu bringen. Welch großes Gewicht man
darauf legte, zeigt die Tatsache, daß Präsidius sich dieserhalb an
Hieronymus nach Rom wandte. Ein stets wiederkehrender Gedanke
des Präkoniums war, wie des Heiligen Antwort bezeugt, das Lob
der Bienen, das anscheinend sogar stark in den Vordergrund trat.
Im übrigen pries man vorzüglich die Wohltaten Gottes, namentlich
jene, die er uns durch die Kräfte der Natur zuteil werden läßt, um
daran entsprechende Bitten und Lobpreisungen zu knüpfen. Es sind
uns noch zwei solche Präkonien von dem Bischof Ennodius von Pavia
(521) erhalten, deren Wortlaut sowohl von unserem heutigen Text
wie auch voneinander sehr verschieden ist.[3]

Drittens ist das Antwortschreiben auch ein wichtiges Zeugnis
für das Alter der ‚Laus cerei‘: da der Brief im Jahre 384 ge=
schrieben wurde,[4] der Ritus aber als bekannt und als mancherorts üblich
vorausgesetzt wird, darf man mit Recht annehmen, daß er bereits
eine zeitlang in Uebung war. Wir kommen damit in der Alters=
bestimmung der Osterkerze ungefähr bis zur Mitte des 4. Jahrhunderts,
womit natürlich nicht ausgeschlossen ist, daß sie ein noch höheres Alter
hat. Endlich scheint die Ausdrucksweise des Hieronymus, der sich mehr=
mals des Wortes praedicare bedient, genugsam anzudeuten, daß der
Diakon die laus cerei schon damals feierlich und melodisch vortrug.

---

[1] Epp. XI, 33. Migne P. L. 77, 1146. — [2] Es heißt in demselben:
... ut qui me non meis meritis intra sacerdotum numerum etc. Migne,
P. L., 72. 269. — [3] Opusculum IX, X. Migne, P. L., 257—262. —
[4] Vergl. Migne, P. L., 30. 186.

2. Hiermit ist noch nicht erledigt die Frage nach dem Ursprunge des Präkoniums. Wie kam man dazu, an der Ostervigil, die damals eine wirkliche Vigil, d. h. eine Nachtfeier war, diesen begeisterten Lobes= hymnus durch den Diakon vortragen zu lassen? Welches war der Grund, in der Osternacht unter so großen Feierlichkeiten eine Kerze anzuzünden? Abzuweisen ist selbstverständlich die Ansicht jener älteren Archäologen, welche für diesen feierlichen Ritus keinen anderen als einen nüchtern praktischen Grund kennen — Verscheuchung der Dunkel= heit. Freilich bedurfte man bei der Vigil zu Ostern der künstlichen Beleuchtung, aber nicht minder war das der Fall an den Vigilen vor Epiphanie und Pfingsten, an denen indes niemals die feierliche Kerzenweihe stattfand. Auch jene Meinung ist unhaltbar, welche die Osterkerze aus den Kerzen der Neophyten ableiten möchte, ebenso wie die Ansicht derer, welche sie zurückführen wollen auf die im 4. Jahr= hundert im Orient übliche großartige Beleuchtung der Kirchen und Häuser mit Lampen und Fackeln während der Oster= nacht.[1]) Diese Beleuchtung der Häuser und die Weihe der Kerze hatte vielmehr denselben Grund, beide sind hervorgegangen aus der Vorliebe der ersten Christen, die Geheimnisse der heiligen Religion durch Symbole sinnfällig darzustellen. War ihnen das Licht überhaupt eine Erinnerung an denjenigen, der von sich gesagt hatte „ich bin das Licht der Welt", das der Teufel mit seinem Anhange zwar am heiligen Karfreitag anscheinend für immer aus= gelöscht hatte, das aber in der Osternacht strahlend aus dem Grabe hervorbrach, um von nun an die Finsternis zu verscheuchen und die ganze Welt zu erleuchten, was lag da wohl näher, als gerade in der Osternacht als Symbol des Auferstandenen unter vorzüglichen Zeremonien eine Kerze zu weihen und anzuzünden, nicht eine ge= wöhnliche, sondern eine säulenartige, die schon durch ihre Größe die andern überragte? Hätte man wohl sinnvoller und zugleich ein= facher das Festgeheimnis den Christen veranschaulichen können? Man vergesse nicht, daß, wie gesagt, diese Weihe in der Nacht von Samstag auf Sonntag stattfand. Bedurfte da diese Zeremonie selbst für den einfachsten Mann noch der Erklärung, daß durch die brennende Kerze Christus der Auferstandene versinnbildet werden sollte? Von welchen Gefühlen der Liebe und Dankbarkeit gegen den Erlöser, der Freude über seine glorreiche Auferstehung mußte aber erst die Brust der Gläubigen durchbebt werden, wenn der Diakon bei der Weihe in begeisterten Worten den Sieg des Lichtes über die Finsternis, des Sohnes Gottes über den Fürsten der Hölle verkündete?

Der Ursprung der Osterkerze ist also nicht stadtrömisch, er ist vielmehr im Orient zu suchen, aber bereits im 5. Jahrhunderte hatte sie eine solche Verbreitung gefunden, daß Papst Zosimus sich veranlaßt sah, diesen Ritus auch den suburbikarischen Bischöfen

---

[1]) Kraus, Real=Enzyklopädie der christlichen Altertümer II, 565.

zu geftatten; fo ift wohl die oben mitgeteilte Notiz des „Papftbuches" zu verftehen. Daß die Ofterkerze übrigens auch in Rom felbft bald Eingang faub, bezeugt das Exfultet des gelafianifchen Miffale (Safra= mentars), es beginnt mit den Worten: Deus, mundi conditor, auctor luminis, siderum fabricator.[1])

3. Der Wortlaut des Exfultet, der jetzt üblich ift, findet fich zuerft in den Sakramentarien der gallikanifchen Liturgie, nämlich in dem fogenannten Missale Gothicum, in dem Missale Gallicanum, die uns in Handfchriften des 7. und 8. Jahrhunderts erhalten find,[2]) ferner enthalten ihn einige gelafianifche Miffalien, die fpäter eine Ueberarbeitung erfahren haben und die gleichfalls noch dem 8. Jahr= huudert angehören, fo ein Sakramentar zu St. Gallen und in Zürich aus Klofter Rheinau. Dagegen ift bemerkenswert, daß das Safra= mentar Gregors des Großen ihn urfprünglich nicht enthielt, er wurde ihm erft fpäter beigefügt und zwar in Frankreich durch Alkuin, der das auf Anordnung Karls des Großen in den Kirchen des Franken= landes eingeführte Gregorianum mit einem aus gallikanifchen Gebeten beftehenden Anhange verfah.[3])

Wie das Präfonium überhaupt, fo ift alfo auch der heutige Text des Exfultet nicht ftadtrömifchen Urfprunges. Doch darf er, weil zuerft in gallikanifchen Handfchriften auftauchend, deshalb nicht ohne weiteres für Gallien in Anfpruch genommen werden. Dazu geben die genannten Handfchriften auch keine Veranlaffung, fie be= zeichnen ihn vielmehr ausdrücklich als eine Arbeit des heiligen Augu= ftinus, der ihn als Diakon verfaßt habe: „Benedictio cerae Augu- stini, quam adhuc diaconus cum esset, edidit et cecinit: Exultet", fagt eine Rubrik. Diefer Notiz könnte man um fo leichter Glauben fchenken, da Auguftinus tatfächlich eine poetifche ‚Laus cerei' ver= faßte, in der unter anderem die Verfe vorkamen:[4])

Dein find und gut die Gaben, die Du, o Gott, erfchufeft,
Nichts ift unfer darin, als einzig die Schuld der Verkehrtheit,
Wenn wir ftatt Deiner, was Du erfchaffen, unordentlich lieben.

Es bedurfte wohl nicht erft eines Tadels des heiligen Hiero= nymus, wie ein altes Pontifikale von Poitiers meint,[5]) daß Auguftinus diefelbe Lobpreifung bei einer anderen Gelegenheit in Profa abfaßte. Wir dürfen alfo mit einiger Wahrfcheinlichkeit annehmen, daß unfer heutiger Text des Präfoniums den großen Kirchenlehrer von Hippo zum Verfaffer hat. Von Afrika wird es feinen Weg zunächft nach Spanien und von dort nach Gallien genommen haben, mit der Auf= nahme in das gregorianifche Miffale durch Alkuin war fein Sieg

---

[1]) Ed. Wilson, Oxford 1894, p. 80. — [2]) Vergl. Migne, P. L. 72, 268, 364. — [3]) Vergl. meine Abhandlung in diefer Zeitfchrift 1907, S. 258; ferner als neuefte Literatur Stappert, Karls des Großen Römifches Meßbuch, Leipzig 1908, 15 ff. (Gymnaf.=Progr. Beilage). — [4]) De civit. Dei 1. 15 c. 22. Nach der Ueberfetzung von Silbert, Wien 1826, II, 332 — [5]) Martène, De antiqu. eccles. ritibus III 1. 4 c. 24 n 5.

über die anderen Texte entschieden. Seit ungefähr tausend Jahren ertönt somit bereits in den Kirchen des römischen Ritus der groß= artige Hymnus des heiligen Augustinus auf den Sieg des Lichtes über die Finsternis.

4. Die Weihe der Osterkerze war, wie schon bemerkt, seit alters das Vorrecht der Diakonen. Nachdem die Feuerweihe vollzogen war, ging er mit der dreiteiligen Kerze unter dem dreimaligen Rufe lumen Christi an der Spitze einer Prozession bis zum Chor der Kirche, empfing hier den Segen des Bischofs und bestieg nun den Ambon, um den Gesang zu beginnen und die Weihe der Kerze vor= zunehmen. Letztere stand in unmittelbarer Nähe des Ambon (Kanzel) auf einem mächtigen Kandelaber, wie man deren noch heute in Rom, Salerno, Gaeta, Capua u. s. w. sicht; so mißt z. B. der Osterkerzen= leuchter zu Salerno 4 Meter in der Höhe und 27 Zentimeter in der Breite. Wegen ihres bedeutenden Gewichtes blieben sie das ganze Jahr hindurch an derselben Stelle stehen. Meistens sind sie reich verziert, entweder mit sogenannter Kosmatenarbeit, d. h. es sind bunte Glas= oder Marmorstückchen in geometrischen Mustern reihenförmig in den Marmor eingelassen, oder mit plastischen Darstellungen aus den Evangelien oder der Liturgie; so zeigt der Kandelaber zu Capua in einer Reihe die drei Marien am Grabe und den Auferstandenen, in einer zweiten Reihe den Erzbischof zwischen Akolythen und einen die Kerze anzündenden Diakon.[1])

5. Mag der Diakon anfangs das Präkonium vielleicht auch aus dem Gedächtnis vorgetragen haben, jedenfalls hat man es früh= zeitig aufgeschrieben, mit Neumen versehen und vom Blatt abgesungen; sicher war das der Fall, als sein Wortlaut eine feste Form an= genommen hatte und nicht mehr dem Belieben des Diakon überlassen war. Wir finden ihn daher auch in den ältesten Handschriften zwischen der Karsamstag-Liturgie oder in dem von Alkuin hinzugefügten An= hange verzeichnet, von wo er aber bei neuen Abschriften allmählich in den Osterkreis einrückte. Diese Stelle hat er bekanntlich auch heute noch inne.

Es ist nun interessant zu beobachten, wie man um das Jahr Tausend in Süditalien diese Gewohnheit verließ und zu einer antiken Praxis zurückkehrte, indem man den Text des Exsultet quer auf läng= liche Pergamentstreifen schrieb, die man aneinanderreihte und aufrollte. Es hat sich eine Anzahl solcher Schriftstücke erhalten, die in der Geschichte der Liturgie und der Miniatur den Namen Exsultet= rollen führen. Während der Diakon auf dem Ambon das Exultet vortrug, rollte er den Pergamentstreifen ab und ließ ihn über die Brüstung herabhängen. Nach südländischer Weise drängte sich das Volk heran, nicht um den Text zu lesen, wozu es nicht im stande

---

[1]) Vergl. Kraus, Gesch. der christl. Kunst II, 1, 232, woselbst Abbild. der Kandelaber zu Rom (S. Paolo), Gaeta, Capua. Venturi, Storia dell'arte italiana III (Milano 1904) 646—664.

war, ſondern um die in denſelben eingeſtreuten Bilder zu betrachten.
Der Hauptinhalt des Exſultet war nämlich in Miniaturen dargeſtellt,
und zwar ſtanden dieſe Bilder auf dem Kopf, d. h. im Verhältnis
zum Schrifttext waren ſie umgekehrt gemalt. Rollte der Diakon den
Pergamentſtreifen ab, dann erſchienen die Bilder dem Volke in
richtiger Stellung. Die Miniaturen erfüllten alſo einen lehrhaften
Zweck. Die Gläubigen erkannten daraus den Inhalt des vom Diakon
ſo feierlich vorgetragenen Hymnus.

Dieſe eigenartigen liturgiſchen Rollen ſind wegen ihrer bild=
neriſchen Ausſtattung ſchon mehrfach Gegenſtand der kunſthiſtoriſchen
Forſchung geweſen. Langlois, Rohault de Fleury, Kraus, Ebner,
Venturi und beſonders Bertaux haben ſich mehr oder weniger ein=
gehend mit ihnen beſchäftigt; ich ſelbſt konnte eine Anzahl von ihnen
in Piſa, Rom, Monte Caſſino ſtudieren. Der Gegenſtand iſt inter=
eſſant genug, um hier etwas genauer dargeſtellt zu werden.[1]

Es haben ſich im ganzen ungefähr 20 Exultetrollen erhalten,
u. a. in Bari, Salerno, Gaeta, Rom, Piſa, Monte Caſſino. Ihre
Größe iſt verſchieden, die Breite bewegt ſich im allgemeinen zwiſchen
20 und 30 Zentimeter (Salerno 47 Zentimeter); ihre Länge iſt
3, 5, 7 Meter. Die Rolle zu Bari, welche aus acht Stücken Per=
gament beſteht, mißt 5·295 Meter, wozu noch ein anderes liturgiſches
Stück von 3·13 Meter kommt. Auch ihre bildneriſche Ausſtattung
iſt ſehr verſchieden, nicht nur bezüglich des künſtleriſchen Wertes,
ſondern noch mehr in bezug auf die Anzahl der Miniaturen; da
nämlich die Rollen unabhängig von einander entſtanden ſind, wurden
nicht überall die gleichen Textſtellen illuminiert. Wenn ich verſuche,
im folgenden die Illuſtrationen der Exultetrollen zu beſchreiben, ſo
kann es ſich natürlich nur um eine allgemeine Ueberſicht handeln;
die Eigenart der einzelnen Rollen muß unberückſichtigt bleiben.

7. Noch bevor der Text des Exſultet beginnt, bringt die ſchönſte
Rolle, diejenige von Bari (um 1025), bereits eine Miniatur, nämlich den
Heiland in der Mandorla (Glorienſchein), wie er majeſtätiſch daſitzt auf
dem Regenbogen, der zu beiden Seiten eine kleine Kerze trägt. Es iſt die
Veranſchaulichung des unmittelbar voraufgegangenen Rufes: Lumen
Christi, Deo gratias. Nun hebt der Hymnus in jubelnden Tönen an:

Exultet iam angelica turba coelorum, exultent divina mysteria, et pro tanti Regis victoria tuba insonet salutaris.	Aufjauchze nunmehr die engliſche Heerſchar des Himmels, aufjauchze die himmliſche Geiſterwelt und ob ſo großen Königs Siege ertöne die Drommete des Heils.[2]

---

[1] Vergl. für das Folgende: Langlois in Mém. d'arch. et d'hist. VI
(Rome 1886) 466. Kraus a. a. O. 59 f. Rohault de Fleury, La Messe III
(Paris 1884) pl. 194 ss. A. Ebner, Handſchriftliche Studien über das Prae-
conium paschale, in Kirchenmuſik=Jahrbuch VIII (Regensburg 1893) 73—83.
Venturi, l. c. 726—754; beſonders E. Bertaux, L'Art dans l'Italie mére-
dionale I (Paris 1904) 217—240, dazu eine ifonographiſche Ueberſichtstabelle
unter dem Titel L'Iconographie comparée des rouleaux d'Exultet; Latil,
Les Miniatures des rouleaux d'Exultet, Mont-Cassin 1899 ss. — [2] Die
Ueberſetzung zumeiſt nach Reiſchl's Paſſionale, Regensburg 1854.

Diesem Drommetenstoß entspricht ein Bild, das die himmlische Engelschar in freudiger Erregung aufjubelnd darstellt; in einzelnen Handschriften hebt sich über der zusammengepreßten Schar ein Engel empor und stößt in ein mächtiges Horn. In zwei Rollen (Salerno und Rom, Bibl. Casanatense) sind die divina mysteria angedeutet durch ein Lamm, das Symbol Christi, in einem farbigen Kreise, der von den vier Evangelistenzeichen umgeben ist; dieselben Handschriften zeigen außerdem an dieser Stelle, wie Christus dem angeschmiedeten Höllendrachen die Kreuzesfahne in den Rachen stößt oder ihm mit erhobener Rechte gebietet.

Gaudeat et tellus tantis irradiata fulgoribus: et aeterni Regis splendore illustrata totius orbis se sentiat amisisse caliginem.

Es freue sich auch die Erde, mit solchem Glanze überstrahlt und von des ewigen Königs lichtem Schein erleuchtet fühle sie sich auf dem weiten Erdenrund befreit von der Finsternis.

Ein seltsames und unserm modernen Empfinden fremdes Bild erläutert den ersten Gedanken dieses Satzes. Die Erde, in antiker Weise personifiziert, sitzt als ein bis auf die Hälfte entblößtes Weib zwischen Blumen und Bäumen auf einer niedrigen Anhöhe, aus ihren stark entwickelten Brüsten saugen zwei Tiere (Bär, Ochs, Hirsch, Schlange) das Leben. In einer Hand hält sie ein Füllhorn, mit der andern verscheucht sie die Finsternis (caligo) in Form eines schwarzen Knaben. Hiermit verbinden mehrere Rollen ein zweites Bild, Gott Vater in der Glorie, der die Welt mit hellem Lichtglanz überstrahlt. In der Rolle zu Bari, deren Miniator offenbar ein Grieche war, ist die „Tellus" als eine stehende, in prachtvolle Gewänder gehüllte Frau zwischen Bäumen und Tieren dargestellt.

Laetetur et mater Ecclesia, tanti luminis adornata fulgoribus, et magnis populorum vocibus haec aula resultet.

Es freue sich auch die Mutter, die Kirche, geschmückt mit solchem Lichtes Glanz und von des Volkes lauten Stimmen halle wider dieses Gotteshaus.

Am treuesten in der Wiedergabe dieses doppelten Gedankens ist die Rolle aus Benevent. Die Mater Ecclesia ist als Frau in Orantenform (mit ausgebreiteten Armen) dargestellt, sie sitzt auf dem Dache einer Basilika und ist von zahlreichen Kerzen umgeben (tant s luminis adornata fulgoribus). Vor ihr steht eine laut rufende Volksmenge, an deren Spitze sich ein König befindet. Die Andeutung des Tempels (aula) sehen wir noch auf sechs anderen Rollen. Die Handschrift aus Sorrent und eine Cassinenser Rolle zeigen nur eine Schar von Laien und Klerikern zur Bezeichnung der lauten Stimmen des Volkes (magnis populorum vocibus).

Quapropter adstantes vos, fratres carissimi, ad tam miram hujus sancti luminis claritatem, una mecum, quaeso, Dei omnipotentis misericordiam invocate, ut qui me non meis meritis, intra Levitarum numerum

Deshalb geliebteste Brüder, die ihr hier zugegen seid, bei dieses heiligen Lichtes wunderbarer Klarheit, rufet, ich bitte euch, vereint mit mir das Erbarmen des allmächtigen Gottes an, damit er, welcher ohne mein Verdienst

dignatus est aggregare, luminis sui claritatem infundens, cerei hujus laudem implere perficiat.

unter die Zahl der Leviten mich aufzunehmen sich würdigte, seines Lichtes Klarheit mir einflößend, das Lob dieser Osterkerze mich vollziehen lasse durch unsern Herrn . . .

Diese Worte gaben Veranlassung, den Ritus der Kerzenweihe darzustellen. Mit einer Uebereinstimmung, die sich an keiner anderen Stelle findet, zeigen hier zwölf Rollen den Diakon, wie er auf einem Ambon oder auf einem Podium stehend die Weihe vornimmt; hier und da entrollt er gerade den Pergamentstreifen oder weist auf die Kerze hin, während Volk und Klerus, darunter auch der Bischof, herumstehen. Die Miniatur war so beliebt, daß sie fast nie ausblieb; eine Anzahl Rollen bringen sie gleich zu Beginn des Textes.

Vere dignum et justum est, invisibilem Deum Patrem omnipotentem Filiumque ejus unigenitum Dominum nostrum Jesum Christum toto cordis ac mentis affectu et votis ministerio personare.

Wahrhaft würdig und gerecht ist es, den unsichtbaren Gott, den allmächtigen Vater und seinen eingeborenen Sohn, unsern Herrn Jesum Christum mit des Herzens und Gemütes ganzer Innigkeit und mit der Stimme zu lobpreisen.

Nach dem Präfationszeichen — ein verschlungenes, reichverziertes „V" und „D" — zeigen die Handschriften entweder den allmächtigen Vater oder noch öfter „seinen eingebornen Sohn" in der Herrlichkeit, wie er auf dem Throne sitzt, oder auch als Lamm umgeben von den vier Evangelistenzeichen, meistens ist die Miniatur innerhalb des Präfationszeichens angebracht. Nur zwei Rollen zu Gaeta, die übrigens in engster Abhängigkeit voneinander stehen, haben an dieser Stelle den Gekreuzigten.

Qui pro nobis aeterno Patri Adae debitum solvit et veteris piaculi cautionem pio cruore detersit.

Der für uns dem ewigen Vater die Schuld Adams bezahlt und den Pfandbrief alter Schuld liebevoll mit seinem Blute gelöscht hat.

In sechs Rotelu wird diese Stelle illustriert durch das Bild des Heilandes am Kreuze, unter dem die heiligen Personen und die Henker stehen, nur die jüngste Handschrift (Pisa) fügt noch zur Erläuterung des Adae piaculum die Stammeltern unter dem verhängnisvollen Baum hinzu.

Haec sunt enim festa Paschalia, in quibus verus ille Agnus occiditur, cujus sanguine postes fidelium consecrantur.

Denn dies ist die Osterfeier, in welcher das wahre Lamm geschlachtet wird, mit dessen Blut die Pfosten der Gläubigen geheiligt werden.

Nur eine Rotel bietet zu diesen Worten eine Miniatur, nämlich die jüngste Handschrift zu Pisa, welche die Schlachtung des Lammes vorführt, sie wird stehenden Fußes vorgenommen, man bestreicht die Türpfosten nud macht sich auf den Weg.

Haec nox est, in qua primum patres nostros filios Israel eductos de Aegypto mare rubrum sicco vestigio transire fecisti.

Dies ist die Nacht, in welcher du zuerst unsere Väter, die Kinder Israels, aus Aegypten führtest und durch das Meer trocknen Fußes ziehen ließest.

Wohl die Hälfte der Roteln führt hier die Rettung der Israeliten und den Untergang Pharaos im Roten Meere vor; letzteres
ist als breiter Fluß gebildet, in welchen der König mit seinem Wagen
hineinstürzt, während die von einer mächtigen Feuersäule geleiteten
Juden drüben Gott Lob und Dank sagen. In Einzelheiten weichen
die Miniaturen sehr voneinander ab.

Haec igitur nox est, quae peccatorum tenebras columnae illuminatione purgavit. Haec nox est, quae hodie per universum mundum in Christo credentes a vitiis saeculi et caligine peccatorum segregatos reddit gratiae sociat sanctitati.

Dies ist also die Nacht, welche die Finsternis der Sünde durch die leuchtende Säule verdrängt hat. Dies ist die Nacht, welche heute über die ganze Welt hin die an Christus Glaubenden ausscheidet aus den Lastern der Zeit und dem Dunkel der Sünde, sie wiedergibt der Gnade, zugesellt der Heiligkeit.

Nur die jüngste Pisaner Handschrift hat wieder versucht, diese
abstrakten Gedanken bildlich darzustellen; es ist dem Maler nur schlecht
gelungen. Christus mit dem Kreuzstab bedräut segnend eine schwebende,
fast nackte Frauensperson, die Ueppigkeit (?), welche von dem Heiland
getrennt ist durch eine geometrische Figur, welche wohl die Welt
(vitia saeculi) symbolisieren soll.

Haec nox est, in qua destructis vinculis mortis Christus ab inferis victor ascendit. Nihil enim nobis nasci profuit, nisi redimi profuisset.

Dies ist die Nacht, in welcher Christus die Bande des Todes zerbrach und siegreich aus der Unterwelt emporstieg. Nichts nütze es uns nämlich, geboren zu werden, wäre es uns nicht vergönnt gewesen, erlöst zu werden.

Mit seltener Einmütigkeit zeigen hier fast alle Handschriften
den Zuschauern, wie Christus, umgeben von einem Strahlenkranze,
mit der Siegesfahne hinabsteigt in die Unterwelt, deren Tore zerbricht,
den Satan unter seinen Füßen tritt und Adam (und Eva) bei der
Hand nimmt, um sie aus der Vorhölle herauszuführen. Der Rotel
von Bari fügt noch zwei gekrönte Personen (David und Salomon)
hinzu, die von einer Balustrade diesem Vorgange zuschauen.

O mira circa nos tuae pietatis dignatio! O inaestimabilis dilectio caritatis! ut servum redimeres, Filium tradidisti. O certe necessarium Adae peccatum, quod Christi morte deletum est. O felix culpa, quae talem ac tantum meruit habere redemptorem.

O wunderbare Herablassung deines Erbarmens gegen uns. O unschätzbare Huld der Liebe, um den Knecht zu erlösen, gabest du den Sohn dahin. O sicherlich notwendige Sünde Adams, die durch Christi Tod getilgt worden. O glückselige Schuld, die einen solchen und so großen Erlöser zu haben verdiente!

Der erste Teil dieses Abschnittes hat nur einmal eine bildliche
Darstellung erfahren in dem Rotel aus Fondi: Christus wird von
Judas verraten. Der Maler hat nicht unterlassen, auch die Lampen
und Fackeln der Kriegsknechte, sowie den heiligen Petrus anzubringen,
wie er gerade dem Malchus das Ohr abhaut. Mehrfach ist dagegen der
zweite Teil, der damals aus dogmatischen Gründen bei manchen
Anstoß erregte und deshalb häufig fortgelassen wurde, durch das von
selbst gegebene Bild illustriert, wie Adam und Eva die verbotene

Frucht genießen; wir finden diese Miniatur aber nur in den jüngeren Handschriften.

O vere beata nox, quae sola meruit scire tempus et horam, in qua Christus ab inferis resurrexit.

O wahrhaft selige Nacht, der allein vergönnt war, zu wissen Zeit und Stunde, in welcher Christus von den Toten auferstanden ist.

In zweifacher Weise ist dieser Satz illustriert worden. Entweder wurde das Grab dargestellt, bei welchem die drei Marien sich eingefunden haben, oder das Noli me tangere, Maria Magdalena liegt zu Füßen des Auferstandenen; der Garten ist durch Bäume angedeutet.

Haec nox est, de qua scriptum est: Et nox sicut dies illuminabitur et nox illuminatio mea in deliciis meis. Hujus igitur santificatio noctis fugat scelera, culpas lavat, reddit innocentiam lapsis, et moestis laetitiam, fugat odia, concordiam parat, et curvat imperia.

Dies ist die Nacht, von der geschrieben steht: Und die Nacht wird erleuchtet wie der Tag und die Nacht ist mein Licht in meiner Wonne. Die Weihe dieser Nacht also verscheucht die Freveltaten, reinigt von Schuld, gibt den Sündern die Unschuld zurück, den Traurigen Fröhlichkeit. Sie vertreibt den Haß, bereitet Eintracht und beugt die Zwingherrschaft.

Nur die letzten Gedanken dieses Abschnittes wußte der Maler bildlich darzustellen. Zwei Könige an der Spitze ihrer Getreuen nähern sich, um wieder in Frieden und Eintracht miteinander zu leben. Christus erscheint darüber als Brustbild, um den Bund zu segnen. Die Abbildungen einer neapolitanischen Handschrift zeigt die Versöhnung zwischen Männern- und Frauen.

In hujus igitur noctis gratia suscipe, sancte Pater, incensi hujus sacrificium vespertinum, quod tibi in hac cerei oblatione solemni, per ministrorum manus, de operibus apum sacrosancta reddit Ecclesia. Sed jam columnae hujus praeconia novimus, quam in honorem Dei rutilans ignis accendit. Qui licet sit divisus in partes, mutuati tamen luminis detrimenta non novit. Alitur enim liquentibus ceris, quas in substantiam pretiosae hujus lampadis, apis mater eduxit.

In dieser gnadenreichen Zeit nimm auf, heiliger Vater, dieses Rauchwerkes abendliches Opfer, welches dir in feierlicher Opferung dieser Kerze durch die Hände ihrer Diener, von der Bienen Kunstwerk, die heilige Kirche darbringt. Denn schon kennen wir dieser Feuersäule Lobpreis, die zu Gottes Ehren das aufglühende Feuer anzündet, das, wiewohl in Teile geschieden, dennoch an dem mitgeteilten Lichte keinen Abbruch erleidet. Denn es nährt sich von schmelzendem Wachse, welches als Stoff dieser kostbaren Leuchte die Biene mütterlich gesammelt hat.

Zu diesem Passus zeigen einige Roteln den Diakon wieder auf dem Ambon, wie er das Lob Gottes singt, während ein oder mehrere Kleriker die Kerze beräuchern (incensi hujus sacrificium). Die Kerze, welche hier als ein „Opfer" erscheint, ist mit Blumengewinden geziert. Mehrere Handschriften betonen mehr den zweiten Gedanken des vorstehenden Abschnittes (rutilans ignis), indem sie den Moment zur Anschauung bringen, wo ein Kleriker (nicht der auf dem Ambon befindliche Diakon) die Kerze anzündet.

In den letzten Sätzen wird zweimal die Beihilfe der Biene (apis mater) in der Bereitung der Kerze erwähnt. Mit dieser kurzen

Erwähnung gab man sich früher nicht zufrieden. Wir hörten bereits die Tadelsworte des heiligen Hieronymus über den rhetorischen Wort=schwall, der sich an dieser Stelle breit mache. Diese Lobpreisung der Biene war auch noch im 12. und 13. Jahrhundert üblich, sie gab Veranlassung zu einem Ausblick auf die jungfräuliche Gottesmutter. Es sei gestattet, dieses Bienenlob hier unverkürzt anzuführen:

Apis ceteris, quae subiecta sunt ho-mini, animantibus antecellit. Cum sit minima corporis parvitate, ingentes animos angusto versat in pectore, viribus imbecilla, sed fortis ingenio.

Die Biene zeichnet sich vor den übrigen Tieren aus, welche dem Menschen unter=tan sind. Wenngleich von sehr winziger Gestalt, trägt sie ungeheuere Geistes=kräfte in ihrer engen Brust. Zwar schwach an Macht, aber stark durch ihren Mut.

Huic explorata temporum vice, cum canitiem pruinosa hyberna posuerint et glaciale senium verni temporis moderatio deterserit, statim prode-undi ad laborem cura succedit, dis-persaeque per agros libratis paulu-lum pennis, cruribus suspensis insi-dunt, parte ore legere flosculos, one-ratae victualibus suis ad castra re-meant, ibique aliae inaestimabili arte cellulas tenaci glutino instruunt, aliae ore natos fingunt, aliae collectis e foliis nectar includunt.

Wenn der bereifte Winter sein eisgraues Kleid ablegt und die laue Frühlings=luft die alte Eisdecke aufgelöst hat, merkt sie gleich den Wechsel der Zeit und sofort stellt sich bei ihr der Drang ein, an die Arbeit zu gehen. Sie zerstreuen sich über die Gefilde und lassen sich mit sanft fächelnden Flügeln und mit auf=gezogenen Beinchen nieder, teils sam=meln sie mit dem Munde den Blüten=staub und kehren beladen mit ihrer Beute ins Gehäuse zurück; einige stellen dort mit unbeschreiblicher Kunst aus zähem Wachs die Zellen her, andere ziehen mit dem Munde die Jungen heran, andere schließen den aus den Blüten gesammelten Honig ein.

O vere beata et mirabilis apis, cujus nec sexum masculi violant, foetus non quassant, nec filii destruunt casti-tatem. Sicut sancta concepit virgo Maria, virgo peperit et virgo permansit.

O wahrhaft glückselige und wunderbare Biene, deren Geschlecht die Nachkommen=schaft nicht schwächt oder beeinträchtigt und deren Unversehrtheit die Brut nicht verletzt. So hat auch die heilige Maria als Jungfrau empfangen, als Jungfrau geboren und ist doch Jungfrau geblieben.

Nur wenige Handschriften haben diese Ausführungen, bei denen man sofort an den Brief des heiligen Hieronymus denkt, ohne Illu=strationen gelassen, sie gehören zu den interessantesten der ganzen Reihe und besitzen auch einigen kulturhistorischen Wert. Da sieht man mehrere Reihen Kasten übereinander, aus denen die Bienen herauskommen, um scharenweise auf die Sträucher und Bäume zu fliegen, hier und da sind auch Männer beschäftigt, einen Schwarm Bienen in einem Sacke einzufangen, während andere die Honigwaben entleeren, selbst den Rauch zum Verscheuchen der Bienen hat man nicht vergessen. Der wichtige Schlußsatz wurde verschiedenartig illu=striert, entweder wie Maria von dem Engel die Botschaft ihrer Aus=erwählung empfängt, oder wie sie neben dem Neugeborenen in einem Bette ruht oder mit dem göttlichen Kinde auf einem Throne sitzt, verehrt von zwei langbeflügelten Engeln.

O vere beata nox, quae expoliavit Aegyptios, ditavit Hebraeos! Nox, in qua terrenis coelestia, humanis divina junguntur! Oramus ergo te, Domine, ut cereus iste, in honorem tui nominis consecratus, ad noctis hujus caliginem destruendam, indeficiens perseveret, et in odorem suavitatis acceptus, supernis luminaribus misceatur. Flammas eius lucifer matutinus inveniat. Ille, inquam lucifer, qui nescit orcasum. Ille qui regressus ab inferis humano generi serenus illuxit.

O wahrhaft felige Nacht, welche die Aegypter beraubt und bereichert hat die Hebräer! Die Nacht, in welcher mit dem Irdischen das Himmlische, das Menschliche mit dem Göttlichen sich vereiniget. So bitten wir Dich denn, o Herr, daß diese Kerze, zur Ehre Deines Namens geweiht, zur Zerstreuung des Dunkels dieser Nacht ungeschwächt fortdauere, und als lieblicher Wohlgeruch angenommen, mit den Lichtern des Himmels sich vereinige. Ihre Flamme finde der Morgenstern; jener Morgenstern, der nicht kennt den Untergang jener, der aus dem Grabe erstiegen, dem Menschengeschlechte hell leuchtend aufgegangen ist.

Ungefähr die Hälfte der Handschriften illustriert diesen Abschnitt wieder durch die Darstellung des Diakons, wie er die Rolle ganz entfaltet hat und die letzten Worte des Hymnus singt, oder auch wie er, beziehungsweise der Bischof, neben der Kerze stehend den Segenswunsch ausspricht, sie möchte recht lange zur Zerstreuung des Dunkels ihre Dienste tun. Auf einigen Abbildungen wird dieser Segen sofort von Gott bestätigt, in der Höhe erscheint nämlich die von einem Strahlenkranze umgebene Hand Gottes.

Precamur ergo te, Domine, ut nos famulos tuos omnemque Clerum, et devotissimum populum, una cum beatissimo Papa nostro N. et Antistite nostro N. quiete temporum concessa, in his Paschalibus gaudiis, assidua protectione regere, gubernare et conservare digneris.

So bitten wir Dich denn, o Herr, daß Du uns, Deinen Dienern und allen Priestern und dem gläubigen Volke, mit unserm heiligen Vater, dem Papste N. und unserm Bischofe N. Zeiten der Ruhe gewähren und in diesen österlichen Festfreuden sie in ununterbrochener Obhut leiten, regieren und bewahren wollest

Dieser Schlußbitte entspricht das Bild des Herrschers, Papstes, Bischofs oder Abtes, unter welchem die Rolle angefertigt wurde oder auch des Heiligen, dem sie der Maler geweiht hatte. So zeigt die Rolle zu Bari zwei griechische Kaiser in reicher Prachtgewandung, wahrscheinlich Basilius II. und Konstantin VIII. (gestorben 1028), die Rolle der Barberinischen Bibliothek (Rom) einen von Klerikern umgebenen Papst und einen Kaiser, vielleicht Heinrich VI., neben welchem ein Graf mit einem Falken auf der Faust sitzt.

Nicht alle Rotelu enthielten, wie schon oben bemerkt, sämtliche hier aufgezählten und beschriebenen Bilder, am reichsten sind die jüngeren Handschriften damit verziert. Jedenfalls aber wurde die Aufmerksamkeit der Gläubigen durch die feierliche Absingung des Exsultet und die bildergeschmückten Rollen mit Nachdruck auf die hohe Bedeutung der Kerzenweihe hingelenkt; mit Interesse werden sie die Darstellungen betrachtet haben, wie es noch jetzt der Fall ist in Salerno, wo alljährlich am Karsamstag nach alter Gewohnheit eine solche Rolle an dem marmornen Ambon aufgehängt wird.

8. Fragen wir zum Schlusse nach der Verbreitung und Dauer der Exsultetrolle, so kann es keinem Zweifel unterliegen, daß sie auf das kleine Gebiet des südlichen Italiens beschränkt geblieben ist. Darauf deutet nicht nur der Umstand, daß in den Kirchen und Archiven dieser Gegend fast alle Rollen aufgefunden wurden und größtenteils noch vorhanden sind, sondern besonders der beneventanische (longobardische) Charakter der Schriftzeichen. Ihre Zeitdauer beträgt ungefähr 300 Jahre, da die älteste Rolle (Pisa) im 10. Jahrhundert, die jüngste, ebenfalls in Pisa, um 1300 entstanden ist. Doch wird immerhin der Gebrauch der Rollen noch manches Jahrzehnt angedauert haben, wenn auch keine neuen Exemplare mehr angefertigt wurden.

Fast möchte man bedauern, daß der schöne Gebrauch der Exsultetrollen auf so enge Grenzen an Raum und Zeit beschränkt blieb; wäre er doch sicherlich imstande, dem tiefsinnigen Benediktionshymnus der Osterkerze mehr Freunde zu gewinnen als er jetzt besitzt. Möchten ihm diese wenigstens unter den Klerikern nicht fehlen!

Das Kruzifix in der anglikanischen Kirche.

Von U. Zurburg, Rorschach.

Als durch Newman, Keble und Pusey das religiöse Leben durch die bekannte Oxforder-Bewegung in der anglikanischen Kirche neue Impulse erhielt, kam auch das Kruzifix zur besonderen Geltung.

Die schärfsten Gegner der Traktarianer mußten den Geistlichen dieser Richtung das Zeugnis geben, daß sie und ihre mehr ritualistischen Nachfolger die Seelen des Volkes im Sturme eroberten und Tausende aus den verworfensten Quartieren Londons zu sittlichem und religiösem Denken und Handeln angespornt haben. Es war dies ein Werk, wie es bisher keine andere Richtung in der englischen Staatskirche kaum je versucht, geschweige denn ausgeführt hätte. Das Volk der armen Quartiere strömte den neugezierten Gotteshäusern zu, wo überall das Kruzifix bald auf dem Kommuniontisch, bald auf der Kanzel oder an der Mauer angebracht worden war. Männer aus den nobelsten Ständen pflegten hier den Gottesdienst zu besuchen; so finden wir den berühmten Gladstone, den späteren Ministerpräsidenten neben den Advokaten Hope-Skott und Bellasis regelmäßig in der einfachen Kapelle von Old Margareth Street in London. Das Kruzifix blieb dieser Kapelle noch erhalten, als ein fanatischer Ansturm der sogenannten „Evangelicals" die Unterdrückung verschiedener ritualistischer Neuerungen durch den Staat hier zur Folge hatte.

Die Entscheidungen der anglikanischen Bischöfe und der kirchlichen Gerichtshöfe, die aber zumeist in den Händen von Laien sich befinden, über die Gesetzlichkeit des Kruzifixes in der anglikanischen

Kirche sind sehr unbestimmt und auseinandergehend. Unter Bischof
Samuel Wilberforce von Oxford, einem ausgesprochenen Gegner
der katholischen Kirche, finden wir das Kruzifix auf dem „Altare"
angebracht und als Prozessionskreuz verwendet, während Bischof Tait
von London (später Erzbischof von Canterbury) es auf dem Altare
verbot, dagegen an der Mauer angebracht gestattete (1857). Ein
religiöser Verein wurde 1855 ins Leben gerufen, „Der Verein des
heiligen Kreuzes"[1], dem die hervorragendsten Geistlichen Englands
angehörten. Es braucht nicht gesagt zu werden, daß die Mitglieder
dieser Genossenschaft das Kruzifix in ihren Kirchen wieder zu be=
sonderer Geltung brachten. In den Kirchen und neugegründeten
Klöstern — es sind meistens Frauenklöster — werden am Karfreitag
selbst die ergreifenden Zeremonien der Kreuzenthüllung eingeführt.
Letzteres, verbunden mit der darauffolgenden Adoratio crucis, hat
wiederholt tumultuarische Störungen des Gottesdienstes von Seiten der
gegnerischen Richtung der Low Church veranlaßt.[2]

Der Kirchenkongreß von York veranstaltete 1866 eine Aus=
stellung kirchlicher Kunst, wobei besonders schöne gotische Kruzifixe
aus einigen anglikanischen Kirchen vorgezeigt wurden.

Zwar verfügten zuweilen die Gerichtshöfe, daß das Kruzifix
aus den Kirchen entfernt werde. So wurde 1870 das Kruzifix aus
Metall in einem einzelnen Falle verboten. Meistens hatte hiebei die
Gefahr des „römischen Aberglaubens" die Richter bestimmt,
dem Drängen der Church=Assoziation nachzugeben. Letzterer Verein
scheute die größten Opfer nicht, um die Wirksamkeit ritualistischer
Geistlicher zu hindern.[3] Dies geschah in erhöhtem Maße, als ihnen
das neue Gesetz,[4] das gegen den Gottesdienst der Ritualisten auf
Erzbischof Taits Bemühung hin eingeführt, noch zu Hilfe kam.
Hohe Geldbußen und selbst Gefängnis vermochten aber die Pioniere
der neuen Richtung nicht einzuschüchtern. Ihre Haltung und ihr
religiöser Eifer und die Opferwilligkeit, mit der sie besonders arme

---

[1] Dieser Verein verpflichtete seine Mitglieder zum Zölibat. — [2] Am
Karfreitag 1898 machte der Buchhändler Kensit seinen ersten Angriff in seiner
eigenen Pfarrkirche in London. Die Anbetung des Kreuzes hatte schon statt=
gefunden, als Kensit dem Kreuze sich näherte, doch anstatt niederzufallen auf der
untersten Stufe, stieg er hinauf, ergriff das Kreuz, hielt es hoch der Gemeinde
entgegen und rief: „Im Namen Gottes, ich protestiere gegen den Götzendienst in
der Kirche von England; Gott helfe mir! Amen." Noch konnte er gerade das
Kreuz dem Geistlichen übergeben, da brach der Sturm in der Gemeinde los.
Große Verwirrung, Geschrei, ja Handgemenge entstand; man überfiel und schlug
ihn; da schrie er: „Mörder! Ich sterbe, ein Märtyrer des protestantischen Glaubens"
— [3] Die Prozesse verschlangen enorme Summen, 50, 100, 200 bis 300 Tau=
sende von Franken. Wurde ein Geistlicher verurteilt, war er finanziell mehr als
ruiniert, sofern ihm nicht die ritualistische English Church=Union beisprang. Die
Church=Assoziation hatte beim Beginn ihrer Kampagne in ihrer Konferenz in
Willis Rooms beschlossen, einen Garantiefond von 1¼ Millionen Franks zu
beschaffen. Sie rühmte sich, 2 Millionen Franks verausgabt zu haben, um
damit 60 ritualistische Geistliche zur Aburteilung zu bringen. — [4] Public
worship regulation Act vom 7. August 1874.

und verwahrloste Pfarreien sich erwählten, hat ihnen die Verehrung selbst solcher Kreise zugezogen, die sonst jedem religiösen Leben gleich=gültig gegenüberstanden.

Vor dem Bild des Gekreuzigten, das er in möglichster Realistik in seinem Zimmer malen ließ, verrichtete der ritualistische „Märtyrer" Mackonochie, Pfarrer von St. Alban (London), seine täglichen Gebete und die Betrachtung. Von ihm gestand Bischof Tait, der ausgesprochene Gegner ritualistischer Neuerungen: „Ich habe in meiner Diözese keinen besseren Mann." Als dieser Geistliche infolge der vielen Anstrengungen und Verfolgungen erkrankt, 1885 fern von seiner Gemeinde in Schottland starb, wurde die Leiche nach St. Alban gebracht. Angetan mit kirchlichen Gewändern, mit dem Kruzifix und Brevier auf der Brust, wurde er begraben. Bei dem imposanten Leichenzug durch die Straßen Londons wurde ein großes silbernes Kruzifix vorausgetragen.[1]

Mit Ernennung des Traktarianers Church, des edlen Freundes Newmans, zum Dechanten von St. Pauls Kathedrale (1871) zog auch das Kruzifix in die Hauptkirche Londons ein. Die bisherige Oede und Kälte im Sinne des strengen Puritanismus verschwand. Bischof Blomfield von London sagte seinerzeit zu seinem Kollegen Wilberforce, als sie vor St. Paul standen: „Ich wüßte nichts, was dieses große Gebäude jemals für die Sache Jesu Christi getan hat." Der berühmte Pusey hatte noch 1870 dieses riesige Bauwerk den „Augiasstall" in der evangelischen Kirche genannt.[2]

Im Juni 1888 veranlaßte die sattsam bekannte Church=Asso=ziation — die „Persecution Compagny", wie man sie getauft — einen Prozeß gegen das Kapitel von St. Paul wegen Errichtung eines kunstvollen Altaraufsatzes aus Marmor mit Altarbild. Dieses Kunstwerk war auf eine Million Franks zu stehen gekommen. Das Altarbild mit der Mutter Gottes und dem Heiland am Kreuze, betonte die Anklägerin, „sei angetan, abergläubische Andachten herbeizuführen". Bischof Temple von London — 1902 als Erz=bischof von Canterbury gestorben — der bei seinen rationalistischen Ansichten gegen alle Richtungen seiner Kirche offen und gerade war, erhob das Veto, um diesen Prozeß, den er töricht und eigensinnig nannte, niederzuschlagen. Als er deswegen von der Church=Assoziation angegriffen und letzterer das Obergericht (Queens Bench) Recht gab, appellierte er an das Oberhaus, welches dann 1891 das absolute Recht, in dieser Sache zu entscheiden, dem Bischof zuerkannte.[3]

Die Angriffe gegen das Kruzifix in der anglikanischen Kirche haben seither nicht aufgehört, es hat aber mit dem Vordringen des Ritualismus sich eine hervorragende Stellung im gottesdienstlichen Leben der Staatskirche erobert.

---

[1] Cfr. Memoir of Rev. A. H. Mackonochie by E. A. T. p. 280—296. — [2] Life and Letters of Liddon (18.9—90) by J. Johnston p. 135. — [3] Cfr. History of the English Church-Union p. 304, 315, 319, 320, 324

In neuester Zeit, z. B. Ende 1900, haben sogenannte „aggrieved parishioners", wie sie das Gesetz vorsieht, unzufriedene Pfarrgenossen, Strohmänner der Church=Assoziation, da und dort gegen einzelne Pfarrer Prozesse angestrengt, doch haben die Bischöfe durch ihr Veto das Gerichtsverfahren sistiert. Da man gegen die Personen nichts mehr tun kann, sucht man die sachlichen Neuerungen von den Konsistorialgerichten als ungesetzlich verbieten zu lassen. Da diese Richter Laien und vielfach total indifferent in Glaubenssachen sind, geben sie sich schneller her, jene kirchlichen Ornamente, welche gewisse Puritaner verletzen können, entfernen zu lassen. Der französische Akademiker Thureau=Dangin schreibt in seinem berühmten Werke über England: „Das Schauspiel, das diese Advokaten darbieten, indem sie über Fragen des Kruzifixes sich verbreiten, ist sonderbar und entbehrt nicht des Lächerlichen; was das Resultat betrifft, ist nur ein geringer Erfolg zu verzeichnen, denn die Ornamente, welche in einer bestimmten Kirche verboten werden, finden sich weiterhin in einer großen Anzahl benachbarter Kirchen vor."[1]

In dem oben erwähnten Prozesse gegen das Kathedral=Kapitel von St. Paul in London betonte der Richter Lord Lindley: „Was in betreff von Bildern, Kreuzen, Kruzifixen und anderen derartigen Gegenständen in Kirchen bezüglich ihrer Gesetzlichkeit oder Ungesetz=lichkeit gesagt werden kann, hängt davon ab, ob diese Gegenstände an dem Orte, wo sie angebracht worden, Veranlassung dieten oder bieten könnten zu abgöttischer oder abergläubiger Verehrung oder ob solches nicht der Fall ist. Wenn daher in einem bestimmten Falle der Bischof der Meinung ist, daß das betreffende Bild, Kreuz, Kruzifix oder ein anderes Skulpturstück keine Tendenz hat, zu solcher Ver=ehrung zu führen, ist er, nach meiner Meinung, vollkommen gerecht=fertigt, wenn er den Streitfall gegen diesen Gegenstand einfach niederschlägt."

Ob das Kruzifix als solches in der anglikanischen Kirche ge=setzlich oder ungesetzlich sei, darüber verlautet nichts. Die Orna=mentenrubrik im offiziellen Gebetbuch der Staatskirche enthält diesbezüglich keine Bestimmung. Die Praxis der Bischöfe geht auf weiteste Toleranz. Ein Geistlicher der Diözese Norwich ladet öffentlich zu seinem ultra=ritualistischen Gottesdienst ein und detont, es geschehe dies mit Erlaubnis des Bischofes. Ein Korrespondent der „Times" bemerkte daselbst ein schönes Prozessionskreuz nebst einem Kruzifix aus Metall auf dem Altar. Der gegenwärtige Bischof von London Dr. Jngram detont: „Der Gebrauch des Prozessionskreuzes ist in der St. Paulus=Kathedrale schon längst eingeführt, findet sich ebenfalls in vielen Kirchen meiner Diözese; ich finde keinen Grund, dagegen etwas zu bestimmen."[2]

---

[1] La Renaissance Catholique en Angleterre au XIXe siecle (Paris 1906) III 521. — [2] The Tablet 1905, I, 51.

Die „Kruzifix-Freundlichkeit" wurde diesem Prälaten anläßlich seiner Inthronisation in Loudon vom Buchhändler Kensit als besonders belastend vorgehalten, aber die Regierung schritt über diese lächerliche (10 seitige) Anklage zur Tagesordnung. — Der Bischof von Winchester bestimmte, es müsse bei Anbringung von Bildern und Statuen ꝛc. in den Kirchen seiner Diözese jedesmal die Erlaubnis des Bischofs eingeholt werden.

Kanzler Espin, ein Laie, der als Richter am Konsistorial-gerichtshof der Diözese Liverpool funktionierte, erklärte daselbst am 28. Februar 1902: „Es kann nicht behauptet werden, daß im Kruzifix etwas speziell und besonders Römisch-Katholisches liegt. Es ist eine gewöhnliche Erscheinung in lutherischen Kirchen und ist daselbst meistens hinter und über dem Altar angebracht. Ich habe es in hundert von lutherischen Kirchen in allen Teilen Deutschlands gesehen und ich habe in Deutschland nie gehört, daß es daselbst zu abergläubischen Zwecken mißbraucht würde."[1] Im betreffenden Fall wurde das schöne Kruzifix aus Eichenholz, 4 Fuß und 6 Zoll lang mit einem Christus von 2 Fuß und 3 Zoll in der Kirche belassen. In vielen Fällen sind die kostbaren Kruzifixe Geschenke frommer Anglikaner, welche jeweils von den Kirchgenossen-Versammlungen bestens verdankt werden.

Eine etwas sonderbare Entscheidung des Kanzlers Tristam von Chichester (August 1902) in einem Falle, der eine ritualistische Kirche in Brighton betraf, endigte in einem wilden Bildersturm des Mob, den die sogenannten „Wicliffe-Prediger", Kensits Freunde, entflammt hatten. Mit Aexten wurde die Kirche erbrochen, einzelne Gegenstände zertrümmert, anderes im Triumph hinausgeschafft, später aber auf Entscheidung des Bischofs den Pfarrgenossen wieder eingehändigt und von denselben unter Absingen religiöser Lieder in die Kirche zurückgebracht. Die protestantische Presse machte zu diesem ärgerlichen Vorfall einen scharfen Kommentar. Der „Pilot" schrieb: „Die Gefühle jeder rechtlich denkenden Person sind verletzt worden durch das, was sich ereignet hat bei der Entfernung der Ornamente." Die „Church-Times" detonte: „Abgesehen von den Fragen der Gesetzlichkeit ist es ein arger Schimpf auf das Christentum, Bilder unseres Herrn, der seligen Gottesmutter und Kruzifixe herabzureißen."[2]

In einer kleinen Gemeinde der Diözese Oxford verlangten 63 Kirchgenossen mit Unterschrift die Beibehaltung des Kruzifixes, während nur einige fanatische Anhänger Kensits dagegen Verwahrung eingelegt hatten (Mai 1904).

Ein Fall in Shirebrook (Derbishire) vom Dezember 1905 zeigt, daß, trotzdem der Bischof verschiedene Kultusgegenstände in der

---

[1] The Tablet 1902, I, 342. — [2] The Tablet 1902, II, 272; 1903, II, 360, 408, 435, 461, 463.

dortigen Pfarrkirche gelassen, die Gegner dennoch einen Prozeß herauf=
beschwören konnten. Es waren daselbst auch drei Kruzifixe. Auf die
Frage des Kanzlers an den Pfarrer: „Würden Sie nicht die Kruzifixe
entfernen, wenn die Pfarrkinder es wünschen", antwortete derselbe:
„Es würde mir sehr wehe tun, wenn das Symbol unserer Erlösung
entfernt würde." Auf die Frage: „Aus welchem Grunde haben Sie
denn das Kruzifix auf der Kanzel angebracht?" lautete die Antwort:
„Damit die christlichen Seelen darauf schauen; es ist dieses Zeichen
dem Prediger von unschätzbarem Wert."[1]

Die Gerichtsverhandlungen, welche wegen des Wegkreuzes
auf dem Besitztum des Ritualistenführers Lord Halifax durch fanatische
Hetzer inszeniert wurden, entbehren nicht des Humors. Ein Kruzifix
an der Landstraße war besonders als Angriffspunkt gewählt: Prä=
sident: „Wird es ein Pferd scheu machen?" Mr. Badger: „Nein, es
ist von Bäumen umgeben!" — Das Kruzifix steht heute noch.

Es ist uns nur ein Fall bekannt, wo das Kruzifix in einer
Schule Anstoß erregte und wo von einigen Personen dessen Ent=
fernung verlangt wurde. Es betraf zudem noch eine Staatsschule in
Ekklas, Kent. Die ganze Geschichte war von einer Frau angezettelt,
welche behauptete, ihr Kind habe vor dem Kruzifix seine Strafe,
welche ihm die Lehrerin wegen Ungehorsam diktierte, abbüßen müssen.
Der anglikanische Geistliche Evans, der die ebenfalls protestantische
Lehrerin in Schutz nahm, drückte sein Bedauern aus, daß die Eltern
nicht schon früher bei den Schulbehörden oder bei der Lehrerin
reklamierten, sofern sie etwas gegen das Kruzifix einzuwenden hätten;
er sei überzeugt daß selbes auf allgemeines Verlangen entfernt
worden wäre. Er könnte übrigens nicht einsehen, wie es Leute gäbe,
welche gegen ein Kruzifix als solches mehr abgeneigt wären als gegen
eine Darstellung der Kreuzigung im Bilde.

Es scheinen übrigens die Ankläger hier nicht allzufeiner Sitten
gewesen zu sein. Als der Geistliche bemerkte: „Wenn Ihr kleine
Kinder von fünf oder sechs Jahren fragt, ob solche Dinge (Ver=
beugungen, Abbitte) vorgekommen seien oder nicht, was für eine
Antwort könnt Ihr dann erwarten?" — antwortete ein gewisser
Buß: „Ich würde demselben gerade soviel glauben als Ihnen; es
sind nicht alle Lügner." (Gelächter und Entrüstung.)

Die eigentliche „Bilderverehrung" ist noch 1906 von der
Kommission, welche vom Parlamente mit der Untersuchung kirchlich=
ritueller Ungesetzlichkeiten in der anglikanischen Kirche betraut wurde,
als ungesetzlich und entgegen der Lehre der anglikanischen Kirche dar=
gelegt worden.

Das Kruzifix hat sich vor allem durch die Ritualistenbewegung
Eingang in manches anglikanische Gotteshaus verschafft; mit ihm
hat das religiöse Leben in seiner Entwicklung, seiner Vertiefung und

---

[1] The Tablet 1905, II, 1028

feinem Aufschwung gleichen Schritt gehalten. Gladstone war sichtlich erfreut als ihn Lady Grosvenor zu seinem 88. Geburtstag mit einem kleinen Kruzifix beschenkte. In seiner Tagebuchnotiz (Dez. 29, 18⋅⋅6) notierte er dieses „erfreuliche Geschenk" mit der anschließenden Bemerkung: I am 'rather too independent of symbol.[1]) Königin Viktoria hat mit ihrer entschiedenen Abneigung gegen die Puseyiten und Ritualisten nie zurückgehalten, sie war zu sehr in den Anschauungen der Broad Church auferzogen, um ein Verständnis für das zu haben, was sie als „Enthusiasmus" in der Religion wie in der Politik zurückwies. Der Ritualismus hat jedoch durch eine ihrer Töchter selbst in die königliche Hauskapelle sich den Eintritt verschafft und mit einiger Verwunderung erwähnte die Presse den Umstand, daß man auch in ihrem Sterbezimmer ein Kruzifix vorfand.

Die dogmatischen Differenzen der katholischen und der griechisch-orientalischen Kirche.

Von Josef Lachmayr S. J. in Innsbruck.

Erfreulicherweise ist auf katholischer Seite das Interesse an der griechisch-orientalischen, speziell an der russischen Kirche in sichtlichem Wachstum begriffen. Die Ansichten über die orthodoxe Theologie sind jedoch vielfach irrig. Man ist geneigt, das Fortbestehen des Schismas fast einzig auf politische Verhältnisse zurückzuführen und die Bedeutung der streng theologischen Fragen recht gering anzuschlagen, denn, so heißt es oft, außer dem päpstlichen Primat und dem Filioque besteht doch kein eigentlicher Unterschied. Vereinzelte Aussprüche des einen oder anderen Russen dienen leichthin als Beleg dafür. Und doch sind nur wenige Dogmen der katholischen Kirche, die von den Orientalen nicht bestritten würden, wenn schon nicht in ihrem Wesen, so doch in ihrer Fassung und in ihrer Begründung, die Zahl der Häresien, welche der katholischen Kirche vorgeworfen werden, ist sehr groß. Es verschlägt dabei wenig, daß ältere Glaubensdokumente, wie z. B. die libri symbolici,[2]) weniger dogmatische Differenzen aufweisen. Man muß die orientalische, speziell die russische Kirche nehmen wie sie heute ist. Die so beliebte Unterscheidung zwischen der Lehre der russischen Kirche und der Lehre der russischen Theologen ist zwar berechtigt, hat aber heute in vielen Punkten nur wenig Bedeutung, da die Ansichten der Theologen durch eine starke theologische Literatur in weite Kreise getragen werden und durch die Approbation des heiligen

---

[1]) Life of W. E. Gladstone by J. Morley, London (1903) III, 523. — [2]) Als libri symbolici gelten: 1. die auf den Patriarchalsynoden von 1643 und 1662 bestätigte confessio orthodoxa; 2. die 1672 auf dem Konzil von Jerusalem erlassene confessio Dosithei; 3 in Rußland noch der große Katechismus Philarets. (Er genießt etwa das Ansehen unseres Catechismus Romanus und erschien auch deutsch in Frankfurt 1872. Ausführlicher christlicher Katechismus, übersetzt von Blumenthal, nach der 59. russ Ausgabe.)

Synod auch die Sanktion der höchsten geistlichen Autorität in Ruß=
land erlangen.

Wohl nur dann, wenn man diese Tatsache würdigt und weiterhin
die Lehren der russischen Theologie kennen zu lernen strebt, wird eine
gedeihliche theologisch=wissenschaftliche Tätigkeit im Dienste des großen
Unionswerkes möglich sein. — Im folgenden geben wir eine Uebersicht
über die hauptsächlichsten Differenzen zwischen der katholischen und der
orthodoxen Kirche, mit besonderer Berücksichtigung der neueren russischen
Theologie. Das Gebotene ist eine Uebersicht und will darum keinen
Anspruch auf Vollständigkeit machen.

Heilige Schrift und Tradition sind Glaubensquellen ebenso
in der griechisch=orientalischen wie in der katholischen Kirche. Nach
der Confessio orthodoxa stimmt auch der Kanon der heiligen Bücher
mit dem tridentinischen überein,[1] seither ist man jedoch von dieser
Entscheidung abgegangen. Als inspiriert gelten gegenwärtig fast
allgemein nur die protokanonischen Bücher, während die deutero=
kanonischen nur wegen der Heiligkeit und Heilsamkeit ihres Inhaltes
hochgeschätzt, als fromme Lesungen und Ergänzungen zur Heiligen
Schrift gebraucht werden.[2] Doch fehlt es da an Einheit. Der eine
streicht dieses, der andere jenes Buch, Silvester will in seiner Dog=
matik nur einzelne Kapitel wegfallen lassen; bis in die neueste Zeit
stand in den offiziellen Schulbüchern für die Seminarien das Buch
Baruch unter den inspirierten, erst 1896 wurde es unter die
„apokryphen" eingereiht. — Wohl allgemein gelten von unseren
kanonischen Büchern als apokryph: Tobias, Judith, liber Sapientiae,
l. Ecclesiasticus und die Bücher der Makkab.[3]

Für die Behandlung der Heiligen Schrift blieb die moderne
Kritik freilich nicht ganz ohne Einfluß; doch steht noch die Mehrheit
der Theologen auf dem traditionellen Standpunkte. Zahlreiche, zum
Teil sehr solide Arbeiten wenden sich gegen die rationalistische und
modernistische Bibelkritik, Glubokovskij verdient mit seinen Werken
über die Paulusbriefe wohl einen Platz unter den ersten Bibel=
forschern der Gegenwart. Bibelstudium und Liturgik dürften wohl
jene Gebiete sein, auf denen die theologische Wissenschaft bei den
Russen die meisten und wertvollsten Leistungen aufzuweisen hat.

Die Begriffsbestimmung des Dogmas bietet keine ernstliche
Differenz. Ein Hauptvorwurf aber, den man der katholischen Kirche
macht, ist „Evolution der Dogmen". Nach den Prinzipien der orienta=
lischen Kirche hat mit dem 7. allgemeinen Konzil jede Entfaltung der
Dogmen, wenn sie auch nur den Wortlaut der Kanones beträfe, auf=
gehört; was nicht schon explicite dort enthalten ist, kann nicht zum
Dogma erhoben werden. Daher der immer wiederkehrende Protest gegen

---

[1] Kimmel, libri symbolici, P. I. pg. 467. — [2] Makarij, Vvedenie v
pravosl. bogoslovie, 6. S. Petersburg. 1897. S. 322 ff. — [3] Ausführlich wird
diese Frage behandelt in Stavorum Litterae theologicae, t. II., pg. 123 ff.,
282 ff; t. III pg. 264 ff.

„die papiſtiſchen Neuerungen."[1]) Das genannte Prinzip legen dann freilich die ruſſiſchen Theologen für ſich ſelbſt ganz ſonderbar aus.

In der Lehre de Deo trino trennt uns das Filioque von den Orientalen. Die eigentlichen Griechen ſind in dieſer Frage heute noch ebenſo ſtarrſinnig wie ehedem, die ruſſiſchen Theologen ſind gemäßigter. Man geſteht teilweiſe zu, „die katholiſche Lehre ſtehe nicht im Widerſpruch mit der heiligen Schrift" (Silveſtr), „die Lehre der Väter darüber ſei nicht klar" (Bělajev) u. ſ. w. Manche, wie Malcew, machen den Katholiken nur das zum Vorwurf, daß ſie das Filioque widerrechtlich, d. h. ohne die Entſcheidung eines allgemeinen Konzils abzuwarten, in das Credo aufgenommen haben.

Daraus beſondere Unionshoffnungen ſchöpfen wollen, ginge aber zu weit. Wir haben hier die Anſicht einzelner Theologen vor uns, nicht die offizielle Lehre der Kirche. Und auch bei dieſen Theologen iſt man von einem gläubigen Umfaſſen des katholiſchen Dogmas weit entfernt. Man möchte vielmehr dieſe und ähnliche Differenz= punkte als belangloſe Schulmeinungen der einzelnen Kirchen be= handelt wiſſen, ohne allgemein bindenden Charakter. Die Mehrheit der Theologen hält die katholiſche Lehre für verwerflich. Mak. z. B. polemiſiert ſehr ausführlich gegen das katholiſche Dogma.[2])

Die offiziellen Textbücher und das symbolum fidei ſagen, der heilige Geiſt gehe aus vom Vater, in der Erklärung aber wird dazu= gegeben „vom Vater allein" und gerade auf dieſes „allein" wird der Hauptnachdruck gelegt. Die katholiſche Lehre bezeichnet man viel= fach als „Häreſie", „Gottesläſterung" oder doch als „Lächerlichkeit".

Sehr ſchwierig iſt es, irgendeine Klarheit zu bekommen über die Auffaſſung der justitia originalis, der Erbſünde und der Gnade. Die bei Behandlung dieſer Gegenſtände gebrauchten Termini ſind den unſrigen oft ſehr ähnlich, haben aber vielfach einen ganz anderen Sinn. Die älteren Theologen und die libri symbolici kommen der katholiſchen Lehre ziemlich nahe, die moderne Theologie dagegen hat ſich, wie auch zugeſtanden wird, von der älteren Schule entfernt und wendet ſich ſcharf gegen die katholiſche Auffaſſung. Leider liegt dieſer Polemik meiſt eine ganz irrige, vorwiegend aus nichtkatholiſchen Werken geſchöpfte Darſtellung der katholiſchen Lehre zugrunde.

In den Hauptpunkten dürfte etwa folgendes die ruſſiſche Auf= faſſung wiedergeben. Wenige Ausnahmen abgerechnet wird nicht unterſchieden zwiſchen natürlicher und übernatürlicher Ordnung in uuſerem Sinne. Man ſpricht nur von einem Ziel des Menſchen ſchlechthin, das wir freilich übernatürlich nennen, weil es auch nach

---

[1]) Cfr. das Rundſchreiben des Patriarchen Antimos von Konſtantinopel als Antwort auf die Enzyklika Leos XIII. vom 20. Juni 1894. Das Rund= ſchreiben, erlaſſen im Auguſt 1895, iſt von 12 Metropoliten unterzeichnet. Die für die Serben angefertigte amtliche Ueberſetzung ſiehe in Balk in, 1896, S. 38—53. — [2]) Makarij, Pravoslavno-dogmatičeskoe bogoslovie⁴. St. P. 1883, 1. Bd, S. 267—348. — Cfr. Rundſchreiben ... n. 7, Balkan, l. c. S. 41 f.

orientalischer Auffassung die visio beatifica einschließt. Die Be=
fähigung zu den diesem Ziele entsprechenden Akten gibt nicht ein
höheres Lebensprinzip im Menschen selbst, die heiligmachende Gnade,
sondern eine besondere Mithilfe und Führung Gottes, etwa wie die
gratia adjuvans, oder besser wie ein concursus specialis, da die
Erhebung der Natur in einen Stand der Uebernatur nicht bekannt
scheint. Die Bestimmung zu jenem Ziel ist mit der menschlichen
Natur gegeben, damit auch die exigentia zu jenem concursus
specialis, unter dessen Mitwirkung der Mensch seine natürlichen
Kräfte entfalten soll, um sein Ziel zu erreichen.

Der Mensch ging nach vielen russischen Theologen aus der
Hand Gottes hervor in statu innocentiae und sollte durch Benützung
der Gnade in angegebenem Sinne sich zum status justitiae erheben,
durch die Sünde aber fiel er aus diesem Zustande und verlor die
Gnade für sich und seine Nachkommen bis zur Wiederherstellung
durch Christus. Die Erbsünde selbst wird wieder sehr verschieden
erklärt, von manchen in die concupiscentia, von anderen in den
Verlust der immortalitas und integritas verlegt mit Ausschluß einer
culpa im katholischen Sinne, andere, so Makarij, sprechen von culpa
und peccatum naturae.[1]) An den Verlust der heiligmachenden Gnade
in katholischem Sinne ist meist nicht zu denken, wenigstens nicht bei
den meisten Theologen. Die libri symbolici sprechen, wenn auch nicht
hinreichend klar, von einem eigentlichen Gnadenstand, und der jetzt
maßgebende Katechismus Philarets sagt: (Th. 1. A. 3., S. 29.)
"Welcher Art war der Tod, der aus der Sünde Adams hervorging?
Er war ein doppelter: der leibliche, da die Seele vom Leide getrennt
wird; und ein geistlicher, da die Seele der Gnade Gottes beraubt
wird, welche sie zu einem höheren, geistigen Leben belebte."

Aus dem Gesagten ersieht man wohl, daß wir auch bei der
Lehre über die Gnade keine besondere Klarheit erwarten dürfen. Die
ganze neutestamentliche Ordnung heißt zwar in besonderer Weise die
Ordnung der Gnade; "übernatürlich" aber ist bei Makarij wie
durchweg bei den Theologen Rußlands gleichbedeutend mit "außer=
ordentlich", "wunderbar."[2]) Und so "gehören zu den übernatür=
lichen Gnaden als jene Gaben, welche Gott den Geschöpfen auf
übernatürliche Weise mitteilt als Ergänzung der Gaben der Natur
(die er als natürliche Gnaden vorher erwähnt hat), so z. B. wenn er
selbst unmittelbar den Verstand der vernünftigen Wesen durch das
Licht seiner Wahrheit erleuchtet und ihren Willen durch seine Kraft
und Mitwirkung bei den Werken des Heiles kräftigt".[3]) Makarij

---

[1]) Makarij, l. c. I. 469 ff. Dieser Autor wurde hier hauptsächlich benützt,
da die übrigen Theologen ihm durchweg folgen: Meinungsverschiedenheiten, die
bei Antonij, Silvestr, Světlov, Philaret u. s. w. sich finden, betreffen nur neben=
sächliche Modifikationen dieser Hauptsätze. Näheres bietet: Matuljevicz, doctrina
Russorum de statu justitiae originalis. Cracoviae, Anczyc, 1903. - [2]) Ma=
karij, l. c. I. 27. 596. - [3]) Ibid. II. 248.

unterſcheidet ferner zwar eine gratia permanens und gratia tran-
siens, beraubt aber die erſtere wieder ihrer Aehnlichkeit mit unſerer
habitualis, wenn er Gnade überhaupt definiert als „eine beſondere
Kraft oder Tätigkeit Gottes im Menſchen".[1])

In wenigen Worten laſſen ſich die diesbezüglichen Differenzen
etwa alſo zuſammenfaſſen:

Es fehlt die Kenntnis des übernatürlichen Zieles, darum auch
die Kenntnis des übernatürlichen Lebens und Lebensprinzipes der
gratia habitualis; die Gnade überſteigt nicht die exigentia naturae,
iſt nicht supernaturalis entitative, ſondern eher ein concursus
specialis.

Unverkennbar iſt eine große Aehnlichkeit der ruſſiſchen Gnadenlehre mit einzelnen Lehrſätzen bei Bajus, während die katholiſche
Lehre nicht ſelten als pelagianiſch bezeichnet und der heilige Auguſtin
zum Begründer der proteſtantiſchen Lehre gemacht wird. Leider entfernt ſich die ruſſiſche Gnadenlehre mehr und mehr wie von den
libri symbolici und den älteren Theologen der griechiſch-orientaliſchen
Kirche, ſo auch von der katholiſchen Lehre.

In der Chriſtologie ſtimmen die Orientalen mit uns überein,
da eben die chriſtologiſchen Dogmen infolge des Kampfes mit den
Irrlehren ſchon in den erſten Konzilien genügend entwickelt wurden.
Daß die Lehre vom Zweck und den Wirkungen der Erlöſung nicht
in katholiſchem Sinne entwickelt ſein kann, iſt nach dem eben über
Natur und Uebernatur Geſagten ſelbſtverſtändlich. Vereinzelt erſcheint
bei modernen Theologen der Vorwurf eines juridiſchen Formalismus
in der Erlöſungslehre, der uns die moraliſche Seite des Erlöſungs-
werkes vernachläſſigen laſſe. Der Einwand iſt ſocinianiſchen Urſprungs
und mag darin eine ſcheinbare Berechtigung gefunden haben, daß
manche griechiſche Väter gerade dieſe moraliſche Bedeutung des Werkes
Chriſti mit Vorliebe behandelten. Auch die Herz Jeſu-Andacht wird
von einzelnen Fanatikern ausgebeutet, um durch allerlei Entſtellungen
die zwiſchen beiden Kirchen beſtehende Kluft zu erweitern.[2])

Den einzigen Differenzpunkt in der Mariologie bildet das
katholiſche Dogma von der Unbefleckten Empfängnis. Daß früher
auch dieſe Lehre, wenn auch nullar, im Glaubensſchatz der orientaliſchen Kirche gelegen, iſt kaum zweifelhaft. Erſt als auf katholiſcher
Seite der Glaube der Kirche immer klarer hervortrat, wurde in der
ruſſiſchen Kirche dieſe Lehre mehr und mehr zurückgedrängt. Das
Feſt der „Empfängnis Mariä", das an Rang über dem Feſt der
Empfängnis Johannes des Täufers ſtand, wurde zum Feſt „Empfängnis der heiligen Anna" und auf einen auffallend tiefen Rang
erniedrigt. In Polock war 1651 eine Art Kongregation zu Ehren
der ſeligſten Jungfrau gegründet und vom ruſſiſch-ſchismatiſchen

---

[1]) Ibid. II. 249 f. — [2]) A. Lebedev, wohl zu unterſcheiden vom jüngſt
verſtorbenen großen Kirchenhiſtorifer A. P. Lebedev, ſchrieb ein eigenes Werk über
dieſe neue Härefie der Lateiner.

Bischof bestätigt worden. Die Weiheformel des Vereines enthielt das
Versprechen, lebenslänglich die Lehre von der Unbefleckten Empfängnis
zu verteidigen. Auf der Akademie von Kijev wurde bis in das
18. Jahrhundert dieselbe Lehre vorgetragen. Dann wurden alle
derartigen Erscheinungen unterdrückt. Die Ausdrücke in der Liturgie,
welche die Lehre von der Unbefleckten Empfängnis zu enthalten
scheinen, mögen vielleicht für sich allein betrachtet sich auch anders
erklären lassen, im Zusammenhange aber mit der Geschichte behalten
sie ihre Beweiskraft. Sehr wichtig ist dabei, daß manche Sekten, die
sich gerade wegen ihres starren Festhaltens an allem Hergebrachten
von der Staatskirche trennten, die Lehre von der Unbefleckten Emp=
fängnis bis heute bewahren.[1]

Weitans am bedeutendsten ist der Gegensatz zwischen der katho=
lischen und sogenannten orthodoxen Kirche in der Lehre über die
Kirche. Christus, so lehrt die orientalische Kirche,[2] hat allen seinen
Aposteln und somit auch allen Bischöfen gleiche Macht eingeräumt,
das alleinige Haupt der Kirche ist Christus selbst. Die Leugnung
eines sichtbaren Kirchenoberhauptes bildet den Angelpunkt aller Gegen=
sätze in der Lehre über die Kirche und, wie die Geschichte bezeugt,
die einzige Rechtfertigung für die aus dem menschlichen Stolze er=
wachsene Kirchenspaltung. Weil alle Apostel gleiche Vollmacht besitzen,
darum sind die Einzelkirchen unter ihren Bischöfen autokephal, darum
kann der römischen Kirche kein Vorrang, dem römischen Bischofe ein
primatus jurisdictionis zukommen. Und erst gar die päpstliche
Unfehlbarkeit! Der päpstliche Primat bildet die Frage um Sein und
Nichtsein der orientalischen Kirche, darum entfällt wohl die Hälfte
aller antikatholischen Polemik auf dieses Gebiet.

Mißverständnisse aller Art müssen dazu dienen, die Abneigung
gegen Rom immer mehr zu schüren. Die päpstliche Unfehlbarkeit soll
sich auch auf die Druckfehler in der Vulgata erstrecken, das Wesen
des Primates sei in der weltlichen Herrschaft des Papstes gelegen
u. s. w. A. Lebedev leistet in seinem Buche „Ueber den päpstlichen
Primat", wohl das Menschenmögliche an Verleumdung und Ent=
stellung und hat noch die Stirne, mehrmals einzuschärfen, er schreibe
ruhig, wissenschaftlich.[3]

Die Hauptstützen für die Leugnung des Primates muß die
Kirchengeschichte liefern,[4] wo allerdings noch manche Frage einer
befriedigenden Lösung harrt. Die Väter, die allgemeinen und par-

---

[1] Cfr. das treffliche Büchlein: Gagarin, L'Eglise Russe et l'immaculée
Conception, Paris 1876. — [2] Ausführlich dargelegt und allgemein zugänglich
ist die Lehre über die Kirche in: Milaš, das Kirchenrecht der morgenländischen
Kirche, deutsch von Pešić, Mostar 1905, bei Pacher und Kisić. S. 206 ff. —
[3] O glavenstvě papy²., St. Petersburg 1903. — Mit besonderer Vorliebe beruft
sich dieser Autor auf „einen Zeugen aus dem papistischen Lager", dessen Janus
er mehr denn 20mal zitiert. (!) — [4] Eine Sammlung solcher Einwände siehe
in Pravoslavni Sobesjednik, Juni ff. 1906 (P. Lapin, Sobor kak višij organ
cerkovnoj vlasti.)

tikulären Synoden müßten daher für eine erfolgreiche Polemik vor allem noch mehr erforscht und herangezogen werden. Viel weniger Bedeutung kommt der Polemik auf Grund der Heiligen Schrift zu, da man eben auf gegnerischer Seite gerade die Tradition anruft, um die betreffenden Schrifttexte zu entkräften. In der Heiligen Schrift selbst muß die Lehre des heiligen Paulus über Christus als Haupt der Kirche die Grundlage für die orthodoxe Auffassung bieten.[1]

Es fehlt indes auch in Rußland nicht an Stimmen, welche eine Zentralautorität für nötig erklären. Selbst der vorhin erwähnte A. Lebedev meint, die historische Entwicklung hätte notwendig zu einem Primat geführt, und dieser wäre gewiß der römischen Kirche zngefallen; Rom aber habe dieser Entwicklung eigenmächtig vorgegriffen und den Primat usurpiert, und so sei die kirchliche Einheit für immer zerstört und die naturgemäße Entwicklung der Kirche Christi für immer unterbunden.[2]

Die Lehre von der Kirche und ihrer Verfassung ist das Gebiet, auf welchem in Rußland der theologische Liberalismus sich breit macht. Die inneren Zustände der russischen Kirche bieten dafür eine hinlängliche Erklärung. Einschränkung der Macht des heiligen Synods und der Bischöfe, Heranziehung des niederen Klerus und der Laienwelt zur Entscheidung über innerkirchliche Angelegenheiten, das ist ein Ziel, das man mit allen Mitteln zu erreichen strebt. Als wissenschaftliche Autorität dient vor allem Harnack, den man Schritt für Schritt angezogen findet. Die Moskauer theologische Zeitschrift bringt dieses Jahr mehrere historische Abhandlungen, die diesem Zwecke zu dienen scheinen; und sie steht damit wahrhaftig nicht allein da. Auf katholischer Seite kann man vielleicht dieser Entwicklung ruhig zusehen; jedenfalls würde eine größere Freiheit der russischen Kirche auch der Wahrheit leichter einen Zugang eröffnen.

In der Sakramentenlehre, soweit zunächst Wesen und Wirk= samkeit der Sakramente in Betracht kommt, besteht kein eigentlicher Differenzpunkt, nur ist die orthodoxe Lehre wenig entwickelt. Wenn einzelne Theologen scharf den katholischen Terminus ex opere ope- rato angreifen, so ist das auf Mißverständnis zurückzuführen; tat- sächlich lehren sie doch meistens wie die katholische Kirche.[3] In der Lehre über die Wirkungen der Sakramente macht sich die mangel- hafte Gnadenlehre sehr fühlbar. Es fehlt, wie bemerkt, der Begriff der heiligmachenden Gnade; damit hängt zusammen, daß man nur den effectus sacramentalis im engsten Sinne kennt und somit die Bedeutung der Sakramente für das Gnadenleben unbekannt bleibt. Ebenso muß die fehlende Unterscheidung von schweren und läßlichen Sünden, ewigen und zeitlichen Strafen sich bei der Frage nach den Wirkungen der Sakramente bemerkbar machen. Mögen auch einige

---

[1] A. Lebedev, l. c. S. 37 ff. u. ö. Milaš, Kirchenrecht, l. c. Antim, Rund= schreiben... n. 14.—18. — [2] A. Lebedev, l. c. S. 174. — [3] Cfr. Makarij l. c. II. 505.

Theologen über einschlägige Fragen spekulieren, der großen Mehrheit selbst der gebildeten Laien und der Geistlichen bleiben diese Gebiete unbekannt. Ein hochgebildeter russischer Konvertit erzählte kürzlich, er habe erst als Katholik etwas gehört von einem Unterschied zwischen schwerer und läßlicher Sünde. Hochgehalten werden dabei an erster Stelle die äußeren Formen, die Riten; das geistige Element wird nur zu sehr übersehen.

Die Taufe geschieht durch dreimaliges Untertauchen des Täuflings und unter Anwendung der vorgeschriebenen Formel: Der Knecht Gottes wird getauft im Namen des Vaters, des Sohnes und des heiligen Geistes. Das Besprengen an Stelle des Eintauchens ist gemäß den kirchlichen Vorschriften, außer in Krankheitsfällen oder bei Mangel an Wasser, streng untersagt; der trotzdem die Taufe auf diese Weise vollziehende Priester wird abgesetzt. In Rußland ist aber heute für Erwachsene das Begießen die gewöhnliche Art der Taufe. Die Kanones verbieten auch, „solche Personen in den Klerus auf=znnehmen, welche außerordentlicher Verhältnisse wegen die Taufe nicht durch Untertauchen erhielten."[1]

Die Synode von Konstantinopel entschied 1756, daß an Katho=liken und Protestanten, welche in die orthodoxe Kirche übertreten, die Taufe wiederholt werde. In Rußland hielt man sich kaum einige Dezennien an diese Vorschrift, im Patriarchat von Konstantinopel gilt sie de jure noch heute, doch hält man sich nicht konsequent daran. Als die Kirche von Hellas selbständig wurde, ließ ihr das Patriarchat von Konstantinopel in dieser Sache volle Freiheit. Auch einzelne russische Theologen bezeichnen die katholische Taufe als ungiltig, doch wagen sie es nicht recht, uns unter die infideles zu zählen; daß die Lehre der russischen Kirche diese Ansicht nicht teilt, geht schon daraus hervor, daß zum Schisma apostasierte katholische Priester als gültig getauft und geweiht angesehen werden.

„Der Taufe muß nach der Lehre der orientalischen Kirche un=mittelbar die Firmung folgen, welche darin besteht, daß der taufende Geistliche gleich nach vollzogener Taufe an dem Betreffenden zu dessen Festigung im christlichen Wandel die Salbung bestimmter Körperteile mit dem vom Bischof geweihten Chrisam vornimmt."[2] Die Spen=dung der Firmung ist auch der Aufnahmeritus in die orientalische Kirche für übertretende, noch nicht gefirmte Katholiken und Pro=testanten.[3] Die Formel lautet: Das Siegel der Gabe des heiligen Geistes. Die Giltigkeit des Sakramentes ist ernstlich in Frage gestellt durch das Fehlen der Handauflegung; in Rußland wenigstens wird die Salbung mit einem Pinselchen vollzogen. Ferner leugnet man einigermaßen den character indelebilis des Sakramentes, denn „die Firmung wird an jenen, die den Namen Christi verleugnet haben, im Falle ihrer Rückkehr zur Orthodoxie wiederholt."[4]

---

[1] Milaš, l. c. 554 ff. — [2] Ibid. 556. — [3] Ibid. 558. — [4] Makarij, l. c. II. 360.

Die Differenzen in der Lehre über das heiligste Altars=
sakrament sind wohl allgemein bekannt. Die Orientalen gebrauchen
für dieses Sakrament gesäuertes Brot; die Konsekration in un=
gesäuertem Brote wird bald als ungültig, bald als unerlaubt, bald
als gleichgültige Ritusfrage bezeichnet. Ferner ist für die Laien ebenso
wie für die Priester die Kommunion sub utraque vorgeschrieben.
Bei der Krankenkommunion will man diesem Gesetze dadurch genügen,
daß die für die Kranken bestimmten species panis mit einigen
Tropfen des heiligen Blutes befeuchtet werden. Da aber dies am
Gründonnerstag geschieht und so die Partikeln das ganze Jahr auf=
bewahrt werden, ist klar, daß die species vini völlig verschwinden.
Nach altem Gebrauche empfangen übrigens auch die kleinen Kinder
die heilige Kommunion nur unter einer Gestalt, der des Weines,
was zu traurigen Verunehrungen des heiligsten Sakramentes führt.
Ueberhaupt ist die Ehrfurcht vor dem heiligsten Sakramente gering.
Priester und Volk machen tiefe Verbeugungen und Prostrationen vor
den Heiligenbildern in der Kirche, aber am Tabernakel geht man
achtlos vorüber; es kommt vor, daß Priester die Partikeln für die
Krankenkommunion in einem Säckchen bei ihrem Bette hängen haben,
um für den Fall des Bedarfes nicht erst in die Kirche gehen zu
müssen u. s. w.

Der dritte und weitaus wichtigste Differenzpunkt liegt in der
forma sacramenti. Die Wesensverwandlung geht nach der Lehre der
orientalischen Kirche erst im Augenblicke der Epiklese vor sich, der
Anrufung des heiligen Geistes, die etwa an der Stelle unseres
„Supplices de rogamus" steht. Während die älteren orientalischen
Theologen auch die Einsetzungsworte als wesentlich ansahen, drängt
man gegenwärtig ihre Bedeutung immer mehr zurück. Das schon
erwähnte Rundschreiben des Pt. Antimos sagt über unseren Gegen=
stand: „Die eine heilige, allgemeine und apostolische Kirche der sieben
ökumenischen Konzilien hat (die Lehre) überkommen, daß die heiligen
Gaben nach dem Herabrufen des heiligen Geistes . . . . verwandelt
werden, wie das ja auch die alten Typiken Roms und Frankreichs
bezeugen; später aber hat die römische Kirche auch darin ihre Neu=
erung durchgeführt und eigenmächtig angenommen, daß die Ver=
wandlung der heiligen Gaben durch das Aussprechen der Worte des
Herrn vollzogen werde: Nehmet hin u. s. w."[1]

Jastrebov will der katholischen Lehre das Fundament entziehen
durch die Behauptung nach dem Wortlaute der Heiligen Schrift und
nach der Lehre der gesamten Tradition hätten die Worte: Dies
ist mein Leib u. s. w. ausschließlich die Bedeutung eines Hinweises
auf die von Christus schon vorher konsekrierten Gaben gehabt. Die
Beweise, die Jastrebov dafür aus der Tradition anführt, entbehren
aber aller Beweiskraft.[1] Es ist die ernste Gefahr vorhanden, daß

[1] Baltan, l. c. n. 10. S. 43. — [1] Trudy kijevskoj duh. akademiji.
1908, Jänner, S. 13 f.

viele Priester die intentio zu konsekrieren beim Aussprechen der
Einsetzungsworte ausdrücklich ausschließen. Welch traurige Folgen das
für die orientalische Kirche haben muß, liegt auf der Hand.

Die Lehre über das Bußsakrament ist katholisch mit Aus=
nahme eines Punktes: die vom Priester auferlegte Buße hat aus=
schließlich den Charakter eines Heil= und Präservativmittels, die
katholische Lehre von der satisfaktorischen Bedeutung derselben wird
entschieden verworfen, wenigstens bei allen neueren Theologen. Aber
auch abgesehen von diesem Irrtum steht es traurig um die heilige
Beicht. Da man meist gar keinen, nur selten einen sehr unklaren
Unterschied macht zwischen schweren und läßlichen Sünden, ist die
Beicht nach Zahl und Gattung moralisch unmöglich gemacht; nehme
man dazu, daß die Orientalen, wenigstens die der Schule entwachsenen,
nur einmal im Jahre zu beichten pflegen, so begreift man, daß das
Bußsakrament reine Formalität geworden ist. Gleich unklar wie die
Scheidung von schwerer und läßlicher Sünde ist auch die Unter=
scheidung von vollkommener und unvollkommener Reue. Die katho=
lische attritio wird vielfach heftig angegriffen. Ganz im protestan=
tischen Sinne und vielfach mit protestantischen Waffen wird die
katholische Ablaßlehre bekämpft, was bei der orientalischen Lehre
über Sünde und Sündenstrafen und über die Bedeutung der sakra=
mentalen Buße nur konsequent erscheint.

Ueber die letzte Oelung besteht zwischen beiden Kirchen kein
wesentlicher Differenzpunkt, trotzdem manche Theologen hier wie überall
allerlei „papistische Irrtümer" aufzufinden wissen. Zu bemerken wäre
höchstens, daß nach dem Ritus der orientalischen Kirche der die letzte
Oelung spendende Priester das Krankenöl selbst weiht, unmittelbar
vor Spendung des Sakramentes.

Gelegentlich der Behandlung des sacramentum ordinis
pflegen die Orientalen gegen den Zölibat des katholischen Klerus zu
polemisieren, aber nur extreme Fanatiker wollen auch in dieser Sache
einen dogmatischen Unterschied finden. Neuestens macht sich in der
orientalischen Kirche eine starke Strömung bemerkbar gegen jenes
unliebsame Verbot, das dem verwitweten Priester eine zweite Ehe
unmöglich macht.

Die orientalische Kirche unterscheidet zwischen Ehekontrakt und
Ehesakrament; minister sacramenti ist dann der Priester, als
forma bezeichnet Makarij den consensus der Brautleute zusammen
mit den vom Priester gesprochenen Worten: Der Knecht (die Magd)
Gottes N. N. wird getraut im Namen des Vaters . . .[1]

Praktisch bedeutsamer ist die Theorie über die Auflösbarkeit
der Ehe. Hören wir darüber einen der bedeutendsten Kanonisten der
Gegenwart, Milaš.[2] „Die gesetzlich geschlossene Ehe kann nur durch

---

[1] l. c. II. 483. — [2] Milaš, l. c. IV. T., 3. c. die Ehe, S. 576 ff. Hieher
gehören bes. 629 ff.

den Tod, oder durch ein anderes Vorkommnis, welches sozusagen die kirchliche Idee der Unauflösbarkeit der Ehe besiegt .. und ein Tod in anderem Sinne ist, gelöst werden." „Die Trennung erfolgt von sich selbst ..." Die betreffende Obrigkeit (die Kirche) .. stellt nur in gesetzlicher Form fest, daß ... die Ehe durch Gott selbst getrennt sei." Ehetrennungsgründe sind dreierlei Art.

I. Die kanonischen Ehetrennungsgründe: 1. der Ehebruch ... und folgende den Ehebruch begleitende Umstände: a) lebensgefährliche Nachstellungen des einen Ehegatten gegen den andern; b) procuratio abortus; c) verschiedene, gesetzlich bestimmte Ausschreitungen, wie Besuch anstandswidriger Unterhaltungsorte u. s. w.;

2 die Hebung des eigenen Kindes aus der Taufe;

3. der Abfall des Ehegatten vom Christentum;

4. der Empfang der Bischofswürde;

5. der Eintritt in den Mönchsstand.

II. Bürgerliche, von der Kirche anerkannte Ehetrennungs= gründe: 1. Hochverrat; 2. Verschollenheit des Ehegatten; 3. Der Mangel an Leistung der ehelichen Pflicht.

Die dritte Gruppe, die Milaš anführt: bürgerliche, von der Kirche nicht anerkannte Ehetrennungsgründe (Wahnsinn, Aussatz, Verurteilung zu mehrjähriger Kerkerstrafe, unüberwindliche Abneigung) ist bei der innigen Verbindung von geistlicher und weltlicher Gewalt gerade in Rußland sehr wichtig. Man will ja auch schon zeitweilige Geistesstörung, Epilepsie und Melancholie als genügenden Grund angesehen wissen. Es fehlt auch nicht an Leuten, die sich gegen Bezahlung als Zeugen begangenen Ehebruches ausgeben, um so eine gewünschte Ehetrennung herbeizuführen.

Nach den kirchlichen Vorschriften wäre eigentlich nur dem an der Trennung nicht schuldigen Gatten .eine Wiederverheiratung ge= stattet. Gegenwärtig aber läßt man durchwegs auch den schuldigen Teil eine neue Ehe eingehen, da sich gerade dieser den sittlichen An= forderungen des ehelosen Lebens nicht gewachsen zeigte.

Sehr mangelhaft entwickelt ist die Eschatologie. Alles ist da unklar, verworren und — wenn man von einigen Hauptzügen absieht — nicht einheitlich. Diese Hauptzüge sind folgende: Das persönliche Gericht bringt nicht für alle Seelen eine endgültige Entscheidung, nur das Schicksal der Heiligen, jener, „die im gegenwärtigen Leben den Zu= stand der Sündelosigkeit erreicht haben", und der „vollends Ver= stockten, die sich also selbst verdammt haben"[1] ist definitiv entschieden. Aber bis zum jüngsten Gerichte sind die Heiligen in einem Zustande des Vorgenusses, der Erwartung; die beseligende Anschauung Gottes ist ihnen noch vorenthalten. In ähnlicher Weise dulden die Verdammten bis zum allgemeinen Gerichtstage nur eine Art Vorleiden.

---

[1] Jastrebov, l. c Sept. S. 8. Auch das folgende sind meist Worte Jastrebovs. Ausführlicher, aber nicht klarer handelt darüber Makarij. II. 538 ff.

„Zwischen diesen beiden äußersten Gruppen liegt eine zahllose Menge von Zwischenstufen" für solche Seelen, welche die endgültige Entscheidung noch erwarten. Ob man diese „Vorhölle" mit ihren zahlreichen Abteilungen örtlich von der eigentlichen Hölle zu trennen habe oder nicht, ist belanglos und bei den russischen Theologen schwankend. Die Hauptsache ist, daß nach der allgemeinen Lehre alle, welche nicht als Heilige sterben, zunächst der Hölle verfallen sind, und daß jene, welche nicht als Verstockte starben, am jüngsten Tage aus der Hölle gerettet werden können. Dies geschieht ausschließlich kraft der Gebete und heiligen Opfer der Kirche, nicht aber infolge eines Sühneleidens jener Seelen. Damit ist der Gegensatz zur katholischen Lehre über das Fegefeuer gegeben. Wie eine Schuld im Jenseits getilgt werde, darüber kann man bei der schon erwähnten mangelhaften Lehre über die Sünde keine Antwort erwarten. Und wenn für eine jener Seelen niemand betet? Verfällt eine solche Seele am jüngsten Tage für immer der Hölle? — Ein gebildeter Russe, jetzt katholischer Priester, erzählte dem Schreiber dieser Zeilen, er habe mehrmals sich mit ähnlichen Fragen an Theologen gewendet, ohne eine Antwort zu bekommen.

Eine seltsame Anschauung stellen die sogenannten Mystarstva dar, denen wohl eine dunkle Erinnerung an das katholische Fegefeuer zugrunde liegt. Mystarstva sind gleichsam Stationen, an denen die nach dem Tode zu Gott wandernde und von Engeln begleitete Seele von den Teufeln angehalten wird, um Rechenschaft abzulegen. Auf der ersten Station wird gefragt über eitle Worte, auf der zweiten über Lügen u. f. w. Die Zahl der Stationen wird meist auf 20 angegeben, die Dauer der sehr mühsamen Wanderung soll 40 Tage umfassen. — „Es ist das kein Dogma", sagt Jastrebov, „aber auch nicht eine partikuläre Ansicht, sondern kirchliche Anschauung".

Mit den hier angeführten Punkten ist allerdings nicht die ganze Menge der Unterscheidungslehren erschöpft. Zahlreiche Spezialfragen, rein theologische sowohl wie philosophische, die mit dem Dogma im Zusammenhang stehen, verdienten erwähnt zu werden; auch auf dem weiten Gebiete der Moral liegt eine lange Reihe abweichender Auffassungen vor. Immerhin haben diese Unterschiede nicht die Bedeutung von Differenzen zwischen den Kirchen selbst, es sind vielmehr Schulmeinungen ohne weitere Verbreitung. Der eigentlichen Differenzen sind ja doch an sich schon genug.

Erfreulich ist die Wahrnehmung, daß man allmählich auf russischer Seite beginnt, die katholische Kirche nicht mehr ausschließlich aus den Schriften ihrer erbitterten Feinde, sondern aus Werken ihrer Söhne zu studieren. So werden sehr viele Vorurteile von selbst schwinden. Eine größere Objektivität und Billigkeit im Urteil ist jetzt schon bei manchen Autoren wahrzunehmen. Ein gesteigertes Interesse, ein eifrigeres Studium der russischen Theologie von Seiten der Katholiken werden der gerade jetzt in hochgradiger Gährung begriffenen russischen Kirche den Weg zur Wahrheit finden helfen.

Das Maß des Verdienstes in den einzelnen Werken.

Von P. Julius Müllendorff S. J. in St. Andrä (Kärnten).

(Zweiter Teil.)

7. Wir gelangen nun zum Vergleiche der verdienstlichen Werke miteinander in betreff der Intensität oder Stärke ihres Willens= aktes. Es versteht sich, daß ein verdienstliches Werk um so besser und folglich um so verdienstlicher ist, mit je mehr Willenskraft es geschieht, dagegen weniger verdienstlich, wenn es mit geringerem, schwächeren voluntarium geschieht. Hiemit haben wir ein allgemeines Prinzip des Aquinaten und aller Theologen angeführt.[1]) Es knüpfen sich daran mehrere Fragen, um zu erfahren, wann das Mehr oder Weniger eintritt.

Vorerst noch ein Wort über das Verhältnis der Freiheit (libertas) zu dem Willensakte, dem Freiwilligen (voluntarium). Die Freiheit, ihrem Wesen nach aufgefaßt, ist die Negation des Zwanges, den Thomas coactio compellens nennt. In diesem Sinne ist sie eine wie zur Sünde so zum Verdienste unumgänglich not= wendige Bedingung, die aber an sich weder vermehrt noch vermindert werden kann.[2]) Zu dem Akte, wie er erfolgt, gehört sie bereits nicht als innerer Bestandteil, aber der Akt wird ein freier genannt, weil der Wille, aus dem er hervorgegangen ist, sich anders entscheiden konnte. — In einem anderen Sinne kann allerdings von mehr oder weniger Freiheit die Rede sein, inwiefern nämlich mehr oder weniger Beweggründe zur Entscheidung für oder gegen den einen oder den anderen Teil antreiben oder disponieren; aber aus der größeren oder geringeren Freiheit in diesem Sinne kann nicht unmittelbar und an sich auf größeres oder geringeres Verdienst oder Mißverdienst ge= schlossen werden. Der Wille ist auch hier im ersteren und eigent= lichen Sinne frei; um aber das Maß des Verdienstes einigermaßen abzuschätzen, bleibt zu untersuchen, ob er bei seiner Entscheidung den Antrieben (Beweggründen) gegenüber, welche die Freiheit (im un= eigentlichen Sinne) beschränken oder erweitern, einer größeren oder geringeren Kraft bedurfte, eine größere oder geringere Tätigkeit als Wille geübt hat.[3])

---

[1]) S. Thom. in 2. dist. 29. q. 1. a. 4.; in q. dist. 30 q 1 a. 3.; de Verit. q 26. a. 7. ad 1. Für die sündhaften Werke gilt selbstverständlich das gleiche Prinzip (1 2. q. 73 a 6.: q. 77. a. 6.). — [2]) Der Zwang (necessitas, coactio compellens) muß schließlich entweder vorhanden sein oder nicht; im zweiten Falle ist Freiheit, im ersteren nicht. (S. Thom. In 2. dist. 25. a 4; 1. q. 59 a. 3. ad 3: Libertas non suscipit magis et minus secundum essentiam (tanquam negatio coactionis), sed secundum dispositionem subjecti. (So dem Sinne nach.) Die „libertas a coactione inducente vel impellente" kann allerdings größer oder geringer sein, wie wir demnächst sagen werden; das Maß dieser Freiheit kommt aber in unserer Frage betreffs der Verdienstlichkeit nur insofern in Betracht, als das voluntarium infolge desselben stärker oder schwächer wird, wie wir sagen werden. — [3]) Aus den hier angegebenen Gründen halten wir es nicht für angemessen, von größerer oder geringerer Freiheit, sondern nur von

Diese Unterſuchungen wurden weitläufig und mit großer Klar=
heit von dem Aquinaten angeſtellt. Es wird genügen, die Reſultate
derſelben mit einigen Bemerkungen zuſammenzuſtellen, um daraus
beſonders die dreifache Frage zu löſen, welchen Einfluß 1. die Leiden=
ſchaft; 2. die Gewohnheit; 3. überhaupt die Schwierigkeit oder
Leichtigkeit beim Handeln auf die Willenskraft, das voluntarium,
womit die verdienſtlichen Werke verrichtet werden, ausübt, mit an=
deren Worten: inwiefern daraus eine Vermehrung oder Verminderung
der Verdienſtlichkeit in den Werken entſteht, daß der Wille ſich von
ihnen beeinfluſſen läßt.

Die Leidenſchaft verfinſtert, wenn ſie vorausgeht, das Urteil
der Erkenntnis, die dem Willen vorausgehen und ihn bewegen muß.[1]
Je lebhafter und klarer die Erkenntnis dem Willen das Objekt
als gut vorhält, deſto kräftiger wird der Wille dazu angeregt,
darnach zu ſtreben. Die Leidenſchaft aber nimmt gleichſam einen
Teil der Seelentätigkeit für ſich in Anſpruch, und die höheren Fähig=
keiten entwickeln, wenn jene dabei wirkſam iſt, nicht die ganze Tätigkeit,
deren ſie ſonſt fähig wären.[2] Wo alſo die Tätigkeit der Leiden=
ſchaften (des Gefühles, des Herzens, wie man zu ſagen pflegt) vor=
waltet, werden im allgemeinen, wenn man ſich nicht beſonders bemüht,
die höheren Fähigkeiten zu betätigen, nicht ſo viele Verdienſte bei
den guten Werken erworben, als wo dieſe eine weitere Vorherrſchaft
erlangt haben.

Indes können die Regungen der Leidenſchaften, faſt wie der
äußere Akt, von dem wir geredet haben, zur Vollendung des guten
Werkes beitragen. Gleichwie Leidenſchaft oft die höheren Fähigkeiten
zur Tätigkeit anregt, ſo ſcheint es auch zur Vollkommenheit des
geiſtlichen Lebens zu gehören, daß Leidenſchaft zur Vollendung der
guten Werke beitrage. Der ganze Menſch ſoll als Eines auf Gott
gerichtet ſein. Erfolgt auf den vorhergegangenen Willensakt die
Regung des niederen Begehrens wie von ſelbſt (per modum redun-
dantiae), ſo haben wir ein Zeichen, daß der Willensakt ſtark geweſen
ſein muß; aber der Wille kann ſich auch mit Hilfe der Leidenſchaft,
die er anregt, eigens verſtärken, um kräftiger zu wirken; dann iſt
ohne Zweifel die Güte des Werkes, folglich auch deſſen Verdienſtlichkeit
größer.[3] Dabei iſt wohl zu beachten, daß an und für ſich immer
nur unſer Willensakt verdienſtlich iſt.

---

mehr oder weniger Freiwilligem (voluntarium) zu reden Wir folgen auch hierin
dem heiligen Thomas. Wo dieſer in unſerer Frage (über den Wert der guten
Werke) von dem liberum arbitrium redet, verſteht er darunter das libere voluntarium. So 1. 2. q. 114. a. 4. in c. und an den in der vorletzten Anmerkung
angegebenen Stellen — [1] Unter „Leidenſchaft" (passio) verſtehen wir hier jede
Regung des niederen Begehrungsvermögens; ſie iſt an ſich moraliſch weder gut
noch ſchlecht. Vgl. den heiligen Thomas an den vielen Stellen, wo er von passio.
appetitus senſitivus handelt. — [2] Vgl. S. Thom. 1. 2. q 24. a. 3. beſonders ad 1.
— [3] S. Thom. De verit q 26. a. 7.: cf. 1. 2. q 24. a. 3.

„Per se passionibus non meremur .. Id quod primo et per se est meritorium, est voluntarius actus gratia informatus" (S. Thom. De verit. q. 26. a. 6.) Die anderen Akte werden nur in ihrem Verhältnisse zu dem Willen, von dem sie abhängen, „quasi per accidens" verdienstlich genannt. „Actus intantum est peccatum (und dasselbe gilt vom Verdienst), inquantum est voluntarius et in nobis existens. Esse autem aliquid in nobis dicitur per rationem et per voluntatem. Unde quando ratio et voluntas ex se aliquid agunt, non ex impulsu passionis, magis est voluntarium et in nobis existens, et secundum hoc passio minuit peccatum (et meritum), inquantum minuit voluntarium." Noch besonders verdient folgende Stelle beachtet zu werden: „Etsi motus voluntatis sit intensior ex passione excitatus, non tamen ita est voluntatis proprius, sicut si sola ratione moveretur ad peccandum." (1. 2 q. 77. a. 6. ad 3.) Nach dieser Erklärung ist also die major intensitas voluntarii dem Willensakte selbst als solchem nicht innerlich, kommt daher in der Abschätzung des Verdienstes oder Mißverdienstes nicht in Betracht, wenn sie nicht veranlaßt, daß das voluntarium in sich selbst vermindert oder vermehrt wird, inwiefern es der Vernunft folgt oder entgegenwirkt.

Was über die Leidenschaft gesagt wurde, kann dazu helfen, auch über die Verdienstlichkeit der Werke zu urteilen, die aus der Gewohnheit hervorgehen. Die höheren Fähigkeiten sind bei diesen oft nicht sehr tätig, sondern lassen sich wie auf gebahnten Wegen von den niederen fortbewegen. In dieser Hinsicht ist das Verdienst geringer. Indes nimmt die Leichtigkeit, mit welcher diese Werke verrichtet werden, ihrem Verdienste, wie wir demnächst erklären werden, an und für sich nichts weg. Vielmehr kann die Freudigkeit (delectabilitas), welche mit den aus Gewohnheit verrichteten Werken verbunden ist, den höheren Kräften Anlaß geben, sich dabei mit besonderer Stärke zu betätigen.[1] Jedenfalls verdient bei diesen Werken das voluntarium in causa besonders berücksichtigt zu werden. Im Guten wie im Schlechten kann eine ganze Serie von Handlungen auf dem Fundamente einer Ursache, einer Einrichtung, einem Entschlusse beruhen, und besonders bei guten Werken wird das Bewußtsein und der Wille dieses Fundamentes von Zeit zu Zeit erneuert und gestärkt, damit die daraus hervorgehenden Handlungen geistig kräftiger belebt und verdienstlicher seien.

Das gleiche allgemeine Prinzip kommt also immer zur Geltung: das Maß des Verdienstes steht in geradem Verhältnisse zu der Stärke der Willenskraft, welche wirkt; es gilt, mag diese Wirksamkeit in Uebereinstimmung mit Leidenschaft und Gewohnheit stattfinden, oder im Widerspruche mit diesen geschehen. Doch wollen wir die Frage, ob die Schwierigkeiten, unter denen ein gutes Werk geschieht, notwendig eine Vermehrung seiner Verdienstlichkeit nach sich ziehen, noch etwas genauer untersuchen.

8. Vor allem möchten wir eine Lehre des Aquinaten in Erinnerung bringen, der zwar sein Ansehen allein keine vollständige Sicherheit gewährt und die er auch nicht sowohl mit durchschlagenden besonderen Argumenten, als mit seiner bis heute unübertroffenen

---

[1] „Consueta sunt delectabilia ad operandum, inquantum sunt quasi connaturalia." S. Th. 1. 2. q. 32. a. 8. ad 3.: a. 2 ad 3.

Darlegung der Tugendlehre begründet; der wir aber mehr An=
erkennung wünschten als sie tatsächlich genießt. Diese Ansicht bezieht
sich auf den Ursprung der Schwierigkeiten, deren Ueberwindung
zur Uebung guter Werke und zur Bewahrung des geistlichen Lebens
erfordert ist. Nach dem heiligen Thomas sind die guten Werke, was
Sittlichkeit und Verdienst betrifft, nur insofern schwierig (wenigstens
im Anfang und so lange das geistliche Leben fortbesteht), als deren
Ausführung eine Beherrschung oder Ueberwindung des niederen Be=
gehrens verlangt, das entweder auf ein ihm zusagendes Gut verzichten
oder ein ihm widerwärtiges Uebel übernehmen muß, um nicht schlecht
zu handeln. Die Schwierigkeiten zu überwinden ist gemäß dieser An=
sicht die Aufgabe jener zwei Kardinaltugenden, denen es obliegt, das
niedere Begehren zu beherrschen, des Starkmutes und der Mäßigkeit.
Daß dies die Ansicht des Aquinaten ist, geht aus mehreren Stellen
klar hervor.

So vorerst aus 2 2. q 129. a. 2. in c. Thomas erwähnt zuerst die rein
intellektuelle Schwierigkeit, die in den Akten der Erkenntnistugenden (einschließlich
der Klugheit) und denen der Gerechtigkeit vorkommt: doch diese ist bei Bemessung
der sittlichen Gutheit und Verdienstlichkeit der Werke in sich selbst nicht zu
berücksichtigen, sondern nur jene andere Schwierigkeit, die er dann erwähnt und
die aus der „repugnantia materiae" herrührt. Diese, sagt er, komme nur in
den genannten zwei Kardinaltugenden vor, die sich auf die Leidenschaften be=
ziehen. Wir lassen den ganzen Text folgen: „Difficile autem et magnum (quae
ad idem pertinent) in actu virtutis potest attendi dupliciter: uno modo ex
parte rationis, inquantum scilicet difficile est medium rationis adinvenire et
in aliqua materia statuere, et ista difficultas solum invenitur in actu
virtutum intellectualium et etiam in actu justitiae. Alia autem difficultas
est ex parte materiae, quae de se repugnantiam habere potest ad modum
rationis qui est circa eam ponendus; et ista difficultas praecipue attenditur
in aliis virtutibus moralibus, quae sunt circa passiones, quia ,passiones
pugnant contra rationem', ut Dionysius dicit" Das Wort solum steht hier
für sola: „Nur diese Schwierigkeit und nicht die andere, von welcher demnächst
die Rede ist, kommt in den intellektuellen Tugenden (der Klugheit) und auch
der Gerechtigkeit zur Beachtung." Zu dieser Erklärung ermächtigt nicht nur die
Sprachweise des Aquinaten, sondern nötigt auch die Sache selbst; es kann nicht
soviel heißen als solummodo, non in aliis; denn diese intellektuelle Schwierigkeit
kommt nach konstanter Lehre des Aquinaten auch in den moralischen Tugenden
des Starkmutes und der Mäßigkeit vor, da diese Tugenden ebensowohl wie
die Gerechtigkeit eines medium rationis bedürfen.

* *

Auch der Verfasser des Index alphabeticus zu den sämtlichen Werken
des Aquinaten (Editio Parmensis) gibt den Sinn der eben angeführten
Stelle aus 2. 2. q. 129. a. 2. in c. so wie wir ihn erklärt haben; denn er schreibt
unter dem Worte Difficile 14 (in dem Index der Summa n. 6): „Difficultas
in actibus virtutum duplex: scilicet in inveniendo medium rationis, et in
refraenando passiones. Tantum prima est in virtutibus intellectualibus et
in justitia, secunda vero in aliis."[1] Das vorangestellte Wort tantum sagt:
Nur diese (und nicht die andere) Schwierigkeit ist in den intellektuellen

---

[1] Die Ausgabe von Vives (Paris 1873) hat das tantum im Index
der Summa (n. 4) weggelassen, aber nicht im Index der sämtlichen Werke, der
auch den Namen des Verfassers trägt: Peter de Bergomo, Ord. Praed. Es be=
findet sich auch in der kleinen römischen Ausgabe der Summa theol. vom
Jahre 1887

Tugenden und der Gerechtigkeit; die zweite aber (wird hinzugefügt) ist in den anderen. An der Autorität des Aquinaten für diesen Satz läßt sich also nicht zweifeln. Gegen dessen Wahrheit läßt sich wohl auch kein gegründeter Zweifel erheben, obgleich er bei den Asketikern, wie es scheint, ziemlich in Vergessenheit geraten ist. Vielmehr ließe sich zum Beweise des Satzes, wenn auch nicht mit aller Sicherheit, die Darstellung des geistlichen Kampfes vorbringen, wie wir sie beim heiligen Paulus finden. Nach dieser Darstellung besteht das geistliche Leben darin, daß wir „nicht nach dem Fleische leben, sondern durch den Geist (den von der Gnade unterstützten Willen) die Werke des Fleisches ertöten. Das Sinnen des Fleisches ist feindlich gegen Gott, weil es sich dem Gesetze Gottes nicht unterwirft. Die von dem Gesetze geforderte Gerechtigkeit (dagegen) wird in uns erfüllt, die wir nicht nach dem Fleische, sondern nach dem Geiste wandeln"[1] An mehreren anderen Schriftstellen (z B. Gal. 5, 17; Matth. 26, 41) wird das Fleisch dem Geiste in diesem Sinne gegenübergestellt. Hieraus dürfte man doch wohl mit gutem Grunde schließen, daß alle Schwierigkeiten des geistlichen Lebens wenigstens im Anfang und der Wurzel nach vom Sinnlichen und von den Leidenschaften herrühren, und wenn tatsächlich gewiß viele Verletzungen der zur Gerechtigkeit gehörenden Tugenden aus denen der Mäßigkeit und des Starkmutes hervorgehen, so ist nicht einzusehen, warum dieses nicht von allen jenen Verletzungen gesagt werden könne: dann ist es gewiß in stärkerem Sinne wahr, daß diejenigen leben, die die Werke des Fleisches ertöten.[2]

Allerdings könnte der Wille des Menschen wie der des reinen Geistes (in der Prüfungszeit) an sich sündigen, auch ohne daß ihn ein niederes Begehren, eine Leidenschaft zur Sünde reizt. Aber es läßt sich nicht leugnen, daß gerade die Eingeschlossenheit des menschlichen Geistes in dem Leibe seine Prüfung gleichsam ausmacht; daher kann es auch sein, daß der eingeschlossene Geist keine Versuchung, keine praktische Schwierigkeit zu bestehen hat, die nicht in seiner Sinnlichkeit wurzelt. Dann ist das irdische Leben schließlich eine große Gnade des barmherzigen und allgütigen Gottes, der uns ungeachtet unseres freien Willens selig machen will durch die Erreichung des Zieles. Der Geist lebt, wenn das Fleisch überwunden wird, und um uns diese Ueberwindung zu ermöglichen und zu erleichtern, hat Gott, wie der Apostel an derselben Stelle des Römerbriefes sagt, „seinen Sohn in der Aehnlichkeit des Fleisches der Sünde gesandt".

* * *

Noch klarer ist die Stelle 2. 2. q. 123. a. 1. in c., wo die Beseitigung (Ueberwindung) der Hindernisse einzig diesen zwei Kardinaltugenden zugeschrieben wird, während bei der Tugend der Gerechtigkeit von Hindernissen keine Rede ist. „Dupliciter autem impeditur voluntas humana, ne rectitudinem rationis sequatur: uno modo per hoc quod attrahitur ab aliquo delectabili ad aliquid aliud quam rectitudo rationis requirat, et hoc impedimentum tollit virtus temperantiae. Alio modo per hoc quod voluntas repellitur ab eo, quod est secundum rationem, propter aliquod difficile quod incumbit, et ad hoc impedimentum tollendum requiritur fortitudo mentis, qua scilicet hujusmodi difficultatibus resistat."

Es versteht sich, daß es gegen die höheren Tugenden (Glaube, Hoffnung und Liebe, Klugheit und Gerechtigkeit) auch Sünden, folglich auch Versuchungen gibt; aber nach der Theorie des Aquinaten kommen diese Tugenden bei dem zum Vernunftgebrauche gelangten Menschen ohne sittliche Gefahr (ohne Kampf) zur Entwicklung, wenn nur die beiden niederen Tugenden (oder die zu ihnen gehören) nicht verletzt werden; ihre Schwierigkeiten sind nur „ex parte rationis", beziehen sich auf die Erkenntnis. In betreff der Klugheit z. B. ist es offenbar, daß niemand sie schuldbar (aus bösem Willen) verletzt, es geschehe denn aus

---

[1] Röm. 8, 4. 7. 13. — [2] Auch aus dem Briefe des heiligen Jakobus scheint diese Ansicht bestätigt werden zu können, da es heißt: „Unusquisque vero tentatur a concupiscentia sua abstractus et illectus." (Jak. 1, 14.) Insbesondere aber aus dem Briefe des heiligen Judas Thaddäus.

Furcht vor Beschwerden, aus Bequemlichkeits= oder Genußsucht. Desgleichen haben
die Sünden gegen Religion, Pietät, Gehorsam, Gerechtigkeit, selbst gegen Demut
(die übrigens Thomas zur Mäßigkeit zählt) immer (wenigstens in den Anfängen)
ihren tieferen Grund in einer oder mehreren Sünden gegen Starkmut oder
Mäßigkeit. Die Schwierigkeiten kommen also vom Mangel an diesen Tugenden
her (weshalb auch die Asketiker für den Anfang der Bekehrung besonders die
sogenannte via purgativa mit Recht zählen), gehen jedoch auf die höheren
Tugenden gleichsam über: dies scheint eben der Grund zu sein, weshalb Thomas
sagt: „Difficultas praecipue attenditur in virtutibus, quae sunt circa
passiones."

Nach dieser Auffassung des Aquinaten rühren die Schwierig=
keiten bezüglich der anderen Tugenden (außer Mäßigkeit und Starkmut)
nicht unmittelbar von einem Schwanken des Willens gegenüber dem
Gegenstande her; sondern von den Unordnungen, mit welchen der
Wille bereits die Tugenden der Mäßigkeit und des Starkmutes zu
verletzen sich entschieden hat. Ein erhabener Trost liegt hierin für den
Gerechten, der um die Erreichung des Zieles besorgt ist, wenn er
diese Tugenden zu üben entschlossen ist. Recht schön erklärt dieses
Thomas, indem er beschreibt, welche Schwierigkeit die Feindschaft
(gegenüber dem Nächsten) der Liebe Gottes bereitet. „Insofern haßt
jemand, sagt er, als er das Gut liebt, das ihm der Feind entzieht.
Wer den Feind haßt, liebt ein geschaffenes Gut mehr als Gott".[1]
Ein geschaffenes Gut mehr zu lieben als Gott, wird er aber nur
dadurch versucht, daß er bereits eine der zwei genannten Tugenden
verletzt hat: dann erst gerät er in die schrecklichere Versuchung, den
Nächsten nicht zu lieben, ja Gott selbst nicht zu lieben. Die Ver=
letzung einer dieser niederen Tugenden geht der einer höheren not=
wendig voraus — ein Grundsatz, der für die praktische Theologie
sehr beachtet zu werden verdient.

9. Nach dieser näheren Bestimmung der Frage treten wir an
deren Lösung heran. Schwierigkeit und Leichtigkeit gehören zu
dem, was dem verdienstlichen Werke vorausgeht, sie machen also nicht
selbst eine Vermehrung oder Verminderung am Verdienste aus. Sie
können aber eine Vermehrung oder Verminderung des Verdienstes
veranlassen, und wenn der verdienstliche Akt erfolgt, kann man gewiß
daraus, daß er größere Schwierigkeiten überwunden hat, schließen,
daß ihm ein stärkeres voluntarium, mithin ein höheres Verdienst
eigen ist, als wenn das Werk ohne diese Schwierigkeiten mit dem
mindesten Kraftaufwand, der dazu erfordert war, erfolgt wäre.

Zur Ueberwindung einer größeren Schwierigkeit ist offenbar,
wie bei den leiblichen Arbeiten, ein größerer Kraftaufwand erforderlich.
Die Schwierigkeit selbst, die Leidenschaft, treibt, wie Thomas sagt,
den Gerechten dazu an, den guten Willen mehr zu betätigen und
anzustrengen. „Circa difficilia enim magis conamur."[2] Erfolgt

---

[1] S Thom. De virt. q. 2. (q. un. de car.) a. 8. in c. Hiemit hängt enge
zusammen, daß nach Thomas (2. 2. q. 34. a. 5) der Haß nicht die erste Sünde
sein kann, sondern die letzte ist. (Siehe den Text in der 2. Anmerkung auf
Seite 307.) — [2] S. Thom. De verit. q 26. a 6.

wirklich diese größere Betätigung, das stärkere voluntarium, im Guten, so ist das Verdienst ein größeres. Indes kann selbstverständlich die Vortrefflichkeit eines Werkes (seinem Objekte nach) einen tugendhaften Willen, auch dann, wenn keine Hindernisse entgegenstehen, antreiben, einen energischeren Kraftaufwand zu betätigen, als wenn Hindernisse vorhanden wären.[1] Hierin ist sowohl die Lösung dieser Frage als auch eine Ergänzung zu den vorher gegebenen Lösungen nach Thomas enthalten.

So einfach diese Lösung auch ist, möge doch ihre Wichtigkeit für Moral und Asketik nicht verkannt werden. Die Darlegung der verdienstlichen Wirksamkeit nach dem Aquinaten zeigt gleichsam in einem Bilde, wie die Anordnungen der göttlichen Vorsehung die Verdienste der Gerechten zu erhöhen beabsichtigen, nämlich in den Werken der niederen Kardinaltugenden durch die fortwährend sich erhebenden Schwierigkeiten, in den Werken der höheren, auch der theologischen Tugenden durch die immer vorschwebende Erhabenheit ihres Gegenstandes. Wir sehen in diesem Bilde, wie das geistliche Leben der Gerechten sich zu einer hohen Verdienstlichkeit erhebt. Alle einzelnen Tugenden stehen in so engem Verhältnisse zu einander, daß sie sich oft gegenseitig fördern und der Gerechte in denselben Werken das Verdienst mehrerer Tugenden zugleich erwirbt, immer unter der gemeinsamen Regierung der alles belebenden, alles stärkenden und erhaltenden Liebe. Was die niederen Tugenden der Stärke und der Mäßigkeit erheischen, hängt von dem ab, was die höheren wünschen und verlangen, alles nach dem höchsten und gewissermaßen einzigen Gebote der Liebe des höchsten Gutes. Darum ist zum verdienstlichen Leben, besonders in den Anfängen, vor allem notwendig, die Mäßigkeit und den Starkmut zu üben, um die Leidenschaften zu beherrschen, die Hindernisse und Schwierigkeiten, die sich der Uebung der höheren Tugenden entgegenstellen, zu überwinden, und den Willen im Guten zu befestigen und zu stärken.[2] Damit die heilsamen Wirkungen dieses

---

[1] „Difficultas non facit ad meritum, nisi inquantum facit majorem inclinationem et conatum (bonae) voluntatis in aliquid." S. Thom. In 3. dist 30. q. 1. a. 3. ad 3 ; besonders ibid. a. 5. ad. 4. Indes kann die Schwierigkeit auch bewirken oder veranlassen, daß das gute Werk, das erfolgt, nur mit einem gewissen Widerwillen zustande kommt, wie wir nachher (S. 309) mit Thomas bezüglich der „Schwierigkeit des Willens" noch sagen werden: dann ist das voluntarium nicht so groß, als wenn das Werk mit ganzem Willen zustande käme, aber es kann doch stärker sein, als wenn das Werk ohne die Schwierigkeiten zustande gekommen wäre. — [2] Hiemit stimmt vollkommen überein, was Thomas über den entgegengesetzten Vorgang, die Zerstörung, lehrt. „In his quae contra naturam fiunt, paulatim id quod est naturae corrumpitur; unde oportet quod primo recedatur ab eo quod est minus secundum naturam, et ultimo ab eo quod est maxime secundum naturam, quia id quod est primum in constructione, est ultimum in resolutione. Id autem quod est maxime et primo naturale homini, est quod diligat bonum et praecipue bonum divinum et bonum proximi; et ideo odium .. non est primum in destructione virtutis, quae fit per vitia, sed ultimum." (2. 2. q 34. a. 5.) — Alles höchst wichtig für die Pädagogik!

geiſtlichen Kampfes fortwährend eintreten, läßt die göttliche Vor=
ſehung auch nach vielen Jahren verdienſtlichen Lebens der Gerechten
die Schwierigkeiten immer, manchmal ganz beſondere, zu deren
Ueberwindung Starkmut und Mäßigkeit geübt werden, noch beſtehen.
Dabei iſt jenes Univerſalmittel anzuwenden, welches Abtötung, Selbſt=
überwindung genannt zu werden pflegt und zwar keine ſpezielle Tugend
iſt, aber mit dem Schimmer und dem Verdienſte jener einzelnen Tu=
genden (wenigſtens der Liebe) ſich umkleidet, denen es entweder mit
allgemeinen oder mit beſonderen Maßregeln dient.[1] Was dabei
beſonders zu beachten iſt, damit das Vorgehen ein zweckdienliches
und behutſames ſei, wird von den Aſketikern (beſonders z. B. in dem
vorzüglichen Büchlein von Scupoli, das den Titel „Der geiſtliche
Kampf" führt) ausführlich erklärt.

Indes erlangt der Gerechte doch, wenigſtens nach und nach
immer in den meiſten Materien, manchmal ſogar in den ſchwierigſten,
jene Leichtigkeit, das Gute zu tun, welche das Weſen der erwor=
benen Tugend, den habitus acquisitus, ausmacht, bei den Heiligen
ganz erſtaunlich ſchön. Die Schwierigkeiten ſind gleichſam geſchwunden
oder der Tugendhafte gewahrt ſie nicht mehr.[2] Iſt nun in dieſem
Falle das an ſich ſchwere gute Werk, das für dieſen Tugendhaften
leicht und ſogar angenehm geworden, weniger verdienſtlich für ihn?
Aus dem vorhin Geſagten ergibt ſich klar die Begründung der ver=
neinenden Antwort. Mit Schwierigkeit zu wirken, macht nicht einen
Beſtandteil des guten Werkes oder größeren Verdienſtes aus; größeres
Verdienſt wird dadurch erworben, daß mehr Willenskraft zum Guten
verwendet wird. Den größeren Kraftaufwand, den das gute Werk an
ſich erfordert, hebt aber die Leichtigkeit, welche die Tugend als habitus
acquisitus gewährt, nicht auf; der Kraftaufwand hat ſich in der
Tugend, wenn wir ſo ſagen dürfen, kriſtalliſiert und verhärtet, er iſt
daher indem Werke tätig, ohne daß jener Widerſtand von Seiten der
anderen Kräfte ſtattfindet oder ſich gewahren läßt. So kann auch
ohneweiters die Liebe den Kraftaufwand, den das an ſich ſchwierige
Werk verlangt, befehlen; dann wird das Werk leicht, weil die Liebe
alles erleichtert, das Verdienſt wird deshalb in dem Werke ſelbſt nicht
geringer, vielmehr in der Liebe, die es befiehlt, größer.[3]

———

[1] Die Abtötung kommt nirgends bei Thomas als eine ſelbſtändige
ſpezielle Tugend vor; ſie nimmt die Spezies jener Tugend an, der ſie dient,
wie auch jenes Laſters, dem ſie ſich zu Gebote ſtellt; denn von Abtötungen iſt
die Welt ganz voll. — [2] „Non habenti virtutem est valde difficile (opus
virtutis prompte et delectabiliter exercere), sed per virtutem redditur
facile." S. Thom. 1. 2. q. 107. a. 4. in c. — [3] Hierher gehört auch der Ver=
gleich der Freundesliebe mit der Feindesliebe, von dem wir (Heft I, Seite 53)
gehandelt haben. — „Quanto aliquis virtuosus est, tanto facilius opera virtutis exercet. Nec tamen dicendum est, quod quanto virtuosior est, minus
mereatur." (In 2 dist. 29. q. 1. a. 4. in c. et ad 3) Cf. 1. 2. q. 114. a. 4. ad 2.;
in 3. dist. 30. a. 5. ad 4.; in 4. dist. 15. a. 4. sol. 1. ad 2.; ib. dist. 14. q. 2.
a. 2. ad 5.

Thomas erklärt eben dieses noch mit anderen Worten, indem er eine Schwierigkeit des Werkes und eine Schwierigkeit des Willens unterscheidet, desgleichen eine Leichtigkeit des Werkes und eine Leichtigkeit des Willens. Schwierig ist das Werk wegen der Ueberwindung des niederen Begehrens, die es, an sich betrachtet, voraussetzt oder einschließt; diese Schwierigkeit vermindert, wenn das Werk doch erfolgt, sein Verdienst nicht, oder nicht ganz, sie vermehrt es vielmehr, inwiefern sie veranlaßt, daß der Wille mehr Kraft auf das gute Werk verwendet. Schwierig ist gleichsam der Wille, wenn er das Widerstreben des niederen Begehrens nicht ganz überwindet, das gute Werk nicht mit ganzer Bereitwilligkeit vollbringt: dann ist das Verdienst geringer, als wenn das Werk mit ganzem Willen vollbracht würde. Aber die erworbene Leichtigkeit (Fertigkeit) der Tugend oder auch der Befehl der Liebe kann diese Mangelhaftigkeit des Willens ganz aufheben; dann ist das Verdienst zum wenigsten den überwundenen Schwierigkeiten entsprechend groß; dann besteht eine Leichtigkeit des Willens, die das Verdienst nicht vermindert, sondern vermehrt.[1]

Was von dem Verdienste gesagt worden, gilt auch von dem Genugtuungswert der guten Werke; dieser nimmt deshalb nicht ab, weil die Beschwerden des Werkes freudig ertragen und vor Liebe gleichsam nicht empfunden werden.[2]

10. Es bleibt uns schließlich der Vergleich der verdienstlichen Werke noch zu besprechen a) bezüglich der **Dauer** der einzelnen Werke, b) bezüglich der **Würde** (des Grades der heiligmachenden Gnade) in dem handelnden Subjekte. Ist das Verdienst eines Aktes größer dadurch selbst, daß er länger dauert? Ist das Verdienst eines Aktes deswegen selbst größer, weil das Subjekt in der heiligmachenden Gnade bereits höher gestiegen ist? Die Beantwortung der einen wie der anderen dieser Fragen greift indes nach unserem Erachten nicht so tief wie die der früheren in das praktische Leben ein, die Behauptungen mancher Autoren scheinen uns auch nicht hinreichend begründet zu sein; daher sehen wir uns genötigt, nur die Zweifel bezüglich dieser Fragen so klar als möglich vorzulegen.[3]

a) Bei der ersten Frage, ob ein Akt, der länger dauert, verdienstlicher sei, als der, welcher nicht so lange dauert, muß doch wohl vorausgesetzt werden, daß ein Akt dem anderen in Bezug auf Gutheit

---

[1] Den Habitus der Tugend und den Befehl der Liebe unterscheidet Thomas besonders klar In 3. dist. 30. a. 5. ad 4.: „Et quia habitus et amor ex hoc faciunt facilitatem, quia faciunt majorem inclinationem voluntatis, ideo talis facilitas non diminuit rationem meriti." Ueberhaupt „diminutio difficultatis ex promptitudine voluntatis non diminuit meritum, sed auget". (In 4. dist. 15. a. 4. sol. 1. ad 2.) — [2] „Diminutio poenalitatis ex promptitudine voluntatis, quod facit caritas, non diminuit efficaciam satisfactionis, sed auget." (In 4. dist. 15. a. 4. sol. 1. ad 2.) — [3] Thomas hat sich, so viel ich weiß, über diese zwei Fragen nicht klar ausgesprochen und die Spekulationen späterer Theologen haben, wie mir scheint, das Dunkel, das diese Fragen umhüllt, nicht ganz aufgeklärt.

ganz gleich ist. Wie nun der eine Akt bloß deswegen, weil er mehr
Zeit braucht, um das zu sein, was der andere ist, verdienstlicher sein
sollte, als dieser, ist nicht leicht zu erkennen. Manche Theologen haben
die Voraussetzung, daß der Akt durch die Dauer nicht notwendig
einen physischen reellen Zuwachs erhalte (nicht notwendig besser und
wertvoller werde) verworfen; andere sagen, es müsse durch die Dauer
dem bereits erfolgten Akte wenigstens moralisch etwas hinzukommen.
Die Ansicht dieser dürfte wohl mit Recht als von der Ansicht jener
wirklich nicht verschieden angesehen werden, da der moralische Wert
des Werkes, also auch dessen Zuwachs, doch immer in der Wirksamkeit des Willens, dem das Werk angerechnet werden soll, seinen
Grund haben muß. Der höhere Wert des länger dauernden Aktes
muß dem Willen zuzuschreiben sein, und in dieser Voraussetzung wird
gewiß niemand eine Schwierigkeit finden, diesen Theologen beizu-
stimmen und dem Akte, der länger dauert, eine größere Verdienstlichkeit zuzuerkennen, als dem, der nicht so lange dauert. Der länger
dauernde Akt kommt in diesem Sinne moralisch mehreren Akten gleich
oder besteht auch physisch aus mehreren.

Es handelt sich also hier nicht um das Zustandekommen des
guten Werkes; denn offenbar ist ein Werk deswegen nicht verdienstlicher, weil es mehr Zeit braucht, um zustande zu kommen, als ein
anderes; es könnte sogar weniger verdienstlich sein, inwiefern es das
Entstehen anderer guter Werke verhindert.

Inwiefern aber die Voraussetzung der gewöhnlichen Ansicht
begründet ist, daß die Fortdauer des bereits erfolgten guten Aktes
immer eine Erhöhung seines moralischen Wertes bewirke, wollen wir
hier nicht weiter untersuchen.

b) In Betreff der Frage, ob die Würde des handelnden Subjektes, der Grad der heiligmachenden Gnade selbst, dem guten Werke
eine höhere Verdienstlichkeit verleihe, wenn diese Würde höher ist,
oder mit anderen Worten, wenn zwei Gerechte das gleiche gute Werk
verrichten, derjenige mehr Verdienst erwerbe, der mehr heiligmachende
Gnade besitzt, sind die Theologen seit mehreren Jahrhunderten in
zwei fast gleiche Lager geteilt, doch sind die Verteidiger der bejahenden
Antwort besonders in neuerer Zeit zahlreicher.[1]

Alle stimmen darin überein, daß die Würde der handelnden
Person überhaupt eine zum Verdienste erforderliche Grundlage ist,
weshalb zu einem Verdienste von unendlichem Werte eine unendliche
Würde, zu einem Verdienste von übernatürlichem Werte für das ewige
Leben die Würde der übernatürlichen Kindschaft Gottes erfordert ist.
Alle geben auch zu, daß nicht deshalb, weil die heiligmachende Gnade
bei dem einen größer ist, der Akt, dessen Willensaufwand und Objekt

---

[1] Die Theologen, welche die bejahende Antwort verteidigen, stimmen
jedoch in der Erklärung, in welcher Weise, nach welchem Maße und unter welchen
Bedingungen ein größeres Verdienst von dem erworben wird, der mehr heiligmachende Gnade hat, nicht ganz überein.

bei beiden an Verdienstlichkeit gleich ist, physisch in diesem besser sei als in dem anderen, wenn auch die heiligmachende Gnade physisch als entferntes Prinzip (durch ihren Einfluß oder den der eingegossenen Tugenden) die Uebernatürlichkeit des Werkes hervorbringt.

Die Verteidiger der bejahenden Ansicht sagen aber, das Werk dessen, der mehr heiligmachende Gnade besitzt, habe moralisch mehr Wert, er handle mehr als Kind Gottes, da er als solcher handle, der er ist. Jeder schätzt doch das, was ihm von einer würdigeren Person erwiesen wird, höher, als was gewöhnliche Leute des Volkes für ihn tun, also auch Gott. Der gleiche Lohn hätte auch für eine würdigere Person verhältnismäßig nicht denselben Wert, da doch jeder, der wirkt, den Lohn im Verhältnisse zu seiner Würdigkeit zu schätzen berechtigt ist. Gleichwie also eine Fürbitte mächtiger ist, wenn sie von einer verdienstreicheren Person ausgeht, so ist das Verdienst der Handlung dessen größer, den eine höhere Würde auszeichnet.

*　　*　　*

Eine besondere Beweiskraft scheinen mir diese Argumente wirklich nicht zu haben. Gott schätzt das höher, was mehr ist. Es wird aber vorausgesetzt, daß das Werk des einen dem des andern gleich sei, wohl doch in beiden gegenüber Gott. Unter Menschen fordert eben das, was von einer würdigeren Person geleistet wird, auch eine in sich würdigere Leistung. Ob nun aber die Leistung gegenüber Gott gerade deshalb, weil sie von einer würdigeren Person ausgeht, höher steht, müßte erst bewiesen werden. Was den Lohn betrifft, kann ja selbstverständlich nicht von einer materiellen Gleichheit bezüglich dieser zweien die Rede sein. Der Vergleich mit der Fürbitte schließlich läßt sich einfach als unstichhaltig zurückweisen, weil die Fürbitte sich gerade auf das hohe Maß 'der Würde stützt, während das Verdienst diese nur als Bedingung fordert

*

Noch besonders suchen diese Theologen ihre Ansicht zu stützen durch den Vergleich mit den Verdiensten Christi. Die habituelle Gnade des Gerechten verhält sich in ähnlicher Weise zu dessen Werken wie die hypostatische Gnade zu den Werken des Erlösers. Weder die eine noch die andere wirkt physisch unmittelbar auf die Werke ein, aber sowohl die eine wie die andere erhöht moralisch deren Wert durch die Würde, die sie dem Handelnden verleiht. Die Werke des Gottmenschen, obgleich an sich endlich, haben einen unendlichen Wert, weil sie aus einer unendlichen Würde und Gnade hervorgehen: so (sagen sie) gewinnen auch die guten Werke des Gerechten moralisch aus der höheren Würde der Kindschaft Gottes einen höheren Wert und höheres Verdienst. Die heiligmachende Gnade ist nämlich bei den Gerechten (wie Ripalda insbesondere betont) ein wesentliches, konstitutives Element des verdienstlichen Werkes, und wo ein solches Element erhöht ist, muß auch das Verdienst des Werkes ein größeres sein.

Die Theologen, welche die entgegengesetzte Ansicht verteidigen, sagen, wer mehr heiligmachende Gnade hat, handle deshalb allein nicht mehr als Kind Gottes, wenn sein Akt in sich nur ebenso gut ist, als der desjenigen, der weniger Gnade hat. Die heiligmachende Gnade, die Würde als Kind und Freund Gottes, ist allerdings zur Verdiensterwerbung erforderlich, sie trägt auch positiv zu derselben bei und nicht einzig zur Beseitigung des Hindernisses der Sünde (wie einige Theologen gemeint haben), sie verhält sich auch zum verdienstlichen Akte nicht (wie einige gesagt haben) bloß materiell und per accidens; aber da der Akt als solcher doch nicht bestimmt von ihr abhängt, sondern von der Wirksamkeit des Willens, der den Habitus gebraucht in dem Maße, wie er sich entscheidet; da der Grad der heiligmachenden Gnade als solcher nicht in Anschlag kommt bei dem verdienstlichen Werke, sondern nur die Würde überhaupt: so bleibt es zweifelhaft, ob durch den Grad der heiligmachenden Gnade allein das Verdienst gesteigert werde, und so lange die Beweise für diese Behauptung nicht stichhaltig sind, ist diese wohl nicht berechtigt. Eher dürfte man fast sagen, derjenige verdiene weniger Lohn, der nicht besser handelt, während er doch mehr dazu vorbereitet wäre. Kann aber auch dies nicht gesagt werden, so kommt dies eben daher, daß die Würdigkeit nur im allgemeinen zur Geltung kommt, nicht ihrem Grade nach, ebensowenig nach diesem Grade, als der Grad der Schlechtigkeit des Sünders in Betracht kommt bei dem schlechten Werke, das er jetzt verübt.[1]

Die Beweise für die bejahende Ansicht sind nach unserem Dafürhalten diesen und anderen Angriffen gegenüber nicht stark genug; einige derselben wurden sogar von Verteidigern dieser Ansicht widerlegt. Wir können uns hier auf eine noch weitere Darlegung nicht einlassen.[2] Nur möchten wir hinzufügen, daß selbst das Argument aus dem Vergleiche mit den Verdiensten Christi, das von den Verteidigern nach ganz verschiedenen Erklärungen dargelegt wird, keine entscheidende Kraft in dieser Frage zu besitzen scheint, auch selbst von Suarez nur als

---

[1] Diese Theologen haben nicht gesagt, die heiligmachende Gnade überhaupt verhalte sich zum verdienstlichen Akte bloß materiell und per accidens, sondern dieser höhere Grad oder das Übermaß derselben bewirke keinen Unterschied; weshalb z. B. Markus Struggl ganz richtig schreibt: „Ad rationem meriti condigni ex parte merentis ... solum requiritur ratio generica status amicitiae, cum illa sit praemium proportionatum statui amicitiae: quando igitur major gratia sanctificans intra genus causae efficientis in meritum non influit intensius, ejus excessus intra genus causae formalis moraliter dignificantis se solum habet per accidens et materialiter." — [2] Aus Thomas von Aquin wird besonders eine Stelle für die bejahende Antwort angeführt, wo er sagt: „Cum meritum non consistat in habitu sed in actu, nec in actu quolibet sed in eo qui per habitum gratiae informatur, actus autem omnis meritorius ex voluntate procedat, oportet quod meritum aliquid habeat a gratia et aliquid a voluntate et aliquid etiam ab objecto actus, unde species actus trahitur: et ideo ex his tribus efficacia merendi mensurari potest: ex gratia, voluntate et objecto. Quando enim majori caritate et gratia actus informatur, tanto magis est meritorius: similiter etiam" etc. (In 2. dist. 29. q. 1. a. 4.) Suarez fügt zwar mit Recht hinzu: „Dicitur autem actus informari gratia eo ipso quod est in subjecto grato" (De gratia l. 12. cap. 22. n. 3); in diesem ganzen Artikel jedoch, wo Thomas das Verdienst vor dem Sündenfalle mit dem nach dem Sündenfalle vergleicht, nimmt er auf die uns beschäftigende Frage keine Rücksicht und versteht unter gratia auch die gratia actualis, die zum verdienstlichen Akte doch ebenfalls erfordert ist. (Vgl. den Text, den wir Heft I, Seite 47, angeführt haben.)

wahrscheinlich geltend gemacht wird. Die Verdiensterwerbung in dem gerechten Menschen ist doch eine andere als die in dem Gottmenschen und Erlöser. Christus erwirbt, verdient für sich selbst die Verherr=lichung des Leibes und Erhöhung, nicht die Vereinigung mit Gott, nicht die Liebe, nicht deren Vermehrung, nicht die Seligkeit; sein Verdienst bezieht sich der Hauptsache nach auf uns. Seine Werke müssen allerdings heilig, aus seinem Willen auf die Verherrlichung Gottes und die Vereinigung mit Gott gerichtet sein, aber nicht diese Heiligkeit seiner Werke an sich betrachtet, gibt ihnen unendlichen Wert, sondern die hypostatische Gnade. Die geschaffene Heiligkeit ist ihnen Fundament, das unendliche Verdienst haben sie von der unendlichen Würde seiner Person. Wie geht dagegen die Verdiensterwerbung bei den Gerechten vor sich? Die von Christus erwordene Würde der Kindschaft Gottes ist ihr Fundament, aber ihre Vereinigung mit Gott müssen die Kinder und Freunde Gottes erst durch ihre Werke mit der von Christus verdienten Gnade sich erwerben. Das Werk des Gerechten ist insofern Verdienst, als es zur Herstellung seiner Vereinigung mit Gott gehört. Das ganze Wesen des verdienstlichen Aktes besteht nicht in dem Wohlgefälligsein, sondern in dem Wohlgefälligwerden.

Da also die übernatürliche Würde des Gerechten nur als ent=ferntes Prinzip zu jener Tätigkeit erfordert ist, welche die Seele mehr mit Gott vereinigt zum verdienstlichen Werke, so scheint nach allen angestrengten Versuchen der sichere Beweis dafür nicht erbracht zu sein, daß ein höherer Grad der Würde jedem verdienstlichen Akte einen höheren Wert und ein größeres Verdienst zusichere. Wir er=lauben uns schließlich eine Vermutung: Die Lösung dieser Frage wird wohl abhängen von den genaueren Kenntnissen, welche die Theologie aus der Offenbarung etwa schöpfen kann über das Verhältnis der aktuellen zu der habituellen Gnade und des verdienstlichen Werkes zu dem Lohne. Thomas scheint dieses anzudeuten dadurch, daß er jeden verdienstlichen Akt in der Verbindung auffaßt, die derselbe mit dem vorhergegangenen Akte der Liebe hat.[1] Genauere Kenntnisse würden uns vielleicht lehren, daß bei verschiedener Heiligkeit der Lohn für das gleiche Werk immer verschieden sein muß. Drei Stufen Er=höhung für den, der schon eine gewisse Höhe erreicht hat, dürften doch wohl etwas anderes sein als drei Stufen für den, der noch niedriger steht; was drei Stufen sind für den einen und für den anderen, vermögen wir nicht zu bestimmen.

Haben wir uns nun lange mit Fragen über das Verdienst befaßt, so ist ja das Verdiensterwerben auch das einzige, was wir in dieser Welt zu tun haben, wie der große Augustinus (ep. 130. ad Prob. c. 7.) uns eindringlich in Erinnerung bringt.[2]

---

[1] Vgl. die Texte, die wir oben Heit I, Sei e 4 4, angeführt haben. — [2] „Neque enim in tempore utiliter vivitur, nisi ad comparandum meritum, quo in a ternitate vivatur. Ad illam ergo unam vitam, qua cum Deo et de Deo vivitur, caetera, quae utiliter et decenter optantur, sine dubio referenda sunt.“

Oeuvres de Saint François de Sales.[1]

Auch dieser Band der Korrespondenz unseres Heiligen, der die
Briefe von 1611 bis April 1613 umfaßt, enthält manches Un=
gedruckte. Sein Hauptwert besteht jedoch darin, daß wir den Geist
des Heiligen, seine Lehrmethode, den großartigen Einfluß, den er
ausgeübt, besser kennen lernen. Die älteren und neueren Biographen,
selbst Hamon und seinen deutschen Bearbeiter Lager sind nicht aus=
genommen, haben die Briefe nicht ausgiebig benützt, ja vielfach un=
bestimmten und übertriebenen Gerüchten Glauben geschenkt und die
schönsten in seinen Briefen zerstreuten Gedankenperlen am Wege
liegen lassen, statt ihnen in der Lebensbeschreibung die rechte Fassung
zu geben. Die Briefe des Bischofs von Genf haben einen unnach=
ahmlichen Reiz, manche sind psychologische Meisterstücke, wie die
meisten Briefe an Madame de Chantal, Mademoiselle de Blonay,
an Jacqueline d'Arnauld. Für Priester und Seelenführer sind sie
gleich den Briefen Fenelons eine wahre Goldgrube, denn wenige
haben die Gabe des Anempfindens, des sich Hineindenkens in die
Stimmungen und Bestrebungen ihrer Beichtkinder in demselben Grade
besessen, so freimütig und offen und doch mit so zarter Rücksicht
auf die Schwächen und Fehler aufmerksam gemacht und zu gleicher
Zeit die Heilmittel angegeben. Cf. Lavisse, Histoire de France VII.
P. 1, 96, der den heiligen Franz „le directeur délicieux" nennt
und ihn einem St. Cyran gegenüberstellt.

Als Führer der katholischen Reformation, zunächst in der
Diözese Genf und in der Umgegend, sehen wir ihn anfangs mit der
Kleinarbeit beschäftigt und durch die Eifersucht seines Landesherrn
Karl Emanuel an einer großartigeren Wirksamkeit in Paris und den
bedeutenderen Provinzialstädten Frankreichs verhindert. Diese Eifer=
sucht des Herzogs hatte das Gute, daß der Heilige die so glücklich
begonnenen Reformen seiner Diözese durchzuführen, die von den
Reformierten seiner Kirche geschlagenen Wunden zu heilen vermochte.
Die hier abgedruckten Briefe berichten uns, mit welchem Erfolg er
die Verirrten auf die rechten Wege zurückgeführt, den Gläubigen
gepredigt, die Kinder katechetisiert, die unterdrückten oder zerstörten
Pfarreien wieder hergestellt, die zerstreuten Ordensleute zurückgerufen,
ihnen neue Konvente erbaut, sich ihrer in der Seelsorge bedient hat.

Besonders gesegnet war seine Wirksamkeit in der Ballei Gex,
welche die Protestanten an Frankreich abtreten mußten. Er verweilte
daselbst in den Monaten Mai, November, Dezember 1611 und
vom 14. bis 31. Juli 1612. So reich der von ihm gestiftete Segen
war, so zahlreich waren die Widersprüche, so unentwirrbar die
Hemmungen aller Art. In seinem Eifer betrachtete er sie als ehren=
voll und süß; denn selbst die Protestanten mußten gestehen, die
katholische Wahrheit sei schön, aber schwer zu fassen. In einem Brief,

---

[1] T. XV Letters Vol. V.. von Witte, 1908, 4°, p. XIV, 468, Preis 8 Fr.

p. 71, äußerte er sich über die Kalvinisten also: Wir werden sie vielleicht nicht bekehren, weil sie sich gewöhnlich weit mehr durch weltliche Rücksichten als durch ihr Seelenheil bestimmen lassen; aber wir glauben nicht wenig erreicht zu haben, wenn wir ihnen das Geständnis, daß wir Recht haben, abzwingen. Er versäumte natürlich keineswegs, behufs Geltendmachung seiner gerechten Ansprüche den Rechtsweg zu beschreiten und die Prediger zu der Herausgabe der widerrechtlich den Katholiken entrissenen Pfarreien zu zwingen. Weil er selbst vor Gericht erschien, konnten die königlichen Kommissäre es nicht wagen, das Recht zu beugen. Wer sein Betragen tadeln möchte, möge bedenken, daß dem milden Bischof nur die Wahl zwischen Nach= giebigkeit gegen die Protestanten und Grausamkeit gegen seine arme Herde blieb. Er stellte sich auf die Seite der letzteren, sein apostolisches Herz erlaubte ihm nicht, des lieben Friedens wegen seinen Schäflein die wahre Lehre vorzuenthalten, die religiöse Zwietracht zu verewigen.

Gerade um diese Zeit trug seine Milde und Sanftmut einen außerordentlichen Sieg davon. Madame de Saint Cergues, geborene de Cartal, hatte ihren katholischen Gatten verlassen, um sich nach Genf zurückzuziehen (1588). Hier machte sie sich durch ihre Be= geisterung für den Kalvinismus bemerkbar und durch den Eifer, mit welchem sie den Damen predigte. Man nannte sie die Erz= predigerin. Sie stand in der Tat in der Behandlung von Kontro= verspunkten, deren Studium sie 22 Jahre gewidmet hatte, den vor= nehmsten Predigern wenig nach. Sie lebte in demselben Hause mit Theodor Beza und schien mehr als je verhärtet. Ein Besuch ihres Bruders Jean François de Buttet in Auneci (Jänner 1611), ver= anlaßte sie, dem Drängen ihrer Verwandten nachzugeben und den Heiligen, dem sie, als wäre er ein Zauberer, mißtraute, zu besuchen. Der Bischof zeigte sich ihrer stürmischen Beweisführung gegenüber so geschmeidig und höflich, so bescheiden und friedfertig und setzte ihren Ausführungen so solide Gründe entgegen, daß sie sich über= zeugen ließ, übertrat und eine treue Tochter der katholischen Kirche blieb, die sie in ihrer Jugend verlassen hatte.

Der Heilige hatte Mutter de Chantal und ihre Töchter auf= gefordert, für die Bekehrung der Dame zu beten und die Kapelle der jungen Kommunität für das Fest der Rückkehr eines verirrten Schäfleins auserwählt. So sehr er wünschte, daß seine Töchter ver= borgen von der Welt lebten und ihr Leben dem Dienste Gottes und der Erziehung der weiblichen Jugend widmeten, so glaubte er doch ihrem Seeleneifer durch einen tiefen Einblick in das Elend der Ver= irrten neue Nahrung zuführen zu müssen. In der Tat sind durch seine Töchter manche Reformierte aus vornehmen Familien belehrt worden. Der Bischof gehörte natürlich nicht den Proselytenmachern an, welche durch Bekehrungen von Protestanten ihren Ruhm zu erhöhen suchten, seine wahre Absicht lernen wir aus einem Brief an Herrn Ph. Quoex kennen.

„Unsere gute Kranke (de Chantal) würde bereitwillig ihr Leben
für die geistige Gesundheit ihres Arztes geben, und was würde ich
armer geringer Hirte nicht geben für das Seelenheil dieser beklagens=
werten Seele. So wahr Gott lebt, vor dem ich spreche, ich würde
mein Leben geben, um ihn zu bekleiden, mein Blut, um seine Wunden
zu heilen, mein zeitliches Leben, um ihn vom ewigen Tod zu er=
retten" (p. 169). Paul Offredi verhinderte die Bekehrung seines
Vaters, dagegen wurde sein Bruder Karl Katholik.

Versuchen wir es, sagt der Herausgeber P. Navatel p. XI,
einen ehrfurchtsvollen, diskreten Blick in das Heiligtum des Herzens
des Bischofs zu werfen. Es genügt, die an Mutter Chantal gerichteten
Briefe zu lesen.

Die meisten sind weit mehr heilige Hymnen als Briefe und
mystische Erhebungen, in denen die durch die göttliche Gnade ent=
zückte Seele des Heiligen vor Freude aufjubelt, im Verein mit einer
Seele, die ihn verstehen und ihm antworten kann. So eilte die seligste
Jungfrau voll des heiligen Geistes zu ihrer Base Elisabeth und brach
in ihren Lobgesang aus, so verkündete der „Poverello" von Assisi
den Vögelein die Wunder der göttlichen Liebe. Es ist die göttliche
Liebe, welche die Herzen des heiligen Franz und der heiligen Johanna,
Franziska vereinigte und gleichsam ineinander aufgehen, verschweben
(Uhland) ließ. Ihre Freundschaft war keine natürliche, sondern eine
geistliche. „Ein Feuer, welches alles, was mit ihm in Berührung
kommt, durchglüht, so schrieb er, möge unser Herz verwandeln, daß
es nur Liebe, daß wir nicht mehr (Gott) Liebende, sondern Liebe
seien; nicht zwei, sondern ein einziges Selbst, weil die Liebe alles
in souveräner Einheit verbindet" (p. 102). „Unser Herr, sagt er an
einer anderen Stelle, hat Ihnen niemals die heiße Sehnsucht nach
Reinheit und Vollkommenheit verliehen, ohne dieselbe auch mir zu
gewähren. Die souveräne Vorsehung will, daß wir eine Seele behufs
Durchführung desselben Werkes, behufs der Reinheit, der Vollkommen=
heit seien" (p. 107). (Die Titel, mein Bruder, meine Mutter, meine
Schwester, meine Tochter finden sich häufig in den Freundesbriefen.)
„Obgleich meine Freunde sterblich sind, so äußerte sich der Bischof,
so liebe ich doch an ihnen vornehmlich das Unsterbliche". Wir haben
allen Grund, an die Aufrichtigkeit des Heiligen zu glauben. Die von
Herzog P. R. E. Protestantische Realenzyklopädie aufgestellte Theorie,
der in dem Verhältnis der beiden Heiligen eine feine Sinnlichkeit
sehen will, verdient keine Widerlegung.

Franz von Sales verband mit gründlicher Kenntnis der po=
sitiven und spekulativen Theologie eine seltene Vielseitigkeit, war
aber weit entfernt, seine Gelehrsamkeit zur Schau zu tragen oder
seine Zeit und seine Talente an Fragen zu verschwenden, die keine
praktische Bedeutung für ihn hatten. Er schrieb an einen italienischen
Bischof: „Wenn in Frankreich die Prälaten, die Sorbonne, die
Ordensleute, innig vereint wären, dann wäre es innerhalb 10 Jahren

um die Häresie geschehen" (p. 188). „Aus natürlicher Neigung, infolge der Besorgnis, welche sich aus der Erwägung der Sachlage
ergibt und wie ich glaube infolge göttlicher Eingebung hasse ich
alle Dispute und Streitigkeiten unter Katholiken, besonders zu einer
Zeit, in der die Geister mit solcher Heftigkeit aufeinanderplatzen
und durch ihre Kritik und Schmähsucht die christliche Liebe verletzen." Weil er ein inneres Leben führte, weil er alle Katholiken
mit gleicher Liebe und Wohlwollen umfaßte, darum gab es so
viele, die ihm gleichsam den Schlüssel ihres Herzens überließen,
ihm erlaubten, tiefe Blicke in ihr Inneres zu tun. Wir wissen, daß
der Heilige sich mit dem Gedanken trug, eine den Visitantinnen
ähnliche Kongregation von Männern zu gründen, die leider nicht
zur Ausführung kam.

In diese Zeit fallen seine Bemühungen, die geistliche Beredsamkeit zu heben, den Mißbräuchen, die sich eingerissen, vor allem
dem Streben nach falscher Gelehrsamkeit und Prunk entgegenzutreten
und zu der evangelischen Einsamkeit zurückzukehren. Auch auf diesem
Gebiete hat er Großes geleistet und den großen Kanzelrednern
Frankreichs die Wege gebahnt.

Eine der wichtigsten Aufgaben, die dem Bischof von Genf
vorbehalten war, war die, dem großen Bossuet die Wege zu bereiten,
den furchtbaren Mißbräuchen, die sich ins Predigtamt eingeschlichen
hatten, entgegenzutreten. — Freppel, Cours d'Eloquence sacrée,
7. Leçon, hebt hervor, wie sich die Predigt in den ersten Jahren
des 17. Jahrhunderts gegen alle Regeln der Kunst und gesunden
Kritik versündigte. Man übertrieb alles, die Formen der Beweisführung, die Gelehrsamkeit, die rhetorischen Figuren. Man kannte
kein Maß und keine Ordnung. In diesem Chaos der durcheinander
schwirrenden Gedanken fehlte es nicht an kräftigen Elementen, nicht
an Versuchen, zu einer einfacheren Redeweise zurückzukehren; aber,
um den rechten Ton zu treffen, ließen sich die einen zu sehr herab
und verloren sich ins Triviale, die anderen flogen zu hoch und verfielen dem Bombast. Vergebens hatten die Heiligen Ignatius, Franz
Xaver, Philipp Neri zur Betrachtung der Geheimnisse Christi, der
Erforschung des eigenen Selbst, zum Schreiben von Predigten aufgefordert, welche die Zuhörer über die Religion unterrichteten, die
Herzen rührten; vergebens hatten in Italien und Deutschland Jesuiten
und Oratorianer bessere Methoden eingeführt; in Frankreich wollten
die Prediger noch immer ihre Gelehrsamkeit zur Schau tragen und
durch ihre geschmacklosen Erzählungen und Gleichnisse ihre Zuhörer
verblüffen. Volksprediger, wie der Jesuit Emond Augé, hatten sich
zum Teil von dieser plumpen, ungefügen Predigtweise emanzipiert,
aber für Festpredigten behaupteten sie sich noch immer, bis unser
Heiliger durch seine einfachen Predigten seine Zuhörer entzückte.
Doktoren der Theologie, Seelsorger, Laien waren voll der Bewunderung; es entstanden Predigervereine in Dinan, Avignon, Toulouse,

21*

die sich den heiligen Franz zum Muster nahmen. Religiöse Orden
wie Benediktiner, Jesuiten, Oratorianer bemühten sich, seiner Predigt=
methode durch ihre Schriften Eingang zu verschaffen, vor allen Binet,
Caussin, Kardinal Berulle und Monsieur Vincent (so nannte man
den heiligen Vinzenz von Paul). Letzterer ist das Verbindungsglied
zwischen dem Bischof von Genf und Bossuet.

Wir haben vielfach nur Analysen und unvollkommene Nach=
schriften, auch die ausgearbeiteten Predigten des Heiligen gehören
nicht den besten Zeiten an und leiden an einer gewissen Ueber=
schwenglichkeit. Die Form der späteren entbehrte der Feile. Sie
reichen deshalb an die Meisterstücke eines Bossuet nicht heran. Gleich=
wohl werden sie von manchen denen des Adlers von Meaux vor=
gezogen. Unter den durch manche Schönheiten ausgezeichneten Reden
nennen wir die an die Klosterfrauen gehaltenen, die indes nicht
immer getreu wiedergegeben sind. Der Heilige hat allem, was er
gesagt und geschrieben, den Stempel der eigenen Persönlichkeit auf=
gedrückt. Seine Briefe, seine geistigen Unterhaltungen, seine Predigten,
sogar seine zahlreichen Predigtskizzen atmen einen Geist der Liebe,
des Mitgefühls, wie man ihn nur bei den Heiligen findet, die in
den Fußstapfen des großen Völkerapostels gewandelt und allen alles
geworden sind. Für diese Gefühle, die ihn beseelten, hat er einen
eigenen Stil geschaffen, der zum Herzen bringt. Manche Neuere
mögen schönere, geistreichere Gedanken, eine bessere Disposition, voll=
kommenere und schlagendere Argumente vor ihm voraus haben und
doch werden sie nicht entfernt die großen Wirkungen der Reden
unseres Heiligen hervorbringen, den Redner, der aus ihnen lernen
will, nicht in demselben Maße anregen.   A. Zimmermann.

Die Gottesdienstanschläge an den Kirchentüren,
der gegenwärtige Stand dieser Frage.
Von Dr. S.

„Caritas urget nos." 2. Cor. 5, 14.

In einem Artikel „Das schwarze Brett in der Kirche",
welcher sowohl in der „Linzer Quartalschrift" 1907, Nr. 2, pag. 267,
als auch in einer eigenen kleinen Broschüre erschienen ist, habe ich
es versucht, die Nützlichkeit, Zweckmäßigkeit und Notwendig=
keit der Gottesdienstanschläge an den Kirchentüren dar=
znlegen. Die Begründung hiefür legte ich hauptsächlich in die Man=
nigfaltigkeit der Verkehrsmittel unserer Zeit, in den allgemeinen
Reisetrieb und in die starke Fluktuation der Bevölkerung. Es wurde
in jenem Artikel auch darauf hingewiesen, daß das Bedürfnis der
Kirchenanschläge sich nicht allein auf die sonn= und werktägigen
heiligen Messen und Andachten, sondern ganz besonders auch auf
die Gelegenheit zum Empfange der heiligen Sakramente der Buße
und des Altares beziehe.

Das Bestehen dieses Bedürfnisses, das sich nur scheinbar auf eine Kleinigkeit bezieht und die begründete Aussicht auf pastorellen Erfolg, welcher durch das Anschlagen der Gottesdienstordnung erzielt werden kann, sind im Laufe des letzten Jahres durch eine größere Anzahl Referate in theologischen Zeitschriften und außerdem auch von autoritativer Seite vielfach anerkannt worden. Letzteres beweisen verschiedene oberhirtliche Handschreiben an den Verfasser des obengenannten Artikels, ebenso einige oberhirtliche Schreiben durch den bischöflichen Sekretär oder Generalvikar, ganz besonders aber eine große Anzahl oberhirtlicher Ausschreibungen und Verordnungen in den Amtsblättern deutscher und österreichischer Diözesen, in welchen die Kirchenanschläge teils dringend empfohlen, teils angeordnet werden. In diesen privaten Schreiben und amtlichen oberhirtlichen Erlassen werden den Gottesdienstanschlägen an den Kirchentüren die Prädikate: „in der Tat zweckmäßig“, „sehr praktisch“, „beachtenswert“, „eine durchaus zeitgemäße Einrichtung“,[1] „eine sehr dankenswerte Anregung“, „optimum consilium“ 2c. gegeben. Von anderen kirchlichen Oberbehörden wird es zugestanden, „daß die Kanzelverkündigungen und die Veröffentlichung der Gottesdienstordnung in einem Lokalblatte nicht mehr hinreichend seien“, „das Gewicht der Gründe, welche für die Einrichtung der Kirchenanschläge sprechen, wird anerkannt“, sie werden „eine scheinbare Kleinigkeit genannt, welche nicht geringe pastorelle Erfolge nach sich ziehen würde“. So weit es mir bekannt geworden ist, wurde im Laufe des letzten und zum Teil des vorletzten Jahres in folgenden 31 deutschen und österreichisch-ungarischen Diözesen das Anschlagen der Gottesdienstordnung am Eingange der Kirchen angeordnet oder dringend den Herren Kirchenvorständen empfohlen:

In Deutschland in den Diözesen: Bamberg, Limburg, Regensburg, München-Freising, Würzburg, Augsburg, Passau, Speier, Eichstädt, Straßburg, Rottenburg, Freiburg i. B., Trier, Fulda, Hildesheim, Posen, Ermland, Metz. In den größeren Städten der Diözese Culm sind die Anschläge schon länger im Gebrauch.

In Oesterreich-Ungarn in den Diözesen: St. Pölten, Linz, Leitmeritz, Rosenau, Kalocsa, Fünfkirchen, Siebenbürgen, Lemberg (rit. Arm.), Pola, Gran, Gurk (Klagenfurt), Seckau (Graz), Krakau.

Außerdem habe ich erfahren, die genannten Gottesdienstanschläge seien seit längerer Zeit „zum Teil“ schon in Gebrauch in größeren Städten der Diözesen: Mainz, Münster, Wien, Prag, Freiburg i. d. Schweiz, auch in verschiedenen Städten der Erzdiözese

---

[1] Auch die „Kölnische Volkszeitung“ veröffentlichte im Februar 1908 den Erlaß des hochwürdigsten Herrn Bischofs von Hildesheim betreffs Anschlagens der Gottesdienstordnung an den Kirchentüren unter der Spitzmarke: „Eine zeitgemäße Anordnung“.

Köln, in der Stadt Dresden, in einzelnen Kirchen der Stadt Breslau 2c.

Es steht also fest, daß die Kirchenanschläge zum Teil schon früher als notwendig erachtet und gebraucht worden sind und daß neuerdings eine beträchtliche Anzahl deutscher, österreichischer und ungarischer Oberhirten das Bestehen des Bedürfnisses der Kirchenanschläge anerkennt und es wünscht, daß zum Besten der Gläubigen und zur Förderung des religiösen Lebens solche gemacht werden. Die einzelnen oberhirtlichen Erlasse stimmen auch darin vollständig überein, daß jene Bekanntgebungen an den Kirchentüren sich nicht allein auf die sonn= und werktägigen heiligen Messen, Predigten und Andachten, sondern auch auf die Beicht= und Kommunion=Gelegenheiten erstrecken sollen. Einzelne Ordinariate schreiben auch das Anschlagen der Fast= und Abstinenztage vor, was aber in manchen anderen Diözesen schon lange auf eigenen Plakaten an den Kirchentüren geschieht. Hinsichtlich der räumlichen Ausdehnung des Bedürfnisses der Kirchenanschläge läßt sich in den Verordnungen unserer hochwürdigsten Herren Oberhirten nicht die gleiche Uebereinstimmung konstatieren, wie betreffs der Materie des Anschlages. Manche oberhirtliche Behörden haben ihre Verordnungen auf alle Kirchen der Diözese ausgedehnt, in welchen regelmäßig Gottesdienst gehalten wird, andere auf alle Pfarr= und Filialkirchen, wieder andere auf alle Kirchen in Städten, Märkten, größeren Dörfern, sowie Kur= und Wallfahrtsorten, einige Ordinariate machen ihre Verordnung schlechtweg für alle Städte und bedeutenderen Orte der Diözese. Aus diesen verschiedenartig lautenden Vorschriften geht jedoch die eine Tatsache zweifellos hervor: Eine beträchtliche Anzahl unserer hochwürdigsten Herren Oberhirten wünscht und verlangt es, daß wenigstens in allen Kirchen, welche im Bereiche des Verkehrs gelegen sind, die Kirchenanschläge gemacht werden.

Ich selbst habe allerdings in meinem früheren Artikel „Das schwarze Brett in der Kirche" einer allgemeinen Einführung der Kirchenanschläge auch in den Landkirchen das Wort geredet. Nachdem ja die modernen Verkehrsmittel auf allen Straßen sich bewegen und dahinsausen, und nachdem heutzutage die Fluktuation der Bevölkerung auch auf dem Lande eine große ist, kann ich das vollständige Fehlen des Bedürfnisses der Kirchenanschläge auf dem Lande nicht zugeden und mancher seeleneifrige Priester auf dem Lande hat mir schon pastorelle Erfolge genannt, welche er durch Anschlagen der Beichtgelegenheit 2c. erzielt habe. Es mag aber trotzdem Gegenden geden, in welchen die Anschläge auf dem Lande weniger wichtig sind. So wurde mir aus der Diözese Culm mitgeteilt, daß in größeren Städten die Gottesdienstanschläge schon in Uebung, die anderen wenigen Orte der Diözese mit katholischen Kirchen dem Verkehr aber tatsächlich vollständig entrückt seien. In gleicher Weise muß aber zugestanden werden, daß es andere Landstriche gibt, in welchen auch noch die entlegensten

Kirchen am Sonntage von Fremden frequentiert werden können. Dies
trifft z. B. zu während des sommerlichen Touristenverkehrs in Tirol,
den Gebirgskantonen der Schweiz, im Schwarzwald, im Bayerischen
Wald, am Mittelrhein, in der Umgebung größerer Städte ꝛc.

Nachdem also eine allgemeine Notwendigkeit der Kirchenanschläge
auch in jeder Landkirche von verschiedenen oberhirtlichen Behörden noch
nicht als dringend bestehend erachtet wird, so ist der guten Sache
aber sicherlich auch damit schon sehr viel gedient, überall daran festzuhalten, daß die Kirchenanschläge wenigstens in allen im Bereiche des Verkehrs gelegenen Kirchen sich künftig finden müssen. Ich
glaube sicher annehmen zu dürfen, daß diesem Grundsatze auch die
hochwürdigsten Herren Oberhirten jener deutschen, österreichischen und
schweizerischen Diözesen beipflichten, in welchen noch keine Verfügung
betreffs der Kirchenanschläge erfolgt ist.

Es frägt sich nun, haben die oberhirtlichen Ausschreibungen und
Verordnungen, welche im Laufe des letzten und vorletzten Jahres gegeben
wurden, es schon erreicht, daß in den betreffenden obengenannten Diözesen
wenigstens die im Bereiche des Verkehrs gelegenen Kirchen mit Gottesdienstanschlägen versehen wurden? Wurde von Seiten der Herren
Kirchenvorstände den oberhirtlichen Mahnungen und Verordnungen überall entsprochen? Dies muß leider entschieden verneint werden. Von einigen wenigen Diözesen kam mir
allerdings die Nachricht zu, daß die Kirchenanschläge ziemlich pünktlich
gemacht würden, dies kann vielleicht auch in einigen weiteren Diözesen
der Fall sein, von welchen ich hierüber nichts erfahren konnte. Soweit
ich aber mich auf Reisen selbst überzeugen oder durch priesterliche
Freunde sichere Erkundigungen einziehen konnte, muß konstatiert werden,
daß in vielen der obengenannten Diözesen, trotz oberhirtlicher Mahnung, nur ein kleiner Teil der im Bereiche des Verkehrs liegenden
Kirchen im letzten Jahre mit Gottesdienstanschlägen versehen wurde,
ja, daß in manchen sehr verkehrsreichen Plätzen derselben fast gar
nichts geschehen ist. Ich wäre in der Lage, eine sehr große und ver-
kehrsreiche Stadt von weit über 100.000 Einwohnern zu nennen,
welche in einer Diözese liegt, von deren Behörde die Anschläge oberhirtlich empfohlen und verordnet wurden. Es wurde festgestellt,
daß zehn Monate nach Erscheinen des oberhirtlichen Erlasses von
zirka 35 Kirchen nur drei einen der Ordinariatsvorschrift entsprechenden Anschlag gemacht hatten. An zwölf anderen Kirchen wurden
zwar, wie zum Teil auch schon früher, die heiligen Messen, aber nicht
die Beicht- und Kommuniongelegenheiten bekanntgegeben, während
die Herren Kirchenvorstände der übrigen Kirchen der oberhirtlichen
Vorschrift überhaupt nicht nachgekommen waren. — In einer Stadt
von 80.000 Einwohnern, welche in einer anderen Diözese liegt, wurde
konstatiert, daß von 15 Kirchen nur vier den Gottesdienstanschlag
gemacht haben. — Aus einer dritten Diözese, deren oberhirtliche Behörde das Anschlagen der Gottesdienstordnung den Herren Kirchen-

vorständen dringend nahegelegt hatte, wurde mir von einer Stadt mit 50.000 Einwohnern bekannt, daß innerhalb Jahresfrist von 20 katholischen Kirchen nur fünf dem oberhirtlichen Wunsche nachgekommen sind. Zwei weitere Kirchen hatten nach Erscheinen der Ordinariatsvorschrift ihre Türen mit den Anschlägen versehen; die betreffenden Plakate seien aber nach einiger Zeit „wieder verschwunden"![1]) Dagegen kann von einer kleineren Stadt der gleichen Diözese lobend hervorgehoben werden, daß dank der energischen Umsicht des Stadtpfarrers an den drei vorhandenen Kirchen alles pünktlichst angeschlagen ist. — Wieder in einer anderen Diözese ist mir von einem Kurorte mitgeteilt worden, daß seine Kurliste die Zahl 5000 übersteigt und daß derselbe einen sicherlich noch höheren Touristenverkehr aufweist. Nach einem früheren Ordinariatserlasse hätten in diesem Kurorte schon vor fünf Jahren wenigstens die heiligen Messen an den Kirchentüren bekanntgegeben werden sollen. Es findet sich aber nunmehr in Jahresfrist nach Erscheinen der neuen oberhirtlichen Vorschrift über Anschlagen der Gottesdienstordnung das vorgeschriebene Plakat nur an der Türe einer Vorstadtkirche, während in der Pfarrkirche und in der Klosterkirche nichts geschehen ist. — Ferner in einem der besuchtesten deutschen Wallfahrtsorte hat auf die oberhirtliche Ausschreibung hin zwar eine Klosterkirche einen Anschlag bekommen, die Wallfahrtskirche selbst und die Pfarrkirche weisen aber keinen auf. Ich könnte noch auf viele andere derartige Beispiele aus den verschiedensten Diözesen hinweisen, will mich aber nur darauf beschränken, noch anzuführen, daß in einer Diözese, in welcher oberhirtlich dringend aufgefordert wurde, in allen Kirchen die Anschläge zu machen, auf dem Lande gar nichts geschehen sei. Ferner äußerten sich zwei hochwürdigste Ordinariate dahin, daß die vorgeschlagenen Kirchenanschläge in ihren Diözesen schon seit Jahren in Uebung seien. Ich muß leider konstatieren, daß die beiden hochwürdigsten Ordinariate sich im Irrtum befinden. Die eine der beiden Diözesen habe ich früher selbst bereist. Hierdurch und durch neulich eingezogene Erkundigungen ist mir bekannt, daß sich jene Uebung auf einzelne Kirchen in den größten Städten beschränkt.

Es muß somit volens nolens die Tatsache zugegeben werden, daß eine große, ja, in vielen Diözesen die größte Zahl der Herren rectores ecclesiae derartige oberhirtliche Ausschreibungen und Verordnungen nicht genug beachtet. Traurige Erfahrung! Priester selbst sind es, welche aus Mangel an verständnisvollem Eingehen auf die bischöflichen Wünsche

---

. [1] Wo die Gefahr vorliegt oder die Erfahrung es lehrt, daß von unbefugter Hand die Anschlagszettel weggerissen oder mit anderen Plakaten überklebt werden, dürfte zu empfehlen sein, den Gottesdienstanschlägen einen separaten Platz an der Kirchentür zu geben oder noch viel besser dieselben an einem „offiziellen Anschlagbrett", welches mit einer Glas- oder Drahtgittertüre verschließbar ist, auszuhängen.

und aus Mangel an Beobachtung der oberhirtlichen Verordnungen
es erschweren, eine allgemein nützliche und zeitgemäße Einrichtung zu
treffen, durch welche anerkanntermaßen viel Gutes gestiftet und auch
manche Seele gerettet werden könnte! Setzen wir den Fall, die preußische,
bayerische, österreichische oder ungarische Staatseisenbahndirektion würde
vorschreiben, daß in sämtlichen Wartesälen des Landes ein Plakat mit
gewissen Bekanntmachungen für die Reisenden aufzuhängen sei —
nach Ablauf kaum eines Monates würde sich in allen Wartesälen,
selbst auf den kleinsten Stationen, dieser Anschlag finden. Oder nehmen
wir an, der deutsche Reichstag würde im Verein mit dem Bundes-
rate es zum Gesetze erheben, daß an allen Straßenkehrungen Warnungs-
tafeln für die Automobilfahrer aufzustellen seien — auch diese Tafeln
würden in kürzester Zeit überall angebracht sein. Und worum handelt
es sich bei derartigen Vorschriften der weltlichen Behörden? Meistens
um einen Geldgewinn, höchstens um die Sicherheit des leiblichen
Lebens. Jeder weltliche Beamte kommt diesen Verordnungen sofort
nach, um seine Karriere nicht zu verderben. Er fürchtet, von einem
höheren Beamten „kontrolliert" oder von einem gleichgestellten
„angezeigt" zu werden. Müssen wir es da nicht lebhaft bedauern,
daß ähnliche Verfügungen der kirchlichen Oberbehörden, wie sie bei
den Kirchenanschlägen vorliegen, von Seiten der Beamten, welche Diener
des Altares sind, so mangelhaft Folge geleistet wird? Handelt es
sich in unserem Falle nicht auch um viel mehr als um Geldgewinn
oder Sicherstellung des leiblichen Lebens? Dürfen wir uns bei der
Durchführung einer derartigen Einrichtung, durch welche zweifellos
das religiöse Leben der Gläubigen gefördert würde, vom Staate und
den weltlichen Gesellschaftsvereinigungen übertreffen lassen? Soll
etwa die Braut Jesu Christi unfähig sein, zu leisten, was
der Staat analog auf seinem Gebiete in kürzester Zeit erreicht hätte?

Dem Laien ist mit den Kirchenanschlägen nur dann wirklich
geholfen, wenn er sich darauf verlassen kann, wenigstens in jeder
Kirche, welche im Bereiche des Verkehres liegt, einen „Wegweiser
zu finden für seine religiösen Bedürfnisse" — wie sich das
hochwürdigste Ordinariat Freiburg i. B. in seinem Erlasse vom 16. Januar 1908 so treffend ausdrückt. Man denke sich nur einmal hinein,
welch berechtigter Unmut einen Laien anwandeln muß, welcher am
Samstag abends in einer fremden Stadt eigens etwa ¼ Stunde
weit nach einer Kirche geht, um dort durch den Gottesdienstanschlag
zu erfahren, wann er am folgenden Tag eine heilige Messe in dieser
Kirche hören könne. Er findet jedoch keinen Anschlag an der Kirchentüre und sieht sich gezwungen, einen vor der Kirche spielenden Knaben
zu befragen. Am Sonntag morgens muß er aber die sehr unliebsame
Bemerkung machen, daß dieser ihn falsch instruiert habe. Um noch
eine heilige Messe hören zu können, was jeder gute Katholik nach
Möglichkeit tun würde, und wozu er je nach Umständen auch die Pflicht

hat, „ist er nun genötigt, 1—2 Stunden Zeit zu opfern, vielleicht sogar seine Reisedispositionen zu ändern". Und welchem Laien, der viel auf Reisen ist, wäre etwas ähnliches nicht schon passiert? Dabei hat an sich der Laienkatholik, auch auf der Reise, insoferne ihn kein anderer Grund entschuldigt, unter der größten Strafe, die es gibt, „unter der ewigen Höllenstrafe", die Pflicht, an Sonn= und Feiertagen der heiligen Messe beizuwohnen! Trotzdem wollen nur „einzelne rectores ecclesiae" sich herbeilassen, ihn vor Inkurrierung dieser Strafe durch die Anschläge zu schützen. Was tut in einem ähnlichen Falle die Militärbehörde? Sie verpflichtet allerdings auch unter empfindlichen Strafen, welche aber mit der obengenannten Strafe gewiß lange nicht zu vergleichen sind, die Soldaten der Reserve und der Landwehr, bei den Kontrollversammlungen zu erscheinen, aber weist nicht die zum Erscheinen Verpflichteten auf das Fragen an sie: Wann und wo ist die Kontrollversammlung? Sie gibt den Termin derselben auch nicht bloß durch Anschläge an „einzelnen" Kontroll= versammlungslokalen bekannt, sondern es werden Anschläge gemacht an allen Kontrollversammlungslokalen, ja sogar an allen Plakat= säulen und an vielen Straßenecken der Städte und Dörfer. Fragen wir uns endlich noch, was würden wir sagen, wenn künftig nur in „ein= zelnen" Bahnhöfen der Fahrplan angeschlagen würde, in den anderen aber die Reisenden auf das Fragen, wann der Zug abgehe, angewiesen blieben und man durch falsche Informationen der Gefahr ausgesetzt würde, den Zug zu versäumen. Auf der Reise muß aber die Zeit für das Hören der heiligen Messe und den Empfang der heiligen Sakramente, ebenso wie die Stunde der Weiterreise genau in die Tageseinteilung passen und voraus bestimmt sein. So lange also nur ein Teil der im Bereiche des Verkehrs gelegenen Kirchen die Anschläge macht, bleibt der Vorteil der ganzen Einrichtung für den Laienkatholiken ein verhältnismäßig geringer.

Um nun den Laien eine gewisse Sicherheit zu bieten, daß er die Kirchenanschläge namentlich auch auf der Reise findet, scheint mir deshalb leider nach den bisherigen Erfahrungen eine Kontrolle über die Beachtung der oberhirtlichen Vorschriften hinsicht= lich Anschlagens der Gottesdienstordnung unbedingt nötig zu sein. Ohne eine Kontrolle liegt auch die Gefahr vor, daß das Anschlagen der Gottesdienstordnung „wieder einschläft" oder daß nach einigen Jahren — wie ich es früher schon gesehen — alte vergilbte Zettel an den Kirchentüren hängen, deren verblichenes Aussehen dem Betreter der Kirche deutlich verkündet, die Bekanntmachungen auf dem Zettel seien allerdings vor einigen Jahren gültig gewesen, aber gegen= wärtig könne man sich nicht mehr darauf verlassen. Liegen uns nicht auch in der Kirchengeschichte die Beweise vor, wie viele gute Vorschriften der kirchlichen Oberen, welche nicht kontrolliert wurden, durch das Nichtbeachten von Seiten der Untergebenen abrogiert worden sind?

Als Kontrolle über das Vorhandensein der Kirchenanschläge könnte man an die hochwürdigsten Ordinariate die Bitte richten, es möchten die Herren Dekane beauftragt werden, in ihrem Wirkungskreise es von Zeit zu Zeit zu kontrollieren, ob die Kirchenanschläge vorhanden sind. Eine derartige Bitte dürfte wohl um so mehr statthaft sein, nachdem bereits eine oberhirtliche Behörde in ihrer Diözese diese Kontrollmaßnahme getroffen hat. Es liegt mir nämlich die deutsche Uebersetzung einer erzbischöflichen Kurrende Nr. III vom 28. Februar 1908 Sr. Eminenz des hochwürdigsten Herrn Kardinal=Erzbischofs von Gran vor. Dieselbe enthält in Nr. 1263 folgendes Dekret:

„Es ist für die Seelsorgspriester unnötig, zu betonen, wie wichtig es sei, daß die Gläubigen ihrer Sonntagspflicht pünktlich entsprechen, ihre österliche Pflicht verrichten, auch an Wochentagen nach Möglichkeit dem Gottesdienste beiwohnen mögen, ja, daß das Dekret Sr. Heiligkeit über die öftere heilige Kommunion immer mehr in weiteren Kreisen am zweckentsprechendsten zur Tat werde. Dennoch kommt es sehr oft vor, daß in großen Städten die Gläubigen, noch mehr aber die Durchreisenden, kaum in der Lage sind, zu erfahren, in welcher Ordnung in irgend einer Kirche die heilige Messe gelesen, um welche Stunden die heilige Beichte verrichtet werden könne, wann sie kommunizieren könnten, ohne daß die übrigen Obliegenheiten des Seelsorgers stören und den geordneten Gang des Gottesdienstes aufhalten würden. Es ist daher sehr zu wünschen, daß es einesteils den Gläubigen den religiösen Pflichten zu entsprechen erleichtert, andererseits die Wirksamkeit der hochwürdigen Seelsorgsgeistlichkeit erfolgreicher werde.

Diese Motive leiten mich, wenn ich hiermit befehle und verordne, daß in den Städten, Wallfahrtsorten, Bade= und Kurorten die Pfarrer und Rectores ecclesiarum als auch die Vorstände der Ordenskirchen Sorge tragen mögen, daß an die Kirchentüren ihrer Kirchen oder öffentlichen Kapellen eine Ankündigungstafel angeschlagen werde mit pünktlichem Verzeichnisse der heiligen Messen an Sonn= und Wochentagen, der Gelegenheit zur heiligen Beicht und heiligen Kommunion, als auch der Zeit der Predigten, der Christenlehre und der Nachmittagsgottesdienste. Es ergibt sich aus dem Vorhergesagten von selbst die Pflicht, diese angekündigten Zeiten dann auch gehörig einzuhalten.

Auch in größeren Marktgemeinden und Dörfern kann eine ähnliche Ankündigungstafel vom besten Erfolge sein.

„Ich[1] fordere hiermit die hochwürdigen Herren Dekane der Bezirke auf, daß sie in ihrem Wirkungskreise die Ausführung dieses meines Dekretes kontrollieren.“

Budapest, den 28. Februar 1908. Claudius, Kardinal, Erzbischof.

---

[1] Vom Verfasser durchschossen gedruckt.

Es könnte vielleicht auch die Bitte gestellt werden, es möchte gelegentlich der Pfarrvisitationen das Vorhandensein der Kirchen-anschläge kontrolliert werden. Dies wäre später wohl genügend. Für den Anfang wären jedoch die oben angedeuteten eigenen Kontrollen durch die Herren Dekane wohl nicht zu umgehen, da in vielen Diözesen die Pfarrvisitationen nur alle 3, 6, 7 Jahre und auch noch seltener stattfinden.

Das hochwürdigste bischöfliche Ordinariat Speier hat gleich-falls eine Kontrollmaßnahme getroffen. Dasselbe verordnete nämlich am 1. Juni vorigen Jahres die Gottesdienstanschläge für alle Kirchen, in welchen regelmäßig Gottesdienst gehalten wird, und fügte die weitere Anordnung hinzu, binnen eines Monats Ab-schriften der Anschläge einzusenden.

Es sind jedoch auch noch andere Methoden der Kontrolle denkbar. Um das Vorhandensein der Kirchenanschläge einer Kontrolle zu unterziehen, bedarf es nämlich nicht wie bei den anderen Kontrollen der pfarrlichen Visitationen des Aufsperrens der Sakristei, des Auf-schließens des Pfarrarchivs, des Aufschlagens der Tauf- und Ehe-standsregister, sondern jeder seeleneifrige Priester, welcher sich sagt, man darf die Seelen nicht verloren gehen lassen, die durch die Kirchenanschläge so leicht gerettet werden können, ist imstande, beim Besuche einer fremden Kirche sich zu überzeugen, ob genügende und richtige Anschläge der Gottesdienstordnung vorhanden sind. Es ist demnach naheliegend, anzunehmen, daß eine gegenseitige Selbst-kontrolle der Priester ein guter und brauchbarer Weg zur Ein-führung und Ueberwachung der Kirchenanschläge wäre. Jeder gewissen-hafte Priester, welcher eine Kirche im Bereiche des Verkehrs ohne die Anschläge findet, könnte zunächst den betreffenden rector ecclesiae in mitbrüderlicher Weise mahnen, den oberhirtlichen Verord-nungen betreffs der Kirchenanschläge nachzukommen. Dieser Modus der Beförderung der guten Sache schließt aber allerdings für den mahnenden, sowie für den gemahnten Priester manches Unangenehme mit ein. Es wird deshalb von demselben seltener Gebrauch gemacht werden und eine derartige Mahnung könnte in vielen Fällen auch ohne Erfolg bleiben. Aussichtsvoller scheint mir eine freundschaftliche Besprechung der Nützlichkeit der Kirchenanschläge auf den Pasto-ralkonferenzen zu sein, wobei darauf hingewiesen werden könnte, daß die Anschläge in dieser oder jener Kirche fehlen und inkorrekt seien. Es gibt jedoch auch noch andere ganz sicher wirksame Arten dieser priesterlichen Selbstkontrolle, zu welcher jeder in der Diözese reisende Priester oberhirtlich aufgefordert werden könnte. Ich möchte jedoch davon abstehen, einen solchen Modus näher zu beschreiben oder vorzuschlagen, weil es mir gänzlich ferne liegt, etwa anderen erprobten oberhirtlichen Maßnahmen für derartige Angelegenheiten vorgreifen zu wollen. Aber es scheint mir eine Ehrensache des ganzen Priesterstandes zu sein, die

Kirchenanschläge, welche von einer großen Anzahl unserer hochwür=
digsten Herren Oberhirten und von vielen Priestern für unsere Zeit
zur Beförderung des religiösen Lebens und auch zur Rettung von
Seelen als zweckmäßig befunden worden sind, nicht wieder fallen
zu lassen, sondern durch eine Kontrolle zu konsolidieren. In der
Realisierung einer derartigen Einrichtung dürfen wir uns nicht von
den weltlichen Beamten, welche derartige Vorschriften der Behörden
meist aufs pünktlichste befolgen, beschämen lassen.

Ich will es ferner auch nicht unterlassen, noch einen anderen
Punkt hervorzuheben. Nachdem einmal die Frage des Anschlagens der
Gottesdienstordnung aufgeworfen und in der Literatur besprochen
worden ist, nachdem viele Ordinariate das Bestehen des Bedürfnisses
durch ihre Erlasse anerkannt haben, steht zu befürchten, daß die Laien,
welche gewohnt sind, in unserem Zeitalter der Reklame und
des Verkehrs auf jedem anderen Gebiete der menschlichen
Gesellschaft durch Anschläge und Plakate Erleichterung zu genießen,
zu einer gewissen Selbsthilfe schreiten, insoferne wir die Kirchenanschläge wieder einschlafen lassen. Sie könnten die öffentliche Presse,
namentlich die kirchenfeindliche Presse benützen, um auf das Fehlen
der Gottesdienstanschläge in dieser oder jener Kirche hinzuweisen. Anfänge hiervon haben sich in der Tagespresse schon gefunden. Hierbei
könnten sie aber in empfindlicher Weise die Nachlässigkeit und
Gleichgültigkeit des betreffenden rector ecclesiae aufdecken
und dadurch dem ganzen Priesterstande schaden. Hätten die Laien
denn nicht auch recht, wenn sie sich beklagen würden, daß jede Wahl=
versammlung, jede Bürgerversammlung, jede Tanzgelegenheit eines
Plakates wert ist, aber ein Informationsanschlag über die glorreichste
Versammlung der Darbringung des heiligen Meßopfers wird ihnen
vorenthalten? Findet man nicht vor der Türe eines jeden Krämer=
ladens die verschiedensten Spezialitäten und die gewöhnlichsten Dinge
durch Plakate zum Verkauf ausgeboten — eben deshalb, weil der
Kaufmann weiß, daß er dadurch die Leute in den Laden hineinzieht
und größeren Geldgewinn hat? Aber die höchsten Güter der Mensch=
heit — durch deren Ausspendung allerdings keine klingende Münze
verdient wird — die heiligen Sakramente, sind noch vielen Kirchen=
vorständen trotz oberhirtlicher Mahnung oder Verordnung eines An=
schlags an der Kirchentüre nicht wert. Gleichwohl unterliegt es keinem
Zweifel, daß durch einen solchen auch manche Seele in die Kirche
hineingezogen und zum Empfange der heiligen Sakramente aufgefordert oder dieser ihr wenigstens erleichtert würde. Und was für
einen Eindruck muß es auf den Laien machen, wenn er an der Kirchen=
türe die Anschläge über die Gottesdienstordnung nicht findet, wohl
aber große, in die Augen fallende Plakate zur Information,
wann man den Turm besteigen oder den Kirchenschatz be=
sichtigen kann, also Anschläge, welche dem Mesner oder vielleicht
sogar dem Kirchenvorstande selbst Geld eindringen?

Daß die Laien das Nichtanschlagen der Gottesdienstordnung schon lange als eine nicht geringe Nachlässigkeit auffassen, hierfür möchte ich nur zwei Beweise anführen: Ein Dr. N. N., Teilhaber einer großen chemisch-mechanischen Fabrik Norddeutschlands, welchen ich selbst als guten Katholiken kenne, schreibt mir hinsichtlich der Kirchenanschläge folgende schwerwiegende Worte: „Ich, habe mich schon oft über die Gleichgültigkeit gewundert, mit welcher das offensichtliche Bedürfnis der Kirchenanschläge bis jetzt bei uns so vielfach ignoriert worden ist. In England findet man übrigens zuweilen auch in den Hotels die Gottesdienstordnung angeschlagen, während man bei uns im Hotel gar keinen oder falschen Bescheid erhält. Selbst in dem katholischen süddeutschen Gebirgs-städtchen X. ist mir dies passiert." — Ferner erhielt ich von einer mir vollständig unbekannten adeligen Dame, welche in einer großen Stadt Oesterreichs wohnt und wie es scheint, meinen früheren Artikel „Das schwarze Brett in der Kirche" in die Hand bekommen hat, einen Brief, in welchem sie schreibt: „Hochwürden, schon lange habe ich nichts mehr mit solcher Freude gelesen als das, was Sie in Ihrer Broschüre schreiben. Alles das habe ich auch schon zu wiederholten Malen ausgesprochen. In unserer Zeit der Reklame findet man für alles Plakate, nur über das Notwendigste nicht, nämlich die Gottesdienstordnung." — Ja, gute und brave Laien-katholiken haben mir schon gewichtige Bemerkungen darüber gemacht, woran es läge, daß in den Kirchen keine Anschläge gemacht würden, während dies in jedem anderen öffentlichen Gebäude geschehe. Diese Bemerkungen sind allerdings leider wahr, aber für das Ohr eines jeden seeleneifrigen Priesters so verletzend, daß ich sie lieber nicht der Presse anvertraue.

Alle diese Tatsachen machen es wohl sehr wünschenswert, daß eine gemeinsame Maßnahme in allen Diözesen Deutschlands, Oester-reich-Ungarns und der Schweiz zustande käme, die auch eine wirk-same Kontrolle über die Gottesdienstanschläge in sich schließt. Zum allgemeinen Besten würden sich einer solchen sicherlich auch jene Diözesen anschließen, in welchen die Kirchenanschläge jetzt schon pünkt-lich gemacht werden. Ich glaube nicht falsch zu prognostizieren, wenn ich behaupte, daß ohne eine wirksame Kontrolle auch in zehn Jahren es noch nicht erreicht sein wird, daß die Gläubigen in allen im Be-reiche des Verkehrs gelegenen Kirchen die nötigen Anschläge finden.

Außerdem möchte ich noch die weitere Anregung geben, daß doch jeder seeleneifrige priesterliche Leser dieses Artikels sich demühen möge, die zeitgemäße und sicherlich überall Gutes stiftende Ein-richtung der Gottesdienstanschläge nicht nur in den obengenannten Ländern zu konsolidieren und in den noch fehlenden Diözesen einzu-führen, sondern auch in anderen Ländern zu verbreiten. Wir sind katholische Priester, d. h. berufen, unseren Seeleneifer καθ' ὅλον τὸν κόσμον auszudehnen. Die Eisenbahn und verschiedene

andere Verkehrsmittel tragen aber ebenso wie den Priester, welchen
seine heilige Messe, die heilige Kommunion ꝛc. überallhin begleiten,
auch den Laien in wenigen Stunden über die Grenze seines Vater=
landes hinaus und auch dort wünscht dieser in den Kirchen einen
Wegweiser zu finden für seine religiösen Bedürfnisse. Es kann also
wohl nicht in Abrede gestellt werden, daß das Bedürfnis der
Kirchenanschläge seit Ende des 19. Jahrhunderts ein inter=
nationales geworden ist. Auf der Reise befindliche und auch
vorübergehend ansässige Ausländer finden sich heutzutage fast
überall. Man denke aber dabei nicht allein an die Ausländer höherer
Stände, sondern auch an die italienischen, böhmischen und polnischen
Arbeiter, welche sich z. B. so häufig bei uns in Deutschland vorübergehend
ihr Brot verdienen. Dazu kommt, daß mancher in einem Lande reist, welcher
jene Landessprache zwar lesen, aber nicht sprechen kann, und der sich
folglich durch den Kirchenanschlag sehr wohl informieren könnte, der
aber außerstande ist, durch Fragen die nötige Auskunft zu erhalten.
Man wird mir aber einwenden, es gibt auch viele Ausländer, welche
die Landessprache weder sprechen noch lesen und diesen ist mit den
Kirchenanschlägen auch nicht geholfen. Ich gebe beides zu, möchte
aber darauf hinweisen, daß es ein sehr einfaches Mittel gibt, zu
helfen und dieses sei im folgenden zur Erwägung und Prüfung
vorgelegt.

Ich bekam vor kurzem von einem Pfarrer aus Ungarn ein
„Drei Sprachen=Plakat" zugesandt. Auf demselben ist das For=
mular für Veröffentlichung der Gottesdienstordnung in ungarisch,
deutsch und slovakisch vorgedruckt und dadurch sehr wenig übersichtlich.
Auch wird durch diesen Anschlag der Franzose, der Spanier, der Russe,
der Japaner ꝛc. nicht informiert. Es scheint mir nun der Gedanke nahe=
liegend, es müßte das Vorteilhafteste sein, in jedem Lande mit einheit=
licher Landessprache die Gottesdienstordnung nur in der Landessprache
anzuschlagen, aber überall lateinische Dolmetscherworte hin=
zuzufügen. Ich denke mir ein derartiges Schema etwa in fol=
gender Art:

Gottesdienstordnung

(ordo cultus divini)

in dieser[1]) Kirche

(in hac ecclesia)

bis auf weiteres (usque ad mutationem)

An Sonn= und Feiertagen (Dominicis et diebus festis):

Amt (missa solemnis) . . . . Uhr (hora)

Predigt (praedicatio) . . . . „ „

---

[1]) Das Wort „dieser" gebraucht der † hochselige Herr Bischof von Linz in
dem seinem Erlasse vom April vorigen Jahres im Linzer Diözesanblatt Nr. 8 bei=

Heilige Messen (missae) . . . . Uhr (hora)
Christenlehre (catechesis) . . . . . . „ „
Vesper (vesperae) . . . . „ „
Andachten (devotiones vespertinae) . . . „ „

An Werktagen (feriis):

Heilige Messen (missae) . . . . Uhr (hora)
Traueramt (requiem) . . . . „ „
Andachten. (devotiones vespertinae) . . . „ „

Beichtgelegenheit (occasio confitendi):

Jeden Samstag (sabbato) . . . . . . Uhr (hora)
Jeden Vorabend vor Feiertagen (vigiliis) . „ „
Jeden Sonn= und Feiertag morgens (dominicis et diebus festis mane) . . . . „ „

Die heilige Kommunion wird gewöhnlich gereicht (S. Communio distribuitur):

An Sonn= und Feiertagen (dominicis et diebus festis) vor (ante), während (inter), nach (post)²) den heiligen Messen (missas) . . . . Uhr (hora)
An Werktagen (feriis) vor (ante), während (inter), nach (post) den heiligen Messen (missas) . . . . . Uhr (hora), insoferne sich Kommunikanten an der Kommunionbank einfinden.

Andere Verrichtungen (alia officia): . . . .
. . . .

Sollte es gelingen, daß derartige Kirchenanschläge mit lateinischen Dolmetscherworten in allen Kulturländern sich einbürgern, so würde fast jeder Katholik schon in der Jugend in seinem Vaterlande beim Lesen der Gottesdienstordnung diese 20 lateinischen Ausdrücke lernen, namentlich wenn Prediger und Katecheten auf den Zweck derselben aufmerksam machen. Tatsächlich sind andere lateinische Worte, wie „sanctus“, „gloria“, „ite missa est“ 2c. schon längst fast allen Katholiken geläufig. Es könnte auf das Formular in der Landessprache auch der Vermerk unten hinzugefügt werden: „NB! Wer nach dem Auslande reist, präge sich die wenigen in Klammern stehenden lateinischen Worte ein. Er wird mittels derselben in jedem Lande fähig sein, die Kirchenanschläge zu verstehen.“ So oft der Laien-

---

gedruckten Schema. Dieses Wort erscheint mir sehr vorteilhaft, weil die Fremden oft den Namen der Kirche nicht kennen und, insoferne gleichzeitig Einladungsplakate zu außerordentlichen gottesdienstlichen Feiern in anderen Kirchen an der Kirchentüre aufgehängt sind, Verwechslungen leicht möglich werden. Es dürfte also zu empfehlen sein, daß Wort „dieser“ statt z. B. Annakirche allgemein zu gebrauchen. Der Name der Kirche könnte aber handschriftlich darunter gesetzt werden. — ¹) Je nach dem Gebrauche in der Kirche wird die eine oder andere der Präpositionen gestrichen.

katholik später einen derartigen Anschlag in seiner Muttersprache liest, würden die lateinischen Worte wieder in seinem Gedächtnisse aufgefrischt. Kommt er sodann ins Ausland, so ist es gleich, ob seine Muttersprache deutsch, französisch, englisch, italienisch oder irgend eine andere Sprache mit lateinischen Schriftzeichen ist. Ja, es könnte mit leichter Mühe den Kindern, deren Muttersprache andere Schriftzeichen hat (z. B. russisch, japanisch 2c.), diese 20 lateinischen Worte von den Katecheten lesen und verstehen gelehrt werden. Praktisch kann man wohl sagen, daß auf diese Weise die reisenden Katholiken „aller Nationen" in den Stand gesetzt werden, „überall" die Kirchenanschläge zu verstehen. Derjenige, welcher sich die Dolmetscherworte wirklich nicht merken könnte, wäre in der Lage, vor seiner Abreise ins Ausland dieselben in seiner Heimatskirche sich zu notieren. Ein besonderer Vorteil einer solchen Einrichtung scheint mir darin zu liegen, daß durch ebendenselben mit Dolmetscherworten versehenen Anschlag die Einheimischen diese lateinischen Worte lernen und die Ausländer die gewünschte Information erhalten. In Grenzorten und Städten, in welchen zwei oder drei verschiedene Sprachen vorherrschend sind, sollten womöglich zwei respektive drei verschiedene Plakate nebeneinander in den zwei respektive drei Landessprachen und jedes mit den lateinischen Dolmetscherworten versehen aufgehängt werden, wenn nicht anzunehmen ist, daß alle Einheimischen eine der drei Sprachen lesen können. Für die Ausländer genügen die lateinischen Dolmetscherworte.

Mancher Pfarrer, dessen Kirche im Bereiche des Verkehrs liegt, wird wohl sagen: „In meine Kirche kommt niemals ein Ausländer, ich kann die lateinischen Dolmetscherworte weglassen." Hierauf erwidere ich ihm, daß dann die Kinder und die Gläubigen seiner Pfarrei auch die Dolmetscherworte nicht lernen und durch seine Schuld später, wenn sie ins Ausland kommen sollten, den Kirchenanschlag dort nicht verstehen. Wie viele brave junge Leute, die mit guten Prinzipien das Vaterland verlassen haben, sind im Auslande schon verloren gegangen, weil sie anfangs nicht wußten, wann sie ihre Sonntagspflicht erfüllen, wann sie die heiligen Sakramente empfangen könnten! Es stellte sich immer größere Lauigkeit, schließlich der gänzliche Ruin ein. Die einheitlichen Kirchenanschläge mit den lateinischen Dolmetscherworten würden aber nicht allein vom praktischen, sondern auch vom moralischen Standpunkte segensreich wirken. Man denke sich einen armen Arbeiter, der sich sauer im Auslande sein Brot verdienen muß. Er versteht die Landessprache nicht und hat keinen Menschen, mit welchem er seine Gedanken austauschen kann. Nur durch Zeichen und fast unverständliche Laute kann er sich verschaffen, was er für Nahrung und Schlaf gebraucht. Da tritt er vor die Kirchentüre und liest dort ihm aus den Kirchenanschlägen in seinem Vaterlande wohlbekannte Dolmetscherworte, welche ihm als Wegweiser dienen, seine religiösen Pflichten zu erfüllen und die heiligsten und geheimsten

Bedürfnisse seines Herzens zu befriedigen. Welch erhabene Vor=
stellung von der Einheit und von der mütterlichen Für=
sorge der heiligen katholischen Kirche müßte ein solcher
gewinnen! Mit wie wenig Mühe wären dabei derartige Kirchen=
anschläge zu machen und in welchem Gegensatze würde eine derartige
Einrichtung zu dem gegenwärtig von vielen rectores ecclesiae noch
aufrecht gehaltenen Zustande sein, der weiter oben geschildert wurde!
Die Arbeitsvermehrung bestände tatsächlich nur darin, daß in der
Druckerei die Dolmetscherworte auf den Formularien mit vorgedruckt
werden müßten.

In einem Punkte sind jedoch auch die Gottesdienstanschläge
mit Dolmetscherworten nicht genügend, nämlich für denjenigen,
welcher in einer fremden Sprache beichten will und es wäre
deshalb bei dem gegenwärtigen Verkehre aller Nationen untereinander
wohl dringend zu wünschen, daß überhaupt jeder Beichtvater,
welcher irgend einer fremden Sprache zum Beichthören
genügend mächtig ist, dies durch einen eigenen Anschlag in der
betreffenden Sprache am schwarzen Brett oder an der Kirchentüre
und außerdem an seinem Beichtstuhle bekannt gebe. Das Letztere
deshalb, damit der ausländische Pönitent den betreffenden Beicht=
vater ohne fragen zu müssen auch findet, zumal er in der Landes=
sprache vielleicht gar nicht fragen kann. Ich erinnere mich,
selbst früher als Laie in einem durchaus katholischen Lande, dessen
Sprache ich aber nicht mächtig war, gereist zu sein und ich
habe mich in den größten Städten vergeblich bemüht, von den
Mesnern Auskunft zu erhalten, wo ich auf deutsch oder französisch
beichten könnte. Es unterliegt aber keinem Zweifel, daß es in jenen
großen Städten deutsche und französische Beichtväter gibt. Auch bei
uns in Deutschland und Oesterreich-Ungarn findet man bis jetzt nur
sehr selten Anschläge über die Beichtgelegenheit in fremden Sprachen.
Neuerdings wurde in einigen Kirchen einer großen Stadt ein dies=
bezügliches praktisches Plakat aufgehängt und zwar in englischer,
französischer und italienischer Sprache. Man nehme übrigens nicht
an, daß das Bedürfnis für solche Anschläge nur in den größten
Städten bestehe. Der Pater Prior eines Klosters in einem süddeutschen
Gebirgsstädtchen von kaum 3000 Einwohner hatte, nachdem
er meinen Artikel über „Das schwarze Brett in der Kirche" gelesen,
auch gleich die Beichtgelegenheit in französischer, englischer und italie=
nischer Sprache angeschlagen. Er sagte mir, es seien schon kurz darauf
Pönitenten gekommen, welche in französischer und englischer Sprache
zu beichten wünschten. Warum findet man denn bei uns in Deutsch=
land und Oesterreich so oft auch in kleinen Städten an den Laden=
türen angeschrieben: „On parle français", „English spocken". „Si
parla italiano"? Kommen uns da nicht die Worte unseres Herrn
ins Gedächtnis: „Die Kinder dieser Welt sind klüger als die
Kinder des Lichtes"?

Man wird vielleicht noch einwenden, es gebe wenige Beicht=
väter, welche moderne Sprachen so gut sprechen, um sie
im Beichtstuhle verwerten zu können. Hierauf entgegne ich,
daß mancher Beichtvater mit den Sprachkenntnissen, welche er aus
der Schule mitbringt, sich leicht so weit fortbilden könnte, um in der
einen oder anderen Sprache Beichte zu hören. Zum Beichthören braucht
man ja doch die fremde Sprache nicht vollständig zu beherrschen!
Manche Dame spricht im Theater, im Konzert, in der Gesellschaft
gewandt französisch, englisch und italienisch. Sie behauptet vielleicht
sogar diese Sprachen „perfekt“ zu sprechen! Leitet man aber das Thema
auf etwas anderes als den gewöhnlichen Theater=, Konzert= und Ge=
sellschaftsgesprächstoff, so hört es mit der Geläufigkeit bald auf. Die
betreffende Dame hat eben aus einem Konversationsbuche den Theater=,
Konzert= und Gesellschaftsgesprächstoff studiert. Könnten nicht wir
Priester in ähnlicher Weise den Beichtgesprächstoff für eine fremde
Sprache studieren? Für manchen Priester würde es genügen, wenn
er einen Beichtspiegel oder ein Lehrbuch der Moral in der betreffenden
Sprache etwas durchsieht. Noch viel besser wäre es aber, wenn ein
Priester, welcher eine größere Anzahl Sprachen beherrscht, einen
„Sprachenführer für das Beichthören“ herausgeben würde.
Derselbe müßte ähnlich eingerichtet sein wie moderne Konversations=
bücher[1]) zum Erlernen der Sprachen. Ein solches Bändchen könnte
in vier Rubriken auf einer Doppelseite gleich für vier Sprachen ein=
gerichtet werden. In der ersten Abteilung des Werkchens müßten die
Namen der Sünden nach den zehn Geboten behandelt sein, in der
zweiten Abteilung Beispiele von Sündenbekenntnissen und Ermah=
nungen, in der dritten die nötigen Fragen und Antworten z. B.

Wann haben Sie zuletzt gebeichtet?	Quand vous êtes-vous confessé la der-nière fois?	When did you make your last confession?	Quando siete stato a confes-sione l'ultima volta?
Wie oft haben Sie am Sonn=tage die heilige Messe versäumt?	Combien de fois avez-vous man-qué la messe le dimanche?	How often have you missed mass on sun-day?	Quante volte avete mancato la messa la do-menica?

Die notwendigsten schwierigen Fragen in peccatis contra sextum müßten natürlich mit großer Vorsicht behandelt werden. Ein
derartiges Bändchen könnte für deutsch, französisch, englisch, italienisch
eingerichtet werden, ein anderes für französisch, spanisch, portugiesisch
und holländisch; ein drittes für ungarisch, deutsch, böhmisch, slovenisch 2c.
Ich glaube, mit Hilfe eines solchen Buches würde eine nicht geringe
Zahl von Priestern in den Stand gesetzt werden, sich am „schwarzen
Brette“ anbieten zu können, in einer fremden Sprache Beichte zu

---

[1]) Confer.: Sadler, „Manuel classique de Conversations françaises et
anglaises“. Paris, Leroy Successeur, Boulevard des Italiens 26.

hören. Es wird sich wohl sicher ein priesterlicher Linguist durch diese
Anregung finden, der einen Sprachenführer für das Beichthören
schreibt, vielleicht noch besser eine Ordensgesellschaft, welcher Herren
der verschiedensten Nationen zur Verfügung stehen.[1])

Das höchste Ziel der guten Sache „des schwarzen
Brettes in der Kirche" wäre demnach, danach zu streben, daß in
allen Kulturländern die Kirchenanschläge wenigstens in den im
Bereiche des Verkehrs gelegenen Kirchen gemacht würden.
Das Minimalschema sollte umfassen die sonn= und werktägigen heiligen
Messen, Christenlehre, Amt und Predigt sowie Andachten, außerdem
die Beicht= und Kommuniongelegenheiten. Auf dem Formular sollten
die lateinischen Dolmetscherworte in Klammern vorgedruckt oder auf
dem schwarzen Brette (proprio sensu) in weißer Farbe mit vorgemalt
sein. Ich halte übrigens an diesem Vorschlage betreffs der lateinischen
Dolmetscherworte durchaus nicht fest, insoferne er allgemein für un=
brauchbar gehalten werden sollte oder von anderer Seite ein besserer
Vorschlag gemacht würde, um die Ausländer zu informieren. Außer=
dem wäre dringend zu wünschen, daß auf eigenen Zetteln am schwarzen
Brett oder der Kirchentüre auf Beichtgelegenheit in fremden Sprachen
hingewiesen würde und zwar würde diese Bekanntgabe selbst in der
betreffenden fremden Sprache zu machen sein. Auch die oberhirtliche
Fastenvorschrift könnte ausgehängt sein, insofern dies nicht schon so=
wieso geschieht. Im Kölner Pastoralblatt Nr. 4, 1908, pag. 120,
wurde der Wunsch ausgesprochen, es möchten auch Notizen über
katholische Vereinsversammlungen auf dem schwarzen Brette gemacht
werden, so Notizen über die Männer=, Jünglings=, Mütter= und
Jungfrauenkongregationen, den Borromäusverein, den Arbeiter= und
Bauernverein. Derartige Informationen sind sicherlich zweckmäßig.
Ich halte aber dafür, daß es nicht gut wäre, dieselben mit auf das
offizielle Formular der Gottesdienstordnung zu setzen, da diese letzteren
Notizen doch mehr lokale und individuelle Wichtigkeit haben.

Endlich möchte ich noch ausdrücklich erklären, daß der
Verfasser des vorliegenden Artikels zur Lösung jener
letzten Aufgabe der besprochenen guten Sache, zur Ver=
breitung der Gottesdienstanschläge in den Kirchen an=
derer Länder nicht die geeignete Persönlichkeit ist. Aber
jeder priesterliche oder vielleicht auch bischöfliche Leser, welcher
meine Ansicht teilt, daß die Kirchenanschläge für unsere Zeit nicht
nur nützlich, sondern sogar notwendig sind und der durch seine
Stellung den Einfluß und die Macht hat sowohl für die Kon=

---

[1]) Ich erfahre nachträglich, daß ein von einem französischen Autor ver=
faßtes Sprachenhilfsbüchlein für den Beichtvater existiert: „Manuel Polyglotte,
par un ancien aumonier d'hospice, Paris, Roger et Chernoviz, Rue des
Grandes Augustins 7". Dasselbe enthält für französische, deutsche, englische,
italienische und spanische Sprache die notwendigsten Fragen, um eine Beichte
abnehmen zu können. Für gründliches Studium des Beichtgesprächstoffes im
oben gedachten Sinne dürfte das Büchlein aber nicht genügen.

solidierung der Einrichtung bei uns, als auch für die Verbreitung derselben in anderen Ländern etwas Erfolgreiches zu tun, sei hiemit im Interesse der guten Sache herzlichst gebeten, in Erwägung zu ziehen, daß wir das Verbreiten einer derartigen Einrichtung nicht mehr so schwer haben, wie es zu Anfang der christlichen Zeit gewesen wäre. Durch die Muskelkraft der römischen Ruderer hat einstmals der Apostel Petrus das Evangelium von Jerusalem nach Rom gebracht und ähnlich Fuß vor Fuß setzend verpflanzte der Apostel Paulus die Lehre unseres Herrn von Jerusalem nach Athen und dann auch nach Rom. Wir aber leben in der Zeit des Dampfes, der Elektrizität, der Eisenbahnen, der elektrischen Bahnen, der Expreßdampfer, der Automobile, des Fahrrades und es scheint fast eine Tatsache zu werden, daß auch das lenkbare Luftschiff und die Flugmaschine in absehbarer Zeit unter die Klasse der brauchbaren Kommunikationsmittel sich einreihen werden. Eben diese modernen Verkehrsmittel sind es, welche das Bedürfnis der Kirchenanschläge wenigstens für die im Bereiche des Verkehrs gelegenen Kirchen herausgebildet haben, sie bieten uns aber auch ein Mittel, die Einführung derselben in anderen Ländern zu befördern und zu beschleunigen. Denn ein von einer geeigneten Persönlichkeit geschriebener und für alle Kulturstaaten einheitliche Gottesdienstanschläge anregender Brief, sei es von Berlin oder Wien, von München, Budapest oder Bern **nach Rom und so über Rom** nach Madrid, nach Paris, nach Brüssel, ja sogar nach San Francisco, nach Rio de Janeiro und in die Kulturstaaten universi mundi hat seine Reise dank den modernen Verkehrsmitteln in unserem Jahrhundert wohl sicher in viel kürzerer Zeit zurückgelegt, als die der Apostel Petrus und Paulus von Jerusalem nach Rom einstmals gedauert haben mag. ————

Die unendliche Schönheit Gottes.

Eine dogmatische Studie von Dr. Joh. Chr. Gspann

Von den Eigenschaften Gottes, die in den dogmatischen Lehrbüchern zur Behandlung kommen, ist keine so stiefmütterlich bedacht worden wie die unendliche Schönheit Gottes. Damit soll nicht gesagt sein, als sei nirgends etwas zu finden — bewahre! Da könnte mit Fug und Recht auf Kleutgen, Franzelin, Stentrup, Scheeben und von den Alten auf St. Thomas, ja auf Pseudo-Dionysius — von den Monographien Jungmanns und Krugs ganz abgesehen — hingewiesen werden, aber in den „kleineren" Kompendien wie im Hurter und Pesch trifft die Behauptung von der Stiefmütterlichkeit ganz zu. Pesch sagt geradezu nur: De pulchritudine non disputamus. Deum recte vocari pulchrum inter omnes convenit. Sed utrum Deus pulcher sit formaliter an eminenter tantum. pendet ex definitione pulchritudinis, de quâ theologice non possumus quicquam decidere; philosophica autem disputatio supponitur (cf. Hontheim Theodicaea n. 765 sqq. Frick, Ontolog. n. 339 sqq. Boedder Th. n. 417 sqq.)[1] und beruft sich auf den gewiß sehr gelehrten Laurentius Janssens, der auch in seinem Werk De Deo uno „abstinere se ait ab hoc problemate investigando, cum ad philosophicas potius quam ad theologicas disciplinas pertineat". Hurter tut die Schönheit in etlichen zwanzig Zeilen ab, davon sind noch 9 Zeilen Zitate aus Boetius und Pseudo-Dionysius.

Sehr gut und ansprechend hat Pohle[2] in seiner ganz vorzüg= lichen Dogmatik die Eigenschaft der absoluten Schönheit Gottes zur Darstellung gebracht. Er beklagt auch, daß vielleicht keine andere göttliche Eigenschaft in gleich hohem Maße von der Theologie ver= nachläßigt worden ist. Als Grund dafür erscheint dem Breslauer Gelehrten ganz richtig der Umstand, daß es bei der Zerfahrenheit der weltlichen Aesthetik nicht so ganz leicht ist, festzustellen, ob die Schönheit als eine „reine" oder aber „gemischte Vollkommenheit" zu gelten habe. Pohle tritt der ersten Auffassung bei und verteidigt die formelle Uebertragbarkeit des pulchrum auf Gott.

Bleiben wir bei der üblichen Thesenordnung der dogmatischen Kompendien, rücken wir der Vollständigkeit halber die Literatur voraus, dann hätte unsere These beiläufig folgendes Gesicht:

Thesis: Gott ist unendlich schön.

Literatur:

Pseudo-Dionysius Areopagita: Περὶ θείων ὀνομάτων cap. IV.

Dionysius Carthusianus: opusculum de venustate mundi et pulchritudine Dei und de naturâ Dei c. 57.

Petavius, Dionysius: De theologicis dogmatibus l. 6. c. 8.

Thomassinus, L. de: Dogmata theologica (editio nova opera Ecalle. Paris apud Vivés 1854 sq. tomi VI) I. 3. c. 19 sqq.

Aguirre, Josef Saenz: de theol. S. Anselmi disp. 40.

Frassen, Klaudius: („Scotus Academicus") De Deo I. Tractatus.

Franzelin, Joh. Bapt., Kardinal: De Deo uno, thesis 30.

Stentrup, Ferd. Aloisius: De Deo uno cap. VII.

Scheeben, M. Josef: Handbuch der katholischen Dogmatik I. Band § 85 (Seite 589—594).

Pohle, Josef: Lehrbuch der Dogmatik in sieben Büchern I³. Seite 136 ff.

Monographien:

Nieremberg, Juan Eusebio: opusc. della bellezza di Dio.

---

[1] Pesch, Christianus, S. J., Praelectiones dogmaticae tom. II³ pag 85. Zum Buch „De pulchritudine divinâ" von Dr. Heinrich Krug bemerkt er: „Multa quidem optime collegit et disputavit; sed si putaverat se posse quaestionem de pulchritudine rerum spiritualium formali aut eminenti et exitum perdu- cere, ex oblocutionibus, quas expertus est, spem fefellisse didicit. Adhuc censeo, ad hanc quaestionem decidendam theologica principia praesto non esse, sed cum philosophicis rationibus discuti oportere." — [2] Pohle, Dr Josef, Lehrbuch der Dogmatik I³ S. 136—140.

Jungmann, Josef: Die Schönheit und die schöne Kunst (bef. § 9 und § 11; bei Scheeben).

Krug, Heinrich: De pulchritudine divinâ. (Freiburg 1902).

Begriff der Schönheit.

Wenn die Patristik mit vollstem Recht den heiligen Augustin als ihr größtes Licht rühmt und die Kirchengeschichte von ihm erzählt, daß er an „spekulativem Scharfsinn", an Tiefe des Geistes und dialektischer Gewandtheit alle übrigen Väter überragt, so preist die Scholastik, diese wunderbare Blütezeit kirchlicher Wissenschaft und Gelehrsamkeit, den heiligen Thomas als ihren besten. Darum lassen wir die Wolke von Begriffsbestimmungen für Aesthetik und Schönheit beiseits und klopfen wir bei unseren größten Meistern an.

Der heilige Augustin fordert für die Schönheit die ästhetische Lust (= ideo delectant, quia pulchra sunt)[1] und das Fundament dafür findet er in der „Einheit der Mannigfaltigkeit" — in der unitas in multiplicitate und zwar so, daß die Schönheit in geradem Verhältnis zu dieser Einheit wächst. Weil aber die Einheit in der Mannigfaltigkeit im erkennenden Geist reines Wohlgefallen, Wonne und Genuß (das ist der Grund, warum Platon das Wort καλόν von κηλεῖν = mulcere herleitet)[2] wecken soll, so ist für den Gegenstand in quantum unum in multiplicitate die Anschaulichkeit und Klarheit eine conditio sine qua non des Schönen „eine bloß verborgene Einheit, die nicht lichtvoll dem Verstande entgegenstrahlte, würde den Geist zu keiner Lust oder Freude am Schönen hinreißen, keinen ästhetischen Genuß in ihm aufkommen lassen".[3]

Wir hätten demnach als Begriffselemente für das καλόν aus St. Augustin folgende drei gewonnen: 1. Unitas in multiplicitate; 2. claritas im Sinne der Anschaulichkeit und 3. perspicuitas splendescens — lichtvolle, durchsichtige Klarheit.

Jetzt überspringen wir volle achthundert Jahre und richten an den doctor angelicus die nämliche Frage: τί καλόν; er gibt uns die Antwort in sum. theol. 1 p. qu. 39. art. 8, worin er als Begriffselemente aufzählt: perfectio rei, proportio debita partium, claritas.

Schön = pulchrum = καλόν.[4]

Begriffselemente.

	Unitas in multiplicitate	(Claritas im Sinn der) Anschaulichkeit	(Perspicuitas splendescens im Sinn:) Lichtvolle Klarheit
St. Augustin			
St. Thomas	Proportio debita partium	Claritas	Perfectio rei (ohne lichtvolle Klarheit gibt es keine perfectio eines Gegenstandes).

[1] De verâ religione c 32 n. 59. — [2] Scheeben S. 589 — [3] Pohle S. 136 für das Zitat: und für den Gedankengang des vorausgehenden Pohle und Scheeben. — [4] Was ich hier in ein übersichtliches Schema bringe — dazu vgl. die Ausführungen bei Pohle a. a. O. S. 138.

Die innigste Verwandtschaft des bonum mit dem verum (sie sind Zwillinge des ens) sei aus der Philosophie vorausgesetzt. In der Mitte inter bonum et verum steht das pulchrum. „Pulchrum est idem bono, **solâ ratione** differens. Quum enim bonum sit quod omnia appetunt, de ratione boni est, quod in eo quietetur appetitus. Sed ad rationem pulchri pertinet, quod in ejus aspectu seu cognitione quietetur appetitus . . . Et sic patet, quod pulchrum addit supra bonum quendam ordinem ad vim cognoscitivam, ita quod bonum dicatur id quod simpliciter complacet appetitui, pulchrum autem dicatur id, cuius ipsa apprehensio placet."[1]

Weil das Schöne gut und wahr sein muß, gut, um im Beschauer die Liebe des Wohlgefallens zu erregen (amor complacentiae), wahr, resp. anschaulich, weil ohne claritas der Verstand es nicht vermöchte, die Uebereinstimmung und Gruppierung der Teile um eine zentrale Einheit leicht aufzufassen: darum definiert den Begriff Schönheit am allerbesten der Jesuit Kleutgen[2]): „Pulchritudo est rei bonitas, quatenus haec mente cognita delectat."

Aus seinen philosophischen Erörterungen des Schönen löst Pohle den Hauptsatz aus: „Nur der Verstand kann das Schöne erkennen und nur der Wille kann als eigentlicher Sitz des ästhetischen Gefallens angesehen werden." Die Schönheit ist folglich eine übersinnliche Eigenschaft der Dinge, nicht nur in geistigen Wesen (Gott, Engel, Seele), sondern auch an den materiellen Dingen (Malerei, Skulptur, Musik).[3]

Beweisführung.

A) Offenbarung.

Aus der Offenbarungslehre läßt sich die unendliche Schönheit Gottes leicht nachweisen. Weisheit 13, 3—6. (Im Vers 3 steht für das Wort species in der Vulgata im griechischen Text καλλονή). 6: A magnitudine enim speciei et creaturae cognoscibiliter (griech.: ἀναλόγως) poterit creator horum videri. Hier wird also via affirmationis und excellentiae Gott als der Urheber aller Schönheit dargestellt.

In Weisheit 7—8 findet sich eine herrliche Schilderung der Schönheit der Weisheit als der Tochter Gottes. Unter dem Bilde des schönen Bräutigams preist der heilige Geist Gott im hohen Lied. Man vergleiche auch Jesus Sir. 24 — und Sprichwörter 31, 25, allwo die Schönheit Gottes in poetischer Weise das ihn umwallende Gewand genannt wird. Dazu Psalm 103, 2.

B) Patristik.

Es ist gewiß richtig, was Scheeben sagt, daß sich die heiligen Väter nicht viel mit dem Attribut der Schönheit Gottes abgegeben haben.

---

[1]) S. theol. 1—2 p qu. 17 art. 1 ad 3. — [2]) De Deo ipso p. 418. — [3]) Vgl. für die Stelle und das Vorausgehende Pohle S. 137.

Doch bietet auch hier St. Augustin eine reiche Ausbeute und wer alle Schriften der Väter durchforschte, würde immerhin einen ganz schönen Strauß von Aussprüchen über diese Eigenschaft Gottes sammeln können. So fragt Basilius[1]): „Quid est, quaeso, pulchritudine divinâ admirabilius? Quae notio Dei majestate excogitari gratiosior potest?" Und Hilarius von Poitiers führt aus[2]): „De magnitudine operum, et pulchritudine creaturarum, consequenter generationum conditor inspicitur. Magnorum creator in maximis est et pulcherrimorum conditor in pulcherrimis est . . . . atque ita pulcherrimus Deus est confitendus, ut neque intra sententiam sit intelligendi neque extra intelligentiam sciendi." Vergleiche auch Boethius, De consolatione philosophiae l. 3. metr. 9. v. 1—12; Dionysius Areopagita, De divinis nominibus c. 4. § 7 Aug., Confess. IV. 10. Greg. Nyss, Orat. theolog. 2.

C) Argumentatio theologica.

Aus den Bibeltexten Weisheit 13, 3.—6. ꝛc. und den zitierten Stellen aus Hilarius und Basilius läßt sich speziell die unendliche Schönheit Gottes beweisen, insofern Gott die causa efficiens aller denkbaren Schönheit ist.

Gott ist aber die (wesenhafte) Schönheit, ipsa pulchritudo, pulchritudo in se. Wir treten der Ansicht Pohles bei und fassen die Schönheit als reine Vollkommenheit auf, die nach dogmatischer Lehre mit der göttlichen Wesenheit real identisch und nur logisch von ihr und den übrigen Attributen verschieden ist. Wir nehmen zur theologischen Argumentation diesbezüglich die dogmatischen Thesen von den Attributen Gottes überhaupt und die Begriffselemente des heiligen Augustinus und heiligen Thomas zu Hilfe. Perfectio ist ein Element. Nun ist aber Gott unendlich vollkommen, so vollkommen, daß jede irgendwie geartete Unvollkommenheit absolut ausgeschlossen ist, so, daß jede Vollkommenheit eingeschlossen ist - - complexio omnium perfectionum[3]) — und der Urgrund dieser unendlichen Vollkommenheit liegt in der Aseität Gottes, in seiner absoluten Unabhängigkeit; weil er das ens necessarium ist, das nicht seiend gar nicht einmal gedacht werden kann. Proportio debita ist ein zweites Element. Läßt sich eine größere proportio debita denken als in Gott? In Gott sind die unendlich vielen Vorzüge, Attribute, Eigenschaften, oder wie man sie benennen mag, real identisch mit der göttlichen Wesenheit selbst.

Wenn wir das augustinische unitas in multiplicitate nehmen, haben wir wiederum die Einheit und Einfachheit Gottes mit den unendlich vielen real mit der göttlichen Wesenheit identischen Attributen.

Darum schließen wir: In Gott ist die vollendetste perfectio rei, die vollendetste proportio debita „partium", die vollkommenste unitas in multiplicitate. Wenn in erster Linie aus der infinita per-

---

[1]) Reg. fus. disp. interr. 2. — [2]) De Trinitate libri XII in I. 7. — [3]) Hurter, Hugo Dr., Theologiae Dogmaticae compendium II[10] n. 28.

fectio auf die simplicitas Dei hinübergeleitet wird in den dogma=
tischen Werken, so ist zugleich für die zwei wichtigsten Elemente des
Schönheitsbegriffes das Fundament gelegt.

Und die lichtvolle Klarheit und Anschaulichkeit? Gott ist selbst
das selbst leuchtende, lauterste, reinste Licht. (Im Credo heißt
es vom Logos lumen de lumine, der heilige Jakobus sagt: pater
luminum, in Weisheit 7, 26: Die Weisheit ist der Glanz des
ewigen Lichtes und der makellose Spiegel der Herrlichkeit Gottes
und das Bild seiner Güte).

Gott ist also die absolute Schönheit; aller Schönheit causa
exemplaris.

D) Der dreifache Erkenntnisweg.

Aus der Offenbarung, der Patristik und Scholastik, besonders
mit Zuhilfenahme der Begriffselemente des heiligen Augustin und
von St. Thomas läßt sich demnach der Beweis führen, daß Gott
unendlich schön sein muß, und wiederum per argumentationem
theologicam kamen wir zum Schluß: Gott ist die Schönheit =
pulchritudo divina est Deus. Deus est ergo causa efficiens et
exemplaris omnis pulchritudinis.

Zur Schönheit Gottes gelangen wir auch auf dem dreifachen
Erkenntnisweg. Der Makrokosmus ist ein Kunstwerk und un=
vergleichlich schön. Wer da Kenntnisse besitzt vom Leben in der
Natur und ein offenes Auge für Naturherrlichkeiten, wer ganz hinein=
schauen könnte in die wunderbare Schönheit, Zweck= und Gesetz=
mäßigkeit in den drei Reichen, wer an die ungeheuren Welten denkt
in ihrer staunenswerten Ordnung, an die Sonnensysteme, die im
Weltenraume nach ewigen Gesetzen ihre Bahn wandeln, der muß, um
ein Wort Höltys zu variieren, in größter Bewunderung ausrufen:
„Ja wunderschön ist Gottes Welt!" Und diese „Schönheit und strahlende
Herrlichkeit der Welt, die vor meinen Augen sich auftut, ist ihr nicht
bloß äußerlich angeklebt, sie strömt aus ihrem innersten Wesen, aus
der Fülle ihres Ganzen."[1] Und erst der Mikrokosmos, diese
unermeßliche Kleinwelt, dieses wunderbare Ineinander von Leib und
Seele!

Der Leib des Menschen, der Krone der sichtbaren Schöpfung,
welch ein Kunstwerk! Schon aus der indoles creationis erschließen
wir die Schönheit. Der heilige Ambrosius spricht sich diesbezüglich
aus: „Deine Hände, o Herr, haben die Tiere nicht gemacht, du hast
nur gesagt, die Gewässer sollen Tiere mit lebendiger Seele hervor=
bringen. Mich hingegen hast du selbst gemacht, mit deinen eigenen
Händen hast du mich gebildet."

Wie schön ist der menschliche Leib, wie kunstvoll ist alles ein=
gerichtet: Das Auge, das Ohr, die Nase, der Mund, die Hände und
Füße, die Nerven, die Adern, die inneren Lebenskammern. Wie schön

---

[1] Meyenberg, Albert, Ob wir ihn finden? S. 53.

ist alles, was wir am menschlichen Leibe von außen sehen: die Farbe des Haares, der Schimmer der Augen, das Rot der Wangen, die Gestalt der Lippen, der Bildung der Hände und Füße. Und erst das Innere! Alle Aerzte, die den inneren Bau genauer kennen, sagen einstimmig, daß der Leib ein wahres Wunderwerk von Kunst und Zweckmäßigkeit sei.[1]) Als der berühmte heidnische Arzt Gallienus ein Buch über den menschlichen Körper schrieb, bemerkte er: „O Gott, der du uns gebildet hast, ich glaube einen Preisgesang zu deinem Lob zu singen, wenn ich den menschlichen Körper beschreibe. Ich ehre dich mehr, wenn ich die Schönheit deiner Werke aufdecke, als wenn ich in den Tempeln kostbaren Weihrauch anzünde." Eines Tages sprach der nämliche Gallienus zum Gottesleugner Epikur: Betrachte nur einmal deinen Leib und seinen wundervollen Bau, und sage mir dann, ob du noch am Dasein Gottes zweifeln kannst. Siehe, hundert Jahre will ich dir Zeit geben zum Nachdenken, ob man vom ganzen menschlichen Körper auch nur den geringsten Fehler dem Meister, der ihn gemacht, nachweisen oder ob man die Glieder des Leibes verändern könnte, ohne diesem dadurch auch die Schönheit, die Nützlichkeit und die Stärke zu rauben. Nicht ein Mensch, nur Gott ist imstande, ein so herrliches Gebilde, ein so wundervolles Meisterstück zu schaffen.

Und erst die Seele des Mikrokosmos! „Die menschliche Seele ist sehr schön, ja sie besitzt eine wunderbare Schönheit."[2]) Der Mensch wird durch das Wasser und das Wort Gottes ein Adoptivkind **Gottes**, die Seele ist von höchstem Adel, weil sie unmittelbar von Gott ihren Ursprung ableitet: „Lasset uns den Menschen machen nach unserem Bilde und Gleichnis" — der Mensch wird ein Bruder **Jesu Christi**, ein lebendiger Tempel des **heiligen Geistes**. Wie unermeßlich schön muß die menschliche Seele sein im Gnadenzustande! Was bedeutet da alle Schönheit und Harmonie, die ganze wunderbare Ordnung im Mineralreich, im Pflanzenreich, im Tierreich! Selbst der Leib des Menschen in seiner meisterhaften Schönheit muß weit zurücktreten. Das ist gewiß — so lauten die Worte des gottseligen Blasius — „wenn die Schönheit einer in der Gnade Gottes stehenden Seele gesehen werden könnte, so würde sie ihre Beschauer vor Bewunderung und Entzücken hinreißen und außer sich bringen". Lassen wir auch einen gottbegnadeten Kanzelredner zu Worte kommen. Breiteneicher schildert in einer seiner Predigten die menschliche Seele im Gnadenzustand:[3]) „Durch den Geist Gottes wird das Menschenherz ein Tempel Gottes, ein Altar des Herrn. Denke dir eine ganz durchsichtige Kristallkugel, durchaus hell und lauter, und in deren Mitte ein hellstrahlendes Licht, das seinen Glanz durch alle Radien der ganzen Kristallkugel wirft: in welch wunderbarer Farbenpracht

---

[1]) Vgl. dazu Joh. v. Dornach, Das Hohelied vom Kind, S. 14
[2]) Origenes, Hom. 7 in Ezech. — [3]) Das doppelte Geschenk der Gottheit (Pfingstmontag).

wird sie da erstrahlen! Siehe, ähnlich ist deine Seele, wenn der heilige Geist sie durchdringt und erfüllt! Er durchstrahlt mit seinem Licht und seiner Gnade ihr innerstes Wesen und alle ihre Kräfte und verleiht ihr übernatürliche Schönheit, himmlischen Glanz. Und gleichwie das Licht sich in sieben lieblichen Farben bricht, wenn es auf das dreiseitige Prisma fällt, so teilt sich das Gnadenlicht des heiligen Geistes in deiner Seele, indem es auf die drei Grundkräfte derselben, auf Erkenntnis, Gemüt und Willen seinen himmlischen Strahlenglanz wirft, in die sieben wunderlieben Farben der sieben Gaben des heiligen Geistes."

Kein Redner ist imstande, auch mit den herrlichsten Gleichnissen und den lieblichsten Bildern die Seele in ihrer Schönheit zu malen, in welcher der heilige Geist wesenhaft wohnt mit seiner heiligmachenden Gnade, eine Seele, in welcher das Bild Jesu Christi ausgestaltet wird — keine Feder schildert diese unermeßliche Schönheit![1])

Wie schön muß also derjenige sein, welcher den Makrokosmos durch sein Wort ins Sein rief, den Mikrokosmos mit seinen Händen bildete, von dem die Schönheit der Seele stammt — Gott!

Nun nehmen wir, was wir via affirmationis gewonnen als Major und den Erkenntnisweg der Verneinung als Minor: Αὐτὸς γάρ ὁ μέγας παρὰ πάντα τὰ ἔργα αὐτοῦ. (In der LXX Jesus Sirach 43, 30).

Dann ist die conclusio von selbst gegeben via eminentiae: Gott ist am schönsten, Gott ist unendlich schön, **Gott ist die Schönheit.**

Erzählungen für Kranke.

2. Für ganz reife Jugend und Erwachsene.

Von Johann Langthaler, reg. Chorherr und Stiftshofmeister in St. Florian (Oberösterreich).

Wenn wir den Erzählungen für kranke Jugend nun Erzählungs=literatur für Kranke des obenbezeichneten Alters folgen lassen, brauchen wir wohl nicht eigens zu sagen, daß all dies Materiale auch von Gesunden gelesen und daß die angeführten Bücher **auch in Volksbibliotheken** aufgenommen werden können.

Zuerst bringen wir Erscheinungen der neueren Zeit, werden aber auch anschließend solche Erzählungen anführen, die im Laufe der Jahre schon von uns in der Quartalschrift besprochen wurden und uns für die gegenwärtig verfolgten Zwecke besonders geeignet erscheinen. An erster Stelle empfehlen wir die mit ungeteiltem Lobe ausgezeichneten **Erzählungen von Konrad Kümmel,** Herder in Freiburg. Man sollte sie keiner Kranken= und Volksbibliothek vor=enthalten. Wir besitzen bis jetzt:

---

[1]) Ausführlicher bei Scheeben, Die Herrlichkeiten der göttlichen Gnade.

1. **An Gottes Hand.** Erzählungen für Jugend und Volk.
6 Bändchen. 8º. gbd. in Halblwd., je M. 2.20: a) Adventsbilder.
4. Aufl., 328 S.; b) Weihnachts= und Neujahrsbilder. 4. Aufl.,
318 S.; c) Fastenbilder. 3. Aufl., 312 S.; d) Osterbilder.
3. Aufl., 300 S.; e) Mutter Gottes=Erzählungen. 3. Aufl.,
322 S.; f) Verschiedene Erzählungen. 3. Aufl., 288 S. —
2. **Sonntagsstille.** Neue Erzählungen für Volk und Jugend: a) Christ=
monat. 2 Bände. 306 u. 313 S. 8º. gbd. à M. 2.30; b) Hinauf
nach Sion. 2 Bände. 310 u. 315 S. 8º. gbd. à M. 2.30. Wie
die Titel es leicht erraten lassen, nehmen die Erzählungen Bezug
auf die kirchlichen Festzeiten, sie sind dem Leben entnommen und ganz
vorzügliche Volkslektüre. — 3. **Auf der Sonnenseite.** Humoristische
Erzählungen. 1 Bändchen. 8º. 316 S. gbd. M. 2.30.

Recht unterhaltende kurze Erzählungen. Für Kranke dürfte der
Druck dieser Kümmelschen Erzählungen etwas größer sein.

Kleine Volksgeschichten. Gesammelt von Hubert Schumacher.
2. Aufl. Laumann in Dülmen. Westfalen. 1905–1907. 8º. 10 Bände.
gbd. in Lwd. à zirka 150 S., Preis M. 1.—. Eine schätzenswerte
Bereicherung der katholischen Volksliteratur. Jeder Band enthält 9—13
kurze Erzählungen, spannend und in durchaus christlichem Geiste ge=
schrieben; für den gebildeten, wie für den gemeinen Mann von Interesse
und Nutzen. Ausstattung lobenswert. Druck deutlich.

Gesammelte Erzählungen von Josef Spillmann, S. J.
Billige Volksausgabe. In Aussicht genommen sind 14 Bände.
Herder in Freiburg. gbd. in Lwd. à M. 2.—.

Erschienen sind: 1. **Lucius Flavus.** Historischer Roman aus
den letzten Tagen Jerusalems. 8º. 2 Bände. 680 S. M. 4.— —
2. **Tapfer und Treu.** 8º. 2 Bände. 576 S. gbd. M. 4.—. Memoiren
eines Offiziers der Schweizergarde Ludwig XVI. Diesen schon erschienenen
Bänden der Volksausgabe sollen sich anschließen die bisherigen Einzel=
Ausgaben: — 3. **Um das Leben einer Königin.** 2 Bände.
Die Fortsetzung des vorigen Werkes: Derselbe Offizier erzählt in un=
gemein fesselnder Weise alle die traurigen Ereignisse der französischen
Revolution und besonders die Versuche, die unternommen wurden
zur Rettung der Königin. Beispiele großen Heldenmutes und opfer=
williger Treue und Loyalität werden uns vor Augen gestellt. Ein
Lichtblick in dem so düsteren Gemälde der französischen Revolution.
— 4. **Kreuz und Chrysanthemum.** Eine Episode aus der Geschichte
Japans. Historische Erzählung in 2 Bänden. — 5. **Die Wunder=
blume von Worindon.** Historischer Roman aus dem letzten Jahre
Maria Stuarts. 2 Bände. — 6. **Wolken und Sonnenschein.**
Novellen und Erzählungen. 2 Bände. — 7. **Ein Opfer des Beicht=
geheimnisses.** Frei nach einer wahren Begebenheit erzählt. 1 Band.
— 8. **Der schwarze Schuhmacher.** Erzählung aus dem Schweizer
Volksleben des 18. Jahrhunderts. 1 Band. Spillmanns Werke sind

religiös und sittlich tadellos, spannend, volkstümlich, veredelnd, die Volksausgabe ist daher freudig zu begrüßen.

Harmlose, nicht ohne moralischen Nutzen zu lesende Erzählungen für heranwachsende Mädchen besserer Stände enthalten die zwei Bändchen des Herderschen Verlages in Freiburg: **Dornröschen** und andere Erzählungen. Von Redeatis. 2. Aufl., 1 Titelbild. 8°. 149 S. gbd. M. 2.—. — **Saat und Ernte** und andere Erzählungen. Von Redeatis. 127 S. gbd. M. 1.80.

Erzählungen für Jugend und Volk. Ulrich Mosers Buchhandlung in Graz. 8°. Jeder Band zirka 200 S. in Lwd. gbd. *K* 2.—. Jeder Band hat Textillustrationen und Vollbilder. Druck und Ausstattung schön. Wir kennen bis jetzt 16 Bände mit volkstümlichen Erzählungen zumeist aus der vaterländischen Geschichte; aus mancher Erzählung lernt man auch die Sitten und Bräuche der guten alten Zeit kennen. Sie taugen für Jugend und Volk. 1. Band: Lange, **Hans Holm.** Eine Soldatengeschichte aus der Zeit des **Dreißigjährigen Krieges.** 2. Aufl. — 2. Band: Mair, **Der Sensenschmied von Volders.** Geschichtliche Erzählung aus den Befreiungskämpfen Tirols 1796—1797. 2. Aufl. — 3. Band: Lange, **In Krieg und Frieden.** Eine Geschichte aus dem 18. Jahrhundert. — 4. Band: Lange, **Die drei Kürassiere.** Eine Erzählung aus der Franzosenzeit. — 5. Band: Groner, **Der geheimnisvolle Mönch.** Eine Erzählung aus der Zeit der drei Gottesplagen in Steiermark. — 6. Band: Hans von der Sann, **Treu dem Kaiser, treu dem Vaterlande.** Erzählung aus den Türkenkriegen. — 7. Band: Groner, **Im Elende.** Erzählung aus der Zeit des III. Babenbergers. — 8. Band: Thetter, **Schicksalsweben.** Erzählung aus jüngster Vergangenheit. — 9. Band: Groner, **Jakob der Grillschmied.** Kulturgeschichtliche Erzählung aus dem 15. Jahrhundert. — 10. Band: Smolle, **Kreuz und Halbmond.** Eine Erzählung aus der Zeit der zweiten Türkenbelagerung Wiens. Die bisher angeführten Bände haben wir in früheren Artikeln der „Quartalschrift" besprochen und empfohlen. 11. Band: **Gesühnt.** Eine Erzählung aus der Zeit W. A. Mozarts. Von Leo Smolle. Mit Titelbild und mehreren Abbildungen im Texte. 8°. 192 S. Georg hätte den „Talhof" bekommen sollen. Sein Halbbruder stürzt ihn, um selbst das Gut zu gewinnen, in einen schrecklichen Abgrund. Georg wird jedoch, wohl schwer verwundet, gerettet, wendet seiner Heimat den Rücken und zieht nach Salzburg, wo er mit dem großen Meister Mozart bekannt wird. Selbst künstlerisch veranlagt, wird er ein tüchtiger Schnitzer und findet sein Glück und zwar so, daß er den „Talhof", welchen ihm der ernstlich gebesserte Halbbruder abtreten will, seinem Freunde überläßt, um der Kunst leben zu können. — 12. Band: **Aus vergangenen Tagen.** Erzählungen aus verschiedenen Jahrhunderten von A. Groner. Mit 5 Bildern. 202 S. 5 Erzählungen; die erste berichtet von einem Bertl, der als Bruder Anselm bei den Mönchen des Tauernhospizes eintrat und sich mit

Eifer der Aufgabe der Mönche hingab, verirrte, in Schnee versunkene
Wanderer zu retten; die zweite von einem Könige, der, ob seiner
Grausamkeit vertrieben, im Elende zugrunde ging; die dritte von
einem Grafen, der trotz des seiner sterbenden Mutter gegebenen Ver=
sprechens ein Raubritter, der Schrecken seiner Gegend wurde und
eine schreckliche Strafe fand; in der vierten wird ein Brandstifter
vorgeführt, der sein Verbrechen bereut hat, treue Vaterlandsdienste
leistete, bereit war, den Schaden gutzumachen, jedoch Nachlaß der Schuld
erhielt; die fünfte erzählt, wie zwei Brüder Hadmar und Wulfing ihre
Freveltaten sühnten durch Teilnahme am Kreuzzuge. — 13. Band: **Die
sieben Schwaben.** Erzählung von Jul. M. Thetter. Mit vier Ab=
bildungen. 237 S. Die sieben Schwaben sind kreuzfidele und kreuz=
brave Studenten, die miteinander den Bund schlossen, sie wollten
durch eifriges Studium und gute Gesittung etwas Tüchtiges werden
und leisten. In kurzer Zeit hatten sie angesehene Lebensstellungen.
Solche „Schwaben" sollte es mehr geben. — 14. Band: **Der treue
Spielmann.** Erzählung aus der Zeit Leopolds des Glorreichen. Von
Leo Smolle. Mit 11 Abbildungen und 5 Vollbildern. 187 S. Die
Geschichte führt uns in hervorragende Burgen Niederösterreichs, in
das alte Wien, nach Stift Zwettl u. s. w., macht uns mit den alten
Adelsgeschlechtern bekannt, mit dem Ränkeschmied, dem Falkenberger,
der mit Hilfe des jüngeren Sohnes des Herzogs Leopold eine Em=
pörung gegen den Herzog anzetteln wollte, mit dem alten Kuenring,
der auf dem Kreuzzuge den Tod fand; von verschiedenen Fehden,
Kämpfen, Turnieren, vom Leben am herzoglichen Hofe in Wien wird
so viel Interessantes erzählt. Engelmar, der Spielmann, ein edler
Kämpe, ist der Helfer in der Not und leistet besonders am Ritter=
fräulein Gisela treue Schützerdienste gegen die Nachstellungen des
Falkenbergers. — 15. Band: **Vor hundert Jahren.** Erlebnisse eines
Wiener Freiwilligen im Kriegsjahre 1809. Erzählung von Karl
Bienenstein. Mit 14 Abbildungen. 195 S. Eine eminent patriotische
Erzählung, die das Interesse eines jeden Lesers in Anspruch nimmt.
— 16. Band: **Der Küfer Friedl.** Erzählung von Jul. M. Thetter.
Mit 5 Bildern. 147 S. Friedl ist durchaus brav, geschickt in jeder
Hinsicht und bringt es so leicht, daß es kaum glaublich scheint, so
weit, daß er schon als Knabe staunenswerte Kunststücke macht, jede
Gefahr abwendet, Fabriksleiter, der Wohltäter seiner Eltern und
Freunde wird — ein Beispiel für die Jugend.

Auf ein recht schönes, zeitgemäß erschienenes Buch desselben
Verlages (Ulr. Moser in Graz) müssen wir gleich hinweisen: **Andreas
Hofer und das Jahr 1809.** Ein Geschichtsbild für Jugend und
Volk, erzählt von Alois Menghin, Schuldirektor in Meran. Mit
vielen Abbildungen. 8°. 178 S. gbd. *K* 2.—

Das Jahr 1909 ist ein Jubeljahr für das treue Tiroler Volk:
hundert Jahre sind es, daß die Tiroler wie ein Mann sich erhoben
haben, daß sie mit Begeisterung Gut und Blut darangesetzt aus

Liebe zu ihrem angestammten Kaiserhause und zur heimatlichen Scholle. Besonders einer hat sich in den Tiroler Freiheitskämpfen unsterblichen Ruhm erworben, der Bauernwirt Andreas Hofer. Es ist gewiß die passendste Festgabe, wenn eine kundige Hand das Leben und Wirken, das heldenmütige Kämpfen und ebenso heldenmütige Sterben des Tiroler Helden beschrieben hat, und zwar in recht einfacher Weise und doch so, daß wir Hofer als Christen, Helden und Patrioten bewundern. Die Illustrationen sind sehr schön, ein eminentes Jugend= und Volksbuch.

Andreas Hofer und seine Kampfgenossen. Von Hans Schmölzer. Mit zahlreichen Abbildungen und einer Karte der Umgebung von Innsbruck. Wagnersche Universitätsbuchhandlung in Innsbruck. 1905. 8°. 335 S. eleg. gbd. K 5.—.

Unter den vielen Schriften und Büchern über denselben Gegen= stand eine der besten Arbeiten. Alle die Tiroler Helden, die mit ihrem Führer Andreas Hofer mit einer seltenen Begeisterung für Religion, Vaterland und Fürstenhaus gekämpft, erscheinen in herr= lichem Lichte — nur P. Haspinger, der „Rotbart", kommt weniger gut weg ob seines hitzigen, unüberlegten Dreingehens. Der reiche Bilderschmuck, die vielen Porträte der Freiheitskämpfer verleihen dem Buche besonderen Wert.

Der Lindenmüller. Preisgekrönte Volkserzählung von Katharina Hofmann. Herder in Freiburg. 1907. 8°. 247 S. gbd. M. 2.50.

Der Lindenmüller ist voll Ehrgeiz; um sich zu Ansehen und sein Geschäft zu großer Blüte zu bringen, eignet er sich eine ihm anvertraute Summe an. Die darum betrogene Familie leidet hiedurch Armut und Not; der Betrüger sieht für kurze Zeit seine Wünsche und Pläne erfüllt, aber bald kommt der schreckliche Niedergang, er scheut selbst vor Verbrechen nicht zurück, um seine Schandtat zu verbergen, trotzdem kommt alles ans Licht, er wäre ein verlorener Mann, wenn nicht der Edelsinn der von ihm verkürzten Familie und die Liebe seiner eigenen Kinder ihm zu Hilfe kämen.

Das Ritlasschiff. Neue Erzählungen von Paul Keller. Schöningh in Paderborn. 1907. 8°. 216 S. gbd. M. 3.—.

18 kurze Erzählungen voll Geist und Poesie, voll Gemüt und Humor. Eine wahrhaft erquickende Lektüre, die nur bestätigt, was von Paul Keller allenthalben geurteilt wird: „Er ist ein Muster in der Darstellung psychologischer Vorgänge und erziehlicher Be= handlung" (Liter. Anzeiger); „er schreibt wirklich entzückend schön. Es ist alles so einfach, dabei so wahrhaft treu und innig, so aus dem Gemüte heraus geschrieben" (Preußische Lehrerzeitung).

Der Sohn der Hagar. Roman von Paul Keller. Mit dem Porträt des Verfassers. 9. Aufl. Verlagsgesellschaft in München. 8°. 328 S.

Diesem Roman wird von den Kritikern katholischer Richtung ein hoher Wert beigemessen; er gilt als „eines der stärksten, künst=

lerisch vollendetsten Werke der aufblühenden Romantik" (Gral). Den
Inhalt bildet eine schlesische Dorfgeschichte: Ein Mädchen, von einem
Wüstling verführt und von diesem verstoßen, da sich die Folgen des
Fehltrittes nicht mehr verbergen lassen, gibt einem Knäblein das
Leben und verliert in gänzlicher Verlassenheit ihr eigenes Leben. Von
fremden Leuten erzogen, zieht deren Sohn Robert mit vazierenden
Musikanten, die er aber weit an sittlichem Ernste übertrifft. Immer
trägt er den Glauben mit sich herum, ein vaterloses Menschenkind
sei und bleibe ein herumgestoßenes Wesen ohne Heimatrecht auf der
Erde; gegen den Mann, dessen Verführungskunst ihm das Leben
gegeben, durch dessen Hartherzigkeit die ihrer Tugend beraubte Mutter
elend zu Grunde gegangen, hegt Robert Haß und Abscheu. Das
Geschick fügt es, daß er in das Haus dieses seines Vaters kommt;
sobald dieser darauf kommt, daß Robert sein Sohn ist, sucht er so
gut als möglich seine Schuld zu sühnen, Robert fühlt sich aber
nirgends glücklich, er verläßt nach vorzüglicher Dienstleistung das
Haus, gerät wieder in Armut und Krankheit und stirbt. Die Durchführung ist eine glänzende, die Charakterzeichnung bei den meisten
handelnden Personen eine meisterhafte, jeder moralische Anstoß ist
sorgsam und zart vermieden. Eines will uns nicht recht eingehen:
Die Voraussetzung des Verfassers, die unehelichen Kinder würden
so allgemein als recht- und heimatlos von der Welt behandelt und
seien ob dieses ihres traurigen Geschickes unglücklich und beklagens-
wert. Das trifft in Wahrheit nicht so ganz zu. Daß sie mit den ehelich
erzeugten Kindern nicht als ganz ebenbürtig betrachtet werden, daß
ihnen durch die Schuld ihrer Erzeuger eine Makel anhängt, daß ihnen
vor dem weltlichen und kirchlichen Gesetze in manchen Stücken,
z. B. Erbrecht, Eintritt in den geistlichen Stand, in den Ordensstand gewisse Schranken gesetzt sind, ist wohl wahr, für diese Aus-
nahmsstellung lassen sich gewichtige Gründe anführen, aber von einer
solchen Mißachtung von der Welt, von einer Ueberzähligkeit, wie sie
der Verfasser anzunehmen scheint, kann doch nicht die Rede sein.

Wir führen noch die früher schon von uns rezensierten Werke
von Paul Keller an: **Gold und Myrrhe.** Erzählungen und Skizzen.
5. Aufl. gbd. M. 2.40. **Neue Folge.** 4. Aufl. gbd. M. 2.60. **In
deiner Kammer.** Geschichte. 3. Aufl. gbd. M. 2.80.

Bei der „Allgemeinen Verlagsgesellschaft in München", Hasen-
straße 11, sind vom selben Autor erschienen: **Waldwinter.** Roman
aus den schlesischen Bergen. 9. Aufl. gbd. M. 5.—. **Die Heimat.**
Roman aus den schlesischen Bergen. 4. Aufl. gbd. M. 5.—.

Johanna von Arc, die ehrwürdige Jungfrau von Orleans.
Von Heinrich Debout, apostol. Missionär. Mit 36 Textillustrationen.
Mit bischöfl. Approbation. Autorisierte Uebersetzung. Kirchheim in
Mainz. 1897. Kl. 8°. 348 S. gbd. M. 3.50.

Eine hochinteressante, erbauende, ausführliche Biographie der
ebenso heldenmütigen als frommen Jungfrau von Orleans, um so

interessanter, als am 27. Jänner 1909 die Kirche den Seligsprechungs=
prozeß der früher so falsch beurteilten und erst durch authentische
Akten in unserer Zeit ins rechte Licht gestellten Retterin Frankreichs
eingeleitet hat. Ein Buch für jeden Katholiken, jung und alt. Inner=
halb 4 Jahren wurden 42.000 Exemplare verbreitet.

Für Hütte und Palast. Sammlung gediegener österreichischer
Unterhaltungsschriften. Kirsch in Wien I., Singerstraße 7.

Wir können alle Bände ohne Ausnahme empfehlen. Um nicht
wieder zurückkommen zu müssen, lassen wir deren Verzeichnis folgen.
Fast alle sind von uns schon früher besprochen worden. Den Anfang
machten die Erzählungen von Professor J. Wichner, die seinen Ruf
als vorzüglicher Volksschriftsteller begründet haben: 1. **Alraun=
wurzeln.** Ein lustiges und lehrreiches Volksbüchlein. gbd. *K* 3.—.
3. Aufl. 2. **Aus der Mappe eines Volksfreundes.** Neue lehr=
reiche Erzählungen und lustige Schwänke. 4. Aufl. gbd. *K* 3.—.
3. **Im Schneckenhause.** Volksroman. 4. Aufl. gbd. *K* 3.—. Von
Wichner sind noch der 5. Band: **Erlauschtes.** Allerlei neue Ge=
schichten, Schwänke und Gedanken. 3. Aufl. gbd. *K* 3.40. 4. **Im
Studierstädtlein.** Erinnerungen und Bilder aus dem Gymnasial=
leben. 3. Aufl. gbd. *K* 4.—. 5. **Nimm und lies.** Ein Schock
neuer Geschichten, Schwänke und Gedanken. 6. **Jahresringe.** No=
vellen und Erzählungen. gbd. *K* 4.—. 7. **In der Hochschule.** Er=
innerungen und Bekenntnisse. gbd. *K* 4.—. 8. **Im Frieden des
Hauses.** Ein Volksbuch. (Der Alraunwurzeln 5. Folge.) gbd. *K* 4.60.
9. **Zeitvertreib.** Ein Geschichtenbuch. gbd. *K* 4.—. 10. **Aus sonnigen
Tagen.** Ein Volksbuch. gbd. *K* 4.—. Ein reicher und abwechslungs=
reicher Inhalt, bringt die heitersten Episoden, ernste Mahnungen und
Warnungen, historische Erinnerungen, Naturschilderungen u. s. w.

Dem am 6. Februar l. J. im hohen Alter von 86 Jahren ver=
storbenen Propst Dr. Anton Kerschbaumer verdanken wir die Er=
zählungen: 1. **Eligius.** Lebensbilder aus dem niederösterreichischen
Gebirge. 2. Aufl. gbd. *K* 3.40. 2. **Der Jäger von Dürnstein.**
Eine Erzählung aus der Heimat. 4. Aufl. gbd. *K* 2.60. 3. **Gentiana
austriaca.** Alpine Kulturbilder. 2. Aufl. gbd. *K* 2.60.

Propst K. Landsteiner schrieb: **Anno Dazumal.** Eine Ge=
schichte aus der Franzosenzeit. gbd. *K* 2.20, und: **Walther von
Habenichts.** Roman. gbd. *K* 3.—.

Noch finden sich: **Tanne und Rebe.** Von Joh. Peter. Dorf=
geschichten aus dem Böhmerwalde und niederösterreichischen Wein=
lande. gbd. *K* 3.—. — **Ostmarkgeschichten.** Gesammelte Erzählungen,
Novellen, Humoresken. Von Dr. J. Scheicher. gbd. *K* 12.—. —
Chronik von Wien. Von F. Zöhrer. Kurzgefaßte Geschichte der
Waisenstadt an der Donau von der ältesten bis in die neueste Zeit.
gbd. *K* 4.—. — **Der Karthäuser Ortolf.** Von Th. Raf. Erzäh=
lungen aus dem Aufstande der Bauern in Niederösterreich am
Schlusse des 16. Jahrhunderts. gbd. *K* 3.40. — **Der verhängnis=**

volle **Zwanziger** und andere Erzählungen. Von J. Huber, weil.
Pfarrer von Straßwalchen. gbd. *K* 3.40. — **Aelplerblut.** Von
K. Reiterer. Geschichten und Gestalten aus den Bergen. gbd. *K* 3.—.
— **Ein österreichischer General,** Leopold Freiherr von Unterberger,
k. k. Feldzeugmeister. Ein Lebensbild. Von Th. Raf. gbd. *K* 3.40. —
Geschichten und Bilder aus den Voralpen. Von Josef Wüsinger.
gbd. *K* 3.—. — **Kunimund und Felix.** Von R. Weißenhofer.
Eine Erzählung aus dem Donautale. gbd. *K* 2.20. — **Schiras.**
Roman. Von J. Puhm. gbd. *K* 4.—.

Vergeudete Jugend. Roman. Nach E. Schoyen „En Sjaels
Historie." Frei bearbeitet von C. zur Haide. Pillmayers Buchhandlung in Osnabrück. 8º. 224 S. gbd. M. 3.50.

Paul Vejner, der einzige Sohn eines Amtsrichters in Seeland,
ist von Jugend an leichtsinnig gewesen. Ein glaubensloser Professor
raubte ihm das Gut des Glaubens. Das Glück war ihm derart
günstig, daß er mittels eines Loses eine Million gewann. Nun
stürzte sich der junge Mann in einen Abgrund von Genüssen, eine
ganz weltlich gesinnte Dame fing ihn in ihren Netzen, sodaß er sie
ehelichte. Den beiden gelang es, den Reichtum so gründlich zu ver-
putzen, daß der Konkurs folgte, die Frau endete als Selbstmörderin.
Der Mann kam jetzt zu besserer Einsicht, er wurde gläubig und begann
ein neues, besseres Leben. Für gebildete Kreise eine wertvolle Lektüre.

Leider dürfen wir von der Uebersetzerin, der Klosterfrau Cäcilia
aus dem Ursulinenkloster in Haselünne, Hannover, kein neues Buch
mehr erwarten — Gott hat sie abberufen von dieser Welt; sie hat
sich auf dem Gebiete der Belletristik große Verdienste erworben.

(Schluß folgt.)

Pastoral-Fragen und -Fälle.

I. (Ehescheidung.) Gewissensfall. Die katholische Claudia
heiratet ziviliter in Ungarn den dort ansässigen Titus, der von der
katholischen Religion zum Kalvinismus übergetreten ist. Zwei Jahre
nach der Heirat, die kinderlos geblieben, gibt es Zwistigkeiten zwischen
beiden. Claudia erhebt gegen Titus Klage auf Verletzung der ehelichen
Treue und erlangt die bürgerliche Trennung der Ehe. Ein Jahr
nachher kommt sie zum katholischen Pfarrer, um eine neue Ehe mit
dem katholischen Cajus einzugehen. Kann ihrer Bitte willfahrt werden?

Antwort. Da hier eine im öffentlichen Forum sich abspielende
Ehesache in Frage tritt, so ist vorab zu bemerken, daß der Pfarrer
hier inkompetent ist, bevor die bischöfliche Behörde in der Angelegenheit ihren Schiedsspruch getan hat. Er mußte also die Claudia dorthin
verweisen oder an ihrer Stelle an den Bischof rekurrieren. Jedoch
soll er sich vorher von der Aussicht oder Aussichtslosigkeit eines
solchen Schrittes Rechenschaft geben; im ersten Falle ihn einleiten,
im anderen sich gar nicht darum bemühen. In diesem Sinne ist auch
für den Seelsorger oder Beichtvater eine prinzipielle Lösung am Platze.

Alles dreht sich um die Gültigkeit der zwischen Claudia und Titus ziviliter abgeschlossenen Ehe. Ist diese im Gewissen eine gültige Ehe, dann ist Claudia mit ihrem Begehren, eine zweite Ehe einzugehen, vollständig abzuweisen; ist sie ungültig, dann steht der Wiederverheiratung nichts im Wege. Einer Untersuchung bedarf daher die Sache nur, insofern die Gültigkeit oder Ungültigkeit der Ehe zwischen Claudia und Titus auf vernünftige Gründe hin angezweifelt werden kann. Bis zum 19. April 1908 galt eine Ehe, wie die zwischen Claudia und Titus als eine Mischehe; denn als Nichtkatholik galt derjenige, welcher mit seinem katholischen Glauben gebrochen und einer akatholischen Sekte sich förmlich angeschlossen hatte. So werden bezüglich der Mischehen im Dekret des heiligen Offiziums vom 6. April 1859 ausdrücklich als haeretici gerechnet „apostatae ab Ecclesia catholica ad haereticam sectam transeuntes". Ebenso unbezweifelt ist es, daß in Ungarn bis zum genannten Datum 19. April 1908 die Mischehen auch in formloser Weise gültig geschlossen werden konnten; so ausdrücklich in dem vom Gregor XVI. erlassenen Schreiben vom 30. April 1841 (Denziger n. 1485). Ist also die Ehe zwischen Claudia und Titus vor dem 19. April 1908 geschlossen, so liegt die praesumptio für die Gültigkeit der Ehe vor, und sie hat trotz ziviler Scheidung oder Trennung als durchaus gültig und fortbestehend zu gelten, bis nicht die Ungültigkeit des ersten Abschlusses bewiesen ist.

Eine solche Ungültigkeit könnte sich herleiten 1. aus der Anschauung der Kontrahenten, insofern sie, oder wenigstens einer derselben, in der Zivilehe nur eine leere Zeremonie sahen und in keiner Weise den Willen hatten, durch diese sich vor Gott und dem Gewissen zu binden. Kann dafür der Beweis erbracht werden, dann ist die Ungültigkeit der in Frage stehenden Ehe erwiesen, weil der beiderseitige Konsens einen wesentlichen Mangel aufweist. 2. Dasselbe würde statthaben, wenn einer der Kontrahenten sich nur zeitweise binden wollte. Dieser Fall wird im genannten päpstlichen Schreiben für die bezüglichen Gegenden speziell erwähnt mit den Worten „nisi tamen . . . in nuptiarum celebratione appositae fuerint conditiones substantiae matrimonii ex catholica doctrina repugnantes". Nämlich die Anschauung der Protestanten, als sei unter gewissen Umständen eine Trennung des Ehebandes gestattet, zieht an und für sich noch nicht einen wesentlichen Mangel des wahren Ehekonsenses und infolge dessen die Ungültigkeit der Ehe nach sich. Es bleibt diese Anschauung in der Regel eine nebenhergehende irrige Anschauung, mit welcher sich trotzdem sehr wohl der Wille verbinden kann, hic et nunc eine wahre Ehe schließen zu wollen: dieser Wille genügt zum gültigen Eheabschluß. Würde aber wirklich beim Eheabschluß es zur Bedingung gemacht, daß man sich eventuell später wieder trennen könne, so würde ein solch bedingter Konsens eine gültige Ehe nicht bewirken können. Sollten Gründe sein, bei der in Frage stehenden Ehe zwischen

Claudia und Titus einen solch bedingten Abschluß zu vermuten, so müßte man darüber sich Klarheit zu verschaffen suchen. Doch nur nach sicher erbrachtem Beweise kann daraufhin die Ehe für ungültig erklärt werden.

Anders liegt die Sache, wenn es sich um einen Eheabschluß nach dem 19. April 1908 handelt. Von dem Tage an gilt eine Ehe, wie die der Claudia mit Titus, nicht mehr als Mischehe, sondern als Ehe zwischen Katholiken. In dem Dekret „Ne temere" heißt es deutlich: „Statutis superius legibus tenentur omnes in catholica Ecclesia baptizati . . . licet . . ab eadem postea defecerint." Uebrigens ist dies nicht einzig durchschlagend für die Beurteilung der in Rede stehenden Ehe. Selbst wenn sie noch als Mischehe gälte, so käme jene andere Bestimmung in Anwendung, daß die Vorschriften des Dekrets „Ne temere" für die Katholiken bindend seien, auch wenn sie mit Nichtkatholiken eine Ehe eingehen wollen: hievon machen nur die Mischehen der Deutschen im Deutschen Reiche unter= dessen eine Ausnahme.

In allen Fällen also konnte Claudia nach dem 19. April 1908 eine gültige Ehe nur schließen vor dem katholischen Pfarrer des Ortes und eine bloße Zivilehe müßte ohne jede weitere Untersuchung als vor Gott und dem Gewissen ungültig erklärt werden. Alsdann stände also einer neuen Ehe der Claudia nichts im Wege: es wäre sogar durchgehends Pflicht des Pfarrers, auf baldige Erledigung aller etwa noch zu beobachtenden Formalitäten hinzuarbeiten und der beabsichtigten Ehe zum Abschluß zu verhelfen.

Valkenburg (Holland).   Aug. Lehmkuhl S. J.

II. (Hat das kirchliche Bücherverbot heute noch Bedeutung?) Die von Münster ausgegangene Bewegung gegen die kirchliche Indexgesetzgebung stützt sich vor allem darauf, daß das Gebot von vielen doch nicht beobachtet werde, und ein Gesetz aufrecht erhalten, welches die Untergebenen nicht erfüllen, bringe der gesetz= gebenden Autorität mehr Schaden als Nutzen, müsse also ehestens aufgehoben, zum mindesten beschränkt werden. Ja in vielen Fällen, wendet man weiter ein, sei gerade die Versetzung eines Buches auf den Index für gewisse Kreise eine ganz ausgezeichnete Empfehlung des Buches, das aus Haß gegen die Kirche, aus vorwitziger Neu= gierde von vielen gekauft und gelesen werde, welche sich sonst um solche Bücher nicht kümmern. Das Verbot des Buches trage erst recht zur Verbreitung des Buches bei. Es liegt ja diesen Einwänden ein Körnchen Wahrheit zugrunde; trotzdem aber behält das kirchliche Bücherverbot auch heute noch seine Bedeutung.

Zunächst ist es gewiß, daß eine große Anzahl von Katholiken die Entscheidungen der obersten kirchlichen Behörden mit Ehrfurcht entgegennimmt und befolgt und dadurch vor vielen Gefahren für ihre Glaubensfestigkeit und Glaubensfreudigkeit, wie für ihre Sitt= lichkeit bewahrt wird. Für alle aber wird durch das Verbot eine Warnungstafel aufgestellt, welche vor den Gefahren warnt, und das ist selbst für diejenigen, welche sich über das Gebot erhaben wähnen oder sich aus ernsten Gründen für entschuldigt halten, ein nicht zu unter= schätzender Vorteil. Es ist immer gut, wenn man, sei es aus Not oder aus Leichtsinn auf einem gefährlichen Wege geht, zu wissen, daß man sich vor gewissen Gefahren hüten müsse. So wird man auch ein Buch mit größerer Vorsicht lesen, wenn man weiß, daß es verboten ist.

Viele Schriftsteller werden sich eine größere Zurückhaltung in der Aufstellung gewagter Meinungen auferlegen, aus Furcht, ihr Buch möge dem Index verfallen. Es bleibt immer eine unangenehm empfundene Kennzeichnung einer Schrift, wenn sie verboten wird. Wir wissen, welche Mühe sich seinerzeit Kraus gegeben hat, um seine Kirchengeschichte vor diesem Schicksal zu bewahren. Ebenso ist es bekannt, daß Schell keineswegs, wie seine „sogenannten Freunde glauben machen wollten, spielend die Hindernisse überwunden" hat, welche die Indicierung seiner Werke ihm bereitete; sondern daß es ihm mit vollem Rechte schwere Sorgen und Kämpfe verursachte, und daß er hoffte und wohl auch strebte, eine Aufhebung des betreffenden Dekretes zu erreichen. Wir sagen das nicht, um zu tadeln, sondern um anzuerkennen, daß auch diese hochgelehrten Männer die Bedeutung des Verbotes erkannten. Beide Männer haben mit Rücksicht auf das Urteil der kirchlichen Autorität größere Vorsicht obwalten lassen. So werden gewiß auch viele andere Schriftsteller vorsichtiger und ge= mäßigter in ihren Aufstellungen sein, als wenn ihnen eine solche Gefahr nicht drohte. Es verrät doch immer hochmütige Beschränktheit oder unkirchlichen Sinn, eine Verurteilung direkt herauszufordern.

Da durch das Verbot eines Buches nicht bloß der geistige, sondern vielfach auch der materielle Erfolg eines Buches beeinträchtigt wird, weil weniger Bücher verkauft werden, so kann für den Ver= fasser und Verleger des Buches der entgehende Gewinn und der erwachsende Schaden eine Mahnung sein, Bücher, welche gar zu sehr gegen Glaubens= und Sittenlehre verstoßen, zu schreiben und zu verlegen, und der Geldpunkt wird dann maßgebend selbst in solchen Kreisen, welche auf die Autorität und Gesetzgebung der Kirche sonst wenig achten.

Durch ihr Bücherverbot gibt aber weiterhin die Kirche ihre Anschauung und ihr Urteil über gewisse Fragen der Glaubens= und Sittenlehre kund und leitet so ihre Kinder auf dem rechten Wege, auch ehe sie eine feierliche Lehrentscheidung gibt. Man kann ver= nünftigerweise nicht fordern, daß bei jeder neu auftauchenden Frage das kirchliche Lehramt sofort eine endgültige Lösung gebe. Nicht jeder Professor oder Schriftsteller, der sich etwas zu weit vorwagt, darf den Anspruch erheben, daß der Papst sogleich eine Kathedral= entscheidung über den aufgeworfenen Lehrsatz erlasse. Das widerspricht ganz und gar der Art, wie Rom in solchen Fragen vorzugehen pflegt. Daher lassen solche Entscheidungen der maßgebenden kirch= lichen Behörden die allgemeine kirchliche Anschauung und Auffassung

von einer Frage erkennen und zeigen, nach welcher Seite die kirch=
liche Autorität weist, und das hat für die Entwicklung der kirch=
lichen Lehre und des kirchlichen Lebens eine ausnehmende Bedeutung.

Auch die Pflicht, gewisse Arten von Büchern vor ihrer Ver=
öffentlichung der kirchlichen Prüfung und Approbation zu unter=
werfen, hat eher Berechtigung, obschon vielleicht hie und da, wenn
sie nicht im rechten Geiste geübt wird, manche Schwierigkeiten ent=
stehen können. Es können dadurch viele Gefahren im vorhinein von
den Gläubigen abgewendet werden. Schon die Rücksicht auf die ein=
zuholende Approbation wird manchen Verfasser abhalten, gar zu frei
und zügellos zu schreiben und offen gefährliche Lehren vorzutragen.
Die Kirche hat da auch ein Mittel in der Hand, durch ein recht=
zeitiges Gebot unreifes und lächerliches Machwerk zu unterdrücken,
welches sie nicht bloß dem Hasse, sondern auch dem Spotte ihrer
Feinde auszusetzen geeignet ist. Man dürfte manchmal eher wünschen,
daß in letzterer Beziehung größere Strenge obwalte in bezug auf
Andachts=, Erbauungsbücher u. s. w. Nach all diesen Beziehungen hat
also die kirchliche Büchergesetzgebung auch heute noch ihre volle
Berechtigung; und wenn man einerseits die Leichtigkeit betrachtet,
mit welcher man die Erlaubnis verbotene Bücher zu lesen erhalten
kann, anderseits sieht, wieviel Spielraum oft die Approbation den
Geistern läßt, so ist keine Gefahr, daß aus der Indexgesetzgebung
die katholische Wissenschaft einen Schaden erleidet.

Mißgriffe in der Durchführung nach der einen oder anderen
Seite hin sind natürlich auch hier, wie bei allen menschlichen Ein=
richtungen nicht ausgeschlossen, heben aber den Wert der Einrichtung
selbst nicht auf. (Vgl. Vermeersch, De prohib et censura libr. ed
3ª n. 10—12, Goepfert M. Th. B. III n. 283 S. 340 f.).

Vielleicht ist es gut, auch noch einige Einwendungen zu hören,
welche man bei der verflossenen Indexbewegung gewagt hat. Mitten
im Kampfe lege man den Kämpfern ein geistiges Fasten auf, weil
man ihnen das Studium der Schriften großer katholischer Gelehrten
verbiete. Zunächst eine Gegenfrage: Wie würde man denn eine
Heeresverwaltung nennen, die mitten im Feldzug den Soldaten
Nahrungsmittel liefern würde, welche sehr schädliche Bestandteile
enthalten, ja sogar nach und nach den ganzen Organismus zerstören
können? Anderseits ist denn unsere katholische Literatur so arm an
gediegenen Werken, daß unsere Laien — um diese handelt es sich
vorzüglich — gerade nach den wenigen verbotenen Büchern greifen
müssen? Und dann, wie leicht ist es doch, Erlaubnis zur Lektüre
solcher Bücher zu bekommen, wenn man deren bedarf? — Man hat
auch eingewendet, der Laie wisse auch nicht, welche Bücher auf dem
Index stehen. Man brauche sich auch nicht darum zu kümmern.
Was man aus den Zeitungen erfahre, sei nicht maßgebend u. s. w.
Gewiß, wenn jemand nicht weiß, ob ein Buch, sei es durch die
allgemeinen Regeln oder durch ein besonderes Gesetz verboten ist,

fündigt er nicht. Wenn er aber ernsten Grund zu zweifeln hat, hat
er die Pflicht sich zu erkundigen, und wenn die Zeitungen dies berichten,
so ist das doch ein Grund, um mindestens zu zweifeln, die Er=
kundigung ist aber für den Geistlichen sehr leicht und auch für den
katholischen Laien, sei es durch den Beichtvater oder den Seelsorger
oder einen sonst befreundeten Geistlichen nicht schwer. — Man hat
auch gemeint, schließlich komme doch alles auf das Gewissen an,
weil die kirchliche Behörde, welche die Vollmacht gebe, schlechte
Bücher zu lesen, schließlich nur aus äußeren Gründen urteile, den
Seelenzustand des Betreffenden nicht beurteilen könne. — Gewiß ist
jeder zuletzt auf sein eigenes Gewissen angewiesen und auch die
erlangte Erlaubnis berechtigt niemand, solche Bücher zu lesen, wenn
er für Glaube oder Sittlichkeit Schaden befürchtet. Und wenn in
einem dringenden Falle die Erlaubnis nicht eingeholt werden kann,
genügt der Gewissensausspruch für die präsumierte Erlaubnis. Aber
doch ist es die erste Pflicht, sich mit dem Gebote abzufinden, und
der sittliche Ernst, der sich darin offenbart, daß man sich dem Ge=
bote unterwirft, besagt auch einen größeren Ernst bei der Lektüre,
welcher der Gefahr mehr vorbeugt.

Würzburg.   Prof. Dr. Goepfert.

III. **(Restitutionspflicht von Seite eines Dienst=
boten.)** Delphina klagt sich in einer Beichte an, daß sie sich oft=
mals Unredlichkeiten habe zuschulden kommen lassen. Als sie nämlich
noch bei einer Herrschaft als Köchin bedienstet war, habe sie von dieser
den Auftrag erhalten, gewisse Einkäufe in einer bestimmten Viktualien=
handlung zu machen. Sie habe dies zwar getan, jedoch einen gewissen
Gegenstand habe sie ohne Vorwissen ihrer Herrschaft stets in einer
anderen Warenhandlung gekauft, weil sie erfahren habe, daß man
denselben dort etwas billiger bekomme. So habe sie es jede Woche
gehalten und sich das, um was sie die Ware billiger erstanden hätte,
jedesmal zurückbehalten. Sie habe sich nämlich gedacht, der Herrschaft
werde es doch ziemlich gleichgültig sein, ob sie diesen Gegenstand hier
oder dort einkaufe und wenn sie sich bei dieser Gelegenheit ein bißchen
etwas „herausschlage", so werde man ihr dies gewiß schenken, da es
ja doch nur eine Kleinigkeit und kaum der Rede wert sei. Nachdem
aber diese Kleinigkeiten im Laufe der Zeit zu einer bedeutenden Summe
angewachsen waren, wären doch ernstliche Bedenken über die Erlaubtheit
ihrer Handlungsweise in ihr aufgestiegen, und ob sie nicht doch die
Pflicht habe, diese Summe zurückzuerstatten.

Auch habe die Dienstherrschaft ihr, als sie heiratete, noch ein
Geschenk von 50 Kronen verabreicht, weil sie stets so „treu und red=
lich" gedient habe. Sie habe es zwar angenommen, zweifle aber nach
dem Gesagten sehr, ob sie es mit gutem Gewissen auch behalten dürfe.
Wie wird der Beichtvater zu entscheiden haben?

I. Wenn Delphina glaubte, das bei ihren Einkäufen Ersparte
für sich behalten zu dürfen, so stehen dieser ihrer Ansicht die Moral=

prinzipien entgegen: „Nemo ex re aliena ditescere debet" und: „Qui parcit rei, parcit domino". Was also Delphina bei erwähnter Gelegenheit erspart hat, das gehörte rechtmäßig ihrer Herrschaft, nicht aber ihr, und ist darum ihre Handlungsweise nach den Grundsätzen de furtis minutis zu beurteilen. Hatte sie gleich im Anfange die Intention, per furta minuta perveniendi ad materiam gravem, so ist sie sicher sub gravi zur Restitution gehalten, ausgenommen, wenn man mit moralischer Gewißheit annehmen könnte, die Dienst= herrschaft wolle eine Restitution nicht strenge fordern, was sich aber hier mit gutem Grunde wohl nicht annehmen läßt. Das Verhalten der Delphina gegenüber ihrer Herrschaft war jedenfalls ein unaufrichtiges und betrügerisches. Ohne dieser etwas zu sagen, kaufte sie entgegen deren Auftrag auch in einer anderen Warenhandlung ein und behielt das hierbei Ersparte eigenmächtig für sich. Würde diese unredliche Handlungsweise nur hie und da einmal vorgekommen sein, so würde man annehmen können und dürfen, die Herrschaft wäre darüber weniger ungehalten gewesen, jedenfalls nicht in dem Grade, daß daraus eine Restitutionspflicht erwachsen würde. Nachdem aber Delphina ihre Be= trügereien, wenn auch nur in kleinem Maßstabe, fortgesetzt verübt hat, sich überdies einer Unaufrichtigkeit gegen ihre Dienstherrschaft, wie bemerkt, schuldig gemacht hat, so würde diese über die Handlungsweise ihres Dienstmädchens, falls ihr jene bekannt geworden wäre, jedenfalls sehr ungehalten gewesen sein und die Rückerstattung des unterschlagenen Geldes, das bereits zu einer bedeutenden Summe, also sicher zu einer materia gravis, angewachsen war, schwerlich geschenkt haben.

Anders natürlich würde sich die Sache verhalten, wenn Del= phina nicht gleich von Anfang an die Intention hatte, durch ihre kleinen Betrügereien zu einer materia gravis zu gelangen, das jedes= mal zurückbehaltene Geld nur ganz wenig war und zwischen den einzelnen betrügerischen Handlungen doch wenigstens ein intervallum unius hebdomadae, wie dies in unserem Kasus zutrifft, gelegen war. (Cfr. Noldin: „Summa theol. mor." ed. V. „De praeceptis" n. 412). In diesem Falle bilden nämlich die einzelnen Handlungen kein unum morale mehr, infolgedessen auch die res retenta nicht zu einer ma= teria gravis anwachsen, und somit eine Restitution nicht urgiert werden kann, wenigstens nicht sub gravi.

II. Wie verhält es sich nun aber mit dem Hochzeitsgeschenke von 50 Kronen, das Delphina von ihrer Herrschaft für ihren „treuen und redlichen" Dienst erhalten hat?

Wollte die Dienstherrschaft unter dem Ausdruck „treuen und redlichen" Dienst nur das belohnen, daß, wie sie glaubte, Delphina sich während ihres Dienstes ihr gegenüber nie eines Diebstahles, Be= truges oder einer sonstigen bedeutenderen Unredlichkeit schuldig gemacht hat, dann konnte Delphina freilich nicht mit gutem Gewissen das Geschenk annehmen, weil eben bei ihr die Bedingung fehlte, derent= wegen ihr das Geschenk gemacht wurde. Wollte aber die Dienstherr=

schaft, wie wir annehmen dürfen, unter obigem Ausdruck auch das wohlanständige, sittliche Verhalten ihres Dienstmädchens, seinen Eifer in Erfüllung der obgelegenen Pflichten u. s. w. belohnen, dann könnte dieses, falls es in dieser Beziehung bei ihm nicht fehlte, wenigstens zum Teile mit gutem Gewissen das Geschenk annehmen. Ferner ist es auch sehr ungewiß, ob wohl die Herrschaft, nachdem sie das Geschenk doch schon einmal gegeben, dasselbe von Delphina wiederum annehmen würde, im Falle es diese aus Gewissensbedenken zurück= geben würde. Vielleicht gibt sie sich schon zufrieden mit der Resti= tution, die Delphina leisten wird, wenn sie zu einer solchen überhaupt verpflichtet werden kann.

Ein anderer Umstand endlich, der zugunsten der Delphina spricht, wäre der, daß sie vielleicht nur wenig vermöglich ist und man darum mit vieler Wahrscheinlichkeit annehmen kann, daß deswegen die Herr= schaft das Geschenk weniger streng zurückfordern werde, auch für den Fall, daß die Beschenkte desselben nicht würdig wäre.

Delphina besitzt also nach dem hier Gesagten ein Geschenk, das ihr zwar ganz freiwillig gegeben wurde, von dem es aber doch wieder nicht ganz gewiß ist, ob sie es auch mit gutem Gewissen behalten darf. Also zurückgeben oder nicht? Ich glaube, diese Frage läßt sich am besten entscheiden nach einer analogen, welche von den Moralisten behandelt wird, nämlich, ob jemand, der sich arm stellt, ohne es zu sein, über die von ihm erbettelten Almosen das Eigentumsrecht erlangt und somit dieselben behalten darf. Die sententia communior beant= wortet diese Frage verneinend, weil das Almosen seiner Natur nach in der Absicht und zu dem Zwecke gegeben werde, der Not eines Dürftigen abzuhelfen; diese Absicht könne aber nicht angenommen werden, wo keine Not und Dürftigkeit sich vorfinde. Die Verteidiger dieser Ansicht fordern darum, daß das Erbetene entweder dem Herrn zurückgegeben oder unter wirklich Arme verteilt werde, indem dadurch ja auch der ursprünglichen Absicht des Spenders entsprochen würde.

Andere Theologen dagegen lehren, daß der scheinbar Arme auf das von ihm erbettelte Almosen das Eigentumsrecht erlange und somit nicht verpflichtet sei, dasselbe zurückzuerstatten. (Cfr. Lessius lib. 2. de just. c. 18. dub. 17. n. 132). Sie begründen diese Ansicht damit, daß angenommen werden dürfe, der Spender habe bei seiner Gabe primario et principaliter die Absicht gehabt, ein Werk der Gottes= und Nächstenliebe zu üben, während die Unterstützung des Armen nur in sekundärer Weise beabsichtigt wurde.

Elbel (Theol. Decal. p. 2. conf. 9. n. 285) hält beide Meinungen für probabel und macht noch die praktische Bemerkung, daß es der Klugheit entspreche, die zur Restitution verpflichtende Ansicht nicht zu urgieren, weil sonst aus einer injustitia non omnino certa leicht eine injustitia formalis entstehen könnte.

Diese Entscheidung kann, wie gesagt, propter analogiam auch auf unseren Fall angewendet werden und dies um so mehr, als es sich hier nicht um eine erbettelte Gabe, sondern um ein Geschenk handelt, das die Inhaberin desselben ganz ohne ihr Zutun erhalten hat. Delphina mag also ihr Hochzeitsgeschenk behalten.   P. D.

IV. **(Zur Leichenverbrennung in Oesterreich.)** Fast drei Jahre sind verflossen, seitdem ich die Abhandlung Sarg oder Urne? in unsere Quartalschrift schrieb. (Vgl. 1906 II. H. S. 320—330 und III. H. S. 501—517.) Ich kann mit Freude konstatieren, daß dieser Arbeit große Anerkennung gespendet worden ist und berufe mich dafür auf die Tatsache, daß, abgesehen von Privatbriefen an mich, auch theologische Blätter insonderheit darauf aufmerksam gemacht haben, in speziell ehrender Weise der Literarische Handweiser, und daß man die Arbeit unter die Literatur über diese Fachfrage eingereiht hat, wie das neue Kirchenrecht des Grazer Gelehrten Haring beweist. Ich habe dieser modernen Frage fortwährend meine Aufmerksamkeit zugewendet. Für heute möchte ich Bericht erstatten über die Fortschritte der Leichenverbrennung in Oesterreich.

A. Mitglieder.

In Oesterreich besteht ein deutscher Verein, der für die Idee eintritt und in jeder Weise dafür Propaganda macht und agitiert. Er führt den Namen „Verein der Freunde der Feuerbestattung ‚Die Flamme'" und hat seinen Sitz in Wien (VII/1, Siebenstern= gasse 16a). Demselben sind angeschlossen die Zweigvereine Boden= bach, Gablonz a. N., Graz, Linz, Reichenberg, Salzburg, Teplitz=Schönau und der Arbeiter=Zweigverein Wien.

Seit Mai 1904 ist Bodenbach und Teplitz=Schönau neu dazu gekommen. An Mitgliedern beträgt der Zuwachs seit 1904 nicht weniger als 578. Die Mitglieder, respektive deren Zuwachs verteilen sich auf folgende Weise:

1904		1908	
Gablonz	125	Bodenbach	47
Reichenberg	133	Gablonz	138
Graz	28	Graz	185
Linz a. D.	15	Linz a. D.	60
Salzburg	11	Reichenberg	141
Arbeiter=Zweigverein		Salzburg	52
Wien	53	Teplitz=Schönau	89
Zentralverein	914	Arbeiter=Zweigverein	
Im ganzen laut Jahres=		Wien	35
bericht	1279	Summe der Zweigvereine	747
		Summe d. Zentralvereines	1110
		Gesamtsumme	1857[1])

---

[1]) Vgl. die Einladung zu der Sonntag den 3. Mai 1908, 10 Uhr vor= mittags, im großen Sitzungssaale der niederösterreichischen Handels= und Ge= werbekammer I., Stubenring 8, stattfindenden XXIII. ordentlichen General= versammlung S. 4.

So ergeben die 1857 Mitglieder im Jahre 1908 gegen 1279 im Jahre 1904 eine Vermehrung der Mitglieder um 578.[1]

Es wäre jedoch nicht richtig, anzunehmen, als seien durch diese Zahlen die gesamten Mitglieder der aufgezählten einzelnen Städte angegeben. Denn manche schließen sich auch in solchen Städten, in welchen ohnehin Zweigvereine gegründet sind, direkt dem Zentral= verein in Wien an. So sind Mitglieder des Zentralvereines in Bodenbach 2, in Gablonz 1, Graz 19, Linz 7, Reichenberg 1, Salzburg 6, Teplitz=Schönau 13.

Weil die Quartalschrift in Linz in Oberösterreich erscheint, so sei es gestattet, die Zahl der Mitglieder in unserem Kronlande etwas näher anzusehen.

Linz (60 Z.=V. und 7 im Zentralverein)	67	Uebertrag .	76
		Ried	5
Aigen	1	Schärding	1
Gmunden	2	Schneegattern	1
Schloß Grub	2	Traunkirchen	1
Kaufing	1	Wels	7
Mattighofen	2	Weyer	1
Munderfing	1		
Fürtrag .	76	Summe .	92

Unter den Ehrenmitgliedern, Stiftern, Förderern und Gönnern findet sich kein Oberösterreicher.

Doch sind nicht alle Kronländer vertreten, so entdeckte ich kein Mitglied aus Krain und der Bukowina.

Stellen wir die Reichshauptstadt der Provinz gegenüber, so ersieht man deutlich, wie wenig Anklang außer Wien die Idee findet. Auf Wien entfallen 1 Ehrenmitglied (die übrigen 15 vom Ausland), 1 Stifter, 1 Förderer, 10 Gönner und 611 ordentliche Mitglieder; dazu kommen vom Arbeiter=Zweigverein 35, das ergibt im ganzen 659 Mitglieder. Auf das Ausland entfallen an lebenden Mitgliedern aller Kategorien 56 (und zwar verteilen sich dieselben auf folgende Länder: Deutschland, Serbien, Rußland, Rumänien, Schweiz, Frankreich, Italien, Holland). Demnach bleiben für Oester= reich=Ungarn außer Wien (inklusive Bosnien) **1160** Mitglieder aller Kategorien. Nach dem Prozentsatz Wien: Oesterreich=Ungarn müßten es zirka **14.000** sein! Es gibt ganz respektable Provinzstädte mit einer lächerlich kleinen Zahl von Mitgliedern, so Innsbruck (5), Aussig (3), Eger (4), Klagenfurt (8), Krakau (2), Mährisch=Schönberg (1), St. Pölten (1), Triest (4) u. s. w.

B. Vermögen.

Der Verein hatte im Jahre 1907 eine Gesamteinnahme von 30.767·12 *K*, darunter einen Saldo=Vortrag von 1906 in der Höhe von 807·45 K. Der Baufondskasse=Ausweis notiert eine Summe von

---

[1] In Prag ist auch ein czechischer Verein mit zirka 1000 Mitgliedern.

8879·54 *K*, der Kautionsdepotkasse-Ausweis für 1907 notiert
6112·80 *K* inklusive des Saldo-Vortrages vom Jahre 1906.

C. Agitation.

Die Agitation betreibt der Verein teils durch mündliche Vor=
träge, teils durch Broschüren und sonstige Drucksorten, teils durch
sein Organ, den „Phönix". So wurden beispielsweise im Jahre 1907
für einen Vortragszyklus des Dr. Weigt 748·60 *K* ausgegeben,
für andere Vorträge 343·64 *K*, für Broschüren, Satzungen und
Drucksorten 546·72 *K*.

Der „Phönix" tritt mit dem Jahre 1909 in den XXII. Jahr=
gang, erscheint monatlich in einer Höhe von 11.000 Exemplaren
und kostet ganzjährig 4·80 *K*. Er führt den Untertitel „Blätter
für fakultative Feuerbestattung und verwandte Gebiete". Eine Nummer
ist 16 Seiten stark, Druck und Papier sind sauber und gefällig. Die
Illustrationen umfassen größtenteils Krematorien, Urnenheine, Kolum=
barien u. s. w.

*　　*　　*

Sehr interessant klingen Einzelheiten aus der am 3. Mai 1908
abgehaltenen XXIII. Generalversammlung des Vereines „Flamme".[1]

Der Volksbildungsverein in Nixdorf (bei Rumburg) — so
wußte der 2. Vereinsschriftführer Herr Professor Rudolf Boeck zu
erzählen — war durch einen Aufruf veranlaßt worden, sich als
Interessent der Feuerbestattungsidee zu deklarieren und um Abhaltung
eines Vortrages zu ersuchen. Dieser Aufruf war durch den 2. Schrift=
führer an 360 deutsche Zeitungen Oesterreich-Ungarns versendet
worden. „Leider beteiligen sich gerade unsere Wiener Blätter viel
zu wenig an der Propaganda, sehr zu Unrecht und zum Schaden
eines gesunden Fortschrittes; denn sie verkennen die außerordentliche
Tragweite der Kremationsfrage speziell auch als politisch wertvolles
Agitationsmittel gegen die Unduldsamkeit unserer Gegner noch immer
vollständig."

Der Referent Boeck klagt weiterhin, daß der Verein leider
auf dem großen internationalen Freidenkerkongreß, anfangs
September 1907 in Prag, nicht vertreten war. Dafür war der
Verein um so tatkräftiger vertreten bei einer Manifestations-Ver=
sammlung zugunsten der Feuerbestattung von Seiten der deutschen
Sektion „Freier Gedanke" des Bundes der Freidenker Böhmens
am 28. November 1907.

Als Gegner wird kurz angegeben der Klerikalismus der
verschiedenen Konfessionen.

Der Bericht meldet auch, daß der Wahlfeldzug für die letzten
Reichsratswahlen benützt worden ist, um die verschiedenen Kandidaten
über ihre Stellung zur Kremation zu befragen. Doch „aus eigener
Initiative ist bisher von keiner Seite etwas im neuen Parlamente

---

[1] Vgl. Jahresbericht für die Zeit vom 31. März 1907 bis 31. März 1908
des Vereines „Die Flamme".

angeregt worden. Das Interesse geht leider vielfach über platonisch=
akademische Aeußerungen nicht hinaus."

Ueber die Wünsche und Ziele des Vereines wird. der Leser am
besten unterrichtet durch die Resolution, die am 28. November 1907
in Prag gefaßt worden ist. Sie lautet: „Die am 28. November 1907
im großen Börsensaal in Prag tagende Versammlung der deutschen
Ortsgruppe „Freier Gedanke" erblickt in dem heute noch für die im
Reichsrate vertretenen Königreiche und Länder aufrecht erhaltenen
und durch keine stichhaltigen Gründe irgendwie gerechtfertigten oder
durch Gesetze gestützten Verbote der wahlfreien, sogenannten fakulta=
tiven Feuerbestattung eine rücksichtslos schroffe Verletzung des Rechtes
der freien Selbstbestimmung, der persönlichen Freiheit, der schuldigen
Rücksicht gegen die letztwilligen Verfügungen derjenigen, die ihren
Leichnam eingeäschert wissen wollen. Die Versammlung protestiert
energisch gegen die ohne jeden genügenden Versuch einer wirklichen
Begründung erfolgten Ablehnungen der wiederholten Eingaben und
Rekurse der Feuerbestattungsvereine in Wien und Prag an die
betreffenden Statthaltereien, beziehungsweise an das Ministerium des
Innern wegen Errichtung von Krematorien in Graz und Prag . ..

Die Versammlung betont auf das entschiedenste die längst
begründete und anerkannte Notwendigkeit der fakultativen . Feuer=
bestattung besonders für die Großstädte und erwartet, daß die
k. k. Regierung in dieser Frage sich endlich von dem ver=
derblichen Einfluß der beschränkten und beschränkenden
Vorurteile des Klerikalismus befreit und über den Parteien
stehend, nicht Partei nehmend, sich auf den Standpunkt einer wirklich
modernen Behörde stellt, indem sie, ganz abgesehen von den zwingenden
volkshygienischen und volkswirtschaftlichen Gründen, den Grundsatz
der Duldung und der Gleichberechtigung durch Zulassung der fakulta=
tiven, d. h. wahlfreien Feuerbestattung endlich einmal praktisch zur
Geltung bringt.

D. Feuerbestattungen aus Oesterreich.

Wenn man sich um die Zahl derjenigen frägt, die aus Oester=
reich sich verbrennen ließen, so wäre es falsch, diese Zahl ins Ver=
hältnis zu setzen zu denen, die begraben würden. Denn in Oesterreich
ist die Feuerbestattung verboten und sobald dieselbe freigegeben wird,
dürfte die Zahl erheblich sich vergrößern. Von den 1,200.000 Leichen
Oesterreich=Ungarns sind im Berichtsjahre (31. März 1907 bis
31. März 1908) nur 64 verbrannt worden. Das ist per se ein lächerlich
geringer Prozentsatz. Aber gegen das Vorjahr konnte der Referent
eine **Zunahme um 50%** konstatieren! Im Vorjahre waren es
43 Oesterreicher, die sich verbrennen ließen (30 männliche und
13 weibliche Leichen), im Berichtsjahre sind es 64. Das gibt doch
zu denken!

Die Leichen verteilen sich nach der Herkunft: Wien 21, Prag 11,
Graz 8, Linz 2, Gablonz 1, Strelouč 2, Znaim 1, Kronstadt 1,

Görz 1, Baden bei Wien 1, Salzburg 2, Triest 1, Parsch 1, Karbitz i. B. 2, Friedland i. B. 1, Budentsch 1, Reichenberg i. B. 1, Teplitz-Schönau 1, Meran 1, Königinhof 1, Asch i. B. 1, Bozen 1, Plars bei Meran 1.

Die Feuerhallen partizipieren davon: Chemnitz i. S. 23, Gotha 30, Jena 1, Mainz 1, Stuttgart 1, Ulm a. D. 9.

Stift St. Florian.   Dr. Joh. Chr. Gspann.

V. **(Kommunion an Kranke, die nicht mehr nüchtern sind.)** I. Kooperator Commodus wird zu einem Manne gerufen, der sich durch einen Sturz lebensgefährlich verletzt hat. Es ist 9 Uhr abends, als der Priester mit dem Viatikum und dem heiligen Oele beim Verunglückten anlangt. Mit Schrecken bemerkt er, daß der Kranke vollständig bewußtlos sei. Er kann ihn nur sub conditione lossprechen und spendet ihm das Sakrament der letzten Oelung und den Sterbeablaß. Das Viatikum kann er ihm aber nicht reichen, weil der Kranke nicht schlucken kann. Auch der inzwischen erschienene Arzt konstatiert, daß der Kranke nicht einmal Wasser, geschweige denn die heilige Spezies schlucken kann. Was tun? Soll nun Commodus das Viatikum auf dem schlechten, nächtlichen, ³/₄ Stunden langen Weg wieder zurücktragen? Die Pfarrleute werden dann wieder sagen, daß der Priester für den Kranken, dem er das Viatikum nicht mehr habe reichen können, recht viel beten müsse. — Während Commodus so deliberiert, spricht eine Frauenstimme: „Bitt', Hoch- würden, die Schwester des Verunglückten hier ist eine alte, kränk- liche Person. Den ganzen Winter hat sie nicht zur Kirche gehen können. Nicht einmal die Osterbeicht hat sie verrichten können. Jetzt ist die Osterzeit schon einige Tage um. Wenn Sie ihr ..." Das war ein Gedanke! Commodus fragt die alte Schwester, ob sie beichten wolle. Sie ist gern dazu bereit. Er absolviert sie und reicht ihr auch die heilige Kommunion, zu den Anwesenden sagt er entschuldigend: „Nach einer neuen Entscheidung des Papstes darf ich solchen Per- sonen, die länger als 1 Monat kränklich sind, die Kommunion reichen, auch wenn sie nicht mehr nüchtern sind." Num recte?

II. Gleich am nächsten Tag wird er wieder zu einem Kranken gerufen. „Den alten P. hat der Schlag getroffen." Aengstlich fragt Commodus: „Kann er noch schlucken"? Der Bote erwidert: „Das weiß ich nicht. Man hat mir nur gesagt, daß er nicht mehr reden kann." Der Priester denkt sich: „Sicher ist sicher und nimmt wieder das Viatikum mit. Der Kranke ist bei Bewußtsein, kann aber nicht reden und leider auch nicht schlucken. Krampfhaft bemüht er sich, einen Löffel voll Wasser hinunterzuwürgen. Tränen stürzen ihm aus den Augen, wie er den Kopf schüttelt, als wollte er sagen: „Ich kann wirklich nicht." Was tun? Das Allerheiligste unter riesigem Aufsehen zurücktragen? Im ganzen Hause war keine Person, die noch nüchtern gewesen wäre. Da erinnert sich Commodus, daß in einem 5 Minuten entfernten Häuschen eine Kranke sei, der er schon öfters devotionis causa die heilige Kommunion gespendet habe. Er schickt einen Boten zu ihr. Inzwischen betet er dem P. die Akte der geistlichen Kommunion vor. Da kommt der Bote mit der Nachricht, die kranke Nachbarin freue sich sehr, daß sie so unerwartet der Gnade der heiligen Kommunion teilhaftig werde. Commodus geht zu ihr und reicht ihr die Kommunion, obgleich sie sagt, daß sie schon „etwas Milch getrunken" habe. Num recte?

Ad I. Commodus hat nicht richtig gehandelt. Das Gebot der Nüchternheit vor dem Empfange der heiligen Kommunion ist ein strenges. Die Gründe, die er anführt: weiter Heimweg, Kränklichkeit der Schwester des Verunglückten, sind nicht genügend, das Gebot aufzuheben. Die Entscheidung Papst Pius X. „Decretum de S. Communione infirmis non ieiunis" (Linzer Diözesanbl. 1907 Nr. 1) hat er falsch ausgelegt, da dies Dekret den Kranken nur etwas per modum potus zu nehmen erlaubt. Die kränkliche Schwester hat aber tagsüber auch etwas gegessen, für sie galt also diese Bewilligung Seiner Heiligkeit nicht. Commodus hätte entweder bis Mitternacht warten und dann erst die Kranke kommunizieren sollen, oder er hätte die heilige Hostie in die Kirche zurücktragen sollen.

Ad II. Commodus hat recht gehandelt, da die Kranke, die nur „Suppe getrunken hatte", von der Begünstigung obzitierten Dekretes Gebrauch machen konnte.

Rohrbach.   Petrus Dolzer.

VI. Die rechte Absicht bei der täglichen Kommunion.) Novellus, ein angehender Kaplan, wird von seinem Pfarrer, Expertus, gebeten, nicht allzuviel Zeit einzelnen frommen Gläubigen im Beichtstuhl zu widmen, sondern viel eingehender die „Jährlinge" und selteneren Pönitenten auszufragen, zu belehren und zu disponieren. Novellus erkennt die Berechtigung des wohlgemeinten Rates, stützt sich jedoch bei seiner Praxis auf den Umstand, daß er sich gemäß dem neuen Dekret Sacra Tridentina bei den häufig und täglich Kommunizierenden auf ein besonderes Examen und einen Unterricht über „die rechte Absicht" einlassen müsse. Der Herr Pfarrer entgegnet ihm kurz, noch nie habe er darüber bei seinen zahlreichen Pönitenten in der Beicht auch nur ein Wort erwähnt. Diese Praxis scheint dem Herrn Kaplan sehr bedenklich, da ja das Dekret ausdrücklich an drei Stellen (n. 1. 2. 5.) die „richtige und fromme Absicht" verlangt und betont. Weil dennoch der Herr Pfarrer Expertus hier keinen Unterschied gelten lassen will zwischen täglicher und seltener Kommunion, bringt Novellus den Kasus vor das Forum seines Beichtvaters.

Was soll nun der Beichtvater dem eifrigen Kaplan Novellus antworten:

1. in Betreff der Notwendigkeit dieser „rechten Absicht" und der Größe des Fehlers bei etwaigem Mangel derselben;

2. in Betreff der bisherigen Praxis beider Seelsorgspriester und der beiderseits angeführten Gründe;

3. in Betreff der besten Art und Weise, die richtige Absicht beim Pönitenten zu erkennen und demgemäß zu handeln?

In unserer Antwort können wir uns enge anschließen an zwei klassische Autoritäten, Kardinal Gennari und P. Julius Lintelo S. J.[1])

Ad 1: Kardinal Gennari erörtert in der Märznummer des Monitore ecclesiastico vom Jahre 1907 in seiner gewohnten gründlichen Weise die Doppelfrage, ob der ohne die richtige Absicht zur heiligen Kommunion hinzutretende Gläubige eine schwere oder eine läßliche Sünde begehe, und ob er irgend welche Frucht der Kommunion empfange.

Aus dem allgemein bekannten Grundsatz, daß die Moralität einer Handlung hauptsächlich durch die Absicht oder den Zweck bestimmt wird, folgert er zunächst den Schluß: Der schlechte Zweck infiziert die Handlung selbst, mag das Objekt derselben an sich auch noch so vorzüglich sein. So lehren alle Gottesgelehrten mit St. Thomas. Dieser sagt (I. 2. q. 19. a. 7. ad. 2.): Voluntas non potest dici bona si intentio mala sit causa volendi; qui enim vult dare eleemosynam propter inanem gloriam consequendam, vult id, quod de se est bonum, sub ratione mali: et ideo, prout est volitum ab ipso, est malum; unde voluntas eius est mala.“ Obwohl demnach, so folgert Gennari weiter, die heilige Kommunion ein ganz vorzügliches und göttliches Objekt ist, wird dennoch durch den schlechten Zweck, der jemanden hauptsächlich zum Tisch des Herrn hinzuführt, diese Handlung schlecht und sündhaft.

Damit ist jedoch die Handlung noch nicht notwendigerweise als schwer sündhaft erwiesen. Vielmehr hängt die Schwere dieser Sünde ab vom Grade der Schlechtigkeit des Zweckes. Ist dieser nicht graviter, sondern nur leviter unerlaubt, so ist der Akt der Kommunion ebenfalls nur mit einer läßlichen Sünde behaftet.

Gemäß diesem Prinzip beurteilt Gennari die im Dekret von 1905 erwähnten fehlerhaften Absichten (aus Gewohnheit, aus Eitelkeit, aus menschlichen Rücksichten) und erklärt, dieselben seien, im allgemeinen zu reden, nur kleine Fehler, auch dann, wenn diese ungeordneten Absichten vorherrschen sollten. Es scheint ihm daher die mit einer solchen Absicht empfangene Kommunion nur eine läßliche Sünde nach sich zu ziehen, vorausgesetzt, daß die übrigen Bedingungen vorhanden sind, und daß man die rechten und heiligen Absichten nicht positiv ausschließt. Dieses positive Ausschließen wird nur in seltenen Fällen eintreten, denn es setzt schon ein bedeutendes Maß vorsätzlicher Bosheit oder Heuchelei voraus.

---

[1]) S. das Referat des P. Lintelo über die Pflichten der Prediger und Beichtväter . . . auf dem eucharistischen Kongreß zu Metz (Tournai, Casterman 1907) und als Appendix zu dieser Broschüre die klare Studie Kardinal Gennaris.

Wenn ferner das Dekret (n. 2.) die richtige Absicht bei der Kommunion aus (bloßer) Gewohnheit oder aus menschlichen Rück= sichten nicht anerkennt, so wird in diesen Motiven eine ungeordnete Nebenbedeutung (Gewohnheit, Mechanismus, menschliche Rück= sichten, Augendienerei u. dgl.) mit einbegriffen. Keineswegs aber ist dadurch das Motiv einer wohlgeordneten Gewohnheit oder berechtigter menschlicher Rücksichten ausgeschlossen. „Wer wird denn, frägt P. Lintelo, jemanden tadeln, daß er ein Almosen aus Gewohnheit gibt oder der heiligen Messe am Sonntag aus Gewohnheit beiwohnt? Wer wird einem Kinde einen Vorwurf machen, wenn es sich bei seinem Gehorsam von der Aussicht auf eine (irdische) Belohnung leiten läßt?" Den höchsten Grad der Vollkommenheit erreichen diese Motive freilich nicht. Wo jedoch andere übernatürliche Motive nicht geradezu ausgeschlossen sind, wird man hier keinen positiven Fehler in der Absicht wahrnehmen.

Und selbst für den Fall, daß die Hauptabsicht bei der heiligen Kommunion leviter unerlaubt ist, behauptet Kardinal Gennari, die Seele werde nicht vollständig der heilsamen Wirkungen des Sakra= mentes beraubt. Denn nach der Lehre des heiligen Thomas bringt die im Stande der Gnade empfangene Kommunion immer ihre Wirkungen ex opere operato hervor, selbst wenn sich in den Akt der Kommunion eine läßliche Sünde einschleicht, die deren Frucht nur vermindert. Er unterscheidet nämlich die läßlichen Sünden, inso= fern sie früher begangen sind und insofern sie im Akt der Kom= munion selbst begangen werden (praeterita — actu exercita). „Primo modo peccata venialia nullo modo impediunt effectum huius sacramenti. Potest enim contingere, quod aliquis post multa peccata venialia commissa devote accedat ad hoc sacramentum et plenarie huius sacramenti consequatur effectum. — Secundo autem modo peccata venialia non ex toto impediunt huius sacra= menti effectum, sed in parte; dictum est enim, quod effectus huius sacramenti non solum est adeptio habitualis gratiae vel caritatis, sed etiam quaedam actualis refectio spiritualis dulce= dinis, quae quidem impeditur, si aliquis accedat ad hoc sacra= mentum per peccata venialia mente distractus. Non autem tollitur augmentum habitualis gratiae vel caritatis" (III. P., q. 79. a. 8.). Der Heilige redet hier nicht nur von Zerstreuungen im Akte der Kommunion, sondern ganz allgemein erörtert er: Utrum per veniale peccatum impediatur effectus huius sacramenti.

Kardinal Gennari widerlegt dann noch den Einwand einer angeblichen Profanation des erhabenen Sakramentes mit dem Hinweis, daß es sich infolge der nur leviter unerlaubten Absicht ebenfalls nur um eine läßliche Irreverenz handelt, die erst dann zu einem grave sacrilegium führen würde, wenn der Zweck graviter schlecht und unerlaubt wäre.

A fortiori bleibt der Akt der Kommunion gut, lobenswert und verdienstlich, wo sich der Kommunikant hauptsächlich von der rechten Abſicht, von der Verherrlichung Gottes und Vereinigung mit Chriſtus und von ſeinen geiſtlichen Bedürfniſſen leiten läßt, ſelbſt wenn ſich nebenbei läßlich ſündhafte Abſichten einſchleichen würden. Auch dies beſtätigt der heilige Thomas, wo er von der intentio praecedens et consequens (al. concomitans) redet: „Sed si intentio sit consequens. tunc voluntas potuit esse bona: et per intentionem sequentem non depravatur ille actus voluntatis qui praecessit, sed actus voluntatis qui iteratur" (I. 2. q. 19. a. 7. ad 2.).

Wenn demnach beim Empfang der heiligen Kommunion die rechte Abſicht dominiert und der Eitelkeitsgedanke oder die falſche Menſchenrückſicht nur als Impuls dient, ſo bleibt die Kommunion gut, obwohl der Kommunikant durch ſeine wiſſentliche Einwilligung in eine nachfolgende und impulſive ungeordnete Nebenabſicht eine läßliche Sünde begeht. Fehlt dabei die volle Advertenz und die überlegte Einwilligung, ſo iſt auch die läßliche Sünde hier ausgeſchloſſen.

Aus all ſeinen Erörterungen zieht Gennari den Schluß: Nur in einem Fall ſoll die häufige und tägliche Kommunion — ceteris suppositis — nicht angeraten werden: Wenn man ſie mit einer nicht richtigen Abſicht empfangen würde, und zwar mit voller Advertenz und Einwilligung. Iſt die Hauptabſicht richtig troß anderer leviter unerlaubter Nebenabſichten, ſo ſoll man die ſtets fortſchreitende Läuterung der Abſicht durch Zurückweiſung der unerlaubten Zwecke anraten; aber man ſoll die Gläubigen nicht von der täglichen Kommunion abwendig machen; denn dieſe iſt das mächtigſte Mittel, um die Abſicht vollends zu läutern und die wahre chriſtliche Vollkommenheit zu erlangen.

Ad 2. Nachdem Herr Kaplan Novellus einmal die wahren Prinzipien in Betreff der Tragweite und Notwendigkeit der richtigen Abſicht beim Empfang der häufigen und täglichen Kommunion erkannt hat, wird es dem Beichtvater ein Leichtes ſein, ihn von ſeiner falſchen Praxis abzubringen.

Falſch iſt die bisherige Praxis des Herrn Kaplans vor allem aus folgenden Gründen:

a) In der Seelſorgspraxis überhaupt und ſchon gar bei frommen Gläubigen muß man ſich an das Prinzip halten: Nemo malus habendus, nisi prius probetur. „Die Abweſenheit der rechten Meinung, ſagt Lintelo, wird nicht präſumiert, ſondern muß bewieſen werden." Durch ſein ausführliches Examen aber und ſeinen diesbezüglichen Unterricht in jedem einzelnen Fall innerhalb des Beichtſtuhles zieht Herr Novellus die gute Abſicht all ſeiner Pönitenten faktiſch in Zweifel. Warum ſollten wir denn ſchon im vorhinein, beſonders bei frommen Chriſten, die ſich in einer ziemlich unabhängigen Stellung befinden, zweifeln an der Reinheit ihrer Abſicht bei der täglichen Kommunion? Wahrhaftig, menſchliche Rückſichten ſpielen heutzutage bei der häufigen und täglichen heiligen Kommunion eine ſchwache

Rolle und sind, angesichts des herrschenden Indifferentismus und der mit der täglichen Kommunion verbundenen Opfer an Zeit und Schlaf und Bequemlichkeit, vielmehr imstande, unentschlossene Seelen vom Tisch des Herrn abzuhalten, wie es leider die Erfahrung beweist.

b) Das Dekret Sacra Tridentina betont zwar an drei Stellen die Notwendigkeit der „rechten Absicht", weil es eben endgültig die Frage nach den zur täglichen Kommunion notwendigen und hin= reichenden Bedingungen entscheidet. Keineswegs aber verlangt es durch= gehends „in der Beicht ein besonderes Examen und einen eingehenden Unterricht über die rechte Absicht", ebensowenig, wie es vom Beicht= vater verlangt, daß er jeden einzelnen Pönitenten vor der heiligen Kommunion noch ganz eigens frage, ob er im Stande der Gnade sei und die Taufe empfangen habe.

c) Endlich ist die Praxis des Herrn Novellus sehr geeignet, die eitle Furcht und Aengstlichkeit vieler Christen vor der täglichen Kommunion noch zu mehren, anstatt sie nach dem Geiste der Päpste Leo XIII. und Pius X. und des Dekretes von 1905 nach Möglichkeit zu entfernen.

d) Auch der Grund des Herrn Pfarrers Expertus, die Zeit im Beichtstuhle vor allem dem Ausfragen, der Belehrung und Dis= ponierung der „Jährlinge" und der selteneren Pönitenten zu widmen, darf nicht unterschätzt werden.

Was die Praxis des Letzteren anbelangt, so zeugt sein Benehmen jedenfalls von viel größerer Menschenkenntnis und richti= gerer Auffassung des Dekretes von 1905. Und vorausgesetzt, daß die Gläubigen seiner Pfarrei von der Kanzel aus hinlänglich und öfters belehrt wurden über den Inhalt des Dekretes und den Sinn der „rechten Absicht", so ist es auch denkbar, daß der Herr Pfarrer wirklich bisher im Beichtstuhl nie ein Wort über die „rechte Absicht" eigens hinzuzufügen brauchte. Auch jene Ansicht des Herrn Pfarrers, daß in Betreff der rechten Absicht kein Unterschied zu machen sei zwischen täglicher und seltener Kommunion, ist nicht ganz unbegründet. Heißt es doch in der von Rom approbierten Instruktion für die Mitglieder des eucharistischen Priesterbundes zur Verbreitung der täglichen Kommunion (n. 2.): „... Die Priester dieser Liga sollen mit Eifer darnach trachten, die Vorurteile und die eitle Furcht des Volkes zu verscheuchen, indem sie dasselbe vollends überzeugen, daß **zum erlaubten Empfang der täglichen Kommunion nicht mehr gefordert wird, als zur wöchentlichen, monatlichen und jährlichen Kommunion, und dies ist einzig und allein der Stand der Gnade und die rechte Absicht**, obwohl es sich sehr geziemt, daß die häufig und täglich Kommunizierenden frei seien auch von läßlichen Sünden, wenigstens von den ganz freiwilligen und von der Anhänglichkeit an dieselben". Der letzte Grund des Herrn Pfarrers Expertus hat also seine volle Gültigkeit nur in der Frage nach den notwendigen Bedingungen zur täglichen Kommunion. Frägt man

um das Geziemende, so ist die rechte Absicht bei der täglichen
Kommunion allerdings mehr zu betonen, als bei der jährlichen.

Ad 3. Wenn auch nicht regelmäßig ein eingehendes, mündliches
Examen im Beichtstuhl anzustellen ist über die rechte Absicht bei der
täglichen Kommunion, so darf dennoch der Beichtvater diese Bedingung
nicht außer acht lassen. Nicht umsonst erklärt die Konzilskongre=
gation selbst in ihrem Dekret (n. 2.) diese fromme und richtige Absicht
zuerst negativ, dann positiv. Der Seelsorger erkläre vor allem öfters
in Predigten, Katechesen und bei Gelegenheit auch privatim die ein=
zelnen Bestimmungen des Dekretes in demselben milden Geiste, in
welchem sie abgefaßt sind. Im Beichtstuhle genügt ihm die perceptio
confusa et implicita des einen oder anderen Motivs der rechten
Absicht. Auch für die einzelnen Gläubigen, besonders für die Kinder
und die Einfältigen, ist es durchaus nicht notwendig, daß sie sich
reflex ihrer rechten Absicht bei der häufigen und täglichen Kommunion
bewußt seien. Eröffnen sie dem Beichtvater gegenüber ihre Zweifel,
so wird letzterer öfters übertriebene Furcht und Aengstlichkeit als
Mangel an rechter Absicht konstatieren. Der Beichtvater belehre sie
kurz über den milden Sinn auch dieser Bestimmung. Findet er ab
und zu Seelen, die sich von mehr oder weniger ungeordneten Absichten
zur täglichen Kommunion leiten lassen, so weise er sie nicht zurück
vom Tisch des Herrn, sondern leite sie an, die gute Meinung vor
jeder Kommunion zu erwecken und die ungeordneten Absichten bei
jeder Regung zu bekämpfen. Schließen wir mit der nochmaligen
Erwähnung der Schlußworte Gennaris: „Die tägliche Kommunion
selbst ist das kräftigste Mittel, um die Absicht vollends zu läutern
und die wahre christliche Vollkommenheit zu erreichen."

VII. **(Messe mit gesäuertem Brot.)** Aus deutscher
Gegend mit lateinischer Kirchensprache wird folgender Vorfall erzählt:
Zum Pfarrer Julius kam der Mesner, nachdem er das erste Zeichen
zur Sonntagsmesse gegeben hatte, mit der Meldung, daß keine große
Hostie vorhanden sei. Zum Unglücke war auch keine kleine Hostie
vorrätig, und so blieb nichts anderes übrig, als aus der eine Stunde
entfernten Nachbarspfarre Hostien holen zu lassen. Leider vergaß man,
einen Schnellfahrer als Boten zu wählen, und so war halt, als der
Pfarrer nach der Frühlehre die heilige Messe lesen wollte, noch keine
Hostie da. In dieser Notlage und in der Verwirrung schickte der
Pfarrer einen Ministranten zum Bäcker um eine Kaisersemmel, schnitt
aus derselben ein hostienartiges Gebilde und zelebrierte nun.

Mit welchem Bewußtsein und mit welchem Gefühle der Pfarrer
an jenem Sonntage die Messe las, möge unerörtert bleiben. Vielleicht
mochte er gedacht haben, daß bei den Griechen es erlaubt, ja sogar
vorgeschrieben sei, mit gesäuertem Brot die heilige Messe zu feiern,
also könne die Giltigkeit nicht bezweifelt werden, und die Frage der
Erlaubtheit werde einfach durch die Notlage gelöst. Die Giltigkeit
der verwendeten Materie ist zwar anzunehmen, wenn der Bäcker

echtes Weizenmehl und natürliches Waffer verwendet hat. Eine geringfügige Beigabe eines anderen Mehles oder Butters, Milch usw., so daß Weizenmehl und natürliches Waffer den weitaus größeren Teil der Materie repräsentieren, würde die Gültigkeit nicht in Frage stellen, aber die Verwendung einer solchen Materie als unerlaubt erscheinen lassen. War nun die Meffe des Pfarrers Julius giltig? Hat er seine Verpflichtung gegenüber dem Stipendiengeber vollauf erfüllt? Wenn er die Intention nicht ein zweitesmal perfolvieren will, so ist unseres Erachtens bei den heutigen Lebensmittelverfälschungen der Pfarrer wohl verpflichtet, sich durch kluges Fragen beim Bäcker Sicherheit über die Giltigkeit „seiner Hoftie" zu verschaffen. Ob er tatsächlich zu einem gewiffenberuhigenden Urteile kommen wird, ist freilich eine andere Sache.

Einfacher löst sich die Frage betreffs der Erlaubtheit. Die Antwort ist kurz: Es war ganz und schwer gefehlt, mit gesäuertem Brot zu zelebrieren. „Si non sit azymus secundum morem Ecclesiae latinae, conficitur, sed conficiens graviter peccat" heißt es in den Rubriken des Miffale (de def. III. 3). Die Vorschrift des Konzils von Florenz, daß die Griechen mit gesäuertem, die Lateiner aber mit ungesäuertem Brot das heilige Opfer darbringen müffen, wurde von den Päpsten Pius V. in der Konstitution Providentia Romani pontificis und Benedikt XIV. in der Konstitution Etsi pastoralis bestätigt und erneuert. In letzterer heißt es: Districte inhibemus etiam sub poena perpetuae suspensionis a divinis, ne presbyteri graeci latino more et latini graeco ritu . . . celebrare praesumant. Als sehr strenge verpflichtendes Gebot wird daher auch von den Autoren diese Vorschrift aufgefaßt. So sagt Bucceroni (Inst. th. m. II. nr. 506): „Ecclesia gravissime urget observationem praescripti ritus." Ebenfo Genicot (Th. m. II. nr. 170): „Ecclesia severissime praecipit, ut unusquisque ritum suum servet." Aehnlich Lehmkuhl (Th. m. II. nr. 121): „Sacerdotem latini rituo solo azymo . . . pane posse uti, praeceptum grave est, a quo vix ulla ratio unquam excusat." Und Marc (Inst. m. II. nr. 1521) gibt auf die Frage: An Latinus possit aliquando celebrare in fermentato? Die Ant= wort: In locis, ubi proprii ritus ecclesia habetur, id absolute prohibetur. Die genannten Autoren, denen noch eine Reihe beigefügt werden könnte, erklären dann noch ausdrücklich, daß nicht einmal die Pflicht, das Viatikum zu empfangen respektive zu reichen, ent= schuldige, sondern einzig und allein das Gebot, das heilige Opfer zu vollenden. „Ab hoc praecepto ne quidem necessitas viatici pro moribundo, sed sola necessitas complendi sacrificii excusat" schreibt Noldin (De sacr. nr. 106). Bei Fabbri (Univ. th. m. princ. II. N. 1691) heißt es: „Juxta sententiam prorsus tenendam ne quidem licet ad communicandum infirmum aliter sine Viatico moriturum: eo quod attentis circumstantiis minus est inconveniens omissio Viatici quam consecratio. Unus tantum remanet

casus, quo licitum est: videlicet, si facta consecratione utriusque
speciei panis acymus reperiatur corruptus et solus panis fermen-
tatus haberi possit, quia divinum praeceptum de integritate
sacrificii ecclesiastico praevalet". Goepfert berührt unseren Fall
ausdrücklich, wenn er schreibt (Moralth. III. nr. 51): „Sub gravi
ist vorgeschrieben, daß bei den Lateinern ungesäuertes . . . Brot verwendet werde. Selbst nicht einmal die Notwendigkeit, einem Sterbenden
das Viatikum zu reichen oder dem Volke den Besuch der Pflichtmesse
an Sonn- und Feiertagen zu ermöglichen, erlaubt eine Abweichung
von diesem schwer verpflichtenden Gebote der Kirche." Mit ähnlichen Worten beurteilt auch Schüch (Pastoralth. 13. S. 463) ausdrücklich den gegebenen Kasus. Die Möglichkeit, am Sonntag die
gebotene Messe anzuhören, ist bekanntlich auch kein Entschuldigungsgrund dafür, daß ein nicht mehr nüchterner Priester noch
zelebrieren könne.

Aber das Gebot, Aergernis zu vermeiden, geht dem Kirchengebote voraus. Gewiß, wenn das Aergernis sicher und nicht anders
zu vermeiden ist. Es soll daher die Bemerkung, die z. B. Noldin
(De sacr. nr. 153) gibt, nicht außer acht gelassen werden. Der erwähnte
Autor sagt da: „Ceterum sacerdos, qui apud fideles male non
audit, periculum scandali atque infamiae facile removebit candide
declarans causam, ob quam celebrare non pos·it. Quodsi fideles
proximam ecclesiam ad audiendum sacrum adire non possunt,
loco missae aliam functionem sacram instituere juvat". Das gilt,
wenn der Priester wegen Bruch des jejunium naturale nicht mehr
zelebrieren kann, das galt noch mehr, da Julius nicht gleich nach
der Frühlehre die Messe lesen konnte. Er hätte einfach dem Volke
sagen sollen, daß aus einem unvorhergesehenen Grunde die Zelebration
der Messe etwas verschoben werden müsse, hätte sagen können: Wer
unmöglich warten könne, könne auch früher nach Hause kehren.
Zugleich mußte eventuell Vorsorge getroffen und dies auch bekannt
gegeben werden, daß der Hauptgottesdienst ebenfalls etwas hinausgeschoben werde. In der Zwischenzeit konnte der Rosenkranz gebetet
werden.

Daß der Pfarrer einen Ministranten zum Bäcker sandte, um
eine Semmel zu holen, war sehr unklug, da gerade aus dieser
Handlung leicht Aergernis entstehen konnte. Wenn die Ministranten
und der Bäcker es wissen, daß der Pfarrer zum Messelesen eine
Semmel benützt habe, so mochten wohl bald die meisten Pfarrleute
die Sache wissen und sich dazu ihre Gedanken machen nicht zu Ehre
des heiligen Sakramentes und zu eigener Auferbauung.

Dieser Fall, der tatsächlich sich ereignet hat, zeigt wiederum,
daß im praktischen Leben gar Merkwürdiges vorfallen kann und daß
nicht bloß Lebensklugheit, sondern vor allem die Kenntnisse der
theologischen Disziplinen die rechte Lösung finden lassen.

St. Florian.   Prof. Asenstorfer.

VIII. **(Behandlung der Zensur propter absolu-**
tionem complicis.) Der Priester Eutychius hat durch tactus
turpes an einem Knaben sich verfehlt und ihn dann beichtgehört.
Der Beichtvater Serapion absolvierte ihn, weil er die Vollmacht
hat, von allen päpstlichen Fällen loszusprechen und weil er überdies
glaubt, es bestände die Zensur noch nicht, da noch keine poll. oder
fornic. vorgefallen sei. Eutychius, im Gewissen nicht beruhigt, begibt
sich zu Spiridion, der die Sache ernst nimmt; da er entdeckt, Euty=
chius sei bereits zweimal mit apostolischer Vollmacht von derselben
Zensur absolviert und nun ein drittes Mal in dieselbe verfallen,
berichtet er (tecto nomine poenitentis) nach Rom. Laut Reskript
fordert er sodann den Pönitenten auf, das Amt des Beichtvaters
für immer niederzulegen. Dieser gerät in Verzweiflung und da er
dem Reskripte nicht entsprechen kann, händigt ihm Spiridion das=
selbe ein mit dem Bedeuten, er solle damit machen, was er wolle
und absolviert ihn nicht. — Was ist über beide Beichtväter zu
sagen? Beide haben gefehlt.

Serapion ist im Irrtum über die Natur der complicitas sowohl
als über den Umfang seiner Vollmacht. Die complicitas besteht
immer, sobald eine schwere Sünde, äußerlich als solche erkennbar,
zwischen beiden geschieht und zwar contra ipsam castitatem, sei
es nun ein peccatum luxuriae completae — pollutio, fornicatio —
oder incompletae — tactus in partibus inhonestis, verba graviter
obscoena, aspectus turpes), nicht aber contra solam pudicitiam
(verba aliqualiter tantum scurrilia, tactus in partibus honestis
u. dgl.), also nur gegen den Wohlanstand.[1]) Belanglos ist es, ob
ein männliches oder weibliches Wesen complex ist. Ist die Sünde
nicht sicher contra luxuriam, oder nicht sicher schwer, oder auf einer
Seite nur eine innere, so ist die Komplizität in unserem Sinne
nicht gegeben; denn: odia sunt restringenda. Dasselbe ist zu sagen,
wenn ein Teil, selbst wegen Ueberredung des andern, die Sünde,
die objektiv schwer ist (subjektiv), nicht für schwer hielt vor der Tat;
— anders ist aber zu sagen, wenn der Priester post factum dem
Komplex einredet, es sei keine schwere Sünde, damit er es bei der
Beicht verschweige: denn in diesem Falle würde dieser Priester, der

---

[1]) Hier muß aber gewissenhaft unterschieden werden: denn tactus, verba,
aspectus werden an sich zwar als der pudicitia entgegengesetzt von den Autoren
betrachtet und nur, wenn sie mit schuldbarer commotio carnalis verbunden
sind, werden sie als actus luxuriae behandelt. — Für die Zensur kommen sie
aber sicher immer in Betracht, wenn sie (wegen occasio in se et absolute
proxima, z. B. bei tactus und aspectus in pudendis, schwer obszöne Worte)
äußerlich als schwere Sünden erkennbar sind (S. Off. 28 Mai 1873), da sie
diesfalls, wenn auch bloß impudici an sich, unmittelbar mit dem genus luxuriae
in Beziehung stehen und darum, wie das angezogene Dekret sich ausdrückt,
complicitatem important"; die äußere Handlung mag eine pudica sein; der
innere Affekt ist aber libidinos und wird wegen der qualifizierten Art und
Weise der äußeren Handlung genügend äußerlich als schwer sündhaft
erkennbar und ist pecc. grave externum. (D. V.)

den Komplex dann absolviert, der Zensur verfallen. Oscula sind als Komplizität dann zu betrachten, wenn sie von beiden nach dem vorausgehenden Gewissen als gravia peccata luxuriae (incompletae) mit Recht betrachtet wurden; denn wenn dieselben mit wegen der Begleitumstände (irritatio venerea, große Heftigkeit, lange Dauer, Wiederholung, stricti amplexus, partes . . .)¹ qualifiziert waren, ist ganz gut der Fall denkbar, daß wenigstens der Pönitent sie (da sie nur obiter vorfielen — osc. obvia) nicht als schwere Sünde auffaßte.

Ferner ist Serapion in krassem Irrtum über seine Vollmachten. Erstens erhält kaum ein Priester Vollmacht über alle Zensuren, und wenn ja, so ist die Vollmacht über diese Zensur immer aus= geschlossen, wenn sie nicht ganz speziell erwähnt ist; die Zensur heißt darum specialissime reservata. Krasse Unkenntnis der Zensur ent= schuldigt von dieser Zensur nicht (S. Off. 13. Jan. 1892), da sie wohl immer kulpabel ist; sollte sie wegen unverschuldeter mangelnder theologischer Bildung entschuldbar sein und der Konfessor die Absolution des complex sogar für erlaubt halten, so wäre freilich anders zu urteilen; dies schließt Schreiber aus einem Reskript der Pönitenziarie in einem Falle, da es sich um einen in den alten „Generalseminarien" herangebildeten Priester handelte. (Freilich ist der Fall aus „grauer Vorzeit".) Die Zensur gilt auch für die Simulation der Lossprechung (S. Poen. 1. März 1878; — S. Off. 10. Dezember 1883). — Keine Zensur besteht, wenn der Komplex aus freien Stücken die Sünde verschwieg.

Serapion ist also im Irrtum und sogar, wenn ihn nicht Unkenntnis entschuldigt, selbst der dem Papste einfach reservierten Exkommunikation verfallen, da er einen Absolutor complicis ohne Vollmacht von einer speciali modo dem Papste reservierten Zensur absolviert hat (Const. „Apost sedis").

Unklug und hart aber war das Vorgehen Spiridions. Er hätte, sobald Eutychius das Amt des Beichtvaters nicht aufgeben konnte, sich nochmals an die Pönitenziarie wenden sollen. Da Schreiber dieses über das heutige Verfahren derselben gut informiert ist, so hält er es für angezeigt, hierüber zu berichten. Es ist wohl ein trauriges Thema, aber behandelt muß es auch werden.

Wenn einem Beichtvater eine absolutio complicis gebeichtet wird, so ist wohl das erste, den Pönitenten an die Zensur zu erinnern, die er sich zugezogen hat, und zu fragen, wie oft er die Person des Komplex von dieser Sünde absolviert habe, ferner, ob er schon früher einmal von dieser Zensur behaftet war und, wenn auch mit apostolischer Vollmacht, absolviert worden sei. Es kommt hier nämlich in Frage, wie oft er in seinem ganzen Leben die absolutio complicis begangen hat.

Der Priester, der meist zu funktionieren von Amts wegen gezwungen ist, ist ferner zu absolvieren. Es ist ja bekannt, daß

man auch außer dem Notfalle von allen Zensuren, die dem Papste
reserviert sind, absolvieren kann, wenn es dem Pönitenten sehr schwer
ist, länger zu warten. Doch muß sub poena reincidentiae in easdem
censuras innerhalb eines Monats an die Pönitenziarie rekurriert
werden ad standum mandatis Ecclesiae. Der Rekurs ist Sache
des Pönitenten, doch kann ihn auch der Beichtvater übernehmen
(„Officium boni viri"); kann der Pönitent aber nicht schreiben und
ist ihm die Rückkehr zu demselben Beichtvater schwer, so müßte er
sich zwar an einen anderen wenden, fällt ihm dies zu schwer, so ist
er von der Pflicht des Rekurses frei. Dies letztere aber gilt bei der
censura specialissime reservata nicht; denn ein Priester kann gewiß
schreiben! (S. O. 30. Juni 1886; 17. Juni 1891; 19. August 1891;
30. März 1892; 16. Juni 1897; 9. November 1898; 7. Juni 1899;
5. September 1900; 19. Dezember 1900. S. Poenit. 7. November 1888.)
An die Pönitenziarie kann man in jeder Kultursprache schreiben;
das Beichtsiegel wird von ihr heilig gehalten, ohnehin schreibt man
bei Beichtstuhlkasussen nie den Namen des Pönitenten ins Gesuch;
es läge aber gar keine Gefahr darin, wenn ein Pönitent selbst an
sie schreibt und seinen Namen unterschreibt; das entsprechende Porto
für die Antwort — einfach, rekommandiert oder Expreßbrief — kann
man in einheimischen Marken beilegen; sonst aber kommt die
Antwort unfrankiert; man kann die Antwort auch poste restante
verlangen. — Ein Bogen Kanzleipapier zahlt, da fürs Ausland 15 g
die Grenze des einfachen Porto ist, schon doppeltes; also 25 h in
den Brief und 25 h aufs Kuvert! Taxe ist keine für Gewissensfälle!

Im Gesuche ist anzugeben, wie oft Pönitent in tota vita
sua ein pecc. complicitatis absolviert hat und ob er schon einmal
von der Zensur apostolica facultate losgesprochen wurde. Pönitent
ist für etwa ein Monat verpflichtet, zum Beichtvater zurückzukehren, er
kann sich auch das Reskript entweder durch die Pönitenziarie oder von
dem ersten Beichtvater senden lassen und damit zu einem andern gehen,
falls noch nötig. Nötig ist es aber nur dann, wenn Pönitent noch
nicht absolviert ist oder die mandata der Pönitenziarie nicht direkt
von derselben auferlegt werden, sondern der zu erwählende Beichtvater ermächtigt wird, sie zu „fulminieren".

Hat Pönitent (seit jeher) nur ein- bis zweimal sich durch die
absolutio complicis verfehlt, so fordert die heilige Bußbehörde, daß
„die occasio prox. behoben, die Pönitenten, falls sie zurückkommen
zur heiligen Beicht, an die Ungültigkeit der bisherigen Absolutionen
zu mahnen und anzuweisen sind, ihre Beichten bei einem confessarius
non-complex zu wiederholen; auch sollen sie später nicht mehr zum
complex beichten gehen, den Fall des sonstigen Aergernisses ausgenommen". Auch wird die Vollmacht zur Lossprechung von der
Zensur unter Auflage schwerer Buße beigefügt, wenn sie noch nicht
erteilt wurde, sowie zur Dispens der etwa eingetretenen Irregularität
ex delicto, nämlich wegen Vornahme etwaiger Funktionen trotz der

Zensur; war aber Pönitent schon absolviert, so durfte er funktio=
nieren; hatte er nach der absolutio complicis schon funktioniert, so
konnte der Beichtvater ihn nur (praevie) von der Zensur, nicht aber
von der Irregularität befreien (wenn derselbe dazu nicht eine besondere
Vollmacht hatte, was z. B. bei Regularen der Fall ist); darum konnte
der in Irregularität Befindliche nur im Notfall (infamia) funktio=
nieren. Endlich fordert die heilige Bußbehörde, „daß nach einem
etwaigen Rückfalle in einem neuerlichen Gesuche erwähnt werden
müsse, daß er schon einmal die apostolica gratia absolutionis ab
hac censura erhalten habe, widrigenfalls die künftige, auf neuer=
liches Bittgesuch erteilte Gnade der Lossprechung vom relapsus
ungültig sei". Leider wird die Beobachtung dieser Vorschrift öfter
von Pönitenten oder von Beichtvätern vergessen und sind darum
die Reskripte ungültig!

Hat aber Pönitent mindestens dreimal (während seiner ganzen
Wirksamkeit als Priester) eine absolutio complicis verbrochen[1]) (einerlei,
ob an derselben Person oder an verschiedenen), so verlangt die Pöni=
tenziarie, daß er das Amt des Beichtvaters aufgebe und, nachdem
er es aufgegeben, nie mehr übernehme. Kann ein Pönitent diese
Klausel nicht einhalten, weil er von Amts wegen oder seiner Stellung
halber oder wegen Verfügung seiner Vorgesetzten (Kurat, Hilfspriester
u. dgl.) beichthören muß, so ist ein neues Gesuch an die Pönitenziarie
nötig; er erhält die Prolongation auf ein volles Jahr; ist während
desselben kein Rückfall (in hanc censuram; denn ein relapsus in
peccatum turpe wird nicht in Betracht gezogen) vorgekommen, so
erhält er dann die Prolongation meistens auf drei Jahre, wenn
neu angesucht wird. Nach Ablauf dieser Frist erhält er, wenn kein
relapsus in hanc censuram geschah, auf Ansuchen die Rehabilitation
für immer. Ob der vollständig rehabilitierte Pönitent beim Rück=
fall die gratia rehabilitationis aliquando iam obtenta in seinem
Gesuche erwähnen muß, ist fraglich, da im Rehabilitations=Reskript
kein Passus diesbezüglich beigefügt ist.

Von Belang ist für die Verfügung der Pönitenziarie, wie
große Distanz zwischen der ersten gratia und dem relapsus ver=
strichen ist, nicht ohne Berücksichtigung bliebe auch ein tadelloses
Leben, das er lange Zeit seit der ersterteilten gratia bis zum späten
relapsus geführt, ferner die species peccati complicitatis; so hat
die Pönitenziarie im einem Falle die dimissio muneris confessarii
trotz 16maliger (!) absolutio complicis nicht verlangt, da nur oscula
qualificata vorgefallen waren.

Wir setzen zum Schlusse den gewöhnlichen Wortlaut der Fakultät
hieher, die dann erteilt wird, wenn ein unglücklicher Priester
mindestens dreimal in die Zensur fiel und praevie keine Absolution
poena reincidentiae im Falle der Unterlassung des Rekurses erhielt:

---

[1]) Klagt sich ein Komplex bei seiner ersten Beichte über die Sünde an,
bei den folgenden aber nicht, so liegt nur eine absolutio complicis vor. (D. V.)

„S. Poenitentiaria, attentis expositis, tribuit Tibi, dilecto in Christo confessario, saeculari vel regulari, ex approbatis ab Ordinario loci ad libitum oratoris latoris (Empfänger der gratia) electo (er kann also zu einem andern Priester gehen, es muß nicht der frühere sein) facultatem, Apostolica auctoritate ipsum oratorem, si ita sit, absolvendi a censuris et excommunicatione, peccatis et sacrilegiorum reatibus ob praedicta quomodolibet incursis in forma Ecclesiae consueta, ac dispensandi cum eo eadem apost. auct. ab irregularitate ex violatione censurarum quomodolibet contracta; iniuncta ei gravi poenitentia salutari, necnon, quod officium confessarii, quo tam perdite abusus est, omnino dimittat infra terminum a Te, pensatis circumstantiis, statuendum, non tamen ultra tres menser (mitunter werden größere Zeiträume angegeben), dimissumque non amplius reassumat; et interea abstineat a confessionibus personae complicis (personarum complicium) quantum citra grave scandalum fieri potest (dieses Verbot bleibt selbst im Falle der Fristverlängerung meist aufrecht) eamque (easque), si ad eum recurrerit (recurrerint), monitam (monitas) de nullitate antecedentium absolutionum, ad alium confessarium non complicem remittat. Pro foro conscientiae et in sacramentali confessione tantum, ita ut huiusmodi gratia in foro externo nullatenus ei suffragetur. Praesentibus attente perlectis et statim post executionem sub poena excommunicationis latae sententiae per Te combustis.

Romae, ddo. . . ."

Der Beichtvater, der nach Gebrauch der Vollmacht das Reskript nicht sofort verbrennt, ist exkommuniziert.

Da die Reskripte oft sehr undeutlich geschrieben sind, so dürfte die Veröffentlichung des Textes von Interesse sein. Die Adresse der heiligen Pönitenziarie lautet: Al eminentissimo e reverendissimo Cardinale Penitenziario maggiore, Roma, piazzo della cancellaria apostolica.   P. H . . .

IX. (Sterbesakramente mit Zelebration im Notfalle.)

Ein Schulkasus. Kunibert, Pfarrer und Schulinspektor von H., hält in seiner Bergfiliale, die eine starke Stunde von H. entfernt ist, nachmittags Schulvisitation. Da wird er aus dem Schulzimmer gerufen und erfährt, daß der Dorfschmied der Filiale, Theobald, ein bekannter Trinker, neben seinem Amboß von einem Schlage getroffen, zusammengebrochen sei. Kunibert geht in das Haus des Schmiedes und findet Theobald bewußtlos auf seinem Bette liegen, wohin er von seinen erschrockenen Angehörigen gebracht worden war.

I. Alle Versuche, ein Zeichen von Bewußtsein von ihm zu erlangen, schlagen fehl und so gibt ihm denn Kunibert ohne weiteres die Lossprechung: „Si dispositus ex ego te absolvo ab omnibus censuris et peccatis in nomine P. et F. et Sp. Si. Amen".

II. Kunibert möchte dem Sterbenden auch die heilige Oelung erteilen; aber das heilige Oel ist in der Pfarrkirche unten im Tale und um es von dort zu holen, braucht ein guter Fußgänger und Bergsteiger mindestens 1½ Stunden; in der Zwischenzeit aber wird Theobald voraussichtlich sterben? Was tun? Für alle Fälle schickt er den Sohn des Schmiedes, einen starken, zuverlässigen Burschen, in die Pfarrei mit den nötigen Weisungen, das heilige Oel zu bringen.

III. Kunibert denkt natürlich auch an die heilige Wegzehrung. Nach einigem Hin= und Herdenken entschließt er sich in Anbetracht der Notlage, trotzdem er nicht mehr nüchtern ist und trotz der Nachmittagszeit, in der Filialkapelle, in der er monatlich zweimal zu zelebrieren pflegt, das heilige Meßopfer darzubringen ad conficiendum viaticum.

Er läßt den Filialküster rufen und geht mit ihm zur Kapelle. Aber was müssen sie da sehen! Offenbar ist da ein Einbruch verübt worden, denn alles ist in der größten Unordnung. Kunibert geht aber entschlossen voran, kleidet sich an, so weit die vorhandenen Paramente es gestatten: er geht an den Altar nur mit Albe und Kasel angetan, nur mit Kelch und Patene, ohne Kelchvelum, ohne Purifikatorium, ja ohne Korporale. Den Küster läßt er inzwischen den gewöhnlichen Meßwein und in Ermangelung von Hostien ein Schnittchen reinen Weizenbrotes holen und beginnt die heilige Messe de requiem — ohne Ministrant, ohne Lichter, ohne Kruzifix. Zum Offertorium ist der Küster wieder zurück und so geht dann die heilige Messe voran. Bei der Kommunion des Priesters kommt ein Bote: Theobald sei in den letzten Zügen. Kunibert genießt eilig das heilige Blut, zieht die Kasel aus, legt das abgebrochene Stück der heiligen Brot= gestalt auf die Patene, eilt damit in das nahe Haus des Kranken und reicht dem besinnungslosen Sterbenden, ohne das Konfiteor beten zu lassen, in einem Löffel Wasser die heilige Wegzehrung.

IV. Da Theobald doch nicht sofort zu sterben scheint, geht Kunibert in die Kapelle zurück, purifiziert den Kelch und die Patene — da kein Purifikatorium zur Stelle ist, spült er den Kelch mehrmals mit Wasser — vollendet die heilige Messe und begibt sich dann wieder ans Sterbebett. Es vergeht noch eine ganze Stunde, ehe Theobald seinen Geist aufgibt. Fünf Minuten nach dem Hinscheiden des Vaters kommt sein Sohn mit dem heiligen Oele, und Kunibert, wiederum kurz entschlossen, salbt dem (wenigstens scheinbar) Verstorbenen die Stirne unter der Formel: „Si adhuc vivis, per istam sanctam unctionem indulgeat tibi Dominus, quidquid deliquisti. Amen."

Was sagt nun die Moral zur Handlungsweise Kuniberts in diesem Falle, der sich praktisch kaum je verwirklichen wird, der aber geeignet erscheint, die Grenzlinien des Erlaubten für die schwierigsten Umstände theoretisch anzugeben?

Ueber bedingte oder abſolute Losſprechung Bewußtloſer, ver=
gleiche dieſe Zeitſchrift 1900, S. 94 ff.

I. Die abgekürzte Form für die Losſprechung von Zenſuren
und Sünden iſt dann zu gebrauchen, wenn nach dem Urteil des
Abſolvierenden 1) der Pönitent dem Tode ſo nahe iſt, daß er beim
Gebrauch der gewöhnlichen Formel ſchon vor den Worten: „Deiu
ego te absolvo a peccatis tuis etc." ſtürbe; — hiebei iſt keine Rück=
ſicht zu nehmen auf die Meinung jener, nach welchen der wahre Tod
ſpäter eintritt als der ſcheinbare; 2) wenn nach dem Urteil des
Abſolvierenden der Tod zwar noch nicht auf der Stelle erfolgt, der
Gebrauch der gewöhnlichen Formel jedoch die rechtzeitige Spendung
der anderen Sakramente in Gefahr brächte. Dieſer Fall tritt nur
dann ein, wenn der Prieſter das heiligſte Sakrament oder das
heilige Oel bei ſich hat, oder wenn er mehreren Verunglückten die
Losſprechung in articulo mortis geben will, die Sterbenden aber
nicht gemeinſam abſolvieren kann. Wenn alſo Kunibert glaubte,
Theobald liege ſchon in den letzten Zügen, dann mußte er nach
1) die abgekürzte Form der Losſprechung gebrauchen. Wenn er
aber erkannte, daß der Sterbende noch eine oder zwei Minuten leben
würde, ſo mußte er für eine gewiſſere Diſpoſition des Beichtkindes
ſorgen. Und obſchon Theobald ganz bewußtlos zu ſein ſchien, mußte
Kunibert doch verſuchen, ihm die notwendigen Akte vorzuſprechen;
denn es iſt eine begründete Annahme, daß bei „Bewußtloſen", zumal
bei ſolchen, welche vom Schlagfluſſe gerührt werden, der Gehörſinn
am längſten ſeine Leiſtungsfähigkeit bewahrt.

Nachdem endlich Kunibert ſah, daß Theobald nach der Los=
ſprechung noch weiter lebte, mußte er wenigſtens jetzt durch Vorſagen
der nötigen Akte die Diſpoſition des Sterbenden wahrſcheinlicher
machen und dann wiederum von neuem die bedingte Losſprechung
erteilen. Kunibert fehlte alſo dadurch, daß er nicht für eine beſſere
Diſpoſition des Pönitenten ſorgte, obſchon er es mit einiger Wahr=
ſcheinlichkeit von Erfolg hätte tun können.

Zu II. Kunibert läßt das heilige Oel durch einen Laien
holen: dafür verdient er in dieſem Falle nur Lob, keinen Tadel. In
extremis extrema tentanda und Sacramenta propter homines. Die
Losſprechung war ihrem Werte nach recht zweifelhaft; die Wirkung
der heiligen Oelung iſt bedeutend ſicherer — wenn auch nicht ganz
ſicher, daß er alſo für die Möglichkeit der heiligen Oelung Sorge
trug, war ganz am Platze, ja gefordert. Der Umſtand, daß er das
heilige Oel durch einen Laien beſorgen laſſen mußte — weil er ſelbſt
beim Sterbenden bleiben wollte — iſt nicht ſo ungeheuerlich, daß er
deswegen auf die mögliche Erteilung der heiligen Oelung hätte
verzichten müſſen.

Zu III. Zur Zelebration durfte ſich Kunibert dann (und nur
dann) entſchließen, wenn er 1. die begründete Anſicht hatte, daß der
Kranke die Zeit der heiligen Meſſe überleben würde; 2. die moraliſche

Gewißheit, daß Theobald in der Zwischenzeit nicht wieder zu sich kommen und so einer sicheren Lossprechung fähig würde; für diesen Fall mußte dann Kunibert beim Kranken bleiben; und 3. endlich mußte er sich vergewissern oder es wenigstens für möglich halten, daß der Kranke imstande war, überhaupt etwas zu sich zu nehmen. Unter diesen Voraussetzungen sagt Lehmkuhl (Theologia moralis[10] II n. 161): „Imo addam, si (quod practice vix juvabit notasse) aegrotus hujus sacramenti (scl. ss. Eucharistiae) solius satis certo capax sit, eo quod absolutio propter sensuum·rationisque aegroti destitutionem maneat dubia et quod S. Oleum defecerit neque haberi tam cito possit, celebrari debere, etiam post meridiem“. Ganz genau Kuniberts Fall! Wenn also Kunibert eine normale Messe lesen konnte, so durfte (nach Lehmkuhl: mußte) er es tun.

Nun aber eine heilige Messe auf so abnorme Art! Kuniberts ganzer Ornat bestand aus Albe und Kasel! Damit ist er bis hart an die Grenze des Erlaubten gegangen: „Defectus casulae vel albae tantus censetur, ut fere ne ad Viaticum quidem conficiendum liceat sine illis celebrare: S. Alph. n. 377; reliquae vestes etsi, quando plures simul desunt, materiam gravis praecepti constituunt, tamen ex necessitate Viatici consecrandi aut scandali evitandi (e. g. si cum scandalo populi diebus festivis Sacrum futurum non esset) licite omittuntur“ sagt Lehmkuhl a. a. O. n. 230. Kunibert las eine Requiemmesse, obschon am Tage ein festum duplex war; aber auch deswegen ist er in dieser Notlage nicht zu tadeln: „Qualitas Missae de praecepto quidem est, at non de gravi, excluso scandalo et contemptu, vel nisi frequenter diebus vetitis Missae diei non convenientes dicantur“. Lehmkuhl a. a. O. n. 239. — Es genügte auch, in diesem Falle in der missa quotidiana pro defunctis eine einzige Oration zu beten. — Vielleicht war die Farbe der Kasel nicht schwarz — aber „color paramentorum praeceptum grave per se non constituit“, sagt wiederum Lehmkuhl a. a. O. n. 230. —

Kunibert zelebrierte auch ohne Korporale; „in gravi vero necessitate licebit sine eo celebrare“. Lehmkuhl a. a. O. n. 229. In einem solchen Falle dürfte es aber angezeigt sein, die konsekrierte heilige Hostie stets auf die Patene und nicht auf das Altartuch — vielleicht war in Kuniberts Falle ein solches nicht einmal vorhanden — zu legen und das Kreuzzeichen während des „Libera nos quaesumus“ mit der bloßen Hand zu machen.

Wir dürfen annehmen, daß der Küster nach seiner Rückkehr irgend eine Kerze oder irgend ein Licht angezündet hat. Zur Frage schreibt Lehmkuhl a. a. O. n. 233: „Ad conficiendum viaticum plerique etiam censent, sacerdotem sine ullo lumine celebrare non posse: S. Alph. n. 394, Tamb. 1. c. cap. 5 § 4; at si agatur de summa necessitate moribundi sensibus destituti, non video, cur non possimus cum Lacroix l. 6 p. 2 n. 392 contrariam opinionem

„probabilem", immo valde probabilem dicere, in quam etiam Gobat, Sporer (De Euch. n. 381) etc. inclinant." — Ein Kruzifix=bild wird für die heilige Messe nur sub veniali verlangt; Kunibert konnte also in seiner Notlage davon absehen. — Daß er die heilige Messe ohne Ministrant anfing, ist entschuldbar: „Licet sine ministro celebrare, approbante S. Alph. ob conficiendum Viaticum" (Lehmkuhl a. a. O. n. 244).

Was ist aber dazu zu sagen, daß Kunibert mit gewöhnlichem, gesäuertem Weizenbrot zelebrierte? Wenn er für sich dachte: „Was in allen Kirchen des griechischen Ritus erlaubt ist, was auch lateinische Priester in griechischen Kirchen tun dürfen, das wird auch mir nicht versagt sein, wo das ewige Heil eines Sterbenden auf dem Spiele steht", dann kann er jedenfalls subjektiv von aller Schuld freigesprochen werden. Ja, es ist probabel, daß unter diesen Umständen die Zelebration mit gesäuertem Brot auch objektiv erlaubt war. Der heilige Alphons schreibt (Th. M. l. 6. n. 203) zu unserer Frage: „An in casu necessitatis ad praebendum viaticum infirmo possit sacerdos latinus consecrare in fermentato": „Affirmant Major et Tanner apud Renzi; quia, ut dicunt, praeceptum divinum suscipiendi viaticum praevalere debet praecepto humano cele-brandi in azymo. Sed negat communis et probabilior sententia ... Ratio, quia in hoc casu praeferenda est reverentia erga tantum sacramentum utilitati proximi, cui tale sacramentum non est simpliciter necessarium." Hiezu ist ein doppeltes zu bemerken: einmal nennt St. Alphons die negative Meinung communis (!) et probabilior, gesteht also der andere eine wahre Probabilität zu; sodann trifft die Unterstellung, mit welcher er die leugnende Sentenz zu stützen sucht, in unserem Falle nicht zu; denn man darf wohl kühn behaupten, daß die heilige Eucharistie für den sterbenden Schmied ein sacramentum simpliciter necessarium war.

(Dazu sei bemerkt: der heilige Alphons nennt die verneinende Ansicht communis et probabilior, daß dann die bejahende nach vere et solide probabilis sei, läßt sich nicht mehr behaupten. Ferner führt der heilige Lehrer für die erstere Meinung nur zwei Autoren an: Major und Tanner, von denen nur letzterer als auctor gravis gilt. Zur Begründung der äußeren Probabilität werden aber allgemein fünf oder sechs auctores scientia et prudentia insignes erfordert. Betreffs der Notwendigkeit der Kommunion lehren die Dogmatiker (cf. Pohle III.³ S. 302), sie sei für die Erwachsenen notwendig necessitate praecepti, aber nicht necessitate medii. Das Gebot verpflichtet zwar vor allen tempore mortis; allein es ist auch zu beachten, daß, wer unwürdig das Viatikum empfängt, dem Gebote nicht Genüge leistet, daß der Zustand der heiligmachenden Gnade die conditio sine qua non der Gnadenwirkung der heiligen Eucharistie ist. War also durch Erweckung der Reueakte und durch die Abso=lution für den Kranken zur Genüge gesorgt, so war für den Schmied, der ein „bekannter Trinker" war, das sacramentum sc. eucharistiae nicht mehr simpliciter necessarium. Hatten aber jene Akte (Vorbeten der Reue und Absolution) keine Wirkung, so konnte auch die Spendung der Wegzehrung keine Heilswirkung hervorbringen, war sogar eine profanatio sacramenti. Nolbin III⁶ S. 153 sagt daher klar und deutlich: Bewußtlosen kann die Wegzehrung gegeben werden, wenn sie die Absicht haben, sie zu empfangen (was bei denen vorausgesetzt werden kann, die christlich gelebt haben), und wenn jede Gefahr der Verunehrung ausgeschlossen ist. Sie muß ihnen aber nicht gegeben werden. „Et quamvis absolute eis dari possit, usus tamen raro habet, ut sensibus destitutis detur eucharistia." (D. R.)

Es wurde bisher vorausgesetzt, daß Kunibert der festen Ueber=zeugung war, das Brot, das er konsekrierte, sei wahres Weizenbrot, also materia valida, wenn auch unter anderen Umständen materia illicita; konnte er diese Ueberzeugung vernünftigerweise nicht haben, war dies Brot seiner Meinung nach eine materia dubia, dann gilt der Satz: „Materiam dubiam consecrare vix unquam licet, nisi forte ad sacrificium complendum, si materia certo valida jam haberi nequeat" (Lehmkuhl a. a. O. n. 120), dann war auch das Sakrament der heiligen Eucharistie von zweifelhafter Gültigkeit, dann war die Gefahr der Idololatrie so groß, daß sie auch unter den angegebenen Umständen nicht herbeigeführt werden durfte.

Kunibert unterbrach nach der sumptio sanguinis die heilige Messe. Lehmkuhl erlaubt die Unterbrechung der heiligen Messe zwischen Wandlung und Kommunion (a. a. O. n. 247), wenn es sich um die Taufe, Lossprechung eines Sterbenden oder die Oelung eines Bewußt=losen handelt. Eine gleichdringliche Notlage war in unserem Falle vorhanden und die Unterbrechung war um so mehr gestattet, als sie erst nach der heiligen Kommunion eintrat. (Vgl. auch den Kasus „Interruptio missae bei dringendem Versehgang" von J. Chrys. Gspann in dieser Zeitschrift 1906, S. 130 f.).

Daß Kunibert beim Sterbenden angekommen, das Konfiteor nicht mehr beten ließ, vielleicht auch das dreimalige Domine non sum dignus selber nicht sprach, war bei seiner Annahme, daß der Tod in den nächsten Augenblicken eintreten würde, ganz in der Ordnung; ebenso daß er das heiligste Sakrament mit Wasser ver=mischt darreichte. (Ueber die Spendung der heiligen Wegzehrung an Bewußtlose, siehe diese Zeitschrift 1900, S. 861 ff.).

Zu IV ist nur wenig zu bemerken. Es war gewiß angebracht, daß Kunibert den Kelch purifizierte, so gut er konnte, und die heilige Messe zu Ende las. Zum letzteren aber war er vielleicht nicht mehr verpflichtet, wenn die Unterbrechung etwa ¼ Stunde gedauert hatte, weil mit der Kommunion des Priesters das Wesent=liche der Messe seinen Abschluß findet.

Die Erteilung der heiligen Oelung kurze Zeit nach dem Ableben Theobalds war nach dem, was P. Lehmkuhl und P. Franz in dieser

Zeitschrift (1908, S. 713 ff., resp. S. 493 ff.) geschrieben, sicher erlaubt und geboten.

Was ist von der Art, wie Kunibert die heilige Oelung spendete, zu sagen? Er erteilte das Sakrament ohne vestis sacra, und dazu war er unter diesen Umständen befugt; — er gebrauchte die kurze für den Notfall approbierte Formel, und das mußte er tun; — er salbte nur die Stirne, ohne die anderen Sinne nachher mit dem heiligen Dele zu berühren, was doch bisher üblich war; aber auch darin hat er richtig gehandelt! Lehmkuhl sagt (Casus conscientiae³ II n. 671): „Sufficere cum tali forma unctionem unam in fronte." Der Grund liegt darin, daß bei einer einmaligen Salbung der Stirne die sicher gültige Form voll und ganz bewahrheitet wird. Aus diesem selben Grunde würde sehr wahrscheinlich auch — wenn z. B. der Kopf ganz in Bandagen gehüllt wäre — eine einmalige Salbung der Brust genügen. Zweifelhaft wäre die heilige Oelung, wenn nur etwa die Hand, der Fuß gesalbt würde, weil man dann nicht einfachhin sagen könnte, daß der Mensch gesalbt worden sei; eine solche Oelung müßte wiederholt werden. In dieser Beziehung verhalten sich Taufe und Oelung durchaus ähnlich.

Alles zusammenfassend müssen wir also Kunibert das Zeugnis ausstellen, daß er bei Spendung der Sterbesakramente in keinem einzigen Punkte die Grenzen seiner Befugnisse überschritten hat; allerdings hat er diese Grenzen gestreift, so besonders in der materia ss. Eucharistiae.

Aber hat er auch alles getan, was er tun durfte und mußte? Zweierlei hat er zu tun unterlassen, was er hätte tun sollen:

1. Mußte er, wie bereits bemerkt, dem Bewußtlosen die nötigen Akte vorsprechen und ihm daraufhin wiederum die Absolution erteilen und das letztere besonders im Augenblicke des Todes;

2. mußte er — daß er dazu die Vollmacht hatte, dürfen wir voraussetzen — dem Todkranken auch den päpstlichen Segen erteilen mit vollkommenem Ablaß für den Moment des Todes. Als Regel gilt: Wenn man die heilige Oelung (wenn auch bloß bedingungsweise) geben kann, dann kann man auch den Sterbeablaß, und zwar bedingungslos, erteilen; nur sorge man nach Kräften dafür, daß der Sterbende wenigstens innerlich den heiligen Namen Jesus anrufe.

Valkenburg (Holland).   J. B. Umberg S. J.

X. (Kirchengesang und Choralgesang) bieten immer wieder Anlaß zu Federstreitigkeiten. Wenn die Benediktiner der Beuroner Kongregation Feuer und Flamme sind für den vatikanischen Choral und mit zündender Rede alle Welt dafür begeistern möchten, kommen dann die Vertreter entgegengesetzter Ansichten und der herkömmlichen Zustände und die sind überzeugt, daß es gerade mit der Einführung des liturgischen Chorals ganz gewaltige Schwierigkeiten hat und das namentlich deshalb, weil das Volk für solche Melodien kein Verständnis habe. Ist denn das auch wahr? Ich habe es nie geglaubt. Ich meine, für das wahrhaft Kunstschöne hat das Volk sein Verständnis und seinen Geschmack, der nicht verbildet ist. Ein frommes Gemälde, von wahrer Meisterhand, weiß es zu schätzen; allerdings für Jugendstil fehlt wieder jedes Verständnis.

Ich hatte die schönste Gelegenheit für meine Meinung zu experimentieren; man urteile, ob mein Experiment zu gunsten meiner Annahme ausfiel oder nicht.

Ich will da aus Hessen erzählen, und zwar aus der Diaspora im Odenwalde. Dort, wo man zwei, drei und vier Stunden geht zur nächsten Pfarrkirche, habe ich Choral aufführen lassen in einer kleinen Privatkapelle, und das zu meiner und der Sänger und der Anwesenden größten Befriedigung. Man urteile.

Von Ende Juni an teilte ich dort mit einer adeligen Familie den angenehmen Sommeraufenthalt. Katholiken aus drei Pfarreien besuchten während der Zeit bei mir den viel näheren Gottesdienst. Sie sangen, wie sie es konnten, zur Messe deutsche Kirchenlieder. Nach der ersten Sonntagsmesse bat ich die Männer, auf mich zu warten: „Zu Mariä Himmelfahrt würde ich gerne ein feierliches Hochamt haben", sagte ich dann, „sehet, so sollte es werden" und ich sang aus dem Kyriale das Kyrie der Missa de Beata. Alle lauschten auf und alle meldeten sich zum Gesange; brauchbar blieben mir aber nur drei Männer und vier Knaben. Welche Kräfte! Das einzige Gute war, daß sie keinen Choralgesang singen konnten, daß ihnen davon fast nichts bekannt war. Sie sangen aber auch sonst schlecht.

Die Uebungen begannen. Dreimal wöchentlich kamen nachmittags die kleinen und abends die großen Sänger zu mir. Ich sang erst die ganze Melodie und dann jeden einzelnen musikalischen Satz einen nach dem anderen vor, öfter, und wenn das Ohr ihn erfaßt hatte, ließ ich richtig nachsingen. Es wurde nur gesungen bei den Uebungen, absichtlich, denn ich wollte sehen, ob die Choralmelodien Eindruck machen können.

Nach zehn Tagen sprach der erste der Männer: „Hochwürden, die Sachen, die ich jetzt kann, die singe ich bereits für mich, bei der Arbeit, auf der Straße." Er war Straßenwärter. An meiner Stelle antwortete ihm gleich der zweite der Männer: „Ja, bei dem Gesang, das ist nun einmal so; man gewinnt die Melodien um so lieber, je öfter man sie singt." Der dritte der Männer sagte nichts dazu; er war noch Protestant, oder vielmehr Katechumen. Ich erwiderte auch nicht; ich sang bloß vergnügt weiter. Die Missa de Beata wurde fertig, das Asperges, der Psalm des Introitus, das Alleluja vom Feste, das Kredo, das Ave Maris Stella, das Tantum ergo kamen prächtig hinzu, es fehlten nur noch das Ave verum und das herrliche Salve mater misericordiae. Da, als wir den innigen Wechselgesang des Ave verum zu singen anfingen, da redete auch der dritte der Männer. (Er war jetzt mit der ganzen Familie katholisch.) Er sprach: „Ja, die Melodien, die sind aber auch so fromm." So schön haben drei einfache Männer aus der Diaspora im Odenwalde aus eigenstem Antriebe über den Choral gesprochen. Der Erfolg am Feste Mariä Himmelfahrt entsprach ganz ihrem Eifer und ihrer Liebe zur Sache. Sie sangen all das Gelernte recht gut und ohne Instrumente. Ich war sehr befriedigt und alles war sehr erstaunt. Darum bin ich der Meinung, das Lob auf den Choral im Munde der Benediktiner von Beuron und von Seckau u. s. w. ist nicht zu groß. Man darf das= selbe wörtlich nehmen und ein Pfarrer, der erst bei diesen Meistern in die Schule geht und dann täglich am Altare richtig Choral singt, der kann jeden Chor gewinnen und überall das Kyriale zum Volks= gesang machen. C. Schneider, Pfarrer.

XI. (Gedanken über Joel 1, 18. 19. 20.) Ach, wie stöhnt das Vieh,[1] irren umher[2] die Rinderherden! Denn es gebricht ihnen an Weiden. Auch die Schafherden gehen zu Grunde (V. 18). Zu dir, Jahve, will ich rufen, da Feuer verzehrte die Triften der Wüste und die Flamme versengte alle Bäume des Feldes (V. 19). Auch das Getier des Feldes (das Wild) sieht auf zu dir;[3] denn vertrocknet sind die Wasserbäche und Feuer fraß die Triften der Wüste (V. 20).

Der Prophet Joel schaut ungeheures Elend im Lande Juda. Vielleicht ist mit den Worten Feuer, Flamme, die Kriegsfackel gemeint: ein Feind wird sengend und brennend in das Südreich einfallen. Vgl. 2, 3: Vor ihm (dem feindlichen Volke des vorausgehenden Verses) frißt das Feuer und hinter ihm versengt die Flamme. Wie der Garten Edens ist das Land vor ihm und hinter ihm wüste Steppe … In dieser Not fleht Joel zu Jahve. Was er vorher (1, 14) anderen befohlen, das tut er nun selber: er betet. Den Propheten dünkt aber, als blickte und schrie mit ihm zum Himmel nach Hilfe auch das hungerstöhnende und vor Durst lechzende Vieh. Denn „aller Augen warten auf dich (Jahve): Du gibst ihnen ihre Speise zur rechten Zeit; du öffnest deine Hand, zu sättigen allem, was da lebt, sein Ver= langen". Pf. 145, 15 f.; vgl. Pf. 104, 27 f. (hebr. Zähl.). Gott sorgt für das größte wie für das kleinste Tier, für den Löwen und den Raben. Gewährst du dem Leu Beute, fragt Jahve den Mann im Lande Hus, und den Hunger der jungen Löwen — stillst du ihn, wenn sie kauern in ihren Höhlen, auf der Lauer sitzen im Dickicht? Wer bereitet dem Raben seine Zehrung, wenn dessen Brut zu Gott aufschreit vor Nahrungsnot?[4] Job 38, 39 ff. (Vgl. Pf. 104, 21 und 147, 9.) Menschen und Tieren hilfst du, Jahve. Pf. 36, 7c.

---

[1] Siehe W. Gesenius, Hebräische Grammatik (27. Aufl., Leipzig 1902) 148a. — [2] Vulgata: mugierunt. Septuaginta und Peschitta: weinen (seufzen). — [3] Die Peschitta übersetzt: schreit auf zu dir. — Der Beisatz der Vulgata: quasi area sitiens imbrem „ist ein auch von Aquila gelesenes Glossem" (Scholz, Kommentar zum Buche des Propheten Joel. Würzburg und Wien 1885, S. 40. — [4] Mit Hontheim (Bibl. Studien, IX. Bd., 1.—3. Heft: Das Buch Job. Freiburg i. Br. 1904, S. 271) tilgen wir ירעו als unpassend (die jungen Raben liegen im Nest, laufen nicht umher).

Das Gegenstück zu Joel 1, 20 bildet Jes. 43, 20: Ehren wird mich das Wild des Feldes, Schakale und Strauße, weil ich Wasser gebe in der Wüste, Ströme in der Oede, zu tränken mein Volk, mein auserwähltes. Die angeführten Stellen legen Zeugnis ab von der sinnigen Naturbetrachtung des Orientalen, der sein reiches und tiefes Gemütsleben auf das Tier überträgt.[1]) — Eine schöne Parallele zu Joel 1, 20 bietet Tertullians Abhandlung De oratione c. 29: Orat omnis creatura. Orant pecudes et ferae et genua declinant et egredientes de stabulis ac speluncis ad coelum non otiosi [2]) ore suspiciunt . . . Sed et aves nunc exsurgentes eriguntur ad coelum et alarum crucem pro manibus extendunt et dicunt aliquid, quod oratio videatur.

Linz.   Dr. Karl Fruhstorfer.

XII. (Das Urteil eines Laien über den Zölibat.)
In seinem neuesten Werke „Caveant moniti! Ein offenes Beherzigungs= wort über Masturbation" (Berlin, Verlag Hugo Bermühler), dessen Lektüre den Gebildeten aller Stände, besonders Eltern, Erziehern, Seelsorgern und Aerzten bestens empfohlen werden kann, stellt Dr. Ludwig Kannamüller, praktischer Arzt in Passau, dem Zölibat folgendes fachmännisches Zeugnis aus (S. 81 ff.): „Es handelt sich in diesem Falle um eine persönliche Bestimmung, der wohlüberdachte, mit dem eigenen Ich förmlich verschmolzene religiöse Momente zu Grunde liegen, einer Bestimmung, mit deren Beobachtung oder Brüskierung die selbstgewählte Existenz steht oder fällt, wenigstens im Frieden der Seele. Es ist das eine freiwillig anerzogene Abstinenz, die später um so leichter zu tragen sein wird, je früher das Augen= merk darauf gerichtet und je tadelloser die Jugend verlaufen war. Im Moment der Freiwilligkeit liegt hier die gesteigerte physiologische Möglichkeit, ich möchte sagen eine physiologische Garantie, daß die Psyche den physiologischen Drang überwindet, um den Mann für die getroffene Wahl zu stellen. Darum nur hier um Gottes willen keinen Zwang, gehe er nun von den Eltern oder sonstigen Angehörigen aus oder sei er durch falsche Scham des Betroffenen gegeben. Allen Respekt vor jenen, die aus Ueberzeugung zur richtigen Zeit noch dem Altardienst Valet sagen, unbekümmert um das scheele Auge der Mit= welt! Das sind Männer, ganze Männer, die auch ihren ganzen

---

[1]) Vgl. 2. Sam. 12, 3 und Odyssee 9, 447 ff. (edit. Weck, Gotha 1886) — Daraus erklärt sich auch der Befehl des Königs von Ninive und seiner Großen: Mensch und Tier, Rind und Schaf sollen nichts genießen und weder weiden noch Wasser trinken (Jon. 3, V. 7). Und hüllen sollen sich in Bußkleider Mensch und Vieh und rufen zu Gott mit starker Stimme . . . (V. 8). Wir halten somit nicht für nötig, „Mensch und Tier" im V. 8 als Zusatz eines Glossators zu betrachten, wie dies Grimme in seiner Schrift gegen F. Delitzsch tut: „Unbe= wiesenes". Münster i. W. S 65. Um Delitzsch (Zweiter Vortrag über Babel und Bibel. 1.—10. Tausend. Stuttgart 1903, S. 16.) zu widerlegen, genügt der Hinweis auf das innige Verhältnis zwischen Mensch und Tier im Orient, genügt der Hinweis auf Joel 1, 18 ff. — [2]) recte: otioso.

Mannesmut einsetzen mußten, um diesen kühnen Harrassprung zu wagen. Die Kehrseite der Medaille zeigt uns ja nur zu deutlich, daß jene Individuen, welche trotz der gegenteiligen Erkenntnis aus eigener Mutlosigkeit die ihnen zu Ketten gewordene eigene Wahl nicht noch rechtzeitig rückgängig machen, später — leider zu spät — das Opfer ihrer Schwäche und die Schmach ihres Berufes werden. Also nochmals gesagt: die Freiheit der Entschließung verbürgt es uns, daß der Zölibat zur erdrückenden Mehrheit auch wirklich gehalten wird, mögen gewisse hetzende Seiten es noch so sehr in Abrede stellen und einzelne Fehltritte aufbauschend generalisieren. Mit Genugtuung sei deshalb ein unverdächtiger Zeuge aus jüngster Frist zur Ehren= rettung des Zölibates und seines priesterlichen Trägers angeführt. Die gewiß nicht priesterfreundliche „Straßburger Post" schreibt (1906, Nr. 1075) zu der Nachricht, daß ein französischer Geistlicher den Zölibat nicht gehalten habe: „Solche Fälle werden von Zeit zu Zeit immer wieder vorkommen. Sie sind die natürlichen Folgen des Zölibats (?). Die jungen Leute von 22 bis 25 Jahren, welche die Weihe empfangen, haben der überwiegenden Mehrzahl nach noch keinen rechten Begriff davon, welche Opfer ihnen der Zölibat auf= erlegt. Daß trotzdem die überwiegende Mehrzahl die Keuschheits= gelübde beobachtet, ist ein Ehrentitel für die katholische Geistlichkeit. Aber es wird immer einzelne Ausnahmen geben, denn auch die Priester bleiben Menschen mit allen Schwächen. Man darf nur nicht in den Fehler verfallen, diese Ausnahmen stärker zu betonen, als sie es verdienen. Denn die Ausnahmen bestätigen im Grunde doch nur die Regel."

Wir müssen das betonen, weil gegnerischerseits oft genug die Behauptung zu treffen ist, daß die absolute Abstinenz ein unüber= windliches Hemmnis für die menschliche Willensfreiheit sei . . . . . . Nach meiner Ueberzeugung — ich stelle diesen Satz zur Diskussion — ist die absolute Abstinenz, wenn frühzeitig geübt, ein leichteres Kunststück für menschliche Schwäche als die relative. Was man einmal als Lebens= und Berufsprinzip erfaßt hat, das läßt sich eben leichter in Tagen schwerer Not und Drangsal durchführen, als daß man sich, plötzlich in physiologische Zwangslage versetzt, mit den aufoktroyierten Umständen glatt abfindet."

Urfahr=Linz. Dr. J. Gföllner.

Literatur.

A) Neue Werke.

1) **Die Bedeutung der Marxschen Kapitalkritik.** Eine Apologie des Christentums vom Standpunkte der Volkswirtschaftslehre und Rechtswissenschaft. Von Wilhelm Hohoff. Paderborn. 1908. Bonifacius=Druckerei. 339 S. M. 4.50 = K 5.40.

Ein neues Buch des mit Recht hochgeschätzten Verfassers ist immer ein Ereignis. Auch das vorliegende wird sicher großes Interesse erregen Ohne besonders neue Gedanken zu bringen, w ll Hohoff die als bekannt angenommene Marxsche Wertlehre und seine eigene Anschauung über den Wucher durch in fünf Sprachen gebrachte Zitate bekräftigen und als mit den kirchlichen Lehren übereinstimmend zeigen.

1. Hohoff will darstellen sowohl die wissenschaftliche Bedeutung von Karl Marx, als die kulturhistorische Bedeutung von Marx' Kritik des Kapitalismus. Ein Anhang (S. 128—2ö7) bringt sehr viele Zitate der verschiedensten Autoren, die als Belegstellen für den Hauptteil zu dienen haben. Es folgen sodann noch in eigenen Abschnitten die Anschauungen Paulsens, „Ein klein' aber fein' Collegium Logicum", ein Kapitel Rechtsphilosophie, dann das Nachwort, Register und Cor igenda (S 339).

Es wäre unbescheiden von mir, wenn ich die Besprechung weiter ausdehnen würde, als über die Abteilungen, welche die wirtschaftlichen Fragen direkt betreffen.

2. Hohoff nimmt von Hause aus die Marxsche Wertlehre als bewiesen an, ja er erhebt sie sogar zu einer Art Naturgesetz (S. 203). Auch meint er, daß die katholischen und liberalen Sozialökonomen die Wertlehre Marx' schon annehmen würden, wenn nur daraus fließende Mehrwert-Theorie zu Konsequenzen führte, die sie nicht anerkennen wollen. (S 22.)

Gestützt auf diese Mehrwert-Theorie und die Marxsche Einteilung der wirtschaftlichen Güter, bringt Hohoff dann seine eigenen Anschauungen über den Wucher vor, die er mit vielen Aussprüchen von Kirchenvätern, dann protestantischen und anderen Schriftstellern zu begründen versucht.

Hohoff will aber keinen Zweifel darüber aufkommen lassen, daß er nur die Marxsche wirtschaftliche Theorie, vor allem die Wertlehre voll annimmt, — dagegen aber die von Marx selbst und von seinen Anhängern daraus gezogenen Folgerungen verwirft (S. 23), und daß er dem Philosophen Marx keinesfalls folgt. — Durch die massenhaften Zitate, die neuerdings Zeugnis ablegen für die ganz ungewöhnliche Belesenheit des gelehrten Autors, leuchtet als Hauptabsicht durch, zu zeigen, daß Marx' Wertlehre und Hohoffs Art der Auffassung des Wuchers, nicht nur nicht im Widerspruche zu den Lehren des heiligen Thomas von Aquin und der Kirchenväter — und Leo XIII. stehen, sondern der Wesenheit nach mit ihnen übereinstimmen.

3. Nach dieser, meiner Meinung nach, vollkommen objektiven Darstellung der Absicht des hochgeschätzten gelehrten Autors, sei es nunmehr gestattet, sowohl die Vorzüge des Buches hervorzuheben, als die teils übertriebenen, als geradezu irrigen Anschauungen, die in dem Buche zum Ausdrucke kommen, zu kennzeichnen.

Es kann vor allem nicht genug das edle Bestreben des Autors, seine warme Verteidigung des Wertes und des Rechtes der Arbeit hervorgehoben werden, sowie auch daß der Wucher in Hohoff einen unversöhnlichen Feind findet. Zu einem besonderen Verdienst rechne ich die S. 42—43 gebrachte richtige Auffassung des Kapitalsbegriffes, auf dem der des Kapitalismus beruht, ein System, nach welchem für den verselbständigten Wert sämtlicher Produktionsmittel ein fixer Zins, über den einfachen Unternehmergewinn hinaus, verlangt wird

Daß Hohoff nur den Oekonomen Marx annehmen will, dagegen den Philosophen Marx verwirft, ist schon erwähnt worden (S. 11—12).

4 Ein schwerwiegender Uebelstand ist es, wie erwähnt, daß Hohoff anstatt die Richtigkeit der Marxschen Wertlehre zu beweisen, sie als bereits vollkommen bewiesen, zu einer Art Naturgesetz (S. 203) erhebt.

Natürlicherweise kommt er schließlich doch zu Folgerungen, die mit denen Marx' zum Teile übereinstimmen, trotzdem er dem Philosophen Marx nicht folgen wollte; philosophisches und ökonomisches Denken voneinander zu trennen ist eben nicht möglich. Marx' Irrungen auf ökonomischem Gebiete wurzeln ja gerade auf falschen philosophischen Anschauungen und Urteilen.

Marx überträgt, wohl nach seiner monistischen Anschauung, die Emanationslehre auf die Güterproduktion. So findet er im Produkte menschliche Arbeit aufgehäuft. „Gallerte unterschiedsloser Arbeit" (Kapital I, S. 25, 39 und an anderen Stellen). Die Arbeit, die an sich keinen Wert hat, überträgt Teile der menschlichen Arbeitskraft, (die einen Wert hat in das Produkt. So Marx, der nicht erkennt, daß der Mensch nach Gottes Ebenbild etwas schaffen kann, das außerhalb ihm ist und bleibt — allerdings nicht neue Materie, wohl aber neue Formen nach dem vorher entworfenen Bilde — und zwar als Ursache durch Rat.

Marx sieht vollkommen richtig ein, daß Mensch und Natur mit ihren Kräften zusammenwirken, um das Produkt zustande zu bringen. Dann aber wird er seiner monistischen Auffassung ungetreu, indem er im Produkte den Dualismus einführt. Er meint, die Natur gibt dem Produkte seine Nützlichkeit (Gebrauchswert), während die Arbeit durch Uebertragung von Wertteilen der Arbeitskraft den vom Gebrauchswert getrennten Tauschwert, kurz Wert genannt, gibt.

Inkonsequenz bei Aufstellung der Prämissen führt zu einer eigentümlichen Prozedur. Marx eliminiert nämlich den Gebrauchswert (Kapital I, S. 95), so daß ihm nur noch der Wert genannte Tauschwert (beziehentlich Arbeitskraftwert) übrig bleibt.[1]) Marx weiß recht gut, daß das Produkt Gebrauchswert (Nützlichkeit) haben muß, um in den Tausch zu kommen. Er berücksichtigt aber nicht, daß allerdings alle Tauschgüter Gebrauchswert haben müssen, aber nicht alle Gebrauchsgüter für den Tausch bestimmt sind. Der Gebrauchswert ist also das Allgemeine. Dessenungeachtet eliminiert Marx diesen allgemeinen Begriff und vermeint sodann, den engeren Begriff Tauschwert festhalten zu können!

Wenn von dem Eisen der allgemeine Begriff Metall eliminiert wird, was bleibt dann von dem Eisen noch übrig? Es ist nicht gut erklärlich, wie ein so hervorragender Gelehrter, der Hohoff unzweifelhaft ist, den Irrtum nicht erkannt hat. In den weiteren Ausführungen ist Marx, allerdings gestützt auf die falschen Prämissen, sehr konsequent. Ja, die Folgerichtigkeit des menschlichen Geistes ist so stark, daß Hohoff schließlich genötigt wird, Marx bis zum Kommunismus, wenigstens als anzustrebendes Ziel, zu folgen, weil, wie er sagt, es nur ein Ideal gibt, das für alle Menschen ohne Ausnahme das gleiche ist, dasselbe für die Laienwelt, wie für die Ordensleute (S. 103).

Die auf derselben Seite unwidersprochen gebrachte Behauptung Lassalles, daß der Sozialismus auf Arbeit gegründetes, individuelles Eigentum erst einführen will, ist, wenn ernst gemeint, nicht auf der Höhe eines Hohoffs. Daß man den erworbenen Suppenbon vom Munde nicht wegreißen darf, kann noch nicht den Eigentumsbegriff ausmachen! — Wie die höhere auch die geistige Arbeit im Sozialistenstaat entlohnt werden würde, möge Hohoff ersehen aus Friedrich Engels, Herren E. Dührings Umwälzung der politischen Oekonomie.[2])

Wollte doch Hohoff mehr berücksichtigen, was die Kirche über das Privateigentum lehrt! Leo XIII. erklärt es ausdrücklich als im Naturgesetz begründet. Und dessen Verteidigung des Grundeigentums hat die Polemik Henry Georges gegen die Enzyklika veranlaßt. Im übrigen verweise ich hier nur noch auf den von Hohoff so oft angerufenen St. Thomas, der in seiner Summa II. II. LXVI a. 2 die absolute Notwendigkeit des Sondereigentums nachweist, nachdem er II. II. LVII a 3 das Verhältnis zum Naturrechte in sehr faßlicher Weise dargestellt hat.

Im weiteren Verfolge läßt nun Marx nicht die aufgewendete Arbeit als Wert in das neue Produkt eingehen, sondern nur gesellschaftlich notwendige Durchschnittsarbeit, so daß die über den Durchschnitt aufgewendete verloren wäre. (Arme Arbeiter — etwa die Hälfte — deren Arbeit unter den Durchschnitt fällt.)

---

[1]) Marx sagt wörtlich Kapital I, S. 13: „Diese Dinge" stellen (nämlich als Tauschobjekte oder Waren) „nur noch dar, daß in ihrer Produktion menschliche Arbeitskraft verausgabt, menschliche Arbeit aufgehäuft ist. Als Kristall dieser ihnen gemeinschaftlichen Substanz sind sie — Werte". — [2]) „Vorwärts" Beilage 4. Nov. 1877. Weil im sozialistischen Staate die Erziehung vom Staate besorgt würde, hätte ein höherer Ertrag dem Staate zuzufließen. (So hätte denn der einfache Taglohn für alle gleich zu gelten.)

Damit nicht genug schmiegt sich Marx den tatsächlichen Verhältnissen doch wieder an, indem er nicht den Durchschnitt im Momente der Leistung gelten läßt, sondern erst die durchschnittliche Arbeit, welche im Augenblicke des Verlaufes anzuwenden notwendig wäre. Wie diese gefunden wird, sagt uns Marx in „Das Elend der Philosophie" (S. 26, 34 ff.), wo er uns belehrt, daß, um den Wert der verschiedenen Arbeitszeiten messen zu können, ein Maßstab notwendig ist, den die Konkurrenz uns liefert bei Abwägung von Angebot und Nachfrage.

Auch in einem sozialistischen Staate wäre es eben nicht möglich, von der Gegenüberstellung von Bedürfnis (Nachfrage) und Vorrat (Angebot) Umgang zu nehmen. Die abfällige Bemerkung von Hohoff über Konkurrenz, Angebot und Nachfrage (S. 23) trifft also auch Marx selbst.

Der geschätzte Autor mag also ersehen, daß nicht die Furcht vor der Mehrwert=Theorie (S. 2?) von der Annahme der Marxschen Werttheorie abhält, sondern sehr gewichtige Gründe gegen sie sprechen. Anderseits darf aber nicht verkannt werden, daß es voll berechtigt ist, von einer offenkundig fehlerhaften Folgerung auf einen fehlerhaften Ausgangspunkt zurückzuschließen. An ihren Früchten werdet ihr sie erkennen, gilt auch hier.

5. Wieso Hohoff den heiligen Thomas für seine, beziehentlich Marx' Wertlehre in Anspruch nehmen will, trotzdem er doch selbst (S. 152) erklärt, daß St. Thomas und Leo XIII. den Wert nicht von der Arbeit allein, sondern von den Produktionskosten abhängen lassen — was Hohoff aber nicht als Vorwurf gelten lassen will (S. 183), ist schwer zu verstehen. Allerdings ändert sich die Situation auf S. 280, wo Hohoff ein Zitat aus St. Thomas, Kommentar zu Aristoteles Ethik bringt, welches er als Beweis für die Arbeitswerttheorie hinstellt. Es ist aber doch anzunehmen, daß die so scharfen Denker Aristoteles und St. Thomas nicht mit sich selbst in Widerspruch geraten sind. Die Erklärung des Miß= verständnisses ergibt sich vielleicht, wenn man in Betracht zieht, daß die angezogene Stelle sich auf die austeilende Gerechtigkeit bezieht, die bekanntermaßen nicht auf das Gleiche, sondern auf das Gleichmäßige gerichtet ist. (S. Thomas summa II. II. LXI. a. 2 und anderwärts) und daher mit der Marx' Wertlehre, die mit ihren gleichen Wertzeitteilchen zur kommutativen Gerechtigkeit gehört, gar nichts zu tun hat.

Wahrlich, die Kirchenlehrer bedürfen nicht einer Entschuldigung (S. 183), sie haben keine Wertlehre schreiben wollen, sondern sie haben sich der Ausdrucks= weise bedient, die allgemein verständlich ist und der seit Tausenden von Jahren bestehenden Praxis entspricht. Ja, klares Verständnis ist hier notwendig, damit ja nicht der schroffe Gegensatz verwischt werde, der zwischen den Grund= prinzipien besteht, auf denen einerseits Marx mit dem Sozialismus, anderseits die Kirche (mit dem heiligen Thomas v. Aquin) ihre Lehre aufbauen.

Guesde, der Führer der französischen Marxisten, hat den Gegensatz: Sozialismus — Kapitalismus deutlich erkannt und infolge der Weihnachts= Enzyklika 1878 Leo XIII. gegenüber ausgesprochen. Lassen wir es dabei bewenden.

6. Derselbe Gegensatz zeigt sich bezüglich der Arbeiter und ihrer Arbeit. Bei Marx wird die Arbeit materialisiert, was ja bei materialistischer (und auch pantheistischer) Weltanschauung nicht anders sein kann. Der Mensch geht in Arbeitskraft auf, die durch Arbeit den Lebensunterhalt gewinnt, um den Kreis= lauf von Abnützung des Körpers und Ersatz der abgenützten Teile fortsetzen zu können.

Die Kirche, sagen wir Leo XIII., sowie St. Thomas und die Kirchen= lehrer — sie alle erheben die Arbeit und mit ihr den ganzen Menschen hoch über das materielle Leben hinaus (S. Thomas, Summa II. II. (LXXXVII). Da liegt ein so gewaltiger Unterschied, ja Gegensatz vor, daß es schier unglaublich ist, wie Hohoff so leicht die tiefe Kluft überspringen konnte.

7. Anschließend hieran wird es wohl geboten sein, mit Hohoff (S. 30 u. 147) auf das innigste zu bedauern, daß die Herdersche Uebersetzung der Enzyklika „Rerum novarum" 1891, eine besonders wichtige Stelle mangelhaft übersetzt und sogar den Satz ausgelassen hat, in welchem Leo XIII. — nachdem er das

Zusammenwirken von Natur und Mensch in der Produktion erwähnt hat — der menschlichen Arbeit ein derartiges Ueberwiegen zuerkennt· „daß man, ohne Furcht sich zu täuschen, behaupten kann, daß aus der Arbeit allein die Reich= tümer der Nationen hervorgehen".

Ein Uebersehen kann ja vorkommen, dann wäre es aber eine Ehren= pflicht des Welthauses Herder gewesen, in einer neuen Auflage den Fehler — und es ist ein schwerer Fehler — wieder gut zu machen. Auch heute wäre es noch nicht zu spät.

Wenn aber Hohoff meint, diese Stelle der Enzyklika als Beweis für die Richtigkeit der Marxschen Werttheorie (vom ausschließlichen Arbeitswert) hin= stellen zu können (S. 146—147), so gibt er selbst die Mittel an die Hand zur Bekämpfung dieser Anschauung. Seite 187 bringt er nämlich die Einwendung Marx' gegen einen Satz des sozialistischen Programmes, worin gleicherweise wie in der ausgelassenen Stelle der Enzyklika die Arbeit als einzige Quelle des Reichtums genannt wird. Marx, mit seinem scharf kritischen Geiste, hat sehr wohl erkannt, daß damit das Eigentumsrecht auf die feste Basis geleisteter Arbeit begründet werden kann. Es ist wohl anzunehmen, daß Leo XIII., der das Eigentum entschieden verteidigt, von einem ähnlichen Gedankengang geleitet gewesen sein dürfte, — so daß der Herderschen Auslassung die Bedeutung nicht zukommt, die Hohoff ihr geben möchte.

8. Wenn ich oben die richtige Kennzeichnung des Kapitals als Wert= vermögen (S. 43) in Hohoffs Buch hervorgehoben habe, so liegt mir daran, zu bemerken, daß diese Definition allerdings von katholischen Sozialpolitikern geteilt wird, aber weder von der Nationalökonomie allgemein, noch von Marx aufgenommen wurde. Begreiflicherweise konnte sie von Marx nicht aufgenommen werden. In dieser Quartalschrift sind 1881—1882 in diesem Sinne geschriebene Artikel erschienen. Die katholische Union de Fribourg, unter Führung des Bischofs (späteren Kardinals) Mermillod, hat im Jahre 1887 sich darüber geeinigt, daß der Kapitalismus auf Trennung von Sache und Wert beruht, welch letzterem, trotzdem er an sich unfruchtbar ist, ein fixer Zins zuerkannt wird, — und daß dieser Vorgang „die charakteristischen Merkmale des Wuchers aufweist." (St. Leo= Gesellschaft. Beschlüsse S. 54).

Es wird vielleicht interessieren, daß derselbe Kardinal Mermillod im Jahre 1888, in einer vertraulichen Eingabe an Leo XIII. dieselbe Anschauung zum Ausdrucke gebracht hat. Die Katholiken, welche die Lehre vom Wucher annehmen, wie die Kirche sie gegeben hat, — die aber mit der Hohoffs nicht übereinstimmt — können diese Erkenntnis getrost aussprechen, ohne in den gefährlichen Ideen des gewaltsamen Umsturzes verwickelt zu werden, weil sie auch die katholischen Lehren über das Eigentum heilig halten.

Marx muß allerdings das Kreditwesen, welches für Geld (G) mehr Geld (G') direkt beansprucht, mit in Betracht ziehen — namentlich auch im 3. Bande,[1] — aber als allgemeines System kann er es nicht brauchen, weil er die Stellung der Lohnarbeiter gegenüber dem Unternehmer, beziehungsweise der Produktionsmitteln zeigen will. Deshalb wohl bezeichnet er „Kapital I, 139." G (Geld), W (Ware) = G' (mehr Geld) als die allgemeine Formel des Kapitals. Im 2. Band (S. 390) teilt er das Kapital ein: 1. in konstantes, das wieder in fixes (Maschin 2c.) und in zirku= lierendes konstantes Kapital (Produktionsmaterialien, Rohstoff 2c.) zerfällt, 2. in variables Kapital, das „dem Stoffe nach betrachtet aus der sich betätigenden Arbeitskraft selbst". . besteht.

Und im 3. Bande — damit auch dieser nicht leer ausgeht — wird (S. 422) das Kapital nur noch zur Basis zum Kreditüberbau. Marx selbst wider= spricht also der von Hohoff (S. 80) gebrachten Annahme.

---

[1] Der 3. Band: Das Kapital ist von Engels auf Grund von Entwürfen Marx' zusammengestellt, ein ganz unfertiges Werk, das Marx in dem Zustand wie es ist, gewiß nicht veröffentlicht hätte.

9. Bezüglich des Wuchers wird man der scharfen Verurteilung Hohoffs vollkommen beitimmen können. Nur eines fehlt, nämlich die von der Kirche festgehaltene Definition des Wuchers.

Wenn Hohoff (S 330) sehr richtig nach dem seligen (leider noch nicht heilig gesprochenen, wie Hohoff angibt) Albertus Magnus anführt. daß in Glaubens und Sittenlehren der heilige Augustin mehr Glauben verdient als die Philosophen, so hätte er auch beachten sollen, daß man sich an die Autorität der Kirche mehr als an die der Heiligen und Kirchenväter zu halten hat (S. Thomas. Summa II. II. X. a. 12).

Dann hätte Hohoff anstatt Endemann und anderen Autoren soviel Gewicht beizulegen, der katholischen Lehre mehr Beachtung geschenkt. Allerdings zitiert Hohoff (S. 230) den Ausspruch des 5. Lateran-Konzils, aber indem er seine Bedeutung einschränkt, während er weder den römischen Katechismus (nach dem Konzil von Trient), noch die letzte autoritative Entscheidung Benedikt XIV.. Vix pervenit, anführt.

Diese Entscheidungen finden auf der vom heiligen Thomas sehr klar ausgesprochenen Lehre · umma II. II. LXXVIII., die auf der Auseinanderhaltung der verschiedenen Güterkategorien beruht. Eine Scheidung, welche aber mit der von Marx vorgenommenen in Uebereinstimmung nicht gebracht werden kann. Hier sei kurz der Unterschied angeführt.

Wenn Marx als Hauptunterschiede: konstantes Kapital und variables Kapital (siehe oben) einhält, und Hohoff einen Unterschied zwischen Gütern, die einen dauernden Gebrauch zulassen von solchen, die, wenigstens in den Händen des Besitzers, einen nur einmaligen Gebrauch gestatten (S. 45 Maschinen, Rohstoff, Gold und Silber 2c.) nicht anerkennen will, so beruht die ganze kirch= liche Lehre vom eigentlichen Wucher geradezu auf dieser Unterscheidung Die nicht vertretbaren Güter gestatten eine getrennte wirtschaftsrechtliche Behandlung vom Gegenstand selbst und von seinem Gebrauch, während die vertretbaren (Verbrauchs=) Güter durch den Gebrauch auch verbraucht werden (wie das Brot, der Samen, der zu verarbeitende Rohstoff u. s. w.). Dazu gehört namentlich das Geld, das der Besitzer auch nur einmal verausgaben kann. Es ist daher ganz gut möglich und erlaubt, Pacht für ein Feld, Miete für ein Haus einzunehmen. Der Pächter kauft nur den Gebrauch, das Recht ein Ding zu benützen, nicht aber dieses selbst, das in natura fortbesteht.

Wenn bei solchen Geschäften von Wucher die Rede ist, so kann sich der Vorwurf nur auf die Uebertreibung von etwas an sich Erlaubten beziehen. Anders bei den Dingen, deren Gebrauch mit ihrem Verbrauch zusammenfällt. Hier ist eine Trennung nicht möglich: wer die Sache gebraucht, daher verbraucht, kann es nur als Eigentümer tun, so daß der aus dem Gebrauch etwa entstehende Vorteil d e m gehört, der es als Eigentümer verbraucht hat, n i c h t dem Dar= leiher (denn: Res fructificat domino).

Das ist nun der strenge Begriff vom Wucher, für solche dargeliehene Gegenstände: Samen, Geld u. s. w. mehr zurückzuverlangen (Zins), als man dargeliehen hat. Damit zu vergleichen die Bestimmung des 5. Konzils vom Lateran, der Römische Katechismus, dessen Erklärung auf derselben Grundlage beruht, namentlich (S. Thomas Summa II. II. LXXVIII.), die an Deutlichkeit nichts zu wünschen übrig läßt und die Bulle Vix pervenit Benedikt XIV.

10. Die letzte prinzipielle Entscheidung über den Wucher wird eben in dieser Bulle Benedikt XIV. gegeben. Bei aller strengen Verurteilung des Wuchers, wie er von den kirchlichen Lehrern festgehalten wurde, weht doch ein milder Geist in ihr, der nur das unbedingt verbietet, was unzweifelhaft als verwerflich (sündhaft) erkannt ist. Der Rentenkauf wird hier geradezu als erlaubt genannt. Hiermit ist die von Hohoff S. 65 ausgesprochene Meinung, daß das kanonische Recht auch gegen Miete und Pacht sich kehrt, in autoritativer Weise widerlegt. Ebensowenig ist die Behauptung S 68 und auch 88 richtig, „daß mit den allgemein anerkannten Prinzipien der scholastisch-kanonischen Wucherdoktrin jedes arbeitslose Vermögenseinkommen unvereinbar ist, mag man dieses nun Zins, oder ‚Rente' oder Früchte nennen".

Der Bulle entsprechend ist es also erlaubt, Gewinne zu machen, die nicht aus der eigenen Arbeit entspringen — troß Hohoff (S. 171) (und troß der allerdings unrichtigen Heranziehung des 3 Gebotes auf S. 122). Die Pflicht zur Arbeit, auf die Hohoff sich beruft, so streng sie auch geboten ist, bleibt stets ein moralisches Gebot, das (ausgenommen in Notfällen) nur in einem Sklaven= oder Tyrannenstaate erzwingbar werden könnte. (Siehe auch die klare Erörterung dieser Frage in S. Thomas Summa II. II. CLXVII a. 3, die Hohoff als gründ= licher Thomas=Kenner doch nicht übergehen sollte.)

Auch manche äußere Titel werden anerkannt, auf Grund derer man zumindest eine Entschädigung für aus dem Darlehen entstandenen Verlust, beziehentlich entgangenen Gewinn, beanspruchen kann Aber in der Bulle wird die Anschauung verworfen, daß solche äußere Titel immer vorhanden sind; eine solche Meinung wäre gegen die Vorschriften der Kirche und auch gegen den natürlichen Verstand; so lehrt die Bulle (Siehe Abbé Morel, Le Prêt à intérêt.)[1])

Gerade dieses Moment der Verallgemeinerung ist aber heute infolge des herrschenden kapitalistischen Kreditsystems (Kapitalismus) eingetreten. Insolange dieses System noch nicht allgemein herrschend geworden war — etwa bis 1830 — verwies die römische Kongregation auf die Bulle Vix pervenit, wenn bezüglich der Erlaubtheit gewisser Geschäfte Anfragen an sie gerichtet wurden. Seitdem lautet die Antwort, daß die Gewissen nicht zu beunruhigen sind — unter Vorbehalt der Unterwerfung unter zukünftige Entscheidungen der Kirche, — somit ist wohl zu unterscheiden — was häufig übersehen wird — zwischen der Haltung der Kirche dem einzelnen Gläubigen gegenüber, die zur Beruhigung ihres Gewissens unter gegebenen Verhältnissen in Einzelfällen sich an sie wenden, und den prinzipiellen Entscheidungen, die allgemeine Gültigkeit haben.

Bis eine solche prinzipielle Entscheidung — die erst nach Eintritt mehr= geklärter Verhältnisse zu erwarten ist — erfolgt, kann man wohl annehmen, daß die Kirche auf Grund der ohne ihre Zustimmung eingetretenen Verall= gemeinerung der äußere Titel gestatten wird, die gewöhnlichen Interessen zu beheben; wodurch die strenge Lehre vom Wucher (nämlich auf Grund des Dar= lehensvertrages als solchem Zinsen zu beanspruchen) weder aufgehoben noch auf= geschoben wird.

Halten wir uns an die Aussprüche der Kirche, um uns vor jeglicher Uebertreibung zu bewahren!

11. Zum Schlusse ein Wort zur Aufklärung über die Sklaverei.

Hätte Hohoff überlegt, in welchem Sinne die Worte Sklaverei und Natur= recht vom heiligen Thomas gebraucht werden, dann hätte er es wohl unterlassen (S. 333), St. Thomas im Widerspruch mit der kirchlichen Lehre zu finden. St. Thomas erkennt sehr wohl, daß die Sklaverei durch die Sünde, als Strafe, eingeführt wurde (Summa, Supplement q. LII. a. 1).

Der Sklave, wie ihn St. Thomas versteht, ist übrigens nicht der, den wir uns gewöhnlich nach heidnischem Rechte als rechtlose Sache vorstellen. Schon II II. LXI. a. 3. bezeichnet ihn die Summa nur als eine Art von Eigentum, bezüglich der Ersatzpflicht dessen, der ihn entwendet hätte. II II. CIV. a. 5. werden Diener, Hörige und Sklaven unter einem mit den Kindern des Hausvaters genannt, dem sie nur in determinierten Dingen zu gehorchen haben, nicht aber, wenn ihnen Heirat oder Enthaltsamkeit oder ähnliches aufgetragen würde. Uebereinstimmend hiermit wird auch II. II LVII. a. 4. die Stellung der Kinder und Diener (unter denen offenbar alle dienenden Personen des Hauses inbegriffen sind) dem Hausvater sowohl als der Gesellschaft gegenüber gleichmäßig behandelt.

Klar und deutlich sagt die Summa, Supplement LII. a 2.; daß die Knecht= schaft (servitus) das Naturrecht nicht aufheben kann, also daß der Sklave nur in dem seinem Herrn gehört, was über die Natur hinausgeht.

---

[1]) Uebrigens verwirft diese Bulle ausdrücklich die allzugroße Strenge derer, welche jeden Gewinn, der vom Gelde herkommt, als ungerecht und an Wucher grenzend ansehen.

Das Natürliche, das Menschenrecht, wird hier soweit gewahrt, daß der Sklave selbst gegen den Willen seines Herrn eine gültige Ehe eingehen kann. Wenn der heilige Thomas von Aquin heute unter uns leben würde, er könnte nicht anders lehren, wie er es dazumal getan.

Das Naturrecht hält sich zunächst an die unterste Grenze des Erlaubten und bei fortschreitender Gesittung kann es (im Sinne als jus gentium genommen) den jeweiligen Verhältnissen entsprechend, ergänzt, erweitert werden.

Viehofen (N.=Oe.).   Franz Graf Kuefstein.

2) **Jesus Christus.** Vorträge auf dem Hochschulkurs zu Freiburg im Breisgau 1908, gehalten von Dr. Karl Braig, Dr. Gottfried Hoberg, Dr. Kornelius Krieg, Dr. Simon Weber, Universitätsprofessor in Freiburg, und von Dr. Gerhard Esser, Universitätsprofessor in Bonn. Freiburg. 1908. Herder. 8°. 440 S. Geh. M. 4.80 = K 5.76; gbd. M. 6.— = K 7.20.|

Wir haben hier eine höchst bedeutende Publikation vor uns, der wir eine möglichst große Verbreitung wünschen. Sie setzt sich zusammen aus Vorlesungen, beziehungsweise Vorträgen, welche von Theologieprofessoren der Universitäten Freiburg i. B und Bonn beim zweiten Hochschulkurs zu Freiburg i. B. in der Zeit vom 12. bis 16. Oktober v. J. vor einer großen Zuhörermenge abgehalten wurden. Das allgemeine Thema bildete die Gottheit Christi. Gottfried Hoberg sprach über den geschichtlichen Charakter der Evangelien, Simon Weber über die Gottheit Jesu im Zeugnis des alten und neuen Testamentes, Karl Braig über Jesus Christus außerhalb der katholischen Kirche im 19. Jahrhundert, Gerhard Esser über die Christologie in der protestantischen Theologie und im Modernismus und über das Dogma von der hypostatischen Union, Kornelius Krieg über Jesus Christus als Lehrer der Wahrheit, als Erzieher und als Lebensspender.

Der Hauptangriffspunkt, gegen den sich gegenwärtig die freisinnige protestantische und ebenso die „katholische" modernistische Theologie und Philosophie richtet, ist die Gottheit Christi, mit welcher das ganze Christentum steht und fällt. Die „wissenschaftliche" Methode, deren sich die Gegner bedienen, ihre philosophischen Voraussetzungen, ihre Erkenntnislehre, ihre Anschauungen über das Wesen der Religion, über Offenbarung und Schriftinspiration, alles das dient als wohlgefügtes System von Wasser, indem man die Gottheit Christi aus der Welt schaffen will, um sich selbst als naturalistischen Götzen anzubeten und von der Furcht vor dem göttlichen Gesetzgeber und Weltenrichter befreit zu sein. Aber der wohlgewappnete Koloß steht wie der in Nabuchodonosors Traum auf tönernen Füßen und er stürzt zusammen, wenn man ihn näher zu Leibe geht. Und dieses letztere haben die genannten Autoren in gründlicher Weise besorgt. Mit einer seltenen Klarheit und Logik, mit einer Wärme, Begeisterung und zugleich Entrüstung, wie sie nur aus dem Innern eines von der Wahrheit seiner Sache felsenfest überzeugten christlichen Denkers hervorquellen können, mit einer durchaus edlen, formvollendeten und vielfach geradezu schwungvollen Diktion haben sie sowohl die protestantische Kritik als auch den katholisch sein wollenden Modernismus in ihrer ganzen Unvernunft, Falschheit, Inkonsequenz und wissenschaftlichen Unaufrichtigkeit dargestellt und glänzend widerlegt. Jeder, der guten Willens ist, kann sich hier gegen den betäubenden Gifthauch des „modernen" Christentums, das oft „wie Glockenklänge aus dem Frieden und der Seligkeit einer gläubigen heiligen Kindheit" zum Arglosen spricht, immunisieren. Wäre es möglich, daß diese Vorträge in ebenso weite Kreise drängen wie die Bücher von Harnack, Loisy und den Modernisten, so würde der Glorienschein der echten und wahren Wissenschaft, mit dem sich die letzteren selbst schmücken, bald in nichts zerstäuben.

Auch die im „Anhang" dargebotenen zwei Vorträge, Gottfried Hobergs über den Syllabus und die Enzyklika Pius X. und Karl Braigs über die

Modernismus-Enzyklika sind sehr lesenswert und zur Orientierung über diesen Gegenstand höchst geeignet. Der erste Vortrag behandelt mehr die äußere Vorgeschichte der modernistischen Bewegung, der letztere bietet eine gediegene Darstellung des Inhaltes der Modernismus-Enzyklika.

Alle genannten Autoren haben sich ein großes Verdienst um die Verteidigung des katholischen Glaubens erworben.

Wien. Dr. Georg Reinhold.

3) **Das Hohelied.** Uebersetzt und erklärt von Josef Hontheim S. J. („Biblische Studien", XIII. Band, 4. Heft). Freiburg und Wien. 1908. Herdersche Verlagshandlung. Gr. 8°. VI und 112 S. M. 2.80 = K 3.36.

Mit großem Interesse begrüßt Rezensent die vorliegende Arbeit über das Hohelied, das wegen seines herrlichen und geheimnisvollen Inhaltes gerade in unserer Zeit eine ungewöhnliche Wichtigkeit gewonnen hat. Der verehrte Verfasser zerlegt das Werk in drei Hauptteile: Prolegomena mit 12 Abschnitten (S. 1—32), Kommentar (S. 33—96) mit der Erklärung der sechs Lieder (I. Textkritik, II. Erläuterungen, III. Analyse, IV. Schlußbemerkungen), sodann: Das Hohelied in einer treuen, klaren deutschen Uebersetzung nach Vorstrophen, Gegenstrophen und respektive Zwischenstrophen abgeteilt (S. 97—111). Ganz richtig wird als Lehre der Kirche (S. 2) angeführt: 1. Das Hohelied ist ein vom heiligen Geiste inspiriertes Buch; 2. es behandelt nicht rein menschliche Dinge ohne jede Beziehung zu höheren übernatürlichen Wahrheiten. Wenn aber der Herr Verfasser (S. 27 f.) meint: „Für die Autorität unseres Buches ist es gleichgültig, welcher Zeit, welchem Orte und welchem Verfasser es angehört, . . unser Buch ist keine Geschichte, enthält auch keine geschichtlichen Elemente. Wer immer es geschrieben haben mag, historische Glaubwürdigkeit besitzt es auf keinen Fall", so kann Rezensent ihm hierin keineswegs beistimmen. In dieser Beziehung hat Bossuet wohl richtiger gesehen, der im Hohenliede (Libri Salomonis, 1693) eine „vera historia" fand, d. i. dasselbe typisch deutete; (zu vergleichen Honorius von Autun u. a.) Es ist nämlich in diesem inspirierten Buche ein wirklicher Vorgang anzunehmen, der jedoch nicht Selbstzweck ist, sondern eine höhere Wahrheit vorbildet. Sulamith ist eine geschichtliche Person, nicht die Tochter Pharaos, sondern ein Hirtenmädchen vom Lande; Salomon ist der König, der Sohn Davids. Die züchtige Leibesschönheit und Seelenreinheit der Sulamith war die Veranlassung zu einem ethisch-reinen Liebesbunde zwischen ihr und Salomon (in dessen früheren Königszeit). Dieser irdische Liebesbund versinnbildet nun jene höhere göttliche Liebe und bräutliche Verbindung, die zwischen Gott und seiner auserwählten Gemeinde, sowie zwischen Gott und jeder einzelnen gerechten Seele stattfindet; oder es spiegelt sich darin die Vermählung des Messias mit seiner auserwählten Gemeinde: die Verbindung Christi mit der heiligen Kirche ab, aber nicht rein allegorisch, sondern typisch. Natürlich decken sich Typus (Vorbild) und Antitypus (Gegenbild) nie: der Typus wird vom Antitypus weit und weit überragt. Betreffs der Bemerkung über den Verfasser des Hohenliedes (S. 27) und Inspiration desselben (S. 28) wäre doch zu erwähnen, daß dieses trefflichste, vorzüglichste Lied deshalb in den Kanon aufgenommen wurde (abgesehen von seiner Inspiration), weil sein Verfasser, ein Sohn Davids, des Trägers der messianischen Verheißung (2 Sam. 7), ein (zeitweiliger) Typus desjenigen war, der von sich sagte, daß er mehr sei als Salomon (Mt. 12, 42). Daß es Allegorien, und zwar schöne Allegorien gibt, lehrt und zeigt die Hermeneutik; daß aber ein ganzes biblisches Buch „in der idealen Welt" (S. 51), so in der Luft schwebe — dazu gehört ein zu starker Glaube! Man deute demnach das Hohelied allegorisch, aber typisch allegorisch! Sonst schildert ja der geehrte Verfasser von dem angenommenen allegorischen Standpunkte aus den Gang und Fortschritt der Gedanken und Bilder ganz richtig; namentlich sind die in der „Analyse" und den „Schlußbemerkungen" ausgesprochenen Gedanken recht gut und belehrend. Selbstverständlich geht die (vom Herrn Verfasser kurz angedeutete) Erklärung

ſelbſt auf dem verſchiedenen Standpunkte auseinander Ob man aber das Hohe=
lied, deſſen ſtrenge Einheitlichkeit mit Recht betont wird, in ſes Geſänge
mit mehreren Strophen und beſtimmten Zeilen, oder aber in ſechs Akte mit
mehreren Szenen zergliedert, iſt für den eigentlichen Wert des Buches ganz
irrelevant; allerdings gewinnt hieburch — wenn nicht gewaltſam hineingetragen
und willkürlich unterſtellt — die Form der Darſtellung an Zartheit und Schönheit
bedeutend. Daß 6, 3 hinter 8, 13 zu leſen ſei, iſt wohl nur eine „Vermutung"
(S. 67). Einen Stichus beliebig zu verdoppeln, um irgend eine gewünſchte
Zeile zu erhalten, möge bei einem bibliſchen Buche ja nicht as Regel gelen
Gerade aber in Hinſicht auf die in Kürze hier ausgeſprochenen Bemerkungen
wünſcht Rezenſent dem vorliegenden, mit viel Fleiß und Umſicht beſorgten und
ſchön ausgeſtatteten Werke allgemeine, begeiſterte Aufnahme; gewiß wird es zur
näheren Würdigung und zu immer beſſerem Verſtändniſſe des wahren Inhaltes
und Zweckes des erhabenen, geheimnis= und troſtvollen Hohenliedes recht
viel beitragen.

Prag. Leo Schneedorfer.

4) **La Chiesa Russa,** le sue odierne condizioni e i
suo riformismo dottrinale. Von P Aurelio Palmieri O.S A.
Firenze. 19 8. Libreria editrice florentina. XV u. 759 S. 5 Lire
= K 5.—.

Rußland gleicht in ſozialer, politiſcher und religiöſer Hinſicht einem
unheimlichen Vulkan, der jeden Augenblick loszubrechen droht. So ſehr die
orientaliſche Orthodoxie einer lähmenden Lethargie und Erſtarrung verfallen
ſcheint, fehlt es immerhin nicht an radikalen Verſuchen, die neuzeitlichen Ideen
in weitem Umfange einzubürgern und namentlich das geſamte Kirchentum der
ruſſiſchen Staatskirche auf eine ganz und gar demokratiſche Grundlage zu ſtellen.
Noch ſucht die Regierung auch in kirchlicher Hinſicht ihre abſolutiſtiſchen Tendenzen,
die vielfach an den Byzantinismus der ſchlimmſten Art erinnern, aufrecht zu
erhalten; wenigſtens erklärte Miniſterpräſident Stolypin in einer Unterredung
dem Metropoliten Antonius von Petersburg, daß der reaktionäre Kurs des
heiligen Synod der Regierungspolitik nicht entſpreche und die beiden ultra=
reaktionären Biſchöfe Hermogen und Seraphin wurden aus dem Synod entfernt
und in die Provinz verbannt. Indes vermöchte nur eine hierarchiſche Zentral=
gewalt im Sinne des katholiſchen Primates den deſtruktiven Strömungen Einhalt
zu gebieten und eine Geſundung der arg zerrütteten kirchlichen Verhältniſſe
langſam herbeizuführen: dies bedeutete aber eine definitive Preisgabe des ſchis=
matiſchen Standpunktes.

Trotz dieſer düſteren Lage braucht man an einer Annäherung und Wieder=
verſöhnung der orthodoxen Kirche des Orients mit dem katholiſchen Okzident
nicht zu verzweifeln. Dieſem ireniſchen Zwecke dient auch vorlie endes Werk,
welches in jeder Zeile eine Vertrautheit mit den Zuſtänden der ruſſiſchen Kirche
verrät, die eine völlig objektive Beurteilung derſelben ermöglicht und garantiert.
Eine reichhaltige Literatur, welche die orthodoxe kirchenrechtliche Theologie, die
einſchlägige Publiziſtik und ſelbſtverſtändlich die offiziellen Aktenſtücke in reichem
Ausmaße heranzieht, verleiht der Arbeit einen ruhigen, ſachlichen Charakter, der
in vorteilhafter Weiſe jede gehäſſige Polemik meidet und vielfach an die rein
quellenmäßige Darſtellung des ernſten Hiſtorikers erinnert. Daneben erfahren
die Tatſachen eine kurze, gediegene Beurteilung und Beleuchtung von Seiten des
Verfaſſers, der ſich als einen gründlichen Theologen und nüchternen Kritiker erweiſt.

Brennende Tagesfragen kommen der Reihe nach zur Erörterung. Da
ſeit 1682 kein allgemeines Konzil der orthodoxen Kirche mehr ſtattgefunden,
trat in den letzten Jahren das Bedürfnis nach einem ſolchen „Nationalkonzil"
mehr und mehr in den Vordergrund. Aber welchen Schwierigkeiten begegnete
gerade dieſe Konzilsfrage! Die verſchiedenen Anſichten, welche bei den einzelnen
Mitgliedern der vorbereitenden Konzilskommiſſion über Weſen und Verfaſſung
der Kirche beſtanden, mußten vor allem eine diametrale Meinungsverſchiedenheit

in der Frage herbeiführen: Sind auch einfache Priester und Laien vollberechtigte Konzilsmitglieder oder nur die Bischöfe als Repräsentanten der eigentlichen hierarchischen Gewalt? Nach langen und ziemlich erregten Debatten wurde in den März- und April-Sitzungen 1906 die Frage zugunsten der ersteren entschieden — ein entschiedener Sieg der „christlichen (?) Demokratie". Das Konzil soll indes den Namen eines „außerordentlichen" führen, um kein Präjudiz für die Zukunft zu schaffen. Seit 1905 wurde auch die Frage nach der Schaffung eines russischen Patriarchates aufgerollt; mit 18 gegen 6 Stimmen gelangte im Mai 1906 der Antrag zur Annahme: „Der erste russische Bischof ist Präsident des heiligen Synod und erster Hierarch der russischen Kirche, mit besonderen persönlichen Vollmachten ausgestattet"; man sieht, wie selbst die orthodoxen Kreise die Notwendigkeit einer dem katholischen Papsttum analogen Zentralgewalt bewußt oder unbewußt dokumentieren. Von einschneidender Bedeutung für eine geplante Reform der russischen Kirche ist ferner das unleidliche Verhältnis des „weißen" Weltklerus und des „schwarzen" Ordensklerus, die miteinander rivalisieren in dem Bestreben, auf den Episkopat einen entscheidenden Einfluß zu gewinnen; Bureaukratismus und religiöser Marasmus haben den letzteren alles moralischen Einflusses beraubt.

Die eigentliche Wurzel aber des bedauerlichen Tiefstandes in der russischen Kirche ist gelegen in den überaus traurigen materiellen, moralischen und sozialen Verhältnissen des orthodoxen Klerus. Ein Priesterstand, der in erster Linie mit Existenzsorgen für seine Familie zu kämpfen hat, der in beständigem wirtschaftlichen Kampfe mit seinen „Pfarrkolden" liegt und bei alledem weder Interesse noch Zeit hat für höhere intellektuelle und ethische Aufgaben, kann unmöglich in religiöser Hinsicht ein Sauerteig für die anvertrauten Gläubigen werden, um so weniger, wenn er durch eine ganz disziplinlose und unkirchliche Erziehung in den Seminarien von vornherein die Befähigung für seine hohen Aufgaben verloren hat. Revolutionäre Streiks sind in den russischen Seminarien an der Tagesordnung; die Regierung mußte 1905 aus diesem Anlasse 10 Seminarien einfach schließen. Der Anschaulichkeit halber setzen wir folgende Charakteristik der diesbezüglichen Zustände in wörtlicher Uebersetzung hieher: „Das Priestertum ist nicht das Ideal der Seminaristen, die sich nur ein Stück Brot zu verdienen suchen und das Leben unter materialistischen Gesichtspunkten betrachten. Das Regime der Seminarien ist überstrenge, weil bei etwas schlafferer Zucht die traurigsten Zustände herrschen würden. Die officia divina sind übermäßig lang, dauern bisweilen mehrere Stunden und die Seminaristen wohnen ihnen nur gezwungen bei. Sie beobachten dabei das Stillschweigen, so lange sie sich überwacht fühlen; hört die Ueberwachung ganz oder teilweise auf, so plaudern und lachen sie. Die „Mutigeren" nehmen in die Kirche Zeitungen und profane Bücher mit, um sie während des Gottesdienstes ruhig und ungesehen zu lesen. Die Fasttage sind häufig und fallen in der Regel mit den Prüfungstagen zusammen, an denen doch die erhöhte geistige Arbeit eine reichlichere Nahrung für die jungen Leute erforderte. Kein Wunder, daß die Seminaristen nach der Fastenmahlzeit heimlich Würste und Schinken verzehren. Der Rektor des Seminars weiß recht wohl um diese Uebertretungen der Kirchengebote; aber seine ganze Sorge ist auf die Aufrechthaltung der äußeren Ordnung gerichtet. Im allgemeinen hält man die Andachtsübungen und das Fasten nur aus Furcht vor Strafe. In den Seminarien herrscht das System des Terrorismus; um die moralische Erziehung kümmern sich der Rektor und das Aufsichtspersonal überhaupt nicht. Gegen die jungen Leute sind sie grob in der Behandlung und derb im Ausdruck; die gewöhnlichste Bezeichnung in ihrem Umgange mit den Seminaristen lautet „Dummkopf, Bestie, Taugenichts, Blödsinniger". Ihre ganze Aufgabe besteht darin, sich zu vergewissern, daß in den Vorlesungen und außer den Vorlesungen, daß in den Sälen nicht geraucht und nicht mit Karten gespielt wird, daß vor der Ankunft des Lehrers kein Lärm herrscht. Ein Jüngling ist ein musterhafter Seminarist, wenn er bei den täglichen Mahlzeiten und vorgeschriebenen Andachtsübungen nicht fehlt und nicht außer dem Hause übernachtet. Seine ungerechtfertigten Versäumnisse werden in einem besonderen Buche verzeichnet und der Schuldige wird einer strengeren Beaufsichtigung unterzogen. Den Seminaristen ist es strenge verboten, ins Theater zu gehen, öffentliche Bibliotheken zu besuchen, literarische Konferenzen zu hören, Zeitungen zu lesen. Lebhaftigkeit des Geistes oder ausgesprochene Anlage für Poesie werden als Hindernisse für das künftige Priestertum betrachtet. Die Zöglinge des Seminars bringen ihre Tage zu in einer Atmosphäre moralischen Zwanges, der die guten Keime ihres Herzens erstickt und Haß oder unbewußte Passivität erzeugt. Das Ergebnis einer erziehlichen Methode, die mit Brutalität alle Nüancierung der Charaktere zu nivellieren sucht, ist die Revolte. Während der gottesdienstlichen Uebungen raufen sich die Seminaristen förmlich, um sich in die dunkelsten Winkel oder die am wenigsten bewohnten Räumlichkeiten des Seminars zu flüchten und sich den Luchsaugen ihrer Aufseher zu entziehen. Ermutigt durch die Unordnung, welche augenblicklich in politischen und religiösen Kreisen herrscht, gehen sie nach Gutdünken und Belieben aus. Einige beobachten immerhin einige Zurückhaltung und bitten um die erforderliche Erlaubnis; der größte Teil glaubt sich jedoch dieser Verpflichtung enthoben. Die Straßen der Städte wimmeln von Seminaristen, die sich nachts in den Konzert= und Theatersälen zusammendrängen. Auf den Bahnhöfen, in den Restaurationen, in den öffentlichen Gärten, in den politischen Versammlungen bekunden die Seminaristen durch ihre Anwesenheit ihre weltliche Lebensauffassung. Die Rektoren wissen sehr wohl um die schlimme Lebensweise der ihrer Obsorge anvertrauten Zöglinge, um die Laster, die ihren sittlichen Charakter entstellen, um die Zügellosigkeit, die zuweilen ihrem Aeußeren das Schandmal der Verworfenheit aufprägt. Aber das Uebel ist nun einmal so festgewurzelt, daß es ihnen geratener scheint, die Augen zu schließen. Ein Seminarinspektor sagte, seine Aufgabe sei ein wahres Martyrium." Daß unter solchen Mißständen die Sittlichkeit im engsten Sinne des Wortes eine tiefgehende Schädigung erfahren muß, liegt auf der Hand; es kann auch nicht wundernehmen, wenn in den Seminarien förmliche Attaken der Zöglinge auf ihre Vorgesetzten stattfinden, die vor Kupfervitriollösungen, blutigen Raufereien u. s. w. sich schon wiederholt mit Polizei und Militär schützen mußten.

Andere Mißstände bestehen in der Vermischung von Laien und künftigen Klerikern in den Seminarien, in der regelmäßigen Besetzung der theologischen Lehrfächer durch Laienkräfte, in der unzureichenden sozialen Sicherstellung des Klerus sowie in der kirchlichen nicht behinderten Vorliebe für moderne, das heißt radikale und revolutionäre Ideen. Aeußerst interessante Details bieten auch die Kapitel über das apostolische Wirken und die Missionstätigkeit des russischen Klerus, über klerikale Schulen und theologische Studien und die Zukunft der russischen Kirche in ihrem Verhältnis zum Katholizismus.

Wir geben dem Autor vollkommen Recht, wenn er in der Organisation des russischen Kirchenregimentes den Triumph des Militarismus im Heiligtum erblickt. Hic Rhodus, hic salta. Nur eine Umgestaltung der Hierarchie im Sinne des Primatialprinzipes kann von Erfolg sein: vorderhand sind wir noch weit davon entfernt, wenn auch einzelne schüchterne Stimmen laut zu werden beginnen.

Einen unliebsam störenden Einfluß üben bei der Lektüre die zahllosen Druckfehler, die auf gänzlichen Mangel der nötigen Durchsicht schließen lassen.

Linz=Urfahr.   Dr. Joh. Gföllner.

5) **Cursus brevis Philosophiae.** Auctore Gustavo Pécsi.

Vol. II. Cosmologia. Psychologia. Esztergom (Gran) 1907. Selbstverlag des Verfassers und bei Gust. Buzárovits. 8º. XII et 320 pag. K 5.—.

Dieser zweite Band ist reich an neuen Auffassungen und die jungen Theologen, welche darnach ihre Philosophie studieren, können zweifellos viel lernen. In der Kosmologie sucht Pécsi den Atomismus mit dem Hylomorphismus zu vereinigen, wobei er die materia prima als Aether und die substantielle Form als substantielle Kraft faßt, zu der eine gewisse charakteristische Atomgestalt hinzukommt. Seine Ausführungen sind gewiß nicht unannehmbar. In den chemisch

zusammengesetzten Körpern findet nach ihm keine substantielle Veränderung statt,
und die Elemente ändern ihr Wesen nicht; sie bleiben auch in den lebenden
Körpern; man kann aber hier von einer substantiellen Veränderung sprechen,
weil die Formen ihre selbständige Tätigkeit einbüßen.

Geradezu umstürzende Theorien entwickelt Pécsi im Abschnitt über die
Tätigkeit der anorganischen Substanzen. Er hat seine Ansichten ausführlicher
entwickelt in einem in deutscher Sprache erschienenen hochbedeutsamen Werke:
„Kritik der Axiome der modernen Physik."

Ohne dem Geist und dem Scharfsinn des Verfassers zu nahe treten und
die Richtigkeit mancher seiner Argumente bestreiten zu wollen, erlaube ich mir
doch die Bemerkung, daß er im vorliegenden lateinischen Buch die zu wider=
legenden Probleme vereinfacht und manche seiner Argumente, die nur wahr=
scheinlich sind, für apodiktisch hält. Ich kann ferner mit dem besten Willen nicht
einsehen, daß das Gesetz der Konstanz der Energie irgendwie den Glauben
gefährdet; kann man doch gewiß nicht leugnen, daß Gott ein solches Gesetz in
die Natur einführen konnte. Ganz unrichtig erscheint mir die Behauptung, daß
das kosmologische Argument für Gottes Existenz, wie es heute von den christ=
lichen Philosophen gelehrt wird, „am dünnen Faden des Entropiegesetzes" hängt.

Von Seite 68 an beginnt Pécsi den Kampf gegen einige Hauptaxiome
der modernen Physik, wobei er hie und da zu vergessen scheint, daß heute gerade
viele der bedeutendsten Physiker diese Axiome und die aus ihnen fließenden
Theorien nicht als apodiktische Wahrheiten, sondern nur als Bilder der Wirk=
lichkeit fassen. Bemerkenswert ist unter anderem seine These (75), daß das
Wesen der physischen Kräfte nicht formell in der Bewegung besteht. Dagegen will
mir seine Beweisführung gegen das dritte Newtonsche Gesetz (Gleichheit der
Wirkung und Gegenwirkung) nicht einleuchten. Pécsi faßt dieses Gesetz anders
auf als Newton und die meisten Physiker. Auch folgt die Theorie von der
Konstanz der Energie, wie mir scheint, nicht unmittelbar aus jenem Axiom,
sondern nur mittels einer nicht streng beweisbaren Voraussetzung. Deshalb kann
das Gesetz von der Aktion und Reaktion bestehen bleiben und die genannte
Theorie stürzen. Sie ist tatsächlich schwer vereinbar mit den neuen Untersuchungen
über die radio=aktiven Körper.

Der Verfasser polemisiert auch gegen das physikalische Prinzip, daß ein
einmal bewegter Körper in Bewegung bleibt, wenn er nicht durch eine neue
Kraft zur Veränderung seines Zustandes gezwungen wird (zweiter Teil des
ersten Newtonschen Bewegungsgesetzes). Insofern Pécsi von einem realen und
nicht von einem idealen Körper redet, ist er offenbar im Recht. Die vier Bewe=
gungsgesetze Pécsis (89 s.) zeichnen sich jedenfalls durch Klarheit und Einfachheit
aus. Ob sie aber ausreichend sind? Im Abschnitt über Leben der Pflanzen und
Tiere mache ich besonders auf die treffliche Darlegung des Instinktes aufmerksam
(132 s.). Auch die Psychologie enthält schöne Seiten. Nicht überzeugend waren
für mich die Thesen über die sensitive Erkenntnis. Nach dem Verfasser wird bei
der Sinneserkenntnis keine species expressa erzeugt. Es ist gewiß zuzugeben,
daß eine solche species weder im Sinnesorgan noch in der Seele entsteht (denn
sie ist vom Akt selbst zu unterscheiden), die wichtigste Frage ist aber die, ob
nicht eine Art species expressa außerhalb des wahrnehmenden Subjektes
entsteht. Denn das, was auf S. 202 gegen die Projektionstheorie gesagt wird,
ist ganz ungenügend. Gut sind die Ausführungen über den Gegenstand des
Verstandes und die damit zusammenhängende Lehre über das Wesen der Seele.
Viel Ansprechendes hat auch die Ansicht des Verfassers, daß bei der Verstandes=
erkenntnis der intellectus agens und jede species impressa entbehrlich sind.
Allerdings setzt die Argumentation voraus, daß die Seelenkräfte nicht reell vom
Wesen der Seele verschieden sind, eine These, für die denn auch Pécsi gute
Beweise ins Feld führt.

Im Abschnitt über die Willensfreiheit wird der thomistische Determinismus
auf das schärfste angegriffen. Die Psychologie hat mich im ganzen weniger
befriedigt als die Kosmologie. Man begnügt sich eben hier mit Wahrscheinlich=

teiten, während die grundlegenden Thesen der Psychologie wie ein Fels dastehen
müssen. Bei Pécsi sind aber diese wichtigsten Fragen öfters zu kurz behandelt,
um den Eindruck der allseitigen Sicherstellung zu machen. Die Schwierigkeiten
werden manchmal zu leicht genommen und ihr eigentlicher Kern nicht aufgedeckt.

Damit ist natürlich nicht gesagt, daß es um andere lateinische Kompendien
besser bestellt ist. Aber Merciers Psychologie z. B. ist doch eine weit vollkommenere
Arbeit. Daß trotzdem Pécsis Philosophie ihren Weg machen wird, und das
auch verdient, gebe ich gern zu. Der Verfasser ist ein kühner und selbständiger
Denker und wird zweifellos noch Bedeutendes leisten.

Feldkirch (Vorarlberg).   Stan. v. Dunin Borkowski S. J.

6) Das Evangelium vom Gottessohn. Eine Apologie der
wesenhaften Gottessohnschaft Christi gegenüber der Kritik der modernsten
deutschen Theologie. Von Dr. theol. et phil. Anton Seitz, o. ö. Professor der Apologetik an der Universität München. Freiburg und Wien
1908. Herdersche Verlagshandlung. 8°. XII und 546 S. M. 5.60
= K 6.72. Gbd. in Leinwand M. 6.40 = K 7.68.

Wie schon das Titelblatt anzeigt, setzt sich vorliegendes Buch die Aufgabe,
gegenüber der modernen Leugnung oder Verflachung der Gottessohnschaft Jesu
Christi aus den evangelischen Quellen den Nachweis zu liefern, daß Jesus Christus
wahrer, dem Vater wesensgleicher Sohn Gottes im Sinne des katholischen Dogmas
ist. — Ein kurzes Vorwort (V—X) gibt zunächst Aufschluß über Anlaß, Aufgabe, Methode und Bestimmung der Schrift. Hierauf folgt das Inhaltsverzeichnis
(XI—XII), sodann die Einleitung (1—21), die sich ganz allgemein über Ziel,
Grundsätze und Methode der modernen Theologie und sich daraus ergebende
Folgerungen für die moderne Christologie und für das praktische kirchliche Leben
im Protestantismus verbreitet und kurz die folgende Stoffeinteilung begründet.

Das erste Kapitel: Christentum ohne Christologie (22—171), führt
uns in den Wirrwarr der Meinungen und Urteile über Jesus ein, wie sie die
moderne Berufs- und Laientheologie und die Leben-Jesu-Forschung von Harnack
angefangen bis zu Kalthoff und Frenssen im Hilligenlei zutage gefördert haben,
und zeigt deren innere Widersprüche und Haltlosigkeit auf. Zum eigentlichen
Thema übergehend, unterzieht dann das zweite Kapitel: Ideale Selbstbezeugung Jesu als metaphysischer Gottessohn (171—263), nach einer
kurzen Erörterung über die Bedeutung des Selbstzeugnisses Jesu, der Beweiskraft seiner Worte und Werke (Wunder) jene Aussprüche Christi, in denen er
sich über seine Person und sein Verhältnis zum Vater äußert, einer exegetisch-
apologetischen Untersuchung, während das dritte Kapitel: Praktische Selbstbezeugung Jesu als Gottessohn (263—388) die entweder spontanen oder
von Jesus veranlaßten Bekenntnisse der Freunde und Feinde Jesu sowie der
Dämonen in gleicher Weise behandelt. Das vierte Kapitel: Indirekte Selbstaussagen Jesu von seinem göttlichen Charakter (388—446) betrachtet
die Stellen, in denen Jesus sich als Weg, Wahrheit und Leben, als Erlöser und
Richter bekundet, das fünfte Kapitel endlich: Bezeugung der göttlichen Persönlichkeit Jesu durch seine Glaubensboten (446—528), die Aussagen
des Täufers, der Evangelisten in der Kindheitsgeschichte und des heiligen Paulus
über Jesus. Ein nach unserem Dafürhalten zu optimistisch gehaltenes Schlußwort (528—539) und ein Autoren- und Sachregister (539—545) schließen das
interessante Buch ab.

Wie aus dieser Inhaltsangabe erhellt, berührt das Buch, abweichend
von der alten Apologetik, den Erweis der Gottheit Christi aus den Wundern und
Weissagungen nur vorübergehend, sondern stellt, indem der Herr Verfasser die
Problemstellung der modernen Jesuskritik, es sei von den Selbstaussagen und
der Lebensführung Jesu auszugehen, annimmt (S. 172), und „dem modernen
Empfinden, welches auf die innere Erfahrung des unmittelbaren Erlebnisses das
Hauptgewicht legt" Rechnung trägt, das psychologische Moment, die persönlichen

Aussprüche Jesu als Aeußerungen seines Selbstbewußtseins in den Vordergrund. Diese Methode scheint gegenüber Gegnern, welche die Möglichkeit und Wirklichkeit der Wunder und Weissagungen grundsätzlich leugnen, geradezu geboten. Nur würden wir es für unberechtigt, ja, für gefährlich halten, wenn nach diesem Vorbilde die neueren Apologeten künftighin die althergebrachten Beweise ganz beiseite schieben würden. Das will auch der Herr Verfasser nicht; er will nur gegen die geänderte Angriffsweise der Gegner zu den alten erprobten aber nun nicht mehr ausreichenden Waffen neue schmieden und an die Hand reichen.

Vorzüge des Buches sind: eine staunenswerte Kenntnis der modernen (protestantisch-) theologischen Literatur, namentlich im Gebiete der Leben-Jesu-Forschung, unerschütterliche Ueberzeugung von der Sieghaftigkeit der vertretenen Wahrheit, mutige, keinem Angriff ausweichende, schlagfertige Polemik und vor allem eine gründliche Exegese, welche Sinn, Bedeutung und Tragweite eines biblischen Satzes oder Ausspruches durch die sorgfältigste Beachtung und Berücksichtigung des Zusammenhanges und der Umstände der Zeit und des Ortes und der redenden oder handelnden oder als Zeugen anwesenden Personen genau fest und klar zu stellen sucht. Damit ist allerdings die Richtigkeit und Beifallswürdigkeit jeder einzelnen Erklärung oder Begründung nicht behauptet, vielmehr haben wir uns bei der Lektüre ein und die andere angemerkt, zu der wir ein Nein oder doch ein Fragezeichen setzen möchten. Beispielsweise führen wir an: Befriedigen wenigstens uns schon die vorgebrachten Gründe gegen die konservative Auffassung des Petrusbekenntnisses (S. 280 ff.) nicht vollkommen, so ist die Erklärung des Vaters im Himmel (pater meus, qui in coelis est Matth. 16, 17) als „das unsichtbare Gotteswesen, welches den vom Geiste Gottes sich leiten lassende in der Person Jesu erlebt" (S. 285—286) viel unklarer als der jedem Christen verständliche biblische Ausdruck (Vater im Himmel) und zudem unrichtig; daß aber Fleisch und Blut in erster Linie das menschliche Wesen Jesu bezeichne, ist mindestens sehr fraglich. Ferner kann Daniel 7. 13 das Angesicht des Alten der Tage unmöglich die zweite Person in der Gottheit gleich dem „Abglanz und Ausprägung des Wesens" Gottes nach dem Hebräerbrief bezeichnen (S. 323). Fürs erste hat der chaldäische Urtext nur die Präposition mit dem suffix (uq^e damôhi haqr^e bûhi), LXX den bloßen Dativ des Pronomens (προσηνέχθη αὐτῷ); die Vulgata allein in conspectu eius obtulerunt eum; es ist demnach das in conspectu der Vulgata auf Grund des bekannten Hebraismus in der abgeschwächten Bedeutung „angesichts, in Gegenwart, vor" zu fassen. Zweitens schließt der Zusammenhang obige Bedeutung geradezu aus. — Die Exegeten wird noch interessieren, daß ἐν ἀρχῇ (Joh. 1. 1) mit Berufung auf die philosophische Terminologie im metaphysischen Sinne = „im ersten Ausgangspunkt oder Urprinzip alles Seienden" gefaßt wird, so daß es einen analogen Sinn hat wie Joh. 10, 38; 14, 10 f.: „Der Vater ist in mir und ich in ihm" (S. 390), und demgemäß auch die schwierige Stelle Joh. 8, 25 erklärt wird: „Ich bin das, was ich euch gegenüber aussage, ich meine nämlich den Urgrund, d. i. das überweltliche, dem Vater gleichwesentliche Prinzip alles Seienden" (S. 391 f). —

S. 358 muß es wohl heißen: „Kinder und Narren (statt Natur) sagen die Wahrheit".

Das Buch ist vor allem den Religionslehrern, dann allen religiös interessierten Gebildeten gewidmet (S. X). Ersteren wird es reichlichen Lehrstoff und vielseitige Anregung bringen. Damit es für letztere leichter genießbar werde, hätten wir für eine zweite, gründlich durchgearbeitete Auflage, die das Buch jedenfalls verdient, folgende Wünsche: Kürzung des ersten Kapitels; Maßhalten im Zitieren und in der Einschaltung fremder Sätze und Redensarten in den eigenen Satzbau; was die Darstellung dadurch vielleicht an Unmittelbarkeit verliert (vgl. S. VIII), gewinnt sie an Klarheit und Deutlichkeit. Endlich eine einfachere, klarere, volkstümlichere Sprache!

St. Florian.   Dr. Moisl.

**7) Der Vernichtungskampf gegen das biblische Christus=
bild. — Ersatzversuche für das biblische Christusbild.**
(Heft 3 und 4 der 1. Folge der „Biblischen Zeitfragen" von Dr. Ignaz
Rohr, o. Professor an der Universität Straßburg. Münster i. W. 1908.
Aschendorff. 8°. 30 resp. 42 S. Preis pro Heft 50 Pfg. = 60 h;
bei Abonnenten 45 Pf. = 54 h.)

Zwei flott geschriebene Darstellungen der Geschichte des Kampfes gegen
den gottmenschlichen und der Substitutionsversuche eines reinmenschlichen Jesus.
Ueberall zeigt sich große Sachkenntnis und eine geistreiche Auffassung. Für Priester
und Theologen, sowie für Akademiker der philosophischen Studienlaufbahn gut
verständlich, werden diese Hefte auch dem übrigen höher gebildeten Publikum viel
Interessantes bieten, wenn sie auch in ihren bei solcher Kürze wohl notwendigen
Voraussetzungen in vielen Punkten über das Wissen der meisten hinausgehen. Allen
für biblische Fragen Interessierten sei dieser Broschürenzyklus bestens empfohlen.
St. Florian. **Dr. Vinz. Hartl.**

**8) „Die Glaubwürdigkeit des Alten Testamentes im
Lichte der Inspirationslehre und der Literarkritik."**
Der ersten Folge 8. Heft der „Biblischen Zeitfragen", gemeinverständlich
erörtert. Broschürenzyklus herausgegeben von Dr. Nikel und Dr. Ignaz
Rohr. Münster i. W. Aschendorffsche Buchhandlung. 60 Pfg. = 72 h.

Der rühmlichst bekannte Autor hat es mit der vorliegenden Broschüre
unternommen, seine wißbegierigen Zeitgenossen zu informieren über das wichtige
Thema der Glaubwürdigkeit der Schriften des Alten Testamentes auf Grund
der kirchlichen Lehre von der Inspiration und auf Grund moderner Untersuchungen in Sachen der heiligen Literatur. Die Leser werden über alles Einschlägige genau und gut informiert, wenn sie schon einen gewissen Schatz von
philosophischer und theologischer Bildung mitbringen. Der Rezensent kann sich
aber nicht damit einverstanden erklären, wenn auf S. 11, Z. 5. v. o. die Formulierung des Gedankens so lautet: „Die Enzyklika erkennt die Schwierigkeiten
nicht, welche gewisse Redewendungen und Angaben der Bibel aus dem Gebiete
der Naturwissenschaften und der Geschichte den Forschern bereiten." Ebensowenig
gefällt ihm für eine gemeinverständliche Schrift, die für Massenverbreitung
bestimmt ist, wenn auf S. 12, Z. 19 v. u. zu lesen ist: „Nach diesen Worten
Leo XIII. widersprechen unrichtige Ausdrücke in naturwissenschaftlichen Dingen
nicht der Irrtumslosigkeit der Heiligen Schrift. Wie steht es aber mit den
vorhandenen historischen Unrichtigkeiten?" Auf S. 13, Z. 13 v. u. lesen
wir, daß die Enzyklika des Papstes noch einer authentischen Exegese bedürfe,
welche Leo XIII selbst nicht mehr geben könne. Gott sei gedankt, daß das kirchliche Lehramt die Leistungen der Vergangenheit erhält und weiterpflegt und zu
gegebener Zeit ergänzt! Die vom Autor gewünschte Exegese wird vom kirchlichen
Lehramte sicher erfließen, wenn das Bedürfnis von dieser Stelle ebenso empfunden
wird. Auch der Anmerkung 1) auf S. 35 wird mit Widerspruch hingenommen;
in dieser heißt es: „Man kann die auf die Erklärung betreffenden Schriftstellen
verwendete Mühe bewundern, aber den Eindruck wird man nicht los, daß die
Bemühungen, an dem Text so lange herumzudeuten, bis er der naturwissenschaftlichen Anschauung gerecht wird, dem Ansehen der Bibel mehr schaden, als
die Annahme, daß die naturwissenschaftlichen Angaben nicht der Wirklichkeit
entsprechen." Bei solcher Kritik über die Arbeiten Foncks hätte doch der Versuch
irgend einer Lösung von Schwierigkeiten unternommen werden sollen, ehe man
fernstehenden gegenüber die Bemühungen redlicher Gelehrten einigermaßen
herabsetzt In theologischen Kreisen wird diese Broschüre jedenfalls gute Dienste
leisten, in nicht eingeweihten, nicht vorgebildeten Kreisen dürfte der erwartete
Erfolg wohl nicht eintreten.
St. Florian bei Enns. **Dr. P. Amand Polz,** Professor.

9) **Biblische Zeitschrift** in Verbindung mit der Redaktion der „Biblischen Studien", herausgegeben von Dr. Joh. Göttsberger, Professor der alttestamentlichen Exegese in München, und Dr. Josef Sickenberger, Professor der neutestamentlichen Exegese in Breslau. Sechster Jahrgang. Freiburg. 1908. Herdersche Verlagshandlung. Jährlich 4 Hefte im Umfange von je 7 Bogen gr. 8⁰. Preis für den Jahrgang M. 12.— = K 14.40.

Sechs Jahrgänge der Biblischen Zeitschrift liegen vor uns: gewiß ein genügendes Substrat zu einer richtigen Würdigung des Wertes dieser Zeitschrift. Um nun auch dem Leser der Quartalschrift eine Vorstellung von dem Reichtum des in der Biblischen Zeitschrift Gebotenen zu ermöglichen, sei beispielsweise verwiesen auf den Inhalt des vierten Heftes 1908: Wie ich mir einen neuen Sabatier vorstelle. Von Pfarrer Josef Denk in München. — Einiges über die Itala-Vogelnamen: asida, calab(d)rio; cauua (Denk). — Hieronymus und das hebräische Matthäusoriginal. Von Dr. Ludwig Schade in Aachen. — Zu Mt. 5, 13 (Mueller). — Zu Lukas 1, 34—35. Von P. Joannes Maria Pfättisch O. S. B. in Ettal. — Zu 1 Kor. 7, 36 ff (Weyman). — Christi Dornenkrönung und Verspottung durch die römische Soldateska. Von Karl Kastner in Breslau. — Apostel und Herrenbrüder. Von Prof. Joh. Mader in Chur. — Besprechungen: Dhorme, Choix de textes religieux assyro-babyloniens (J. Hehn). Lagrange, Études sur les religions sémitiques. 2ᵉ éd. (J. Nikel). — Bibliographische Notizen (Das NT). — Mitteilungen und Nachrichten.

Zur Ergänzung noch einiges charakteristischer Art aus dem zweiten Hefte desselben Jahrganges: Professor Göttsberger begründet seine neue Deutung von Gen. 8, 7: Der Rabe flog aus der Arche hinaus und kehrte in die Arche zurück, beides so oft, bis das Wasser vertrocknet war (S. 113 ff.). J. Schäfers beendet seine literarkritische Untersuchung von 1 Sm 1—15 (S. 117 ff.). G. Götzel gelangt durch Vergleichung der biblischen und keilinschriftlichen Nachrichten zur Annahme von zwei quellenkritisch selbständigen Berichten im vierten Königsbuche. 4 Kg. 18, 14—16 ist zeitlich früher anzusetzen als die übrige Erzählung von Sanheribs Expedition (S. 133 ff.). Professor Eberharter untersucht die Bedeutung von נפש in Pf. 105, 3 u. Ekkli 14, 9 (S. 155 ff.) 2c. 2c.

Es ist unnötig und in einer Rezension unmöglich, mehr anzuführen. Aber diese Stichproben genügen, um dem Leser zu zeigen, wie die Biblische Zeitschrift alle alt- und neutestamentlichen Texte und Fragen in ihren Bereich zieht und welch eine abwechslungsreiche Fülle des Interessanten geboten wird. Was aber dieser Zeitschrift ihren unvergleichlichen Wert gibt, das ist die systematische Sammlung und beigegebene Charakteristik der deutschen und ausländischen exegetischen Literatur. Diese „bibliographischen Notizen" sind für jeden wissenschaftlich arbeitenden Exegeten von unschätzbarem Wert und auf diesem Gebiete ein ebenbürtiger Ersatz des „Theologischen Jahresberichtes" von Krüger-Köhler.

Was die theologische Richtung der Biblischen Zeitschrift anbelangt, so gibt sie auf gemäßigt fortschrittlicher Seite: Der konservativere Exeget wird um des audiatur et altera pars willen dies gern mit in Kauf nehmen.

Verfolgt diese Zeitschrift auch nicht praktische Zwecke, so wird sie doch auch dem Nichtfachmanne viel des Interessanten bieten. Tolle, lege!

St. Florian.   Dr. Vinzenz Hartl.

10) **Die Psalmen nach dem Urtext.** Von Johannes Konrad Zenner S. J. Ergänzt u. herausgegeben v. Hermann Wiesmann S. J. Erster Teil: Uebersetzung und Erklärung. Münster i. W. 1906. Druck u. Verlag der Aschendorffschen Buchhandlung. XVI u. 358 S. M. 6.— = K 7.20. Zweiter Teil: Sprachlicher Kommentar. Münster i. W. 1907. 63 S. M. 2.— = K 2.40.

I. Die Psalmen sind lyrische Erzeugnisse, daher wollen sie nicht zuletzt unter diesem Gesichtswinkel gewürdigt sein. Vorliegender Psalmen=erklärung ist die eingehende Behandlung des lyrischen Standpunktes der einzelnen heiligen Gedichte eigen. Den Verfassern war es nämlich vor allem darum zu tun, „den ästhetischen Genuß des Literalsinnes der Psalmen zu vermitteln" (S. III). Hierin hauptsächlich liegt die Berechtigung wie der Wert des in Rede stehenden Kommentars. Großes Gewicht in demselben wurde auch auf eine gediegene Uebersetzung gelegt nach dem Grundsatz: Eine gute Uebersetzung bildet die beste Erklärung. Die Gliederung in Strophen ist sorgfältig durchgeführt, das Metrum dagegen beiseite gelassen. Wohltuend berührt die Bemerkung des Vorwortes: „Die vielfach herrschende Ueberschätzung der Psalmen, die weniger auf eingehender Kenntnis als auf herkömmlicher Ueberlieferung beruht, teilt unsere Psalmenerklärung nicht" (S. IV; vgl. S. 12 f.). Auch der zur Textkritik auffordernde Satz: „In sinnlosen, verderbten Lesarten tiefe Gedanken wittern, zeugt von wenig Ehrfurcht vor den heiligen Sängern" (S. IV) kann nur Beifall finden. Ist aber denn nicht eine Aenderung der offiziellen kirchlichen Uebersetzung unerläßlich?

Der Erklärung der Psalmen geht eine 26 Seiten füllende Einleitung voran.[1] Wir heben aus ihr folgendes heraus. Der Abschnitt über die Verfasser der Psalmen schließt mit den Worten: „Die Verfasser sind uns im einzelnen ziemlich schlecht überliefert; so muß es uns denn wie Theodoret genügen, zu wissen, daß sie alle auf Eingebung des heiligen Geistes geschrieben haben" (S. 19). Die letzte Redaktion des Psalters aber, meint Wiesmann, könnte sich immerhin bis gegen 140 v. Chr. hingezogen haben (S. 6). Die Ursprünglichkeit der Psalmen=Ueber=schriften gibt er wohl mit Recht preis (S. 15—17). So wird im Kommentar selbst entgegen der Ueberschrift der Psalm Miserere nicht David zuerkannt, sondern dem im babylonischen Exil schmachtenden Volk unter Anführung plausibler Gründe in den Mund gelegt (S. 248—251).

Die Anordnung der Psalmen im Kommentar geschah nach der äußeren Form: auf die Nichtchorlieder (S. 27—127) folgen die Chorlieder (S. 128—358). Der Schwierigkeiten, die aus den Fluchpsalmen sich ergeben, sucht der Kommentar durch die Annahme Herr zu werden, daß diese eine citatio implicita darstellen. Unseres Erachtens aber werden auf solche Weise die Bedenken nicht beseitigt. Denn wird wohl die aus der Inspiration der Bibel fließende Schwierigkeit verringert, wenn man sich z. B. Psalm 108 (Vulg.) etwa im Munde Semeis als Fluch gegen David denkt? (S. 160—162.) Der Schluß der dem 18. Psalm verliehenen Ueberschrift: „Das Gesetz Jahves, ein Sonnenhymnus" (S. 66) wirkt befremdend. Indem der Kommentar die typisch messianische Deutung des Psalm 109 bevorzugt, bezieht er denselben auf David (S. 96). Doch war David Priester? (Siehe B. 4.) Interessant ist die Verbindung des Psalm 131 mit dem von Salomon bei der Einweihung des Tempels verrichteten Gebet (S. 322—327).

II. Der 2. Teil bietet die textkritischen und sprachlichen Erörterungen. Sie wurden nicht in den 1. Teil, d. i. in den Kommentar aufgenommen, damit dieser an Uebersichtlichkeit gewinne. Beachtung verdient unter andern: die zu Psalm 110 (hebräische Zählung), 3 vorgeschlagene Korrektur.

Linz.   Dr. Karl Fruhstorfer.

---

[1] Ueber die Frage, welchen Anteil am Werke Zenner und welchen Wies=mann genommen, gibt folgende Bemerkung des letzteren näheren Aufschluß: „Da die Feststellung und die Uebersetzung des Textes zum größten Teil schon vorlagen (nämlich aus der Feder des am 15. Juli 1905 verstorbenen P. Zenner), war es meine Aufgabe, nach Durcharbeitung des gesamten Stoffes den kritischen und erklärenden Kommentar abzufassen und mit der Einleitung zu versehen."

11) **Biblifche Zeitfragen,** gemeinverständlich erörtert. Ein Broschüren=
zyklus, herausgegeben von Professor Dr. J. Nikel, Breslau, u. Professor
Dr. J. Rohr, Straßburg. Erste Folge. Heft 7: Belfer Die Apostel=
geschichte. Münster. 1908. Aschendorffsche Buchhandlung. 8°. 31 S.
50 Pf. = 60 h, bei Bezug der ersten Folge 45 Pf. = 54 h.

Der bekannte Tübinger Gelehrte behandelt in dieser Broschüre fünf die
Apostelgeschichte betreffende Fragen: I. Verfasser und Zeit der Abfassung.
II. Glaubwürdigkeit. III. Bedeutung für die Kenntnis der Verfassung der Kirche.
IV. Chronologie. V. Textgestalt der Apostelgeschichte. Berechtigterweise nehmen
den größten Raum die beiden ersten Fragen ein, die nebst der dritten für das
ins Auge gefaßte Lesepublikum weitaus das größere Interesse haben. Daß man
von Belfer, dem gewandten Exegeten und genauen Kenner besonders der Apostel=
geschichte nur Gediegenes erwarten kann, versteht sich von selbst; daher soll von
Meinungsverschiedenheit in Einzelheiten keine Rede sein. Nur den Zweifel können
wir nicht unterdrücken, ob nicht der Herr Verfasser von den Lesern, für die der
Broschürenzyklus bestimmt ist, nämlich die gebildetere Laienwelt, zuviel
exegetische Kenntnisse voraussetzt. So klar und verständlich die Sprache ist,
so ist die sachliche Ausführung für Laien häufig zu knapp und kurz. Uebrigens
soll es uns freuen, wenn wir uns in unserer Ansicht täuschen und wir wünschen
dem Büchlein recht viele Leser.

St. Florian. Dr. Moisl.

12) **Úvod do písma sv. Nového Zákona.** (Einleitung in
die Heilige Schrift des Neuen Testamentes), II. Teil, I. Artikel von
den Geschichtsbüchern des Neuen Testamentes. Jepsal Dr. San Lad.
Sýkora, ř. professor české fakulty bohosl. v Praze a kanovník
král. kolleg. kap. u všech Svatých na hradě Praž. Prag 1907.
Cyrillo=Methodsche Buchhandlung, Verlag St. Prokopi=Häredität in Prag.
Gr. 8°. 585 S. K 10.—.

Im Anschlusse an den ersten Teil des vom verehrten Herrn Verfasser
veröffentlichten Einleitungswerkes in das Neue Testament (vgl. Theol. Quartal=
schrift 1906, II. Heft) erlaubt sich Rezensent nun von dem zweiten (speziellen)
Teile dieses Werkes den bereits erschienenen I. Artikel (von den Geschichts=
büchern) auf das wärmste zu empfehlen.

Zunächst handelt der hochw. Verfasser A) von den Evangelien im
allgemeinen (deren Namen, Zahl, Ueberschriften, Reihenfolge und Anlage)
S. 3—21, geht sodann zu den einzelnen Evangelien über, indem er das
vom heiligen Matthäus auf S. 21—123, das vom heiligen Markus
S. 123—197, vom heiligen Lukas S. 197—301 und das vom heiligen
Johannes S. 351—503 ausführlich bespricht und die bezüglichen Einlei=
tungsfragen im ganzen gründlich löst. In § 27 (S. 301—351) wird das Ver=
hältnis der drei ersten (synoptischen) Evangelien zueinander näher erörtert.
Hierauf wird B) der Apostelgeschichte (S. 503—549) eine eingehende Auf=
merksamkeit gewidmet. — Daß gerade in der Disziplin der Einleitungswissen=
schaft in die heiligen Bücher sich hinsichtlich der Beantwortung einzelner Fragen
wie auch der Auffassung ganzer Stücke mancher Widerspruch geltend macht, ist
nur natürlich. Bloß einige Punkte möchte Rezensent hier berühren. Die zu
gunsten einer hebräischen (aramäischen) Abfassung des Matthäusevangeliums
vorgebrachten Argumente (S. 42 ff.) sprechen gerade — nach dem Urgrunde
betrachtet — für die griechische Originalsprache, was sich aus der Auffassung
und Behandlung des griechischen Textes (S. 67 ff.) um so klarer ergibt, wie
Rezensent a. a. O. dargetan hat. — Eine wirkliche Ehe „zwischen Maria und
Joseph" anzunehmen (S. 118), ist denn doch gar nicht notwendig; die Verlobung
reicht vollkommen hin und die richtige Exegese verlangt obige Erklärung keines=
wegs. Die Ansichten über den „Stammbaum Christi" bei Matthäus und Lukas

haben Exegeten der neuesten Zeit (vgl. Vogt, Hartl) glücklich und gut beurteilt. Aus der sichtlich unliebsamen Verlegenheit (S. 181 ff.) betreffs der Schluß= perikope (Mr. 16, 9—20) hilft wohl die Annahme: Entweder hat Markus selbst oder mit seinem Wissen und Willen eine andere Hand diese zwölf Verse beigefügt. — Aberles Ansicht betreffs der Zweckbestimmung des Lukasevan= geliums und der Apostelgeschichte verdient doch gewiß vollste Beachtung. — Durch den Anhang (Kommentare zu den Geschichtsbüchern des Neuen Testa= mentes, S. 551—561), das Personen= und Sachregister wird der Wert des Buches bedeutend erhöht; eine übersichtliche Inhaltsangabe nebst Be= richtigungen bildet den Schluß dieses schön und sorgfältig ausgestatteten Werkes. — Eine gewisse Breite, ein Suchen nach prägnanten, vielseitigen Aus= drücken wird sich einem solchen Werke schwer absprechen lassen; dafür bietet aber das Buch eine so reiche Fülle an Material, an ausführlichen Zitaten und eine so mannigfache Anregung, daß es nicht bloß von den Hörern des hochwür= digen Verfassers, sondern auch von einem weiteren Leserkreise freudig begrüßt und gern gelesen werden wird.

Prag.   Leo Schneedorfer.

13. **Ezras Leben und Wirken.** Von Dr. Gustav Klameth, Religionslehrer am k. k. Kaiser Franz Josef=Staatsgymnasium in Mähr.= Ostrau. Wien I., 1908. Heinr. Kirsch, Singerstr. 7. K 4.80.

Die kritische Methode der neuesten Zeit ist mit den altehrwürdigen Büchern der Heiligen Schrift sehr unzufrieden und griff zu dem recht zweifelhaften Mittel der Quellenscheidung. Die Voraussicht des inspirierenden Gottes aber hat in den Büchern Esdras und Nehemias zwei Bücher entstehen lassen, welche bei der kritischen Methode Gnade finden sollten, weil gerade sie Memoiren und Archiv= stücke untereinander bieten. Aber Klameth hat das Gegenteil (S. 102, Z. 2—4) verzeichnet z. B. betreff Kapitel 7 des Buches Esdras, in welchem das Vollmacht= schreiben des Ezra enthalten ist: „falsch und unhistorisch" lautet das Urteil der kritischen Methode über dieses Kapitel.

Mit den Vertretern solcher „kritischer" Methode kann Klameth in der vorliegenden Arbeit als bibelgläubiger Forscher nicht halten, noch kann er auf der Bibel als Grundlage fußend den außerbiblischen Ueberlieferungen des Tal= mud und anderer Quellen einen höheren Wert zuerkennen, als der Heiligen Schrift. Unablässig ist Klameth bemüht, den übertriebenen Wert außerbiblischer Quellen auf das richtige Minimum zurückzubringen.

Zwischen diesen zwei gekennzeichneten Klippen steuert Klameth seine Dar= stellung über Ezras Leben und Wirken hindurch. Er wickelt dieselbe ab in fünf ungleichen Teilen: Ezras Jugend (16 Seiten), Ezras Wirksamkeit an der Seite Nehemias (41 Seiten), Ezras literarisches Wirken (57 Seiten), Ezras zweite Reise nach Jerusalem (25 Seiten), Ezras Lebensende, seine Bedeutung und sein Charakter (4 Seiten).

Bei Darstellung der Kindes= und Jünglingsjahre, bei der Frage nach Ezras letzten Schicksalen und Lebensende und noch bei vielen Lebensabschnitten dieses ausgezeichneten Mannes bewegt sich Klameth nach eigenem Geständnisse auf konjekturalem Boden (S. 120), aber immer bleibt ihm Leitstern das vor= handene Bibelwort. Er trägt kein Bedenken, sich von Autoritäten wie Kuener und Nikel loszusagen und anderen Autoritäten wie Hoonacker und Schöpfer zu folgen, weil er sich in dieser Gefolgschaft dem vorhandenen Bibeltexte und dessen Verständnis näherzukommen glaubt.

Konsequent ergibt sich bei dieser Gefolgschaft die Ueberzeugung des Ver= fassers, daß die eigentliche und selbständige Wirksamkeit des Esdras zu setzen ist in das Jahr 398 v. Chr. und daß somit Artaxerxes II. dem Esdras das Vollmachtschreiben des Kapitels 7 des Buches gleichen Namens ausgestellt hat. Während Kuenen und Nikel die Ankunft und Wirksamkeit des Esdras in das Jahr 458 verlegen und das Wirken des Esdras vor Nehemias mit einem Fiasko abschließen lassen, gibt Klameth in seiner Arbeit eine Ausdehnung des biblischen

Berichtes in der Zeit nach Nehemias und einen Abschluß der Tätigkeit des Es=dras, welche mit seinem Ruhme im Bibelworte mehr zusammenstimmt als mit den Uebertriebenheiten talmudischer Ueberlieferung. Auch dem Darsteller Klameth muß man als Erklärer der Bibel Gerechtigkeit widerfahren lassen in gleichem Maße wie jenen, welche bisher den Ton angegeben haben. Wenigstens insoweit ist Klameth mehr im Rechte, als er als strammer Katholik kein einziges Kapitel und keinen einzigen Vers nach der mehr als zweifelhaften „kritischen" Methode als „unhistorisch und falsch" hinausexpediert.

Im Vorausgehenden ist also die grundstürzende Anschauung Klameths über Ezra dargestellt. Die Begründung derselben konnte Klameth im Flusse seiner Darstellung „Ezras Leben und Wirken" nicht gut unterbringen, darum widmete er derselben einen Anhang (S. 124—142), um darzutun, warum er an der geschichtlichen Anreihung Nehemia=Ezra festhalte.

Die von ihm in der vorliegenden Arbeit gegebene Erklärung des in den Büchern Esdras=Nehemias vorhandenen Gotteswortes nimmt nun diese Gestalt an: im 1. Teile holt Klameth weiter aus, um die heidnischen Kultüberbleibsel in Israel und ihre Nachwirkungen, den Zweck des Exils in der Rückkehr zu Jahwe, den Umschwung der Gesinnung in der Wertschätzung der Torá von Seiten der Laien und in der Sühne eigener Schuld von Seiten der Priester und der Leviten und so die Entstehung einer Reformpartei darstellen zu können. Für die Expedition des Nehemias wird auch von Klameth das Jahr 444 bei=behalten. Nehemia ist Mitglied der Reformpartei, ihm steht bei seinen Reformen der jugendliche Ezra im Alter um weit über 20 Jahren zur Seite. Die Be=sprechung der Kenⁱset haggᵉdolá — großen Versammlung (S. 36) endet darin (S. 39), daß diese Versammlung nach den Makkabäerkriegen ziemlich umgestaltet und im Hohenrate mehr zu einem juridischen Senate umgeformt wurde. Nach Klameths Darstellung sind Nehemia und Ezra zwei Charaktere, welche sich lieben und schätzen gelernt haben (S. 40). Ezra soll durch die Hebung des Gesetzes=kenntnis und die Erleuchtung des Volkes die Reformen des Nehemia fördern. Im Jahre 433 oder 432 reisten beide Männer nach Babylon zurück. Hier ging nun Ezra daran, seinen Plan auszuführen, um dem Volke die notwendigen Mittel an die Hand zu geben zur Vertiefung der religiösen Erkenntnis. Ihm kommt dabei zu Hilfe die Gesetzesschriftstellerei, welche in Babylon blühte. Als erstes literarisches Werk bezeichnet Klameth, daß Ezra die Endredigierung der mosaischen Gesetzgebung geleistet hat. Die S. 50—57 bieten einen geschichtlichen Ueberblick über die Redaktion des Pentateuchs, die S. 57—64 erledigen die Frage nach dem Anteile Ezras an dieser Sache. Darauf folgen Zeugnisse der jüdischen und christlichen Ueberlieferung. Die Behauptung Kuenens, daß Ezra den Priesterkodex der modernen „kritischen" Methode produziert habe, hat Klameth schon auf den S. 24—36 abgefertigt. Als zweite verdienstvolle Arbeit des Ezra wird von Klameth genannt die Feststellung des sogenannten palästinensischen Kanons, welche parallel mit der Endredaktion des Pentateuchs geleistet wurde. Nachdem die S. 68—74 die Zeugnisse der Schrift selbst, des Flavius Josefus, des Talmuds, des vierten Buches Esdras, der Kirchenväter für diese zweite Leistung gebracht haben, wird auf S. 74 die Abstreitung dieser zweiten Leistung besprochen.

Auf S. 76 befaßt sich Klameth mit der dritten Leistung Ezras. Ezra bietet eine neue Geschichtsdarstellung und hat gute Gründe für dieselbe. Dieses Geschichtswerk sind die Bücher der Chroniken. Von S. 78—81 hat Klameth die Randnote hinzugesetzt: Die Darstellung entspricht unseren Voraussetzungen. Gegen die Autorschaft des Esdras werden wohl Einwände erhoben (S. 81), aber Klameth verteidigt die Autorschaft durch den finis auctoris, durch argumenta interna, durch die bei der „kritischen" Methode in hohem Werte stehen, durch die jüdische und christliche Tradition. Den durch den Talmud weit verbreiteten Ueber=treibungen, daß Ezra die Quadratschrift erfunden, daß er das Gesetz der Juden in aramäischer Sprache gegeben, daß er die Punktation eingeführt habe, tritt Klameth fest und entschieden entgegen und läßt nur gelten, daß Esdras der aramäischen Sprache mehr Geltung verschafft habe.

Das letzte literarische Werk des Esdras bespricht Klameth erst auf S. 114 und wirft die Frage nach dem Anteile auf, welchen Esdras an den beiden vorhandenen kanonischen Büchern Esdras und Nehemias habe.

Wie Klameth es darstellt, hat Ezra all das, was er in den öffentlichen Archiven oder unter seinen Privatschriften über die nacherilische Geschichte und die Restauration des Tempels und der Stadt vorfand, in den Büchern Ezra-Nehemia gesammelt. Beide Bücher bilden (S. 116) schon ihrem Inhalte nach eher zwei Teile desselben Werkes als zwei verschiedene Werke. Als Absicht des Ezra wird hingestellt, einen Mahnruf an die Zukunft zu hinterlassen, damit die Nachkommen an Jahwes Wohltaten sich erinnern und das Ererbte hüten und die „große Versammlung" in treuem Andenken bewahren. Die zwei apokryphen Bücher, welche Esdras Namen tragen und als 3. und 4. Buch Ezra gezählt werden, werden von Klameth auch kurz besprochen (S. 117—119) sind aber nur inhaltlich (für Klameth) in der Darstellung dort verwertet, wo der stark reduzierte Anspruch derselben mit den kanonischen Büchern übereinstimmt (S. 71).

Als die größten Leistungen des Ezra stellt Klameth hin die Säuberung des Gottesdienstes von allen heidnischen Ueberbleibseln, die Reformierung des Priesterstandes, die Bekämpfung der pflichtvergessenen Leviten (S. 91—94).

Bevor Klameth die zweite Reise des Ezra nach Jerusalem im Jahre 398 darstellt, gibt er ein Bild der Situation in Jerusalem nach der zweiten Abreise des Nehemias (von da) bis zum Jahre 400. Ein wunder Punkt in der palästinensischen Heimat waren die Mischehen, an welche schon Nehemias und nun auch Esdras die helfende Hand des Arztes angelegt haben (S. 98—101). Die Randnote auf S. 101 besagt: Die politischen Zeitverhältnisse waren einer zweiten Reise des Ezra günstig. Auf der S. 103 werden die Leser auf bemerkenswerte Umstände der Abreise aufmerksam gemacht. S. 106 hebt das Postulat eines klugen Vorgehens in der Mischehenfrage hervor. Die S. 108—110 sind ein passender Kommentar zu den Kapiteln 9 und 10 des 1. Buches Esdras. Nach Klameths Darstellung war die Aktion Ezras in dieser Eheangelegenheit von Erfolg begleitet.

Wie nun die Darstellung Klameths nichts von einem Fiasko des Ezra weiß, ebensowenig läßt dieselbe bei der Entwerfung seines Charakterbildes (S. 121) eine pia fraus gelten.

„Ezras Leben und Wirken" hat demnach in Klameth einen beredten Anwalt gefunden, der feststeht auf der soliden Grundlage der Bibel und den sog nannten Modernen gegenüber, welche im Handumdrehen aus einem „vielleicht, wahrscheinlich" ein „bestimmt, gewiß" konstruieren, an Kombinationsgabe zum mindesten ebenbürtig dasteht.

Der verdienstvollen Arbeit hat der Verfasser vorausgeschickt das reiche Verzeichnis der literarischen Arbeiten, welche er zu Rate gezogen hat, und finden sich darunter deutsche, lateinische, französische, englische, italienische, holländische, polnische und tschechische Werke.

Dem Verzeichnis der Korrigenda läßt sich noch hinzufügen S. 51 mosaica. dafür „mosaica". S. 78 Chrysosthomus dafür „Chrysostomus", S. 142 indentifiziert, dafür „identifiziert".

St. Florian bei Enns.   Dr. P. Amand Polz.

14) Kommentar zum Dekrete „Ne temere" mit besonderer Berücksichtigung der österreichischen Ehegesetzgebung von Andreas Freiherrn v. Dipauli. Graz und Wien. Verlagshandlung „Styria". K 2.40.

Ueber dieses Dekret sind schon mehrere Kommentare erschienen, so daß ein neuer überflüssig erscheinen könnte. Indes läßt sich immer noch manches beibringen, wie für den Juristen wie für den Praktiker Interesse hat. Dipauli hat wohl beiden einen guten Dienst erwiesen, indem er das bürgerliche österreichische Ehegesetz herbeigezogen und mit dem Dekrete verglichen hat. Freilich kommt infolgedessen dieser Dienst den Oesterreichern zugute, aber doch nicht ihnen allein, da ja zugleich das Dekret selbst eine eingehende Erläuterung erfährt, was zum Besten der Allgemeinheit dient. Wir empfehlen daher diesen fleißig gearbeiteten Kommentar auf das Beste.

Linz. Dr. M. Hiptmair.

15) **Glaubenslehre der katholischen Kirche für die reifere Jugend und für Erwachsene.** Von Dr. Josef Ring. Gr. 8°. 288 S. Ganz in Leinwand gebunden: M. 2.— = K 2.40. 20 Exemplare portofrei: M. 18.— = K 21.60. 100 Exemplare portofrei: M. 150.— = K 180.—.

Glaubenslehre der katholischen Kirche für Kinder der drei ersten Schuljahre. Gr. 8°. 60 S. Ganz in Leinwand gebunden: M. —.60 = K —.72. 20 Exemplare portofrei: M. 5.— = K 6.—. 100 Exemplare portofrei: M. 40.— = K 48.—.

Ein Katechismus in Form eines Lesebuches wurde in der katechetischen Zeitschrift des Dr. Weber schon öfter vorgeschlagen. Die beiden Bücher enthalten die notwendigste Erklärung zwar kurz und bündig, aber doch leicht verständlich. Sie ersetzen einigermaßen den Katecheten, wenn dessen Erklärung wegen Kinderkrankheit, Priestermangel oder aus anderen Ursachen ausfällt oder unaufmerksam angehört oder nicht verstanden oder wieder vergessen worden ist. Deshalb kann die nächste Lektion auch dann mit Leichtigkeit gelernt werden, wenn sie vorher nicht erklärt oder die Erklärung vom Kinde nicht verstanden oder wieder vergessen worden ist. Auch steht dem Katecheten zur Erklärung weniger Zeit zur Verfügung, wenn die Schule über 90 oder gar über 100 Kinder enthält, wie das in Bayern häufig der Fall ist. Manche Kinder haben einmal, selbst zweimal repetiert und dadurch die Erklärung des siebenten, beziehungsweise auch noch des sechsten Schuljahres verloren. In allen diesen Fällen hat das Kind bei weitem keinen so erheblichen Schaden vom Verlust der mündlichen Erklärung des Katecheten, weil die beiden Lehrbücher die notwendigste Erklärung enthalten. Noch größer ist der Nutzen der beiden Glaubenslehren in Ländern, wo der Katechet die Schule nicht betreten darf.

Die Aufgabe des Katecheten wird durch die kleinere und noch mehr durch die größere Glaubenslehre bedeutend erleichtert. Wenn derselbe durch unvorhergesehene Arbeiten gezwungen ist, ohne Vorbereitung die Schule zu besuchen, macht sich der Mangel an Vorbereitung nicht so sehr bemerkbar und schadet nicht so viel.

Auch die Aufgabe des Kindes ist bedeutend erleichtert. Die Zahl der Fragen ist zwar sehr groß, aber viele derselben sind nicht Memorier=, sondern nur Lesetext; viele haften schon nach dreimaligem Durchlesen im Gedächtnis. Das Kind braucht nie mehr Unverstandenes zu lernen.

Der Katechismus soll nicht das kleinste und unansehnlichste Buch sein, als ob Religion der unbedeutendste Gegenstand wäre. Bei einer großen Auflage kann das Buch auch bedeutend billiger als jetzt abgegeben werden. Durch vorstehende Preise wird der in einer früheren Karte angegebene Preis herabgesetzt und berichtigt. Dr. Jos. Ring.

16) **Das Christentum und die monistische Religion.** Von Max Werner. 1. bis 10. Tausend. Berlin. Karl Curtius. (O. J.) 202 S. Geh. M. 2.— = K 2.40; gbd. M. 3.— = K 3.60.

Einige Textproben dürften besser als eine längere Analyse in den Geist des Werkes einführen. Der Verfasser beginnt S. 5 seine Ausführungen mit den Sätzen: „Jedes Kind lernt heutzutage in der Schule, daß die Erde sich um die Sonne dreht. Die christlichen Kirchen dulden diese Lehre, trotzdem sie den Worten der Bibel klar und entschieden widerspricht." S. 12 heißt es: „Beide (Schöpfungs=) Berichte (Gen. 1. u. 2.) stehen im vollendeten Gegensatz zur heutigen Wissenschaft. Der Glaube, daß die Welt in sechs Tagen geschaffen sei, bedeutet eine völlige

Umkehrung unserer sichersten Forschungsergebnisse." S. 15: „Wie das Leben auf der Erde entstand, wissen wir nicht. Aber das wissen wir, so, wie die mosaische Sage erzählt, entstand es nicht." (Alle Unterstreichungen der Zitate rühren vom Verfasser selbst her.) S. 23: „Durch naturwissenschaftliche und geschichtliche Forschung ist die Tatsache über allen Zweifel festgestellt, daß es ein Paradies im biblischen Sinne nicht gab." S. 42: „Mit der Preisgabe der Verbalinspiration wird das Alte Testament seines Charakters als des Wortes „Gottes" unwiederbringlich entkleidet." S. 69: Gott ist Liebe, und dieser Gott sollte seine Geschöpfe, seine Kinder so unbarmherzig — nein! dieses Wort ist unendlich zu milde für die unendlichen Qualen — strafen für ihre doch nur zeitliche Unbarmherzigkeit?" S. 89: „Die — im Verhältnis zur Krankenzahl — wenigen Wunderheilungen in Lourdes, Mekka usw. geschehen ebenso durch Suggestion" S. 102: „Wie die katholische Kirche sich bei der Lehre des Kopernikus geirrt hatte, so irrte sie auch in dieser Glaubensfrage" (ob nämlich das apostolische Glaubensbekenntnis von den Aposteln verfaßt sei). Genug der Beispiele, die sich leicht ums zwanzigfache vermehren ließen. Sein Wissen schöpft der Verfasser durchweg aus den Werken protestantischer Theologen der destruktiven Richtung, die er getreu exzerpiert, mitunter sogar seitenweise abschreibt. So beruft er sich in der Pentateuchkritik auf Delitzsch (S. 28 ff.), im Kapitel „Israel und Babylonien" wird auf das gleichnamige Werk von Gunkel verwiesen (S. 32), im Abschnitt „Der Christus" figuriert Pfleiderer, Das Christusbild der urchristlichen Glaubens, als Quelle (S. 55 ff.), „Der Mensch Jesus" stützt sich auf v. Hartmann, Das Christentum des Neuen Testaments (S. 70 ff), die Ausführungen über „Das apostolische Glaubensbekenntnis" sind entlehnt aus Ad. Harnack, Das apostolische Glaubensbekenntnis (S. 101 ff.), für „Die Philosophie des heiligen Thomas von Aquino" werden als „Quellen" Fr. Paulsens Philosophia militans und Rud. Euckens „Thomas von Aquino, ein Kampf zweier Welten" (so zitiert Werner) genannt. Ein Versuch der Auseinandersetzung nicht etwa mit katholischen, sondern auch nur mit positiven protestantischen Theologen wird nirgends gemacht. Welchen Bildungsstand der Verfasser bei seinen Lesern voraussetzt, ergibt sich daraus, daß er es für nötig hält, Worte wie Eschatologie (S. 47), autochthon (S. 48), Präexistenz (S. 77), Analogie (S. 90), Halluzination (S. 93), Apologetik (S. 112), Exeget (S. 118), Lokalisation (S. 153), Ideenassoziation (S. 155) in Klammern oder unter dem Strich zu übersetzen. Alles in allem ist das Buch trotz des Waschzettels eine ganz gewöhnliche, jedes wissenschaftlichen Ernstes entbehrende und einzig auf Gimpelfang berechnete Agitationsschrift für eine Begriffsverwirrung, welche der Verfasser „monistische Religion" zu nennen beliebt.

Mautern (Steiermark).   Dr. P. Heinrich Kirfel C. SS. R.

17) „Klerikale Weltauffassung" und „Freie Forschung".

Ein offenes Wort an Professor Dr. K. Menger. Von A. J. Peters. Wien. 1908. Georg Eichinger. K 4.80.

Herr Hofrat Dr. Menger dürfte sich nicht wenig darüber gewundert haben, daß ein Artikel, welchen er am 24. November 1907 in der „Neuen Freien Presse" veröffentlichte, ihm eine Erwiderung eintrug, welche mehr als viermal soviel Seiten umfaßt, als jener Aufsatz Zeilen zählte. Ob das nicht der Ehre zu viel ist, selbst wenn die Entgegnung sich gegen einen Hofrat wendet? Nein. Es liegt dem Herrn Verfasser, wie er im Vorwort sagt, grundsätzlich fern, „bei derartigen Anlässen die Person seines Gegners ins Auge zu fassen" (S. 6): Professor Mengers Aufsatz „Die Eroberung der Universitäten" wurde aus einer großen Anzahl ähnlicher als Leitmotiv dieser Auseinandersetzung gewählt, weil er „mit seltenem Geschick in etwa hundert Druckzeilen so ziemlich alles berührt und angedeutet" hat, wodurch die katholische Weltauffassung in den Augen ihrer Gegner „als wissenschaftlich abgetan erscheint" (ibid.). Und so bietet auch das vorliegende Werk mehr als eine gewöhnliche Streitschrift, die im Tageskampfe auftaucht und wieder verschwindet; sie enthält in zehn Abschnitten eine Reihe gediegener prinzipieller Erörterungen. Zunächst wird genau unterschieden zwischen Forschungsfreiheit und Lehrfreiheit und die Grenze, welche der Zweck der Wissenschaft und das Naturrecht der einen wie der anderen zieht, scharf bestimmt (I). Dann zeigt der Herr Verfasser an der Hand eines erdrückenden Beweismaterials, wie unwissenschaftlich die Männer der „freien Forschung" den Kampf gegen das Christentum, das sie nicht einmal kennen, führen (II). Da die gegnerische Auffassung vorzüglich auf Kants Lehren von der Unerkennbarkeit des Uebersinnlichen, von der Autonomie der Sittlichkeit und der Subjektivität der Religion fußt, wird im folgenden Abschnitt die Tragkraft dieses Bodens kritisch untersucht (III). Weiters bespricht der Herr Verfasser die Fragen, ob die religiöse Ueberzeugung der Katholiken wirklich nicht das Ergebnis wissenschaftlicher Untersuchung (IV), sondern kritikloser, unbedingter Autoritätsglaube sei (V), und ob sie sich mit dem Fortschritt der Wissenschaften, namentlich der Naturwissenschaften und der Geschichte vereinigen lasse (VI). Abschnitt VII bringt eine treffliche Gegenüberstellung der „klerikalen" und „modernen" Weltauffassung, die Kapitel VIII und IX begründen gegenüber den Ableugnungen Professor Mengers die Vorwürfe der Feindseligkeit der „freien Forschung" gegen die Religion und der Förderung von Umsturzideen, und endlich wird im X. Kapitel Mengers Vorwurf, daß die „klerikalen Parteien" mit „Gewalt und Hinterlist" gegen die Männer der Wissenschaft" kämpfen, dahin richtig gestellt, daß vielmehr „antiklerikale" Männer der Wissenschaft im Bunde mit „antiklerikalen" Parteien gegen „klerikale" Männer der Wissenschaft und „klerikale" Studenten mit „Gewalt und Hinterlist" kämpfen. Die Beweisführung Peters ist solid, die Sprache edel und vornehm; die blutige Ironie, welche nicht selten darin liegt, ist nicht etwa auf Rechnung eines gehässigen Tones zu setzen, sondern vielmehr auf des Verfassers unbarmherzige Logik und die kalte Gegenüberstellung von Mengers Behauptungen und offenkundigen Tatsachen zurückzuführen. Eine kleine dogmatische Ungenauigkeit ist mir S. 331 aufgefallen, wo es als Lehre der „katholischen Kirche" bezeichnet wird, „daß der Mensch eines übernatürlichen göttlichen Beistandes bedarf, um jeden heftigen Andrang seiner Leidenschaften beharrlich zu bemeistern und das Gesetz der sittlichen Ordnung im vollen Umfang pflichtgetreu zu erfüllen". Die Kirche lehrt bloß, daß dies ohne „besonderen Beistand" (sine speciali auxilio, Conc. Trid. Sess. 6, can. 22) Gottes nicht möglich sei; daß dieser besondere Beistand immer übernatürlich sei oder sein müsse, ist nicht gesagt. Wünschenswert wären wohl auch Kapitelüberschriften der einzelnen Abschnitte gewesen. Das Jahr des Erscheinens ist nur auf dem äußeren Umschlag, nicht aber auf dem Titelblatt ersichtlich gemacht worden. Ich halte Peters Schrift für einen ungemein wertvollen Beitrag zur Apologetik und wünsche ihr weiteste Verbreitung besonders auch in den Kreisen gebildeter Laien.

Mautern (Steiermark).   Dr. Heinrich Kirfel C. SS. R.

18) Wissenschaftliches Arbeiten. Beiträge zur Methodik des akademischen Studiums. Von Dr. phil. et theol. Leopold Fonck S. J., o. ö. Professor an der Universität Innsbruck. (Veröffentlichungen des biblisch-patristischen Seminars zu Innsbruck. I. Band). Druck u. Verlag von Felizian Rauch (Karl Pustet). Lex. 8. XIV u. 340 S. brosch. M. 2.25 = K 2.60, in Leinwandband M. 3.20 = K 3.75.

Der Betrieb der wissenschaftlichen Arbeit hat einen solchen Umfang angenommen, daß es nicht wunder nimmt, wenn der wahre, wissenschaftliche Wert des gebotenen Materials nicht immer gleichen Schritt hält; unter dem wissenschaftlichen Breite und Fülle leidet erfahrungsgemäß nicht selten die Tiefe und Einheit. Es muß daher ein eminent zeitgemäßes Unternehmen genannt werden, wenn die Richtlinien für die szientifischen Elukubrationen in ihrer unverrückbaren Gestalt aufgezeigt und jene Momente nachdrücklich betont werden, welche der Geistesarbeit den Stempel der Akribie aufdrücken. Dies im vollen Umfang geleistet zu haben, ist das dankenswerte Verdienst vorliegender Publikation aus der Feder des in der wissenschaftlichen Welt bestbekannten Autors. Das Werk will zwar zunächst nach dem bescheidenen Titel nur „Beiträge zur Methodik des akademischen Studiums" bieten und ist gewiß in erster Linie ein unentbehrliches Hilfsmittel für alle jene Adepten der Wissenschaft, welche erst vertraut gemacht werden sollen mit den Prinzipien und methodischen Gesichtspunkten der wissenschaftlichen und gelehrten Arbeit: aber gleichzeitig bietet das Werk eine solche Fülle anregender und praktischer Gedanken, daß es jeder, der auf dem Gebiete der literarischen Arbeit selbsttätig ist oder ein wissenschaftliches Werturteil über die literarischen Erscheinungen abzugeben in die Lage kommt, als einen vollkommen zuverlässigen Führer begrüßt, der ihm auf sämtliche einschlägige Fragen sicheren Bescheid zu geben weiß, ihn vor Irrwegen und zeitraubenden Umwegen bewahrt und ihn so befähigt, das Gebiet der Wissenschaft nicht mit einer bloßen „Neuerscheinung" zu belasten und zu überfüllen, sondern mit wertvoller Forschungsarbeit zu bereichern.

Der I. Teil („Die Schule des wissenschaftlichen Arbeitens") bespricht nach einem interessanten historischen Rückblick über die Anfänge der seminaristischen Bildung in den alten Schulen und ihre Entwicklung an den modernen Universitäten zunächst Zweck, Bedeutung, Einrichtung und äußere Hilfsmittel der Seminare, die seminaristischen Uebungen, die schriftlichen Arbeiten der Mitglieder, die Berichterstattung, die Rezension (ein besonders gediegenes Kapitel!), die populär-wissenschaftliche Darstellung und die streng wissenschaftliche Abhandlung.

Der II. Teil („Die Methode des wissenschaftlichen Arbeitens") erörtert in der eingehendsten Weise die Bedeutung der Themawahl und ihre Praxis, das Sammeln des Stoffes und die Quellenkunde: das folgende Kapitel „Quellennachweise" bringt eine sehr reiche und übersichtliche Darstellung der allgemeinen Bibliographie sowie Quellensammlungen allgemeinen Inhaltes, für deren Benützung, Studium und Lektüre im folgenden Abschnitt sowie namentlich in dem ungemein lehrreichen und von praktischer Erfahrung zeigenden Kapitel über Kollektaneen (inzwischen in einem Separatabdruck erschienen!) einschlägige Winke enthalten sind. Methodisch und kritisch höchst bedeutsame Wahrheiten bringt der Abschnitt über Verständnis und Beurteilung der Quellen, Sichtung und Disposition des Stoffes, allgemeine und besondere Anforderungen (Schreibweise, Abkürzungen, Zitate) der Darstellung: praktische Winke finden sich im letzten Abschnitt über Veröffentlichung der wissenschaftlichen Arbeit: Manuskript, Autor und Verleger, Drucklegung und Korrektur, Zugaben zum gedruckten Text (Seitenüberschriften, Inhaltsverzeichnisse und Literaturverzeichnisse) und last, not least der Titel. Im Anhang stehen die Seminarstatuten der theologischen Fakultät der k. k. Universität zu Innsbruck.

Alle Einzelgedanken zeigen von dem idealen Streben, der „Wissenschaft" die ihr gebührende auserlesene Stellung zu sichern und wertvolles Talmigold von dem lauteren Feingehalt des echten wissenschaftlichen Schaffens zu unterscheiden. Geradezu beschämend ist, was der Verfasser diesbezüglich (S. 154) konstatiert: „Der Abgeordnete Dr. M. Flemisch macht in der „Allgemeinen Rundschau" (III [1906] 194 f.) auf eine wenig erfreuliche Tatsache aufmerksam. Er nennt drei von wissenschaftlichen „Fabriken": das Aufsatzinstitut von Artur Giegler in Leipzig, das für 20 Pfennig per Quartseite einen Aufsatz oder eine Rede über jedes beliebige Thema zu liefern bereit ist: ferner ein Unternehmen, das in der „Bayerischen Lehrerzeitung" (1906 n. 45, S. 887) „Konferenzarbeiten gut und billig" empfiehlt; endlich das Anerbieten des Herrn Direktors a. D. Claisé in Breslau, der „zur rite Erwerbung der Doktorwürde jederzeit fertige gute Abhandlungen von bewährten Fachleuten" zur Verfügung stellen möchte. Ob solche Institute gute Geschäfte machen, entzieht sich leider unserer Kenntnis. Doch schon die Tatsache, daß sie existieren und in der Oeffentlichkeit ihre Dienste anbieten, läßt die Mahnung zu ernster eigener Arbeit als nicht ganz überflüssig erscheinen.

Das Werk ist, entsprechend den Anforderungen, die der Verfasser an eine wissenschaftliche Arbeit stellt, selbst eine Musterleistung nach Inhalt und Form:

es ist ein wahrer Genuß, den gegliederten, streng logisch gesichteten und in vor=
nehmer, gemeinverständlicher Sprache gebotenen Gedanken zu folgen. Hier lernt
man, was wahre Wissenschaft ist und sein soll!

Druckfehler: S. 54, Z. 14 v o verteidigen (Komma); S. 87, Z. 18 v. o.
sorgfältige; S. 89, Z. 1 deleatur punctum (Ueberschrift); S. 107, Z. 19 v. o. Der
(Fragestellung); S. 281, Z. 3 v. u. Verleger und überlassen (Komma).

Urfahr-Linz.   Dr. J. Gföllner.

19) **Beiträge zur Beurteilung antiker und moderner
Kunstbestrebungen** unter besonderer Berücksichtigung der Dar=
stellung des Nackten. Von Franz G. Cremer, Historienmaler. 93 S.
Düsseldorf. 1908. Verlag „Düsseldorfer Tageblatt'.

Das durchwegs den christlichen Standpunkt vertretende Büchlein handelt
von der Wichtigkeit der Künste im „Haushalte der Staaten", von der Tatsache,
daß die Besten aller Zeiten vom Künstler Wahrung der Schicklichkeit gefordert
haben und daß unbegründete Nacktdarstellungen ein sicheres Zeichen des fort=
schreitenden Verfalles sind. Treffend ist das Urteil über die moderne „Wüstlings=
kunst": „Sie spaßhaft aufzufassen, dafür ist sie nicht komisch genug; sie ist zu
gemein, um mit ernster Ironie gestraft zu werden; sie hinwiederum mitleidig
zu behandeln, ist uns verwehrt, weil sie allzu pöbelhaft ist" (S. 58). Denen,
die in den Nacktdarstellungen etwas Unverfängliches sehen, wird des gewiß
freisinnigen Diderot vernichtendes Urteil entgegengehalten: „Immer die Natur
ganz nackt unter Augen zu haben, jung zu sein und tugendhaft zu bleiben, es
ist nicht möglich. (S. 27).

Das Büchlein wird die, welche genötigt sind, im gegenwärtig tobenden
Kampfe um die wahren Kunstideal-Vorträge zu halten oder mit der Feder zu
wirken, mit manchem wertvollen Beitrage unterstützen. Hier möchte ich überhaupt
einmal einem Wunsche Ausdruck verleihen, den ich schon lange hege. An viele
Priester und an die Schriftsteller in katholischen Zeitschriften tritt immer mehr
die Aufgabe heran, die Angriffe abzuwehren, die mit den Schlagworten „Autonomie
der Kunst" — „Freude am Schönen ist nur verfeinerter Geschlechtsreiz" —
„Der nackte Körper ist der höchste Gegenstand der Kunst" gekennzeichnet sind.
Nun sind das schwierige Fragen und es läßt sich nicht leugnen, daß unsere Presse
in diesem Kampfe manchmal recht unsicher laviert. Warum? Es fehlt ihr an einem
populär-wissenschaftlichen Nachschlagebuch, das die wichtigsten Fragen klar, kurz und
doch der Hauptsache nach erschöpfend behandelt. Man verweise mich auf Gietmanns
„Kunstlehre": diese ist zu umfangreich und erfordert gute Vorkenntnisse aus der
scholastischen Philosophie; der „Grundriß" desselben Verfassers ist für Schüler
bestimmt und kann eben deshalb auf obige Fragen wenig eingehen. Ich meine,
die „Sammlung Kösel" erwürbe sich ein Verdienst, wenn sie eine Aesthetik mit
besonderer Berücksichtigung jener Angriffspunkte besorgte. Die Aufgabe ist nicht
leicht; der beste Beweis dafür ist, daß auch die indifferenten Sammlungen, wie
„Sammlung Göschen", „Wissenschaft und Bildung", Webers Katechismen", noch
keine besonders brauchbare Darstellung bieten. Aber umso ehrenvoller wäre es,
wenn auf unserer Seite der Wurf gelänge. Und wir brauchen Schutzwaffen,
denn immer weitere Kreise werden in falsche Anschauungen über das Verhältnis
zwischen Kunst und Moral hineingerissen.

Urfahr.   Dr. Johann Ilg.

20) **Mariologie** oder: Lehre der katholischen Kirche über Maria, die
seligste Jungfrau. Dargestellt von Dr. Anton Kurz. Regensburg. 1881.
Verlagsanstalt Manz. 8°. 483 S. früher M. 7.— = K 8.40, jetzt
M. 3.— = K 3.60.

„Vorliegende Mariologie hat es sich zur Aufgabe gesetzt, die Lehre der
katholischen Kirche über die seligste Jungfrau Maria in klaren und einfachen
Worten darzulegen." So die Worte des Verfassers. Diese Aufgabe hat Dr. Kurz
in großartiger Weise gelöst.

Den Eingang bildet eine kurze Beschreibung des Lebens der seligsten Jungfrau Maria. Dann folgen die eigentlichen Abhandlungen.

I. Abschnitt. Was hat die Kirche über Maria dogmatisch entschieden? 1. Unbefleckte Empfängnis (25 Paragraphe); 2. Maria ist die Mutter Gottes (15 P.): 3. Maria, die immerwährende Jungfrau (9 P.); 4. Maria, Jungfrau in der Geburt (8 P.); 5. Maria, Jungfrau nach der Geburt (8 P.); 6. Sündelosigkeit Mariens (7 P.).

II. Abschnitt. Was ist Lehre der Kirche über Maria als theologische Folgerung? 1. Die Würde Mariens, der Gottesmutter (6 P.); 2. Maria, die Gnadenvolle (10 P.); 3. Verehrung Mariens (6 P.); 4. Maria, frei von der bösen Begierlichkeit (5 P.).

III. Abschnitt. Was haben die Gläubigen von jeher über Maria allgemein geglaubt? 1. Gelübde (der Jungfräulichkeit) Mariens (4 P.); 2. Ehe zwischen Maria und Josef (4 P.); 3. Aufnahme Mariens in den Himmel (8 P.); 4. Maria, Mittlerin und Fürsprecherin (9 P.). Anhang. Verehrung des reinsten Herzens Mariens. Wirkte Maria Wunder? Welche Sakramente hat Maria empfangen?

All' diese Abhandlungen sind gründlich durchgeführt. Die Zitate sind genau angegeben. Einige der benützten Quellen werden allerdings nicht mehr als echt anerkannt, z. B. das Spec. B. M. V. Die einzelnen Lehrsätze erklärt Dr. Kurz sehr eingehend. Dieselben werden dadurch noch mehr erklärt, daß die verschiedenen Einwände widerlegt werden. Die unbefleckte Empfängnis wird sehr weitläufig behandelt. Leider ist dem Kämpfer für die unbefleckte Empfängnis unbekannt geblieben. Es ist Joannes Mario Zamoro o. cap., † 1649, der in seinem Jahrhundert wohl der berühmteste Verteidiger der Unbefleckten war. Besonders herrliche Abhandlungen bietet uns Dr. Kurz in § 73—78 die Würde Mariens und in § 79—89: die Gnadenvolle. Der Schluß ist leider etwas trocken ausgefallen.

Diese Mariologie ist besonders den Verkündern des Wortes Gottes anzuempfehlen. Zu Marienpredigten bietet sie Stoff in Hülle und Fülle. Wer das Leben Mariä von Knoll und die Mariologie von Kurz besitzt, kann mit Leichtigkeit viele und gründliche Vorträge über Maria, ihre Gnadenauszeichnungen ꝛc. halten.

Neumarkt (Südtirol).   P. Camill Bröll O. Cap.

21) **Das Leben der jungfräulichen Gottesmutter Maria.** Nach Schrift und Tradition dem christlichen Volke dargestellt von Simon Knoll, Pfarrer. Regensburg. 1874. Verlagsanstalt vormals Manz. 2 Bände. Gr. 8°. Früher M. 7.20 = *K* 8.64, jetzt M. 4.— = *K* 4.80.

Der Zweck dieser Besprechung ist, auf ein älteres, aber sehr gediegenes Werk aufmerksam zu machen.

Knoll bietet uns eine vollständige, populär geschriebene Mariologie. Der erste Band (352 S.) behandelt in der ersten Abteilung: Maria, der Gegenstand allgemeiner Erwartung in der vorchristlichen Zeit. Maria wird uns vor Augen gestellt in ihrer Vorherbestimmung, in den Naturbildern, in den Typen und in den Frauen des alten Testamentes. Eine längere, mit praktischen Nutzanwendungen gespickte Abhandlung bildet das Stammbuch oder die Ahnenreihe Mariens. Der zweite Teil behandelt: Maria in ihrem Leben auf Erden. A. das verborgene Leben. Der zweite Band (288 S.) enthält: B. das öffentliche Leben bis einschließlich ihrer Verherrlichung im Himmel. Der dritte Teil bietet uns ein vollständiges Bild der Marienverehrung: Pflicht, Geschichte, verschiedene Uebungen derselben und schließt mit der Huldigung der Künste an Maria. Am Schlusse des ganzen Werkes treffen wir noch ein weitläufiges, alphabetisches Inhaltsverzeichnis.

Erster Band, S. 197, lesen wir „Maria eilte zu Elisabeth. Sie suchte eine treue Seele, mit der sie ihr Glück und ihre Freude teilen konnte". Wenn dem so wäre, warum hat dann Maria ihr Geheimnis nicht ihrem Bräutigam mitgeteilt? Zweiter Band, S. 108, finden wir den Ausdruck „göttliche Maria". Solche Ausdrücke sind immer zu vermeiden, weil nicht dogmatisch. In unserem Falle ist dieser Ausdruck aus einer Predigt des Bossuet herüber= genommen. Es wäre wohl am besten gewesen, das Wort „göttliche" einfach auszulassen.

Im übrigen ist dieses Leben Mariä sehr zu empfehlen. Herrliche Nutz= anwendungen, die den erfahrenen Seelsorger verraten, erhöhen den Wert des Buches. Sie lehren uns aber auch, wie man trockene Partien behandeln soll. Dieses Werk eignet sich besonders für die Verkünder des Wortes Gottes. Wer es fleißig liest, dem wird es leicht werden, Marien=Predigten der verschiedensten Art zu machen.

Neumarkt (Südtirol). P. Camill Bröll O. C.

22) Der heilige Franz von Assisi. Von H. Federer. Mit sechs farbigen Tafeln und 11 Federzeichnungen von Fritz Kunz. München. Verlag der Gesellschaft für christliche Kunst. 52 S., Format 28 × 25 cm. M. 5.— = K 6.—; gbd. M. 6.— = K 7.20.

In gedankensprühender, schwungvoller Sprache schildert der Verfasser Geist und Leben des seraphischen Heiligen, nicht in historisch=kritischer Biographie, sondern als poesievolle Auslegung des herzerquickenden Franziskus=Zyklus, den uns der Schweizer Fritz Kunz geschaffen als reife Frucht künstlerisch kongenialen Fühlens sowie jahrelanger Studien in Italien. Kunz hat in den sechs farbigen Tafeln sein Bestes geboten: Zeichnung und Farbe, Realistik und Stilisierung, Ethos und Pathos hat er in diesen einzigartigen Blättern harmonisch geeint und geklärt zum adäquaten malerischen Ausdruck des Heiligen in seiner heroischen Einfachheit und Weltentsagung, in seiner Gottesminne und sorglosen, kindlich heiteren Frömmigkeit. Das Porträt des Heiligen, Franz bei den Vögeln, im heiligen Kolloquium mit zweien seiner Schüler, die wundervoll erfaßte Stigmati= sierung, seine Rückkehr und sein heiliger Tod bilden unter so einfachen großen Armen von Assisi. Der Verlag hat sich durch diese neueste Publikation den lebhaftesten Dank verdient seitens aller Freunde echt christlicher Literatur und Kunst, denn „einen so herrlichen Franziskus, so einfach fromm und selig, so durchleuchtet und idealisiert durch Gottes Nähe hat noch kein Museumbesucher und Kirchenwanderer dargestellt gefunden" (S. 40). Ein solches Werk bleibt. Als Korrigenda seien erwähnt S. 15: „Memento homo ut pulvis sis" — refte „quia pulvis es". S. 39: Ort der Stigmatisierung ist der Berg Alverna, nicht „bei Portiunkula"; einige lateinische und italienische Ausdrücke dürften verdeutscht beigegeben sein. P. Berthold Tuttine.

23) Pius X. Von P. Bonifaz Sentzer O. S. B. Mit farbigem Titel= blatt und 51 Abbildungen. Graz und Wien. Verlag „Styria". 182 S. Geh. K 2.80; gbd. K 3.80.

Der Verfasser bearbeitete sein Piusbuch nach Doelli, Fèvre, Marchesan und anderen Autoren, die bisher über den Papst geschrieben haben. Eingeteilt ist das Werk in vier Teile: Jugend= und Studienjahre, In der Seelsorge, Im bischöflichen Amte, Auf Petri Stuhl. Auch dieses Buch ist mit Verständnis, Lust und Liebe geschrieben und dient dem Zwecke, Papst und Papsttum dem Leser nahe zu bringen und ihre Bedeutung für die Welt zu zeigen. Diese Bedeutung besteht zu allen Zeiten und für jede Zeit und sie hat sich in jeder Periode mehr oder weniger geltend gemacht. Ob das gerade unter Leo XIII. am meisten der Fall war, wie hie und da angedeutet wird? Es ist zu schwierig, ein definitives Urteil über die selbsterlebte Zeit abzugeben. Darüber muß die Geschichte später sprechen. Jedenfalls war seine Bedeutung groß, sowie nicht minder die des jetzigen Heiligen Vaters. Wir freuen uns daher, daß sein Leben und Wirken von so vielen beschrieben wird und empfehlen auch diese Festschrift auf das beste.

Linz. Dr. M. Hiptmair.

24) **Pius X.** Ein Lebensbild nach der italienischen Originalausgabe von Dr. Luigi Daelli. Uebersetzt und fortgeführt von Dr. Gottfried Brunner, Professor am Kollegium der Propaganda in Rom. Mit 212 Illustrationen. Regensburg. Druck und Verlag von Fr. Pustet. 314 S. M. 6.— = K 7.20; gbd. M. 8.— = K 9.60.

Die Verlagsanstalt Pustet in Regensburg gab für die deutschen Katholiken zum 50jährigen Priesterjubiläum des Heiligen Vaters ein Prachtwerk nach Inhalt und Form und Ausstattung heraus. Dieses Werk ist mit Liebe geschrieben und will bei allen Gläubigen Liebe und Verehrung zum Heiligen Vater erzeugen; und gewiß, wer diese Schilderung des Lebens und Wirkens Pius X. liest, wird jene Gefühle, wenn er sie nicht schon längst hätte, in seiner Brust bald empfinden. Dabei, glauben wir, hat der Verfasser Maß zu halten verstanden und ist demnach der Gefahr, seinen Helden zu idealisieren und im Glorienschein zu zeigen, glücklich entronnen. Von besonderer Schönheit sind die Bilder. Das gesamte Kardinalkollegium ist naturgetreu abgebildet. Interessant ist auch die Schilderung der kirchenpolitischen Lage im allgemeinen und in den einzelnen Ländern der Welt. Das Buch eignet sich auch als prächtiges Geschenk. Es sei bestens empfohlen.

Linz. Dr. M. Hiptmair.

25) **Paschalis Baylon.** Ein Heiligenbild aus Spaniens goldenem Jahrhundert. Von P. Autbert Groeteken. Einsiedeln. 1909. Benziger. M. 2.30 = K 2.76.

Den armen, trotz seiner Erhebung zur Ehre der Altäre (1618) fast gänzlich unbekannten Hirtenknaben hat Leo XIII. 1897 auf Veranlassung des Erzbischofes von Neapel Ant. Briganti zum Patron aller eucharistischen Vereine erklärt. Man staunte allgemein, daß der Heilige Vater einen so einfachen Laienbruder der ganzen katholischen Welt als Muster und Vorbild vor Augen stellte; manche fanden sich auch enttäuscht. So kam es, daß der Heilige erst allmählich in weiteren Kreisen bekannt wurde. P. Porrentruy O. Cap. entwarf sein Lebensbild in französischer Sprache. (Erschien seitdem in deutscher Uebersetzung.) Nunmehr hat P. Groeteken uns erfreut mit einer begeistert geschriebenen Biographie des Heiligen. Er begnügt sich nicht damit, die bisher gedruckten Werke einzusehen; wo immer er konnte, hat er das handschriftliche Material zugrunde gelegt. So benützt er zum ersten Mal die Heiligsprechungsakten im Original. Bei unserer kritisch veranlagten Zeit genügt es nicht mehr, erbauliche Züge aus dem Leben des Heiligen beweislos niederzuschreiben. Man will heute auch wissen, auf welche Quellen der Verfasser seine Darstellung gründet. P. Groeteken scheint uns den richtigen Weg eingeschlagen zu haben. Er schreibt zunächst fürs Volk; aber auch der Geschichtsforscher kommt auf seine Kosten. P. Groeteken hat nicht unbesehen alles aufgenommen, was man bisher über den Heiligen erzählte. So glaubt er nicht an dessen zweckloses Klopfen im Sarge. An anderer Stelle weist er nach, daß P. Porrentruy keine Bücher „verfaßt" habe, er hat sich nur aus den Schriften anderer einen Auszug gemacht. Wohl hatten bereits verschiedene ältere Biographen diese Behauptung aufgestellt, aber man hatte das im Laufe der Jahre vergessen.

Möge das schöne, reich illustrierte Werkchen, das sich besonders zu Geschenkzwecken für die heilige Weihnachtszeit eignet, recht viel gelesen werden, damit die Verehrung des hochheiligsten Sakramentes immer weitere Verbreitung finde.

Wiedenbrück. D. Henniges.

26) **Das religiöse Leben in Hohenzollern unter dem Einflusse des Wessenbergianismus.** (1800—1850.) Ein Beitrag zur Geschichte der religiösen Aufklärung in Süddeutschland.

27*

Von Dr. Adolf Rösch, Ordinariats-Assessor und Offizialsrat. Köln. 1908. J. P. Bachem. 8°. 139 S. M. 2.— = K 2.40.

Es ist zwar ein relativ nur kleines Gebiet, das den Rahmen der vorliegenden lokalgeschichtlichen Studie bildet. Denn die beiden ehemaligen Fürstentümer Hohenzollern-Hechingen und -Sigmaringen umfaßten kaum mehr als 20 Quadratmeilen. Gleichwohl bietet die Abhandlung nicht wenig des Interessanten und Lehrreichen.

Was Wessenberg, der bekannte Generalvikar der Diözese Konstanz, in 27 Jahren seiner Amtstätigkeit zur „religiösen Aufklärung" des Klerus und Volkes geleistet und was das folgende Vierteljahrhundert darunter noch gelitten, will uns der Verfasser in Kürze auf Grund von Quellenberichten zeigen. Der Klerus, religiöse Unterweisung, die öffentliche und private Gottesverehrung, der Empfang der heiligen Sakramente, die sittlichen Zustände beim Volke, Umkehr zur Besserung, bilden die Abschnitte der vorliegenden Monographie.

Manche der getroffenen Anordnungen des Konstanzer Generalvikars erinnern ganz an die Verordnungen Josef II. in publico-ecclesiasticis. Unter solchen Umständen finden wir es begreiflich, daß Pius VII. am 5. April 1817 die erfolgte Wahl Wessenbergs zum Kapitelvikar von Konstanz annullierte und das Kapitel aufforderte, einen würdigen Kapitelvikar zu erwählen: electionem Wessenbergii in Vicarium capitularem prorsus non agnoscimus, nec tribunalia Nostra ecclesiastica agnoscent nec ullam litterarum quarumcumque ab ipso scriptarum rationem umquam habebunt. Quapropter pro illa, quam Deus Nobis commisit totius Ecclesiae cura, Vobis auctoritate apostolica edicimus, ut seposita Wessenbergii electione, Vicarium capitularem eligatis, qui bonum apud catholicos nomen habeat quique ministerii, ad quod assumitur, partes rite accurateque obire possit.

Trotzdem regierte Wessenberg noch zehn Jahre weiter, ja hatte noch den Mut, in seinem Abschiedsworte an den Klerus sich zu beklagen über die „Mißkennung und schiefe Beurteilung", die ihm zuteil geworden.

Man wird dem Verfasser wohl beipflichten müssen, wenn er am Ende seiner Studie behauptet: „Die Gegenwart hat gewiß in religiöser und sittlicher Beziehung ihre Gebrechen und Schattenseiten. Stellt man sie aber in Vergleich mit einer ein halbes Jahrhundert zurückliegenden Periode, dann ist für einen seelsorglichen Pessimismus wahrhaft kein Platz mehr."

Mautern.   P. Jos. Höller C. SS. R.

27) **Was soll der Gebildete von dem Modernismus wissen?** Ein Vortrag von Professor Dr. Karl Braig, Freiburg i. Br. (Frankfurter zeitgemäße Broschüren, Bd. 28, Heft 1. S. 27.) Hamm. Breer und Thiemann. 50 Pfg. = 60 h.

Am 2. Juni 1908 hielt Prof. Braig vor einer Versammlung des Akademischen Bonifatiusvereines der Freiburger Studentenschaft einen Vortrag über die Modernismus-Enzyklika vom 8 September 1907. Der Vortrag wurde später zur vorliegenden Broschüre erweitert. Prof. Braig bespricht zuerst die Hauptpunkte des Modernismus und widmet sodann eine längere Abhandlung der Widerlegung des Hauptirrtums der Modernisten.

28) **Neue große Exerzitien** für Ordensleute und andere, die nach Vollkommenheit streben. Von P. Josef Pergmayr S. J. ausgewählt und geordnet von Sr. Mar. Gabriela a ss. Sacramento. Verlag „Styria" in Graz und Wien. Geh. K 2.—. Gbd. K 3.—.

29) **Heiliger Liebesbund.** Ein vollständiges Gebet- und Belehrungsbuch für alle Verehrer der heiligsten Herzen Jesu und Mariä. Von P. Franz Weninger S. J. Herausgegeben von Franz Hattler. Innsbruck. Verlag Rauch. K 2.20.

30) **Kirchliches Handlexikon.** Ein Nachschlagebuch über das Ge=
samtgebiet der Theologie und ihrer Hilfswissenschaften. Herausgegeben
von Professor Michael Buchberger. München, Allgemeine Verlags=
gesellschaft. Preis der Lieferung M. 1.— = K 1.20.

Von diesem Lieferungswerke, welches auf zwei Bände zu je 22 Lieferungen
berechnet ist, liegt das 32. Heft vor, vom Worte Martin bis Meyer. In der
knappsten Form wird das reichste Material geboten.   M. H.

31) **In der Heimat des Erlösers.** Erinnerungen an die Würt=
temberger Heiliglandfahrt von Bernhard Blessing, Pfarrer. Ravens=
burg. Verlag von Friedrich Alber. IV u. 168 S. M. 1.60 = K 1.92.

Der Verfasser war ein Mitglied der großen Pilgerkarawane, die im
Sommer 1904 der königliche Professor Dr. Konrad Miller in Stuttgart aus
Württemberg ins heilige Land führte und in dessen Reiseprogramm auch der
fakultative Besuch von Galiläa aufgenommen war. Zwei Jahre darauf erschienen
diese Erinnerungen. Sie enthalten nicht eine Beschreibung des Verlaufes der
Volkspilgerung, auch nicht eine Beschreibung der heiligen Stätten, sondern geben
vorzugsweise in Form von Reflexionen die mannigfachen Eindrücke und Stim=
mungen wieder, die das anregende Beisammensein mit den Mitpilgern, die
Vorkommnisse der Reise, die Meeresfahrt, der Orient und seine interessanten
Einwohner, insbesondere der Besuch der heiligen Stätten in Nazareth, in Jeru=
salem und dessen Umgebung auf den begeisterten Verfasser gemacht haben.

Auf ein kurzes Vorwort folgt eine Einleitung, welche die freudig erwar=
tende Stimmung vor der Abreise aus der Heimat und die Eindrücke der Eisen=
bahnfahrt Stuttgart—Innsbruck—Triest beschreibt (S. 1—9). Die übrigen Er=
innerungen tragen drei Hauptaufschriften: 1. Lange Fahrt (S. 10—17). —
2. Beschwerliche Fahrt (S. 18—35). — 3. Sonnige Fahrt (S. 36—167)
mit den Nebenaufschriften: Nacht auf dem Meere. — Heimkehr auf dem Meere.
— Gottesdienste. — Nazareth. — Karmel. — Jaffa. — Von Jaffa nach Je=
rusalem. — Prozession in die heilige Stadt. — Im deutschen Hospiz. — Blick
vom Oelberg bei Jerusalem. — Ritt um Jerusalem. — Jerusalems Heilig=
tümer. — Klagemauer. — Omar=Moschee. — Zu den Heiligtümern des Oel=
berges. — Auf Sion. — Eindrücke von Land und Leuten in der heiligen Stadt
und im heiligen Lande. — Ordensleben im Orient. — Nach St. Johann. —
Bethlehem. — Vor der Abreise und der letzte Abend. — Weggang von Jeru=
salem. — Heimwärts.

Diese Einteilung mag der Stimmung und Erinnerung der Pilger ent=
sprechen, hat aber störende Wiederholungen zur notwendigen Folge.

Die Darstellung geschieht durchwegs in aphoristischer Form. Vieles ist
scharf erschaut und trefflich in poetischer Sprache beschrieben, denn der Verfasser
ist sichtlich in der einschlägigen Literatur Palästinas wohl bewandert und hat
ein offenes Auge und Ohr für die Eindrücke des Orientes, manches ist dagegen
etwas weit ausgesponnen. Allen, welche das heilige Land einst besucht, mag das
Buch mannigfache Anregung bieten und manche liebe Erinn=rung wieder auf=
frischen.

Zu verbessern wären folgende Druckfehler: S. 14: Goßaß in Goßensaß.
— S. 21: Wir in wie. — S. 24 ist das Wort Barin zu streichen. — S. 24:
Lindal in Dscheda. — S. 26: Berg Präcipite in: Précipice oder Berg des
Absturzes. — S. 31: Nicht im Jahre 1838, sondern 1837 wurde Tiberias von
einem großen Erdbeben heimgesucht. — S. 32: Auf dem traditionellen Berg der
Seligkeiten findet sich keine Ruine einer Kapelle. — S. 33: Lubie in Lubije. —
S. 34: Affa in Affo. — S. 138: Ratisbonn in Ratisbonne. — S. 143: Statt
dort ist . . . . wäre zu schreiben: Rechts von der Straße ist der Sitz des grie=
chischen Patriarchen. — S. 144 Betsala in Betdschala.

Linz.   F.

32) **Allgemeine Kunstgeschichte.** Von Dr. P. A. Kuhn O.S.B. Verlag und Druck Benziger in Einsiedeln. 41. und 42. Lieferung. Neue Subskription à Lieferung M. 3.— = K 3.60.

Wie angekündigt wird, soll noch ein Schlußband folgen, dann ist das großartige Werk vollendet. Das katholische Deutschland kann mit Stolz auf diese herrliche Arbeit blicken. Nach Inhalt und Form ist diese Kunstgeschichte gleich ausgezeichnet. M. H.

33) **Sämtliche Werke des Freiherrn Joseph von Eichendorff.** Herausgegeben von Wilhelm Kosch und August Sauer. 11. Band: Tagebücher. Mit mehreren Porträts und Faksimilebeilagen. Regensburg. Habbel. 426 S. Geheftet M. 4.— = K 4.80.

Mit diesen „Tagebüchern", denen die „Briefe" folgen sollen, beginnt die langersehnte zwölfbändige Gesamtausgabe der Werke des echt katholischen Dichters Eichendorff. Die Namen der rühmlichst bekannten Herausgeber verbürgen eine mustergültige Bearbeitung. Eine eingehende Besprechung liegt außerhalb der Bestimmung dieser Zeitschrift.

Urfahr. Dr. Johann Jlg.

34) **Auf zur Freude.** Von Fr. Xav. Kerer. VIII u. 185 S. Regensburg. 1908. Manz. M. 1.50 = K 1.80.

Vorliegendes Werk ist die Vollendung der „Trilogie des Menschenwirkens", ein Büchlein, das jeder Lehrer und Erzieher in Händen haben sollte. Ideale braucht die Jugend, Ideale braucht der Mann. Aber wo sucht man dieselben? Leider am häufigsten, wo sie nicht zu finden sind. Der geistreiche Autor aber zeigt mit viel Geschick, in körniger Sprache den richtigen Weg, nach dem eines jeden Herz hinzieht, den Weg der Freude. Ueberraschend ist der Scharfsinn des Autors in seinen Bemerkungen zu den Paulinischen Briefen. So rufe ich denn mit dem Autor: „Erhebe laut und stark deine Stimme, o Büchlein, daß du die Frohbotschaft bringst". Mit Recht wurde das Büchlein „eine gründliche Kur für Pessimisten" genannt.

Meran. P. Virgil Waß O. Cap.

35) **Goffines Handpostille.** Neu bearbeitet gemäß den Anforderungen der Jetztzeit; gesamte Glaubens-, Sitten- und Gnadenlehre; reich illustriert, fein gebunden. Verlag A. Baumann in Dülmen, Westfalen. M. 10.— = K 12.—.

Ueber den Inhalt der Handpostille bemerkt das Vorwort, daß der Hauptvorzug derselben in der steten Bezugnahme auf die modernen Verhältnisse liegen soll. Daß diese Gesichtspunkte schon in den allgemeinen Unterrichten maßgebend gewesen sind, beweist ein Blick auf jeden einzelnen. So wird in „Stellung der Frau in der Gesellschaft" die ganze Frauenfrage kurz behandelt, „Aergernis und nächste Gelegenheit" berücksichtigt vor allem die Gefahren des Tanzes, Wirtshausbesuches, Theaters und der Bekanntschaften, in „Ueber die Obrigkeiten" sind Sozialdemokratie und Wahlen nicht unerwähnt gelassen, „Aneignung und Rückerstattung ungerechten Gutes" übergeht nicht: Recht auf persönliches Eigentum, Unzufriedenheit, Schuldenbezahlen und ungerechten Lohn, „Dasein Gottes und sein Schöpfungswerk" zieht Darwinismus, Häckel und Gottesbeweis mit in den Kreis der Belehrung. Die Artikel „Der heilige Glaube", „Das heilige Sakrament der Ehe", „Die heilige Schrift und Tradition", „Jesus Christus, wahrer Gott", „Das unfehlbare Lehramt der katholischen Kirche" sind durchaus apologetisch gehalten.

Ueber die Ausstattung werden noch folgende Angaben gemacht:

Die Illustrierung sollte hauptsächlich, dem Zwecke des Kirchenjahres entsprechend, das ganze Leben des göttlichen Heilandes und die Geheimnisse der Erlösung vor Augen führen. Dieses konnte wohl nicht besser geschehen, als durch die Darstellung der fünfzehn Geheimnisse des heiligen Rosenkranzes in fünfzehn ganzseitigen Vollbildern, gezeichnet von dem bekannten Maler M. Fuhrmann in Pasing bei München. Ferner: 2. Drei mehrfarbige Vollbilder (heilige Familie, vierzehn Nothelfer, heilige Messe). 3. Sieben halb= oder ganzseitige Zeichnungen allegorischen Inhalts nach Führich. 4. Die vierzehn Stationen des heiligen Kreuzweges. 5. In dem Text des zweiten Teiles verstreut eine ganze Reihe von Heiligenbildern von Molitor.

Papier: kräftig, aber doch leicht, dem modernen Geschmack entsprechend. Schrift: auch für schwache Augen gut leserlich, in verschiedenen Schrift= graden, um Abwechslung zu schaffen.

Ein Wort der Empfehlung hinzuzufügen ist überflüssig. Der Preis von *K* 12.— oder M. 10.— kann auch in Raten erlegt werden.

36) Messianische Weissagungen des Alten Testamentes,

populär=wissenschaftlich ausgelegt. Von Dr. Karl Leimbach, Professor. Regensburg. 1908. Verlagsanstalt vormals Manz. VIII u. 148 S. Brosch. M. 2.40 = *K* 2.88.

In vorliegender Broschüre hat der verdienstvolle Herr Verfasser es unter= nommen, den interessanten Stoff der messianischen Weissagungen weiten Kreisen in der Art zugänglich zu machen, daß Fernstehende angelockt und Nahestehende nicht abgestoßen werden. Nach einer kurzen orientierenden Einleitung werden von S. 5—52 die messianischen Weissagungen in den geschichtlichen Büchern besprochen. Sieben Paragraphen befassen sich auf 32 Seiten mit sieben messianischen Psalmen. Den Abschluß der Abhandlung machen die messianischen Weissagungen in den prophetischen Schriften von S. 85—146. Die Besprechung der einzelnen Phasen der messianischen Prophezeiung ist durchwegs korrekt zu nennen und geeignet, im aufmerksamen Leser die Idee vom Walten der göttlichen Vorsehung zu beleben und zu stärken. Weil das Buch auch für Nicht=Theologen berechnet ist, darum sind die hebräischen Worte, welche zitiert werden, mit lateinischen Buchstaben transkribiert; aber die Rücksicht auf theologisch=gebildete Leser hätte es nahelegen sollen, eine richtige Transkription anzuwenden, wie z. B. S. 32 nicht jikhat drucken zu lassen, sondern jiqqehat. Der Theologe vermißt auch den Spiritus lenis und asper zur Transliterierung des Alef und Ajin. Mit der genauen Hermeneutik läßt sich auch nicht recht vereinbaren, wie auf S. 103 der trauliche Verkehr der wilden Tiere unter der Leitung eines Kindes aus= gelegt wird. Durch diese Ausstellungen aber soll der Wert der Broschüre nicht herabgedrückt sein, im Gegenteil wird dieses Buch Theologen und Nicht=Theologen nur empfohlen und wird demselben ein großer, eifriger Leserkreis gewünscht, welcher an ihm wie an freundlichen Herde die edlen Regungen des Menschen= herzens neu erwärmt und stärkt.

St. Florian.   Dr. P. Amand Polz.

37) Apokalyptische Predigten. Von Dr. Cölestin Wolfsgruber

O. S. B., k. u. k. Hofprediger in Wien. Wien. 1908. Heinrich Kirsch. I., Singerstr. 7. Brosch. *K* 3.— = *K* 3.60.

Die vorliegende Sammlung apokalyptischer Predigten enthält 16 Predigten, welche jene Sammlung von Bildern zum Leitfaden haben, die der große deutsche Meister Albrecht Dürer zur geheimen Offenbarung des heiligen Johannes geliefert hat. Darum trägt das Titelbild die Zeile: Mit den Bildern zur Apokalypse von Albrecht Dürer. Jeder Predigt geht das entsprechende Bild voran, über welches die Predigt gehalten worden ist. Jede Predigt enthält eine genaue Besprechung des jeweiligen Bildes mit entsprechender Verwertung dog= matischer Wahrheiten und moralischer Forderungen, viele aus den Predigten enthalten am Schlusse auch einen Passus auf das Habsburger Reich und sein erlauchtes Herrschergeschlecht, wie sich das schon daher erwarten läßt, weil der hochw. Herr Verfasser k. u. k. Hofprediger in der k. u. k. Hofburgkapelle in Wien ist.

Der Inhalt der einzelnen Predigten ist der Reihe nach: 1. Maria, der Sitz der Weisheit; 2. Das Martyrium der heiligen Liebe; 3. Die Weihe zum Propheten; 4. Lobpreis des dreieinigen Gottes; 5. Die apokalyptischen Reiter; 6. Ruhe und Freude in Gott, leidvolles Ende alles Irdischen; 7. Engelwehr und Schutzkreuz; 8. O du Lamm Gottes; 9. Die Gerichte der ersten vier Posaunen; 10. Die Racheengel; 11. Das Buch der Kämpfe und des Sieges der Kirche; 12. Das große Zeichen am Himmel; 13. Michaels Kampf mit dem Drachen; 14. Die Anbetung des siebenköpfigen Lästertieres; 15. Das babylonische Weib; 16. Nun ist der Mensch gerettet und Satan angekettet. Zum Studium kann diese Sammlung „apokalyptische Predigten" den hochwürdigen Herren Predigern nur empfohlen werden.

St. Florian. Dr. P. Amand Polz.

38) Die Dauer der öffentlichen Wirksamkeit Jesu. Eine
patristisch-exegetische Studie von Dr. Wilhelm Homanner. (Biblische Studien XIII. 3). Herder, Freiburg in Br. Wien. 1908. 8°. VII u. 123 S. M. 3.— = K 3.60.

Die Schrift enthält einen dritten, durch die Preisausschreibung der Münchner katholisch-theologischen Fakultät für das Jahr 1904—1905 veranlaßten Lösungsversuch der Frage über „Die Dauer der öffentlichen Wirksamkeit Jesu". Während von den anderen zweien die eine (Fendts) die Einjahr-, die andere preisgekrönte (Zellingers), die Zweijahrtheorie verteidigten, tritt Homanner mit seiner Arbeit, welche er allerdings nicht als endgültige Lösung, sondern nur als Anbahnung einer Verständigung und Einigung besonders auf exegetischem Gebiete betrachtet wissen will (Vorr. VI), für die Dauer von etwas mehr als drei Jahren ein. Nach ihm ist Jesus 746 a. u. c. geboren worden, war bei seiner Taufe 782 oder 783 schon viel älter als 30 Jahre, lehrte etwas mehr als drei Jahre und starb am 3. April 786 a. u. c. = 33 Jahr vulg. (S. 119, 120). — Die drei Jahre der Wirksamkeit gewinnt er aus den Evangelien mit Beiseitesetzung der Tradition. Nach einer eingehenden Prüfung der Traditionszeugen (S. 17—68) gelangt er nämlich zur Ueberzeugung, daß die Tradition zu einer sicheren Lösung dieser Frage überhaupt nicht imstande sei beizutragen; denn eine apostolische Tradition hierüber gebe es nicht. Selbst die Einjahrtheorie, obgleich sie die ältesten und am sichersten verbürgten Angaben aufzuweisen hat, sei nicht apostolischen, sondern gnostischen Ursprungs und habe sich nur infolge ihrer Begründung durch die Exegese von Lk. 4, 19 bez. Is. 61, 2 und mangels einer positiven diesbezüglichen Tradition Eingang in die kirchlichen Kreise zu verschaffen gewußt. Vergleiche (S 53, 68). — Ein einigermaßen befriedigendes Resultat ergebe nur die Exegese der Evangelien. Aus dieser findet er vier Osterfeste während der öffentlichen Lehrtätigkeit des Herrn heraus: Drei im Johannes-Evangelium (2, 13; 6, 4; 11, 55) ausdrücklich erwähnte, das vierte (S. 73 ff. vgl. Lk. 6, 1 ff zu erschließendes, das zwischen Joh. 4, 35 u. 5, 1 einzuschalten sei mit vollem Rechte tritt Homanner für die Echtheit des handschriftlich so überaus gut bezeugten το πάσχα Joh. 6, 4 ein. Ob das Fest Joh. 5, 1 „am besten" als Pfingstfest, und zwar als zweites nach Joh. 2, 23 zu fassen sei, steht allerdings nicht sicher fest, und hierin liegt wohl auch der Grund, warum die Dreijahrtheorie nicht als zweifellos erwiesen betrachtet werden kann.

In der chronologischen Einreihung des gewonnenen Resultates (S. 101—118), besonders auch in der Erhöhung des Alters Christi auf 40 Jahre vermögen wir ihm vorderhand nicht zu folgen. Ganz verunglückt scheint uns die Erklärung und Ueberserzung von Lk 3, 23.

Die Arbeit verdient vollste Achtung von Seiten der Fachgenossen. In formeller, sprachlicher und stilistischer Hinsicht möchten wir sie, abgesehen von wenigen, unnötigen Fremdwörtern (z. B. S. 116 das unschöne: subserviert, S. 119 Fazit neben Resultat) beinahe als mustergültig bezeichnen.

St. Florian. Moisl.

39) **The Catholic Encyclopedia.** An international work
of reference on the constitution, doctrine, discipline and history
of the Catholic church. Edited by Charles G. Herbermann,
Ph. D. LL. D., Edward A. Pace, Ph. D. D. D., Condé B. Pallen,
Ph. D. LL. D., Thomas J. Shahan, D. D., John J. Wynne S. J.
New-York, Robert Appleton Company (1907 ff.).

Nordamerika hat uns mit einem katholischen, in jeder Beziehung groß=
artig angelegten Werk, einer „Katholischen Enzyklopädie" überrascht. Diese
Enzyklopädie soll uns über die Verfassung, Lehre, Disziplin und Geschichte der
katholischen Kirche, sowie auch über die gesamte religiöse Kultur der Gegenwart
und Vergangenheit in Wort und Bild belehren.

Bis jetzt liegen vier stattliche Quartbände vor; das Werk ist im ganzen
auf 15 Bände in einer Stärke von je zirka 800 Seiten berechnet und soll bei
2000 Karten und Abbildungen enthalten. Das monumentale Werk ist in eng=
lischer Sprache geschrieben und zunächst auch für das große englische Sprach=
gebiet bestimmt; in ihm werden daher auch vorwiegend englische, beziehungs=
weise anglo=amerikanische Verhältnisse berücksichtigt. Für das große Unternehmen
sind vorzügliche Kräfte meist aus England und Amerika, einige auch aus Deutsch=
land, Italien, Frankreich und Spanien gewonnen worden und es schreitet bei
vereinten Kräften die Arbeit rüstig fort.

Berücksichtigt die Enzyklopädie, wie bemerkt, mehr englische Verhältnisse,
so werden doch auch die anderer Länder nicht vernachlässigt, wenn auch in letzterer
Beziehung manches vielleicht noch eingehender und genauer behandelt werden
könnte. Einige Titel zeigen eine besonders ausgezeichnete Bearbeitung und bringen
Einzelheiten, die kaum in anderen Werken ähnlichen Inhalts eine kurze Be=
sprechung erfahren oder wohl gar nicht erwähnt werden. Das Erscheinen dieser
vortrefflichen Enzyklopädie wurde daher auch schon gleich anfangs mit großer
Freude begrüßt und es haben sich für die ersteren Bände schon bei 12000 Ab=
nehmer, besonders Universitäten und Bibliotheken, unterzeichnet Dieses litera=
rische Unternehmen wurde auch von akatholischer Seite seiner Reichhaltigkeit,
Wissenschaftlichkeit und Unparteilichkeit wegen gebührend anerkannt und das
Werk als ein epochemachendes bezeichnet; in Deutschland sieht man es als eine
„Großtat des amerikanischen Katholizismus" an und als ein Zeichen von Mut
und unbestreitbarer Leistungsfähigkeit. Für den Katholiken ist es ein apologe=
tisches Nachschlagewerk ersten Ranges und von bleibendem Wert.

Es hat deshalb auch die Herdersche Verlagshandlung in Freiburg den
Alleinbetrieb des Werkes für Deutschland und Oesterreich übernommen. Ein
jeder Band erscheint in drei verschiedenen Ausgaben zu M. 65, M. 35 und
M. 27. Der Preis ist bei der prachtvollen Ausstattung, dem schönen Druck und
der Beigabe von vielen zum Teil kolorierten Bildern ein äußerst billiger zu
nennen.

Linz. R. H.

40) **Das unterirdische Rom.** Erinnerungsblätter eines Katakomben=
freundes. Von Dr. Georg Schmid, ehemaligem Kaplan an den deutschen
Nationalkirchen in Rom. Mit 37 Plänen und 72 Illustrationen.
Brixen. 1908. Verlag der Preßvereins=Buchhandlung. Gr. 8°. XIV u.
357 S. K 6.—.

Es fehlt der deutschen Literatur zwar nicht an trefflichen Werken über
Katakombenforschung, gleichwohl dürfte die vorliegende Arbeit doch nicht als
überflüssig betrachtet werden. Sie ist sozusagen in den Katakomben geschrieben.
Der Verfasser hatte während seines langjährigen Aufenthaltes in der ewigen
Stadt das Glück und die hohe Ehre, unter der Leitung der ersten Archäologen
unserer Zeit — es seien nur genannt de Rossi, Wilpert, Maruchi,
Armellini, Stevenson, de Waal — sich an den Katakombenforschungen

zu beteiligen. Die einschlägige Literatur ist im reichlichsten Maße verwertet. Im ersten Teile bietet Dr. Schmid allgemeines über die Katakomben, namentlich auch eine kurze Uebersicht über deren Geschichte. Der zweite Teil beschäftigt sich ausführlich mit der Beschreibung der einzelnen Katakomben. Es kommen zur Sprache die Cömeterien an der Via Cornelia, Flaminia, Salaria vetus, Salaria nova, Nomentana, Tiburtina, Labicana, Praenestina, Latina, Appia, Ardeatina, Ostiensis, Portuensis und Aurelia. Zuletzt folgt eine kurze Besprechung der jüdischen Katakomben in der Umgebung von Rom.

Die beigegebenen Pläne und Illustrationen sind eine wahre Zierde des Werkes. Die Arbeit dürfte namentlich für solche von besonderem Interesse sein, die keine Gelegenheit haben, Rom und seine altehrwürdigen Cömeterien zu besuchen. Die schöne Widmung des Werkes an de Rossi, seinen unvergeßlichen Freund und Lehrer, möge hier eine Stelle finden.

„Wohl Jahre sind's — es kam der Sohn der Berge von Tirol
Aus Wissensdrang dahin, wo Menschengeistes älteste Kulturen
Im heil'gen Rom zurückgelassen ihre tiefsten, wahrsten Spuren;
Klopft zagend an dein hochberühmtes Haus am Kapitol.

Und Lehrer warst du ihm, du Mann von wahrer Römertugend,
Gleich groß an Wissen wie an hohen Geistesgaben,
Und reich an Gütern, die den Menschengeist erquicken, laben,
Ein Freund dem deutschen Wandrer und wissensfreudiger Jugend.

Und als ich schied — da hast du mich mit wahrem Schmerz entlassen
Ich dank's dir noch — ich werde stets dir liebende Verehrung schenken.
Mög' Gottes Reich nun deinen edlen Denkergeist umfassen!

Ergründer du des unterird'schen Rom — wohin wir unsre Schritte lenken,
Durch heil'ge Grüße, die dein Geist erschlossen, uns zurückgelassen,
Es ziemt sich, daß wir stets mit Ehrfurcht dein gedenken."

Mautern.   P. Jos. Höller C. SS. R.

Berichtigung.

In der sehr anerkennend gehaltenen Besprechung des zweiten Bandes meines „Lehrbuchs der Dogmatik" durch † P. Gottfried Noggler O. Cap. (Heft 1, S. 137 f.) werden infolge Mißverständnisses oder unrichtiger Wiedergabe meiner Worte mehrere Punkte beanständet. Es sei mir gestattet, wenigstens auf folgendes hinzuweisen.

Der Rezensent läßt mich sagen: „Nach verschiedenen Auffassungen ist eine jenseitige religiöse Entwicklung möglich", und macht mich so in ziemlich unverblümter Weise zum Anhänger einer sehr bedenklichen Lehre, die aber im Gegenteil von mir ausdrücklich zurückgewiesen und widerlegt wird. Der Rezensent konnte zu seiner Schlußfolgerung nur kommen durch eine unrichtige Wiedergabe der fraglichen Worte. Diese lauten nämlich in Wirklichkeit ganz anders. Ich sage nämlich, die hier einschlagende origenistische Lehre sei von der Kirche verurteilt worden, aber dadurch sei die Lehre von der Nichtbekehrbarkeit im Jenseits nicht geradezu definiert, „weil noch verschiedene Auffassungen von einer jenseitigen religiös-sittlichen Entwicklung möglich sind". (S. 409). In der Tat von einer irrigen Lehre sind immerhin noch verschiedene Auffassungen möglich. Dies und nichts anderes habe ich gesagt. Eine irrige Lehre (und eine solche ist jene von einer religiös-sittlichen Entwicklung im Jenseits), bleibt aber irrig auch nach verschiedenen Auffassungen, die von ihr möglich find. Trotzdem hat mich der Rezensent infolge einer entstellten Wiedergabe meiner Worte, wobei das Subjekt des Satzes auf einmal ein anderes wird und „noch" in „nach" und „sind" in „ist" sich verwandelt, das Gegenteil sagen lassen. Ich bemerke noch, daß mein Lehrbuch die bischöfliche Approbation an der Spitze trägt.[1]

Dillingen, 31. Jänner 1909.　　　　　　Prof. Dr. Specht.

B) Neue Auflagen.

1) Theorie der geistlichen Beredsamkeit. Akademische Vorlesungen von Josef Jungmann S. J., weil. ord. Professor der Theologie a. d. Universität Innsbruck. Neu herausgegeben von Mich. Gatterer S. J., Doktor der Theologie und ord. Professor derselben an der Universität Innsbruck. Vierte Auflage. Freiburg i. B. 1908. Herder. Geh. M. 10.— = K 12.—, gbd. M. 12.60 = K 15.12

Das eigenartige, aus den Tiefen der Spekulation herausgewachsene Werk Jungmanns hat in P. Gatterer einen eigenartigen Herausgeber gefunden. Bei Neuauflagen heißt es in der Regel: Vermehrte Auflage. Man meint, zu dem Wichtigen noch Wichtigeres hinzutun zu müssen und geht dabei von der Ueberzeugung aus, daß Quantität und Qualität des Bücherwertes in geradem Verhältnisse zu einander stehen.

Gatterer ist bei Jungmanns vierter Auflage der Theorie der geistlichen Beredsamkeit von der entgegengesetzten Anschauung ausgegangen. „Es standen nämlich der Verbreitung des Buches in weiteren Kreisen, welche dasselbe wegen seiner hohen wissenschaftlichen und praktischen Vorzüge gewiß verdient hätte, meines Erachtens zwei Hindernisse im Wege: der große Umfang des Werkes und die Schwierigkeit, in den mitunter etwas breiten Ausführungen die leitenden Gedanken im Auge zu behalten, also ein gewisser Mangel an Uebersichtlichkeit." So schreibt er im Vorwort. Man kann ihm nur voll beipflichten. Die Scheu vor umfangreichen Werken ist bei der heutigen Arbeitsüberlastung der Kreise, für die das Werk bestimmt ist, allzu begreiflich.

Diese Mängel mußten behoben werden. Wie P. Gatterer die schwierige Aufgabe löst, sagt er wieder im Vorwort. „Darum suchte ich einerseits den Umfang durch Ausscheidung der Katechetik, Streichung mancher Beispiele und durch Verwendung von Kleindruck so zu verringern, daß das früher zweibändige Werk nun in einem Bande vorliegt." Daß der Herausgeber „anderseits auch bestrebt war, die Ausführungen durch verschiedene Mittel übersichtlicher zu gestalten und dadurch das Studium des Werkes zu erleichtern, wird der Leser beim Durchblättern dieser Auflage sofort gewahren. Die Uebersichtlichkeit, die ein wirklich wohltuender Vorzug der Auflage ist, springt bei einem auch nur flüchtigen Vergleich mit den früheren Auflagen in die Augen. Bei einem Werk von solchem Umfang und solcher Wissenschaftlichkeit ist Uebersichtlichkeit eine unentbehrliche Eigenschaft. Zumal in unserer Zeit der kunstanschaulichen Darstellung sind solche Mittel für ein größeres Werk fast Lebensfrage.

Auf den Inhalt des Werkes, das auch in dieser neuen Gestalt „mit allen Vorzügen und in seiner ganzen Eigenheit vorliegt", näher einzugehen, hält Rezensent aus dem Grunde für unberechtigt, weil die Besprechungen der früheren Auflagen den bleibenden Wert des Werkes öfters und einmütig festgestellt haben. Die Ausscheidung der Katechetik, die der Herausgeber des vorliegenden Bandes

---

[1] Wir sind der Ansicht, daß an dem allerdings nicht ganz zutreffenden Urteil des verstorbenen P. Gottfried Noggler die etwas unklare Ausdrucksweise des Autors auch ein wenig schuld ist. Das „Brevis esse laboro, obscurus fio" dürfte hier wieder einmal zutreffen.　　　　　　Die Red.

separat in anderer Form erscheinen lassen will, ist vom rein homiletischen Stand=
punkt mit besonderer Genugtuung zu begrüßen. Im vorliegenden Falle ist sie
augenscheinlich aus rein technisch=praktischen Gründen geschehen. Wir wissen auch
nicht, ob P. Gatterer prinzipiell für die Trennung beider Disziplinen eintritt.
Aber gewiß wird er mit Jungmann eine größere Berücksichtigung der Homiletik
im Betriebe der Theologie wünschen. Sie ist noch vielfach das Aschenbrödel der
theologischen Disziplinen, das sich bescheiden muß, auf wenigen Seiten der
Pastoral neben der Katechese ein kümmerliches Dasein zu führen.

Linz.   Msgr. F. Stingeder, Domprediger i. P.

2) Anleitung zur Verwaltung des Bußsakramentes.

Von Dr. Anton Tappehorn, † Ehrendomherr, Landdechant und Pfarrer
in Breden. Fünfte Auflage, neu bearbeitet von Rich. Heinrichs, Pfarrer
in Materborn und Everh. Illigens, Domkapitular und Regens des
bischöfl. Priesterseminars in Münster. Mit Approbation des hochwürdigsten
bischöfl. Generalvikariats zu Münster. Dülmen i. W. 1908. Laumann.
8⁰. 472 S. Brosch. M. 4 — = K 4.80, gbd. M. 5. — = K 6.—.

Die wichtigste und verantwortungsvollste Tätigkeit des Seelsorgers ist
unstreitig die Verwaltung des Bußsakramentes; sie ist aber auch, wenn gut
besorgt, die tröstlichste und segensreichste. Um so notwendiger ist es für den
Priesterkandidaten und den Neuling in der Seelsorge, sich um eine gediegene
Anleitung zur guten Verwaltung jenes Amtes umzusehen, ja selbst für den
erfahrenen Seelsorger, hie und da die durch Erfahrungen sich angeeignete Praxis
wieder mit den Grundsätzen der Theologie an der Hand eines bewährten Buches
zu vergleichen. Um so höher ist daher auch das Verdienst der Werke zu stellen, welche
als zuverlässige Ratgeber in diesem Punkte gelten können. Wohl existieren mehrere
derartige, durch Alter erprobte und doch noch nicht veraltete Ratgeber; allein es
stellt sich dennoch von Zeit zu Zeit das Bedürfnis ein, auch auf neuere Zeit=
verhältnisse Rücksicht zu nehmen und auch diesen das pastorelle Verfahren
anzupassen. Das war in recht anerkennenswerter Weise vor mehreren Dezennien
von dem jetzt verewigten Verfasser des oben genannten Werkes geschehen. Reiche
Erfahrung, große Belesenheit, praktisches Urteil und brennender Seeleneifer
spiegelte sich ab in dem Werke, mit welchem er die Literatur der Pastoral
bereichert hat. Doch bedurfte auch das genannte Werk erneuter Durchsicht.

Die neuen Herausgeber haben daher eine höchst dankenswerte Aufgabe
übernommen, indem sie sich zur Neubearbeitung entschlossen haben, aber ganz
im Geiste des ersten Verfassers und in seinen Fußstapfen geblieben sind. Be=
sonders darf der II. Teil hervorgehoben werden, in welchem die verschiedenen
Gattungen der Beichtkinder nach einer ganzen Reihe von Klassifikationen zur
Sprache kommen. Beispielsweise zeigen die Bemerkungen über die Behandlung
der Kinder, der Armen, der Kranken und mit körperlichen Gebrechen Behafteten,
der Gefangenen u. s. w. sowohl die kluge Erfahrung, nach welcher alles bemessen
ist, als auch den echt priesterlichen Geist, der es durchweht.

Im Interesse des Wertes seien ein paar Punkte notiert, die noch einer
Verbesserung oder Erläuterung bedürfen. Aus S. 47 und 399 f. wird man
eine Pflicht für die Stummen herauslesen, behufs der Beicht die Sünden zu
schreiben; ratsam mag dies sein, eine Pflicht ist kaum nachweisbar. Nach
S. 90 würde eine auf sichere Voraussetzung hin unterstellte Jurisdiktion zur
Gültigkeit der sakramentalen Lossprechung genügen; die römischen Dekrete
lassen es jedoch stark bezweifeln, ob die Notwendigkeit die Befugnis in Händen
zu haben bloß die Erlaubtheit oder nicht vielmehr auch die Gültigkeit betrifft.
S. 3 wird wohl aus Versehen das alte Recht als noch bestehend erwähnt, nach
welchem von der päpstlich reservierten Exkommunikation im Behinderungsfalle
allgemein der Bischof absolvieren konnte. S. 222 wird behauptet, daß die Er=
laubnis des Beichtkindes selbst das Beichtsiegel bezüglich des Komplex nicht löse.
Das kann nur richtig sein, wenn das Beichtkind die Erlaubnis mit jener Be=

ſchränkung erteilt hat. Denn das Beichtſiegel bindet nur zugunſten des Beicht=
tindes und abhängig von ihm; jedoch kann unabhängig davon die Pflicht des
natürlichen Geheimniſſes obwalten. S. 413 f. wird nach der Erteilung der heiligen
Oelung in der vom heiligen Offizium gebilligten kurzen Form die bedingte
Wiederholung in der längeren Form der Salbung aller einzelnen Sinne gefordert.
Da die kurze Form jetzt unzweifelhaft gültig iſt, dürften die früher propabeln
Anſichten über Gültigkeit und Ungültigkeit in Wegfall gekommen ſein und für
die bedingte Wiederholung kein Grund mehr vorliegen. Anderes weniger Wichtiges
möge übergangen werden.

Valkenburg (Holland).   Aug. Lehmkuhl S. J.

3) Staatslexikon. Dritte, neu bearbeitete Auflage. Unter Mitwirkung
von Fachmännern herausgegeben im Auftrag der Görres=Geſellſchaft zur
Pflege der Wiſſenſchaft im katholiſchen Deutſchland von Dr. Julius
Bachem in Köln. Erſter Band: Abandon bis Elſaß=Lothringen. Lex. 8°.
(X S. u. 1584 Sp.). Freiburg 1908. Herderſche Verlagshandlung.
M. 15.— = K 18.—, gbd. in Halbfranz M. 18.— = K 21·60.

Kaum iſt Herders vorzügliches Konverſationslexikon vollendet und der
Benützung des Publikums übergeben, liefert die rührige Verlagshandlung auch
ſchon den erſten Band des Staatslexikons in dritter Auflage. Wie bekannt, liegt
die erſte und vornehmſte Aufgabe des Staatslexikons in der Stellungnahme zu
den Fragen der Weltanſchauung. „Das Hauptgewicht wird auf die Erörterung
der fundamentalen Begriffe von Religion und Moral, Recht und Geſetz, natür=
lichem und poſitivem Recht, von Staat und Kirche, Familie und Eigentum zu
legen ſein", heißt es im Vorwort zur erſten Auflage. Dieſem Programm iſt
auch die dritte Auflage treu geblieben. Aber auch der Behandlung volkswirt=
ſchaftlicher und ſozialpolitiſcher Fragen wendet das Staatslexikon eine beſondere
Aufmerkſamkeit zu.

Ueberall zeigt ſich das Beſtreben der Redaktion und der einzelnen Autoren,
ein vollkommen auf der Höhe der Zeit ſtehendes wiſſenſchaftliches Werk zu bieten.
Die neue deutſche Börſengeſetzgebung, der Arbeitskammergeſetzentwurf, die Novelle
zum Unterſtützungswohnſitz (beim Artikel Armenpflege) finden in gleicher Weiſe
ihre kritiſche Darſtellung wie die Probleme der Rückwanderung. Die Einführung
des Verhältniswahlrechtes bei den bayeriſchen Kommunalwahlen, die Einführung
der Elektrizität im badiſchen Eiſenbahnverkehr, die Verſtaatlichung der öſter=
reichiſchen Nordbahn ſind ſchon gewiſſenhaft vermerkt.

Neu aufgenommen wurden u. a. die Artikel Altruismus (Ettlinger),
Anarchismus (Sacher), Arbeiterausſchüſſe (Koch), Arbeitsnachweis (Wagner),
Ausſtellungen (Huch), Autorität (v. Hertling), Bibliotheken (Kothe), Bodenreform
(Sacher), Dienſtvertrag (Eggler). Daneben ſind zahlreiche Artikel der zweiten
Auflage durch vollſtändig neue, zum Teil aus der Feder anderer Autoren, erſetzt
worden; es ſeien nur genannt Eid (A. Knecht), Ehe und Eherecht (Heyer),
Bekenntnisfreiheit (Pohle), Beichtgeheimnis (Triebs), Baulaſt, kirchliche (Ebers),
Auswanderung (Sacher). Die aus der zweiten Auflage übernommenen Aufſätze
haben gleichfalls eine mehr oder weniger vollſtändige Umgeſtaltung durchgemacht,
ſei es durch Berückſichtigung der neueren Zeitereigniſſe, der veränderten recht=
lichen, wirtſchaftlichen oder ſtatiſtiſchen Grundlagen, ſei es durch Ausſchaltung
unweſentlicher Ausführungen und eine ſchärfere Begrenzung des Gegenſtandes,
ſei es durch Erweiterung der Darſtellung, zum Teil um das Doppelte des
Raumes der zweiten Auflage. Dieſe Reviſion iſt teils von den Autoren der
früheren Aufſätze, teils von anderen Herren vorgenommen worden. Aus der großen
Reihe der Artikel, die nur zum geringen Teil Ausführungen der zweiten Auflage
verwerten, meiſt aber eine Neubearbeitung darſtellen, ſeien nur die großen Auf=
ſätze über Adel (Beyerle), Armenpflege (Faßbender), Banken (Sacher), Bergweſen
(Kellen), Bevölkerung (Ehrler), Börſe (Fülles), Bürgerſtand (Beyerle), Eben=
bürtigkeit (Baumgartner), Eiſenbahnen (Am Zehnhoff) genannt.

Dem Verleger sind somit recht viele Abnehmer zu wünschen. Das Werk ist nicht bloß eine Zierde der Bibliothek, sondern eine Fundgrube nützlichen, wenn nicht notwendigen Wissens.

Linz. **Dr. M. Hiptmair.**

4) **Venerabilis Servi Dei Francisci Josephi Rudigier,** Episcopi Linciensis, Exercitia Spiritualia, edita a Francisco Maria Doppelbauer, Episcopo Linciensi. Editio quarta anno 1908. Lincii, apud administrationem editionis, Via Rudigier, n. 10. 8⁰. VIII et 252 pag. K 2.40.

Wenn schon in der Vorrede zur ersten Auflage mit Recht behauptet werden konnte, daß der Name des Verfassers genug zur Empfehlung diene, so gilt dies jetzt noch um so mehr, da die Kirche ihm schon den Namen Venerabilis zuerkannt hat. Auch die rasche Folge der drei ersten Auflagen (1. November 1886, 24. Februar 1887, 12. Oktober 1887) bestätiget die große Brauchbarkeit dieser Priesterexerzitien, und zwar sowohl für Vorträge, als auch wohl noch mehr für Privatbetrachtungen. Was den Inhalt betrifft, geben sie die ewigen Wahrheiten mit großer Klarheit und Salbung, meistens mit Worten der heiligen Schrift selbst, ohne andere rhetorische Zutat, als die Wärme des apostolischen Eifers. Die Form ist dieselbe geblieben wie im ursprünglichen Texte. Die Exerzitien entstanden nämlich aus den Vorträgen, welche der ehrwürdige Verfasser als Spiritual-Direktor des Frintaneums in Wien in der Karwoche des Jahres 1846 gehalten hat. Dazu sind schon in der ersten Auflage zwei Exhorten angefügt worden, welche derselbe zu Beginn des Studienjahres an seine priesterlichen Zuhörer De studio sanctitatis gehalten hat; in der dritten und somit auch in der vierten Auflage sind weiters noch je zwei Vorträge beigegeben: de sacrificio missae und ad cultum B. V. Mariae. Für ein Triduum exercitiorum sind somit je zwei Betrachtungen berechnet und zwar für den 1. Tag: Introductio und de nostra destinatione, für den 2. Tag: de peccato und de morte et judicio, für den 3. Tag: de inferno und de coelo, aber es lassen sich (als Considerationes) der Reihe nach je zwei der genannten Exhorten eingliedern, so daß jeder Tag mit vier Uebungen bedacht werden kann. Gewiß wird auch diese vierte Auflage, deren Herausgabe der hochwürdigste Nachfolger im Amte des von ihm innigst verehrten großen Bischofs noch kurz vor seinem Tode (2. Dezember 1908) veranlaßt hat, der reiche Segen Gottes begleiten, damit die in diesen Exerzitien niedergelegten Grundsätze im Denken und Handeln des von beiden geleiteten Klerus immer lebendig fortwirken zu Gottes Ehre und der Seelen Heil.

Linz-Freinberg. **P. Georg Kolb S. J.**

5) **Das geistliche Leben.** Blumenlese aus den deutschen Mystikern und Gottesfreunden des 14. Jahrhunderts. Von P. Heinrich Seuse Denifle O. Pr. Sechste Auflage, bearbeitet von P. Reginald M. Schultes O. Pr. Graz. 1908. Moser. (XV, 656 S.). Brosch. K 3.60, gbd. K 4.80.

Im Jahre 1873 veröffentlichte der berühmte Dominikaner zum erstenmal diese Blumenlese. Ungefähr 2500 Stellen aus den deutschen Mystikern des 14. Jahrhunderts hatte der fleißige Ordensmann zusammengestellt unter Zugrundelegung der bekannten drei Wege, sie zu einem Ganzen vereinigt und auf 107 Kapiteln verteilt. Die beiden zumeist benützten Mystiker sind Tauler und Heinrich Seuse.

P. Denifle konnte noch persönlich die vierte Auflage besorgen. Im Jahre 1904 übertrug der vielbeschäftigte Gelehrte die Revision der fünften Auflage seinem Ordensbruder P. Reginald, der auch die vorliegende sechste Auflage besorgte.

Wie das herrliche Büchlein seinem Verfasser selbst, dem unermüdlichen Kämpfen für die Sache Gottes, Trost und Freude in bitteren Stunden bereitete, so dürfte auch sonst manch anderes Menschenkind aus dieser Lektüre ähnlichen Nutzen gezogen haben und noch immer ziehen.

Man spricht in unseren Tagen so gern von Reform. Nun ja! P. Denifle, der gewiegte Kenner des Mittelalters und der Neuzeit meint im Vorworte zur ersten Auflage: „Innere Sammlung und Entsagung sind die zwei Hauptmittel zu einer Reform unseres Jahrhunderts und ihnen begegnen wir beinahe auf jeder Seite der deutschen Mystiker des 14. Jahrhunderts und darum sind sie, wenn je, so in unserem Jahrhundert zeitgemäß."

Mautern.   P. Jos. Höller C. Ss. R.

6) **Das Leben Mariä,** der jungfräulichen Mutter Gottes. Von J. P. Silbert. Dritte Auflage mit einem Stahlstiche und einer Beigabe: Tagzeiten von der unbefleckten Empfängnis. Regensburg. Verlagsanstalt Manz. 4°. 316 S. Früher M. 5.40 = K 6.48, jetzt M. 1.80 = K 2.16.

Diese Zeilen sollen dazu dienen, genanntes Wert der Vergessenheit zu entreißen. In klarer, einfacher Weise wird das Leben der jungfräulichen Mutter Gottes geschildert.

Im ersten Buche wird Maria uns vor Augen geführt in der ewigen Idee Gottes 2c.; das Weib mit der Sonne bekleidet. Weissagungen. Die Empfängnis Mariens, ihre Geburt und Opferung im Tempel

2. Buch: Maria im Tempel; ihr inneres Leben; Gelübde der Jungfräulichkeit; Tod ihrer Eltern; Vermählung mit Josef.

3. Buch: Von der Verkündigung bis zur Reise nach Bethlehem.

4. Buch: Geburt und Darstellung Jesu im Tempel.

5. Buch: Flucht nach Aegypten. Rückkehr. Stilleben zu Nazareth. Tod des heiligen Josef.

6. Buch: Maria während des öffentlichen Lebens Jesu bis zu Beginn seines Leidens.

7. Buch: Maria während des Leidens und der Verherrlichung ihres göttlichen Sohnes; ihr glorreicher Tod und ihre Aufnahme in den Himmel.

8. Buch: Geschichtliche Darstellung der Marienverehrung. Tagzeiten von der unbefleckten Empfängnis. S. 273—296 Gedächtnis der Feste der seligsten Jungfrau. S. 299—313.

Manche Partien sind etwas kurz und trocken ausgefallen. Josef hat seine Braut bis Jerusalem begleitet und ist dann zurückgekehrt. S. 105. Dieser Ansicht stimmen wir nicht bei. Wir sind vielmehr der Ueberzeugung, daß Josef seine zarte jungfräuliche Braut bis zu Elisabeth begleitete. Hier ist jedoch nicht der Platz, dies weiter auszuführen.

Im übrigen ist das genannte Werk sehr zu empfehlen. Der Preis ist sehr gering.

Neumarkt, Südtirol.   P. Camill Bröll O. Cap.

7) **Handbuch für den Unterricht in der Liturgik** oder Darstellung des katholischen Kirchenjahres in seinen heiligen Zeiten und Festen, Gebräuchen und Zeremonien, Erklärung sämtlicher Evangelien und ausführlicher Unterricht über die heiligen Handlungen, insbesondere die heilige Messe und die heiligen Orte.

Zum Gebrauche für Volksschulen und Lehrerbildungsanstalten bearbeitet von Jos. Schiffels, Rektor. Dritte, vielfach verbesserte Auflage. Mit in den Text gedruckten Figuren. Paderborn 1908. Ferd. Schöningh. Gr. 8°. X und 469 S. M. 5.60 = K 6.72.

Der Verfasser mag wohl selbst das Irreführende und Ungenügende des Obertitels gefühlt haben, da er denselben durch den langen Untertitel so weitläufig erklären zu müssen glaubte. In der Tat handelt es sich nicht um ein

Handbuch der Liturgik im gewöhnlichen Sinne. Der weitaus größte Teil, bis S. 340, behandelt das Kirchenjahr; dasselbe wird aber nicht nur vom liturgischen Standpunkte aus besprochen; vielmehr ist ein großer Teil der homiletischen Erklärung den Perikopen gewidmet; auch die Lebensgeschichten der Heiligen wurden kurz skizziert. Die Beziehungen, welche der Verfasser zwischen der kirchlichen Zeit und den jeweiligen Perikopen zu finden meint, sind wohl öfters zu weit hergeholt und entsprechen nicht immer der Wirklichkeit. Trotz der „Erweiterung und Vertiefung des Werkes nach der wissenschaftlichen Seite hin" (Vorr.) wäre in einer eventuellen vierten Auflage gerade von diesem Standpunkte aus noch manches zu verbessern. Ohne hier auf Einzelheiten einzugehen, soll nur auf eine grundlegende Forderung aufmerksam gemacht werden, deren Erfüllung sich von selbst in allen Einzelheiten bemerkbar machen würde. Soll nämlich das Buch wirklich den liturgischen Unterrichtsstoff in seinem ganzen Umfange bieten, so daß der Lehrer nicht darauf angewiesen ist, bei seiner Präparation mehrere Hilfsbücher zu benutzen (Vorr.), soll es dabei ferner ein für die angehenden Lehrer wissenschaftlich wertvolles Hilfsbuch sein, so müssen die einzelnen Behauptungen und namentlich die historischen Notizen wenigstens mit einigen Quellenangaben belegt werden. Dann würde z. B. die Bemerkung S. 391 über die liturgische Gewandung im Alten und Neuen Bund sich von selbst als unhaltbar erweisen. Auch einige Literaturangaben wären strebsamen Lehrern gewiß sehr willkommen.

Die praktische Verwendbarkeit des Buches richtet sich nach den Bedürfnissen der verschiedenen Schulen. Wo man in der vom Verfasser besprochenen Weise Perikopenstunden zu halten hat, da ist das Handbuch ganz an seinem Platze. Allgemeine Beachtung verdient die Bemerkung S. 24, daß mit den Schulgebeten regelmäßig, z. B. je nach den Wochentagen abgewechselt werden soll. Auch die Kirche bringt täglich Wechsel in ihre offiziellen Gebete; wie soll denn ein Schulkind an ewig gleichen Schulgebeten Freude haben?

Innsbruck. Otto Drinkwelder S. J.

8) **Tugendschule.** Anleitung zur christlichen Vollkommenheit. Drei Bände, dritte Auflage von P. Johannes Janssen, Priester der Gesellschaft des göttlichen Wortes. Steyl. Missionsdruckerei. Gbd. M. 9.50 = K 11.40.

9) **Der Freund am Krankenbette.** Ein Beispielbuch für kranke und leidende Christen. Von Reinhold Albers. Zwei Bände. Zweite Auflage. Steyl. Missionsdruckerei. M. 2.20 = K 2.64.

C) Ausländische Literatur.
Ueber die französische Literatur im Jahre 1908.

Sauvé (Ch. L. S.). Le Chrétien intime. Les litanies du sacré Coeur de Jésus. (Der innere Christ. Die Litaneien zum heiligsten Herzen Jesu.) Paris, Vic et Amat. 8°. XI. 406 S.

Herr Ch. Sauvé hat vor längerer Zeit ein Werk, Le Culte du sacré Coeur, herausgegeben, das in religiösen Kreisen sehr beifällig aufgenommen wurde. Die jetzt erschienene Schrift ist eine Fortsetzung des ersten Werkes. Als Empfehlung des neuen Werkes möge es genügen, aus dem sehr lobreichen Breve, welches Pius X. am 10. Mai 1908 an den Verfasser richtete, folgende Worte hier beizufügen: „Die Leser werden mit Freuden anerkennen, daß dieser neue Band eine ehrenvolle Stelle einnimmt in einer Reihe von Werken, da er sich durch den Reichtum und die Gründlichkeit der Gedanken, durch deren Korrektheit,

durch einen schwungvollen Stil und die fromme Begeisterung für seinen Gegen=
stand auszeichnet."

Neubert (Dr. E.). Marie dans l'Eglise antenicéenne.
(Maria in der vornizäischen Kirche.) Cubalda. 8⁰. XVI. 284 S.

L'abbé Neubert, Dr. der Theologie (Freiburg, Schweiz) hat in vor=
trefflicher Weise den Grund zu einer Theologie, soweit Maria mit der Lehre
über Gott in Berührung steht, geliefert. Die Schrift ist besonders gegen prote=
stantische Theologen gerichtet. Beurath versetzt den Anfang der Verehrung Mariens
ins fünfte Jahrhundert; damals habe sie so überhand genommen, daß sie selbst
die Anbetung Christi und des himmlischen Vaters zurückdrängte. Röhr gewährt
dem Marienkultus ein höheres Alter, indem er denselben als eine Verschmelzung
der Astarte= und Demeterverehrung angesehen haben will. Diese und ähnliche
absurden und unkritischen Ansichten werden vor allem gehörig widerlegt. In der
Abhandlung selbst wird zuerst gesprochen von Maria als Mutter der mensch=
lichen Natur Christi. Dadurch wird bewiesen, daß Christus wahrhaft Mensch
war gegen die Doketen und die Gnostiker, wie es übrigens schon Ignatius von
Antiochien, Justin, Irenäus, Tertullian getan haben. Von großer Bedeutung
ist die conceptio virginalis; die Gottheit Christi verlangt dieselbe unbedingt.
Gegner waren die Ebioniten und zum Teil die Adoptionisten. Hauptverteidiger
war Origenes, übrigens auch schon der damalige Sprachgebrauch der Kirche.
Der Glaube, daß Maria Mutter Gottes, Mutter der mit der menschlichen Natur
innigst vereinigten zweiten Person (Sohnes Gottes) der heiligsten Dreifaltigkeit
sei, gehörte immer zur Rechtgläubigkeit, wenn auch der Ausdruck θεοτόκος erst
durch das Konzil von Ephesus allgemein gebräuchlich wurde. Im symbolum
'so im Taufsymbolum des vierten Jahrhunderts in Rom) wurde Maria immer
als solche anerkannt.

Hierauf werden die Mysterien der Gnade besprochen. Als erstes führt
der Verfasser die Jungfräulichkeit vor und nach der Geburt Christi an und
zugleich deren Gegner und Verteidiger. Eine andere Gnadengabe Mariens ist
die Heiligkeit (Vergleich mit Eva), ferner ihre Kooperation beim Erlösungswerke
(Justin, Irenäus). Endlich erklärt uns der Verfasser, wie es komme, daß in
den Jahrhunderten die Marienfeste noch nicht gefeiert wurden, und daß wir
überhaupt in Betreff der Verehrung und Anrufung Mariens weniger alte Doku=
mente haben, als uns lieb ist. Der Hauptgrund, warum die Marienverehrung
in den ersten Zeiten zurücktritt, ist natürlich der Umstand, daß es sich im Anfang
besonders um den Glauben an Christus als Sohn Gottes und Erlöser der
Menschheit handelte, und denselben zu verbreiten und zu befestigen. Dafür litten
und starben auch die Märtyrer.

Quentin (Dom. Henri). Les martyrologues historiques
du moyen âge. Etudes sur la formation du martyro-
logue romain. (Die historischen Martyrologien. Studien über die Bil=
dung des römischen Martyrologiums.) Paris, Lecoffre. 8⁰. XIV. 745 S.

Historische Martyrologien werden diejenigen genannt, welche nicht bloß
die Namen der Heiligen mitteilen, sondern einen kleinen Auszug aus der Leidens=
geschichte, aus der Biographie, oder auf die Heiligen bezügliche Dokumente an=
geben. Der Verfasser hat die schwere und mühevolle Arbeit übernommen, die
historischen Martyrologien, von Beda Venerabilis angefangen, der als der Vater
der historischen Martyrologien angesehen wird, kritisch zu untersuchen. Seine
Untersuchung geht bis auf Usuardus, von dem das jetzige römische Martyro=
logium herstammt. Dom. Quentin hat die Aufgabe glücklich gelöst. Sogar die
Bollandisten, welche in diesem Fache die erste Autorität sind, spenden der Arbeit
großes Lob. Besondere Aufmerksamkeit schenkt der Verfasser dem martyrologium
Viennense (von Ado von 850—860). Schließlich bemerkt der Verfasser, man
würde zu weit gehen, das Martyrologium als unfehlbar, als über alle Zweifel
erhaben, hinzustellen; aber ebenso ist es nach seiner Ansicht verwegen, ohne stich=
haltige Gründe die Angaben des Martyrologiums zu bestreiten. Die Kirche, sagt

er, übernimmt für allfällige Irrtümer, welche darin vorkommen können, keine
Verantwortung.

Goyan (George). Sainte Mélanie (383—439). Die heilige
Melania 383—439.) Paris, Lecoffre, Cubalda. 8⁰. X. 241 S.

Die Grundlage dieser schönen Publikation bildet die Biographie des Kardinals Rampolla, welcher in der Bibliothek des Eskurial eine bisher unbekannte
Biographie der heiligen Melania, welche dem Ende des neunten Jahrhunderts
angehört, entdeckte. Der Verfasser hat übrigens andere, alte und neue Werke,
welche von den Heiligen handeln, benutzt. Die Schrift des Kardinals Rampolla
ist nur wenigen zugänglich; durch diese Arbeit wird sie allgemein bekannt, wofür
dem Verfasser Dank gebührt. Das Buch enthält daher nova et vetera.

Die heilige Melania stammte aus dem hochangesehenen Geschlechte der
Valerii. Ihre Eltern waren sehr reich; sie besaßen eine schöne Villa auf dem
Monte Coelio. Melanias Eltern waren eifrige Christen; aber andere nahe Verwandte waren noch Heiden. Melania erhielt eine liebevolle, aber doch strenge
Erziehung. Sie wurde mit Pinius, der noch ein Heide war, vermählt. Durch
eifriges und anhaltendes Gebet erreichte sie, daß ihr Gemahl als guter Christ
starb. Nun konnte sie ihr Vorhaben, sich ganz dem armen Heilande zu opfern,
ausführen. Trotz des Widerstandes von Seiten des Vaters legte sie alle Gegenstände des Luxus weg. Den Armen, ihren Brüdern, gab sie reiche Spenden,
den Sklaven schenkte sie die volle Freiheit. Dann begab sie sich, um Gutes zu
wirken, an die Küsten von Afrika. Dort fand sie den heiligen Augustin, welcher
sie aufmunterte, Klöster zu gründen. Zu dieser Zeit verwüstete Alarich Italien.
Die heilige Melania betete ohne Unterlaß und verrichtete viele Bußwerke, um
Gott für ihr liebes Vaterland um Barmherzigkeit anzurufen. Bald nachher begab
sie sich nach Aegypten, wo damals viele heiligmäßige Einsiedler lebten, und von
da nach Jerusalem. Dort führte sie nun zwölf Jahre lang ein sehr zurückge-
zogenes Leben. Gegen die Pelagianer, sowie später gegen die Nestorianer trat
sie entschieden für die katholische Wahrheit ein. Auf dem Oelberg gründete sie
ein Frauenkloster. Sie war dort die Lehrmeisterin aller Tugenden, hielt alle
Irrlehren ferne und führte dort die römische Liturgie ein. In Jerusalem selbst
gründete sie ein Kloster für Männer. Bei einer dritten Stiftung, die sie unter-
nahm, unterlagen ihre Kräfte. Sie starb, wie sie gelebt hatte, als wahre Heilige.
Gott hatte sie schon bei Lebzeiten mit der Wundergabe ausgezeichnet. Schließlich
wird noch die Verehrung geschildert, welche der Heiligen nach ihrem Tode zu
teil wurde. — Es wären noch andere durchaus empfehlenswerte Schriften zu
besprechen; der Raum fehlt uns jedoch. Wir wollen sie jedoch wenigstens anzeigen:

Cothoney (R. P.). Les XXVI martyrs des missions
dominicaines à Tonking. (Die 26 Märtyrer der Dominikaner-
Missionen. [Von Leo XIII. am 7. Mai 1900 selig gesprochen.])

Beaugrand (Augustin). Un pélérinage au IVième siècle.
Sainte Lucie à Catane (5 Février 304). (Eine Wallfahrt im
4. Jahrhundert. Die heilige Lucia zu Catania (5. Febr. 304.) Paris, Li-
brairie des Saints Pères. 8⁰. 86 S. Illustriert.

Bouillot (R. P. A. M.). Sainte Hélène. (Die heilige Helena.)
Paris, Lecoffre-Cubalda. 8⁰. XVI. 173 S.

Biron (R. P. Dom. Réginald). Saint Pierre Damien
1007—1072. (Der heilige Petrus Damian 1007—1072.) Paris, Lecoffre. 8⁰. XII. 304 S.

Flavigny (Comtesse de). Sainte Brigitte de Suède, sa
vie, ses révélations et ses oeuvres. (Die heilige Brigitta von
Schweden, ihr Leben, ihre Offenbarungen und ihre Werke.) Paris, Ordin.
8⁰. XII. 619 S.

Neuffels (Herbert C. M.) Les Martyrs de Gorkoum. (Die Märtyrer von Gorkum.) Paris. Lecoffre-Cubalda. 12°. 200 S.

Bolay (R. P.) Vie du Vénérable Jean Eudes, Instituteur de la congrégation de Jésus et Marie et de l'ordre de Notre Dame de Charité. (Leben des ehrwürdigen Johann Eudes, Gründer der Kongregation von Jesus und Maria und des Ordens von Unserer Lieben Frau der Liebe.) Paris, Haton. 8°. 509 S.

Gehen wir über zur Profangeschichte. Es sind diesmal etwas weniger Werke aus diesem Zweige zu melden. Ueber das Altertum haben wir:

Martin (Albert). Notes sur l'ostracisme dans Athènes. (Bemerkungen über den Ostrazismus in Athen.) Paris, Kinksteck. 4°. 64 S.

Es gibt unter den Lesern dieser Zeitschrift wohl noch viele, welche sich gerne an die Zeiten erinnern, wo die Musen des Herodot, die Parasangen Xenophons, die Schlachten des Thukydides u. s. w. ihre Lieblingsbeschäftigung waren. Für sie und für alle Freunde der griechischen Geschichte ist die oben angekündigte Abhandlung von großem Interesse. Der Ostrazismus Athens ist noch in mancher Beziehung wenig aufgeklärt. Das kommt ohne Zweifel daher, daß die Geschichtschreiber erst später, als er nicht mehr angewendet wurde, ihre Aufmerksamkeit demselben schenkten, zur Zeit, als er nur noch eine historische Erinnerung war. Am bekanntesten sind die Ostrazismusfälle von Aristides, Thukydides und Kimon. Von diesen ausgehend machte der Verfasser seine Studien. Die Einzelheiten derselben lassen sich nicht gut in einem Auszuge geben: wir beschränken uns daher auf die Resultate seiner Forschungen. Es ist nicht möglich, das Gesetz, welches unter Klisthenes über den Ostrazismus erlassen wurde, genau anzugeben. Der Ostrazismus hatte eine Strafe, und zwar eine zehnjährige Verbannung zur Folge. Dieselbe wurde vom Volke selbst verhängt, jährlich einmal, nach dem Vorschlag der Prytanen, wofern wenigstens 6000 Stimmen die Strafe verlangt hatten. Die Abstimmung war eine geheime und geschah unter dem Vorsitz der Archonten und dem Rat der Fünfhundert. Der Ostrazismus war keine kriminelle Strafe; er hatte nichts zur Folge als das Exil. Die Grenzen waren bestimmt, über welche hinaus der Betreffende gehen mußte. Der Ostrazismus war eine außergewöhnliche Maßregel.

Der Verfasser ist der Ansicht, daß durch diese Maßregel oft Bürgerkriege verhütet wurden. Er sagt ferner mit Recht, daß man auch jetzt noch zuweilen eine Art Ostrazismus gegen Kronprätendenten und andere (Jesuiten!) ausübe und somit kein Recht habe, den Athenern deshalb Vorwürfe zu machen.

Von der Geschichte des Altertums gehen wir über zum Anfang des Mittelalters:

Martroyer (F.). Genséric. La conquête Vandale en Afrique et la déstruction de l'Empire d'Occident. (Genserich. Die Eroberung der Vandalen in Afrika und der Untergang des weströmischen Reiches.) Paris, Haclatt. 8°. 392 S.

Ein früheres Werk des Verfassers, „Die byzantinischen Gothen und Vandalen", war gleichsam eine Vorarbeit für diese Geschichte. Hier handelt es sich um die Vandalen und ihren König Genserich. Diese Arbeit ist um so verdienstvoller, als noch wenige Historiker sich mit diesem Thema eingehend beschäftigt haben. Der Verfasser hat darüber wirklich gründliche Studien gemacht. Eine längere Einleitung handelt über Afrika vor dem Einfall der Vandalen im vierten Jahrhundert. Sodann schildert er das allmähliche Vorrücken der Vandalen, das Benehmen der römischen Feldherren Bonifazius und Aëtius, des heiligen Augustin. Bei diesem Anlaß werden die Beziehungen des heiligen Augustin zu Rom, zu Konstantinopel, zu den Barbaren, seit 412 mit Attila und den Hunnen besprochen. In Betreff der kriegerischen Ereignisse erfahren wir wenig Neues, um so mehr aber über die Verwaltung und die Regierungsweise des Königs Genserich. Darüber

28*

schwiegen bisher die Geschichtschreiber. Auch über die Verwaltung des römischen Reiches (Orient und Okzident) und verschiedene Einrichtungen desselben gibt uns der Verfasser wertvolle Nachrichten.

Wir kommen zur Revolutionszeit:

Lenstre (G.). La fille de Louis XVI, Marie Thérèse. Le Temple. L'Echange. L'Exil. (Die Tochter Ludwigs XVI., Maria Theresia. Der Temple. Der Austausch. Das Exil.) **Paris, Perrin. 12°. 389 S. Mit Plänen.**

Nach dem Sturze Robespierres trat in der Verfolgung und Behandlung der Royalisten eine Milderung ein, so auch im Temple, dem großen Staatsgefängnis, wo sich auch die unglückliche Tochter des unglücklichen Königs befand. Aus verschiedenen Städten, besonders von Orleans, erhielt die Regierung Bittschriften, welche um die Freilassung der unglücklichen Königstochter baten. Nach dem Tode ihres Bruders Ludwig XVII. beantragte man, sie gegen die in Oesterreich gefangen gehaltenen französischen Gesandten auszutauschen. Die Unterhandlungen dauerten lange. Am 18. Dezember 1796 konnte die Unglückliche endlich den Kerker verlassen und die Reise ins Ausland antreten. Um die Reise der Prinzessin möglichst genau schildern zu können, hat der Verfasser nach etwa 100 Jahren sie selbst gemacht und in allen Städten und Dörfern sich aufgehalten, wo die Prinzessin kürzere oder längere Zeit verweilte. In mehreren Städten wurde sie erkannt; da gab es dann rührende Szenen. In Basel fand der Austausch statt. Von dort ging die Reise unter der Leitung des Prince de Gavre, Obersthofmeisters des Kaisers, wo sie am 29. Jänner 1796 ankamen. Die Königstochter erhielt sogleich eine Wohnung in der Hofburg. Diese war allerdings freundlicher als die Zelle im Temple, aber die Ueberwachung war ebenso streng. Niemand durfte mit ihr sprechen, nicht einmal die Damen, welche sie begleitet hatten. Selbst der Kardinal de la Fare, Gesandter Ludwigs XVIII. beim Kaiser, wurde nicht vorgelassen. Warum diese Behandlung? Vielfache Gerüchte wurden verbreitet, so: man wolle sie mit dem Erzherzog Karl vermählen; so käme ein großer Teil des Vermögens der Bourbonen an das Haus Habsburg, Erzherzog Karl sollte König von Frankreich werden u. s. w. Tatsache ist, daß der kaiserliche Hof ein Verzeichnis aller Besitzungen der Bourbonen zusammenstellen ließ. Der Verfasser fand es unter den Schriften des Kardinals de la Fare und teilt es mit. Erst als sich herausstellte, daß alle diese Pläne unrealisierbar seien, durfte die Prinzessin sich zu ihrem Oheim, Ludwig XVIII., nach Mittau begeben. Ihr Charakter, der ursprünglich ein heiterer war, wurde durch die vielen Leiden, Entbehrungen, Enttäuschungen ein düsterer.

Grandmaison (Geoffroy de). L'Espagne et Napoléon 1804—1809. (Spanien und Napoleon 1804—1809.) **Paris, Kon. 8°. 519 S.**

Unter den vielen großen Fehlern, welche Napoleon beging, war nicht der geringste, daß er seinen Bruder Josef zum König von Spanien machen wollte. Er bedachte nicht das Unrecht, das er an der Dynastie und dem edlen Volke beging. Er bedachte nicht, daß seine Brüder der schweren Aufgabe nicht gewachsen seien, da sie weder seine militärischen, noch administrativen Talente besaßen. Auf St. Helena sah er seinen Fehler ein und war sogar der Ansicht, die alten Dynasten wären ihm ergebener und willfähriger gewesen als seine Brüder, wenn er sie als Bundesgenossen behandelt hätte.

Herr von Grandmaison hat schon ein Werk über ein verwandtes Thema (die Geschichte des französischen Gesandten in Madrid) geschrieben und dabei die französischen und spanischen Archive durchforscht (es wurde auch in dieser Zeitschrift besprochen). Er war somit für diese Arbeit vorbereitet. Gründlichkeit, genaue unparteiische Darstellung, interessante, schöne Schilderung der Schlachten, alter Vorfälle, machen, daß auch der, welcher das Wesentliche schon kennt, das Buch mit Interesse lesen wird. Auch Neues bietet das Werk nicht wenig, da es über dieses Thema das erste Spezialwerk ist.

Guide d'action réligieuse. (Führer bei der religiösen Bewegung.) Herausgegeben von der Action populaire. Paris, Lecoffre.
8°. 414 S.

Unter den Schriften, welche sich mit der Rekonstruktion Frankreichs beschäftigen, ist wohl die vorliegende (Guide d'action réligieuse) die wichtigste.
Das geht daraus hervor, daß bald nach ihrem Erscheinen sie von mehr als
60 Bischöfen den Gläubigen empfohlen wurde. Zur Grundlage dienen dem
Verfasser die Worte, welche Pius X. zum Bischof von Grenoble gesagt hat:
„Verkündiget und hört nicht auf, es zu wiederholen, man muß vor allem zurückkehren zum christlichen Leben, da ist das Heil, und nur da " In der Einleitung
werden die betreffenden Dekrete, Erlässe 2c. der Päpste, Reden und Schriften
der Bischöfe und hervorragender Katholiken angeführt. Hierauf wird der Grundsatz
aufgestellt, das Werk soll ein organisierendes, ein bildendes sein. Man muß das
Errungene erhalten, verteidigen und vermehren. Wie das zu geschehen habe,
bildet den Hauptinhalt des Werkes. Im einzelnen werden dann Belehrungen
und Ermahnungen über die religiöse Erziehung der Kinder, der Schuljugend
männlichen und weiblichen Geschlechtes, der reiferen Jugend, über die Pflege
des religiösen Sinnes bei Erwachsenen, Frauen und Männern, erteilt und zwar
sehr kluge, zweckmäßige. Schließlich werden die Volksmissionen, die Exerzitien,
verschiedene Bruderschaften und Vereine sehr schön besprochen und warm empfohlen.

Gehen wir über zur Philosophie:

Lahr (P. C.). Eléments de philosophie scientifique
et de philosophie morale. (Elemente der wissenschaftlichen Philosophie und der Moralphilosophie.) Paris, Beauchesne. 8°. XVI. 405 S.

In Frankreich (vielleicht auch anderwärts) wird in den Staatsschulen der
Philosophie zu wenig Aufmerksamkeit geschenkt. Logik, Psychologie, Metaphysik,
Theodicee werden wenig oder gar nicht behandelt. Diese große Lücke sucht P. Lahr
durch sein Werk auszufüllen. Seine Arbeit zeichnet sich durch Klarheit, Präzision,
kurze, aber genügende Auseinandersetzung und Lösung der Schwierigkeiten aus.
In den Etudes (des Pères Jésuites) wird dasselbe bestens empfohlen.

Danton (Gustave). L'éducation d'après Platon. (Die
Erziehung nach Plato.) Paris, Alcan. 8°. XXI. 299 S.

Da gegenwärtig alles über Erziehung spricht und schreibt, ist es interessant,
zu vernehmen, welche Ansichten der große Denker Plato darüber habe. Das hat
Herr Danton mit großem Fleiß aus allen Schriften Platos zusammengetragen.
Mit Recht sagt der Verfasser, das Problem der Erziehung datiert nicht von
gestern. Sobald es zivilisierte Völker gab, gab es auch eine Frage der Erziehung.
Auch in dieser Beziehung hat Plato sich große Verdienste erworben. Er hat zwar
keine Pädagogik im strengen Sinne hinterlassen, aber sein aufrichtiges Bemühen,
die Erziehung zu befördern, finden wir in allen seinen Schriften; das meiste
erfahren wir in „Die Republik" und in „Die Gesetze". Schon Pythagoras und
Solon trugen viel zu einer edleren Erziehung bei. Sie suchten die Jugend von
dem Niedrigen, dem Gemeinen abzuwenden und sie zu Höherem, zum Denken,
Forschen, Urteilen anzuleiten. Durch die Sophisten wurde dieselbe wieder verdorben. Das Denken artete in Spitzfindigkeit aus und bei der Pflege des Geistes
wurde das Leibliche zu sehr vernachlässigt: der Mensch wurde zu sehr individua-
lisiert. Plato will Körper und Geist zugleich entwickeln und den Menschen dadurch
zu einem nützlichen Bürger des Staates erziehen. Die Erziehung ist nach Platos
Ansicht eine Hauptaufgabe des Staates. Derselbe soll den Plan der Erziehung
entwerfen und über die Ausführung desselben wachen.

Die platonische Erziehung besteht in zwei Abstufungen. Die erste Stufe
entspricht so ziemlich unserer Volksschule. Die zweite Stufe ist so eigentlich das
Werk Platos, sie entspricht unteren höheren Lehranstalten. Plato legt bei der
Erziehung einen ganz besonderen Wert auf die Musik; diese soll aber sehr ernst
und würdig sein. Plato will, daß der ganze Mensch gleichsam Musik sei, d. h. all
sein Tun und Lassen, sein Gehen und Stehen, sein Reden und Schweigen soll

etwas Harmonisches an sich haben. An der physischen Ausbildung läßt Plato auch das weibliche Geschlecht teilnehmen. Auch dieses soll imstande sein, die Stadt gegen äußere Feinde zu verteidigen. Plato hatte dabei die edle Absicht, das weibliche Geschlecht von der niederen Stufe, auf der es sich auch in Athen befand, etwas zu erheben.

Der höhere Unterricht (zweite Stufe) beschäftigt sich mit den verschiedenen Wissenschaften, besonders mit der Philosophie im engeren Sinne. Abweichend von Sokrates lehrt Plato, Wissenschaft und Tugend seien nicht unzertrennbar; man sei deshalb noch nicht tugendhaft, weil man die Grundsätze der Tugend kenne. Plato bedauert, daß in diesen Wissenschaften die Griechen den Aegyptern weit nachstehen.

Ein Hauptbestandteil der höheren Bildung ist nach Plato die Welt der Ideen, so nennt er die Dialektik Dadurch erhebe sich der Mensch aus dem Alltagsleben in eine höhere Region. Die Jahre 30—35 sollen die Auserwählten (jene, denen es die Verhältnisse erlauben) zum Studium der eigentlichen Philosophie verwenden und hernach zu den gewöhnlichen Berufsgeschäften der Bürger zurückkehren. Plato hält sehr viel auf die Religiösität. Er sagt: „Wer nicht an die Götter und an die Unsterblichkeit der Seele glaubt, ist nicht würdig, zu regieren und nicht würdig, Erzieher zu sein. Der Glaube an die Unsterblichkeit der Seele ist ein Beweggrund, welcher die Menschen antreibt, tugendhafter und gebildeter zu werden; denn dieser Glaube an Gott zeige Mittel, den Leiden zu entgehen, welche auf die Lasterhaften harren und für sich Glück zu erlangen."

Jean Jacques Rousseau par Jules Lemaitre. Paris, Levy. 12⁰. 360 S.

Der von den sogenannten Freisinnigen hochverehrte Philosoph J. J. Rousseau, ein Apostel des Unglaubens, ist zwar schon hundertmal widerlegt worden, aber wohl noch nie so scharf und nachhaltig, wie es in dieser Schrift geschieht. Herr Lemaitre widerlegt ihn meistens aus seinen eigenen Schriften und verbindet damit eine beißende Satire, was bei den Franzosen besonders wirksam ist. Als Beispiel möge dienen der oft zitierte Satz Rousseaus: „Der Mensch wird frei geboren". Da zeigt der Verfasser, wie kein lebendes Wesen so wenig frei, so wenig unabhängig sei, wie ein neugeborenes Kind, und wie diese Abhängigkeit noch viele Jahre hindurch fortdauere. Den Schwindel, der mit dem Worte Freiheit getrieben wird, deckt der Verfasser dann überhaupt gehörig auf und treibt seinen Spott darüber. Auf diese Weise werden Rousseaus berühmte Rede „sur l'inegalité", dann sein „Emile" und sein „contrat social" unerbittlich zerzaust, die Sophismen aufgedeckt und der Leser gegen die berückende Beredsamkeit dieses neuen Sophisten gewappnet. Die Schrift macht in Frankreich großes Aufsehen, und man hofft, daß bei vielen Verehrern Rousseaus die Begeisterung um mehrere Grade sinken werde.

Salzburg. ——————— J. Näf, Prof.

J. V. Bainvel. Les contresens bibliques des prédicateurs. Paris, Lethielleux. 2e édition. XII. 16⁰. 168 S. 2 Fr.

In erweiterter Form liegt seit einigen Monaten ein zunächst für Prediger bestimmtes Werkchen vor, dessen erste Auflage allseits freudig begrüßt wurde. Der Verfasser — Professor am Institut catholique in Paris — bemüht sich darin, eine größere Anzahl nicht selten vorkommender Verstöße gegen den wahren Wortlaut der Heiligen Schrift namhaft zu machen. Er geht den Hauptursachen dieser Erscheinung nach und sucht ihr durch heilenden Hinweis auf die bei der Benutzung der Heiligen Schrift geltenden Grundsätze entgegenzuarbeiten. Ein geordnetes Verzeichnis der hauptsächlich vorkommenden schriftwidrigen Stellen erleichtert die Handhabung des Büchleins und so ist es sicher vielerorts berufen, belehrend und berichtigend zu wirken. Da nach dem Rundschreiben „Providentissimus" Leo XIII. die Heilige Schrift im Mittelpunkt des priesterlichen Studiums stehen soll, ist dem Werkchen weitgehendste Beachtung von Herzen zu wünschen.

B. ——————— P. O.

Bericht über die Erfolge der katholischen Missionen.

Von Joh. G. Huber, Dechant und Stadtpfarrer in Schwanenstadt.

„Das Lesen= und Schreiben Können, das muß der Mensch büßen!" So hörte ich einmal einen alten geistlichen Haudegen sagen. Damals jung, konnte ich nicht verstehen, wie er das meine; längst bin ich aber schon zu diesem Verständnisse gelangt.

Es muß mir bei Aneignung der Lese= und Schreibekunst vermutlich allerlei Hochmut passiert sein; — wenigstens erinnere ich mich, es mit Behagen gelesen zu haben, wenn mir in Zeugnissen für die Form der schriftlichen Aufsätze oder deren Inhalt eine gute Note zugeteilt war, und erst, als ich die edle Stenographia mir angeeignet hatte, da fühlte ich mich ganz auf der Höhe der Zeit, ohne ein Bedenken zu hegen, was dieses einmal für Folgen haben werde.

Nun habe ich davon in alten Tagen die zeitliche Strafe, daß ich weit mehr lesen und schreiben muß, als mir gut tut.

Wenn Tag für Tag, jahrein und =aus Geschriebenes und Gedrucktes und die starren Erzeugnisse der Schreibmaschinen auf den Schreibtisch wie Schneeflocken niederfliegen, zumeist aus den Höhen der Behörden, da meldet sich nicht selten der Groll über alles Lesen und Schreiben, — ich vermute, daß manche Herren Berufsgenossen, die eine „Kanzlei" zu führen haben, hin und wieder von ähnlichen Gefühlen durchdrungen sind und in mancherlei Sprüchen sie an die Luft setzen. Ich weiß für mich kein besser kalmierendes Spezifikum gegen solchen Unmut, als die Auffassung: Das alles ist die zeitliche Strafe für das Lesen= und Schreiben=Können und, die dir diese Sachen schicken, das sind die Vollstrecker einer überirdischen strafenden Gerechtigkeit!

So dachte ich auch, als der Herr Redaktor unserer Quartalschrift nach Einsendung des letzten „Jubelberichtes" auf meine Bemerkung, es wäre an der Zeit, eine jüngere Kraft statt mir sich einzustellen, mir zu verstehen gab, er sei nicht gewöhnt, vor Feierabend auszuspannen, es sei erst halber Abend und ich möge nur an demselben Joche mit ihm weiter ziehen. Nach dem Feierabend soll ich um Ruhe mich umsehen! Ich werde es so verdient haben: also weiter!

Ein Trost ist mir auch der Gedanke: Es haben viel bessere Leute als ich, auch das Lesen und Schreiben ausgekostet! Auf diese will ich aber meine Auffassung nicht angewendet wissen: für sie war es keine zeit= liche Strafe, sondern ein Verdienst.

Es war z. B. auf meiner Pfarre ein Amtsvorgänger, der vor mehr als anderthalb Jahrhunderten hier hauste.

Er war des Namens Johann Ferdinand Gessl. Von diesem berichtet die Ueberlieferung, er sei ein wahrlich heiliger Mann gewesen, habe ungemein oft gepredigt und viele aus dem Irrglauben zur katholischen Kirche zurückgeführt und habe auch viele Bücher geschrieben zum Unterrichte der Seinen. Sein Bild hängt über dem Eingange meiner Wohnung. Er ist ein kräftiger Alter, schneeweiß in Haaren, neben sich ein Stoß Folianten. Er starb, 81 Jahre alt, im 58. seines Priestertums 1764. Von seinen Büchern ist leider nur eines in meinen Händen, ein Gebetbuch mit dem Titel: Des gut meinenden Petriners Christ=katholische Andachten durch Anbettung Gottes. An allen besonderen feyerlichen und nicht feyerlichen Fest=Tägen des Herrn, welche von der H. Christkatholischen Aposto= lischen Römischen Kirchen das Jahr hindurch begangen werden. — Gedruckt bei Joh. Michael Feichtinger in Linz 1742.

Darin finden sich auch viele geistliche Lieder für kirchliche Feste, von denen aus einer Schlußbemerkung des Verfassers zu vermuten ist, daß er viele derselben selbst gedichtet habe. Als erstes steht ein Lied auf Mariä Unbefleckte Empfängnuß den 8. Dezember.

Einige Strophen seien hier wiedergegeben:

1. Schönstes Fräulein! hochempfangen,
Dich grüß ich zu tausendmahl;
Du allein kannst einher prangen
Frey von allem Adams=Fall.
Keine Schand hat Dich ergriffen
Und kein Erb von Adams Sünd,
Keine Schlang Dich angepfiffen,
Ohne Makel bist ein Kind.

2. O Maria! Gnadenreiches
Unschätzbares Edelgstein!
Erd und Himmel sind nichts gleiches
Dir an Deinem Gnadenschein.
Dann, weil Dich kein Sünd vertriebet,
Hattest Du das Himmels=Glück,
Daß Gott selbst in Dich verliebet
Sich den ersten Augenblick

3. Helles Liechtlein ohne Bützel,
Heller Spiegel ohne Schmutz,
Ein Cristall ohn allen Rützel,
Mithin aller Feinden Trutz.
Voller Mond ohn aller Makel,
Ja weit über Sonnen klar,
Ohne Rauch ein Erden=Fackel,
Weil in Dir kein Erbsünd war.

4. Kein Gespenst kunt Dich beschnarchen,
Du stäts grüne Aarons=Ruth.
Du ein freye Noems=Archen
Ueber alle Sünden=Fluth!
Unbefeuchtet, unbenetzt
Blieb Dein Engel=reine Seel,
Auch ins wilde Welt=Meer gsetzet
Wie des Gedeonis Fell.

Die Sprach= und Schreibweise mag uns seltsam erscheinen, sie ent= spricht eben dem Stile seiner Zeit; — aber mir scheint: An Innigkeit frommen Gefühles, an Ausdruck und Gewandtheit der Form gehört der alte Herr in Ehren zu denjenigen, die sich Dichter nennen dürfen.

Ich hege großen Respekt vor ihm, wie vor den Männern aller Zeiten, die mit ihrem Lesen und Schreiben der Kirche gute Dienste ge= leistet haben.

Kann ich mich mit ihnen in keiner Weise messen und ist meine Auffassung von der zeitlichen Strafe eine minderwertige, so mag sie doch etwas dafür helfen, daß man doch nicht im Jenseits auch an einen glü= henden Schreibtisch gebannt werde. So will ich denn über mich ergehen lassen, was ich zu büßen habe und lese weiter, sogar gerne, was die hoch= würdigen Missionäre berichten und schreibe in Gottes Namen weiter an die P. T. Berufsgenossen und von unseren Mitbrüdern in den katholischen Missionen aller Weltteile.

I. Asien.

Palästina. Aus Kaifa berichtet Hochw. Herr Kandler, Kaplan am katholischen Hospiz, über die Anstalten der dortigen Borromäer=Schwestern.

Diese begannen 1888 ihr Wirken mit Privat=Krankenpflege; bald er= weiterte sich ihr Wirken: vorerst zur Aufnahme und Pflege der Pilger in einem Hospize, dann zur Eröffnung und baldigen Erweiterung einer Neubau einer Schule (1897), dann 1898 zur Spitaltätigkeit, wofür sie jetzt ein eigenes Haus besitzen, inzwischen zur Gründung eines Noviziates für einheimische Schwestern und zuletzt zur Gründung eines Erholungshauses „Elias=Ruhe" auf der Höhe des Karmel für Rekonvaleszenten und erholungsbedürftige Schwestern. Es sind derzeit 15 Ordensschwestern und 4 Novizen, in Kaifa sind 1 deutscher und 1 arabischer Priester angestellt, auf Elias-Ruhe auch 1 Priester. Die Tätigkeit im Unterrichte und Charitas-Werken ist sichtlich gesegnet, an Armut hat es ihnen nie gefehlt; — gerade jetzt sind sie durch Geldmangel in harter Bedrängnis und bitten um Hilfe. (Priv.-Br.)

Syrien. In der Libanon-Mission kommen die Jesuiten-Missionäre in bedauerliche Lage. Die Missionsunterstützung aus Frankreich fällt nachgerade ganz aus und beginnen die zur Erhaltung der Schulen nötigen Mittel auf nichts zusammenzuschwinden. Wenn nicht anderwärts Hilfe kommt, so können nur mehr die Schulen in den größeren Orten aufrecht gehalten und müssen die übrigen in den kleineren Orten aufgelassen werden: es sind etwa 30 Schulen, deren Dasein oder Nichtsein in Frage steht! — jetzt zu einer Zeit, da gerade die Schulen als Bollwerk gegen den umsichgreifenden Protestantismus und Unglauben am notwendigsten sind! Die flehentliche Bitte von dorther dürfen wir nicht überhören! (Fr. k. M.)

Vorder-Indien Assam. Die Mission hat ein gutes Jahr hinter sich. Die Zahl der Katholiken ist von 1967 auf 2500 gestiegen, dazu noch 572 Katechumenen. Es wurde auch 200 eingewanderten Kuli-Christen die Seelsorgearbeit zugewendet, die in Gefahr waren, zum Abfalle verleitet zu werden. Die Zahl des Missionspersonales wurde um 2 Priester und 3 Brüder vermehrt und besteht jetzt aus 13 Priestern, 4 Brüdern, 7 Schwestern und 30 Katechisten.

In den 22 Missionsschulen sind 300 Kinder, dazu in Waisenhäusern 100 Kinder. In der Station Shillong wurde eine English Middle School eröffnet. In dem Dorfe Umpling, wo man schon seit 16 Jahren ziemlich vergebliche Versuche gemacht hatte, der Mission Eingang zu verschaffen, beginnt endlich das Eis zu brechen: die Bewohner erklärten sich bereit, eine Schule errichten und Katechisten anzunehmen und wurden 15 Erwachsene getauft. In Cherraponjee ist die materielle Not sehr hinderlich: viel armes Volk wandert aus, die Christen fallen der Mission zur Last, wofür die Mittel leider nicht ausreichen. In Leitkynsew, wozu 11 Nebenstationen gehören, gab es schweres Unglück. Die durch Ameisenfraß schon baufällige Kirche ist durch Erdbeben und Sturm eingestürzt samt den Missionsbauten. (Salv. Mittlg.)

Der apostolische Präfekt Becker gibt in einem Briefe an den Berichterstatter noch einige Nachrichten aus seiner Mission.

Die Haupttätigkeit wandte sich bisher dem Khasi-Volke zu, unter welchem das kirchliche Leben sehr regsam sich erweist. Das sieht man z. B. aus den in letzter Zeit durchgeführten Gründungen von St. Vinzenz-Vereinen. Das arme Volk, welches seinen Lebensunterhalt in harter Arbeit sich verdienen muß, zeigt sich doch sehr eifrig, in Werken christlicher Nächstenliebe zusammenzuhelfen.

Daneben wird die Mission von verschiedenen Seiten gedrängt, ihre Arbeit auch anderen Stämmen zuzuwenden. So kamen jüngst Abgesandte aus dem Stamme Rhoi aus einer Entfernung von 16 Stunden zum dritten Male mit der inständigen Bitte, ihnen doch Katechisten beizustellen. Noch kann diese Bitte nicht gewährt werden, weil die Mission die nötigen Mittel nicht besitzt. Seit Jahren warten auch schon andere Stämme auf Gewährung ihrer wiederholten Bitten, leider sind der Mission die Hände gebunden durch große Armut. Wer ihr zu Hilfe kommen möchte, sei hiemit freundlich gebeten. (Priv.-Brf.)

Die Khols=Mission der Jesuiten in Chota Nagpur ist nun auch in das südwestliche Nachbarland Jashpur eingedrungen.

Die dortige Bevölkerung, Uraon=Indier, steht unter einem Radscha, der zwar dem Christentum feindlich gesinnt ist; man wagte aber trotzdem den Versuch, dorthin katholische Missionäre zu schicken. Der erste, welcher das beabsichtigte Werk in Gang bringen sollte, war P. Bressers S. J., der das Gebiet durchwanderte und überall freudige Aufnahme fand.

Im Dorfe Kerkona fand er einen Häuptling, der schon lange Christ ist und zur Zeit der Verfolgung sich standhaft und den Mut der Christen auf= recht hielt. Er ist jetzt voll Begeisterung, wieder einen katholischen Priester bei sich zu sehen; seine Freude teilen auch die noch aus älterer Zeit vorhandenen Christen und sehnen sich darnach, wieder Missionäre im Lande zu haben. Hof= fentlich wird ihr Verlangen erfüllt werden und wird die Mission auf solch gutem Grunde kräftig emporwachsen. (Fr. t. M.)

China. Apostolisches Vikariat Süd=Schantung. Aus dem heu= rigen „Neujahrsgruße" des apostolischen Vikars Msgr. Henninghaus ist zu entnehmen, daß derselbe nach 21jährigem Aufenthalte in der China= Mission zum ersten Male eine Reise nach Europa gemacht habe, in der Absicht, für die große Notlage in seiner Mission Hilfsquellen zu finden. Er bedankt sich für die liebevolle Aufnahme, die er bei der Priesterschaft wie beim Volke, bei Hoch und Niedrig, gefunden, sowie für die Almosen, die ihm gereicht wurden, und damit wir erfahren, wieviel Gutes seine Missionsalmosen stifte, gibt er einen Ausweis über die Missionserfolge:

Im Jahre 1908 wurden in ganz Süd=Schantung 7114 Personen getauft (darunter 4531 Erwachsene, 2583 Kinder, dazu noch 4331 Heidenkinder in Todesgefahr); das ist die höchste Ziffer, welche je seit Bestand der Mission erreicht wurde und ist damit die Zahl der Katholiken auf 45.151 gestiegen, die der Katechumenen auf 44.564! Daß dieses Volk nicht bloß in Matriken einge= zeichnet sei, sondern daß es die Seelsorge auch benütze, ergibt sich aus den weiteren Angaben: 100.000 Beichten und Kommunionen, fleißiger Besuch der kirchlichen Unterrichtsanstalten: 1 Seminar mit 74 Alumnen, 1 Katechistinnen=Anstalt mit 92 Zöglingen, 7 deutsch=chinesische Schulen, 3 staatlich anerkannte Mittelschulen, 187 Katechismusschulen mit 2050 Schülern, 58 Primärschulen für chinesische Literatur mit 646 Schülern. Die Katechumenatskurse zur unmittelbaren Vor= bereitung auf Empfang der heiligen Sakramente zählten im letzten Jahre 5321 Teilnehmer usw., in 2 Hospitälern und 2 Armen=Apotheken fanden 21.670 Kranke Hilfe, in 6 Waisenhäusern 700 Kinder.

Damit man nicht meine, der Bischof habe etwa allzuviel eingeheimst und sei in Gefahr, ein Krösus zu werden, bekennt er, daß das heimgebrachte Geld eben ausreichte zur Deckung des Defizits, welches seit Jahren zu einer unheim= lichen Höhe sich entwickelt hatte. Er steht nun wieder vor neu beginnender Sorge. Missionäre, Schwestern, Brüder, Katechisten, Lehrer und die Waisenkinder und viele andere, Tag für Tag, 2000 Menschen müssen ihren Lebensunterhalt von der Mission haben. — Schulen und Kirchenbauten kosten viel Geld! Wenn also der Bischof auch fernerhin wieder aufs Bitten sich verlegen muß, so kann man es nicht übelnehmen. Das Werk geht gut vorwärts, damit steigen auch die An= forderungen, aber die Aussicht auf Bestand und größere Erfolge ist jetzt besser, als je. (Neuj.=Gr.)

Im Kreise Szeschui ist der Missionär P. Volpert an der müh= seligen Arbeit in einem Gebiete, wo das Heidentum noch in ungebrochener Macht dasteht. Soviel konnte er doch schon erreichen, daß für die Bekehrten der Bau einer Kirche notwendig wird, er möchte sie bauen zu Ehren des heiligen Bonifazius, hat aber noch keinen Baustein, hofft aber die Lieferung solcher von Missionsfreunden. (Stl. M.-B.)

Ost-Schantung. Die Franziskaner-Mission feierte 1908 das 50jährige Priester-Jubiläum ihres Oberhirten Msgr. P. Caesar Schanz.

Das Fest konnte mit besonderer Freude begangen werden, weil die Mission, seit derselbe 1894 den Hirtenstab übernommen hatte, höchst erfreuliche Fortschritte machte. Damals waren 4400 Katholiken, jetzt 9900, 1700 Katechumenen, jetzt nahezu 10.000; 116 Christengemeinden, jetzt 608; 147 Kirchen und Kapellen, jetzt 194; damals 11 Missionäre, jetzt 30; 11 Seminaristen, jetzt 35; 572 Taufen Erwachsener, jetzt im Jahre durchschnittlich 2255. Gott segne den Jubilar und seine Jubel-Mission!

Japan. Es mehren sich die Anzeichen, welche der Mission eine bessere Zukunft verheißen. Vorerst wird die Zahl der Missionskräfte immer größer, indem von verschiedenen Seiten Verstärkungen kommen.

Auf der Nordinsel Yesso fanden sich die Franziskaner ein, auch viele Schwestern.

Nach Tokio kamen 12 Schwestern, welche dort arbeiten sollen an der Ausbildung der Mädchen aus höheren Gesellschaftskreisen; sie kauften schon ein Grundstück zum Baue einer Erziehungsanstalt. Es ist Aussicht auf gutes Gelingen, da die Schwestern Engländerinnen sind und Japan derzeit für alles Englische schwärmt.

Auch die Jesuiten, denen die Japan-Mission ihren ersten Anfang verdankt (1549), kommen wieder nach Japan und beginnen in Tokio ihr Missionswerk, haben sogar die Gründung einer Hochschule vor.

Alle diese Ordensleute arbeiten mit Lust und Liebe. Ein Hauptziel ihrer Arbeit muß sein: sich Mitarbeiter, Katechisten, Lehrer, Professoren und Schwestern aus dem Japaner-Volke heranzubilden; erst wenn einmal diese im Vordertreffen stehen, dann ist großer Sieg zu erhoffen. Die Herren Japaner sind derart von Nationalgefühl durchdrungen, daß sie von Fremden nichts wollen. Massenbekehrung ist dort nur denkbar, wenn Vertreter ihrer Nation ihnen die christliche Lehre bringen und als Führer dem Volke vorausgehen.

In der Station Nijigata, die schon längere Zeit von der Pariser auswärtigen Mission mit Priestern und Schwestern besetzt ist und wohin auch kürzlich Steyler Missionäre nachrückten, gab es großes Unglück: ein Brand, der 2000 Häuser in Asche legte, hat auch der Mission großen Schaden getan: Die Pariser Mission ist samt Kirche, so auch die Anstalt der Schwestern und das Waisenhaus sind niedergebrannt. Ob die Steyler nun ihr Werk dort in Angriff nehmen und durchführen können, weiß Gott.

(Stl. M.-B.)

Borneo. Ende 1908 wurde die Mission am Baram-Flusse, welche 1902 von P. Trampedeller (seither gestorben) eröffnet und unter großen Mühen zu guten Erfolgen gebracht worden war, seit einigen Jahren aber wegen Mangel an Missionskräften aufgelassen wurde, nun wieder mit zwei Missionären, Patres Jansen und Unterberger, besetzt; sie bietet große Schwierigkeit, da sie sehr schwer zugänglich ist, indem an der Mündung des Baram so viele Sandbänke und Riffe liegen, daß während der halbjährigen Regenzeit wegen der Stürme kein Fahrzeug ein- oder auslaufen kann. In der Trockenzeit geht die Fahrt auch nur zur Zeit der Flut. Landwege sind so schwer begänglich, daß das Zufrachten der nötigen Lebensmittel u. dgl. oft lange Zeit nicht stattfinden kann.

In der Station Claudetown (Marudi) haben die Missionäre einen
Holzbau zur Wohnung, Kapelle und Schule, in welcher sie bis Mitte Mai zehn
Schüler hatten. Das Volk an den Ufern des Baramstromes siedelnd in weiten
Entfernungen, ist in 16 Stämme mit ganz verschiedenen Sprachen geteilt, geistig
gut entwickelt, daß sich gute Hoffnung darauf setzen läßt, deren Erfüllung aber
viel Schweres verlangen wird. (St. J. M.-B.)

Ceylon. Die Mission Jaffna hat einen schmerzlichen Verlust zu
beklagen: den Tod des P. Aloysius O. M. J., Pfarrer der St. Jakob-
Kirche. Er war ein eingeborener Ceylonese, 1871 den Oblaten als Novize
beigetreten, 1880 zum Priester geweiht, arbeitete er in der Mission
Wennapuava zehn Jahre, dann, vom Bischofe an die Kathedrale gerufen,
übernahm er obgenannte Pfarre, wo er am Kirchenbaue und in der Seelsorge musterhaft wirkte. Ein jahrelanges Siechtum ertrug er so, wie es
zu seinem ganzen Leben stimmte. R. I. P. (Mar. Im.)

II. Afrika.

Apostolisches Vikariat Zentral-Afrika. Große Freude fand der
apostolische Vikar Msgr. Geyer bei seinem letzten Besuche in Wan (Bahr
el Ghazal). Es ist dort eine Niederlassung der englischen Regierung,
welche der Mission alles Vertrauen entgegenbringt und es dazu brachte,
daß die Mission dort eine Station errichtete, obwohl dort auch viele
Moslims ansässig sind, deren Nähe wohl jeder Mission schädlich ist.

Der General-Gouverneur übertrug der katholischen Mission die Leitung
einer Elementar- und einer technischen Schule, ist damit ganz zufrieden und
trat dafür ein bei der Zentral-Regierung in Khartum, daß das der Mission
zugewiesene Grundstück derselben auch als Freehold, d. h. als wirkliches Eigentum
unentgeltlich überlassen werde ist die guten Dienste, welche sie der Regierung
durch die Erziehung der einheimischen Jugend leiste.

Das Schulvölklein ist lernbegierig und sehr auffassungsfähig und wird
nach Vollendung der Schulzeit zumeist in Werkstätten für verschiedene Handwerke ausgebildet. Vielfach kommen auch von den wilden Stämmen der Umgebung
Leute, die sich ganz unter den Schutz der Regierung stellen und dort bleiben,
was auch für die Mission von Vorteil ist. (St. d. N.)

Deutsch-Ostafrika. Apostolisches Vikariat Dar es Salam. Der
apostolische Vikar Msgr. Spreiter konnte auf einer Visitationsreise Grund
zur neuen Station Matumbi legen, wo schon der † ermordete Bischof
Spieß eine Mission hatte gründen wollen. Sie liegt auf Bergeshöhe unter
dem Kamme des Nambligya und wurde mit P. Heinze und Br. Kröh-
ling besetzt und wurden sofort die Arbeiten begonnen.

Apostolisches Vikariat Bagamoyo. Dort vollzieht sich ein Eisen-
bahnbau, der viel fremdes Volk und allerlei Dinge dorthin zieht, die dem
Christentum fremd oder geradezu schädlich sind. Dadurch kommt die Mission
in vielfach schwierige Lage. Die Gegner mehren sich, besonders der Moham-
medanismus, die protestantische Mission und die religionslosen Staatsschulen, denen gegenüber die Mission einen um so schwereren Stand hat, als
sie die notwendigsten Mittel kaum aufzubringen weiß.

Trotzdem setzt sie ihr Werk mutig und nicht vergeblich fort.

In den 17 Stationen wirken als Hilfskräfte des Bischofs Vogt 33 Priester
und 18 Brüder (C. Sp. S.) und über 20 Schwestern. Die Erfolge sind gute zu
nennen: im letzten Jahre nahe an 1300 Erwachsene, etwa 1000 Kinder, es

bestehen 30 Schulen mit 700 Kindern; es sind derzeit 600 Katechumenen Kräftig ist der Bestand der Stationen Morogoro und Matombo; von der Station Mhonda sind drei Nebenstationen vorgeschoben, einstweilen noch mit Katechisten besetz.

Die Schilderung einer Missionsreise des Bischofes, des Elendes, Krankheit der Missionäre, Hungersnot beim Volke usw. enthält so viel Trauriges und Bitteres, daß das Mitleid noch übertroffen wird von dem Staunen darüber, was die Missionäre zu übertragen vermögen. (E. a. Kn.)

Süd=Afrika. Natal. Zwischen der Jesuiten=Mission und der apostolischen Präfektur Rhodesia und der Mission der Trappisten in Marianhill ist ein wichtiges Uebereinkommen vereinbart worden:

Die Jesuiten haben die Station Monte Cassino, die von ihnen errichtet, aber seit einiger Zeit mit Trappisten besetzt war, nun ganz denselben überlassen samt allen Baulichkeiten und Einrichtung, ohne Entschädigung; ferners übergaben sie die ebenfalls von ihnen gegründeten Außenstationen Saliwa und Sigundu, welche diesseits des Kei=Flusses liegen im Gebiete von Natal, den Trappisten, welche schon Priester und Schwestern in diese stark bevölkerte Gegend stellten. (Verg.)

Basuto=Land. Das religiöse Leben der Neubekehrten erweist sich rege. Es konnten im letzten Jahre Exerzitien für die verschiedenen Stände gehalten werden; daran beteiligten sich 50 Männer, dann 150 Frauen, 70 Jungfrauen und zuletzt noch 50 Jünglinge.

In der Station S. Josef wurden zu Ostern 36 Katechumenen mit großer Feierlichkeit getauft, im ganzen Jahre 1908 gab es 162 Taufen. Leider herrscht wieder Hungersnot. M. J.)

Namaqua=Land. Aus Heiragabies meldet P. Lipp an den Ordensprovinzial über die Arbeiten und Erfolge des letzten Jahres. Es gibt nichts Großartiges und Massenhaftes, aber es geht gut voran!

Die Patres Auner und Gineiger gewinnen in ihrer stillen Tätigkeit überall das Vertrauen des Volkes; auch die Protestanten vertragen sich friedlich mit den Katholiken und beginnen mehr an diese sich anzuschließen. Auch die Schwestern sind vollauf beschäftigt mit den Kindern und jungen Leuten, leider aber mehrfach von Krankheit heimgesucht. Von Warmbad aus mußte P. Gineiger eine Nebenstation in Gei=dib errichten für seine Schwarzen, die dort in dem Bergwerke sich Arbeit suchten. (Lux.)

West=Afrika. Togo. Aus der Station Lome erhielt der Berichterstatter von P. Benning (S. V. D.) einen Jahresbericht, dessen Inhalt sehr erfreulich ist. Der hier verfügbare Raum gestattet nur, Einiges zu erwähnen.

Aus der Statistik ist ersichtlich, daß 8 Hauptstationen bestehen, 9 Filialen und 174 Nebenstationen. Das ist das Arbeitsfeld für 37 Priester, 9 Brüder und 20 Schwestern, dazu 178 Lehrer und Katechisten. Die Schülerzahl in den Missionsschulen ist von 3700 im Jahre 1906 auf nahezu 6300 im Jahre 1908 emporgekommen, die Zahl der feierlichen Taufen von 850 auf 1350, womit die Gesamtzahl der bisher Getauften auf 10.565 gekommen ist, von denen 6163 Katholiken noch am Leben sind. In Vorbereitung für die heilige Taufe sind 5052 Katechumenen.

Diese statistischen Ziffern zeigen schon, daß die Steyler Missionäre dort allweg wackere Arbeit getan haben und daß Gottes Gnade ihnen besonders beistehe.

Die Schulen haben nicht bloß an Schülerzahl bedeutend gewonnen, sondern ebenso auch an Erfolgen, wie es bei den Prüfungen auch vom Regierungsinspektor anerkannt wurde. Es geschah auch viel an materiellen Arbeiten: so in Lome der Bau eines Schwesternhauses und einer Schule, die Einrichtung des alten Baues zu Werkstätten, in Tsevie und Assahun wurden Filialen errichtet, für Ho (Distrikt Palimc), wo die Protestanten schon 50 Jahre arbeiten, wurde die Errichtung einer Schule dringend erbeten, ebenso für Safi und Gunkope (Distrikt Porto Seguro); es muß diesen Bitten entsprochen werden.

Die Zahl der Katechisten 78 ist gewiß schön, aber noch viel zu gering in Anbetracht des weiten Gebietes (so groß als ganz Bayern). Die Missionäre können nicht alles bewältigen, sind auf die Vorarbeit durch Katechisten angewiesen, die auch dem Klima gewachsen sind, welches für europäische Missionäre so gefährlich wirkt; sind doch im Jahre 1908 wieder mehrere Missionskräfte dem Tode zum Opfer gefallen, so P. Kraudelt in Atakpame, erst ein Jahr Priester, auch Schwester Ludgera.

In Gbin Bla hat das Seminar jetzt 12 Zöglinge.

Die Missionskassa ist all den Anforderungen gegenüber nicht mehr ausreichend, man kann es nicht verdenken, wenn der Missionär auch inständig um Almosen bittet.

Britisch=Westafrika, umfassend die 3 apostolischen Vikariate Benin, Goldküste und Dahome und die apostolischen Präfekturen Liberia, Elfenbeinküste und Nigeria ist zum weitaus größten Teile Gebiet der Lyoner Missionsgesellschaft und zählt etwa 40.000 einheimische Katholiken in 70 Stationen unter 3 Bischöfen, 190 Priestern, 90 Schwestern; es bestehen 82 Kirchen und Kapellen, 80 Schulen, einige Kollegien, 47 Waisenhäuser, 2 Aussätzigen=Spitäler usw.

Das Klima ist als mörderisch verrufen, daß man zu sagen pflegt: Die Mission ist aufgebaut über den Gräbern der Missionäre. Die Lyoner Gesellschaft hat dort schon 400 Mitglieder, Priester und Schwestern durch den Tod verloren. Durchschnittlich erreichen dort die europäischen Priester kaum das 30., Schwestern kaum das 28. Lebensjahr. (Fr. k. M.)

Und doch arbeitet die Mission unentwegt fort. Katholische Mission! du hast Heldenscharen, „quibus dignus non erat mundus!"

III. Amerika.

Vereinigte Staaten. Die Mission bei den Navajos=Indianern in Arizona scheint jetzt, nachdem man lange vergeblich daran gearbeitet hatte, einen besseren Verlauf zu nehmen. Seit 1898 hatten drei Franziskaner=Patres mit einem Laienbruder die alte Station St. Michael übernommen und fanden dieselben Verhältnisse wie früher. Die Navajos zeigten sich sehr artig, übten auch an den Missionären alle Gastfreundschaft, hörten sie auch geduldig an, — um schließlich zu erklären: Alles, was wir da hören, ist ebenso schön für die Weißen, als unser Glaube für die Roten! Weiter war man auch früher nie mit ihnen gekommen. Es gab da keinen gewalt=samen Widerstand, kein Skalpieren, keinen Marterpfahl, wie seinerzeit bei den nördlichen Indianerstämmen, sondern nur passiven Widerstand, der sich nie bewältigen ließ.

Schließlich verlegten die Missionäre all ihre Kraft und Fleiß auf die Errichtung von Schulen und den Unterricht der Jugend, blieben mit den Erwachsenen nebenbei nur in Fühlung und durch mancherlei Hilfeleistungen im guten Einvernehmen, gewannen allmählich ihr Vertrauen und nun geht es wider Erwarten gut vorwärts. (Frbg. f. M.)

Süd-Amerika. Brasilien. Die Don Bosco-Salesianer entfalten seit Jahren eine rührige Tätigkeit bei dem Indianerstamme Bororos-Coroados und finden hiebei auch bei der Bundesregierung kräftige Unterstützung. Bundesrat Serzedello Correa lenkte schon wiederholt die Aufmerksamkeit der Regierung auf dieses Missionswerk und stellte es dar als „höchst bedeutsam in seinen Folgen, fruchtbar in seinen Wohltaten zugunsten der Indianer".

Die Zeitung Correio da Manha in Rio de Janeiro veröffentlicht in vollem Umfange die Denkschrift dieses Abgeordneten, darin finden sich Berichte über die einzelnen Stationen der Indianer-Kolonien: so über die Kolonie vom heiligsten Herzen am Flusse Bareiro mit 200 Indianern mit Kirche, Schule und Baulichkeiten für die Landwirtschaft, zu welcher die Indianer Vorliebe und Geschick zeigen, so daß die unter sie verteilten Felder ebenso gut bearbeitet und fruchtbar sich zeigen, wie die der Kolonie zugehörigen. Auch in den Werkstätten verschiedener Handwerke lassen sich die Leute gut ausbilden. Der Schulunterricht ergibt ebenso gute Erfolge. In der Umgebung finden sich noch etwa 60 Gruppen solcher Indianer, die man auch wird heranziehen können. In der Kolonie von der Unbefleckten Empfängnis am Rio das Garcas sind 120 Indianer in waldreicher fruchtbarer Gegend angesiedelt; in der Kolonie Sangradouro wird besonders Viehzucht betrieben, alles unter Leitung von Brüdern. Die Missionäre arbeiten in der Pflege des geistigen Lebens der ihnen Anvertrauten. Es ist ein Werk echt christlicher Kultur! Gott segne es! (Sal. Nachr.)

In Matto Grosso zeigten sich im letzten Jahre besonders erfreuliche Erfolge. Das Wohlbefinden der bereits bekehrten und bei der Station angesiedelten Indianer macht auf ihre noch wilden Stammesgenossen so guten Eindruck, daß 10 Indianerlager mit 2600 Köpfen durch ihre Kaziken sich bereit erklärten, auch den christlichen Unterricht anzunehmen und der Mission sich zu ergeben. Ihr Wohnsitze sind längs der Ufer des Rio San Lorenzo und an dessen Nebenflüssen. Zu diesem Erfolge werden die Missionäre allgemein beglückwünscht. (Frbg. f. M.)

Die Steyler Missionäre haben in 3 Stationen die Arbeit übernommen, so die Pfarrei Guarapuava, die mit ihren 25.000 weißen Bewohnern und einigen Tausend Indianern Arbeit genug bietet bei einer Ausdehnung, größer als zwei Drittel des Königreiches Bayern. Eine andere Pfarre, Ponta Grossa, zählt 20.000 Seelen in einem Umfange von 6×19 Stunden, wo die Wohnhäuser und Ortschaften weithin im Walde verstreut stundenweit voneinander entfernt sind, da läßt sich denken, welchen Anstrengungen die Missionäre sich unterziehen müssen.

Die von altersher stammenden Diözesen von geradezu ungeheuren Ausdehnungen sind nun in kleinere geteilt und sind aus 2 Kirchenprovinzen 6 geworden; so hat das Erzbistum St. Paulo nun 5 Suffragan-Bistümer.

Zur Hebung und Kräftigung des religiösen Lebens wurden religiöse Orden dorthin berufen und sind derzeit Franziskaner, Kapuziner, Steyler und Pallottiner, Missionäre vom heiligsten Herzen, Salvatorianer, Karmeliter, Benediktiner, Prämonstratenser, Lazaristen, Dominikaner, Trappisten und Väter vom Heiligen Geiste, Maristen . . . dort in reger Tätigkeit und vollauf beschäftigt, sowie eine Anzahl Schwestern-Kongregationen. An Feinden und Widerstand fehlt es nicht: Die Veteranen der Kirchenfeindschaft, die Herren Freimaurer, hantieren auch dort fleißig mit der Kelle und was sie mauern — ist ja altbekannt. Auch die Protestanten rühren sich mehr als je durch Gründung von Schulen. (St. M.-B.)

Argentinien. Dort erleben die Steyler Missionäre gute Erfolge.

In Buenos-Aires ist die im vorigen Jahre eingeweihte Kirche jeden Sonntag vollbesetzt. Nachmittag ist Christenlehre, gewöhnlich für 1000 Kinder; in der Kathedral-Kirche wird wöchentlich die heilige Firmung gespendet; dennoch waren zu Pfingsten noch 1500 Firmlinge. (Stdt. G.

IV. Australien und Ozeanien.

Apostolisches Vikariat Neu=Pommern. Ein Bericht des P. Eberlein über die Lage und Ergebnisse der Stationen Bairiki und Tabakur bringt die Tatsache zur Kenntnis, daß im Jahre 1907 über 1000 Neubekehrte waren, welche Zahl im letzten Jahre 1908 noch bedeutend überholt wurde.

An manchen Orten gab es geradezu Massentaufen bis zu 200 und erweisen sich die Getauften brav und treu trotz mehrfacher Widerwärtigkeiten, z. B. Kämpfe zwischen benachbarten Stämmen. Das Volk bequemt sich mehr zur Bodenkultur. (M. Hft.)

Marshall=Inseln. Auf Nauru, wo die Missionäre vom heiligsten Herzen im Jahre 1902 die Mission in Angriff genommen hatten, konnte anfangs nur ein einziger Missionär dort belassen werden, P. Gründl, der erst die Sprache der Eingebornen sich aneignen mußte und als Gegner einen methodistischen Prediger hatte. Dieser, schon länger dort ansässig, machte dem Römischen das Leben und die Arbeit sauer genug; der aber verzagte nicht und hatte Gottes Segen mit sich: Ein Jahr darauf hatten schon 500 Insulaner seiner Mission sich angeschlossen und kamen sämtlich nach und nach zur Taufe.

Als später P. Kayser und Bruder Bader zu Hilfe kamen, kam auch die Mission bedeutend vorwärts, sie besitzt nun auch in Arubo eine schöne Kirche. Die bisher gewonnenen Katholiken erweisen sich stramm und treu.

Uebrigens dürften dort ganz neuartige Verhältnisse eintreten, deren Einfluß vielleicht der Mission weniger günstig werden möchte. Die ein= gewanderten Weißen fanden auf Nauru sowie auf Baneb Phosphatlager von großer Ausdehnung und Ergiebigkeit und flugs erstand eine Pacific= Phosphat=Company, die schon viele hunderte von Arbeitern, der Mehrzahl nach Chinesen und fremde Insulaner, beschäftigt und schon jetzt eine Aus= fuhr von 300.000 Tonnen jährlich erzielt. Wenn die europäische Land= wirtschaft diese Art der chemischen Düngung so überhand nehmen läßt, wie es sich bis jetzt zeigt, dann werden jene Inseln der Südsee wohl ein Millionen=Boden; man muß erst sehen, ob die Mission auf solchem Boden auch so gut wie bis jetzt gedeihe. (Mon. Hft.)

Von der Station Ligieb=Attoll meldet P. Wendler, daß die ärgsten Anfangsschwierigkeiten so ziemlich überwunden seien, so auch die häßlichen Vorurteile, welche von den protestantischen Sekten den Leuten gegen die Römischen beigebracht worden waren.

Die Leute sehen nach und nach ein, was die verlästerten Römlinge seien und es traten Respekt und Zuneigung an die Stelle des anfänglichen Grauens, zuerst bei den Kindern und nun auch bei den Erwachsenen. Kirchen und Schulen sind regelmäßig vollgefüllt. Auf geistigem Gebiete fühlen sich die Missionäre also wohl, das Werk geht ja gut; das körperliche Wohl muß sich geziemend unterordnen. Das Klima ist erschlaffend heiß, das Trinkwasser, wenn auch an kühlen Orten tief verwahrt, hat eine Temperatur von 28 Grad Celsius. Die notwendigen Seefahrten der Missionäre auf Segelbooten bringen wohl Abwechslung, jedoch nicht immer angenehme, sondern oft gefährliche. (Mon. Hft.)

Deutsch-Neuguinea. Die Steyler Missionäre haben dort ein hartes Stück Arbeit. Das Gebiet umfaßt 180.000 Quadratkilometer und hat eine in ungezählte Sprachen geteilte Bevölkerung. (vide voriges Heft!)

Das Werk der Mission ist vollständig Neupflanzung, aber eine gesegnete. Die bisher Bekehrten 1100 zeigen sich als gute Sprößlinge, die Schülerschaft gut begabt und fleißig, das religiöse Leben ist ein erfreuliches. Die sich mehrenden Katechumenate sind wie gut gepflanzte Baumschulen. Die aus den Arbeits-anstalten gut ausgebildet hervorgehenden jungen Leute werden, wenn sie zu ihren Landsleuten zurückkehren, meistens wackere Vorarbeiter für die Mission. Dieses alles verlangt aber viel Unterstützung, um welche diese Mission auch bittet; sie begründet ihre Bitte mit dem Hinweise auf die Rettung der Seelen und deren Rückwirkung auf uns selbst mit dem Spruche: animam salvasti, Tuam praedestinasti! (Stl. M. B.)

Britisch-Neuguinea. Von dort wird gemeldet, daß die Mission bei dem Bergvolke der Kuni (1906 eröffnet) sich nun viel erfreulicher entwickle, als man anfangs hoffen konnte. Die Pater und Brüder sind in der Station St. Anna von Oba-Oba in angestrengter Tätigkeit und besuchen von dort die Dörfer bis Entfernung von zwei Tagereisen. Das Volk ist sehr bereitwillig, die Kinder werden ordentliche Schüler. Mit Spendung der Taufe wird sehr langsam und vorsichtig vorgegangen, um ja sicher zu gehen, daß man nicht getaufte Heiden, sondern verläßliche Christen heranziehe. (Frbg. k. M.)

V. Europa.

Norwegen. Einen interessanten Bericht des apostolischen Vikars Msgr. Fallize über das Wirken der St. Josef-Schwestern in Drammen veröffentlichen die Freiburger katholischen Missionen. Drammen ist eine große Handelsstadt südwestlich von Christiania. Dort besteht seit 1899 eine katholische Missionsstation sowie eine Anstalt der Schwestern.

Diese begannen dort mit Schule und Privatkrankenpflege; 1903 gelang es ihnen, ein Krankenhaus zu errichten in einem Miethause; bald mußten sie dieses Feld ihrer Wirksamkeit erweitern, ein eigenes Haus erwerben und eine ganz modern eingerichtete Klinik eröffnen (1907). Dieser entschieden großartige Fortschritt erregte aber Mißgunst und Widerstand bei einer Partei der Stadt, welche von dem opferwilligen Wirken des Missionspriesters und der Tätigkeit der Schwestern befürchtete, es würde dieses Volke seine bisherigen Vorurteile gegen die römische Kirche benehmen und es etwa gar für katholische Propaganda empfänglich machen. Diese Partei setzte nun alle Hebel in Bewegung, daß eine freie Klinik errichtet werden müsse, um der Schwestern-Klinik ein Konkurrenzunternehmen entgegenzustellen.

Merkwürdigerweise vertraten aber die Zeitungen den Standpunkt der Toleranz und traten offen für die Schwestern ein, auch die Aerzte erklärten, daß das katholische Spital vollauf genüge und allen Anforderungen entspreche, und daß nicht daran zu denken sei, bessere Krankenpflegerinnen zu finden, als

eben diese Schwestern! Trotzdem brachten die Gegner ihre Sache vor den Gemeinde=
rat, dem sie gehörig zusetzten, daß er dazu berufen sei, ein lutherisches Unter=
nehmen gegenüber den fremden Eindringlingen aufzurichten; sie verlangten die
freie Beistellung eines Grundstückes zum Bauplatze. Und siehe da! Trotz scharfer
Debatten, gespickt mit Ausfällen gegen jesuitische Kniffe und päpstlichen Einfluß,
wobei gar auch Damen als Redner auftraten, entschied der Gemeinderat, daß
er sich dazu nicht herbeilasse, das Geld der Steuerträger dafür zu verwenden,
daß ein humanes Werk untergraben werde, welches das allgemeine Vertrauen
des Volkes genieße. So wurde der Anschlag der Gegner vereitelt und kann das
Schwestern=Spital fortbestehen.

Bei diesem Berichte denkt man unwillkürlich darauf, ob in katholischen
Städten auch überall solch weitherzige ehrliche Anerkennung des Wirkens
katholischer Orden sich finde?

Schweden. In Forssa, einem weltabgeschiedenen Dorfe, stehen in
einer Spinnereifabrik eine große Anzahl katholischer Familien aus Oester=
reich in Arbeit, mitten unter Protestanten, weit entfernt von jeder Ge=
legenheit zu katholischem Gottesdienste.

Dem langjährigen Drängen nachgebend, wurde der Bau eines Kirchleins
für sie in Angriff genommen und vom apostolischen Vikar die Zusage gemacht,
daß wenigstens einmal im Monate ein Priester Sonntags dorthin komme zum
heiligen Meßopfer und zur notwendigsten Seelsorge. Die Fabriksfirma leistete
dazu einen ansehnlichen Beitrag, das arme Fabrikler=Volk gab auch, was es
konnte, es sind aber noch zwei Drittel der Baukosten ungedeckt, darum bitten
unsere armen Landsleute um Beihilfe aus Oesterreich. (Priv. Brf.)

Dänemark. Laut Mitteilung von Seiten des apostolischen Vikars
Msgr. van Euch befindet sich die Mission in gedeihlicher Entwicklung,
erstarkt allmählich und gewinnt an Bedeutung namentlich durch Aufnahme
geistig hochstehender Konvertiten. Im Jahre 1908 wurden 183 Erwachsene
in die katholische Kirche aufgenommen. Die vielen neuen Missionsstationen
sind noch schwach und bedürfen kräftiger Unterstützung, bis sie sich auch
zu konsolidieren vermögen. (Priv. Brf.)

Die Missionshäuser erweisen sich nunmehr als reichlich fließende
Quellen für die Mission.

So konnte das Missionshaus Knechtsteden sowie die übrigen Anstalten
der Kongregation Sp. S. im letzten Jahre eine große Anzahl ihrer Leute in die
Missionsgebiete stellen und zwar nach Ostafrika 6, Madagascar 4, St. Mauritius 2,
nach Westafrika 43! teils Priester, teils Brüder, nach Amerika 13, im ganzen 68!
So viele Kräfte! Möge der Herr sie in Kraft erhalten und deren Betätigung segnen!

Im Missionshause Steyl starb der Stifter und erste General=
Obere der Kongregation S. V. D. Hochw. Arnold Janssen im 72. Lebens=
jahre. 1875 hatte er unter ausdrücklicher Gutheißung des gesamten
Episkopates das Missionshaus S. Michael in Steyl gegründet, aus
welchem 1879 die ersten Missionäre hervorgingen. Seither gründete er
noch eine Reihe von Missionsseminarien, in welchen im Jahre 1908 ins=
gesamt 234 Priester, 118 Laienbrüder, 182 Schwestern in Vorbereitung
für die Mission sich befanden. Der Herr lohne seinen treuen Diener! R. I. P.

Sammelstelle.

Gaben=Verzeichnis.

Bisher ausgewiesen: 26.667 K 55 h. Neu eingelaufen:
Durch Hochw. Herrn Langthaler, St. Florian, von einer Wohltäterin für
Afrika=Mission 20 K (apostolisches Vikariat Bagamoyo); Sr. Gnaden Kanonikus

Geißler, Seekirchen, 300 *K*, zugeteilt: Ozeanien (Neupommern) 100 *K*, Japan (Urakami) 50 *K*, Assam 25 *K*, Togo 25 *K*, Neuguinea 25 *K*, Kopen= hagen 25 *K*, Schweden (Forßa) 50 *K*. Durch Redaktion der Quartalschrift: von Hochw. A. Frank, Pfarrer in Klausen, Tirol 20 *K* (Süd=Schantung); von P. Bruno Wiesinger, Pfarrer, Untermarkersdorf, N.=Oe. 5 *K* (Steyler Missionäre in Japan); von Hochw. Josef Badik, Pfarrer, Skalite, Ungarn, für speziell bezeichnete Missionsvereine 28 *K*. Summe der neuen Einläufe: 373 *K*. Gesamtsumme der bisherigen Spenden: 27.040 *K* 55 *h*.

Richtungen für Missionsalmosen wären im vorstehenden Berichte zu finden. Preces! soviel wie in den Tagzeiten des Breviers!

Kirchliche Zeitläufe

aus dem 16. Jahrhundert, oder Luther und Luthertum in der ersten Entwicklung.[1])

Von Professor Dr. M. Hiptmair.

Diesmal bringen wir ein Bild der kirchlichen Zeitereignisse aus dem 16. Jahrhundert, gezeichnet nach dem zweiten Bande über Luther und Luthertum von P. Albert Maria Weiß O. P., der im verflossenen Monat Februar erschienen ist. Dies glauben wir tun zu dürfen, weil in diesem Bilde auch unsere gegenwärtige Zeit in so mancher Be= ziehung dargestellt erscheint und weil wir dadurch auch einen kleinen Teil unserer großen Dankesschuld an den verdienstvollen, getreuen Mitarbeiter abtragen möchten. Wir sagen, es sei in jenem Bilde unsere Zeit nach manchen Richtungen dargestellt. Wer das Buch liest, wird diese Ansicht bestätigen müssen. Wer es studiert, der gewinnt für das Verständnis der heutigen religiösen Weltlage im Protestan= tismus und modernistischen Katholizismus mächtige Förderung. Wir möchten sagen, Weiß leuchtet mit Röntgenstrahlen in das Werden und Wachsen des Luthertums und des Protestantismus hinein und findet durch diese Untersuchungsmethode nicht bloß Bestätigung längst gesicherter Forschungsresultate, sondern er entdeckt auch neue Fasern und Zusammenhänge in jenem epochemachenden Werdeprozeß. Dadurch geschieht es, daß nicht allein die Geschichte der sogenannten Refor= mation in bestimmteres und helleres Licht tritt, sondern daß auch die Wirkungen derselben bis auf unsere Tage mit größerer Deutlichkeit gesehen werden. Gar manches, was damals gekocht wurde, steht auch heute wiederum auf dem Herde. Doch kommen wir zur Sache.

Nach einer orientierenden Einleitung schildert Weiß zuerst die Vorbereitungen auf die Reformation (S. 10—108), dann legt er die Lehren des Luthertums in seiner ersten Entstehung dar (108--210), hierauf zeigt er die Rückbildung des ursprünglichen Luthertums bis zur Ausbildung des Protestantismus (210—288), im vierten Abschnitt werden wir mit dem Geist des Luthertums bekannt gemacht (290 bis 357), im fünften Teile sehen wir die Quellen des Luthertums (358

---

[1]) Luther und Luthertum in der ersten Entwicklung. Quellenmäßig dar= gestellt von P. Heinrich Denifle O. P. und P. Albert Maria Weiß O. P. II. Band. Mainz, Verlag von Kirchheim. Pr. M. 7.— = *K* 8.80. 513 S.

bis 473) und endlich die Wirkungen des Luthertums (475—493). Ein Nachwort und ein Register bilden den Abschluß.

Ein einfacher Mönch, sagt Weiß, reißt nicht gleich ein ganzes Volk mit sich, zumal wenn er daran selbst nicht denkt, außer das Volk ist ohnehin zum Abfall bereit. Diese Bereitschaft zum Abfall führten im 15. Jahrhundert bereits Gründe in großer Zahl und in öffentlicher allgemeiner Art herbei, so daß Luthers Werk eigentlich als Abschluß des zu Ende gehenden Mittelalters erscheint. Die Blüte= zeit des Mittelalters war seit Bonifaz VIII. vorüber, es begann all= mählich ein Verfall auf sittlichem, wissenschaftlichem, sozialem Gebiete, wodurch die Veranlassungen zum Auftreten Luthers gegeben wurden. Luther hat keinen Schaden verbessert, keinem Uebel auf keinem Gebiete gesteuert, was er bewerkstelligte, war Aenderung im Glauben, im Wesen der Kirche und des ganzen Christentums. Der erste Schlag, den er im Ablaßstreit führte, galt dem Glauben selbst und seinen Grundlagen. Seinem Sturm auf die Kanones, Dekretalen, scholastische Theologie und Philosophie samt aller Logik folgte gar bald der lebenslängliche Sturm auf die ganze katholische Lehre, so daß sein Werk eine vollendete Glaubensspaltung geworden ist. So etwas erklärt sich nicht aus den schlechten Zeiten, die gewiß vielfach schlecht waren, aber erwiesenermaßen auch viel Gutes hatten. Die Gründe dafür liegen im 15. Jahrhundert, in dessen Verlauf drei Säulen des Glaubens ins Wanken gebracht wurden: der Glaube an das Papsttum, die Achtung vor den Konzilien und die Autorität der Kirche.

Die Hauptschuld an ersterem hatten die Gallikaner, am zweiten die Reformkonzilien und Schismen, am dritten viele Theologen; sie trugen Schuld an der Leugnung des Primates und folglich an der Erschütterung des Kirchenbegriffes. Statt der einen Kirche erschienen Nationalkirchen, Landeskirchen. Diese aber sind ebenso widersinnig, als es widersinnig ist, neben Gott noch Götter anzunehmen.

War einmal das Haupt genommen, so war die Zerreißung der Kirche in Kirchen natürliche Folge und die Menschheit hat sich nach und nach daran gewöhnt. Zuerst klügelten die Theologen aus der Schule der Regalisten und Gallikaner diese Ideen aus, dann traten an Stelle der Theologen die Juristen und Laien überhaupt und über= nahmen den geistigen Primat in der Welt. Die Geschichte des Huma= nismus ist die Geschichte dieses Laienprimates. Wer denkt da nicht an eine heutige Erscheinung? In dieser Atmosphäre wuchs Luther heran; was wunder, wenn er an diese drei Dinge, Glaube, Papst und Kirche anprallte, nachdem er den Kriegspfad betreten?

In dem Bemühen, das traurige Schisma zu beseitigen, leisteten die gallikanischen Theologen gewiß auch Rühmenswertes, aber indem sie einen Ausweg aus dem Labyrinth suchten und dabei allen Scharf= sinn aufboten, gerieten sie besonders auf dem Konzil zu Konstanz auf gefahrvolle Abwege. Erst in Basel zeigte sich die ganze verhängnis= volle Größe derselben. Ihre Verblendung, Verbitterung und Selbst=

überhebung kannte keine Grenzen mehr; sie glaubten, die Herren des Papstes und der Kirche zu sein. Der Episkopat nahm sich leider damals um die inneren Angelegenheiten der Kirche und um die Aus= übung der amtlichen Lehrgewalt zu wenig an, er spielte zu sehr den Fürsten und so kam es, daß die Professoren die oberste Autorität in Lehrfragen bilden zu müssen glaubten, wodurch das eigentlich kirch= liche Lehramt und die kirchliche Unfehlbarkeit in Vergessenheit gerieten. Die Gelehrten stellten Glaubensartikel auf, die keine waren, nannten die Reden der päpstlichen Legaten frivol, den Papst selbst Schisma= tiker, Zerstörer der Kirche, Verleugner des Glaubens, schlimmer als jeder Heide und öffentlicher Sünder. Dieser Ton, der besonders an der Pariser Universität herrschte, fand Verbreitung und drang ins Volk; denn Paris gab für alle den Ton an, Paris machte Konstanz, Konstanz machte Basel, Basel machte Luther. So versteht man, wie Luther dazu kam, die Berechtigung zum Kirchenumsturz aus seiner Doktorwürde herzuleiten. Einen mächtigen Bundesgenossen fanden die Gallikaner in der herrschenden Philosophie, dem Nominalismus, dessen hervorragendster Vertreter Occam war. Occam war selbst Gallikaner und noch mehr als dies. Der Nominalismus befaßte sich nicht bloß mit den allgemeinen Begriffen, sondern er wurde Kritizismus und Rationalismus. Als solcher legte er seine frivole Hand auch an das Heiligste und brachte die These von der doppelten Wahrheit zutage, nämlich, daß etwas philosophisch wahr und theologisch falsch sein könne oder umgekehrt. So untergrub der Nominalismus den Glauben in seinem innersten Wesen, sowie der Gallikanismus die Autorität der Kirche erschütterte. Schon Denifle hat gezeigt, wie Luther ein Schüler Occams war. Dazu kamen die häretischen Bewegungen seit den Tagen der Regalisten, insbesondere die der Wiklifiten und Husiten. Der Wiklifitismus war dem Volke sympathisch, weil er den hohen Herren, weltlich und geistlich, tüchtig die Faust zeigte, was auch heute gefällt. Und der Husitismus gab den Gedanken für einen neuen Kirchenbegriff. Durch alle diese Einflüsse sank der Geist des Glaubens, dafür aber breitete ein anderer Geist sich aus, der Geist des Aber= glaubens. Astrologie, Magie, sympathetische und alchymistische Gaukе= leien, Hexenwesen und Teufelskult nahmen überhand. Der Besitz geheimen Wissens, Vorliebe für Prophezeiungen lockten die Geister an. Dazu kam, daß die politische Lage Deutschlands ein trostloses Bild darbot. Von allen Seiten drohten Gefahren und da glaubte jeder Reichsstand noch, er sei nur da, um dem Kaiser zu trotzen. Ebenso stand es um die sozialen Verhältnisse. Die Einführung des neuen Rechtes, der Druck auf die niederen Klassen, die Ausartung des Adels und des Feudalwesens, der Umschwung in den gewerb= lichen Ordnungen, das Aufsteigen der bürgerlichen Macht, die Un= erträglichkeit der ländlichen Zustände, die Veränderung der Handels= wege, das Ueberhandnehmen der Geldwirtschaft, das alles diente zur Vermehrung der allgemeinen Unzufriedenheit und Unsicherheit. Solche

Zustände, immer die goldenen Zeiten der Unruhestifter und der Volks=
aufwiegler, mußten die Katastrophe herbeiführen. Es reifte somit
eine Ernte heran, die nur noch des Schnitters harrte. Und dieser
kam in der Person des Mönches von Wittenberg, in Martin Luther.
Man muß sagen: Die Uebelstände der vorausgegangenen Zeit haben
ihn geschaffen, ja, er war es, der diesem Strome das Bett bereitete,
die Richtung gab. Wer ihn nicht faßt als das Sammelbecken aller
früheren Irrungen und Verwegenheiten, der verzichte darauf, ihn
würdigen und ohne Gewalttat erklären zu können. Alle Abneigung
gegen die Kirche, gegen die Hierarchie, gegen ihr Lehramt, gegen ihre
Disziplin und Praxis, die bisher sich allwärts gebildet hatte, kon=
zentrierte sich in ihm. Kaum hatte er die Thesen angeschlagen, sprach
er nach wenigen Monaten schon den Grundsatz, daß alles von Grund
aus neu werden müsse, mit aller Entschlossenheit aus. Der Geist
der Neuerung, der ihn erfaßt, kannte bald keine Schranken mehr.
Neuerung bildete damals das Zauberwort, das die Menschen gefangen
nahm, denn keine Zeit stand mehr unter dem Banne dieses Zauber=
wortes als die damalige, in der das Alte, das Herkömmliche, Gesetz
und Schranke verhaßt waren und die Menschheit trunken war von
der Renaissance auf allen Gebieten. Wer denkt da nicht an das Wort
Rückständigkeit, das man heute hört, und an das Wort modern, das
so manche berückt?

Luther war im vollen Sinne des Wortes modern im Geiste
seiner Zeit, aktiv und passiv. Diesem damaligen Modernismus ist
sein Werk, die Glaubensspaltung zuzuschreiben. Die Frage ist wohl
zutreffend, die Weiß stellt: wer denn damals eigentlich aus religiösen
Gründen, aus Gewissensnot von der Kirche abgefallen sei. Die Fürsten,
die im Umsturz eine willkommene Gelegenheit zur Gebietserweiterung
auf Kosten der geistlichen Besitzungen und zur Füllung ihrer leeren
Kassen mit Kirchengut fanden? Die weiberbedürftigen Prälaten, die
ihre Gebiete in weltliche und erbliche Reiche verwandelten? Die
Humanisten, die Gott Vater mit Jupiter und Christus mit Apollo
verglichen und unnennbare Laster in klassischer Sprache priesen und
übten? Die Bürger, die bilderstürmend treugebliebene Nonnen quälten?
Die Stadtregimenter, Raubritter und Bauern, die im Taumel „evan=
gelischer Freiheit" säkularisierten, plünderten und brandschatzten, was
sie erreichen konnten? Also nicht aus Religion entstand die Bewegung,
sowie auch in unserer Zeit die Los von Rom=Bewegung mit der
Religion eigentlich nichts zu tun hat. Der Unterschied besteht nur
darin, daß damals größere irdische Vorteile winkten und der Haß dem
Papsttum gegenüber gewaltiger war als jetzt. Damals war dieser Haß
wirklich die Triebfeder der Bewegung und wurde die eigentliche Seele
des Luthertums. Den Papst als Antichrist hinstellen wirkte tiefgreifend,
heute wirkt es nur mehr bei den Unwissenden und den Protestanten.
Der Haß gegen das Papsttum, sagt Weiß, war die erste Kundgebung
des wahren lutherischen Geistes und wird auch für immer das ent=

scheidende Merkmal bleiben, an dem sich dieser von allem abhebt, was nicht Luthers Fleisch und Blut ist. Eine Kirche ohne Haupt kann keine sichtbare Kirche, sondern nur eine geistliche Vereinigung von Menschen sein. Sie war für Luther ein Kollektivbegriff ohne Inhalt, ohne Macht, ohne Recht, ohne die Fähigkeit, etwas mitzuteilen. Demgemäß muß jeder sein Heil auf eigene Rechnung und eigene Gefahr suchen. So fand er den Schlüssel zu seiner Rechtfertigungs= lehre durch den Glauben allein und der alleinigen Glaubensquelle, der Bibel, nach eigener Auslegung. Da aber eine unsichtbare Kirche als ein Unding sich herausstellte, kam es naturnotwendig zu den Landeskirchen, und da es keine Hierarchie gab, wurden die Landes= fürsten Herren ihrer Territorialkirchen. Es stellte nämlich alsbald die Notwendigkeit einer Umbildung des Luthertums zum Protestantismus sich heraus. Und diese Unterscheidung — Luthertum und Protestantismus — ist es, die uns die Erklärung liefert, warum gar so viele Wider= sprüche im Protestantismus sich finden. In dieser Unterscheidung liegt ein großer Wert, in der ausführlichen Darlegung derselben (II. Ab= teilung und III Abteilung) ein hohes Verdienst, das sich Weiß erworben hat. Luthers Christentum schwebte in der Luft, seine unsichtbare Kirche war ein „platonischer Staat". Um überhaupt ein Dasein zu gewinnen, mußte eine Reaktion eintreten, durch welche Luthers Grund= sätze teils umgemodelt und zurückgedrängt, teils in ihr Gegenteil verwandelt wurden. Er selbst, bis 1530 alleiniger Führer der Bewe= gung, geriet immer mehr ins Hintertreffen, bis er völlig ausgeschaltet, ja vergessen wurde. So erwuchs aus dem Luthertum der Pro= testantismus, dessen Theolog Melanchthon war.

Melanchthon suchte Systematik in das Luthertum zu bringen, ein sehr schwieriges, wenn nicht unausführbares Unternehmen ange= sichts der Autonomie des Christenmenschen, Laisierung des Christen= tums und der Säkularisation der Religion, wie Luther es zustande gebracht. Aber ohne System konnte man doch nicht bleiben und so kam es zur Theologenherrschaft, zu den symbolischen Büchern, zur Abfassung eines neuen Lehrbegriffes, zur Organisierung eines sicht= baren Kirchenwesens, einer Visitationsregel, eines äußeren Gottes= dienstes, zur Berufung der Prediger durch die Gemeinde und deren Ordination usf., kurz es kam zur Ausgestaltung des Protestantismus, wie wir ihn sehen und kennen und wie wir ihn nicht begreifen, wenn wir Luthers Grundsätze auf ihn anwenden. Er ist eben vielfach etwas anderes, mit dem Luthertum vielfach in Widerspruch stehendes. Aber diese Wendung war es eben auch, die Luther selbst der Verzweiflung nahegebracht, daß er gerne aus dem Sodoma und Gomorrha aus= gewandert wäre, hätte er nur gewußt wohin. Was würde er erst gesagt haben, hätte er in den Zeiten von Semler und von Kant gelebt, und was erst, hätte er Strauß und Eduard von Hartmann erlebt! Würde er aber heute leben, er würde eine neue Wendung im Protestantismus erblicken, eine merkwürdige Rückkehr zu seinem eigenen

Anfang, nicht zwar in der Lehre und im Leben, wohl aber im Denken. Heute streift der liberale Protestantismus alles ab, was an Dogmen, an Kirche und kirchliche Autorität erinnert. Es lebt das nackte Laienchristentum ohne christlichen Inhalt wieder auf.

Im IV. Abschnitt zeigt Weiß den Geist des Luthertums, er erforscht Luthers Grundgedanken und Motive zur Tat und diese bilden zugleich die Wesensmerkmale des ganzen Luthertums. Sie sind Trennung und Spaltung alles dessen, was bisher verbunden war. Trennung auf allen Gebieten, Trennung der Ehe, der Kirche vom Christentum, des Christentums von der Religion, der Religion vom Leben, des Glaubens und Werkes, des Glaubens und der Vernunft, der Gnade und Mitwirkung, der Furcht und Liebe, Trennung von Kirche und Ehe, von Symbol und Inhalt, von Buße und Genugtuung, von Freiheit und Gesetz, von Rechtfertigung und Sündenvergebung, von Begnadigung und innerer Umwandlung, Trennung sogar in Gott von Richter und Erbarmer, mit einem Worte: Trennung des Natürlichen vom Uebernatürlichen, dahin führte der allgemeine Zug der Zeit, den Luther vollständig in sich aufnahm, und dem er seine raschen Erfolge verdankte. Diese Zeitströmung datierte schon seit dem zweiten Konzil von Lyon, die herrschende theologische Wissenschaft förderte sie immer mehr, die Weltanschauung des Humanismus verlieh ihr mächtige Impulse, der Nominalismus lieferte die besten Sprengstoffe, wie heute der Positivismus, Individualismus und Empirismus, alles Systeme, die mit ihm verwandt sind. In dieser Partie erhalten wir das Bild von Luthers Dogmatik, wie er sich dieselbe geschaffen hat oder schaffen mußte.

Im V. Abschnitt redet Weiß von den Quellen des Luthertums. Erwähnt werden dieselben schon im vorhergehenden. Sie liegen in der falschen Philosophie und den falschen kirchenpolitischen Systemen. Dem deutschen Charakter entsprechend liebte auch Luther das Ausländische, er wurde, wie so oft betont, Nominalist, und der Nominalismus war echt englische Ware nach Inhalt und Form. Aber er wurde auch Realist und den Realismus bezog er aus Böhmen, indem er den Geist des Hus aufnahm, der wiederum aus England stammte, nämlich von Wiclif. So steckt im Luthertum sehr viel slawisches und englisches Blut, selbst französisches findet sich in seinen Adern, denn Luther folgte auch dem Gallikanismus, und als Humanist atmete er romanische, welsche Luft. So sind Nominalismus, husitischer Realismus, Gallikanismus und Humanismus die vier Elemente, aus denen das Luthertum besteht. Nicht ein Original, sondern ein Plagiat, bewußt und unbewußt, liegt uns vor. Nicht ein origineller Geist war Luther, sondern ein rezeptiver, der von fremdem Oele zehrte. Dazu trieb ihn sein Gewissen, bei allen Schriftstellern der Vorzeit Hilfe für sich zu suchen und der Umfang seiner Häresie war nur möglich, wenn aus allen Weltteilen das Material zusammengetragen worden. Das geschah. Occam lieferte ihm die Lösung der organischen Verbindung des Natürlichen mit dem Uebernatürlichen, die Trennung der Kirche vom Staate, die Zersplitterung der Kirche selbst und ihre Laisierung, die Leugnung der Kirchengewalt und der Autorität im eigentlichen Sinne. Daraus folgte die Untergrabung aller Grundlagen für den Glauben, für die Unfehlbarkeit der Kirche und des Papstes. Die ganze Entwicklung mußte damit enden, daß die Entscheidung über Glaubenssachen aus= schließlich dem persönlichen Ermessen des Einzelnen anheimgestellt sei. Das Luthertum nähert sich auf diesem Wege der reinen Laienreligion, dem religiösen Naturzustand, eine Religion nach eigenem, persönlichem Ermessen, somit ein höchst einfaches System. Neu aber war daran nichts, wenn man etwa die Rechtfertigungslehre ausnimmt. Luther hat nur die Keime der Zersetzung aus aller Herren Ländern gesammelt, die bedenklichsten Richtungen der Vergangenheit nach Möglichkeit in einen gewissen Zusammenhang gebracht, zumal die beiden einander so schroff entgegengesetzten Systeme des Nominalismus und des Realismus, und daraus eine Form der Religion zusammengeschweißt, in der niemand die Widersprüche zu ertragen vermöchte, wenn sie nicht zum Entgelt jedem die Vollmacht zugeständer, daraus aus= zuwählen, was ihm beliebt, und sich dies so zurechtzulegen, wie es ihm für den Augenblick zusagt.

Im VI. Abschnitt werden die Wirkungen des Luthertums angegeben, und zwar die bleibenden. Die erste Wirkung war die Entstehung des Protestantismus neben dem Luthertum. Jener zwingt seine Geistlichen, sich an die Lehren der Bibel und der symbolischen Bücher zu halten, dieses kennt keinen Geistlichen und kein Dogma und keinen Lehrzwang und gibt Bibel und Christentum der Freiheit jedes Einzelnen preis — ein zwei Seelensystem. Der Protestan= tismus kennt zwar nicht „die Kirche", aber kirchenähnliche Anstalten mit Dogmen, Symbolen, Lehrverpflichtung, Gesetzen und Verfassung, Autorität und Zucht. Von all dem weiß das Luthertum nichts, bekämpft es grundsätzlich und aufs schärffte. Der Protestantismus ist Gegenkirche, Kampfreligion, wesentlich antikatholisch. Und deshalb duldete ihn Luther nach und nach, zumal er mit seiner Religion kein Fundament, keinen festen Boden unter den Füßen hatte, obwohl er sich niemals ganz damit befreunden konnte. Eine eigentliche pro= testantische oder evangelische Kirche gibt es nicht und kann keine geben. Heute herrscht im Schoße des Protestantismus die allgemeine Stimmung, daß es keine Kirche geben solle. Seine Theologie setzt ihren Ruhm darein, antikirchlich zu sein. Nur die Positiven gehen nicht so weit. An Stelle des Christentums tritt ein philosophischer Idealismus mit christlicher Ausdrucksweise, eine kirchenfreie religiöse Weltanschauung, wie Tröltsch sie nennt. Auf diese Weise vollzieht sich heute eine Rückbildung vom Protestantismus zum ursprünglichen Luthertum, geht aber noch weit darüber hinaus. Die moderne Welt= anschauung ist mit ihm blutverwandt. Evolution, Agnostizismus, Immanentismus, Relativismus, Subjektivismus, Autonomie sind

Kinder des Luthertums. Dieses nimmt sich derselben überall an und ist ein Freund des Modernismus.

So haben wir altes und neues in dem interessanten Buche. Weiß schreibt nicht so sehr als Historiker, sondern mehr als Philosoph. Aus dem schon vorhandenen historischen Material zeigt er die Konsequenzen und die psychologischen Entwicklungen. Geistreiche Reflexionen, treffliche Hinweise auf moderne Erscheinungen machen die Lektüre sehr angenehm. Wir sagen nur das eine: das Buch fördert das Verständnis des alten und neuen Protestantismus wie nicht bald ein zweites. Ergo tolle, lege!

Aus England. 1. Ein neues Schulgesetz, das vierte von der jetzigen liberalen Regierung vorgeschlagene, ist seit meiner letzten Chronik armselig von seinen eigenen Urhebern erwürgt und beseitigt worden. Es sollte ein Kompromiß sein zwischen drei Parteien: den zeitweilig allmächtigen Nonkonformisten, den friedliebenden Anglikanern und den prinzipienfesten Katholiken. Die ersten behielten ihre auf Religion ungeprüften Lehrer und ihre nicht-konfessionellen Bibelklassen; die zweiten durften in allen Schulen, wo die Eltern es verlangten, Religionsunterricht erteilen; die dritten, die Katholiken, konnten auskontrahieren, d. h. auf eigene Kosten durchaus katholische Schulen einrichten. Diese Kosten waren auf jährlich 214.000 Pfund Sterling berechnet, d. i. 4,280.000 Mark. Die Opposition im Hause und im ganzen Lande wuchs in sehr kurzer Zeit zu gefährlichen Proportionen, so daß dem Ministerium kein Zweifel blieb über den allgemeinen Wunsch des Volkes. Nun ist in England mehr als in irgend einem anderen Lande der Wille des Volkes herrschend; lange Gewohnheit hat das Volk gelehrt, wie es seinen Willen mit Gewalt, doch ohne Gewalttätigkeit ausdrücken kann. Ist das einmal geschehen, dann bleibt der Regierung nur die Wahl: entweder folgen oder fallen. Minister Asquith folgte und zog die Bill zurück.

2. Die Nonkonformisten verschmelzen sich allmählich untereinander und werden eine politische Partei im Staate. Sie verbergen das nicht, sind vielmehr stolz darauf. Ihre Rechtfertigung finden sie in dem Prinzip, daß das Seelenheil jedes Einzelnen zwischen ihm und Gott, ohne menschliche Vermittlung ausgewirkt wird, wogegen das Heil der Gesellschaft durch die besten Glieder derselben vermittelt wird. Diese „Besten" sind nun selbstverständlich die nonkonformistischen Diener am Worte. Katholiken und Anglikaner haben zu viel zu schaffen mit Zeremonien und Sakramenten, um für Politik entweder Sinn oder Tüchtigkeit zu entwickeln. Ergo. So sind denn in den drei oder vier letzten Jahren, auf Anstoß des Dr. Clifford, die Gebetshäuser in politische Versammlungsorte verwandelt worden, worin über Unterrichtswesen, Temperanz, soziale Reinheit, Militärpflicht usw. disputiert wird. In Anbetracht dieser Tatsache hat die Regierung manchen dieser Klubs das Privileg der Steuerfreiheit, welches allen Gotteshäusern zukommt, entzogen. Dr. Clifford hat sich stramm gewehrt, aber umsonst: er zahlt. Wenn ein Laster, z. B. die Trunksucht, im Volke einreißt und wütet, dann ist das sicher ein großes Uebel. Es fragt sich aber, ob eine bis zur Wut gesteigerte Tugend, wie z. B. die Temperanzwut, nicht ein

größeres Uebel ist. Ein betrunkener Mensch ist eine traurige Erscheinung; er ist aber gewöhnlich harmloser als die fanatische Amerikanerin Carry Nation, welche mit einer Axt in die Schenken dringt und alles zusammen= schlägt. Diese nicht mehr junge Dame hat neulich Schottland mit ihrem Besuch und ihrem Mundwerk von der Trunksucht zu retten gesucht: die wackeren Schotten haben die alte Kathrine verriegelt. Ernster als solche Ausartungen ist es, wenn eine ganze Armee von Prädikanten mit großem Anhange darauf dringt, daß alle Wirtschaften konfisziert und abgeschafft werden, etwa wie in Frankreich die Klöster und Kirchengüter. Die „tee= totte" Partei ist stark genug gewesen, um im Gemeindehause ein Gesetz in jenem Sinne durchzusetzen. Die Lords im oberen Hause haben diesen Diebsstreich nicht erlaubt. Die Bill wurde verworfen, richtete jedoch so wie so unberechenbaren finanziellen Schaden an. Denn die Rentner, deren Geld in Brauereien und Distillerien und Wirtshäusern festlag, wollten es heraus= haben, ehe die Geschäfte zugrunde gingen. Die Aktien fielen tief, das Kapital fing an zu fehlen und sogar die größten und reichsten Firmen wurden wackelig. All das geschah, weil eine Tugend, die sich von der Kirche losgerissen hat, unter den Protestanten toll geworden ist. Unsere Bischöfe würden das Ungetüm fester an das siebente Gebot gebunden haben. Auch würden sie dem Volke klar machen, daß die Tugend der Enthaltsamkeit vom Innern der Seele nach außen wirkt, während das menschliche Gesetz der Temperänzler höchstens der Seele ungestillten Durst eintrichtert.

3. Mit der Verweltlichung der Nonkonformisterei konstatiert man eine merkliche Abnahme ihrer Anhänger. Religiös gestimmten Seelen passen politische Predigten nicht. So gestand mir ein junger Baptist, Prediger und Redakteur einer religiösen Zeitung in London, der sein Amt nieder= legte, auf seine guten Aussichten im Leben verzichtete und katholisch wurde. In den zwei Jahren 1907—1908 haben die Baptisten 5869 Mitglieder verloren, davon in Wales allein 4220. Die Waliser (= Wälschen) sind Kelten wie die Irländer und wie diese von Natur aus religiös angelegt: zu gleicher Zeit wühlt aber auch unter ihnen die Politik am meisten, da sie bestrebt sind, die anglikanische Staatskirche aus ihrem Fürstentum zu entfernen und allmählich Home=Rule zu erlangen. In demselben Wales verloren die Kongregationalisten 1291 Mitglieder. Die vier Hauptsekten: Baptisten, Kongregationalisten, Kalvinische und Wesleyan=Methodisten haben in Wales allein, in den zwei letzten Jahren, 20.351 Anhänger eingebüßt. Was ist wohl aus diesen geworden? Einige sind aus dem Leben geschieden, ohne ihren Kindern den alten Sektengeist zu hinterlassen; eine gewisse Zahl, nicht viele, sind katholisch geworden: andere, besonders solche, die mit zeitlichen Gütern gesegnet sind, gingen zur Staatskirche über; die meisten aber — so sagt die protestantische Kirchenzeitung, von welcher ich obige Zahlen nehme — die meisten verfallen der religiösen Indifferenz. Sie gehören keiner bestimmten Konfession an und besuchen nur noch die Kirchen, wie man das Theater besucht: man folgt der Einladung eines Freundes oder einer Freundin; man will die schöne Musik oder den angenehmen Prediger hören: noch öfters: man hat einen neuen Anzug zur Schau zu tragen.

4. Machen die Katholiken Fortschritte? Die Frage ist gar nicht leicht zu beantworten. Wir bauen neue Kirchen und Kapellen, nicht weil die bestehenden das Volk nicht fassen können, sondern um den verlorenen Schafen den Zutritt leichter zu machen. Solche neue Kirchen füllen sich ziemlich rasch mit „zurückkehrenden" Irländern und anderen und sind insoferne ein Gewinn für die Religion, aber kein Zuwachs. Einen Zensus haben wir bisher nicht zu stande bringen können. Es ist rein unmöglich, jene Katholiken ausfindig zu machen, die nie oder nur unregelmäßig zur Kirche kommen und sonst im Menschenknäuel der Großstädte verschwinden. Konvertiten kommen langsam, vielleicht kaum so zahlreich, um Abfällige zu ersetzen. Nach den Schulen zu urteilen, haben wir in den sechs Jahren 1901 bis 1907 mit dem normalen Zuwachs der Bevölkerung Schritt gehalten; die Schulen sind von 1053 auf 1061 gestiegen; die Zahl der Schüler von 269.191 auf 286.188 (worunter jedoch einige Tausende Protestanten sind). Die Zahl der Bischöfe in England und Schottland (Weihbischöfe mitgerechnet) ist 27 in 16 + 6 Diözesen; Priester 3615 + 288; Kirchen und Kapellen 1753 + 384. Von den 4166 Priestern sind 1467 Ordensleute, darunter viele französische Exilierte, welche keine Missionsarbeit verrichten.

5. Für die Geschichte der Reunionsversuche habe ich mehr Material gesammelt, als sich in dieser Nummer verwerten läßt. Die überaus interessanteste und wichtigste Frage, „wie viele gültig ordinierte Priester unter den Ritualisten sind, ob 50 oder 800" muß auf nächste Chronik verschoben werden; ebenfalls die Anknüpfungen der Anglikaner mit den Griechen und Altkatholiken in Deutschland und besonders in Holland, und auch die Auseinandersetzungen zwischen Nonkonformisten und Staatskirchlern. Für heute und zum Schluß sei bloß ein Stück Reunion erwähnt, das wenigstens praktisch ist. Seit den puritanischen Zeiten hat England sich immer durch die strikte Beobachtung des Sonntags ausgezeichnet. Neuerdings haben sich jedoch Zeichen der Erschlaffung eingestellt, z. B. das Oeffnen der Museen, Vergnügungszüge, Konzerte (in Kirchenmusik), sogar sporadisches Fußballspielen und andere unschuldige Belustigungen. So war es noch vor 20 Jahren nicht. Aus eigener Erfahrung weiß ich, welchen Skandal ein am Sonntag gefeuerter Pistolenschuß erregte, und wie das Schachspielen den Offizieren auf den Truppschiffen streng verboten war „am Tage des Herrn". Ein besoffener Schotte pfiff seinem Hunde. Eine zur Kirche gehende Dame geriet darüber in heilige Wut, nicht über das Saufen des Mannes, sondern über sein Pfeifen am Sabbath und das Aergernis eines am Sabbath freilaufenden Tieres. Um nun diesen puritanischen Geist nicht ganz aussterben zu lassen, hat sich eine Gesellschaft gebildet mit dem Namen Imperial Sunday Alliance. Sie zählt Mitglieder aus allen Konfessionen und ist besonders tätig unter den höheren Ständen. Im Anfange ihres Bestehens erließ sie einen Aufruf an ganz England für moralische und finanzielle Unterstützung. Dieser Aufruf ist jetzt, nach zwei Jahren, wieder erneuert worden. Nun, das Merkwürdige der Sache liegt in den drei Unterschriften, nämlich: 1. Randall Cantuar. 2. † Francis, Arch-

bishop of Westminster. 3. Scott Lidgett, President (1906—1907)
of the National Council of the Evangelicae Free Churches. Also
der anglikanische Primas, der katholische Erzbischof und der Präsident des
Bündnisses aller freien evangelischen Kirchen (= der Nonkonformisten),
die in der Schulfrage im heißen Dreikampf stehen, haben einen Berührungs=
punkt, für welchen sie faktisch zusammen arbeiten. Der Aufruf ist an allen
Kirchen des Landes angeschlagen.

Battle, 13. Februar 1909. Josef Wilhelm.

Kurze Fragen und Mitteilungen.

I. (Taufe im Mutterleibe.) Die Arbeit des Herrn Dr. Treitner
aus Innsbruck über „eine Taufe im Mutterleibe mittels der Hohlnadel"
bedarf einer wissenschaftlichen Widerlegung nicht. Das Zentralblatt für
Gynäkologie 1908, Nr. 39, tut ihr trotzdem die Ehre eines ausführlichen, sach=
lichen Referats an, aber nur um zu schließen: „Die Arbeit ist mit bischöflicher
Genehmigung im Jahre 1908 gedruckt. Bemerkungen sind überflüssig.
Aber daß dergleichen gedruckt wird, ist doch wunderbar." So wenig gerecht=
fertigt nun auch das Hereinziehen der bischöflichen Behörde erscheint, so
gerechtfertigt ist der zweite Teil der Kritik. Eine wissenschaftliche Wider=
legung seiner Vorschläge ist nicht zu erwarten, weil dieselben wissenschaftlich
nicht begründet und auch nicht zu begründen sind.

Da der Verfasser sich aber mit denselben an das Laienpublikum
direkt wendet und daselbst der Eindruck geweckt werden könnte, als ob es
sich um einen harmlosen Eingriff handle, „der im Bedarfsfalle selbst der
Hebamme überlassen werden könnte", ist es vielleicht doch angezeigt, von
ärztlicher Seite festzustellen, daß 1. der Eingriff selbst in der Hand eines
geübten Geburtshelfers nicht immer ungefährlich ist, daß 2. der Eingriff
für das Kind direkt lebensgefährlich werden kann und daß 3. in Deutsch=
land kein Arzt sich finden wird, der einen derartigen Eingriff einer Heb=
amme überlassen wird, sondern im Gegenteil eine Hebamme, die solches
unternehmen würde, einer schweren Bestrafung gewärtig sein müßte.

Daß bei dem Eingriff nicht nur die peinlichste Asepsis der Spritze,
sondern auch der Haut der Mutter strikte Vorbedingung ist, ist selbst=
verständlich und trotzdem macht der Verfasser den unbegreiflichen Vorschlag,
durch das Hemd durch eventuell die Nadel einzustoßen; daß das Entleeren
der mütterlichen Blase allein nicht genügt, um vor unbeabsichtigten Neben=
verletzungen zu schützen, namentlich wenn „2—4 erneute Einstiche" gemacht
werden, ist doch leicht begreiflich. Geradezu unverständlich ist aber die
Behauptung, „daß ein Stich in eine Gehirnhemisphäre nicht einmal ge=
sundheitsschädlich ist". Auf andere, doch mögliche und eventuell tödliche
Verletzungen des Kindes geht Verfasser gar nicht ein. Daß endlich der
Verfasser in der Liebe zu seinem Gott sei Dank nur theoretisch erprobten
Verfahren so weit geht, es auch noch nach dem Tode der Mutter zu
empfehlen, ist einfach unbegreiflich, da doch jeder Arzt verpflichtet ist, in
der Agonie oder doch unmittelbar nach konstatiertem Herztod der Mutter

den Kaiserschnitt auszuführen, wenn noch die Möglichkeit eines lebenden Kindes vorliegt.

Inwieweit die Gültigkeit einer Taufe durch eine Beimengung eines Desinfiziens in Frage gestellt wird, „namentlich wenn dasselbe riecht", entzieht sich meiner Beurteilung. Ich habe in einer langjährigen geburts= hilflichen Tätigkeit es für richtiger gehalten, mit nicht von Desinfizientien ganz reinem Wasser zu taufen, als gar nicht zu taufen.

(Ein reichsdeutscher Arzt.)

II. **(Nacktkultur in der Schule.)** Im vorigen Jahrgange konnte ich einige Ausführungen über Nacktkultur in und außer der Schule bringen. Ueber die Fortschritte dieser Bewegung außerhalb der Schule haben die Zeitungen seitdem genug trauriges Material gebracht, aber auch die Schule wollte nicht zurückbleiben. Man befühlt den Kopf, ob man nicht träume, wenn man in der Wiener „Vierteljahrsschrift für körperliche Erziehung" 1908, S. 79, die Ausführungen Viktor Pimmers über das „Indianerlager" liest.

Die Idee des „Indianerlagers", die, wie die Photographien zeigen, in Wirklichkeit ausgeführt worden ist, enthält folgendes: Das Kind wieder= holt in sich den Werdegang der Menschheit. Die Erziehung hat nun darauf zu sehen, daß dies systematisch herausgearbeitet werde, d. h. die Schüler müssen angeleitet werden, frühere Kulturstufen zu durchleben. Nun ist die Kulturstufe der Nomaden, Jäger und Fischer die älteste, also muß die Erziehung besonders bei den Stadtkindern mit dieser beginnen.

So ziehen denn die Knaben hinaus, nur mit Hose bekleidet oder mit Schwimmkleid. Lange Märsche stärken die Muskeln. Kochkesseln über dem Lagerfeuer liefern das Essen. Es werden zwei Gruppen gebildet: die einen sind Indianer, die anderen Ansiedler; dann entstehen jene Kämpfe, wie sie in den Lederstrumpfgeschichten so anmutig zu lesen sind. „Ich sah Knaben, die keinen Bissen verzehren wollten, als sie erfahren, daß ihr Freund geraubt worden und, an einen Baum gefesselt, im Feindeslager stünde. Sie schlichen mit dem Messer zwischen den Zähnen auf allen Vieren das Lager an, bis es ihnen gelang, die Stricke zu durchschneiden und dem Freund zur Flucht zu verhelfen". (S. 86.)

Die Photographien zeigen die „Vorbereitung für das Indianerleben": Lehrer und Schüler stehen und liegen durcheinander, mit Schwimmhose bekleidet, in einer Au; dann sieht man, wie die „Weißen" ihr Frühstück kochen, wie sie von halbnackten Indianern überfallen werden, endlich wie „Weiße" und „Indianer" in Schwimmhosen eine Entdeckungsfahrt auf der alten Donau unternahmen.

Die Eltern sind angeblich sehr zufrieden mit dieser Methode; „ver= mutlich weil Kleider und Schuhe, die bei uns nur wenig getragen werden, immer so geschont waren, und das ist unseren Bürgersfrauen die Haupt= sache." — Das Indianerlager ist ein pädagogisches Neuland. Es hat die seltene Eigenschaft, daß es ein Ideal der Kinder und der Lehrer bildet. Zwang ist ausgeschlossen. Es ist ein Reich, das sich nach natürlichen

Gesetzen regiert, und hier sehen wir zum ersten Male die Forderung erfüllt: „Erziehe naturgemäß!" (S. 86.)

Mir komme aber noch einmal einer mit dem alten langweiligen Spruche: Alles schon dagewesen! Dr. J. Zlg.

III. (Ein Beitrag zur Koedukationsfrage.) Bekanntlich bietet die gemeinsame Erziehung von Knaben und Mädchen einen Haupt=programmpunkt der modernen Pädagogik. Aeußert man sich hier etwas reserviert, so ist man sofort als rückständig gebrandmarkt. Nun plaudert in der Wiener „Vierteljahrsschrift für körperliche Erziehung" 1908, S. 105, ein Anhänger jener Forderung (Viktor Pimmer) etwas unvorsichtig aus der Schule. Ich teile hier seinen Bericht mit zur Erheiterung und — zum Nachdenken.

„Ich erinnere mich an den Londoner Schuldirektor der „Higher standard school" in Beethovenstreet, einen weißbärtigen, abgeklärten Schulmann, der mich vor seine Koedukationsklassen führte und mich eine Zeitlang meinem wortlosen Staunen überließ. Da saßen die 14= bis 16jährigen jungen Männer auf der einen, die ebenso alten Mädchen auf der anderen Seite der Klasse. Mir fiel die peinliche Sauberkeit und der feine Anstand der Kinder auf. (Gerade früher waren sie noch junge Männer! Anm. d. Ref.). Die Knaben trugen tadellose Wäsche, reine Halsbinden und Blumen im Knopfloch! Die Mädchen glichen ebensoviel holden Bräuten mit Blumen im Haar. Der Unterricht begann. Mit raschem Ruck erhoben sich die starken Jünglinge zur Antwort, und wenn sie gut ausfiel, folgten bewundernde Blicke von der Mädchenseite. Dann schlugen wieder die klang=vollen Antworten der Mädchen an mein Ohr, ohne Süße und Geniertheit. (And all went merry as a marriage bell — „Und lustig ging's zu wie bei einer Hochzeit", könnte man mit Mark Twain fortfahren. An=merkung d. Ref.).

Ich dachte gerade, was das für herrliche Paare gäbe, als mich der Direktor unter den Arm nahm und mir zuflüsterte: „Wie sie die jungen Leute hier sehen, so haben sich die meisten in gegenseitiger Neigung gefunden. Diese Neigungen sind einer unserer wichtigsten Erziehungsfaktoren. Sie benehmen dem Knaben die Roheit, bewahren ihn vor Verirrungen und machen die Mädchen energischer, beide aber zielbewußter." (Das letztere zweifellos besonders. Anm. d. Ref.)

Ich und die Headmistrees überwachen die Neigungen und leiten und führen die Paare, deren volles Vertrauen wir genießen, und es freut mich herzlich, wenn ich beobachten kann, wie sich oft die differierenden Charaktere gefunden haben. — Und wenn manche dieser Neigungen wirklich vor den Altar führen! — Wir sind die letzten, die sich darüber nicht herzlich freuen würden. Und zum Schlusse: Solange es die Natur so eingerichtet, daß Knaben und Mädchen aus demselben Mutterschoße ent=springen, werde ich dafür sein, daß sie auch gemeinsam erzogen werden."

Und so etwas maßt sich den Namen „Pädagogik" an!

Dr. J. Zlg.

IV. (Das Lügen der Schulkinder) ist ein fast allgemein verbreitetes Uebel, dessen Bekämpfung eine der vornehmsten Aufgaben des Lehrers und Katecheten sein soll. Die Lügen der Kinder haben oft ihre Quellen in ihrer Angst, Verlegenheit und Uebereilung, in ihrer Genußsucht, Eitelkeit, in falscher Scham und Rücksicht auf die Mitschüler, entspringen aber auch manchmal aus Bosheit und Neid. Sowie nun der Arzt nach Entdeckung der Krankheit dem Patienten die geeigneten Mittel verschreibt, damit er gesund werde, so verfahre auch der Erzieher. Umwandlung der Gesinnung des Fehlenden sei dessen erste Aufgabe. Vor allem drücke der Katechet ein lebhaftes Mißfallen gegen begangene Fehler aus. Er stelle dem Kinde seine Sünde vor, die Größe der Beleidigung Gottes und die Strafe, die es von ihm zu erwarten hat. Er sage ihm, daß er solches von ihm nicht geglaubt hätte; er beweise ihm, daß die Lüge durchaus unnötig, verächtlich und in jeder Hinsicht nachteilig sei. Aber man ermahne nicht nur, sondern wende gegebenenfalls auch Strafen an. Lügnern, deren Motiv Genuß= und Habsucht war, entziehe man oft Angenehmes und versage ihnen Erwünschtes. Ist aber Neid und Bosheit die verderbliche Quelle, so verdienen die Schuldigen die beabsichtigte Folge selbst zu tragen. Rief Trägheit die Lüge hervor, so sei der Schüler zum ernsten, regelmäßigen Arbeiten anzuhalten. Eine wirksame Strafe aber ist in schlimmeren Fällen, mit weisem Bedacht und großer Mäßigung angewendet, die körperliche Züchtigung, zu welcher kluge Eltern gewiß ihre Zustimmung geben werden. Ist Angst und Uebereilung oder Verlegenheit die Veranlassung zur Lüge, so lasse man Milde und Schonung walten; man mache das Kind ruhig auf seinen Fehler aufmerksam und ermutige es durch sanfte und freundliche Behandlung. Spielt in der Lüge die Ehrsucht die Rolle, so unterlasse man nicht, den Fehlenden zu demütigen. Besonders energisch verfahre man gegen Lügner aus falscher Scham oder Schlauheit und Heuchelei, denn durch deren Vernachlässigung, schreibt Fenelon, werden alle anderen Gebrechen unheilbar. Gerade in diesem heutzutage vielfach vorkommenden falschen Benehmen, wodurch man seinen Nächsten hintergehen will, spricht sich ein großer Grad von Niederträchtigkeit und Hinterlist aus. Beim Strafen beobachte der Erzieher den Grundsatz, daß er dem Geständnis stets eine Verminderung der Strafe folgen lasse, da ja Selbsterkenntnis der erste Schritt zur Besserung ist.   H. M.

V. (Kinderfrohsinn) zu wecken und unschuldsvoll und rein zu erhalten, welche lohnende Aufgabe für den Lehrer und Katecheten! Wie lieblich ist der Anblick eines Kindes, aus dessen klaren Augen Heiterkeit und Freude leuchten! O, leitet die euch anvertrauten Zöglinge von frühester Jugend zu echter Heiterkeit an! Lehrt sie, freundlichen Antlitzes ein lustiges Spiel zu treiben, sich gegenseitig in Liebe und Friede zu vertragen und das selbstlose Streben, anderen eine Freude zu bereiten. Leitet sie an, sich selbst zu überwinden, freudig kleine Opfer zu bringen, willig sich ein Vergnügen zu versagen, alle Arbeiten frohmütig zu verrichten und alle Leiden und Beschwerden des Lebens geduldig zu tragen. Hütet die Unschuld eurer anvertrauten Kinder mit nimmermüder Sorgfalt, denn dadurch bewahrt ihr deren Glück und ihren heiteren Sinn. Die Heiterkeit throne aber auch auf der Stirn des Lehrers und Erziehers; alles Ungemach, das dich beschwert, muß vor der Tür des Schulzimmers abgestreift werden. Nur mit froher Miene tritt vor die Kinder hin und bereite ihnen auch außerhalb des Unterrichts gern eine Freude durch ein liebes ermunterndes Wort, eine anziehende Erzählung und durch den Hinweis auf Gottes Güte und Liebe und auf die ewige Wonne des Himmels. Hast du solcherart die Kinder= herzen zu Heiterkeit und Frohsinn erzogen, dann werden sie einst auch zufriedene und glückliche Menschen werden.   H. M.

VI. (Eucharistische Predigten.) Zur Ergänzung der Notiz in Nr. 1, S. 220, Jahrgang 1909, werden folgende Erlebnisse mitgeteilt: Als Kaplan der weitausgedehnten Pfarre B. mußte ich einst auf einem Filialfriedhofe einen unversehen gestorbenen Bauer beerdigen und daran an= schließend eine Seelenmesse für denselben zelebrieren. Kommt nach dem Gottesdienste ein altes Männlein auf mich zu und fragt mich ganz ver= traulich: „Herr Kaplan, wie stehts denn mit meinem Bruder im Jenseits?" „Mein Freund, das weiß ich nicht, aber hoffen wir das Beste." „Nein, nein, Sie müssen's mir sagen, denn Sie wissen's ganz bestimmt. Jener Priester, der für einen Verstorbenen die erste heilige Messe liest, sieht ihn nach der Wandlung und erfährt, ob er selig oder verloren sei."

An einer anderen Seelsorgsstation passierte mir folgendes: Bringt mir der Mesner eines Tages mehrere Zwanzig Heller=Stücke: „Herr Pro= visor, dieses Geld habe ich im „ewigen" Lichte gefunden. Wahrscheinlich hat's jene Bäuerin X. hineingegeben, die den Glauben hat, dann müsse ihr ein Dieb das gestohlene Gut zurückbringen.

Aber auch in Bezug auf das Sakrament der Buße sind Irrtümer unter dem Volke verbreitet. Einmal wollte mir eine Frau die Sünden ihres Mannes beichten, der unversehen gestorben war. Dasselbe wollte eine Witwe tun, deren Mann sich selbst das Leben genommen hatte.

Also gründlicher, allseitiger Volksunterricht ist dringend notwendig; denn wo es an wahrem Glauben fehlt, fängt der Aberglaube an.

St. Georgen am Sandhof, Kärnten.   Franz Lasser,
                                     Kollegiatkanonifer u. Pfarrer.

VII. (Predigtweise des heiligen Paulus.) Ueber die Art und Weise, wie der heilige Paulus das Evangelium predigte, macht der Privatdozent Dr. Leipold in Halle folgende beherzigenswerte Bemerkung: Wenn wir die Frage: Was predigte Paulus vor Nichtchristen? erheben, so denken wir vor allem an die eigentümliche Missionspredigt auf dem Areopag zu Athen. In Athen, dem Mittelpunkte griechischer Bildung, be= mühte sich Paulus offenbar, das Christentum den gebildeten Griechen mög= lichst annehmbar zu machen. Dazu gab es nur ein Mittel: Rücksichtnahme auf die stoische Philosophie. Er konnte das mit gutem Gewissen tun, denn zwischen Christentum und Stoizismus gab es ja manche, wenn auch äußer= liche Aehnlichkeiten. So schmückte denn Paulus seine Rede mit einem Zitate aus dem stoischen Dichter Aratus: „Wir sind seines (d. i. Gottes) Geschlechts." Bei der Schilderung der Allwirksamkeit Gottes bedient er sich Wendungen, die an die stoische Philosophie erinnerten: „In ihm leben und weben und sind wir."

Hat der heilige Paulus mit dieser Predigtweise Erfolg gehabt? Die Apostelgeschichte erzählt uns, daß nur einige sich dem Glauben anschlossen.

Bei der nächsten Gelegenheit, in Korinth, wiederholte der heilige Paulus seine Predigtweise nicht, obwohl es auch hier Gebildete gab, die für den Stoizismus Verständnis hatten. Er predigte hier das schlichte, einfache Evangelium, ja, es scheint, daß er mit einer gewissen Absicht in dieser Stadt des Lebensgenusses die Predigt vom Kreuze in den Vordergrund gestellt hat.

Wenn der heilige Apostel schreibt (1. Kor. 9. 20), er bemühe sich, den Griechen ein Grieche zu werden, so ist dies dem Gesagten nicht entgegen. Der heilige Paulus bemühte sich, in Sprache und Form des Vortrages den geborenen Griechen verständlich und angenehm zu werden, er legte ihnen niemals jüdische Gesetzesvorschriften ans Herz; aber auf philosophische Erörterungen ließ sich Paulus niemals wieder in dem Maße ein wie auf dem Areopag zu Athen.

Diese Bemerkungen verdienen sicherlich volle Beachtung besonders von jenen, die von der Vereinigung des Katholizismus mit der modernen Kultur das Heil der Menschen erwarten. Gewiß wird der Apologet, der Prediger die Zeugen für die Wahrheit aus den verschiedenen Wissenszweigen nicht zurückweisen. Er wird in Sprache und Vortrag den Zuhörern sich anpassen, damit sie das Gesagte verstehen können. Doch wie den Weisen Griechenlands hilft auch dem heutigen Geschlechte nur eins, das alte, ewig wahre, ganze Evangelium, insbesondere die Predigt vom menschgewordenen Sohne Gottes, von Christus dem Gekreuzigten.   A.

VIII. (Ehedispens-Gesuche nebst Beilagen von im Konkubinat lebenden Personen stempelfrei.) Das k. k. Finanzministerium hat laut einem Schreiben der k. k. Finanzdirektion in Prag vom 19. Jänner 1909, Z. 2909/V, ausnahmsweise gestattet, daß von einer Stempelung der mit einem Mittellosigkeitszeugnis versehenen Gesuche der im Konkubinat lebenden Personen um politische Dispens zur Eheschließung Umgang zu nehmen sei, ebenso auch von Matrikelauszügen, die nur zu amtlichen Zwecken behufs Trauung auszustellen sind.

Anton Pinzger.

IX. (Lebens- und Todesbestätigungen für private Zwecke.) Durch § 1 des Hofkammerdekretes vom 17. April 1834 sind die Pfarrämter verpflichtet worden, auf den Zahlungsquittungen über Pensionen, Provisionen, Gnadengaben usw. der in ihrem Pfarrsprengel wohnenden Personen zu bestätigen, daß sie am Leben sind. Diese Bestätigungen sind sohin als amtliche Funktionen stempelfrei. Nach Ausspruch der n.-ö. Finanzdirektion sind auch die Lebensbestätigungen auf Privaturkunden stempel- und gebührenfrei. Todesfallbestätigungen für Leichenvereine oder Versicherungen, insoferne das bezeugte Ableben der Liquidierung eines Genusses zur Folge hat, sind gemäß T.-P. 117 lit. n. bedingt, d. h. zu dem

Gebrauche, zu welchem sie beigebracht werden müssen, gebührenfrei. Nur muß an der Stelle, wo das Stempelzeichen sonst anzubringen ist, der Zweck der Urkunde und die in Frage kommende Person angegeben werden.

X. (In Sachen der Personal-Einkommensteuer von Stiftsgeistlichen kann auch die Nachweisung des gesamten Stiftungsvermögens verlangt werden.) Die einzelnen Konventualen des Stiftes Ossegg hatten ihre Dienstbezüge spezifiziert einbekannt, darunter die Sustentation im Schätzwerte mit je 912 K 50 h. Die Bemessungsbehörde fand, daß das gesamte steuerpflichtige Einkommen des Stiftes nicht vollständig erschöpft ist. Nun aber beziehen die Stiftsmitglieder im allgemeinen ihre Versorgung aus dem Gesamteinkommen und sind zu ihnen auch die auswärtigen Benefiziaten zu zählen. Die Bemessungsbehörde verlangte daher genaue Auskunft über alle in Versorgung stehenden Mitglieder und über das gesamte Klostervermögen. Nach der Rechtsanschauung des Abtes erstrecke sich die Forderung auf ein nicht steuerpflichtiges Einkommen und glaubte daher derselbe das Gesamteinkommen nicht einbekennen zu müssen. Der Verwaltungsgerichtshof bemerkte aber in seinem Erkenntnisse vom 1. Februar 1908, Z. 664, daß die Forderung die Rechtsanschauung über die Steuerveranlagung nicht präjudiziere, sondern daß hier die Gehorsamspflicht nach § 269 P. St. G. maßgebend sei, wonach jedermann gehalten sei, die ihm von der Steuerbehörde aufgetragenen Erklärungen, Bekenntnisse und Auskünfte gewissenhaft zu liefern. A. P.

XI. (Konfirmation einer Schulstiftung bei Unerfüllbarkeit einzelner Bedingungen.) P. Stuiber hatte in seinem Geburtsorte Hadruwa ein geistliches Benefizium gestiftet und unmittelbar daran fünf Stück Nationalbankaktien mit dem gewidmet, daß die Gemeinde eine Ortsschule baue, darinnen auch eine Benefiziatenwohnung sei, wo der Lehrer die jährliche Rente per 150 fl. öst. W. zu genießen habe gegen dem, daß er den Mesner gratis mache und arme Kinder auch gratis unterrichte. Mit Rücksicht auf das neue Reichsvolksschulgesetz, welches dem Lehrer den Mesnerdienst untersagt, kam es zwischen den kirchlichen und Schulbehörden zu einer Einigung dahin, daß das Stiftungsvermögen zu einer Hälfte dem kirchlichen, zur anderen Hälfte dem Schulzwecke zugeführt werden soll. Bei der staatlichen Konfirmation kam es zwischen dem Landesschulrate und dem Ortsschulrate Hadruwa zu einer Verschiedenheit der Rechtsanschauung. Letzterer wollte das Erträgnis der Rentenquote für sich zur Entlastung der Gemeinde von der Schulgeldzahlung für Arme und weil der Lehrer ohnehin seinen hinreichenden Gehalt vom Lande aus beziehe. Dieses Begehren wurde aber schließlich vom V.-G.-H. mit Erkenntnis vom 6. Februar 1908, Z. 1197, abgewiesen. Denn nach dem ausdrücklichen Willen des Stifters solle der Lehrer die Rente von 150 fl. zu genießen haben. Die Behörden sind daher bei der Konfirmation von der Auffassung ausgegangen, daß eine Lehrdotations-, nicht aber eine Schulgeldbefreiungs-Stiftung vom Stifter intendiert war. Wenn die Beschwerde meint, daß durch die neue Schulgesetzgebung dem Lehrer die Erteilung des unentgeltlichen Unterrichtes an arme Schulkinder ebenso unmöglich gemacht

30*

wurde wie der Mesnerdienst und daher der Ortsschulrat in den Genuß
der Stiftung zu kommen habe, zumal die Gemeinde für die Unentgeltlichkeit
des Unterrichtes aufzukommen habe, so muß darauf hingewiesen werden,
daß schon der § 180 der politischen Schulverfassung der Lehrer den armen
Kindern den Unterricht überhaupt nicht verweigern durfte und der Lehrer gegen=
wärtig in seinem Gehalte die Entlohnung für den Unterricht armer Kinder zu
erblicken hat. Allein in der streitigen Kodizilsbestimmung ist wohl anzunehmen,
daß der Testator sagen wollte, weil der Lehrer an dieser Schule auch armen
Kindern gratis den Unterricht zu erteilen haben wird, so soll er nebst seinen
sonstigen Einnahmen auch noch jene der Stiftung haben. Der Stifter wollte
offenbar die Lehrdotation erhöhen und für bessere Lehrkräfte begehrenswerter
machen.   A. P.

XII. (Rückwirkung des Religionswechsels eines überlebenden Ehegatten auf ein unmündiges Kind.)

Die Witwe Josefine Stimen meldete ihren Austritt aus der katholischen
Kirche und Uebertritt zur evangelischen „Kirche" nebst ihrem noch nicht sieben
Jahre alten Töchterchen Hermine an. Die Behörden nahmen aber den
Uebertritt des Kindes nicht zur Kenntnis, denn nach Art. 2, Ges. vom
25. Mai 1868, erscheint die Rekurrentin nicht berechtigt, das Religions=
bekenntnis ihres aus einer rein katholischen Ehe stammenden Kindes zu
ändern. Der V.=G.=H. hob aber mit Erkenntnis vom 6. Februar 1908,
Z. 1196, die Entscheidung der Behörden auf; denn der Religionswechsel
des Kindes Hermine hatte schon gemäß al. 2 des Art. 2, leg. c, ein=
zutreten. Der Uebertritt der Mutter bewirke ipso jure auch den gleichen
Religionswechsel ihrer noch nicht sieben Jahre alten Tochter, was auch
durch die al. 2 des Art. 1, leg. c., bekräftigt erscheint.   A. P.

XIII. (Abschreibung des Gebührenäquivalentes während des Dezenniums.)

Die Gemeinde Schwechat hatte für
einen Schulhausbau Vermögenschaften von 54.500 Kronen verwendet und
begehrte nun die Abschreibung des hievon entfallenden Gebührenäquivalentes
für den Rest des Dezenniums. Der V.=G.=H. wies aber mit Erkenntnis
vom 11. Februar 1908, Z. 155, dieses Verlangen ab. § 35 der Ministerial=
verordnung vom 14. Juli 1900 ordnet im Abs. 2 an, daß eine Ab=
schreibung des gesetzlich bemessenen Gebührenäquivalentes nur dann statt=
findet, wenn im Laufe des Dezenniums eine Veränderung unbeweglicher
Sachen oder eine Verwandlung von beweglichen in unbewegliche Sachen
stattfindet. Wenn aber die Ausnahmsbestimmung des § 35 mit der Absicht
des Gesetzes, ein Aequivalent der Prozentualgebühren zu schaffen, in Ein=
klang gebracht werden soll, so ergibt sich, daß eine Abschreibung nur für
den Fall gewollt ist, wenn entweder eine unbewegliche Sache veräußert
oder eben vom beweglichen Vermögen ein unbewegliches ins Eigentum
erworben wird. In beiden Fällen wird aus Anlaß dieses Austrittes ohnehin
eine Vermögens=Uebertragungsgebühr bemessen. Anders war die Transaktion
der Gemeinde Schwechat; denn es wurde weder eine unbewegliche Sache ver=
äußert, noch wurde eine solche aus dem beweglichen Vermögen erworben und

hat daher auch kein Anlaß zur Entrichtung einer Vermögens-Uebertragungs-gebühr stattgefunden; somit war überhaupt eine Abschreibung unstatthaft.

A. P.

XIV. (Ruhegenüsse als Ausgabe bei der Religions-fonds-Steuerbemessung.)

Im Sinne des Gesetzes vom 16. De-zember 1906 werden geistliche Benefizien, insbesondere Bistümer, Kapitel, Stifte, Klöster, der Versicherungspflicht ihrer untergebenen Bediensteten mit Beamtencharakter dadurch Genüge leisten wollen, daß sie in Ersatzverträgen als Dienstgeber die Verpflichtung zur Auszahlung von Ruhegenüssen übernehmen. Falls nun die Anrechnung solcher Pensionen bei Bemessung der Religionsfondssteuer angestrebt wird, so ist in dieser Hinsicht für solche Ersatzverträge, abgesehen von der gemäß § 67 leg. cit. für solche Ver-träge erforderlichen Genehmigung des Ministeriums des Innern, vorerst nach § 9, Punkt 6 der M.-V. vom 21. August 1881 die Genehmigung der Landesstelle einzuholen.[1] (Note der n.-ö. Statth. 3 XV, 349.)

A. P.

XV. (Pilgerzüge.)

Ueber Wallfahrten in ferne Länder ist schon von guter Seite manchmal ungünstig geurteilt worden. Der Bischof von St. Gallen bemerkt in seinem Rezeß an die Geistlichkeit seiner Diözese vom 15. November 1908, daß trotz mancher Gründe für dieselben der Seelsorger ohne Verletzung der Pietät auch seine Bedenken dagegen äußern dürfe. Es werden größere Geldauslagen gemacht, die manchmal für nahe-liegende und bessere, notwendigere Zwecke verwendet werden könnten. Solche Reisen sind mit Strapazen verbunden, die für geistiges und körperliches Wohlsein nicht ohne alle Gefahr sind. Solche Pilgerzüge sind außerordentliche Dinge, die eben mehr für außerordentliche Verhältnisse passen. Vielleicht ist manchmal irgend ein irdischer Vorteil (Ansehen, Auszeichnung, Gelderwerb, Reiselust) das Motiv der Anregung, Neugierde, die Gelegenheit, billig und bequem fremde Orte sehen zu können, der Grund der Beteiligung. Um Hilfe in Leiden und verschiedenen Anliegen zu finden, genügt wohl auch ein Wallfahrtsort im Lande, eine recht nahegelegene Wallfahrtskirche ist die Pfarrkirche, in der jeder bei der heiligen Messe und Kommunion den besten Trost und die beste Hilfe finden kann, vor allen Gnaden und Segen findet, seine Standespflichten treu zu erfüllen, sein Kreuz in Geduld und Liebe Jesu nachzutragen. Die schönen und wahren Worte, die der Verfasser der „Nachfolge Christi" im 4. Buch, 1. Kapitel, diesbezüglich geschrieben hat, verdienen auch heute noch Beachtung und Befolgung.

A.

XVI. (Polizeiliche Anmeldung allein begründet nicht den ordentlichen Wohnsitz.)

(O. G H. vom 4. April 1882, Z. 1582, Slg. 8945.) Ein Bauer, welcher lange Zeit in einer Pfarre Niederösterreichs im Konkubinate lebte, jedoch daheim die Dienstmagd nicht

---

[1] Punkt 6, § 9, lautet: Pensionen, Gnadengaben und Unterstützungen, falls sie auf zu Recht bestehenden Verbindlichkeiten beruhen und dafern es sich um Leistungen dieser Art handelt, welche nach Wirksamkeit des Gesetzes vom 7. Mai 1874 übernommen worden sind, die Zustimmung zu ihrer Verabreichung von der Landesstelle erteilt worden ist, sind als Ausgaben einzustellen.

heiraten wollte, verfiel auf folgendes Kunststück, das ihm wahrscheinlich
ein Advokat nicht arischen Stammes geraten hatte. Er meldete sich und
seine Konkubine polizeilich in Wien und nachdem die nötige Frist ver=
flossen war, kam es zur Trauung nach vorausgegangener Verkündigung
in Wien, Pfarre S. J., während er tatsächlich ununterbrochen mit der
Braut in der Landpfarre domizilierte. Eine Verwandte stellte ein gefälschtes
Wohnungszeugnis aus.

Der Kirchenvater machte eines Sonntags den Pfarrer, welcher von
einer Verkündigung und Trauung des Bauers in Wien nichts wußte,
aufmerksam, daß an diesem Tage der Bauer X. in Wien seine Hochzeit
habe. Der Pfarrer entgegnete, daß dies ja nicht möglich sei, da X sowie
seine Braut hier nicht verkündigt worden seien, keine Entlassung auch
erhalten hätten, tatsächlich die letzte Zeit immer hier gewohnt hätten und,
wenn sie eine Ehe in Wien schließen würden, eine ungültige schlössen.

Der Pfarrer erkundigte sich jedoch in Wien und erfuhr von der
wirklich vollzogenen Trauung des X. mit der Y. Es stellte sich wirklich
heraus, daß die Brautleute nur polizeilich gemeldet waren und ein gefälschtes
Wohnungszeugnis beibrachten. Die Heimatsgemeinde, wo X. ununterbrochen
auch die letzten Wochen domizilierte, bestätigte das domicilium verum
derselben auch in der letzten Zeit, und überdies konnte auch der Pfarrer
schriftlich bezeugen, daß er mehrere Male den Bauer X in seiner Pfarre
während der letzten sechs Wochen bei der Feldarbeit gesehen und mit ihm
gesprochen habe. Vor vier Wochen behob derselbe noch bei ihm seinen
Geburts= und Taufschein.

Der Fall wurde ans hochwürdigste f.=e. Ordinariat berichtet, welches
denselben auch an die n.=ö. Statthalterei weiterleitete. Der Bescheid des
hochwürdigsten f.=e. Ordinariates lautete unter anderem folgendermaßen:
„Betreffend die Sanierung der zwischen X. und Y. geschlossenen Ehe,
welche wegen defectum parochi proprii und des Mangels der Ver=
kündigung sowohl im staatlichen als auch im kirchlichen Rechtsbereiche
ungültig eingegangen wurde, wird Euer Hochwürden eröffnet: Es wird
hiemit vom f.=e. Ordinariate die Dispens von den drei Aufgeboten gegen
Ablegung des Manifestationseides erteilt und von Seiten der k. k. nieder=
österreichischen Statthalterei vom . . ., gemäß §§ 83 und 88 a. b G. B.
die Nachsicht von den mangelnden Erfordernissen ausgesprochen. Euer
Hochwürden wollen nun diese Eheeinwilligung von den beiden Scheinehe=
leuten in Gegenwart von zwei vertrauten Zeugen nach der vorgeschriebenen
Form entgegennehmen und diesen Ehefall mit fortlaufender Zahl in die
Ehematrik unter Berufung auf Datum und Zahl des Ordinariatserlasses
sowie der Statthalterei=Entscheidung eintragen und einen ordnungsmäßigen
Trauungsschein gegen Einziehung des Scheines des Pfarramtes Wien
hinausgeben. usw.“

Breitstetten (N.=Oe.)   Karl Burtscher, Pfarrer.

XVII. (Hertha als Taufname.) Nulla dies sine linea
und in der Großstadtseelsorge: Kein Tag ohne Verdruß. Kommt da eine
Hebamme, von einer „christlichen“ Familie geschickt, die ihr am 9. des

Mondes geborenes Kind erst am 23. ejusdem taufen laſſen will, und
Hertha ſoll es heißen. Es wurde der Patin und Hebamme ruhig erklärt,
das Kind könne dieſen Namen in der heiligen Taufe nicht erhalten, da
es der Name einer heidniſchen Göttin der Germanen ſei. Darauf geht
die Patin zu den „chriſtlichen" Kindeseltern zurück. Sie kommt: „Die
Eltern beſtehen darauf, es muß Hertha getauft werden." Ebenſo ruhig
lautet die Erklärung: Hertha wird es nicht getauft. „Nun gut", ſagt die
erzürnte Hebamme, „das iſt mir noch nicht vorgekommen, ein Kind zurück-
zutragen ohne Taufe. Ich gebe das in die Zeitung und wir (!) laſſen das
Kind proteſtantiſch taufen. Vor einigen Wochen iſt auch ein Kind hier
in dieſer Pfarre Hertha getauft worden und der geiſtliche Herr hat nichts
geſagt". Erzürnt ſchlug ſie die Sakriſteitür zu — um nach einigen Minuten
wiederzukommen. „Wir laſſen das Kind Gertrud taufen. Geht das?"
Freilich ging es. Nach der Taufe meinte dieſelbe Hebamme ſchnippiſch:
„Und wir werden ſie doch Hertha nennen." Daraus folgt: 1. wie ſehr
der chriſtliche Glaube in manchen Familien der Großſtadt geſunken iſt,
2. auch unter den Hebammen. Es war leider wahr, daß ein geiſtlicher
Mitbruder eine Hertha getauft. 3. Prieſterkonferenzen ſind notwendig.
Wenn das kirchliche Geſetz urgiert wird, wird gleich mit Abfall gedroht.[1]

Wien.   *Karl Kraja*, Kooperator.

XVIII. (Missio canonica zum öffentlichen und Privatunterricht in der katholiſchen Religion.)

Es iſt gewiß,
daß Geiſtliche und Laien die Missio canonica zur Erteilung des Religionsunterrichtes an allen Schulen bedürfen. Die Fähigkeit erlangt der Prieſter
durch die Prüfung vor dem Biſchofe oder ſeinem Stellvertreter vor der
Prieſterweihe im Seminar, der Lehrer durch die Prüfung, welche er über
Religion vor dem Vertreter des Biſchofs bei der Lehrbefähigung macht.
Zur Berechtigung, jenen Religionsunterricht zu erteilen, gelangt der
Prieſter durch die Anſtellung in der Seelſorge durch die Missio canonica der Laienlehrer. Die Akten der I. Diözeſanſynode 1908 in St. Pölten
bemerken, daß nur in den ſeltenſten Fällen, nur zur Supplierung erkrankter
Katecheten, Lehrer, die praktiſche Katholiken ſind, die Missio erhalten. Sicherlich genügt die mündliche Erteilung, obwohl ein eigenes Dekret angezeigt
wäre. In unſerem Volksſchulgeſetz iſt auch der Kulturkampf-Samenkern,
daß der Staat, wenn die Geiſtlichen keinen Religionsunterricht erteilen
können oder wollen, die Lehrer Religionsunterricht erteilen heißt. — Zur
Erteilung des Privatunterrichtes aus Religion ſind die Eltern und deren
Stellvertreter (z. B. Großeltern, Pflegeeltern, Paten und Vormünder) verpflichtet und daher berechtigt. Aber wie ſieht oft dieſer Unterricht aus!
Wen betrauen ſie oft mit der Erteilung! Ein ſolches Kind wird zur Erteilung des Religionsunterrichtes — einem Schneidermeiſter überlaſſen!

---

[1] In den Akten der St. Pöltener Diözeſanſynode 1908, pag. 69, iſt ein
Decretum S. Officii dd. 13. Jänner 1883 zitiert, laut welchem der taufende
Prieſter in einem ſolchen Falle eine Anmerkung in das Taufbuch machen ſoll,
daß die Eltern das Kind durchaus Hertha haben nennen wollen, er habe aber
den Taufnamen z. B. Gertrud gegeben.

Tatsächlich vorgekommen. Eine Jüdin meldete sich zur heiligen Taufe. Sie war gut im Katechismus unterrichtet. „Wie kommt das?", fragte ich. „Ich habe schon mehrere katholische Kinder privatim unterrichtet." Allerdings fiel sie wieder ab und kann trotzdem als Lehrerin wirken und vielleicht wieder Kinder aus Religion Privatunterricht erteilen. Es ist sehr traurig, wenn der Katechet, wenn ihm die Kinder mit 14 Jahren zur Prüfung vorgeführt werden, nur konstatieren kann: nicht genügend. Mit den religiösen Uebungen und dem Empfang der heiligen Sakramente sieht es ebenfalls schlecht aus. Großartig war der Protest einer Mutter, deren privat unterrichtetes Kind der Katechet bei der Religionsprüfung fragte, ob es schon eine Kirche im Innern gesehen. Ein Oberlehrer hielt sich gewaltig auf, daß der Katechet die Note aus Religion erst geben wollte, nachdem der Nachweis über den Empfang der heiligen Sakramente erbracht sei. Es sollte auch jeder, der privatim aus Religion unterrichtet — die Eltern ausgenommen — von der kirchlichen Behörde die Missio canonica schriftlich erhalten. Baron Hock hat bekanntlich im Abgeordnetenhaus interpelliert, wieso es komme, daß sich ein Katechet geweigert habe, die Kinder eines Notars aus Religion zu prüfen, die von einem Lehrer aus Religion unterrichtet wurden. Der Katechet handelte über Weisung der Kirchenbehörde! Vielleicht ist das ein Anlaß, diese Frage zu regeln. Fiat.

Wien. *Karl Krasa,* Kooperator.

XIX. (Der Bilmenschnitter.) Im 1. Hefte der Theolog. Quartalschrift des Jahres 1908, S. 201, ist unter den kurzen Mitteilungen (Titel: Schelmerei oder Hexerei) der öfters vorkommende Fall besprochen worden, daß mitten in Getreide- oder Kartoffelfeldern gerade, schmale Linien wie ausgeschnitten erscheinen. Es wurde schon daselbst die abergläubische Meinung zurückgewiesen, daß es sich um einen Teufelsspuk handle, aber noch die Erklärung offen gelassen, daß es sich um böse oder neckerische Menschen handeln könne und nur vermutungsweise auf Tiere (auch Hasen) hingewiesen. Letztere Erklärung findet nun ihre Bestätigung durch eine freundliche Zuschrift aus Deutschland. Es waren und sind auch dort noch abergläubische Vorstellungen darüber, wie aus dem Werke von A. Wuttke: „Der deutsche Volksaberglaube der Gegenwart", 3. Aufl., bearbeitet von E. H. Meyer (Berlin 1900), hervorgeht, und ein neuer aus Sachsen-Altenburg in den „Psychischen Studien" berichteter Fall zeigt. Dieselbe Zeitschrift veröffentlichte aber eben darauf (J. 1899, S. 188) einen Aufsatz des Gutsdirektors V. C., in dem es heißt: „Bei uns in Böhmen, wo es noch genug Hasen gibt, können jährlich zahlreiche lange, schmale, gerade gemähte Gassen im reifenden Getreide beobachtet werden. Ein Aberglaube hierüber existiert hier nicht. Jägern, Wilddieben 2c. sind sie unter dem Namen „Hasenwechsel" bekannt." An anderen Orten werden Rehe „die Schelme" sein. *G. K.*

XX. (Beicht-Polyglotten.) Das erste Heft der Quartalschrift für 1909 beklagt auf Seite 206 den peinlichen Fall daß ein sterbender Greis, Slowene, nicht beichtgehört werden konnte, weil der deutsche Ortsgeistliche nicht slowenisch verstand, wie umgekehrt der Slowene nicht deutsch.

Die moderne Findigkeit weiß überall Mittel und Wege, warum nicht auch da? Für Reisezwecke gibt es längst sogenannte Polyglotten in allen Sprachen, die das zum Reisen unentbehrliche Redematerial kurz und bestimmt enthalten, mit genauer Angabe der Aussprache der fremdsprachigen Texte. Vor mir liegt „Polyglott' Kuntze in Köln, Verlag von Karl Georgi: deutsch-schwedisch, Preis 50 Pfennig". Sie enthält drei Rubriken nebeneinander: 1. Rubrik deutscher Text, 2. Rubrik schwedischer Text, 3. Rubrik Aussprache des schwedischen Textes. Abfassung und Handhabung einer Beicht-Polyglotte hätten wohl auch keine besonderen Schwierigkeiten; es handelte sich hier im wesentlichen nur um einen Beichtspiegel mit Vorbemerkungen und Schlußbemerkungen. Vorbemerkungen: 1. Antworten Sie auf jede Frage bloß ja oder nein, weil ich andere Worte nicht verstehe. Sind Sie katholisch? verheiratet? — Schlußbemerkungen: 1. Seien Sie getrost, diese Beicht genügt unter diesen Umständen. Sollten Sie noch etwas Besonderes vorzubringen haben, was wir nicht besprechen können, so gilt dies als eingeschlossen. 2. Zur Buße ein Vater unser, drei, fünf, zwölf Vater unser! Der Beichtspiegel müßte so gehalten sein, daß einerseits in jedem Falle leicht eine Materie zu erhalten wäre (Zerstreuung im Gebet, Ungeduld, Aerger über andere) und andererseits heikle Materien (6. und 7. Gebot) um der Beruhigung des Gewissens willen nicht zu allgemein behandelt erschienen. Bezüglich der Zahl der Todsünden müßte die Form der Frage lauten: Oefter als einmal? öfter als zehnmal? öfter als zwanzigmal? — alle Tage? alle Wochen? alle Monat? Sterbende, die die Sprache verloren haben, könnte man veranlassen, durch Händedruck oder Schließen der Augen „ja" zu markieren. Bemerkung: „Wenn ja, drücken Sie mit der Hand oder schließen Sie die Augen." Gebildeten Ausländern könnte man nach Umständen zur besseren Orientierung gleich ein Exemplar Polyglotte in die Hand geben. Nichtkatholiken sage man in einem solchen Fall: „Bereuen Sie alle Sünden Ihres Lebens, haben sie den Willen, alles zu tun und zu leiden, was Gott von Ihnen verlangt! ich bete auch für Sie, ich segne Sie", und absolviere bedingungsweise. — Eine derartige Beicht-Polyglotte würde sicher Absatz finden, zumal sie äußerst billig hergestellt werden könnte; für je eine Sprache genügte je ein Blatt. Unter der Voraussetzung, daß solche Beicht-Polyglotten nur im dringendsten Notfall, namentlich bei Sterbenden, Anwendung finden dürften, würden sicher auch die kirchlichen Oberhirten gern entgegenkommen, und wäre ein solches gewiß zeitgemäßes Hilfsmittel selbst solchen, die die betreffende Sprache gelernt haben, überaus willkommen, da zur vollen Beherrschung einer fremden Sprache nicht wenig Uebung gehört und gerade die Katechismusausdrücke wohl den allermeisten gar nicht bekannt sind. Wie viele von den hunderten und tausenden deutscher Priester, die französisch, italienisch oder englisch betrieben haben, hätten wohl den Mut, ohne nähere Vorbereitung Beichten in diesen Sprachen abzunehmen!

Jos. Mich. Weber, Pfarrer.

XXI. (Wo sind die Reliquien der heiligen Elisabeth?) Bekanntlich war der deutsche Ritterorden bis zu seiner Auflösung durch Napoleon im Jahre 1809 Hüter des Grabes der heiligen Elisabeth und Besitzer des von ihr in Marburg gegründeten Hospitals. Landgraf Philipp „der Großmütige" mußte die heiligen Gebeine, die er 1539 der Verehrung entrissen hatte, 1548 dem deutschen Orden zurückstellen. In den Histor.-Polit. Blättern veröffentlichte Sophie Görres, die Enkelin des großen Görres, einen Aufsatz, worin nachgewiesen wird, daß die Ueberreste der Heiligen in Wien im Kloster der Elisabethinerinnen erhalten sind. Erzherzog und Deutschmeister Maximilian ließ diese Reliquien 1588 zu Marburg erheben und dem Klarissenkloster in Wien übergeben. Bei der Aufhebung dieses Klosters durch Kaiser Josef II. kamen sie an die Elisabethinerinnen, unter deren Obhut sie jetzt noch verwahrt werden. Die urkundlich erwiesene Tatsache, daß die Ueberreste der von dem deutschen Volke besonders verehrten Heiligen teilweise in Wien erhalten sind, wird gewiß freudigen Widerhall finden. Aber der größere Teil derselben befindet sich wohl noch in der Elisabeth-Kirche zu Marburg. Sie wurden 1548 nicht mehr in den prachtvollen Sarkophag zurückgelegt, sondern an einem Orte des Münsters begraben, der nur in der nächsten Umgebung des Hoch und Deutschmeisters bekannt war. Durch von Dudit O. S. B. in der ehemaligen Deutschmeisterresidenz Mergentheim aufgefundenen Dokumente vom Jahre 1718 ist nun die Stelle genau bekannt, wo die Reliquien der heiligen Elisabeth in der Marburger Kirche verwahrt liegen. Sie befinden sich neben dem Denkmale des Hochmeisters Konrad von Thüringen, des Stifters der Kirche. Dieselben wurden 1854 zufällig aufgefunden und ohne Untersuchung wieder beigesetzt. Eine Reliquie der Heiligen besitzt auch die Deutschordenskirche in Bozen.

Altvogelseifen.   Albert Zeisberger, Deutschordenspriester.

XXII. (Requiescant oder Requiescat in pace?)

Auf die Anfrage, ob man zum Schlusse der Visitatio sepulchri seu feretri, also des Libera, Requiescant oder Requiescat in pace zu beten habe, antwortete am 22. Jänner 1678, num. 1611 der Sammlung, die Ritenkongregation: „Quando absolutio est pro uno defuncto, in singulari; pro pluribus, in plurali. In Missa vero semper in plurali. Ganz dasselbe schreibt klar und deutlich sowohl der Ritus servandus in celebratione Missae, tit. XIII, num. 4, und das Missale Defunctorum wie auch das Rituale romanum vor. Nur bei der Messe, wie in der zitierten Entscheidung erklärt ist, und bei der Vesper und den Laudes, wie aus der Entscheidung der Ritenkongregation vom 7. September 1861, num. 2572 ad 24, „Nihil immutandum" hervorgeht, hat man immer Requiescant in der Mehrzahl beizubehalten.

Peter Alverà.

Redaktionsschluß: 8. März 1909. — Ausgabe: 2.—10. April 1909.

Herdersche Verlagshandlung, Freiburg i. Br. — B. Herder Verlag, Wien I., Wollzeile 33.

Soeben sind erschienen und können durch alle Buchhandlungen bezogen werden:

Arens, B., S. J., Die selige Julie Billiart, Stifterin der Genossenschaft Unserer Lieben Frau, und ihr Werk. Mit 35 Abbildungen. 8°. (XII u. 544) M. 5.— = K 6.—; geb. in Leinwand M. 6.— = K 7.20.

> Julie Billiart ist eine Heilige unserer Zeit und für unsere Zeit. In ihr steht eine große Katechetin vor uns, die Stifterin einer höchst segensreich wirkenden Genossenschaft.

Beissel, St., S. J., Geschichte der Verehrung Marias in Deutschland während des Mittelalters. Ein Beitrag zur Religionswissenschaft und Kunstgeschichte. Mit 292 Abbildungen. gr. 8°. (XII u. 678) M. 15.— = K 18.—; geb. in Leinw M. 17.50 = K 21.—.

> Das Buch bietet die erste ausführliche, auf die besten Quellenwerke gestützte Geschichte der Marienverehrung in Deutschland. Dem Kunstkenner, dem Historiker, dem Prediger und dem Katecheten bietet es eine reiche Fülle neuen Stoffes aus den großen Schätze, welchen Homiletik und Liturgik, die Geschichte der Kirche und der Kunst, Poesie, Legenden und Volksgebräuche unserer Vorfahren enthalten.

Frick, C., S. J., Logica. In usum scholarum. Editio quarta emendata. (Cursus philosophicus.) 8°. (XII u. 326) M. 2.80 = K 3.36; geb. in Halbfranz M. 4.— = K 4.80.

Geradaus, Dr. E., Kompaß für den deutschen Studenten. Ein Wegweiser durchs akademische Leben. Mit einem Geleitsbrief von W. Kohler. Vierte, vermehrte Auflage. Mit zwei Anhängen: Heerschau und Studienpläne. 12°. (XIV u. 292) Geb. in Leinwand M. 2 50 = K 3.—.

> Das beliebte Büchlein, aus dem Leben geboren, ist ein Führer durchs ganze akademische Leben, der sich um alle wichtigen Fragen des Leibes und der Seele im Studentenleben kümmert und dazu die Sprache des Studenten spricht.

Holl, Dr. K., Rektor des erzbischöfl. Gymnasialkonvikts zu Rastatt, **Sturm und Steuer.** Ein ernstes Wort über einen heikeln Punkt an die studierende Jugend. Zweite, verbesserte Auflage. 12°. (X u. 300) M. 1.80 = K 2.16; geb. in Leinwand M. 2 40 = K 2.88.

> Holl, der in einem dem Jünglingsgeschmack zusagenden Tone zu reden versteht, bietet dem jungen Manne für den Kampf mit den Leidenschaften treffliche Waffen, zeigt ihm, mit dessen Barke die Wogen spielen, "wie das Steuer führen muß, "damit das schwache Schifflein dieses Fleisches nicht, vom Sturme verschlagen, den rechten Weg verliere".

Jesus Christus. Vorträge auf dem Hochschulkurs zu Freiburg im Breisgau 1908, gehalten von Dr. K. Braig, Dr. G. Hoberg, Dr. C. Krieg, Dr. S. Weber, Professoren an der Universität Freiburg i. B., und von Dr. G. Esser, Professor an der Universität Bonn. gr. 8°. (VIII u. 440) M. 4.80 = K 5.76; geb. M. 6.— = K 7.20.

> Inhalt Der geschichtliche Charakter der vier Evangelien, von Dr. G. Hoberg Die Gottheit Jesu im Zeugnis der Heiligen Schrift, von Dr. S. Weber. Jesus Christus ausserhalb der katholischen Kirche im 19. Jahrhundert, von Dr. K. Braig. Das christologische Dogma unter Berücksichtigung der dogmengeschichtlichen Entwicklung, von Dr. G. Esser. Jesus Christus, die Wahrheit, der Weg und das Leben, von Dr. C. Krieg. — Anhang: 1. Syllabus und Enzyklika Pius' X. und die Bibel, von Dr. G. Hoberg. 2. Wie sorgt die Enzyklika gegen den Modernismus für die Reinerhaltung der christlich-kirchlichen Lehre", von Dr. K. Braig.

Keppler, Dr. P. W. v, Bischof von Rottenburg, **Aus Kunst und Leben.** Dritte, verbesserte Auflage. Mit 6 Tafeln und 118 Abbildungen im Text. gr. 8°. (VIII u. 346) M. 6.— = K 7.20; geb. in Leinwand M. 7.50 = K 9.—. in Halbfranz M. 9.— = K 10.80.

> "Die kathol. Literatur besitzt nicht viele ähnliche Werke, deren Lektüre vielseitige Belehrung und zugleich geistigen Hochgenuß garantieren kann." (Prof. Dr. Jos. Sauer, Freiburg.)

Schleiniger, N., S. J., Die Bildung des jungen Predigers nach einem leichten und vollständigen Stufengange. Ein Leitfaden zum Gebrauche für Seminarien. Neu bearbeitet von K. Rache S. J. Sechste Auflage. 8°. (XX u. 428) M. 3.60 = K 4.32; geb in Halbfranz M. 5.— = K 6.—.

> "Die Vortrefflichkeit dieses Leitfadens hat sich hinlänglich bewährt".
> (Anzeiger f. d. kath. Geistl. Deutschlands 1906 Nr. 9, über die 5. Aufl.)

Dechevrens, A., S. J., Nazareth und die Gottesfamilie in der Menschheit. Untersuchungen über unsere Gotteskindschaft und die christliche Vollkommenheit. Deutsche Bearbeitung von J. Mayrhofer. Mit einem Titelbild. (Aszetische Bibliothek.) 8°. (XXXII u. 410) M. 2.80 = K 3.36; geb. M. 3.50 = K 4.20.

> Der heute vielfach verflüchtigte Begriff der Gotteskindschaft wird hier in seiner ganzen übernatürlichen Erhabenheit beleuchtet. Nach Vollkommenheit Strebende werden aus dem Buche reiche Anregung schöpfen können.

Franz, Dr. H., Studien zur kirchlichen Reform Josephs II. mit besonderer Berücksichtigung des vorderösterreichischen Breisgaus gr. 8°. (XXVI u. 332) M. 7.— = K 8.40.

> Die Schrift hebt die Hauptpunkte der kaiserlichen Reformpläne hervor und verfolgt ihre spezielle Anwendung in einem früher österreichischen Landesteile. Sie macht, wie ein Kritiker sich ausdrückt, "bezüglich einer ganzen Reihe wichtiger Fragen reinen Tisch".

Verlag von Fel. Rauch's Buchhandlung in Innsbruck.

Zeitschrift für katholische Theologie.

XXXIII. Jahrgang.

Jährlich 4 Hefte. Preis 6 *K* österr. Währung — 6 M.

Inhalt des soeben erschienenen 1. Heftes:

Dr. Rudolphus Hittmair
Episcopus Linciensis.

Ab Imperatore Francisco Josepho I nomi-
natus episcopus die 17. Martii 1909;

a Summo Pontifice Pio X confirmatus
die 14. Aprilis 1909;

Ordine episcopali ornatus et in sede Cathe-
drali solemniter collocatus die 1. Maii 1909.

Pastori ecclesiae Linciensis multos
annos!

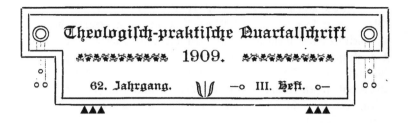

Theologisch-praktische Quartalschrift 1909.

62. Jahrgang. —○ III. Heft. ○—

Mehr Welt!

(Zeitbetrachtungen zum Verständnis des Modernismus III.)
Von Universitäts=Professor P. Albert M. Weiß O. Pr. in Freiburg (Schweiz).

Man kann zu verschiedenen Malen die Aeußerung hören, daß die Enzyklika gegen den Modernismus nicht überall die Aufnahme gefunden habe, die ihr gebührt hätte. Das sei ja wohl nicht zu ver= wundern, daß sich manche von denen, die davon empfindlich ge= troffen waren, energisch zur Wehr gesetzt hätten; auffallend jedoch sei dies, daß sie selbst unter den Katholiken vielfach, namentlich zu Anfang, mit Schweigen oder doch mit recht zurückhaltenden Aeußerungen sei empfangen worden. Diese Bemerkung ist in der Tat nicht ganz unrichtig. Die Tatsache läßt sich übrigens nicht schwer begreiflich machen. Die hier behandelten Fragen sind so schwierig und so tief eingreifend, daß sie vielen nahezu unfaßlich schienen. Ueberdies ist die Zahl derer, die erst wissen müssen, was die öffentliche Meinung sagt, immer nicht gering. Erschreckt von einer so gewaltigen Erklärung, die dem Gang des sogenannten modernen Gedankens ein mächtiges Halt entgegenrief, wollten viele erst sehen, wie sich die Welt dazu stelle, oder ob sich doch eine Bewegung stark genug kundgebe, daß man ohne Besorgnis seine Zustimmung offen aussprechen könne. Das Schweigen mochte darum auffallen, aber man brauchte daraus nicht gleich bedenkliche Folgerungen zu ziehen. Es war kein Anzeichen von Widerstreben gegen die Stimme des Papstes, es war eher ein Aus= fluß aus einer gewissen Furcht vor der Welt, oder, wie man heute sagt, vor der öffentlichen Meinung. Es ist nur ein etwas naiver Ausdruck der eben geschilderten Gesinnung, was wir später zu lesen bekamen: „Was werden wir unseren Kollegen antworten, wenn sie uns wegen der Enzyklika harte Worte geben?"

Was werden wir der Welt antworten? Was wird die Welt dazu sagen? Derlei Worte sind auch ein Zeichen der Zeit, insoweit sie unser öffentliches Auftreten und unser gemeinsames Handeln beeinflussen. Für den Einzelnen ist ja immer die Rücksicht auf die Menschen eine Fessel, die ihn leicht lahmlegt und derer, die in Wahrheit sagen können, daß sie der Menschenfurcht unzugänglich seien, werden nicht allzu viele sein. Aber daß wir aus dieser Rücksicht auf das Urteil der Welt einen Leitstern für unser Verhalten in kirchlichen und religiösen Dingen machen, das ist doch wohl eine Errungenschaft unserer Tage. Durch Jahrhunderte hindurch hat man uns den Protestantismus als das weltförmige Christentum gepriesen und unter seinen Vorzügen zumal den betont, daß er an die Stelle der weltflüchtigen katholischen Aszese eine welterfüllende Moral, an die Stelle der Weltverneinung die Weltbejahung gesetzt habe. Deswegen ist es nie den Katholiken eingefallen, ihre Ueberlegenheit durch Versenkung in die Welt beweisen zu wollen. Im Gegenteil, gerade darum haben sie mit desto größerem Ernst die Pflicht der Aszese gelehrt und geübt, und welch großartige Erfolge sie eben hiedurch erzielt haben, das zeigen die glorreichen Zeiten der sogenannten katholischen Restauration. Nun aber ist das auf einmal gerade wie umgekehrt. Nicht leicht macht ein Vorwurf heute so tiefen Eindruck wie der, wir seien weltentfremdet. Wir wollen uns alles gefallen lassen, aber daß man uns dies nachsage, nein, das können wir nicht ertragen. Diese Schmach muß von uns abgewälzt werden, sonst verdienten wir in der Tat den Vorwurf der Inferiorität. Diesem Unheil muß vorgebeugt werden und zwar mit allen möglichen Mitteln. Mehr Welt! das sei unser Wahlspruch.

Um dieses Ziel zu erreichen, sucht man sogar die Grundsätze für unser Denken und Handeln zu ändern, ja eine völlig neue Lehre über die Welt und über das Verhalten der Christen zur Welt einzuführen. Die Ausdrücke des Herrn und der Apostel, sagt man uns, könne man denn doch nicht auf die heutige Welt mit ihrer so hoch entwickelten Kultur anwenden. Offenbar hätten sie sich nur auf die damalige Zeit bezogen. Gegenüber einer solchen Herrschaft der Sünde, wie sie die römische Kaiserzeit auszeichnet, seien freilich keine Worte zu hart gewesen. Demzufolge seien auch die Warnungen vor der Gleichförmigkeit mit der Welt und vor dem Zusammengehen mit ihr nicht auf die Welt überhaupt, am allerwenigsten auf unsere

gebildete und gesittete Welt zu beziehen, sondern ebenfalls nur auf
die allzu große Freundschaft mit Tiberius und Caligula und Nero,
und mit der durch sie vertretenen Gesellschaft. Das alles sei heute
anders geworden. So verwerflich die Welt von damals, so bewun=
derungswert und nachahmungswürdig sei die heutige Welt. Sei damals
die Flucht vor der Welt die erste Bedingung zur Umwandlung in
einen Christen gewesen, so lebten wir heute in einer Welt, die vom
Sauerteig des Christentums durchdrungen und umgewandelt sei.
Jetzt wäre Flucht nicht bloß eine unverantwortliche Beleidigung gegen
die Welt, sondern auch ein Unrecht gegen sie, denn wir beraubten
sie damit der Hilfe, die wir ihr sollten angedeihen lassen, übrigens
auch ein Unrecht gegen uns selbst, denn wir entzögen uns dadurch
all die unermeßlichen Anregungen zum Fortschritt in jeder Beziehung,
die wir durch den liebevollen Verkehr mit der Welt, durch Eingehen
auf ihre Bestrebungen und durch Ausgleich mit ihren Ideen zweifellos
erlangen könnten.

Diese Lehre von der Welt, in der augenscheinlich ein gutes
Stück, um nicht zu sagen der ganze Inbegriff des Moder=
nismus untergebracht ist, steht im vollsten Widerspruch zu dem
Sinn der Kirche und der heiligen Väter.[1] Diese alle sagen gerade
umgekehrt mit dem heiligen Augustin: Je mehr das Ende der Welt
herannaht, um so mehr wachsen die Irrtümer, die Schrecknisse, die
Bosheit, der Unglaube.[2] Sie glauben also nicht, daß die Welt in
unseren Tagen aufhören werde, Welt zu sein. Sie glauben aber auch
nicht, daß die Welt zur Zeit Christi so schlimm gewesen sei, wie
wir sie hier schildern hörten, und glauben nicht, daß Christus seine
Warnung im Sinne dieser Modernisten verstanden habe. Nein, der
Herr und seine Apostel waren weder Manichäer noch Donatisten.
Die Donatisten behaupteten, das Wort Welt habe nur einen übeln
Sinn.[3] Das ist aber falsch. Es hat oft einen schlimmen Sinn,[4]
es hat aber auch einen guten oder doch indifferenten Sinn.[5] Ver=
stünde die Schrift unter Welt alle, die sündigen, wer könnte dann

---

[1] Hier sei der Wunsch ausgesprochen, daß uns jemand eine erschöpfende
Abhandlung über die Lehre der Heiligen Schrift und der heiligen Väter von
der Welt schenken möge. — [2] Quantum accedit finis mundi, crescunt errores,
crebrescunt terrores, crescit iniquitas, crescit infidelitas. Augustin. In
Joann. tract. 25, no. 5. — [3] Augustin. Contra Donatistas post Colla-
tionem no. 9. — [4] Augustin. Sermo 121, no. 1. — [5] Augustin. Brevi-
culus Collationis cum Donatistis c. 9, no. 15.

sagen, daß er nicht zur Welt gehöre? Jedoch es ist mit der Welt
wie mit dem Reiche Gottes: das Gute und das Böse ist hier gemischt,
die Welt ist bald gut, bald böse.[1]) Darum kann und muß man
sagen: Die Welt ist christlich geworden und ist doch böse und gottlos.[2])
Denn was die Welt ausmacht, das ist nicht so fast das Böse, das
dort geschieht, sondern der Geist, aus dem das Böse hervorgeht,[3])
der Geist des Stolzes,[4]) der Geist des Unglaubens,[5]) der Geist der
Widersetzlichkeit gegen Gott oder doch der Abwendung von Gott, sei
es der völligen, sei es der teilweisen und vorübergehenden, der Geist,
von dem also jeder seinen Anteil in sich trägt und jeder den Einfluß
verspürt, der Geist, vor dem keiner genug auf der Hut sein kann,
damit er nicht in der Welt, in der er leben muß, der Welt zum
Opfer falle. Darum glaubt uns der Geist Gottes nicht genug vor
der Welt warnen zu sollen, ohne daß er uns deshalb erlaubt, die
Welt in Bausch und Bogen zu verdammen oder mit Gewalt dem
Leben in der Welt ein Ende zu machen. Gott hat die Welt gut
gemacht, und hat uns in die Welt gesetzt, damit wir sie zum Dienste
Gottes und zu unserem Heil benützen.[6]) Die Welt aber, die gut
war, ist böse geworden.[7]) Das legt uns die Pflicht der Wachsamkeit
auf. Wir müssen die Welt so benützen, daß uns die Welt nicht
feßle.[8]) Was wir zu fürchten haben, das sind nicht ihre Drohungen,
sondern ihre verlockenden Reize, ihre Bildung, ihre Kultur.[9]) Das
alles hält uns in Vorsicht und Wachsamkeit, gibt uns aber kein
Recht, die Welt im ganzen zu verdammen. Das Reich Gottes ist
die ganze Welt.[10]) Hat sie sich auch zu einem großen, vielleicht zum
größten Teile Gott entfremdet, so hat sie sich doch nicht seiner Leitung
entziehen können, sondern auch sie dient als Werkzeug zur Ausführung
seiner Absichten, durch die er seine Ehre fördert und zugleich unser
Heil, vorausgesetzt, daß wir nichts an seinem Wort und nichts an

---

[1]) Augustin. In Joann. tract. 52, no. 10; Opus imperfectum contra
Julianum l. 4, no. 77. Contra Donatistas no. 9. — [2]) Totus mundus Christianus,
et totus mundus impius; per totum enim mundum impii, et per totum
mundum pii. Augustin. In epistolam Joannis tract. 4, no. 4. — [3]) 1. Joh.
2, 16. Hiezu Augustin. In epistolam Joann. tr. 2, no. 10 ff. — [4]) Augustin.
Sermo 333, no. 6. — [5]) Augustin. Sermo 219. 222. — [6]) Augustin.
Civ. Dei l. 11, c. 25; l. 15, c. 7, no. 1. De doctrina christ. l. 1, no. 4. —
[7]) Augustin. Sermo 96, no. 4. — [8]) Utere mundo, non te capiat mundus.
August. In Joann. tract. 40, no. 10. — [9]) Augustin. Epist. 145, no. 2;
231, no. 6. — [10]) Augustin. Retractat. l. 1, c. 4, no. 2.

seinem Gesetz ändern, und daß wir beständig auf der Hut sind vor dem Geist der Welt, den wir mehr in uns als außer uns zu fürchten haben.

Das ist die Lehre der Ueberlieferung. An dieser hat sich nichts geändert und wird sich niemals etwas ändern. Die alte Lehre von der Welt ist heute so neu und zeitgemäß wie in den Tagen des Herrn. Sie war damals modern und ist es heute noch. Wir sagen jetzt Säkularismus[1]) und meinen das Gleiche, was man vordem Geist der Welt nannte. Und was wir Modernismus heißen, das verstanden die Väter der Kirche, wenn sie vor dem Weltgeist oder dem Zeitgeist warnten. Wie kommen dann Männer, die doch die Schrift und die Theologie und deren Geschichte kennen sollen, dazu, so verkehrte Sätze aufzustellen, die wir nur in den Ruf „Mehr Welt" zusammenfassen können? Diese Frage führt uns zu einer Beobachtung, die uns nicht bloß eine Antwort hierauf gibt, sondern uns zugleich den Blick eröffnet auf jenes weite Feld, auf dem der Zeitgeist, der Modernismus, der Säkularismus seine verschiedenen Wirkungen äußert.

Mehr Welt! Dieses Losungswort wäre nicht möglich, wäre nicht die ganze Art zu denken und demgemäß auch zu sprechen von dem soeben geschilderten Geist durchdrungen. Wir wollen damit nicht gleich gesagt haben, daß sich das Denken selbst immer und bei jedem, der dem Zeitgeist huldigt, von diesem den Inhalt vorschreiben lasse. Wir reden zunächst nur von der Art des Denkens und von der Form des Ausdruckes. Diese aber ist oft so weltförmig, das heißt der modernen Art und Weise so angepaßt, daß man selbst bei Verhandlungen über die wichtigsten theologischen Dinge kaum mehr an die Theologie erinnert wird. Glaube niemand, wir tadelten hier einen flüssigen, gewählten Stil. Ja, wollte Gott, der Modernismus schaffte uns nur wenigstens gute Stilisten! Aber seine Darstellungs= weise, sklavisch bis zur Lächerlichkeit zusammengestoppelt aus den Nachtwandlerphrasen der französischen und der deutschen Philosophie und den Seiltänzereien der protestantischen Theologie, und dann mit einem Aufguß aus jüdischem Zeitungskauderwelsch verzuckert, hat mit einem erträglichen Stil kaum mehr zu tun als die hirschgeweih= mäßige Sprache Ockams. Von irgend einer Wendung oder einem Ausdruck, der uns einmal daran erinnert, daß sich der Verfasser auch

---

[1]) S. Religiöse Gefahr 35. 157. f. 390. Quartalschrift 1904, 249.

mit der Heiligen Schrift oder mit den Vätern beschäftigt hat, ist
fast niemals die Rede. Dadurch, sagt man uns, habe sich die Theo=
logie so verhaßt gemacht, daß man die Leser zum voraus schon ab=
stoßen würde, wenn man zu jener Redeweise zurückkehrte. Das sei
eben das Geheimnis, das wir heute zu entdecken hätten, die Lehren
des Christentums in einer Weise darzustellen, daß die Welt sie wieder
annehme, ohne eine Ahnung davon zu haben. Eine lobenswerte Vor=
sicht, offenbar den Müttern abgelernt, die ihren Kleinen eine bittere
Arznei beibringen wollen! Wenn nur die Arznei des göttlichen
Wortes dabei nicht so verzuckert wird, daß sie ihre Heilkraft oder
auch ihr ganzes Wesen verliert! Aber das ist es gerade, was hier
zu befürchten steht. Die Art des Denkens und des Sprechens kann
nicht so weltförmig gemacht werden, ohne daß der Inhalt selber
entweder säkularisiert wird oder bereits säkularisiert ist. Unsere Moder=
nisten scheinen die Sprache für eine Art von Oblate oder von Lat=
werge zu halten, unter der man Dinge verbergen könne, die mit der
äußeren Hülle nichts zu schaffen hätten. Das ist gerade bei ihnen
um so weniger begreiflich, als sie nicht satt werden zu behaupten,
die Theologie habe die einfache Lehre des Evangeliums entstellt,
indem sie diese zuerst in der Gestalt der platonischen und dann in
der Ausdrucksweise der aristotelischen Philosophie entwickelt habe.
Und nun glauben sie, die ganze Sprechweise der Theologie und der
Väter und der Kirche und der Heiligen Schrift selbst abziehen zu
können wie beschmutzte Wäsche und der christlichen Lehre einfach ein
neues Moderöcklein anziehen zu dürfen? Wo in aller Welt ist denn
eine vernünftige Sprache, in der Form und Ausdruck sich verhalten
wie der Fabrikarbeiter und sein Arbeitskittel? Eine solche Auffassung
zeigt allein schon, daß diese Männer weder wissen, was sie tun, noch,
was daraus erfolgen muß. Es ist doch nicht bloß Zufall oder Be=
schränktheit der modernen Gelehrten, daß die Versuche, die Lehre von
der Transsubstantion in der Kantischen Denkweise, und die von der
kirchlichen und von der priesterlichen Gewalt im Sinn des Kollekti=
vismus darzustellen, mit Häresien geendigt haben. Täusche sich
niemand! In theologischen Dingen spielt man nicht ungestraft mit
Worten, viel weniger noch mit Begriffen. Man hat gemeint, das
wäre die rechte zeitgemäße Art, die Person Christi in der Apologetik
unserem Geschlecht wieder wert zu machen, indem man ihn als den
wahren Uebermenschen schildere, denn kein Wort mache heute so viel

Eindruck wie dieses. Hier darf man wohl auch beten: Herr, verzeihe
ihnen, sie wissen nicht, was sie dir antun. Sie wissen nicht einmal,
was sie sagen. Verstünden sie, was Nietzsche unter dem Wort Ueber=
mensch versteht, sie würden dir eine solche Lästerung ersparen. Du,
ein Wurm und kein Mensch, und dich nennen sie Uebermensch. Nein,
sie wissen nicht, was die menschliche Sprache ist, und nicht, was von
ihr abhängt. Aber dahin mußte es kommen, weil sie die Sprechweise
der Theologie und der Kirche und der Schrift verlernt haben. Treu
ihrer Losung: „Mehr Welt!" haben sie nur mehr reden zu sollen
geglaubt, wie die Welt zu reden liebt. Darüber haben sie aber erst
Sinn und Geschmack und zuletzt sogar das Verständnis für die
Sprache und die Denkweise der Kirche verloren. Und dabei glauben
sie noch immer etwas Großes und Zeitgemäßes getan zu haben.

Hiemit hängt ein Zweites zusammen. Seitdem es der Moder=
nismus zuwege gebracht hat, daß es jeder als eine Art von Ehren=
sache betrachtet, einen neuen Beweis für unsere Inferiorität zu ent=
decken, steht auch das Wort von der Minderwertigkeit der katholischen
Belletristik auf der Tagesordnung. Zu Anfang war die Tragweite
dieses Gegenstandes nicht ganz klar. Erst mit der Zeit hat sich heraus=
gestellt, welchen Sinn er hat. Darüber kann ja kein Zweifel bestehen,
daß das katholische Bekenntnis kein Hindernis ist, eine gute Novelle
zu schreiben. Und auch darüber nicht, daß es den Katholiken, die
die Feder führen können, nicht so übel anstehe, die Schundliteratur
der Gegenwart durch eine bessere Literatur zu ersetzen. Und ebenso
wenig darüber, daß eine katholische Literatur nicht langweilige Mo=
ralisiererei oder aufdringliche Missionspredigt in Form von Romanen
zu sein brauche. Man könnte nur bescheidene Zweifel darüber hegen,
ob diese Sache die hohe apologetische Bedeutung besitze, die ihr manche
beilegen wollten. Denn daß die Welt eher katholisch werden oder doch
die Vorurteile gegen unsere Religion ablegen sollte, wenn wir einige
Dutzend Goethe und Schiller aufweisen können, das ist doch ein
etwas sanguinischer Enthusiasmus. Wir können ja Sebastian Bach
und Richard Wagner auch Mozart und Haydn und Palestrina ent=
gegensetzen. Die Bekehrungen aber, die sich daraus ergeben, werden
bald gezählt sein. Gar manche schwärmen für Dante und für Cal=
deron, und bleiben doch, was sie sind. Allein so lang sich die Frage
innerhalb dieser Grenzen bewegte, war ihr Sinn selbst denen nicht
klar, die sie aufgeworfen hatten. Allmählich aber brachte sie die all=

gemeine Bewegung der Geister in den Zusammenhang, indem sie
erst verständlich wurde. Ein Zweifaches war es, was nun aus ihrem
dunkeln Schoß hervorging. Freilich, hieß es nach und nach, brauchen
wir eine überlegene katholische Belletristik. Aber das darf nicht miß=
verstanden werden. Wir meinen nur, daß Katholiken gute, schön=
geistige Werke schreiben, nicht aber, daß sie katholische Ideen dar=
stellen. Wenn wir von katholischer Belletristik reden, so meinen wir
nur die Personen der Schriftsteller, nicht den Inhalt ihrer Werke.
Im Gegenteil, dagegen verwahren wir uns hoch und feierlich, daß
unsere Belletristik in diesem Sinn katholisch sei. Das hieße für uns
Katholiken ein literarisches Ghetto aufrichten. Wir aber wollen hinaus
aus diesen engen Schranken. Mehr Luft, mehr Freiheit, mehr Welt!
Die Religion gewiß in Ehren! Aber sie hat nur mit rein religiösen
Dingen zu tun. Die Kunst gehört nicht zu ihrem Gebiet, sondern
sie gehört der Welt und ihrer Bildung an. Gerade darum müssen
wir uns dieses Arbeitsfeldes bemächtigen, um zu zeigen, daß auch
der Katholik ein guter Weltmensch sein kann. Das letzte Wort ist
freilich richtig, wenn es nur nicht in diesem Zusammenhang die Welt
als Gegensatz zum katholischen Denken und Handeln hinstellte. Sicher
sollte der Katholik der beste Geschäftsmann, der zuverlässigste Arbeiter,
in jedem Zweig der Kultur ein durchaus brauchbarer Mann sein.
Will er aber das werden nicht als Katholik, mit absichtlicher Aus=
schließung religiöser Beweggründe, einzig und allein als Mensch,
worin unterscheidet er sich dann von den Vertretern der ethischen
Kultur, und wie erfüllt er das Gebot: Ihr möget essen oder trinken
oder etwas anderes tun, tut alles zur Ehre Gottes? (1. Kor. 10, 31.)
Und, was noch mehr ins Gewicht fällt, heißt das nicht dasselbe
anstreben, was Kraus und seine Nachfolger mit dem Wort „reli=
giöser Katholizismus" wollen? Die Religion soll in die Herzen und
in die Kirche wie in eine Kaserne eingepfercht werden; will sich ein
Katholik außerhalb nützlich machen, so muß er zuvor Tornister und
Uniform ablegen und lediglich als Zivilist auftreten. Damit werden
alle Gebiete des öffentlichen Lebens und der öffentlichen Tätigkeit
dem Einfluß der Religion entzogen, Politik, soziale Frage und sämt=
liche Zweige der schönen Kultur. Geschieht das aber so grundsätzlich,
wie es hier verlangt wird, dann bedeutet dies nicht bloß eine Ent=
christlichung im rein negativen Sinn, sondern eine positive Verwelt=
lichung, das heißt die Auslieferung an die Grundsätze der Welt, in=

sofern sich diese vom Einfluß der christlichen Gesetze losgemacht und sich diesen selbständig gegenübergestellt hat. Eine bloße Indifferenz ist in der Praxis nicht möglich, am allerwenigsten dort, wo die Gegensätze so groß sind. Die Worte: Kunst um der Kunst willen! sind einfach eine Kriegserklärung. Sie bedeuten zunächst freilich nur die Trennung der Kunst von den Geboten der Religion. Da aber die Religion ihre Gesetze für das Denken wie für das Handeln nicht preisgeben darf noch kann, so ist der Kampf unvermeidlich. Eine Trennung von Staat und Kirche ist ja wenigstens denkbar, eine Trennung der Kunst, der Literatur, der Wissenschaft von der Religion ist ein Ding der Unmöglichkeit. Die Katholiken auffordern, daß sie diese Wege gehen, heißt ihnen zumuten, was ihnen ihr Gewissen verbietet. Ein katholischer Kritiker, der den modernen Ideen huldigt, gibt dem selber unwillig Zeugnis. Er hat bessere Ergebnisse der auch von ihm geförderten Bewegung gehofft, er findet aber, daß diese im katholischen Volk nicht den gewünschten Anklang finde. Die Gründe dafür sieht er darin, daß die alten Begriffe von Tradition und von Autorität dieser neuen Richtung hinderlich im Wege stünden. Damit bestätigt er nur, was wir soeben gesagt haben. So lang der Katholik als Katholik denkt und fühlt, lehnt er den Ruf „Mehr Welt" ab, oder, wie sich der genannte Kritiker ausdrückt, geht er nicht auf die „modernen Probleme" ein. Gebe Gott, daß das auch in Zukunft so bleibe, damit der Glaube und die Religion die Herrschaft über das Leben bewahren, und damit die Literaturgeschichte späterer Zeit wenigstens den Katholiken das Zugeständnis machen müsse, daß sie, dank ihrer religiösen Ueberzeugung, in Mitte einer Literatur der Folterbank und der Hysterie verhältnismäßig gesund geblieben sind und besonnen gearbeitet haben.

Diesen Wunsch sprechen wir mit verdoppeltem Ernst aus, wenn wir eines dritten Gebietes gedenken, auf dem die Losung „Mehr Welt!" mit ganz besonderem Nachdruck ausgegeben wird. Wir meinen die Doppelfrage von der Erziehung des Klerus und von der Einweisung des Klerus in seine Aufgabe mit Rücksicht auf die Anforderungen der Zeit. Auch diese Frage hat ein Janusgesicht; nach der einen Seite soll das praktische Verhalten des Klerus zeitgemäßer umgestaltet werden, nach der anderen Seite soll dessen geistige Ausbildung eine dementsprechende Reform erfahren.

Die Verhandlungen über den ersten Punkt sind nicht neu, sie haben nur durch die Herbeiziehung der modernen Ideen eine etwas erneute Form angenommen. Mehr Welt! heißt es auch hier. Sei das Christentum, wenigstens das „Christentum in seiner Ausgestaltung zum Katholizismus" — diese einzige Phrase ist schon ein Programm! — sei also, um ganz modern zu reden, die katholische „Weltanschauung" überhaupt mit dem großen Fehler der Weltentfremdung behaftet, so der Klerus ganz besonders. Diese Seminarerziehung in weltfernen geistlichen Kasernen mit möglichst kleinen Fenstern und undurchdring= lichen Mauern könne nur Geistliche heranziehen, die von der Zeit und ihren Bedürfnissen keine Ahnung hätten. Es sei schon schädlich genug, daß sie dort die schönste Zeit ihres Lebens im dumpfen Hin= brüten über geistliche Uebungen und mit liturgischen Exerzitien ver= trödelten, und weiter nichts lernten als die egoistische Sorge um ihr eigenes Seelenheil. Noch weit verhängnisvoller sei es aber, daß sie damit das Leben, auf das sie einst einwirken sollen, nicht kennen lernten. Es sei vergebene Vertrauensseligkeit, von Geistlichen, die aus dieser Schule hervorgehen, zu erwarten, daß sie einen Begriff von den Anforderungen der Gegenwart erhielten. Wie solle aber die Kirche ihr Verhalten jemals ändern, wie je in den Stand gesetzt werden, auf die Zeit zeitgemäß einzuwirken, wenn gerade die, von denen das vor allem abhängt, jeder Einsicht in die wirkliche Lage systematisch entfremdet würden? Darum sei es die erste Bedingung für eine bessere Gestaltung der Zukunft, daß die „geistliche Jungmannschaft" — auch ein gut moderner Ausdruck! — dort herangebildet werde, wo sie allein für ihre wahre Aufgabe — zu der augenscheinlich Seelsorge, Seelenrettung und Seelenleitung nicht gehören — das richtige Verständnis finden könnten, das heißt an den Universi= täten. Im Umgang mit jungen Männern aus allen Ständen und Berufsarten, im fröhlichen Genuß des Lebens unter gleichgestimmten Freunden, in der Ausnützung aller modernen Bildungsmittel, Theater, Museen, Sammlungen, lernten sie das Leben kennen mit seinen schönen Seiten, mit seinen Gefahren und Verirrungen. Seien sie selbst durch all diesen Klippen und Verirrungen glücklich hindurch= gegangen, dann erst wüßten sie, was es um die Welt ist, dann könne man auf sie als wetterhart bewährte Steuermänner zählen, und dann dürfe man zuversichtlich erwarten, daß unter ihren Händen der träge Lauf des Kirchenschiffes bald in raschere Bewegung übergehen werde.

Dazu müsse freilich ein Zweites treten. Die geistige Ausbildung des Klerus müsse unbedingt nach anderen Grundsätzen eingerichtet

werden. Was hätten all die unnützen Fächer, die sich aus alter Zeit
her immer noch fortschleppen, mit dem heutigen Leben zu tun? Be=
greiflich, daß die Geistlichen ihrer Aufgabe so wenig gewachsen seien,
wenn man erwäge, daß sie eine Reihe von Jahren auf Lehrgegen=
stände verwenden müßten, die sie nur um des Examens willen be=
trieben und dann so schnell wie möglich vergäßen. Mit dieser ganzen
Scholastik bringe man heute kein Wickelkind mehr zum Glauben —
doppelten Respekt vor ihr, wenn sie das ehemals fertig brachte! —
geschweige unsere des Glaubens satte Welt. Wenn unsere Geistlichen
den Glauben nicht besser kennen lernten als so, wie es in diesen
alten Scharteken dargestellt sei, dann dürfe man sich freilich nicht
darüber verwundern, daß sie keinen Eindruck mehr mit ihren Predigten
machen. Darum müsse auch hier gesagt werden: Weniger Scholastik,
mehr Welt. Mehr Geschichte, mehr Naturwissenschaft, mehr Literatur,
mehr Nationalökonomie, mehr Staats= und Privatrecht, mehr
Soziologie, mehr Studium der Kunst, mehr praktische Kurse für
moderne Sprachen, für parlamentarisches, für journalistisches, für
soziales Wirken und für das Auftreten als öffentlicher Redner! Der
Geistliche müsse überall zu Hause sein, überall nicht bloß mitreden,
sondern als Ratgeber und als Führer, und vorbereitet für jede Ver=
wendung, die ihm einst könne zugemutet werden. Zu solchen Geist=
lichen werde das Volk mit Bewunderung emporblicken, vor solchen
werde selbst die dem Christentum entfremdete Welt bald wieder
Achtung haben.

Diese sicherlich gutgemeinten Ratschläge bedürfen keiner Wider=
legung, denn sie ersticken sich selber durch ihre Uebertreibung. Man
wird uns freilich entgegnen, es werde sich aber niemand finden, der so
unsinnig sei, all das in das Gehirn eines jeden angehenden Theologen
hineinstopfen zu wollen. Freilich nicht, wenn wir nach einzelnen
Namen fragen. Aber jedes Jahr kann man all diese Forderungen
und Vorschläge, und noch mehr dazu, zu wiederholten Malen lesen,
diesen in dieser Zeitung, jenen in jener Zeitschrift, ein halbes Dutzend
in einer Kritik, ein ganzes in einer Broschüre. Jeder einzelne Kirchen=
verbesserer denkt nur an seinen Rat und ist aufs höchste verletzt,
wenn er nicht Beachtung findet. Aber all diese weise Mahnungen
sind immer an die nämliche Adresse gerichtet. Bei der kirchlichen
Autorität treffen sie alle ein, und von ihr verlangen alle, daß sie
allen bereitwillig entspreche. Was soll diese damit anfangen? Ver=

zweifeln kann sie ja doch nicht über solchen Zufluß von Weisheit.
Von Durchführung dieser Maßlosigkeiten kann auch keine Rede sein.
So bleiben zuletzt selbst nützliche und mögliche Maßregeln unaus=
geführt, weil bei dem ungestümen Zudrang das eine dem anderen
hinderlich wird und das Nachgeben nach einer Seite den Ansturm
von zehn anderen Seiten zu einer ernstlichen Gefahr macht. Nur
mit banger Sorge um die Zukunft kann man den Gang des Stu=
dentenwesens verfolgen. Das Wort Studenten wird man wohl
bald völlig preisgeben müssen. Wir reden nicht von den Frühschoppen,
den Fechtübungen, den Ausflügen, den Kneipen, den Kränzchen, den
Bällen, den Stiftungsfesten u. s. f. Das sind alte Feinde des Stu=
diums, über deren Natur sich niemand täuscht. Die neuen Feinde,
die aus guter Absicht ins Feld geführt werden, sind vielleicht noch
gefährlicher, eben um ihres verführerischen Scheines willen. Unter
allen denkbaren Titeln empfiehlt und fördert man Konferenzen,
wissenschaftliche Zirkel, Disputationsversammlungen, Diskussions=
abende, freie Vorträge zur Einführung in das politische Leben, sozial=
politische und literarische Gesellschaften mit einem Programm, dessen
Vielseitigkeit die Sitzungsberichte jeder Akademie in Schatten stellt.
Lauter Dozenten, die einzigen Studenten sind vielleicht die alten
Herren, oder doch die Professoren, die hier zu Füßen der jungen
Herren sitzen. Das dauert bis tief in die Nacht, mit der unvermeid=
lichen geselligen Unterhaltung bis in den Morgen hinein. Und dann
sollen die Stützen der Zukunft morgens um 8 Uhr zu den Füßen
ihrer Zuhörer von gestern lernen! Die Sache wird doppelt bedenklich,
wenn es sich um Einführung ähnlicher Zustände bei den Studie=
renden der Theologie handelt. In der Tat ist dies die Hauptabsicht
jener, die an der Erziehung in den Seminarien vornehmlich das zu
tadeln haben, daß die künftigen Geistlichen dort zu wenig in die
Welt eingeführt werden. Wie kann man aber erwarten, daß ein
Theolog unter solchen Umständen morgens seine Betrachtung halte,
seine Gebetsübungen vornehme und dann an dem trockenen „Brot=
studium" eines langen Tages Interesse finde? Und wie sollen dabei
tüchtig gebildete Theologen erstehen — von Priestern reden wir
nicht! Martin Rade, eine gewiß nicht „finstere, mittelalterliche Mönchs=
gestalt", frägt, wie es kam, daß Adolf Stöcker bei seinen Gaben,
seinem Eifer und seinem Ernst verhältnismäßig so wenig nachhaltig
gewirkt hat. Und er sagt: Gewiß hat er gearbeitet wie wenige, aber

Theologie hat er in seiner Jugend nicht studiert, wie er sollte; dieser Mangel war später nie mehr hereinzubringen (Christliche Welt 1909, 212). Schon Nikolaus von Cusa sagt: Timeo, quod traditio hominum, liberalium scilicet artium et jurium fori, sit instrumentum, per quod Satan non solum occupat homines, ne se dent ad verbi Dei saporem, sed sint superseminata semina zizaniae, quae simplicitatem fidei et ejus fructum impediant (Excitationum l. 9. Paris. 1514. II. fol. 166. a. b.). Diese Worte sind in der nächsten Generation nach Cusa fürchterlich zur Wahrheit geworden. Zum Glück ist, dank der göttlichen Anordnung, jene Autorität, in deren Händen die Leitung der ganzen Kirche liegt, so hoch über all diesem Schneeflockengewimmel gestellt, daß dort der Blick in das, was der Kirche nützlich und nötig ist, dadurch nicht getrübt werden kann. Je mehr derlei Vorschläge auftreten, umso entschiedener hat Pius X. betont, daß die Vorbildung des Klerus eine gründliche theologische Bildung mit Ausschluß alles nicht zur Sache Gehörigen sein soll. Auch für diese Weisung müssen wir ihm vom Herzen dankbar sein. Er will so wenig wie sein Vorgänger oder irgend einer der Päpste den Klerus in ein theologisches Ghetto einsperren, darüber hat er sich deutlich genug ausgesprochen. Aber er will den Klerus als Klerus erzogen und gebildet wissen. Deshalb befiehlt er, ihn in den Wissenschaften und in den Pflichten zu unterrichten, die er zur Durch= führung seines geistlichen Berufes braucht. Was immer als Hilfsmittel daneben dienlich ist, das wünscht er zur Verwendung gebracht, aber als untergeordnete Nebensache, und so, daß es kein Hindernis für die Aneignung des Wesentlichen, sondern vielmehr eine Förderung für die Hauptaufgabe sei. Dies ist der Gesichtspunkt, nach dem die Kirche von jeher die Vorbildung des Klerus ein= gerichtet hat. Dabei bleibt sie auch heute, und sie muß es mehr als jemals, gerade aus Rücksicht auf die Lage der Zeit.

Was verlangt denn die Welt von heute, wenn sie Anfor= derungen an den Priester stellt? Wir berufen uns diesmal auf die ganze Welt, die Welt im guten wie die Welt im schlimmen Sinn, die christliche wie die unchristliche. Die paar Professoren an den Universitäten, die etlichen Zeitungsschreiber, und die Tarockbrüder am Stammtisch, die einen vorurteilslosen, einen weltläufigen Geist= lichen, einen Geistlichen, der mit sich handeln läßt, als ihr Ideal lobpreisen, kommen wahrhaftig nicht in Betracht. Sonst aber stimmt

in diesem Stück merkwürdigerweise das Urteil selbst jener Welt, die
vom Geistlichen keinen Gebrauch macht, mit dem der Gläubigen und
der Frommen überein, wenigstens in der Hauptsache. Und was das
christliche Volk an seinen Geistlichen wünscht und sucht, das wissen
wir alle. Nach der Rubrik Weltförmigkeit richtet es sein Urteil nicht
ein. Ein weltlich denkender, ein weltlich gesinnter und ein weltlich
lebender Geistlicher mag überall zu Hause und überall brauchbar
sein, man verwendet ihn auch überall, wo es sich um weltliche Dinge
handelt, aber Seelenangelegenheiten vertraut man ihm nicht an, lieber
geht oder reist man bis in weite Ferne und schüttet dort nebst der
Last des eigenen Herzens die Klage darüber aus, daß man beim
Herrn zu Haus gar keinen Trost und keine Hilfe finden kann. Ist
aber ein Priester wahrhaft vom Geist des Herrn, vom Geist der
Frömmigkeit, der Kirchlichkeit und des Seeleneifers durchdrungen,
o wie ist das Volk so glücklich und so stolz auf ihn! Und selbst die
Honoratioren und die Liberalen im Städtlein sagen: Jung ist er,
das ist wahr, mit dem Predigen tut er sich schwer, aber allen Respekt
vor ihm, ein Priester ist er, das muß man ihm lassen. Darin hat
sich das Urteil unserer Zeit durchaus nicht geändert. Im Gegenteil,
je schlimmer die Lage wird, umso dringender fühlt die Welt, daß
sie Priester braucht, Seelsorger, Männer, die innerlich vom Geist
des Glaubens und der Andacht erfüllt sind, kurz Geistliche im vollen
Sinn des Wortes. Und auch die, denen die soziale Tätigkeit des
Klerus als Maßstab für dessen Brauchbarkeit gilt, weichen von diesem
Urteil nicht ab, denn sie finden doch heraus, daß ein wahrhaft
frommer, vom kirchlichen Geist durchdrungener Priester stets die
größte Opferfreudigkeit und fast immer das nötige Geschick zur
Führung der äußerlichen Geschäfte besitzt. Sehen Sie, sagte vor
Jahren eine reiche, angesehene Dame, wir haben es mit allen versucht, wir haben Fromme gehabt und haben Geschickte und Welt-
läufige gehabt; ich sage Ihnen, man ist doch mit den Frommen am
besten versehen. Pietas ad omnia utilis, sagt bekanntlich schon der
Apostel (1. Tim. 4, 8). Dabei verlangt er schon auch, daß die zuverlässigen Männer, die er unter die Diener der Kirche will aufgenommen
wissen, geeignet seien, andere zu belehren (2. Tim. 2, 2). Damit hat
er dieselbe Weisung ausgesprochen, die unser Heiliger Vater gegeben
hat. Es ist ja gewiß schön und gut, wenn der Geistliche dem Schul-
lehrer durch sein Wissen überlegen ist und eine gewisse Achtung ein-

flößt. Nur ist er nicht dazu in die Seelsorge gesandt, damit er diesen
durch seine Gelehrsamkeit beschäme und daß er überallhin als erste
Autorität in sozialen Fragen als Redner auf Versammlungen reise,
sondern zunächst zu dem Zwecke, daß er das Volk belehre über das,
was zum Heil nötig ist, und daß er es gegen die Ansteckung durch
den Unglauben wahre. Dazu aber bedarf er einer gründlichen Theologie. Wir lassen es auf das Urteil aller erfahrenen Seelsorger ankommen, indem wir behaupten, daß einer in dieser Zeit einen guten
Schatz von theologischem Wissen sein Eigentum nennen darf, und
sollte er auch nur Katechese und Predigt auf dem Land zu versehen
haben. Mit ein paar dürftigen Ueberresten einer dürftigen theologischen Bildung hat einer wohl nie seiner schweren Aufgabe große
Ehre gemacht, heute aber könnte er leicht selbst unter den einfachsten
Verhältnissen argen Schiffbruch leiden. Ferne sei es, deshalb zu
raten, man solle aus der Bildung des Klerus alle weltlichen Unter-
richtsgegenstände entfernen. Das ist ja sicher richtig, daß der Geistliche nicht vielseitig genug gebildet sein kann. Aber zuerst muß er
die Bildung erlangen, die ihn zum Geistlichen macht, die theologische und die aszetische. Alles andere nur, soweit Zeit und
Kräfte reichen, und ohne Schaden für das Wesentliche. Mögen die,
denen eine Erweiterung des Bildungskreises für den Klerus so sehr
am Herzen liegt, dazu behilflich sein, daß auch die Zeit der theologischen Vorbereitung dementsprechend verlängert werde, dann läßt sich
manches von dem, was ihnen wünschenswert erscheint, eher zur Einführung bringen. Unter dieser Voraussetzung würden wir von ganzem
Herzen auf ihre Seite treten, immer jedoch mit dem Vorbehalt, daß
auch dann das Hauptgewicht auf die theologische Durchbildung gelegt werden müsse, denn unserer festen Ueberzeugung gemäß ist die
Zeit, die der Vorbereitung auf das Priestertum gewidmet ist, viel
zu kurz, als daß eine den dringenden Anforderungen der Gegenwart
völlig angemessene theologische und aszetische Schulung durchgeführt
werden könnte. Wäre indes die Zeit auch noch so lang, eine Einführung von mehr Welt könnten wir nie begutachten. Mit
andern Worten: Erlaubten es die Umstände, die rein weltlichen
Studien nach Belieben auszudehnen, immer müßten doch die theologischen den Vorrang haben und die übrigen in ihren Dienst nehmen.
Der Priester mag betreiben was immer, als rein weltliches Geschäft
oder Studium darf er es nie betreiben, stets muß es für ihn ein

Mittel sein: Gott besser dienen und seinen priesterlichen
Beruf gedeihlicher ausüben zu können.

Ueberall gibt es nur eine Antwort: **Nicht mehr Welt, sondern mehr Gott!** Nicht die Hinneigung zum Geist der Welt kann
uns helfen, sondern nur die Erfüllung mit dem Geist Gottes. So
viel wir uns an die Welt anlehnen, so viel verlieren wir von der
Kraft Gottes, so viel von der Fähigkeit, der Welt das Heil zu
bringen. Weltförmige Leute hat sie selber genug, dazu bedarf sie
unser nicht. Aber ein einziger gottförmiger Mensch könnte um so
mehr Wunder wirken, je mehr diese Art von Menschen selten und
wundersam geworden ist. Ohne Versuch zur Rettung dürfen wir die
Welt nicht preisgeben. Um so dringlicher ist die Mahnung, daß wir
den Weg einschlagen, der allein der Welt und uns zum Heil sein
kann. Das ist der Sieg, der die Welt überwindet — unser Glaube,
sagt der Apostel (1. Joh. 5, 4), für damals, für heute, für immer.

Die Steuerpflicht.

Von P. Saedler S. J., Valkenburg (Holland).

Nur wenige Fragen der Moraltheologie werden heute so scharf
umstritten wie die Frage der Steuerpflicht.[1]

Das ist auch gar nicht zu verwundern, schon wegen der Materie;
denn mit einer dem Naturgesetz gleichenden Unerbittlichkeit begleitet
die Steuerlast den heutigen Staatsbürger, man möchte fast sagen
von der Wiege bis zum Grabe. Der Moralist aber, der sich an die
wissenschaftliche Analyse der Steuerpflicht begibt, gewahrt bald, daß
er es mit einem Problem zu tun hat, das seinen lebendigen Zusammenhang mit den entsprechenden kulturgeschichtlichen Institutionen
nicht verleugnen kann und infolgedessen jedem starren Prinzipien-
zwange über ein bestimmtes Maß hinaus widerstrebt. Wer die innerliche Beziehung der Steuerpflicht zur Gestaltung des entsprechenden
Steuerwesens übersieht und die Grundsätze längst entschwundener
Zeiten unbedenklich auf die modernen Verhältnisse überträgt, ist zur
Lösung unserer Frage jedenfalls ungeeignet. **Nur wer die Steuer-
sphäre, in der der konkrete Mensch sich bewegt, gehörig
berücksichtigt, kann ihm über seine Steuerpflicht etwas
Vernünftiges sagen.**

Nach diesem Grundsatze versuchen folgende Ausführungen aus
den modernen, insbesondere deutschen Steuerverhältnissen heraus zu
einem adäquaten, praktisch brauchbaren Ausdruck der Steuerpflicht
zu gelangen.

---

[1] Die historische Seite des Problems behandelt Dr. Hamm in seiner
bedeutsamen Schrift: Zur Grundlegung und Geschichte der Steuermoral. Trier 1908.

I. Bezüglich des allgemeinen Charakters der Steuerpflicht sind drei Ansichten zu unterscheiden.

Die erste erklärt alle Steuergesetze samt und sonders für bloße Pönalgesetze oder stellt wenigstens jedem diese Auffassung derselben anheim. Die zweite sieht in denselben Moralgesetze und leitet die Gewissensverpflichtung ex iustitia commutativa, die dritte ex iustitia legali her.

Die erste Auffassung stellt folgerichtig nur eine entfernte Steuer= pflicht auf. Jeder kann nach ihr Steuerhinterziehung in beliebigem Umfange betreiben, nur muß er im Falle des Mißlingens die gesetz= liche Strafe bezahlen. Biederlack meint, „daß die von den früheren Autoren für den Charakter der Steuergesetze als Pönalgesetze vor= gebrachten Gründe im allgemeinen für unsere heutigen Verhältnisse eher an Bedeutung gewonnen als verloren haben".[1]

Wer dagegen für die Steuergesetze eine Gewissensverpflichtung ex iustitia commutativa fordert, muß jede Steuerdefraudation als Eigentumsvergehen erklären und dementsprechend behandeln.

Die Folgerungen, die sich aus der dritten Annahme ergeben, daß nämlich die Steuergesetze im Gewissen nur ex iustitia legali verpflichten, liegen nicht so sehr auf der Hand; sie zu ziehen ist viel= mehr ein Zweck dieser Erwägungen.

Welche von den drei Ansichten ist nun die richtige?

1. Erinnern wir uns vorher noch daran, daß jede derselben die Steuerpflicht grundsätzlich und allgemein erklären will und treten wir dann in die Wirklichkeit hinaus. Das erste, was wir erleben, ist eine Enttäuschung. Wir sehen nämlich, daß die bloß pönalgesetz= liche und die moralgesetzliche Verpflichtung unbeanstandet neben= und durcheinander bestehen. Ein Blick auf die naturgesetzliche Grundlage der Steuerpflicht klärt uns auf. Das Naturgesetz verleiht der Obrigkeit das Recht, Steuern zu fordern und die Untergebenen zu ihrer Leistung zu verpflichten, in welcher Weise aber diese Pflicht auferlegt werde, überläßt es dem Gesetzgeber. Dieser kann sie direkt im Gewissen auferlegen, kann aber auch, so sehr er die Leistung wünschen mag, dennoch von einer Gewissensverpflichtung absehen und sich mit pönaler Sanktion begnügen. Gerade die Nichtbeachtung dieses ver= änderlichen Charakters der Steuerpflicht je nach dem Willen des Gesetzgebers ist vor allem Schuld an dem Wirrsal der Meinungen. Die Fragestellung, ob bloßes Pönal= oder Moralgesetz ist in dieser allgemeinen Form überhaupt nicht zu beantworten. Wer hier a priori argumentiert, beweist zu viel.

Das ist auch der Standpunkt des P. Vermeersch, der mit Unrecht schlechthin aus Vertreter der Pönalgesetztheorie zitiert wird. Er sagt sogar ausdrücklich: „Ubique adhortandi sunt cives, ut pro more in regione accepto solvant tributa."[2] Die pönalgesetzliche

---

[1] Zeitschrift für kath. Theologie 1899, p. 164. — [2] De iustitia p. 136

Steuerpflicht kann also zu Recht bestehen, sei es durch den ausdrück=
lichen Willen des Gesetzgebers, sei es durch die von ihm stillschweigend
gebilligte Gewohnheit.

2. Es bleibt demnach nur die Frage übrig: wenn die Steuer=
gesetze hic et nunc Moralgesetze sind, welcher Natur ist dann ihre
Verpflichtung? Ist sie der ausgleichenden oder der legalen Gerech=
tigkeit zuzuweisen? Wir antworten, nur der legalen Gerechtigkeit,
solange es sich um die persönliche Steuerpflicht des Staatsbürgers
handelt.

Die gegnerische Auffassung, daß die Steuergesetze ex iustitia
commutativa verpflichten, ist zunächst aus inneren Gründen unhaltbar.
Sie gilt für die sogenannten Gebühren, durch die der Bürger eine
Sonderleistung der öffentlichen Gewalt kontraktlich vergütet, für die
Steuer dagegen ist sie unhaltbar, weil die aequalitas rei ad rem.
wie die ausgleichende Gerechtigkeit sie fordert, sich nicht erweisen
läßt. „Was man auch immer von einer Wertkorrespondenz zwischen
den Leistungen des Gemeinwesens und den zu ihrer Herstellung und
Ausführung notwendigen öffentlichen Mitteln reden und so sehr man
auch diese Leistungen pretio aestimabiles nennen mag, die Einzel=
steuern können nicht, wie Trendelenburg sich ausdrückt, als der Tausch=
preis für die vom Staate dem einzelnen Bürger gleichsam als Ware
dargebotene Sicherheit der Person und des Eigentums aufgefaßt
werden."[1] Das ergibt sich aus dem Steuerbegriff selbst. Steuern
sind Beiträge, die von der öffentlichen Gewalt von allen zur Gemein=
schaft gehörigen Mitgliedern einzig auf Grund dieser Zugehörigkeit
eingefordert werden, um damit den zur Verwirklichung des allgemeinen
Wohles dienenden Finanzbedarf zu decken, oder kurz: Zwangsbeiträge
zu den öffentlichen Lasten. Bei der Festsetzung dieser Beiträge nimmt
nun der Staat offenbar keine Rücksicht auf die Sondervorteile, die
der einzelne Staatsbürger aus den öffentlichen Leistungen zieht, wie
die Genußtheorie philosophiert, sondern einzig und allein auf die
Leistungsfähigkeit der einzelnen.

Dasselbe gilt bezüglich der von namhaften Nationalökonomen
vertretenen Assekuranztheorie, wonach der Steuerbetrag dem Kosten=
aufwande entspräche, den der betreffende Steuerzahler dem Staate
verursacht. Diese Kostenaufwände entziehen sich, geradeso wie die
Sondervorteile, vollständig der Berechnung, so daß wiederum von
einer Gleichung zwischen Wert und Gegenwert keine Rede sein kann.

Wenn endlich der der Höhe des Vermögens entsprechende
Staatsschutz den Steuerbetrag bestimmte, so könnte sich jeder der
Steuerpflicht dadurch leicht entziehen, daß er sein Kapital im Aus=
lande steuerfrei anlegt. Nun sind aber nicht nur alle in der Ver=
urteilung solcher Praktiken einig, sondern der Staat verlangt selbst

---

[1] Cf. Dr. Ctem. Wagner, Die sittl. Grundsätze bezüglich der Steuerpflicht.
Regensburg 1906, p. 28 u. 84.

Steuer von den ausländischen Renten, für deren Schutz er doch nichts tut, und beweist so schlagend, daß seine Gegenleistungen bei der Bestimmung der auf den einzelnen entfallenden Steuerquote nicht für ihn maßgebend sind.

3. Noldin sagt mit Recht, „daß die Steuerpflicht eine Pflicht der legalen Gerechtigkeit ist, ergibt sich mit Evidenz, wenn man die legale Gerechtigkeit in ihrem Unterschied und Zusammenhang bezüglich der ausgleichenden und austeilenden bestimmt".[1] Warum unterscheiden wir denn eigentlich eine legale Gerechtigkeit? Doch nur darum, weil wir erkennen, daß die Beziehungen zwischen Gemeinschaft und Mitglied, wenngleich sie nicht dem Wesen der strengen, ausgleichenden Gerechtigkeit in allem entsprechen, dennoch rechtlicher Natur sind. Insbesondere hat die Gemeinschaft das Recht zu verlangen, daß alle Mitglieder zu den gemeinsamen Lasten nach Kräften beitragen, und das Mitglied hat die entsprechende Rechtspflicht, diesem Verlangen zu genügen. Staat und Bürger sind nun die Urtypen von Gemeinschaft und Mitglied; in ihrem Verhältnis zu einander zeigt sich also auch die legale Gerechtigkeit in ihrem ureigensten Wesen. Wo soll denn diese überhaupt noch zu finden sein, wenn man sie hier in ihrer ursprünglichen Gestalt verkennt? Die Steuern sind notwendig zur Verwirklichung des von Gott im Staate gewollten allgemeinen Wohles. Das ist ihr Rechtsgrund und dieser fällt unter das Formalobjekt der legalen Gerechtigkeit. „Jeder Versuch," sagt Wagner treffend, „die Steuerpflicht mit anderen Motiven begründen zu wollen, wird immer dazu führen, der Steuer das öffentlich-rechtliche Moment zu nehmen und sie in die Privatrechtssphäre hinüberzudrängen." (l. c. p. 86.)

Was nun einige dazu verführt hat, die legale Gerechtigkeit aus dieser ihrer Domäne zu verdrängen und durch die ausgleichende zu ersetzen, kann einzig und allein der Umstand gewesen sein, daß man in der Steuerfrage nicht gänzlich von Leistung und Gegenleistung abstrahieren kann. Diese Betrachtungsweise wird sich einem immer wieder aufdrängen; ein anderes aber ist es, sie zu objektivieren und die ausgleichende Gerechtigkeit mit inkommensurabelen Größen rechnen zu lassen.

4. Für die eigentlichen Steuern kommt also nur die pönalgesetzliche oder die legalgesetzliche Verpflichtung in Betracht. Welche von beiden für den einzelnen Fall zutrifft, hat man aus den konkreten Verhältnissen zu ersehen und ist dieserhalb jeder weiteren Spekulation überhoben. Consuetudo optima legum interpres. An und für sich entspricht allerdings die legalgesetzliche Verpflichtung im Gewissen dem allgemeinen Wohle mehr als die bloß pönalgesetzliche. Da nämlich die Steuern der unteren und mittleren Klassen wenig oder gar nicht defraudierbar sind, so kommt der pönalgesetzliche Indult

---

[1] Zeitsch. f. kath. Theol. 1907, p. 530.

faſt nur den oberen Klaſſen zugute, was dann zur Folge hat, daß die ſteuerliche Belaſtung ſich zu Ungunſten der unteren Klaſſen ver= ſchiebt. Damit läßt ſich indeſſen dem einmal zu recht beſtehenden Pönalgeſetz moraltheologiſch nichts anhaben. Letzteres wird übrigens mit Unrecht auf die Formel gebracht: „Laß dich nicht ertappen!“ Dem Geſetzgeber iſt es auch nicht gleichgültig, ob man ſich der geforderten Leiſtung unterziehe oder nicht, er wünſcht ſie vielmehr dringend, wenn er auch nicht unter Sünde dazu verpflichtet.

II. Sehen wir uns jetzt die Natur der legalgerechtlichen Ver= pflichtung näher an und machen wir die Anwendung auf die Steuer= pflicht. Die iustitia legalis verpflichtet den Untergebenen zum Ge= horſam gegen das Geſetz, Verletzung derſelben iſt Ungehorſam, ſchwer oder leicht, je nach der Materie, falls nicht der Geſetzgeber überhaupt nur sub levi verpflichten will. Die Steuerpflicht ex iustitia legali iſt alſo eine Perſonallaſt, die in der perſönlichen Verpflichtung des Bürgers beſteht, nach Maßgabe des Geſetzes von ſeinem Vermögen zu den öffentlichen Laſten beizuſteuern. Die Steuern ſind demnach keine Reallaſt, die un= mittelbar auf dem Vermögen des Bürgers ruht. Der Staat hat kein Miteigentumsrecht am Vermögen ſeiner Bürger, ſondern iſt nur befugt, materielle Beiträge zur Verwirklichung des Gemeinwohls vom Bürger zu fordern, er hat kein ius in re, ſondern nur ad rem. Daran kann auch das Zwangsrecht des Staates nichts ändern, denn dazu genügt, wie ſich aus zahlreichen Analogien ergibt, vollſtändig ein ius ad rem. Wo alſo die Steuergeſetze ex iustitia legali verpflichten, iſt Steuerhinterziehung Ungehorſam gegen ein im Gewiſſen bindendes Geſetz, alſo Sünde, natürlich nur in der Vorausſetzung gerechter Steuergeſetze; denn ungerechte Geſetze können keine direkte Gewiſſens= pflicht erzeugen, alſo ungerechte Steuergeſetze auch keine Steuerpflicht.

Es ſtellt ſich uns dementſprechend die Frage: Was iſt zu einer gerechten Steuer erforderlich?

Die Moraliſten ſtellen drei Bedingungen auf. Mit Uebergehung der erſten, daß die Steuer vom rechtmäßigen Geſetzgeber auferlegt ſein muß, behandeln wir nur die beiden anderen, daß nämlich die Geſamtſteuermaſſe dem öffentlichen Bedürfnis entſprechen und daß die Verteilung gleichmäßig ſein muß.

1. Die erſte Bedingung geht aus dem Begriff der Steuer ſelbſt unmittelbar hervor und enthält den Grund ihrer Exiſtenz= berechtigung und Notwendigkeit.

Angeſichts konkreter Verhältniſſe iſt es natürlich ſehr ſchwer, über die Gerechtigkeit der Steuerhöhe zu urteilen. Alle Kulturſtaaten ziehen heute ganz rieſige Steuermaſſen ein. Im Jahre 1900 kamen auf den Kopf der Bevölkerung in

Frankreich	114	Franken
England	97	„
Spanien	77	„

$$
\begin{array}{lll}
\text{Italien} \ldots \ldots & 65 & \text{Franken} \\
\text{Deutsches Reich} & 47\cdot5 & " \\
\text{Rußland} \ldots & 38\cdot5 & " \\
\text{Belgien} \ldots \ldots & 35\cdot5 & " \\
\text{Schweiz} \ldots & 15\cdot5 & "
\end{array}
$$

$$
\begin{array}{lll}
\text{Vom Einkommen} & & \text{Nach Vermeersch} \\
\text{Belgien} \ldots & 5-6\% & \text{tributum leve} \\
\text{England} \ldots & 8\cdot5\% & " \quad \text{moderatum} \\
\text{Frankreich} & 11\cdot5-12\% & " \quad \text{grave} \\
\text{Italien} \ldots & 14\% & " \quad \text{fere immodicum.}
\end{array}
$$

Zwar muß anerkannt werden, daß der heutige Kulturstaat für die allgemeine Wohlfahrt Großartiges leistet. Leben, Gesundheit, Eigentum, Ehre und Hausfrieden, Erwerbs= und Genußfreiheit des Bürgers sind heute gesicherter denn je. Auch die drückenden Militärtasten dienen zu guterletzt doch zur Verhinderung des größeren Uebels, des Krieges. Freilich ist damit die heutige Staatswirtschaft vom Standpunkt des Steuerzahlers noch nicht gerechtfertigt. Richard Müller (Fulda), gewiß eine Finanzautorität ersten Ranges, schreibt mit Bezug auf die neueste Steuerrazzia im Deutschen Reiche: „Das beste Auskunftsmittel wäre jedenfalls, mit den vorhandenen Einnahmequellen, die seit dem Jahre 1872 von 200 auf 1300 Millionen erhöht worden sind, hauszuhalten, dann könnte man von allen neuen Plänen absehen." Haushalten, das kann der Bürger fordern. Ein Staat, der es z. B. trotz seiner Finanzschwäche anderen absolut gleich tun will zu Wasser und zu Lande, verwirrt die Steuerpflicht und setzt sich seinen Bürgern gegenüber ins Unrecht. Man wird indessen schon abnorme Verhältnisse voraussetzen müssen, um dem einzelnen Steuerzahler hier ein praktisches Urteil zubilligen zu können. Im anderen Falle ist alle Steuerzucht dahin, indem der Einzelne nach eigenem Ermessen für diesen oder jenen Zweck, den er für unnötig hält, die Steuer hinterzieht. Die Folge davon ist dann nur die Ueberlastung der niederen Klassen, die wir schon oben erwähnten. In noch normalen Verhältnissen mit allerdings sehr hohen Steuern, die aber doch dem Gemeinwohl dienen, muß daher die Abhilfe der parlamentarischen Aktion überlassen bleiben, während die Steuerpflicht des Einzelnen intakt bleibt. Wo es sich aber um neue Steuern handelt, kann aus den Bewilligungsverhandlungen sehr wohl ein praktisches Urteil über deren Notwendigkeit und Gerechtigkeit hergeleitet werden. So wird ein Steuergesetz, das gegen den entschiedenen Widerstand notorisch gerechter und für das Gemeinwohl besorgter Männer dennoch von der Mehrheit der Volksvertretung angenommen wird, kaum den Einzelnen im Gewissen verpflichten.

Zweifellos aber verhält es sich so bei der sicheren Verwendung öffentlicher Gelder für Zwecke, die der Religion und Gerechtigkeit widersprechen. Niemand wird einen Katholiken im Gewissen verpflichten, für ein konfessionsloses Schulwesen beizusteuern. Gleiches

gilt in konfessionell gemischten Staaten, falls öffentliche Gelder ein=
seitig zugunsten einer Konfession verwendet werden. Solche Abgaben
unterliegen an und für sich nicht einmal der pönalgesetzlichen Sanktion.
Liegen also solche Zwecke evident vor, und darüber wird man sich
Gewißheit verschaffen können, wie z. B. bei der preußischen Ostmarken=
politik, dann muß es dem Gewissen des Einzelnen überlassen werden,
seine Steuerpflicht danach einzurichten. Allerdings tritt hier ein sub=
jektives Element in die Steuerpflicht ein, der Staat indes, der solche
Zwecke verfolgt, kann sich nicht darüber beklagen.

2. Die zweite Bedingung der gerechten Steuer fordert die gleich=
mäßige Verteilung der öffentlichen Lasten nach den Grundsätzen der
austeilenden Gerechtigkeit.

Die austeilende Gerechtigkeit verlangt, daß der Bürger nach
Kräften zum allgemeinen Wohle beisteuere und dementsprechend vom
Staate herangezogen werde. Hieraus ergibt sich, daß das Einkommen
der Bürger im weitesten Sinne das natürliche Prinzip der Steuer=
verteilung ist. In thesi hätte also derjenige Staat das vollkommenste
Steuersystem, der nur eine direkte und wegen der progressiv wach=
senden Leistungsfähigkeit progressive Einkommensteuer bezöge. Diese
Idealkonstruktion paßt indessen nicht für das praktische Leben. Sie
setzt ein ideales Budget und ideale Steuerzahler voraus. Der Staat,
wie er ist, kommt mit der direkten, progressiven Einkommensteuer
allein nicht aus. Die Einkommensart muß als Steigerungsprinzip
herangezogen werden (Grund=, Gebäude=, Gewerbe=, Renten=, Tan=
tièmensteuer usw.), und das ist wegen der öffentlichen Einrichtungen,
von denen diese Einkommensarten profitieren, oder wegen der Sicher=
heit des Besitzes oder der Bequemlichkeit des Erwerbes durchaus
gerecht.

Für die breiten Massen muß sodann bei der Höhe des heutigen
Finanzbedarfes die den Einzelnen treffende Quote und deren Ein=
treibung aus Gründen des öffentlichen Wohles unbedingt verschleiert
werden. Und hier liegt die Berechtigung der Verbrauchssteuern, die
den Massengebrauch belasten. Die breite Masse des besitzlosen Volkes
trägt durch sie unbewußt, bequem und Pfennig um Pfennig ihren
Teil zu den allgemeinen Lasten bei.

Im allgemeinen muß natürlich für die Verwirklichung der
austeilenden Gerechtigkeit ein gewisser Spielraum gelassen werden.
Die gerechte Steuer läßt sich nicht für den Einzelnen auf Heller
und Pfennig berechnen. Es ist nicht einmal möglich, die leistungs=
fähigsten Volkskreise relativ so ausgiebig heranzuziehen, wie die mitt=
leren und unteren Schichten. Es besteht sonst Gefahr, daß besonders
die beweglichen Kapitalien abwandern und der Staat die ganze
Steuer verliert. Man muß überhaupt berücksichtigen, daß das Steuer=
wesen sozusagen das Nervensystem des modernen Staates ist. Nirgends
ist er empfindlicher und verwundbarer als hier. Daher auch die Kom=
plikation der steuertechnischen Maschinerie. Die Steuergesetzgebung

muß den wirr verschlungenen Fäden der Standes= und Gesamt=
interessen, wie sie im Erwerbsleben der Nation auf= und nieder=
und durcheinandergehen, unausgesetzt folgen. Aber auch die besten
Einrichtungen werden sich des Unvollkommenen und Verbesserungs=
bedürftigen nie ganz entledigen, und es ist daher eine unabweisbare
Pflicht des Einzelnen, Härten und Unvollkommenheiten bis zu einem
gewissen Grade zum Besten der Gesamtheit mit in den Kauf zu nehmen
oder wenigstens bis zur Abstellung geduldig zu ertragen. Bis zu
einem gewissen Grade; denn es muß andererseits auch wahr bleiben,
daß die Weite, die der Staatsgewalt in der Ausübung der aus=
teilenden Gerechtigkeit zugestanden werden muß, nie von ihr zur
evidenten Ungerechtigkeit mißbraucht werden darf. Sie hat im Gegen=
teil die Pflicht, die Grundsätze der Gerechtigkeit nach Möglichkeit
mehr und mehr zu verwirklichen und kann auch nur insoweit die
Hilfe der Moraltheologie mit Recht beanspruchen. Kein Beichtvater
wird sich dazu verstehen, seinem Pönitenten die geordnete Wahr=
nehmung eines offenbaren Rechtes zu verkürzen.

Vor allem muß verlangt werden, daß die breiten Massen durch
die Besteuerung des Massenverbrauchs nicht über Gebühr belastet
werden. Das kann ohne Einbuße der Steuerkasse geschehen, indem
die Steuer durch vorsichtige Staffelung der Produktionsabgaben auf
die Großproduzenten geschoben wird, wie es das Deutsche Zentrum
in mustergültiger Weise bei der Neuordnung der deutschen Brausteuer
durchgesetzt hat. Die weitere Ausgestaltung des Kinderprivilegs ist
ferner dringend erfordert. Es ist überhaupt hohe Zeit, daß die Steuer=
gesetzgebung sich mehr nach der wirklichen Verteilung der öffentlichen
Lasten umsehe. Es genügt nicht, die leistungsfähigen Schultern be=
lasten zu wollen, sondern es muß vor allem dafür gesorgt werden,
diese Lasten so unabwälzbar wie möglich zu gestalten. Die deutschen
Steuerverhältnisse sind in dieser Beziehung gar sehr verbesserungsfähig,
und im allgemeinen kann gesagt werden, daß das Bestreben der
Regierungen und der konservativ=liberalen Parteien, den Massen=
verbrauch mehr und mehr zu belasten, ein sehr bedenkliches Licht auf
die in der deutschen Steuerpolitik maßgebenden Grundsätze wirft.

3. Wir gehen nun zur Steuerquote über, die auf den Einzelnen
entfällt. Hier müssen wir zwischen der gesetzlichen, der faktischen und
der gerechten Steuerquote im engeren Sinne unterscheiden. Die faktische
entsteht im Gegensatz zur gesetzlichen dann, wenn bei der Selbst=
einschätzung eine gewisse Reduktion allgemeiner Brauch ist. In diesem
Falle verpflichtet natürlich nur die faktische im Gewissen, die gesetz=
liche ist pönal.

Auf diese nach allgemeinem Stil erlaubte Reduktion folgt die
naturrechtlich zulässige private Steuerverweigerung wegen Mißbrauch
der Steuern zu sittlich unerlaubten Zwecken, falls solche wirklich und
nachweisbar vorliegen. Sie kann natürlich dem Gesamtsteueranteil
proportional genommen werden, wird sich aber, gewissenhaft ver=

anſchlagt, für gewöhnlich in engeren Grenzen halten, da die anſtößigen
Zwecke doch immer nur eine ſehr untergeordnete Rolle im Staats=
haushalte ſpielen.

In der Beurteilung der gerechten Steuerquote im engeren Sinne
iſt naturgemäß nur der Steuerzahler ſelbſt zuſtändig, denn er allein
kann ſeine Verhältniſſe beurteilen. So lange er aus ſeinen perſönlichen
Verhältniſſen heraus eine solida et vere probabilis ratio für die
Ungerechtigkeit der ihm abgeforderten Steuer hat, liegt keine Steuer=
pflicht für ihn vor. Sie tritt erſt dann ein, wenn er die Steuer ſoweit
reduziert hat, daß er dieſe ratio nicht mehr mit gutem Gewiſſen für
ſich vorbringen kann. Er iſt dann zur ſtrikt gerechten Steuer gelangt
und jede weitere Verminderung iſt Defraudation, Sünde. Die abſolute
Höhe der Steuer fließt daher bei der Beurteilung ihrer Gerechtigkeit
gar nicht ein, ſondern die Leiſtungsfähigkeit allein. Die abſolute Höhe
berechtigt alſo als ſolche auch keineswegs zur Reduktion, wenn ihr
die geſetzliche Leiſtungsfähigkeit entgegenſteht. Gerade dieſes Prinzip
muß den beſitzenden Klaſſen viel mehr eingeſchärft werden;
denn ſie haben bei der größten Defraudationsmöglichkeit
die geringſte Berechtigung zur Hinterziehung. Bei den minder=
und unbemittelten Klaſſen wird man dagegen ſagen müſſen, daß jede
Steuer, die den Träger empfindlich belaſtet und ſo ſchwer von ihm
empfunden wird, daß ſie in Anbetracht ſeiner Einkommensverhältniſſe
nur auf Koſten anderer notwendiger Bedürfniſſe geleiſtet werden
kann, objektiv ungerecht iſt und nicht im Gewiſſen verpflichtet; denn
ſie entſpricht nicht der Leiſtungsfähigkeit. Außergewöhnliche Verhält=
niſſe, in denen der Bürger ſelbſt die ſchwerſten Opfer zum Wohle
des Ganzen tragen muß, bleiben hier außer Betracht. Unter normalen
Zeitläuften muß aber vorausgeſetzt werden, daß die Steuerpflicht
nicht den Einzelnen zu dem incommodum simpliciter grave der
erwähnten Art verpflichtet.

Endlich muß noch die Deklarationspflicht erwähnt werden.
Wenn der Geſetzgeber verpflichtet iſt, die austeilende Gerechtigkeit
nach Möglichkeit bei der Auflage der öffentlichen Laſten zu verwirk=
lichen, müſſen ihm auch die hiezu nötigen Mittel und Rechte zu=
geſtanden werden. Zu dieſen gehört aber in erſter Linie die Feſt=
ſtellung der Leiſtungsfähigkeit des Einzelnen, beziehungsweiſe ſeines
Einkommens. Er kann alſo die Untergebenen zur Faſſion verpflichten
und, wenn er das tut, iſt dieſe Pflicht ex genere suo eine ſchwere,
weil ſie von der einſchneidendſten Bedeutung für das Wohl der ganzen
Gemeinſchaft iſt. Wird ein Faſſionseid verlangt, ſo iſt jede Unter=
ſchätzung unter der ſtrikt gerechten Steuer meineidig.

III. Wir wenden uns jetzt konkreten Steuerverhältniſſen zu
und ſuchen die ihnen entſprechende Steuerpflicht in einigen Grund=
ſätzen näher zu beſtimmen. Sie können natürlich nur Anwendung
finden, wenn offenbar, wie z. B. in den Deutſchen Staaten und in
Oeſterreich eine Steuerpflicht ex iustitia legali vorliegt, mit Aus=

nahme der beiden letzten über Vorschußsteuern und Schutzzölle, die
allgemeine Gültigkeit besitzen.

**1. Wer seiner Steuerpflicht durch die Abgabe von Verbrauchs-
steuern wahrscheinlich genügt, kann zur Leistung weiterer
direkter Steuern im Gewissen nicht verpflichtet werden.**

Dieses Prinzip drückt anscheinend etwas selbstverständliches aus
und ist es auch theoretisch; denn, wer seiner Steuerpflicht genügt
hat, ist offenbar jeder weiteren Verpflichtung ledig. Anders aber ist
die praktische Frage, wer denn durch die Verbrauchssteuern allein
seiner Steuerpflicht genüge. Von einer Volksklasse, nämlich derjenigen,
der die Steuergesetzgebung ein steuerfreies Existenzminimum zugesteht,
ist das auf den ersten Blick klar. Wir betrachten hier dieses Existenzminimum als ein reines, setzen also das Fehlen aller direkten Steuern
voraus und behaupten, daß dasselbe in steuerpolitischem Sinne für
die moraltheologische Auffassung der Steuerpflicht kein fixes ist,
sondern nach Maßgabe der Verbrauchssteuerhöhe auch von solchen
im Gewissen beansprucht werden kann, denen das Gesetz es nicht
zugesteht.

Zur Erklärung diene folgendes: Die Verbrauchssteuern sind
so eigentümlicher Art, daß man sie bei der Steuerberechnung des
Einzelnen fast übersehen könnte. Und doch sind sie echte und rechte
Steuern und müssen jedem als solche in vollem Maße angerechnet
werden, wenigstens insoweit, als sie den angemessenen Lebensunterhalt
belasten. In allen Staaten mit ausgedehnter Besteuerung des Massen-
gebrauchs tritt nun unleugbar eine Ueberbürdung der unteren Klassen
ein, die zur realisierbaren austeilenden Gerechtigkeit in Widerspruch
steht. Im Deutschen Reiche bezahlen z. B. die Familien von 1000
bis 1500 Mark Einkommen 40 bis 50 Mark an Verbrauchssteuern
(Zucker, Salz, Kaffee, Petroleum usw.), wobei kaum anzunehmen ist,
daß sich diese sehr beträchtliche Steuerhöhe durch den Verzicht auf
überflüssige, steuerpflichtige Genußgüter bedeutend verringern läßt.
Allerdings werden die Kommunalsteuern meistens von den Besitzenden
getragen; dem gegenüber darf man aber auch nicht übersehen, wieviele
Steuern von diesen auf die Besitzlosen abgewälzt werden. Das ist
z. B. bezüglich der Grund- und Gebäudesteuer bei der enormen Miet-
höhe ganz sicher der Fall. Endlich muß in Anschlag gebracht werden,
daß bei den Verbrauchssteuern jede private Steuerreduktion, wie sie
bei den direkten Steuern zurecht bestehen kann, ausgeschlossen ist. Auch
hier sind also die unteren Klassen gegenüber den höheren im Nachteil.

Bei solchen Erwägungen wird man über die Steuerpflicht des
niederen Volkes bezüglich der direkten Steuern sehr milde urteilen
müssen. Wer im Besitze eines steuergesetzlichen Existenzminimums ist,
kann sich allerdings der Ueberlastung nicht erwehren. Treten aber
direkte Steuerforderungen zu den Verbrauchsabgaben hinzu, dann
tritt mit der Möglichkeit auch die Berechtigung der Selbsthilfe ein.

Den untersten Steuerklassen der direkten Besteuerung kann es also nicht verwehrt werden, sich den an sie gestellten Mehrforderungen zu entziehen. Wie weit man in praxi gehen kann, hängt von der Verbrauchssteuerhöhe einerseits und der wirtschaftlichen Lage der in Frage kommenden Volksschichten andererseits ab. Bei den deutschen Verbrauchssteuerverhältnissen erscheint es gerechtfertigt, diese Vergünstigung auf alle Familieneinkommen bis zu 2000 Mark auszudehnen, zumal wenn man bedenkt, wie sehr diese Familien bei ihrem gewöhnlichen Kinderreichtum mit ihrem Verdienst rechnen müssen. Ueber eine bestimmte Grenze läßt sich indes streiten; unbestreitbar aber ist das Prinzip, daß eine weitere Steuerpflicht im Gewissen nicht besteht, solange jemand den Steuerforderungen, die billigerweise an ihn gestellt werden können, durch seine Verbrauchssteuerabgaben probabiliter genügt.

Es handelt sich zwar in allen diesen Fällen nur um kleinere Summen, man soll indes ohne Not auch keine Pflicht sub levi auferlegen. Praktisch wird der Fall, wenn man von gewissenhaften Leuten, die in den vorausgesetzten Verhältnissen sind, um Rat gefragt wird oder Pönitenten mit falschem Gewissen antrifft. Man kläre sie frei und offen über den Umfang ihrer Steuerpflicht auf.

2. Wer sich der strikt gerechten Steuer entzieht, sündigt schwer, wenn der defraudierte Betrag eine als materia gravis zu bestimmende Summe erreicht.

Jeder kann seine gesetzliche Steuerquote so weit reduzieren, als er eine solida et vere probabilis ratio für ihre Ungerechtigkeit hat. Kann er diese nicht mehr vor seinem Gewissen für sich geltend machen, dann muß er die Steuer als gerecht anerkennen und die Steuerpflicht setzt in seinem Gewissen ein, sodaß jede weitere Hinterziehung Sünde ist. Es fragt sich nur, ob und wann eine schwere Sünde vorliegt.

A priori läßt sich hierüber nichts bestimmen; denn es hängt ganz vom Willen des Gesetzgebers ab, der auch auf eine schwere Sanktion überhaupt verzichten kann. Wenn das sicher feststeht, hat sich der Moralist danach zu richten. Aber wie soll das für ein bestimmtes Steuergebiet konstatiert werden? Es sei hier eine allgemeine Bemerkung gestattet. Es scheint falsch, sich mit der Berufung auf die Volksauffassung zu beruhigen und diese als einzig entscheidendes Kriterium für die Steuermoral zu betrachten. Der Gesetzgeber ist allerdings direkt nicht erreichbar, damit ist aber noch nicht die Volksauffassung als letzte Instanz erwiesen, wenigstens nicht in dem Sinne, daß ihr ein unabänderliches Diktamen zustehe. Die Volksauffassung bedarf gar sehr der Leitung und Erziehung und kann gerade bezüglich der Steuerpflicht sehr reformbedürftig erscheinen. Und diese Aufgabe fällt der Moraltheologie zu. Wie aber soll sie dieselbe lösen? Nach den Bedürfnissen des allgemeinen Wohles. Nur dieses kann hier, wo es sich um die Beziehungen zwischen Gemeinschaft und Mitglied

handelt, maßgebend sein. So will es auch der Gesetzgeber, auf den
die Verpflichtung letztlich zurückgeht. Wenn also die Volksauffassung
der Steuerpflicht dem allgemeinen Wohle nicht entspricht, so entspricht
sie auch dem Willen des Gesetzgebers nicht und muß reformiert
werden.

Es ist nun unbestreitbar, daß es dem allgemeinen Wohle nicht
dient, wenn alle Steuerhinterziehungen als leichte Vergehen aufgefaßt
werden. Das deutsche Volk fühlt das übrigens selber und hält keines=
wegs alle Defraudationen für gleich geringfügige Bagatellen. Ausgedehnte Steuerhinterziehungen in größerem Umfange führen zudem
auf die Dauer immer zu einer größeren Belastung der niederen Klassen,
die sich ihr nicht oder kaum entziehen können. Es ergibt sich also
die Notwendigkeit, die Steuerpflicht als eine wenigstens in ihrer Art
schwere Pflicht aufzufassen, und das kann nur geschehen, wenn man
sich über eine materia gravis bei den Defraudationen einigt. An
und für sich scheint die materia absolute gravis der ausgleichenden
Gerechtigkeit hierzu nicht ungeeignet. Andererseits bedürfte man aber
auch einer beweglichen Größe, da der Defraudant wohl verlangen
kann, daß man die Steuer, die er faktisch entrichtet, auch in Betracht
ziehe. Es schiene daher ganz entsprechend, die materia gravis pro=
zentual, z. B. auf 1% der Gesamtsteuersumme festzusetzen, wobei man
natürlich unter die materia absolute gravis der ausgleichenden
Gerechtigkeit nicht herabgehen dürfte. Den Strick für die Gewissen
braucht man dabei nicht zu befürchten; denn die Sünde bleibt bei jeder
vernünftigen Schätzung durchwegs läßlich, da für die allermeisten
die materia gravis nicht defraudierbar ist. Der große Nutzen einer
solchen Festsetzung bestände aber darin, daß den maßlosen Steuer=
hinterziehungen ein wirksamer Riegel vorgeschoben würde. Hier ist
indessen das eigenste Gebiet der Autoritäten, deren Konsensus allein
zu bestimmen hat.

Auf denselben Voraussetzungen beruht das folgende Prinzip
und will in derselben Weise verstanden werden.

3. Ungerecht hinterzogene Steuern müssen nachgezahlt werden, wie und soweit das Gesetz darauf besteht.

Alle Steuergesetzgebungen bestehen auf der Nachzahlung der
defraudierten Steuern, wenigstens für einen bestimmten Zeitraum.
Diese Nachzahlungspflicht ist ein Akzessorium der Steuerpflicht und
bindet daher auch in gleicher Weise das Gewissen. Der Fall, daß
die Nachzahlungspflicht im Gegensatz zur Steuerpflicht nur pönal=
gesetzlich sei, ist zwar theoretisch möglich, bedarf aber praktisch keiner
weiteren Berücksichtigung. Die Nachzahlungspflicht verjährt gewöhnlich
schon nach wenigen Jahren, während natürlich die Sünde der De=
fraudation bleibt.

Die Nachzahlungspflicht muß ferner in ihrer Entstehung erkannt
werden. Sie ergibt sich nicht aus der Defraudation als ihrer Ursache,

denn diese ist ein bloßer Ungehorsam, sondern aus dem Gesetz, das sie verlangt, wobei die Defraudation nur materia circa quam ist. Wenn nämlich der Gesetzgeber nicht ex iustitia legali auf der Nach= zahlung bestände, würde die Nachzahlungspflicht trotz der Defraudation nicht entstehen. Ihre Schwere ergibt sich aus der Schwere der Materie. Keiner kann die Sünde ernstlich bereuen, der sie durch Verharren im Ungehorsam nicht retraktiert. Das ist aber ohne die gesetzlich geforderte Nachzahlung nicht möglich.

Sehen wir uns nun die Nachzahlungspflicht in ihrem Unter= schiede von der eigentlichen Ersatzpflicht etwas näher an. Gerade hier muß sich der Charakter der Verpflichtung ex iustitia legali zeigen; denn es muß wahr bleiben: Obligatio restitutionis oritur ex omni et sola laesione iustitiae commutativae.

Die Nachzahlungspflicht geht zunächst nicht auf die Erben über; denn sie war eine persönliche Pflicht des Erblassers. Es gehen aber nur dessen Reallasten auf die Erben über, es sei denn, daß er sie zu mehr verpflichte. Auch der Staat kann die persönliche Steuer= pflicht des Erblassers nicht auf die Erben übertragen. Allerdings braucht er nach dem Tode des Defraudators sein Recht auf die hinterzogenen Steuern nicht aufzugeben, kann sich vielmehr das Zwangs= recht auf dieselben ausdrücklich sichern. Das ist auch der Sinn der Steuergesetze, die die Nachzahlungspflicht für die Erben statuieren. Wo sie bestehen, müssen die Erben zulassen, daß sich der Staat der defraudierten Steuer bemächtige, können aber nicht im Gewissen ver= pflichtet werden, dieselben aus eigenem Antriebe nachzuzahlen.

Ferner ist die Nachzahlungspflicht nie sub gravi geboten, wenn nicht der von der gerechten Jahressteuer defraudierte Betrag die materia gravis erreichte. Letztere wächst also nicht aus kleineren Beträgen zusammen, wie das bei der kommutativen Gerechtigkeit der Fall ist, auch dann nicht, wenn jemand die hinterzogenen Steuer= beträge in se oder in aequivalenti besitzt oder durch leichte De= fraudationen im Laufe der Zeit zu einer beliebig großen Summe gelangen will. Er nimmt in Wirklichkeit nichts anderes vor als eine Reihe leichter Gesetzesverletzungen, wobei er für jede derselben eine leichte Nachzahlungspflicht übernimmt. Eine schwere Defraudation ist aber ohne schwere Pflichtverletzung nicht möglich, und diese ent= steht nur durch schwere Hinterziehung von der gerechten Jahressteuer; denn die Steuerpflicht hat eine unlösliche Beziehung zur Steuer= forderung, der sie entspricht. Das ist aber nur die gerechte Jahres= steuer. Wie also Steuerforderung und Steuerpflicht isoliert an den Besteuerten herantreten, so bleibt auch die defraudierte Materie isoliert. Hieraus ergibt sich, daß, wer eine an und für sich schwere Materie durch leichte Defraudationen im Laufe der Zeit defraudiert hat, nicht sub gravi zur Nachzahlung verpflichtet werden kann.

Eigentliche Ersatzpflicht kann nur zufällig entstehen, indem sich irgend eine Verpflichtung der ausgleichenden Gerechtigkeit mit der

Steuerpflicht verbindet. So wäre z. B. eigentlich erſatzpflichtig, wer
durch Hinterziehung der gerechten Steuer die Urſache iſt, daß auf
einen beſtimmten Mitbürger eine größere Summe entfällt. Der Fall
iſt aber heute kaum praktiſch. Gleicherweiſe iſt erſatzpflichtig, wer ſein
Ziel durch Beſtechung der Steuerbeamten erreicht; denn der Staat
hat ein ſtriktes Recht auf die Ehrlichkeit ſeiner Organe.

**4. Zollgeſetze können im allgemeinen als bloße Pönalgeſetze
aufgefaßt werden, mit Ausnahme der Schutzzölle, die unter
gewiſſen Bedingungen direkt im Gewiſſen verpflichten können.**

Die Zollgeſetze erheiſchen eine beſondere Berückſichtigung. Wir
beſchränken uns auf die Einfuhrzölle, da die Ausfuhr= und Durchfuhr=
zölle für unſere Zeit von geringer Bedeutung ſind.

Man teilt die Zölle gewöhnlich in Finanz= und Schutzzölle.
Die Finanzzölle gehen lediglich aus finanzpolitiſchen Erwägungen
hervor und ſollen als Grundlage dauernder Einnahmen dienen. Die
Schutzzölle gehen weiter; zwar verzichtet der Staat auch bei ihnen
nicht auf möglichſt hohe Erträge, ſie ſind aber weſentlich als Schutz
der inländiſchen Produktion gedacht, die ſie durch Verteuerung der
Produktion des Auslandes den inländiſchen Markt ſichern ſollen.
Der reine Schutzzoll belaſtet fremde Waren, die auch im Inland
hergeſtellt werden, ohne aber einer Steuer zu unterliegen, ſtellt ſich
alſo als reiner Schutz eines bedrängten Wirtſchaftszweiges dar. Wir
unterſcheiden davon den Pflichtſchutzzoll im engeren Sinne.

Es iſt ein elementares Geſetz der Steuerpolitik, daß alle Waren,
die im Inlande irgend welcher ſteuerlichen Belaſtung unterliegen,
mit einem Einfuhrzoll in mindeſtens dem gleichen Betrage belegt
werden müſſen. Die Notwendigkeit liegt auf der Hand, der Staat
würde ja ſonſt die eigene Produktion zugrunde richten und ſich dem
Auslande ausliefern. Wir haben es alſo hier mit einem Schutzzolle
zu tun, deſſen Forderung für den Geſetzgeber eine Pflicht der legalen
Gerechtigkeit iſt gegenüber den inländiſchen Produzenten, die er durch
die auferlegte Steuerlaſt in ihrem Wettbewerb mit dem Auslande
geſchwächt hat.

Bezüglich der allgemeinen Verpflichtung der Zollgeſetze iſt der
Wille des Geſetzgebers in derſelben Weiſe maßgebend wie bei den
Steuergeſetzen überhaupt. Die Moraliſten folgern ihn mit Recht aus
der allgemeinen Volksauffaſſung und nehmen für die Zollgeſetze
durchweg die pönalgeſetzliche Sanktion an, mit Ausnahme des gewerb=
mäßigen und des Bandenſchmuggels wegen der damit verbundenen
Gefahren für Eigentum, Freiheit und Leben. Damit wird man ſich
in der Hauptſache einverſtanden erklären können. Eine ſehr bemerkens=
werte Einſchränkung dieſes alten Prinzips ſcheinen uns die modernen
Zollverhältniſſe aber doch zu fordern. Für die oben genannten Pflicht=
ſchutzzölle erſcheint nämlich die bloß pönalgeſetzliche Sanktion kaum
ausreichend, beziehungsweiſe ſehr unwahrſcheinlich. Während der Geſetz=
geber in allen anderen Fällen frei iſt, muß er hier den der inlän=

dischen Besteuerung entsprechenden Zollsatz fordern, ja er muß ihn
nicht nur fordern, sondern auch alles von seiner Seite tun, damit
nicht durch die Defraudation desselben die inländischen Produzenten
geschädigt werden. Er mag sich also sonst mit der bloß pönalgesetzlichen
Sanktion begnügen, die vernünftige Annahme spricht dafür, daß er
die Pflichtschutzzölle als im Gewissen verpflichtend ex iustitia legali
fordere. Die Sonderstellung dieser Zölle scheint diese Auffassung zu
rechtfertigen; denn es muß angenommen werden, daß der Gesetzgeber
ein Gesetz, dessen Erlaß und Durchführung seine besondere Pflicht
ist, auch mit besonderem Nachdruck sanktioniere. Die Pflichtschutzzölle
verpflichten daher unseres Erachtens im Gewissen ex iustitia legali
und ihre Defraudation ist dementsprechend zu beurteilen.

Auf die reinen Schutzzölle ist die Ausdehnung dieser Ver=
pflichtung nicht ohne weiteres erforderlich; bei ihnen müßte bewiesen
werden, daß sich der Gesetzgeber mit der pönalgesetzlichen Sanktion
nicht begnügt. Das scheint aber nur dann der Fall zu sein, wenn
der betreffende Schutzzoll zum allgemeinen Wohle dringend geboten
ist, also nicht auf Kosten einzelner Klassen oder Gewerbe andere
Volksteile ohne Not schwer belastet.

**5. Defraudation von Vorschußsteuern ist Verletzung der aus=
gleichenden Gerechtigkeit und zieht eigentliche Ersatzpflicht
nach sich.**

Wir teilen hier die Steuern in Trag= und in Vorschußsteuern.
Tragsteuern sind solche, die man als eigene Steuern an die Steuerkasse
abliefert, die man also selber trägt. Vorschußsteuern dagegen sind solche,
die der Steuerzahler nicht selber trägt, sondern einem anderen vor=
schießt, an dessen Stelle er sie bezahlt und die der Staat auch nur
vorschußweise von ihm fordert. Das ist z. B. bei der Erhebung der
inländischen Verbrauchssteuern der Fall, deren Einziehung von den
Konsumenten selbst geradezu unmöglich wäre. Der Staat erhebt sie
deshalb von dem Produzenten, aber nicht als dessen Steuer, sondern
in der ausdrücklichen Uebereinkunft, die vorgeschossenen Abgaben von
den Konsumenten, welche die Steuer allein treffen soll, wieder ein=
zuziehen. Der Produzent bezahlt also nichts aus seiner Tasche, es
wird auch nichts von ihm gefordert, er schießt dem Konsumenten die
Steuer nur vor. So bezahlt z. B. ein deutscher Zuckerfabrikant, der
jährlich eine Million *kg* Zucker im Inland absetzt, 140.000 Mark
Zuckersteuer und legt dafür die Zuckersteuer von 14 Pfennig auf
das Kilogramm. Jeder also, der ein Kilogramm Zucker kauft, zahlt
zugleich 14 Pfennig Zuckersteuer, wenn er sich dessen auch nicht
bewußt ist.

Wesentlich ist bei dieser Betrachtung, daß die Verbrauchssteuern
als Vorschußsteuern erhoben werden. Tatsächlich sind auch viele
Zölle in ihrer Wirkung nichts als Verbrauchssteuern für den inlän=
dischen Konsumenten, weil sie vom Importeur abgewälzt werden.

Das ändert aber nichts am Charakter dieser Abgaben; denn dieser
hängt nicht vom Ueberwälzungsprozeß, sondern vom Gesetz ab.
Folglich gilt das vorstehende Prinzip nur von solchen Abgaben, die
nach dem Gesetz als Vorschußsteuern erhoben werden.

Aus dem Gesagten ergibt sich, daß die eigentlichen Vorschuß=
steuern mit Recht eine Ausnahmestellung bezüglich der Steuerpflicht
einnehmen. Der Produzent ist offenbar nur dann berechtigt, den
Steuerzuschlag vom Konsumenten zu fordern, wenn er selbst in dessen
Namen im voraus die Steuer bezahlt hat. Im anderen Falle begeht
er gegen den Fiskus ein eigentliches Eigentumsvergehen, indem er
sich fiskalisches Gut ohne Rechtstitel aneignet; denn nemo ex re
aliena locupletari debet. Die Verbrauchssteuer ist aber eine res
aliena, solange nicht der Produzent sich durch vorschußweise Ent=
richtung das Recht zu ihrer Einziehung erworben, und sie ist im
Marktpreise, wie er sich bei der Verbrauchssteuerhöhe bildet, formell
enthalten.

Es geht auch nicht an, den Defraudanten durch Annahme
eines pretium summum allenfalls zu entschuldigen; denn die Ver=
brauchssteuern sind durchweg zu hoch, als daß bei den gangbaren
Artikeln, um die es sich handelt, noch von einem summum pretium
iustum die Rede sein könnte. Ferner wird aber auch dann nach
der übereinstimmenden Lehre der Moralisten eine Ungerechtigkeit
begangen, si emptor fraude aliisque mediis iniustis ad solvendum
summum pretium inducitur. Das trifft aber hier zu, ja der Käufer
wird gezwungen, den enormen Preis (z. B. für Zucker, Salz usw.),
der den Wert bei weitem übertrifft, zu bezahlen, wobei der Defraudant
sich natürlich geberdet, als habe er im Namen des Käufers die Ver=
brauchssteuer entrichtet, sonst könnte er ja seine Preisforderung nicht
rechtfertigen.

Aber, könnte man einwenden, der Käufer bezahlt nicht mehr,
auch wenn der Produzent die Verbrauchssteuer defraudiert. Allerdings,
aber deshalb begeht dieser auch keine Ungerechtigkeit gegen den Käufer,
sondern gegen den Staat, indem er sich des Betrages, der als Steuer
entrichtet worden ist, widerrechtlich bemächtigt. Defraudation von
Vorschußsteuern ist also Diebstahl. Die Autorität der Moraltheologen
kann hiergegen nicht angerufen werden. Der Kasus ist überhaupt
mit der modernen Verbrauchssteuertechnik erst praktisch geworden.
Auch die exorbitante Strafe, die tatsächlich auf solchen Defraudationen
steht, beweist an und für sich nichts für ein Pönalgesetz. Sie bietet
nur dann einen Anhaltspunkt, wenn sich anderwärts keine moralische
Verpflichtung nachweisen läßt. Man muß daher sagen, daß diese
Strafen nur den lobenswerten Zweck haben zu zeigen, wie gravis=
sime invitus der Gesetzgeber ist, daß jemand sich mit den Abgaben
bereichere, die der Staat dem Volke auferlegt. Wenn die Verbrauchs=
steuern, selbst hohe, dem Gemeinwesen zugute kommen, kann man
sich noch mit ihnen versöhnen; daß sie aber von Einzelnen unter=

schlagen werden, ist so ungehörig, daß man eine Verpflichtung ex iustitia commutativa von staatswegen annehmen müßte, wenn sie nicht in der Natur der Sache läge. Genau so wird jeder Konsument denken und dagegen protestieren, daß die von ihm entrichteten Steuern in Privatkassen hängen bleiben.

Es ist also der Mühe wert, bei Steuerdefraudationen sich etwas näher zu erkundigen. Stellt sich schwere Defraudation von Vorschußsteuern heraus, dann hat der Defraudant ad bonum commune zu restituieren, sonst kann er nicht absolviert werden. Anders liegt die Sache natürlich, wenn der Produzent die Produktionshöhe unterschätzt, dafür aber auch die Produkte um so billiger losschlägt. Das ist aber praktisch kaum möglich und daher auch die Defraudation zwecklos. Was man einzig und allein gestatten kann, ist, daß der Produzent, falls andere ungerechte Steuern ihn belasten, sich an den Vorschußsteuern nach gewissenhaftem Ermessen schadlos halte.

IV. Steuer, wem Steuer, Zoll, wem Zoll gebührt. (Röm. 13, 7.) Die vorstehende Untersuchung hat sich daran gehalten und versucht, die Frage der Steuerpflicht etwas vom Fleck zu bringen. Sie hat gezeigt, daß die beiden gewöhnlichen Ansichten, die extrem pönalgesetzliche und die extrem moralgesetzliche aprioristisch und angesichts der wirklichen Verhältnisse unhaltbar sind. Der Moralist kann aber bei dieser und allen einschlägigen Fragen die Wirklichkeit nicht aufmerksam genug betrachten. Auf diesem Wege ergab sich auch das Resultat, daß die Volksauffassung der Steuerpflicht der Leitung und Bildung gar sehr bedarf, da sie sich mit den neuzeitlichen Steuerverhältnissen nicht mehr deckt. Bezüglich der Vorschußsteuern und Pflichtschutzzölle glauben wir das mit Sicherheit behaupten zu können, für die allgemeine Auffassung der legalgesetzlichen Steuerpflicht wäre es nach Maßgabe der Prinzipien 2 und 3 wenigstens sehr zu wünschen. So käme auch in der Steuerpflicht die Solidarität zum Durchbruch, die das Lebensprinzip der christlichen Gesellschaft ist.

Kirchliche und staatliche Rechtsform der Eheschließung in Oesterreich seit Ostern 1908.

Von Ordinariatssekretär Dr. W. Gresam in Linz.

Der österreichische Pfarrseelsorger muß in Ehesachen zwei Herren dienen. Er ist in einer Person Diener der Kirche und Standesbeamter des Staates. Das hat seine guten und auch seine bösen Seiten. Abgesehen davon, daß dadurch die von der Kirche verabscheute Zivilehe in Oesterreich bis heute eine seltene Ausnahme geblieben ist, weil die Eheschließung vor der weltlichen Behörde erst dann und nur dann erfolgen kann, wenn der Pfarrseelsorger aus einem vom bürgerlichen Gesetze nicht anerkannten Grunde die Eheassistenz oder das Eheaufgebot verweigert, bieten immerhin das Brautexamen und die kirchliche Trauung, denen sich füglich kein katholischer Nupturient entziehen kann, sowie die damit zusammenhängende Matrikenführung schätzenswerte Anknüpfungspunkte zu seelsorglicher Einflußnahme auch auf solche Kreise, die sich sonst gegen jeden persönlichen Verkehr mit ihren Seelsorgern abschließen würden.

Andrerseits ist für die Pfarrseelsorger in Oesterreich die staat=
liche Matrikenführung mit allem, was damit zusammenhängt, eine schwere Arbeitslast, und sind in den Pfarrkanzleien oft die besten Seelsorgskräfte gebunden und verurteilt, sich in trostlosem Bureau=
kratismus aufzureiben. Außerdem ist der Pfarrseelsorger in die Not=
wendigkeit versetzt, neben der kirchlichen Ehegesetzgebung auch die staat=
lichen Vorschriften über Eherequisiten, Ehehindernisse und Eheabschluß zur Ausführung zu bringen; denn § 78 des a. b. G.=B. bedroht den Seelsorger mit schwerer Strafe, wenn er eine Trauung mit Miß=
achtung der staatlichen Ehevorschriften vollziehen würde. Ein Aufgeben des kirchlichen Standpunktes oder seines priesterlichen Gewissens ist allerdings damit dem Seelsorger nicht zugemutet. Denn wo der Staat das kirchliche Eherecht nicht anerkennt oder sich mit demselben in Widerspruch setzt, öffnet das Staatsgesetz vom 25. Mai 1868 R.=G.=Bl. Nr. 47 das Hintertürchen der sogenannten „Notzivilehe", um den Nupturienten die bürgerliche Anerkennung ihrer Verbindung, dem Seelsorger aber seine Gewissensfreiheit zu sichern.

Es muß aber nicht jede Divergenz zwischen dem kirchlichen und staatlichen Eherechte zum casus belli werden oder zu der traurigen Lösung durch eine „Zivilehe" drängen. In den weitaus meisten Fällen ist es dem Seelsorger möglich, sowohl den Vorschriften der Kirche Geltung zu verschaffen, als auch durch Einhaltung der staat=
lichen Gesetze die bürgerlichen Rechtswirkungen des Eheabschlusses zu sichern. Und soweit es möglich ist, diese Brücke zu schlagen, darf sich der Seelsorger zur Hintanhaltung der Zivilehe oder eines staatlich nicht anerkannten Eheabschlusses die Mühe nicht verdrießen lassen, beiden Gesetzen, dem kirchlichen und dem staatlichen, Genüge zu leisten.

Seit Ostern 1908 sind nun allerdings die Divergenzen zwischen der kirchlichen und der staatlichen Ehegesetzgebung Oesterreichs zahl=
reicher und tiefergehend geworden als früher. Die Kirche hat eine gründliche Revision und zeitgemäße Reform ihrer Ehegesetzgebung durch das Dekret „Ne temere" angebahnt und wird wahrscheinlich auf dem betretenen Wege noch weiter vorwärts gehen. Der öster=
reichische Staat hat diesen wahren Fortschritt nicht mitgemacht. Sein Eherecht ist so geblieben, wie es bis Ostern 1908 war. So bildet nun fast jede Verbesserung, die die Kirche an ihrem Eherechte vor=
genommen hat, eine neue Differenz mit dem österreichischen Staats=
eherechte, und darum eine Quelle neuer Schwierigkeiten für den Pfarrseelsorger Oesterreichs, der beiden Gewalten dienen soll. Es spuken wohl auch in Oesterreich allenthalben „Ehereformer", aber sie wollen nicht Verständigung mit dem kirchlichen Rechte, sondern

volle Emanzipation von demselben. Gerade darum dürfte jetzt nicht
der rechte Zeitpunkt sein, daß der Episkopat Oesterreichs oder die
katholischen Parlamentarier mit einer Aktion zur Erzielung einer den
kirchlichen Reformen entsprechenden Aenderung oder Interpretation
der staatlichen Ehegesetzgebung einsetzen könnten.

Für den Pfarrseelsorger resultiert aus dieser Sachlage die Verpflichtung, die kirchliche und bürgerliche Ehegesetzgebung genau zu
kennen, scharf auseinander zu halten und im einzelnen Falle so vorzugehen, daß eine kirchlich und staatlich giltige und erlaubte Eheschließung zustande kommt.

Es soll nun im folgenden der Versuch gemacht werden, in
tabellarischer Form zur Darstellung zu bringen, was hiezu für die
Praxis im einzelnen Falle erforderlich ist. Es ist natürlich unmöglich,
alle Kombinationen, die sich ergeben können, in Rechnung zu ziehen.
Es sollen nur die hauptsächlich praktischen Fälle auf drei Grund-
formen zurückgeführt und für die pfarrämtliche Geschäftsführung,
sowie zur allseitigen Beleuchtung des Verhältnisses zwischen kirchlichem
und staatlichem Eherechte in Oesterreich behandelt werden.

Eine ähnliche Uebersichtstabelle hat der hochwürdigste Episkopat
Böhmens zugleich mit der Durchführungsinstruktion zum Dekrete
„Ne temere" in den Ordinariatsblättern der einzelnen Diözesen
publiziert (vgl. Ordinariatsblatt der Prager Erzdiözese 1908, Nr. 4).

Die folgenden drei Schemata versuchen unter etwas anderen
Gesichtspunkten und mit scharfer Unterscheidung des Begriffes „Pfarr-
zugehörigkeit" nach den verschiedenen Rechtstiteln, denen diese nach
dem Dekrete „Ne temere" entspringen kann, eine relativ vollständige
Zusammenstellung der praktisch wichtigeren Fälle zu bieten, in die
in Oesterreich

a) ein Pfarrvorstand bei Trauungen in seinem eigenen Pfarrgebiet,
b) ein Pfarrvorstand bei Trauungen außerhalb seines eigenen
   Pfarrgebietes,
c) ein Priester, der kein Pfarrgebiet hat, bei Trauungen in einer
   beliebigen Pfarre,

kommen kann. Für die Praxis sei noch bemerkt, daß sich mit Hilfe
derselben Tabellen auch leicht bestimmen läßt, welche Vollmachten
(Delegation, Lizenz) ein Pfarrvorstand auszustellen hat, wenn ein
Nupturient seiner Pfarre anderswo getraut werden soll. Man braucht
in diesem Falle bloß nachzusehen, welche Vollmachten jener Priester
haben muß, der zur Vornahme der Trauung berufen sein wird.

Es sei z. B. ein Bräutigam von Tarsdorf und eine Braut von Uttendorf, die in der Wallfahrtskirche zu Maria Plain getraut werden wollen —
Da Maria Plain keine Pfarrkirche ist, sondern in der salzburgischen Pfarre
Bergheim liegt, benötigt der dortige Wallfahrtspriester gemäß Schema III, Fall 5,
zur Vornahme der Trauung die kirchliche Delegation vom Pfarrer zu Bergheim
(die er sich selbst verschaffen wird, soferne er sie nicht ohnedies generaliter hat),
die kirchliche Lizenz des Pfarrers von Uttendorf und eine staatliche Delegation

vom Pfarrer von Uttendorf oder Tarsdorf. In praxi erscheint die kirchliche Lizenz und die staatliche Delegation per modum unius gegeben, wenn der Pfarrer von Uttendorf der Braut den Verkünd= und Entlaßschein mit der Klausel ausfolgt: „Zur Vornahme der Trauung werden die Wallfahrtspriester von Maria Plain (cum jure subdelegandi) bevollmächtigt."

Zum richtigen und vollen Verständnisse der nachfolgenden Tabellen muß noch vorausgeschickt werden:

1. Die folgenden Tabellen enthalten die Erfordernisse zum gil= tigen und erlaubten Eheabschlusse nach dem kirchlichen und staatlich= österreichischen Rechte nur insoweit, als die Giltigkeit und Erlaubtheit der Trauung durch die Berechtigung des trauenden Priesters zur Assistenz als testis qualificatus bedingt ist. Es bleibt also in jedem Falle vorausgesetzt, daß die sonstigen kirchlichen und staat= lichen Vorschriften eingehalten werden; im besonderen

a) daß durch ein gewissenhaftes Brautexamen und Beschaffung der legalen Dokumente der status liber der Nupturienten, das Nicht= Vorhandensein, respektive die Behebung kirchlicher und staatlicher Ehehindernisse und die zur Matrikulierung nötigen Daten festgestellt sind. Hiezu ist in der Regel der Pfarrer der Braut berufen; aber aus einer justa causa kann dies auch der Pfarrer des Bräutigams in die Hand nehmen, z. B. wenn die Brautleute nach der Trauung in der Pfarre des Bräutigams ihr dauerndes Heim gründen und deshalb aus praktischen Gründen dort die Trauung gehalten und der ganze Eheakt hinterlegt wird, oder wenn der Pfarrer der Braut aus was immer für einem vernünftigen Grunde auf sein Trauungs= vorrecht zugunsten des Pfarrers des Bräutigams verzichtet;

b) daß das Aufgebot vorschriftsmäßig vorgenommen, beziehungs= weise die Dispens vom Aufgebot erwirkt wird. Davon hängt nach kirchlichem Rechte die Erlaubtheit, nach dem österreichischen Staats= rechte eventuell sogar die Giltigkeit des Eheabschlusses ab; denn gemäß § 69 und § 74 a. b. G.=B. ist zur Giltigkeit der Ehe ge= fordert, daß die Namen der Brautleute und ihre bevorstehende Ehe wenigstens einmal sowohl in dem Pfarrbezirke des Bräutigams als der Braut verkündigt werden. Da die kirchlichen Vorschriften über das Aufgebot durch das Dekret „Ne temere" keine Aenderung er= fahren haben, bleiben die Bestimmungen der §§ 60—65 der „An= weisung für die geistlichen Gerichte des Kaisertums Oesterreich in Betreff der Ehesachen" vom Jahre 1855 über das kirchliche Aufgebot in voller Geltung. Die staatlichen Normen sind enthalten in den §§ 69—74 des a. b. G.=B.;

c) daß der trauende Priester in jenen Fällen, wo er die Trauung nicht in seiner eigenen Kirche vornimmt, certiorato et annuente rectore ecclesiae vorgeht;

d) daß der trauende Priester vor zwei Zeugen, invitatus et rogatus (wenigstens implicite, S. Congr. Conc. d. 28 Martii 1908 ad IV.), jedenfalls aber neque vi neque metu gravi constrictus requirat excipiatque contrahentium consensum. Davon hängt die kirchliche Giltigkeit des Eheabschlusses ab. Im österreichischen Staatseherechte sind wohl die zwei Ehezeugen zur Giltigkeit der Eheschließung gefordert (§ 75 a. b. G.-B.), es würde aber auch eine unfreiwillige Zeugen=schaft und ein rein passives Verhalten des Pfarrers bei der Konsens=erklärung zum giltigen Eheabschluß genügen.

2. Von Wichtigkeit ist die genaue Umschreibung der in den Tabellen gebrauchten Termini „Delegation", „parochus pro=prius", „Wohnsitz" und „ordentlicher Seelsorger".

a) Die Delegation zur Trauung wird manchmal für den kirchlichen, manchmal für den staatlich=österreichischen, manchmal für beide Rechtsbereiche erfordert. Soweit sie in der Rubrik „Nach kirch=lichem Recht" als Erfordernis aufscheint, sind für dieselbe die Vor=schriften des Dekretes „Ne temere" VI. maßgebend, die sich nach der ausdrücklichen Erklärung der S. C. Concilii vom 27. Juli 1908 ad IV. in allem mit der bisherigen Praxis des kanonischen Rechtes decken, ausgenommen, daß die Delegation einem sacerdos determi=natus et certus, ac restricta ad territorium delegantis gegeben werden muß. Sie kann also nach wie vor mündlich oder schriftlich, für eine einzelne Trauung oder für alle in der Pfarre vorfallenden Trauungen gegeben werden. Letztere Delegation ad universalitatem causarum besitzen in der Regel die ordentlich angestellten Hilfspriester (Kooperatoren, Kapläne, Vikare), der Pfarrer. Diese Einschränkung der Delegationsgewalt auf einen sacerdos determinatus et certus hat bei manchen Bedenken erregt und selbst manchen Erklärern des neuen Dekretes Anlaß zu weitläufigen Erörterungen gegeben; in der Praxis ist sie aber ganz unverfänglich und leicht zu beobachten, weil ja nunmehr der Pfarrvorstand überhaupt nur mehr dann in die Lage kommt, Delegationen für den kirchlichen Rechtsbereich auszustellen, wenn die Trauung in seinem eigenen Pfarrgebiete stattfindet. Wenn der Pfarrer wie früher seine Delegation an die ihm oft ganz un=bekannten Priester „in der Stadt" oder an dem Wallfahrtsorte adressieren müßte, wohin die ihm zugehörigen Brautleute zur Kopu=lation ziehen, dürfte es ihm freilich oft schwer sein, einen be=stimmten Priester mit der Trauungsvollmacht auszustatten; aber dieser Fall ist jetzt undenkbar! wenn die Brautleute zur Kopulation in ein fremdes Pfarrgebiet wandern, ist der dortige Pfarrvorstand ipso jure berufen, der Ehe giltig zu assistieren oder andere Priester hiefür zu delegieren. In seinem eigenen Pfarrgebiete wird aber gewiß kein Pfarrer Trauungen durch einen unbestimmten, ihm nicht bekannten Priester, sozusagen durch ein individuum vagum vornehmen lassen; sondern wenn er nicht selbst kopuliert, delegiert er hiezu einen seiner Hilfspriester — und der ist gewiß ein sacerdos determinatus et certus; oder wenn schon ausnahmsweise ein fremder Priester, etwa ein Verwandter oder Bekannter der Brautleute, die Trauung vornehmen will, so muß er sich ohnehin vorher in individuo beim

— 505 —

Pfarrherrn um diese Erlaubnis bewerben. Unbestimmte, vage Dele=
gationen sind daher in praxi nach dem neuen kirchlichen Rechte
ohnedies so gut wie ausgeschlossen.

Anders stellt sich die Sache, wenn die Delegation nach öster=
reichischem Staats=Eherechte in Frage kommt. Nach diesem kann
auch heute noch nur der „ordentliche Seelsorger", in dessen Pfarr=
sprengel wenigstens ein Nupturient Domizil oder Quasidomizil hat,
oder sein Stellvertreter dem Eheabschluß giltig assistieren (§§ 69
und 75 a. b. G.=B.). Wenn also die Brautleute zur Trauung in eine
fremde Pfarre ziehen und ihr „ordentlicher Seelsorger" will nicht
selbst sie begleiten, um sie dort zu trauen, so muß er durch Delegation
einen „Stellvertreter" zur Trauung bevollmächtigen; und da kann
es freilich oft geschehen, daß er im voraus unmöglich wissen kann,
welcher Priester in der betreffenden fremden Kirche zur Vornahme
der Trauung bereit sein wird. Aber das österreichische Staats=Ehe=
recht kennt auch die Einschränkung der Delegation auf einen sacerdos
determinatus et certus nicht und wird dieselbe auch nach dem
Dekrete „Ne temere" gewiß nicht rezipieren, kann sie nicht rezipieren.
Wo also die Delegation nur für den bürgerlichen Rechtsbereich ge=
fordert ist, kann sie, wie bisher, auch in Zukunft allgemeiner und
unbestimmter formuliert sein, wenn sie nur die Bevollmächtigung zur
Vornahme der Trauung zweifellos ausdrückt. Sie kann also beispiels=
weise lauten: „an die Pfarrgeistlichkeit von St. Josef in Linz cum
jure subdelegandi"; „an die Wallfahrtspriester in Maria Plain";
„an die Patres Franziskaner in Enns" u. dgl.

b) Der Ausdruck „parochus proprius" ist nicht in der
engeren Fassung des älteren, auf dem tridentinischen Tametsi fußenden
kirchlichen Rechtes, sondern so zu nehmen, wie er im Dekrete
„Ne temere" V. § 3 gebraucht wird. Er bezeichnet also jenen
rechtmäßigen Pfarrvorstand, in dessen Seelsorgssprengel ein Nup=
turient seinen Wohnsitz oder wenigstens einmonatlichen Aufenthalt
hat. Wer als „rechtmäßiger Pfarrvorstand" zu gelten hat, und in
welchen Grenzen derselbe als autorisierter Ehezeuge fungiert, ist
im Dekrete „Ne temere" II. und IV. § 1 scharf und klar zum
Ausdrucke gebracht.

c) Die termini „Wohnsitz" und „ordentlicher Seel=
sorger" sind im Sinne des vor Ostern 1908 geltenden kirchlichen
und des bestehenden österreichischen Staats=Eherechtes zu nehmen.
Leider kommt den Pfarrseelsorgern Oesterreichs die große Wohltat,
die in der Ausmerzung des leidigen Begriffes „Domizil" aus dem
neuen kirchlichen Eherechte gelegen ist, nicht oder nur in Ausnahms=
fällen zugute, solange sich der Staat nicht zu derselben zeitgemäßen
Reform seiner Ehegesetze, beziehungsweise zu einer mit dem kirchlichen
Rechte harmonierenden Auslegung derselben entschließt. Denn nach
dem a. b. G.=B. §§ 69 und 75 bleibt in Oesterreich nach wie vor zur
bürgerlichen Giltigkeit der Ehe die feierliche Erklärung der Ein=

willigung vor dem ordentlichen Seelsorger eines der Braut=
leute oder dessen Stellvertreter gefordert; unter dem „ordentlichen
Seelsorger" wird aber nach der Spruchpraxis der österreichischen
Gerichte und insbesonders nach der Judikatur des k. k. Obersten Ge=
richtshofes (Entscheidung vom 17. August 1880, Glaser=Unger 8066)
analog der Auffassung des kanonischen Rechtes vor dem Dekrete
„Ne temere" derjenige Priester verstanden, „welcher nach der staatlich
geordneten Verfassung einer im Geltungsgebiete des allgemeinen
bürgerlichen Gesetzbuches staatlich anerkannten Kirche für die in
diesem Gebiete ihr Domizil oder Quasidomizil habenden
Bekenner desselben Glaubens nach den Satzungen dieses Glaubens
die Akte der Gottesverehrung und die Kirchengewalt auszuüben und
Zivilstandsregister unter österreichischer staatlicher Autorität zu
führen hat".

Daraus ergibt sich, daß vor dem österreichischen Staatsgesetze
ein Pfarrvorstand durch den bloßen Einmonatsaufenthalt der Nup=
turienten ohne Domizil oder Quasidomizil, wie ihn „Ne temere"
V. § 2 nicht bloß zur giltigen, sondern sogar zur erlaubten Ehe=
assistenz für genügend erklärt, die Qualifikation eines „ordentlichen
Seelsorgers" nicht erlangt, somit ein Eheabschluß vor ihm in solchen
Fällen eine staatlich ungiltige Ehe zur Folge hätte.

Es muß darum vor jeder Trauung in Oesterreich nach wie
vor der Wohnsitz der Nupturienten erforscht und konstatiert werden.
Hiezu gibt die „Anweisung für die geistlichen Gerichte des Kaisertums
Oesterreich in Betreff der Ehesachen" in den §§ 39—45 eine sehr
eingehende Anleitung, die zum richtigen Verständnisse der termini
technici „Wohnsitz" und „ordentlicher Seelsorger" in den folgenden
Tabellen hier angefügt wird.

§ 39.

Der Brautleute eigener Pfarrer ist jener, in dessen Pfarrbezirke sie ihren
eigentlichen oder uneigentlichen Wohnsitz haben.

§ 40.

Der eigentliche Wohnsitz ist an dem Orte, wo jemand seine Wohnung
ausschließlich oder vorzugsweise aufschlägt, so daß man nicht sagen kann, er sei
daheim, wenn er sich dort nicht aufhält. So lange er an diesem Orte eine für
ihn oder seine Hausgenossen bestimmte Wohnung beibehält, reicht eine, wenn
auch längere Abwesenheit für sich genommen nicht hin, um die Uebertragung
des eigentlichen Wohnsitzes zu bewirken. Wo jemand zwar keine bleibende Nieder=
lassung beabsichtigt, aber doch zu einem Zwecke wohnt, dessen Erreichung einen
längeren Aufenthalt notwendig macht, dort hat er einen uneigentlichen Wohnsitz.

§ 41.

Der eigentliche Wohnsitz der Gattin ist dort, wo der Gatte, und der des
Minderjährigen dort, wo dessen leibliche, Wahl= oder Pflegeeltern oder der Vor=
mund ihren Wohnsitz haben. Der Ort, wo z. B. die Gattin in Dienstverhält=

niſſen ſteht, der Minderjährige ſich als Studierender aufhält oder als Militär=
perſon ſeinen Standort hat, iſt ihr uneigentlicher Wohnſitz. Wer als minder=
jährig zu betrachten, oder den Minderjährigen rechtlich gleichzuſtellen ſei, iſt
hiebei nach dem öſterreichiſchen Geſetze zu beurteilen.

§ 42.

Staatsbeamte oder ſolche, welche in was immer für öffentliche Dienſte
auf Lebenszeit getreten ſind, haben ihren ordentlichen Wohnſitz dort, wo ſie zur
Ausübung ihrer Amts= oder Dienſtespflichten wohnhaft ſind. Wofern ſie an
einem anderen Orte zu außerordentlichen Dienſtleiſtungen, welche ihrer Natur
nach längere Zeit erheiſchen, verwendet werden, erlangen ſie an demſelben einen
uneigentlichen Wohnſitz.

§ 43.

Wer bei einer Privatperſon, einer Anſtalt oder Geſellſchaft auf längere
oder unbeſtimmte Zeit in Dienſte tritt, erlangt dadurch an dem Orte, wo er
zur Leiſtung dieſer Dienſte ſich aufhält, einen uneigentlichen Wohnſitz. Nur dürfen
die Dienſtleiſtungen nicht ſo beſchaffen ſein, daß ſie eine ſtete Veränderung des
Aufenthaltes mit ſich bringen; auch kann durch ein Dienſtverhältnis, infolge
deſſen man dem Aufenthalte des Dienſtherrn zu folgen hat, dort, wo dieſer
keinen Wohnſitz hat, kein Wohnſitz erworben werden.

§ 44.

Im Falle, daß jemand außer dem Orte ſeines eigentlichen Wohnſitzes
noch in anderen Pfarrbezirken Häuſer mit einer für ihn beſtimmten, eingerich=
teten Wohnung beſitzt, hat er nur an jenem dieſer Orte uneigentlichen
Wohnſitz, wo er ſich jährlich eine beträchtliche Zeit hindurch aufzuhalten pflegt,
oder wo er zur Zeit, da er den Ort als ſeinen Wohnſitz geltend macht, durch
wenigſtens ſechs Wochen wohnhaft iſt.

§ 45.

Für jene, welche weder einen eigentlichen noch einen uneigentlichen
Wohnſitz haben, iſt der Pfarrer, in deſſen Bezirke ſie ſich eben aufhalten, der
zuſtändige.

3. Die in den Tabellen gebrauchten Kürzungen dürften leicht
verſtändlich ſein:

Liz. = Lizenz, die gemäß „Ne temere" V. §§ 3, 4, 5 in gewiſſen
    Fällen geforderte Erlaubnis zur Eheaſſiſtenz.

Del. = Delegation.

ord. Seelſ. = „ordentlicher Seelſorger".

R.=Z. = Reihenzahl, die durch die öſterreichiſchen Matrikenvorſchriften
    zu ſtatiſtiſchen Zwecken geforderte Numerierung der Matriken=
    fälle.

Schema I.

Der rechtmäßige Vorstand einer Pfarre A traut im eigenen Pfarrgebiete A.

Fall	Pfarrzugehörigkeit der Brautleute	Nach kirchlichem Recht		Nach österreichischem Staatsrecht		Die Matrikulierung hat zu erfolgen
		ist der Eheabschluß	muß vorher beschafft werden	ist der Eheabschluß	muß vorher beschafft werden	
1.	Braut hat Wohnsitz in A	gültig, erlaubt	—	gültig, erlaubt	...	in der Matrik von A mit R.-3.
2.	Braut hat Wohnsitz in B, Bräutigam in A	gültig, unerlaubt nisi justa causa excuset	Liz. des Pfarrers von B, nisi justa causa excuset	gültig, erlaubt		in der Matrik von A mit R.-3.
3.	Braut hat Monatsaufenthalt in A, beide Brautleute haben Wohnsitz anderswo	gültig, erlaubt		ungiltig	Del. vom „ord. Seelf." der Braut oder des Bräutigams	in der Matrik von A mit R.-3.
4.	Bräutigam hat Monatsaufenthalt in A, beide Brautleute haben Wohnsitz anderswo	gültig, unerlaubt nisi justa causa excuset	Liz. vom parochus proprius der Braut, nisi justa causa excuset	ungiltig	Del. vom „ord. Seelf." der Braut oder des Bräutigams	in der Matrik von A mit R.-3., in der Matrik des belegirenden „ord. Seelf." ohne R.-3.
5.	Braut und Bräutigam haben in A weder Wohnsitz noch Monatsaufenthalt; aber Wohnsitz anderswo	gültig, unerlaubt extra casum gravis necessitatis	Liz. vom parochus proprius alterutrius contrahentis — nisi gravis necessitas excuset	ungiltig	Del. vom „ord. Seelf." der Braut oder des Bräutigams	in der Matrik von A mit R.-3., in der Matrik des belegirenden „ord. Seelf." ohne R.-3.
6.	Braut oder Bräutigam, oder beide, haben nirgends Wohnsitz oder Monatsaufenthalt (vagi)	gültig, unerlaubt extra casum necessitatis	Liz. vom Dribinarius oder dessen Delegaten, nisi necessitas excuset	gültig erlaubt, unter Kautelen	Nachweis der Ledigkeit, ev. durch Manifestationseid	in der Matrik von A mit R.-3.

Schema II.

Der rechtmäßige Vorstand einer Pfarre A traut außerhalb seines Pfarrgebietes in der Pfarre B.

Fall	Pfarrzugehörigkeit der Brautleute	Nach kirchlichem Recht		Nach österreichischem Staatsrecht		Die Matrikulierung hat zu erfolgen
		ist der Eheabschluß	muß vorher beschafft werden	ist der Eheabschluß	muß vorher beschafft werden	
1.	Braut hat Wohnsitz in A, Bräutigam in A, B oder C	ungiltig	Del. vom Pfarrer von B	giltig		in der Matrik von B mit R.-Z, in der Matrik von A ohne R.-Z.
2.	Bräutigam hat Wohnsitz in A, Braut in B oder C	ungiltig, unerlaubt	Del. vom Pfarrer von B; Lic. vom Pfarrer von C, resp. C, nisi justa causa excuset	giltig		in der Matrik von B mit R.-Z, in der Matrik von A ohne R.-Z.
3.	Braut gehört nur durch Monatsaufenthalt zur Pfarre A; Bräutigam hat Wohnsitz in B oder C	ungiltig	Del. vom Pfarrer von B	ungiltig	Del. vom „Seels." der Braut oder des Bräutigams	in der Matrik von B mit R.-Z, eventuell in der Matrik des belegierenden „Seels." ohne R.-Z.
4.	Bräutigam gehört nur durch Monatsaufenthalt zur Pfarre A, Braut hat Wohnsitz und Aufenthalt anderswo	ungiltig, unerlaubt	Del. vom Pfarrer von B; Lic. vom parochus proprius der Braut, nisi justa causa excuset	ungiltig	Del. vom „Seels." der Braut oder des Bräutigams	in der Matrik von B mit R.-Z, eventuell in der Matrik des belegierenden „Seels." ohne R.-Z.
5.	Beide Brautleute sind weder durch Wohnsitz noch durch Monatsaufenthalt zur Pfarre A gehörig	Dann gelten für den Pfarrer von A, wenn er die Trauung außerhalb seines Pfarrgebietes hält, die gleichen Normen wie für Priester, die nicht Pfarrer sind (Schema III)				

Schema III.

Ein Priester, der keiner Pfarre rechtmäßig vorsteht, traut im Pfarrgebiete von A.

Fall	Pfarrzugehörigkeit der Brautleute	Nach kirchlichem Recht		Nach österreichischem Staatsrecht		
		ist der Ehabschluß	muß vorher behoben werden	ist der Ehabschluß	muß vorher behoben werden	Die Matrikulierung hat zu erfolgen
1.	Braut hat Wohnsitz in A, Bräutigam in A oder B.	ungiltig	Del. vom Pfarrer von A	ungiltig	Del. vom Pfarrer von A	in der Matrik von A mit R.=3.
2.	Bräutigam hat Wohnsitz in A, Braut Wohnsitz und Aufenthalt in B.	ungiltig, unerlaubt	Del. vom Pfarrer von A; Lig. vom Pfarrer von B, nisi justa causa excuset	ungiltig	Del. vom Pfarrer von A oder vom Pfarrer von B	in der Matrik von A mit R.=3.
3.	Braut hat Monatsaufenthalt in A, beide Brautleute haben Wohnsitz anderswo	ungiltig	Del. vom Pfarrer von A	ungiltig	Del. vom „ord. Seelf." der Braut oder des Bräutigams	in der Matrik von A mit R.=3, in der Matrik des belegirenden „ord. Seelf." ohne R.=3.
4.	Bräutigam hat Monatsaufenthalt in A, beide Brautleute haben Wohnsitz anderswo	ungiltig, unerlaubt	Del. vom Pfarrer von A; Lig. vom parochus proprius der Braut, nisi justa causa excuset	ungiltig	Del. vom „ord. Seelf." der Braut oder des Bräutigams	in der Matrik von A mit R.=3, in der Matrik des belegirenden „ord. Seelf." ohne R.=3.
5.	Braut und Bräutigam haben in A weder Wohnsitz noch Monatsaufenthalt; aber Wohnsitz anderswo	ungiltig, unerlaubt	Del. vom Pfarrer von A; Lig. vom parochus proprius der Braut, nisi justa causa excuset	ungiltig	Del. oder Assistenz des „ord. Seelf." der Braut oder des Bräutigams.	in der Matrik von A mit R.=3, in der Matrik des belegirenden „ord. Seelf."
6.	Braut oder Bräutigam ist in drohender Todesgefahr, Ortspfarrer und Ortsordinarius nicht zu erreichen	giltig, erlaubt	—	ungiltig	Del. oder Assistenz des „ord. Seelf." der Braut oder des Bräutigams. Dispens der pol. Behörde vom Aufgebot (Manifestationseid)	in der Matrik von A mit R.=3.

Der Sündenfall des Urmenschen.

Vergleich zwischen der altbabylonischen Tradition und den biblischen Nachrichten.

Von Dr. theol. & phil. Joseph Slaby in Trient.

„Was ich ausübe, ist nicht mein Erkennen; denn ich tue nicht das Gute, das ich will, sondern ich tue das Böse, das ich hasse ... Das Wollen liegt mir nahe, aber das Vollbringen des Guten erreiche ich nicht ... Ich finde, indem ich das Gute tun will, das Gesetz in mir, daß mir das Böse anklebt. Denn ich habe Lust am Gesetze Gottes dem inneren Menschen nach; ich sehe aber ein anderes Gesetz in meinen Gliedern, welches dem Gesetz meines Geistes widerstreitet und mich gefangen hält unter dem Gesetz der Sünde, das in meinen Gliedern ist. Ich unglücklicher Mensch! Wer wird mich von dem Leibe dieses Todes befreien?" (Römerbrief 7, 15. 18. 21—24.).

Wahrhaftig! Mit diesen markanten Worten hat der große Völkerapostel dasjenige klagend zum Ausdruck gebracht, was wir alle in uns in einem fort schmerzlich empfinden, was schon vor uns, Christus und seine unbefleckte Mutter ausgenommen, alle Menschen schwer durch das Leben geschleppt haben. Der Zwiespalt im Innern des Menschen, wie viel Weh hat er den armen Erdenpilgern gebracht, wie viele Seufzer und Tränen hat er ihnen ausgepreßt, wie manchen Sterblichen hat er in die Verzweiflung gejagt! Und woher stammt denn dieser allgemein gefühlte verhängnisvolle Gegensatz, woher ganz besonders jener allem Idealen, zu dem sich die Menschenseele mit aller Kraft aufjubelnd erheben möchte, widerstreitende Hang zum Niedrigen, der sich wie Bleigewichte an die Schwingen des zu Gott strebenden Geistes gehängt hat und diesen mit aller Macht auf der Erde bei den kleinen und zweifelhaften und verderblichen irdischen Gütern zurückhalten will? Diese hochwichtige, weil einen ungemein merkwürdigen und folgenschweren Zustand der Menschheit betreffende Frage müßte sich jedem denkenden Menschen von selbst mit Natur=notwendigkeit aufdrängen. Wirklich finden wir, daß dieses Problem seit den ältesten Zeiten besonders bei den kultivierten Völkern Lösung gesucht hat, so verschieden dieselbe auch ausgefallen sein mag.

Den deutlichsten und sichersten Aufschluß gibt uns auch hier wieder die Heilige Schrift: „Das Gesetz in meinen Gliedern, welches dem Gesetz meines Geistes widerstreitet," sagt der heilige Paulus a. a. O., ist „das Gesetz der Sünde." Welcher Sünde? Jener, die der Sängerkönig David meinte, als er, um Gottes Erbarmung flehend, in die Worte ausbrach: „Siehe, in Ungerechtigkeit bin ich empfangen; in Sünden hat mit empfangen meine Mutter" (Pf. 50, 7); jener Sünde, welche es nach Gottes eigenen Worten fertig gebracht hat, daß „der Sinn und die Gedanken des menschlichen Herzens zum Bösen geneigt sind von seiner Jugend auf" (Gen. 8, 21), und deren

Geschehen in den ersten Kapiteln der Bibel beschrieben wird, der Erbsünde, welche von den in Vertretung ihres ganzen Geschlechtes gefallenen Stammeltern auf alle Menschen übergeht. (Vergl. Römerbrief 5, 12 und das Dekret des Konzils von Trient: Sess. V., de peccato originali.)

Von diesem festen Standpunkt aus, der eines unserer größten Lebensrätsel einzig zufriedenstellend löst, schauen wir mit besonderem Interesse nach jenem Lande, aus welchem Gott den Stammvater des auserwählten Volkes berief, in die Urheimat der nachmaligen Träger der göttlichen Offenbarung, nach Altbabylonien und fragen mit erklärlicher Neugierde, wie man dort in der Aufgewecktheit einer noch jetzt wunderbar erscheinenden Kultur unsere Kernfrage beantwortet hat.

*　　*
*

Die Babylonier führen das menschliche Elend auf die Sünde eines der ersten Menschen zurück.

Glücklicher Urzustand des Menschen.

Nach den altbabylonischen schriftlichen Urkunden herrschte das Elend nicht von Beginn der Geschichte an auf Erden, sondern es ging eine Segenszeit voraus. Gedanken von vergangenem glücklichen Zustande des Urmenschen spiegeln sich da und dort wieder. Das Gilgames-Epos[1] (Tafel I) erzählt vom Heros Eabani, der von der Göttin Aruru in der Urzeit nach dem Ebenbilde des Himmelsgottes Anu erschaffen wurde:

„. . . . Eabani schuf sie, einen Gewaltigen, einen großen Sprößling . . . .

Mit den Gazellen zusammen	frißt er Kraut.
Mit dem Vieh zusammen	sättigt er sich an der Tränke.
Mit dem Gewimmel des Wassers	freut sich sein Herz.“

Diese Worte, welche das friedliche Zusammenleben eines Urmenschen mit den Tieren schildern, wollen im Lichte der Anschauungsweise der Alten verstanden sein. Nach Plato, Plutarch, Ovid galt auch bei den klassischen Völkern vegetarische Ernährung als Charakteristikon des goldenen Zeitalters.[2] — Also scheint auch hier der gleiche Sinn allein der richtige zu sein.

Aehnlich heißt es in der Bibel (vergleiche Gen. 2, 19. 20), daß Gott die Tiere des Paradieses zu Adam kommen ließ, damit er jedem „seinen Namen“, d. i. den seinem Wesen entsprechenden Namen gäbe. Dabei ist zu beachten, daß die friedliche Eintracht zwischen Menschen und Tieren in der Heiligen Schrift an vielen Stellen als Bild des

---

[1] Die Lesung des früher Izdubar, Gisthubar, wohl auch Nimrod entzifferten Namens ist jetzt durch phonetische Schreibung gesichert = Weber „Literatur der Babylonier und Assyrer“, Leipzig 1907, Seite 71 ff.; zur Bedeutung des Namens cfr. Jensen „Keilinschriftliche Bibliothek“ VI, 1, Berlin 1901, Seite 116.

[2] Siehe Dillmann Genesis 36 bei Alfred Jeremias „Das Alte Testament im Lichte des Alten Orientes“, Leipzig 1906, Seite 215, Anmerkung 3.

Segens und Glückes gebraucht wird (z. B. Job 5, 23; Jf. 11, 6—8; 65, 25) und sind häufig bei den Propheten.

Noch in einem anderen Punkte stimmt der babylonische Bericht mit der Bibel überein. Von Eabani wird nämlich im angezogenen Epos gesagt:

„Nicht kennt er Leute und Land . . ." So suchte auch nach der Heiligen Schrift der erste und einziglebende Mensch unter den ihm von Gott zugeführten Tieren vergeblich nach seinesgleichen (Gen. 2, 18. 20).

Gebot der Gottheit.

Dem Urmenschen wurden nach der babylonischen Tradition von der Gottheit Gebote gegeben, wohl aus keinem anderen Grunde, als damit er sein ohne Verdienst von der Gottheit erlangtes glückliches Dasein nach deren Wohlgefallen einrichte und so sich die Fortdauer seines Anfangsglückes sicherstelle.

Daß die Gebote überhaupt von der Gottheit stammen, entspricht vollkommen der babylonischen Gedankenwelt (Alfr. Jeremias, op. c., Seite 204). So z. B. stellt der bei den französischen Ausgrabungen im Dezember 1901 und im Jänner 1902 in Sufa in drei Stücken gefundene Gesetzeskodex Hammurabis bildlich dar, wie Hammurabi vom Sonnengotte Samaš die göttliche Unterweisung empfängt.

So lesen wir auf der VII. Tafel des Epos Enuma eliš[1]) von Marduk, „der die Menschen schuf":

„Bestehen sollen und nicht   abgeschafft werden seine (Marduks) Gebote
im Munde der Schwarz-
                 köpfigen[2])   die seine Hände geschaffen."

Und ganz am Schlusse der Epos heißt es ausdrücklich, daß Marduk die Gebote des Ea[3]) den Menschen bringen soll:

„Treu sollen sie bewahrt werden   und der Erste[4]) soll sie überliefern,
der Weise und Gelehrte   sollen sie zusammen überdenken.

---

[1]) Die Schöpfungslegende von Babel. — Literatur siehe bei Weber, op. c., Seite 44.

[2]) So werden die Menschen genannt: „salmât kakkadi" oder babylonisch „salmât gagadam"; „salmu = finster, schwarz" und kakkadu = קָדְקֹד = Kopf, Haupt"; Ideogramm SAG—DU. Nach Halévy „Revue d'histoire des Religions", XVI., S. 186 die Erklärung der Benennung wäre folgende: „Les peuples de la surface noire = terre, en face des corps célestes, qui sont lumineux." Cfr. Muß-Arnolt „Assyrisch-Englisch-Deutsches Handwörterbuch", Berln—London—New-York 1905, Bd. II, Seite 878 col. 1a + 2a.

[3]) Ea = Vater der Götter, Ursprung aller Zeugung, Gott der Weisheit und Gesetzgeber. Ein babylonischer Text — IV R 48 = „Cuneiform Texts from Babylonian — Tablets in the Brit. Museum", Jg. XV, 50 — redet sogar vom „šipru = Buch" (סֵפֶר) des Gottes Ea, dessen Beobachtung insbesondere dem Könige obliegt; cfr. Alfr. Jeremias in Roschers „Lexikon der griechischen und römischen Mythologie", Leipzig bei B. G. Teubner, III, Seite 590 f.

[4]) D. i. der Urmensch = „mahrû = der Erstlebende"; f. Jensen „Babylonische Mythen und Epen", KB, VI, 1, Leipzig 1901, Seite 358 und Delitsch „Assyrisches Handwörterbuch", Leipzig 1896, Seite 402 col. 1a et 2a + 403, col. 1a. „mahrû, Fem. mahritu Adj. = an der Spitze befindlich, erster, erste."

Es soll [von ihnen] erzählen der Vater,   sie seinen Sohn lehren,
dem Hirten und dem Hüter   öffne er die Ohren.

der Hochherzige,   weitumfassenden Sinnes,
(aber) [wer] Frevel und Sünde [tut] ist vor ihm stinkend."

Die Heilige Schrift sagt uns nicht bloß ganz klar, daß Gott dem ersten Menschen (d. h. beiden Stammeltern des Menschen=geschlechtes = Vergl. Gen. 3, 3) ein Gebot gegeben hat, sondern auch, welches der Inhalt desselben war (siehe Gen. 2, 16. 17).

Unmittelbare Verführung des Mannes durch das Weib.

Das glückliche Leben des Urmenschen im friedlichen Zusammensein mit den Tieren dauerte nach den babylonischen Urkunden nur so lange, als derselbe das göttliche Gebot nicht übertrat. Leider ließ sich der anfangs Glückliche zum Ungehorsam gegen die Gottheit verführen und dadurch ins Unglück stürzen. Diese Verführung ging in ihrer gleißendsten Gestalt von einem Weibe aus. Im Gilgameš Epos weckt das Weib im Heros Eabani durch Schmeichelei und schöne Versprechen Stolz und Unzufriedenheit und Sehnsucht nach irdischem Genuß:

„Schön bist du Eabani, wie ein Gott bist du.
Warum jagst du mit dem Gewimmel über das Feld hin?
Auf! Ich will dich führen nach Hürden=Erech[1]) hinein,

wo . . . .

. . die Dirnen — gehörig sind an Gestalt;
Mit Ueberkraft sind sie beladen, sind voll Jauchzens . . ."

Und Eabani vergißt über dem Weide alles; sechs Tage und sechs Nächte gibt er sich ihren Reizen hin.

Hier ist also das Weib die Verführerin des Mannes — gerade wie in der Bibel (vergl. Gen. 3, 6 b. 12). Die Ideen=verwandtschaft der babylonischen Schilderung mit der Erzählung der Heiligen Schrift erscheint noch deutlicher, wenn man die Verse des III. Kapitels der Genesis liest und darin die wesentlich gleiche Verführungsart, wie die oben angegebene entdeckt, allerdings mit dem nicht zu übersehenden Unterschied, daß dieselbe hier nicht wie dort vom Weide in Bezug auf den Mann, sondern von der Schlange gegen=über dem Weibe zur Anwendung gelangt. — Doch das führt uns schon zur weiteren Frage:

Eigentlicher Urheber des Bösen = Schlange, in welcher ein böser Geist wohnt.

War das Weib nicht bloß unmittelbar, sondern auch aus=schließlich bei der Verführung des Mannes tätig oder aber spielten

---

[1]) Erech = U—ru—uk = das heutige Warka. Nach Halévy = אֶרֶך mit dem Tempel Anus und der Jštar, im ältesten Staate d. i. dem süd=babylonischen Sumer = Kingi.

auch andere Faktoren bei derselben mit? Hierüber sprechen sich die babylonischen Quellen nicht ganz einstimmig, aber dennoch, wie uns scheint, überwiegend in demselben Sinne aus.

Im Gilgameš Epos war es ein „Jäger", der dem Eabani das Weib schickte, welches ihn verführte. Der Grund lag darin, daß Eabani dem Jäger die Jagd verdorben hatte, indem er ihm aus Liebe zu den Tieren die Gruben zerstörte, so daß das Wild entkam.

Von Tiâmat,[1] dieser ältesten personifizierten Auflehnung gegen die göttliche Ordnung, heißt es in Epos Enuma eliš, Tafel I, Zeile 9—14:

„Die Mutter des Nordens, die Alles bildete,
Fügte dazu unwiderstehliche Waffen, gebar Riesenschlangen.
Spitz sind sie an Zähnen, schonungslos . . .
Mit Gift wie mit Blut füllte sie ihren Leib.
Wütende Drachen bekleidete sie mit Grausen,
Belud sie mit schrecklichen Gleißen . . . ."

Darnach hatten entsetzliche Schlangen und Drachen und ähnliche Scheusale gewaltigen Anteil bei der ersten Empörung gegen das Wollen der Gottheit, wie es auch aus den Zeilen 17—19 des angezogenen Epos ersichtlich ist:

„Sie (i. e. Tiâmat) stellte hin Molche, wütende Schlangen und Lahâmu's,
Riesen-ûmu's, tolle Hunde und Skorpionsmenschen,
Treibende ûmu's, Fischmenschen . . . ."

Hier scheint es uns am Platze zu sein, auch auf babylonische Abbildungen hinzuweisen, welche gerade die Schlange entweder vor einem Baume oder einer Gottheit darstellen. Insbesondere mag der bekannte Siegelzylinder [Brit. Mus. Nr. 89, 326] besehen werden, der auf der einen Seite eines Baumes einen Mann, auf der anderen ein Weib sitzend zeigt, hinter denen sich eine mit dem Kopfe dem Weibe zugewandte Schlange emporhebt. Man meint zwar in Gelehrtenkreisen, daß sich aus allen derartigen Darstellungen für den in Behandlung stehenden Punkt unserer Frage nichts Zuverlässiges schließen lasse. Wir glauben jedoch, daß ein Blick auf andere uralte Traditionen, wie sie auch bei asiatischen Völkern vorhanden sind, uns eines Besseren belehren kann.

In der mexikanischen Piktographie wird die erste Frau — Cihuacohuate — mit der Schlange redend dargestellt, während die Zwillingsbrüder streiten.[2]

Das bedeutet doch wohl, daß die Schlange die Störung der Harmonie im Menschengeschlecht oder das Böse schlechthin verursacht hat.

Die Inder kennen eine göttliche Urmutter des Menschengeschlechtes, die im Paradiese wohnt. Sie hat im Anfang die Schlange, den bösen Dämon Mahišasura bekämpft, ihm den Kopf zertreten und abgeschlagen.[3] Die Chinesen

---

[1] Die Tiâmat-Literatur siehe bei Muß-Arnolt, op. c., Band II., S. 1175, col. 2a und Alfred Jeremias, op. c., S. 6 und 133.

[2] Sie wird in Mexiko als Gattin des Gottes des himmlischen Paradieses verehrt = Alfr. Jeremias, op c., S. 213.

[3] Otto., op. c., S. 214.

haben einen Mythus, nach dem Fo=hi, der erste Mensch, die Wissenschaft erfunden habe. Ein Drache, der aus der Tiefe kam, habe sie ihm gelehrt. „Das Weib," heißt es in einer erklärenden Glosse, „ist die erste Quelle und die Wurzel aller Uebel."[1] — Vielleicht leitet sich auch der Spruch der Ca'âbne-Beduinen ebendaher:

> „Der Säbel krümmt sich nicht, außer um Weiberwillen,
> Weil alle Weiber Sünderinnen sind."[2]

Diese Urüberlieferungen, deren Bedeutung weniger zweifelhaft ist, machen es doch mindestens sehr wahrscheinlich, daß wir es auch in den angeführten babylonischen Abbildungen mit der Schlange als Verführerin des Menschen, und zwar eines Urmenschen zu tun haben. Wir können darum nicht mit Unrecht behaupten: Nach altbabylonischer Ansicht hat das Weib nicht aus eigener Bosheit allein, sondern unter dem Einflusse eines anderen Wesens den Mann verführt. Und dieses Wesen war (nach der Mehrzahl der Zeugnisse) eine Schlange oder ein schlangen= ähnliches Ungetüm. Dabei wollen wir es vorderhand dahingestellt sein lassen, ob nicht auch der Drache von Babel, welcher — wie die Aus= grabungen der Deutschen=Orientalischen=Gesellschaft ergeben haben — spitze Hörner auf dem Kopfe, eine Doppelzunge, giftigen Blick, einen Schuppenleib und einen hoch emporgestreckten, in Stachel aus= mündenden Schwanz hat, zugunsten der eben geäußerten Meinung spricht.

Daß jedoch die Schlange nicht aus sich als einfaches Tier den Urmenschen so zu Schaden brachte, sondern als Werkzeug eines höheren geistigen und jedenfalls der befehlenden Gottheit entgegengesetzten Wesens, läßt sich in den zu diesem Absatz zitierten Worten und bezeichneten Darstellungen und Völkertraditionen aus der Verbindung der Schlange mit Tiâmat oder irgend einer Gottheit und aus dem Umstande des Redens und Auftauchens aus der Tiefe unschwer erschließen.

Gleichsam zur Illustration fügen wir hier einige Sätze aus Professor Musils „Arabia Petraea" an. Dieser bekannte Forscher hat bei den arabischen Stämmen den Glauben gefunden, daß in jeder Schlange irgendein böser Geist wohne. Er erzählt:[3] „Die Schlangen sind strafweise verwandelte Königinnen der Ginn und werden bewohnt von den unterirdischen Ginn." Und Seite 324: „Man meint allgemein: In jeder Schlange wohnt ein böser Geist = šejtân = deshalb tötet man jede Schlange, die man erblickt, spuckt auf sie und sagt: ‚Beißen soll dich der Šejtân in deinem Bauche'. — Und in ‚Arabia Petraea' I (Moab, topographischer Reisebericht, Wien 1907, Kaiserliche Akademie der Wissenschaften), Seite 129: ‚Der Sage nach ist es besonders ein Geist, welcher nachts in der Gestalt einer Schlange (in einem runden, sehr tiefen Brunnen) mit strahlendem Kopfe sich sehen läßt Mahmûds (Musils Begleiters) Vater, der sich darüber Sicherheit verschaffen wollte, stieg eines Tages in den Brunnen hinunter, seit der Zeit aber wurde er schwermütig und später sogar geistesgestört, denn der Geist hielt ihn besessen, er war maǵnûn."

---

[1] Dtto., op. c., S. 214.
[2] Musil, „Arabia Petraea", III., Ethnologischer Reisebericht, Kaiserliche Akademie der Wissenschaften, Wien 1908, S. 211.
[3] Musil „Arabia Petraea", III., Ethnologischer Reisebericht, Kaiserliche Akademie der Wissenschaften, Wien 1908, S. 320.

Jedermann erkennt mit Leichtigkeit die wenigstens annähernde Aehnlichkeit bezüglich dieses Fragepunktes zwischen den durch andere Schlaglichter aus dem Altertum aufgehellten babylonischen Aufschlüssen und der biblischen Erzählung von der Verführung des dann auch auf den Mann mit Erfolg einwirkenden Weibes durch den sich einer Schlange als Werkzeug bedienenden abtrünnigen bösen Geist (siehe Gen. 3, 1 ff. und die anderen darauf bezugnehmenden Stellen der Heiligen Schrift). Ja, wenn zugegeben wird, daß unsere vorausgehenden Erwägungen nicht unzutreffend sind, dann möchte man speziell den genannten Siegelzylinder nicht anders denn als Träger der bildlichen Darstellung desselben Faktums auffassen, welches dem biblischen Bericht zugrunde liegt. Immerhin zeigt die an diesem Zylinder wahrgenommene Abbildung eine ganz frappante Uebereinstimmung mit jenen Versinnbildlichungen, welche in direkter Abhängigkeit von der Bibel uns den Sündenfall der ersten Menschen vor Augen führen.

Strafe des Ungehorsams.

In den babylonischen Schrifturkunden werden auch die strafenden Folgen der Ursünde angegeben. Diese bestehen in Entfremdung der Tiere, in Leid und Tod. Schön wird dies geschildert im Gilgameš-Epos, wo Eabani, nachdem er vom Weibe verführt wurde, von seinen Tieren gemieden wird:

„Nachdem er sich gesättigt an ihrer [i. e. des Weibes] Fülle,
Wandte er sein Antlitz nach dem Felde seines Viehs.
Als sie ihn, Eabani, jahen, jagten die Gazellen dahin,
Es wich das Vieh des Feldes von seinem Leibe.
Da scheute [?] Eabani zurück, sein Körper war gebunden,
Seine Knie standen still, da sein Vieh davonging."

Das Weib nützt das Gefühl der Vereinsamung Eabanis aus und führt ihn in die Stadt Erech. Jedoch auch hier findet er keine Zufriedenheit. Er erkennt seine Sünde; sein Kummer macht sich Luft gegen das Weib, welches ihn betört hatte:

„Dein [Schicksal], Freudenmädchen, will ich dir bestimmen,
. . . . . (das) nicht endigen wird bis in [alle] Zukunft!
[Wohlan! Ich will] dich verwünschen mit der großen Verwünschung!
[Von Ni]uharbiš ihre Verwünschung erhebe sich [gegen] dich!"

Seine Kräfte schwinden:

„Schwach sind die Hände und gelähmt meine Arme."

Endlich nach vielen Mühen und Leiden stirbt er. Ergreifend ist die Klage des Gilgameš (Tafel VIII) über seinen Tod:

„Nun — was ist das für ein Schlaf, der dich gepackt hat?
Du bist verstört und hörst mich nicht!
. . . .
Mein Freund, den ich liebte, ist wie Lehmerde geworden.
Werde nicht auch ich, wie er, mich zur Ruhe legen
und nicht aufstehen in aller Zukunft?"

Der gefallene Eabani kehrt also zum Schluß in den Staub zurück, aus welchem er gebildet wurde.

Ist das nicht wie eine augenscheinliche Erfüllung jenes Straf=urteiles, welches Gott nach der Heiligen Schrift über den ungehorsamen Adam gefällt hat: „Die Erde sei verflucht in deinem Werke .... Dörner und Disteln soll sie dir tragen ... im Schweiße deines Angesichtes sollst du dein Brot essen, bis du zur Erde wiederkehrst, von der du genommen bist; denn du bist Staub und sollst zum Staube wiederkehren" (Gen. 3, 17—19).

Erlösungsahnung.

In all dem Unglück, welches der Babylonier von der Ursünde herleitet, hält ihn eine, wenn auch undeutliche Erlösungsahnung aufrecht. Auf der Tafel VII — als Schlußtafel des Epos Enuma eliš — ist ein Lobpreis an den Gott Marduk erhalten. Dieser Hymnus rekapituliert in Kürze alle Taten des Schöpfergottes, welcher wegen ihm fünfzig göttliche Namen beigelegt werden und preist seine gött=lichen Eigenschaften. Unter anderem heißt es von ihm:

„.... [Marduk] der die Menschen schuf, sie zu erlösen,
Der Barmherzige, der Leben zu geben vermag;
Bestehen sollen und nicht   abgeschafft werden seine Gebote
im Munde der Schwarzköpfigen,   die seine Hände geschaffen."

Die Worte „sie zu erlösen"[1] beziehen sich auf die Erlöser=tätigkeit Marduks, insbesonders auf seinen Kampf mit der finsteren Macht, der als unaufhörlich gedacht wird:

„Er [d. i. Marduk] bewältige Tiâmat,   bedränge, beenge ihr Leben,
bis zur Zukunft der Menschen   bis in späteste Tage."

Besonders deutlich ausgeprägt findet man diese Lehre von der Ueber=wältigung des Bösen durch das gute Prinzip auf persischem Gebiete, wo sie auch als Drachenkampf dargestellt wird. Eine der ältesten im Avesta aufbewahrten Mythen (in den Opferliedern Yašt) schildert den Kampf des âtar (Feuer) gegen Azhi Dahâka, den Drachen, dem zwei Schlangen aus den Schultern wachsen. Sonst wird der Drachenkampf von Tištrya übernommen. Dieser tritt in allerlei Gestalten auf, als schöner Jüngling, als weißer, goldgehörnter Ochs, als weißes Roß. In diesen Erscheinungsformen kämpft er mit dem schwarzen Roß, dem Dämon Apaoša. Das Objekt des Kampfes ist der See Vonrakaša, der kosmische Ursprung aller Gewässer, dem alle Wasser entströmen; Ahumurazda hilft, daß die Ströme über die Erde fließen. Das Schlangenungeheuer Azhi Dahâka ist ein Sohn Ahrimané. Im Epos besiegt ihn Feridun und kettet ihn fest unter dem Berge Damawand. Am Weltende wird er noch einmal loskommen, um dann endgültig von Keresaspa, der getötet war und zum Leben erweckt ist, ver=nichtet zu werden = Alfred Jeremias, „das Alte Testament im Lichte des Alten Orients", Leipzig 1906, S. 150.

Merkwürdig genug erscheint es, daß der babylonische Erlöser gerade Marduk ist, des großen Gottes Ea Sohn, der seinen ge=

---

[1] Assyrisch „padû = פדה = lösen, losgeben, freigeben", siehe Delitsch „Handwörterbuch", Seite 515, col. 2a; cfr. das Hebräische פדה = redemit (Exod. XIII, 13, 15). — Poet. „redemit a morte" (Ps. XLIX, 8) = Cfr. Gesenius „Thesaurus philologicus criticus linguae Hebraeae et Chaldaeae Veteris Testamenti" Tomus 2us, Lipsiae 1839, pag. 1091, col. 2a.

waltigen göttlichen Vater als dessen Gesandter zur erbarmenden Milde stimmt. Denn IV R 17 a, 38—42 heißt es:

> „Der Gott-Mensch (= ilu amêlu = Ea] um
> seines Sohnes [d. i. Marduks] willen ist er
> dir in Demut zu Diensten,
> der Herr hat mich gesandt,
> der große Herr Ea hat mich gesandt."[1]

Auch hierin glaubt man den verklingenden Schall jenes tröst-lichen Proto-Evangeliums Gottes an das durch die erste Sünde in die schmählich knechtende Fremdschaft Satans geratene Menschen-geschlecht zu vernehmen: „Ich will Feindschaft setzen zwischen dir (oder vom Bösen beherrschten Schlange) und dem Weibe, zwischen deinem und ihrem Samen; des Weibes Samen: Er (Sie) wird dir den Kopf zertreten[2]) und du wirst seiner Ferse nachstellen" (Gen. 3, 15), wonach der von Gott gesandte Erlöser, der gottmenschliche Sohn des göttlichen Vaters, jenem „großen Drachen, der alten Schlange, welcher genannt wird der Teufel und Satan, welcher die ganze Welt verführt" (Apokal. 12, 9), die gefallene Menschheit in siegreichem Kampf abringen und der wahren Freiheit der Kinder Gottes zurückgewinnen und zuführen sollte. * * *

Rückblickend können wir sagen: Die alten Babylonier erklärten sich die Feindseligkeit der Natur (namentlich der Tiere) gegen den Menschen und all das über diesen hereinbrechende Leid einschließlich des Todes und der Körperverwesung aus der Auflehnung ihres ersten oder eines Vorfahren gegen das Gebot der Gottheit, zu welcher Empörung der Ahne durch das Weib gebracht wurde, welches hin-wieder von dem in der Hülle eines drachenschlangenartigen Ungeheuers lauernden Prinzip des Bösen betört worden war. Darin offenbart sich eine überraschende Uebereinstimmung mit der entsprechenden biblischen Erzählung. Diese Aehnlichkeit darf uns jedoch nicht zur Ansicht verleiten, daß die Bibel von der babylonischen Tradition abhängig sei, selbst wenn diese als älter erkannt wird als jene.

Die babylonischen Nachrichten sind undeutlich, im Schwarm der Nebenumstände verlieren sich oft nahezu die Hauptmomente,[3] welche manchmal erst durch andere alte Volksüberlieferungen in Beleuchtung gerückt werden, hie und da macht sich ein unverkennbares Schwanken in Bezug auf den nämlichen Punkt bemerkbar.

Dagegen ist die biblische Erzählung in größter Deutlichkeit, nüchterner Präzision, einfacher und klarer Sicherheit abgefaßt. Dieser

---

[1]) Siehe Alfred Jeremias' Monographie über Marduk in Roschers „Lexikon der griechischen und römischen Mythologie", Leipzig bei B. G. Teubner, II., Col. 2340 ff.

[2]) Vergl. hiezu den nämlichen Ausgang des Kampfes gegen den bösen Dämon Mahisasura in der oben erwähnten indischen Tradition.

[3]) Um hervorzuheben, suchten wir nur die sprechendsten Worte bei den Zitaten anzuführen mit Beiseitelassen des vielen Ueberflüssigen; ebenso beriefen wir uns nur auf die faßlichste Abbildung.

nicht bloß äußerlich anklebende, sondern aus der sachlichen Auffassung entspringende Unterschied findet seine passende Erklärung sicherlich nicht darin, daß der biblische Bericht als Niederschlag altbabylonischer Traditionen angesehen wird, wohl aber eher darin, daß beide dieselbe Tatsache künden, jener der nackten Wahrheit gemäß, diese phantastisch verzerrt und verwirrt.

Somit legt das alte Babylonien auch hinsichtlich dieses hochwichtigen Ereignisses, der menschlichen Urfünde mit ihren Folgen, der Heiligen Schrift zugunsten seine Zeugschaft ab, derer die Bibel zwar nicht bedarf, die ihr jedoch nicht zur Unehre gereicht.

Zur Anwendung der Entwicklungslehre auf den Menschen.

Von R. Handmann S. J.

Es wurde bereits in einem früheren Hefte dieser Quartalschrift (vergl. III. 1908, S. 499 ff.) die Deszendenztheorie in ihrer Anwendung auf die organische Welt der Tiere und Pflanzen einer eingehenderen Besprechung unterzogen und es wurden die allgemeinen Grundsätze dargelegt, welche in dieser gemischten, in mehrere Wissenschaften zugleich einschlägigen Frage sowohl dem Theologen, als auch dem Philosophen, ja auch selbst dem exakter und wissenschaftlich vorgehenden Naturforscher vor Augen schweben, und die sie bei sachlicher Beurteilung aller vorliegenden Tatsachen und annehmbaren Theorien leiten müssen. Die Untersuchung bezüglich der Entwicklungslehre in ihrer Anwendung auf den Menschen erscheint im allgemeinen leichter ausführbar, als die erstere in bezug auf die tierischen und pflanzlichen Organismen; gleichwohl bieten sich in unserer gegenwärtigen Frage auch wieder besondere Schwierigkeiten.

Auch bei dieser Untersuchung wird es sich empfehlen, zunächst den allgemeinen Standpunkt darzulegen, der in der wissenschaftlichen Beurteilung unserer Hauptfrage in Bezug auf die Abstammung des Menschen einzunehmen ist, und sodann auf einige damit im Zusammenhange stehende naturwissenschaftliche Fragen näher einzugehen, dabei soll des besseren Verständnisses wegen auf einige schon früher besprochene Punkte zurückgegriffen und diese noch klarer auseinandergesetzt werden. Die Natur und Wichtigkeit unseres Gegenstandes erheischt notwendig eine ausführlichere Behandlung desselben, und dies um so mehr, als die Frage in Bezug auf die Abstammung des Menschen eine der brennendsten unserer Tage geworden und gegenwärtig in ein sehr akutes Stadium getreten ist, indem die Anhänger der monistischen Deszendenzlehre, wie aus gegenseitiger Vereinbarung, auf der ganzen Linie durch Wort und Schrift einen neuen heftigen Sturm gegen die christliche Weltanschauung zu erheben scheinen, und ihre monistische Lehre durch nicht wenige darwiniſtiſche Prachtwerke in gemeinverſtändlicher Faſſung unter dem Volk zu verbreiten ſuchen. Dabei wird die chriſtliche Weltanſchauung in ſo entſtellter Form wiedergegeben und der gegneriſche Standpunkt ſo annehmbar, ja als der einzig wiſſenſchaftlich berechtigte hingeſtellt, daß viele auch wiſſenſchaftlich gebildete Katholiken ſelbſt in einigen Hauptfragen auf die dargebrachten Hinwürfe keine entſprechende Ant= wort zu geben wiſſen.

Hier reicht eine mehr allgemeine, kürzere Erörterung nicht aus. Wir werden uns daher in den nachfolgenden Unterſuchungen zwar ſtets einer größtmöglichen Kürze befleißen und deshalb auf einige Quellenwerke, wo die betreffende Frage ausführlicher behandelt wird, verweiſen, glauben jedoch dort, wo es notwendig erſcheint, eine ein= gehendere Behandlung einiger wichtigeren Fragen nicht umgehen zu können. Uebrigens ſoll gegen den Schluß dieſer ganzen Abhandlung ein allgemeiner Rückblick auf das Vorhergehende geworfen und das Reſultat der Unterſuchung kurz zuſammengefaßt werden.

I. Allgemeiner Standpunkt.

1. Beziehungen der Naturwiſſenſchaft zur Metaphyſik und Theologie.

Die Erforſchung eines jeden Gegenſtandes überhaupt kann nur dann ſtattfinden, wenn deſſen Weſen oder die eigentümliche Natur desſelben bekannt und ſicher geſtellt iſt. Ohne dieſe Kenntnis wäre eine jede wiſſenſchaftliche Unterſuchung, beſonders jene, die mit dem Weſen oder der Natur des betreffenden Gegenſtandes im engen Zuſammenhänge ſteht, von vorneherein verfehlt, und es wären die dabei erzielten „Reſultate" nur Scheinreſultate und ohne jeden Wert. Bei unſerer Unterſuchung über die Abſtammung des Menſchen muß daher vor allem anderen die eigentliche, innere Natur des Menſchen feſtgeſtellt ſein. Von dieſer Natur des Menſchen hängt die ganze Löſung unſerer Frage ab.

Ueber das eigentliche, innere Weſen einer Sache nun kann die reine Naturforſchung als ſolche, auch ſelbſt in Bezug auf Gegenſtände, die ſonſt ihrer phyſiſchen Außenſeite wegen in ihr eigenes Gebiet einſchlagen, kein ſachliches Urteil fällen, die reine Natur= forſchung befaßt ſich eben nur mit den äußeren, ſinnesfälligen Eigenſchaften der Naturkörper und ſie iſt deshalb als ſolche oder von ihrem rein naturhiſtoriſchen Standpunkte aus nur berechtigt, dieſe äußeren Eigenſchaften und nur dieſe äußeren Eigen= ſchaften in ihrer Weiſe zu erklären; alle anderen Objekte, alſo auch die innere Natur oder das Weſen einer Sache, muß ſie einer höheren Wiſſenſchaft überlaſſen. Mit dieſer Wahrheit in Bezug auf das Objekt der Naturforſchung ſtimmen auch die Anhänger der moniſtiſchen Deſzendenztheorie überein, indem ſie erklären, daß in das Gebiet der Naturforſchung nur jenes gehört, was auf Sinnes= eindrücke zurückgeführt werden kann, oder wie andere ſagen,

was sich auf Bewegungsvorgänge bezieht.[1]) Kann diese
Spezialisierung der reinen Naturforschung zugegeben werden, so liegt
doch einer der größten Irrtümer und Denkfehler vieler Naturforscher
der Neuzeit darin, daß sie die Naturforschung überhaupt oder
doch wenigstens in ihrem Gebiete als „unumschränkte Allein-
herrscherin" bezeichnen,[2]) und andererseits selbst jede Beziehung
der Naturforschung zu anderen höheren Wissenschaften, wie namentlich zur Metaphysik und Theologie als „unwissenschaftlich"
abweisen.

Da dieser Standpunkt von Seite der Naturforschung unserer Tage
als einer der kritischsten bezeichnet und andererseits Dr. Plate, Zoologe
der Landwirtschaftlichen Hochschule in Berlin, als ein Hauptvertreter
des modernen monistischen Lehrsystems angesehen wird, so erscheint es
angezeigt, hier wie auch später noch bei anderen Fragen, besonders
die Ausführungen dieses Monisten etwas mehr zu berücksichtigen.[3])

Wir haben schon oben seine Ansicht über das von ihm geforderte
„allseitige" Gebiet eines „Naturforschers" kennen gelernt.

In Bezug auf das Verhältnis der Naturforschung zur „Metaphysik" äußert sich Dr. Plate wie folgt: „Wenn (P. Wasmann)
über Ameisen spricht, ist er vollständig Zoologe; sowie ihm aber das
Kapitel der Entstehung der Lebewesen oder Entstehung des
Menschen vorgelegt wird, Fragen, die nach meiner Meinung auch
einfach naturwissenschaftliche Fragen sind, dann auf einmal wendet
er andere Methoden an, dann spielt er das Dogma, die metaphysische Erklärung gegen den Naturforscher aus. Das können wir
als Naturforscher nicht billigen." (A. a. O. S. 54). „Ich will der
Metaphysik," bemerkt Plate später (S. 62) gar nicht den Boden
bestreiten, denn ich verstehe nichts davon. Sie mag in der
Theologie ihre Berechtigung haben, aber für den Naturforscher
gibt es keine Wissenschaft vom Uebersinnlichen."

---

[1]) Vergl. Dr. L. Plate, Ultramontane Weltanschauung, rc. Jena. 1907.
Seite 90. — [2]) So bemerkte u. a Dr. Friedenthal in seiner Gegenrede
am Berliner Diskussionsabend (Februar 1907): „Die Naturwissenschaft muß
auf ihrem Gebiete unumschränkte Allherrscherin bleiben, die Theologie
der Zukunft sich auf das Reich der Begriffe oder Ideale beschränken." —
Plate (a. a. O.) geht noch weiter und erklärt einfach: „Ein echter Naturforscher muß ohne jede Voreingenommenheit an naturphilosophische
Fragen herantreten und darf nur gebunden sein durch richtige Anwendung der
Denkgesetze und der Sinnesorgane." „Dem Naturforscher dürfen keine
äußeren Schranken für seine Untersuchungen gezogen werden. Er muß sich an
jedes Problem heranwagen dürfen, an die Herkunft der Lebewesen, an den Tod,
an die Entstehung und das Wesen der menschlichen Seele ebenso gut, wie an
den Gottesbegriff (!) und den Zusammenhang der Naturkräfte rc. (S. 142).
— [3]) Nach Plate (a. a. O. S. 67) ist „Monismus (Einheitslehre) der
kurze Ausdruck für die naturwissenschaftliche, alle außer- und übernatürliche
Vorstellungen zurückweisende Weltanschauung. Er beruht auf zwei Grundgedanken,
auf der Einheitlichkeit der gesamten Natur und auf ihrer absoluten
Gesetzmäßigkeit." Wir werden im Verlaufe dieser Arbeit auf diese monistische
Weltanschauung zurückkommen.

Dieser Standpunkt der Naturforschung in Bezug auf ihre „Alleinherrschaft" und ihre Stellung zur Metaphysik und anderen höheren Wissenschaften müssen wir als einen ganz verfehlten und irrtümlichen zurückweisen. Abgesehen davon, daß eine jede Wissenschaft vernunftgemäß die sicheren Lehren und erwiesenen Resultate einer jeden anderen Wissenschaft als zu Recht bestehend anzuerkennen und bei einschlägigen Fragen zu berücksichtigen hat, so muß auch schon die „Naturwissenschaft" selbst, wenn sie überhaupt noch „Wissenschaft" sein will, sich auf einen höheren Standpunkt stellen, als die reine Naturforschung als solche einnimmt. Sie wäre sonst keine „Naturwissenschaft", sondern nur eine ein= fache Naturkenntnis, eine bloße Naturbeschreibung, die noch keine „Wissenschaft" im wahren Sinne des Wortes ist.

Will ein Naturforscher dennoch in der Kenntnis seines Gegen= standes weiter gehen und dabei auch „wissenschaftlich" vorgehen, so muß er sich eben auf diesen höheren, wissenschaftlichen Stand= punkt stellen. Dieser Standpunkt kann aber kein anderer sein, als der philosophische, der metaphysische Standpunkt. Denn da in die Metaphysik auch die allgemeinen Denkgesetze, die übersinnlicher somit metaphysischer Natur sind, gehören, wie überhaupt alle geistigen Ideen, Urteile und Schlußfolgerungen und damit alle darauf auf= gebauten wissenschaftlichen Systeme, so kann ein vernünftig denkender Naturforscher bei seinen wissenschaftlichen Forschungen der Metaphysik und ihrer Zweigwissenschaften gar nicht entbehren, ohne mit sich selbst in Widerspruch zu geraten. Auch bei Plate tritt dieser Widerspruch offen zu Tage. Plate will einerseits die Metaphysik gänzlich von der „Naturwissenschaft" ausgeschlossen wissen, andererseits will er dennoch bei der Erklärung naturwissenschaftlicher Fragen die Denk= gesetze und die sich daraus ergebenden Folgerungen, also die Meta= physik, wieder einbezogen haben; der Naturforscher soll ihm zufolge an ein jedes „naturphilosophisches" Problem herantreten dürfen, selbst an den „Gottesbegriff", und er selbst betreibt, trotz aller Ab= weisung des metaphysischen Standpunktes, Metaphysik und sucht auch durch metaphysische Gründe sein monistisches System gegen die Angriffe anderer zu verteidigen, so viel dies ihm der Gebrauch dieser geistigen Waffen gestattet, in deren Handhabung er allerdings wenig Uebung verrät, ja wo er nach seinem eigenen, sehr mißlichen Geständnisse nichts davon versteht.[1]

Da sich die „Naturwissenschaft" notwendig wie eine jede andere Wissenschaft auf die Metaphysik stützen muß, so können wir Plate, der jede Metaphysik von sich weist, auch nicht als einen wissenschaftlichen Naturforscher betrachten. Von einem wissen= schaftlich vorgehenden Naturforscher verlangen wir, daß er nicht nur mit der Schärfe des Seziermessers, sondern auch mit der meta=

---

[1] Plate a. a. O. S. 62. (S. ob.)

physischen Schärfe des Geistes zu arbeiten verstehe.[1]) Daß dies auch für die Behandlung naturwissenschaftlicher Fragen unbedingt notwendig ist, um ihren wissenschaftlichen Charakter zu wahren, wird, wie es eben nicht anders sein kann, auch von anderen philosophisch gebildeten Forschern als eine Bedingung einer wahren Forschung hingestellt. So äußert sich z. B. Dr. Senff an einer schon oben angezogenen Stelle gelegentlich einer Kritik der Wasmannschen Vorträge und der gehaltenen Gegenreden[2]): „Die Forderung der Trennung der Naturforschung und philosophischer Betrachtung besteht nur zu Recht bis an den Punkt, wo die exakte Beobachtung des Einzelfalls aufhört und mit irgend einem Resultate abschließt. Die Verknüpfung und Werbung dieser in ihrer Vereinzelung oder auch in koordinierter Summation an sich recht wertlosen Resultate ist die berechtigte Sache und eigentliche Aufgabe der Philosophie, und ich wüßte nicht, wie wir weiter kommen sollten, wenn ein Naturforscher kein Philosoph sein dürfte." Er hält deshalb auch den Standpunkt P. Wasmann für ganz berechtigt, in naturwissenschaftlichen Fragen die Metaphysik mitsprechen zu lassen, und er tadelt in den Erwiderungen Dr. Plates dessen unberechtigtes Vorgehen.[3])

Was das Verhältnis der Naturwissenschaft zur Theologie (Dogma, Glauben) betrifft, so scheinen wenigstens einige Naturforscher einen Unterschied zwischen Metaphysik und Theologie (Glaubenswahrheiten) bestehen zu lassen, verwechseln jedoch auch wieder oft beide Wissenschaften, so z. B. Plate, der von einem „metaphysischen Glaubenssatz" spricht[4]); andere[5]) verweisen einfach die „Metaphysik" in das Gebiet des „Glaubens".

Daß nun ein wissenschaftlich gebildeter Naturforscher auch keine theologischen Wahrheiten, besonders zur Aufklärung naturwissenschaftlich noch zweifelhafter, oder auf rein naturwissenschaftlichem Wege gar nicht lösbarer Fragen berücksichtigen könne, ja nicht einmal berücksichtigen dürfe, ohne seinen wissenschaftlichen Standpunkt aufzugeben, — diese Ansicht beruht wohl zunächst auf einer irrtümlichen Ver-

---

[1]) Den Mangel dieser wissenschaftlichen Schärfe vermissen wir in hohem Maße in der Erwiderungsrede Dr. Plates am Berliner Diskussionsabend. Dieser Mangel an wissenschaftlicher Schärfe wird ihm auch von anderen vorurteilsfreien Forschern wie z. B. von Dr. M. Senff (vergl. „Harzer Kurier" vom 27. und 28. April 1907. — S. Wasmann, Der Kampf um das Entwicklungssystem ꝛc., S. 154) vorgeworfen, welcher Plate den Rat gibt: „Lieber etwas weniger kirchenpolitische Entrüstung und etwas mehr wissenschaftliche Wahrhaftigkeit, auch wenn sie unbequem kommt." „Dann käme — fügt Dr. Senff bei — ein dritter in protestantischen Landen nicht in die heikle Situation, ehrenhalber einem Jesuiten beispringen zu müssen". — [2]) A. a. O., vergl. vorherige Anm. — [3]) Dr. Senff a. a. O. „Daß P. Wasmann", bemerkt er, „dem Metaphysischen . . . sein Recht zuerkennt, hat er offen und frei dargelegt, ein Bekenntnis, welches dem ‚modernen‘ Menschheit immer wieder vor das Gewissen gerückt werden muß, selbst wenn es Ueberwindung kosten sollte." Vergleiche J. Reinke, Philosophie der Botanik, 1905. — [4]) A. a. O. vergl. S. 54. [5]) Vergl. „Naturwissenschaftliche Wochenschrift", 1908, Nr. 12, S. 192.

wechslung der „reinen Naturforschung" mit der „Natur=
wissenschaft" als „Wissenschaft", — andererseits auch auf einer
falschen Deutung des „naturwissenschaftlichen" Standpunktes überhaupt.

Es wurde schon früher bemerkt, daß die reine Naturforschung
als solche nur eine einfache Naturkenntnis ist, die nur die
äußeren sinnlich wahrnehmbaren Eigenschaften der Naturkörper
zu ihrem Forschungsgebiet hat. Sie kann daher nur sagen: Sie sei
nur berechtigt, über diese äußeren Eigenschaften ein Urteil zu fällen,
aber nicht auch über solche Objekte, die nicht sinnlich wahrnehmbar
oder die übersinnlicher Natur sind.

Erhebt sich diese Naturforschung zur „Naturwissenschaft",
zieht sie daher auch die Grundlage aller Wissenschaft, die Metaphysik,
herbei, so wird sie auch wieder nur sagen können: So weit diese
natürliche Kenntnis reicht, könne sie zwar auch in natur=
philosophischen Fragen ein kompetentes Urteil fällen, aber nicht
über Fragen, die noch höherer Natur sind und welche die natürliche
Erkenntnis unserer beschränkten Verstandeskräfte überschreiten, deren
Objekte daher auch (wie die Glaubenswahrheiten) „übernatürliche"
genannt werden. Hieraus folgt aber keineswegs, daß die „reine
Naturforschung" nicht auch die „Naturwissenschaft", und die
„Naturwissenschaft" wieder nicht die „Theologie" berück=
sichtigen dürfe, oder mit anderen Worten, daß ein Naturforscher
kein Philosoph und kein Theologe sein könne und ihm seine
allseitigen Kenntnisse zu verwerten nicht gestattet sein würde.[1]

Ueberall wird aber auch ein solcher, allseitig wissenschaftlich
ausgebildeter Naturforscher den besonderen wissenschaftlichen
Standpunkt zu wahren wissen, daher weder als reiner Natur=
historiker philosophische Probleme, noch umgekehrt als
Naturphilosoph rein naturhistorische Fragen aprioristisch lösen;
ebenso wird er auch theologische Wahrheiten nicht als natur=
wissenschaftliche Lösungen betrachten 2c., aber alle seine Kennt=
nisse wird er mit Wahrung des besonderen Standpunktes zur objek=
tiven Lösung was immer für einer Frage benützen können.

---

[1] Dr. Plate (a. a. O. S. 63) warf daher dem P. Wasmann sehr
unrichtig eine „Doppelnatur" vor, als würde er einmal als „Natur=
forscher" und das andere Mal als „Theologe" aufgetreten sein. Dem gegen=
über kann bemerkt werden, daß ein Naturforscher, der zugleich Philosoph und
Theologe ist, wohl jenem überlegen ist, der in den entsprechenden Wissenschaften
nicht bewandert ist. Uebrigens trat P. Wasmann keineswegs als Theologe,
sondern nur als Naturphilosoph auf, wenn er auch seinen christlichen Stand=
punkt offen bekannte. Es ist daher auch die Behauptung Plates unrichtig,
P. Wasmann sei in seinen philosophischen Schlußfolgerungen aus den natur=
wissenschaftlichen Tatsachen von kirchlichen Vorurteilen geleitet gewesen.
Dr. Senff (a. a. O.) äußerte sich deshalb in seiner Kritik mit Recht: „Nach meiner
Auffassung ging Wasmann nicht von kirchlichen Vorurteilen aus, sondern
gelangte umgekehrt als naturwissenschaftlicher Forscher zu Resultaten,
welche sich seinem religiösen Glauben nicht notwendig feindlich gegenüberstellen.
Daß er das freudig bekennt, ist sein gutes Recht, — wohl recht eigentlich
seine Pflicht, wenn er seine Mitmenschen lieb hat."

Es braucht in dieser Zeitschrift nicht erst weiter auseinander= gesetzt zu werden, welche Vorteile natürliche Wissenschaftszweige aus theologischen Wahrheiten ziehen können. Diese sicheren und gewissen Wahrheiten, um so sicherer und gewisser, je höher ihre Erkenntnis= quelle ist, sind helle Leitsterne der natürlichen Wissenschaften, um nicht, besonders in dunkleren Fragen, von der Wahrheit abzuweichen und um so schneller und sicherer die Wahrheit zu finden. Aus dem bisher Gesagten müssen wir einige sehr wichtige Folgerungen ziehen.

Die erste Folgerung ist, daß Naturforscher, welche auf dem einseitigen Standpunkt stehen, höhere entwicklungsgeschichtliche Fragen, wie namentlich jene in Bezug auf die Natur und Abstammung des „Menschen" ohne Metaphysik lösen zu wollen, und die andererseits selbst keine metaphysischen oder höhere Kenntnisse besitzen, von vorneherein gar nicht fähig erscheinen, in diesen Fragen ein sachliches Urteil zu fällen, daß daher auch den von ihnen als „Resultate" aufgestellten Folgerungen der wissenschaftliche Wert abgesprochen werden muß.

Die zweite Folgerung ist, daß ein wissenschaftlich gebildeter Naturforscher die Frage über die Natur und Abstammung des Menschen nur den metaphysischen Denkgesetzen und deren Schluß= folgerungen gemäß einer Lösung zuführen könne.

Als dritte Folgerung ergibt sich, daß ein Naturforscher, wenn er auch zugleich Theologe wäre, die volle Berechtigung besitzt, bei naturwissenschaftlichen Fragen wie insbesondere bei der oben genannten (die z. B. eine naturwissenschaftliche ist) auch einschlägige theologische Wahrheiten zu berücksichtigen und sie als Leitstern seiner Forschungen zu betrachten. Wir werden dies auch im Verlaufe unserer Untersuchung tun, zumal auch ein anderer Zweck dieser Arbeit ist, den theologischen Standpunkt in allen diesen Fragen darzulegen.

2. Die Natur des Menschen und die Stellung des Menschen zum Naturreich.

Vernunft und Offenbarung, Metaphysik und Theologie stimmen den materialistisch=monistischen Theorien gegenüber darin überein, daß die menschliche Natur ihrem eigentlichen Wesen nach aus Leib und Seele zusammengesetzt ist, wobei die Seele eine geistige, immaterielle Substanz und die Lebensform des materiellen Körpers ist.

Aus dieser Wesenheit der menschlichen Natur ergibt sich der wesentliche, qualitative Unterschied vom bloßen Tiere, das ein reines Sinneswesen und dessen Lebensprinzip keine geistige Substanz ist und aller geistigen Fähigkeiten entbehrt. Die näheren Beweise für diese Wahrheiten können wir wohl der Metaphysik und Theologie, wo sie ausführlich ihrer Erkenntnisquelle entsprechend gegeben werden, überlassen,[1]) und wollen hieraus nach einigen Aus=

---

[1]) Vergl. u. a.: Dr. Scheeben, „Handbuch der kath. Dogmatik" Bd. II, n. 385 ff. — Dr. Gutberlet „Naturphilosophie", (2. Aufl. S 175 ff) und: „Der Kosmos" (Paderborn 1908) Im letzteren Werke behandelt der genannte

einanderſetzungen nur für unſeren Zweck einen Schluß in Bezug auf die Stellung des Menſchen zum Naturreich ziehen.

Wir teilen die Naturkörper dieſer ſichtbaren Welt je nach ihrer verſchiedenen Seinsſtufe in zwei große Reiche, in das Reich der anorganiſchen, unbelebten, und in das Reich des organiſchen, belebten Naturkörper. Das Reich der Organismen umfaßt wieder zwei große Abteilungen, das Reich der Pflanzen und das Reich der Tiere.

Die Pflanzen beſitzen nur ein vegetatives, die Tiere ein rein ſenſitiv-vegetatives Lebensprinzip.

Die Naturkörper dieſer drei Naturreiche ſind demnach bezüglich ihrer inneren Natur weſentlich voneinander unterſchieden. Alle Verſuche der Neuzeit, die Schranken dieſer drei Reiche aufzuheben, ſind als gänzlich mißglückt zu betrachten. Weder Beobachtungen[1])

Verfaſſer auch ſehr ſachlich ſowohl die Natur der Pflanze als auch jener des Tieres. In Bezug auf das organiſche und anorganiſche Reich vergl. Drieſſel S. J. „Der belebte und unbelebte Stoff“ (Stimmen aus Maria-Laach, Erg. 22). So auch: Concilium Vaticanum (Const. dogm. 2. can. I, V), Lateranenſe IV., Viennenſe etc. — [1]) In Bezug auf die ſcheinbar lebenden (flüſſigen) Kriſtalle vergleiche dieſe Zeitſchrift, 1908, III. S. 515. Die von O. Lehmann („Flüſſige Kriſtalle und die Theorie des Lebens“ Leipzig 1906) beobachteten Erſcheinungen ſind, wie hier bemerkt wurde, keine Lebenserſcheinungen, ſondern nur phyſikaliſche oder chemiſche Vorgänge. — (Einige Forſcher, wie W. Pfeffer („Pflanzen-phyſiologie“, 2. Aufl. 1903), G. Haberlandt („Die Sinnesorgane der Pflanzen“, 1905 und „Sinnesorgane im Pflanzenreich“, 1906) Francé („Das Sinnes-leben der Pflanzen“, 1905) u. a. haben einige Reizorgane an Pflanzen entdeckt, die ſie als „Sinnesorgane“ deuten wollen Zur weiteren Erklärung ſei mit Dr. Gutberlet („Der Kosmos“ S. 450) folgendes bemerkt: Die Vernunft kann zwiſchen Empfinden und Nichtempfinden kein Mittelding anerkennen: haben die Organismen Empfindung, ſo ſind ſie Tiere, haben ſie keine Empfindung, aber doch Leben, ſo ſind es Pflanzen. Haeckels „Protiſten-reich“, — ein Zwiſchenreich von Pflanze und Tier, iſt daher ein erdichtetes. (Vergl. Kollmann in: „Biolog. Zentralblatt.“ IV. 1894). Haben die Pflanzen ein wahres, wenn auch nur vegetatives Lebensprinzip, ſo ſind damit ſchon Reiz-vorgänge gegeben, die ſich ohne Senſibilität vollziehen. Wenn daher bei einigen gewiſſe Lichtreizorgane entdeckt worden ſind, ſo iſt dieſes Vorkommen gewiß von hohem Intereſſe, aber man darf deshalb nicht ſchon, wie mehrere Biologen es getan (vergl. Francé „Die Lichtſinnesorgane der Algen“,) von ‚Pflanzenaugen‘ ſprechen Wenn von Seite dieſer Forſcher behauptet wird, es handle ſich hier nur um rein phyſiologiſche Vorgänge, was immer für innere Lebensfunktionen ſtattfinden mögen, ſo geht man offenbar der eigent-lichen Frage aus dem Wege und läßt unentſchieden, ob der fragliche Naturkörper als „Pflanze“ oder als „Tier“ zu betrachten ſei. Werden gewiſſe Reiz-erſcheinungen an den Organismen beobachtet, ſo folgt hieraus noch nicht, daß ſie überall und immer ſenſitiv ſein müſſen, ſie können ja auch vegetativ ſein. Es handelt ſich hier nicht um äußerlich ähnliche Organeinrichtungen oder um die inneren Funktionen oder die entſprechenden Betätigungen des inneren Lebensprinzips. Von dieſem allein hängt die animale oder vegetative Natur jener Reizerſcheinungen ab. Entzieht ſich auch der innere Vorgang und das funktionierende Lebensprinzip der unmittelbaren oder objektiven Beobachtung, ſo beſitzen wir doch auch Kriterien, um über die innere Pflanzen- oder Tier-natur eine Entſcheidung zu treffen, daß wir bei einigen einfach gebauten Organismen (z. B an Volvozinen, Flagellaten ꝛc.) dies noch nicht mit gänzlicher

noch auch philosophische Erwägungen einiger Forscher[1] sind imstande, diesen Unterschied in Frage zu stellen. Es betrachten daher noch ebenso wie zuvor alle anderen Forscher die drei Naturreiche als eine wissenschaftlich unanfechtbare Tatsache und legen sie auch allen ihren Forschungen zugrunde.

Da nun, um in unserer Erörterung fortzufahren, alle drei Naturreiche voneinander verschieden sind und ein jedes ihr charakteristisches Formalobjekt hat, so kann auch nicht der eine Naturkörper in ein anderes Reich gestellt werden. In das Mineralreich gehören eben nur die Mineralien und nicht auch die Pflanzen, in die Botanik nur die Pflanzen und nicht auch die Tiere usw. Wir unterscheiden daher auch streng drei verschiedene naturhistorische Wissenszweige, die Mineralogie (mit der Petrographie) für die Steine, die Phytologie (oder Botanik) für die Pflanzen und die Zoologie für die Tiere.

Es wäre daher auch ganz unlogisch zu behaupten, man könne die „Tiere" in das „Pflanzenreich", oder auch die „Pflanzen" in das „Mineralreich" stellen, weil man in den Tieren nur ihr vegetatives Wachstum, und in den Pflanzen nur die chemischen oder anorganischen Stoffelemente berücksichtigen wollte. Es wäre zwar immerhin gestattet, in den einen Wissenszweig auch andere fremde Naturkörper des Vergleiches wegen zu besprechen, aber die Logik verbietet uns, diese Naturkörper aus was immer für einer Rücksicht systematisch als zugehörig zu betrachten, es wäre dies eine ganz einseitige, unlogische Behandlung.

Wenden wir das Gesagte auf den Menschen an, so ergibt sich hieraus mit aller Klarheit die eigentümliche Stellung des Menschen zum Naturreich.

Da die menschliche Natur eine eigene und von allen übrigen Lebewesen der Pflanzen- und Tierwelt wesentlich unterschiedene ist, wie uns Vernunft und Offenbarung mit aller Gewißheit belehren, so kann der „Mensch" systematisch in keines dieser organischen Reiche, also auch nicht in die Zoologie, etwa als eigene, wenn

---

Sicherheit bestimmen können, beruht nur auf unserer Unkenntnis und nicht etwa auf einer wirklichen Mittelstellung dieser Naturkörper; diese Mittelstellung bezieht sich nur auf die äußere Organisation und nicht auf die eigentliche Natur dieser Körper. — [1] So bringt z. B. Dr. Juliusburger in seiner Gegenrede am Berliner Diskussionsabend (Februar 1907) folgende widersinnige Argumentation: „Es ist ein Irrtum, das Wesen der Seele nur im Intellekt zu sehen, vielmehr liegt die Grundlage der seelischen Geschehnisse im Willen oder im Gefühl. Von dieser Erkenntnis ausgehend ergibt sich durch unmittelbare Anschauung Wesensgleichheit aller Lebewesen, „die Wesensidentität von Pflanze, Tier und Mensch, unbeschadet sekundärer Unterschiede." Man ersieht wieder aus solchen Aeußerungen, auf welch seichter, ja ganz hinfälliger Grundlage unsere Gegner ihre Lehrsysteme aufzubauen versuchen. Die Weltanschauung dieses Forschers erhellt aus seiner Ansicht, der zufolge unsere „Seelenenergie" nur „die Umwandlung der allgemeinen Energie ist, die das ganze All erfüllt". (S. Plate a. a. O. S. 113.)

auch höchst organisierte Ordnung an die Spitze der Säugetiere gestellt werden. Der „Mensch" gehört eben seiner Natur nach nicht in das „Tierreich", ebensowenig wie ein Tier in das Pflanzenreich oder eine Pflanze in das Mineralreich. Behandelt die Pflanze die Phytologie, das Tier die Zoologie, so behandelt den Menschen die Anthropologie (mit der ihr entsprechenden Psychologie für die Menschenseele und die Somatologie für den Menschenleib).

Wir dürfen daher den „Menschen" bloß vergleicheshalber in der „Zoologie" (Tierkunde) besprechen; als eigentliches Objekt kann ihn nur eine Wissenschaft behandeln, die höher steht als die reine „Zoologie", wie z. B. die Biologie und Physiologie, aber auch hier mit strenger Bewahrung der wesentlichen Unterschiede. Wir sprechen daher auch von einer Physiologie der Pflanzen, einer Physiologie der Tiere und einer Physiologie des Menschen.

Ebenso werden wir in der allgemeinen Wissenschaft von den sensitiven Wesen (animal) „Mensch" und „Tier" behandeln können, aber auch wieder als gesonderte Objekte, wenigstens einer stillschweigenden Voraussetzung nach. Dabei muß uns aber immer der gegenseitige Unterschied zwischen Mensch, als einem vernünftigen, d. i. mit Vernunft begadten Sinneswesen (animal rationale) und Tier, als einem vernunftlosen Sinneswesen (animal irrationale) vor Augen schweben.

Was oben in Bezug auf eine einseitige Auffassung der Natur der Pflanzen und Tiere bemerkt worden ist, hat auch hier in Bezug auf die Auffassung der menschlichen Natur seine volle Gültigkeit. Auch hier dürfen wir nicht etwa behaupten, der Mensch könne wenigstens seinem tierähnlichen Körper nach als „höchst entwickeltes Säugetier" aufgefaßt und in die Zoologie (Tierkunde) gestellt werden.[1]) Der „Mensch" ist eben kein „Säugetier", er ist nur ein mit Vernunft begabtes säugetierähnliches Sinneswesen, also ganz anderer Natur, als daß er auch nur seinem Körper nach als „Tier" aufgefaßt werden könne. Das „Tier", wie schon oben bemerkt worden, kann auch nicht seiner bloß vegetativen Funktionen wegen in die „Botanik" gestellt und als irgend eine „hochentwickelte Pflanze" aufgefaßt werden, wenn auch die dem höheren vegetativen Leben entsprechende Organisation des Tieres eine ebenfalls höhere Entwicklung aufweist, als wir diese bei bloßen Pflanzen, selbst bei der höchst entwickelten Ordnung derselben beobachten können.

Der eigentliche Grund hievon liegt darin, daß wir unseren natürlichen Denkgesetzen gemäß in der Systematik auf die ganze Natur eines Wesens Rücksicht nehmen müssen; die Vernunft verbietet

---

[1]) Ueber die „rein zoologische" Auffassung des Menschen im Sinne der heutigen Naturforschung vergl. Wasmann, Biologie 2c. S. 439 ff.

uns hier, nur einen, wenn auch sonst wesentlichen Teil dieser Natur
allein in Anschlag zu bringen.[1)]

Nachdem wir im vorstehenden in Bezug auf unsere Frage haupt=
sächlich den naturphilosophischen Standpunkt etwas näher aus=
einandergesetzt und begründet haben, erscheint es zweckentsprechend,
ja notwendig, hier auch den theologisch=exegetischen Stand=
punkt, den wir in Bezug auf die Frage über den Ursprung des
Menschen einzunehmen haben, im besonderen darzulegen.

3. Theologisch=exegetischer Standpunkt.

Der Ursprung des ersten Menschen wird uns im biblischen
Schöpfungsbriefe (Gen. 1, 26 f.; 2, 7, 20 ff.) erzählt.

Unsere Frage über den Ursprung des Menschen ist daher
auch eine theologisch=exegetische,[2)] der Theologe hat daher nicht
nur das Recht, sondern auch die Pflicht, die betreffenden Schrift=
stellen, den Prinzipien der katholischen Exegetik gemäß zu inter=
pretieren. Findet er in derselben irgend eine Wahrheit evident aus=
gesprochen, so ist diese Wahrheit durch den inspirierten Text als
zweifellos verbürgt, besonders wenn auch zugleich eine damit über=
einstimmende authentische Erklärung des kirchlichen Lehramtes[3)]
gegeben ist.

[1)] Vergl. „Natur und Offenbarung" (Band 22; 1876) — wo der Ver=
fasser „die Stellung des Menschen zum Naturreich" ausführlich zur Sprache
gebracht hat (S. 36—44, 171—177, 289—296, 502—506, 549—557, 594—601).
— [2)] Dr. Plate (a. a. O. S. 54) nennt daher irrtümlich die Frage über den
Ursprung des Menschen eine „einfach naturwissenschaftliche" Frage. Die
Einsprache der Monisten (Plate, S. 56, 70, 137, 142 u. a.) gegen eine theologische
Behandlung naturwissenschaftlicher Fragen, selbst wenn sie gemischter Natur wären,
muß als ganz unberechtigt zurückgewiesen werden und es ist nicht nötig, dies
in gegenwärtiger Zeitschrift noch weitläufiger zu begründen. Dem wissenschaftlich
gebildeten Theologen ist nicht unbekannt, welche Schranken der Behandlung solcher
Fragen gesetzt sind, und er weiß auch, daß theologische Wahrheiten dem Fort=
schritte der Naturwissenschaft keineswegs entgegenstehen. Sie dienen vielmehr zur
besseren Klarheit gerade verwickelter Fragen und richten sich meist
gegen Irrtümer und falsche Schlußfolgerungen, deren Unrichtigkeit gewöhnlich
schon die natürliche Vernunft erweisen kann; der hier gewöhnlich vorgebrachte
Einwurf aus der kirchlichen Entscheidung in der Galileifrage muß, abgesehen
davon, daß diese Entscheidung keine Glaubensdefinition war (Grisar, Galilei=
studien 1882) nach den damaligen allgemeinen physikalischen An=
schauung unseres Sonnensystems beurteilt werden; gerade diese physika=
lische Anschauung war das Haupthindernis, daß das neue Weltsystem nicht
angenommen und der wissenschaftliche Fortschritt gehemmt wurde. Ueber die
naturwissenschaftliche Seite der Galileifrage hat P. A. Linsmeier S. J. in
mehreren Arbeiten sehr viel Licht verbreitet und sei hier darauf hingewiesen.
(Vergl. „Natur und Offenbarung",) Bd. 32, S. 513 ff.; Bd. 33, S. 81 ff. (Galilei=
frage nach Grisar) — ferner: Bd. 36, S. 129 ff.; Bd. 37, S. 321 ff.; Bd. 41,
S. 155 ff.; Bd. 42, S. 152 ff.; Bd. 47, S. 65 ff.) — [3)] Plate greift mit vielen
anderen in nicht wenig gehässiger Weise das kirchliche Lehramt an (vergl. u. a.
S. 142). Es mangelt ihm in jeder Beziehung das Verständnis dieser göttlichen
Institution. Der Vorwurf einer „grenzenlosen Anmaßung" fällt auf ihn
selbst zurück.

Diese Wahrheit kann sich nun auch auf eine naturwissen=
schaftliche Frage beziehen. Zweck der Heiligen Schriften ist zwar,
uns zunächst über religiöse Wahrheiten zu belehren und nicht über
jene der Naturforschung als solcher; die Bibel ist aber kein „natur=
historisches" Werk.[1]) Gleichwohl muß hier festgehalten werden, daß
auch eine an sich nicht religiöse Wahrheit Gegenstand der
Offenbarung sein kann, besonders in dem Falle, wenn sie irgend
ein Fundament einer höheren, religiösen Wahrheit bildet oder damit
in einem Zusammenhange steht.

Es muß hier dasselbe beachtet werden, was Dr. Scheeben
in seiner Dogmatik[2]) in Bezug auf die Wirklichkeit der Zeit=
folge der Schöpfungstage bemerkt hat. Ihm zufolge haben zwar
der heilige Thomas von Aquin u. a. darin Recht, daß sie die Wirk=
lichkeit der Zeitfolge der biblischen Schöpfungstage für dogmatisch
als belanglos erklären, weil kein dogmatisches oder wesentlich theolo=
gisches Interesse sie fordert. Damit ist aber, wie Scheeben hinzufügt,
noch nicht gesagt, daß die Wirklichkeit jener Zeitfolge gar kein
Interesse habe und folglich nicht als akzessorisch geoffenbart
gelten müsse, — und wenn auch dies nicht der Fall wäre, so könne
sie doch immer per accidens geoffenbart sein.

Gleichwohl wird der Theologe in diesen nicht wesentlich
dogmatischen Fragen bei seinen exegetischen Auslegungen, besonders
wenn der Sinn der betreffenden Schriftstellen noch nicht authentisch
durch das kirchliche Lehramt verbürgt ist, auch die naturwissenschaft=
lichen Forschungen wie die einer jeden anderen Wissenschaft berück=
sichtigen und wenn die Resultate dieser Wissenschaften ganz sicher
erwiesen sind, dieselben auch seiner weiteren Erklärungen zugrunde legen.

Aus dem hier mehr im allgemeinen Gesagten ergibt sich, daß
eine Offenbarungswahrheit sich auch auf den ersten Ursprung
des Menschen, wenn auch seinem Körper nach beziehen könne,
zumal hier, abgesehen, daß der erste Ursprung des Menschen sonst
gar nicht mit Sicherheit zu unserer Kenntnis gelangen kann, auch
religiöse Beziehungen geltend gemacht werden können und diese
hier auch tatsächlich vorliegen.[3]) Hieher gehört auch die Offen=
barungslehre von dem vollkommenen und übernatürlichen, d. i. über

---

[1]) Vergl. die Enzyklika Leos XIII. vom 18. November 1893 „Providentissimus Deus". — [2]) A. a. O. S. 106. — [3]) Dr. Scheeben (Dogm. 2. Bd.
§ 146. IV. n. 327 ff.) führt in vorzüglicher Weise diese religiösen Momente durch.
Der Mensch ist — um seine Hauptidee hier wiederzugeben — dem zum aus=
drucksvollen Organ und Tempel der Seele geformten Leibe nach, ein gewisses
„Schattenbild" Gottes, und hat der Seele nach eine reale Aehnlichkeit mit Gott
als dem lebendigen Geiste. Der ganze Mensch ist auf diese Weise, als ein
von der Seele belebter Leib, Bild und Gleichnis zugleich oder ein leben=
diges simulacrum des lebendigen Gottes; denn gerade als sicht=
bares und lebendiges Bild Gottes ist er die Krone der sichtbaren
Schöpfung, des κόσμος κόσμος (vergl. Constit. Apost. VII. s. 4. VIII, 7).

der Natur stehenden Zustande des ersten Menschenpaares, mit einer
Ausstattung von Gaben, die sich auch auf den Leib bezogen.[1]

Da über religiöse Momente nur die Theologie entscheiden
kann, so gebührt ihr, als der kompetenten Wissenschaft, auch abgesehen
von anderen Gründen, in unserer gemischten Frage das erste Wort.
Der auf christlichem Standpunkte stehende Naturforscher wird auch
die entsprechenden theologischen Offenbarungswahrheiten bei seinen
Forschungen als sichere Wahrheiten voraussetzen und keine Theorien
verteidigen, die derselben widersprechen. Trotzdem, daß er von der
Gewißheit dieser aus der Offenbarung erkannten Wahrheiten überzeugt
ist, wird er seinen naturwissenschaftlichen Studien mit aller Energie
sich widmen können, dabei aber von Irrtümern bewahrt bleiben, denen
andere Naturforscher ohne Kenntnis der Offenbarungswahrheiten so
sehr ausgesetzt sind; deshalb werden ihm diese Wahrheiten selbst ein
mächtiger Sporn sein, seine naturwissenschaftlichen Forschungen zu
betreiben und er wird am Ende seiner Untersuchungen es nur mit
hoher Freude und Zufriedenheit anerkennen, wenn er gefunden, daß
die Resultate seiner Studien den Offenbarungswahrheiten nicht wider=
sprechen, ja mit derselben in vollkommenem Einklange sich befinden.

Auch wir wollen in derselben Weise bei diesen unseren, auch
in die Naturwissenschaft einschlägigen Untersuchungen vorgehen, und
wir werden am Schlusse tatsächlich finden, daß die sicher erwiesenen
Resultate der heutigen naturwissenschaftlichen Forschungen keineswegs
mit den Offenbarungswahrheiten im Widerspruch sich befinden, daß
wir eine Deszendenztheorie oder Entwicklungslehre aufstellen können,
welche, ohne den christlichen Standpunkt aufzugeben, auch im Ein=
klange mit den wissenschaftlichen Ergebnissen der exakten Natur=
forschung steht.

II.

Die monistische Deszendenztheorie will die Entstehung des
ganzen Menschen erklären; wir unsererseits wollen daher den
Menschen zunächst von Seite seiner Seele in Betracht ziehen.

1. Der Ursprung der Seele des Menschen.

Die Seele des Menschen ist, weil sie, wie das innere Bewußt=
sein uns belehrt, geistige Fähigkeiten besitzt, die auf übersinnliche Objekte
sich beziehen, — ebenfalls geistiger Natur; sie ist daher im wahren
Sinne des Wortes unstofflich, immateriell,[2] in der Weise, daß sie
zwar mit dem Körper zu Einer Natur, der des „Menschen“ ver=
einigt ist, ohne aber in ihrer Existenz (wie z. B. jene des Lebens=

---

[1] Vergl. Scheeben, Dogm. 2. § 183. f. — Kleutgen, Theol. d. V.
Bd. II. Abh. 9. — Hurter, Dogm. tr. VI. c. III. P. Concil. Trid. sess. 5.
— [2] Wenn einige Väter die menschliche Seele als „materiell“ bezeichneten,
so wollten sie dadurch, wie an anderen Stellen sich klar ergibt, dabei ihre
geistige Natur keineswegs leugnen, sondern nur ihre Natur als Lebens=
prinzip des beseelten Körpers besonders der reinsten Geistigkeit
Gottes gegenüber hervorheben.

prinzips des Tieres) an den Körper wesentlich gebunden und von ihm unmittelbar abhängig zu sein.

Ihr geistiges Denken vollzieht sich deshalb bei ihrer innigen Vereinigung mit dem Körper in einer gewissen äußeren Abhän= gigkeit von den Phantasiebildern oder Sinnesvorstellungen; da sie aber an den Körper in ihrer Existenz nicht wesentlich gebunden ist, so behält sie auch ihre Subsistenz nach dem Tode bei, der nur eine Trennung der Seele vom Leibe ist.[1]

Wir haben die Wahrheit von der Geistigkeit der Seele des Menschen schon in dem ersten Teile unserer Untersuchung als eine Fundamentalwahrheit hingestellt, die nur von jenen geleugnet werden kann, die auf das geistige Denken selbst Verzicht geleistet haben. Ziehen wir jetzt hieraus unsere Schlüsse!

Die Seele des Menschen ist eine geistige, immaterielle Substanz.

Eine solche Substanz kann nun zunächst nicht unmittelbar aus einer rein materiellen Substanz entstehen. Dies wider= spricht dem evidenten allgemeinen Prinzip von der adäquaten Kau= salität oder hinlänglichen Ursächlichkeit; — es würde sonst eine Wirkung nicht einer adäquaten oder hinreichenden Ursache entsprechen.

Es kann sich aber diese geistige Substanz auch nicht aus was immer für einem materiellen Naturkörper allmählich ent= wickeln. Abgesehen davon, daß bei einer geistigen, also wesentlich einfachen Substanz keine partielle oder allmähliche Ent= wicklung angenommen werden kann, so widerstreitet auch diese all= mähliche Entwicklung aus einem materiellen Naturkörper dem Prinzip der adäquaten Kausalität, ebenso wie die unmittelbare Entstehung derselben aus der Materie oder einem schlechthin materiellen Naturkörper. Zu dieser letzteren müssen auch die Tiere und Pflanzen gerechnet werden, da ihr Lebensprinzip ganz und wesentlich an die Materie gebunden ist, so daß sie von derselben auch wesentlich abhängen und daher außer der Malerei nicht existieren können.

Die menschliche Seele kann demnach auch nicht aus den Organis= men, aus einer Pflanze oder aus einem Tier sich entwickelt haben.

---

[1] Dr. Plate (a. a. O. S. 74) erklärt hier: „Der größte Irrtum der orthodoxen Gedankenwelt betrifft die Erklärung des Todes.“ (!) Da ihm zufolge der Tod nur ein allmähliches Abnutzen und Zerfallen des Organismus ist, wie dies bei Pflanzen und Tieren geschieht, leugnet er wohl — in einen peinlichen Widerspruch mit seinem geistigen Selbstbewußtsein, die Geistigkeit der mensch= lichen Seele. Gleichwohl spricht er (S. 70) von Gott als dem „höchsten, geistigen Prinzip“ (wie er hinzufügt — im pantheistischen Sinn). Wie Plate sich diese Geistigkeit Gottes vorstellt, wird bei der Unklarheit seiner Begriffe nicht näher zu bestimmen zu sein. Wenn er (S. 67 f.) Gott zugleich als „Natur, Urkraft“ rc. ansieht, ein Prinzip, welches „dem Menschen in ver= schiedenen Energieformen, als Materie, Licht, Wärme, Elektrizität, chemische Energie oder als psychischer Vorgang erscheint“, — so leugnet damit Plate offenbar wieder die Geistigkeit Gottes — oder er hat davon keinen Begriff.

Es .fehlte auch hier nicht an Versuchen, eine Entwicklung des vernünftigen Menschen oder des geistigen Elementes des Menschen, der Vernunft, aus dem vernunftlosen Tiertypus heraus annehmbar zu machen. So hat besonders der Monist L. Noiré in seinem Werke „Der Ursprung der Sprache" (1877) die Entstehung der Vernunft des Menschen aus der Sprache erklären wollen. Seinem Werke setzte er das Motto (von Geiger) vor: „Die Sprache hat die Vernunft erschaffen, vor der Sprache war der Mensch vernunftlos."

Dieser Annahme gegenüber muß folgendes bemerkt werden.

Die Entwicklung der Vernunft hängt, wenigstens für gewöhnlich, mit der Sprache zusammen, d. h. durch die Sprache kann die Entwicklung der schon vorhandenen Vernunft angeregt werden, es ist aber unmöglich, daß durch die Sprache die Vernunft oder ein vernünftiger Mensch aus einem vernunftlosen Wesen entstehen könne. Die „Sprache" ist selbst ein Erzeugnis der Vernunft oder setzt sie voraus, — nicht umgekehrt. Die „Sprache" ist ihrem Wesen nach im allgemeinen eine Mitteilung, bei uns Menschen auch zugleich ein sinnesfälliger Ausdruck vernünftiger Ideen und Gedanken; wo Gedanken, (also die Vernunft) fehlen, wie bei den Tieren, gibt es keine Sprache. Daß durch die Sprache die Vernunft nicht hervorgerufen werden könne, sehen wir tatsächlich bei den Tieren, wo die Sprache des Menschen zwar als äußere Schallaute eine Dressur bewirken, aber niemals ein inneres Verständnis dieser Laute erzielen und auch niemals aus einem vernunftlosen Tier einen vernünftigen Menschen hervorbringen kann. Die Erklärungen Noirés u. a. müssen demnach als müßige Theorien betrachtet werden, die durch Vernunft und Erfahrung widerlegt sind, und denen auch durch die Ausführungen des bekannten Sprachforschers M. Müller („On the origin of reason" in: Contemp. Review, Febr. 1878) kein wissenschaftlicher Halt gegeben wurde. Woher sollte denn auch einem leeren Schall= worte die schöpferische Kraft zukommen, eine geistige Fähigkeit, die Vernunft zu erzeugen? Nach Noiré wäre die „Vernunft" auf diese Weise entstanden oder wären jene „vernunftlosen" Menschen „ver= nünftige" Menschen so geworden, daß die ersteren alle zugleich in ein und dasselbe Schallwort ausgebrochen sind, ähnlich wie die Menschen gegenwärtig noch z. B. bei allgemeiner Verwunderung dies zu tun pflegen. Wenn nun auch dieses von allen gebrauchte Schallwort zur Bezeichnung irgend eines Affektes oder eines Gegen= standes gedient hätte, so wäre es doch noch kein eigentliches „Wort", — keine „Sprache" gewesen, da dieser „Sprache", diesem „Wort" das innere Gedankenwort gefehlt hätte. Deshalb ist auch die sogenannte „Tiersprache" keine wahre Sprache. Die einzelnen Tierarten, z. B. Vögel, Raubtiere ꝛc. haben ihre gemeinsamen Locktöne und können sich dadurch auch Mitteilungen machen, — aber diese Tiere sind

dadurch weder „vernünftig" geworden, noch ist diese Mitteilung eine
wahre „Sprache" zu nennen. Diese „Mitteilungen" der Tiere unter=
einander sind nur äußere Mitteilungen ihrer sinnlichen Ge=
fühle, aber nicht Mitteilungen innerer Gedanken, diese ihre
„Sprache" daher keine wahre „Sprache", wie jene des vernünftigen
Menschen; die wahre Sprache des Menschen ist eben nur eine durch
gewisse äußere Zeichen (Laute, Gesten 2c.) beabsichtigte Mitteilung
innerer Gedankenworte. Wo bei vernunftlosen Wesen Gedanken
fehlen, da können sie weder durch ein leeres Schallwort, noch auch
selbst durch wahre Sprachworte eines vernünftigen Menschen hervor=
gezaubert werden. Da übrigens diese „Mitteilung" dem vollen
Sinne des Wortes gemäß eine Mitteilung an andere ist, welche
das Mitgeteilte erfassen sollen, so setzt, streng genommen, die
„Sprache" nicht nur im Sprechenden, sondern auch in jenem, an
den sie gerichtet, ein geistiges Verständnis, also auch hier die Vernunft
voraus. Ohne Vernunft wird weder der eine „reden", noch der andere
das geredete Wort verstehen oder geistig erfassen (intelligere = intus
legere) können.

Die ganze Erklärung Noirés muß daher ebenso wie die allgemeine
Theorie von der Entstehung der Vernunft durch die Sprache als hin=
fällig bezeichnet werden. (Vergl. Gutberlet, Der Mensch 2c. 5. Ueber
den Ursprung der Sprache).

Müssen wir auf diese Weise den Ursprung und die Entwicklung
der menschlichen Seele mit allen ihren geistigen Fähigkeiten sowohl aus
der anorganischen als aus der organischen Welt als unmöglich erklären,
so sehen wir uns dadurch unabweisbar gezwungen, den Schluß zu ziehen:
die geistige Seele des Menschen kann nur durch die Kraft eines über
der ganzen Natur stehenden, übersinnlichen und selbst geistigen Wesens,
d. i. des höchsten geistigen Wesens Gottes, ins Dasein gesetzt worden
sein, mit anderen Worten, es kann der Mensch seiner geistigen
Seele nach nur von Gott unmittelbar geschaffen sein.

In diesem Sinne erklären auch die Exegeten das „spiraculum
vitae" (Gen. 3, 7, nach dem Hebräischen „habitus vitarum", —
„anima vivens" nach 1. Kor. 15, 45) als die unmittelbar von
Gott (eingehauchte) geschaffene Seele des Menschen, von der
(Ekkl. 12, 7) gesagt wird: „Spiritus (Hebräisch ruach) redeat ad
Deum, qui dedit illum." Daher heißt es auch im Geschlechtsregister
Christi am Ursprunge (Luk. 3, 38): „Henos, qui fuit Seth, qui
fuit Adae, qui fuit Dei", und auf diesen höheren Ursprung des
Menschen von Gott weist der heilige Paulus auf dem Areopag von
Athen hin, wenn er sagte: „Dixerunt: Ipsius enim et genus sumus.
Genus ergo cum simus Dei etc." (Akt. 17, 28. sq.)

An dieser auch schon durch die natürliche Vernunftkraft erkannte
Glaubenslehre von der unmittelbaren Erschaffung der Menschenseele
hat auch immer die Kirche mit den Vätern festgehalten und später

im Anschlusse daran die dem Creatianismus (Ursprung der Seele durch Erschaffung) entgegengesetzte Lehre verurteilt.[1]

„Schöpfung" bedeutet in Kürze eine „Hervorbringung aus Nichts".

Da die Anhänger der monistischen Deszendenztheorie diesen Begriff der Schöpfung nicht als annehmbar erklären und dagegen am Berliner Diskussionsabend im Februar 1907 einige ihrer Ansicht nach unüberwindliche Schwierigkeiten vorgebracht wurden, so erscheint es zweckmäßig, hier die Schöpfungsidee noch mehr zu erklären und die vorgebrachten Einwürfe zu lösen.

Der Schöpfungsakt als eine „Hervorbringung aus Nichts" ist gewiß für den Menschenverstand ein etwas schwer faßbarer Begriff, wie überhaupt alles, was sich auf die Vollkommenheiten des höchsten, unendlichen Wesens, das die Fülle alles Seins in sich schließt, bezieht. Aber darum sind diese Vollkommenheiten noch nicht unverständlich, ja sie können schon durch die natürliche Vernunft mit aller Gewißheit bewiesen werden. So verhält es sich auch mit der göttlichen Eigenschaft der Allmacht des höchsten Wesens;[2] ihr entspricht eine unendliche, absolute Kraft, die in jeder Beziehung unumschränkt und unabhängig ist. Eine so unendlich vollkommene

---

[1] S. Scheeben, Dogm. II. 6, 176 ff. — Der Creatianismus ist diesem Theologen zufolge nicht etwa bloß eine evidente Konsequenz aus dem kirchlichen Dogma von der Geistigkeit und Einheit der menschlichen Seele, sondern vielmehr eine einfache Erklärung des Inhalts. So konnte auch, wie er weiter bemerkt, der hl. Thomas v. Aqu. (1. p. q. 118 a. 2) namentlich in Bezug auf den ersten Teil sagen, die Leugnung desselben sei nicht nur error contra fidem, sondern haereticum, schon deshalb allein, weil dadurch die Geistigkeit und mit dieser die Unsterblichkeit der Seele geleugnet werde. Der Creatianismus ist in seiner formellen Weise erst später festgestellt worden, da anfangs einige Schwierigkeiten in Bezug auf die Vereinbarung mit anderen Dogmen (Fortpflanzung der Erbsünde 2c.) noch keine klare Lösung gefunden hatten. Einige Theologen, wie Scheeben (a. a. O. S. 189) bezeichnen deshalb hier auch die Erschaffung der Seele bei der Zeugung des Menschen nicht als eine Erschaffung im absoluten Sinne des Wortes, da diese an nichts außer Gott Gegebenes anknüpfe; bei der Zeugung wirkt Gott nur in Ausführung einer bereits von ihm festgestellten und in die Natur selbst gelegten Ordnung. Selbstverständlich bleibt auch hier die Hervorbringung der Seele von Seite Gottes ein Akt seiner schöpferischen Allmacht. — [2] Die Möglichkeit dieser Erkenntnis beziehungsweise der Schöpfung wurde ausdrücklich vom Vatikanum (de fide cathol. c. 2. can. 1) definiert. Vergl. auch die übrigen Definitionen im Anschluß an das IV. Lateranensische Konzil. — Plate (a. a. O. S. 63) bemerkt daher sehr unrichtig, daß die „Schöpfungsidee" nur auf die Bibel zurückzuführen sei und daß „der Naturforscher Wasmann die alte Schöpfungslehre zu retten gesucht habe, weil sie von der Bibel vertreten werde, obwohl er ihre Bedeutungslosigkeit (?) in naturhistorischen Fragen zugebe". (?) An einer anderen Stelle (S. 59) äußert sich Plate: „Die Kirche sagt ... die Formen sind geschaffen worden". Wir müssen hier vielmehr sagen: „Die Vernunft sagt es und sie beweist es, und die Bibel und die Kirche bestätigt die Schöpfungsidee." Die „Schöpfung" als eine naturhistorische Frage aufzufassen, wie Plate will, beruht auf arger Begriffsverwirrung und zeigt von einer höchst unwissenschaftlichen Mißkennung des reellen Standpunktes.

Kraft kann daher auch nicht, wie andere endliche Wesen in ihrer Wirksamkeit an den Stoff oder sonst an etwas gebunden oder von ihm in irgend einer Weise abhängig sein; umgekehrt muß dieser Stoff selbst in seiner ganzen Wesenheit von jener unendlichen Wirkungskraft abhängig sein. Ist aber dies der Fall, so kann die adäquate Ursache für das Dasein dieses Stoffes auch nur in jener unendlichen Urkraft selbst liegen. Dies heißt aber wieder nichts anderes, als daß diese unendliche Urkraft auch eine wahre Schöpfungskraft sein muß, d. i. eine Macht, die imstande ist, einem anderen Wesen nach seinem Nichtsein das Sein, oder genauer, nach seinem bloß möglichen Sein das wirkliche Dasein, die reelle Existenz zu geben.

Die Hervorbringung dieses Wesens nach seinem Nichtsein ist daher eine Hervorbringung aus Nichts, weil es eben vor seiner Existenz „Nichts" war, d. h. weil es noch nicht reell existierte, nicht also in dem Sinne, als würde, wie einige erklärten, dieses „Nichts" eine gewisse Materie zwischen Sein und Nichtsein, oder (nach Hegel) ein „allgemeines leeres Sein" bedeuten.

Jedes Adagium: „Ex nihilo nihil fit", „Aus Nichts wird Nichts", das unter anderen auch Plate[1]) gegen die Schöpfungs= idee auszuspielen sucht, gilt daher nur für die Naturkräfte, die sich ohne Stoff nicht betätigen können, nicht aber für die Tätigkeit der göttlichen Allmacht, als würde auch für ihr Wirken ein schon gegebener Stoff erforderlich sein.

Verbindet man mit jenem Ausspruche einen allgemeinen Sinn, so kann dadurch nur ausgedrückt sein, daß Sein oder Werden ohne eine innere Ursache oder ohne allen Grund nicht möglich ist.

Bei einer „Schöpfung" ist die innere Ursache die Allmacht Gottes, der den Grund seines Seins in sich selbst trägt.

Wenn daher von Seite der Monisten[2]) der Einwurf gemacht wird, die Schöpfung sei keine Erklärung der Materie, deshalb müsse sich der „Naturforscher" mit der „logischen Folgerung" begnügen: „Die Materie ist ewig", so beruht gerade das Gegenteil hievon auf Wahrheit. Die Schöpfung ist die innere, adäquate Ursache der Existenz einer Materie und diese findet in dieser Ursache ihre volle Erklärung. Die Schöpfung ist hier eine logische Folgerung und nicht etwa die Ewigkeit einer unerschaffenen Materie. Die Annahme einer „ewigen Materie" im Sinne der Monisten ist überhaupt keine oder eine widersinnige Erklärung.

Die Schöpfung — um in unserer Erörterung fortzufahren — ist als eine „Hervorbringung aus Nichts" auch nicht in dem Sinne zu verstehen, als würde in keiner näheren Beziehung etwas der Existenz eines Wesens vorausgehen. In Gott, als dem

---

[1]) A. a. O. S. 85. — [2]) Vergl. Plate a a. O. S. 55.

Urgrund aller Wahrheit und jeder Möglichkeit, sind nämlich alle wirklichen und auch möglichen Dinge in einem höheren und vollkommeneren Sinne (eminenter) enthalten oder in der unendlichen Vollkommenheit eingeschlossen, sie haben deshalb auch in Gott ihre vorbildliche Ursache (causa exemplaris). Die Schöpfungen oder die geschaffenen Dinge weisen daher auch eine gewisse Gottähnlichkeit auf, sie sind gewisse Nachahmungen und Darstellungen der göttlichen Vollkommenheiten; sie sind gewisse Ideen des göttlichen Verstandes[1]), die durch die Schöpfung eine aktuelle Existenz außer Gott erhalten haben und so als Wirkungen aus ihrer Ursache gleichsam hervorgegangen sind. Die scholastische Schule gebrauchte für dieses Hervorgehen der Wirkung aus der Ursache den lateinischen Ausdruck emanare (ausströmen, ausfließen, entspringen, hervorgehen), aber in dem angegebenen und nicht etwa, wie man ihr vorgeworfen hat, in einem pantheistischen Sinne, als würden bei der Schöpfung aus Gott wesensgleiche Substanzen hervorgehen.[2])

Diese göttlichen Ideen (causae exemplares) sind deshalb auch, weil in Gott und mit Gott identisch, ewig, wenn auch ihre aktuelle Realisierung durch die Schöpfung in einer bestimmten Zeit erfolgt. Da diese göttlichen Ideen zugleich das mögliche Sein irgend eines Dinges darstellen, so können und müssen wir sagen, daß das mögliche Sein eines Dinges oder das ideelle Sein, das es in Gott hat, seinem aktuellen Sein, das es durch die Schöpfung hat, vorausgeht und wie Gott ewig ist. Man kann aber deshalb nicht etwa behaupten, daß die Materie selbst oder ein anderes Wesen außer Gott schon von Ewigkeit bestehen müsse.

Diese unendliche Vollkommenheit des göttlichen Wesens lehren auch die Väter, wenngleich einige Ausdrücke, die sie bei ihrer Erklärung gebraucht, in einem richtigen Sinn verstanden werden müssen.[3])

So lehrt z. B. der heilige Gregor von Nazianz in seinen vortrefflichen Lehrgedichten, Gott sei εἰς καὶ πάντα καὶ οὐδέν, Unus et omnia et nihil, Einer, alles und nichts. „Einer", weil Gott allein das unendliche Sein ist, „alles", weil in ihm alle Vollkommenheit der Geschöpfe in der vollkommensten, dem göttlichen Sein entsprechenden Weise (formaliter et eminenter) enthalten sind; „nichts", d. i. nichts von allen diesen Vollkommenheiten der Geschöpfe, weil diese Vollkommenheiten beschränkt und ihre notwendig mit ihrer endlichen Natur im Zusammenhange stehenden Unvollkommenheiten besitzen und andererseits die unendliche Vollkommenheit des höchsten Wesens alle endliche Vollkommenheit ohne alles Maß überragt.

Denselben Gedanken drückt Pseudo-Dionys (De div. nom. c. 2, § 1) in einer anderen Form aus, indem er schreibt, Gott sei πάντων θέσιν καὶ πάντων ἀφαίρεσιν (omnium positionem et omnium ablationem), d. i. die Setzung oder Affirmation jeder Vollkommen-

---

[1]) Vergl. Scheeben a. a. O. S. 43 — [2]) Vergl. Kleutgen, Philosophie d V. Bd. II., Abh. 9. — [3]) Vergl. Scheeben a. a. O.

heit, andererseits aber auch wieder die Wegnahme oder Negation der in den Geschöpfen enthaltenen Vollkommenheiten, da diese auch Unvollkommenheiten einschließen. Es schließt daher das unendliche Sein, obgleich geistig und immateriell, auch die Vollkommenheiten der körperlichen oder materiellen Schöpfungen eminenter in sich und es ist auch kein Widerspruch, daß das höchste immaterielle oder göttliche Wesen materielle Wesen schafft, wie es auch kein Widerspruch ist, daß das absolut vollkommene Wesen Ursache von Wesen ist, die Unvollkommenheiten aufweisen; die Schöpfungen sind eben nicht Wesen, die wesensgleich mit Gott wären oder die im eigentlichen Sinne aus Gott hervorgehen würden.

Nur in dieser göttlichen Unendlichkeit, welche die ganze Fülle des Seins umfaßt und von der jedes andere Sein in seinem innersten Wesen abhängig ist, kann der wahre Monismus des möglichen und wirklichen Seins verstanden werden. Neben dieser vollkommensten absoluten Unendlichkeit des höchsten geistigen Wesens und neben den göttlichen, mit Gott identischen Vorbildern anderer Seinsstufen, existieren auch außer Gott gleichsam Ausstrahlungen seiner Vollkommenheiten und aktuelle Realisierungen seiner Ideen, die aber, wie schon auseinandergesetzt worden, keine Wesensgleichheit mit dem substantialen Sein ihrer Ursprungsquelle besitzen, sondern nur durch ihre Aehnlichkeiten einen gewissen äußeren Anteil der göttlichen Vollkommenheiten aufweisen.

Dieser wahre Monismus erblickt daher in dem höchsten unendlichen Wesen den Zentralpunkt aller Einheit und wie er in dieser Fülle des Seins für alles eine adäquate Erklärung findet und alles aus demselben ableitet, so führt er auch wieder alles auf denselben Zentralpunkt zurück. Hierin liegt auch die wahre einheitliche Erklärung dieser Welt.

Da dieser Gedanke bei unserer Zurückweisung des modernen Monismus von größerer Bedeutung erscheint, wollen wir noch etwas dabei verbleiben. Die Anhänger des modernen monistischen Systems glauben eine einfache Begründung desselben damit geben zu können, daß sie erklären, nur in diesem ihrem Systeme könne eine einheitliche Erklärung der ganzen Natur gegeben werden.

Diese Ansicht muß als ein großer Irrtum bezeichnet werden. Man kann zunächst von einer einheitlichen Erklärung überhaupt nicht sprechen, wenn man dabei Dinge, die von einander ganz offenbar und klar verschieden sind, als identisch betrachtet. Es ist dies keine Erklärung, sondern eine widersinnige Vermengung von einander weit entfernter Begriffe.

Dieser vermeintlich monistische oder „einheitliche" Standpunkt ist ferner seiner ganzen Bedeutung nach keineswegs ein einheitlicher, sondern vielmehr ein vielseitiger, indem er jede wahre Einheit zerstört und so die ganze Natur zersplittert, ja das Fundament jedes reellen Seins untergräbt. Es erscheint deshalb auch erklärlich, warum dieser Monismus zum rein ideellen Psychomonismus drängt, der jede Realität leugnet und ganz im Subjektivismus aufgeht.

Diesem falschen Monismus gegenüber muß ein jeder wissenschaftlich gebildeter Naturforscher dem oben dargelegten wahren Monismus huldigen, der trotz aller Einheit auch die Vielheit bestehen läßt und diese Vielheit zu einer harmonischen Einheit verbindet. Schließlich mögen in diesem Abschnitte noch einige andere Schwierigkeiten erörtert werden, die gegen die Schöpfungsidee und das Wirken der göttlichen Allmacht überhaupt erhoben worden sind.

Die Monisten glauben hier besonders die neuere Energielehre in Anschlag bringen zu können.

Dieser Energielehre zufolge gibt es, um einige kurze Erklärungen hier beizufügen, verschiedene Energieformen, wie Licht, Wärme, Elektrizität, chemische Energie 2c.[1]

Diese verschiedenen Energieformen nun — die zwei zuletzt genannten wollen wir hier nicht berücksichtigen — können durch entsprechende Ursachen in einander übergehen, ohne daß dadurch, wie die Erfahrung lehrt, ihre Gesamtmenge vermehrt oder vermindert wird. Dieser Vorgang wird als das Gesetz von der „Erhaltung der Energie" bezeichnet und man sieht in demselben die Einheit aller Naturkräfte und aller darauf fußenden Naturgesetze.

Aus dieser Energielehre und ihrer weiteren Anordnung erheben nun die Monisten einige Einwürfe gegen die Schöpfungsidee; wir können dieselben in Kürze folgendermaßen zusammenfassen:

1. Die Energieformen sind nur eine verschiedene Erscheinungsweise der höchsten einheitlichen Urkraft, diese kann aber nur unerschaffen und ewig sein.[2]

2. Die Naturgesetze mit ihren Energieformen sind unveränderlich und deshalb von Ewigkeit festbestehend, daher auch die ganze Natur mit ihrem ewigen Kreislauf.[3]

---

[1] Plate (a. a. O. S. 68) will zu den Energieformen auch die psychischen Vorgänge und selbst die „Materie" rechnen „Die psychischen Eigenschaften", bemerkt er, „spielen sich in völliger Abhängigkeit von materiellen Prozessen ab, daher müssen sie wie diese als eine Form der allgemeinen Energie angesehen werden". Eine Abhängigkeit von einem materiellen Prozeß bedingt noch nicht notwendig eine Gleichheit der Natur. Die organischen Lebensprozesse, um die es sich hier vorzüglich handelt, sind zwar an materielle Prozesse gebunden, aber sie gehen nicht in diesen Prozessen gänzlich auf; die Lebensprozesse sind höherer Natur, als die rein physikalischen Prozesse der Energieformen, sie sind Lebensfunktionen und diese erfordern vernunftgemäß einen inneren Lebensakt, der als solcher nicht äußerlich, sondern immanent ist. Was die „Materie" betrifft, so bildet sie das Substrat oder die Trägerin der Energieformen und kann deshalb nicht selbst als eine Energieform aufgefaßt werden. Die „Materie" ändert sich auch nicht bei allen Aenderungen der Energieformen, die Materie ist die Substanz, die Energieformen sind nur ihre Eigenschaften. —
[2] Vergl. Plate a. a. O. S. 67 ff., S. 128. — [3] Ein Rezensent des von P. Tilm. Pesch S. J. herausgegebenen Werkes „Die großen Welträtsel" (2. Aufl. 1892) schreibt in der Zeitschrift „Die Natur" (her. v. Dr. K. Müller, 14. Jahrg. N. F. 1893): „Offenbar gehen die Jesuiten ihren eigenen, be-

— 541 —

3. Die Schöpfung eines neuen Wesens wäre eine Veränderung
der Energieformen und der strengen Gesetzmäßigkeit des natür=
lichen Verlaufes derselben; sie wäre so eine Durchbrechung der Natur=
gesetze, also ein „Wunder", das nicht angenommen werden kann,
wie ein solches auch gar nicht beobachtet worden ist.[1]) Durch die
Schöpfung eines neuen Wesens würde selbst eine neue Kraftquelle
entstanden und so der allgemeine Energiewert fortwährend vermehrt
worden sein.

4. Eine Neuschöpfung z. B. der Organismen zc., würde gegen die
vollkommene Weisheit des Schöpfers zeugen. Denn wenn man an=
nimmt, daß ein allweiser und allmächtiger Schöpfer existiert, so muß
er die Naturgesetze mit ihren Energieformen am Uranfang der
Dinge so geschaffen und so eingerichtet haben, daß ein späteres Ein=
greifen und eine Veränderung der Energiewerte überflüssig war. Wir
müssen daher annehmen, daß sich alles nach rein natürlichen Gesetzen
und Energieumwandlungen ohne „übernatürliche Schöpfungen" ent=
wickelt habe.[2])

Wie aus diesen Einwürfen gegen die Schöpfungsidee und das
Wirken der göttlichen Allmacht überhaupt erhellt, haben dieselben ein
ganz monistisches Gepräge und leiden vielfach an der Klarheit der
Begriffe. Einige derselben sind uns schon früher begegnet. Nach dem
bisher Gesagten kann darauf leicht eine genügende Antwort gegeben
werden.

Die Naturgesetze mit ihren Energieformen haben keineswegs
eine absolute Notwendigkeit und Unveränderlichkeit, als würden sie
schon von Ewigkeit her notwendig existieren müssen und als würde
der Herr der Welt keine andere Weltordnung als die jetzt bestehende
erschaffen können. Nur ihre ideellen Vorbilder im göttlichen Verstande
(siehe oben) sind, wie die eines jeden anderen Geschöpfes, als ewig
und unerschaffen anzusehen. Die Energieformen als wirkliche Er=
scheinungsweisen der höchsten Urkraft, d. h. Gottes selbst ansehen,
sind widersinnige, pantheistische Spekulationen. Ebenso kann von einem
ewigen Kreislauf der Natur nicht gesprochen werden.[3])

---

stimmten Weg neben der modernen Naturwissenschaft, als Nachkömmlinge eines
Scholastizismus, welcher das besondere Merkmal des Mittelalters war, nur
mit dem Unterschiede, daß sie in Bezug auf das Tatsächliche dem modernen
Geist aufgenommen haben, also auch z. B. zugeben müssen, daß die Sonne sich
nicht mehr um die Erde, sondern diese um die Sonne dreht. Es liegt in ihrem
System, den Glauben an Wunder zu stärken, und da Wunder unter allen
Umständen ein Gegenstand der Natur sein würden, so gebrauchen sie auch einen
Deus ex machina, obwohl sie als dialektisch wohlgeschulte Köpfe wissen müssen,
daß solches sich nicht mit der Annahme ewiger Naturgesetze vertragen kann "
— Vergl. Plate a. a. O. — [1]) Plate a. a. O. S. 68 ff., S. 126, S. 137. -
[2]) Plate a. a. O. S 64. — [3]) Vergl. Epping S. J., „Der Kreislauf im
Kosmos" (St. a. Maria-Laach, Erg. 18.) 1882. Eppings Ausführungen richten
sich besonders gegen die von Dr. K. Freih. v. Du-Prel verteidigte Ansicht vom
Kreislauf der Welt. („Der Kampf ums Dasein am Himmel", S. 876) und weist
die Unhaltbarkeit dieser Ansicht zurück. In neuester Zeit hat Svante Arrhenius

Hat der Schöpfer eine Weltordnung festgesetzt, so sind die Naturgesetze dieser Ordnung aus sich unveränderlich, d. h. sie haben ihren streng gesetzmäßigen Verlauf, da sie der Herrschaft Gottes gänzlich unterworfen sind und eine jede Veränderung nur vom Schöpfer selbst, dem Gesetzgeber abhängig ist. Gott besitzt eben allein die absolute Macht, seine Gesetze, wie er sie frei gegeben, auch zu ändern oder selbst gänzlich aufzuheben, wenn er aus einem seiner Weisheit entsprechenden Grunde dies beabsichtigen wollte; im Besitze seiner unendlichen Allmacht, die alles zu tun imstande ist, was keinen inneren Widerspruch in sich schließt,[1] könnte er selbst diese ganze Weltordnung in eine andere, als sie gegenwärtig ist, umändern. Dies würde noch viel mehr seine Geltung haben, wenn es sich nicht um eine gänzliche Aufhebung eines Naturgesetzes, sondern nur um eine Suspension des allgemeinen Gesetzes in einzelnen Fällen handeln würde; es würde dies deshalb auch nur in diesen besonderen Fällen eine Veränderung des sonst gewöhnlichen Verlaufes eines Naturgesetzes sein, das mithin, weil es eben nicht allgemein aufgehoben ist, für alle anderen Fälle unverändert fortbesteht.

Diese Veränderung des sonst gewöhnlichen Verlaufes eines Naturgesetzes pflegen wir ein „Wunder" zu nennen, da eine solche Veränderung etwas Ungewöhnliches oder Außergewöhnliches ist, das durch die Naturkräfte allein keine Erklärung findet, der ganze Vorgang daher unsere Aufmerksamkeit auf sich zieht und unsere natürliche Verwunderung erregen muß.

---

in seinem Werte „Das Werden der Welten" (aus dem Schwedischen übers. v. L. Bamberger, Leipzig 1908) eine Theorie über das Werden und Vergehen der Welten aufzustellen gesucht. Ihm zufolge wäre das Weltall seinem Wesen nach stets so gewesen, wie es jetzt noch ist, auch mit seinen Lebenskeimen; die Verbreitung derselben im ganzen Weltenraum komme durch Ausstoßung kleinster lebender Zellen infolge des Lichtdrucks zustande 2c. Auch für diese Theorie werden keine Beweise gebracht und die berechtigten Einwürfe gar nicht gelöst; sie muß daher auch schon naturwissenschaftlich ebenfalls abgewiesen werden. —

[1] Was einen inneren Widerspruch in sich schließt, kann selbstverständlich auch die göttliche Allmacht nicht ändern; sie kann z. B. Geschehenes nicht ungeschehen machen, mathematische Sätze 2c. nicht aufheben. Die göttliche Allmacht ist eben auch zugleich die absolute Wahrheit, die ewig dieselbe bleibt und unveränderlich ist. Mit dieser metaphysischen Wahrheit dürfen die Naturgesetze nicht verwechselt werden. Auch kann man nicht sagen, daß die „Schöpfung" selbst schon einen inneren Widerspruch in sich schließt, wie Plate darin einen solchen zu finden wähnt, welcher (a. a. O. S. 55) argumentiert: „Selbst die vollkommenste Gottheit vermag nicht aus Nichts etwas zu schaffen, gerade so wenig, wie sie nicht bewirken kann, daß 2 $\times$ 2 = 5 ist." „Es ist daher ein Trugschluß," fährt Plate in seinem metaphysischen Beweise fort, „wenn Wasmann die Schöpfung dadurch verständlich zu machen sucht, daß das unendlich vollkommene Sein „das endliche Sein potentiell in sich schloß". Das „unendlich vollkommene Sein" muß immateriell sein. Wie aber aus etwas Immateriellen etwas Materielles hervorgehen kann, ist nicht einzusehen." — Wir haben schon oben gesehen, wie irrtümlich diese Argumentation Plates ist, daher ein „Trugschluß" nur von seiner Seite begangen wird.

Da das Wesentliche eines „Wunders" in diesem außer=
gewöhnlichen Vorgang besteht, d. i. in einem solchen, der nicht
in dem gewöhnlichen Verlauf der von Gott gewollten Naturordnung
liegt, so würde man allerdings die uns sichtbare Erschaffung eines
Dinges in der jetzt bestehenden Weltordnung auch ein „Wunder"
nennen können. Obwohl nun auch jetzt noch von Gott die mensch=
lichen Seelen fortwährend erschaffen werden, so nennen wir diese
Erschaffung kein Wunder, weil sie nicht gegen die jetzt bestehende
Weltordnung ist, sondern vielmehr derselben entspricht, abgesehen
davon, daß diese Erschaffung der Seelen uns nicht sichtbar ist. Auch
die erste Schöpfung der Dinge, die sich auf die Konstitution oder
Einrichtung dieser sichtbaren Weltordnung bezieht, nennen wir kein
Wunder, weil eben, bevor diese Weltordnung existiert, noch nichts
geschehen kann, was gegen den gewöhnlichen Verlauf dieser Welt=
ordnung wäre. Man kann daher auch nicht mit Plate behaupten,
eine „Schöpfung" wäre eine Durchbrechung der Naturgesetze. Versteht
man hier die erste Schöpfung, so kann, bevor diese Weltordnung
existiert, noch kein Naturgesetz durchbrochen werden; versteht man
darunter die noch fortwährenden aktuierten Schöpfungen, z. B. der
menschlichen Seelen, so gehört diese Schöpfung, wie schon oben
bemerkt, schon zum gewöhnlichen Verlauf dieser Weltordnung.

Was die Möglichkeit eines Wunders betrifft, so kann
dieselbe von keinem vernünftig Denkenden bestritten werden. Deshalb
hat schon Rousseau (Lettre 3, De la Montague) denjenigen, welcher
die Möglichkeit eines Wunders in Abrede stellt, mit scharfen Worten
gegeißelt, indem er auf die Frage: „Kann Gott Wunder tun?" die
Antwort gibt: „Die Frage, wenn ernstlich genommen, wäre gottlos,
wäre sie nicht schon absurd und dem, der sie verneint, würde man
zu viele Ehre antun, wollte man ihn dafür bestrafen; es wäre besser,
ihn einfach ins Narrenhaus zu schicken. Aber wer hat denn auch je
geleugnet, daß Gott Wunder tun könne?" So weit der Enzyklopädist
J. Rousseau.

Auch Dr. Plate (a. a. O. S. 71; vergl. S. 61) findet den
Gedanken an sich vollständig logisch, daß Gott, welcher die Natur=
gesetze gemacht hat, auch aufheben könne. Seine Schwierigkeiten
konzentrieren sich darauf, daß ein späteres Eingreifen in die Natur=
gesetze ein „Armutszeugnis" für den Schöpfer wäre, als würden
seine Einrichtungen so unvollkommen sein, daß er sie korrigieren,
dabei nachhelfen müsse. Wir brauchen nicht anzunehmen, bemerkt er,
daß „willkürlich und launenhaft in das Weltgetriebe eingegriffen
werde". Er glaubt diesen gordischen Knoten einfach lösen zu können,
indem er ihn durch lakonische Leugnung der Tatsache eines Wunders
zu zerhauen sucht. „Keine einzige Erfahrung," äußert er sich, „be=
rechtigt uns zu dieser Annahme, welche jeder Wissenschaft den Todesstoß
versetzen würde. ... Wo von Wundern die Rede ist, handelt es sich
stets um eine mangelhafte Naturkenntnis oder in einzelnen Fällen

sogar um absichtlichen Betrug." Plate verkennt hier offenbar das ganze Wesen, den Zweck und den Verlauf eines von Gott beabsichtigten „Wunders".

Ein „Wunder" ist keineswegs eine „Verbesserung" oder „Nachhilfe" der einmal von Gott eingesetzten Weltordnung, dies auch nicht, wenn man im Sinne Plates jede „Schöpfung" schon als „Wunder" betrachten wollte. Hatte Gott am Anfang seiner Schöpfung das anorganische Reich festgesetzt, so konnte hieraus ohne (unmittelbaren oder mittelbaren) Schöpfungsakt[1]) das organische Reich nicht entstehen und nach Konstituierung des organischen Reiches der Pflanzen und Tiere konnte aus demselben wieder ohne Neuschöpfung der Mensch sich nicht entwickeln, nicht weil die früheren Schöpfungen unvollkommen waren, sondern weil diese Neuschöpfungen in der Natur der Sache lagen und unbedingt notwendig waren.

Ein „Wunder" ist auch keine eigentliche Veränderung einer ursprünglichen Anordnung Gottes, insofern die Wunder, die Gott wirken wollte, schon von Ewigkeit her in seinen Schöpfungsplan aufgenommen worden sind und in diesem Sinne zu der von Gott gewollten Weltordnung selbst gehören.

Ein Wunder ist auch keineswegs ein „willkürlicher und launenhafter Eingriff in das Weltgetriebe", sondern ein der höchsten Weisheit entsprechender Akt der göttlichen Allmacht als Zeugnis seiner fortwirkenden Tätigkeit und insbesondere als Zeugnis zur authentischen Beglaubigung seiner Offenbarungen. Gott könnte zwar auf diese seine Offenbarungen durch unmittelbare, untrügliche Erleuchtung des Verstandes mitteilen, aber dieser Weg der persönlichen Mitteilung paßt nicht, wenigstens nicht im allgemeinen für die gegenwärtige von Gott gewollte Ordnung und es erscheint auch ganz weise und der Natur des Menschen entsprechend, daß der unsichtbare weil geistige Schöpfer dem sinnlich-vernünftigen Menschen auch sinnesfällige Zeichen seines Willens gibt, Zeichen, die von vielen zugleich beobachtet und beurteilt werden können, so daß hier subjektive Täuschungen mehr als sonst ausgeschlossen sind.

Daß derartige „Wunderzeichen" noch niemals beobachtet worden sind, ist eine wenigstens auf großer Ignoranz beruhende Behauptung.

Es sei zunächst bemerkt, daß es sich hier nicht um natürlich erklärbare Scheinwunder, sondern um wahre Wunder[2]) handelt und daß zur Beurteilung eines wahren Wunders genügt, wenn man einerseits die allgemeine Wirkungsweise der Naturkräfte kennt und andererseits weiß, was durch diese Naturkräfte nicht erklärt werden kann. Erkennen wir nach Erwägung aller Umstände, daß

---

[1]) S. Jahrg. 1908, III., S. 513 ff. — [2]) Vergl Bonniot, Wunder und Scheinwunder, Mainz 1889. — Fr. v. Tessen-Weslierski, Die Grundlinien des Wunders nach Thomas v. Aqu, Paderborn 1899. — S. Müller, Natur und Wunder, Freiburg 1892; Gutberlet, Vernunft und Wunder, 1905.

wir berechtigt sind, keine Sinnestäuschungen anzunehmen und daß
irgend eine Wirkung, z. B. das plötzliche Sehenwerden eines Nerven=
blinden, die plötzliche Heilung einer schweren Wunde, die Auferweckung
eines Toten, durch keine Naturkraft hervorgebracht werden kann, so
müssen wir hieraus den Schluß ziehen, daß jene Wirkung nur auf
eine Ursache zurückgeführt werden kann, die über der Weltordnung
der ganzen Natur steht, mithin auf eine Ursache, die nur der
Gesetzgeber der Natur, d. i. Gott, selbst ist. Hierin liegt nichts
Widersinniges, sondern vielmehr sehr viel Verständnis, ja zugleich
eine moralische Pflicht, das anzuerkennen, was Gott der höchste Herr
seinem Geschöpfe auf diese Weise kundzugeben beabsichtigt.

Zur Beurteilung der vorliegenden Tatsache brauchen wir wenigstens
in vielen Fällen wohl nicht früher ein medizinisches Kollegium zu
befragen, wenn auch besonders in unseren Tagen ein diesbezügliches
Zeugnis von großem Belange sein kann. Daß manche Wirkungen
als „Wunder" angesehen worden sind, die keine wahren Wunder waren,
verschlägt hier nichts; man muß eben hier auch mit Kritik vorgehen;
aber erwiesene Tatsachen muß auch die Kritik anerkennen. Darf man
etwa behaupten, es gebe keine Wahrheit, weil es auch Lüge und
Betrug gibt?

In Bezug auf nicht selbst beobachtete Wunder einer früheren
Zeit ist selbstverständlich eine genaue Kritik am meisten zu üben;
aber gerade diese Kritik zeigt, daß Wunder tatsächlich beobachtet
worden sind.[1]

Auf diese Weise entfällt die Grundlage des von Plate
gebrachten Einwurfes gegen das „Wunder", doch auch schon lange vor
Plate stand auch in der „wissenschaftlichen Welt" fest, daß wahre
Wunder nicht nur möglich, sondern auch tatsächlich eingetreten sind
und auch sicher beobachtet und kritisch beurteilt werden können.

Keineswegs wäre, wie Plate wähnt, ein Wunder der Todesstoß
einer jeden Wissenschaft. Kommt etwa dadurch die Wissenschaft zu
Schaden, daß die Kritik anerkennen muß, eine Tatsache könne durch
die gewöhnlichen Naturkräfte nicht erklärt, müsse daher auf eine über
der Natur stehende Ursache, auf Gott zurückgeführt werden? Plate
darf nicht fürchten, daß dadurch der gesetzmäßige Gang der Natur
aufgehalten werde. Das Weltgetriebe wird sich weiter fortbewegen,
so lange es Gott dem höchsten Herrn gefallen wird, und es werden
trotzdem dabei auch die „Wunder" bestehen, die Gott wirken will,
wie es seiner Weisheit gefallen wird.

Es ist endlich auch nicht zu fürchten, daß durch eine Neu=
schöpfung oder durch ein Wunder das Gesetz von der Konstanz
oder Erhaltung der Energie hinfällig werde.

---

[1] Vergl. E. Müller, Das Wunder und die Geschichtsforschung.
Freiburg i Sch. 1896. Siehe auch Concil. Vatican. sess. III. can. 4. Bekannt
ist die genaueste Vorsicht, die von der Kirche bei Prüfung der Wunder gelegentlich
einer Beatifikation eines Dieners Gottes in Anwendung gebracht wird.

Dieses Gesetz von der Erhaltung der Energie mit den äquivalenten Umwandlungen der einen Energieform in eine andere, z. B. der Wärme in mechanische Bewegung, ist gewiß eine der schönsten Errungenschaft der Neuzeit.

E. Haeckel[1]) bezeichnet es (mit dem Gesetze von der Erhaltung der Materie) als „Substanzgesetz" und „oberstes Grundgesetz des Kosmos", ja als „Paragraph I. der monistischen Vernunftreligion".

Dieses Gesetz gilt als das Palladium der atheistisch=materialistischen Weltanschauung, man glaubte dadurch die ganze Natur rein mechanisch ohne Gott erklären und die christliche Weltanschauung vernichten zu können. Sehen wir, was es damit für ein Bewandtnis hat.

Zunächst ist vor allem anderen hervorzuheben, daß die Energiegesetze nur Erfahrungssätze sind, die aus physikalischen Versuchen abgeleitet wurden. Es folgt hieraus noch keineswegs ihre allgemeine Gültigkeit und noch viel weniger ihre absolute Notwendigkeit, so daß sie von vornherein unabänderliche Gesetze sein müssen. Nehmen wir aber auch die Energiegesetze ihrer vielfachen Begründung wegen an, so nehmen wir sie nur für die jetzt bestehende Weltordnung an und in der Weise, wie sie Gott, der Gesetzgeber der Natur, gegeben hat. Sie haben deshalb, wie andere Naturgesetze, nicht schon von Ewigkeit ihren Bestand, sondern sind seit jener Zeit in Wirksamkeit getreten, um welche diese Weltordnung ihren Anfang genommen hat.

Diese ihre Wirksamkeit bleibt aber nun auch bei der Neuerschaffung anderer Wesen, wie der Organismen und der menschlichen Seele, ganz unangetastet; dies nicht etwa deshalb, weil der göttliche Gesetzgeber an dieses Gesetz gebunden wäre, sondern weil derselbe Gesetzgeber aus seiner Weisheit entsprechenden Gründen die äußeren, vom organischen Körper abhängenden Akte ebenfalls dem Energiegesetze unterworfen wissen wollte, so daß diese Akte, z. B. die äußere Nerven= und Muskelarbeit, einer genau bestimmten Energiemenge gleichgestellt werden können. Organische Prozesse sind zwar an sich innere Lebensvorgänge, hinsichtlich ihrer äußeren Erscheinung jedoch sind sie an Energieveränderungen (besonders chemischer Natur) gebunden. Bei einer Neuschöpfung, bei welcher das innere Lebensprinzip geschaffen wird, entsteht zwar eine neue Lebenskraft, aber der Gesamtwert der Energien, denen diese Lebenskraft gleichsam nur ihre Richtung gibt, wird nicht verändert, noch geschieht dies bei den inneren Lebensfunktionen.

Auch bei Wirkung eines „Wunders" wird der Gesamtwert der Energie nicht geändert.[2]) Die neuere Energielehre steht nicht nur nicht dem Wesen des Wunders entgegen, sondern es wird uns dadurch die Möglichkeit geboten, das Wesen des Wunders selbst in ein helleres

[1]) Die Zukunft, III., Berlin 1895, S. 199 f. — [2]) Vergl. „Moderne Wunderschau" in der Zeitschr. „Die Wahrheit", München 1896, I. u. 11. S. 510 ff.

Licht zu stellen, beziehungsweise eine nähere Erklärung der dabei
auftretenden äußeren Vorgänge zu geben.

Da das „Wunder" von Plate[1] einerseits mit der Schöpfungs=
idee in Verbindung gebracht und andererseits als ein „Kardinalpunkt",
ja als „der fundamentale Gegensatz zwischen Monismus und Theis=
mus" bezeichnet und für die monistische Deszendenztheorie verwertet
wird, so haben wir in den vorhergehenden Auseinandersetzungen auch
diesen Gegenstand in den Kreis unserer Untersuchung ziehen müssen
und wollen deshalb noch nachfolgende weitere Erklärungen beifügen
und dabei die katholische Lehre von dem Wunder besonders in Rück=
sicht auf die Energieformen etwas auseinandersetzen.

Die Verschiedenheiten der Körper und deren wechselhafte
Erscheinungsformen hängen teils von den inneren konstituierenden
Prinzipien des Körpers überhaupt, oder von ihren besonderen
chemischen Zusammensetzungen, teils von ihren äußeren physikalischen
Eigenschaften ab, die ihrerseits als ein Ausdruck der wesentlichen und
zum Teil unwesentlichen Atom= beziehungsweise Molekelverbindungen
angesehen werden. Mit anderen Atom= und Molekelverbindungen
stellen sich auch andere Eigenschaften ein. So werden z. B. dunkle
und undurchsichtige Körper unter gewissen Umständen hell und durch=
sichtig. Die Schneemasse als solche ist weiß undurchsichtig, das Wasser
als kompaktes Eis dagegen durchsichtig; der schwarze, opake Kohlen=
stoff bildet eine amorphe Masse, auch als Graphit kristallisiert behält
er diese seine Eigenschaften bei, nur als Diamant kristallisiert zeigt
er bei seiner alle anderen Mineralien weit überragenden Härte
ausgezeichneten Glanz und vollkommene Durchsichtigkeit. Manche
Körper ändern nur infolge des Druckes einige ihrer Eigenschaften,
einige sind im festen Zustande opak, im flüssigen dagegen klar und
durchsichtig 2c.

Wir glauben nun mit Rücksicht auf alle Energieformen und
deren Umwandlungen sowie auch auf die verschiedenen Lebensprinzipien
der Organismen folgende allgemeine Grundsätze aufstellen zu können.

1. Alle konstituierenden Prinzipien sowie alle darauf bezüglichen,
gesetzmäßig verlaufenden Veränderungen hängen in dieser ihrer
inneren Konstitution und der Gesetzmäßigkeit der Veränderungen
von dem höchsten Gesetzgeber dieser Weltordnung ab, so daß ohne
seinen Willen keine Aenderung stattfinden kann und diese in einzelnen
besonderen Fällen nur insoweit, als Gott in seiner höchsten Weisheit
es wollen oder zulassen kann.

2. Diesem allgemeinen Prinzipe gemäß erklären wir:

a) Allein auf Gottes Tätigkeit zurückführbare Werke: Die
Erschaffung der Substanzen und alles andere, worin eine
schöpferische Tätigkeit sich ausspricht; ferner alle unmittelbaren
Eingriffe Gottes in Bezug auf die Veränderung der Energieformen,
soweit Gott selbst diese in Ausführung zu bringen beabsichtigt.

[1] A. a. O. S. 70.

b) Veränderungen, welche nicht die eigentlich schöpferische un=
mittelbare Tätigkeit Gottes erheischen, wie die bloß äußeren Ver=
änderungen der Energieformen, Licht, Wärme, Elektrizität (mit Ein=
schluß der akzidentalen Gruppierungen der kleinen Masseteilchen)
erfordern nur eine Zulassung und nicht einen unmittelbaren Eingriff
Gottes, können daher auch nach Anordnung seines höchsten Willens,
z. B. von Engeln, in Ausführung gebracht werden. Die Engel
schaffen dabei keine neue Energie, sondern bewirken nur Veränderungen
der schon vorhandenen Energie.[1]

Etwas Aehnliches kann auch in Bezug auf den Menschen
selbst gesagt werden. So kann die Seele des Menschen nur von
Gott geschaffen und wieder nur (wenn sie vom Körper getrennt ist)
durch Gottes schöpferische Tätigkeit mit dem Körper vereint werden.
(Auferweckung zum Leben). Veränderungen in den Energieformen,
welche den Körper des Menschen betreffen, können auch von anderen
geistigen Wesen bewirkt werden, soweit Wille und Zulassung Gottes
dazu Gewalt oder Befugnis erteilen.

3. Da nur die außergewöhnlichen, nicht durch die Naturgesetze
in ihrem gewöhnlichen Verlaufe erfolgenden Erscheinungen in der
sichtbaren Natur als „Wunder“ bezeichnet werden, so sind die
„Schöpfungen“ Gottes als solche (z. B. die Erschaffung der mensch=
lichen Seelen) kein „Wunder“ im strengen Sinne. (Siehe oben.)
Aus dem oben Gesagten ergibt sich jedoch, daß wir verschiedene
Arten von Wundern unterscheiden müssen:

a) Wunder im eigentlichsten Sinne, d. i. jene Wunder,
die nur unmittelbar von Gott gewirkt werden können.

b) Wunder im weiteren Sinne, die Gott auch mit Hilfe
der Engel wirken kann.

Als „Scheinwunder“ wären alle jene Erscheinungen zu
bezeichnen, die den Wundern im weiteren Sinne ähnlich sind,
aber sich nicht auf einen guten, höheren, religiösen Zweck beziehen,
wie jene infolge dämonischer Einflüsse.[2] Aus den verschiedenen Begleit=
umständen muß kritisch entschieden werden, welche Art von Wunder
bei einer bestimmten Tatsache vorliegt oder ob diese als ein wahres
Wunder (wenn auch nur im weiteren Sinne) oder nur als „Schein=
wunder“ zu betrachten ist.

---

[1] Würde z. B. einer mechanischen Bewegungsenergie nur eine andere
Richtung gegeben oder sie in der Bewegung nur aufgehalten werden, so
würde in beiden Fällen kein Verlust des allgemeinen Energievorrates eintreten,
nur im letzteren Falle würde die Bewegungsenergie in Wärmeenergie umgewandelt
werden ꝛc. — [2] Hieher können auch wenigstens teilweise alle jene Erscheinungen ge=
rechnet werden, die nur auf Täuschungen infolge lebhafter Phantasievorstellungen
(Suggestionen ꝛc.) oder auf reinen Sinnesvorspiegelungen beruhen. Einwirkungen
auf Phantasie und die Sinne können unter Umständen auch guten Engeln
zugeschrieben werden, einige sind wohl auch auf individuelle Körperzustände
zurückzuführen (ohne Einfluß von außen).

Es muß bemerkt werden, daß auch die Wunder im weiteren
Sinne auf Gott selbst mittelbar zurückzuführen sind, insofern sie
in voller Abhängigkeit von seinem Willen und so in seinem Namen
geschehen, es kommt deshalb diesen Wundern auch die Kraft eines
authentischen Wahrheitszeugnisses zu.[1)]

Einige Beispiele mögen das Gesagte etwas erläutern. Nehmen
wir an, es sei jemand durch Trübung der Hornhaut blind geworden.
Es könnte nun Gott unmittelbar durch seine Allmacht diese Trübung
heben, so daß das Auge des Blinden wieder normal zu fungieren
imstande ist; Gott könnte aber auch mit Hilfe eines Engels die
organischen Stoffteilchen der Hornhaut in der Weise anordnen und
umgestalten, daß sie durchsichtig werde und so der Blinde wieder
sehe. Die Heilige Schrift erzählt von einer Finsternis, die nur im
Lande der Aegypter herrschte, nicht aber im Lande Gosen, wo die
Israeliten wohnten. (Ex. 10, 22 f.) Es brauchte hier nur die Energie=
form des Lichtes in eine andere, z. B. in die der Wärme, Elektrizität ꝛc.
umgewandelt zu werden, um hier Licht und dort Finsternis zu haben.
Auch die wunderbare Finsternis (Sonnenfinsternis bei Vollmond)
beim Tode Christi (Luk. 23, 45) kann durch diese Umwandlung der
Lichtenergie in eine andere Energieform erklärt werden.

Trotz dieser an sich natürlichen Erklärung, d. h. durch natür=
liche Ursachen (Umwandlungen der Energieformen) sind diese Er=
scheinungen als „Wunder" (im eigentlichen oder auch weiteren Sinne)
zu bezeichnen, da zwar entweder durch unmittelbaren Einfluß Gottes
oder mittelbare Hilfe der Engel natürliche Ursachen herbeigeführt
worden sind, aber nicht in der sonst gesetzmäßigen, sondern in einer
außergewöhnlichen Weise und durch Einfluß überphysikalischer
Kräfte. Es bleibt deshalb hier der höhere Charakter eines „Wunders"
in seinem Wesen bestehen.

Bei dieser Auffassung einiger Wunderzeichen dürfte hieraus auch
auf das Verhältnis des Scheinwunders infolge dämonischer Zaubereien
zum eigentlichen Wunder einiges Licht geworfen werden.

Wenn die Theologen von den Einwirkungen, besonders den
Erscheinungen von Engel[2)] sprechen, erklären sie dieselben gewöhnlich
durch die Annahme eines Scheinleibes oder genauer durch die
Umgestaltung eines vorhandenen Stoffes. Wir können diese
Umgestaltung wohl auch noch weiter auf die Umgestaltung der
Energieformen ausdehnen und dadurch einige Erscheinungen oder

---

[1)] Bei den Wundern, die von Menschen, wie von den Heiligen, gewirkt
werden, sind die Menschen als causa instrumentalis aufzufassen und die
Wunder werden auf die Bitte oder dem Verlangen dieser Diener Gottes hin
von Gott selbst oder auch mit Hilfe seiner Engel gewirkt. Ob Gott bei der
„Wundergabe" den Menschen eine ähnliche innere Kraft verleiht, wie den Engeln,
untersuchen wir hier nicht; es scheint aber kein Widerspruch hierin zu liegen.
— [2)] Vergl. Thomas v. Aq. 1. q. 51, a. 3. — Suarez, De Angelis l. 4.
c. 33; Billuart, De Angelis, disp. 2. a. 4; Tanner, De Angelis 1. disp. 5.
q. 4. f. — Scheeben, Dog. II. § 141.

Krafteinwirkungen erklären, die mit Gutheißung oder Zulassung Gottes teils von den guten Engeln, teils auch von den Dämonen, weil denselben die höhere Geisternatur mit den entsprechenden Kräften geblieben ist, durch diese ihrer Natur zukommenden Kräfte vollbracht worden sind.

Hieher dürften besonders auch die „Lügenwunder" gestellt werden, die nach 2. Thess. 2[1] am Ende der Zeiten der „Widersacher" zur Verführung der Gottlosen wirken wird, auf die auch Christus der Herr selbst hingewiesen und die er als „große Zeichen und Wunder" bezeichnet hat.[2]

Wir wollen damit diesen Abschnitt schließen, in welchem wir bezüglich der Anwendung der Entwicklungslehre auf den Menschen den allgemeinen wissenschaftlichen Standpunkt und eine der wichtigsten Hauptfragen, jene über den Ursprung der menschlichen Seele, besprochen haben. Dabei haben wir auch die Erörterung einiger anderer Nebenfragen nicht unberücksichtigt lassen können, um die Grundfrage in Bezug auf den Ursprung der menschlichen Seele von jeder Seite her zu beleuchten und damit zugleich dem monistischen Entwicklungssystem die eigentlichste Grundlage zu entziehen. Da jedoch auch den Anhängern dieses Systems zufolge der Ursprung des Menschen seinem Leide nach als eine Hauptfrage bezeichnet wird, von deren Lösung ihrer Ansicht nach der Ursprung des Menschen überhaupt abhängig ist, so werden wir diese mehr naturwissenschaftliche Frage ebenfalls, hoffentlich in einem der nächsten Hefte, behandeln müssen, um eine volle, allseitige Lösung der Frage über den Ursprung des Menschen zu geben.

Unsterblichkeitsglauben bei den alten Kulturvölkern.

Von Dr. Josef Wolf, Feldkirch.

> „Der Hoffnung zur Unsterblichkeit beraubt, ist der Mensch, dieses Wundergeschöpf, das elendste Tier auf Erden."
>
> (M. Mendelssohn.)

Zu den aktuellsten Fragen der Gegenwart gehört die von der Unsterblichkeit unserer Seele. O cives, cives, quaerenda pecunia primum est, rief einst der alte Horaz seinen Mitbürgern zu.[3] Und ist heute nicht auch wieder „Geld und irdisches Gut" die Parole der großen Allgemeinheit? Wer wollte leugnen, daß in unseren Tagen das Streben nach Geld und Besitz bis in die weitesten Kreise gedrungen! Wozu die Gewinnung und Anhäufung desselben dient, ist dem, welcher

---

[1] 2. Thess. 2, 8, sq. Tunc revelabitur ille iniquus ... cujus est adventus secundum operationem Satanae in omni virtute et signis et prodigiis mendacibus. Vergl. Bellarmin, De Rom. Pont. III. — [2] Matth. 24, 24. sq. Surgent pseudochristi et pseudoprophetae et dabunt signa magna et prodigia, ita ut in errorem inducantur (si fieri potest) etiam electi. Ecce praedixi vobis. Vergl. Act. 8, 9, sqq. — [3] Horatius, Epist. I, 1, 53.

mit offenem Auge die Zeitlage betrachtet, klar. „Genußsucht hat in dieser Zeit die Herzen angesteckt wie eine Seuche", bemerkt treffend Hamerling. Nun ist der Mensch ein Doppelwesen.

> „Der Mensch, ein Leib, den deine Hand,
> o Herr, so wunderbar bereitet;
> Der Mensch, ein Geist, den sein Verstand, dich
> zu erkennen, leitet."   (Gellert.)

In dem Streben nach Genuß ereignet es sich nun leider gar oft, daß die Sorge und Pflege des geistigen Bestandteiles des Menschen, der Seele, vollkommen außer acht bleibt. Die Vorsorge für den Körper läßt keine Zeit erübrigen für die Seele, und falls noch welche bleiben sollte, so lohnt es sich nicht, und die Zeit ist wohl besser mit der Sorge, die auf das Irdische gerichtet ist, zugebracht. Heute, wo nach diesem Grundsatze mit Vorliebe gehandelt wird, ist eine Frage von besonderer Wichtigkeit, die Frage nach dem Fortleben nach dem Tode. Denn es ist klar, daß der Mensch, der nur Staub und Asche ist und einzig und allein wieder zu Staub und Asche zurückkehren soll, der sich nur für ein höher entwickeltes Tier hält, das bestimmt ist, eine Spanne Zeit zu leben und dann zu vergehen, daß dieser vollkommen im Rechte ist, wenn seine ganze Vorsorge und Arbeit auf das Irdische gerichtet ist. Er ist befugt, sich allem Genusse hinzu- geben, da ja nur „Genuß" für ihn Lebenszweck sein kann. Einem solchen Menschen ist Geidel Prophet:

> „Genieße die Minute, so lange sie glüht,
> Der Frühling verwelkt und die Liebe verblüht."

Schon die Alten erkannten, daß die nächstliegende Folgerung der Leugnung des Fortlebens nach dem Tode das volle und ganze Hingeben an jeglichen irdischen Genuß sei. Sehr treffend bemerkt deshalb ein Römer auf seiner Grabschrift: „Ich bin nichts mehr. Du, der du lebst, iß, trink, scherze, komm." „Du, der du dies liest, Kamerad, freue dich deines Lebens; denn nach dem Tode gibt es weder Scherz noch Lachen, noch irgend eine Freude." „Genieße also jetzt, so lange und so viel du kannst!"[1] Sardanapal,[2] der genuß- süchtige König der Assyrer, schrieb auf seinen Grabstein:

> „Wissend, daß du zum Sterben geboren bist, fröhne den Lüsten;
> Freue dich des Schmauses; im Tode ist alles Vergnügen verloren.
> Denn auch ich bin jetzt Staub, einst König des mächtigen Ninus·
> Nur das hab' ich davon, was ich aß, was ich spielte, was Amor
> Frohes mir schenkte. Das übrige Erdenglück muß ich verlassen."

Wenn aber der Mensch mehr ist als ein kurzlebiges Tier, wenn er eine Seele hat, die bestimmt ist, weiter zu leben und die nach der Trennung vom Leibe zu demjenigen, der sie kraft seiner Allmacht mit der irdischen Hülle einst verbunden hat, zurückkehren soll, wenn der Mensch, um mit Otto von Leixner zu sprechen, „sich selbst entadelt, der Gott und die Unsterblichkeit verwirft", dann aller-

---

[1] Friedländer, Sittengeschichte Roms III, 685. — [2] Diod. II, 23.

dings verhält sich die Sache anders. Dann ist dieses Leben, dieses
„Diesseits", die Zeit des Zusammenlebens von Körper und Seele,
nur ein Vorbereitungsstadium für das kommende „Jenseits" und
alles ist dem Menschen schädlich, was dem Leben in diesem Jenseits
schädlich ist. Denn es ist doch zweifelsohne, daß die Vorsorge für
ein Leben, das immer dauert, das ewig ist, vor die Sorgen für das
Leben, das nach einer verhältnismäßig kurzen Zeit ein Ende nimmt,
zu stellen ist.

„Lerne das Ewige kennen und faß es in dein Herz."

(Herder.)

Nun ist das Leben des Körpers endlich, beschränkt, das der
Seele aber unsterblich, unbeschränkt. Deshalb ist die Sorge für das
ewige Leben an erste Stelle zu setzen, ist diesem endlichen Leben vorzuziehen. Diese Vorsorge für das Jenseits tritt aber dann auf, wenn
der Mensch fest und tief von der Ueberzeugung beseelt ist, daß ein
Fortleben nach dem Tode stattfindet. Meine Aufgabe soll nicht sein,
den theologischen Beweis für die Richtigkeit des Unsterblichkeitsglaubens zu erbringen, sondern klarzulegen, wie dieser bei den ältesten
Völkern sich vorfindet. „Vergiß die Alten nicht, sie lehren stets die
Welt", ruft Gellert uns zu.

Die Wichtigkeit und große Bedeutung des Unsterblichkeitsglaubens will ich am besten dadurch zum Ausdrucke bringen, daß
ich sage, der Unsterblichkeitsglaube bilde den Haupt- und Kernpunkt
jeglicher Religion. „Niemand zweifelt," sagt Augustin, „daß derjenige, welcher Religion sucht, entweder schon glaubt, daß die Seele
unsterblich ist, der jene Religion von Nutzen sei oder gerade dieses
in jener Religion finden will. Der Seele wegen ist jede Religion
da." Man mag die Geschichte aller Völker der Welt hernehmen, man
mag irgend eine Zeit herausgreifen, die man gerade will, oder mag
die Völker in ihrer Entwicklung rückwärts verfolgen, so weit es mit
historischen Mitteln überhaupt geschehen kann, oder man mag heute
die ganze Erde bereisen, man findet kein Volk ohne Religion, ohne
religiöse Vorstellungen. „Wir können Völker finden," sagt schon
Plutarch,[1] „die keine Mauern haben, keine Plätze für gymnastische
Uebungen, keine Häuser, keine Gesetze, keine Münzen, keine Buchstaben,
keine Schrift, aber ein Volk ohne Gott, ohne Gebet, ohne Eid, ohne
religiöse Gebräuche, ohne Opfer sah noch niemand." Mit vollem
Rechte hätte Plutarch noch speziell hinzufügen können, was aber an
und für sich in seinen Worten, wie es von selbst einleuchtet, enthalten ist: „Ein Volk ohne Gott, ohne Gebet, ohne Eid, ohne Opfer
und ohne Unsterblichkeitsglauben sah noch keiner." Tylor sagt in
seinen Studien[2]): „Wenn wir die Religion der niederen Rassen im
ganzen betrachten, so werden wir wenigstens nicht fehl gehen, wenn
wir die Lehre von der zukünftigen Existenz der Seele als eines

[1] Plutarch adv. Colos. 31, 4. vgl. Cic. Tusc. disp. I, c. 16. — [2] Tylor,
Die Anfänge der Kultur II, 21.

ihrer allgemeinsten und wesentlichsten Elemente hinstellen."
Der bekannte Afrikareisende Wilson, der sich 20 Jahre unter den
Negern aufhielt, versichert uns auch, daß die schwarzen Einwohner
an ihre zukünftige Existenz nach dem Tode glauben.[1]) Die Tschu-
waschen und Tscheremissen im Norden Europas,[2]) die Bodo in Indien,[3])
die Polynesier auf den zahlreichen Inseln des weiten Weltmeeres[4])
besitzen den Unsterblichkeitsglauben.

Ist heute, wo die ganze Welt so nach der Erkenntnis der letzten
Bestandteile des Stoffes und aller Dinge ruft, wo des Philosophen
Fichte Wort: „Nur die Erkenntnis ist es, woran sich dieses sinnliche
Leben knüpft", wahrer ist als zu irgend einer anderen Zeit, nicht
die Frage: „Was ist's mit dem Leben nach dem Tode?" brennender
denn je? Mit Spannung und Interesse liest man in den Zeitungen
die Nachrichten über die fortschreitende Erkenntnis der Wege, die das
Licht, der Schall, die Elektrizität, die bereits keines Leitungsdrahtes
mehr bedarf, durchwandeln. Man bewundert und preist die Erfinder
und huldigt den Bezwingern der Luft. Aufmerksamkeit schenkt man
den alten, längst vergangenen Zeiten angehörigen Funden, die Jahr-
tausende lang in dem Schoße der Erde verborgen gelegen, wie man
auch mit Neugierde die Nachrichten über die Vorgänge auf den
Sternen verfolgt und wären diese auch Milliarden von Erddurch-
messern von uns entfernt. Ihr Ursprung, der Grad ihrer gegenwärtigen
Entwicklung, ihre Bewohnbarkeit, ihre Laufbahn, ihr zu erwartendes
Ende, dies alles nimmt das menschliche Interesse in Anspruch. Und
daneben liest man kalt und unbewegt die Nachrichten über die Ernte,
die der Todesengel gehalten! Aus allen möglichen Gegenden und
Gebieten stammen diese Nachrichten und kein Ort ist vor diesem
Gaste sicher. Zwar ist man sich dabei bewußt, daß die, deren Namen
man soeben gelesen, durchaus nicht die einzigen sind, die der Sensen-
mann niedergemäht, sondern daß die Zahl der im Tage, ja, in der
Stunde Sterbenden — in jeder Minute sterben auf der ganzen Welt
nach einer Berechnung 90 Personen — eine ganz erkleckliche ist und
doch, wie herrscht so wenig Interesse für diese Hauptfrage, der Frage
nach der Unsterblichkeit! Allen diesen Sterbenden ist diese Frage
doch so nahe getreten und alle, die heute leben und sich des Daseins
freuen, werden dem Tode über kurz oder lange ins Angesicht schauen
— wohl eine auf der ganzen Welt unangefochtene Tatsache —.
Trotzdem, wie wenig Sinn und Verständnis zur Beantwortung dieser
Frage. Wie sagt doch so schön die heilige Schrift: „Sie denken bei
sich: Kurz und verdrießlich ist die Zeit unseres Lebens und keine
Erquickung ist am Ende des Menschen. Aus nichts werden wir geboren
und bald darauf sind wir, als wären wir nicht gewesen. Ist das

---

[1]) Bei Spieß, Entwicklungsgeschichte der Vorstellungen von dem Zustande
nach dem Tode, 150. — [2]) Castrén, Vorlesungen über finnische Mythologie (Deutsch
von Schiefner) 120, 126. — [3]) Tylor, Anfänge II, 31; Zimmer, altindisches
Leben, 402. — [4]) Waitz-Gerland, Anthropologie der Naturvölker VI, 310

Leben erloschen, so wird unser Leib Asche und der Geist verfliegt
wie dünne Luft. Unser Leben verschwindet wie die Spur einer Wolke
und löst sich auf wie ein Nebel, der von den Strahlen der Sonne
zerteilt wird. So denken und irren sie, denn ihre Bosheit verblendet
sie. Sie wissen die Geheimnisse Gottes nicht, hoffen nicht auf die
Belohnung der Gerechtigkeit und achten nicht die Ehre ihrer heiligen
Seelen. Denn Gott hat den Menschen unsterblich erschaffen und nach
seinem Bild und Gleichnis ihn gemacht." (Weish. 2, 1—3, 21, 22.)

Sollte nicht jeder Mensch ohne Ausnahme die Frage der Un=
sterblichkeit der Seele sich zuerst zurechtgelegt haben, bevor er an
die Erkenntnis anderer Dinge herantritt? Zweifelsohne. Und in der
Tat, die Erfahrung lehrt uns, daß eine große, ja, eine außerordentlich
große Anzahl von Menschen sich diese Frage zurechtgelegt hat. Allent=
halben sehen wir Kranke, Arme, Notleidende, die ihr Geschick mit
Geduld und Ergebung tragen. Draußen arbeitet bei empfindlicher
Kälte ein Mann den ganzen lieben Tag hart und schwer und er
wird seiner Arbeit nicht überdrüssig, obwohl andere in kostbaren
Kleidern, in herrlichen Wagen, lachend und plaudernd an ihm vor=
beieilen. O, dieser Mann und alle die Duldenden und Leidenden,
die Entbehrenden und Verachteten, die Kranken und Armen sind sich
eden bewußt, daß ihre Leiden, Entbehrungen und Arbeiten nicht
umsonst ertragen sind, sie wissen, daß ein Tag der Belohnung, der
Vergeltung ihrer harrt. Sie haben das Wort wohl verstanden „Selig
ihr Armen, denn euer ist das Reich Gottes." „In den Augen der
Unweisen," heißt es an anderer Stelle in der Schrift, „scheinen sie
zu sterben und ihr Hinscheiden wird für Betrübnis, ihr Abschied für
Untergang gehalten: sie aber sind im Frieden. Von nun an sollen
sie ruhen von ihren Mühen, denn ihre Werke folgen ihnen nach.
Selig sind die Toten, die im Herrn sterben." (Weish. 3, 1 ff.,
Apoc. 14, 13.). So lebt in zahlreichen Herzen der Unsterblichkeits=
glaube, welcher so alt ist, als das Menschengeschlecht selbst.

„Im Herzen kündet es laut sich an,
Zu was besserem sind wir geboren.
Und was die innere Stimme spricht,
Das täuscht die hoffende Seele nicht!"   (Schiller.)

„Auferstehn, ja auferstehn wirst du,
Mein Staub, nach kurzer Ruh'!
Unsterblich Leben
Wird, der dich schuf, dir geben! Halleluja!"   (Klopstock)

Im folgenden will ich den Unsterblichkeitsglauben bei den
Völkern des Altertums darlegen. Nach den Anschauungen der orien=
talischen Völker, welche durch Ausgrabungen zu neuem Leben erstanden
sind und die einen früher nicht geahnten Einfluß auf das Zustande=
kommen unserer heutigen Kultur ausgeübt haben, will ich diejenigen
der Griechen und Römer behandeln, jener zwei Völker, welche wegen
ihrer hervorragenden Weltstellung und ihrer großartigen Leistungen
in besonders hohem Ansehen stehen. Das Resultat der folgenden

Ausführungen will ich im vorhinein in die Worte zusammenfassen: „Ueberall, wo Menschen waren oder sind, vom grauen Altertum bis zur Gegenwart, in allen Lagen und Abstufungen der Kultur, bei den weltbeherrschenden Stämmen, wie bei den Nomadenstämmen in der Einöde, lebt die Ueberzeugung von der Unsterblichkeit frisch und klar in der Menschheit; sie ist immerdar, sie entsteht nicht, sie bleibt bei allem sonstigen Wechsel, sie vererbt sich unerschüttert von Geschlecht zu Geschlecht, sie ist auf das innigste und unzertrennlichste mit der Menschennatur verwachsen, sie ist gleichsam physische und psychische Anlage der Menschen, ist also insofern ein Teil der Natur selbst.“

> „Und sah denn niemand, wo sie hingegangen?
> Reicht übers Grab kein noch so heiß Verlangen?
> Ja, die Palme ahnt’s in sel’gem Träumen:
> „In Himmelsräumen!“

In erster Linie möge sich unser Blick auf die ältesten Kultur= völker der Welt, auf die Aegypter und Babylonier, richten. Vor wenigen Dezennien war noch verhältnismäßig wenig von ihnen be= kannt. Wohl hatte man Ueberreste von diesen alten Völkern, aber diese waren nicht sehr zahlreich und außerdem größtenteils unverständ= lich. „Ein Schrein von drei Fuß im Geviert umschloß alles, was von dem stolzen Babylon und dem großen Ninive bekannt war.“ In diese Gedanken versunken, betrachtete der große deutsche Gelehrte, Julius v. Mohl, die Sammlungen des alten Ninive und Babylon im Museum zu London. Und die Zeugen längst vergangener Kultur aus dem alten Aegypten flößten nur einen heiligen Schauer ein, so daß man Aegypten als das geheimnisvolle „Wunderland“ bezeichnete.

Heute jedoch liegt die Kultur dieser Völker klar und deutlich vor unseren Augen und erregt mit Recht unsere Bewunderung. Bei dem Durcharbeiten des Kulturzustandes dieser Völker kam mir wieder= holt der Gedanke, daß sich eine gewisse Absicht des Weltenschöpfers hier nicht verkennen lasse. Heute, wo der Ansturm gegen die alte Uroffenbarung, gegen den Unsterblichkeitsglauben und die Bibel an der Tagesordnung ist, gerade heutzutage hat sich die Erde geöffnet, und das, was aus ihr zu Tage gefördert wurde, hat mit entschie= dener Deutlichkeit Beweis abgelegt für die Existenz der oft verlästerten Uroffenbarung und des für rückständig erklärten Unsterblichkeits= glaubens, wie nicht weniger die Bibel für ihre Richtigkeit und Ver= läßlichkeit Bestätigung gefunden hat. Wahrlich eine schöne, aber kaum eine planlose Fügung des Lenkers der Welt.

Allgemein verbreitet und tief wurzelnd war bei den Aegyptern der Glaube an das Fortleben nach dem Tode. Die im folgenden angeführten Texte werden nicht bloß für den Unsterblichkeitsglauben, sondern auch für die Existenz der Uroffenbarung zeugen. Von diesen Stellen kann das Wort Eckermans gebraucht werden: „Das Licht der göttlichen Offenbarung ist zu rein und zu glänzend, als daß es der Mensch nicht klar erkennen würde.“

.Bereits die Ueberlieferungen aus der Pyramidenzeit enthalten mit einer Klarheit, die nichts zu wünschen übrig läßt, diesen Glauben. „In ausführlichster Weise malte man sich bis ins Einzelnste hinein das Schicksal der Seele und des Leibes nach dem Tode aus und hat eine Lehre entwickelt, welche an Genauigkeit und Umfang fast alle anderen Ansichten über das Jenseits übertrifft."[1] Um den Ausdruck „Pyramidenzeit" chronologisch etwas genauer zu bestimmen, möchte ich hinzufügen, daß die Aegypter bereits um 4000 v. Chr. ein hochentwickeltes Kulturvolk waren. „Während über Griechenland noch nicht die Sonne der Gesittung aufgegangen war und noch kein Rom stand, während unser Vaterland von einem Ende bis zum anderen von einem dichten Urwalde bedeckt war", lebte im Tale des Nil das kulturell hochstehende Volk der Aegypter. Für das Alter des Menschengeschlechtes ist diese Tatsache von besonderer Bedeutung. Wenn uns um 4000 v. Chr. in Aegypten eine hochentwickelte Kultur entgegentritt, eine Kultur, welche sich uns „fertig wie die aus dem Haupte des Zeus entsprungene Pallas Athene präsentiert", so muß das Alter des Menschengeschlechtes um ein Bedeutendes über 4000 hinaufgeschoben werden, welcher Zeitraum vielleicht besser nach Jahrtausenden, als nach Jahrhunderten bemessen werden dürfte. Nun kehren wir wieder zurück zum Unsterblichkeitsglauben. Dieser Glaube bildete den Grundstein im Leben des ägyptischen Volkes. Hat der Aegypter hier auf Erden gut gelebt, gute Taten vollbracht, den Gesetzen der Götter gehorcht, dem Könige, dem „Sohne der Sonne" treu gedient, dem Vaterlande und den Mitbürgern zu Nutz' und Fromm gearbeitet, dann kann er mit Zuversicht dem Tode ins Auge schauen; denn seiner harrt große Belohnung und ein freudenreiches Leben. „Der, welcher den Himmel gemacht hat, die Erde gegründet, das Wasser hervorkommen ließ, die Berge geschaffen, welcher gemacht hat, was da ist,"[2] er, der Bildner aller Menschen",[3] wird alle Guten ewiglich belohnen. Von diesen Guten heißt es in einer Inschrift: „O, ihr Gerechten vor den Göttern".[4] Dem Unsterblichkeitsglauben entspringt auch die eindringliche Mahnung eines alten Aegyptters an den Nachkommen: „Sprich nicht von der Jugend, deren du dich erfreust; denn du weißt nicht, wann der Tod eintritt. Es kommt der Tod. Schau auf dich und laß dir sagen, was der Vorzug der Tugend ist."[5]

Damit aber der Aegypter den Weg zur Tugend zu wandeln imstande sei, bedarf er der Hilfe und Unterstützung der Götter. „O Götter, nicht ist göttlicher Natur, was unlauter an mir ist. Es sinkt zu Boden der Sünder und er fällt auf seine Hände. Ihr Herren der Wahrheit, beseitigt alles Gebrechen an mir."[6]

[1] Wiedemann, Die Religion der alten Aegypter, 123. — [2] Brugsch, Thesaurus inscriptionum aegyptiacarum IV, 649. — [3] Brugsch a. a. O. 650. — [4] Bergmann, Hieroglyph. Inschriften, 43. — [5] Zeitschrift für ägyptische Sprache XIII, 125. — [6] Zeitschr. f. äg. Spr. XI, 130

Wie der Aegypter, der Gutes getan, einem freudenreichen Leben entgegengeht, so hat der, der Böses auf Erden verübt, der ein schlechtes Leben geführt, ewige Strafen zu erwarten. „Diese werden dem Feuer des Satans an dem Tage des Zornes (des Gottes) überliefert und dessen Diadem wird Flammenglut auf ihr Haupt senden, vernichtend ihre Glieder und verzehrend ihre Leiber. Nicht werden sie empfangen den Lohn und nicht essen von den Speisen der Seligen."[1]

„Sie werden unter dem Banne der Götter und unter deren Fluche sein. Die Göttin wird sie am Tage des Schreckens mit ihren Flammen verzehren."[2] Sie sind „verflucht von Amon-Ra".[3] Diese, die Böses tun, „streben nicht nach Unsterblichkeit".[4] Wie eindringlich klingen folgende Ermahnungen: „Nicht befleckt euch, nicht beschmutzt euch, nicht verübet Böses, nicht füget zu Schaden den Menschen auf dem Lande und in der Stadt, denn sie sind hervorgegangen aus seinen (d. i. Gottes) Augen und existieren durch ihn. Nicht vergeudet die Stunde, nicht seid breitmaulig im Sprechen noch vorlaut gegen die Rede eines anderen, nicht erhebt die Lüge gegen die Wahrheit beim Anrufen des göttlichen Gebieters. Da ihr groß geworden, verbringet nicht die Jahre, ohne die Götter anzurufen."[5]

Der Glaube an das Fortleben nach dem Tode, an die Unsterblichkeit der Seele, förderte auch die Vorsorge der Aegypter für die Erhaltung der Leichname zu Tage. Im Momente des Todes scheidet die Seele zwar vom Körper, um hinzutreten vor den Richterstuhl des Totengottes Osiris und seiner 42 Beisitzer und hier Rechenschaft über das vollbrachte Leben abzugeben. Ist diese Rechenschaft für sie günstig ausgefallen, hat sie das Gericht gut bestanden, so geht sie ein in die Wohnung des Osiris, ja, ihr wird nun selbst die Bezeichnung Osiris zu teil. Die Seele aber, die die Rechenschaftsablegung mit ungünstigem Erfolg bestanden, irrt im Lande der Pein immer und immer umher.

Die abgeschiedene Seele kann aber nach ägyptischer Vorstellung nach ihrem Belieben wieder zum Körper zurückkehren und sich mit ihm unterhalten. Deshalb sorgt der Aegypter so sehr für die Erhaltung des Körpers. Sorgfältig wird der Leichnam einbalsamiert, in einen Mumiensarg gelegt und alles, was dem Toten hier auf Erden lieb und teuer gewesen, ihm mit ins Grab gegeben. So vermißt die zurückkehrende Seele beim Leibe nichts. Speisen, Kleider, Waffen, Salben, Abzeichen aller Art stehen für ihren Besuch in der Grabeskammer bereit.

Daß eine solche Leichenfeierlichkeit mit großen Unkosten verbunden war, versteht sich von selbst. Auch bei anderen alten Völkern finden wir, daß hohe Summen für Begräbnisse bezahlt wurden. Bei den Römern schwankten die Kosten zwischen 200 und 22.753 Mark.

---

[1] Zeitschr. f. äg. Spr. XIII, 126. — [2] Zeitschr. f. äg. Spr. IX, 11. — [3] Zeitschr. f. äg. Spr. IX, 60. — [4] Leyd. Denkmäler, vol. I. pl. VIII, n 625. — [5] Bergmann, Hieroglyph. Inschriften, 42.

Doch Claudius Isodorus, um ein Beispiel anzuführen, warf für
Beerdigungskosten für sich in seinem Testamente 240.000 Mark aus.
Die Zeremonien bei der Beisetzung in Aegypten sind dem Glauben
an das Fortleben der Seele entsprechend getroffen. Der Cher-cheb,
der Zeremonienmeister, wie wir heute sagen, wacht mit großer Genauigkeit über die exakte Durchführung der zahlreichen Vorschriften.
Es würde zu weit führen, auf Einzelnes einzugehen. Bei der Darstellung des Unsterblichkeitsglaubens der Griechen werden wir noch
auf die Leichenfeier in Aegypten ausführlicher zurückkommen. Damit
die Seele die Prüfung im Jenseits besser bestehe und die Gunst der
Götter eher auf sich lenke, sind auf dem Sarge und in der Grabeskammer die noch zur Verfügung stehenden Räume — die nicht zur
Aufzeichnung der Lebensgeschichte des Toten und zur bildlichen Darstellung wichtiger Lebensepisoden desselben in Anspruch genommen
wurden — mit Gebeten und Anrufungen an die Götter für den
Toten erfüllt. Denn nach ägyptischer Auffassung genügt es, ein
Gebet aufzuschreiben für einen anderen, um denselben der Wirkung
teilhaftig zu machen. Ist das Grab draußen im Felsengebirge erstellt
und der Leichnam mit allen zu ihm gehörigen Sachen bestattet, so
beginnt die sorgsamste Wache für die Erhaltung derselben. Die Be-
wachung der Gräber wäre sicher leichter gewesen, wenn die Aegypter
ihre Toten im Orte oder unmittelbar in der Nähe bestattet hätten.
Wir finden übrigens, daß die meisten Völker des Altertums die
Gräber außerhalb des Ortes angelegt haben. Die antiken Schriftsteller bewundern die Spartaner, die ihre Toten mitten in ihrer
Stadt begruben. Dadurch wurden ja die Lebenden fortwährend an
den Tod erinnert. Der Spartaner, der an der Abhärtung seines
Volkes arbeitete, der ein kriegerisches Volk erziehen wollte, das jederzeit bereit ist, mutig dem Tode ins Auge zu schauen, legt absichtlich
die Totenstadt unter die Wohnungen der Lebenden. Auch die Aegypter
tragen ihre Toten außerhalb die Stadt hinaus. Doch hat das Nilvolk
dazu wohl nicht der Gedanke der Fernhaltung der Todeserinnerung
bewogen. Es war vielmehr ein praktischer Grund, der sie zu diesem
Vorgehen zwang. Eine feste Totenstadt, wie der Aegypter sie verlangte, war im Gebirge draußen leichter zu errichten als in der
Ebene. Lieferten ja die Berge, aus denen die Aegypter das Material
für ihre Riesenbauten holten, ausgehöhlte Räume genug und ließen
sich diese Räume auch ausgezeichnet befestigen. Und ein festes, starkes
Grab brauchte der Aegypter hauptsächlich aus zwei Gründen. Die
Gräber sollten vor allem den Grabesdieben unerreichbar sein. Wie
uns Gerichtsprotokolle zeigen, wurden die Gräber mit Vorliebe von
Diebesbanden aufgesucht. Denn die Aussicht auf reichliche Beute war
keine geringe. Die Gräber sollten dann aber auch dem zernagenden
und zerstörenden Zahn der Zeit standhalten, damit für alle Zeiten
der Körper und alles dazu Gehörige für die Seele bereit liege.
Uebrigens mußten die Aegypter aus Erfahrung, wie ungleich schwer

es sich hielt, ein festes, sicheres Grab in der Ebene zu errichten. Man nannte solche Gräber Mastabas, im Gegensatze zu den Felsengräbern. So ließen praktische Gründe die Aegypter ihre Toten aus den Wohnorten hinaustragen. Die alten Völker verwendeten übrigens, um dem Gedanken an den Tod so viel wie möglich zu entgehen, die Nachtzeit zum Begräbnis. Nach dem Berichte des Servius bei Aen. 11, 143 wissen wir von den Römern, daß sie die Nacht für die Beerdigung wählten, um zu vermeiden, daß einer „obrigkeitlichen Person" oder anderen Leuten ein Leichenzug begegne und so das Gefühl der Trauer wachgerufen werde.[1] Viele Leute unserer Tage deuten sogar noch heute das unvermutete Begegnen eines Leichenzuges als Vorzeichen eines kommenden Unglückes. Wie die alten Römer es verstanden, auf den Grabesdenkmälern, die längs der Via Appia aufgestellt waren, den Todesgedanken fernzuhalten, haben wir eingangs dieser Abhandlung an den Inschriften, welche zur Lebensfreude auffordern, gesehen. Wenn wir, wie später noch gezeigt wird, hören, daß auch die Aegypter ihre Toten zur Nachtzeit der ewigen Ruhe anheimbetten, so hat sicherlich nicht der Gedanke an den Tod, wie wir es bei den Römern gesehen, diese Zeit als günstig erscheinen lassen. Vielmehr eignete sich die Nacht als solche sehr gut für Beisetzungsfeierlichkeiten, da die Nacht als Symbol des Todes von jeher angesehen wurde.

Mit dem Grabe, um zu unserer engeren Aufgabe wieder zurückzukommen, sind jährliche Opfer verbunden, welche pünktlich abgehalten werden müssen, um den Toten in seiner Seligkeit nicht zu stören. Welches Gewicht der Konservierung der Körper und der Erhaltung des Grabes beigemessen wurde, zeigt der Papyrus Bulaq am besten, welcher den Sohn ausdrücklich „zum liebreichen Andenken gegen den Vater und die Mutter, die im Grabe sind, mahnt, damit es ihm sein Sohn in gleicher Weise zuteil werden lasse".[2] Es sei nur erwähnt, daß unter „liebreichen Andenken" die erwähnte Fürsorge für Körper und Grab bei den Aegyptern gemeint ist. Die soeben erwähnte Papyrusstelle erscheint mir, um nochmals auf sie zurückzukommen, besonders bemerkenswert. Unter den zehn Geboten, die Gott gab, weist nur das vierte, das die Kindespflicht den Eltern gegenüber bestimmt, einen Zusatz auf. Ist es nur Zufall, daß hier in unserer Stelle auch ein Zusatz, eine Bedingung möchte ich sagen, angefügt ist?

> „Sei stille;
> Wie Gott es fügt,
> So sei vergnügt
> Mein Wille."
>
> (Paul Fleming.)

---

[1] Serv. zu Aen. 11, 143: Sed apud Romanos moris fuit, ut noctu efferantur ad funalia, unde etiam funus dictum est, quia in religiosa civitate cavebant, ne aut magistratibus occurrerent aut sacerdotibus, quorum oculos nolebant alieno funere violari. — [2] Zeitschr. f. äg. Sprache XIII, 126.

Wir haben gesehen, daß aus der Vorsorge der Aegypter für die Erhaltung des Leibes in voller Klarheit der Unsterblichkeitsglaube hervorleuchtet. Auch das eine oder andere Goldkörnchen der Uroffenbarung gruben wir aus dem heidnischen Papyrusberge heraus.

Wenden wir noch einen Blick auf die der irdischen Hülle entflohene Seele. Sie tritt, wie bereits bemerkt wurde, vor den Totenrichter Osiris, „das gute Wesen, den Herrn des Lebens, den großen Gott, den König der Ewigkeit".[1] Den Osiris umgeben 42 Beisitzer. Vor jedem dieser Richter hat sie Rechenschaft abzulegen. Sie tut es in der Weise, daß sie der Reihe nach an die einzelnen Richter sich wendet und darlegt, daß sie diese und diese Sünde nicht begangen habe. Damit zählt sie die 42 wichtigsten Sünden auf, die die Götter am meisten haßten. Hören wir einige davon[2]):

„Nicht vollbrachte ich Hinterlist und Schlechtes gegen die Menschen."

„Nicht bedrückte ich die Mitmenschen."

„Nicht verübte ich Schlechtigkeiten im Gerichtssaal."

„Nicht war ich ängstlich."

„Nicht war ich schwach."

„Nicht war ich elend."

„Nicht tat ich das, was die Götter verabscheuen."

„Nicht ließ ich schädigen einen Sklaven durch seinen Herrn."

„Nicht brachte ich jemanden zum Hungern."

„Nicht machte ich jemanden weinen."

„Nicht habe ich gemordet."

„Nicht befahl ich einen hinterlistigen Mord."

„Nicht verdarb ich die Opferbrote in den Tempeln."

„Nicht raubte ich die Bekleidungen und Binden der Toten."

„Nicht trieb ich Unzucht."

„Nicht habe ich mich befleckt im Heiligtum des Gottes meiner Stadt."

„Nicht legte ich zu bei dem Gewichte der Wage."

„Nicht fälschte ich an dem Zeiger der Wage."

„Nicht raubte ich die Milch dem Munde der Kinder."

„Nicht jagte ich das Vieh auf seiner Weide."

„Nicht trieb ich zurück einen Gott, wenn er auszog (in Prozession) aus dem Tempel."

Beachtenswert sind auch die Vergehen, deren sich einer durch Verletzung der Vorschriften über den für Aegypten so wichtigen Kanalbau schuldig machte.

„Nicht wehrte ich ab das Wasser von den Feldern der Nachbarn zur Ueberschwemmungszeit."

„Nicht schnitt ich ab einen Arm des Flusses in seinem Laufe."

Während die Seele dieses Bekenntnis ablegt, schweigen Osiris und die anderen Richter. Es bedarf ja einer Rede nicht, da das

---

[1] Wiedemann a. a. O. 131. — [2] Wiedemann a. a. O. 132/133.

Herz der Seele auf der großen Wage liegt und diese bei jeder Stelle
die Wahrheit oder Unwahrheit durch Heben oder Senken der Schale
zum Ausdruck bringt. Nach abgelegter Rechenschaft, die zur Zufrieden=
heit der Richter ausgefallen ist, geht die Seele in die Gefilde Aaiu
ein. Hier nun lebt sie in Wonne und Freude. Sie kann mit den
anderen essen, trinken, auf die Jagd gehen, mit den Feinden kämpfen,
den Göttern opfern, mit den Freunden auf dem Brettspiele sich unter=
halten, Ackerbau treiben, der sich jedoch von dem irdischen dadurch
unterscheidet, daß keine Mißernte jemals eintritt und daß das Ge=
treide weit üppiger emporwächst.

So wurzelt denn der Glaube an das Fortleben nach dem
Tode beim ägyptischen Volke sehr tief und zahllos sind die Funde,
die von dessen Existenz uns Kunde tun. Diese zahlreichen Funde
lassen uns aber, wie ich bereits erwähnt habe, diesen ganzen Glauben
deutlicher und viel besser erkennen, als dies bei vielen anderen Völkern
der Fall ist. Aber noch einen Vorteil bietet diese genaue Erkenntnis,
den Wiedemann[1]) treffend hervorgehoben hat. „Die Bedeutung dieser
vor uns klar liegenden Ansicht für die Wissenschaft liegt einmal in
ihrem hohen Alter; denn bereits zur Pyramidenzeit (4000 v. Chr.)
war sie in allem wesentlich abgeschlossen, dann aber auch in den
Anklängen an jüdische und christliche Glaubenssätze, welche sie dar=
bietet."

Nicht weniger lebendig und verbreitet war der Glaube an die
Unsterblichkeit der Seele bei den Assyrern und Babyloniern.
Die Kenntnis dieser Völker hat in den letzten Dezennien außer=
ordentliche Fortschritte gemacht. Mit dem größten Interesse verfolgt
man die stetig fortschreitenden Ergebnisse der Forschung. „Die zahl=
reichen Beziehungen zur biblischen Geschichte sind es einmal und in
erster Linie, die das allgemeine rege Interesse für die Kenntnis dieser
Völker erklären. Dem die moderne Kultur und ihre falsche Auffassung
noch nicht den letzten Rest des Glaubens an ein göttliches Walten
genommen und der also in den Geschicken Israels eine besondere
Führung Gottes kennt, wird es freudig begrüßen, wie nun jetzt ein
neues Licht auf viele Partien der israelitischen Geschichte fällt. Mit
welcher Begeisterung muß er sich in die durch die Denkmäler auf=
gedeckte und gewissermaßen frisch nach Jahrtausenden aus dem Boden
gegradene babylonisch=assyrische Geschichte versenken, durch die fast
jedes Blatt der Bibel des Alten Testamentes Erklärung, Ergänzung,
Bestätigung findet."[2]) Der Glaube an ein Fortleben nach dem Tode
tritt zur Genüge klar und in unzweideutiger Weise mit folgendem
Gebete für den König zu Tage: „Späte Tage, ferne Jahre, ein starkes
Schwert, ein langes Leben, viele ruhmesreiche Tage, Vorrang unter
den Königen verleihe dem Könige, meinem Herrn, der solche Gabe
seinen Göttern gebracht![3])

---

[1]) Wiedemann a. a. O. 123. — [2]) So der Protestant Hommel in Onckens
Sammlung, Babylon und Assur, 8. — [3]) Kaulen, Assyrien und Babylonien 171.

„Die fernen, weiten Grenzen seines Reiches, seiner Herrschaft
möge er erweitern und abschließen! Ueber alle Könige herrschend,
allen Königen Recht sprechend, möge er weiße Haare und hohes
Alter erreichen! Und nach dem Leben dieser Zeit möge bei den
Festen der Silberhöhen, des himmlischen Hofes, im Lande der Seligen
und im Lichte der (glücklichen Gefilde) er ein Leben führen ewig,
heilig vor dem Antlitze aller der Götter, die Assyrien bewohnen!"[1])
Beachtenswert ist auch folgende Stelle: „Die Seele des Mannes,
der ruhmvoll verscheidet, wird strahlend erscheinen, wie Goldes Glanz,
diesem Manne gebe die Sonne (neues) Leben!

Und Merodach, des Himmels Erstgeborner, verleihe ihm eine
selige Wohnung!"[2])

Die Sorgfalt für die Toten scheint allerdings eine geringere
gewesen zu sein als bei den Aegyptern. Die große Ebene bei Warka,
30 Kilometer südlich von Babel auf dem linken Euphratufer gelegen,
bildet ein großes, ausgedehntes Totenfeld. Die Leichen sind nach dem
Prinzipe der größten Raumersparnis teils eng nebeneinander liegend,
teils übereinander gestellt. Sie liegen in Särgen von allen möglichen
Größen, von 1 Meter bis 2·5 Meter Länge, die die Form eines
riesigen Pantoffels haben. Die Oeffnung, die zum Einschieben der
Leichname gelassen wurde, war mit einem Deckel verschlossen. Der
Sarg war sehr häufig glasiert und mit Darstellungen und Bildnissen
von Menschen versehen. Am Fußende war eine Oeffnung gelassen,
damit die bei der Verwesung sich entwickelnden Gase ausströmen
können und nicht den Sarg sprengen. Die Leiche war mit gekreuzten
Händen wie eine Puppe eingewickelt und hatte das Gesicht nach der
Sargöffnung. Die Särge wurden nun, wie oben erwähnt, auf den
Boden gestellt und zwar so, daß möglichst viele Raum auf einem
kleinen Platze fanden, und dann wurden sie mit Erde zugeschüttet.
Eine andere Art der Anlage treffen wir auf der Gräberstätte von Mugeir,
einer Ortschaft in der Nähe von Schahrein und Tell el Lahm, zehn
Meilen südöstlich vom früher erwähnten Warka gelegen. Die Toten
liegen hier auf einer Tonplatte unter einem gewölbten Tondeckel. Auf
der Tonplatte lag eine Matte aus Schilfgeflecht mit Asphalt getränkt.
Reste von Leinwand und Bändern lassen vermuten, daß die Leichen
eingewickelt worden waren. Die Leiche liegt hier immer auf der Seite,
gewöhnlich auf der linken. Der Kopf ruht auf einem in der Sonne
getrockneten Ziegel und die Beine sind zusammengezogen. Der linke
Arm ist über die Platte gestreckt und trägt auf der Hand eine kupferne
Schüssel, in welche die Finger des rechten, ebenfalls ausgestreckten
Armes eingebogen sind. Zu beiden Seiten der Leiche stehen noch
mehrere Tonschüsseln, mit Fischgräten, Hühnerbeinen, Dattelkernen
und Bärenkinnladen versehen. Auch ein Wasserkrug aus Ton mit
dazu gehöriger Trinkschale fehlt nicht. Die Toten erhalten damit

---

[1]) Kaulen a. a. O. — [2]) Kaulen a. a. O. 172.

Speise für ihre lange Reise hinüber in die Ewigkeit! Auch andere
Gegenstände, wie Ringe, Armbänder, Knöpfe, Muscheln und dergleichen
mehr finden sich bei den Leichen. Wie bereits erwähnt wurde, stellte
man die Leichen meistens auf den Boden und überschüttete sie mit
Erde und Schutt, wodurch die eigenartigen, großen Hügel entstanden,
die still und unvermittelnd aus der Fläche emporsteigend, jedem
Betrachtenden gleich als von Menschenhand gebildet, erscheinen mußten.

Ist also die Vorsorge für die Toten geringer wie bei anderen
Völkern, so tritt in der, die sie für dieselben aufwendeten, mit Deut=
lichkeit der Glaube an das Jenseits zu Tage. Dieser Glaube hat
auch die Unterwürfigkeit der Ergebenheit des assyrisch=babylonischen
Volkes in den Willen und die Macht der Götter zur Folge. Alle,
der Arme wie der Reiche, angefangen vom Bettler bis hinauf zum
Könige, alle stehen unter der Herrschaft der Götter.

„Ich bin der Herr, der dir gehorcht," spricht der König, „das
Gebilde deiner Hand; du bist es, der mich erschaffen, und du hast
mir die Herrschaft über die Menschen anvertraut. Nach deiner Gnade,
o Herr, die du überall ausgießest, laß mich dein erhabenes Gesetz
lieben."[1]

Der Sterbende, dem Tode nahe, blickt mit halbgebrochenen
Augen hilfesuchend umher. Da rufen die Umstehenden, von Mitleid
ergriffen voll Inbrunst zum Himmel:

„Gebt, Götter, diesem kranken Mann den Himmel, denn von
der Erde will er scheiden."

„Und die Sonne, der Götter größter, empfange seine Seele
in ihre heiligen Hände."

Den Unsterblichkeitsglauben finden wir auch bei den übrigen
orientalischen Völkern. Die Kleinasiaten, deren Kultur aus ägyptischen
und babylonischen Elementen besteht, so daß wir sie schlechthin als
„orientalische Mischkultur" bezeichnen, haben diesen Glauben über=
nommen. Die Phönizier glauben an das Fortleben nach dem Tode
wie aus dem Sanchuniaton hervorgeht. Dido aus Tyrus verbrannte
sich selbst und ging so zu den Göttern ins ewige Leben ein. Plautus
teilt ein punisches (= phönizisches) Fragment mit: „Er ist ver=
sammelt worden zu der Schar derjenigen, deren Wohnung im Lichte ist."

Zoroaster, der Stifter der persischen Religion, lehrte nicht
nur die Unsterblichkeit, sondern auch die leibliche Auferstehung. Im
Vendidat, einer alten Zendschrift, wird das nach dem Tode an der Brücke
Cinvat stattfindende Gericht beschrieben. In einer anderen alten Zend=
schrift, Jeschts, werden 7 Himmel nach diesem Leben erwähnt. Im
höchsten, „Urlicht" genannt, sitzt Zoroaster auf goldenem Throne.

Wie bei den orientalischen Völkern, finden wir auch bei den
Griechen den Glauben an das Fortleben der Seele nach dem Tode
verbreitet. Das Wort Hades, wohin nach griechischer Vorstellung

---

[1] Kaulen a. a. O. 172; vergl. Spieß, Vorstellungen nach dem Tode.
Menzel, vorchristl. Unsterblichkeitslehre.

die Toten kommen, stammt wohl sicherlich vom Namen ἀεὶ = immer=
während, ewig und zeigt somit an, daß das Leben im Hades als
ein ewiges, fortdauerndes gedacht wurde.

> „Als er solches geredet, umschloß der endende Tod ihn,
> Aber die Seel' aus den Gliedern entflog in die Tiefe des Hades
> Klagend ihr Jammergeschick, getrennt von Jugend und Mannkraft."[1]

Der Hades ist nach griechischer Vorstellung das Land der
Finsternis und der unheimlichen Oede. In ihm wohnen die Seelen
der Abgestorbenen und Kerberus, der die Ankommenden mit einem
lieblichen Blinzeln angesehen, soweit es seine abscheuliche Gestalt
zuließ, bricht in furchterweckendes Bellen und Toben aus, falls einer,
der einmal die Schwelle überschritten, Miene macht, wieder den
Hades zu verlassen. Hier leben sie nun, die körperlosen Gestalten,[2]
dem Schatten vergleichbar.[3] Sie können sehen, denken, urteilen und
auch sprechen, wenn auch ihre Sprache aus schrillernden, schaurigen
Tönen besteht.[4] Damit sie aller irdischen Leiden und Uebel nicht
mehr gedenken, trinken sie aus dem Flusse Lethe (= Vergessenheit,)
der ewig in den weiten Hallen seine Wogen dahinwälzt.

Und da führen sie nun ein trübes Schattendasein, so daß
Homer die Toten die „müden," „gebeugten"[5] nennt, welche nach
diesem irdischen Leben ein inhaltsleeres Dasein haben, das nichts
anderes ist als ein Forthungern und Fortringen ins Unbestimmte
und Endlose. Daß die Griechen und mit ihnen die Römer das
Jenseits sich so freudenleer dachten, darf uns gar nicht wundern.
Es fehlte ihnen nämlich der wichtige Bestandteil des Unsterblichkeits=
glaubens, der erst durch das Christentum wiedergebracht und mit
demselben verbunden wurde, die Anschauung Gottes im Jenseits.
Es war ein Unsterblichkeitsglauben ohne Gott. Deshalb war der
Tod auch das schreckliche Gespenst, das die Griechen und Römer
immer peinigte und das sich selbst in die Augenblicke heiterer Daseins=
freude und frohen Genießens mischte.[6] Das Leben, das allzuschnell mit
dem Tode abschloß, erschien als ein unseliges und mit Fluch beladenes.

> „Kein anderes Wesen ist jammervoller zu schauen,
> Als der Mensch vor allem, was da lebt und atmet auf Erden."[7]

„Von Homer bis zu den spätesten Dichtern der alexandrinischen
Zeit, von Herodot bis Tacitus und Seneca hören wir den Gedanken
von der Unseligkeit und dem Fluche des Menschengeschlechtes einem
wehmütigen Klageton gleich, bald laut, bald leiser, aber immer deutlich
vernehmbar das ganze antike Schrifttum durchzittern."[8] Wer erkennt
in dieser Anschauung nicht das Nachwirken jenes Fluches, der auf

---

[1] Ilias, XVI, 854, 857. — [2] Odyssee X, 495. — [3] Odyssee XI, 213.
[4] Odyssee XXIV, 6; XI, 605. — [5] Ilias III, 278; XXIII, 72; Odyssee XI, 476.
— [6] Heraklit bei Klemens Alex. Strom. III, 3; Platon, Phaed. 110; Aelian,
Variae historiae VIII, 11; Eurip. Troad. 1195 ff.; Pind. Ol. 2, 33; Aeschines,
Prom. 277 ff. — [7] Ilias XVII, 446. — [8] M. Marquard, Die pessimistische
Lebensauffassung der Alten, 3.

das ganze Menſchengeſchlecht nach dem Sündenfall von Gott ge=
ſchleudert wurde? Wie wäre es ſonſt erklärlich, daß die ganze antike
Tragödie von dem Grundgedanken einer uralten Schuld, πρώταρχος
ἄτη,[1]) welche auf dem Menſchengeſchlechte ruht, getragen wird?
Allerdings fiel kein Hoffnungsſtrahl in dieſes Jammern. Die Gottheit
ſtand ja dem Menſchengeſchlecht fern und feindlich gegenüder.

„Die Götter ſind ſelige Weſen, die ſich um die Welt und den
Menſchen nicht bekümmern.“[2])

„Πολλ’, ὦ τέκνον, σφάλλουσιν ἀνθρώπους θεοί“[3])

„Zu leiden iſt notwendig; wer der Götter Haß am beſten
trägt, der iſt allein ein weiſer Mann.“[4])

So war jede Hoffnung auf Beſſerung abgeſchnitten. Der
weiſe Sokrates rang ſich in der Erkenntnis ſo weit durch, daß
er einſah, eine Beſſerung könne nur von der Gottheit erzielt
werden. „Soll bei dem jetzigen Weltzuſtande etwas gebeſſert werden,
ſo kann dies nur durch Vermittlung eines Gottes geſchehen, der uns
das Urbild der wahren Gerechtigkeit zeigt.“ Und zum Schluß ſagt
er: „Mich dünkt daher das Beſte, ruhig abzuwarten, bis einer kommt,
der uns belehrt, wie man ſich gegen Gott und den Menſchen ſich ver=
halten ſoll.“[5]) Wie anders klingt der Troſt des großen Dulders
Job.[6]) „Aber ich weiß, daß mein Erlöſer lebt, und am jüngſten
Tage aus dem Staube werde ich erſtehen. Und wiederum werde ich
umgeben ſein von meiner Haut und in meinem Fleiſche ſehen
meinen Gott.“

So finden wir zwei wichtige Wahrheiten beſtätigt, oder ſagen
wir beſſer, in dem heidniſchen Bücherſchatze aus der Zeit der Uroffen=
barung noch durchleuchten, Erbſchuld und Unſterblichkeit.

Kehren wir wieder zum Hades zurück. Das Vorkommen von
Gewäſſern und Flüſſen in der Unterwelt ſpielt in der Vorſtellung
der Griechen eine wichtige Rolle. Kaum iſt der Tote durch die große
Pforte in den Hades eingetreten, muß er ſich von einem Fährmann

---

[1]) Aeſchylus=Agam. 1151. — [2]) Diog. Laert. X, 139 „Sonſt wären ſie
ja nicht ſelig“ fügt er hinzu. — [3]) Eurip. frag. (ed. Nauck) 254. — [4]) Sokrates
bei Plato, Phaed. 85. — [5]) Ebenda. — [6]) Job 19, 25. ff.; Jeſ. 25, 8:
Praecipitabit mortem in sempiternum et auferet Dominus Deus lacrimam
ab omni facie. Einen durchgreifenden Unterſchied hat das Alte Teſtament
betreffs der Mühſale dieſes Lebens und dem Leben nach dem Tode in Vergleich
mit dem Heidentum aufzuweiſen. Das Heidentum kennt das Weſen, den
Urſprung und die Grenze des Todes nicht, es fürchtet ihn als eine unheimliche
Macht, der ſelbſt die Götter nichts anhaben können. Ueber das Leben nach dem
Tode iſt es ſich nicht klar, allerlei täuſchende Phantaſien über daſſelbe ſind
erdacht worden. Im Alten Teſtament iſt dem Tode ſeine Gräßlichkeit und Ge=
walt gelaſſen, doch iſt gänzlicher Sieg über ihn und ſeine Vernichtung in
Ausſicht geſtellt. Es erkennt, daß der leibliche Tod nur die äußere Seite der
Sündenſtrafe iſt. Hätte ſich der Geiſt nicht von Gott gewendet, ſo wäre der
Leib nicht zerfallen. „Das Heidentum iſt das Taſten verirrter Menſchenvernunft,
welche gegen die furchtbare Tatſache des Todes nach Täuſchungen ſucht, im A. T.
iſt es die Wahrheit der Offenbarung, die die Macht des Todes vor den Menſchen
nicht verringert, weil ſie dieſelbe Gott gegenüber klein und unbegrenzt weiß.“

über einen Fluß, den Styx, dringen laffen. Der grobe Fährmann, Charon mit Namen, verlangt darfch das Fahrgeld, das dem Leichnam in der Form eines Obolos in den Mund gelegt worden war. Dann rudert er die Seele auf das andere Ufer. Das Waffer diefes Fluffes ift fo heilig, daß Götter die wichtigften Eide nur beim Waffer des Styx fchwören.[1]

Neben dem Styx raufchen noch drei Ströme in der Unterwelt, der Lethe, der Acheron und der Pyriphlegeton. Bekanntlich haben auch vier große Ströme das irdifche Paradies durchfloffen. (Vergleiche Gen. 2, 10 ff.). Diefe eigenartige Vorftellung von Gewäffern in der Unterwelt dürften die Griechen und mit diefen dann die Römer von den Aegyptern übernommen haben. Diodor fchon berichtet, daß von den ägyptifchen Gebräuchen viele zu den Griechen gekommen feien.[2] Man ftelle fich einen griechifchen Reifenden vor, der zur Zeit, als Griechenland im Stadium der Entwicklung war, während Aegypten bereits die Höhe der damaligen Kultur erreicht hat, fo daß auserwählte Männer der umliegenden Völker nach Aegypten eilen, um fich dort auszubilden, man ftelle fich fo einen griechifchen Reifenden vor, der Gelegenheit hatte, zur Zeit der Ueberfchwemmung eine Leichenfeier zu fehen. Sämtliche Funktionen und Zeremonien, die er da beobachten kann, fprechen für fich felbft und zeigen ihm, daß alles das, was er fieht, gefchieht, nicht dem leblofen Körper zuliebe, fondern für jenen gewiffen „Ka", wie der Aegypter fich auszudrücken pflegte, für jenes Element, das dem Körper Leben gegeben, das aber jetzt entfchwunden und eingegangen ift zu dem, der es erfchaffen, zu Ofiris.

Es ift Abend geworden. Herrlich, wolkenlos wölbt fich der Himmel über das einem See gleichende Land. Der Nil hat, wie alljährlich, feine befruchtenden Fluten über feine Ufer allenthalben hinausgewälzt und das fo blühende Land in ein Meer verwandelt. Die Sterne blinken und der Mond beginnt foeben die wie Infeln aus dem Meere ragenden Häufer zu befcheinen. Zahlreiche Kähne befahren das Waffer und alle fcheinen heute demfelben Ziele zuzufteuern. Vor einem Haufe machen fie Halt. Soeben ift man bei diefem Haufe befchäftigt, einen prachtvollen Mumienfarg auf eines der Schifflein zu heben. Wie dies gefchehen, fchlägt das Ruder fchwer ins Waffer ein und das Schiffchen mit dem Sarge gleitet im Mondenfcheine dahin. Unter den Gefängen der Klageweiber und dem Schalle der Harfenfpieler reihen fich die übrigen Kähne dem Zuge an. Auf beiden Seiten des Weges, den der Leichenzug paffiert, ftehen Schiffe mit allerlei Zeug beladen: Waffen, Bücher, Spiele, Kleider, Getränke, Eßwaren und dergleichen Dinge mehr. Das alles wurde hieher gebracht, damit der Tote fich noch einmal an alldem, was ihm lieb und teuer hier auf Erden gewefen, erfreuen kann. Ift der Leichenzug vorüber, fo fchließen fich diefe Schiffe lautlos dem anderen an. An der Grabes-

---

[1] Hefiod, Theog. 361, 383, 775. Odyffee XV, 37. — [2] Diod. I, 22.

kammer angelangt, wird die Türe zu derselben geöffnet, der Sarg
vorsichtig hineingelegt und was auf den Schiffen an Waren gewesen,
ebenfalls in der Kammer neben dem Sarge niedergestellt. Nun werden
Freudenlieder angestimmt, Freudenhymnen auf die Götter gesungen,
denn der Tote ist eingegangen zu den Göttern, seine Seele kann zum
Leibe, den man ihr durch vorsichtiges Einbalsamieren zu erhalten
gesucht hat, nach Belieben zurückkehren und findet dabei das, woran
sie sich einstmals gefreut, hinterlegt. Ein heiliger Schauer ergreift
den Griechen, der dieser Feier stumm und voll Aufmerksamkeit zu=
gesehen. Als er dann zu den Seinen in die Heimat zurückgekehrt,
erzählt er voll Begeisterung und Ehrfurcht, wie drüben in Aegypten,
im hochentwickelten Kulturlande, der Tote über das Wasser hinüber=
gebracht und zur Ruhe, zur ewigen Ruhe gebettet worden sei, so daß
die Ueberlebenden freudestrahlend den Grabeshügel verlassen hätten.
Ja, jenseits des Wassers habe der Tote Ruhe gefunden, habe alles
irdische Leid und Uebel vergessen, über das Wasser hinüber sei er
in die Ewigkeit eingetreten. Von nun an läßt der Grieche im Hades
sich über den Styx fahren, trinkt aus den Wellen des Lethe Ver=
gessenheit alles Leides und freut sich an den Ufern des Acheron und
Pyriphlegeton.

Wie sehr die Begräbnisweise zur Zeit der Ueberschwemmung
auf die Aegypter selbst gewirkt, zeigt wohl am deutlichsten der
Umstand, daß man zur Zeit der Trockenheit des Landes die Ueber=
fahrt symbolisch vollzog. Der Sarg wird im feierlichen Zuge über
einen kleinen, künstlich errichteten „heiligen See" geführt, der in
keiner „Totenstadt," das sind unsere heutigen Friedhöfe, fehlte.[1]
Diese Ueberfahrt über den Totensee brauchten die nicht mehr zu
machen, die am Westufer des Nil wohnten, da die Totenstädte
meistens an dessen Ostufer sich vorfanden, so daß sie ja schon durch
die Ueberfuhr über den „heiligen Nil" der Vorschrift Genüge leisteten.
Die Texte in den Totenbüchern[2] sprechen an zahlreichen Stellen von
einem Flusse, der vor dem Eintreten in das Jenseits zu überschreiten
sei. Bei den ägyptischen Behörden melden die Hinterbliebenen den
Tag des Begräbnisses also an: „N. N. will über den Fluß fahren."[3]
Das Wasser spielt übrigens in der Mythologie der verschiedensten
Völker eine Rolle, aus welcher überall der Unsterblichkeitsglaube
hervorleuchtet.[4] Es gilt als Grenze zwischen Leben und Tod und
findet deshalb bei Völkern, welche sich vor der Rückkehr Abgestorbener
fürchten, als ein Mittel zur Verhütung des Wiederkehrens. So fand
Wachsmuth,[5] daß in Griechenland heute noch in dem Augenblicke,

---

[1] Wiedemann, die Religion der alten Aegypter 124. — [2] Naville, das
ägyptische Totenbuch, Berlin 1886; Lepsius, das Totenbuch 1842. — [3] Diod. I, 41.
— [4] Vergl. Liebrecht, zur Volkskunde 317; Thlor, Anfänge I, 435, deutsche
Rundschau 1883, Heft 3, 114; Heft 4, 205. — [5] Wachsmuth, das alte Griechen=
land im neuen, 119. Im Gegensatze zu den Aegyptern sucht die hellenisch-römische
Anschauung jedes fernere Verhältnis des Leibes zur Seele zu zerstören.
(F. Himpel, Unsterblichkeitslehre 31).

in welchem die Leiche aus dem Hause getragen wird, ein Krug Waffer ausgeschüttet wird, um das Zurückkehren hintanzuhalten.

Hier im Hades leben nun diese Seelen immerfort. Wenn der griechische Glaube andere Menschen, die ganz Hervorragendes auf Erden geleistet, wie einen Menelaus, den Göttergleichen, direkt in den Olymp aufnehmen, oder solche, die ein mittleres Leben geführt haben, in der Asphodeloswiese herumirren läßt oder schlechte, böse Menschen in den Tartarus verstößt, wo sie ewiglich den Peinen unterworfen sind und der nach ihrem Glauben ebensoweit vom Hades entfernt ist, wie der Hades vom Elisium, so ist dieser Glaube nichts anderes als eine neuerliche Bestätigung des tiefwurzelnden Unsterblichkeitsglaubens. Ja, das ganze Bestattungswesen, wie es uns überliefert ist, dokumentiert deutlich den Glauben an das Fortleben nach dem Tode, die Bestattung als solche in erster Linie ist nötig, um der herumirrenden Seele Ruhe und Frieden zu verschaffen. Selbst dem Feinde im Kampfe muß Zeit gegönnt werden, die Toten bestatten zu können,[1] wenn nicht der Sieger es vorziehen will, die gefallenen Feinde selbst zu bestatten. Dieser tiefwurzelnde Unsterblichkeitsglaube kommt auch in den Werken der Dichter zu Tage. Nur beispielsweise sei auf den großen Pindar, auf Aischylus, Sophokles und auf den Alcestis des Euripides verwiesen. Die großen griechischen Denker, die Philosophen, angefangen von dem ältesten Thales von Milet, der zeitlichen Reihenfolge herauf bis zu den jüngsten legen Zeugnis ab von dem Glauben an das Fortleben nach dem Tode. Soll ich Plato nennen, der philosophorum quasi deus, wie Cicero sagt, der mit großer Klarheit von der Unsterblichkeit der Seele spricht und für seine Anschauung schwerwiegende Gründe anführt?

„Die Seele ist unsterblich; denn das Stetsbewegte ist unsterblich."[2]

Aristoteles, der größte der großen Denker, bezeugt in seinem Eudemus, daß der Unsterblichkeitsglaube, der Glaube an den Hades als einen Ort der Vergeltung, nicht bloß Priesterlehre oder sonst eine eigenartige Idee sei, sondern ein Stück Volksbewußtsein und zwar von so hohem Alter, daß man die Zeit seiner Entstehung oder einen Urheber überhaupt nicht mehr angeben könne. „Der Körper muß dem allgewaltigen Tode folgen, aber der Geist lebt in Ewigkeit," schreibt Pindar.[3] Zwar gab es auch unter den griechischen Philosophen solche, welche diesen Glauben zu bekämpfen suchten, doch ist ihre Zahl nur sehr gering und sind ihre Argumente, die sie für ihre Ansichten vorbringen, sehr schwach, geschweige denn, daß sie imstande gewesen wären, die von der großen Majorität der Philosophen vorgebrachten Gründe für den Unsterblichkeitsglauben zu widerlegen.

---

[1] Schon Theseus spricht dies bei Euripides, Supplices 524 ff. aus: νεκροὺς δὲ τοὺς θανόντας, οὐ βλάπτων πόλιν οὐδ' ἀνδροκμῆτας προσφέρων ἀγωνίας θάψαι δικαιῶ, τὸν Πανελλήνων νόμον σῴζων. — [2] Platon, Phaedros, 51. — [3] Pindar 34.

So war der Glaube an die Unsterblichkeit der Seele, an das Fortleben nach dem Tode, Gemeingut des griechischen Volkes. Wohl mancher sterbende alte Hellene mag zu den Umstehenden vor seinem Hinscheiden mit bittenden Augen noch mit Homer gerufen haben:

„Gebt mir ein Grab, daß ich eilig des Hades Tore durchwandle!"[1]

Wenden wir uns nun zu den Römern. Auch bei ihnen finden wir den Unsterblichkeitsglauben allgemein verbreitet und tief wurzelnd. Die Römer haben die Ausschmückung des Glaubens an das Fortleben nach dem Tode von den Griechen übernommen. Aber auch die Etrusker, die vor den Römern eine Weltherrschaft ausgeübt, wie die fortschreitende Erkenntnis der Geschichte des alten Italien dargetan hat, und die neben den Griechen den größten Einfluß auf die römische Kultur ausgeübt haben, glaubten an die Unsterblichkeit der Seele. Die großen Gräberfunde zu Chiusi, zu Tarquinii, Bologna, Caere und Volaterrä sind deutlich sprechende Beweise dafür.[2] In vielfacher Beziehung erinnern diese Grabeskammern, die allerlei Gegenstände enthalten, welche den Toten mitgegeben worden waren, und deren Wände beschrieben sind, um die Lebensschicksale der hier Ruhenden zu erzählen, an die Aegypter.[3] Voll Klarheit zeigen aber diese Funde, daß diejenigen, die dies alles errichtet, nicht es dem darinruhenden Körper zuliebe getan, sondern der Seele zuliebe, der sie das Leben im Jenseits zu erleichtern suchten.

Die Seelen der Abgeschiedenen gehen nach römischem Glauben in den Orkus ein. Hier leben sie weiter und suchen die Angehörigen auf der Erde bald zu sich herab zu dringen. Deshalb fleht ein Römer auf dem Grabstein zu seiner soeben verstorbenen Gattin: „Schone, Liebste, den Mann, ich flehe, schone ihn, daß er ferner noch viele Jahre stets dir Opfer und Kränze bringen möge und mit duftendem Oel die Lampen füllen."[4]

Die Ausschmückung des Orkus, wie der Römer sie sich dachte, erinnert an die des griechischen Hades. In neunfacher Windung umfließt ein Fluß den Orkus. Ein Fährmann, dem ein Fahrgeld verabfolgt werden muß, führt die Seele über dessen Fluten. Der schreckliche Höllenhund hält am Eingangstor Wache. So sind in der Tat die Römer über die griechische Vorstellung von der Unterwelt nicht hinausgekommen. Allgemein verbreitet unter dem römischen Volke ist die Vorsorge für die Toten. Jeder Tote muß degraben werden. Selbst der Sklave, der Zeit seines Lebens seinem Herrn gegenüber nur eine Sache, aber keine Persönlichkeit vorgestellt, hat nach dem Tode Anspruch auf die Ehre des Grabes. Blied einer unbestattet, so irrte seine Seele als Gespenst, den Lebenden Furcht und Schrecken einflößend, umher. Creditum est, insepultos non ante ad inferos redigi quam justa perceperint, sagt Tertullian.[5]

---

[1] Ilias XXIII, 71. — [2] Vergl. Müller, die Etrusker 20 ff.; Winkelmann, Geschichte der Kunst I, 207; Weiß, Weltgeschichte II, 559. — [3] Vergl. das über Aegypten Gesagte. — [4] Marquardt a. a. O. 11. — [5] Tertullian, de anim. 56.

Die Priesterin klärt den Aeneas über die ihn in Verwunderung versetzende Erscheinung, daß nur ein Teil der Seelen über den Fluß gelangt, also auf:

> Haec omnis, quam cernis, inops inhumataque turba est, portitor ille
> Charon; hi, quos vehit unda, sepulti!
> Nec ripas datur horrendas et rauca fluenta
> transportare prius, quam sedibus ossa quierunt."[1]

Nur derjenige, der seine Menschenrechte durch ruchlose Taten verwirkt, war der Ehre des Grabes beraubt. Es waren dies „Feinde des Vaterlandes," Majestätsverbrecher und Hochverräter, „Hingerichtete", die die irdische Gerechtigkeit dem Kreuze oder dem Pfahle über- antwortet hatte und endlich „Selbstmörder", die in verbrecherischer Weise Hand an das von den Göttern geschenkte Leben gelegt.[2] Aber selbst diese konnten noch der Wohltat der Bestattung teilhaftig werden, wenn deren Angehörige an die vorgesetzten Behörden sich bittweise um Ueberlassung des Leichnames wandten.

Die Wahl des Ortes sowohl, wie auch der ganze Begräbnis- ritus verraten den Glauben an das Fortleben nach dem Tode. Von allen den Funktionen bei einer Beerdigung sei nur auf die große Ahnenprozession verwiesen, in der die imagines maiorum[3] einher- getragen wurden, weil diese Zeremonie den Unsterblichkeitsglauben am besten zum Ausdruck bringt. Ja, in dem Augenblicke, wo des Todes kalte Hand den Lebensfaden entzwei schneidet, ist durchaus nicht jedes Band, jede Verbindung mit dem Ueberlebenden abgeschnitten. Im Gegenteil, die Toten leben als die Manes, d. h. die „Reinen", „Lichten", „Guten" weiter. „Diese Manes werden gedacht als Geister, d. h. des irdischen Lebens entkleidet und unsterblich wie die Götter."[4] Deshalb weist auch der Grabstein in den meisten Fällen als Eingangs- formel die Worte auf: Diis manibus sacrum.

Mögen nun diese Seelen der Abgeschiedenen in der Tiefe der Erde oder im Grabesraume, im Orkus oder im Luftraum,[5] oder auch auf den Gestirnen sich aufhalten, eines steht zweifelsohne fest, daß sie nach dem Tode weiter leben. Denselben Glauben an die Unsterblichkeit finden wir auch bei den Völkern des übrigen Afrika, (Aegypten habe ich besonders behandelt) die ihn von den Römern übernommen und wo er sich bis zur Zeit des Eindringens der Araber erhält.[6]

Wie besorgt die Römer für ein würdiges Begräbnis und für die Erstellung eines Denksteines auf dem Grabeshügel waren, zeigt der Umstand, daß viele bei Lebzeiten schon Vorkehrungen für ihr Begräbnis trafen und sich einen Leichenstein bereits mit der Inschrift, die sie darauf wünschten, machen ließen. Die Ueberlebenden hatten

---

[1] Vergil, Aeneis VI, 325—328. — [2] Vergl. Kirchmann, Appendix ad libros de funeribus Romanorum, VII. Becker, Charikles, II, 2(7. — [3] Mommsen, Röm. Geschichte III. und 872. — [4] Preller, Röm. Mythologie II. 66 — [5] Cicero, Tusc. disp. I, 11, 24. — [6] Seidel, Ueber röm. Grabschriften 4.

dann in dem eigens hiezu freigelassenen Raume nur mehr die Anzahl der Lebensjahre einzusetzen.

Diis manibus sacrum — heißt es als einleitende Form auf einem Grabstein. Dann folgt:

P. Papinius Januarius sibi et Regiliae quartule se vivo fecit. Heres annos adnotabit. Vixit . . . . annos.[1]

Deutlichen Beweis für den tiefwurzelnden Unsterblichkeitsglauben legt auch die Tatsache ab, daß denen, die in der Fremde verstorben oder deren körperlichen Ueberreste nicht aufzufinden waren, ein Gebet oder Denkmal errichtet wurde. Man rief dann dreimal den Namen des Verschollenen. Den Ruf hatte wohl die Seele vernommen und eilt voll Freuden herbei, da sie nun auch ein Ruheplätzchen gefunden, da sie justa et debita[2]) percepit.

„Tunc egoment tumulum Rhaeteo in litore inanem
Constitui et magna manes ter voce vocavi."[3]

Aus diesem Unsterblichkeitsglauben ist auch die Gewohnheit zu erklären, auf eine Leiche, auf die man zufälligerweise stieß, eine Handvoll Erde zu werfen und wenigstens einigermaßen die Seele des hier Unbestatteten der wohltätigen Wirkungen des Begräbnisses teilhaftig zu machen.[4]) Mit der Bestattung war aber keineswegs die Pflicht der Hinterbliebenen schon erfüllt. Es war vielmehr an die Gräber und an die Manen ein fortdauernder, teils öffentlicher, teils privater Kult geknüpft.[5]) Daß es für den Römer natürlich heiligste Pflicht und Ehrensache war, diese Kulte genau zu pflegen, erkennen wir aus den bereits erwähnten Bezeichnungen iusta et debita, womit der Anspruch, den der Tote an diese Kulte hat, genug gekennzeichnet ist.

Der Unsterblichkeitsglaube tritt auch deutlich in den römischen literarischen Erzeugnissen zutage. Ich kann aus der großen, zur Verfügung stehenden Anzahl der Belegstellen natürlich nur einiges wenige auswählen. Die Worte Ciceros, permanere animos arbitramur consensu nationum omnium[6]) lassen an Deutlichkeit nichts zu wünschen

___

[1]) C. I. G. 4619. — [2]) Die Bezeichnungen debita, iusta, τὰ δίκαια, νόμιμα, νομιζόμενα, προσήκοντα zeigen wohl sehr deutlich den tiefwurzelnden Unsterblichkeitsglauben. Von allen Verpflichtungen gegen die Eltern konnte nach dem solonischen Gesetze ein Kind entbunden werden, nur von der Pflicht, die Eltern nach ihrem Tode zu bestatten und die übrigen Riten zu erfüllen, konnte es nicht befreit werden. Becker, Charikles II, 168. — [3]) Virgil. Aen. VI, 505 f.; Kirchmann a. a. O. III, 27. Dasselbe bei den Griechen: Euripides, Helena, 1241 ff.: Odyssee, IX, 64; Xenophon (Anabasis VI, 2, 9) ließ für die Toten, die nicht aufgefunden worden waren, ein großes Grab errichten und die Scheinbestattung vornehmen. — [4]) Quintilian, Declamationes, V, VI.; Horaz, Carmina I, 28. Bei den Griechen finden wir denselben Brauch. Aelian, Variae historiae V, 14. Becker, Charikles II, 169. Auch bei den Juden (Jes. 14) galt es als Schande, nicht begraben zu werden. Doch blieb es bei diesen — im Gegensatz zu Hellas und Rom — ohne Einfluß auf den Zustand der abgeschiedenen Seele, die nicht erst nach Bestattung oder wenigstens Scheinbestattung die Unterwelt betreten durfte. — [5]) Marquardt, Röm. Staatsverfassung III, 298. — [6]) Cicero, Tusc disp I, 1. 16.

übrig. In zahlreichen anderen Stellen[1]) spricht er diese seine Ueber=
zeugung nicht nur ebenso klar aus, sondern bringt für die Richtigkeit
seiner Ansicht schwerwiegende Gründe vor. Neben den Philosophen
Salluft,[2]) dem Dichter Virgil[3]) und mehreren anderen sei nur auf
Seneca[4]) verwiesen. Mit den Worten: „Das wahre Leben der Seele
beginnt erst mit dem Austritte aus dem Leibe" drückt er zur Genüge
seine Ueberzeugung aus. Dem Leibe weist dieser beredte Verteidiger
des Unsterblichkeitsglaubens den ihm gebührenden Platz an. „Der
Leib ist etwas so wertloses, daß wir nicht gering genug von ihm
denken können; er ist eine bloße Hülle der Seele, eine Behausung,
in der sie nur für kurze Zeit eingekehrt ist."

Daneben finden wir aber eine Reihe von Römern, die das
Fortleben nach dem Tode mit aller Energie leugnen. Es ist besonders
Epikur,[5]) „in dessen materialistischer Philosophie die Leugnung dieses
Glaubens einen Haupt= und Fundamentalsatz bildet". In fast leiden=
schaftlicher Weise spricht sich Plinius der Aeltere[6]) gegen die Un=
sterblichkeit aus. Der Folgerungen, die die alten Römer aus dem
Umstande gezogen, daß es kein Fortleben nach dem Tode geben solle,
habe ich bereits früher gedacht.

Trotz dieser Leugnungen steht aber über allen Zweifel erhaben
fest, daß die Allgemeinheit des Unsterblichkeitsglaubens nicht tangiert
oder erschüttert wurde. Zeitlich ziemlich spät treten diese Versuche
des Leugnens auf und sie erklären sich leicht, wenn man bedenkt,
daß ein Verfall der Kultur um sich gegriffen hat.[7]) Wie ernst dieses
Leugnen diesen materialistischen Geistern zu Herzen ging, zeigt wohl
am besten der Umstand, daß der leugnende Epikur zur nicht geringen
Verwunderung der Hinterbliebenen in seinem letzten Willen und
Testamente große Sorge für den Kult seiner Seele und den seiner
Angehörigen an den Tag legte.[8])

So finden wir den Glauben an das Fortleben nach dem Tode
bei allen Völkern und zu allen Zeiten verbreitet, mag er noch so
mit allerlei Anschauungen vermischt sein. Wir haben gesehen, daß
der Aegypter die Seele nach dem Tode in sein Aalu, der Grieche in
den Hades, der Römer in den Orkus wandern läßt, wie der Germane
für die Abgestorbenen sein Niflheim als Aufenthaltsort kennt.

Permanere animos arbitramur consensu nationum omnium,
omni autem in re consensio omnium gentium lex naturae putanda est.[9])

So schließe ich mit den Worten des Dr. Kubanek: „Diese
Uebereinstimmung ist aber um so gewichtiger, als es zu allen Zeiten
Menschen gab, die den Unsterblichkeitsglauben zu erschüttern suchten.

[1]) Lael. 4; Cato 21, Tusc. I, 27; 20, 70, Rep. 6, 17, 8. — [2]) Lübker,
Real Lex. 864. — [3]) Vergil, Aen. VI, 598. — [4]) Zeller, Philos. d. Griechen
III, 738. — [5]) Friedländer, Darstellungen III, 686. — [6]) Plinius, hist. nat. 2, 7.
— [7]) Friedländer, Darstellungen III, 688. — [8]) Rhode, Psyche, 235. —
[9]) Cicero a. a. O.

Wenn troß dieser fortwährenden Angriffe und troß der scheinbar
schlagenden und dem sinnlichen Menschen angenehmen Einwürfen
dieser Glaube niemals aus dem Bewußtsein der Völker verdrängt
werden konnte, so muß derselbe dem menschlichen Herzen tief ein=
geprägt und mit der menschlichen Natur innig verbunden sein".

Fortschritte in der Loreto=Kunde.

Von Gymnasial=Professor Gebhard Kreiser in Rottweil a. N.

Die eine gute Folge wird zunächst jedermann der Veröffentlichung
meiner Loreto = Schriften, besonders „Nazareth ein Zeuge für Loreto",
Graz=Wien 1908, zuschreiben, daß man in weiten Kreisen die Sache des
altberühmten Wallfahrtsortes studieren mußte. Wie viele ließen sich von
dem bloßen Gefühle leiten! Das kann aber ein höchst gefährlicher Führer
sein, um so mehr, wenn ein umfangreiches Buch wie das von Chevalier
solcher Voreingenommenheit eine wissenschaftliche Grundlage zu geben schien.
Dagegen wandte sich meine Abhandlung: „Loreto im Heilsplane Gottes
unter besonderer Berücksichtigung von Calderon A Maria el corazon"
(Linzer Theol.=prakt. Quart.=Schr. 1908, I); zur Vermittlung des inneren
Verständnisses bietet sie die dogmatischen Lehren über die Absichten Gottes
bei großen Wundern sowie über die Mitwirkung der Engel bei denselben
und zeigt an den geschichtlichen Tatsachen, wie Loreto zuerst wohl in außer=
ordentlichen religiösen Gefahren engerer Kreise (Dalmatiens, Slavoniens
und Mittelitaliens), dann aber für die Zeit der Reformation und nach
derselben historisch unleugbar als Weltwallfahrtsort einen unberechenbaren
Einfluß ausgeübt hat, und zwar speziell infolge des in der Legende er=
zählten Wunders.[1]

Eine ernste historische Untersuchung kann eine Sache wie
Loreto schon als hervorragende Erscheinung der Kirchen=
geschichte verlangen. Besonders auch auf der Seite der Verteidiger der
Tradition hat sich gegenüber de Feis und Chevalier und ihren Partisanen
erfreulicherweise eine lebhafte Tätigkeit entwickelt. Und wenn letzterer in
seiner neuesten Erklärung im „Ami du clergé" (1908, Nr. 6 vom
6. Februar) eine ganze Reihe französischer und belgischer Zeitschriften für
sich anführt, deren Verfasser „Angehörige aller Orden" seien — es sind
meist nur unvorsichtige Rezensionen —, so muß er ebenso bekennen, daß
in der gleichen Zeit „en nombre formidable" große und kleine Wider=
legungen „in Frankreich, Italien und bis in Amerika" erschienen sind.
Man kann wirklich von einer internationalen Loreto=Verteidigung
reden. Dürfte ich hier nur wenigstens jene hauptsächlichsten neueren Loreto=
Schriften zitieren, die mir selber zur Hand sind, so würde man es schon
daraus als ein doch allzu summarisches Verfahren erkennen, einfach zu
schreiben: An Chevaliers Hauptresultat „haben die vielen seitdem, vor=
wiegend in Italien und Frankreich, .. erschienenen Broschüren und Artikel

---

[1] Letzteres jedenfalls zunächst bezüglich der an zweiter Stelle genannten Zeit.

nichts geändert".[1] Es bleibt die Hauptfrage: Welche Fortschritte haben die neueren Loreto-Forschungen in sachlicher Beziehung ergeben, eine größere oder eine geringere historische Glaubwürdigkeit der Tradition? Wir teilen unsere Aufgabe mit della Casa's neuestem, epochemachendem Werke[2] in eine quaestio Palaestiniana, Tersattana, Lauretana; bei der erstgenannten kann ich mich kurz fassen unter Verweisung auf mein Buch und meine neuesten Ausführungen: „Das Haus der hl. Familie von Nazareth" in „Tübinger Theol. Quart.= Schrift" 1909, II, S. 212—247.

I.

In der Frage Nazareth=Loreto brachten viel neues Licht die Berichte der Palästinapilger. Wie viel bessere Beweismittel stehen uns da jetzt zur Verfügung als den Historikern früherer Zeiten! Nach den jetzt vorhandenen Dokumenten muß ursprünglich ein Raum von der Art, wie er in Loreto sich befindet, ein etwa 10 Meter langes, 4½ Meter breites, gemauertes Oblongum vor der kleinen, heute noch dort vorhandenen Grotte gestanden haben. Dieser Vorbau bildete zusammen mit der Felsenhöhle die Krypta, die Unterkirche. Es gilt da Trombellis treffende Bemerkung: „Enim vero potuit in loco, ubi Aedicula erat, basilica aedificari eademque a barbaris destrui, quin ea Domus pars, in qua B. Virgo ab Angelo salutata fuerat, destrueretur. Recole Paulini Nolani verba: aedificatis basilicis contexit ... Helena ... omnes locos Incarnationis et Passionis et Resurrectionis ... Non alia ratione id factum esse intelligimus nisi quod super eis, in subterranea tamen parte servatis, Basilicas ... aedificaverit."[3] 1. Petronius, Bischof von Bologna, „ließ folgendes in der Kirche des hl. Stephanus fromm nachbilden: die Säule ..., das Kreuz ..., den Speisesaal .. und außerdem das Gemach (cubiculum), in welchem der Engel Gabriel ... die Jungfrau grüßte" (i. J. 410);[4] 2. „Spelunca vero, in qua habitavit, magna est et lucidissima, ubi positum est altarium et ibi infra ipsam speluncam est locus, unde aquam tollebat" (jedenfalls vor der Zeit der Kreuzzüge, höchst wahr=

---

[1] Zeller in „Tübinger Theol. Quart.=Schrift" 1908, 464. Man vergleiche vollends „Die Liste der seit Chevalier geschriebenen Werke und Artikel" bei Faurax, réponse IV: La translation miraculeuse de la S. Maison. Lyon-Paris, 1909, S. 59—64! — [2] Della Casa, Memorie storiche documentate sulla s. Casa di Loreto, Siena, Tip. Pontif. S. Bernardino, 1909 (363 Seiten im Format des Buches von Chevalier), p. XV. — [3] Trombelli, Mariae Sanctissimae Vita et gesta, Bononiae, 1765, tom. VI, 335. Darauf verweist auch della Casa, 21. — [4] Von Chevalier übersetzen (vgl. N. f. L.= Kresser, Naz. ein Z. für Loreto, S. 23 f.). Meine diesbezügliche Verteidigung gegen Zeller ist enthalten Tüb. Theol. Qu.=Schr. 1909, 223—225: Obige Stelle ist freilich erst aus einer späten Vita Gelasini, aber stark gestützt durch die allgemeiner lautende Mitteilung: „loca non pauca, in quibus redemptionis nostrae mysteria fuere peracta, formam, situm, distantiam omniumque rationem sedulo scrutatus ac dein Bononiae imitatus est" (so „genau der Chronik der Mönche von St. Stephan entnommen").

scheinlich aus dem Bericht der Silvia zirka 386);[1] 3. „Das Haus Mariä ist eine Basilika und dort geschehen viele Wunder bei ihren Kleidern" (Antonin von Piacenza gegen d. J. 570); 4. „Eine zweite Kirche ist an dem Orte errichtet, wo jenes Haus erbaut worden war (stand — constructa fuerat),[2] in welchem der Erzengel Gabriel zur allerseligsten Jungfrau hineintrat" (Arkulf — Adamnanus i. J. 670); 5. „Altera vero ecclesia est, ubi domus erat" (Beda, i. J. 720);[3] 6. „Als Helena das Haus der Verkündigung gefunden, errichtete sie der Gottes= gebärerin eine prächtige Kirche" (Nikephorus Kallistus aus dem 10. Jahr= hundert);[4] 7. „Der Raum, welchen diese hl. Grotte einnimmt, war das Haus Josephs und in diesem Hause trug sich alles zu; über dieser Unter= kirche ist eine der Verkündigung geweihte Kirche errichtet; . . . . nachdem wir in die Höhle eingetreten waren, verehrten wir alle ihre heiligen Stätten" (Daniel, russischer Pilger i. J. 1106—1108); 8. „Cella Dominae nostrae . . . crypta fuit sita ex latere civitatis, intus tamen ex parte orientis (occidentis?) non ex lapidibus facta, sed sic in saxo cavata, longa q. passus IV et totidem ampla" (Belardo d'Ascoli i. J. 1112);[5] 9. Gerade wie Beda, aber mit dem obengenannten Zusatz aus Silvia, sagt Petrus Diaconus im Jahre 1137; 10. „Contra orientem est Nazareth . . et ibi fuit domus eius (ein Pilger aus d. J. 1145);[6] 11. „Maria . . . nata esse dicitur . . . in eodem cubiculo, ubi et postmodum impraegnata fuit angelico alloquio. Hoc adhuc ibidem ostenditur in loco distincto, ut praesens vidi et notavi" (Johann von Würz= burg zirka 1165); 12. „In huius ecclesiae sinistra abside per gradus fere XV in quendam subterraneam specum descenditur" (Theoderich, zirka 1172); 13. Αὕτη ἡ τοῦ Ἰωσήφ οἰκία μετὰ ταῦτα εἰς ναὸν μετεσκευάσθη (umgebaut) περικαλλῆ . . . εἰσελθὼν οὖν τοῦ στόματος ἔσωθεν τοῦ σπηλαίου (= Krypta), κατέρχῃ βαθμίδας ὀλίγας καὶ οὕτως ὁρᾷς τὴν πάλαι ταύτην ἐκείνην οἰκίαν τοῦ Ἰωσήφ, ἐφ'

---

[1] Ueber dieses wichtige neue Resultat meine Beweisführung in „Tüb. Th. Qu.=Schr" 1909, 225—230. — [2] N. f. L. 39—43. Die Stelle wird jetzt wenigstens nicht mehr gegen Loreto ausgenützt, während das bisher von allen Gegnern geschah. „Nous admettons volontiers l'interprétation du professeur de Friedrichshaven pour le fuerat de l'évêque Arculf et nous lui savons gré d'avoir complété par de laborieuses recherches le nombre de témoignages sur l'Orient etc." (Revue d'Histoire Ecclésiastique, Löwen 1908, S. 444 f.); sie nennt mein Buch wenigstens eine „étude bien fouillée" (tief= gehende Studie), „un travail minutieux". — [3] Daß das „erat, fuit" ꝛc., nie fuerat allein, nichts gegen das Fortbestehen des Hauses als Teil der Basilika beweist, vgl. N. f. L., 81 f.; ein anschauliches Beispiel dafür „Tüb. Theol. Qu.=Schr." 1908, 550 f., A. 3. — [4] Nicht erst aus dem 14. Jahrh.. (vgl. Chevalier, Nachtr. „zu S. 22" u. „Tüb. Th. Qu = Schr." 1908, 536). Bibliographisch interessant schreibt Bernegger: „Anno Domini c. 700 vixit Nice- phorus" (Hypobolimaea Divae Mariae Deiparae Camera = Idoli Lauretani demolitio! Argentorat. 1619, S. 47). — [5] Mit letzterer Angabe ist deutlich nur der in den Felsen gehauene Teil der Krypta bezeichnet — [6] Aus Innomi= natus VII (Tobler, Descript. T. S. p. 107); Liter. Handweiser 1908, Nr. 5, Sp. 185.

ἤ . . . ὁ ἀρχάγγελος ταύτην εὐηγγελίσατο (Phokas i. J. 1170); 14. „In Nazareth besucht man das Haus der Verkündigung“ (St. Sabas von Serbien i. J. 1233); 15. St. Ludovicus „pedes . . . pium locum incarnationis intravit . . Missa in altari Annuntiationis a confessore suo celebrata, sacram communionem accepit. Et domnus Odo . . . ad maius altare ecclesiae missam solemnem celebravit“ (24.—25. März 1251).[1]

Von diesem reichen Beweismaterial kannte im 16. Jahrhundert Freund und Feind nur das mehr allgemein gehaltene Zeugnis des Beda (oben Nr. 5), des Nikephorus (Nr. 6) und die Biographie Ludwigs des Heiligen (Nr. 15). Im 18. Jahrhundert war außerdem noch bekannt Adam= nanus (Nr. 4), Willibald (i. J. 724—726), dessen Notiz nichts zur Sache beiträgt, und Phokas (Nr. 13), letzterer nur in ganz allgemeiner Fassung bei Calmet.[2] Darum konnte Trombelli, obwohl er sonst für Loreto eintrat, schreiben: „ut ostendas tum adhuc perstitisse Virginis domum, expressiora superioribus afferi Critici iubent“ (VI, 198). Hat solche die neuere Forschung — durch und seit Chevalier — nicht geliefert? Chevalier hatte Nr. 1 mit Unrecht ganz in Abrede ge= zogen, bei Nr. 10 gerade den wichtigsten Teil und Nr. 12 ganz über= sehen; und doch sind gerade die beiden letzteren so wichtig, um zu zeigen, wie die allgemein bezeugte Verwandlung des Hauses der heiligen Familie in eine große Basilika zu denken ist. Wie deutlich ist nun die Ueberein= stimmung des Abend= und des Morgenlandes! Kann man sich irgendwie versucht fühlen, mit Chevalier weiterhin zu behaupten: „Die Kirche nahm also den Platz der früheren Wohnung ein“, in dem Sinne, daß „letztere nicht mehr existierte“? (S. 51 und vollends S. 54). Hätte der reformierte Straßburger Professor Bernegger in seinem Kampfe gegen die Jesuiten bedacht, daß eine Verwandlung des Heiligen Hauses in eine Kirche und das Fortbestehen desselben als Krypta einander keineswegs ausschließen, so hätte er sich seine interessante kritische Ausnützung der Stelle des Beda (S. 59) ersparen können. Daß die Unterkirche vor 1291 nicht etwa nur eine kleine Grotte war, wie sie nachher bezeugt ist, und daß die Krypta nicht erst den Kreuzfahrern ihr Dasein verdankt, wie Tobler annehmen wollte, steht jetzt geradezu unumstößlich fest, nachdem das Zeugnis Nr. 2 von mir als ein jedenfalls vor die Kreuzzüge fallendes Dokument erwiesen worden ist. Zum Glück kennen wir aus Zeugnissen vor und nach 1291 genau die Größe der kleinen Felsgrotte. Diese allein kann nie verstanden werden unter jener „großen, lichtvollen Krypta, in der Maria wohnte“. Es genügt nach dem Texte der Zeugnisse auch nicht, was Chevalier nach= träglich zugeben möchte, „eine enge, gemauerte, gewölbte Krypta“ — „von nicht mehr als 2 Meter Weite (!), welche der Felsgrotte wie ein „vesti-bule“ oder „couloir d'accès“ gedient habe. Das widerspricht dem Texte und kommt her von einer Verwechslung der Vorhalle zur Unterkirche mit

---

[1] Acta SS. Aug. V, 350 (Chev. S. 44). — [2] Bei Trombelli, l. c., VI, 207 sq.: „Phocas ajoute qu'il y a dans la même ville une fort belle église qui étoit autrefois la maison de S. Joseph.“

dieſer ſelbſt.[1]) Welch deutliche Sprache unſere jetzt bekannten Reiſeberichte ſprechen, zeige noch folgende Erwägung! Chevalier berückſichtigt einen guten Teil jener Loreto=günſtigen Dokumente in ſeiner neueſten Verteidigung noch gar nicht (jedenfalls noch nicht Zellers Nachträge) und doch muß er, um einen Gegenſatz zwiſchen Nazareth und Loreto konſtruieren zu können, zu Uebertreibungen ſeine Zuflucht nehmen, er finde nämlich in den Be= richten nichts „qui donne la moindre idée d'une maison propre= ment dite", als ob die S. Casa überhaupt von jemand als „Haus im eigentlichen Sinne" aufgefaßt würde! Zudem ſpricht er ja ſelbſt von Veränderungen, wie ſie wohl oft aus Rückſichten des Gottesdienſtes, der Zahl der Pilger uſw., gewiß teilweiſe ſchon in Terſatto und Nazareth ſelbſt vorgenommen wurden. Auf ſolche „Verſchiedenheit" darf man ſich nicht zurückziehen, nachdem jetzt die früheren Einwände verſagen.

Daß die Casa santa das Zerſtörungsjahr 1263 gut überdauern konnte, zeigt ſchon die Art ihrer Verbindung mit der Baſilika. Daß tat= ſächlich größere Ueberreſte ſelbſt von der Kirche übrig blieben, beweiſt der Vertrag von 1283, deſſen Wortlaut ich aus dem arabiſchen Geſchicht= ſchreiber Makrizi mitgeteilt habe (N. f. L. 55), nachdem ihn Chevalier wohl ſeinem allgemeinen Inhalte nach aus anderer Quelle im Zuſammen= hange ſeiner Texte angeführt, aber im Reſumé gar nicht in Rechnung gezogen hatte. Beſonders ausführlich hat hier die Kraft meiner Beweis= führung die ſpaniſche Zeitſchrift „Razón y Fe" anerkannt.[2]) Nach Ebn Ferath (Handſchrift in Wien) gibt Wilken, Geſch. d. Kreuzzüge, Leipzig 1832, VII, 679 f. (vgl. VII, 673, A. 60) — wie ich nachträglich ſehe — den Vertrag mit den Worten, es ſei Bedingung, „daß ein Stein, welcher von der Kirche abfällt, weggeworfen und nicht den Prieſtern und Mönchen, welche den Gottesdienſt daſelbſt verſehen, überliefert oder zur Ausbeſſe= rung der Kirche verwendet werde". Aus demſelben iſt, wie aus dem Vertrage nach Makrizi, weiter erſichtlich, daß es bei dem Sturm auf Naza= reth nicht etwa gar ſpeziell auf die Heiligtümer abgeſehen war: „obige Verwilligung ſolle nämlich ein freiwilliges Geſchenk des Sultans zu gunſten der chriſtlichen Pilger ſein". Beiſpiele, wie die Muha= medaner ſogar oft die Marienheiligtümer verehrten und zu ihnen Ver= trauen hegten, begegnen uns immer wieder (vgl. N. f. L. S. 55 f., A. 3), wie denn auch z. B. Oliver (am Anfang des 13. Jahrhunderts) ſagt, die Muhamedaner „glauben an Chriſti jungfräuliche Empfängnis und Geburt und ſeine Sündeloſigkeit" (bei Michael, Geſch. des deutſchen Volkes II, 368). — Mit dem Inhalte dieſes Vertrages ſtehen ganz in Ueberein=

---

[1]) Ami du clergé, l. c., p. 125. Man vergleiche die vielen Angaben über mehrere Altäre in dieſem Raume, der 2 Meter weit geweſen ſein ſoll! Ver= gleiche auch Theoderich (oben Nr. 12): „15 gradus". Nach Phokas war der Eingang zur Krypta innerhalb der Kirche mit umfangreichen Bildern geſchmückt. Das iſt das στόμιον. Ob bei Daniel das „profonde" im ruſſiſchen Urtext nicht zugleich „hoch" bedeutet, wie im Latein altus? Das ginge auf die in die Kirche ſelbſt hineinragende Eingangs=„grotte"; dann wäre auch hier Uebereinſtimmung mit Phokas. — [2]) Razón y Fe, Madrid-Mexico, tom. XX, April 1908, S. 535.

stimmung die zwei wichtigen Reiseberichte, welche gerade zwischen 1263 und 1291 fallen, der des Burchard vom Berge Sion (zirka 1283) und der des Ricoldo di Monte Croce, der nach den neuesten For= schungen nicht nach 1291, sondern 1288 oder 1289 zu setzen ist.[1] Die Texte und ihre Erklärung habe ich gegeben in N. f. L., 51 u. 60, sowie besonders „Tübinger Theol. Quartalschrift" 1909, 237—241. Ueber Ricoldos Worte hatte Chevalier, weil er sie (mit Röhricht) fälschlich 1294 datierte, triumphierend geschrieben, sie beweisen die Anwesenheit der „Chambre de l'Annonciation" in Nazareth im selben Jahr (1294), wo ihr Erscheinen (von Tersatto herüber) in der Mark Ankona erfolgt sein soll (S. 55). Und S. 74 hatte er über diesen Text geschrieben: „à lui seul il serait décisif dans l'espèce"; das wird wohl nun ebenso in dem für Loreto günstigen Sinne gelten! Burchards Bericht spricht „von drei Altären in der Kapelle"; schon das allein kann zeigen, daß hier nicht nur die kleine Felsgrotte gemeint sein kann. Die Berichte nach 1291 lauten oft ganz ähnlich wie der Burchards, setzen aber zu Kapelle die signifikante Bemerkung: aedificata etc. hinzu, ein Beweis, daß beim Wiedereinzug der Christen nach 1291 in Nazareth der Felsteil durch die Engelskapelle vervollständigt wurde.

Daß später vom ursprünglichen Hause nur die Höhle übrig war, bezeugen — neben anderem — des bekannten Suriano Bemerkungen, die Tradition der Uebertragung könne nicht richtig sein, weil man sonst „hätte den Berg übertragen müssen" (N. f. L., 66 ff.). Interessanterweise gibt Chevalier neuestens zu, daß auch der andere Grund unrichtig ist, auf den Suriano seine Leugnung des Wunders im Disput mit seiner Schwester gründete; „die rötliche Farbe der Steine — so schreibt er jetzt selbst im Ami du clergé, S. 125 — habe so viele Leute seit Suriano getäuscht, indem sie das Material der Santa Casa für Ziegelsteine ansahen". Diese

---

[1] Dieser Nachweis ist ein besonderes Verdienst des † P. Poisat S. J.; er wies besonders auf den zweiten der fünf Briefe Ricoldos hin, welche Röhricht in den Archives de l'Orient latin i. J. 1884 veröffentlichte (II, 264 f.). Da liest man, daß Ricoldo zu Sebaste in Armenien war, als die Ungläubigen Tripolis nahmen: das war am 27. April 1289. Da war er schon in Nazareth gewesen. Damit stimmen die Stellen aus Ricoldos Reisebericht selber: In Saphet „habitant Christiani. Inde reversi fuimus in Accon, civitatem Christianorum" (ed. Laurent, 107). Vgl. Poisat im Univers, 14. Juli 1907; Pagani (membro dell' Ateneo di Bergamo e della Società Archeol. Comense), La s. Casa di Loreto, Rom, Desclée, 1907, S. 161 ff; Della Casa, Memorie, p. 23 sq ; Osk. Witz, Oberrhein. Pastoralblatt (ab Nr. 1, 1908): „Sind wir berechtigt, auch heute noch an der wunderbaren Uebertragung und Echtheit des heiligen Hauses zu Loreto festzuhalten?" (Besonderer Abdruck S. 8.) — Dazu füge ich selbst einen weiteren Beweisgrund dafür, daß der Bericht jedenfalls nicht nach 1291 fallen kann; gleich nach obigen Texten fährt Ricoldo fort: „Inde venimus ad Castrum Peregrini (Athlit), quod est nobile castrum templariorum juxta mare" (Laurent, p. 107). Die Zerstörung war am 30. Juli 1291 (nach Abu'l Fidas Geschichte, ed. Constantin. 1268 H, Bd. IV, S. 26 in Zeitschr. d. deutsch. Palästinavereines, Bd. 31, 1908, S. 172, A. 1. Ganz so bei Schottmüller, Untergang des Templer=Ordens, Berlin 1887, I, 587).

Leute waren aber eben die Gegner Loretos — und das, obgleich selbst andersgläubige Forscher vor solcher Annahme gewarnt hatten![1]) Die quaestio Palaestinensis schließt sicher mit dem Resultate: „Der Hauptangriff auf Loreto von Nazareth aus ist abgeschlagen" (N. f. L., 75); „es bleibt kein Zweifel, daß der Angriff auf die Grundlage der bisherigen Auffassung der Loreto=Frage endgültig zurückgewiesen ist".[2]) Ein gutes Zeichen für die Berechtigung dieses Satzes ist schon der Umstand, daß die Gegner jetzt die Frage über Nazareth als weniger wichtig bezeichnen — nachdem sich dieselbe für ihre Stellungnahme als ungünstig herausgestellt hat.

---

[1]) Vgl. N. f. L., 68. Dazu Della Casa, p. 145 sqq. — P. Ratisbonne (Annalen der Mission unserer lieben Frau von Sion, 1858, cap. 4) erzählt geradezu die Bekehrung des anglikanischen Professors Faller von Oxford als Folge seiner Untersuchungen über das Material und die Größen= verhältnisse in Nazareth und Loreto. (Auch bei Della Casa, 157 f.) Der Unter= suchung des Materiales, welche im Jahre 1906 ein Dr. Schoefer im Auftrage von Professor Hüffer von München vornahm, macht Della Casa — gestützt auf die Aussage eines dabei Beteiligten — schwere Vorwürfe, besonders auch den, zwischen den eigentlichen Teilen der Casa santa (zirka 3 Meter von unten an gerechnet) und zwischen den späteren Teilen nicht unterschieden zu haben (Della Casa, S. 169 f.; auch P. Alfonso Maria di Jesù: gli oppositori ed i difen= sori dell' autenticità della S. Casa, p 179—180). Ueber die Steine des Monte Cornero, der nicht „quelques kilomètres" (Chevalier, Ami du Clergé, 125), sondern „una trentina di kilometri" (Prof. A. Colletti, Spoleto, La s. Casa di Loreto, impugnazioni e difese, Siena, 1907 = estratto dalla Rivista „Armonie della Fede" 1907, S. 23, Anm. 1) von Loreto entfernt ist, sagt Colletti: „non è possibile confonderle nè per la grana nè per il colore"; er stellt dabei ein fachmännisches Urteil über den Stein des Cornero mit dem sachkundigen Urteil des Saussure (vgl. N. f. L., S. 68, A. 2) über den der S. Casa zusammen. — [2]) Katholik, 1908, Heft 7, S. 48 (Rez. über mein Buch). Vgl. Bodi= teli, 1908, S. 318; u. a. sagt die „Schweiz. Rundschau", VIII, 152 ff. (Prof. Dr. Mayer): „So widerlegt Kresser in überzeugender Weise die erste Hauptthese Chevaliers"; Liter. Anzeiger (Graz, Dr. Höller) 22. Jahrgang, Nr. 12, S. 383: „Wenngleich Kressers Arbeit nicht direkt gegen Wilburger ge= richtet ist, so finden sich dennoch in ihr viele Argumente, durch welche Wil= burgers Beweisführung entkräftet wird"; Paradieses'früchte, St. Meinrad, Indiana 1908, Nr. 2, S. 62 f.: „Kresser geht mit einer streng historischen Unter= suchung zu Werke"; La Liberté (Fribourg), 1908, 5. März: „. . . il a re= poussé avec plein succès les attaques entreprises contre la Santa Casa par ceux qui ont pris Nazareth pour point de départ"; Il Cittadino (Genua), 1908 (9. Dez.): „Se il prof. Kresser dimostra che i pellegrini constatano la presenza . . la verso il 1291 . . che rimane della solida tesi dello Chevalier, che vuol distrutta la S. Casa alla più lunga nel 1263?" Selbst der „Evan= gelisch=Kirchliche Anzeiger", Berlin, 1909, 1. Jan., S. 7, gibt wenigstens zu: „Kresser kommt auf Grund von Vergleichungen der Pilgerberichte dahin, daß das Wohnhaus Marias nicht ein einzelnes Gemach gewesen sein kann . . . man kam zuerst in einen Vorbau, das eigentliche Haus, die Santa Casa, . . . deren Formate in den Berichten angegeben sind. Daran schloß sich die in Pa= lästina durchaus gewöhnliche Grottenwohnung an, die in den Felsen hinein= gehauen war . . Diese Folgerungen resp. Feststellungen sind neu, aber warum soll man ihnen widersprechen?" (Vgl demgegenüber Wilburger, Augustinus, Korrespondenzblatt für den katholischen Klerus Oesterreichs, 1908, Nr. 5, S. 34: „Meines Erachtens kann auch nicht ein Pilgerbericht vor 1291 wirklich als überzeugender Beweis für das Vorhandensein eines Vorbaues, der einigermaßen dem Haute in Loreto entspräche, angeführt werden.")

II.

„Chevaliers Operationsfeld liegt mehr in Europa; dorthin werden ihm seine Feinde folgen müssen."[1]) Wir haben gesehen, daß uns die Geschichte Nazareths von selbst dahin führt, weil das Haus der heiligen Familie um dieselbe Zeit, in die seine Ankunft im Abendland verlegt wird, im Morgenland verschwunden ist — ein Grund weiter, Nazareth nicht bloß „kein Zeuge gegen", sondern „ein Zeuge für Loreto" zu nennen.[2])

Einen wichtigen Gegenstand der Untersuchung bildet da zunächst **Tersatto.** Chevalier hatte dieser Seite der Frage fast gar keine Aufmerksamkeit geschenkt, wie er ja auch bezüglich Loreto selbst erklärt, es nie besucht zu haben, weder die Wallfahrtsstätte, noch die Archive desselben.[3]) Zum Jahre **1451** schreibt Chevalier (Notre-Dame de Lorette, p. 191): „Martin Frangipani in Uebereinstimmung mit seiner Frau Orsa schenken am 7. April 1451 große Güter zur Errichtung einer Kirche zu Ehren Mariä nahe bei ihrem Schlosse Tersatto" . . . „Dieses Heiligtum, dessen Errichtung Papst Nikolaus V. durch eine Bulle vom 12. Juli 1453 approbierte, stellt in der Geschichte dasjenige dar, was die Legende dem Ende des 13. Jahrhunderts, anläßlich der Ankunft des heiligen Hauses, zuteilt." — Damit ist hier die Hauptfrage skizziert. Als Belegstelle sind am angeführten Orte einzig ff. Worte zitiert: „Decrevimus aedificare a fundamento aedificium et ecclesiam in honorem intemeratae et gloriosissimae Dei genitricis Virginis Mariae, prope castrum nostrum Tersactum." Verwiesen ist dabei auf Greiderer, Germania Franciscana, Oeniponte et Augustae Vindelicorum, 1777—1781, tom. I, p. 93 u. tom. II, p. 665. Das war bisher die Hauptquelle über unsere Frage (I, 92—101 u. II, 664 sqq.).[4]) Einen großen Schritt vorwärts bedeuten die neuesten Forschungen von Arciprete Della Casa, welcher der Frage 21 Seiten seines kostbaren Buches (366 Seiten im Formate des Buches von Chevalier) gewidmet hat (S. 61—81). Viel neues Material konnte er erstmals beiziehen aus dem

---

[1]) Paradiesesfrüchte, l. c. Vgl. Revue d' histoire Ecclésiastique (Löwen), l. c. „Le véritable point d'appui de celle-ci se trouve d' ailleurs en Occident." - [2]) Dazu vergleiche man die Uebereinstimmung der Ausgrabungen! (Trefflich darüber neuestens Faurax, l. c. 80—91, nach Blamink, A report of the recent excavations and explorations, Washington 1900, mit Plan der Kirche in Nazareth.) — [3]) Chevalier, S. 139 f.: „Was die (in den Archiven vorhandenen) Urkunden für Loreto betrifft, ist anzunehmen, daß die Verteidiger keine derselben sich haben entgehen lassen"; — als ob nicht neue Untersuchungen manchen Dokumenten und manchen Stellen derselben neue Bedeutung zu geben geeignet wären! — [4]) Eine dankenswerte Zusammenstellung der bisherigen Resultate und der diesbezüglichen Literatur bietet Sauren, Kölner Pastoralblatt, 1908, Nr. 5 (Mai), S. 143—149. Im Jahre 1903 erschien in Agram (Anton Scholz) ein kleines, mehr populär gehaltenes Schriftchen: Tersat, das kroatische Loreto von P. Marian Sirša, besonders nach P. Fr. Glavinic, 24 Seiten (mit schöner Abbildung). — „Der Aufenthalt des Heiligen Hauses in Dalmatien ist ein sagenhafter Zug, dessen geschichtlicher Kern in der Gründung einer Muttergotteskirche bei Tersatto im Jahre 1453 zu suchen ist" (Wilburger, Die Loreto-Legende im Lichte der Kritik [!] 1907, S. 44 f.).

Archivium Conventus Tersactensis, in dem ſich unter anderem auch noch das Manuſkript der berühmten Historia Tersattana von P. Glavinich befindet (cfr. p 64, 3). Danach iſt Chevaliers oben ſkizzierter Standpunkt hiſtoriſch völlig unhaltbar; ſchon nach Greiderer hätte ihm das klar ſein müſſen. Wie aus dem obigen hervorgeht, kennt Chevalier die Approbationsbulle Nikolaus' V.; den Wortlaut bot ſchon die Germania Franciscana (tom. I, 93 sqq.). Warum wurde nichts aus ihrem Texte mitgeteilt, da dieſer doch die deutlichſte Erklärung obengenannter Stiftung des Martin Frangipani zu bieten vermag? Unter ausdrücklicher Verweiſung auf die Bitte des letzteren ſpricht da der Papſt von dem „votum per quondam Nicolaum patrem tuum, dum vixit, factum". Nikolaus IV. Frangipani (1394—1432) hatte es gemacht; und nun ſei es deſſen Sohnes „glühendes Verlangen", „prope ecclesiam S. Mariae super Charsat, Corbaviensis Dioecesis, ad quam Christifideles illarum partium propter diversa miracula, quae Omnipotens Deus intercessione praelibatae Virginis Mariae retroactis temporibus demonstravit, singularem gerunt devotionis affectum, unam domum cum claustro, dormitorio, refectorio, hortis, hortaliciis et aliis necessariis officinis, pro usu et habitatione Fratrum Minorum de Observantia, de novo fundari, construi et edificari". Es folgt dann die päpſtliche Genehmigung, bei welcher nochmals der Ausdruck: „prope dictam Ecclesiam" wiederkehrt.[1] Aus allem geht hervor, daß es ſich bei der Stiftung des Jahres 1451 in erſter Linie um ein neues Kloſter handelt, während eine Kirche (Kapelle) ſchon ſtand; letztere bedurfte wohl eines Umbaues, aber nicht einer Neugründung. Schon in der von Chevalier ſelbſt zitierten Stelle iſt das „edificium et (ecclesiam)" von ihm nicht gewürdigt und beſonders das Licht verſchmäht worden, das aus dem Texte der Beſtätigungsbulle auf die ganze Stiftung fällt. Zum Ueberfluſſe zeigt auch noch ein Akt desſelben conte Martino vom Jahre 1468, daß die alte Kapelle, das Heiligtum der Maria di Tersatto, ſchon vor den neuen Bauten im 15. Jahrhundert ſtand; er weiſt nämlich neue Güter an, damit „wegen der wachſenden Zahl wütender Einfälle der Türken" ein Sammeln der Lebensmittel bei den Leuten der Gegend unnötig werde. Da iſt die Rede von dem „claustrum" und von der „Ecclesia, quae antea capella fuit".[2] Jedenfalls ſtand alſo eine Muttergotteskapelle ſchon im 14. Jahrhundert, da im Anfang des 15. eine Reparation und Vergrößerung als notwendig empfunden wurde.[3] Und dieſe Kapelle war ver

---

[1] Bei Della Caſa, S. 70 f. („Ex Regestis Nicolai V, lib. I, fol. 327. Wadding: Annales Minorum, tom. XII, p. 583. Ex Archivio Tersatt. Perg. Nr. 15"). — [2] Bei Della Caſa, S. 72 f.: „la pergamena autentica esiste tuttora nell' Archivio di Tersato al no. 26" (Anm. 1). — [3] Vgl. darüber ein Breve Martins V.: „Datum Florentiae X[a] Kal. Aug. Pontif. nostri III" (1420): Bewilligung eines Ablaſſes für diejenigen, welche „pro eius sustentatione et reparatione manus porrexerint adiutrices" (Della Caſa, S. 18 aus dem Archiv). — In einem Buche der Stadtkanzlei von Fiume befindet ſich

schieden von der Pfarrkirche, die an ganz anderem Orte steht und
ausdrücklich in dem Dekret von 1453 als solche genannt ist mit den
Worten: „iure tamen parochialis Ecclesiae .. in omnibus semper
salvo". Aber warum war diese alte Marienkapelle ein so besuchter Wall=
fahrtsort? Was ist mit diversa miracula gemeint? Jedenfalls bestand
das Kirchlein drei Jahre vor dem Uebertragungsjahr (1291)
noch nicht. In einem statuto del Vinodol vom 6. Januar 1288, erlassen
durch die Grafen von Veglia, werden nämlich die Kirchen, Abteien und
Klöster des Distriktes aufgezählt; aber nirgends eine Spur von einem
Heiligtum in Tersatto! Nur die Pfarrkirche ist erwähnt.[1]) In welches Jahr
der Zwischenzeit (1288 bis zirka 1350) wird also die Gründung der
Wallfahrtskirche zu setzen sein? Und welches war der Anlaß dazu? Nach
der Tradition, die auch deutlich in diejenige von Loreto selbst verwoben
ist, waren es die mächtigen Herren der Frangipani, Grafen von Veglia,
welche nach dem Verschwinden der S. Casa (1294) an deren Standorte
ein Kapellchen zu Ehren Mariä errichten ließen. Der Priester Alexander
von Tersatto, der schwer krank war, sei der erste gewesen, welcher durch
plötzliche Heilung sichere Erkenntnis über die Ankunft des heiligen Hauses
von Nazareth erhielt. Weitere Wunder seien gefolgt. — So war es ent=
halten in den Memoriae Meduidianae cap. 6, 7 und 9, nach
Glavinich, Historia Tersattana, Udine, Tip. Schiratti 1648, P. I,
cap. 3 (pag. 4) und cap. 4 (pag. 7).[2]) Es waren dies „Dokumente
und Annalen, die wichtigsten Urkunden der Franziskanerprovinz von Bosnien
und Kroatien und die ältesten Mitteilungen über die Kirche von Tersatto";
den Namen erhielten sie von der Festung Meduid bei Zara, wohin sie
im Jahre 1509 während des Krieges zwischen Maximilian I. und der
Republik Venedig gebracht wurden; nach dem Kriege kamen sie wieder
nach Tersatto zurück, wurden aber dort im Jahre 1629 eine Beute des
Feuers. „Glücklicherweise," sagt Della Casa, S. 64, „hatte Glavinich,
als er mit der Leitung der Klöster Kroatiens beauftragt wurde, vor der
Feuersbrunst, Abschriften und Auszüge daraus genommen, welche er
seinen Schriften zu Grunde legte ... 1614 war er wirklich Oberer des
Klosters von Tersatto".[3]) Wenigstens teilweise sind das wohl dieselben
Akten, welche die ältesten Schriftsteller über Tersatto=Loreto (wie Angelita,
Riera und Tursellini) die Annales Fiumenses nennen; sie heben aus=

---

ein Kontrakt vom 19. April 1449, welcher „in ecclesia S. Mariae de Tersato"
stipuliert wurde (Della Casa, p. 68, nach Kobler, Memorie della città di
Fiume, vol. I, p. 209). — [1]) Della Casa, p. 68 sq. nach Gliubich, Monumenta Historico-iuridica Slavorum meridionalium, vol. IV, part. I, p. 1—24,
Zagabria 1890. („Das Statuto del Vinodol befindet sich in Zagabria in
der königl. Universitätsbibliothek, zum erstenmal gedruckt 1843 ... wiederum
1878; zuletzt ... 1890 in obigem Monumenta ...") — [2]) „Fuit enim
presbyter Alexander pius, licet aegrotus, idcirco simul cum oraculo
accepit pectoris gaudium virtusque membrorum." — „Summorum medicorum infirmorumque monumenta monent nos mortales ad credendum
Aediculae Tersactanae mirabilia." — [3]) Cfr. Greiderer, Germania Franciscana I, 99 (bei Della Casa, p. 64).

drücklich hervor, daß sie zu ihrer Zeit noch existierten.[1] Jedenfalls stimmt obige Ueberlieferung mit der Geschichte darin überein, daß es das Geschlecht der Frangipani war, welches damals (1291) in Tersatto herrschte, wenn der Name auch wohl erst später angenommen wurde. Das ergibt sich aus Siebmachers Wappenbuch und Schwandtners Scriptores rerum Hungaricarum, Dalmaticarum, Croaticarum veteres (Wien 1746/48, wie aus den neuesten Darlegungen von Della Casa, welcher Seite 66 eine vollständige Genealogie des Geschlechtes gibt, wie sie in dem Codex Diplomaticus Hungariae, den Monumenta Slavorum Meridionalium und den Acta Croatica (von Cucuglievich), nicht etwa bloß den Schlußfolgerungen der Historiker, entnommen sei.[2] Auch die Stiftung von 1451 zeigt, daß das Terrain der Kapelle den Frangipani gehörte. — Eine Inschrift aus dem 15. Jahrhundert, welche das Heiligtum auf die S. Casa zurückführt,[3] wurde jedenfalls mit Unrecht wegen ihrer Abfassung in italienischer Sprache verdächtigt. In interessanten Auseinandersetzungen beweist Della Casa (S. 75 f.), daß der Gebrauch des Italienischen ganz den damaligen Zuständen entsprach.

Gegenüber der bisherigen Vernachlässigung der quaestio Tersacteusis wird man jetzt mit vollem Recht von großen Fortschritten der Loreto-Forschung auch auf diesem Teilgebiete derselben reden können, und zwar von Fortschritten, die für die Tradition sehr günstig sind; über deren vollen Wert für die ganze Frage im folgenden Abschnitt! Wir unterschreiben die Worte Aless. Montis im Cittadino vom 9. Dezember 1908 (Nr. 341): „Wenn Della Casa auch nichts anderes geleistet hätte, so könnte er wahrhaftig schon wegen dessen sich freuen, was er über Tersatto zur Wahrheit beigetragen hat." Sehr wünschenswert wird es auch sein, daß die Worte Beachtung finden, welche am Ende der oben zitierten Besprechung meines Buches (M. f. L.) Professor Dr. Stegenšek in Marburg geschrieben hat: „Referent macht hiemit die Geschichtsforscher in Laibach und Tersat auf die aktuelle Frage aufmerksam." Denn gerade von

---

[1] Ob in den Bibliotheken Oberitaliens, speziell Venedigs, nicht noch Reste zu finden wären? Ein Teil wenigstens sei i. J. 1628 dorthin verschleppt worden. (Sauren, l. c. p. 144 nach Milochau, La sainte maison de Loretto, Paris 1875, 30.) — [2] Siebmachers Wappenbuch, Nürnberg 1899, IV, 13: Adel von Kroatien und Slavonien; Tafel 35, S. 48: „Die Frangepans treten unter dem Namen der Herren von Veglia schon Anfang des 12. Jahrh. auf der Insel Veglia in Kroatien urkundlich auf." — Das von Chevalier (S. 164) angefochtene „princeps" („qualifié prince") heißt sicher „banus" und entspricht ganz den damaligen Einrichtungen. Vgl. Schwandtner, III, 327: 349: „alter banus Nicolaus contra eundem missus" etc. (zum Jahr 1323); 350: „Nicolaum Slavoniae banum" etc.; 667: ducem Nicolaum totius Slavoniae Banum" (z. J. 1344). Große Verwirrung hatte angerichtet die Verwechslung Nikol. I. mit Nikol. IV. Daraus hatte man ungerechte Vorwürfe gegen die Tradition konstruiert. — [3] „Venne la Casa della Beata Vergine Maria da Nazareth a Tersatto l' anno 1291 alli 10 di maggio e si parti alli 10 dicembre 1294." (Della Casa, S. 74 u. Anm. 1). Es ist die Inschrift unter dem Dache eines Kapellchens auf der Mitte der Stiege, welche nach Tersatto hinaufführt — zu unterscheiden von einer anderen neueren bei der Sakristei oben.

der slavischen Literatur ist noch manches Licht zu erwarten. Die inneren
Gründe für die Begreifbarkeit dieser „erften Station", die großen
Gefahren für Glauben und Sitten, in welchen jene Gegenden damals
schwebten usw., haben wir in dieser Zeitschrift (1908, I. Heft) behandelt.
Im uralten Hymnus von Terfatto heißt es:

O Maria! Huc cum Domo advenisti,
Ut qua pia mater Christi dispensares gratiam.
Nazarethum tibi Ortus, sed Tersactum primus portus
    Petenti hanc patriam.

So schrieb Calderon: „Hier ruh' es aus, bis einst in feiner Gnade
Milde, in feiner Weisheit Rate nach anderem Ort er sendet die Reliquie;
denn im Vorübergehen soll sie diesen Ort erquicken! ... Wie
einst fliehend die alte Bundeslade von Ort zu Ort in Israel gepilgert."[1]

III.

Pagani vergleicht in feinem wertvollen Buche „La S. Casa di
Loreto" den Kanonikus Chevalier mit den „Hebräern, welche die Bibel
in Händen gehabt und doch darin Christus nicht gefunden haben". Er
nennt deffen Buch una miniera di testimonianze, einen reichen Schacht
von Zeugniffen, und „man müffe blind fein, um darin nicht die Herrlich=
keiten des berühmten Muttergottesheiligtums zu lesen" (S. 31). In der
Tat vermitteln die neuesten Forschungen einen ganz anderen
Kommentar, als ihn Chevalier in feinen „Refumés" ge=
geben hat.

Schon durch die neuen Angriffsschriften hatte sich die Tatsache als
unleugbar herausgestellt, daß Loreto nicht etwa erst zirka 1450 als
ein großer Wallfahrtsort erscheint, wie man früher, um die Tra=
dition zu bekämpfen, behauptet hatte. „Die früheften, noch spärlichen und
wenig ausgeschmückten Nachrichten über das Heiligtum von Loreto bietet
Flavius Blondus, päpftlicher Sekretär .... geft. 1464, in feiner Italia
illustrata (unter Picenum)," so hieß es noch in der Realenzyklopädie für
protestantische Theologie (Herzog-Hauck), s. v. Loreto. In Wirklichkeit nennt
Blondus (zirka 1451) Loreto „das berühmteste Muttergottesheilig=
tum von ganz Italien". Er erwähnt die wunderbaren Erhörungen und
als Beweis dafür die enormen Weihgeschenke, „welche faft die ganze Basilika
erfüllen". Schon solch fortgeschrittene Entwicklung der Wallfahrt hätte dem
guten Willen das Urteil nahe bringen müffen, daß deren Anfang so ganz
nahe bei 1450 nicht liegen könne; aber dennoch: was für ein verdächti=
ges „großes Schweigen", sagte man, von 1291(4) bis 1451! Nach Che=
valiers Unterfuchungen kann man mit vollem Rechte sagen: „Alle wiffen,
daß solche Dokumente, in welchen einfach die Kirche der S. Maria de
Laureto erwähnt ist, sich im Ueberfluffe finden, und zwar schon in den erften
Jahren — jedenfalls in den erften Dezennien — nach 1300" (P. Maria
Alfonso di Gefù, p. 43). Lange vor 1451 erscheint nun Loreto als außer=

---

[1] Calderon, A Maria el corazon, Geiftl. Feftspiele, überf. von Dr. Franz
Lorinfer, Regensburg 1882, II. Bd., S. 236.

ordentlich besuchtes Heiligtum, so 1387: „in magna veneratione habebatur," 1434: „celeberrimum gloriosae Virginis in Laureto sacellum" und dann 1459: „peregrinorum ... numerum copiosum in dies;" 1464: „maximus ex diversis mundi partibus Christifidelium concursus etc." (Chev. S. 170 ff.; 226, Anm.). Gar manche neue Beweise für diese Wahrheit aus Archiven, teilweise auch aus den vatikanischen, enthält das neue Buch von Della Casa (z. B. S. 98; 100; 103; diese alle vor 1400). Für die Verbreitung der Wallfahrt im slovenischen Gebiete ist sehr bedeutsam, wenn auch wohl nicht aus einer zeitgenössischen Quelle genommen, die Notiz, welche ich der freundlichen Vermittlung des Theologieprofessors Dr. Stegenšek in Marburg verdanke. Prožen, Cillierchronik, Seite 39 (zitiert in Kluns Archiv II) bietet den Text: „Vor dem Spitaltore (in Laibach) stand vor Alters ein Kirchlein des heiligen Martin. Graf Hermann von Cilli, als er Landeshauptmann in Krain wurde, baute dort eine Kirche zu Ehren der lauretanischen Muttergottes und stiftete ein Augustinerkloster, dessen Dotation **1380** noch durch Anna, Gräfin von Ortenberg, vermehrt wurde." Für die Entstehung von Loreto=Kirchen ist ebenso interessant eine Mitteilung, die mir Herr Professor Dr. Al. Monti (Genua) in photographischer Nachbildung zuzusenden die Güte hatte; danach ließ „ein Oberto Dolce und sein Sohn Wilhelm, da letzterer voll Verehrung gegen das Heilige Haus von Loreto war, das er vor seinem Tode besucht hatte, **1368** in Sestri (Levante) eine Kapelle bauen .. ad imitazione della S. Casa di Loreto und weihte sie a N. Signora di Nazareth und seinem Schutzpatron, dem heiligen Wilhelm". (Aus den Memorie trovate nei libri del Sign. Prevosto, M. S. dell' Arciprete Podestà di Sestri Levante, p. 125; vgl. Armonie della Fede, 1908. vol. II, fasc. 1, p. 14—19 vom 10. Juli; auch Della Casa, S. 139.)

Diese Worte leiten von selbst über zu der wichtigsten Frage: Seit wann erscheint als Grund dieser hervorragendsten Marienwallfahrt der Welt, vor welcher selbst Kirchen wie Maria Maggiore in Rom zurücktreten mußten, die Ueberzeugung, daß sich in Loreto das Heilige Haus von Nazareth befinde? Hierin zeigen sich die Fortschritte der neuesten Loreto=Forschung in ganz eklatanter Weise. De Feis, mit dem der neue Kampf begonnen, hatte „als ältestes Monument mit sicherem Datum" eine Pax im Nationalmuseum von Florenz bezeichnet, welche die Uebertragung darstellt und die Bezeichnung „1500" enthält.[1] Chevalier hatte den Verteidigern aufgegeben, „im Abendlande die geringste Spur der Tatsache der Uebertragung in einem echten Dokument vor dem letzten Viertel des 15. Jahrhunderts zu entdecken" (S. 502); er hatte geschrieben (S. 326): „Die Legende von der Uebertragung des Heiligen Hauses geht nicht über das Jahr 1472 hinaus, première date de son

---

[1] De Feis. La s. Casa de Nazareth, p. 95, bei Della Casa, p. 135. — „In die Zeit um 1500 fällt das erste uns bekannte Bild, das die Uebertragung des Heiligen Hauses durch Engel darstellt" (Wilburger, Die Loreto= Legende, S. 31).

apparition".[1]) Dagegen schreibt allerneuestens selbst ein Anhänger Chevaliers, Crescenzi: „Mehr als einer . . . wird gefunden haben, daß die Versicherung des gelehrten Historikers, wo er dazu herausfordert, eine Spur der Legende vor 1472 zu finden, zu kategorisch war (troppo recisa). Es würde sich der auffallende Erfolg der Uebertragungslegende sehr wenig (molto male) erklären lassen, wenn diese lediglich und wie auf einen Wurf aus dem Kopf eines Teremano und fast zur selben Zeit von einem Mantuanus und von Girotamo di Raggiolo hervorgegangen wäre."[2]) Der eigentliche Grund dieses Zugeständnisses ist nicht der zuletzt angegebene, sondern die historische Tatsache, daß viel frühere Spuren historisch nachweisbar sind.

Das älteste, nach der Entstehungszeit genau datierbare **Loreto-Gemälde** — wenn wir zunächst von Gubbio absehen — führt Crescenzi selber an (761 f.); es ist „ein Polyptychon, von Taddeo di Bartolo im Jahre **1411** in Siena gemalt, wie aus der Inschrift des Gemäldes selbst sich ergibt"; es ist aufbewahrt in der öffentlichen Pinakothek von Volterra; „früher in einer an die Kathedrale angebauten Kapelle," so schreibt mir eben auf persönliche Erkundigungen hin Herr Professor Dr Monti. „Es hat gotische Form und ist in drei horizontale Felder eingeteilt. Oben der lehrende Christus; zur Rechten der Engel Gabriel; zur Linken die Jungfrau, welche die frohe Botschaft empfängt. (Die Sperrungen in diesem Zitat sind von uns selber). Das Hauptfeld stellt, wenn man von rechts nach links geht, St. Oktavianus und St. Johannes den Täufer dar; in der Mitte Maria sitzend mit dem Jesuskind auf den Knien, welches mit einer Hand segnet. Dann kommen St. Michael und St. Franziskus von Assisi. Das untere Feld, von viel kleinerer Ausdehnung, ist wieder abgeteilt nel senso orizzontale in 5 Fächer, welche den 5 eben genannten Personen entsprechen. In den kleinen Fächern erscheinen die charakteristischen historischen oder legendarisch-liturgischen Züge einer jeden dieser 5 Personen, für den heiligen Franziskus die Wundmale, für St. Michael das Wunder vom Berge Gargano, für St. Johannes das Gelage des Herodes. Nur die Szene, welche der Muttergottes entspricht, verdient unsere Aufmerksamkeit: In der Mitte auf dem Boden ruht eine kleine Kapelle, das traditionelle Haus, in welchem man gemeinhin das Heiligtum der Marken (= Loreto) erkennt. Es ist dieselbe niedere Architektur, das gleiche Dach mit doppelter Neigung, und das gleiche dreieckige Türmchen. Auf jeder Seite

---

[1]) Noch anschaulicher natürlich wieder Wilburger, Die Loreto-Legende S. 43; „wir müssen fast 200 Jahre warten, bis endlich der Ruf davon laut wird". — Von Chronisten käme nur Villani in Betracht, der selbst seine Nachricht vom Falle von Akre, wie er sagt, nur florentinischen Kaufleuten (degni di fede) verdankt. Kann sein Schweigen über Loreto ins Gewicht fallen? St. Antoninus starb 165 Jahre nach dem Ereignis (1459!); „hinc temere abuti eius silentio contradictores ad Lauretani sacelli veritatem impugnandam manifestum est". (Grandi, Dissertationes Camaldulenses, bei Chev. p. 414). — [2]) A. Crescenzi, Iconografia lauretana in der Rivista storico-critica delle Scienze teologiche, Roma (Ferrari), 1908, fasc. 10, ott. 1908 (S. 755 bis 770), S. 769. — Die Zusendung dieser Arbeit verdanke ich der freundlichen Vermittlung des Herrn Prof. Dr. A. Monti.

des Gebäudes nehmen, scheint es, zwei Männer auf den Knien Maße oder suchen nach Fundamenten. An den Enden der Szene sind zwei Gruppen von Personen, Laien zur Linken und Kleriker zur Rechten. Endlich, über dem Hause die Jungfrau mit dem Kinde. Maria stehe nicht unmittelbar über dem Hause, sondern erscheint in einer gewissen Höhe in einer Wolke ... Die Gruppe der Kleriker ... besteht aus Bischöfen, Persönlichkeiten im Kardinalsgewande und endlich aus dem Papst, welcher kniend mit der Hand eine Geste macht, über die eine Täuschung unmöglich ist. Der Papst gibt den Männern, welche Maße nehmen oder eine Untersuchung vornehmen, Anweisungen. In der anderen Gruppe ist ein Mann zu unterscheiden, welcher voll ist von Bewunderung oder Erkenntlichkeit, im Hintergrund erhebt sich eine Frau ... Vor wenigen Jahren hat eine offizielle Klassifikation das Kunstwerk als Loreto=Gemälde bezeichnet (l. c. p. 762), wenn auch dieser Name nicht darauf steht.[1] **(Abbildung 1).**

Nach diesem Dokument mit sicherem genauem Datum folge ein Gemälde mit genauem Titel. Wie unsere nach photographischer Aufnahme neu herge= stellte **Abbildung 2** deutlich zeigt, steht oben „S. Maria de Lau= reto," ganz die stereotype Bezeichnung für Loretos Heiligtum. Das Gemälde befindet sich weit von Loreto, in Castelletto d'Orba, einem Dörfchen im Ligurischen Appennin, zwischen Alessandria und Genua. Das Heilige Haus ist da in Form einer Kirche mit dem kleinen Kampanile abgebildet, über dem Dach die Jungfrau Maria mit dem heiligen Kinde. Der Unter= grund des Gemäldes, auf dem sich, in roher Zeichnung, kleine Steinchen zu befinden scheinen — tatsächlich sollen es Wogen darstellen — bedeutet das kräuselnde Meer. Das Schwarze, das unter der Türe sich zeigt, ist zweifellos ein Engel, der sichtlich mit seinem Köpfchen und seinen aus= gebreiteten Flügeln dem Fluge des Heiligen Hauses voranzugehen oder das letztere dabei zu tragen hat; andere Engel sieht man mit ausgebreiteten Händen das Kirchlein halten.[2] Dem Datum nach dürfte diese Darstellung dem der erstgenannten nicht ferne stehen: Der berühmte Bildhauer Santo Vanni, Professor an der Academia Ligustica und leidenschaftlicher Verehrer des Altertums, hatte 1874 (Giornale ligustico di archeologia, storia e belli arti, 1874, p. 203—216) über die Gemälde des Kirchleins S. Innocenzo, in dem sich das unsere auch befindet, geurteilt: „nach dem Stil zu schließen, könnte man sie dem 14. Jahrhundert oder wenigstens der ersten Hälfte des 15. Jahrhunderts zuteilen". Bekräftigt ist dieses Urteil durch das Ministerium des öffentlichen Unterrichtes. (Alles dies — wie das folgende über die anderen Gemälde aus Ligurien

---

[1] Genannt war das „Triptychon" schon vorher von Chevalier in Ami du clergé, l. c. p. 121; „musée municipal de Volterra". — [2] Die Landbewohner daselbst nennen diesen Engel eine Barke — was jedenfalls beweist, daß sie den Untergrund auch für das Meer halten. Tatsächlich kann über das Engelköpfchen (Cherubino nennt es Crescenzi, S. 756), das sich immer wieder bei Loreto=Gemälden unter der Türe des Heiligen Hauses findet, kein Zweifel sein. (Vgl. die Gemälde bei Faloci, 82, 85—87) — Chevalier, im Ami du clergé l. c.: „il faut d'ailleurs une bonne volonté extrême pour transformer la barque représentée au bas en anges soutenant la chapelle".

— nach den verdienstvollen Ausführungen und nach den Photographien des
Herrn Professors Dr. Monti).[1]

Ebenfalls sicher Loreto-Gemälde ist das von Savona, weshalb
ich es schon hier zur Besprechung bringe. **Abbildung 3** stellt die Madonna
mit dem Jesuskinde über einer Wolkengruppe dar; ihr zur Seite stehen
2 Engel mit Violinen; einer stimmt sie gerade an; auch andere Köpfe von
Engeln sieht man am Himmel.... Eine Heilige trägt eine Kerze oder
besser eine Fackel in der Hand, welche angezündet ist und so (vielleicht)

Abbildung 1: **Taddeo Bartolo-Gemälde von Volterra.**

andeutet, daß das Ereignis in die Nacht fällt.... Unter dieser himmlischen
Szene eröffnet sich eine schöne weitausgedehnte Landschaft, in welcher ganz
gut ein Meer mit zwei Rändern sichtbar ist, welches das Adriatische sein
könnte. Ganz hervorstechend und allein für sich steht unter der Madonna
ein vor einem großen Turm flankiertes Haus. Es ist eine casa commune,
nicht ein Kastell, und hat über der vorderen Seite etwas Erhabenes, was
gewiß nicht ein Kamin ist, sondern im Gegenteil die Stütze für eine kleine
Glocke sein könnte. (Monti, p. 277.) Die Kirche, welche das hübsche Bild
enthielt, ehe es in die Pinakothek von Savona übertragen wurde, war im

---

[1] Auch bei Della Casa, 110 f. (ohne Bilder). Cfr. Elenco degli
Edifizi Monumentali in Italia (p. 4): „Chiesa di Sant Innocenzo"
(sec. XIII, con affreschi del sec. XV) in Armonie, l. c. 10. Juli 1908, p. 373.

Jahre 1480 als Loreto=Kirche gegründet (vgl. Monti, p. 276, wo die
Nachweise gegeben werden). Außerdem befindet sich über dem frontone das
schöne Fresko, das unsere **Abbildung 4** zum erstenmal veröffentlicht: . . .
„so alt wie die Kirche selbst", (Monti) auch das macht es zweifellos,

Abbildung 2: **Gemälde von Castelletto d'Orba.**

daß es sich um ein Loreto=Bild handeln muß. Eines der anderen Bilder der
Kirche trägt das Datum 1489 und den Namen des Stifters.[1] Es war
also um jene Zeit herum die Loreto=Legende auch weit über Picenum hinaus
verbreitet und geehrt.

Nun noch zwei bildliche Darstellungen von Loreto, die von
großer Bedeutung sind: zuerst das Gemälde von Atri (in den Abruzzen),

---

[1] Prof. Monti, Armonie, l. c. 25. April 1908, p. 276—279.

das sich in der Kathedrale daselbst befindet. Man sieht darauf ein Haus mit zwei Giebeln, in seinem unteren Teile von einer durch Säulen geschützten Galerie (loggia) umgeben; über dem Dach ist ein Türmchen. Das ganze ruht auf einem großen Würfel, der durch drei fliegende Engel getragen ist. „Die Madonna mit dem Jesukinde steht über dem Dache, und es scheint, daß die heilige Gruppe sich inmitten einer runden Wolke erhebt, welche das Dach des Hauses leicht berührt". (Della Casa, S. 112).[1] Der Zeit nach wird es sehr früh zu setzen sein; die dasselbe umgebenden Gemälde fallen in die erste Hälfte des 15. Jahrhunderts; eines davon trägt als graffito das Jahr **1410**.[2] Tatsächlich lebte ein hervorragender Bürger und Priester aus Atri, das überdies nicht sehr weit von Loreto gelegen ist, nämlich Andrea di Giacomo d'Atri, seit der Neige des 14. Jahrhunderts als Kaplan des Heiligen Hauses in Loreto (Vogel, De eccl. Recanat et Laur., vol. I, p. 193; vol. II, p. 134); später bekleidete er daselbst das Amt eines governatore, gründete dort, vor 1429, das Ospedale dei poveri und machte am 17. August 1447 ein Testament zugunsten des Heiligtumes (l. c. I, 225. 192 sq.; II, 169 bei Della Casa, 113). Es folge das Gemälde von Gubbio (vgl. N. f. L. S. 14 und 80 f., Anm. 4) (Abbildungen bei Faloci, Titelbild und S. 17, 19, 21, 23, 24, 25, sowie bei Vox urbis, Rom 1907, Nummer 12). Als Schöpfer des lieblichen Bildes aus der Schule von Giotto denkt man einen der Maler, welche im 14. Jahrhundert in Gubbio blühten, Palmerucci (1342—1349) oder Martino Nelli (1400) 2c. Im Jahre 1899 erklärte es das Ufficio regionale per la conservazione dei monumenti in Perugia bei der Anzeige an das Ministerium des öffentlichen Unterrichtes für ein Werk „der zweiten Hälfte des 14. Jahrhunderts" (Faloci, 36), danach wäre es weitaus das älteste der Loreto-Bilder. Ein graffito vom Jahr 1421 oder 1471, welches sich auf dem Gemälde befindet, (abgebildet Faloci, S. 27), kann jedenfalls nicht das Entstehungsjahr angeben wollen. Was stellt das Gemälde dar? Jedenfalls eine Uebertragung, denn das Kirchlein ist auf dem Bilde zweimal ganz gleich dargestellt. Das betont nun auch P. Kröß S. J. in Innsbruck: es sei „klar, daß es sich um eine Uebertragung der Kirche handelt; denn die Engel stehen nicht bei oder in der Kirche, sondern heben sie auf und lassen sie nieder". (Theologische Zeitschrift, 1907, 3. H., S. 562.)

Damit ist die Theorie des verstorbenen Lapponi abgetan, als ob darauf das sogenannte Rosenwunder des heiligen Franziskus bei Porziunkula dargestellt wäre; da ist von keinerlei Uebertragung die Rede. (Text des Wunders

---

[1] Vgl. außerdem Faloci-Pulignani, p. 74—79. Abbildung S. 77, sowie Titelblatt bei Pagani und P. Alphonso; Tini (Domherr von Atri): Un dipinto di Atri (Giornale d'Italia 14. Nov. 1906 und Araldo Abruzzese, Teramano, 17. Nov. 1906; P. Alfonso, p. 64 sq. und p. 159). — [2] Della Casa, 112. Dazu hatte Faloci p. 76 noch als unmaßgebliche Ansicht hinzugefügt, auf den ersten Anblick würde ihm freilich die zweite Hälfte des 15. Jahrhunderts annehmbarer erscheinen. Der Künstler wäre sonst jedenfalls un vero precursore in der Malerei gewesen. — Wer die Werke der Frührenaissance, z. B. Peruginos durchgeht, wird eher zum gegenteiligen Resultate kommen.

bei Faloci, 54, nota.) Der gelehrte Archäologe hatte auch noch nicht das ganze Gemälde vor Augen gehabt; zudem hatte er einen der Engel für den heiligen Franziskus und dessen rücklings gefaltete Flügel für die Kukule seines Habites gehalten! So würde sich der „protagonista del quadro" gar nicht von vielen anderen Figuren, den Engeln, unterscheiden, und zudem gebeugt und mit dem Rücken gegen den Beschauer gerichtet sein (Faloci, 55). Aber wie kam das Gemälde dann in ein Franziskanerkloster hinein, wo sich lauter Franziskus-Bilder an dasselbe anschlossen? Dieser Gedanke hat zum Versuche einer allegorischen Erklärung geführt: mit dem Kirchlein sei bildlich der Franziskanerorden gemeint; das Herabtragen des Kirchleins bedeute die von Maria geförderte Gründung der genannten Ordensgenossenschaft, zu deren Gründung er ja in Porziunkula die göttliche Anregung erhalten habe. Das ist die Theorie von Pagliari, Allegoria dell affresco Eugubino, Roma (Ferrari), 1907. Dieses enthält eine neue Wiedergabe des Freskos, bei welcher einige Einzelheiten genauer sichtbar sind. Aber gerade sie nötigen erst recht zur entschiedenen Zurückweisung seiner künstlichen, gemachten Erklärung. So soll den Schlüssel für die Erklärung die Stelle bilden: „Justus ut palma florebit, sicut cedrus Libani multiplicabitur, plantatus in domo Domini" (Psalm 91, 13). „Die Palme bedeutet Sankt Franziskus," sagt Pagliari, Seite 12; „die Zedern bedeuten den ersten Orden, in welchem sich Franziskus wunderbar vervielfältigt hat" ꝛc. Aber gerade von einer Palme ist nichts vorhanden, was auch nur eine entfernte Aehnlichkeit mit einer solchen hätte und doch wäre ihre Darstellung dem gewandten Künstler leicht möglich gewesen. Und die Zedern? Die Aehnlichkeit der verhältnismäßig kleinen, sichtlich hervortreten wollenden Pflanze mit Lorbeersträuchern ist sicherlich vielfach größer als diejenige mit Zedern, und doch müßten letztere besonders als solche erkennbar sein.[1] Die Deutung der beiden Erhöhungen rechts und links von der Szene mit ihren Gebäuden und Mauerresten auf Assisi und Perugia ist durch gar nichts beweisbar: sie erklären sich umgekehrt von selbst bei der Bezugnahme auf Loreto. Man darf sie nur etwas mit der Darstellung eines sicheren Loreto-Bildes aus dem 17. Jahrhundert bei Faloci, Seite 84, vergleichen; da trägt eine der Erhöhungen mit ihren Türmen und ihrer Kirche die Aufschrift „Ricanati"; die andere zeigt ähnliche Befestigungsmauern wie die linke Seite unseres Gubbio-Gemäldes. Auch die Einfriedigung von Fischen, über welcher zudem noch die Füße eines sitzenden Fischers sichtbar sind, sprechen wohl für die Nähe von Ankona-Rekanati, nicht aber für die Nähe von Porziunkula.

---

[1] Man vergleiche den Stengel und seine drei runden, anliegenden Schneeballen mit allen 16 Abbildungen von Palmen bei Brockhaus, Konversations-Lexikon, 14. Auflage, 12, 830 ff.; Abbildungen von Zedern in Katholischen Missionen, 1894, Nr. 11, S. 248 und 249; da ist verwiesen auf die Stelle: „Schön an Geäst und reich an schattigem Gezweig, stolz in ihrer Höhe" (Ezechiel)! Auch die Arbeitshütte mit aufgehängtem Beile und aufgestapelten Hölzern oder Rinden oder Blättern würde zu einem Lorbeerhain gut passen, da die Verwendung des Lorbeers (Laurus) sehr mannigfaltig ist.

Die Anregung zu solcher Allegorie sei wohl ausgegangen, meint Pagliari, Seite 15, von irgend einem „dotto e immaginoso fraticello"; ob er dieser nicht selber ist? Am wenigsten darf man sich zu solchen Künsten drängen lassen durch den Fundort, den Kreuzgang eines Franziskaner=

Abbildung 3: **Loreto-Gemälde von Savona.**

klosters: wiederholt finden sich um jene Zeit Notizen, nach welchen neben der S. Maria de Laureto andere heilige Personen und gerade oft der heilige Franziskus abgebildet wurden, wie oben beim Gemälde in Volterra. Ein Testament vom 26. März 1429 ordnet die Anbringung eines Loreto=Gemäldes „in Ecclesia St. Francisci" an.[1] Ja „viel=

---

[1] Text bei Della Casa, S. 117 aus Archiv. Eccl. Coll. S. Victoriae dioec. Firm. Vogel, index historicus, p. 145 (nicht bei Chevalier).

leicht" war innerhalb des Heiligen Haufes in Loreto felbft fein Bild an=
gebracht.[1]) Chevalier fpricht fich in feiner neueften Erklärung über das
Gemälde von Gubbio folgendermaßen aus (Ami du clergé, l. c., p. 121):
„Laffen wir einen Augenblick gelten, daß das Fresko von Gubbio die St. Cafa
darftellt. Wie kann das Werk eines Malers, der von der Bildung der
Legende über Loreto fprechen gehört haben kann, ein Beweis fein, daß die
Tradition ftattgefunden hat?" Jedenfalls hat man dann aber auch im
betreffenden Klofter 2c. die leßtere nicht für eine bloße Fabel angefehen.[2])
Und wo bleibt dann noch etwas von Chevaliers Behauptung des jahrhunderte=

Abbildung 4: **Loreto-Gemälde von Savona·(frontone).**

langen Schweigens aller Urkunden und wo feine Theorie von der allmählichen
Entftehung der Legende um 1472? Muß man nicht ·fchon da mit
Aleff. Monti eigentlich in empörter Verwunderung von einer
„Diversione Lauretana," d. h. von Ausflüchten in der Loreto=
Frage reden?

Wie kommen die Gegner Loretos vollends an den Gemälden von
Caftelletto, von Savona, von Atri und Volterra (bei Pifa) vorbei? Beim
erftgenannten ift es gut, daß der Name auf dem Gemälde fteht;

---

[1]) „Vi si vede . . . infine, forse, S. Francesco d'Assisi". (Crescenzi, pag.
764). — [2]) Das wunderbare Abenteuer des Wolfes, der vom heiligen Franziskus
bekehrt worden fein foll, wurde in einem anderen der dortigen Gemälde als
Sujet aufgenommen, weil es zum Leben des heiligen Franziskus gehört; diefes
felbft ift jedenfalls im ganzen als hiftorifches Faktum gedacht. (Gegen Che=
valier, Ami du clergé l. c.)

das zeigt Chevaliers nichtssagende Abweisung: „La fresque de
Castelletto d'Orba... ne représente N. D. de Lorette que d'une
manière idéale (l. c.). Was soll das gegen das herrliche Zeugnis beweisen?
Daß in der Darstellung des Kirchleins selbst große Freiheit bei den Künstlern
herrschte — auch nach 1500 — ist doch schon lange bekannt; aber das
Wesentliche ist überall zu finden. (N. f. L., 80 f., Anm. nach Faloci, p. 87 sq).
Wie unrichtig ist ferner die Ausflucht, welche in Beziehung auf Savona
von P. Allmang, Oblate Mariae-Joseph, im „Literarischen Handweiser"
von Münster (1908, S. 314) gegenüber meinen Ausführungen beliebt
wurde! Dieses Loreto habe mit dem eigentlichen nichts gemeinsam als den
Namen! „Curiosa è la franca e sicura affermazione . . .
che modi spicci di cavarsi d'imbroglio! etc. — sagt darüber Professor Monti im Cittadino, Genua, 10. Dezember 1908, Nr. 342. Und
über Atri weiß Chevalier nur zu sagen (Ami du clergé, p. 121):
„Das Fresko im Dom von A. gibt unserer lieben Frau d'Altomare
(das ist ihr Name) eine Beziehung (un aspect), welche das Heiligtum
der Marken nicht gehabt hat." Als ob nicht so eine spezielle Bezeichnung der
Madonna leicht aus lokalen Gründen sich erklären und der Name „vom
hohen Meere" gerade aus der Legende — man denke an die Gebete der
Dalmatiner um Rückkehr Mariä — entnommen worden sein könnte!
Crescenzi findet, daß zur Zeit der Entstehung dieses Gemäldes das
Heilige Haus nicht mehr die Gestalt haben konnte, welche uns da bildlich
entgegentritt. Er sagt aber doch selber, daß die Maler oft nach einem
Modelle gearbeitet haben; das war eben bei Atri das Kirchlein mit
den Loggien, wie sie gerade rings um dasselbe aus dem Jahre
1372 nachweisbar sind. (Siehe unten). Und nun noch der ganz gefähr-
liche Zeuge in Volterra vom Jahre 1410! Nach Chevalier (l. c.) und
Crescenzi soll sich das Triptychon auf Maria Schnee, praesepe, beziehen.
Und der Papst darauf sei Liberius, der, wie auch der Patrizier Joannes
(zur Rechten) den Platz erkenne, wo sie Maria Maggiore erbauen wollen.
Chevalier spricht noch von einigen Andeutungen des Schnees, von welchem
aber die neueste, ganz ausführliche Beschreibung von Crescenzi nichts
erwähnt. Muß man nicht zunächst fragen: wenn Maria ad praesepe
(Krippe) den Gegenstand bildete, warum oben im Gemälde die Dar-
stellung der Verkündigung? Zudem durfte bei der Erzählung von
Maria Schnee das Kirchlein nicht schon als vorhanden dargestellt werden.
Es müßte überdies eine große Basilika sein, nicht das hausähnliche
Kapellchen, das so auffallend gleiche Verhältnisse zeigt, wie das auf dem
Gemälde von Gubbio. Die das Kapellchen umgebenden Punkte sind, wie
mir brieflich mitgeteilt wird, mit weißer Farbe gemalt. Nach meiner Ansicht
wollen sie entweder im allgemeinen die Reliquie als etwas Heiliges bezeichnen, wie das z. B. bei mehreren Gemälden des Pinturichio der Fall
ist,[1]) oder wahrscheinlicher jenen Vorgang aus der Loreto-Legende andeuten,

---

[1]) Vgl. Pinturichio, Künstlermonogr. von Knackfuß, Nr. 37, S. 36, Abbildung 32 „Die Auferstehung" oder S. 30, Abbildung 26 „Mariä Verkündigung"
oder S. 31, Abbildung 27 „Geburt des Kindes".

an den ich mich aus der Lektüre des Turſellini erinnere: In deſſen Historia
Lauretana I, 15 wird erzählt — ob das ein hiſtoriſcher Teil der Legende
iſt oder nicht, kommt für dieſe unſere ſpezielle Frage nicht in Betracht —
daß „die S. Casa oft mit zahlreichen Lichtern erglänzte zu größter
Bewunderung und Freude der Zuſchauer ... Der Biſchof von Rekanati ...
berichtete das ganze Faktum an Papſt Bonifaz VIII."; cap. 17 heißt es,
daß „die splendores coelestes (ſpeziell) den 8. September, den Geburtstag
unſerer lieben Frau, in ihrem Geburtshaus noch berühmter machten." Und
zwar ſei es der fromme Eremit Paulus geweſen, der den Vorgang
zuerſt geſehen habe (cap. 17). Finden wir ihn nicht deutlich auf
unſerem Gemälde? (Turſellini beruft ſich darauf, daß ganz zuverläſſige
Leute dem P. Raphael Riera S. J., „von dem ich es gehört habe", erzählten,
ſie können ſich noch daran erinnern, daß man kurz vor Maria Geburt
„bei Nacht" (ein andermal heißt es „gegen Morgen") „Funken vom Himmel
auf das Heilige Haus habe herabſteigen ſehen". Und dieſes Faktum haben
nicht bloß die Geſchichtſchreiber berichtet, ſondern auch der berühmte Dichter
Novidius beſungen."[1] Wie wenig ſtimmt dem gegenüber die Be=
ziehung des Gemäldes auf Maria Schnee? Von Papſt Liberius
heißt es, daß er „arrepto sarculo terram eruit, quae primo
lapidi locum daret"[2] oder „er habe den Befehl erhalten, eine
Baſilika an der Stelle zu erbauen, wo er am Morgen friſchen Schnee
würde liegen ſehen"; dann „ließ er in friſchem Auguſtſchnee den Plan
der Baſilika zeichnen, für welche der Patrizier die Mittel hergab".[3] Hätte
unſer tüchtiger Künſtler nicht eine Sommerlandſchaft einem großen, mit
Schnee bedeckten Raum auf dem Boden gegenüberſtellen müſſen?[4] So wurde
denn auch in dem Muſeum, wo das Gemälde ſteht (ſiehe den Text unter
dieſem), wie auch ſonſt gewöhnlich die lauretaniſche Beziehung feſtgehalten, und
jedermann wird zugeben, wenn jene weißen Punkte dabei eine annehmbare
Erklärung finden, iſt gar kein Grund mehr zu anderer Auffaſſung vorhanden.

Wenn man freilich fertig gebracht hat, obige Gemälde ſo mit
ſichtlicher Gewalt von Loreto zu trennen, dann iſt leicht behaupten: „Der
ikonographiſche Typus eines von Engeln getragenen Hauſes iſt nicht
unſerer lieben Frau von Loreto allein eigen (réservé)."[5] Den neueſten
Fund teilen italieniſche Zeitungen und Zeitſchriften mit: „Bei einem

---

[1] In der ital. Ausgabe des Turſellinus, die ich augenblicklich allein zur
Hand habe, heißen die Schlußverſe (cap. 17): Presti fede al gran caso in
questa notte — da celeste splendor cinta si vede. (Das Gedicht ſei gewidmet
Paul III.) Vgl. ein anderes Gedicht von Mantuanus bei Trombelli VI, 222 f.
— [2] Gumppenberg S. J., Atlas Marianus, Ingolſtadt 1657. I, 20 ff. —
[3] Gregorovius, Geſchichte der Stadt Rom, 4. Aufl., I, 105. — [4] Wie deutlich
heben die Künſtler überall z. B. einen Fluß hervor! Vgl. „Das Winter=
vergnügen" von Adrian van de Velde (Neff, Klaſſiker der Malerei II, Taf. 44):
Da iſt immer wieder durch Gras, Bäumchen ꝛc. der Unterſchied zwiſchen Eis
und Land hervorgehoben. — [5] Chevalier (l. c., p. 121. — Ganz nach ihm
Crescenzi (l. c., p. 763): „L'iconografia Loretana non ha il monopolio del
tipo della casa miracolosa." — So lange man nur ein ſolches Gemälde
kannte, beſtritt man die Beziehung auf Loreto überhaupt; jetzt ſollen ſich wenig=
ſtens einzelne nicht auf Loreto beziehen.

flüchtigen Besuche im Nationalmuseum von Ravenna war ich betroffen durch eine Sammlung von „palle linostime" (Pallen), wie sie im kirchlichen Gebrauch genannt werden und als Kelchbedeckung dienen. Es sind 6, nicht aus gewobenem, sondern aus weißem Papierstoff mit eingepreßter Darstellung, wie sie sich ähnlich bei Hostien und Waffeln findet . . . . Eine davon hatte ich in einer Landkirche gesehen und fand darauf eine ganz feine Zeichnung, welche die Spuren der feinsten Frührenaissance zeigt. Der ganze Charakter der Arbeit weist auf die zweite Hälfte des 15. Jahrhunderts hin. Auf der von Ravenna . . . sieht man ganz klar die St. Casa; welche die Engel durch die Luft tragen; darüber sitzt die heiligste Jungfrau . . . . Diese Kunstarbeit erweckt gleich den Gedanken an den berühmten Rosetta di Perugia und die anderen umbrischen und toskanischen Künstler. Daraus ergebe sich die Wichtigkeit dieses künstlerischen Kleinods, „cimelio artistico" für die Loreto=Frage.[1]

Solche Versuche von Auswegen sind um so weniger berechtigt, als auch **die urkundlichen Beweise** in unserer Sache eine deutliche Sprache reden. (Diejenigen, welche sich schon bei Chevalier finden, werden hier der Kürze halber nicht näher zitiert, weil sie dort unter dem betreffenden Jahre leicht gefunden werden können; alle speziell zitierten fehlen bei Chevalier. Innerhalb der sachlichen Zusammenhänge ist möglichst die chronologische Folge eingehalten). 1. Im Gemeindearchiv von Rekanati existiert noch eine Urkunde aus dem Jahre **1315** — also nur zwanzig Jahre nach der Ankunft der St. Casa, nach der eine zahlreiche, bewaffnete Gibellinenschar wiederholt „accessit ad ecclesiam S. Mariae de Laureto ad Recanatensem Ecclesiam ad episcopi mensam immediate spectantem . . et contra voluntatem Capellani sive presbyteri positi per dictum Dominum Episcopum ad colligendas oblationes dictae ecclesiae totam pecuniam que erat in trunco, acceperunt . . . rapiendo etiam super altare omnes oblationes et omnes tortitios et faculas et imagines de cera et argento, accipiendo etiam et asportando super imaginem B. Virginis et de Cona eius et super imaginem D. N. J. Chr. omnes guillandras oblatas de argento etc." — „Sehen da die Kritiker die Statue? fragt mit Recht Della Casa, S. 98, Anm. 1. Sie existierte in Loreto seit Anfang des 14. Jahrhunderts; sie dagegen lassen sie — ohne jeden Beweis — erst gegen Ausgang des 15. oder im Anfang des 16. erscheinen."[2] 2. Als ältestes der unzähligen Legate an die Wallfahrts=

---

[1] So schreibt Don Sennen Bigiarini Arcip. unter dem 15. Febr. 1909 im „Annali della S. Casa di Loreto, rivista mensile, 1909 (13. Jahrgang, Nr. 2, S. 46 f.). — Nach dem Corriere della Sera berichtete darüber letzthin in dankenswerter Weise auch die Augsburger Post=Zeitung. Wollen auch fernerhin manche katholische Zeitungen Deutschlands darauf verzichten, wenigstens neue Data und Fakta über die Loreto=Frage ihren Lesern mitzuteilen, nachdem sie vorher so pflichtgetreu Chevalier und seine Rezensenten, die Negation gegenüber aller kirchlichen Tradition, haben zum Worte kommen lassen? — [2] Daß Maria das Jesuskind trug, zeigt ein Legat der Donna Elisabeth, Gemahlin des Johann von Flandern, welche in Rekanati Wohnung

kirche erscheint — nach Vogels Aufzeichnung — ein Testament vom 22. August **1348**, dessen Schluß also lautet: Item reliquit ... operi Pontis Fluminis Exii et in subsidio passadii Terrae Sacre Domus videlicet Mariae 12 denarios pro qualibet etc.[1] 3. Besondere Bedeutung hat nach dem neuesten Stand der Frage eine Mitteilung des Liber condemnationum variarum vom 20. September **1372** erhalten, nach welcher ein Räuber Antonio di Corrabuccio verurteilt wurde, weil er „in festo S. Mariae fuit furatus apud Ecclesiam S. Mariae de Laureto sub tecto logiarum dictae Ecclesiae" (Ex archiv. Civ. Rec.). Dieselbe Kirche mit den sie umgebenden **Loggien** sehen wir nämlich auf dem schon genannten Gemälde von Atri (zirka 1410); und da dieses zugleich deutlich das Heilige Haus als Grund der Wallfahrt auf= weist, so muß gerade dieses auch im Jahre **1372** und zweifellos ebenso vorher der Grund der Wallfahrt der „S. Mariae de Laureto" gewesen sein.[2] 4. Ein Protokoll vom Jahr **1429** erwähnt eine Stiftung, „ut exornandam curaret Sacram illam aedem picturis ... pulcherrimis". Die Magistrate beschlossen, „ne guastaretur Capella pulcra," die Ausführung der Gemälde in irgend einer Kapelle, „che circondava l'edicola". (Die Nachweise bei Crescenzi, 765). Aehnlich heißt das Heiligtum in einer Urkunde vom 10. Oktober **1440**:

genommen hatte, aus dem Jahre 1383: item reliquit ... pro imagine Nostri Domini Jesu Christi, quem retinet in brachiis sancta majestas Nostre Domine Virginis Marie de Laureto. (Aus dem gleichen Jahre 1383 allein verzeichnet der Notar 48 Testamente für das Heiligtum). — [1] Della Casa, S. 100 f.; Pagani, S. 115. — Schon in Erwähnung des opus pontis fluminis, wie auch „die Nähe von Jesi und Loreto" gibt Della Casa recht, wenn er hier in ein Vermächtnis zur Erleichterung der Wallfahrt dorthin sieht (S. 100—103). — Aehnlich in dem Testament des Nikolaus von Recanati vom 17. März 1375: pro communi omnium transeuntium utilitate devotionisque gloriosissimae Mariae de Laureto, disposuit pontem fieri in flumine Potetie. Sieht man nicht schon aus der Vergleichung dieser zwei Testamente, was man unter „S. Maria de Laureto" damals wie vor= und nachher verstand, ob im einzelnen Falle der Domus s. (ital. Casa santa) ausdrücklich Erwähnung geschieht oder nicht? — Das Testament des Theolus de Affocatis (ausführlicher Text bei Chevalier, S. 167 als bei Della Casa, 103, Anm. 1) beweist wohl nicht, was letzterer daraus folgern möchte — [2] Ob damals um die S. Casa mit ihren Loggien schon ein dem jetzigen Prachtbau ähnlicher Bau errichtet war oder nicht (Crescenzi, p. 761), macht für die obige Schlußfolgerung keinen Unterschied. Jedenfalls waren an die Mauer, welche als fast anliegende Umkleidung die Casa Santa umgab, Altäre angebaut und Bilder an ihr angebracht. Für das erstere spricht die Urkunde vom Jahre 1446, nach welcher Altäre standen: „prope et immediate ad sacratissimam Ecclesiam S. Mariae de Laureto"; das letztere zeigt Cres= cenzi selbst, wo er von den Gemälden innerhalb und außerhalb des Heiligen Hauses redet (S. 765): am 23. August 1383 hatte Vannes Pauli di Recanati angeordnet: „fieri intus seu extra Ecclesiam S Mariae de Laureto figuram Virginis Mariae, d. h. hier ein Gemälde, wie deren mindestens 5 inner= halb des engeren Heiligtums sich fanden (Crescenzi, 764), figuram s. Antonii. figuram St. Jacobi Majoris etc. Und nun „fand sich tatsächlich noch an der Wand" das Bild des Antonius (Crescenzi, 765). **Also war nachweisbar unter** „sacratissima ecclesia" etc. **das Heiligtum im engeren Sinne gemeint.**

Aedicula Lauretana — ſo lautet der Text nach Vogels genauen
Nachweiſen bei Della Caſa, S. 119, während Chevalier (181) dort nur
von „ecclesia B. M. V. de Laureto" redet. 5. Im Jahre **1434** kam
angeblich aus Frömmigkeit, tatſächlich in ſchlimmer Abſicht, der Graf Franzesko
Sforza „ad visendum celeberrimum Gloriosae Virginis in Laureto
Sacellum." — Das Archiv von Cingoli enthält unter dem 15. Febr. **1438**
eine Buße regiſtriert, welche vom Generalvikar von Oſimo einem Flucher
auferlegt wurde: „iussit semel Domum sacratissimam S. Mariae
de Laureto corporaliter visitare". Aehnlich ſetzte im Jahre 1460
die Gemeinde von Monte Caſſiano eine jährliche Summe zur Austeilung
an diejenigen feſt, „qui Almam Domum Lauretanam invisuri
essent." (Ex libr. Cons. Terrae Montis S. Mariae in Cassiano
ann. 1460, nach Vogel l. c. I, 313 bei Della Caſa, 123). 6. Pius II.
beſuchte 1464, am 18. Juli: „Fanum Virginis Lauretanae,
vota nuncupaturus", nachdem ſchon im Jahre 1389 (9. November)
in einer Bulle Bonifaz des IX. dem Heiligtum Abläſſe erteilt waren,
„wie ſie damals ſonſt nicht ſo häufig vorkommen" (Della Caſa 107).
7. Nach dem Tode Pius' II. (1464) begaben ſich die Kardinäle zum Kon=
klave nach Rom, unter ihnen auch Pietro Barbo von Venedig. In Ankona
angekommen, erkrankte dieſer an der Peſt und ließ ſich, dem Tode nahe, nach
Loreto tragen. Dort erhielt er die Geſundheit und wurde gleich darauf Papſt
als Paul II. (1464—71). Seine Bulle über Loreto (1. November 1464),
noch enthalten im Archiv daſelbſt, erteilt neue Abläſſe für die Feſte (plur.)
Mariä Himmelfahrt, Mariä Geburt und Lichtmeß und alle Sonntage.[1]
Dabei beruft ſich der Papſt auf die **„magna et stupenda et pene
infinita miracula,"** die er auch ſelbſt „in persona" erfahren habe;
und was ſagt er von Anlaß der Wallfahrt? In der Bulle vom 12. Febr. 1470
preiſt er zuerſt überhaupt Maria als „super aethereas sublimata virtutes et coelestium spirituum choros," als „angelorum domina".
Dann folgt die Stelle, mit der wir die Serie der Dokumente abſchließen,
weil ſie zugleich zu einem kurzen Reſume überzuleiten geeignet iſt: „Cupientes
itaque Ecclesiam B. M. de Laureto, in honorem eiusdem sacra-
tissimae Virginis extra muros Recanatens. miraculose fundatam,
in qua, sicut fide dignorum habet assertio et universis potest
constare fidelibus, ipsius Virginis gloriosa imago angelico
comitante cetu mira Dei clementia collocata est et ad
quam propter innumera et stupenda miracula, quae Altissimus
operatus est hactenus et operatur in dies, ex diversis mundi
partibus etiam remotissimis . . . populorum confluit multi-
tudo, cuique (scl. ecclesiae) nos ab ineunte aetate ultra

---

[1] Chevalier betont immer das Feſt: „Nativité" um falſche Schlüſſe auf
den urſprünglichen Titel des Heiligtums zu ziehen. Es kam freilich auch ſehr
in Betracht, ſchon weil Mariä Geburtsort in das Heilige Haus verlegt wird.
Aber ebenſo wird Annuntiatio wiederholt genannt (z. B. bei Chev. ſelbſt p. 174
zweimal); vgl. ferner die „Geiſtl. Pilgerfahrt" von Felix Fabri 1492 (Röhricht=
Meisner, 1880), S. 291: Frie (= früh) ſingen die Syon pilgrim in der capell
di meß „Rorate" und machent ſich uff das mer etc.

communem mortalium modum semper devotissimi ac affectissimi fuimus ... congruis honoribus frequentari ..." Im Jahre 1417 war der Papst in Venedig geboren; beleuchtet also sein Zeugnis — man wird es nach dem neuen Ausweis der Gemälde und der Dokumente nicht mehr zu verdrehen wagen — nicht seinerseits die Geschichte des Heiligtums auf ganz frühe Zeiten hinauf? Nach allem obigen fällt auch definitiv der unbegreifliche Verdacht gegen rechtliche, heiligmäßige Männer wie Teramanus, Mantuanus und Angelita, welche sogar direkter Täuschung beschuldigt wurden. Die neueste Forschung hat solche Verleumdung zurückgewiesen.[1]) Andere loreto= günstige neuere Resultate kann ich leider nur noch streifen: den Nachweis, daß domus außer bei Kathedralkirchen auch sonst in Verbindung mit dem Namen eines Heiligen (z. B. „in domo Sti Benedicti" 2c.) als einfache Bezeichnung einer Kirche vorkomme, wollte Crescenzi (S. 769 f.) führen, um von da aus dann eine „Erklärung" der Wallfahrt durch irrtümliche Auslegung von „domus" oder „aedes" begründen zu können. „Ohne solchen Stütz= oder Ausgangspunkt (punto d'appoggio), sagt er Seite 769, kann ein Schaffen der Legende nicht entstehen." Aber nur schade für ihn, daß selbst dieser nodo di cristallizzazione als nicht vorhanden erwiesen werden kann. Bei den Beispielen aus den Bollandisten und Pertz, monumenta germaniae historica, wurde von Crescenzi wiederholt gerade die Bemerkung weggelassen, durch welche die betreffende Kirche als Kathedralkirche charakterisiert wird. Nicht ein einziges Beispiel ist mit Recht angeführt.[2]) Wenn Abbildungen der S. Maria

---

[1]) Teramano kam nach Loreto im Jahre 1430, wurde 1445 „gubernator Domus gloriosissimae Virginis Mariae de Laureto". (Nicht zu verwechseln damit ist ein anderes Amt: gubernator ed administrator domorum et hospitalis Almae et gloriosissimae Virginis et Laureto; dieses bekleidete von 1448 an ein anderer, während Teramano das erstere bis 1473 inne hatte; vgl. nach Vogels Nachweisen Della Casa S. 119 f. u. S. 172.) Mantuanus ist der selige Baptist Spagnoli di Mantova, ein Karmelitermönch, der selber sagt, daß er die Beschreibung der Wallfahrt auf einer altehrwürdigen Tafel vorgefunden, die schon von den Holzwürmern zerfressen war. Wenn Teramanus sich noch durch eidliche Vernehmung der ältesten Leute über ihre ältesten Erinnerungen versicherte, kann man daraus nicht schließen, daß das die einzige Quelle für seine Schrift: Translatio miraculosa Ecclesiae B. M. V. de Loreto war. Das zeigen schon die neuesten Resultate über die Bilder 2c., die dem Gubernator nicht unbekannt gewesen sein konnten. — Auch Angelita, welcher im Jahre 1531 seine Geschichte dem Papste Klemens VII. widmete, erhält eine glänzende Rechtfertigung gegen die Vorwürfe, die ihm gemacht worden waren. Ich kann der Kürze halber nur verweisen auf Della Casa p. 189 f. Selbst Crescenzi sagt jetzt von ihm wenigstens (S 765): „Questo storico raconta che i muri che circondavano l'edicola erano coperti di pitture antiche che raffiguravano la translazione della S. Casa ...." „Die Notiz müsse auf eine constatazione de visu zurückgehen. Das Datum der Translatio konnte Angelika deshalb genauer eruieren als seine Vorgänger, weil ihm besondere Annalen zur Verfügung standen. So enthalten das Datum 1291 (1294) auch die oben genannten Memoriae Meduinae von Tersato (Della Casa 190). — [2]) Das hat in schlagender Weise dargetan P. Eschbach (Rom) in der Unità cattolica (Florenz), 13. Febr. 1909 (Nr. 35). Er hatte noch alle Mühe die Stellen zu finden, weil fast alle falsch zitiert sind. Es handelt sich um die Stellen: „Acta SS. tom. III. Maii, 572" (richtig tom. VII); Mabillon, Analecta vetera, IV, 151" (richtig 454); Pertz, Monumenta, „XIII, 180" (richtig

de Laureto bald mit, bald ohne die Casa santa vorkommen, so beweist das gewiß nicht, daß es sich ursprünglich nur um ein Bild gehandelt haben könne. Schon der bekannte Typus des Bildes selbst — man denke an Lourdes — mußte an das Faktum erinnern; deshalb finden sich denn in der Schrift des Teramanus selbst neben eigentlichen Loreto=Bildern auch solche Abbildungen, wo Maria mit dem Jesukinde allein dargestellt ist (z. B. bei Faloci, p. 71); und darüber steht dennoch: Translatio miraculosa etc. Ja die gemalten Bilder Mariä an der S. Casa selbst waren diesbezüglich verschieden. (Crescenzi, p. 764: Maria „circondata da angeli o no".)

Nun noch kurz etwas von der unbegreiflichen Zähigkeit, mit der man eine ganz andere Kirche bei Loreto mit der Casa santa iden= tifizieren wollte, um zu beweisen, daß die Wallfahrtskirche schon vor 1294 bestanden habe! Im Jahre 1755 wurde unter den Monumenta Abbatiae Avellanae eine Urkunde gefunden — ihren Wortlaut gibt Trombelli VI., 204—5; den Inhalt Chev. S. 141 und Anm. 4; Della Casa, 85 — nach welcher im Jahre 1194 der Bischof Giordano von Umana unter Zustimmung seines Kapitels und des Plebanus von Gardeto, den Kamaldulensern vom heiligen Kreuz in Fonte Avellana bei Gubbio „ipsam Ecclesiam S. Marie qua exitu (nach Vogel: exita) in fundo Laureti" totam cum omnibus suis dotibus et pertinentiis et cum libris et calicis (?) et campanis et para- mentis et cum cellis et cum circuitu et parochianis, cum terris et vineis et olivis et ficis et cum molendinis et aquis aqui- molis cum pratis et pascuis etc in einer Weise überläßt, daß die Cessio niemals dürfte „retraktiert" werden. Die Loreto=Forscher des 18. Jahr= hunderts, „gli scrittori più valenti e i più rigorosi, quali furono il Sarti ed il Trombelli," lösten die Schwierigkeit sofort mit der Bemerkung, jene Kirche sei sichtlich eine Pfarrkirche gewesen, dagegen nicht die Wall= fahrtskirche: „parochialis porro nullo prorsus tempore, quod nos novimus, fuit ea, de qua disserimus, sacra aedes; adeo enim exigua est, ut paucos tantummodu excipiat.[1) (Trombelli, VI., 324). Mit Recht sagt Della Casa (88): „essendo piccolissima, non poteva contenere il popolo, il fonte battesimale, il pulpito,

---

XII, 180): da heißt es: „Aedem b. Petri; haec est ecclesia metropolitana Coloniensis" (um die Stelle beweiskräftiger zu machen, wurde letztere Bemerkung weggelassen; Acta SS. tom. Junii, 93). Aus unseren obigen Darlegungen sieht man deutlich: zweimal, wo es sich nur um das Kirchlein im engeren Sinne handeln kann, ist zu domum (resp. ecclesiam) das Attribut „sacratissimam" beigesetzt (siehe oben Dokumente Nr. 5 u. Nr. 3, Anm.). Wird man je sagen: „Den hochheiligen Dom"? (Danach ist Chevaliers Argu- mentation S. 180 zu werten). Ueberhaupt war in den Jahren 1438 und 1446, in welche diese zwei Stellen fallen, entweder schon eine große Kirche um die Gnadenkapelle gebaut oder nicht: in beiden Fällen konnte man die Kapelle selbst, die ja sicher in jenen Stellen gemeint ist, sicherlich nicht „Dom" nennen! — Nur für klösterliche Niederlassungen, finde ich, wird oft der Name domus gebraucht. -- [1) Im Jahre 1482 erteilte Sixtus IV. der Wallfahrtskirche den Titel einer Pfarrkirche! (Chev. 234 nach Vogel I, 333, n. 2. Colletti, l. c. p. 9).

un confessionale etc." Wir fügen zu diesem für jeden Besucher des Heiligen Hauses ipso facto klaren Grund noch hinzu, wie wenig für eine Pfarrkirche passen würde, was oben in dem Dokument Nr. 1 (vom Jahre 1315) enthalten ist. Müßten ferner in den vielen Notariats= akten und dergleichen nicht wenigstens Anspielungen auf das Dasein und Walten eines Pfarrers, auf Abgrenzung der Pfarrechte bei den vielen neu= geschaffenen Stellen und dergleichen vorhanden sein? Wenn 1441 ein Gottes= acker bei der Kirche nachweisbar ist, so ist das doch nur selbstverständlich bei einem Wallfahrtsort, der damals eine große Zahl von Geistlichen und Klosterleuten und Verwalter und Bedienstete des Hospitals beherbergte: sind etwa Klöster deswegen Pfarreien, wenn sie einen Gottesacker haben? (Gegen Chev. S. 181.) Und wenn nach Vogel in der Kapelle selbst (in ipsamet sacra aedicula) Totengebeine aufgefunden wurden (Chev. l. c.), so ist das nur dieselbe Erscheinung, die uns oft z. B. in Klosterkirchen ꝛc. begegnet: es handelt sich um Begräbnisse devotionis causa. Die Kirche von 1194 als Pfarrkirche ist also eine andere als die S. Casa, wie auch schon die Verschiedenheit des Namens verkündigt. Es ist besonders wieder das Verdienst des P. Poisat S. J., durch seine Schrift: Lorette au 12. siècle in diesem Punkte absolute Klarheit geschaffen zu haben. Einen Auszug daraus mit wertvollen Ergänzungen gibt Della Casa S. 82—89. Der Fundus Laureti war sehr ausgebreitet; in ihm konnten gut mehrere Kirchen nebeneinander bestehen; es sind auch solche nachweisbar, so aus dem Jahre 1179: „St. Joannes de Laureto sive de Monte Ciotto". Letzterer Hügel gehörte auch zum Fundus Laureti, ist aber etwas höher und mehr gegen Rekanati zu gelegen als der lauretanische. Ich wundere mich, daß nirgends auf die Beispiele aus den Annales Camaldulenses verwiesen ist, welche Trombelli VI., 273, Anm. b) beibringt für die Unterscheidung zwischen „fundus Laureti maioris et minoris" (im Jahre 1029), für die Existenz einer Kirche in „Laureto maiore cum parochia et cimeterio" (Bulle Alex. II., 1061—73), einer Kirche „S. Laurentii de Laureto (in „comi= tatu Anconae"), eines „Castrum Laureti in comitatu Senogalliensi". einer Kirche S. Mariae de Recanato (in Episcopatu Umano) cum aliis Ecclesiis earumque pertinentiis. Wäre das die Kirche, deren Cession durch den Bischof von Umana im Jahre 1194 vollzogen wurde (Trom= belli VI., 291)? Tatsächlich gibt es auch noch heute eine sehr alte Marien= kirche nahe an der Straße von Rekanati nach Loreto, S. Maria delle Brecce, welche nach den Studien des Kanonikus Vogel (bei Della Casa p. 92 sq.) öfter den Namen gewechselt haben muß, und eine andere S. Maria in Montorso (so sagt Professor Colletti von Spoleto S. 8. Diese Kirche war eine ecclesia ruralis „Beatae Mariae de Monteurso", wie ich aus einer Bulle Eugens IV. vom 7. Oktober 1441 (bei Chev. S. 181 f.) entnehme. Wenn sie, wie Colletti mitteilt, zu Loreto gehört, so kann diese Kirche die gesuchte Pfarrkirche gewesen sein. Jedenfalls war es nicht die berühmte Wallfahrtskirche.

Die Konsequenzen aus den „Fortschritten in der Loreto=Kunde" zu ziehen, überlasse ich dem unparteiischen Sinne der Leser; mögen die Nach=

forschungen besonders auch in Italien so eifrig betrieben werden wie bisher!¹) Mein Urteil geht dahin: selbst wenn man von der kirchlich geschützten Tradition absehen will, führen die wissenschaftlichen Resultate dahin, daß man wohl bald ein Buch schreiben kann: S. Maria Lauretana de victoria.

Pastoral-Fragen und -Fälle.

I. (Materia dubia.) Alfred Weinbauer setzt bei der Bereitung des Weines vor der Gährung ⅓ Birnmost hinzu und erzielt dadurch einen schmackhaften Wein, den er an einen Weinhändler verkauft. Dieser weiß von der Mischung nichts und lieferte von diesem Weine dem Pfarrer Adolf den Meßwein. Was ist nach Kenntnisnahme des Sachverhaltes zu tun?

Antwort. Der Pfarrer hätte größere Vorsicht üben müssen bezüglich des Weinbezugs. Jedenfalls würde es schwersündlich sein, wissentlich mit dem genannten Weine die heilige Messe zu lesen. Der hohe Zusatz fremden Stoffes macht die Konsekration zweifelhaft. Doch da dieselbe nicht sicher ungültig war, dürfte die Sache bezüglich der pfarramtlichen Messen pro populo auf sich beruhen bleiben können, ohne daß eine Pflicht diese nachzuholen bestände. — Fraglicher ist die Sache bezüglich der Messen, welche für Stipendien zu lesen waren. Eine genügende Erfüllung der Gerechtigkeitspflicht ist hier nicht eingetreten: darum müßte wohl nicht zwar die volle Zahl der so zweifelhaft gültigen Messen, sondern eine erheblich geringere Zahl von Messen pro rata dubii nachgelesen werden, indem alle diese zur Gesamtintention all jener zweifelhaften Messen gelesen wurden. Ist die Zahl der zweifelhaften Messen recht erheblich und das Nachlesen dieser größeren Zahl für die Verhältnisse des Pfarrers diesen empfindlich schädigend: so bleibt der Rekurs an den Heiligen Stuhl offen, damit dieser Kondonation und Ersatz aus dem Kirchenschatze gewähre. Uebrigens würde Alfred, falls er vermuten konnte, daß sein gefälschter Wein als Meßwein würde gebraucht werden, für den Schaden haftbar gemacht werden können.

Valkenburg (Holland). August Lehmkuhl S. J.

II. (Eine neue geburtshilfliche Operation.) Verhinderung der Konzeption, Abortus, Einleitung der Frühgeburt, Kaiserschnitt, Kraniotomie, Perforation, Kephalothrypsie, das waren die Mittel, durch welche bisher die Geburtschwierigkeiten, besonders bei Beckenverengung begegnet werden sollte. Die katholische Moral hat von jeher zu diesen verschiedenen Mitteln Stellung genommen. Sie muß

---

¹) Seite 134 teilt Della Casa ein Schreiben des „gelehrten Historikers Prof. R. Maiocchi, Rektor des Kollegium Borromeum in Pavia", mit, nach dem er im Notariatsarchiv viele Erwähnungen von voti di visitare la S. Casa di Loreto, specialmente nella secunda metà del secolo XV gefunden habe. Aufklärungen müssen noch unzählige zu finden sein.

verurteilen alle Mittel irgendwelcher Art, durch welche die Konzeption verhindert werden soll. Höchstens kann nur unter schwierigen Umständen die „fakultative Sterilität" (Capellmann) angeraten werden. S. Poenit. 16. Juni 1880. Siehe hierüber Lehmkuhl (II. n. 851): Noldin, de sexto praecepto n. 69; Goepfert, M. Th. III. n. 278. Der Abortus, die künstlich bewirkte Ausstoßung der Leibesfrucht zu einer Zeit, in welcher das Kind nicht imstande ist, außerhalb des Mutterschoßes zu leben, ist ebenfalls unerlaubt. Noch vielmehr sind verboten alle die Operationen, die bei der Geburt eine Tötung des Kindes direkt herbeiführen, wie die obengenannten Perforation, Kraniotomie, Kephalothrypsie. Die Medizin empfindet mehr und mehr das Ungehörige dieser Operationen, wenn sie auch noch nicht auf dieselbe verzichten zu können glaubt. Gestattet sind nach der Lehre der katholischen Moral die Einleitung der Frühgeburt zu einer Zeit, wo das Kind außerhalb des Mutterschoßes zu leben imstande ist, wenn es auch schwächlicher zur Welt kommt, und der Kaiserschnitt an der lebenden Mutter, wenn nicht im einzelnen Falle die Gefahr für die Mutter so groß ist, daß die Operation einer direkten Tötung der Mutter gleichkommt. Bekanntlich hat aber der Kaiserschnitt bei dem Fortschritte der Chirurgie und der Antisepsis, wenn er rechtzeitig vorgenommen wird, günstigere Erfolge aufzuweisen. In neuester Zeit wird, wenn auch noch in wenigen Fällen, eine anscheinend aussichtsreiche Operation angewendet, die Hebosteotomie. Die Durchsägung des Knochenrings des Beckens am Schambein, so daß dadurch eine Erweiterung des Beckens eintritt und eine normale Geburt möglich ist. Da die Operation ohne Oeffnung des Mutterleibes, durch Einführung einer nadelartigen Säge geschieht, eine bedeutende Verwundung der Mutter dadurch nicht herdeigeführt wird, so bestehen auch für die Mutter keine besonderen Gefahren und auch für später keine nennenswerten üblen Folgen. Die Operation wäre dann insbesondere angezeigt, wo die Einleitung der Frühgeburt entweder überhaupt oder nicht mehr möglich ist, weil der rechte Zeitpunkt versäumt wurde. Da, wie medizinischerseits behauptet wird, die Operation auch als Privatoperation möglich, eine Ueberführung in eine öffentliche Klinik nicht nötig ist, so ist zu hoffen, daß durch dieselbe eine große Anzahl von Kindern, welche durch die Medizin sonst geopfert worden wären, jetzt gerettet werden. Vom Standpunkte der katholischen Moral sehe ich, soweit die Voraussetzungen zutreffen, kein Bedenken gegen die Operation.

Würzburg.   Univ.-Prof. Dr. Goepfert.

III. (Absolution von reservierten Zensuren.) Christa, ein nicht ungebildetes Fräulein, hat mehrere verbotene Bücher gelesen, daraus Grundsätze und Meinungen angenommen, die gröblich gegen den Glauben verstoßen, und dieselben auch einigen Freundinnen beizubringen versucht. Jetzt hat sie an einem Wallfahrtsorte öffentliche, dreitägige Exerzitien, die dort gehalten wurden, mitgemacht und legt nun eine reumütige, aufrichtige Beichte ab.

Frage: Unter welchen besonderen Bedingungen kann Christa in der Beichte von diesen Sünden sofort absolviert werden?

Christa hat durch die besagten Uebertretungen außer den Sünden, die sie gegen den Glauben begangen, sich auch des Aergernisses und falls sie keine rechtmäßige Erlaubnis, verbotene Bücher zu lesen hatte, des schweren Ungehorsams gegen das kirchliche Bücherverbot schuldig gemacht. Für diese Sünden hat sie aber zur Aussöhnung mit Gott außer Reue und Beichte noch andere Pflichten und Genugtuungen zu leisten. Darum hat auch der Beichtvater hier außer dem allgemeinen zu einer gültigen Beichte erforderlichen Bedingungen insbesondere noch folgende Momente ins Auge zu fassen:

I. Ob Christa nicht vielleicht kirchliche Zensuren inkurriert hat und welche?

Zunächst kommt hier die dem Papste speciali modo reservierte, ipso facto eintretende Exkommunikation aus der Konstitution „Apost. Sedis" in Frage: „Omnes a Christiana fide apostatas et omnes ac singulos haereticos etc." Dieser Strafe ist Christa als verfallen zu betrachten, 1. wenn sie um einen Glaubenssatz, den sie als von der Kirche definiert wußte, positiv und überlegt zweifelte, indem sie ihr Privaturteil dem Urteile der Kirche freiwillig nicht unterwerfen wollte, was schon die zur Häresie erforderliche Hartnäckigkeit in sich schließt, oder wenn sie einen Glaubenssatz sogar geradezu leugnete oder einen demselben widersprechenden Irrtum annahm und diese ihre Zweifel oder Irrtümer vor anderen oder auch bloß für sich allein durch Worte oder Zeichen äußerlich geoffenbart hat, und wenn sie endlich von der Zensur so viel Kenntnis hatte, daß sie wenigstens wußte, auf ein solches Vergehen sei eine besondere kirchliche Strafe gesetzt. Derselben Strafe wäre sie ferner auch dann verfallen, wenn sie 2. bei ihren Freundinnen oder bei anderen mit Erfolg für die Annahme des Irrtums gewirkt hätte, auch ohne demselben innerlich formell zu huldigen. In diesem Sinne werden in einer für Rom mit Zustimmung Leo XIII. erlassenen Instruktion diejenigen für exkommuniziert erklärt, „welche andere zum Schaden ihrer Seele verleiten, katholische Predigten zu hören". (Vergl. Goepfert I. B. § 47.)

Was ferner das Lesen, Besitzen oder Aufbewahren verbotener Bücher anbelangt, so ist Christa auch der zweiten ebenfalls speciali modo dem Papste reservierten Exkommunikation aus der Konstitution „Apost. Sedis" verfallen, wenn sie mit Wissen des kirchlichen Verbotes und der kirchlichen Strafe ohne Erlaubnis folgende Bücher gelesen oder aufbewahrt hatte: „legentes, retinentes, imprinentes et quomodolibet defendentes": 1. libros apostatarum et haereticorum haeresim propugnantes", also von Autoren verfaßt, welche sich formell zu einer Sekte bekennen oder sich durch das Buch als Häretiker offenbaren, wenn in diesen Büchern die Häresie selbstständig verteidigt wird, d. h. unter Anführung von Beweisgründen und nicht bloß im Vorübergehen und als Nebensache. 2. Bücher von was immer für Autoren verfaßt, Häretikern oder Nichthäretikern, welche durch apostolisches Schreiben unter der reservierten Zensur namentlich verboten sind. Das unerlaubte Aufbewahren, Besitzen oder Lesen verbotener Bücher, die, ohne einer dieser zwei Klassen anzugehören, auf dem Index der verbotenen Bücher stehen, zieht zwar die Sünde, nicht aber die besagte Strafe nach sich.

NB. „Retinentes vel legentes" bezeichnet Goepfert I. B. S. 235 im Deutschen mit dem Ausdrucke: „Verbotene Bücher zu haben oder zu lesen."

II. Ist Christa in der Beicht zu ermahnen und zu belehren, auf welche Weise sie sich der verbotenen Bücher, wenn sie solche noch hat, zu entäußern verpflichtet ist, und wie sie das gegebene Aergernis wieder gutmachen soll.

III. Was nun den Hauptpunkt unserer Frage, die Absolution von reservierten Zensuren anbelangt, so ist es aus der Natur der Reservation und aus dem Dekrete S. Cong. R. et U. Inquisitionis 23. Junii 1886 (Acta S. Sedis, tom. XIX, pag. 47) klar, daß der Beichtvater ohne spezielle Vollmacht von den dem Papste reservierten Sünden und Zensuren außer in der Todesgefahr nicht absolvieren kann, „etiamsi censuratus versetur in impossibilitate personaliter adeundi S. Sedem et in tali impedimento recursus per litteras est faciendus." Marc n. 1284. Besitzt der Beichtvater aber die nötige Vollmacht zu absolvieren, so hat er sich genau nach den allgemeinen und besonderen Bedingungen zu richten, die da vorgeschrieben sind, namentlich was die aufzuerlegende besondere Buße, die Entfernung der nächsten Gelegenheit, das Gutmachen des gegebenen Aergernisses oder des zugefügten Unrechtes usw. anbelangt. Marc n. 1286—1288.

Für besondere Notfälle des Pönitenten hat die Kirche auch den einfachen Beichtvätern die Fakultät erteilt, selbst von speciali modo dem Papste reservierten Sünden und Zensuren direkt zu absolvieren, „injunctis de jure injungendis". Es sind folgende Fälle:

1. Wenn die Absolution nicht ohne Gefahr eines schweren Aergernisses oder einer schweren Infamie für den Pönitenten verschoben werden kann, bis die notwendige Fakultät erlangt sein wird, jedoch mit der Verpflichtung des Rekurses an den Apostolischen Stuhl, wie unten Nr. 3 bemerkt werden wird. Decr. S. Cong. R. et U. Inquis. 23. Junii 1886 (Acta S. Sed. tom. XIX. p. 46).

Dieser Fall kann bei Christa leicht eintreten, wenn z. B. ihr Fortbleiben von der Kommunion bei den Exerzitien gegen sie Verdacht erregen würde.

2. Auch wenn es dem Pönitenten ohne diese Gefahr sehr schwer, „valde durum" fällt, so lange im Stande der Todsünde bleiben zu müssen, bis die Fakultät eingeholt sein wird, kann er sofort direkt absolviert werden mit der Pflicht des Rekurses, wie unten Nr. 3 folgen wird. So S. Cong. R. et U. Inquis. 16. Junii 1897 (Acta S. Sed. XXX. p. 124). Dieses beängstigende Warten auf die Absolution

im Stande der Todsünde kann eine so schwere Last werden, daß sie nach den Autoren sogar als Grund zur Entschuldigung vor der Integrität der Beichte gelten kann: S. Alph. l. VI. n. 487 „per duos vel tres dies exspectare“, und Marc n. 1698 setzt dazu: „licet per unum tantum diem.“

3. Wer in diesen Fällen von einem einfachen Beichtvater absolviert worden ist, hat sich unter der Strafe von Reincidenz in dieselbe Zensur innerhalb eines Monats schriftlich an den Apostolischen Stuhl zu wenden, entweder in eigener Person oder durch den Beichtvater, „ad standum mandatis Ecclesiae“. Diese Verpflichtung besteht sowohl für die dem Papste speciali modo als auch für die demselben simpliciter reservierten Zensuren. Nur wer in periculo vel articulo mortis davon absolviert wurde, ist zum genannten Rekurse nach erfolgter Genesung bloß für die speciali modo reservierten, nicht aber für die simpliciter reservierten Fälle verpflichtet. S. Cong. R. et U. Inquis. 17. Junii 1891 (Acta S. Sed. XXIV. p. 746). „Vergeßlichkeit oder Unmöglichkeit, sich schriftlich nach Rom zu wenden, schließen den Rückfall in die frühere Zensur aus, ebenso eine leicht schuldbare Nachlässigkeit.“ (Goepfert III. S. 206.)

4. Besitzt der Ordinarius aus den Quinquennal-Fakultäten oder sonst die delegierte Vollmacht, von den diesen Fällen zu absolvieren, so kann der schuldige Rekurs anstatt an den Apostolischen Stuhl an ihn oder an seinen Generalvikar gerichtet werden. S. Cong. R. et U. Inquis. 19. Dec. 1900 (Acta S. Sed. XXXIII. p. 420).

5. Der vorgeschriebene Rekurs ist dem von päpstlichen Reservatfällen Absolvierten gänzlich erlassen, „si poenitens scribendo impar, eidem confessario, a quo vi decreti 1886 et 1897 absolutus fuerit, se praesentare nequeat, et ipsi durum sit, alium confessarium adire, licet confessarius absolvens pro poenitente epistolam ad S. Sedem mittere posset.“ S. Cong. R. et U. Inquis. 5. Sept. 1900 (Acta S. Sed. XXXIII. p. 226).

NB. Pro excommunicatione ob vetitam absolutionem complicis recursus ad Sedem apost. nunquam remittitur. S. Cong. R. et U. Inquis. 7. Junii 1899 (Acta S. Sed. XXXII. p. 128).

6. Wären endlich die genannten oder anderen Sünden, welche Christa zu beichten hat, in der betreffenden Diözese bischöfliche Reservatfälle, so hat sich der Beichtvater diesbezüglich an die allgemeinen Regeln für bischöfliche Reservatfälle und an die besonderen Diözesanvorschriften zu halten.

Wien.   P. Joh. Schwienbacher C. Ss. R.

IV. (Fürbitte für die armen Seelen im Fegfeuer.)
Der hochw. Kaplan Eusebius, der sich viel mit Untersuchung praktischer Fragen befaßt, sagt dem Volke in einer Katechese, wenn man für die Seelen der Verstorbenen betet, solle man sich nicht so viel aufs Bitten als aufs Genugtun verlegen, die Bitten solle man auf sich selbst oder auf andere Lebende verwenden, die armen Seelen

feien schon gerichtet und für den Himmel bestimmt, aber noch ver=
urteilt zu leiden wegen der übriggebliebenen Sündenstrafen. Sie
müßten also entweder selbst alles, was über sie verhängt ist, erleiden,
oder es könne ihnen von Lebenden nur dadurch geholfen werden,
daß diese ein Leiden, eine Genugtuung, im Stande der Gnade er=
tragen und diese Genugtuung für die armen Seelen aufopfern. Der
Wert dieser Aufopferung werde dann unter die Seelen verteilt,
weshalb es besser sei, sie nur für wenige Seelen, an denen uns be=
sonders gelegen ist, aufzuopfern. Einige fromme Gläubigen beklagen
sich beim hochw. Herrn Pfarrer über diese strenge Auffassung, und
da dieser beim Herrn Kaplan nichts anderes als die obige Darlegung
erreichen kann, wendet er sich an den Theologen Cyprian mit der
Frage, ob er seinen Kaplan nicht dem Ordinariate anzeigen solle,
damit es ihn nötige zu erklären, man könne für die armen Seelen
bitten. — Was wird der Theolog ihm antworten?

Lösung. Der Hauptsache nach scheint mir der Herr Kaplan
das Richtige getroffen zu haben. Man kann nicht für die armen
Seelen bitten, weil die Zeit der Erhörung für sie vorüber ist, wie
für die Verworfenen; sie sind gerichtet und verurteilt zu einem be=
stimmten zeitlichen Leiden. An dieser Verurteilung kann nichts ge=
ändert werden. Aber es kann einer in der streitenden Kirche für die
armen Seelen leiden. Nehmen wir wieder unsere Zuflucht zum
Aquinaten.

Thomas hat schon (in 4. dist. 20. q. unica, a. 2. q. 3.) gelehrt:
„unus potest pro alio satisfacere, dummodo sit in caritate, ut
opera ejus satisfactoria esse possint". Er hat hinzugefügt: Dieser
könne sogar mit weniger Leiden (poena) genugtun, als der andere
zu ertragen hat, weil er aus Liebe das Leiden übernimmt; er genüge
für den anderen, auch wenn dieser imstande wäre, selbst für sich
Genüge zu leisten. Thomas nimmt nur den Fall aus, daß die Strafe
dem anderen auferlegt sei, damit er nicht mehr sündige: dann solle
man gewöhnlich die Strafe nicht übernehmen, denn z. B. das Fasten
des einen zähmt nicht das Fleisch des anderen. Er löst dann die
Schwierigkeit und bemerkt z. B. (ad 3), wer für einen anderen Ge=
nüge leistet, leiste nicht Genugtuung für sich, „quia illa quantitas
poenae non sufficit ad utrumque peccatum", aber indem er dem
anderen Nachlaß seiner Strafe erwirkt, verdient er sich Vermehrung
der ewigen Seligkeit.

Diese schöne Lehre dient dem heiligen Thomas als Einleitung
zur Lehre über die suffragia pro defunctis, er hat das Fegfeuer
schon in der 4. Einwendung erwähnt. Im Supplement (q. 71. be=
sonders aa. 1., 2., 6.) gibt er nun die Anwendung auf die armen
Seelen; überall ist die Rede von suffragia, von opera ad hoc
specialiter facta, ut aliis prosint, und was er von der via orationis
sagt, läßt sich in Bezug auf die armen Seelen darauf zurückführen,
quod satisfactio unius pro alio accipitur. Insbesondere wird alles

(art. 6.) kurz zuſammengefaßt mit den Worten: „Poena purgatorii
est in supplementum satisfactionis, quae non fuerat plene in
corpore consummata; et ideo quia, sicut ex dictis patet, opera
unius possunt valere alteri ad satisfactionem, sive vivus sive
mortuus fuerit, non est dubium, quin suffragia per vivos facta
existentibus in purgatorio prosint.“ Und ad 2.: „Poena unius
pro altero suscepta alteri computatur.“

Der hochw. Kaplan hat alſo mit Recht dieſe Hauptſache, die
von vielen Gläubigen nicht verſtanden wird, hervorgehoben. Genug=
tuung leiſten — das iſt, was wir für die armen Seelen tun können.
Nur hätte er, wenigſtens einem wenig unterrichteten Volke gegenüber,
deutlicher ſagen ſollen, daß wir für die Verſtorbenen beten und Für=
bitte für ſie einlegen; wir werden auch ſicher erhört, wenn wir im
Stande der Gnade ſind, weil jedes Gebet in dieſem Leben eine Ge=
nugtuung enthält. Die Aufopferung für die Verſtorbenen, welche er=
fordert iſt, um ihnen zu helfen, iſt ein Gebet und Almoſen der Liebe.
Euſebius kann dieſe Wahrheit leicht einmal vorbringen, ohne von
dem Geſagten etwas zu retraktieren.

Was er nun noch hinzugefügt hat, es ſei beſſer, die Genug=
tuung nur für wenige Seelen aufzuopfern, denen man beſonders
helfen will, weil der Wert der geleiſteten Genugtuung unter die
Seelen, für die ſie aufgeopfert wird, verteilt werden müſſe und daher
geringer ſei, wenn die Seelen zahlreich ſind: dieſe Behauptung ſcheint
zwar aus der obigen Theorie des Aquinaten hervorzugehen, ſie hätte
aber noch erklärt und diſtinguiert werden ſollen. Sie iſt wahr=
ſcheinlich, weil für jede Seele, der geholfen werden ſoll, Genug=
tuung geleiſtet werden muß. Wer verpflichtet oder geneigt iſt, einer
Seele zu helfen, muß ſich an dieſe Wahrſcheinlichkeit halten und darf,
wenigſtens bei der prima intentio, die andere Anſicht, daß die Frucht
nicht geteilt, ſondern auf alle bezeichneten Seelen ausgedehnt werde,
nicht befolgen. Dieſe Anſicht iſt aber doch auch wahrſcheinlich, wie
wir im 54. Jahrgang dieſer Quartalſchrift (1901), Seite 42, nach=
gewieſen haben. Der obige Grund des heiligen Thomas iſt zwar
ſtark, gewährt aber noch keine abſolute Gewißheit, weil die appli=
catio pro pluribus durch das Opfer und Gottes Barmherzigkeit
einer satisfactio pro pluribus vielleicht gleichgeſchätzt wird. Eine
secunda intentio kann alſo bedingungsweiſe in dieſem Sinne gemacht
werden, wie wir im 54. Jahrgang erklärt haben. Doch ſcheint es
uns jetzt wahrſcheinlicher, daß die applizierte satisfactio geteilt wird.
Der hochw. Kaplan Euſebius ſoll alſo ſchließlich nicht verklagt werden.
St. Andrä (Kärnten). Jul. Müllendorff S. J.

**V. (Eine im Ausland klandeſtin eingegangene
Miſchehe.)** Ein der katholiſchen Kirche angehörender Diener aus
Deſterreich verweilte 1907 den größeren Teil des Jahres mit ſeiner
Herrſchaft in Preußen, welche die übrige Zeit in Deſterreich zu=
zubringen pflegt. Nach Erlangung eines Quaſidomizils ſchloß der=

selbe im genannten Jahre in einer Stadt von Preußisch=Schlesien vor dem Zivilstandes=Beamten und dem protestantischen Pastor daselbst eine Mischehe mit einem in Preußen geborenen und von jeher zum Protestantismus sich bekennenden Mädchen, das bei der gleichen Herr= schaft im Dienste steht. Zurückgekehrt nach Oesterreich, wurde dem Diener ein Kind geboren, das er katholisch taufen ließ. Bei dieser Gelegenheit erfuhr der taufende Pfarrer, daß der Vater nicht katholisch getraut ist. Was hat der Pfarrer im vorliegenden Fall zu tun?

In erster Linie muß die Frage nach der Gültigkeit der Ehe gelöst werden. Maßgebend ist diesbezüglich die unterm 18. Jänner 1906 erlassene päpstliche Konstitution Provida. Sie setzt nämlich neben anderen fest, daß von Ostern 1906 an auch die nur vor einem akatholischen Minister im Deutschen Reich erfolgenden Misch= ehen gültig sein sollen, wenn sonst kein trennendes Ehehindernis obwaltet. Diese Bestimmung ist allgemein dahin verstanden worden, daß die vom 15. April 1906 an in Deutschland eingegangenen klandestinen Mischehen bei Abwesenheit eines sonstigen trennenden Ehehindernisses gültig sind, wenn die Kontrahenten im Deutschen Reich ein Domizil oder ein Quasidomizil besitzen oder heimatlos sind.[1] Da im vorgelegten Fall von einem anderweitigen impedi= mentum dirimens nichts bekannt ist, ferner die Nupturienten in Preußen ein Quasidomizil sich erworben haben, müßte demnach ihre Mischehe trotz der Klandestinität als gültig betrachtet werden. Am 28. März 1908 jedoch erklärte · die Konzilskongregation und ihre Entscheidung wurde von Sr. Heiligkeit am 30. März bestätigt, daß die Provida bloß für jene im Deutschen Reich eine Mischehe eingehenden Personen Geltung haben soll, die daselbst geboren worden sind. „Exceptionem valere tantummodo pro natis in Germania ibidem matrimonium contrahentibus, factoverbo cum Sanctissimo." Daraus geht mit Sicherheit das eine hervor, daß. vom eben bezeich= neten Zeitpunkt an eine formlose Mischehe im Deutschen Reich nicht gültig geschlossen werden kann, wenn beide Teile Ausländer sind. Von größtem Belang ist die nun von selber sich aufdrängende Frage: kommt der gerade angeführten Restriktion Roms rückwirkende Kraft zu? Während G. Detzel in „Theologisch=praktische Monatsschrift", Passau 1908, 19. Bd., 2. H., S. 103 die Sache unentschieden läßt, vertritt Aug. Arndt S. J. im Pastor bonus, Trier 1908, 21. Jahr= gang, 12. H., S. 537 die Ansicht: „Klandestine Mischehen, von Aus= ländern im Deutschen Reiche nach dem 15. April 1906 geschlossen, sind ungültig."

Wie früher erwähnt, wurde das von der Provida gewährte Privileg vor dem 28., beziehungsweise 30. März 1908 durchwegs nicht als ein rein lokales angesehen. Bei diesem Sachverhalt wird

---

[1] Vergl. z. B. M. Leitner, die Verlobungs= und Eheschließungsform, Regensburg 1908, S. 69; B. Ojetti S. J., In ius antepianum et pianum ex decreto „Ne temere" commentarii. Romae 1908, p. 166 sq.

wohl, solange bezüglich der oben aufgeworfenen Frage eine authen=
tische Entscheidung ausständig ist, das Prinzip zur Anwendung zu
gelangen haben: standum est pro valore actus. Mithin ist in
unserem Kasus auch nach der von der Kongregation ausgesprochenen
Einschränkung der Provida noch für die Gültigkeit der Mischehe
einzutreten, dies um so mehr, als ein Teil, nämlich die Braut, in
Deutschland geboren worden ist.[1]

Selbstredend war die Mischehe des Dieners unerlaubt. Es
ist somit Aufgabe des Pfarrers, denselben mit klugem Ernst auf
seine verkehrte Handlungsweise aufmerksam zu machen. Er hat ihn
aufzuklären, unter welchen Bedingungen die Kirche zur Eingehung
einer Mischehe Dispens erteilt.[2] Insbesondere ist dem Diener die
Pflicht einzuschärfen, alle Kinder katholisch erziehen zu lassen. Außerdem
hat der Pfarrer die Trauung im Taufbuch anzumerken.

Ob der Diener infolge der akatholischen Trauung die Exkom=
munikation auf sich geladen hat? Diese Frage würde zu bejahen sein,
wenn in der protestantischen Trauung ein favor haereseos enthalten
gewesen wäre, d. h. wenn dem Diener daran gelegen gewesen wäre,
der Häresie Vorschub zu leisten und derselbe um die beregte Zensur
gewußt hätte.[3] In Wirklichkeit wird keine der beiden Bedingungen
vorhanden gewesen sein.

Ist die Ehe des Dieners vor dem österreichischen Staate gültig?
Ja, wenn hinsichtlich der Form die Ehe nach den in Preußen
bestehenden Vorschriften geschlossen wurde und bezüglich der Ehe=
fähigkeit kein Hindernis nach österreichischem Recht vorhanden war.
Vgl. das allgemeine bürgerliche Gesetzbuch §§ 4 u. 37.

[1] Vergl Detzel, der a. a. O. S. 103 schreibt: „Ob eine gemischte Ehe im
Deutschen Reiche geschlossen, vom 30. März 1908 ab gültig ist, wenn nur ein
Teil ein geborener Deutscher ist, ist nicht außer Zweifel; ich möchte aber die
Gültigkeit durchaus bejahen, obwohl es im Plural heißt: pro natis in Germania,
da die Konstitution Provida ein ins gemeine Recht aufgenommenes Realprivilegium
und daher weit zu interpretieren ist." — [2] Allerdings zur Fortsetzung einer
unerlaubt geschlossenen Mischehe ist Dispens nicht erforderlich. Vergl. R. von
Scherer, Handbuch des Kirchenrechtes. 2. Bd. Graz u. Leipzig 1898, S. 417.
— [3] Vergl. M. Höhler „Die seelsorgliche Behandlung von Katholiken, welche
vor dem Religionsdiener einer anderen Konfession eine gemischte Ehe eingegangen
haben" (in dieser Zeitschrift, 46 Jahrg. [1893] S. 19—28 u. 300—312); ferner
v. Scherer a. a. O. S. 416, Anm. 42. Andere huldigen einer strengeren Auffassung
so Arndt im Pastor bonus a. a. O. S. 534, wo zu lesen ist: „Der Strafe der
Exkommunikation unterliegt (wegen favor haereseos), wer die religiöse Trauung
von dem akatholischen Religionsdiener erbittet oder zuläßt." Die am 8. Mai 1907
erflossene Entscheidung der Kongregation des heiligen Offiziums scheint uns eher
zugunsten der oben vertretenen Ansicht zu sprechen: „Katholiken, die mit Akatho=
liken vor einem häretischen Minister als solchem die Ehe eingegangen und
in solchem Ehebündnis entweder ausdrücklich der akatholischen Kindererziehung
zugestimmt oder die Kinder tatsächlich in der Häresie haben erziehen lassen, mithin
als solche zu bezeichnen sind, welche die Exkommunikation inkurriert haben, dürfen
nicht kirchlich und mit Exequien beerdigt werden, wenn sie vom Schlag getroffen
und bewußtlos alsbald oder kurz nachher sterben, ohne mit der Kirche ausgesöhnt
zu sein und ohne Zeichen der Reue je gegeben zu haben."

Das sind die Fragen, die der Pfarrer im vorgelegten Kasus
sich zu stellen hat. Und da alle in der Seelsorge vorkommenden
außergewöhnlichen Ereignisse dem Ordinariat angezeigt werden sollen,
so ist endlich der Pfarrer auch noch gehalten, an letzteres den Fall
zu berichten.

Linz.   Dr. Karl Fruhstorfer.

VI. (Die materia libera des Bußsakramentes.)

In seinem geschätzten Werke: „Grundzüge des katholischen Kirchen=
rechtes" (2. Abteilung, § 115, S. 349, Anm. 2 und 3) wirft Doktor
Johann Haring die Frage auf: „Warum persönliche Sünden, welche
vor der Taufe begangen und in der Taufe nachgelassen wurden,
nicht wenigstens eine materia libera et sufficiens Sacramenti con=
fessionis gleich den im Bußsakramente nachgelassenen Sünden bilden
könnten, ist nicht recht einzusehen." Der hier berührte Fall trägt
zwar zunächst einen mehr theoretischen Charakter, kann aber auch
unter Umständen von praktischer Bedeutung sein. Ein erwachsener
Neugetaufter z. B. begehrt einige Tage nach Empfang der heiligen
Taufe eine sogenannte Andachtsbeichte als Vorbereitung zur heiligen
Kommunion zu verrichten; da er sich keiner persönlichen Sünde seit
der Taufe erinnert, klagt er sich einer vor der Taufe begangenen
(schweren oder läßlichen) Sünde an und bittet um Lossprechung.
Könnte der Priester gültig absolvieren? Wir glauben die Frage ent=
schieden mit nein beantworten zu müssen. Die von Haring aufge=
worfene Frage kann aber auch noch einen anderen Sinn annehmen.
Beichtet der genannte Pönitent (schwere oder läßliche) Sünden, die
er nach der Taufe begangen hat und von denen er gültig los=
gesprochen wird, so ist es immerhin denkbar, daß er auch noch vor
der Taufe begangene Sünden als materia libera „einschließt" und
anklagt; erstreckt sich in diesem Falle die gültige Absolution von den
erstgenannten Sünden auch auf die letztgenannten Sünden, sodaß
vi absolutionis wenigstens eine Nachlassung der noch restierenden
Sündenstrafen erfolgt? Wir glauben auch diese Frage ebenso ent=
schieden verneinen zu müssen und stellen daher den Satz auf: Per=
sönliche, vor der Taufe begangene Sünden können in keinerlei Weise
eine Materie des Bußsakramentes bilden, sodaß die sakramentale Los=
sprechung in Bezug auf solche etwa gebeichtete Sünden als voll=
ständig unwirksam, weil gegenstandslos, bezeichnet werden muß.

Zunächst verweisen wir darauf, daß in den Lehrbüchern der
Dogmatik und Moral außer den läßlichen Sünden nur die nach der
Taufe begangenen und bereits gebeichteten schweren Sünden als
materia libera et sufficiens genannt werden.[1]) Jede materia libera
muß aber zugleich auch eine materia valida oder sufficiens sein.
Die Unterscheidung zwischen materia libera et necessaria berührt

---

[1]) Pohle, Lehrbuch der Dogmatik¹ III. S. 451, n. 1; Heinrich=Huppert;
Lehrbuch der kath Dogm.n 2180: Noldin, theol. mor. de sacram.⁵ III. n 227,229,
Lehmkuhl, theol. mor.⁸ II. n. 261; Göpfert, Moralth.² III. n. 105 (2).

nämlich nicht so sehr das Wesen des Bußsakramentes an und für
sich, sondern vielmehr die sakramentale Verpflichtung des Pönitenten.
Bietet letzterer in der Beichte dem Priester eine materia, welche er
zu bieten, d. h. zu beichten verpflichtet ist, so heißt sie materia
necessaria; dietet er dagegen eine materia, welche er mit Rücksicht
auf die Natur und den Zweck des Bußsakramentes dieten kann,
ohne dazu verpflichtet zu sein, so heißt sie materia libera; aber auch
in diesem Falle muß sie eine materia valida (sufficiens) sein. Eine
materia, welche nur libera wäre, ohne gleichzeitig materia valida
(sufficiens) zu sein, ist überhaupt keine wirkliche, sondern nur eine
scheinbare, also eine materia invalida. Vor der Taufe begangene
Sünden könnten daher nur dann als materia libera bezeichnet
werden, wenn sie überhaupt als materia valida oder sufficiens angesehen werden könnten. Es handelt sich also in jedem Falle um die
prinzipielle Frage: Können vor der Taufe begangene Sünden überhaupt als materia des Bußsakramentes angesehen werden, sodaß sie
dann wenigstens als materia libera gebeichtet werden können? Wie
auf den ersten Blick ersichtlich ist, hängt die Lösung dieser Frage
notwendig zusammen mit dem Zwecke der Taufe einerseits, der Buße
andererseits.

Faßt man letztere auf als ein Sakrament, das in erster Linie
dazu bestimmt ist, dem sündigen Menschen überhaupt, mag er ungetauft oder getauft sein, den Stand der heiligmachenden Gnade zu
vermitteln, so kann die Antwort auf obige Frage nur bejahend lauten.
Ist hingegen zur Tilgung der Sünden, sowohl der Erbsünde als der
persönlichen Sünde, in erster Linie die Taufe bestimmt, deren eigentliches Objekt die Sünden des Ungetauften bilden, während nur solche
Sünden, die der Getaufte möglicherweise nach der Taufe begeht, zum
Sakramente der Buße in sakramentale Beziehung treten, so muß die
Antwort ebenso entschieden nein lauten. Uns scheint letzteres unzweifelhaft der Fall zu sein.

Mit dem Empfang der Taufe ist der übernatürliche Prozeß
der Rechtfertigung in seinen grundwesentlichen Wirkungen abgeschlossen;
der übernatürliche Tod ist dem neuen übernatürlichen Lebensprinzip
der Gnade gewichen, der frühere sündhafte Zustand ist absorbiert,
endgültig und für immer beseitigt. Ein Wiederaufleben des ehemaligen
Zustandes ist durch die Wirkung des gültig und würdig empfangenen
Taufsakramentes ausgeschlossen; die sündhaften Beziehungen zu dem
alten Menschen und Adam sind endgültig gelöst. Dies alles liegt
im biblischen Begriff der justificatio prima als einer „Wiedergeburt"
und einer vollständigen Erneuerung des alten Menschen. Nach dem
Willen Gottes und nach dem Zwecke des Taufsakramentes sollen alle
bisherigen und zukünftigen sündhaften Beziehungen als erloschen
gelten; dies ist der ideal gedachte Zustand. Kommt es nun trotzdem
nach der Taufe zu neuen schweren Sünden, so ist auch für diesen
Fall, aber auch nur für diesen Fall „ein zweites Brett nach dem

Schiffbruch" bereit und können auch die durch läßliche Sünden ver= ursachten Schäden wieder gutgemacht werden: dazu ist das Buß= sakrament angeordnet. Dieses hat eine notwendige und wesentliche Beziehung zu Sünden, die nach der Taufe begangen werden; vor der Taufe begangene Sünden bilden für die Buße eine ganz fremd= artige Materie, eine materia extranea, eine „exoterische, nicht eine esoterische"; sie gehören demnach auch vor ein ganz anderes Forum, nämlich das der Taufe. Die Taufe bildet eine Art Scheidewand zwischen der Sündenmaterie vor und nach der Taufe. Es hieße einer= seits die wirksame Kompetenz der Taufe abschwächen, andererseits der Buße eine ungehörige Kompetenz zuerkennen, wollte man die beiden Sündenkreise nicht strenge voneinander scheiden, sondern den Sündenkreis der Buße vergrößern, so daß er auch noch den Sünden= kreis der Taufe in sich schließt. Dies bedeutet eine unstatthafte Ver= mischung zweier selbständiger sakramentaler Sphären; die beiden „Sündenkreise" stellen, um es logisch auszudrücken, nicht einander untergeordnete, sondern nebengeordnete Begriffe dar, die nur den generischen Begriff der Sünde überhaupt gemeinsam haben; die spezifische Differenz, die sie wesentlich als zwei selbständige Arten voneinander trennt, ist gegeben durch die Beziehung zur Taufe: vor und nach derselben. Wäre die Bildung eines neuen Terminus zu= lässig, so müßten sie als peccata antebaptismalia und postbaptis= malia voneinander geschieden werden.

Die wesentliche Verschiedenheit der genannten „Sündenkreise" geht aber nicht nur aus ihrem Verhältnis zur Taufe, sondern auch aus dem Wesen des Bußsakramentes hervor. Letzteres trägt den inner= lichen Charakter eines Gerichtes, während die Taufe unter dem Bilde eines reinigenden Bades (der Wiedergeburt), einer rettenden Arche bekannt ist. Allerdings heißt auch die Buße ein „zweites Brett nach dem Schiffbruch" (secunda post naufragium tabula), aber nie wird umgekehrt die Taufe als ein Gericht bezeichnet. Das wesentliche Erfordernis eines Gerichtes ist nun die Jurisdiktion, die einerseits voraussetzt, daß der Richter von der zuständigen Behörde beauftragt ist, ein richterliches Urteil zu fällen, andererseits aber auch die Zuständigkeit des Delinquenten zur Kompetenz des Richters ver= langt; und zwar letzteres sowohl materiell als formell. Materiell in dem Sinn, daß der Schuldige überhaupt als Untertan des Richters oder der richterlichen Behörde angesehen werden kann; sonst gilt das Wort des Apostels: „Quid enim mihi de iis, qui foris sunt, iudicare?" (1 Cor. 5, 12). Aber auch die formelle Zuständigkeit ist erforderlich in dem Sinn, daß die Tat des Schuldigen eine in die Amtssphäre des Richters fallende sei, und zwar ist, wie jeder auf den ersten Blick sieht, diese formelle Zuständigkeit entscheidend. Es mag ein Untertan in vielfacher Hinsicht einem Richter als seiner kompetenten Behörde unterworfen sein, wenn die Kompetenz des Richters in Bezug auf einen strittigen Punkt beanstandet werden muß, so wird auch das richterliche Urteil als Jurisdiktionsakt der rechtlichen Wirkung entbehren. Wenden wir diesen Grundsatz auf das Bußsakrament an. Durch die Taufe wird der Christ materiell Untertan des Priesters im Bußsakrament, wenn der letztere die erforderliche Jurisdiktion besitzt. Dazu hat aber auch noch die formelle Zuständigkeit zu kommen, die sich nicht so sehr auf die Person, als vielmehr auf die Tat des „Delinquenten" erstreckt. Taten (Sünden), welche zu einer Zeit begangen wurden, wo der ungetaufte Pönitent nicht einmal im materiellen Sinne Untertan der Kirche und des Priesters war, können umso weniger in die formelle richterliche Kompetenz der Kirche und des Priesters fallen; denn das formelle Verhältnis setzt das materielle voraus. Vor der Taufe begangene Sünden sind daher weder materiell noch formell als Sündenkreise zu betrachten, die zur Jurisdiktion des kirchlichen Richters in einer Beziehung stehen; auch hier gilt das oben zitierte Wort: „Quid enim mihi de iis, qui foris sunt, iudicare?" Es fehlt diesen Sünden jedwedes Verhältnis zur Jurisdiktion, die zeitlich (materiell) erst in dem Augenblick der gültig vollzogenen Taufe einsetzt und formell nur für die seit jenem Augenblick begangenen Sünden Bedeutung hat.

Da nun, wie anfänglich bemerkt wurde, die materia libera zuerst eine materia valida sein muß, vor der Taufe begangene Sünden aber nicht als eine materia valida betrachtet werden können, so entfällt die Annahme, sie könnten „wenigstens" eine materia libera sein; sie sind weder das eine noch das andere. Sie sind offenbar keine materia libera, weil sie keine materia valida bilden; und sie sind keine materia valida, weil ihnen die materielle und formelle Beziehung zum Bußsakrament fehlt. Es muß demnach daran festgehalten werden, daß ein Priester von solchen peccata antebaptismalia nicht einmal im Sinne einer materia libera lossprechen kann, geradeso, wie eine Absolution von bloßen Unvollkommenheiten wirkungslos, weil gegenstandslos, wäre.

Wir verweisen zum näheren Verständnis auch noch auf die Streitfrage, die von den Moralisten aufgeworfen wird, ob nämlich Sünden, die während des Empfanges der heiligen Taufe begangen werden, gebeichtet werden müssen oder wenigstens gebeichtet werden können. Wie Noldin[1]) sagt, sehen die Moralisten solche Sünden als eine materia necessaria poenitentiae an, aber nur aus dem Grunde, weil es praktisch kaum denkbar ist, daß solche Sünden nur in ipso instanti collati baptismi begangen werden und nicht auch unmittelbar nach dem Empfang der Taufe noch fortdauern; dann sind sie eben peccata post baptismum commissa und daher materia valida et necessaria poenitentiae. Sollte aber der gewiß illusorische Fall eintreten, ut peccatum in ipso instanti collati baptismi iam completum esset, dann wäre eine Absolution von dieser Sünde im Bußsakrament

---

[1]) Theol. mor. de sacram. poenitentiae n. 226 (ed. 5ª).

unmöglich: per poenitentiam deleri non posset. Also sieht Noldin in solchen vor der Taufe begangenen Sünden eine materia invalida. Praktisch können solche Sünden, sagt der gleiche Autor (l. c.), als eine materia dubia angesehen werden; damit ist unsere Auffassung gegeben, daß Sünden, die überhaupt vor dem Empfang des Taufsakramentes begangen wurden, nicht einmal eine materia dubia, also überhaupt keine materia sacramenti poenitentiae bilden.

Urfahr.   Prof. Dr. Johann Gföllner.

VII. (Scrupulositas?) Nachfolgender Gewissensfall wurde mir zur Lösung vorgelegt. Zum Konfessarius Eduard kommt ein Bursche nahe den Dreißigerjahren und beichtet mit sichtlich großer Reue zahlreiche schwere Sünden, darunter sehr, sehr schwere contra VI. Der Beichtvater hört ihm mit Geduld zu, stellt die nötigen Fragen, warnt und ermahnt suaviter, macht ihn auf die Folgen aufmerksam für Leib und Seele — absolviert und entläßt ihn. Nach etlichen Wochen findet sich unser Pönitent wieder ein in confessionali, von da an überhaupt öfters und zwar als ein ganz anderer. Die Ermahnungen des Priesters waren ihm tief ins Herz gedrungen, die Gnade Gottes wirkte ein Bekehrungswunder. Doch bei jeder Beicht sagte er zum Beichtvater: „Hochwürden, wenn ich mein früheres Leben überschaue, wird mir angst und bang. Ich habe keine frohe Stunde mehr, habe keine Rast und keine Ruhe."

Quid respondendum?

Wenn sich der Konfessarius überzeugt hat, daß sein Pönitent alle formellen schweren Sünden gebeichtet hat, deren er sich erinnert, nach einer ordentlichen Gewissenserforschung, kurz und gut, wenn die moralische Sicherheit de validitate der früheren Beichten vorhanden ist, die ungültigen revalidiert worden sind, so ist in erster Linie der Pönitent aufmerksam zu machen, daß seine Unruhe vom Teufel stamme. Der böse Feind bietet alles auf, um eine Seele, die er schon als sein Eigen wähnte, vom rechten Weg wieder abzubringen und, wie es so bedeutsam in unserem Rituale heißt, um den armen (Menschen) mutlos zu machen und sein Gottvertrauen zu erschüttern, wählt der böse Feind die Unruhe, die Bangigkeit und plagt ihn mit Zweifeln an der Barmherzigkeit Gottes. Ganz besonders wird der Konfessarius das Beichtkind zu fleißigem Gebet auffordern und wird sein Gottvertrauen stärken.

Schließlich weiß keiner von uns, auch der frömmste Priester nicht, utrum amore an odio dignus sit (Ekkle. 9, 1), nachdem sogar der Völkerlehrer von sich selbst bekennen mußte: „Nihil mihi conscius sum, sed non in hoc justificatus sum; qui autem judicat me, Dominus est." (1 Kor. 4, 4.) Ja, es ist sogar ein Dogma unserer heiligen Religion, daß niemand mit Glaubensgewißheit weiß, daß er gerechtfertigt sei. (Trid. sess. VI. cap. 9. bei Denzinger n. 684.) Demnach müssen wir uns mit einer größeren oder kleineren moralischen Gewißheit zufriedengeben, größer oder kleiner, je nachdem wir uns mehr oder weniger zu vergewissern vermögen, ob wir allen von Gott gestellten Anforderungen und Bedingungen Genüge geleistet haben. Wir haben alle Ursache, Gott für diese incertitudo zu danken; sie bewahrt uns vor verderblicher Sorglosigkeit und leichtsinniger Vermessenheit, dem glaubensstolzen Schlendrian wird ein Riegel vorgeschoben und die prahlerische Zuversicht eingedämmt (Pohle).[1]

Nachdem der Pönitent jedoch das Seinige getan hat, um sich mit Gott auszusöhnen, soll er sich mit ruhigem Gewissen der beängstigenden Gedanken entschlagen und vertrauensvoll in die Zukunft schauen.

Zur Klarstellung des Fragepunktes bemerke ich noch, daß ich in den vorstehenden Ausführungen einen Sünder im Auge hatte, der sich in ungewöhnlicher Weise schwer vergangen hatte, jahrelang, und der jetzt trotz der Beichten weder Rast noch Ruhe hat. Wird er aber von ewiger Furcht geplagt ob confessiones peractas wegen deren Gültigkeit oder befindet er sich in steter Angst zu sündigen, so gelten für den Konfessarius selbstredend die regulae pro scrupulosis.

Stift St. Florian.   Gspann.

VIII. (Wie weit reicht der titulus coloratus?) Kaplan Symmachus vergißt, daß seine Jurisdiktion ausgegangen ist und fährt fort, zu absolvieren. Inne geworden, daß die Zeit, auf die seine Vollmacht lautete, abgelaufen sei, fürchtet er für die Gültigkeit der bisher erteilten Absolutionen. Was ist hierüber zu sagen?

Die Jurisdiktion ist zur Gültigkeit, nicht bloß zur Erlaubtheit der Lossprechung notwendig; selbst in articulo mortis hätte ein Priester keine Gewalt loszusprechen, wenn sie nicht eben für diesen Fall von der Kirche jedem Priester gegeben wäre. Sogar die Approbation ist nach dem Tridentinum zur gültigen Absolution nötig; dies wird mit Recht von den Theologen so ausgelegt, daß die Kirche eben jedem Priester die Jurisdiktion, falls er sie aus irgend einem Titel besitzen sollte, annulliert, wenn nicht die Approbation, die an sich iuris ecclesiastici ist, mit ihr verbunden ist. Ein Priester ohne Jurisdiktion gleicht einem Offizier, der zwar den Titel und den Charakter eines solchen besitzt, aber keiner Heeresabteilung vorgesetzt wurde, die er befehligen könnte; einem Juristen, der zwar die vorgeschriebenen Staatsprüfungen bestand, aber noch nicht zum Richteramte zugelassen wurde und darum keine Richtersprüche fällen kann. So ist der Priester durch die Ordination zwar befähigt, iudex animarum bestellt zu werden; aber er wird erst durch die Jurisdiktion ein solcher.

---

[1] Es gehört die ganze Verbohrtheit der sola fides Lehre und eine gänzliche Verkennung des Menschen dazu, den Zweck des Dogmas zu suchen, „die Friedlosigkeit, die hier übrig bleibt, durch die Sakramente, die Ablässe, den Kultus und die kirchliche Anleitung zu mystisch-mönchischen Exerzitien teils zu beschwichtigen, teils zu erregen" (Harnack, Adolf, Dogmengeschichte III, 617).

Nun lehren aber die Theologen einstimmig, die Kirche „suppliere" die fehlende Jurisdiktion in gewissen Fällen. (Ausdrücklich erklärt hat es die Kirche nie. Es ist nur eine Konklusion.) Dies ist aber der Fall, wenn es sich um den Inhaber eines Amtes handelt, mit dem die Jurisdiktion ordentlich verbunden ist, und das wegen eines geheimen Fehlers nulliter übertragen wurde, da die Kirche durch ihre irritierenden Gesetze einigermaßen selbst Ursache an der Ungültig= keit des Besitzes des Amtes und der dadurch bedingten Jurisdiktion ist, vorausgesetzt, daß der Seelsorger vom größten Teil der Gemeinde als rechtmäßig betrachtet wird. Ein Hilfspriester ist nun zwar faktisch immer im Besitze der Jurisdiktion; sie gehört aber nicht ordentlich zu seinem Amte, wie dies beim Pfarrer wohl der Fall ist; Schreider dieses sind Fälle bekannt, wo der Bischof nur die Approbation gibt und es dem Pfarrer überläßt, seine Kapläne zu jurisdiktionieren. Der Pfarrer ist auch nicht gehalten, seine Kapläne zum Beichthören zu verwenden; er kann sie anstellen, wozu er will, zur Schule, Versehgängen, Assistieren, Predigen, Taufen, Kopulationen, und sich den Beichtstuhl selbst reservieren. Also liegt mindestens kein sicherer und verläßlicher titulus coloratus vor; die Kirche ist hier nicht durch ein irritierendes Gesetz Mitursache am Fehlen der Jurisdiktion. Auch daß dieselbe einmal erteilt war, ist kein Scheintitel; denn ein abgelaufener Jurisdiktionsbogen kann ebensowenig als Scheintitel gelten wie eine früher geschehene Pfarrinvestition im Falle der Resignation.

Gültig können die Absolutionen des Symmachus nur dann sein, wenn der error communis allein genügender Grund ist, wes= halb die Kirche die Jurisdiktion fallweise suppliert, ne fideles pereant. Die Sentenz ist begründet und von vielen Theologen angenommen, aber minder sicher als die erste.

Was hat Simmachus zu tun? Es wäre unklug, die Pönitenten aufzuklären. Sie sind durch den Empfang der Kommunion im guten Glauben entweder mediante contritione oder probabilius schon cum attritione gerechtfertigt; bis sie zurückkommen, wird er sie zur Reue über alle schweren Sünden ihres Lebens bewegen und absolvieren; haben sie anderswo gebeichtet und die unwissentlich ungültigen Beichten nicht wiederholt, so sind sie auch gerechtfertigt. — Bis zum Ein= treffen der Vollmacht wird Symmachus tunlichst den Beichtstuhl meiden; geht dies nicht an, so geben viele Autoren (contra alios) ihm mit Grund das Recht, die von der Kirche supplierte Juris= diktion absichtlich und freiwillig zu gebrauchen. Nur muß er im Gewissen von der Richtigkeit dieser Sentenzmeinung überzeugt sein.

Im Anschlusse an den Kasus möchte ich einige Worte über die Schismatiker verlieren. Es fehlt nicht an Theologen (und Missionären), die eine Supplierung der Jurisdiktion bei ihnen annehmen, sobald die große Masse des einfachen Volkes, das bona fide sein mag und darum zur anima. wenn auch nicht zum mystischen corpus Christi

gehört, sie in ihrem guten Glauben als ihre wirklichen Seelenhirten
betrachtet. Und das um so mehr, weil ihnen nach allgemeinem Ur=
teile der Papst auch die Delegation zur Spendung der Firmung (wohl
mit Ausnahme einiger Gegenden, wo auch die Unierten sie nicht haben)
beläßt. Hier ist in der Tat die Annahme des titulus coloratus nicht
unbegründet, wenn auch sehr unsicher. Auch beim schismatischen
Hilfspriester wäre die Jurisdiktionierung durch den Bischof
ein Scheintitel, denn sie ist ein Jurisdiktionsakt. Sie wird in der
griechischen (unierten und schismatischen) Kirche usuell bei der
Ordination selbst vorgenommen, die dort immer auch auf den
Tischtitel einer bestimmten Kirche geschieht. Ist diese Darlegung
begründet, dann ist ein solcher Hilfspriester eher durch einen
Scheintitel fallweise jurisdiktioniert als der lateinische, dessen
Jurisdiktionsbogen einfach abgelaufen ist und der darum eher
propter solum errorem communem fallweise jurisdiktioniert sein
kann, denn die Jurisdiktionierung des Schismatikers, obschon an sich
ungültig, war nicht zeitlich beschränkt und wurde (in hypo-
thesi) nicht vom Bischof zurückgenommen. Allerdings wären bei
dieser Annahme Schismatiker in besserer Lage als die lateinischen
Katholiken; aber das ist bei anderen Gesetzen, z. B. rücksichtlich der
tridentinischen Form der Eheschließungen, auch der Fall, und dann
ist es ja noch nicht ausgeschlossen, daß auch bei den Lateinern der
bloße error communis eine Supplierung der Jurisdiktion bewirkt.
Eine Schwierigkeit liegt vor in dem Falle, daß nach der Trennung
von Rom die Abgrenzung der Bistümer und Pfarreien und somit
des Jurisdiktionsterritoriums etwa geändert wurde; doch fällt dies
ebensowenig ins Gewicht wie der Scheintitel eines parochus intrusus,
da auch die ursprünglichen Bistümer und Pfarreien nach der
Kirchenspaltung nur mehr eine materielle Einheit darstellen; falls
bei diesen der Scheintitel anwendbar ist, so gilt er auch für die
neuen Territorien. — Es ist also fraglich, ob man bei Aussöhnung
von bisher im guten Glauben befindlichen Schismatikern auf eine
Generalbeicht dringen muß. Praktisch würde die Beicht nur deshalb
notwendig sein, weil die Popen die Beichte mit beispielloser Ungenauig=
keit abzunehmen pflegen.

Wien.   P. Honorius Rett O. F. M.

Literatur.

A) Neue Werke.

1) **Eucharistie und Bußsakrament** in den ersten sechs Jahr=
hunderten der Kirche. Von Gerhard Rauschen, Dr. theol. et phil,
ao. Professor der Theologie an der Universität Bonn. Freiburg. 1908.
Herder. Gr. 8°. VIII u. 204 S. M. 4.— = *K* 4.80.

In betreff der Geschichte des Bußsakramentes wurde bekanntlich in den
letzten Jahren wieder heftig gestritten. Auf Seite der Katholiken waren es

namentlich Batiffol, Kirsch, Funk, Esser und Stufler, auf Seite der Protestanten Lea und Loofs, die sich an der literarischen Fehde beteiligten.

Rauschen unterzieht im zweiten Teil der vorliegenden Monographie die gewonnenen Resultate einer eingehenden Kritik, nachdem er selbst zuvor seine Ansichten dargelegt hatte über „die kirchliche Vergebung der Kapitalsünden in den drei ersten Jahrhunderten, über das öffentliche Bußwesen, die öffentliche Beichte und die geheime Beichte". Da bereits in der Innsbrucker Zeitschrift für katholische Theologie 1908, S. 536 ff., über diesen zweiten Teil des Rauschenschen Werkes eine ausführliche Besprechung geschrieben worden, wenden wir unsere Aufmerksamkeit dem ersten Teile zu.

Rauschen behandelt daselbst die reale Gegenwart Christi in der Eucharistie, die Wesensverwandlung, die Einsetzung der Eucharistie durch Jesus Christus, das Wesen des heiligen Meßopfers, den Kanon der heiligen Messe und zuletzt die Epiklese.

Von besonderem Interesse ist die Stellung Rauschens zu den zwei neuesten Monographien von Renz und Wieland.

„Das Buch von Renz (‚Die Geschichte des Meßopferbegriffs' 1901 und 1902)", sagt Rauschen S. 17, „hat vielen Beifall gefunden; es faßt das gesamte Material über den Gegenstand zusammen und erklärt auch die einzelnen Stellen nach allen Seiten ... In vielen Einzelheiten kann man natürlich anderer Meinung sein als der Verfasser; auch sind seine Schlüsse öfters voreilig, die beigebrachten Gründe nicht so beweiskräftig, als er voraussetzt".

Weniger günstig urteilt Rauschen über die zweite Arbeit.

„Großes Aufsehen, und ich möchte fast sagen, große Beunruhigung hat eine zweite Schrift hervorgerufen, nämlich „Mensa und Confessio, Studien über den Altar der altchristlichen Liturgie" von Dr. Franz Wieland, Subregens in Dillingen. Es ist eine kleine Studie (106 S.), die ganz auf Renzschen Gedanken fußt; aber der Verfasser geht über diese Gedanken hinaus oder verfolgt sie in Konsequenzen hinein, die recht zweifelhaft und nicht ungefährlich sind. Sein Buch wurde aber sehr gelobt; so besonders von Harnack, der es sogar in seiner Kaiser-Geburtstagsrede 1907 erwähnte und von ihm sagte, es behandle den ursprünglichen christlichen Opferbegriff in einer Weise, „daß kein protestantischer Kirchenhistoriker etwas daran zu tadeln finden wird".[1] Aber auch Funk schrieb: „Die Schrift ruht auf eindringenden Studien, und ihre Hauptsätze dürften richtig sein, wenn auch im einzelnen da und dort eine Korrektur eintreten darf. Die Wissenschaft verdankt ihr eine erhebliche Förderung. Dem Verfasser gereicht sie zur hohen Ehre."

So Rauschen über Wieland (S. 47 f.). Im Folgenden sieht sich der Verfasser genötigt, manche der Wielandschen Behauptungen zu bekämpfen.

Im letzten Kapitel des ersten Teiles kommt die Epiklese zur Sprache und am Schlusse macht der Verfasser den Versuch, eine Lösung der vielumstrittenen Epiklesisfrage zu geben, wie er meint, die einzig mögliche Lösung. Nachdem aber der Verfasser selbst im Vorworte (S. VI) erklärt hatte: Die Epiklesenfrage harrt noch immer der Lösung, so mögen uns zu den Rauschenschen Ausführungen einige Bemerkungen gestattet sein.

Der Verfasser schreibt:

„Alle griechischen Liturgien, auch die älteste des Serapion, haben nach dem Berichte über die Einsetzung der Eucharistie die sogenannte Epiklese, d. h. ein Gebet, in welchem der heilige Geist herabgerufen wird, damit er Brot und Wein zum Leibe und Blute Christi mache, und damit die, welche die Eucharistie empfangen, das ewige Leben erlangen." In den Apostolischen Konstitutionen lautet sie also (VIII 12, 39):

---

[1] In der Anmerkung 2, S. 48, lesen wir noch. An anderer Stelle sagt Harnack über Wieland (Theol. Literaturzeitung 1906, 627): „Im Grunde ist seine ganze Abhandlung eine siegreiche Polemik gegen traditionelle katholische Vorstellungen. Daß der Verfasser katholischen Glaubens ist, tritt nirgendwo hervor."

„Sende beinen Heiligen Geist auf dieses Opfer, den Zeugen der Leiden des Herrn Jesu, damit er dieses Brot zum Leibe deines Christus und diesen Trank zum Blute deines Christus mache, damit die, welche daran teilnehmen, gestärkt werden zur Frömmigkeit, Verzeihung ihrer Sünden zu erlangen usw. ... Ursprünglich ist allerdings die Epiklese nicht, sie ist erst später in die Liturgie eingedrungen ... Ihre Existenz in orthodoxen Kreisen läßt sich überhaupt für die drei ersten Jahrhunderte nicht nachweisen. Die erste ausgebildete Epiklese haben wir in dem Meßkanon des Serapion von Thmuis; aber hier wird nicht der Heilige Geist, sondern der Logos auf Brot und Wein herabgerufen. Die Anrufung des Logos scheint überhaupt die älteste Form der Epiklese gewesen zu sein; denn gleichzeitig mit Serapion bezeugt auch der heilige Athanasius, daß bei dem Dankgebet der Logos auf die eucharistischen Elemente herabsteigt; in einer alten Mailänder Gründonnerstagmesse wird Gott der Vater gebeten, seinen Sohn zu senden und dessen Leib uns zum Heile zu spenden. Erst die Spekulation über den Heiligen Geist in den trinitarischen Kämpfen des 4. Jahrhunderts scheint das Wunder der Konsekration auf diesen übertragen zu haben." (S. 86 ff.)

Diesen Ausführungen des Verfassers können wir nicht beistimmen, sondern stellen die Behauptung auf: In den ältesten griechisch-orientalischen Liturgien wird nicht der Logos, sondern der Heilige Geist herabgerufen. Diese Epiklese des Heiligen Geistes hat aber keine Beziehung zur Konsekration, die bereits vollendet ist.

Zum Beweise dafür diene das Epiklesengebet der beiden ältesten griechisch-orientalischen Liturgien. Wir meinen die Liturgie der Apostolischen Konstitutionen (klement. Liturgie) und jene der syrischen Jakobus-Liturgie (jerusalemische Liturgie).

Daß beide Liturgien uralt sind, hat ganz neuestens Paul Drews nachgewiesen. Er schreibt: „Wie dem auch sei, jedenfalls rückt nach unseren Untersuchungen der Grundtypus der klementinischen Liturgie in ein hohes Alter hinauf. Das widerspricht völlig dem, was man bisher überhaupt über die Entstehung der altchristlichen Liturgien angenommen hat. Aber man wird sich aus inneren und äußeren Gründen entschließen müssen, diese Anschauung fallen zu lassen. Die klementinische und die sogenannte Jakobus-Liturgie (gemeint ist die syrische, nicht die griechische) sind in ihrem Grundtypen nach meiner Meinung von hohem Alter. Was speziell die klementinische Liturgie betrifft, so wird eine genaue Untersuchung dieser Liturgie selbst diese Annahme bestätigen ... Der klementinischen Liturgie in der Gestalt, in der sie die Apostolischen Konstitutionen lib. VIII. bieten, muß eine alte Liturgie zugrunde liegen, deren Spuren sich schon im I. Klemensbrief und nicht weniger bei Justin nachweisen lassen. Untersuchungen über die sogenannte klementinische Liturgie im VIII. Buch der Apostolischen Konstitutionen. I. Die klementinische Liturgie in Rom. Tübingen 1906. S. 159 f.

Sehen wir uns nunmehr den Text der Apostolischen Konstitutionen lib. VIII. cap. 12, 39 genau an und deren Uebersetzung nach der besten Ausgabe. Sie findet sich in dem Werke von Funk, betitelt: Didascalia et Constitutiones Apostolorum. Paderbornae 1906, vol. I. pag. 510—511.

„ἀξιοῦμέν σε, ὅπως ... καταπέμψῃς τὸ ἅγιόν σου πνεῦμα ἐπὶ τὴν θυσίαν ταύτην ... ὅπως ἀποφήνῃ τὸν ἄρτον τοῦτον σῶμα τοῦ χριστοῦ σου καὶ τὸ ποτήριον τοῦτο αἷμα τοῦ χριστοῦ σου· ἵνα οἱ μεταλαβόντες αὐτοῦ βεβαιωθῶσιν πρὸς εὐσέβειαν, ἀφέσεως ἁμαρτημάτων τύχωσιν, τοῦ διαβόλου καὶ τῆς πλάνης αὐτοῦ ῥυσθῶσιν, πνεύματος ἁγίου πληρωθῶσιν, ἄξιοι τοῦ χριστοῦ σου γένωνται, ζωῆς αἰωνίου τύχωσιν ..."

„poscimus te, ut ... supra hoc sacrificium mittas sanctum tuum spiritum ... ut exhibeat panem hunc corpus Christi tui et calicem hunc sanguinem Christi tui, quo participes illius ad pietatem confirmentur, remissionem peccatorum consequantur, diabolo eiusque errore liberentur, spiritu sancto repleantur, digni Christo tuo fiant, vitam aeternam impetrent ...

Wie man sieht, wird in der uralten klementinischen Liturgie der Heilige Geist, nicht der Logos, auf das Opfer herabgerufen. Es fragt sich: zu welchem Zwecke? Welches ist die Bedeutung von ἀποφαίνω? Der ganz zuverlässige thesaurus graecae linguae ab Henrico Stephano constructus gibt im vol. I., p. II. coll. 1765 ff. folgende Bedeutungen an: ostendo, demonstro, declaro, palam facio, revelo, probo, indico, exhibeo, creo, efficio, reddo. Die ursprüngliche Bedeutung des ἀποφαίνω ist also: offenbar machen, erscheinen lassen. Da man aber nach den hermeneutischen Regeln so lange an der Grund- bedeutung eines Wortes festhalten muß, als dies möglich ist, so darf man auch hier von der ursprünglichen Bedeutung des ἀποφαίνω nicht abgehen. Somit ist die Uebersetzung von ἀποφαίνω mit „machen" an dieser Stelle unrichtig.

Wenden wir uns nunmehr zum Texte der syrischen Jakobus-Liturgie, die, wie Drews behauptet, sich eines hohen Alters erfreut.[1]

Joseph Aloysius Assemani, vielleicht der beste Kenner der orienta- lischen Liturgien, gibt aus dem syrischen Texte folgende Uebersetzung:

„mitte super nos et super haec oblata spiritum tuum sanctum, ut illabens ostendat mysterium hoc corpus vivificum, corpus salutare, corpus ipsius Domini Nostri Jesu Christi,

faciat, ut sit accipientibus ipsum in remissionem peccatorum et in vitam aeternam. (Amen.)

et calicem hunc ostendat sanguinem novi testamenti, sanguinem vivificantem, sanguinem coelestem, sanguinem ipsius Domini Nostri Jesu Christi,

faciat, ut sit accipientibus ipsum in remissionem peccatorum et in vitam aeternam. (Amen.)

Codex liturgicus ecclesiae universae, edit. novissima, Romae 1752, tom. V. 138 f.

Das syrische Original hat an dieser Stelle das Wort: nechve'. Es ist dies die dritte Person, Futurum, Peal von chavi. Das Lexicon syriacum von Brockelmann, Berlin. 1895, S. 106, gibt folgende Bedeutungen des frag- lichen Wortes an:

ostendit, demonstravit, functus est, signavit, edidit, praestitit, fecit.

Es deckt sich somit auch im syrischen Urtext die ursprüngliche Bedeutung des nechve' mit der ursprünglichen Bedeutung des ἀποφαίνω. Wir können, ja müssen sagen, daß in den beiden uralten Liturgien, der klementinischen und syrischen Jakobus-Liturgie, der Heilige Geist, nicht der Logos herabgerufen werde, um das Brot als den Leib Christi, den Kelch als das Blut Christi erscheinen zu lassen und daß zugleich die Kommunizierenden der Kommunion- früchte teilhaftig werden.

So viel über die Existenz, den Wortlaut und den Zweck der Epiklese in den ältesten griechisch-orientalischen Liturgien.

Rauschen bespricht sodann S. 91 ff. die Versuche, die gemacht wurden, die Epiklesisfrage zu lösen. Er scheint nur zwei zu kennen. Der erste ist jener, den Johannes Turrecremata bereits auf dem Florentiner Konzil gemacht und dem später Bellarmin gefolgt ist, der zweite ist die Erklärung von Bessarion, die später von P. Lingens und Gutberlet weiter ausgesponnen wurde. Der Verfasser sagt mit vollem Rechte: Beide Erklärungen befrie- digen nicht. Er bemüht sich sodann, eine Lösung zu geben. Er schreibt: „Nach dem Wegfall der Epiklese in den abendländischen Liturgien hat hier das Kanon- gebet auch nur einen Mittelpunkt oder Höhepunkt, und dieser ist darum der

---

[1] Auch Probst ist dieser Meinung, wenn er schreibt: „An der Liturgie des Jakobus sind zwei Bestandteile zu unterscheiden, jene, die von der alten hierosolymitanischen Kirche herstammen und bis auf den Apostel Jakobus hinauf- reichen und solche, die später beigefügt wurden. Unter „später" ist die Zeit von 350—450 zu verstehen." Liturgie der drei ersten christlichen Jahrhunderte. Tübingen. 1870. S. 236.

naturgemäße Konsekrationsmoment. Wie aber ist es mit den Liturgien, welche eine Epiklese haben, also in den morgenländischen Kirchen? Entweder muß hier die Epiklese wegfallen oder man muß anerkennen, daß die Konsekration erst mit der Epiklese vollendet ist; man braucht sie aber nicht gerade in die Epiklese zu verlegen. Das ist, wie ich meine, die einzig mögliche Lösung der Epiklesenfrage. Auf diesen Standpunkt hat sich schon im Jahre 1736 ein am Libanon gehaltenes Provinzialkonzil der Maroniten gestellt, dessen Beschlüsse in Rom bestätigt wurden; es schlug vor, daß die Epiklese so abgeändert werden solle, daß in ihr nur noch darum gebeten wird, Leib und Blut Christi möchten uns zur Vergebung der Sünden gereichen. Zweifellos haben die, welche die Epiklese schufen, dieses in der Ueberzeugung getan, daß mit dem Aussprechen der Einsetzungsworte die Konsekration noch nicht vollendet ist; wenn man diese Ueberzeugung nicht teilt, kann man die Epiklese in ihrem jetzigen Wortlaut auch nicht beibehalten." (S. 100 f.)[1]

Mit dieser Lösung der Epiklesisfrage sind wir nicht einverstanden. Sie befriedigt ebenso wenig, wie die beiden angeführten. Denn sie gibt keine eigentliche Lösung. Wir möchten vielmehr glauben, eine adäquate Lösung sei nur auf historischem Wege zu erreichen, wie schon A. Schmid (Kirchenlexikon, II. Aufl., Art. „Epiklese") und P. Lingens (Zeitschrift f. kath. Theologie, 1897, S. 52) angedeutet haben. Auch Rausch en selbst scheint dieser Ansicht zu sein, wenn er schreibt: „Damit gibt Schmid den einzig gangbaren Weg zur Lösung der Epiklesenfrage an." (S. 93.)

Auf diesen historischen Weg haben wir bereits oben hingewiesen, wo die Rede war vom ursprünglichen Texte der Epiklese in den ältesten Liturgien der klementinischen und der syrischen Jakobus-Liturgie. In beiden Liturgien, wie wir gesehen, wird der Heilige Geist herabgerufen, um Brot und Wein als den Leib und das Blut Christi erscheinen zu lassen. Denn mit den natürlichen Augen sehen wir auch nach erfolgter Konsekration nur die Gestalten von Brot und Wein. Soll aber die heilige Kommunion in uns würdige Früchte hervorbringen, so müssen wir das mysterium fidei mit den Augen des Glaubens betrachten. Dieses aber in uns zu bewirken, ist so recht die Aufgabe des Heiligen Geistes, des illuminator κατ' ἐξοχήν.

Wir wollen nunmehr zum Beweise der Richtigkeit unserer Behauptung den Autoritätsbeweis antreten und geben hier die Urteile von Fachmännern.

Josephus Aloysius Assemani:

„Hic nobis inquirendum est, quamobrem Spiritus sancti super panem et vinum illapsum invocemus, cum jam Filius illapsus illa in suum Corpus et Sanguinem transmutavit, ut superius ostendimus. Huic quaestioni respondemus, quod Spiritus sanctus non invocatur, ut illabens efficiat seu commutet panem in corpus et vinum in sanguinem salvatoris nostri; sed ut illa corpus et sanguinem esse ipsius Domini Nostri Jesu ostendat, et faciat, ut sint percipientibus ea in remissionem peccatorum et in vitam aeternam." Codex lit. tom. IV. p. IJ. c. XXXIII pag. 361 s.

---

[1] Wir möchten gleich hier bemerken, daß der Verfasser aus der päpstlichen Bestätigung des Maroniten-Provinzialkonzils zu viel für seine Ansicht folgert. Zudem erklären die Maroniten ausdrücklich: „profitemur consecrationem corporis et sanguinis Domini per verba illa: Hoc est Corpus meum et: Hic est calix sanguinis mei, fieri, perfici et consummari, ita ut ad ipsam substantialem consecrationem nihil aliud requiratur". Collectio (sacr. conciliorum) Lacensis tom. II. col. 196. Da sie aber den später veränderten Wortlaut der Epiklese mit der kirchlichen Lehre von der ausschließlichen Konsekrationskraft der verba Domini nicht mehr zu vereinigen wußten, machten sie den Vorschlag, das Epiklesengebet möge lauten: „Adveniat Spiritus tuus Sanctus, et descendat super nos et super hanc oblationem, et sacramentum hoc, corpus Christi Dei Nostri, faciat, ut sit nobis ad salutem et calix hic, sanguis Christi Dei Nostri, efficiat, ut sit nobis ad salutem." l. c. col. 197.

Herm. Adalb. Daniel:

„Ego vero pro certo habeo, ex apostolica traditione panem et vinum consecrari verbis Christi eucharisticis .... Accessit invocatio Spiritus, ut dona sacra, in corpus et sanguinem transversa, populo manifestet et declaret ... Sunt, qui ἀποφαίνειν idem significare volunt atque transmutare, sed male. Apud omnes scriptores graecos habet notionem manifestandi et ostendendi ... Graeca ecclesia mutavit declarantem Spiritum in transmutantem, precando: ποίησον τὸν ἄρτον τοῦτον τίμιον σῶμα τοῦ χριστοῦ. At non ab omni vetustate hanc consuetudinem a Graecis acceptam esse, sobrium ac candidum judicem edocet, quod Diaconus sacerdote verba: Hoc est corpus meum! proferente, stola sacra dona commonstrat quasi ea voce sanctificata; persuadet ei sollemnis illa populi adfirmatio: Amen, qua praeconio sacerdotis eucharistico bis respondetur. Nam hac voce antiquitus Christiani confessi sunt Christi in coena sacra praesentiam.“ Codex liturgicus, Lipsiae 1853, tom. IV. pag. 412.

Ferdinand Probst:

„In der Epiklese wird Gott gebeten, er möge den Heiligen Geist über das eucharistische Opfer herabsenden, daß erscheine dieses Brot als der Leib Christi und dieser Kelch als das Blut Christi, damit die ihn Empfangenden in der Gottesfurcht befestigt werden usw.“ Liturgie der drei ersten christlichen Jahrhunderte, S. 398.

Wenn auch Probst an anderen Stellen etwas anders spricht, so faßt er doch die Epiklese der ältesten Zeit im Sinne des „erscheinen lassen“ auf.

Hefele:

„Der Ausdruck ἀποφαίνειν in der Liturgie der Apostolischen Konstitutionen bedeutet nimmer eine Verwandlung, Umgestaltung u. dgl., sondern ein Vorzeigen, Kundtun, Erkennenlassen. Demgemäß lautet die Bitte dahin: Der Heilige Geist solle das Brot als den Leib Christi uns erkennen lassen, zu unserer Ueberzeugung bringen.“ Der Protestantismus und das Urchristentum, Tübinger Quartalschrift 1815, S. 203.

Gustav Bickell:

„Es ist schwer begreiflich, wie man aus dieser ganz einfachen Sache, die nur schismatischer Trotz zu einer Waffe gegen die Kirche zu verwenden strebte, eine so große Schwierigkeit gemacht hat; denn wenn man die Formel der klementinischen Liturgie unbefangen betrachtet, so leuchtet ein, daß sich wenigstens in ihr die Epiklese gar nicht auf die Wandlung bezieht; denn hier wird der Heilige Geist nicht gebeten, die Oblata in den Leib und das Blut Christi zu verwandeln, sondern sie als solche „erscheinen zu lassen“. Nun werden die Elemente zwar in Christi Leib und Blut transsubstantiiert, treten aber eben nicht als solches in die „Erscheinung“. Sollte also durch diese Worte die Wandlung bewirkt werden, so würde der Heilige Geist um etwas gebeten werden was gar nicht erfolgt.“ Messe und Pascha. Mainz 1872, S. 138.

Drews:

„Das Verbum ἀποφήνῃ bedeutet doch nichts anderes als: erscheinen lassen, eine Gestalt, eine Erscheinungsform geben.“ Untersuchungen über die sogenannte klementinische Liturgie, S. 141.[1])

Somit können wir sagen, gestützt auf das Urteil von Fachmännern, Liturgikern und Historikern: In den ältesten Liturgien wird der Heilige Geist gebeten, Brot und Wein als Christi Leib und Blut erscheinen zu lassen. †

Allerdings ist es wahr, daß später an die Stelle des so leicht verständlichen, ganz harmlosen Ausdruckes ἀποφήνῃ viel schroffere Worte gesetzt wurden. So hat die griechische Jakobus-Liturgie die Worte:

„ἵνα ἁγιάσῃ καὶ ποιήσῃ“, Daniel, Codex tom. IV. 114;

die dem heiligen Markus zugeschriebene Alexandrinische Liturgie:

---

[1]) Wir bemerkten noch, daß auch Funk das ἀποφήνῃ in diesem Sinne auffaßt, indem er es, wie wir oben gesehen, mit „exhibeat“ überjetzt.

„ἵνα ἀγάσῃ καὶ τελειώσῃ καὶ ποιήσῃ", Daniel, Codex tom. IV. 162;
die sogenannte Liturgie des heiligen Basilius:
„ἁγιάσαι καὶ ἀναδεῖξαι... καὶ ποιήσῃ", Migne, p. gr. tom. 31. col. 1640;
die sogenannte Liturgie des heiligen Joannes Chrysost.:
„ποίησον... μεταβαλὼν τῷ πνεύματί σου τῷ ἁγίῳ", Daniel IV. 359.
Wie diese Veränderungen des Textes vor sich gegangen, ist eine andere
Frage. Genug, daß der ursprüngliche Wortlaut des Textes gewiß ein anderer
gewesen. Uebrigens ist im Verlaufe der Jahrhunderte das uralte ἀποφήνῃ nicht
ganz verschwunden. Zum Beweise dafür diene Folgendes.
Die dem heiligen Proklus, Patriarchen von Konstantinopel, gest. 446,
zugeschriebene Abhandlung: περὶ παραδόσεως τῆς θείας λειτουργίας
(Migne, p. gr. tom. LXV. col. 852) hat den Ausdruck: ὅπως ἀποφήνῃ καὶ
ἀναδείξῃ. Sollte indes, wie einige Patrologen meinen, diese Abhandlung unecht
sein, d. h. nicht aus der Feder des heiligen Proklus stammen, sondern vielleicht
einer noch späteren Zeit angehören, so liefert sie doch einen Beweis mehr dafür,
daß die Kenntnis des ursprünglichen ἀποφήνῃ nicht verloren gegangen war.[1]
    Noch im zwölften Jahrhundert kennt der schismatische Bischof Nikolaus
Methonensis (gest. 1190) in seinem Werke: de corpore et sanguine
Christi (Migne, p. gr. tom. 135. col. 516) nur den Wortlaut: ὅπως ἀποφήνοι.
Die magna bibliotheca veterum patrum edit. a Margarin de la Bigne,
Paris 1644, tom. XII. pg. 418 hat an dieser Stelle die ursprüngliche Form
ἀποφήνῃ. Siehe Watterich, Der Konsekrationsmoment. S. 306. Ja sogar
noch im 15. Jahrhundert gibt Markus Eugenikus von Ephesus, der grimmige
Gegner der Florentiner Union, die Epiklese der klementinischen Liturgie mit
den Worten „ὅπως ἀποφήνοι". Die Ueberschrift der Abhandlung lautet: Quod
non solum a voce dominicorum verborum sanctificantur divina dona, verum a
consequente oratione et benedictione sacerdotis, virtute sancti Spiritus.
Migne, p. gr. tom. 160. col. 1081.
    Daß auch die sogenannte Basilianische Liturgie ursprünglich nicht den
scharfen Ausdruck ποιήσῃ gehabt, bezeugt der Liturgiker Goar. Er veröffentlichte 1647 einen um das Jahr 800 oder 900 geschriebenen Kodex unter dem
Titel: Exemplar aliud Liturgiae Basilianae juxta M. S. Isidori Pyromali
Smyrnaei monasterii s. Joannis in insula Patmo Diaconi. Goar hält die
dem Manuskripte des Isidor Pyromalus entnommene Liturgie des Basilius für
reiner und unverfälschter. Die Epiklesis lautet aber dortselbst: „Daß der Heilige
Geist segne, heilige und aufzeige dieses Brot als den kostbaren Leib.. Probst,
Liturgie des vierten Jahrhunderts und deren Reform. Münster 1893. S. 388 f.

---

[1] Aus dem fraglichen Fragment, das Probst für echt hält, mögen
einige Sätze hervorgehoben werden. „Viele und verschiedene Hirten und Lehrer
der Kirche, welche den Aposteln nachfolgten, haben eine Ausgabe der mystischen
Liturgie schriftlich hinterlassen. Die ältesten und berühmtesten derselben sind
die, welche der selige Klemens, Schüler und Nachfolger des Koryphäen der
Apostel (verfaßte), welche ihm die heiligen Apostel angegeben haben, wie auch
die (Liturgie) des heiligen Jakobus, der die Kirche von Jerusalem als Los
erlangt hat und der als erster Bischof von dem ersten und großen Hohenpriester
Christus vorgesetzt wurde.. Nach der Himmelfahrt unseres Erlösers, und
ehe die Apostel in alle Welt ausgingen, brachten sie den ganzen Tag im Gebete
zu. In der mystischen Hierurgie des Leibes des Herrn Trost findend, sangen
sie dieselben in der ausführlichsten Weise... Vorzüglich aber verharrten sie mit
Heiterkeit und vieler Freude bei diesem göttlichen Opfer, immer eingedenk des
Wortes des Herrn, der sagt: „Das ist mein Leib, dieses tut zu meinem Andenken... Sie verrichteten deshalb zerknirschten Geistes viele Gebete, Gott
flehentlich anrufend.. Durch derartige Gebete also erwarteten sie die Herabkunft des Heiligen Geistes, damit er durch seine Gegenwart das zur
Hierurgie daliegende Brot und den mit Wasser gemischten Wein als den
Leib und das Blut unseres Erlösers erscheinen mache und aufzeige."
Liturgie des vierten Jahrhunderts. S. 380 f.

Noch eine Behauptung des Verfassers können wir nicht unbesprochen lassen. Er schreibt: „Der Moment der Konsekration richtet sich nach der Intention des Priesters; wie es von dieser Intention abhängt, wieviel von dem auf dem Altare vorhandenen Brote konsekriert wird, so kann der Priester auch den Moment der Konsekration bestimmen. Die Kirche hat aber die Gewalt, hiefür Anweisungen zu geben. Da sie nun den Standpunkt vertritt, daß mittels der Einsetzungsworte konsekriert werde, haben wir uns daran unbedingt zu halten. Nach dem Wegfall der Epiklese in den abendländischen Liturgien hat hier das Kanongebet auch nur einen Mittel= oder Höhepunkt, und dieser ist darum der naturgemäße Konsekrationsmoment." (S. 100.)

Die Fassung dieser Behauptung scheint uns derart zu sein, daß sie zum mindesten leicht dahin mißverstanden werden könnte, als ob — abgesehen von der kirchlichen Anweisung — die Konsekration nicht notwendig mit den verba Domini geschehen müßte. Dies aber will der Verfasser gewiß nicht sagen; denn er käme sonst in Widerspruch mit dem, was er S. 90 über den Konsekrationsmoment behauptet hat.[1]

Hiemit schließen wir unser Referat. Die Bemerkungen, die wir uns über die Behandlung der Epiklesisfrage erlaubten, wollen dem Werte des Buches keinen Eintrag tun. Wer sich über die wichtigsten Kontroversfragen über Eucharistie und Bußsakrament in den ersten sechs Jahrhunderten rasch informieren will, dürfte in vorliegender Monographie ein Nachschlagbuch finden.

Mautern.   Dr. Jos. Höller.

2) **Florilegium patristicum.** Dr. Gerardus Rauschen, prof. in univers. Bonnensi. Fasc. VII. Monumenta eucharistica et liturgica vetustissima. Bonnae. 1909. P. Haustein. 8⁰. p. 170. M. 2.40 = K 2.80.

Es war ein glücklicher Gedanke, die teilweise in entlegenen und kostspieligen Werken zerstreuten ältesten eucharistischen und liturgischen Vätertexte in einem handlichen Bändchen zu vereinigen, welches wegen seines billigen Preises auch von minder bemittelten Geistlichen und Theologiestudierenden angeschafft werden kann. Es sind folgende Stücke: 1. Die Biblischen Berichte über die Verheißung und Einsetzung der Eucharistie im Neuen Testamente, griechisch und lateinisch; 2. 9. und 10. Hauptstück der Didache; 3. 65.—67. Hauptstück der ersten Apologie Justins; 4. Die Grabschrift des Aberkios; 5. Die Grabschrift des Pektorius; 6. Ordo synaxis christianae aus der Didascalia II, 57 (nach Funk); 7. Der Kanon oder die Anaphora des Serapion von Thmuie (gleichfalls

---

[1] Rauschen sagt S. 90: „Eine dogmatische Entscheidung der Kirche gibt es über den Konsekrationsmoment allerdings nicht; aber die genannte Lehre (daß die Konsekration mittels der Worte Christi geschehe) ist als sicher (sententia certa) zu betrachten." Dr. Pohle stellt folgende Sätze auf: „Durch das priesterliche Aussprechen der Einsetzungsworte: Dies ist mein Leib, dies ist mein Blut, wird Christus sofort auf dem Altare gegenwärtig, so daß die Einsetzungsworte sicher auch Wandlungsworte sind." Fidei proximum saltem.

„In den Einsetzungsworten Christi ist auch die total-adäquate und einzige Form der Eucharistie derart enthalten, daß der orientalischen Epiklese keine Wandlungskraft, folglich nicht einmal der Wert einer partial-inadäquaten Form zukommt." Sententia certa. Lehrbuch der Dogmatik. III. Bd., 1905, S. 281, 286.

Pius VII. erklärte in einem Schreiben vom 8. Mai 1822 an den antiochenischen Patriarchen der Melchiten, daß jeder, der behaupte: außer den verba Christi sei zur Konsekration die Epiklesis notwendig, schwer sündige. Zudem verfalle ein Laie der Exkommunikation, ein Priester der Suspension. Collectio Lacensis, tom. II. col. 551.

nach Funk). Hier finden wir schon die von den Dogmatikern oft verwertete Leseart χλώμενον 1. Kor. 11, 24. Vergl. Ps.-Ambr. de sacram. IV, 5. 21.: quod . . . confringetur; 8. Die fünf mystagogischen Katechesen des heiligen Cyrillus von Jerusalem. Urtext und Ueberſetzung nach den beſten Ausgaben ſelbſtändig verbeſſert; 9. Des heiligen Ambroſius de mysteriis; 10. De sacramentis libri sex. Daß dieſes Werk von manchen mit Unrecht dem Maximus von Turin zugeſchrieben wird, weiſt Rauſchen überzeugend nach. Aber auch dem heiligen Ambroſius ſpricht er es aus inneren Gründen ab. (Nr. 8—10 ſind vollſtändig aufgenommen). Schade nur, daß die cap. 33—37 der großen katechetiſchen Rede des heiligen Gregor von Nyſſa nicht beigefügt ſind; 11. Die ſogenannte klementiniſche Liturgie aus dem 8. Buche der Constitutiones apostolicae (nach Funk); 12. Die kürzeren euchariſtiſchen Väterſtellen bis zum Jahre 300, nämlich: aus Didache 14, Klemens Romanus, Ignatius Antiochenus, Juſtinus (Dial. 41 u. 117), Irenäus, Klemens Alexandrinus, Origenes, Dionyſius Korinthius, Hippolytus (von zweifelhafter Echtheit), Tertullian und Cyprian.

Die Texte ſind den beſten und neueſten Ausgaben entnommen. Den griechiſchen Texten iſt durchweg eine lateiniſche Ueberſetzung gegenübergeſtellt. Ueberall hat der Verfaſſer prolegomena und ſachliche Anmerkungen beigefügt, welche in knapper Form aber doch hinreichend orientieren.

Wer eine genauere Erklärung der hier gegebenen dogmatiſchen Zeugniſſe und deren Verteidigung gegen proteſtantiſche Umdeutungen wünſcht, findet dieſelbe in des Verfaſſers Schrift: „Euchariſtie und Bußſakrament in den erſten ſechs Jahrhunderten der Kirche", Freiburg i. B, Herder, 1908.

Einige unbedeutende Druckfehler haben ſich eingeſchlichen, z. B. bei Ps.-Ambros., De sacram. II, 7. 22: in uno autem nomine baptizari non iussit ſtatt nos iussit, wie es auch bei Migne p. l. XVI und in Hurters opuscula ss. pp. XXXVII richtig heißt.

Vom Heiligen Vater hat der Verfaſſer nach Ueberreichung der erſten fünf Bändchen des Florilegiums ein huldvolles Belobungs- und Glückwunſch-ſchreiben erhalten, worin es u. a. heißt, dem Heiligen Vater liege es ſehr am Herzen, ſeine geliebten Söhne, zumal wenn ſie in den heiligen Weihen ſtehen, zu Arbeiten für die Kirche und für die Wiſſenſchaft anzuregen.

Graz.   Dr. Franz Stanonik.

3) **De gratia Christi,** in I.—II. partem summae theologiae s. Thomae Aquinatis a qu. CIX. ad qu. CXIV. Auctore Richardo Tabarelli, in pontificio seminario romano theologiae professore. Romae. 1908. Bretschneider. Pagg. XII et 533. Lire 7.50.

Auf dem theologiſchen, insbeſondere auf dem dogmatiſchen Gebiete herrſcht eine erfreuliche wiſſenſchaftliche Tätigkeit. Es erſcheinen größere Werke, welche die geſamte Dogmatik zur Darſtellung bringen, wie auch ſolche, in denen einzelne Teile derſelben oder ſpezielle Fragen ausführlich und eingehend behandelt werden. Unter letzteren, nämlich unter denjenigen, welche eine größere Partie des geſamten dogmatiſchen Gebietes behandeln, nimmt der eben genannte Traktat „De gratia Christi" vom Profeſſor des römiſchen Seminars (im Apollinar) Tabarelli einen ehrenvollen Rang ein.

Schon aus dem Umfange des Werkes — 533 Seiten — läßt ſich erwarten, daß wir eine recht gründliche Darlegung der katholiſchen Gnadenlehre vor uns haben. Und ſo iſt es in der Tat. Beſonders gilt dies von der quaesto I „De necessitate gratiae", worin die Frage, was der Menſch ohne die Gnade vermöge oder nicht vermöge, mit einer ſeltenen Ausführlichkeit behandelt wird. Richtiger wäre es jedoch vielleicht gewesen, wenn an erster Stelle nicht die Notwendigkeit, sondern die Natur der Gnade wäre dargelegt worden. Sehr reichlich und ausführlich sind die Literaturangaben; man wird kaum einen Namen vermissen, der in der Gnadenlehre auftritt und hier nicht angezogen wäre. Namentlich werden auch, was bei italienischen Gelehrten selten der Fall ist, viele deutsche Autoren und Werke zitiert, freilich oft mit ganz merkwürdigen Druck= fehlern. (3. B. S. 8, Note: Der Letzte, Scholastiker).

In der bekannten Streitfrage über die Wirksamkeit der Gnade steht Tabarelli nicht auf der Seite der „Thomisten", obschon er im Titel ankündigt, daß er sich an den heiligen Thomas halte, was er auch getreulich tut. „Prae= motio vel praedeterminatio physica Thomistarum cum humanae voluntatis libertate componi non posse videtur" drückt er sich bescheiden aus (S. 307) und bringt hiefür die gewöhnlichen, noch nie widerlegten Argumente der Moli= nisten bei, ein neuer Beleg, wenn es eines solchen noch bedürfte, daß der heilige Thomas in dieser Frage kein Thomist ist. Ebenso weist er die delectatio re= lative victrix der Augustinianer ab. Indes will er sich auch, wie es scheint, nicht ganz auf die Seite der Molinisten stellen, wie man aus seiner Behaup= tung schließen kann: „sedulo cavendum est, ne intrinseca efficacia gratiae deprimatur, et ne scientia Dei ab extrinseco dependens efficiatur" (S. 313). Wenn in diesen unbestimmten Worten die gratia ex se efficax behauptet und die scientia media geleugnet werden sollte, dann würde den Verfasser die lo= gische Konsequenz zwingen, sich für den „Thomismus"[1]) zu entscheiden. In letzterer Zeit bemerkt man überhaupt das Bestreben, zwischen „Thomismus" und Molinismus zu vermitteln, wohl aus Furcht vor den grellen Folgerungen, zu welchen jener unerbittlich führt. Wir halten solche Versuche für aussichtslos, denn die Gegensätze in beiden Systemen sind so scharf und schroff, daß jeder Versuch einer Versöhnung derselben mißlingen muß und immer wieder zur Annahme des einen oder des anderen führt. Entweder die gratia efficax ex se, zu der auch Tabarelli zu neigen scheint (siehe oben), oder efficax extrin= secus, d. h. ex consensu voluntatis; ein drittes oder ein mittleres gibt es nicht. Letzteres hat, abgesehen davon, daß es allein der menschlichen Willens= freiheit in Wahrheit gerecht wird, ganz entschieden die klarsten Texte der Heiligen Schrift (Matth. XI, 20, 2. Cor. VI. 1, Isaias V, 1. ss. zc. zc.), sowie die ebenso klaren Worte des Tridentinums („eidem gratiae libere assentiendo et cooperando", sess. 6. cap 5) und des Vatikanismus für sich. Und wenn die „Thomisten" den Molinisten vorwerfen, daß auch diese zuletzt bei einem „mysterium" anlangen, da sie die göttliche Voraussicht der zukünftigen freien Handlungen nur mit Hilfe der scientia media zu erklären vermögen, so lautet die Antwort darauf: Nego paritatem. Die scientia media mag dem Intellekt Schwierigkeiten bereiten, aber noch niemand hat zu beweisen vermocht, daß sie eine Unmöglichkeit sei oder einen Widerspruch in sich enthalte. Dagegen wird den „Thomisten", wir glauben mit vollem Recht, fortwährend der Vorwurf gemacht, daß ihr System zu unlösbaren Widersprüchen führt. („Haec si con= tradictoria non sunt, ipsam evidentiam fallere necesse est" sagt z. B. Kardi= nal Franzelin, de Deo uno; andere übergehen wir.)[2]

---

[1]) „Dicitur etiam simpliciter Thomismus. Ex eo autem quod hujus systematis doctrina evoluta primum fuerit et valide propugnata a Dominico Bannez O. Pr. († 1604), quandoque systema ipsum vocatur Bannesianismus". Hiemit ist die Antwort gegeben auf eine hämische Bemerkung in „Jahrbuch für Philosophie" zc. Bd. 22, S. 473. — [2]) Diese längere Ausführung sei vorläufig eine kurze, bei weitem nicht erschöpfende Antwort auf die schweren und heftigen Angriffe, welche im Commerschen Jahrbuch für Philosophie und spekulative Theologie (Band XXII, Heft 4, Seite 470 ff.) bei Gelegenheit unserer Be= sprechung der Schrift Dr. Udes über Capreolus gegen uns geschleudert wurden.

Dieses Schwanken ist das einzige, womit wir in sachlicher Beziehung nicht übereinstimmen. In formeller Hinsicht ist das Werk klar und verständlich gegliedert und geschrieben; einige Druckfehler machen sich unangenehm bemerkbar. Druck und Ausstattung ist gut, der Preis mäßig. Schülern und Lehrern sei das Werk bestens empfohlen.

Linz.   Dr. Martin Fuchs.

4) **Kirchliches Handlexikon** ein Nachschlagebuch über das Gesamtgebiet der Theologie und ihrer Hilfswissenschaften, unter Mitwirkung zahlreicher Fachgelehrten in Verbindung mit den Professoren Karl Hilgenreiner, Joh. B. Nisius, Joseph Schlecht und Andreas Seider, herausgegeben von Professor Dr. Mich. Buchberger. III. Halbband, Heft 23/34 (J—Noce). München. 1909. Allgemeine Verlags-Gesellschaft m. b. H. Geh. M. 12.— = K 14.40.

Ueber dieses höchst wertvolle Werk schreibt der Verleger: Nachdem das Jahr 1907 uns Band I (A—H) des seit 1904 in Lieferungen à M. 1.— erscheinenden Kirchlichen Handlexikons gebracht, legt der Verlag uns jetzt einen neuen Halbband vor; die zweite Hälfte des II. Bandes soll in etwa Jahresfrist das ganze Werk zum Abschluß bringen. Zwar glaubte die Redaktion in der Vorrede des ersten Bandes die Vollendung des Ganzen schon für Ende 1908 in Aussicht stellen zu dürfen. Wer indes die inzwischen geleistete Arbeit näher ansieht, wer einigermaßen die Mühe und Sorge kennt, die es kostet, bis so viele tausend Artikel bei tüchtigen und verläßlichen Fachgelehrten bestellt und eingeholt sind, der wird die Verzögerung verstehen und verzeihen. Man muß der Redaktion dankbar sein, daß sie sich immer um gute als um schnelle Arbeit bemüht. Nur so ist es nach dem einstimmigen Urteil aller bisher zu Wort gekommenen Rezensenten gelungen, geradezu Vorbildliches in Bezug auf Inhalt und Form zu leisten. Viele ahnen nicht, daß die Redaktion einer Enzyklopädie um so schwieriger und arbeitsreicher wird, je größer die Reichhaltigkeit und Vielseitigkeit und je beschränkter der äußere Umfang ist. Für jeden einzelnen Artikel, ob groß oder klein, muß zuvor der Raumansatz berechnet, der geeignete Mitarbeiter ausgesucht werden. Die eigentliche redaktionelle Arbeit selbst aber ist gewiß bei einem Werke kleineren Umfanges, das mit jeder Zeile rechnen und unbeschadet der größtmöglichen Verständlichkeit und Faßlichkeit die jeweils knappste und prägnanteste Form anstreben muß, ungleich schwieriger als bei einem vielbändigen Werk, das die meisten seiner Artikel nach Spalten statt nach Zeilen berechnet. Man kann also, so paradox es klingen mag, getrost versichern, daß für ein oder zwei Hefte des Kirchlichen Handlexikons dieselbe redaktionelle Arbeit notwendig ist, wie für einen ganzen Band des Kirchenlexikons oder der Protestantischen Realenzyklopädie. Aber auch die Verfasser der Artikel haben eine viel schwierigere und undankbarere Arbeit. Es läßt sich vielfach leichter über ein Thema wie etwa Dreifaltigkeit, Maria und Mission ein gelehrtes dickes Buch schreiben, als ein alles Wesentliche berücksichtigender Artikel von einigen Spalten. Daß aber bei aller Kürze und Knappheit die naheliegende Gefahr der Oberflächlichkeit und Inhaltslosigkeit vermieden, daß die strengwissenschaftliche Methode, die minutiöse Kleinarbeit, die Sorgfalt im Detail über alles Lob erhaben ist, möge das Urteil eines gewiß unverdächtigen Zeugen dartun, des Göttinger Universitätsprofessors Dr. Schürer, der selbst in seiner „Geschichte des jüdischen Volkes im Zeitalter Jesu Christi" ein fast unerreichbares Muster wissenschaftlicher Akribie gegeben hat und in der von ihm mit Harnack herausgegebenen Theolog. Literaturzeitung jeweils den strengsten Maßstab an dergleichen lexikalische Werke anzulegen pflegt.

Zum besseren Verständnis erklären wir, daß wir die Konsequenzen, zu denen die praedeterminatio physica führt, als mit Schrift, Kirchenlehre und Vernunft in Widerspruch stehend bezeichnen. S. neuere Dogmatiken.

Er schreibt in Nr. 23 des Jahrgangs 1907 der Theolog. Literaturzeitung über Band I des Kirchlichen Handlexikons: „Ein in seiner Art vortreffliches Werk wird uns hier geboten, ein neues Zeugnis von dem wissenschaftlichen Eifer, welcher gegenwärtig in weiten Kreisen der katholischen Theologie Deutschlands herrscht." Dann fährt er, nachdem er einige Stellen aus dem Vorwort angeführt, fort: „Auf Grund eingehender Durchsicht glaube ich diese Selbstcharakteristik als durchaus zutreffend bezeichnen zu dürfen. Man hat überall den Eindruck, daß das Werk mit hingebender Sorgfalt gearbeitet ist. Seine ganze Haltung zeigt, daß es trotz aller Kürze doch mehr der wissenschaftlichen als der populären Belehrung dienen will. Mit Recht hebt das Vorwort die trefflich ausgewählten Literaturnachweise hervor, welche überall den Weg zu weiterer Orientierung weisen. Sie machen das Werk auch für den, der gelehrte Zwecke verfolgt, zu einem wertvollen Nachschlagebuch. Es umfaßt nicht das ganze Gebiet der Geschichte der Kirche im weitesten Umfang, sondern auch die biblische Zeit und die übrigen theologischen Disziplinen (Dogmatik, Symbolik, Liturgik, Kirchenrecht usw.) und die Grenzgebiete. Die knappe Form, in welcher die Artikel gehalten sind, ermöglicht es, auf kleinem Raum verhältnismäßig viel zu bieten. Die „theologische und kirchliche Korrektheit", welche zum Programm des Werkes gehört, hat, soviel ich sehe, nirgends zu verletzenden Aeußerungen gegen die evangelische Kirche geführt." Und der gleichfalls protestantische Leipziger Kirchenhistoriker Professor Dr. Johannes Werner bezeichnet in dem soeben erschienenen Theologischen Jahresbericht für 1907 (Abteilung Kirchengeschichte) das Kirchliche Handlexikon als eine großartige Leistung katholischer Gelehrtenarbeit und ein auch für den protestantischen Kirchenhistoriker kaum entbehrliches Nachschlagebuch; er meint, es sei schier unglaublich, welch reicher Inhalt hier in knappster Form, aber zuverlässiger Weise innerhalb des beschränkten Umfangs geboten wird.

Was nun den uns heute vorliegenden Halbband anbelangt, so sei es gestattet, an einigen wenigen Beispielen die Reichhaltigkeit des Gebotenen darzutun. Der Artikel Johannes verzeichnet zunächst die biblischen Personen, 5 des Alten, 2 des Neuen Testaments; zu letzteren beiden kommt dann jeweils noch ein eigener Artikel über die Geschichte ihrer kirchlichen Verehrung, zu Johannes dem Täufer ein 3. Artikel über nach ihm benannte religiöse Genossenschaften. Es folgen dann der Reihe nach unter der Rubrik Johannes, Heilige und Selige, 60 Männer dieses Namens, die die Ehre der kirchlichen Altäre haben, dann die 23 Päpste gleichen Namens, dann 5 Könige von Portugal mit Namen Johannes (João), endlich weitere 122 Männer unter der Gesamtrubrik: Bischöfe, Theologen 2c. Hierauf kommen die mit Johannes zusammengesetzten Stichwörter und Namen wie: Johannesakten, J.briefe, J.brotbaum, J.christen, J.evangelium, Johannisberg, Johannisorden, St. Johanniszelle, Johanniterorden. Dies eine Beispiel mag zeigen, in welcher Vielseitigkeit Biographika im allgemeinen und Hagiographika im besonderen beim Kirchlichen Handlexikon vertreten sind. Für die übrigen Gebiete beschränken wir uns darauf, jeweils wahllos einige der bedeutendsten herauszugreifen. Aus Dogmatik, Dogmengeschichte und verwandten Gebieten: Jansenismus, Jesus, Index librorum prohibitorum, Inquisition, Inspiration, Kirche (mit zahlreichen Unterabteilungen), Logos, Maria, Modernismus, Molina, Monophysitismus, Monotheletismus, Montanismus, Nestorianismus 2c.; aus der Philosophie: Kant, Lamennais, Lasaulx, Leibniz, Locke, Lotze, Maine de Biran, Malebranche, Materie, Mendelssohn, Metaphysik 2c.; aus der Moraltheologie: Krieg, Leidenschaft, Kasuistik, Leichenverbrennung, Lüge, Liebe, Malthusianismus, Moralsysteme; aus den sozialen Gebieten: Liberalismus, Machiavelli, Mädchenschutz, Mäßigkeitsvereine 2c.; aus der Ordensgeschichte: Jesuiten, Kapuziner, Karmeliten, Karthäuser, Lazaristen, Maristen, Mauriner, Mechitharisten; aus der vergleichenden Religionsgeschichte: Islam, Koran, Juden, Mandeer, Maimonides, Mani, Masora, Midrasch, Lao-tsi, Meng-tse; aus dem Kirchenrecht: Kardinal, Konzil, Kurie, Legaten, Monarchia Sicula, Nuntius 2c.; aus der kirchlichen Archäologie und Kunstgeschichte: Katakomben, Kreuz, Krypta, Lateran, Leonardo da Vinci, Lettner, Lippi, Malerei, Marienbilder, Memling,

Michelangelo, Mosaik 2c.; aus der Kirchenmusik: Kirchenlied, Kirchentonarten,
Lasso, Liszt, Medicäa, Mendelssohn=Bartholdy, Mozart 2c.; aus Kirchen= und
Weltgeschichte: Kreuzzüge, Kulturkampf, Langobarden, Karolinger, Merowinger,
Mongolen, Los von Rom=Bewegung, Medici 2c.; aus Katechetik, Liturgik usw.:
Kultus, Lesungen (liturgische), Litanei, Messe, Kommunion, Martyrologien,
Katechismus, Katechese 2c.; aus der biblischen Theologie: Messias, Matthäus,
Markus, Lukas, Lateinische Bibelübersetzungen, Jerusalem, Libanon, Nazareth 2c.
Ueberaus reichlich ist das in anderen gleichartigen Werken vielfach vernachlässigte
Gebiet der kirchlichen Geographie und Statistik vertreten: jedes Land (Japan,
Italien, Kanada, Kleinasien, Korea, Littauen, Livland, Luxemburg, Marokko,
Mecklenburg, Mexiko, Niederlande), jedes Bistum, ob deutsch (Limburg, Mainz,
München, Münster) oder fremdländisch (Lavant, Leitmeritz, Messina, Manila),
selbst die nicht mehr bestehenden (Magdeburg, Merseburg, Meißen), jedes
Apostolische Vikariat, jede Präfektur, jedes einigermaßen bedeutsame Kloster hat
seinen eigenen Artikel. Besonderer Wert wird dabei auf eine möglichst authen=
tische Darlegung der statistischen Verhältnisse gelegt: so finden wir im Buchstaben N
schon das italienische Annuario Ecclesiastico und das englische Catholic Directory
für 1909 benützt; ja die meisten statistischen Daten scheinen direkt bei den zu=
ständigen Diözesanbehörden eingeholt worden zu sein, wie z. B. die Artikel
Jassy (Rumänien), Jaca (Spanien), Macao (China), Sta Marta (Colombia),
Mecheln (Belgien), Linares (Mexiko), Lublin (Rußland), Lucca (Italien), Sao
Luiz do Maranhao (Brasilien), Montreal (Kanada), Natchez (Ver. Staaten),
Nancy (Frankreich), Nikopolis (Bulgarien) 2c. beweisen. Schließlich seien noch
ganz willkürlich eine Anzahl Artikel herausgegriffen, um zu zeigen, wie weit
hier der Begriff der theologischen Hilfswissenschaften gefaßt ist: Indianer, Histo=
rische Institute, Institut Catholique, Kraniotomie, Lamoricière, Laplace, Lavater,
Lebensversicherungen, Legitimation, Lehninsche Weissagung, Leo=Gesellschaft,
Lerchenfeld, Lessing, Liberia, Löwe, Madagaskar, Maistre, Majuskeln, Majunke,
Mallinckrodt, Malta, Mandelbaum, Manzoni, Metternich, Militärpflicht, Neger 2c.
Ein Wort sei noch gestattet über die Literaturangaben. Wer je in der Redaktion
eines wissenschaftlichen Werkes gearbeitet hat, wird die Schwierigkeiten nicht
verkennen, die darin liegen, Einheitlichkeit und namentlich Korrektheit in den
bibliographischen Notizen zu erzielen. Fast jeder Autor hat eine andere Art zu
zitieren; gar mancher hält ein Buch, das ihm selber vertraut ist, für allbekannt
und zitiert es mit bloßem Namen des Autors, mag dieser auch noch ein Dutzend
anderer Werke geschrieben haben; ein zweiter zitiert etwa die „Historisch=politischen
Blätter" oder die „Stimmen aus Maria=Laach" oder den „Katholik" nach dem
Jahrgang und übersieht, daß er damit dem Leser die Wahl zwischen zwei ver=
schiedenen Bänden läßt; ein dritter zitiert die „Texte und Untersuchungen" ohne
anzugeben, ob erste, zweite oder dritte Folge gemeint ist; ein vierter zitiert
etwa die ‚Civiltà Cattolica' nach der Heftzahl (Quaderno), ein fünfter nach dem
Monat, ein sechster nach dem Quartal oder Semester, ein siebenter nur nach
dem Band, ein achter nur nach dem Jahr. Gar viele halten die Angabe von
Druckort und Erscheinungsjahr für überflüssig, wieder andere glauben, einen
fremdsprachigen Titel erst ins Deutsche übertragen zu müssen. Wie viel ist hier
nachzuarbeiten und nachzuprüfen! Nur wer hier einen Einblick hat, kann die
Größe und dann auch den Wert der Arbeit schätzen, die hier zu leisten ist, kann
es auch verstehen, daß der Direktor einer der größten öffentlichen Bibliotheken
Deutschlands versichert hat, das Kirchliche Handlexikon läge stets hilfsbereit auf
seinem Arbeitstisch und hätte ihn noch nie im Stich gelassen.

5) **Die Seelenläuterung im Jenseits.** Eine dogmatische Unter=
suchung von Dr. Franz Schmid, Domprälat und Theologieprofessor in
Brixen. Brixen. 1907. Preßvereinsbuchhandlung. IV u. 194 S. *K* 3.—.

Der Hauptgegenstand dieser eingehenden dogmatischen Untersuchung ist
die Klarstellung der Frage, ob der Aufenthalt im Fegefeuer nur den Charakter
einer Strafe oder zugleich auch den Zweck einer sittlichen Läuterung habe.

Nach Schmid ist ein vierfaches Hindernis denkbar, das den sofortigen Eintritt einer Seele in die Anschauung Gottes aufhält: Die noch nichtverziehene Schuld der läßlichen Sünde, die noch vorhandenen ungeordneten Neigungen und deren Wurzel, die böse Begierlichkeit, endlich etwa noch rückständige zeitliche Strafen. Ein besonderes Gewicht legt Schmid auf die Erbringung des Nachweises, daß im Fegefeuer außer der Abbüßung der zeitlichen Strafen und der Beseitigung der bösen Begierlichkeit und der verkehrten Neigungen, auch eine allmählich fortschreitende sittliche Läuterung stattfinde, nach deren Vollendung, welche längere oder kürzere Zeit beanspruchen kann, erst die Nachlassung der läßlichen Sünden selbst erfolge. Als Hauptgegner steht ihm hier Suarez gegenüber, der eine Sündenvergebung im Reinigungsorte für ausgeschlossen hält und deshalb die Ansicht vertritt, daß die Seele im ersten Momente ihrer Trennung vom Leibe Akte glühender Gottesliebe und vollkommener Reue erwecke, durch welche alle Sündenschuld getilgt wird. Unter Aufwand von großer Gelehrsamkeit und unter Anführung vieler Gegengründe, sucht Schmid diese Ansicht des Suarez als nicht hinreichend begründet nachzuweisen. Außer einigen Schrifttexten (I. Cor. 3, 15; II. Macc. 12, 46) und kirchlichen Lehrentscheidungen sind es besonders zahlreiche Väterstellen und die liturgischen Gebetsformeln der Kirche, die sämtlich von einem „reinigenden" Feuer sprechen und von einem ausschließlichen Strafcharakter des Aufenthaltes im Fegefeuer nichts erwähnen. Schmid muß allerdings zugeben, daß die Reinigung oder Läuterung, von der hier die Rede ist, auch auf die Beseitigung der ungeordneten Neigungen und der bösen Begierlichkeit, sowie auf die allmähliche Tilgung der noch rückständigen zeitlichen Strafen bezogen werden könne und daß sich die Kirche in ihren liturgischen Gebetsformeln bisweilen in den Augenblick des Abscheidens der Seele oder in den Moment des besonderen Gerichtes versetzt. Sein Schlußurteil lautet: „Die Lehre, daß das Fegefeuer nur als Strafort, nicht auch als Läuterungsort anzusehen sei, kann auf volle Gewißheit nicht Anspruch erheben, vielmehr hat auch die gegenteilige Ansicht recht beachtenswerte Gründe für sich." Gegen die von Schmid verteidigte These scheint, abgesehen von der Ablaßlehre, welche er selbst als den ernstesten Gegengrund bezeichnet, besonders die kirchliche Lehre zu sprechen, daß sofort nach dem Tode das besondere Gericht stattfinde, während bei der Annahme einer erst später erfolgenden Sündenvergebung das besondere Gericht ebenfalls verschoben werden müßte. Diese letztere Folgerung dürfte aber auch aus dem Grunde unannehmbar sein, weil schon die Zuweisung einer Seele an den Reinigungsort nur auf Grund eines richterlichen Spruches erfolgen kann und daher das besondere Gericht als bereits erfolgt voraussetzt. Jedenfalls wird die fleißige und eingehende Arbeit Schmids vieles zur Klärung der Anschauungen auf diesem Gebiete beitragen.

Wien. Reinhold.

6) **Tractatus de matrimonio,** auctore F. P. Van de Burgt, praelato domestico, canonico capit. Metropolit. Ultrajectensis, quem novissimis S. Sedis legibus et decisionibus, praesertim decreto S. C. C. Ne temere adaptavit et tertio edidit A. C. M. Schaepman, canon capit. Metropolit. Ultrajectensis, sac. canon. Doctor. Ultrajecti (Hollandiae) 1908. Tom. I. Pag. 358. M. 6.— = K 7.20.

Der vorliegende Traktat über das katholische Eherecht verdient besondere Beachtung wegen der klaren und präzisen Darstellung, wegen seines reichen, den Gegenstand erschöpfenden Inhaltes und seiner soliden Argumentation. Der hier angezeigte erste Band enthält im ersten Teile die Lehre von der Natur, den Eigenschaften, der Materie und Form, dem Minister, dem Subjekte und dem sakramentalen Charakter der Ehe, im zweiten Teile die Darstellung der Ehehindernisse. Die noch übrigen eherechtlichen Fragen soll der demnächst erscheinende zweite Band behandeln. Der Herausgeber hat auch die neueste Lite-

41*

ratur und die jüngst erflossenen päpstlichen Entscheidungen und Dekrete berück=
sichtigt, insbesondere auch dem bekannten Dekret Ne temere einen ausführlichen
und klaren Kommentar gewidmet. Der hervorragende Kanonist und jetzige
Jesuitengeneral P. Wernz nennt das Werk Van de Burgts eine der besten
Darstellungen des Eherechtes.

   Wien.   Reinhold.

7) **Gottes Wort und Gottes Sohn.** Von Dr. J. Klug.
Apologetische Abhandlungen für Studierende und gebildete Laien. Pader=
born. 1909. Schöningh. Kl. 8°. 375 S. M. 2.40 = K 2.88.

 Ueber Natur, Uebernatur und Offenbarung, Bibelkritik, Unverfälschtheit,
Echtheit und Glaubwürdigkeit der biblischen Schriften, sowohl des Alten wie des
Neuen Testamentes, über das Verhältnis der vier Evangelien zueinander, über
die Wunder und Auferstehung Jesu wird hier in sehr gefälliger Form und
tadelloser Gründlichkeit, alles gesagt, was sich auf so kleinem Raum sagen läßt
und für Gebildete gesagt werden muß. „Ich ließ dich mit Absicht alle Schwierig=
keiten kosten. Ich ließ dich auch ehrlich hineinschauen in das Arsenal der Kritik;
— aber ich hoffe, daß du nur mit gutem Gewissen das Schlußergebnis dieser
ganzen Untersuchung annehmen kannst" S. 149. „Mit gutem Gewissen"? —
Unsere Hoffnung geht weiter: mit freudiger und gehobener Stimmung, gefestigt
im Glauben, erbaut im Gemüte, gewappnet zur Rechtfertigung des Glaubens
gegen die bösartigsten Angriffe, ermutigt zum offenen Bekenntnis wird jeder
Leser dieses Büchlein nicht bloß einmal sondern öfter lesen. Es ist eine Glanz=
leistung in dieser Gattung von Apologetik. Der weitschichtige Stoff ist knapp
zusammengedrängt, und durchsichtig gegliedert, klar dargestellt und alles mit
sieghafter Kraft und Sicherheit verteidigt. Lückenlos ist die Verteidigung, nichts
Wesentliches ist übergangen. Mit der Wärme warmer Ueberzeugung ist jedes
Wort niedergeschrieben. So kann es nicht fehlen, daß die lebendige Kraft des
Glaubens im Verfasser auch wieder Leben in den Geist des Lesers ausstrahlt.
Es war nicht leicht, dem spröden Stoff der Kritik an den biblischen Schriften
und dem schneidenden Ton der Verachtung des kirchlichen Glaubens in einer
Weise beizukommen, daß man nicht bloß ohne Unwillen und Ueberdruß, sondern
mit wachsender Aufmerksamkeit und Freudigkeit das Buch zu Ende liest. Das
elfte und letzte Kapitel: Was war Jesus? Was wollte Jesus? entrollt auf
50 Seiten ein Lebensbild von Jesus, welches im Stande ist in die Herzen jedes
Lesers, besonders der Studierenden, wieder Licht und Leben zu gießen, wenn
sich die Nebel und die Nacht des Zweifels und des Unglaubens über den Geist
zu lagern drohten. Was man schon wußte, erscheint in neuer Form. Für viele
Gebildete wird auch der größte Teil des Inhaltes neu sein; denn Catholica non
leguntur. Dieses Schicksal wird dem Büchlein nicht widerstehen. Es wird wie
die „Lebensfragen" desselben Verfassers bald seine zweite Auflage erleben.

   Würzburg.   Dompfarrer Braun.

8) **Ohne Grenzen und Enden.** Gedanken über den unendlichen
Gott. Den Gebildeten dargelegt. Von Otto Zimmermann. Freiburg
1908. Herder. 8°. VIII u. 188 S. M. 1.80 = K 2.16; gbd.
M. 2.50 = K 3.—.

 Von den verschiedenen Wegen, welche den Geist zur Erkenntnis der Un=
endlichkeit Gottes führen, will uns der Verfasser jenen weisen, der vom Begriff
der Unerschaffenheit ausgeht. Dieser Absicht entsprechend behandeln die ersten
Abschnitte des Buches den Zusammenhang zwischen Unerschaffen und Unendlich;
die folgende Auseinandersetzung mit einer Reihe von Gegnern des Theismus
zeigt, daß selbst im feindlichen Lager dieser Zusammenhang nicht verkannt wird;
die Schlußkapitel weisen im einzelnen die Herrlichkeiten auf, welche das göttliche
Wesen in unteilbarer Einheit umfaßt. Kennern der scholastischen Philosophie
wird die Schrift allerdings weder in ihren Lehren, noch in deren Begründung
Neues bringen; sie wendet sich aber auch an die weitesten Kreise der Gebildeten

und unter diesen ist leider die Vertrautheit mit der Philosophie der Vorzeit nicht allzuhäufig. Die Rücksicht auf einen solchen Leserkreis war es wohl auch, welche den Verfasser stellenweise Worte wählen ließ, denen eine gewisse Ungenauigkeit anhaftet. So wird S. 13 von der „Urmacht" gesagt: „So groß und nicht kleiner (sc. als sie sein kann) bricht sie mit Urdrang aus ihrer Quelle hervor"; das Bild ist deswegen unglücklich gewählt, weil die Urmacht keine Quelle haben kann. Wenn S. 23 behauptet wird: „Jede Person ist Vernunftwesen, aber nicht jedes Vernunftwesen ist Person", ist entweder in beiden Sätzen das Wort ‚Wesen' in verschiedenem Sinne gebraucht (Ens und Essentia), oder es ist in einer von beiden unrichtig. Mißverständlich ist auch der Satz (S. 114): „Die causa sui ist das Nichts, des Endlichen unterste Grenze"; die Selbstverursachung ist überhaupt ein innerer Widerspruch, und auch das Nichts ist nicht Selbsturssache. Ob endlich der philosophisch nicht geschulte Leser die im 17. Abschnitt gebotene Widerlegung des pantheistischen Grundirrtums, der Gleichung: Unendlich = alles, durchschlagend finden wird, bezweifle ich. Im übrigen hat mir die mit Gründlichkeit, Lebhaftigkeit und Begeisterung verfaßte Schrift sehr gut gefallen und ich wünsche sie in recht viele Hände.

Mautern in Steiermark.   Dr. Heinrich Kirfel C. Ss. R.

9) St. Augustins Schrift. De consensu evangelistarum.

Unter vornehmlicher Berücksichtigung ihrer harmonistischen Anschauungen. Von Dr. Heinr. Jos. Vogels, Religions- und Oberlehrer. B. St. XIII, 5. Freiburg i. B. 1908. Herder. 8°. 148 S. M. 4.— = K 4.80.

Die katholische Theologie durchlebt gegenwärtig ihr exegetisches Zeitalter und die Exegese steht im Zeichen von Sturm und Drang! Die Jugend wendet sich wider das Alter und das Alter gelüstet es fast, zur mütterlichen Zuchtrute der kirchlichen Lehrgewalt zu greifen. Aber es muß nicht zum Kampfe kommen; denn es gibt einen gemeinsamen Boden, auf dem sich „Treu" und „Frei" friedlich ausgleichen können und diesen Boden hat St. Augustinus uns gezeigt, selbst dort Platz genommen und er ladet uns ein, mit ihm uns zusammenzufinden in der notwendigen Treue gegen den Glauben und in der erlaubten Freiheit der Erklärung. Beide Grundsätze hat er überall befolgt und damit ist er zum Prinzipienträger der kirchlichen Exegese geworden, dem ein volles Jahrtausend alles willig und begeistert gefolgt ist. Besonders glücklich treten diese zwei Grundmaximen hervor in der Schrift de consensu evangelistarum, die sozusagen zum Lehrbuch geworden ist für die ganze katholische Nachwelt, u. zw. was die wesentlichen Anschauungen anbelangt, selbst die Gegenwart nicht ausgenommen. Dieses „mit erstaunlicher Sorgfalt und immensem Fleiß ausgeführte Werk" (S. 132), das Augustin selbst als laboriosae litterae bezeichnet (ib.) hat Vogels zum Gegenstand seiner Studie gemacht, in der er in einer 63 Seiten langen Einleitung uns mit der Entstehungsgeschichte desselben bekannt macht. Die 15 Bücher des Neuplatonikers Porphyrius (zirka 270 nach Christi) boten noch mehr als 100 Jahre nach ihm allen Feinden der Kirche ein Magazin vergifteter Waffen besonders für den Kampf gegen die Glaubwürdigkeit der heiligen Geschichte, deren Berichte sich selbst widersprächen. Auch zur Zeit des heiligen Augustinus haben in erster Linie heidnische Porphyrianer, dann aber auch, abgesehen von den Juden, die Manichäer die Glaubwürdigkeit der Evangelien bekämpft. So sah sich der Bischof von Hippo schon aus rein seelsorglichem Interesse veranlaßt, die volle Uebereinstimmung der vier Evangelien im Einzelnen zu erweisen. Er tat es um 400 in den vier libri de consensu, ohne auch nur eine einzige der uns bekannten Schriften benützt zu haben, die vor ihm diesen Gegenstand behandelten, wenngleich er doch auch Vorgänger gehabt haben wird. Im ersten Buch zeigt er, daß man mit Unrecht Christus, den weisen Hebräer, gegen die Evangelisten ausspiele, die ihn erst vergöttlicht hätten (ganz wie heute!): zwischen Haupt und Glieder herrscht volle Einheit! Zum Konkreten übergehend untersucht und löst er die Enantiophanien der Evangelien, indem er Matthäus folgt bis zur Leidensgeschichte (zweites Buch). Im dritten

Buch versucht er eine selbständige Darstellung der Leidensgeschichte auf Grund der vier Texte. Im kürzeren vierten Buche befaßt er sich speziell mit den drei letzten Evangelisten. Substrat seiner Untersuchungen war nicht die Uebersetzung des heiligen Hieronymus, die er damals noch nicht kannte, sondern der Text jener alten Uebersetzung, die er aus Mailand mitgebracht (Itala). Wegen des Wertes dieser vier libri hat jemand später, als die Uebersetzung des heiligen Hieronymus immer mehr zur vulgata wurde, mit großer Sachkenntnis, deren Text substituiert und so Augustins Werk für immer brauchbar gemacht; daher die irrige Meinung angesehener Gelehrter, Augustin selbst habe hier schon die Vulgata benützt. — Mit viel Genuß habe ich diesen einleitenden Teil gelesen, ebenso den 1. Hauptteil, in dem die Voraussetzungen untersucht werden, von welchen Augustin bei seinem Harmonisierungsversuche sich leiten ließ; es sind dies sein Inspirationsbegriff und seine Auffassung von dem Verhältnisse der Evangelisten zu einander. In ersterer Hinsicht ist die absolute Irrtumslosigkeit der Schrift „das Thema, welches ... in allen Formen variiert erscheint" (S. 71); weit entfernt von einem mechanischen oder mantischen Inspirationsbegriff betont er gleich schroff den göttlichen wie menschlichen Faktor in der Hagiographie. Bezüglich des Schriftsinnes geht er über die Lehre der übrigen Väter von mehrfachem Schriftsinn nur dadurch hinaus, daß er denselben auch vom Schrift-steller gewollt sein läßt. Trotz der auch für Augustin selbstverständlichen Vier-zahl der Evangelien wäre ihm der Gedanke jedes Widerspruches eine „Unge-heuerlichkeit". Im 2. Hauptteile werden dann die harmonistischen Prinzipien Augustins dargelegt, 1. bezüglich der Reden, 2. bezüglich der Handlungen, 3. bezüglich der Chronologie, welche die Evangelisten bieten. Diese Ausführungen können wir kurz so zusammenfassen: Reden und Handlungen können nur dann als Parallelberichte gelten, wenn kein auch nur geringfügiger Widerspruch obwaltet. Lieber bestreitet Augustin die Identität, bevor er auch nur den Schein einer Abweichung in der Sache, nicht in der Art der Dar-stellung annähme. Was letztere anbelangt, gesteht Augustin den Evangelisten eine größere Freiheit zu sowohl in der Wiedergabe der Reden wie der Hand-lungen in theoria. In praxi aber hält er sich, um nichts unnötig preiszugeben, möglichst an den Wortlaut. Bezüglich der Chronologie führt den großen Bischof seine minutiöse Untersuchung der Uebergänge von einer Erzählung zur anderen meist zu einem klugen: non liquet. Ich muß gestehen, daß ich hier von den vielfach nutzlosen kritischen Bemerkungen des Verfassers wenig erbaut bin. Ich hätte sie ihm fast alle geschenkt und wäre ihm dankbarer gewesen, wenn er mit mehr Liebe und Verständnis auf den Standpunkt Augustins eingegangen wäre, den wir ohne Schaden nicht so allgemein belächeln dürfen. Uebrigens sind die kritischen Grundsätze, die Verfasser hier vorführt, so unbestimmt formuliert, daß man oft über seine Ansicht nicht recht klug wird. Sie können r.cht,g sein, können aber auch so verstanden werden, daß sie wirkliche kleine Irrtümer im Berichte der Hagiographen voraussetzen (cf S. 129). — Im Anhang zeichnet Vogels die Nachwirkung der Grundsätze der libri de consensu auf die Theo-logie der Nachwelt, speziell auf das Gebiete der Evangelienharmonistik. Ein volles Jahrtausend befolgte man auch hier praktisch den Grundsatz: „Si Augustinus adest, sufficit ipse tibi." So wurde dieses Werk des „Falten von Hippo" zum wahren Segen für die Kirche durch die frei- und feinsinnige Auffassung dieses Kirchenvaters von den Regeln der Schrifterklärung, freilich in anderer Hinsicht in Schaden, indem man auch jeden Fehler Augustins blind in Kauf nahm. Aber im Vergleich zum Nutzen sind diese Nachteile verschwindend und nur dadurch so bedeutend geworden, daß man dem Wunsche Augustins nicht nachkam, seine Ansichten nicht ungeprüft hinzunehmen, sondern freimütig zu verbessern. Es wäre zu wünschen gewesen, daß Verfasser diesen letzteren Gedanken mehr hervorgehoben hätte.

Alles in allem haben wir hier eine sehr verdienstvolle Studie zu begrüßen, deren wissenschaftlicher Wert noch gewinnt durch den Genuß, den sie durch die Schönheit und Klarheit der Darstellung bereitet.

St. Florian.   Dr. Vinz. Hartl.

10) **Kardinal Wilhelm Sirlet Annotationen zum neuen Testament.** Eine Verteidigung der Vulgata gegen Valla und Erasmus. Nach ungedruckten Quellen bearbeitet von P. Hildebrand Höpfl O. S. B. (Biblische Studien, XIII. Band, 2. Heft.) Gr. 8°. X und 126 S. Freiburg. 1908. Herder. M. 3.40 = K 4.08.

Schon Laurentius Valla († 1457) hatte die Vulgata allzuscharf beurteilt. Aber der gefährlichste Gegner ihres Ansehens war Erasmus von Rotterdam, dem nicht bloß seine Kanonie zu enge und sein Sarrocium zu unbequem, sondern auch manches andere in der Kirche unerwünscht geworden war. Da seine lateinische Uebersetzung des Neuen Testamentes „mehr als zweihundert Auflagen erlebte", — so der Verfasser — und seine Annotationen den kritischen Wert der Vulgata übermäßig herabsetzten und er auch sonst an kirchlichen Lehren und Einrichtungen seinen Witz nicht sparte, so schien es unerläßlich, die Entscheidung des Konzils von Trient über die Authentie der Vulgata vor der von Erasmus irrig informierten Oeffentlichkeit auch wissenschaftlich zu rechtfertigen. Da nun der gelehrte Franziskaner Richardus Canomanus infolge seiner Wahl zum Provinzial für Frankreich diese Aufgabe nicht mehr lösen konnte, übernahm sie über Anregung des Kardinal Marcello Cervino dessen Schützling, der damalige Kustos der vatikanischen Bibliothek und spätere Kardinal Guglielmo Sirleto (geboren 1514 in Kalabrien, gestorben 1585). Durch seine große Kenntnis der Kirchenväter und seine Vertrautheit mit der griechischen Sprache und den orientalischen Dialekten, sowie seine hervorragende theologische Bildung dazu vorzüglich befähigt, verfaßte er in den Jahren 1549—55 seine Annotationes zum Neuen Testament, die in 13 Codices der Vaticana handschriftlich vorliegen, aber leider niemals an die Oeffentlichkeit kamen. Sie erstrecken sich auf das ganze Neue Testament: bloß zu den Paulusbriefen liegen nur Fragmente vor. Ursprünglich, als trockene textkritische Glossen begonnen, wuchsen sie sich allmählich zu einem großangelegten Kommentar, zu den neutestamentlichen Schriften aus (S. 101), da sich eben Erasmus keineswegs auf Textkritik beschränkt hatte. Sirlet ist dem Holländer in jeder Hinsicht überlegen. In der Textkritik benützte er weit bessere Quellen und befolgte eine richtigere Methode. B. ist ihm Kronzeuge, D., dessen Varianten er durch seinen Gönner Kardinal Marcello Cervino erhielt, schätzte er sehr hoch; dabei stützte er sich ausgiebig auf die Lesearten der Väter und der editio regia des Robertus Stephanus (1550). Die Vulgata hielt er für eine höchst verläßliche Quelle; vielfach argumentierte er mit dem sensus der Kirche, qua „nullus (codex) vetustior neque emendatior" (S. 55). In geschichtlichen Fragen hatte er sich aus Jos. Flav. Philo, Eusebius, Suidas, auch aus Tacitus und Sueton, in geographischen aus Strabo, Plinius, Stephan von Byzanz sehr gut informiert. Hier wies er in sprachlichen Dingen wies er Erasmus manchen Fehler nach. Auch auf dem Gebiete der antiken Inschriften war er erfahren, wie seine überraschende Stellungnahme in der Quiriniusfrage beweist (S. 103 Nr. 1). Die sehr interessanten Einzelheiten, in denen uns Sirlets Textkritik und Exegese anschaulich macht, dienen jedenfalls dazu, nicht bloß unsere Achtung vor diesem hervorragenden Mitarbeiter bei der Revision der Vulgata zu erhöhen, sondern auch uns einen Einblick zu gewähren in den Betrieb der exegetischen Studien jener großen Zeit; sie sind geradezu eine Apologie der katholischen Schriftauslegung im Reformationszeitalter. Statt auf den Inhalt dieser wertvollen Monographie noch weiter einzugehen, wünsche ich ihr lieber viele Leser unter Exegeten, Historikern und Gebildeten überhaupt.

St. Florian.   Dr. Vinzenz Hartl.

11) **Theologia biblica** sive scientia historiae et religionis utriusque Testamenti catholica. Scripsit in usum scholarum P. Michael Hetzenauer O. C., professor Exegesis in universitate Pontificii Seminarii Romani ad S. Apollinarem. Tomus I: Vetus Testamentum. Imaginibus 100 et tabulis

3 geographicis illustrata. Cum approbatione Revmi. Magistri S. P. Ap. et Generalis ordinis. Gr. 8⁰. XXXII u. 604. Friburgi Brisgoviae et Vindobonae, 1908, sumptibus Herder. *K* 14.40; gebunden in Leinwand *K* 16.32.

„Die biblische Theologie" des durch seinen nimmermüden Fleiß, staunenswerte Arbeitskraft und umfassende Gelehrsamkeit rühmlichst bekannten Verfassers verdankt ihre Veranlassung dem vom heiligen Vater Pius X. im Breve: Quoniam in re biblica . . vom 27. März 1907 ausgesprochenen Wunsche, es möge in den Seminarien, welche das Recht haben, die akademischen Grade der Theologie zu verleihen, der biblischen Theologie mehr Zeit und Studium gewidmet werden (S. V). Der vorliegende erste Band behandelt das alte Testament und gliedert sich in zwei Teile. Der erste Teil (Scientia historica V. T. p. 21—367), dem ein Prolog (1—20) über Definition, Einteilung, Objekt und Quellen, Zweck und Nutzen der biblischen Theologie des Alten Testamentes, über ihr Verhältnis zu den anderen Disziplinen, über ihre Voraussetzungen oder Lehrsätze und über die Geschichte der Disziplin vorausgeschickt ist, enthält eine wissenschaftliche Untersuchung und Darstellung der Geschichte des Alten Testamentes, d. h. der Geschichte von Adam bis Christus, so wie sie in den Büchern des Alten Testamentes von der Genesis angefangen bis zum letzten Buch der Makkabäer niedergelegt ist. Die eigentliche Geschichtserzählung ist sehr kurz und knapp; dagegen wird große Sorgfalt, namentlich durch Berücksichtigung des Urtextes und Zusammenhanges, verwendet auf die Klarstellung des Sinnes dunkler und strittiger Stellen, und auf die Untersuchung beziehungsweise Widerlegung der von der modernen akatholischen oder „liberalen" katholischen Exegese gegen die Richtigkeit oder Wahrheit der biblischen Berichte erhobenen Schwierigkeiten oder Einwendungen, wobei sich der Verfasser stets von dem Grundsatze leiten läßt, sich getreu an die allgemeine Lehre und Ueberlieferung der Kirche zu halten, aber sich auch alles das zunutze zu machen, was der Fleiß der Neueren Brauchbares zutage gefördert hat (S. V). Dies letztere zeigt sich besonders in der Behandlung der ältesten Geschichte durch ergiebige Benützung der neueren Ausgrabungen in den biblischen Ländern und durch das Aufgeben einer oder der anderen herkömmlichen Meinung. Als Beispiel sei erwähnt die Annahme der geographischen Beschränktheit der Sündflut unter Festhaltung der anthropologischen Allgemeinheit. Das hiedurch vollzogene teilweise Abweichen von den Anschauungen der Väter wird damit gerechtfertigt, daß die Väter und Theologen die geographische Allgemeinheit nur als Privatmeinung, die anthropologische aber als mit dem Glauben der Kirche im engen Zusammenhang stehend vortrugen (S. 42, 44). Andererseits hält der Verfasser mit aller Entschiedenheit an der mosaischen Abfassung des Pentateuch, an der Einheit des Buches Jesaias, der Geschichtlichkeit der Bücher Judith und Tobias u. a. fest. Die Polemik ist meist kurz, schlagend, bei der Eigenart des Verfassers, seine Meinung offen und gerade herauszusagen, hie und da vielleicht etwas scharf. Ermüdend wirkt die fortwährende Wiederkehr des aus dem katholischen Inspirationsbegriff entnommenen Argumentes.

Der zweite Teil des Buches (Scientia religionis V. T. p. 372—641) untersucht und bespricht in zwei Abteilungen die theoretischen (372—633) und praktischen (633—641) im Alten Testamente enthaltenen Religionswahrheiten. Für diesen Teil werden dem Verfasser nicht bloß die Exegeten, sondern vor allem die Dogmatiker, Prediger und Katecheten Dank wissen, allerdings unter Verzicht auf die eine oder andere Stelle, die ihnen infolge Einsicht in den Urtext oder Zusammenhang nicht mehr beweist, was man sie gewohnheitsmäßig beweisen ließ. Im einzelnen sei hier nur bemerkt, daß als die richtige Erklärung des Hexaemeron die ideal=periodische vorgetragen wird, nach welcher die sechs Schöpfungstage als sechs, im mosaischen Berichte nicht chronologisch geordnete Perioden oder Zeiträume von mehreren tausend Jahren aufzufassen sind. — Eine kurze Beschreibung des Heiligen Landes (S. 641—646), ein

Namen= und Sachregister und drei Karten aus Rieß' Bibelatlas schließen das inhaltsreiche Werk.

Daß in einem Buche, in welchem so viele einzelne Fragen zur Verhandlung kommen, nicht überall allgemeine Zustimmung zu erwarten ist, versteht sich von selbst; doch muß man dem Verfasser zugestehen, daß er keiner ernsten Schwierigkeit ausweicht und die vertretene Ansicht stets mit guten Gründen zu belegen sucht. Auch möchte man vielleicht einzelne Punkte, wie die Pentateuch= frage, Psalmen, Jesaias u. a. eingehender behandelt sehen; wahrscheinlich waren dem Verfasser für seine Kürze methodische Bedenken maßgebend, wie er sie bezüglich des Dekalogs und der unterlassenen Beschreibung des Tempels ausdrücklich als Grund angibt (S. 633). Im Verweisen geschieht zuweilen des Guten zu viel; so nicht selten auf unmittelbar vorher Gesagtes, auf Grammatik und Lexikon für allbekannte Dinge. Z. B. daß βελτιον = melior ist, wofür S. 424 auf Passow verwiesen ist, wurde uns schon in der dritten Gymnasial= klasse gesagt. Auch scheint es zuviel Ehre für einen Pamphletisten wie Wahrmund zu sein, daß er sowohl unter den benützten Autoren als auch im Verlaufe des Buches genannt wird. Ist das „in usum scholarum" am Titelblatt im Sinne eines Lehr= oder Lernbuches gemeint, dann möchte man auch in der technischen Anlage des Buches ein paar Aenderungen wünschen.

Druckfehler sind uns wenige aufgefallen und sind vom Leser leicht zu erkennen; z. B. S. 27 rectis statt rectius; S. 31 duas genealogias statt duae genealogiae; S. 122 tab. II statt III; S. 379 singulas statt singulae; S. 497 die statt diem usw. Einer weiten Verbreitung des Buches in Deutschland dürfte die lateinische Sprache, in der es abgefaßt ist, hinderlich sein; es scheint nämlich, daß die Abneigung der jungen Theologen gegen das Latein zunimmt, so daß man mit einer kleinen Veränderung des bekannten Spruches beinahe schon sagen könnte: Latina sunt, non leguntur. Jedoch P. Hetzenauers Latein brauchen sie nicht zu fürchten; es ist recht einfach, klar und leicht verständlich.

Wer nicht im Besitze der 6. Auflage des von Dr. Selbst bearbeiteten Schuster=Holzammerschen Handbuches ist, dem sei Hetzenauer bestens empfohlen.

St. Florian.   Dr. Moisl.

12) Allgemeine Einleitung in das Alte und Neue Testament. Von Dr. Johann Mader, Professor der Theologie in Chur. Münster i. W. 1908. Verlag der Aschendorffschen Buchhandlung. 146 S. M. 2.80 = K 3.36.

Vorliegende Arbeit ist aus praktischer Lehrtätigkeit hervorgegangen, wie das Vorwort selbst erklärt, und für die Studierenden der Theologie bestimmt, damit sie in einer knappen Zusammenstellung das Wissenswerteste aus der Introductio generalis utriusque testamenti und über den heutigen Stand dieser Disziplin orientiert werden. Die ersten zwei Paragraphe mit 9 Seiten orientieren über die Aufgabe der Introductio und bieten eine Literaturgeschichte derselben, welche durch das ganze Buch hin an passender Stelle entsprechend ergänzt wird. Fünf Paragraphe mit 22 Seiten behandeln als 1. Teil die Inspiration unter den Ueberschriften: Kriterium, Beweis, Begriff, Ausdehnung der Inspiration in Bezug auf den Inhalt, Irrtumslosigkeit der Bibel. Dieses letzte Thema hat der Verfasser als Folgerung der Inspiration in seinem Kompendium der biblischen Hermeneutik (Paderborn, Schöningh 1898 § 33 S. 51—53) schon besprochen, ist aber in der Introductio mit Unterbringung der neueren Entscheidung über citationes implicitae und mit Rekapitulation mancher hermeneutischer Fragen (Veritas citationis, v. rei citatae, Antropomorphismus etc) auf 7 Seiten viel reichhaltiger ausgefallen. Der 2. Teil mit 14 Paragraphen auf 31 Seiten trägt den Titelkopf „Vom Kanon" und befaßt sich mit dem Namen, mit Name und Zweiteilung der Heiligen Schrift, mit weiterer Einteilung der Heiligen Schrift, Sammlung der alttestamentlichen Heiligen Bücher, mit dem Umfange des alttestamentlichen Kanons, mit dem Kanon der Juden zur Zeit Christi, mit dem alttestamentlichen Kanon der Kirche, mit Entstehung und Sammlung des neutestamentlichen Kanons, mit dem Umfang desselben, mit kirchlichen Lehrentscheidungen über den Kanon beider Testamente, mit den Ansichten der Protestanten über den Kanon, mit den Apokryphen im allgemeinen und im besonderen sowohl des Alten als des Neuen Testamentes. Auf Seite 39 stellt der Verfasser als richtig die Ansicht auf und beweist dieselbe auf den folgenden Seiten, nämlich daß in der vorchristlichen Zeit und bis in das 1. Jahrhundert nach Christus ein definitiver Abschluß des alttestamentlichen Kanons noch gar nicht erfolgt war. Seite 43 trägt als Schlußfolgerung die Ansicht in dieser Form, es gibt nur einen jüdischen Kanon, dieser stammt aus dem Ende des 1. Jahrhunderts nach Christi. Den 3. Teil des Buches mit 81 Seiten und 38 Paragraphen bildet das Thema „Von der Integrität der Heiligen Schrift". Der Begriff der Integrität wird auf Seite 63, 64 besprochen, worauf der 1. Abschnitt von Seite 65—93 in 14 Paragraphen vom Urtexte der Heiligen Schrift, der 2. Abschnitt von Seite 93—146 in 23 Paragraphen von den Uebersetzungen der Heiligen Schrift handelt. Im 1. Abschnitt finden sich die orientierenden Ueberschriften: Sprachliche Ueberlieferung der Heiligen Schrift, die hebräische Sprache, die aramäische Sprache, die hebräische Schrift, Geschichte des hebräischen Textes, der samaritanische Pentateuch, Wert des masorethischen Textes, Handschriften, Drucke und Einteilung der hebräischen Bibel, die griechische Sprache, äußere Gestalt des griechischen Textes, Einteilung des Textes, die griechischen Handschriften, griechische Druckausgaben, Zitate der Kirchenväter, Resultate. Die Freunde des Buches werden aufmerksam gemacht auf den Satz der Seite 71: Die definitive Fixierung des Konsonantentextes geschah wahrscheinlich gleichzeitig mit der Aufstellung des Kanons auf der Synode von Jamnia, etwa 100 nach Christi, zur Zeit des berühmten Rabbi Akiba. Der 1. Abschnitt schließt mit dem Satze: Die inhaltliche Integrität des neutestamentlichen Textes ist vollkommen verbürgt u. zw. in einer Weise, wie sie für kein anderes Buch des Altertums behauptet werden kann.

Der 2. Abschnitt spricht von den aramäischen Uebersetzungen, von der samaritanischen des Pentateuchs, von der LXX, von den anderen griechischen Uebersetzungen, von der textkritischen Leistung des Origenes, von den neuen Rezensionen der LXX, von den Handschriften und Ausgaben der LXX, ferner von den syrischen, koptischen, äthiopischen, armenischen Uebersetzungen, von der gotischen Uebersetzung, von den lateinischen vor Hieronymus, von der Tätigkeit dieses Mannes und Entstehung der Vulgata, von den Schicksalen eben dieser im Mittelalter, von den Beschlüssen des Trienter Konzils inbetreff der lateinischen Bibelübersetzung, von der offiziellen Ausgabe der Vulgata, von der Authentizität derselben, von der Rechtfertigung des Dekretes über die Authentizität der Vulgata. Die letzten zwei Paragraphe des Buches sind ein Anhang und besprechen die Uebersetzungen der Protestanten und die Polyglotten. Freunde des Buches sind aufmerksam gemacht auf die kurze Besprechung des Komma Joanneum auf Seite 137, 138. Der Verfasser hat nicht vergessen, Roger Baco zu erwähnen wegen seines Hinweises auf das päpstliche Offizium im Interesse des schwer bedrohten Bibeltextes (Seite 126, 127) sowie Pius X. wegen der dem Benediktinerorden anvertrauten Revision der Vulgata (Seite 134).

Die vorliegende Arbeit des Churer Herrn Theologieprofessors kann den Theologiestudierenden und Freunden der Bibel nur empfohlen werden. Dieser Empfehlung sollen nicht schaden die Druckfehler, welche dem Rezensenten aufgefallen sind: S. 30, Z. 6 v. u. Sprachsatz zu ändern in Sprachschatz. S. 35, Z. 16 v. u. Deuteronomium (das zweite „o" fehlt.) S. 65, Z. 9 v. o. zu berichtigen in Esdras 4. 7—6. 18. S. 75, Z. 7 v. u. Abkommodation zu ändern in Akkommodation.

St. Florian. Dr. P. Amand Polz, Prof.

13) **Moderne Leben=Jesu=Forschung unter dem Einflusse der Psychiatrie.** Eine kritische Darstellung für Gebildete aller Stände. Von Dr. Philipp Kneib, o. ö. Professor der Apologetik

an der Universität Würzburg. Mainz. 1908. Kirchheim & Co. 8°. 76 S. Geheftet M. 1.20 = K 1.44.

Immer kecker und ungescheuter wagt sich die ungläubische „Leben=Jesu= Forschung" mit ihren blasphemischen Aufstellungen ans Tageslicht. Während seinerzeit Strauß noch mit einer gewissen Zurückhaltung Jesum einen argen Schwärmer nannte, verkünden es Neuere ohne Scheu: „Jesus Christus war geisteskrank, Jesus Christus war ein entartetes Genie". (Einleitung Seite 7). So wird unter anderem Jesus dargestellt in vier Schriften, gegen welche vor= liegendes Buch gerichtet ist. Loosten (Dr. Georg Lomer) nennt den Heiland geradezu geisteskrank. Emil Rasmussen bezeichnet ihn als Epileptiker, gesteht aber den Aerzten das Recht zu, ihn auch zu den Paranoikern (Verrückten) zu rechnen. Julius Baumann begnügt sich mit „Nervenüberreizung", für Oskar Holtzmann ist Jesus Ekstatiker, aber nicht im Sinne der christlichen Mystik, sondern eines krankhaft abnormen Zustandes (S. 9, 10). Obwohl unter den Vieren nur Holtzmann mit wissenschaftlicher Methode arbeitet, die Schriften der anderen drei nur mehr weniger tendenziöse Machwerke sind, die sich aus ganz subjektiven Voraussetzungen, willkürlichen Verallgemeinerungen und unbe= wiesenen Behauptungen zusammensetzen, nimmt sich doch der verdiente Würz= burger Apologet die Mühe, ihre Aufstellungen im Einzelnen zu prüfen und deren gänzliche Haltlosigkeit aufzuzeigen. Mit Recht! Es ist ja bekannt, daß in unserer Zeit, in welcher die ungläubige „Wissenschaft" ihre vermeintlichen oder vorgeblichen Resultate auch unter das gewöhnliche Volk verbreitet, oft ein leck hingeschleudertes Wort, ein überraschender Einwurf hinreicht, Bedenken und Zweifel zu erregen, welche nur eine gründliche Widerlegung wirksam zu bannen vermag. — Mit wissenschaftlicher Genauigkeit, logischer Schärfe und gewandter Schlagfertigkeit zeigt der Verfasser die Ungereimtheit, Grundlosigkeit und Falsch= heit der gegnerischen Behauptungen auf, als deren letzten Grund er die Leug= nung alles Uebernatürlichen und Wunderbaren bezeichnet. Vom rein natürlichen und menschlichen Standpunkte aus läßt sich einmal das Leben Jesu nicht er= schöpfend erklären; Wunder oder Uebernatürliches gibt es nach den Geg= nern nicht; also muß das auf natürliche Weise Unerklärliche (im Leben Jesu) Ausfluß geistiger oder körperlicher Abnormität sein. — Hie und da scheint uns die Entgegnung in Rücksicht auf theologisch nicht gebildete Leser, welchen die Tragweite der theologischen Beweis= oder Widerlegungsgründe nicht sofort ins Auge leuchtet, etwas gar kurz und knapp zu sein, sowie sie sich ein und das andere Mal nicht sofort mit wünschenswerter Klarheit von der Aufstellung der Gegner abhebt.

Wohl nur aus Versehen wird die Schriftstelle Seite 41 dem Matthäus zugeschrieben; so wie sie vorliegt, ist sie aus Mk. 10, 29—30; Seite 41 soll es statt Matth. 22, 39 heißen 22, 30 und statt Mark. 12, 15 12, 25.

Das sehr empfehlenswerte Büchlein, dessen Brauchbarkeit leider durch Mangel jeglicher Inhaltsangabe und Personen= und Sachregisters beeinträchtigt wird, dürfte nebst den Gebildeten überhaupt besonders den Religionslehrern an höheren Schulen gute Dienste leisten.

St. Florian. Moisl.

14) Katholische Bilderbibel des Alten und Neuen Testamentes unter Mitwirkung namhafter Gelehrten, herausgegeben von Franz Albert, Kgl. Divisionspfarrer in Berlin und Dr. theol. Franz Josef Reimeringer, Redakteur der „Germania". Mit Appro= bation Seiner Eminenz des Kardinals und Fürstbischofs Georg Kopp von Breslau. Verlag W. Herlet, Berlin. 255 S. Gr.=Folio 33×44 cm. Prachtausgabe in Ganzleinenband M. 28.— = K 33.60. Luxus= ausgabe in Ganzlederband M. 60.— = K 72.—.

Das vorliegende Buch ist ein Werk ersten Ranges. Eine Reihe deutscher Bischöfe hat es bereits empfohlen und mit hohen Lobsprüchen ausgezeichnet.

Die Bilder verdienen alle Anerkennung, sie sind den gewaltigen italienischen Meistern, einem Michelangelo und Rafael nachgemacht und wirken außerordentlich gut. Den Text zu ihnen lieferten: Peter Biesenbach, Divisionspfarrer in Straßburg i. Els., Dr. Stephan Bour, Professor der Theologie am Priesterseminar in Metz, Dr. Peter Dausch, Professor der Theologie am Lyzeum in Dillingen, Dr. Matthias Flunk S. J., o. ö. Professor der Theologie, derz. Dekan der theol. Fakultät an der Universität Innsbruck, Alfred Leonpacher, Gymnasialprofessor in München, Msgr. Johann Bapt. Mehler, päpstl. Hausprälat und Kongregationspräses in Regensburg, Modestus Schickelé, Domkapitular in Straßburg i. Els., Dr. Alphons Schulz, Professor der Theologie am Lyzeum Hosianum in Braunsberg, Dr. Gregor Schwamborn, Religions- und Oberlehrer am Gymnasium in Neuß a. Rh., Msgr. Wilhelm Schwarz, päpstl. Geheimkämmerer und Domkapitular in Münster i. W., Dr. Karl Weiß, Professor der Theologie am Lyzeum in Passau. Es ist selbstverständlich, daß der Verleger, der sich wirklich große Mühe gab und keine Kosten scheute, sowie seine Mitarbeiter auf einen bedeutenden Absatz rechnen müssen und rechnen dürfen. Das Werk verdient die größte Verbreitung. M. H.

15) **Allgemeine Kunst-Geschichte.** Von Dr. Albert Kuhn O. S. B. 43. und 44. Lieferung. Verlagsanstalt Benziger in Einsiedeln. Geb. in 6 Halbbänden in Original-Einbanddecken nach dem Entwurfe von Kunstmaler F. H. Ehmcke (Düsseldorf), in extrastarker Leinwand mit Goldpressung auf Rücken und Vorderseite: M. 174.— = Fr. 217.50 = K 217.50.

Das monumentale Werk liegt nun vollendet vor. Wir können dem Verfasser sowie dem Verleger zu dieser Vollendung nur von Herzen gratulieren. Sie haben Großes zustande gebracht. Was sie sich zur Aufgabe gestellt, das haben sie beide glänzend gelöst. Der Verfasser hat sich zum Ziel gesetzt, die Werke der Architektur, Plastik und Malerei bis zum Jahre 1908 historisch, ästhetisch, technisch zu behandeln und dieses Ziel hat er erreicht in Wort und Bild. Die bildlich dargestellten Kunstwerke hat er zum größten Teil mit eigenen Augen bei seinen Reisen in Italien, Oesterreich, Deutschland, in den Niederlanden, England, Frankreich, Spanien u. s. f. gesehen, die fast ins Unermeßliche angewachsene Kunst-Literatur hat er eingehend benützt, mit Künstlern und Freunden der Kunst hat er sich ins Einvernehmen gesetzt, kurz, er scheute keine Mühe, ein Werk zu schaffen, das wirklich auf der Höhe der Zeit steht. Der heutige Stand der technischen Mittel ermöglichte die brillante Darstellung und Ausstattung. Das ganze Werk umfaßt 3516 Seiten und enthält 5572 Illustrationen, wovon 4590 im Texte und 982 auf 272 ein- und mehrfarbigen Extrabeilagen sich befinden. Es gehört wohl in jede Bibliothek und wer die Mittel hat, es sich anzuschaffen, der möge nicht säumen es zu tun.

16) **Der Tabernakel einst und jetzt.** Eine historische und liturgische Darstellung der Andacht zur aufbewahrten Eucharistie. Von Felix Raible, weiland Pfarrer in Glatt (Hohenzollern). Aus dem Nachlaß des Verfassers, herausgegeben von Dr. Engelbert Krebs. Mit 14 Tafeln und 53 Abbildungen im Text. Freiburg. 1908. Herder. In Lwd. gbd. M. 7.80 = K 9.36.

Ein Werk von höchst praktischem Wert, besonders für jeden Priester. Den Hauptzweck desselben hat der Verfasser selbst im Vorwort kurz und bündig fixiert: „Aus der Praxis herausgewachsen" — (Der Verfasser wurde nämlich anläßlich eines neuen Tabernakelbaues für seine Pfarrkirche zum Studium des Tabernakels und aller kirchlichen Bestimmungen darüber geführt) will diese Schrift auch praktischen Zwecken dienen. Sie möchte vorab den verehrten Mitgliedern des Priestervereines der Anbetung der Eucharistie, weiterhin allen hochwürdigen Mitbrüdern, welche neue Taber-

nakel herstellen laffen wollen, Fingerzeige geben, wie fie das Gotteszelt-
richtig, fchön und praktifch einrichten laffen follen. Sie möchte auch den Seel-
forgern Material liefern für euchariftifche Predigten und Chriftenlehren.
Sie möchte auch eine Apologie fein für den Glaubensfat von der Fortdauer
der realen Gegenwart Chrifti im Sakramente, auch außerhalb des Opfers und
der Kommunion. Sie möchte ferner die Architekten, Altarbauer, Bildhauer,
Maler, Kunftftickerinnen, ferner die Goldfchmiede, Emailleure, Kunftfchloffer,
kurz alle Künftler und Künftlerinnen, welche am Bau des Tabernakels und
feiner Gefäße mitzuwirken die Ehre haben, mit Liebe und Begeifterung erfüllen
für ihre hohe Aufgabe, ihnen auch durch Vorführung alter Mufter brauchbare Motive und Vorlagen darbieten zum Tabernakelbau. . . .

Dann So führt fich das Werk von felbft als die Arbeit eines Priefters ein,
dem, wie der Herausgeber bemerkt, „die Erbauung und der praktifche Nuten
lettes Ziel und Ende, die Wiffenfchaft lediglich ein forgfam benüttes Mittel
dazu ift." Der erfte Teil handelt über den Tabernakel im Altertum, von der
Liebe und Verehrung, Aufbewahrung und Geheimhaltung der Euchariftie bei
den erften Chriften. Im zweiten Teil kommen zur Darftellung die verfchiede-
nen Arten der Aufbewahrung der Euchariftie im Mittelalter, die euchariftifchen
Tauben und Türme, die hängenden und Wandtabernakel, die Sakramentshäuschen, die Verehrung des Fronleichnams bei den mittelalterlichen Myftikern.
Der dritte Teil handelt über den Altartabernakel, im einzelnen über die Bedeutung des Tabernakels und den Tabernakel als Ausfetungsort, enthält die
kirchlichen Vorfchriften über den Tabernakel fowie die Inftruktion Klemens XI.
für das 40ftündige Gebet zu Rom, gibt praktifche Winke für neue Tabernakel
fowie für Verbefferung alter Tabernakel. „Daß mit der äußeren Schönheit und
Kunftfertigkeit des Tabernakels auch die Kenntnis und Liebe zum Emanuel im
Tabernakel wachfe", ift der fromme Wunfch des hochwürdigen Verfaffers im
Schlußwort. Dies ift auch der Zweck des Buches. Ein Blick auf die Fülle der
benütten Literatur und die zahlreichen Väterftellen beweift die Gründlichkeit
der Arbeit. Das Werk, von der Herderfchen Verlagshandlung in äußerft entfprechender Weife ausgeftattet und illuftriert, ift befonders zu Gefchenkzwecken
für Primizianten geeignet und follte in keiner Pfarrbibliothek fehlen. Soll ja
gerade der Priefter, der täglich aufs innigfte mit dem euchariftifchen Heiland
verkehrt, fich die Zier des tabernaculum Dei cum hominibus vor allem ange-
legen fein laffen.

17) **Katholifche Miffionsftatiftik.** Mit einer Darftellung des
gegenwärtigen Standes der katholifchen Heidenmiffion. 97. Ergänzungsheft zu den „Stimmen aus Maria-Laach". Von H. Krofe S. J. Freiburg. 1908. Herder. Gr. 8°. XII u. 130 S. M. 2.40 = K 2.88.

Die katholifchen Miffionen erfreuten fich von jeher des Intereffes
gläubiger Katholiken. Gefchieht ja durch die Heidenmiffionen fo recht die
Ausbreitung des Reiches Gottes auf Erden. P. Krofe, der gewiegte Sta-
tiftiker, gibt im folgenden eine katholifche Miffionsftatiftik der Gegenwart
und zwar auf Grund einer reichen Literatur, die namentlich in den letten
Dezennien einen bedeutenden Auffchwung genommen.

Die Einleitung behandelt die Hauptquellen und die bisherigen
Leiftungen der katholifchen Miffionsftatiftik. Sodann folgen Begriff und
Gegenftand der Miffionsftatiftik, Statiftik der Einnahmen und Ausgaben
der Miffionen, Nuten der Miffionsftatiftik, Leitfäte zur Würdigung der
Miffionserfolge.

Das lette Kapitel: Gegenwärtiger Stand der katholifchen Miffionen
bietet eine eingehende Ueberficht über die großartige katholifche Miffions-
tätigkeit in den vier Erdteilen.

Beigegeben sind 26 Uebersichtstabellen.

Der Verfasser sieht sich des öfteren genötigt, gegen die ersten Autoritäten auf dem Gebiete des protestantischen Missionswesens, Warneck und Grundemann, Stellung zu nehmen, insofern sie der Leistung der katholischen Missionen nicht ganz gerecht werden.

Einige Resultate aus der interessanten Monographie mögen hier eine Stelle finden:

„Eine Vergleichung der Geldleistungen der Katholiken und Protestanten muß mithin überhaupt als untunlich bezeichnet werden, da auf katholischer Seite einer der Hauptposten der Beitrag der Orden zu den Missionskosten unbekannt ist und voraussichtlich auch in Zukunft unbekannt bleiben wird, da die Orden ebensowenig wie irgend welche Einzelhaushaltungen jemals geneigt sein werden, ihr Privatbudget der Oeffentlichkeit zu unterbreiten. Es sind aber außerdem noch andere Gründe vorhanden, welche einer Vergleichbarkeit des katholischen und protestantischen Missionsbudgets im Wege stehen würden, selbst wenn beide in ihrem tatsächlichen Umfange bekannt wären. Die Höhe der Missionsalmosen hängt nämlich nicht ausschließlich ab von dem guten Willen der Geber und ihrem Eifer für die Ausbreitung des Wortes Gottes, sondern wird auch wesentlich bedingt durch ihre Leistungsfähigkeit und durch die Höhe der Kosten, die durch die Missionsalmosen gedeckt werden müssen. In beiden Beziehungen bestehen zwischen der katholischen und protestantischen Mission tiefgreifende Unterschiede. Die moderne wirtschaftliche Entwicklung hat es mit sich gebracht, daß das Schwergewicht des wirtschaftlichen Lebens, das in früheren Jahrhunderten und noch weit bis ins 19. Jahrhundert hinein auf der Landwirtschaft beruhte, sich mehr und mehr zu Gunsten von Handel und Industrie verschoben hat. Daher müssen gegenwärtig naturgemäß diejenigen Länder einen Vorsprung im wirtschaftlichen Leben haben, bei denen die natürlichen Vorbedingungen für eine günstige Entwicklung dieser Erwerbszweige gegeben sind. Das sind aber vermöge ihres Kohlenreichtums vor allem England, die Vereinigten Staaten von Nordamerika und das Deutsche Reich (die beiden erstgenannten Staaten auch wegen ihrer günstigen maritimen Lage); also sämtlich Staaten mit überwiegend protestantischer Bevölkerung. Von den Staaten mit überwiegend katholischer Bevölkerung hat außer dem kleinen Belgien nur Frankreich einigermaßen günstige Bedingungen für die Entwicklung von Handel und Industrie aufzuweisen, wenn auch nicht so günstige wie die vorgenannten Staaten; die übrigen katholischen Staaten aber (Oesterreich-Ungarn, Italien, Spanien, Portugal, Südamerika) sind in dieser Beziehung weit ungünstiger gestellt.“ (S. 36 f.) . . . Die angeführten Beispiele zeigen zur Genüge, daß der gegen die Katholiken erhobene Vorwurf der geringeren Opferwilligkeit für die Missionen, wenn er in solcher Allgemeinheit ausgesprochen wird, durchaus unberechtigt ist. Damit wollen wir aber nicht bestreiten, daß der Gesamtaufwand für die Missionen bei den Protestanten infolge der Rieseneinnahmen einiger englischer und amerikanischer Gesellschaften erheblich größer ist als derjenige der Katholiken, wie das aus den oben angeführten Gründen leicht verständlich ist. (S. 39).

Auf Grund einer Vergleichung sämtlicher Missionen von Seite der Katholiken und Protestanten in der Gegenwart kommt der Verfasser zum Schlußurteil:

„Die Missionen zählen bei den Katholiken 8,321.963, oder wenn wir die Katholiken europäischer Abstammung in Abzug bringen, 7,883.963 eingeborene Christen, bei den Protestanten nach Grundemanns Zusammenstellung 3,216.684. Aber auch diese Zahlen können nicht unbedingt als gleichwertig einander gegenübergestellt werden. (S. 127) . . Wie man die Sache auch ansieht, man kommt bei Vergleichung der jetzigen katho-

lischen und protestantischen Mission immer zu dem Ergebnis, daß die
Zahl der durch die katholische Mission für das Christentum
gewonnenen Heiden mehr als doppelt so groß ist, wie die
Zahl der durch die protestantische Mission gewonnenen."
(S. 128.)

Zum Schlusse noch eine Bemerkung, die dem Verfasser für eine
Neuauflage seiner trefflichen Monographie nicht unwillkommen sein dürfte.
S. 89 und 90 vermißten wir die Angabe der Missionsstationen, die am
Belgischen Kongo von den PP. Redemptoristen geleitet werden.
Nach dem offiziellen Catalogus Congregationis SS. Redemptoris concinnatus et publicatus mense Februario anni
1908 sind es folgende sechs: Matadi, Tumba, Kionzo, Kin-
kanda, Kimpese, Thysville. Das Missionspersonal setzt sich
zusammen aus: 18 Priestern und 12 Laienbrüdern. Vgl. die katholischen Missionen 1906/1907 Nr. 8 S. 185 ff.; ferner die Broschüre:
Sept Années au Congo 1899—1906. Bruxelles.

Mautern. P. Jos. Höller C. SS. R.

18) Die selige Julie Billiart, Stifterin der Genossenschaft Unserer
Lieben Frau, und ihr Werk. Dargestellt von Bernard Arens S. J. Mit
35 Abbildungen. Mit Approbation des hochw. Herrn Erzbischofs von
Freiburg. Erste und zweite Aufl. 8°. (XII u. 544.) Freiburg u. Wien.
1908. Herdersche Verlagsbuchhandlung. M. 5.— = K 6.—, geb. in
Leinwand M. 6. — = K 7.20.

Die Welt beschäftigt sich schon lange mit der Lösung der Frauenfrage.
Daß es eine solche gibt, steht fest, aber weniger fest steht, ob es der Welt mit
ihren verkehrten Grundsätzen gelingen wird, eine befriedigende Lösung zu finden.
Aber sei dem, wie ihm wolle, die göttliche Vorsehung hat durch die Kirche schon
längst eine recht gedeihliche Lösung angebahnt; sie liegt in der Gründung der
zahlreichen Frauen-Kongregationen, die in den letzten Jahrhunderten sich gebildet
haben. In diesen Kongregationen finden zahlreiche Jungfrauen einen herrlichen
Beruf, eine der nützlichsten Beschäftigungen zum Wohle der Menschheit, und die
schönste Gelegenheit zur eigenen Vervollkommnung. Hier wird uns ein Bild
geboten, in welchem wir all das verwirklicht sehen.

P. B. Arens, der schon als Verfasser des vorzüglichen Lebensbildes von
„Anna von Xainctonge", der Stifterin der Ursulinen von Dôle, bekannt ist,
zeichnet dieses Bild, es ist das von Julie Billiart (1751—1816), der Stifterin
der Genossenschaft Unserer Lieben Frau von Namur. Die Veranlassung dazu
bot die im Jahre 1906 erfolgte Seligsprechung dieser eifrigen Beförderin der
Jugenderziehung, insbesondere des Katechismusunterrichts. Julie Billiart ist eine
Heilige unserer Zeit und für unsere Zeit. Papst Pius X. hat von Anfang seines
Pontifikates an auf den Katechismusunterricht als auf eines der Hauptmittel zur
Erneuerung der menschlichen Gesellschaft hingewiesen. In Julie steht eine große
Katechetin vor uns, die Stifterin einer Genossenschaft, die sich die Unterweisung im
Katechismus zur ersten Aufgabe gesetzt hat. Als hervorragendste Tugenden in diesem
in eine stürmische Zeit fallenden und von schweren Prüfungen heimgesuchten Leben
finden wir vollständiges Zurückdrängen des eigenen Ich und felsenfestes Gott-
vertrauen. Das Buch stützt sich hauptsächlich auf die Aufzeichnungen der Vicomtesse
Franziska Blin de Bourdon, der ersten Gefährtin der Seligen, einer ebenso erleuchteten
und heiligmäßigen als hochgebildeten, scharfsichtigen und nüchtern denkenden Frau,
nach denen sich Juliens Leben von 1794 an meist Monat für Monat, oft sogar
Tag für Tag verfolgen läßt, und auf die Seligsprechungsakten. Es zerfällt in

vier Teile. Der erste reicht bis zur Gründung des Ordens (1804), der zweite bis zur Vertreibung Julie Billiarts aus Frankreich (1809), der dritte umfaßt die Zeit in Namur bis zum Tode Juliens (1816), der vierte heißt „Juliens Tod und Verherrlichung" und behandelt auch die Ausbreitung des Ordens von Namur wie die Geschicke des holländischen und des deutschen (Coesfelder Schwestern) nebst dem unter dem Druck des Kulturkampfes von hier ausgesandten amerikanischen (Cleveland, Ohio) Zweiges. Die 35 auf besonderen Blättern beigegebenen vorzüglichen Bilder zeigen Julie Billiart und andere bedeutende Mitglieder der Kongregation sowie Persönlichkeiten, die für Juliens Leben Bedeutung gewonnen haben, Juliens Geburtshaus, das eine armselige Bauernhütte ist, zahlreiche deutsche Ordensniederlassungen usw. Ein Orts- und Personenregister ist beigefügt.

Das Buch wird nicht nur all den zahlreichen Frauen und Jungfrauen, die einem der Pensionate des Ordens (z. B. in Coesfeld, Vechta, Oldenburg, Mühlhausen, Ahlen, Geldern) ihre Erziehung verdanken, willkommen sein, sondern auch allen, die für eine fesselnd geschriebene Frauenbiographie oder für die Geschichte des katholischen Ordenswesens Interesse haben.

19) **Leben des seligen Kaspar del Bufalo,** Gründer der Kongregation der Missionäre vom kostbaren Blute unseres Herrn Jesu Christi, von Msgr. Sardi, Sekretär der Breven, deutsch von Konradi und G. M. Jussel C. P. P. S. Verlag: J. Unterberger, Feldkirch in Vorarlberg. Brosch. M. 1.70 = K 2.04; geb. M. 2.20 = K 2.64.

Dieses Werk bietet das Bild eines seeleneifrigen Priesters, dessen inneres Leben, dessen äußere große Kämpfe mit dem modernen Unglauben und der Sittenlosigkeit, dessen gewaltige Taten und Erfolge; die Schrift zeigt, wie man heutzutage die armen Klassen pastorieren soll; sie zeigt einen Priester, der umtobt ist von den Mächten der Hölle und beschirmt von den Mächten des Himmels, der einem lodernden Feuer gleicht und dem Weihrauch, der im Feuer verglüht. Kaspar del Bufalo missionierte den Kirchenstaat, das Königreich Neapel, gab hunderte von Volksmissionen mit staunenswertem Erfolge und gründete die Kongregation vom kostbaren Blute. Für seeleneifrige Priester ist das Werk wie eine Traube in der Wüste und wie ein Blitzstrahl im Dunkel. Man schaffe sich also dieses instruktive Lebensbild an; es braucht jeder Priester, jeder Seelsorger eine Auffrischung des Geistes und einen Ansporn für den Seeleneifer.

Linz.   H. D.

20) **Galileo Galilei und das kopernikanische Weltsystem**. Von Ad. Müller S. J., Professor der Astronomie und höheren Mathematik an der Gregorianischen Universität in Rom. Mit einem Bildnis Galileis. Freiburg. 1909. Herder. XII und 184 S. M. 3.40 = K 4.08.

In den Siebzigerjahren des vorigen Jahrhunderts wurde die Galileifrage lebhaft erörtert, 1877 erschienen zwei Veröffentlichungen der Originalakten der berühmten Prozesse von 1616 und 1633, die eine von romfreundlicher, die andere von gegnerischer Seite. Das gab dann endlich eine sichere Grundlage für den Streit, der hierauf bald zum Abschluß kam. Das Ende war günstig für die römischen Behörden, es wurde mit vielen Fabeln aufgeräumt.

Auf katholischer Seite waren Grisars „Galileistudien" (Regensburg, Pustet 1882) eine abschließende Arbeit. Darin sind die historische, juristische und dogmatische Seite der Prozesse und ihrer Folgen erschöpfend behandelt, so daß das Werk auch heute noch vollen Wert hat und bestens empfohlen werden kann.

Was vermöchte dann das oben genannte Werk noch Neues zu bringen? — Dessen Verfasser ist Astronom vom Fach, er konnte auch die astronomisch-physikalische Seite des Streites gründlich und quellenmäßig behandeln; diese hatte bisher nur eine kümmerliche Berücksichtigung gefunden, ihre genauere Kenntnis ist aber für eine vollwertige Beurteilung jener Vorgänge von überaus großer Wichtigkeit. Der Verfasser weist aus Galileis Schriften nach, daß die von ihm für das neue Weltsystem vorgebrachten Gründe sehr schwach, teilweise geradezu Scheingründe waren, deren Haltlosigkeit auch damals schon solchen Gebildeten, die keine Fachastronomen waren, leicht klargelegt werden konnte. Keplers große Fortschritte, die für Galileis Zwecke so wichtig gewesen wären, hat dieser nie erwähnt.

Für die kirchlichen Richter lag nun die Sache so. Grundsätzlich wurde von jeher daran festgehalten und auch heute geschieht es noch so, daß vom Wortlaut der Heiligen Schrift nicht abgewichen werden darf, wenn nicht triftige Gründe hiefür vorliegen. Die verschiedensten Ketzereien haben ja durch willkürliche Deutung der Schriftworte ihre Lehren zu begründen gesucht; die Wirren des Protestantismus haben das lebhaft in Erinnerung gebracht. Die Gründe nun, welche Galilei vorbrachte, waren schwach und unstichhältig, die naturwissenschaftlichen Gegengründe waren dazumal noch viel überzeugungskräftiger. Viele derselben und gerade die beliebtesten von ihnen, wurzelten in dem alten falschen Trägheitsbegriffe, der damals noch nicht, selbst von Tycho Brahe und Kepler nicht, angezweifelt wurde. Das Weltsystem des Kopernikus und Kepler betrachteten selbst zahlreiche Fachastronomen nur als zweckmäßige Hilfsvorstellung, wodurch viele astronomische Rechnungen vereinfacht wurden.

Bei diesem Stand der Dinge war die Entscheidung der Kongregation vorauszusehen, es erfolgte das Verbot, vom Wortlaut der Heiligen Schrift bei den umstrittenen Stellen abzuweichen, und das Verbot, das neue Weltsystem als etwas Tatsächliches zu lehren. Ihre Verwendung als Rechnungshypothese blieb unbeanständet.

Die astronomisch-physikalische Seite des Streites, die für den Ausgang des Prozesses von entscheidender Wichtigkeit war, behandelt der Verfasser sehr eingehend. Aber noch ein anderer Umstand wird von ihm in gehöriges Licht gestellt. Die Gegner Roms sprechen so gern von „fanatischen Mönchen", die an allem Unglück Galileis schuld gewesen sein sollen. Der Verfasser führt eine große Zahl von Stellen aus Galileis Briefen und Schriften an, die keinen Zweifel darüber aufkommen lassen, daß die größere Leidenschaftlichkeit sich auf Seite Galileis fand.

Wer in dieser Sache, die auch heute noch in Versammlungsreden, Zeitungen und populären Werken sehr oft verzerrt dargestellt wird, einen guten Einblick gewinnen will, dem sei das hier angezeigte Werk angelegentlichst empfohlen. Es ist noch nicht vollendet, liegt aber im Manuskript vollständig und druckfertig vor. Der jetzt veröffentlichte erste Teil reicht bis zum Ausgang des Prozesses von 1616, der zweite Teil wird den von 1633 behandeln. Das Werk erscheint als „Ergänzungsheft der Laacher Stimmen", daraus entspringende Rücksichten allein haben dessen Zweiteilung veranlaßt.

Linz.   A. Linsmeier S. J.

21) Konkurrenzen der deutschen Gesellschaft für christliche Kunst. II. München. Verlag der Gesellschaft für christliche Kunst. G. m. b. H. Lex. 8.º. 187 S. m. Abbildg. M. 2.50 = K 3.—.

Vor der Errichtung von Denkmälern und größeren Bauten veranstaltet man öfters einen Wettbewerb unter den betreffenden Künstlern. In Deutschland ist man auf den guten Gedanken gekommen, diese Konkurrenzprojekte auch zu veröffentlichen und so die Allgemeinheit ins Interesse zu ziehen, zu belehren und anzuregen. Vorliegendes Heft von 87 Seiten in Lexikonformat ist eine solche Publikation, die selbstverständlich mehr Bilder als Text enthält; dieser beschränkt sich auf das Nötigste.

An die Einleitung (2 Seiten) reiht sich der „Wettbewerb für ein Grabdenkmal des Erzbischofes Dr. Josef von Schork" im Dom zu Bamberg. Zwei Abbildungen zeigen den Platz, wo das Monument errichtet werden sollte; und 18 die besten der 88 eingesandten Entwürfe. Das Preisgericht scheidet ja bei wiederholter Durchsicht viele als nicht oder weniger geeignet aus. Die besten erhalten Preise und einige andere werden allenfalls belobt.

S. 17 kommt der „Wettbewerb für eine neue katholische Kirche in der Vorstadt St. Johannis-Neuwezendorf in Nürnberg". Zuerst werden natürlich wieder die Bedingungen aufgestellt. Es liefen 52 Projekte ein; die besten werden im Grundriß, mit Außen- und Innenansicht abgebildet, mitunter im Längen- und Querschnitt oder auch in perspektivischer Ansicht, weil alles dieses gefordert wurde. Es finden sich in diesem Abschnitt samt den Lageplan 47 Abbildungen. S. 51—87 wird gezeigt der „Wettbewerb für eine neue katholische Kirche mit Pfarrhaus in Hamburg". Dort wird gefordert, daß an der Stelle der jetzigen Bonifatius-Kirche eine neue und zugleich in Verbindung damit ein neues Pfarrhaus erbaut werde. Dieses mit der Kirche zu verbinden ist fast so wünschenswert, wie daß die Klöster fast immer mit ihrer Kirche verbunden sind, und wäre es auch nur ein Gang, der sich über eine Straße wölbt, wie bei den Franziskanern in Salzburg. Uebrigens ist bei uns mancher Pfarrhof so mit der Kirche verbunden. An die Fassade der neuen Pfarrkirche St. Josef ob der Laimgrube in Wien schließt sich unmittelbar und in einer Flucht das Pfarrhaus an. — 1. Die Lage des Bauplatzes erläutert der Lageplan ... Der Baugrund ist sandiger Lehmboden. 2. Wird die architektonische Umgebung beschrieben, damit die neue Kirche sich harmonisch einfüge. 3. Achsenrichtung. Die Längenachse muß parallel zum Pfarr- und Schulhause liegen. 4. Raumbedarf und Raumverteilung. Die neue Kirche soll 600 Sitzplätze enthalten; es sind 3 Altäre vorzusehen. 5. Stil und Material. Der Stil bleibt dem Ermessen des Architekten überlassen. Die Kirche soll einen Turm erhalten und aus Backstein erbaut werden. 6. Bausumme darf mit den fertigen Fenstern 200.000 Mark betragen.

So manche Skizzen für Kirchen und Türme können freilich nur wenigen gefallen, aber immerhin ist es interessant, zu sehen, was die Architekten mitunter für barocke Ideen haben oder wie sie frühere Stilarten verwerten. Unsereiner wundert sich nicht wenig, wie z. B. der perspektivischen Außenansicht der von Gebrüder Rank gezeichneten plumpen Kirche eine „Belobung" zuteil werden konnte; bei dem Plane des Josef Huber von Feldkirch ist es allerdings begreiflich, wie auch bei dem von Wilh. Wellardick und Franz Schneider von Düsseldorf. Karl Kräutle hat den Turm merkwürdigerweise mit dem Pfarrhaus vereinigt und ihn nur durch eine offene Halle mit der Kirche verbunden. Theodor Vonwerden in Nürnberg hat den Turm unten recht schwerfällig gezeichnet, den rechteckigen Aufsatz mit Laternen jedoch sehr gefällig gestaltet. Christ. Musel aus Mainz setzt zwei Türme nahe an die Fassade, läßt sie ohne Verjüngung hoch aufschießen und schließt sie mit stumpfen Dachhauben ab! Hingegen dürfte die Kirche von Albert Kirchmayer viel Beifall finden — außen und innen; der Turm steht rechts am Schiff und ist mit dem Pfarrhause durch Bogenhallen verbunden. Zu gedrückt ist das Innere der Kirche von Karl Moritz in Köln und das Aeußere wohl gar zu steif, hübscher ist außen der von Joh. Eisenrieth in München. Jene von Karl Colombo in Köln zeigt auf dem Turme eine sehr plumpe Dachpyramide. Die Decke der Kirche des Johann Bartelshofer in München nimmt sich wie ein schweres Kellergewölbe aus. Das Aeußere der Kirche von Hans Rummel wäre nicht übel, wenn das Turmdach nicht so schwerfällig wäre. Die folgende von Gebrüder Rank in München ist außen und innen gefälliger. Die von Wilhelm Fränkel in Hamburg sieht speicherartig aus; der Turm, welcher Kirche und Pfarrhaus gut verbindet, ist doch zu plump geraten; übrigens harmonieren diese drei Objekte. Das letztere gilt auch vom Entwurfe des M. Jagiebski in Hannover-Waldheim, jedoch ist alles reicher gegliedert.

Die beiden letzten Außenansichten stehen S. 86; dann folgt nur noch das „Verzeichnis der Abbildungen zum Wettbewerb für Hamburg"; es sind davon 51.

Steinerkirchen-Traun. P. Joh. Geistberger, Pfarrvikar.

22) **Meine Schule.** Von Hans Willy Mertens. Köln J. P. Bachem. 8°. 80 S. Gbd. M. 2.— = K 2.40.

Ein sinniges, liebevolles Gemüt schildert uns gar manche Szene aus dem Schulleben in einfacher, zu Herzen dringender Sprache. „Lasset die Kleinen zu mir kommen!" Dieses Wort des Herrn hat sich auch der Verfasser als Leitstern gewählt. Einem besonderen Zug der Zeit kommt entgegen die psychologische Versenkung in die seelischen Leiden mancher Kinder und die warme Anteilnahme für die Armen und Ausgestoßenen der Gesellschaft. Der Lehrer ist der großen Gefahr ausgesetzt, für seinen Beruf gleichgültig oder desselben überdrüssig zu werden. Die Verse dieses Buches, gut überdacht und auf das eigene Leben angewendet, sind geeignet, ihn mit neuer Berufsliebe zu erfüllen. Des Lebens Prosa wird ihn auch vor allzu großer, unvorsichtiger Weichheit bewahren.

Linz.   Bromberger.

B) Neue Auflagen.

1) **Die Tugend der ausgleichenden Gerechtigkeit.** Mit besonderer Berücksichtigung des Bürgerlichen Gesetzbuches für Deutschland. Von Dr. Karl Kiefer. Zweite Auflage. Eichstädt. 1908. Brönner. 8°. M. 3.— = K 3.60.

Wir können diesen ausgezeichneten Leitfaden für moraltheologische Vorlesungen nur mit großer Freude begrüßen und ihn auf das wärmste empfehlen. Die Rechtsordnung ist ein Teil der moralischen Ordnung und- ein gründlicher Unterricht in der Moral erfordert jedenfalls auch eine Beschäftigung mit der positiven Gesetzgebung. Daß dies auf möglichst breiter Grundlage geschehe, ist um so wünschenswerter, als die heutigen Verhältnisse eine Betätigung des Klerus am öffentlichen Leben erfordern, ganz abgesehen von den Rechtsfällen, mit denen er sich als Gewissensleiter zu beschäftigen hat. Was wir an dem Buche Kiefers vermissen, ist die Rechtskritik, welche für den jungen Kleriker von unendlichem Werte wäre. Der Klerus wirkt nicht nur im Beichtstuhle und auf der Kanzel, wie zu jeder Zeit ist er auch jetzt literarisch tätig und muß auch mit der Feder für seine heilige Sache kämpfen. Wenn er aber für die Freiheit und die Rechte der Kirche die öffentliche Meinung bearbeiten soll, so muß er wissen, woran es fehlt, er muß die juridische Lage auch klar erkennen, der Kirche im Staate im allgemeinen, der einzelnen Anstalten und Stiftungen im besonderen, die er vielleicht einmal zu leiten berufen ist. Wenn diese Dinge im theologischen Unterrichte vielleicht an anderer Stelle ausführlich behandelt werden, kommt das Recht in concreto im Moralunterrichte zur Sprache, so wäre eine eingehendere kritische Besprechung gewisser wichtiger Rechtsbestimmungen unerläßlich. So sagt z. B. der Verfasser auf Seite 2: „Wird die Befähigung zur Rechtsinnehabung einem unpersönlichen Subjekte (einem Verein, einer Stiftung) nach Art einer natürlichen Person gesetzlich zuerkannt, so sprechen wir von juristischer, d. h. von Recht angenommener und vor dem Recht geltender Persönlichkeit. Nicht das Rechtssubjekt selbst ist dabei etwas Fingiertes, wohl aber das Gewand, die Erscheinung und Behandlung gleich einer Person"; hier spricht er also die Fiktionstheorie in der Romba, Böhlauischen Abschwächung aus. Daß diese Fiktionstheorie aber, welche die staatliche Kreationstheorie zur Folge hat, weit über die deutschen Grenzen hinaus für die Freiheit der Kirche sehr bedenklich ist, daß diese ganze Frage der juridischen Persönlichkeit den modernen Ausdruck des Kampfes zwischen Kirche und Staat enthält, darüber würden wir wenigstens einige andeutende Worte erwarten. Neben der Kritik des Rechtes vermissen wir die rechtshistorischen Bemerkungen und bedauern, daß das römische Recht, welches der unvergängliche Lehrmeister formeller juridischer Bildung ist, ganz beiseite gesetzt ist. Dieses römische Recht war ein Genuß= und Herrschaftsrecht bevorzugter Klassen und ist ein unvergängliches Denkmal geistiger Arbeit nur in der konsequenten Durchführung einheitlicher Prinzipien geworden. Es ist wahrhaft klassisch im Verständnisse aller Kleinigkeiten des täglichen Lebens, und ist von so großer sozialer Bedeutung geworden, weil es die Bedeutung des Geringen für das Große begriff. Es ist nicht kleinlich, weil es das Kleine mit dem Großen durchdrang. Daß aber dieser Geist des römischen Rechtes keineswegs christlich

42*

war, darüber hat die Geschichte gerichtet. Dem Christentume war es vorbehalten, diesen Geist zu mildern, das Christentum hat Bresche gelegt in dem subjektiven Individualismus des römischen Rechtes. Das Christentum hat gelehrt, der Mensch solle sich mehr als der Verwalter irdischer Güter ansehen als ihr Herr und aus diesem Gedanken ist das geteilte Eigentum hervorgegangen, das die ganze soziale Struktur des Mittelalters beherrscht. Diese grundlegenden Unterschiede von Romanismus und Germanismus hätten wir gerne angedeutet gesehen, um die Bedeutung des neuen deutschen Gesetzbuches erkennen zu können. Wenn der Verfasser auf Seite 16 nachweist, das Gesetzbuch sei zum streng einheitlichen römischen Eigentumsbegriffe zurückgekehrt, liegt mit Recht die Vermutung nahe, daß der Geist des großen Gesetzgebungswerkes mehr dem Romanismus nahe steht als dem Germanismus. Das zeigt schon die Seite 32 angeführte, allerdings im Naturrechte wurzelnde Bestimmung über die Okkupation wilder Tiere. Auch wäre der Begriff des öffentlichen Rechtes mehr darzulegen und zu zeigen, wie die soziale Gesetzgebung im Forstrechte, Bergrechte, Wasserrechte 2c. 2c. des Verwaltungsrechtes sich bedient, die Schärfen des Privatrechtes auszugleichen.

Wenn der Verfasser bald von praescriptio, bald von usucupio spricht, wenn er exceptiones anführt, überall vermissen wir die Erklärungen aus dem römischen Rechte, um derlei Begriffe verständlich zu machen.

Welch große Bedeutung für das soziale Leben hat die Erwerbung des Eigentums durch Verarbeitung und wie lebendig wird das Sache, wenn man sie an dem alten Streite zwischen Prokulianern und Sabinianern erläutert.

Der Verfasser wolle daher verzeihen, wenn wir etwas Rechtskritik und etwas Rechtsgeschichte vermissen. Die Rechtsphilosophie findet reichen Raum und die Darlegungen von objektivem und subjektivem Rechte, von moralischer Ordnung, Naturrecht und Rechtsordnung, sind ebenso prägnant als zutreffend.

Umsomehr hätte uns vom Verfasser ein Urteil über das gesamte Gesetzgebungswerk interessiert, um uns darüber zu beruhigen, daß es in Rückkehr zum unverfälschten römischen Ideale nicht vor allem liberalen Ideen dienen wird.   P. C. H.

2) **Praktisches Geschäftsbuch für den Kuratklerus Oesterreichs.** Bearbeitet von P. Wolfgang Dannerbauer O.S.B. Dritte, gänzlich umgearbeitete, vielfach vermehrte Auflage in lexikalischer Form. Wien. 1909. Karl Fromme. Gr. 8°. VII u. 1687 S. Gbd. K 30.—.

Einen Schwanengesang bezeichnet der hochwürdige Herr Verfasser das Buch! Dreimal ist es in die Welt des österreichischen Klerus hinausgesendet worden, 1893, 1896 und 1909. Das allein ist ein Beweis für seine Brauchbarkeit. Die dritte Bearbeitung ist über vielfach geäußerten Wunsch im Lexikonformat erschienen in Artikeln von Ablaß bis Zweigverein. Wir freuen uns über dieses großartige Hilfsbuch und bewundern den staunenswerten Fleiß des hochwürdigen Herrn Verfassers. Das Werk ist das Produkt langjähriger Erfahrung, langjährigen systematischen Sammeleifers. Wie viele Bücher, Hefte der Linzer Quartalschrift, andere Pastoralzeitschriften 2c. 2c. muß der hochwürdige Herr Verfasser exzerpiert haben! Wir staunen diesen Fleiß und die geschickte Verwertung des Materiales an. Man kann ruhig sagen, alles was in der Seelsorge gebraucht wird, kann hier nachgeschlagen werden, sei es dogmatisch, kirchenrechtlich (z. B. Ehehindernisse), sei es die amtliche Korrespondenz, oder die Vermögensverwaltung betreffend. Formularien zu Gebühren 2c. sind bei den betreffenden Schlagworten immer am Schlusse des Artikels beigegeben. Wie schwer ein solches Buch auf der Höhe der Zeit zu halten ist, in unserer Zeit, wo so viel geschrieben, erlassen, angeordnet, dekretiert wird, ist begreiflich. Während der Drucklegung z. B. kam das neue, tief eingreifende Ehedekret „Ne temere". Eiligst mußte der Verfasser, da der Artikel „Ehe" schon gedruckt war, bei pag. 370 eine Einschaltung auf rotem Papier drucken und einfügen lassen und im Artikel „Vereheligungsform" auch dieses Dekret berücksichtigen. Drei Materien sind sehr eingehend behandelt — die Kampfobjekte zwischen (liberalem) Staat und (katholischer) Kirche: Ehe, Schule, Friedhof. Mit der Ehe hängt auch die ganze unglückliche interkonfessionale Gesetzgebung unseres Vaterlandes in puncto „Religiöse Erziehung der Kinder" zusammen. Dieses spinöse Thema ist vielfach durch Beispiele illustriert. Dannerbauer löst die Frage in echt kirchlichem Sinne. Jedoch der Staat widerspricht seiner Lösung. Puncto Leichenreden der Pastoren am katholischen Friedhofe ist der kirchlich korrekte Standpunkt gewahrt. Aber ruheliebende Pfarrer werden ihn wohl nicht befolgen. Die Frage, ob Pastoren auf katholischen Friedhöfen Leichenreden halten dürfen, ist noch nicht in höchster Instanz entschieden. Das Geschäftsbuch führt pag. 926 nur eine Kultusministerial-Entscheidung aus der liberalen Aera an. Eine Verwaltungsgerichtshof-Entscheidung ist noch nicht erflossen — wenigstens im Geschäftsbuch nicht angeführt. Diese echt kirchliche Gesinnung kommt in allen Artikeln zum Ausdruck. Auf Schritt und Tritt empfindet man den Pfahl der einseitig erlassenen konfessionellen Gesetze Oesterreichs nach Aufhebung des Konkordates im Fleische der katholischen Kirche unseres Vaterlandes. Das Geschäftsbuch ist ein lebendiger Spiegel der Eingriffe des Staates in das kirchliche Gebiet!

Den Mitarbeitern an diesem umfangreichen Werke zollt Dannerbauer in der Vorrede seinen besten Dank. Den fehlenden Index wünschen wir bei einer etwaigen vierten Auflage doch.

P. Dannerbauer, der alte Praktikus, nimmt Abschied von dem Klerus Oesterreichs und meint, bei seinem hohen Alter werde er keine neue Auflage erleben. Weiß Gott, wie schnell diese Auflage verbraucht wird. Jedenfalls, wenn schon er selbst nicht, wird ein Nachfolger seine Winke dankbar benützen, die ihm der hochwürdige Klerus Oesterreichs bei Benützung des Buches als Verbesserungen zukommen lassen wird und um welche der Verfasser bittet.

Das Buch sei bestens empfohlen. Möge es Gemeingut des österreichischen Klerus werden, in alle Sprachen Oesterreichs übersetzt werden!

Der Druck ist rein und deutlich, Papier und Ausstattung gereicht dem Verlagsbuchhändler zur Ehre.

Wien.   Karl Krasa, Kooperator.

3) Aus Kunst und Leben. Von Dr. Paul Wilhelm von Keppler, Bischof von Rottenburg. Dritte, verbesserte Auflage. Mit 6 Tafeln und 118 Abbildungen im Text. Freiburg u. Wien. 1908. Herder. 8°. VIII u. 346 S. M. 6.— = K 7.20; gbd. in Leinwand M. 7.50 = K 9.—, in Halbfranz M. 9.— = K 10.80.

Der Bischof von Rottenburg, Paul Wilh. von Keppler, hat unter dem Titel „Aus Kunst und Leben" zwei Bände Essays veröffentlicht, die solchen Beifall fanden, daß von beiden Bänden sogleich eine zweite Auflage nötig wurde und der erste nun schon in dritter Auflage vorliegt.

Der Inhalt dieses Bandes ist folgender: Das religiöse Bild für Kind und Haus. Gedanken über Rafaels Cäcilia. Helgoland. Leo XIII. Der Gemäldefund von Burgfelden. Bilder aus Venedig. Deutschlands Riesentürme. Michel Angelos jüngstes Gericht. Christliche und moderne Kunst. Siena. Die Rottenburger Dombaufrage. Register.

Bischof Keppler verfolgte bei Abfassung dieses herrlich schönen Buches einen speziellen Zweck: seinen Dombau. In Rottenburg soll ein neuer Dom erstehen und dazu braucht man Geld. Daher heißt es im Schlußwort: „Dieses ganze Buch . . . . bekennt zum Schlusse, daß es lediglich um dieses Dombaues willen entstanden ist und keinen anderen Lebenszweck hat, als Geld zu verdienen, das in die Dombaukasse fließen soll. Darum kann es seinen Käufern und Lesern einen Gewinn sicher verbürgen: sie unterstützen ein großes und gutes Werk." Ist das sicher, so kann der Rezensent seinerseits gleichfalls versichern, daß dem Käufer und Leser des Buches auch der ästhetische und wissenschaftliche Gewinn beschieden sein werde. Bischof Keppler führt bekanntlich eine elegante Feder und Kunst ist das Lieblingsfeld, das er mit großem Geschick bearbeitet. Zahlreiche Bilder in schönster Form beleben das Buch. Es sei also nach allen Richtungen bestens empfohlen.

Linz. **Dr. M. Hiptmair.**

4) **Die dreifache Krone der seligsten Jungfrau Mutter Gottes,** gewoben aus ihren erhabensten Vorzügen der Vortrefflichkeit, der Macht und Güte, und geschmückt mit den verschiedenen Zeichen ihrer Kinder, sie zu lieben, zu ehren und ihr zu dienen. Von dem ehrwürdigen P. Franz Poiré S. J. Mit den Verbesserungen und Zusätzen der ehrwürdigen Mutter von Blemür O. S. B. Aufs neue durchgesehen, verbessert und herausgegeben von den ehrwürdigen PP. Benediktinern zu Solesmes. Aus dem Französischen. 3 Bände. 8º. 600—700 S. Regensburg. V.=A. vorm. Manz. 1852—1853. Früher M. 17.—, jetzt M. 6.— = K 7.20.

Dieses ältere Sammelwerk ist in drei Abhandlungen eingeteilt. Daher der Titel: Dreifache Krone. An jeder dieser drei Kronen glänzen zwölf Sterne.

Die erste Abhandlung enthält die Krone der Vortrefflichkeit. Die zwölf Sterne derselben sind: Die Mutter Gotteswürde; die ewige Auserwählung zu derselben; die Vorbilder Mariens; Maria, die Tochter des himmlischen Vaters; die Braut des Heiligen Geistes; ihre natürlichen Eigenschaften; ihre Gnaden und Verdienste; frei von jeder Sünde; gebenedeit unter den Weibern; Königin der Tugenden; ihre Glorie; Allgemeinheit ihrer Verehrung; Inbegriff aller Vollkommenheiten; unsere Pflicht sie zu ehren, zu lieben und ihr zu dienen.

Nur einen dieser Sterne wollen wir etwas näher betrachten, ein Kapitel wollen wir eingehender skizzieren. Es ist der siebente Stern: frei von jeder Sünde: § 1 frei von der Erbsünde, § 2 frei von jeder wirklichen Sünde, § 3 die Heiligen Väter sagen, daß die Mutter Gottes unsündig ist und wie sie dies meinen. Fassen wir den § 1 näher ins Auge. Hier wird die unbefleckte Empfängnis bewiesen 1. aus der Person des Erlösers, 2. aus der Person der Jungfrau, 3. aus der Natur der Erbsünde, 4. aus der Autorität der Kirche. Dann folgt: das Fest der Empfängnis in Italien, Orient, England, Frankreich, Spanien; heiliger Bernard gegen diese Feier; die unbefleckte Empfängnis wird durch die Widersprüche noch mehr ans Licht gesetzt; Fürsten, die die unbefleckte Empfängnis verteidigt haben. 5. Beweis, gegründet auf die Meinung derer, die dafür halten, daß die seligste Jungfrau im Augenblick ihrer Empfängnis Gott offen gesehen hat. 6. Beweis, der sich auf die Lehre stützt, die die Mutter Gottes nicht bloß von der Erbsünde, sondern auch von aller Nötigung dazu freispricht. Antwort auf fünf Einwürfe gegen die unbefleckte Empfängnis der glorreichen Empfängnis.

Dies möge genügen, um den Inhalt etwas anzudeuten. Daraus ersehen wir schon, wie reichhaltig dieses Werk sein muß, wenn schon einzelne Partien so eingehend behandelt werden.

Die Raumverhältnisse erlauben es leider nicht, eine weitläufige Besprechung zu halten. Gerade die Abhandlung über die unbefleckte Empfängnis böte manches Interessante, besonders infolge des Umstandes, daß Poiré schon im Jahre 1637 gestorben ist.

Scheeben bemerkt nun in seiner Mariologie, daß die Uebersetzung des genannten Werkes verunglückt sei. Diesem Umstande dürfte es zuzuschreiben sein, daß einige Titel und Ausdrücke vorkommen, die ein= für allemal zu meiden sind, z. B. göttliche Lehrmeisterin, desgleichen im Band 3, Seite 431: Anbetung Mariens. Aus der Definition geht klar hervor, daß der Verfasser eine vollständig richtige Auffassung hatte. Er unterscheidet genau zwischen dulia, hyperdulia und latria. In der Abhandlung kommen dann immer wieder die Ausdrücke vor: Anbetung Mariens, Maria anbeten usw.

Manche Erzählungen werden vor dem Forum der Kritik nicht mehr Stand halten können. Man muß aber bedenken, wann der Autor geschrieben hat und obige Bemerkung Scheebens berücksichtigen. Dann wird man trotz der gerügten Fehler den Wert des großartigen Werkes anerkennen müssen. Wir finden in demselben herrliche, mit Schrift= und Väterstellen gespickte Abhandlungen, aber auch praktische Anleitung, Maria zu verehren. Durch das ganze Werk weht der Hauch inniger Liebe zu Maria, die den Verfasser beredt macht, und nicht verfehlen wird, den Leser zu begeistern. Es werden uns solche Schönheiten der Mutter Gottes aufgedeckt, so daß wir unwillkürlich ausrufen: Trahe nos, Virgo immaculata, post te curremus in odorem unguentorum tuorum.

Möge das genannte Werk recht verbreitet werden. Es wird gewiß viel beitragen, die Marienverehrung zu vertiefen und zu verbreiten.

Neumarkt, Südtirol.   Dr. Camill Bröll ord. cap.

5) Repertorium Rituum. Ueberſichtliche Zuſammenſtellung der wichtigsten Ritualvorschriften für die prieſterlichen Funktionen von Ph. Hartmann, Stadtdechant in Worbis. Elfte verbeſſerte Auflage. Paderborn. 1908. Ferd. Schöningh. 8°. XVI u. 856 S. M. 11.60 = K 13.92.

Das Erſcheinen einer elften Auflage beweiſt zur Genüge die außerordentlich praktiſche Verwendbarkeit dieſes weitverbreiteten Handbuches. Es gibt keine Funktion der prieſterlichen Liturgie, über deren richtigen und ſchönen Vollzug nicht alle notwendigen Anweiſungen gegeben werden. Dabei iſt leicht zu unterſcheiden, was Vorſchrift oder Wunſch der Kirche und was nur perſönliche Meinung des Verfaſſers iſt. Auch in den zitierten Dekreten der Rituskongregation iſt genau zwiſchen Decr. gen. und part. unterſchieden. Für die Zitation der neuen Dekrete nach 1900 wäre die Angabe ihres Fundortes, etwa in den Acta s. Sedis oder Ephemerides liturgicae ſehr wünſchenswert.

Die Angabe der genauen Maße für die verſchiedenen liturgiſchen Gewänder iſt natürlich nur als beiläufige Andeutung aufzufaſſen; das könnte auch in der Art und Weiſe der Angabe deutlicher hervortreten. Es läßt ſich doch nicht ſo ſchlechtin beſtimmen (vgl. S. 808), daß die Albe 1 Meter 56 Zentimeter lang ſein, Aermel in der Länge von 58½ Zentimeter haben müſſe oder das Bortenkreuz auf der Manipel gerade 4½ Zentimeter in der Länge und Breite haben ſolle. — Auch die Meinung des Verfaſſers, daß die beſte Form für kleine Reliquiare die Kreuzesform ſei (S. 674), dürfte nicht allgemeinen Beifall finden. Seine Anſicht über die Maiandacht, daß ſie bei täglicher Expoſition des Allerheiligſten ihren Charakter verliere, iſt allerdings richtig (S. 672), dürfte aber in den öſterreichiſchen und ſüddeutſchen Diözeſen die Praxis kaum beeinfluſſen können.

S. 804, Anm. 1, wäre die Berückſichtigung der neueſten Ausgabe von Jakob, Kunſt im Dienſte der Kirche, an Stelle der erwähnten Ausgabe von 1857 wünſchenswert. S. 195 letzte Zeile muß es heißen die ſtatt bie. Da ſich dieſe elfte Auflage in Form und Inhalt von den früheren Auflagen kaum unterſcheidet, ſo kommi auch ihr die gleiche praktiſche Bedeutung als Nachſchlagewert in allen rituellen Fragen zu.

Innsbruck.   Otto Drinkwelder S. J.

6) Hermeneutica biblica. Von Vinzenz Zapletal O. Pr. Ed. altera, emendata. Freiburg (Schweiz). 1908. Univerſitätsbuchhandlung. Gr. 8°. XI u. 197 S. Gbb. M. 4. — = K 4.80.

Zapletals Hermeneutik hat ſchon in ihrer erſten Auflage allgemeine Anerkennung gefunden. Daß ſich dieſe neue, verbeſſerte Ausgabe auch neue Freunde gewinnen wird, iſt zweifellos. Als Schulbuch verdient ſie hohes Lob nicht bloß wegen der Gediegenheit des Inhaltes, ſondern auch wegen der klaren Darſtellung und des außerordentlich leicht verſtändlichen Lateins. Sicherlich wird dieſes Lehrbuch ob ſeiner Brauchbarkeit auch eine dritte Auflage erleben und bis dahin wird wohl der Verfasser Zeit finden, die von ihm selbst erwünschten Aenderungen (Vorw.) vorzunehmen, die sich offenbar auch auf die heute nicht mehr völlig genügende Behandlung der Thesen von der „veracitas" (§ 41) der Heiligen Schrift und deren Verhältnis zur „Wissenschaft" (§ 43) erstrecken werden. Freilich ist dies auch ein heißer Boden und in einem Schulbuch eine kluge Reserve notwendig. Aber eine Stellungnahme zu den wichtigsten biblischen Fragen unserer Tage ist doch unvermeidlich. Was Verfasser über die Autorität der Reden von Aposteln und Propheten in der Heiligen Schrift sagt (S. 115, 2. a. d.), ist ungenau und rücksichtig der Apostel unrichtig oder doch mißverständlich: „auctoritate divina gaudent eorum verba, cum officio suo funguntur". Und Act. 20, 25? Mit voller Entschiedenheit tritt Zapletal für die Irrtumslosigkeit der Schrift ein. Ob er aber vielleicht eine „Geschichte nach dem Augenscheine" annimmt, geht aus S. 127 β nicht klar hervor. Im Zitieren fremder Autoren hält Verfasser weises Maß. Wenn er öfters auf seine eigenen Werke verweist, so hätten wir nur den Wunsch, daß er das daraus zu entnehmende auch stets ausreichend in der Hermeneutik selbst wiedergeben möchte: für ein Schulbuch scheint das angezeigter zu sein. Sorgfältig notiert Zapletal die Zugehörigkeit der von ihm erwähnten Exegeten und Theologen zu den betreffenden Ordensfamilien: dadurch gibt er zugleich eine Art Darstellung der Beteiligung der Regularen an der Schrifterklärung. Daß sich hierin seine Liebe zu seinem eigenen Orden verrät, gereicht ihm nur zur Ehre. Vielleicht hat er in den nächsten Auflagen auch für die Viktoriner eine Erwähnung oder wenigstens für Hugo v. St. Viktor ein „can. reg. s. Aug." (S. 181).

So wünschen wir denn diesem ganz ausgezeichneten Lehrbuch die weiteste Verbreitung bei den Theologiestudierenden und bei allen, welche für die Heilige Schrift ein nicht bloß praktisches Interesse haben.

St. Florian. Dr. Vinzenz Hartl.

7) **Psalm 118** für Betrachtung und Besuchung des Allerheiligsten. Erklärt und verwertet von Dr. Jakob Schmitt, päpstlicher Hausprälat und Domkapitular zu Freiburg i. Br. Zweite Auflage. Freiburg. 1908. Herder. 12⁰. VIII u. 402 S. M. 2.40 = K 2.88; gbd. in Leinw. M. 3.— = K 3.60.

Es ist der größte, umfangreichste und für das innere Leben des Priesters wohl der bedeutsamste Psalm, den der hochverdiente Verfasser nicht in Form eines streng wissenschaftlichen Kommentars, sondern im Geiste des betrachtenden Gebetes und mit fortwährender Beziehung auf die Betrachtung und Besuchung des Allerheiligsten Sakramentes erklärt. Dabei werden die in den Versen enthaltenen Wahrheiten ungezwungen, in wohltuender Ordnung und in ehrfürchtigem Anschluß an das Wort des heiligen Geistes entwickelt und für das ganze priesterliche Leben und Wirken verwendet. Eine probeweise Erklärung einzelner Verse in diesem Sinn erschien früher in der Quartalschrift. Aufgefordert von vielen Priestern ging der Verfasser daran, den ganzen Psalm in gedachter Weise zu erklären. Nach dem Urteil berufener Geistesmänner ist ihm die schöne Arbeit vollends gelungen. Es sind tieffromme, praktische, vom Geiste lebenswahrer Aszese durchdrungene Erwägungen. Das Werk eignet sich vorzüglich zur geistlichen Lesung, zur Betrachtung, namentlich beim Besuch des Allerheiligsten. Viele Erwägungen bieten reichlichen Stoff zu Exhorten in geistlichen Kommunitäten, Seminarien, Frauenklöstern.

Innsbruck. Redakteur P. Franz Tischler O. Cap.

8) **Leben des heiligen Aloisius von Gonzaga,** Patrons der christlichen Jugend. Von Moritz Meschler S. J. Mit drei Lichtdruckbildern. Neunte Auflage. Freiburg. Herder. 8⁰. XII u. 312 S. M. 2.50 = K 3.—, gbd. in Leinwand mit Deckenpressung M. 3.60 = K 4.12.

Es ist wohl die schönste Biographie, eine förmliche Musterbiographie, die uns der gefeierte Geistesmann über den so hochverehrten Jugendheiligen bietet. Die würdevolle und wohlgeordnete Darstellung stützt sich auf die ältesten Quellen, wie Cepari, Piatti, Manzini und Maineri, sowie auf die Akten des Kanonisationsprozesses. Dabei sind zugleich die Briefe und Schriften des heiligen Aloisius, interessante landschaftliche Schilderungen und die Zeit- und Sittenverhältnisse in die Geschichte einbezogen. Das Lebensbild ist mit tiefpsychologischem Verständnis entworfen und die eingestreuten Belehrungen verraten den wohl erfahrenen Geistesmann. Das Büchlein ist ein vortreffliches Geschenk für die christliche Jugend, vorab für die studierenden Jünglinge.

Innsbruck. Redakteur P. Franz Tischler O. Cap.

9) **Katechismus der Biblischen Geschichte.** Von Franz X. Bobelka. Zweite Auflage. Graz. 1909. Ulr. Moser (J. Meyerhoff). 8°. VI u. 124 S. Gbd. K 1.60.

Das Buch will nicht als Lernbuch den Schülern — diesen bleibt nach wie vor die bisherige Bibel — sondern als Handbuch den Katecheten dienen, die daraus „Bemerkungen und Merksätze" entnehmen können. In diesem Sinne, als kleines Handbuch nämlich, ist das Werk dem Rezensenten nicht unsympatisch. Bobelka legt das Hauptgewicht auf pragmatische und apologetische Behandlung des Bibelstoffes. Eine Behandlung, die weniger an der Volksschule als an der Bürgerschule am Platze ist. Die zweite Auflage ist als „verbesserte, um den Neuen Bund bereicherte" bezeichnet, doch ist der Neue Bund auffallend mager (bloß 41 Seiten gegen 83 Seiten des Alten Bundes) bedacht; in fünf Paragraphen werden Lebensbilder des Täufers, Jesu, der Apostelfürsten und der übrigen Apostel gegeben. Ich möchte dem Katecheten nicht raten, alles in der Schule vorzubringen, was Bobelka hier vorbringt, denn es ist viel Unnützes geboten. Das Buch enthält aber auch gute, in der Unterrichtspraxis sehr verwertbare Gedanken, die in anderen Bibelhandbüchern nicht zu finden sind.

Wien. Jaksch.

10) **Bibelkunde** für höhere Lehranstalten, insbesondere Lehrer- und Lehrerinnenseminare sowie zum Selbstunterricht. Von Dr. Andreas Brüll. Elfte und zwölfte, verbesserte und vermehrte Auflage. Herausgegeben von Professor Joseph Brüll. Mit zwölf Textbildern und vier Kärtchen. Freiburg u. Wien. 1908. Herder. 8°. XVI u. 244 S. M. 1.60 = K 1.92; gbd. M. 2.— = K 2.40.

Ein Lehrbuch, welches die Prüfung durch den strengsten Kritiker, die Praxis, längst bestanden hat. Die neue Auflage weist im Texte sowohl als in den beigegebenen Karten eine Erweiterung auf. Die Seite 176 über die Einwohner Jerusalems und deren religiöse Zugehörigkeit angegebenen Zahlen differieren mit den gegenwärtigen Verhältnissen bedeutend. Jaksch.

11) **Vorträge für christliche Müttervereine,** zugleich Lesungen für katholische Mütter von Friedrich Kösterus, Pfarrer. Zweite, verbesserte Auflage mit kirchlicher Druckgenehmigung. Regensburg. 1908. Verlagsanstalt vorm. Manz. (VII u. 403 S.) M. 4.— = K 4.80.

Ein erfahrener Seelsorger spricht hier zum Herzen der christlichen Mütter. Neues und Altes weiß er aus dem unerschöpflichen Born der Heiligen Schrift, aus der Geschichte und seiner eigenen Seelsorgspraxis hervorzuholen und in einer anschaulichen Darstellungsweise zu bieten. Nach dem Erfahrungssatz: varietas delectat werden die Pflichten der Mutter und Hausfrau in einem sechsjährigen Zyklus von je zwölf Vorträgen behandelt. Christliche Haus- und Familienordnung, Szenen aus der Kinderstube, die heiligen Sakramente in der Familie, die heilige Monika, Heiligenbildchen mit Denksprüchen, Vorbilder für Mütter. Wenn auch manche dieser Vorträge in Bezug auf die Disposition und Ausarbeitung nicht als Muster zu bezeichnen sind, so kann doch die ganze Sammlung als reiche und brauchbare Stoffquelle für Vorträge in obgenannten Vereinen bestens empfohlen werden. Wie weit dieser zweiten Auflage das Attribut „verbesserte" zukommt, konnte Referent in Ermangelung eines Exemplars der ersten Auflage nicht feststellen; jedenfalls wird bei Anführung historischer Tatsachen und Beispiele die verbesserte Hand stark vermißt. Auch die Zitate aus den Werken der heiligen Väter und sonstiger kirchlicher Schriftsteller entbehren jeglicher Angabe des Fundortes. Nur ein paar Beispiele hievon: S. 271: Emmelia (nicht Emilia), die Mutter des heiligen Basilius, kommt nicht im Verzeichnis der kanonisierten Heiligen vor. Der Aebtissin Gertrud von Aldenburg († 1297 nicht 1334) ist nur beata zu nennen; die heilige Mathilde, Gemahlin des deutschen Königs Heinrich I., war nicht Kaiserin, noch viel weniger kann sie († 968) die Mutter des heiligen Bruno sein, der 1030 geboren ist, und dessen Abstammung überhaupt nicht mit Sicherheit bestimmt werden kann. S. 270 lies Gorgonia; S. 1 Weish. 11, 21 heißt es „Maß, Zahl und Gewicht"; Psl. 148, 6: die hier gegebene Uebersetzung stimmt weder mit dem Originaltext, noch mit der Vulgata (praeteribit: wird vergehen).

Graz.   P. Placidus Berner O. S. B.

12) Jesus und Moses. Predigten über das größte Denkmal der Liebe, das allerheiligste Sakrament des Altares. Von P. Joannes Politka C. Ss. R. Zweite Auflage. Münster i. W. 1908. Alphonsus-Buchhandlung. Kl. 8°. 220 S. Brosch. M. 2.— = K 2.40, geb. M. 2.75 = K 3.30.

Wer etwa glaubt, gewöhnliche Predigten über das allerheiligste Sakrament des Altares zu finden, der täuscht sich gründlich. Das genannte Büchlein ist vielmehr eine Fundgrube für solche Predigten. Eine kurze Inhaltsangabe wird dies bestätigen. 1. Predigt: Moses im Körblein; Jesus in der heiligen Hostie; Beweis der Gegenwart Jesu; Armut Jesu in der heiligen Hostie; Das Altarsakrament und Maria. 2. Predigt: (S. 31) Moses, die Hoffnung Israels; Jesus, die Hoffnung der Christen; Das kostbare Blut; Das allerheiligste Altarssakrament bewahrt uns vor der Sünde, verhilft uns aus der Sünde und tilgt die Folgen der Sünde. 3. Predigt: (S. 62) Moses, der Führer aus Aegypten; Jesus, der Führer ins Himmelreich; Das allerheiligste Altarsakrament ist uns eine Waffe gegen die Angriffe der Seelenfeinde und lehrt uns verschiedene Tugenden; Jesus, der Helfer in der sozialen Not. 4. Predigt: (S. 99) Moses, der Gesetzgeber auf Sinai; Jesus auf dem Altare; Jesus, ein Gesetzgeber der Liebe; Die steinernen Tafeln ein Bild der Eucharistie; Das goldene Kalb; Unwürdige Kommunion. 5. Predigt: (S. 135) Moses, der Helfer in der Wüste; Jesus, unser Helfer in der heiligen Hostie; Jesus lehrt und hilft uns die Leiden zu ertragen; Die Eucharistie löscht den Brand unserer Leidenschaften; dieselbe als Wegzehrung. 6. Predigt: (S. 168) Der betende Moses in der Wüste; Der betende Jesus in der Eucharistie; Jesus, der Meister des Gebetes; Eigenschaften, Würde und Wert des Gebetes; Wirksamkeit des eucharistischen Gebetes; Jesus segnet uns in der heiligen Eucharistie; Seine Einladung: Kommet alle zu mir.

Der Inhalt ist also sehr reich. Der Vergleich zwischen Jesus und seinem Vorbilde Moses ist öfters etwas mager ausgefallen. Dafür bietet uns P. Politka umso originellere Predigten über das allerheiligste Sakrament des Altares. Dieselben seien hiemit allen Verkündern des Wortes Gottes aufs wärmste empfohlen.

Neumarkt, Südtirol.   P. Camill Bröll ord. cap.

13) Methodik des Unterrichts in der katholischen Religion für Volks- und Mittelschulen. Von Dr. Joh. Baier. Dritte, verbesserte und erweiterte Auflage. Würzburg. 1908. F. X. Buchersche Verlagsbuchhandlung. 8°. VI u. 128 S. Brosch. M. 1.60 = K 1.92.

Daß solche Bücher, welche der unmittelbaren katechetischen Praxis dienen, Absatz und Neuauflagen finden, ist leicht begreiflich. Ein Beweis für ein tiefer= gehendes Interesse an katechetischen Fragen ist es aber, wenn Werke, welche die Theorie des Religionsunterrichtes zum Gegenstande haben, so große Nachfrage finden, daß sie ein zweites, ja ein drittes Mal aufgelegt werden müssen. Ein Werk dieser Art ist das hier angezeigte, welches nicht bloß eine Methodik, sondern ein Leitfaden der Katechetik genannt werden kann, eine Katechetik, welche auch den Religionsunterricht an den Mittelschulen in den Bereich ihrer Erwägungen zieht. Letzteres ist umso schätzenswerter, da die katechetische Literatur, insbesondere die ins Gebiet der Theorie einschlagende, sich an die Mittelschule nicht recht heranwagt. Der Theoretiker Baier bewährt sich in dem Buch als vorzüglicher Praktiker. Jakſch.

14) Katholiſche Volksſchul-Katecheſen. Für die Mittel= und Oberstufe ein= und zweiklassiger und für die Mittelstufe mehrklassiger Schulen. Von Johann Ev. Pichler. I. Teil: Glaubenslehre. Dritte, verbesserte Auflage. Wien. 1909. St. Norbertus-Verlag. 8º. XI und 170 S. *K* 2.—.

Schon die erste Auflage dieses Buches hat bei Kritikern und Praktikern gute Aufnahme gefunden; erstere lobten und letztere kauften. Bald kam eine zweite, verbesserte Auflage zustande, der nun eine dritte, abermals verbesserte folgt. So ist dem Kritiker rein gar nichts mehr übrig geblieben, was er be= mängeln könnte. Wer lernen will, wie man in Oesterreich in wenigen Stunden den Schülern ausreichenden und gemütvollen Religionsunterricht erteilen kann, der findet dafür in Pichlers Katechesen ein erprobtes Rezept. Jakſch.

15) Handbuch des katholiſchen Religionsunterrichtes. Zunächst für Präparandie=Anstalten bearbeitet von Martin Waldeck. II. Teil: Das Kirchenjahr und das kirchliche Leben. Zweite und dritte verbesserte Auflage. Freiburg. 1908. Herder. 8º. XV u. 208 S. Broſch. M. 2.— = *K* 2.40, geb. M. 2.40 = *K* 2.88.

Enthält mehr, als man von einer Liturgik erwarten möchte, nämlich nicht bloß die liturgischen Erklärungen der heiligen Zeiten, Orte und Handlungen (mit Ausschluß der Sakramente), sondern auch sehr praktische und übersichtliche Perikopenerklärungen und 29 kurze Heiligenbiographien. Unrichtig dürfte sein, daß der Pfingstkreis von Christi Himmelfahrt an gerechnet wird (der sechste Sonntag nach Ostern wird, wie schon sein Name besagt, noch in den Osterkreis einzubeziehen sein). In dem Satze „Durch ihn (den heiligen Geist) wurden die Apostel so erleuchtet, daß sie in allen fremden Sprachen reden konnten" (S. 63) wird der Autor das Wort „allen" streichen müssen. Auffällig häufig ist der Symbolik gedacht, als wäre das Buch für künftige Theologen und nicht für den Unterricht von „Präparanden" bestimmt. Ist es denn gar so sicher, daß z. B. das Humerale „die Sammlung und Eingezogenheit" bedeutet, „der Gürtel ein Sinnbild der Selbstverleugnung" ist und das Biret „an die Dornenkrone Jesu" erinnert? Und wenn es sicher wäre; ist es nötig, die Köpfe von Präparanden mit derlei Symbolismus zu füllen? Derartige Themen werden vor Studenten besser historisch als symbolisch erörtert. Auch lateinische termini finden sich in solcher Menge, daß sie für Theologiestudierende genug, für Präparanden aber entschieden zu viel sind. Wenn der Lehrer hier weise Beschränkung übt, ist ihm im übrigen Waldecks Handbuch zur Benützung zu empfehlen. Jakſch.

16) Illuſtriertes Lehrbuch der katholiſchen Liturgik zum Unterrichtsgebrauche an Mittelſchulen. Mit 56 Illustrationen. Von Adolf Kühnl, k. k. Professor an der Staats=Ober= realschule in Teplitz=Schönau. Zweite Auflage. Teplitz=Schönau. 1909. 8º. 120 S. Gbd. *K* 1.20.

Wo man an die Neueinführung eines Lehrbuches für Liturgik in Mittel=
schulen denkt, wird diese Neuauflage von Lehrern und Schülern mit Recht
freudig begrüßt werden. Der vorgeschriebene Unterrichtsstoff wird darin kurz
und klar behandelt. Die Anwendung verschiedenen Druckes und übersichtliche
Einteilungen erleichtern das Lernen. Die gut gewählten Bilder wecken das
Interesse am Gegenstande. Recht gelungen ist auch die Anfügung einer „Aus=
lese von Gedichten und eines Prosastückes für kirchliche Zeiten und Feste", ein
recht beachtenswerter Versuch, die Liturgie dem Denken und Fühlen eines
Mittelschülers näher zu bringen. Kleinere Ungenauigkeiten und Versehen mag
der Lehrer im Vortrage selbst korrigieren. Hier sei nur auf folgende aufmerk=
sam gemacht:

Die Uebersichtstabelle über das Kirchenjahr S. 105 gibt nicht ein rich=
tiges Bild desselben. Die Zeit vom Dreifaltigkeitsfest bis Advent ist durchaus
nicht die Nachfeier des Pfingstfestes wie die Zeit nach Ostern oder Weihnachten.
Man vergesse doch nicht auf die Notiz im Breviere am Samstag nach Pfingsten:
Post Nonam celebrata Missa, terminatur tempus Paschale. Pfingsten ist eben
der Abschluß des Osterfestkreises wie schon sein Name andeutet. Die unter
„Nachfeier" des Pfingstfestes aufgezählten Feste haben zu demselben gar keine
innere Beziehung. Man bringe doch endlich die Liebe zur Symmetrie der Wahr=
heit zum Opfer! — In der Behandlung der kirchlichen Kleider S. 32ff. ist die
historische Erklärung gegenüber der symbolischen zu sehr vernachlässigt. Ruthe=
nisch und glagolitisch (S. 38) sind nicht zwei verschiedene Sprachen; beides ist,
soweit überhaupt nur der liturgische Gebrauch in Betracht kommt, altslavisch.
Mangelhaft ist die Behandlung des kirchlichen Gesanges in 7 Zeilen S. 44, wo
neben den „bedeutendsten Pflegern des Choralgesanges" Ambrosius und Augu=
stinus als die „großen Meister" der „religiösen" Tonkunst sofort Mozart, Haydn
und Beethoven gefeiert werden. Da wäre wohl wichtigeres über die Kirchen=
musik zu sagen; sonst ist auch das Gesagte noch zu viel.

Innsbruck.   Otto Drinkwelder S. J.

17) **Lehrbuch der katholischen Religion** auf Grundlage des
in den Diözesen Breslau, Ermland, Fulda, Hildesheim, Köln, Limburg,
Münster, Osnabrück, Paderborn und Trier eingeführten Katechismus.
Zum Gebrauche an Lehrer= und Lehrerinnen=Seminaren und anderen
höheren Lehranstalten, sowie zur Selbstbelehrung. Von Martin Waldeck,
Geistl. Seminar=Oberlehrer. Mit Approbation des hochw. Herrn Erz=
bischofs von Freiburg. Neunte und zehnte, vielfach verbesserte Auf=
lage. Freiburg u. Wien. 1908. Herder. 8°. XXVI u. 572 S. M. 5.—
= K 6.—, gbd. in Halbleder M. 6.— = K 7.20.

Zum zehnten Male wird dies Lehrbuch innerhalb 19 Jahren nun schon
aufgelegt und wieder wurde daran gestrichen, verbessert, ergänzt. Und so ist es
trotz seines Alters kein veraltetes Buch. Was es will, ist aus seinem Titel er=
sichtlich und aus seinen früheren Auflagen bekannt.   Jaksch.

Neueste Bewilligungen oder Entscheidungen in Sachen der Abläße.

Von P. Josef Hilgers S. J. in Rom.

1. Gebet vor dem Allerheiligsten im Tabernakel. O Jesus,
wahrer Gott und wahrer Mensch, der du hier in der heiligen Eucharistie
zugegen bist, vor dir werfe ich mich auf die Knie nieder. Im Vereine
mit allen Gläubigen auf Erden und den Heiligen des Himmels bete ich

dich an. Aus innigstem Danke für diese so große Wohltat liebe ich dich, o unendlich vollkommener, unendlich liebenswürdiger Jesus. Gib mir die Gnade, daß ich dich niemals irgendwie beleidige. Laß mich, hier auf Erden durch deine eucharistische Gegenwart erquickt, da droben mit Maria deine ewige, beseligende Gegenwart genießen. Amen.

Ablaß zuwendbar: 300 Tage einmal im Tage, wenn man das Gebet vor dem Altarssakramente verrichtet. Pius X. 18. März 1909. — Acta Apostolicae Sedis I, 305.

2. Stoßgebet zum Herzen Jesu. (Gute Meinung.) Alles für dich, heiligstes Herz Jesu!

Ablaß zuwendbar: 300 Tage jedesmal. Pius X. 26. November 1908. — Act. Ap. Sed. I, 146.

3. Gebet zum heiligen Paulus um Schutz gegen die Gefahren der schlechten Bücher. Glorreicher Apostel, der du in Ephesus mit so großem Eifer an der Vernichtung jener Schriften teilgenommen hast, von denen du wohl erkanntest, daß sie den Geist der Gläubigen verkehren würden, schaue doch auch in diesen unseren Zeiten gnädig auf uns.

Du siehst ja, wie eine ungläubige und zügellose Presse sich anstrengt, den kostbaren Schatz des Glaubens und der Reinheit den Herzen zu entreißen. O heiliger Apostel erleuchte, wir bitten dich, den Geist all der unseligen Schriftsteller, damit sie endlich einmal aufhören, mit ihren schlechten Lehren und gemeinen Einflüsterungen den Seelen zu schaden. Rühre ihre Herzen, auf daß sie das Unheil verabscheuen, welches sie in der auserwählten Herde Jesu Christi anrichten. Uns aber erwirke die Gnade, daß wir, allzeit folgsam der Stimme des obersten Hirten, niemals der Lesung schlechter Bücher uns hingeben, sondern vielmehr jene Bücher lesen und nach besten Kräften zu verbreiten suchen, welche mit ihrem heilsamen Inhalte allen dienen zur größeren Ehre Gottes, zur Erhöhung seiner Kirche und zum Heile der Seelen. Amen.

Ablaß zuwendbar: 300 Tage einmal im Tage. — Pius X. 10. Dezember 1908. — Act. Ap. Sed. I, 147 f.

4. Zwölf Samstage vor dem Feste der unbefleckten Empfängnis Mariä. Wer an zwölf unmittelbar aufeinanderfolgenden Samstagen vor dem Feste der unbefleckten Empfängnis Mariä nach Beicht und Kommunion durch mündliches oder betrachtendes Gebet die unbefleckt Empfangene verehrt und nach der Meinung des Heiligen Vaters betet, gewinnt an jedem der zwölf Samstage den armen Seelen zuwendbaren vollkommenen Ablaß. — Pius X. 26. November 1908. Act. Ap. Sed. I, 146.

5. Weihe der Medaille mit dem Bilde des Jesuskindes. Alle Priester, welche Andachtsgegenstände mit den sogenannten päpstlichen Ablässen versehen können, erhielten von Pius X. am 18. März 1909 überdies die Vollmacht durch dieselbe Weihe Medaillen mit dem Bilde des Jesuskindes folgende Ablässe mitzuteilen.

Ablässe zuwendbar: 50 Tage, so oft man die Medaille küßt und dabei die Worte spricht: „O heiliges Jesuskind, segne uns". Vollkommener

Ablaß in der Todesstunde, wenn man alsdann die Medaille küßt und nach
Beicht und Kommunion oder wenigstens in wahrer Reue den Namen Jesus
mit dem Munde oder wenigstens im Herzen anruft und den Tod selbst
ergeben aus Gottes Hand annimmt. — Pius X. 18. März 1909. —
Act. Ap. Sed. I, 276 f.

6. **Ablaß für die Ehrfurcht, welche man einem Kardinale
oder Bischofe durch das Küssen ihres Ringes zollt.** Pius X.
gewährte allen Gläubigen, welche in andächtiger, reumütiger Gesinnung den
Ring eines Kardinals, Erzbischofs oder Bischofs küssen einen Ablaß.

Ablaß zuwendbar: 50 Tage jedesmal. — Pius X. 18. März 1909.
— Act. Ap. Sed. I, 277.

7. **Kirchenbesuch zur Gewinnung der Ablässe.** In allen
Häusern oder Anstalten, in welchen ein gemeinsames Leben geführt wird
und in denen man mit Erlaubnis des Bischofes eine Hauskapelle, aber
nicht eine öffentliche Kirche oder Kapelle besitzt, dürfen die Bewohner dieser
Anstalten sowie alle Hausgenossen, die zur Bedienung dort sind, zur Ge=
winnung von Ablässen diese ihre Hauskapelle besuchen, wenn allgemein bei
der Ablaßbewilligung ein Kirchenbesuch (nicht der Besuch einer bestimmten
Kirche) vorgeschrieben ist. So gestattete Pius X. 14. Jänner 1909. —
Act. Ap. Sed. I, 210.

Erlässe und Bestimmungen römischer Kongregationen.

Zusammengestellt von D. Bruno Albers O. S. B. in Monte Cassino (Italien).

Kollektieren der Ordensleute. Um vorgekommenen Mißständen
vorzubeugen, hat die Congregatio de Religiosis ein Dekret erlassen,
welches das Kollektieren der Ordensleute regelt. Die Congregatio unter=
scheidet zwischen Bettelorden und sonstigen nicht auf das Kollektieren
angewiesenen Genossenschaften und erläßt folgende Bestimmungen:

I. Für die Bettelorden (ordines mendicantes).

1. Angehörige der Bettelorden können nur mit Erlaubnis ihrer Oberen
und zwar nur in der Diözese, in welcher sie wohnen, kollektieren. Die Er=
laubnis des Diözefanoberen ist von selbst mit seiner Einwilligung zur
Errichtung des Konventes gegeben.

2. Wollen Angehörige der Bettelorden in einer anderen Diözese
kollektieren, so haben die respektiven Ordensoberen dazu die Erlaubnis vom
betreffenden Diözefanoberen schriftlich zu erwirken.

3. Die Diözefanoberen, zumal wenn sie der Diözese, wo das
Mendikantenkloster errichtet ist, benachbart sind, werden diese Erlaubnisse
nicht ohne ganz gewichtige und dringende Ursachen verweigern, besonders
wenn die Nachbardiözese klein ist und die Mendikanten nicht leben können.

4. Die einmal gegebene Erlaubnis gilt für immer, sie muß aus=
drücklich zurückgenommen werden im anderen Falle und zwar nur bei triftigen
Gründen und so lange diese dauern.

5. Von dem vorstehenden Recht können nur die Mendikanten selbst, nicht aber fremde, dem Orden nicht zugehörige Mitglieder, Gebrauch machen.

6. Die Regularen, welche zum Kollektieren ausgehen, müssen die schrift= liche Erlaubnis dazu bei sich haben; dieselbe ist dem Pfarrer stets unauf= gefordert vorzulegen, dem Diözesanobern auf Verlangen.

7. Zum Kollektieren dürfen nur tüchtige und reife Ordensmitglieder ausgesandt werden, niemals solche, die sich noch in den Studien befinden.

8. Zu zweien soll das Kollektieren geschehen, namentlich, wenn es sich um Gegenden handelt, die vom Konvente entfernt sind; wird einer allein in dringenden Fällen ausgesandt, so soll er allgemein bekannt sein und sich durch Alter und Tugend der Achtung der Gläubigen empfehlen.

9. Diejenigen, welche in fremden Gegenden kollektieren, sollen bei dem Pfarrer, oder in anderen frommen Häusern oder bei einem frommen Wohltäter Einkehr halten.

10. Außerhalb des Klosters soll sich keiner länger als einen Monat aufhalten, wenn das Kloster in der Diözese liegt; geschieht das Kollektieren in einer fremden Diözese, so soll der Aufenthalt nicht über zwei Monate dauern. Dieselben Religiosen dürfen nicht eher wieder zum Kollektieren aus= gesandt werden, als bis sie ein respektive zwei Monate regulär im Kloster gelebt haben, je nachdem sie ein oder zwei Monate draußen gewesen sind.

11. Diejenigen, welche an dem Orte des Konventes kollektieren, dürfen die Nacht nicht draußen bleiben.

12. Die Religiosen, welche kollektieren, müssen alle Orte vermeiden, wo sie Aergernis geben könnten.

13. Die Oberen sind im Gewissen verpflichtet, den Kollektanten, wenn das notwendig, Verhaltungsmaßregeln vorzuschreiben.

14. Kommen Ausschreitungen beim Kollektieren vor, so mahnt der Diözesanobere als Delegat des Apostolischen Stuhles die Oberen die Ver= gehungen zu bestrafen; im anderen Falle machen sie sofort dem Apostolischen Stuhle Mitteilung.

II. Für religiöse Genossenschaften, die nicht zu den Bettel=
orden gehören.

1. Die Religiosen, welche dem Heiligen Stuhle unterstehen, und ein Privileg zum Kollektieren weder vermöge ihrer vom Apostolischen Stuhle approbierten Konstitutionen noch infolge eines Apostolischen Indultes haben, müssen vom Heiligen Stuhl die Erlaubnis zum Kollektieren erhalten. Außer= dem müssen sie, falls nicht der Heilige Stuhl ganz ausdrücklich schriftlich davon dispensiert hat, durch ihre Oberen die Erlaubnis des Diözesanbischofes dazu erhalten.

2. Religiosen, welche dem Diözesanoberen unterstehen, müssen immer die Erlaubnis ihres Diözesanoberen, und falls sie in einer fremden Diözese kollektieren, diejenige des Ordinarius in dessen Diözese sie kollektieren, erhalten.

3. Die Diözesanoberen können für diese Religiosen, sei es, daß sie ihnen, sei es, daß sie dem Apostolischen Stuhle unterstehen, das Kollektieren beschränken, namentlich, wenn an einigen Orten wirkliche Mendikanten

wohnen. Den Nichtmendikanten sollen sie keine Erlaubnis zum Kollektieren geben, wenn ihnen das Bedürfnis der Sache oder des Hauses nicht fest steht oder diesem Bedürfnis durch Kollekte am Orte oder Distrikte, wo diese Religiosen wohnen, genügt werden kann.

4. Der Ordinarius einer fremden Diözese wird das Kollektieren nicht erlauben, wenn er nicht die litterae obedientiales der eigenen Oberen der Religiosen und die eventuelle Erlaubnis des Heiligen Stuhles oder des Diözesanoberen eingesehen und mit diesem gegenwärtigen Dekrete konform befunden hat.

5. Genau soll der Ordinarius zusehen, ob die, welche für auswärtige Missionen kollektieren, außer dem Empfehlungsschreiben des apostolischen Vikars oder Präfekten der Mission und der Erlaubnis des eigenen Ordens=oberen auch die Erlaubnis zum Kollektieren von der S. Congregatio de Propaganda fide erhalten haben.

6. Die Erlaubnis zum Kollektieren erteilen die Diözesanoberen ohne Taxe schriftlich und notieren immer auf dem Blatte die Namen der kollek=tierenden Religiosen, das Institut, dem sie angehören und die Zeit, für welche die Erlaubnis gegeben ist.

7. Generalerlaubnis zum Kollektieren soll von den Ordinarien solchen Religiosen nicht erteilt werden, sondern sie vielmehr darüber wachen, daß die Kollektanten nicht länger als einen Monat, wenn sie in der eigenen Diözese und nicht mehr als zwei Monate, wenn die Kollekte in einer fremden Diözese stattgefunden hat, außerhalb des Konventes bleiben. Ebenso, daß diese Religiosen nicht eher zum Kollektieren wieder ausgesandt werden, bevor sie einen, respektive zwei Monate wieder im Konvente gelebt haben.

8. Die Erlaubnis des Diözesanoberen zum Kollektieren gilt nur für die betreffenden Ordensangehörigen, nicht für andere.

9. Für diese Religiosen gelten auch die für die Mendikanten oben unter Nr. 6, 7, 8, 9, 11, 12, 13 getroffenen Bestimmungen.

10. Sammeln diese Religiosen ohne Erlaubnis Almosen ein, oder erregen sie irgendwie Aergernis, so soll der Diözesanobere als Delegat des Apostolischen Stuhles in geeigneter Weise eingreifen und sie dem eigenen Ordensoberen zur Bestrafung überweisen. (S. Congreg. de Religiosis d. d. 21. Nov. 1908.)

Ewige Licht. Dürfen die Lampen, welche vor dem Allerheiligsten brennen, statt mit Oel auch mit Bienenwachs, aus denen ja auch die Kerzen des Altares hergestellt werden, wenigstens zum größten Teil angefüllt werden? Antwort: Bei Mangel an Oel kann Bienenwachs verwendet werden, der Entscheid darüber steht dem Bischofe zu. (Cf. Dekret Nr. 3121 d. d. 14. Juli 1864 und Dekret vom 14. Dez. 1904.)

Gelübdeablegung der Nonnen. Am 3. Mai 1902 bestimmte Papst Leo XIII., daß fernerhin die Nonnen auch das vom Pius IX. für die männlichen Orden vorgeschriebene Triennium zu beobachten hätten. Das Konzil von Trient hat nun bestimmt, daß vor der Gelübdeablegung die Novizin von dem Bischof oder dessen Stellvertreter, respektive dem Oberen, dem das Kloster untersteht, zu fragen sei, ob sie freiwillig die Gelübde ablegen wolle. Auf die Anfrage, ob die Nonnen vor Ablegung der feierlichen Gelübde noch einmal wegen ihres Willens zu befragen seien, antwortete die S. Congreg. de Religiosis mit Zustimmung des Heiligen Vaters: Attenta ratione solemnitatis votorum, iteranda est exploratio voluntatis singularum monialium ante votorum solemnium nuncupationem. (S. Congr. de Relig. d. d. 19. Jan. 1909).

Maison sociale. Dieselbe Kongregation der Religiosen erklärt unter dem Datum des 30. Jänner 1909, daß die zu Paris bestehende und von einer Suor Mercedes geleitete Maison sociale niemals vom Heiligen Stuhle anerkannt worden ist und daß derselbe Apostolische Stuhl an dem Werke keinen Anteil genommen hat.

Musica sacra. Der Kardinalerzbischof von St. Jago hatte bei der Kongregation in Rom angefragt:

I. Ob bei der musica sacra Hoboën, Klarinetten, Trombonen zulässig seien?

II. Ob die Musikinstrumente timbales oder tympanos genannt als lärmmachende Instrumente zu gelten haben?

III. Können diese Instrumente bei der Musica sacra und dem religiösen Orchester Verwendung finden?

Der Entscheid der Ritenkongregation lautete:

Ad I. Hoboën und Klarinetten können geduldet, aber sie dürfen nicht stark gespielt werden und nur nachdem in jedem einzelnen Fall der Ordinarius die Erlaubnis erteilt hat.

II. Schon vorgesehen im Artikel 19 der päpstlichen Instruktion über die Musica sacra vom 22. November 1903; und zumal ist Artikel 16 genannter Instruktion ganz genau zu beobachten.

III. Negative. (S. Rit. Congr. d. d. 13 Nov. 1908).

Altäre. Auf einer Visitationsreise fand ein Bischof einige Altäre, als altaria fixa konsekriert, doch bestand 1. bei einigen die Mensa nicht aus einer Platte, 2. bei anderen aus mehreren Stücken, in der Mitte der Altarstein mit den Reliquien; bei noch anderen 3. war die Mensa auf eine Basis von Ziegelsteinen aufgesetzt, in der Mitte dann das Grab mit den Reliquien. Was hat mit diesen Altären zu geschehen?

Antwort: Wegen der sub 1 genannten wird die Sanation erteilt, wofern nur die Grabplatte mit den Reliquien aus einem Stück besteht; wegen der sub 2 genannten möge der orator sich beruhigen; wegen der sub 3 genannten soll der Bischof entweder durch eine kleine konsekrierte Grabplatte Abhilfe schaffen oder, falls in der Kirche überhaupt kein altare fixum besteht, eine neue Mensa in richtiger Weise aufgestellt konsekrieren. (S. Rit. Congreg. d. d. 13 Nov. 1908).

Litanei zu Ehren des heiligen Joseph. Unter dem Datum des 18. März 1909 hat die Ritenkongregation die nachfolgende Litanei zu Ehren des heiligen Joseph für den öffentlichen Gottesdienst gutgeheißen.

Kyrie eleison — Herr, erbarme dich unser

Christe eleison — Christus, erbarme dich unser

Kyrie eleison — Herr, erbarme dich unser

Christe audi nos — Christus, höre uns

Christe exaudi nos — Christus, erhöre uns

Pater de coelis Deus miserere nobis — Gott Vater vom Himmel, erbarme dich unser

Fili, Redemptor mundi Deus miserere nobis — Gott Sohn, Erlöser der Welt, erbarme dich unser

Spiritus Sancte, Deus miserere nobis — Gott, Heiliger Geist, erbarme dich unser

Sancta Trinitas, unus Deus miserere nobis

Sancta Maria*) — Heilige Maria*)

Sancte Joseph — Heiliger Joseph

Proles David inclyta — Erlauchter Davidssohn

Lumen Patriarcharum — Du Licht der Patriarchen

Dei Genitricis sponse — Du Bräutigam der Gottesmutter

Custos pudice virginis — Du reinster Schützer der Jungfrau

Filii Dei nutritie — Du Nährvater des Sohnes Gottes

Christi defensor sedule — Du eifriger Verteidiger Christi

Almae Familiae praeses — Du Haupt der heiligen Familie

Joseph iustissime — Gerechtester Joseph

Joseph castissime — Keuschester Joseph

Joseph prudentissime — Weisester Joseph

Joseph fortissime. — Starkmütigster Joseph

Joseph obedientissime — Gehorsamster Joseph

Joseph fidelissime — Getreuester Joseph

Speculum patientiae — Du Spiegel der Geduld.

Amator paupertatis — Du Liebhaber der Armut

Exemplar opificum — Du Muster der Arbeiter

Domesticae vitae decus — Du Zierde des häuslichen Lebens

Custos virginum — Du Schirmer der Jungfrauen

Familiarum columen — Du Stütze der Familien

Solatium miserorum — Du Trost der Armen

Spes aegrotantium — Du Hoffnung der Kranken

Patrone morientium — Du Patron der Sterbenden

Terror daemonum — Du Schrecken der Teufel

Protector sanctae Ecclesiae — Du Schutzherr der heiligen Kirche

Agnus Dei etc. (ter) V̊. Constituit dominum domus suae R̊. Et principem omnis possessionis suae.

O du Lamm Gottes 2c. (dreimal) V. Er hat ihn zum Herrn seines Hauses gemacht. R Und zum Verwalter seines ganzen Reichtums.

*) Ora pro nobis. — Bitt für uns.

Oremus. Deus qui ineffabili providentia beatum Joseph sanctissimae Genitricis tuae sponsum eligere dignatus es, praesta quaesumus, ut quem protectorem veneramur in terris intercessorem habere mereamur in coelis. Qui vivis et regnas in saecula saeculorum. Amen.

Laſſet uns beten: O Gott, der du in deiner unausſprechlichen Vorſehung den heiligen Joſeph zum Bräutigam deiner heiligſten Gebärerin auserwählt haſt, verleihe, wir bitten dich, daß wir ihn im Himmel zu unſerem Fürſprecher haben, den wir auf Erden als unſeren Schutzpatron verehren. Der du lebſt und regierſt von Ewigkeit zu Ewigkeit. Amen.

Ablaß zuwendbar: 300 Tage einmal im Tage. Pius X. 18. März 1909. — Durch das Dekret der Ritenkongregation dieſes Tages wurde die Litanei auch zum öffentlichen liturgiſchen Gebrauche genehmigt. — Act. Ap. Sed. I, 290 ff.

Meßſtipendien an Orientalen. Durch Dekret der Propaganda vom 15. Juli 1908 wurde die Beſtimmung der Konzilskongregation vom 22. Mai 1907 dahin ergänzt und erläutert, daß die für die orientaliſchen Kirchen beſtimmten Meßſtipendien nicht nur durch die Propaganda, ſondern auch durch den apoſtoliſchen Delegaten beſorgt werden könnten. An Laien oder einfache orientaliſche Prieſter direkt die Meßalmoſen zu ſenden iſt verboten, ebenſo auch an die Oberen der religiöſen Orden, ja ſelbſt den orientaliſchen Prälaten, die entweder Titularbiſchöfe ſind oder einfache Patriarchal-Vikarien. Die Biſchöfe, welche einen Sprengel und Jurisdiktion haben, können, aber nur für ihre direkten Untertanen, Meßſtipendien in Empfang nehmen. Geſchieht die Zuſendung an ſolche Prälaten direkt, ſo iſt es gut, den apoſtoliſchen Delegaten von der Zuſendung zu benachrichtigen.

Im Anſchluß an dieſes Dekret teilt die Propaganda mit, daß P. Alexius Kateb, Prokurator der Baſilianer Melchiten-Serviten in Rom an viele ein Werkchen verſandt hat, in dem er um Zuſendung von Meßalmoſen an die Baſilianer-Miſſion bittet. Es wird erklärt, daß der genannte Religioſe durchaus keine Erlaubnis zum Sammeln der Meſſen hat und das vorſtehende Dekret, welches die Zuſendung von Meßſtipendien an die Oberen orientaliſcher religiöſer Orden regelt, in Erinnerung gebracht. (S. Congr. de Propag. fide d. d. 26. März 1909.)

Kirchliche Zeitläufe
Von Profeſſor Dr. M. Hiptmair.

Stand und Nutzen der chriſtlichſozialen Partei in Oeſterreich. — Die katholiſchen Verbindungen an der Wiener Univerſität. — Gefahr des Interkonfeſſionalismus.

Vor nicht gar langer Zeit ſchrieb uns ein treuer Freund aus dem Auslande: „Ueber Oeſterreich bin ich jetzt ſehr wenig mehr unterrichtet, ſo daß ich gar nicht mehr weiß, wie die Dinge gehen und ſtehen. Ich will annehmen, daß das Chriſtentum dort wirkliche Fortſchritte mache, da ja alles „chriſtlich" geworden iſt. Anders in Deutſchland. Da nimmt die Spaltung zwiſchen den „chriſtlichen" München-Gladbachern und Kölnern, und den „katholiſchen" Berlinern

und Trierern immer mehr zu. Von einer Versöhnung ist keine
Rede mehr, erklären die „Christlichen", außer die Berliner lassen
das Wort katholisch fallen."

Nun, aufrichtig gestanden, von besonderen Fortschritten des
Christentums in der Donau=Monarchie seit der Zeit, als alles
„christlich" geworden ist, können auch wir nicht viel erzählen, aber
auf das eine können wir hinweisen, daß die Vereinigung der kon=
servativen Politiker und Parteien mit den Christlichsozialen unter
der Firma der letzteren etwas zustandegebracht, was für das Christen=
tum von nicht geringer Bedeutung ist. Diese Vereinigung hat
zunächst den äußeren Frieden hergestellt, so daß der gegenseitige
verwirrende und verheerende Kampf in der Presse mit Ausnahme
von Tirol aufgehört hat. Daran aber hängt noch etwas größeres.
Als am 14. Mai 1907 die allgemeinen Wahlen vorgenommen
wurden, errangen die christlichen Parteien aller Nationen, besonders
aber die deutsche, überraschende Erfolge und glänzende Siege. Das
allgemeine Wahlrecht hatte sich bewährt. Die christlichsoziale Partei
Deutschösterreichs war mit einem Schlage zur mächtigen Reichs=
partei geworden und zog als die stärkste ins Parlament ein. Nicht
weniger als 726.655 Stimmen hatten sich auf ihre Kandidaten
vereinigt, während die deutschen Sozialdemokraten 507.000 und die
Deutschfreiheitlichen aller bestehenden sechs Schattierungen, die teil=
weise unter sich sehr stark kontrastieren, zusammen nur 499.600
Stimmen erhielten.

Auch bei den anderen Nationalitäten machte sich ein erfreu=
liches Anwachsen der positiv christlichen Richtung bemerkbar. So
haben es bei den Polen die Sozialdemokraten nicht einmal auf
63.000 gegen 600.000 Stimmen der bürgerlichen Parteien gebracht,
kommen also gar nicht ernstlich in Frage. Die meisten Polen stehen
treu zu Kirche und Vaterland und sind einem Kulturkampf im
Interesse beider abhold. Würde es gelingen, sich des jüdischen Ein=
flusses mehr zu entledigen, so wäre es noch besser. Unter den
ruthenischen und rumänischen Parteien, die 646.706 Stimmen
erzielten, blieben die Sozialdemokraten mit 33.493 Stimmen in der
Minorität. Und wenn auch bei den Ruthenen und Rumänen noch
viel Sturm und Drang wahrzunehmen ist, so macht sich doch auch
bei ihnen, und zwar in den größten ihrer Fraktionen, ein starker christ=
licher Sinn geltend. Ebenso steht die italienisch=katholische Volkspartei
an der Spitze aller anderen Parteien, sowie auch die katholischen
Slowenen an Größe und Stärke alle Gegenparteien bedeutend übertreffen.

Am wenigsten gut steht es in Böhmen sowohl bei den Deut=
schen als bei den Czechen, bei denen die christlichen Parteien erst
an dritter Stelle kommen, die Sozialdemokraten aber die erste
Violine spielen. Namentlich Böhmen ist das eigentliche Mutterland
der österreichischen Sozialdemokratie, während in Mähren die katho=
lischen Organisationen gut bestellt sind und die relativ größte

Stimmenzahl bei den Wahlen aufbrachten. Doch auch unter der czechischen Bevölkerung machte sich ein erfreulicher Aufstieg der christlichen Bewegung geltend. Ja selbst in Böhmen brachten die Czechischkatholischen mehr Stimmen auf, als die einst so mächtigen Jungczechen. Freilich müssen die 184.304 Stimmen der katholischen Parteien gegen die 399.904 Stimmen, welche die Sozialdemokraten aus der Mitte des czechischen Volkes erhielten, noch sehr stark in den Hintergrund treten und es bedarf großer Anstrengung von seiten des Klerus, bis daß befriedigende Resultate erzielt werden. Es ist nicht anders: Licht und Leben muß vom Klerus ausgehen!

Eines also haben die allgemeinen Wahlen klar bewiesen, daß das christliche Wirtschaftsprogramm allenthalben einen günstigen Erfolg zu verzeichnen, relativ die meisten Anhänger zählt und in manchen Provinzen und Ländern auch die meisten Vertreter in den Reichsrat entsandt hat. So sind in Niederösterreich unter 64 Abgeordneten 44 positiv christliche; in Oberösterreich unter 22 Abgeordneten 17; in Salzburg unter 7 Abgeordneten 4; in Steiermark unter 30 Abgeordneten 16; in Tirol unter 25 Abgeordneten 20; in Vorarlberg alle vier; in Krain von 12 Abgeordneten 10 christliche.

Allerdings erfreut sich das christliche Element trotz dieser schönen Erfolge im österreichischen Volkshause noch lange nicht der absoluten Majorität, schon deshalb nicht, weil alle anderen Parteien, wenn sie sich auch sonst noch so sehr befehden, im Hasse gegen Christentum und katholische Kirche brüderlich übereinstimmen und das Kulturkampfprogramm als internationales Heiligtum fanatisch verehren. Aber das kann vorläufig mit Sicherheit behauptet werden, daß eben deshalb, weil das christlichsoziale Programm im Abgeordnetenhause die absolut stärkste Partei für sich hat, ein Kulturkampf ausgeschlossen ist, so sehr sich auch manche Kreise darauf sehnen mögen. Keine Regierung dürfte es wagen, unter diesen Umständen mit derartigen Vorlagen vor das Haus zu treten, möchte sie aus was immer für Männer zusammengesetzt sein. Vorbereitet sind solche Gesetzentwürfe nach französischem Muster schon längst und harren der günstigen Stunde, um ans Licht zu kommen. Der frühere Kultusminister Marchet soll den Kirchenstürmern in freimaurerischer Fürsorge diesen Liebesdienst erwiesen haben. Dieses Ministers gesetzgeberische Tätigkeit auf dem Gebiete des Mittelschulwesens muß unter solchem Gesichtspunkte beurteilt werden. Man rechnete und rechnet auf den unglaublich weittragenden wirtschaftlichen Einfluß, der den Antichristlichen zur Verfügung steht und der das gesamte Bank- und Börsenwesen, alle Marktverhältnisse und Preisbestimmungen von ihnen abhängig macht. Man pochte und pocht auf die riesige Verbreitung ihrer Presse und suchte nach oben den Eindruck hervorzubringen, daß auch das Volk hinter ihnen steht und nicht — wie sie mit Berechnung sagen — hinter den „Klerikalen", deren führende Blätter es trotz allen Anstrengungen nirgends im Reiche

auch nur zu einem achtunggebietenden Abonnentenstande dringen
könnten. Man wußte und weiß wie zur Zeit Metternichs, daß die
Bureaukratie und was damit als sogenannte Intelligenz zusammen=
hängt, willige Gefolgschaft, wenn nicht mehr leistet und einen fröh=
lichen Krieg mit der Kirche nicht ungern sieht. Man hoffte und hofft
ganz besonders auf die Sozialdemokratie, die von den Juden gegrün=
det und von ihnen nur darum geleitet wird, um die Unzufriedenheit
der armen, unterdrückten Massen von den eigentlichen Urhebern der
Not, den Juden und ihrer goldenen Internationale ab= und auf die
Kirche und die kirchentreuen bürgerlichen Kreise hinzulenken und hin=
zuhetzen. Das Manöver, das die Juden mit dem christlichen Volke
treiben, ist international und schrecklich und sollte die Staatsmänner,
wenn sie wirklich das bonum commune vor Augen hätten, mit
ganz anderen Gedanken erfüllen, als sie nach ihren Taten zu haben
scheinen. Einerseits haden die Juden durch ein ausgedehntes Kartell=
wuchernetz die Produktion und Wertbemessung sich fest gesichert,
andererseits hetzen sie die von ihnen ausgebeuteten Klassen zu immer
höheren Lohn= und Gehaltforderungen und Ansprüchen auf. Aber
im selden Augenblicke, wo die Arbeiter usw. höheren Lohn fordern,
schnellt der Jude mit den Preisen der Produkte empor und somit
ist es anstatt besser tatsächlich für den Arbeiter schlechter geworden.
Natürlich empfindet der Arbeiter den Schlag sehr schmerzlich, aber
anstatt seinen Zorn gegen den eigentlichen Urheber zu wenden,
wendet er ihn leider irregeführt nur zu häufig gegen den Bauer
und den gewerblichen Mittelstand, die selber durch diese bösen Prak=
tiken arg geschädigt, wenn nicht vielfach ruiniert werden.

Wir mußten auf diese zwar allbekannten Dinge hinweisen, um
die Bedeutung des allgemeinen Wahlrechtes und die Erfolge der
christlichsozialen Partei in das richtige Licht zu setzen.

Wer weiß, ob wir ohne diese Erfolge nicht schon die Ehe=
reform, das ist die Beseitigung der Hindernisse ligaminis, ordinum
majorum et professionis sollemnis religiosae hätten. Manche hegen
darüber keinen Zweifel in Anbetracht der Strömung, welche jetzt
schon bei der obersten Judikatur zutage getreten ist. Wir erinnern
an einen bestimmten Fall. Es handelte sich um eine gültig geschlossene
und vollzogene Ehe zweier katholischer Staatsbürger. Da die Ehe
unglücklich war, wurden die Gatten gerichtlich von Tisch und Bett
geschieden. Die Frau aber wollte zu Lebzeiten ihres Mannes sich
wieder verehelichen, und da sie dies in Oesterreich nicht konnte,
erward sie die ungarische Staatsbürgerschaft, erwirkte dort die völlige
Trennung ihrer ersten Ehe vom ungarischen Gerichte und heiratete
dann civiliter einen ungarischen Katholiken. Beide dlieben katholisch und
ließen sich in Oesterreich wieder wohnhaft nieder. Natürlich kam die Gül=
tigkeit dieser zweiten Ehe vor den österreichischen Gerichten in Frage,
und da entschieden das k. k. Landesgericht in Wien, sowie im Appell=
wege das Oberlandesgericht in Wien auf Grund der Unauflöslich=

keit der Ehe für die Ungültigkeit derselben, der Oberste Gerichtshof aber
erklärte sie mit Berufung auf die „Haager Konferenz" und das
Nationalitätenprinzip für gültig. Sagt uns nun diese Handhabung
der Gesetze von seiten einer solchen Behörde nicht genug, wessen
wir Katholiken uns zu versehen haben, wenn die jüdisch=freimau=
rerische Partei das Heft wieder allein in die Hand bekäme? Vielleicht
wäre auch die „Freie Schule", das ist die gänzlich entchristlichte Schule,
schon gesetzlich eingeführt worden, wenn nicht der David der christlich=
sozialen Partei im Wege stünde. An Versuchen dafür und an An=
strengungen hat es wahrlich nicht gefehlt. Baron Hock arbeitet unver=
drossen an diesem Werke und läßt sich durch keinen Mißerfolg entmutigen.

Werfen wir noch einen Blick auf die Landtagswahlen, so sehen
wir, daß auch diese ähnlich den Reichsratswahlen günstig ausgefallen
sind. In Niederösterreich wurden im vorigen Jahre 93 Christlich=
soziale, 6 Sozialdemokraten und 5 Liberale gewählt, obwohl die
Sozialdemokraten auf mindestens 15, die Liberalen auf 12 Mandate
gerechnet haben. Es gingen Bezirke verloren, die für den Reichsrat
noch rot gewählt hatten. In Oberösterreich errang in diesem Jahre
die christlichsoziale Partei die Zweidrittelmajorität, nämlich 48 Stim=
men gegen 20 Liberale und 1 Sozialdemokraten. In Salzburg
zählen unter 40 Abgeordneten 23 Christliche, 15 Liberale und
2 Sozialdemokraten. Tirol und Vorarlberg (24 gegen 2) sowie
Krain erfreuen sich gleichfalls einer christlichen Zweidrittelmajorität.
Hoffen wir, daß Steiermark, Kärnten, Böhmen, Mähren und Schle=
sien dem guten Beispiele der genannten Alpenländer folgen werden.
Es kommt zum größten Teile auf den Klerus an, weil das Christen=
tum vom Klerus verbreitet und erhalten werden muß. Mithelfen
müssen freilich auch die katholischen Laien und das geschieht ja auch
jetzt mehr als vor Dezennien, dank der christlichen Bewegung auf
den Universitäten. Wir erinnern nur an die Wiener Universität, wo
die katholischen Verbindungen den übrigen gegenüber heute ungefähr
ein Drittel ausmachen. Um das Jahr 1900 betrug die Zahl der
katholischen Verbindungsmitglieder etwa 50 Mann; von da an wuchs
sie jährlich um 15—20 Mann und vermehrten sich auch die Ver=
bindungen selbst, wie die folgende Tabelle zeigt:

Verbindung	Gründungs=jahr	Aktiv=Mitglieder		
		1907	1908	1909
Austria	1876	39	38	45
Norica	1883	46	38	50
Rudolfina	1898	45	40	35
Nordgau	1900	17	16	16
Kürnberg	1900	21	21	25
Nibelungia	1908	—	8	14
Aargau	1908	—	10	12
Marco Danubia	1908	—	12	12
Franco Bavaria	1908	—	12	12

Wir haben also hier nach mancher Seite hin etwas für die christliche Sache Günstiges zu berichten gehabt, wenngleich wir wissen, daß auch da nicht alles Gold ist, was glänzt. Daß es nebstbei noch viel Ungünstiges gibt, viele und große Gefahren drohen, viele und mächtige Feinde allenthalben dem positiven Christentum Schaden zufügen, wollen wir damit gleichfalls durchaus nicht geleugnet haben. Wenn man von einer Moschee in Wien, von einer islamitischen Universität in Budapest spricht, so mag man solches einer bloß politischen Regung zuschreiben. Anders aber verhält sich die Sache, wenn von der Anerkennung einer „mohammedanischen Kirche" (!), von gesetzlich erlaubter Vielweiberei gesprochen wird. Da kommen wir nicht bloß mit dem Strafrecht, sondern mit den Prinzipien unserer Moral und Weltanschauung, mit dem Christentum in Konflikt, da erhebt sich das moderne Gespenst des religiösen Interkonfessionalismus vor unseren Augen, das die nächste Zukunft Europas beherrschen zu wollen droht. Der Bürgermeister der Gemeinde Jory in Paris spielt die Rolle des Pfarrers und tauft die Kinder seiner Gemeinde, oder wie er behauptet, gibt den Neugeborenen seines Sprengels feierlichst bürgerliche Paten. Im Monat Februar hat er diese vorher angekündigte Zeremonie wiederum an zwölf Säuglingen vollzogen, denen diesmal nicht nur Zuckerbohnen, sondern auch Sparkassenbücher geschenkt wurden in Anwesenheit der Feuerwehr und unter den Klängen der Internationale. Man wird sagen, das ist französische Verrücktheit. Aber was ist es, wenn der Vorstand des Sächsischen Lehrervereines erklärt, daß der Religionsunterricht in der Schule nicht im Auftrage der Kirche, sondern des Staates erteilt werde wie jede andere Disziplin, daß den Kindern nicht eine systematische, in Formeln und Dogmen eingeengte Unterweisung zu bieten sei und die Forderung stellt: „Der Religionsunterricht ist ohne Rücksicht auf Konfession und Dogma nach pädagogischen und psychologischen Grundsätzen zu erteilen?" wenn die Lehrer erklären: „Im neuen Religionsunterricht der Volksschule, wie wir ihn uns denken, wird es einfach verboten sein, den Kindern Glaubensbekenntnisse vorzusagen und nachsprechen zu lassen. . . . Denn der elementare Religionsunterricht wird Geschichtsunterricht und Lebenskunde sein?" Doch suchen wir nicht in der Ferne und nach Extremen. Die Versuchungen zum religiösen Interkonfessionalismus liegen in allerdings milderer Form uns schon näher. Um Ostern herum wurde die Nachricht verbreitet, daß Pius X. einer Abordnung der katholischen Arbeitervereine Westdeutschlands gegenüber gesagt habe: „Es hat meine volle Billigung, daß Ihr in den christlichen Gewerkschaften ein so erfolgreiches Apostolat ausübet und gemeinschaftlich mit den Protestanten zur Erhaltung des christlichen Gedankens tätig seid." Der „Osservatore Romano" hat hierauf die Richtigkeit dieser Notiz in Abrede gestellt. Was ein Teil der deutschen Gewerkschaften will, das will auch ein Teil der öster-

reichischen: Zurückstellung des katholischen Prinzips vor einem
allgemein christlichen in der Hoffnung, dadurch Andersgläubige und
Fernerstehende zu gewinnen. Nun läßt sich gegen ein friedliches
Zusammenleben und Zusammenarbeiten mit Andersgläubigen nichts
einwenden. Das ist die tolerantia christiana, welche uns die Kirche
lehrt. Aber es darf nicht auf Kosten der tolerantia dogmatica
geschehen. Hierin müssen wir — man verzeihe den Ausdruck —
reinrassig bleiben, sonst verfallen wir dem Sektenwesen mit seinen
unzähligen Abstufungen. Was dann die Hoffnung betrifft, auf diese
Weise Andersgläubige zu gewinnen, so ist sie wohl sehr gering,
wenn nicht gänzlich eitel. Gewöhnlich hat man statt des Gewinnes
den größten Schaden selber. Diesbezüglich möchten wir auf das
jüngst erschienene Buch von J. Windolph verweisen: „Materialien
zur Beurteilung des Gewerkschaftsstreites unter den deutschen Katholiken." 1. Heft. Der deutsche Protestantismus und die christlichen
Gewerkschaften. Preis 1 M. Berlin. Verlag des „Arbeiter". Windolph
weist nach, daß man sich gründlich geirrt habe, wenn man gehofft,
die evangelischen Arbeiter würden infolge der Ausschaltung des
Konfessionalismus in hellen Scharen zur weitgeöffneten Tür der
christlichen Gewerkschaften hineinströmen. Die evangelischen Arbeiter
strömten nicht hinein, sondern bildeten dagegen freie Gewerkschaften,
die im Jahre 1907 bereits 1,873.000 Mitglieder zählten. Die nichtkatholischen Führer gehen darauf aus, man täusche sich doch nicht,
das feste Gefüge des Katholizismus zu lockern, die Katholiken zu
zwingen, bezüglich ihres Glaubens „weitherziger" zu werden. Was
das bedeutet, sagt uns Professor Harnack in folgenden Worten:
„Wenn wir uns evangelischsozial nennen, so denken wir dabei nicht
an irgend welchen Konfessionalismus, sondern an jenen protestantischen Konfessionalismus, der eine unerschütterliche Weitherzigkeit
bedeutet und ein Zeichen von Kraft ist. Gern reichen wir auch
unseren katholischen Brüdern in der sozialen Arbeit die Hand und
blicken mit Sympathie auf die christlichen Gewerkschaften und ihre
Entwicklung. Es kann in deutschen Landen nicht besser werden, wenn
wir nicht ein großes Gebiet nach dem andern dem Bannkreise eines
engherzigen Konfessionalismus entreißen oder noch besser, diesen
zwingen, selbst weitherziger zu werden." Wir glauben, jeder unserer
Leser und die Leiter der Arbeitervereine und Gewerkschaften verstehen
jetzt, wohin man will und was bei uns auf dem Spiele steht, wenn
wir in unserer Gutmütigkeit dem Gegner trauen. Der protestantische
Pfarrer Schiller in Nürnberg schrieb sehr offenherzig, wenn er sagte:
„Von den evangelischen Bekenntnissen führt keine Brücke zu dem
Tridentinum und Vatikanum. Hier ist eine Kluft, über die es keinen
rettenden Weg gibt. Hier stoßen zwei Weltanschauungen zusammen,
die sich ausschließen." Das sagt uns denn doch deutlich genug, daß
wir keine Fische fangen, wenn wir das Wort katholisch von der
Angel wegnehmen.

Ablaß u
Beicht u
mit dem
ergeben
Act. A

6.

oder B
gewährte
Ring ein

A

Act

7

Häusern
und in
nicht ein
Anstalte
winnung
der Ablc
Kirche)
Act. A

Erläſſ

Zuſamm

R
vorzubeu
welches
ſcheidet
angewieſ

1

und zwo
laubnis
Errichtu

2

kollektier
betreffen

3

Mendike
nicht oh
wenn bi

4

drücklich
Gründe

...rückstellung ...es katholischen Prinzips vor einem
...lichen in ...Hoffnung, dadurch Andersgläubige und
... zu gewinnen. Nun läßt sich gegen ein friedliches
... und Zusammenarbeiten mit Andersgläubigen nichts
...s ist die tolerantia christiana, welche uns die Kirche
... darf nicht auf Kosten der tolerantia dogmatica
...in müssen ... — man verzeihe den Ausdruck —
...en, sonst ...allen wir dem Sektenwesen mit seinen
...tufungen. ... dann die Hoffnung betrifft, auf diese
...läubige ... gewinnen, so ist sie wohl sehr gering,
...zlich eitel. ...wöhnlich hat man statt des Gewinnes
...Schaden selbst. Diesbezüglich möchten wir auf das
...ne Buch von J. Windolph verweisen: „Materialien
...g des Gewerkschaftsstreites unter den deutschen Katho-
... Der deutsche Protestantismus und die christlichen
...Preis 1 M...erlin, Verlag des „Arbeiter". Windolph
... man sich gründlich geirrt habe, wenn man gehofft,
...en Arbeiter werden infolge der Ausschaltung des
...us in helle Scharen zur weitgeöffneten Tür der
...werkschaften hereinströmen. Die evangelischen Arbeiter
...hinein, sondern bildeten dagegen freie Gewerkschaften,
...907 bereits 873.000 Mitglieder zählten. Die nicht-
...hrer gehen darauf aus, man täusche sich doch nicht,
...e des Katholizismus zu lockern, die Katholiken zu
...ich ihres Glaubens „weitherziger" zu werden. Was
...agt uns Professor Harnack in folgenden Worten:
...s evangelisch sozial nennen, so denken wir dabei nicht
...den Konfessionalismus, sondern an jenen protestanti-
...nalismus, ... eine unerschütterliche Weitherzigkeit
...in Zeichen von Kraft ist. Gern reichen wir auch
...chen Brüdern in der sozialen Arbeit die Hand und
...npathie auf die christlichen Gewerkschaften und ihre
...s kann in deutschen Landen nicht besser werden, wenn
...roßes Gebiet nach dem andern dem Bannkreise eines
...nfessionalismus entreißen oder noch besser, dieser
...weitherziger ... werden." Wir glauben, jeder unserer
...iter der Arbeitervereine und Gewerkschaften versteht
...n will und es bei uns auf dem Spiele steht, wenn
...leutmütigkeit ... Gegner trauen. Der protestantische
...in Nürnberg schrieb sehr offenherzig, wenn er sagte:
...gelischen Bekenntnissen führt keine Brücke zu dem
...d Vatikanus. Hier ist eine Kluft, über die es keinen
...gibt. Hier ... zwei Weltanschauungen zusammen,
...eßen." Das sagt uns denn doch deutlich genug, daß
... fangen, wer wir das Wort katholisch von der
...en.

Seien wir also um des Himmelswillen nicht kleinmütig und vertrauen wir auf die unzerstörbare Kraft der katholischen Kirche und ihrer unwandelbaren Prinzipien. Die Geschichte lehrt denn doch zwei Dinge mit absoluter Klarheit: erstens, daß alle antikatholischen Systeme immer wieder in sich zerfallen sind, auch wenn sie wie Meteore noch so blendend und verführerisch sich gezeigt haben, und zweitens, daß die katholische Kirche aus allen Stürmen und Kämpfen und scheinbaren Niederlagen stets siegreich hervorgegangen ist. Wir Aeltere brauchen nur auf die selbsterlebte Geschichte des Liberalismus hinzuweisen, der zerfallen und zerbrochen zu unseren Füßen liegt. Mit welch großartigen Verheißungen und hocherhobenem Haupte ist er in die Welt getreten, welch rauschenden Siegeszug hat er unternommen, welche Eroberungen gemacht! Und jetzt? —

Bericht über die Erfolge der katholischen Missionen.

Von Joh. G. Huber, Dechant und Stadtpfarrer in Schwanenstadt.

Bei Durchlesung der Fachzeitschriften, deren Ergebnis der nachstehende Bericht ist, machten etliche Sätze, die ein Missionär niederschrieb, auf mich nachhaltigen Eindruck.

P. Völling O. F. M. in Nord-Schantung schreibt in seiner Freude über die Bekehrung einer größeren Zahl erwachsener Heiden: „Diese sind für den Himmel gewonnen und liegt in ihnen auch für mich eine Bürgschaft für den Himmel." — Bei Schilderung der gemeinsamen Gebetsübung seiner Neubekehrten spricht er den Gedanken aus: „Da flüstert mir der Schutzengel zu: Vor nicht langer Zeit war der Name Gottes hier noch unbekannt. Mit dem, was diese Christen jetzt tun, kannst Du Deine Schulden bei Gott begleichen! Er, der Dich als Werkzeug erwählt hat, Wunder Seiner Gnade an diesen zu verrichten, wird Dich nicht als unnütz verwerfen, wird Dir auch ein Plätzchen im Himmel sicherstellen!"

Die in diesen Sätzen liegende Idee prägte sich mir ein und kam mir wieder in den Sinn, als ich für diesen Bericht den Introitus schreiben sollte.

Ich schreibe ja an Berufsgenossen, und der Hinweis darauf, was dieser unser Mitbruder als Zuflüsterung seines heiligen Schutzengels auffaßt, hat ja auch für uns Geltung.

Als Katecheten müssen wir so oft zu den Kindern über die Schutzengel sprechen und wird dieser Gegenstand von den Kindern mit besonderer Vorliebe aufgenommen. Es kann aber geschehen, daß auch Priester nach und nach zur Ansicht der Weltleute hinüberneigen, als sei der Schutzengelglaube nur ein Kinderglaube und gehöre die Andacht zu dem heiligen Schutzengel nur in die Kinderjahre, was man so mit dem kindlichen Denken und Tun abstreift und dann sich anstellt, als hätte man keinen Schutzengel mehr, oder bedürfte seiner nicht.

Aber gerade uns Priestern muß es sehr nahe liegen, mehr als andere Leute der heiligen Schutzengel zu gedenken, ihnen stets Dankbarkeit zu bewahren für all den Schutz, den sie uns mehr als anderen erweisen, wegen des Priestertums, und wir müssen überzeugt sein: Wenn unsere Arbeiten gelingen sollen und wenn es einmal zu einem guten Ende mit uns kommen soll, so bedürfen wir sehr der heiligen Schutzengel.

Beim Rückblicke auf mein Leben drängt sich vor mir eine lange Reihe von Erinnerungen zusammen an Fälle, wobei der Tod mir näher war als das Leben; in früher Kindheit wiederholt durch kindlichen Unverstand, in der Jugend durch sprudelnden Uebermut, in der Vollkraft des Lebens durch Uebermaß an Schneid beim Bergsteigen, im Schwimmen und in Schiffahrt auf Flüssen und Seen und zu Meere, und erst noch in alten Tagen, seit mein Fußwerk kaput ist, auf Fahrten zu Wagen mit Pferden, in quibus non est salus. Wenn diese Erinnerungen sich einstellen, so steht die ernste Frage hinter ihnen: wie bin ich all diesen Fährlichkeiten glücklich entgangen? Dem Zufalle es zuzuschreiben, fällt mir nicht bei, ebensowenig als zu denken, ich sei eines Eingreifens göttlicher Macht je wert gewesen; — war ich doch ein schlimmer Bube, ein kecker Junge und ein armer Sünder, soweit ich denke, mein Leben lang. — Darum kann ich es mir nicht anders auslegen als so: Es wird der liebe Gott seinen Engeln befohlen haben, sie sollen diejenigen, die Er in den priesterlichen Beruf stellen will, in ganz besonderen Schutz nehmen und dieses wird deßhalb sein, weil die Priester seine Werkzeuge sind, mit denen er so viele Werke seiner Gnade vollbringt und Er will sein Werkzeug gut verwahrt wissen!

Ich denke, daß von den P. T. Mitbrüdern viele noch mehr und denkwürdigere Erinnerungen aus ihrem Leben werden aufzuweisen haben, daher sie mir recht geben werden und sagen: Wahr ist es! Viele von uns wären längst nicht mehr auf der Welt, wenn nicht unsere heiligen Schutzengel zu rechter Zeit uns zur Seite gestanden wären — und in nicht wenigen Seelengefahren, denen wir Priester ausgesetzt sind, wäre es mit uns weit fehl gegangen, wenn nicht heilige Engel im richtigen Augenblicke eingegriffen und großes Unheil abgewendet hätten.

Als Seitenstück zu dem Bilde im letzten Bericht möchte ich hier ein paar Strophen anführen aus einem Gedichte, welches mein Amtsvorgänger im 18. Jahrhundert an die heiligen Schutzengel gerichtet:

1. O Ihr edle Himmels-Geister!
Engel Gottes insgemein.
Die der Herr für Seelen-Meister
Uns zum Trost gesetzet ein.
Nehmt uns vertrauende Kinder in Schutz,
Gott zu Gefallen, dem Teufel zu Trutz!

2. Wenn sich will die offne Höllen
Mit Fleisch, Teufel, Tod und Welt
Wider uns zum Streit verg'sellen
Uns zu schlagen aus dem Feld.
Nehmt uns vertrauende Kinder in Schutz,
Gott zu Gefallen, dem Teufel zu Trutz!

Der einfache Liedestext kann uns nicht neue Belehrung erteilen: aber er ist von einem Priester und wir werden ihn nicht zurückweisen, sondern uns zur Mahnung gelten lassen: Denken wir mehr als bisher an unsere Seelen-Meister!

Und weil wir einer Zeitlage gegenüberstehen, wo Hölle, Fleisch und Welt in einem Dreibunde gegen uns und unser geistiges Reich losstürzen, jetzt sehen wir uns nach tüchtigen Bundesgenossen um: es sind unsere heiligen Schutzengel; wir bedürfen ihrer ebenso gut und dürfen ihres Schutzes ebenso sicher sein wie unsere Mitbrüder in den katholischen Missionen aller Weltteile.

I. Asien.

Indien. In einem kürzlich herausgegebenen Schriftstück „Le Christianisme et l'extrême Orient" wird von einer Seite, woher man es am wenigsten erwarten sollte, ein Angriff gegen die Missionsmethode der Jesuiten in Indien gemacht wegen ihrer Tätigkeit in den Kollegien und sonstigen höheren Lehranstalten, und wird getadelt, daß darauf so große Kosten verwendet, dafür Missionskräfte in großer Zahl in Anspruch genommen werden, welche viel besser täten, ihre Arbeit dem armen Heiden= volke, den Parias usw. zuzuwenden, als den stolzen, höheren Kasten. Es wird der Rat gegeben, überhaupt die Schultätigkeit den Laien zu überlassen und sich nur auf die Missionsarbeit im engeren Sinne zu verlegen, wobei auf das Beispiel des heiligen Franz Xaver hingewiesen wird, zu dessen Wirken und Grundsätzen die jetzigen Ordensgenossen sich in Gegensatz stellen. . . .

Dagegen veröffentlicht P. Lacombe S. J. eine Gegenschrift, woraus für die P. T. Leser dieser Berichte einige der wichtigsten Punkte hier Platz finden sollen.

1. Hat S. Franz Xaver nach seiner Ankunft in Goa (1542) das eben errichtete Seminar mit Freude übernommen und durch ein für 500 Zöglinge berechnetes Kollegium ergänzt und kräftig gefördert und in einem Schreiben an den Ordensstifter S. Ignatius die feste Zuversicht ausgesprochen, daß durch die Mitwirkung der aus solchen Anstalten hervorgehenden Zöglinge der Same des christlichen Glaubens reichlich in die Herzen der Ungläubigen gestreut werde und daß er deshalb dieses, sowie das von den Franziskanern in Cranganor ge= gründete Seminar der Unterstützung des Königs Johann von Portugal dringend empfohlen habe.

2. Dessen Nachfolger in der Mission erklärten ebenso in ihren Berichten an den Ordensstifter, daß es kein erfolgreicheres Mittel geben könne, als die Gründung von Kollegien für die einheimische Jugend, daß alle Arbeiten und Beschwerden dabei aufs beste angewendet seien, — daß nichts wichtiger sei, als die Errichtung von Schulanstalten.

3. Nach Vertreibung der Jesuiten, wonach deren Unterrichtsanstalten in Verfall kamen, zeigte sich sofort ein auffallender Rückgang der Missionserfolge, sowie des kirchlichen Lebens und des priesterlichen Geistes.

4. Um dieses wieder zu heben, hat die Propaganda um Mitte des vorigen Jahrhundertes die Missionsleiter durch eigene Erlässe gedrängt, durch Hebung des Unterrichtswesens wieder mehr Einfluß auf das Volksleben zu gewinnen und der jetzigen Zeitlage gegenüber sind dort, wie anderswo, die Missionäre darin einig, daß der Schwerpunkt des Missionswesens in der möglichst guten Unter= richtspflege liege. Sollten sie dieses nicht einsehen, so müßten sie es von den Andersgläubigen lernen, die durch ihre Unterrichtsanstalten immer mehr an Boden gewinnen, indem denselben die Jugend zuläuft und auch die Katholiken offen erklären: „Wir müssen unseren Söhnen eine Ausbildung verschaffen, von der sie gutes Fortkommen finden; — kann uns die Mission dieses nicht bieten, so müssen wir die jungen Leute den Andersgläubigen anvertrauen!"

Also ist es wohl klar: Wenn die katholische Mission sich auf dem Gebiete der Lehranstalten mit den Gegnern nicht messen könnte oder wollte, dann gibt sie sich selbst auf. Wer für Mission Verständnis hat, muß wünschen und nach Kräften dazu mithelfen, daß sie auf dem Unterrichtsfelde so gut als möglich die Arbeit bestelle. (Frb. k. M.)

Vorder=Indien. Die Millhiller Missionäre wußten zur Mithilfe an der Missionsarbeit auch Ordensschwestern zu gewinnen und zwar aus der holländischen Gesellschaft Jesu, Mariä und Josef. Bischof Dr. Stelen siedelte vor 5 Jahren solche Schwestern in Guntur an, im Mittelpunkte der christlichen Bevölkerung, dann in Vetapalem, einem Dorfe mit zumeist heidnischer Bewohnerschaft. Derzeit sind sie unter Bezeichnung „Guntur-Schwestern" allem Volke wohlbekannt und leisten in regster Tätigkeit der Mission unschätzbare Dienste:

So ist ihr Waisenhaus für Pariah-Kinder vollbesetzt und eine Wohltat für das ganze Land, indem diese Kinder außer dem Religions- und Schul-unterrichte auch alle Anleitung für spätere Berufsarbeit erlangen, wobei sich zeigt, daß sie, in die Welt hinausgetreten, sich fast ausnahmslos standhaft halten und ihrer Erziehung alle Ehre machen.

Ebenso eifrig arbeiten die Schwestern an der Krankenpflege, wobei be-sonders den vielen Krebs- und Aussatz-Kranken so viel Pflege und Liebe zuge-wendet wird, daß es auch die staunende Anerkennung bei dem Heidenvolke er-zwingt. Auch ist der Einfluß der Schwestern auf das weibliche Geschlecht und das allgemeine Vertrauen, welches man denselben entgegenbringt, der Mission zum großen Vorteile. (S. Jos. M. B.)

Vorder-Indien. In Bellary, dem Mittelpunkte der Telugu-Mission, besteht seit längerer Zeit eine Anstalt für Heranbildung ein-heimischer Franziskaner-Brüder, deren Anzahl allerdings noch nicht groß ist, aber die bisher herangebildet wurden, leisten der Mission gute Dienste, teils als gut verwendbare Katechisten oder Lehrer in den Missions-schulen, teils in anderen Arbeitsfächern, 1 Bruder gar als Baumeister, 1 ehemaliger Zögling ist Priester, 4 studieren jetzt Theologie im Seminar Kandy, 1 in Haidarabad.

Viel größere Erfolge erzielten in dieser Hinsicht die Karmeliten, welche schon 1831 eine Kongregation einheimischer Karmeliten gründeten. Diese fand bis jetzt eine großartige Entwicklung.

In 3 apost. Vikariaten der Malabar-Küste bestehen 11 Klöster und 1 Studienanstalt in Mangalor, die Zahl der einheimischen Ordensmitglieder ist 183, davon 70 Priester. Die meisten sind im Dienste der Mission, sei es in Schulen, sei es in Katechumenaten, in welchen jährlich Heiden in großer Anzahl auf die heilige Taufe vorbereitet werden. Auch in Hilfsfächern für die Mission stehen manche derselben auf der Höhe unserer Zeit durch Förderung der Presse in Buchdruckereien zur Herausgabe katholischer Bücher, Zeitungen und Monats-schriften in den einheimischen Sprachen.

Es bestehen auch 12 Klöster für einheimische Schwestern des III. Ordens von Karmel mit 260 Mitgliedern. (Frb. k. M.)

China. Zur Begründung der in diesen Berichten so oft wieder-holten Bitten um Almosen für die Mission, besonders für Hebung des Katechistenwesens, sei hier angeführt, was P. von Bodmann S. J. an die Freiburger katholischen Missionen schreibt:

Im vorigen Jahre konnte ich hier über 1000 Mark ausgeben für den Unterhalt von 36 Katechisten. Wieviel davon auf einzelne entfiel, läßt sich leicht berechnen, was sie aber für die Mission geleistet haben, das läßt sich in Ziffern nicht berechnen. Sie führten die Aufsicht über 70 Gemeinden, mit ihrer Hilfe wurden 7 neue Christengemeinden gegründet, sie unterrichteten in den aus-wärtigen Schulen 300 Knaben und noch gegen 2000 Katechumenen. Die Missions-erfolge in ihrer Gesamtheit sind darum hocherfreuliche. In der apost. Präfektur Siu-tschou-fou gab es vor 20 Jahren noch keinen Christen, zu Ende 1908 zählte man deren 22.854.

In der apost. Präfektur Tong=kien war vor 15 Jahren noch kein Christ zu finden, jetzt gibt es dort 4000 Getaufte und ebensoviele Katechumenen. Der Missionär erklärt offen, daß dieses zum großen Teile der Mitarbeit der Katechisten zu verdanken sei.

Ost=Asien. Wenn auch in einzelnen Gebieten die Mission nur kümmerliche Entwicklung findet, so ist das Gesamtergebnis doch ein sehr tröstliches.

Im letzten Jahre ergab sich aus den Taufen Erwachsener (abge= rechnet die Taufen in Todesgefahr) ein Gesamtzuwachs von 250.000 für die katholische Mission, davon z. B. in China in der Mission Zikawei allein ein Zuwachs von mehr als 76.200 Seelen.

Einen guten Einblick in das Zunehmen des religiösen Lebens gewährt auch die Tatsache, daß auch in jenen Ländern die Aufforderung des Heiligen Vaters Pius X. zum öfteren Empfange der heiligen Kommunion immer mehr an Boden gewinnt, obwohl dieses bei den dort obwaltenden Verhältnissen viel= fach mit Schwierigkeit verbunden ist. So treffen in Kianguan auf 174.000 Christen 103.000 Jahreskommunionen und 767.700 Andachtskommunionen, in Korea auf 68.000 Christen 38.700 Jahres= und 116.000 Andachtskommunionen. Aehnlich steht es in Ost=Setschuen und in vielen Missionen von Vorder= und Hinter=Indien.

Als besonders gutes Zeichen von der Lebenskraft der Mission muß auch das Anwachsen der Zahl einheimischer Priester gelten:

Z. B. sind in China neben 1400 ausländischen Priestern über 600 ein= heimische, in Hinter=Indien bilden die Einheimischen schon bald die Hälfte der Priesterschaft, in Vorder=Indien sind vom Gesamtklerus mit 2804 schon 1755 einheimische.

Der letzte Jahresbericht des Pariser Missionsseminars, dessen größte Gebiete auch in Ost=Asien liegen, weist in 32 Missionsgebieten 33.169 Taufen Erwachsener auf (davon 8300 in Todesgefahr), dazu Taufen von 56.789 Heidenkindern und 14.000 Kindern in Todesgefahr.

Sie besitzen 4294 Missionsschulen mit 132.555 Kindern und Zöglingen, in 45 Seminarien 2100 Alumnen in Vorbereitung auf das Priestertum. Das Missionspersonale zählt 37 Bischöfe, 1371 europäische Missionäre und 778 ein= heimische Priester, 305 Ordensmänner und 4075 europäische Ordensschwestern, dazu noch 2000 gottgeweihte Jungfrauen in China. Dementsprechend ist auch die Zahl der Wohltätigkeitsanstalten eine sehr große. (Frb. k. M.)

Tongking. Dieses unter französischer Schutzherrschaft stehende Land ist zwar durch Einführung des Industrie= und Verkehrswesens völlig nach europäischem Muster umgestaltet worden, aber durch hartes Steuersystem und Untergrabung der einheimischen Verwaltung wurde das Volk der französischen Oberhoheit überdrüssig. Ueberall zeigt sich revolutionäre Bewegung, welche dahin trachtet, die Japaner zu Besitzergreifung zu bewegen und durch sie die verhaßten Fremdlinge aus dem Wege zu räumen.

Dieser Fremdenhaß lenkt sich natürlich auch gegen die Mission, die ja auch mit Franzosen besetzt ist, welche freilich bei der jetzigen kirchen= feindlichen Haltung der französischen Regierung von derselben weit mehr Belästigung als Hilfe in Empfang zu nehmen haben; dadurch hat die Mission derzeit bei der herrschenden Volksstimmung mehr Abfälle zu ver= zeichnen als Erfolge, und ist es tatsächlich zu befürchten, daß viele Missions= anstalten, Schulen, Spitäler usw. auch aus Mangel an Mitteln aufge= geben werden müssen.

Die Missions-Oberhirten sprechen sich dahin aus: „Es ist zu befürchten, daß uns alles geraubt werde; aber dann werden wir eben wieder neu anfangen und zeigen, daß wir nicht gekommen sind, um Reichtümer zu sammeln, sondern daß wir auch mit dem armen Volke die Armut ertragen können. Wir haben wenig zu verlieren und nichts zu fürchten, da wir auf Gottes Vorsehung fest vertrauen!" (Frb. t. M.)

Ceylon. In Mattumegala, dem Mittelpunkte des Buddhaismus, ist es der Mission O. M. I. gelungen, eine Station zu errichten und eine schöne Kirche zu bauen. Ende September wurde in derselben das erste Hauptfest begangen: die feierliche Weihe an das göttliche Herz Jesu.

Ueber 3000 Katholiken von dort und Umgebung fanden sich dabei ein nebst vielen Heiden und Vertretern andersgläubiger christlicher Bekenntnisse. Alles war erbaut von der Schönheit der Feier und ergriffen von der eindringlichen Festpredigt. Es ist beste Hoffnung, daß diese neue Station bei dem Eifer der Missionäre unter Gottes Schutze gut gedeihen werde. (Mar. Imm.)

II. Afrika.

Zentral-Afrika. In Khartum wurde nun die Grundsteinlegung zu der längst ersehnten katholischen Kathedralkirche durch den apost. Vikar, Bischof Msgr. Geyer, vollzogen.

Dessen Festpredigt, abgedruckt im „Stern der Neger", ist ein Ausfluß echt kirchlichen Lehramtes, enthält einen Hinweis auf das wohlwollende Entgegenkommen der britischen Regierung, die dort den Katholiken volle Freiheit gewährt, sowie innigen Dank an Se. Majestät den Kaiser Franz Joseph von Oesterreich, den Protektor der Mission Zentral-Afrika, der auch zu diesem Kirchenbaue 10.000 Frank spendete und sich bei dieser Feier durch den Gesandten Grafen Koziebrodzki vertreten ließ. Sie schloß mit einer alle Begeisterung erweckenden Aufmunterung an die Katholiken, denen diese Kirche der Mittelpunkt ihres religiösen Lebens werden soll.

Ein vollkommen würdiges Seitenstück dazu bildete auch die Rede des genannten österreichischen Gesandten, der bei dieser Gelegenheit auf Grund seiner bisher dort gemachten Erfahrungen seine Ueberzeugung zum Ausdruck brachte von der Lebenskraft dieser Mission, von der idealen Berufsauffassung und dem heroischen Opfermut ihres Bischofes und seiner Mitarbeiter und deren Erfolgen, die sich zu einer wahren Wohltat für das Volk erweisen. (St. d. N.)

Möge der liebe Gott jedes Wort segnen, daß es zu einem Bausteine werde für dieses der Mission so wichtige Werk und mögen besonders auch österreichische Missionsfreunde dessen in Almosen eingedenk sein!

In der Station Wau gab es Unglück durch Brandlegung, wobei die Knabenschule, ein Holz- und Strohbau, bis auf den Grund niederbrannte 8. Februar, acht Tage darauf, geschah dasselbe an der Missionskapelle, die auch samt Einrichtung zugrunde ging. Das ist für die Mission ein harter Verlust. Ein neuer Steinbau ist schon in Angriff genommen und wartet auf milde Beihilfe, damit die Obdachlosen doch wieder ein Unterkommen finden.

Deutsch-Ostafrika. Apost. Vikariat Bagamoyo. Die Mission Kilimandjaro ist schwer heimgesucht, da durch Ausbleiben des Regens seit mehr als Jahresfrist alle Aussaat verdorrte, infolge dessen Hungersnot eintrat, wie man sie dort seit Menschengedenken nicht erlebte. Unzählige Leute sind schon Hungers gestorben, die Ueberlebenden zu Skeletten abgemagert. Die Mission, welche gab, solange sie geben konnte, ist selbst schon in schwerer Bedrängnis und bittet flehentlich um Almosen. (E. a. Kn.)

Französisch Sudan. Die weißen Lavigerie=Väter haben in ihrer Mission fast überall die Mohammedaner als Gegner um sich, deren Zahl auf 800.000 geschätzt wird, wogegen die Neubekehrten der Mission etwa 800 sind! Während die Moslim Geld genug zur Verfügung haben, ist die Mission so arm an Geldmitteln, daß sie schon eine Reihe von Schulen wieder sperren, manche Stationen auflassen mußte, auch in Landgebieten mit 50.000—100.000 Bewohnern, welche in kurz absehbarer Zeit dem Mohammed zufallen werden.

Auch großer Mangel an Kirchen gehört zum Leidwesen der Mission; so ist z. B. die Kathedralkirche des apost. Vikars Bazin in Segou eine elende Holz= und Strohbaracke; sie hat lange Zeit doch ihrem Zwecke gedient und viele Stürme soweit überstanden, daß sie jedesmal wieder zur Not instand gesetzt werden konnte. Im Mai 1908 machte ihr aber ein Wirbelsturm den Garaus. Der apost. Vikar erklärt, keinen Knopf Geld zum Neubau zu besitzen und bittet um Hilfe. Dorthin fänden Missions=Almosen eine sehr wünschenswerte Verwendung. (E. a. Af.).

Sambesi. In Ober=Sambesi ergab sich die Gründung einer neuen Mission unter ganz eigenartigen Umständen: P. Torrend S. J. war von der neuerrichteten Mission Chinkuni vor 2 Jahren den Kafue=Fluß aufwärts gezogen und traf einen Bantu=Stamm (in deren Sprache er nach 20jährigem Aufenthalt bei diesen Völkern in der europäischen Gelehrten=welt als Autorität einen großen Ruf hat). Unter seinen wenigen Begleitern hatte er einen Jüngling, der als Kind mit seiner Mutter von Sklavenjägern war fortgeschleppt worden, durch Gottes Fügung in die Hände der Missionäre gekommen und von ihnen erzogen worden war. Er war der Neffe des Stammkönigs, wie sich bei diesem Zusammen=treffen herausstellte — zur größten Freude seines Onkels und des ganzen Volkes, fand auch seine Mutter wieder, der die Flucht aus der Sklaverei gelungen war. Dieses günstige Zusammentreffen ausnützend, entschloß sich der Missionär, bei diesem Stamme die Mission zu beginnen, fand einen sehr geeigneten Bauplatz in gesunder Lage in der Nähe der Eisenbahn, nahm auch ohneweiters die Neger=ansiedlungen der Umgebung in Angriff, gewann schnell den Häuptling und das Volk, das auch von weither kommt und sich unterrichten läßt. Er versteht es gut, die Leute auch zur Arbeit heranzuziehen gegen entsprechende Belohnung auf die Kasisi=Farm, die er errichtete und mit deren Erträgnis er für den Unterhalt der Station aufzukommen gedenkt. Diese neue Mission hat eine hoffnungsvolle Zukunft vor sich. (Frb. k. M.).

Süd=Afrika: Apost. Vikariat Natal. Im Jahre 1885 hatte Abt Pfanner in Marianhill eine Schar deutscher Jungfrauen zur frei=williger Mithilfe in der dortigen Mission bewogen; sie kamen und nahmen sich zunächst der schwarzen Mädchen an in so segensvoller Weise, daß man ihr Bleiben und Wirken dort für immer sichern wollte.

Unter Gutheißung des damaligen Bischofes Jolivet einigte man sie zu einer Genossenschaft im Kostbaren Blute Jesu in Marianhill, die sich ganz in den Dienst der Mission stellte. Diese Schwestern folgten seither den Trappisten überall hin und trugen viel zur Ausbreitung und Festigung der Mission bei.

Derzeit sind sie dort in 23 Niederlassungen in voller Tätigkeit; 1897 kamen sie auch nach Deutsch=Ostafrika und sind seither auf vielen Stationen dieſer Miſſion tätig, 1900 berief man ſie in das Gebiet von Kilimandjaro, ſpäter nach Belgiſch=Kongo. 1906 wurde die Genoſſenſchaft vom Heiligen Stuhl be=ſtätigt. 1907 war das erſte General=Kapitel in Marianhill und wurde beſchloſſen, ein neues Mutterhaus zu errichten und zwar in Heiligblut bei Helmond in Holland. Die Zahl der Schweſtern iſt ſchon auf 470 angewachſen.

Der Stifter dieſer Genoſſenſchaft, der alte Abt Pfanner, erlebte dieſes noch und iſt im Mai 1909 in der Station Emaus, 82 Jahre alt, geſtorben. R. I. P. Gott ſegne und ſchütze ſein Werk! (E. a. Kn.)

Baſuto=Land. Aus der Station St. Michael meldet P. Hoff=meier O. M. J., daß er wieder allein dieſe Station ſowie die Stationen Bethlehem und Matholoama zu verſorgen habe und von Arbeit faſt erdrückt werde.

In beiden letztgenannten Stationen mehren ſich die Bekehrungen ſo anhaltend, daß die Kirchen, armſelige Hütten aus Lehm und Stroh, ſchon längſt nicht mehr ausreichen und Neubauten nicht mehr zu vermeiden ſind, wofür wieder Hilfe in Anſpruch genommen werden muß. (Mar. Im.)

Weſt=Afrika: Belgiſch=Kongo. Bei Gelegenheit der Uebernahme des Kongo=Staates aus dem Privatbeſitze des Königs der Belgier auf den belgiſchen Staat ergab ſich bei der erregten Debatte eine Tatſache, welche der Miſſion zur Ehre gereicht.

Die Sozialdemokraten bekämpften natürlich alles, was für Kultur und Miſſionszwecke aufgewendet werden ſoll; jedoch der Führer derſelben, Abgeordneter Vandervelde, der eigens eine Studienreiſe nach Kongo gemacht und an Ort und Stelle ſich alles angeſehen hatte, ſtellte ſich ſeinen Parteigenoſſen entgegen, beſprach in öffentlicher Rede und veröffentlichte in dem ſozialiſtiſchen Blatte „Peuple" ſeine Eindrücke von dem in Kongo Geſehenen in einer Weiſe, die den tiefſten Eindruck machen mußte.

So bei Beſprechung ſeines Beſuches der Station Kiſantu, wo die Jeſuiten=Miſſionäre ein Heim für Obdachloſe und Anſtalt für Waiſenkinder leiten, ſchildert er, wie dort 400 Knaben bei den Miſſionären und 500 Mädchen bei den Ordensſchweſtern in allen Schulgegenſtänden unterrichtet, dann in Hand=werken oder anderen nützlichen Beſchäftigungen ausgebildet und ſchließlich in eigenen Anſiedlungen untergebracht und in geordnetes Gemeinweſen eingefügt werden.

Bei Beſprechung der dort beobachteten Armen= und Krankenpflege ſpricht er unverhohlen ſeine Bewunderung aus und ſagt: „Das muß man geſehen haben! und wenn man geſehen hat, wie dieſe Ordensleute arbeiten und lieb und gut ſind zu dieſen armen leidenden Mitmenſchen, da muß man fragen, ob die Gegner derſelben nicht einen pſychologiſchen Irrtum begehen, wenn ſie ſolche Perſonen oder Körperſchaften angreifen oder deren Abſichten Böſes unterlegen." Er erklärte beſtimmt, daß er dafür eintreten müſſe und wolle, was Belgien leiſten wolle als Hilfe für den Kongoſtaat und auch für die dortige Miſſion! (St. v. Af.). Das mag den vielgeſchmähten Kongo=Miſſionären ein Troſt ſein.

Kamerun: Station Kribi, ſeiner Zeit unter großen Mühen gegründet, dann durch den Buli=Aufſtand ſchrecklich hergenommen, iſt nun wieder in feſtem Stande. Das Volk an der Küſte iſt bald insgeſamt chriſtlich und kann die Miſſion nunmehr auch in das Innere vordringen.

Jetzt wird hauptſächlich dem Lande der Ngumba=Neger die Miſſions=arbeit zugewendet, wo ein einheimiſcher Katechiſt Johann Samba ſo viele Vor=arbeit geleiſtet hatte, daß der apoſt. Vikar Msgr. Vieter ſich entſchloß, in Ngowaia eine Station zu eröffnen und vorläufig mit einem Prieſter P. Letten=bauer zu beſetzen, der nun ſchon unter beſtem Einfluſſe dort arbeitet. Die Leute, bisher im Nomadenleben, entschließen sich mehr und mehr, Dörfer anzulegen, um auch Schulen für ihre Kinder zu bekommen. (St. d. Ng.)

Togo. Die Mission wirkt mit großer Mühe, aber auch mit stetigen Erfolgen. Im Distrikte Porto Seguro konnte sie dem Dorfe Woga ein hübsches Kirchlein beistellen, in Kunja (Distrikt Lome) eine größere Schule mit Kapelle, ebenso in Kovie. Das Seminar für Lehrer und Katechisten in Gin-Bla ist fertiggestellt und von 12 Zöglingen bezogen. In den Missionsschulen erreicht die Zahl der Schüler 6300. Die Zahl der Katechumenen war im letzten Jahre 5052, die Zahl der bisher Getauften übersteigt schon 10.000. Das Volk verlangt dringend nach Schulen, auch in Gegenden, wo die Protestanten schon länger ihre Tätigkeit entfalten. Uebrigens erweisen die Protestanten dort eine sehr vordringliche Tätigkeit und können dieses um so leichter tun, als ihnen reichliche Mittel zu Gebote stehen, indem sie erst kürzlich in einem Monate 63.000 Mark Zuschuß erhielten, wogegen die katholische Mission freilich weit zurück- stehen muß. (Pr. Brf.).

Die Hauptsorge muß immer noch auf Heranbildung von Katechisten ver- wendet werden. Die Zahl der Priester, 37 für ein Gebiet so groß wie das Königreich Bayern, kann unmöglich ausreichen, sie müssen so viel als möglich Katechisten zur Beihilfe haben; derzeit sind erst deren 178. Berechnet man für jeden Katechisten, deren ja viele auch verheiratet sind, monatlich 25 Mark, so gibt das schon eine Summe per Jahr, welche die Mission schwerlich aufzubringen vermag. Niemand kann es den Missionären verdenken, wenn sie immer wieder bitten kommen um unsere Mithilfe.

In Lome starb am 16. Januar 1909 Br. Probus Hövener nach 7jähriger Arbeit in der Togo-Mission; er war eine tüchtige Arbeitskraft, besonders im Baufache, bei den Missionären wie beim Volk allgemein beliebt. Gott schenke ihm die ewige Ruhe! (Stl. M. B.)

Apost. Vikariat Goldküste. Der apost. Vikar Msgr. Hummel brachte durch große Spenden aus der St. Petrus Claver-Sodalität in Salzburg den Neubau einer schönen Herz Jesu-Kirche in Adjuah zustande und ist selbe nach feierlicher Einweihung schon dem Gebrauche übergeben.

Er schildert in einem Dankschreiben die kindliche Freude der Christen, die ja zum Baue auch nach Kräften Opfer gebracht und durch Robott und Handlangerdienst fleißig dazu beigetragen hatten, ebenso auch die Bewunderung, welche die Heiden und Andersgläubigen bei der Einweihungsfeier an den Tag legten.

Inzwischen ist in dem benachbarten Orte Atchwirebanda, wohin noch nie ein katholischer Missionär gekommen war, durch Katechisten gute Vorarbeit gemacht worden; es wurden dem Bischofe dort 60 Katechumenen vorgeführt, welche einstweilen im Hause des Häuptlings zum Unterrichte sich zusammen- finden, in dessen Nähe schon der Platz für ein Kirchlein ausgesteckt ist. Auch dort ist sichere Aussicht auf Gründung einer kräftigen Christengemeinde. (E. a.Afr.)

III. Amerika.

Nordamerika. Vereinigte Staaten. In Chicago tagte Mitte November 1908 der erste nordamerikanische Missions-Kongreß, an welchem über 50 Bischöfe, viele hundert Priester und viele tausende von Laien, auch sehr viele hervorragende Männer teilnahmen. Was aus den Berichten über den Inhalt der Ansprachen zu uns gedrungen ist, läßt

erkennen, welchen Zweck dieser Kongreß sich gesetzt hatte und mit welcher
Kraft und Freude man dort an der Erreichung dieses Zweckes arbeite
an dem gemeinsamen Zusammenwirken des Klerus und des Volkes an
der Ausbreitung und Festigung des Reiches Gottes.

Wie ein zündender Funke drang durch die Versammlung der Gedanke,
welchen Msgr. Plenk, Erzbischof von New-Orleans, aussprach: „Die
Vereinigten Staaten haben sich zu einer politischen Weltmacht empor-
geschwungen; — sie sollen ebenso zu einer Weltmacht in religiöser Beziehung werden. Darum vereinigen sich Priester und Volk, weil sie ja alle
den Auftrag Gottes haben zur Rettung der Seelen."

Es wurde nicht bloß schön gesprochen, sondern auch viel Gutes getan.
Die Gesellschaft Churk-Extenfion-Society, welche den Kongreß zustandegebracht und organisiert hatte, hatte auch im Laufe von 3 Jahren die Mittel
zum Baue vieler Kirchen und Kapellen im Missionsgebiet aufgebracht, eine
katholische Zeitschrift gegründet, die schon nahezu 300.000 Abonnenten zählt
und eine schöne Reihe junger Leute in ihren Studien unterstützt und ihnen
zum Priesterstande verholfen; sie versteht es gut, auch die Volksmassen zum
Verständnisse für diese Ziele zu bringen. (E. a. Kn.)

Süd-Amerika. Ecuador. Die Don Bosco-Salesianer arbeiten
mit großem Eifer und gesegneten Erfolgen bei den Indianern.

In Cuenca halten sie eine Anstalt zur Heranbildung einheimischer
Mithelfer an der Mission, auch in Sigsig wurde eine solche Hilfsanstalt samt
Waisenhaus eröffnet, in Gualaceo will man eine Ackerbauschule für die
Indianer errichten. In Gualaquiza besteht eine kräftige Christengemeinde
von 1000 Seelen, die Hälfte davon sind bekehrte Indianer. Es steht der Mission
der Neubau mehrerer Kirchen bevor, wofür auch dort leider keine Geldmittel
vorhanden sind. Für die Jivaros-Indianer wurden Missionäre erbeten und
sind 2 Priester, 3 Kleriker und 2 Katechisten dahin abgegangen. (Sal. Nchr.)

Brasilien. Eine anschauliche Schilderung, darüber, wie das Vordringen der Pioniere der Mission vor sich gehe, gibt ein Bericht des
Missionärs P. Balzolo über die Reise, die er im Auftrage seiner Obern
zu machen hatte, zu den Indianerstämmen am Rio Vermelho zum
Zwecke der Gründung einer Missionsstation.

Das Durchlesen dieses Berichtes übertrifft alle Vorstellungen, die wir
uns machen von den Beschwerden und Widerwärtigkeiten, denen die Missionäre
sich auszusetzen haben; man sieht da handgreiflich das Walten der göttlichen
Vorsehung und staunt über die Erweise auffallenden Schutzes, welchen der liebe
Gott den Trägern seines Wortes angedeihen läßt und fühlt sich eins mit der
Hoffnung der Missionäre, daß Gott solchem Anfangen auch gutes Gelingen
werde folgen lassen.

In diesem Falle ist die Gründung der dortigen Mission bereits gesichert, und steht in Aussicht, daß damit im Gebiete von Matto Grosso
neue, große Erfolge sich ergeben werden. (Sal. Nchr.)

Patagonien. In diesem Gebiete, wo soziale Fortschritte und wirt-
schaftlicher Wohlstand immer mehr hervortreten, sind ebenfalls die Don
Bosko-Salesianer an der Arbeit.

Bei den Bororos-Indianern geht die Mission rüstig vorwärts.

Unter den Bekehrten ist das religiöse Leben ein so reges, daß man sich
darüber wundern muß. Es bestehen verschiedene Bruderschaften und Vereine
unter Leitung der Missionäre und Beihilfe von Ordensschwestern. Besonders
praktisch erweisen sich die katholischen Arbeitervereine in Viedma und

44*

Patagones, in welchen die Mitglieder nebst den Vereinsverpflichtungen auch zur Erfüllung der religiösen Pflichten angeleitet werden und denselben auch im öffentlichen Leben mannhaft nachkommen. (Sal. Nchr.)

In Süd-Patagonien besitzt die Mission 1 Kollegium, 1 Handwerkerschule, 1 meteorologisches Observatorium und Museum, welche auch von der Regierung höchlich belobt werden mit dem Hinweise darauf, daß vor 20 Jahren diese Gegend noch echte Wildnis war.

Chile. Ein Hauptmittel zur Hebung und Kräftigung des kirchlichen und Missionslebens, eine Hauptwaffe zur Verteidigung derselben ist die katholische Tagespresse. In Chile ist sie in hervorragender Weise zu Handen.

Die Hauptstadt Santiago mit ½ Million Bewohner hat vier katholische Tagesblätter, die für verschiedene Leserkreise berechnet, prächtig redigiert und am meisten gelesen werden. Auch in Valparaiso mit 200.000 Bewohnern bestehen große, viel gelesene Tagesblätter, ebenso in Conception und La Serena je eines. Der Hauptbegründer der katholischen Presse ist Erzbischof Jg. Gonzalez Ezaguirre in Santiago, der jetzt, nachdem dieses wichtige Werk festgelegt ist, seine Haupttätigkeit dem Schulwesen und dessen Sanierung zuwendet. (Stl. M. B.)

IV. Australien und Ozeanien.

Apost. Vikariat Neupommern. Die Mission war in letzter Zeit viel geplagt durch Krankheit und Erschöpfung mehrerer Missionskräfte. Trotzdem sind Arbeit und Erfolge nicht zurückgegangen, vielmehr ist die Zahl der Bekehrungen gewachsen und sind im vorigen Jahre über 1000 zur heiligen Taufe gekommen und wird heuer sicherlich wieder eine ebenso große Zahl erreicht werden.

Auch ist in dem Berichte eine ganze Reihe neuer Kirchenbauten verzeichnet: so in Tavui, Ratongor, Vunavavar, Kabaira, Takabur usw. Die Kirche in letztgenannter Station ist ein herrlicher gotischer Bau, der durch großmütige Spenden aus Bamberg gar mit prächtigen Glasmalereisenstern geschmückt ist und einem stilgemäßen Altar aus der Künstlerhand des Bruders Daheim, der auch die Kirche baute.

In Bairiki bestehen jetzt zwei Zweigstationen zu beiden Seiten des Talagala-Baches. Dort sind die Leute durch große Taro-Pflanzungen auch so wohlhabend, daß sie zur Erhaltung der Mission auch beitragen können. (Ber. P. Eberlein.)

Aus der Station Gunanba richtet P. Riederer eine flehentliche Bitte an die Missionsfreunde um Almosen zur Erbauung einer St. Otto-Kirche. Sie haben dort eine aus Bambus und Stroh gebaute Hütte als Kirche, die innerhalb 8 Jahren dreimal durch Insektenfraß zernagt und durch Stürme und Erdbeben niedergelegt wurde. Nun ist wieder derselbe baufällige Zustand eingetreten, daß der Gottesdienst darin schon lebensgefährlich ist; zudem ist Wand- und Dachwerk ein Schlupfwinkel für unzählige Schlangen und anderes giftiges Getier. Es wäre höchst notwendig, eine gemauerte Kirche zu bauen, und brachte der Missionär durch Sammlung bei seinen Leuten 180 Mark zusammen, wozu auch mehrfach Heiden beitrugen. Ein Multiplizieren dieser Summe mit 100 würde das Werk vollführen! so meint der Missionär und sein Bischof. (Mon. Hft.)

Philippinen. Die Mission hat zu ihren sonstigen Schwierigkeiten eine neue, sehr bittere zu ertragen: eine Cholera-Epidemie. Es spukt dieses Gespenst wohl alle Jahre, im vergangenen Jahre gewann es aber unheimliche Gewalt und forderte an manchen Orten täglich 50—100 Tote. Was

dabei von den Missionären an Selbstüberwindung und Anstrengung ver=
langt wurde, läßt sich denken.

Wegen Mangel an Aerzten werden die Missionäre auch vielfach vom
Volke zu ärztlicher Hilfe in Anspruch genommen, was im Falle des Gelingens
wohl guten Einfluß ausübt, aber bei Todesfällen von den Gegnern als Angriffs=
objekt ausgenützt wird. (S. Jos. M. B.)

V. Europa.

Der Franziskaner=Orden feiert heuer das 7. Zentennarium
seines Bestehens und alles katholische Volk, welches die Franziskaner kennt,
wird sich mit ihnen freuen, sind ja doch die braunen Kuttenträger dem
Volke lieb, mögen sie ihre Niederlassungen in Mitte des Volkes haben,
oder als Volksmissionäre von Ort zu Ort ziehen. Der Orden steht in
der katholischen Kirche in hoher Achtung, nicht bloß wegen seiner Tätig=
keit in altchristlichen Ländern, sondern auch in den Missionsgebieten.

(Ist in diesen Berichten nicht so häufig von ihren Missionen die
Rede, so rührt das von ihrer Bescheidenheit her, welche der Welt gegen=
über weniger Kundgebung macht, als dieses von Referenten anderer
Missionsgenossenschaften zu geschehen pflegt.)

Nun aber wurde dem Berichterstatter eine Missionsstatistik
der Franziskaner zugestellt, aus welcher nachstehende Angaben entnommen
sind:

Sie haben:

In Afrika	46	Niederlassungen,	54	Kirchen,	64	Schulen,	38	Pfarreien	
„ Asien	36	„	40	„	837	„	35	„	
„ Nord=Amerika	118	„	393	„	183	„	148	„	
„ Süd=Amerika	119	„	293	„	96	„	36	„	
„ Oceanien	27	„	7	„	10	„	27	„	
Europa: Türkei u. Balkan	86	„	200	„	97	„	125	„	

In all diesen Missionsgebieten sind in Wirksamkeit: 2 Erzbischöfe
und 25 Bischöfe aus diesem Orden, 3 apost. Vikare, 12 apost. Präfekten,
4475 Franziskaner=Priester und =Brüder, 5833 Ordensschwestern. Also
ist es unstreitig ein echter Missionsorden, der seine Jubelfeier in Ehren
vor aller Welt begehen darf!

Island. In Reykjawik, wo die katholische Mission schon länger
eine Station hat, auch mit einer Schwesternanstalt, brachte das Weih=
nachtsfest eine erfreuliche Bekehrung.

Die Gattin eines protestantischen Predigers, eine hochgebildete Dame, die
schon längere Zeit großes Interesse an der katholischen Mission zeigte, oft dem
katholischen Gottesdienste beigewohnt hatte und nur aus Rücksicht auf ihren
Gemahl vom Uebertritte zurückgehalten worden war, erkrankte schwer und ließ
den Missionsobern P. Meulen zu sich bitten, um von ihm die heiligen Sakra=
mente zu empfangen. Angesichts der Lebensgefahr und um ihren vielleicht letzten
Wunsch nicht zu versagen, gab der Herr Prediger die Einwilligung und die
Frau wurde in den Verband der katholischen Kirche aufgenommen und empfing
vom katholischen Priester die heiligen Sterbesakramente.

Sie ist wieder genesen und erweist sich als eifrige Katholikin; der Prediger
zeigt sich der Mission freundlich gesinnt.

Die dortige Missionsschule ist zahlreich besucht und genießt großes Ansehen auch bei den Andersgläubigen; sie ist schon viel zu klein und muß ein Neubau geschehen, sobald die Mittel dazu kommen. (Frb. k. M.)

Deutsches Reich: Im Pfarrdorfe Essen gab es August 1908 eine Feier ganz eigener Art.

Zwei Pfarrkinder: P. Amand Bahlmann O. F. M. und P. Bernhard Bahlmann S. J. kamen in ihre Heimatsgemeinde, um sich ihren Pfarrgenossen noch einmal vorzustellen und am Grabe ihrer Eltern zu beten. Der erstgenannte war kurz vorher zum Bischofe geweiht worden und begab sich seither in den ihm angewiesenen Wirkungskreis nach Brasilien, wo er viele Jahre als Missionär gewirkt hatte und jetzt als Prälat von Santarem ein Gebiet von einer Ausdehnung ungefähr wie ganz Frankreich als Oberhirt zu besorgen hat. Der andere Bruder ist Volksmissionär, in West-Deutschland tätig und allbekannt.

Zur Feier war eine ungeheure Volksmenge versammelt und war alles ergriffen von Freude und Rührung über die Art, wie der Bruder Jesuit in der Predigt zum Dank an die † Eltern und Ausdruck brachte, welche durch echt christliche Erziehung in ihren Söhnen für den Missionsberuf Grund gelegt hatten.

Bayern. In der Stadt Scheßlitz feierte am 7. März der Herr Pfarrer Msgr. Kirchner sein 60jähriges Priesterjubiläum. Er ist ein alter Missions-Veteran und muß daher dessen hier Erwähnung geschehen:

Geboren zu Bamberg, wurde er 1849 zum Priester geweiht und später in Rom, als Hofmeister beim Gesandten Grafen Spaur, war er der Begleiter des Heiligen Vaters Pius IX., als dieser vor der Revolution der Römer in einer Kutsche aus Rom floh.

Die damaligen Ereignisse mögen dazu beigetragen haben, daß Kirchner sich der auswärtigen Mission zuwandte; er wurde in die damals eben eröffnete Mission Zentral-Afrika geschickt, wo er 1854 in Khartum die Leitung der Missionsschule übernahm. Nach dem Tode des Provikars Dr. Knoblecher 1857 wurde er in Rom als dessen Nachfolger ernannt und leitete die Mission, bis die nach dem Absterben sämtlicher Missionäre an die Franziskaner aus Steiermark 1861 übergeben werden mußte. Schwer erkrankt, kam er aus dem Missionsfelde zur Erholung in seine Heimat zurück, wurde 20 Jahre später nach dem Tode des Bischofes Comboni wieder aufgefordert, Bischof zu werden und die dortige Mission noch einmal zu übernehmen, was er wegen Kränklichkeit ablehnen mußte. Er wurde Benefiziat und endlich Stadtpfarrer und Dechant in Scheßlitz. Der Mann ist wirklich eines Jubiläums wert!

Sammelstelle:

Gaben-Verzeichnis:

Bisher ausgewiesen: 27.040 K 55 h. Neu eingelaufen: Von Hochw. Pf. L. in! M. T. für Aussätzigenheim Biwasaki (Japan) 40 K; von Hochw. J. Eder, Benef., Neukirchen a. W., für die Marienschwestern in Biwasaki (Japan) 100 K; Hochw. J. Pertl in Graz für die Libanon-Mission 10 K; Hochw. Konrad Wothe, Kaplan, Mittelbenbach, Bayern, für Libanon-Mission der Jesuiten 17 K 52 h; durch Pfarramt Attnang aus dem Nachlasse der † El. Asenstorfer für die Mission Marianhill 131 K; Hochw. Fr. Koller, Dekan, Ogfolderhaid, Böhmen, für das Werk der Glaubensverbreitung 5 K 20 h. Summe der neuen Einläufe: 303 K 72 h. Gesamtsumme der bisherigen Spenden: 27.344 K 27 h.

Zur freien Verfügung habe ich diesmal nichts; aber Bedürfnis wäre genug vorhanden, wie der vorstehende Bericht dartut.

Precor clementiam in futurum!

Kurze Fragen und Mitteilungen.

✠

Joseph Schwarz
Domkapitular.

Am 21. Mai l. J. verschied unerwartet schnell Msgr. Joseph Schwarz, Sr. Heiligkeit geheimer Kämmerer, Offizier des kais. öst. Franz Joseph=Ordens, Vizedirektor der theol. Studien rc. Tags zuvor hatte er die heiligen Sterbesakramente bei vollem Bewußtsein empfangen. Er war geboren zu Lasberg am 23. September 1841, am 30. Juli 1865 zum Priester geweiht und am 9. Jänner 1893 als Domkapitular installiert.

Wir werden im nächsten Hefte einen ausführlicheren Bericht über diesen Mann, der gerade für diese Zeitschrift der Mann der Vorsehung geworden ist, bringen.

I. **(Einige Winke für Prediger von einem alten Praktiker.)** P. Georg Scherer S. J., einer der bedeutendsten Prediger des 16. Jahrhunderts, gestorben zu Linz am 26. November 1605, verfaßte einen Abriß der Predigtkunst unter dem Titel: „Etliche christliche Regeln für die Prediger." Das eine oder andere daraus möge hier eine Stelle finden.

„Welcher Prediger fruchtbarlich predigen will, der lebe exemplarisch und erbaulich, also daß er selber das tue, was er anderen lehret." Ein Prediger darf auch nicht die Sorge für das eigene Seelenheil vergessen, sonst gleicht er den Zimmerleuten an der Arche Noes, die für andere die Rettungsplanke zimmerten, selbst aber zugrunde gingen, oder den Glocken, die anderen zur Kirche läuten, selbst aber nie in die Kirche hineingehen, oder den Martersäulen am Wege, die anderen den Weg weisen, selbst aber sich nicht von der Stelle rühren. Und was das Gebet angeht, so betont er: „Die Prediger sollen gute Beter sein... Das Gebet gibt der Predigt eine große Kraft, dermaßen, daß mancher betende Priester mit fünf Worten die Zuhörer mehr beweget, als ein anderer unbetender Polterer mit einem ganzen Sack voll Wort."

Ganz besonders empfiehlt er die Demut und Bescheidenheit. „Ein Prediger soll sich wohl fürsehen, damit ihn die Lobläus nicht fressen, und daß er sich seines Talentes, das er etwa von Gott hat, nicht erhebe. Je mehr er Gnad von Gott und je größern Zulauf des Volks er hat, je tiefer soll er sich demütigen vor Gott und den Menschen. Denn durch die Demut machet er sich täglich höherer Gaben und Gnaden fähig. Manche Prediger wissen vor Hoffahrt nicht, wie sie gehen und stehen oder reden sollen, suchen auch mit prächtigen Worten auf der Kanzel nichts anderes als ihr eitel Lob und Ruhmb, damit sie von dem gemeinen Mann hochgehalten und gepriesen werden möchten." Und später kommt er auf diesen Punkt wieder zurück: „Ein guter Schiffmann muß auch zu seiner Zeit landen können, also muß ein Prediger auch aufhören können...

Etliche Prediger hören sich selber gern reden, ähnlich wie der Storch
gern sein Klappern höret und sein nicht zufrieden, bis sie sich ihr Ge=
nügen geredet haben, es mag nun den Zuhörern gelegen oder ungelegen
sein. Solchen Predigern mangelt nichts als die Diskretion und Bescheiden=
heit... Die Vögel seind am besten zu essen, wenn sie gleich im Saft
gebraten werden. Also soll man aufhören, wenn man gleich im Saft ist
und die Zuhörer schmatzen und die Finger nach der Predigt schlecken.
Sonst ists verbraten."

Scherer verlangt eifrige Vorbereitung vom Prediger. Von
Predigten, die aus dem Aermel geschüttelt werden, will er gar nichts
wissen. „Die Prediger sollen fleißig studieren auf die Predigten und
nicht unbereit zu der Kanzel laufen, wie wohl gefunden worden, die an
einem Sonn= und Feiertag unter dem Läuten sich aus ihrer federlichen
Ruhe begeben und unter dem Anlegen und Einnesteln rips raps auf
etliche Punkte gedenken, ihren Zuhörern vorzutragen. Wie können solch
im Flug fürgenommene Predigten einen Nachdruck haben, wie können sie
saftig und körnig sein... Ich predige, ohne Ruhm zu melden, allbereits
in die 44 Jahr, bin aber soweit noch nicht kommen, daß ich mich dürfte
vermessen, aus dem Stegreif und aus den Aermeln flugs ein Predigt
herfürzuschütten. Ich hab dem Ruhm, dem etliche Extemporanei Prediger
hierinnen suchen, niemals nachgestellt, begehre ihn auch noch nicht. Es
klecket mir gemeiniglich eine ganze Wochen nicht zu der Bereitung und
Ausstaffierung der Predigt und nach aller möglichen vorhergehenden
Präparation zittert mir dennoch auf dem Predigtstuhl anfangs der ganze
Leib aus lauter Furcht und Sorgfältigkeit nicht allein für Fürsten, König
und Kaiser, sondern auch für Bürgern und Bauern. Eine Speis, die
nicht genug kocht worden, ist ungeschmack und ungesund. Eine Predigt,
die nicht wohl und fleißig zubereitet, kann den gewünschten Lust und Nutz
bei den Zuhörern schwerlich erlangen." Scherer verlangt von dem Prediger,
daß er nicht grob und bissig sei auf der Kanzel, auch nicht gegen die
„Ketzer". „Auch soll Maß gehalten werden mit Angreifung der Ketzer,
die ein christlicher Prediger mehr mit wichtigen Argumenten bremsen, als
mit vielen Scheltworten vexieren soll."

Das übermäßige Schreien auf der Kanzel war Scherer zuwider:
„Die Prediger sollen sich auch nicht überschreien, als ob sie Faßzieher,
Schifftrollen oder Triacks Krämer wären; denn aus übermäßigem Geschrei
folget nichts anders, als daß die Prediger sich selber wehe tun und auch
den Zuhörern. Es ist ein zartes Ding um das menschlich Gehör, auch
ist es nicht eine kleine Kunst, die Stimme wissen in der Predigt zu
moderieren und regieren. Es tauget nicht einerlei Ton und Akzent durch
die ganze Predigt gebrauchen wollen, sondern man muß die Stimme höher
und niedriger, schärfer und linder nach Gestalt der Materie ergehen lassen.
Wenn das Geschrei lange dauert, schlafen die Zuhörer doch trotz allem
Lärm wie der Hund beim Ambos." Die Possenreißerei, die besonders
in der späteren Zeit die christliche Kirche so entweihen sollte, fand an
Scherer einen entschiedenen Gegner. „Die Prediger sollen auch nicht

Possenreißer, Mährleinsager und Fabelhansen sein, sondern Gottes Wort mit geziemlicher Gravität und Majestät traktieren. Zuweilen die müden Zuhörer mit einer kurzweiligen, zur Sache dienenden Historien oder Spruch zu erlustigen oder zu ermuntern ist unverwehrt, aber auf die lächerlichen und lahmen Zoten und Narrenthedigung sich mit Fleiß ergeben und dadurch die Leut an sich ziehen und sich ein stattliches Auditorium machen wollen, das soll durchaus nicht sein und gehöret solches Gespag nicht auf die Kanzel sondern anderswohin." (Bernhard Duhr S. J.: Geschichte der Jesuiten in den Ländern deutscher Zunge im 16. Jahrhundert. I. Teil, S. 809, 816 f. Freiburg, Herdersche Verlagsbuchhandlung. 1907.)

Wenngleich manches Wort des berühmten Wiener Hofpredigers etwas derb klingen mag, im großen und ganzen dürften die Ausführungen des gefeierten Kanzelredners im 16. Jahrhundert auch nach vier Jahrhunderten ihren Wert besitzen.   Dr. J. H.

II. (Eintragung der Verehelichung in das Taufbuch.) Das Ehedekret „Ne temere" befiehlt (IX, § 2), daß der Pfarrer im Taufregister die Verehelichung einer daselbst geborenen, nunmehr neuvermählten Person anmerken soll. Ist dieselbe anderswo getauft worden, so muß der Pfarrer des Taufortes entweder unmittelbar oder mittelbar durch das Ordinariat behufs Eintragung des Eheabschlusses verständigt werden. Auf diese Weise wird das Taufbuch wenigstens teilweise das Lebensbuch eines Katholiken. (Vgl. Qu.=Sch. 1906, S. 55.) Der Pfarrer der Heimatsgemeinde erhält so eine gewisse Kenntnis, eine gewisse Kontrolle über jene, die seiner Pfarrei entstammen. Kommt eine Eheanzeige, so ist dies für den Pfarrer ein Zeichen, daß das ehemalige Pfarrkind auch in der Großstadt, in weiter Ferne dem katholischen Glauben treu geblieben ist, daß durch eine katholische Eheabschließung für die Erhaltung des Glaubens in einer neuen Familie vorgesorgt wurde. Oder der Pfarrer hat irgendwie Kenntnis von der Verheiratung einer in seiner Pfarrei geborenen Person erhalten, es kommt aber von keinem katholischen Pfarramte eine Verehelichungsanzeige, so kann er daraus schließen, daß diese Person im Glauben Schiffbruch gelitten habe, kann dann entweder selber oder durch die Verwandten dieser Person das Möglichste tun, um das verirrte Schäflein zurückzuführen. Er kann so durch seine Pfarrkinder auch für in der Ferne Lebende Seelsorger sein. Wenn die Verehelichung im Taufbuche genau eingetragen wird, und wenn vor jedem Eheabschluß von jedem Brautteil stets ein Taufschein verlangt wird, so ist hiemit auch ein weiteres Mittel gefunden, um Bigamien hintanzuhalten.   A.

III. (Ueber die Zulassung fremder Priester zur Zelebration der heiligen Messe) verordnet das Wiener Diözesanblatt Nr. 2, 1909: Trotzdem das fürsterzbischöfliche Ordinariat schon früher genaue Verordnungen bezüglich Zulassung von Priestern zur Zelebration der heiligen Messe herausgegeben hat, sind wiederholt Fälle vorgekommen, daß Priestern, obzwar sie nicht im Besitze der vorgeschriebenen kirchenbehördlichen Erlaubnis waren, zelebrieren zu dürfen, das Lesen der heiligen Messe gestattet wurde.

Den hochwürdigen Pfarrern und Kirchendirektoren wird es daher neuerdings dringendst ans Herz gelegt, keinen Priester zur Zelebrierung zuzulassen, ohne zuvor entweder selbst oder durch einen anderen an der betreffenden Kirche angestellten Geistlichen genau in das Dokument Einsicht genommen zu haben, aus dem untrüglich hervorgeht, daß dem in Frage kommenden Priester das Lesen der heiligen Messe gestattet ist.

Fremde Priester, welche sich nur vorübergehend einige wenige Tage in Wien aufhalten, müssen das von ihrem zuständigen Ordinariate ausgestellte Zelebret vorweisen. Falls sich diese fremden Priester jedoch über acht Tage in der Wiener Erzdiözese aufzuhalten gedenken, muß das von ihrem zuständigen Ordinariate ausgestellte Zelebret vom Wiener fürsterzbischöflichen Ordinariate vidimiert sein; ein vom Wiener fürsterzbischöflichen Ordinariate nicht vidimiertes Zelebret eines fremden Priesters, der bereits über acht Tage in der Wiener Erzdiözese weilt, möge keine Berücksichtigung finden.

Auch geht es nicht an, daß bloß Kirchenbedienstete in die Dokumente der sich zur Zelebration meldenden Priester Einsicht nehmen und über die Legalität des Zelebret entscheiden.

IV. (Seelsorgliche Behandlung der alten Leute.)

Mit diesem Thema berührt das Münst. Pastoralblatt, 1909, 2, sicher eine wichtige und praktische Frage. Man kann in Wahrheit manchmal von einer geistigen Verwahrlosung dieser Personen reden. Gebrechlichkeit und Kränklichkeit, oft auch das Alter als solches mit seiner Erschlaffung der geistigen und körperlichen Kräfte, eine gewisse natürliche Teilnahmslosigkeit und Interesselosigkeit bringen es mit sich, daß ältere Personen weniger oft, recht selten dem Gottesdienste beiwohnen, an anderen kirchlichen und religiösen Veranstaltungen teilnehmen. Der Weg ist für sie, zumal zur Winterszeit, bald zu beschwerlich. Die Predigt verstehen sie gar nicht oder nur teilweise, und zum Lesen guter Bücher fehlt oft die nötige Sehkraft oder das Interesse oder das Buch selber. Sie finden es für selbstverständlich, daß sie daheim bleiben, um das Haus zu bewachen, indes die jungen Leute zur Kirche gehen. Der Defekt der Kleidung ist auch manchmal eine Ursache, daß sie nicht mehr zur Kirche kommen; Festtagskleider zu kaufen halten sie bei ihrem Alter für überflüssig, in ärmeren Häusern als nicht berechtigte Auslage. Dann kommt zu diesem Sichselbstzurückziehen der alten Leute noch dazu das Zurückgedrängtwerden. Der grämige Onkel, die schwerhörige Großmutter, werden von den jüngeren Leuten nicht beachtet, man ignoriert sie, tut ihnen nur widerwillig das Notwendige. Die also Zurückgestoßenen werden dann menschenscheu, sie wollen allein bleiben, niemanden zur Last fallen, sie wagen es nicht, Leute zu bitten, daß diese den Seelsorger auf sie aufmerksam machen, sie wollen auch den Seelsorger nicht belästigen, ihn zu Besuchen oder zum Versehen veranlassen. Und die Folge von all diesen Umständen ist eine religiöse Kälte und Gleichgültigkeit, selbst Ostern wird übersehen; man kann nicht mehr sagen, daß solche Leute ein christliches, menschwürdiges Leben führen. Die Eigenheiten des Alters zeigen sich in recht unliebsamer Weise, Eigensinn, Ungeduld, Mißmut, Launenhaftigkeit, Haß, Lebensüberdruß u. dgl. machen sich bemerkbar, ohne christliche Hoffnung sehnen sie sich nach dem Ende dieses mühseligen Lebens, ohne christliche Liebe wird dieses Ende oft sogar von den nächsten Verwandten gewünscht und beschleunigt. Und daß es solch arme Verlassene überall, in der Stadt und auf dem Lande gibt, lehren die Tatsachen.

Was soll nun der Seelsorger da tun? Daß er gerade in diesem Falle tätig und wirksam sein muß, ist ohnehin klar. Sind ja doch diese alten Leute wirklich arm und bedürftig, notleidend an Seele und Leib. Sie sind in schwerer geistlicher Not; es ist schwere Pflicht des Seelsorgers, ihnen zu helfen. Nur mehr kurz ist für sie die Zeit des Lebens, wo sie noch wirken, abbüßen und verdienen können. Daß sie diese letzten Lebenstage noch recht ausnützen, ist für sie von ungeheurer Bedeutung für die Ewigkeit. Wie können sie gerade durch Geduld in den Mühsalen des Alters Buße tun, das Fegfeuer abkürzen, den Himmelslohn mehren! Wie aber sollen sie geduldig sein, wenn sie keinen geistlichen Zuspruch, keinen Trost erhalten, wenn niemand ihre Gedanken hinlenkt auf den Gekreuzigten, auf den ewigen Himmelslohn, wenn niemand ihnen die mächtige Gnade Gottes vermittelt, den allmächtigen Sohn Gottes darreicht? Wer wird für sie sorgen, daß sie nicht ohne den Empfang der heiligen Sakramente sterben?

Der Seelsorger muß da helfend eingreifen, muß vor allem diese Hilfsbedürftigen kennen lernen. Ein gut und übersichtlich angelegtes Pfarrbuch, das genau geführt, oder wenigstens gelegentlich der Osterbeicht durch den Pfarrer oder Mesner revidiert wird, wird dem Seelsorger leicht die Kenntnis dieser alten Leute vermitteln. Die Kontrolle der Beichtpflichtigen zeigt ihm auch die infolge des Alters noch Ausständigen. Bei den öffentlichen Verkündigungen werden jedes Jahr zur österlichen Zeit die Gläubigen aufgefordert, daß sie beim Seelsorger jene Personen anzeigen, die nicht zur Kirche kommen können, um die Osterpflicht zu erfüllen, zu denen der Priester die heilige Eucharistie tragen muß. Es dürfte gut sein, wenn der Seelsorger die Namen dieser Altersschwachen aufschreibt, nach den Ortschaften geordnet, und so diese besonderer Fürsorge Bedürftigen in Evidenz führt. Gelegentlich von Besuchen in den verschiedenen Häusern der Pfarrei kann er auch diesen Armen nachforschen. Und wie zu den Werken der leiblichen Barmherzigkeit brave Mitglieder der Pfarrei, Männer und Frauen, insonderheit die Mitglieder religiöser Vereine mithelfen müssen, so können auch in dieser Sorge für die alten Leute Helfer und Helferinnen gewonnen werden, in jeder Ortschaft für die dort Befindlichen. Welch schöne Aufgabe z. B. für Mädchenkongregationen oder Jungfrauenvereine wäre es, wenn einzelne, die über Zeit und Geld verfügen können, gelegentlich der ländlichen Krankenpflege sich widmen würden, natürlich nach Empfang der nötigen Ausbildung! Es wäre ein Werk echt christlicher Nächstenliebe nicht bloß im Interesse der Armen oder Kranken, sondern auch zum Nutzen der Gesunden und Bessergestellten. Solche helfen dem Arzte und unterstützen den Seelsorger, sorgen für Leib und Seele ihrer Mitmenschen.

• Wie sind die alten Leute, die sich so überflüssig, als Last für sich und andere fühlen, so dankbar, wenn andere sie besuchen, sich teilnahms= voll ihrer annehmen, sich um ihr Befinden erkundigen, ihnen eine kleine Freude machen, etwa in Form eines Geschenkes, sich immer wieder die alten Geschichten, Lebenserinnerungen und Lebensschicksale erzählen lassen. Und wenn erst der Priester ihnen diese Freude macht, sie besucht, sie tröstet und aufrichtet, ihnen geistige und auch materielle Hilfe spendet, wie glücklich sind sie dann, wie schätzen sie das Kreuzchen, den Rosenkranz, das Bildlein, das sie empfangen. Kommt der Seelsorger ins Haus, in das Stübchen der Alten, so müssen die jungen Leute wohl sorgen, daß es doch halbwegs ordentlich aussieht, sie müßten sich ja sonst vor dem Besucher schämen. Erfüllen aber z. B. Kinder nicht freiwillig ihre Pflichten gegen alte Eltern, so wird der Seelsorger auch ernste Worte finden, durch die Betonung des vierten Gebotes ihr Gewissen wachrufen, eventuell auch gesetzliche Mittel zu Hilfe nehmen. Er wird so der rettende Engel für recht arme Menschen.

Sind aber brave Leute im Hause, so wird gerade diese liebevolle Fürsorge für die alten Personen von Seite des Seelsorgers ihre Herzen rühren, Hochachtung und dankbare Liebe in ihnen erwecken. Die alten und jungen Bewohner des Hauses freuen sich auf den Besuch des edlen Wohl= täters, freuen sich, wenn er öfter im Jahre, nicht bloß zur Osterzeit oder in den zwei Ablaßwochen, den göttlichen Heiland ins Haus bringt. Der echte Seelsorger ist als Nachfolger des guten Hirten zu diesem Liebes= werke, zu dieser Standespflicht gerne bereit, bietet sich willig an, erleich= tert so den alten und darum oft recht armen Leuten ihr hartes Los, führt sie mit sicherer Hand den letzten, oft recht steilen Teil des Kreuz= weges hinan zur Himmelsfreude. Und daß diese dankbaren Leute viel für ihren Wohltäter beten, auch vom Himmel aus noch dankbar sein werden, ist nebst der Verheißung des Heilandes: „Was ihr dem Geringsten meiner Brüder getan habt, das habt ihr mir getan" sicher für den Seelsorger ein großer Trost und reinste Entschädigung.   F. A.

V. (Der heldenmütige Liebesakt für die armen Seelen im Fegefeuer und der Sterbeablaß.) Bei diesem heldenmütigen Liebesakte besteht die Verpflichtung, alle gewonnenen Ablässe für die armen Seelen im Fegefeuer aufzuopfern; und es ist das allgemeine Privileg erteilt, daß man auch diejenigen Ablässe den Verstorbenen zuwenden kann, bei welchen eine solche Zuwendbarkeit nicht erklärt ist. Da aber bei den Sterbeablässen nicht nur eine solche Zuwendbarkeit nicht erklärt ist, sondern auch geradezu bestimmt ist, daß dieselben für die Verstorbenen nicht aufgeopfert werden können: so wurde in dieser Hinsicht bei der ehemaligen S. Congr. Indulgentiarum angefragt, welche unterm 23. Jänner 1901 entschied, daß es dem Belieben der Gläubigen anheimgestellt ist, ob sie bei diesem heldenmütigen Liebesakte den Sterbe= ablaß für sich gewinnen oder für die Verstorbenen aufopfern wollen. (Es kann nämlich bei den Sterbeablässen jeder Gläubige, auch wenn auf ver=

schiedene Titel hin und durch Erfüllung verschiedener Bedingungen, stets nur einen vollkommenen Ablaß und zwar im wahren Augenblicke des Todes gewinnen.)

Lemberg. Josef Kobylanskyj, Domprälat.

VI. (**Die Personal-Einkommensteuer für die Mitglieder eines Klosters wird nach dem Anteile an dem Gesamteinkommen bemessen.**) Das Einkommen des Stiftes Tepl wurde nach Abzug aller Auslagen (Steuern, Patronatslasten, Pensionen u. dgl.) mit netto 356.249 Kronen bewertet. Diese Summe wurde auf 79 Mitglieder der Kommunität, welche nicht als Pfarrer, Professoren oder Katecheten ein selbständiges Einkommen haben, aufgeteilt und für eines die Ziffer per 4510 als Grundlage der P.=E.=St.=Bemessung genommen. Das Stift beschwerte sich gegen diese Aufteilung unter Hinweis auf die ziffernmäßigen Daten der Bekenntnisse, worin für jedes Mitglied bestimmte Beträge für Nahrung, Kleidung, Wohnung, Remuneration ausgewiesen seien. Der V.=G.=H. wies aber die Beschwerde mit Erkenntnis vom 5. Juni 1908, Z. 5666, ab. Eine andere Quelle der Versorgung als das Gesamteinkommen bestehe nicht; und setze diese Versorgung keineswegs voraus, daß das ganze Gesamteinkommen dadurch erschöpft werde. Nach § 158 des P.=E.=St.=Gesetzes unterliege, wenn ein Einkommen mehreren Personen gemeinschaftlich zufließt, dieses Gesamteinkommen der Bestenerung. Die Finanzbehörde vermochte nun die in den Bekenntnissen angeführten bestimmten Beträge nicht festzustellen, da die Bezüge für Wohnung, Bekleidung, Verköstigung, Beheizung, keineswegs in faktisch ausgezahlten Beträgen, sondern der Natur der Sache nach nur in schätzungsweise ermittelten Ziffern angegeben waren. Die Finanz=Verwaltung mußte sonach das Gesamteinkommen in gleiche Teile verteilen. Anton Pinzger.

VII. (**Die Leistungspflicht des Patrons datiert vom Tage der Konkurrenzverhandlung an und kann nicht einem Gutsnachfolger aufgebunden werden.**) Der Besitzer der Herrschaft Pittersberg als Patron der Pfarre Lifing wurde zuletzt auch vom Kultus=Ministerium mit Entscheidung vom 14. Februar 1907 verhalten, für die in den Jahren 1887 bis 1902 gelangten Herstellungen den Patronatsbeitrag per 2105 *K* 78 *h* zu leisten, obwohl er erst im Jahre 1902 in den Besitz der Herrschaft gelangt war. Die Regierung ging von der Ansicht aus, daß das Patronatsgut für die dem Patrone obliegenden Ausgaben dinglich hafte und die fragliche Leistung erst unter dem jetzigen Gutsinhaber durch behördliche Entscheidung konkretisiert worden ist. Der V.=G.=H. hob aber mit Erkenntnis vom 25. April 1908, Z. 2576, diese Entscheidung als im Gesetze nicht begründet auf. Die Nichterfüllung durch den persönlich Verpflichteten ist ebenso wenig ein Endigungsgrund für dessen Verbindlichkeit, als ein Entstehungsgrund für die gleiche Verbindlichkeit des Patronats=Nachfolgers. Aus der Reihe der aufeinander folgenden Besitzer des Patronatsgutes ist derjenige virtuell leistungspflichtig, unter welchem die Konkurrenzverhandlung stattfand, im Grunde welche die Notwendigkeit, Art und Umfang der Bauherstellung, sowie die Tangenten der Kosten fortgesetzt und das in dieser Zeit entbehrliche Kirchenvermögen, die damalige Pfründenfassion in Berücksichtigung genommen wurde. Die Leistung mußte daher aus dem Nachlaß des in den Jahren 1887—1902 im Besitze des Gutes befindlichen Patronatsherrn geschehen. A. P.

VIII. (Ein Priesterasyl für wegen vorgerückten Alters dienstunfähige Priester ist von der Gebäudesteuer nicht frei.) In Urfahr hatte eine Frau ein Asyl für dienstunfähige Priester gewidmet und glaubte demnach das bischöfliche Ordinariat im Sinne der Allerhöchsten Entschließung vom 12. Oktober 1820, daß dieses Haus als eine Wohltätigkeitsanstalt von den Gebäudesteuern befreit sei. Allein der V.-G.-H. wies mit Erkenntnis vom 10. Juni 1908, Z. 5705, das diesbezüglich gestellte Begehren ab, denn laut Stiftbrief wäre das Haus nur für Geistliche bestimmt, die ihres Alters wegen die Dienste nicht mehr verrichten können, weiters seien nach den Erhebungen Geistliche untergebracht, die 1600 Kronen Pension[1]) bezögen. Es gehe daher zweifellos hervor, daß das wesentliche Moment für den Begriff einer Wohltätigkeitsanstalt, das ist die Bestimmung der menschlichen Bedürftigkeit abzuhelfen[2]), fehlt, weil ein Nachweis der Bedürftigkeit für die Aufnahme ins Stiftungshaus überhaupt nicht gefordert wird. Der humanitäre Charakter, welcher dieser Stiftung innewohnt, genügt für die Hauszinssteuerbefreiung nicht. A. P.

IX. (Ruhegenüsse der priesterlichen Ordinariatsbeamten.) Dem Dominik Kan. in Cosina wurde vom Kultus-Ministerium vom 1. Jänner 1902 angefangen, auf die Dauer seiner Inhabilität, der Tischtitelbezug jährlicher 420 Kronen aus dem Religionsfonds bewilligt. Derselbe verlangte nun mit Rücksicht auf seine Dienstleistung als Aktuar der bischöflichen Kurie die Richtigstellung seines Ruhegehaltes nach dem Gesetze vom 19. Februar 1902. Er wurde jedoch mit seiner Beschwerde zuletzt vom V.-G.-H. mit Erkenntnis vom 28. März 1908, Z. 3155, abgewiesen. Dieses Gesetz habe keine rückwirkende Kraft. Es sei richtig, daß Dominik K. noch am 19. Februar 1902 als Aktuar fungierte. Allein das Gesetz wurde erst am 15. März 1902 im Reichsgesetzblatt publiziert und trat sonach gemäß § 6 des Gesetzes vom 10. Juni 1869 mit dem Anfange des 45. Tages nach Ablauf des Tages der Ausgabe des Reichsgesetzblattes, also am 29. April 1902, in Wirksamkeit. Laut Ordinariatsdekretes war aber Dominik K. am 30. März 1902 seines Dienstes enthoben worden und war daher zur Zeit der Wirksamkeit nicht mehr Aktuar und hat sonach auf den durch dieses Gesetz — übrigens nur für die nach § 1 lit. b systemisierten Dienststellen — normierter Ruhegehalt einen Rechtsanspruch nicht erworben und hat es bei der Tischtitelpension sein Bewenden. A. P.

X. (Das Ordinariat haftet nicht für die Gebühr von der Uebertragung geistlicher Aemter.) Vom Finanz-

---

[1]) Diese Priester sind derart invalid, daß sie nicht Messe lesen können und fortwährender Bedienung bedürfen. — [2]) Dies geschieht wohl tatsächlich durch das Asyl.

Ministerium wurde das griechisch=katholische Metropolitan=Konsistorium in Lemberg wegen einer Dienstverleihungsgebühr haftbar gemacht. Der V.=G.=H. hob aber die betreffende Entscheidung als ungesetzlich auf, weil die Ver= leihung eines geistlichen Amtes im Namen eines Dritten, d. i. der betreffenden kirchlichen Stiftung, Kirchengemeinde, des Religionsfondes oder des Staates, gegen welche der Anspruch auf die mit dem verliehenen Kirchenamte ver= bundenen Dienstbezüge sich richtet — vorgenommen wird, und der Ordi= narius bloß vermöge seiner kirchlichen Stellung berechtigt ist, durch An= stellung des Geistlichen eine Disposition zu treffen, derzufolge der leistungs= pflichtige Dritte dem Benefiziaten die mit dem ihm übertragenen Amte verbundenen Genüsse zu verabfolgen hat. Es kann ihm (dem Ordinarius) daher auch die Haftungspflicht für die Dienstverleihungsgebühren nicht auf= erlegt werden, da auf seiner Seite die Voraussetzung für die Gebühren= pflicht nach T. P. 40 (entgeltlichen Vertrag) nicht besteht. (Siehe auch L. Qu.=Schrift 1899, S. 724, Nr. XV.) A. P.

XI. (Einbringung von Kultusbeiträgen aus=getretener Mitglieder.) Nachum Rosenstrauch trat aus der israelitischen Kultusgemeinde aus und verweigerte die Zahlung schuldig gebliebener Kultusgebühren. Die Kultusgemeinde verlangte von der Admini= strativbehörde die Einbringung dieser Ausstände im Exekutionswege. Das Ministerium entschied, daß nach Art. 5 und 9 der interkon. Gesetze vom 25. Mai 1868 er infolge seines Austrittes nicht mehr zur Leistung zu Kultusauslagen herangezogen werden könne. Der V.=G.=H. fand aber laut Erk. vom 7. April 1908, Z. 3467, diese Auffassung im Gesetze nicht be= gründet. Nach dem Art. 5 l. c. gehen durch die Religionsveränderung alle Rechte an den Ausgetretenen, aber auch die Ansprüche dieses auf jene verloren. Daraus folgt aber keineswegs, daß der Austrittsakt auch auf jene Verpflichtungen des Austretenden zurückwirke, welche vor dem Aus= tritte zu Recht bestanden haben. Dieser könne unmöglich die Erlöschung solcher vor demselben eingegangener Verpflichtungen bewirken, bloß weil er deren Erfüllung verzögert hat. Dasselbe gilt auch vom angezogenen Art. 9, der besagt, daß Angehörige einer Kirche nicht zur Beitragsleistung einer anderen herangezogen werden können, was sich offenbar nicht auf Ver= pflichtungen zur Zeit des Angehörigkeitsverhältnisses bezieht.[1] A. P.

XII. (Geistliche bedürfen zur Annahme eines öffent=lichen Amtes im Staate oder Lande der Bewilligung ihres Oberhirten.) In diesem Sinne sprechen sich alle Kanonisten aus. So sagt P. Wernz S. J. in seinem Jus Decretalium tom. II, 1899, Seite 329: Clerici infra Episcopum constituti officia civilia et politica velut deputati in parlamentis vel consiliarii in munici= piis, si jure civili .ab illis officiis non excluduntur, ex disciplina ecclesiae nunc vigente sine praevia licentia Ordinarii, cujus Dioecesi sunt adscripti, suscipere non possunt. Er beruft sich hiebei

---

[1] Analog gilt dies auch, wenn sich jemand durch Religionswechsel einer Konkurrenzleistung entziehen wollte.

auf die Konstitutionen Klemens XIII., auf das Kölner Provinzialkonzil, auf Kardinal Hergenröther, Scherer u. a. Dr. Haring bemerkt in seinen Grundzügen des kathol. Kirchenrechtes (Graz 1906, S. 154): „Die neuen Staatsverfassungen haben Stellungen geschaffen, welche in der Regel staats=gesetzlich auch den Klerikern als Staatsbürgern zugänglich sind. Zur Ueber=nahme dieser Aemter in der Gemeinde, im Staate (Landtag, Reichsrat) ist oberbehördliche Genehmigung notwendig."[1]   A. B.

XIII. (Was hat zu geschehen, wenn ein Chinese eine Oesterreicherin heiratet?) Ein ehrsamer Chinese, seines Zeichens ein Akrobat, will eine Oesterreicherin heiraten. Die Oesterreicherin ist katholisch, ledig, großjährig und über 6 Wochen an einem Orte wohnhaft. Der Chinese ist zwar auch ledig und großjährig, aber nur 4 Wochen wohn=haft, ungetauft und soll in kürzester Zeit, wie es sein Beruf mitbringt, katholisch getraut werden. Was hat in diesem Falle zu geschehen?

Antwort: Von Seite der Braut ist kein Hindernis. Von Seite des Bräutigam sind drei staatliche und ein kirchliches. Das kirchliche ist disparitas cultus, da der Chinese getauft wurde, so wurde es behoben und auch ein staatliches. Das eine staatliche Hindernis — ausländische Staatsbürgerschaft — wurde durch ein Zeugnis der chinesischen Botschaft in Wien behoben. Von dem staatlichen Hindernis des 6wöchentlichen Auf=enthaltes hat die weltliche Obrigkeit keine Dispens gegeben. Es mußte also der Chinese sich bequemen, seinen Aufenthalt in Wien um zwei Wochen zu verlängern. Am Nachmittag nach der Trauung war er schon mit seiner neuen Gemahlin fort über alle Berge.

Wien, Pfarre Altlerchenfeld.   Karl Krasa, Kooperator.

XIV. (Die Meldepflicht) hat auch vom moralischen Stand=punkt aus ihr Gutes. Es sind manche Fälle vorgekommen, daß damit nicht bloß Gaunerstreiche verhütet, sondern bald entdeckt wurden. Die Unter=lassung dieser in Europa (in Amerika existieren sie nicht) mehr weniger scharf gehandhabten Polizeivorschrift hat manchen Dritten in bösen Ver=dacht gebracht. Das Farbbekennen bewahrt auch manch einen Schwer=versuchten vor — Extravaganzen. Sehr gut kommt diese Meldepflicht einem gewissenhaften Gastwirt in einem gewissen, heiklen Fall zustatten.

Es kommt z. B. ein Pärchen und bestellt ein Zimmer mit zwei Betten. Durch ihr Gehaben beim Abendessen bringen aber diese zwei Leute die feinfühlige Hausmutter zuerst auf den Verdacht, dann zur Gewißheit: Ihr seid kein Ehepaar! Was soll ich machen in diesem Fall, muß ich fragen: Seid ihr Eheleute oder darf ich die Augen zudrücken? So frägt sie den Beichtvater.

Dieser antwortet also: Wenn Sie bestimmt wissen, daß es ledige Leute sind, dann werden Sie natürlich keinen Unterschlupf geben. Das Fragen ist allerdings höchst peinlich, einmal unzart, dann geschäftlich be=denklich. Wissen Sie was: Machen Sie es sich zur strengen Pflicht und

---

[1] In der Diözese Linz haben die geistlichen Landtags= und Reichsrats=abgeordneten die Bewilligung zur Annahme ihrer Mandate nachgesucht und erhalten.

Hausordnung: Sobald ein Gast um Nachtquartier frägt, sofort den Melde=
zettel ausfüllen lassen. Erst dann gilt die Zusage. Liegt eine Falschmeldung
vor, dann haben Sie keine Verantwortung.

Hat der Beichtvater richtig entschieden? Ich meine schon.

XV. **(Das Osterei.)** 1. Die Archäologen dehnen ihre Forschungen
nicht mehr auf die Erdoberfläche und ihre Bewohner aus, sondern durch=
wühlen selbst die Gräber der Toten. Ein Wiener Kaufmann Graf, Pro=
fessor Karabasek dortselbst und der bekannte Kanonikus Dr. Franz Bock
in Aachen kamen um 1880 auf den seltsamen Gedanken, in der Sand=
wüste Arabiens die Gräber zu öffnen, um in dem trockenen Sande unver=
weste Kleiderstoffe zu finden. Das Resultat war glänzend; es wurden von
1880 an mehrere hundert Stoffe aufgefunden teils aus Leinwand, teils
aus Wolle, seltener aus Seide. Die Funde gehören dem 3. bis 7. Jahrhundert
nach Chr. an und zeigen zentaurne, biblische Darstellungen und symbolische
(Hase); die Farben sind noch prächtig erhalten. Muster wanderten in die
Museen von Wien, Berlin, Rom und in Abbildung wurden sie bekannt
gegeben durch R. Forrer in zwei Quartbänden; die Gräber und Textil=
funde von Achmim=Panopolis und römische und byzantinische Seiden=
Textilien aus dem Gräberfelde von Achmim=Panopolis. Straßburg 1891,
17 Taf. und 120 Abb.

Aehnliche Nachgrabungen wurden von anderer Seite auch in Griechen=
land und Italien vorgenommen und hatten merkwürdige Entdeckungen zur
Folge. Beschränken wir uns nur auf einen Gegenstand. In altgriechischen
Gräbern, z. B. auf dem Schlachtfelde von Marathon (490 v. Chr.) stieß
man wiederholt auf Eier. Noch häufiger waren die Funde in etruskischen
Gräbern, z. B. in Corneto. Die Eier waren teilweise noch unversehrt, teil=
weise kamen nur Schalen an das Tageslicht. Es fanden sich gewöhnliche
Hühnereier oder auch Straußeneier oder auch Nachbildungen aus Alabaster,
Ton, Kalkstein u. dgl. Einzelne Exemplare waren im Naturgewande, andere
trugen Bemalung.[1]) Aehnliche Funde machte man aus christlicher Zeit auch
in germanischen Gräbern.

Welche Bedeutung hatte wohl dieser seltsame Gebrauch, Eier in die
Gräber zu legen! Der christliche Apologet Theophilus bemerkt um das
Jahr 180 n. Chr. nach Aristophanes Vögel, die Heiden hätten die Vor=
stellung, die ganze Welt sei anfangs in einem Ei eingeschlossen gewesen.
Nach anderer heidnischer Auffassung sollten die Eier nicht bloß eine Opfer=
gabe an die Toten sein, sondern auch ein Hinweis auf die im Eie ruhende
Lebenskraft, also ein geheimer Ausdruck des Glaubens an ein Auferstehen
aus dem Grabe.

2. Mit dieser letzteren Auffassung können auch wir Christen ein=
verstanden sein, wenn die Frage gestellt wird, welche Bedeutung die Oster=
eier im christlichen Kulte haben. Sie sollen:

a) daran erinnern, daß Christus aus eigener göttlicher Macht die
Siegel des Grabes erbrochen und glorreich auferstanden sei, wie das im

---

[1]) Näh. Archiv für Religionswissenschaft. Bd. XI. Leipzig 1908. S. 530—546.

Ei eingeschlossene Küchlein die Schale seiner Behausung durchpickt und an das Tageslicht tritt. Röm. 8, 11 lehrt der heilige Apostel Paulus, Christus sei von den Toten auferweckt worden durch den Geist, durch die Herrlich= keit des Vaters. Um diesem Gedanken anschaulichen Ausdruck zu geben, ge= stalteten mittelalterliche Künstler das Grab Christi nicht immer rechtwinklig, sondern eiförmig.

b) Das Osterei erinnert aber auch uns, daß wir mit Christus zu einem neuen Leben auferweckt wurden; denn Röm. 6, 4 ist zu lesen: „Wir sind mit Christus durch die Taufe zum Tode begraben, damit wie Christus auferstanden ist von den Toten durch die Herrlichkeit des Vaters, also auch wir in einem neuen Leben wandeln." Ein anderesmal schreibt der heilige Paulus: Gott hat den Herrn auferweckt und er wird auch uns auferwecken durch seine Macht. I. Kor. 6, 14.

c) Das Ei kann in seinem schneeweißen Naturschmucke, noch mehr in bunter Färbung, an die Herrlichkeit des Himmels erinnern und uns ermahnen, makellos zu leben, weil nichts Unreines in den Himmel eingehen kann.

d) Die Ostereier werden vielfach wie altchristliche Eulogien verschenkt und wünschen dem Empfänger die Freuden des Himmels.

3. Nach kindlicher Auffassung verdanken wir die Ostereier dem allwillkommenen Osterhasen. Wie kommt doch dieses niedliche Tierchen zu solch unverdienter Ehre? Es gibt verschiedene Erklärungen, welche wegen ihrer unlauteren Abstammung nicht verdienen, erwähnt zu werden; am meisten Glaubwürdigkeit besitzt noch die Worterklärung von Grimm in seinem altdeutschen Wörterbuch. Nach seiner Auffassung heißt Ost im Lateinischen auster und Ostera bedeutet teils das Kirchenfest Ostern, welches nach Frühlingsanfang fällt, teils die Frühlingsgöttin Ostern. Nun heißen die Eier, welche in dieser Frühlingszeit gelegt werden, kurzweg Osteras=Eier. An dieser Benennung wird niemand etwas zu tadeln haben; ein sprachlicher Fehler schlich sich aber darin ein, daß wir Deutsche, in den Genitiv Osteras ein h einschoben und so aus dem fremdartigen Worte Osteras einen Osterhas gewannen. Auf so unschuldige falsche Aussprache und Schreibweise gelangte das Osterhäschen zu seiner Ehre und hört es mit Freuden, wenn Kinder singen:

O Osterhas, o Osterhas,
Leg deine Eier bald ins Gras.

4. Zur Weihe der Ostereier mögen verschiedene Umstände beigetragen haben. Der Kirchengeschichtschreiber Sokrates (gest. zirka 440) erwähnt, in Betreff des Fastens herrsche große Verschiedenheit, weil keine geschriebene Vorschrift bestehe, Einzelne enthielten sich von dem Genusse des Fleisches mit Ausnahme der Fische und einzelner Vögel, Andere vermieden Baum= früchte und Eier.[1] Letztere gehören zu den sogenannten Laktizinien und

---

[1] Socr. hist. eccl. V 22. Migne gr. 67 p. 635.

sind noch derzeit in der Fastenzeit verboten, wo nicht besondere Dispense besteht. Nun lag nahe, die Eier am ersten Tage, an welchem deren Genuß wieder erlaubt war, kirchlich zu benedizieren.

Dazu kam noch ein zweiter Grund. Die Ostereier wurden vom Volke zu abergläubischen Zwecken benützt, die nicht näher erörtert werden sollen;[1] eine besondere Kraft wurde insbesondere jenen Eiern beigemessen, welche in der Karfreitagnacht gelegt worden waren.[2]

In naiver Weise wurden die Ostereier auch in die Ostermärlein hineingezogen. Weil das Evangelium am Ostermontag erzählt, daß die zwei Emausjünger miteinander plauderten, verfielen einzelne Prediger vom 15. Jahrhundert an in den Mißbrauch, an diesem Tage zum Ausdruck der Osterfreude und zur Belustigung der Zuhörer Märchen zu erdichten und zu erzählen, z. B. veröffentlichte 1712 der damalige Ordinari=Prediger bei St. Ulrich in Augsburg, P. Mauritius Nattenhusanns, unter dem kuriosen Titel: „Der alte redliche teutsche Michel“, eine Sammlung Predigten für die Sonntage. In einer dieser Predigten auf den Ostersonntag verehrte er den einzelnen Ständen unter näherer Begründung verschiedene Eier: Der geistlichen und weltlichen Obrigkeit ein Adlerei; der Priester=schaft ein Falkenei; den Hausvätern ein Kranichei; den Junggesellen ein Pfauenei; den Jungfrauen ein Schwanenei; den Weibern ein Hennenei, weil sie wie die Hennen gerne gackern.

Ein Formular zur Weihe der Ostereier findet sich schon in einem Rituale von Augsburg 1580 und Freising 1627. Als Wirkung der Weihe wird erbeten, die Eier sollten „cibus salubris“ sein Diese Bitte ist voll=berechtigt, wenn man bedenkt, daß nach längerem Fasten die menschliche Natur sich erst allmählich wieder an den Genuß von Fleisch, Milch, Eiern und andern bisher verbotenen Speisen gewöhnen soll.

München.   Dr. Andreas Schmid, Universitätsprofessor.

XVI. (Pflege der lateinischen Sprache.) In einem Schreiben an die Bischöfe vom 1. Juli 1909 ermahnt die Studien=Kon=gregation die Lehrer und Schüler, daß sie die lateinische Sprache eifrig lehren und lernen. Abgesehen davon, daß die römische Literatur nach der griechischen die Grundlage der Literaturen der anderen Völker ist, so daß der Priester als Gebildeter sie kennen soll, ist Latein vor allen die der katholischen Kirche eigentümliche Sprache. Sie verbindet die Priester des ganzen Erdkreises unter einander. Die lateinische Uebersetzung der Heiligen Schrift des Alten und Neuen Testamentes ist von der Kirche als authentisch erklärt; in dieser Sprache werden die kirchlichen Gebete, das Breviergebet, verrichtet, in ihr die kirchlichen Funktionen vollzogen. Diese Sprache benützen die Päpste in Konzilien in ihren Verhandlungen und Erlässen. In denselben Sprachen haben die Väter und Kirchenschrift=steller des Abendlandes ihre gelehrten Bücher verfaßt, und da sie besonders geeignet ist, die schwierigsten und feinsten Lehren der Theologie und Philo=

---

[1] Hovorka=Kronfeld, Volksmedizin Stuttgart 1908. II. S. 165. —
[2] Dr. Höfler M., Volksmedizin und Aberglaube. München 1888. S. 209.

sophie klar und bestimmt zum Ausdrucke zu bringen, so haben die Theologen, Philosophen und Kanonisten nicht bloß im Mittelalter, sondern bis auf die Gegenwart, die lateinische Sprache in Lehre und Schriften benützt. Latein ist die Sprache der internationalen und universellen Wissenschaft.

Vielleicht ist im Anschlusse an diese von s. Cong. stud. vorgebrachten Gründe für die Pflege der lateinischen Sprache der Wunsch gestattet, daß diese Sprache der Kirche auch in dem kirchlich offiziellen Organe, in den Acta apostolicae Sedis durchgehends zur Anwendung komme, daß ferner dieser Sprache auch in Italien speziell in den Räumen des Vatikans von den diensttuenden Geistlichen etwas mehr Verständnis entgegengebracht werde.   A.

Zeitschriftenschau.
Von Prof. Dr. Hartmann Strohsacker O. S. B. in Rom, S. Anselmo.

Laacher Stimmen, 9. Heft. Beissel weist (353 ff.) gegenüber der heute vielfach behaupteten Abhängigkeit des Christentums vom Buddhismus auf die gänzliche Unsicherheit hin, die bezüglich der ursprünglichen Gestalt des Buddhismus herrscht; weiters ergaben die neuesten Studien Dahlmanns eine überraschend starke Beeinflussung der indischen Kunst durch die spätrömische, womit eine wesentlich neue Auffassung der Person des Stifters der buddhistischen Religion Hand in Hand geht: diese Umwälzung zu erklären aus dem Bekanntwerden des Christentums in Indien. — Zimmermann, „Der Wert der Heiligkeit nach modern-praktischem Urteil", 365 ff. Kritik der Anschauung W. James', wonach der Nutzen für das Diesseits der Prüfstein der Wahrheit ist, und die Heiligkeit rein subjektiv ohne Rücksicht auf die objektive Wahrheit des Bekenntnisses gewertet wird; Zurückweisung seiner Angriffe auf den Gottesbegriff und das Tugendleben der Heiligen; immerhin anerkennt James den Wert der Aszese (als Armut) und den hohen Nutzen der Heiligkeit. — Meschler, „Die Aszese des hl. Ignatius", Schluß, 387 ff. Erstes Mittel der Aszese die Folge der Betrachtungen; zweites: das Gebet, bes. das betrachtende; drittes: Empfang der Sakramente. Des Heiligen Anleitung zur Selbstüberwindung; seine Regeln für besondere Bedürfnisse des geistl. Lebens. Holl findet fälschlicherweise die Exerzitien auf die Phantasie aufgebaut. Die Eigentümlichkeiten der Aszese des hl. Ignatius Gediegenheit, Allgemeinheit, Einfachheit und Natürlichkeit, Konsequenz. — Krose, „Das Gartenstadtprojekt", Schluß, 400 ff. Howards Projekt seit 1904 großenteils durchgeführt in der Nähe von Hitchin; Modifikation des Projektes für Deutschland durch Ballod, und Aussichten desselben. — H. Pesch, „Kirchliche Autorität und wirtschaftliche Organisation" 410 ff. Grundsätze über das Verhalten der christl. interkonfessionellen Gewerkschaften zu den katholischen; unbedingt abzuweisen ist die Anschauung, als ob die kirchl. Autorität auf die gewerkschaftliche Organisation und ihre Betätigung, soweit die christl. Moral und Weltanschauung in Frage kommt, keinen Einfluß zu nehmen hätte.

10. Heft. Baumgarten berichtet (469 ff.) über den eucharistischen Kongreß zu London. — Dressel, „Atom und Element im Lichte der heutigen

Physik", 491 ff. Kurze Geschichte der philosophischen (verfehlten) und der che=
mischen resp. physikalischen Atomtheorie; letztere, heute für den Chemiker ge=
radezu unentbehrlich, hat neuestens vonseite der Physik gewichtige Stützen er=
halten, insbesondere durch die Forschungen auf dem Gebiete der Optik und
Elektrizität; ja die Radioaktivität brachte die bisher geglaubte Unzerlegbarkeit
der Elemente und Atome zum Fall. — Beßmer, „Der menschliche Gang",
508 ff. Besprechung der an der willkürlichen Bewegung beteiligten Faktoren.
— H. Pesch widerlegt (523 ff.) die neuestens wieder von M. Weber vertre=
tene Anschauung, daß der ethische Begriff des Berufes eine Schöpfung der Re=
formation sei; allerdings der kapitalistische Geist, dem das Erwerben als Selbst=
zweck gilt, widerspricht dem katholischen, auf den Gemeinschaftsgedanken ge=
richteten Ideal. — Meschler, „Zum Jubiläum unserer L. Fr. von Lourdes",
523 ff. Gründe sich damit zu befassen: die fünfzigjährige Gedenkfeier der Er=
scheinung, die Ausdehnung des Festes auf die ganze Kirche, die Flut von Gegen=
schriften. Einige Hauptbeweise für die Wirklichkeit der Erscheinung und für die
Wahrheit der Wunder. Gründe zum Dank und zur Freude.

1909, 1. Heft. Meschler, „Zur Seligsprechung der Jungfrau von
Orleans", 1 ff. Kurze Lebensgeschichte der Johanna d'Arc. (Schluß, 2. Heft,
141 ff.: Charakteristik des Lebens der Seligen: ihr wunderbarer Beruf, ihr
tragisches Schicksal, ihr heldenhafter Tod, ihre echt christliche Vaterlandsliebe.)
— Zimmermann, „Persönlichkeit", 18 ff. Beleuchtung des heute herrschenden
Schlagwortes: der Begriff bei den Modernen sehr verschwommen und viel=
deutig, Selbständigkeit des Denkens und Wollens, Individualität, geistige
Eigenart usw. (Schluß, 2. Heft, 161 ff.: Moderner Mißbrauch des Wortes
zur Rechtfertigung der „Persönlichkeitskunst", zur Verwerfung der kath. Kirche,
der allgemein giltigen Sittenlehre, jeglicher Autorität, des Glaubens, der
Wahrheit. Einspruch gegen diesen Sprachgebrauch und besonders gegen die
damit bezeichnete Sache.) — Muckermann, „Paläontologische Urkunden und das
Problem der Artbildung", 30 ff. Aus dem bisher bekannten Material ist über
den Ursprung und ev. Aufstieg der Pflanzen= und Tierwelt zum Menschen
nichts zu entnehmen; die Klassen mit ihren Untergruppen stehen scharf getrennt
nebeneinander; die Organismen der geologischen Zeitalter sind wohl durch Ab=
stammung miteinander verknüpft, doch über den Ursprung der Haupttypen und
ihrer wichtigsten Untergruppen, sowie über den Ursprung des Menschen läßt
sich paläontologisch überhaupt nichts eruieren. — Blume, „Der Hymnodie
Blühen und Welken", 49 ff. Daß die durch das Mittelalter herauf so blühende
Hymnendichtung seit dem 16. Jahrh. fast erloschen und ihre Erzeugnisse soweit
sie liturgischen Charakters sind, mit ganz wenigen Au.nahmen nicht mehr im
liturgischen Gebrauche sind, erklärt sich nicht aus der liturgischen Zentralisa=
tion, sondern aus der Verdrängung der latein. Vulgärsprache, bes. durch den
Humanismus. Allerdings war die nachtridentinische Uniformierung des Missales
und Breviers der Entwicklung der Hymnodie ungünstig, doch war diese Reform
schon zuvor angebahnt und notwendig, und wurden durch sie weder die alten
Partikularbreviere noch die Hymnen des alten röm. Breviers angetastet; erst
die humanistische „Verbesserung" der Hymnen i. J. 1623 machte der mittel=
alterlichen Hy.nnodie ein Ende. — Beßmer, „Die Religion und das sogen.

Unterbewußtsein", 60 ff. Prüfung dieser neuen Theorie an dem Werke von
W. James; unter Religion versteht er die „persönliche" auf dem Gefühle und
den Erfahrungen fußende; ihr Entstehen erklärt er durch Einbrüche aus dem
Unterbewußtsein in die Bewußtseinssphäre. Kritik des Begriffes „Unterbewußtsein"; jene Erklärung scheitert an der Vernünftigkeit der Religion, an
der Notwendigkeit sie durch bestimmte Erkenntnisse zu begründen. — Baumgarten widmet (76 ff.) dem bekannten ital. Dichter Silvio Pellico eine Lebensskizze samt Würdigung seiner Werke (Fortf. 2. H., 185 ff.; 3. H.; 307 ff.).

2. Heft (f. o.) Beißel, „Giottos Werk zu Padua und die moderne
Malerei", 125 ff. Die berühmten Malereien der Arena-Kapelle, aufgebaut auf
den unwandelbaren Gesetzen der Wahrheit und Aesthetik, entsprechen ihrem
Gedankeninhalt nach dem Glauben und Bewußtsein der Kirche, der kath. Lebensauffassung, wenn auch die Formengebung neu war; Vergleich mit modernen
analogen Darstellungen, die sich über die Gesetze der kirchl. Kunst hinwegsetzen.
— Wasmann, „Alte und neue Forschungen Haeckels über das Menschen-
problem", 169 ff. Der Haeckelsche Stammbaum des Menschen tatsächlich das
Schema eines Fanatikers; Nachweis der willkürlichen Konstruktionen und Fälschungen in Haeckels früheren Schriften; dasselbe Spiel treibt er neuestens,
indem er Linée als Begründer der Lehre von der Affenabstammung des Menschen hinstellt, seine Hypothesen als gesicherte Tatsachen ausgibt und grobe Irrtümer vertritt. (Schluß, 3. H., 297 ff.: Unfug, welchen Haeckel auch in seiner
neuesten Schrift treibt durch einfache Nebeneinanderstellung von Tier- und
Menschenskeletten und Embryonen; die Embryonenbilder jüngst durch Braß
als Entstellungen oder Fälschungen nachgewiesen, Haeckels Rechtfertigung gänzlich mißlungen, er gesteht sogar zynisch die Fälschungen ein, will die meisten
Forscher desselben Vergehens zeihen und beschimpft die Vertreter der christl.
Weltanschauung.)

3. Heft (f. o.). Meschler, „Das Laienapostolat", 245 ff. Begriffs-
bestimmung; das Laienapostolat sehr zu empfehlen, wenn im Sinne und unter
der Oberleitung der Kirche ausgeübt; Beweggründe zur Teilnahme: die
Nächstenliebe, die Liebe zur Kirche, die Not unserer Zeit, der Nutzen für das
eigene Seelenheil. — Beßmer, „Das zweite Gesicht", 264 ff. Auf Grund der
Tatsachen handelt es sich um Phantasiegesichte, die aber deswegen nicht reine
Produkte der Einbildung sind; zwei Gruppen: Ferngesichte und Vorgesichte.
Erklärungsversuch: in einzelnen Fällen übernatürliche Faktoren nicht auszu-
schließen; im übrigen wohl die Phantasie stark im Spiel, ebenso auch das Ge-
fühl; oft wird ein zufälliges Zusammentreffen des Gesichtes und des geschauten
Ereignisses vorliegen; manchmal kann auch Telepathie im Spiele sein, doch
erklärt dieselbe die meisten Fälle nicht. — Braun, „Neue Funde zur Bau-
geschichte der Kölner Jesuitenkirche", 282 ff. Interessante Nachträge zu des
Autors früherer Arbeit, nach den von P. Duhr aufgefundenen Kopien eines
Teiles der Bauakten und nach verschiedenen Kölner Ratsprotokollen.

Zeitschrift für kath. Theologie, 1908, 4. Heft. Paulus, „Mittelalterliche Absolutionen als angebliche Ablässe, II.", 621 ff. Die Untersuchung
von nichtsakramentalen Absolutionen, die von Bischöfen und anderen Geistlichen herrühren (insbesonders auch von Ordensleuten), oft auch schriftlich

ausgestellt, selbst an Verstorbene erteilt wurden, ergibt, daß es sich bloß um ein Sakramentale oder um eine Fürbitte handelte; dasselbe gilt von allgemein erteilten Absolutionen. — Hugo, „Der geistige Sinn der hl. Schrift beim hl. Augustinus". 657 ff. Augustin anerkennt wie die übrigen hl. Väter einen fortlaufenden Wortsinn der hl. Schrift und stellt den geistigen Sinn in zweite Linie; der geistige Sinn schließt nach ihm keineswegs die volle Wahrhaftigkeit der hl. Schrift aus, noch ist er ihm ein wirklicher Ersatz für den Wortsinn. Die Berufung auf den geistigen Sinn bei den Vätern zugunsten der „freieren" Auffassung verfehlt: Augustins Prinzip und Methode diametral jener Richtung entgegenstehend. — Hassemeyer, „Zur Geschichte des Jesuitenkrieges in Paraguay", 673 ff. Kritische Untersuchung des Tagebuches eines Offiziers, der am Feldzug teilnahm: der Mann traut den Jesuiten alles Böse zu und hält sie für die Anstifter und Leiter des Aufstandes, aber gerade seine Berichte erhärten das Gegenteil, in Wahrheit war es genau umgekehrt; Pombal hatte übrigens auch wichtige Briefe gefälscht; die Befehlshaber sahen sich selbst gezwungen ihre Vorurteile aufzugeben. — Kröß beschließt (690 ff.) seine Studie über die Erpressung des Majestätsbriefes i. J. 1609: die Direktoren der Stände benahmen sich in Prag als Herren, und organisierten den bewaffneten Widerstand, dem der Kaiser machtlos gegenüberstand; so führten die Verhandlungen schließlich zur Unterzeichnung des Majestätsbriefes; doch waren die protest. Stände selbst damit noch nicht zufrieden, und entließen das Kriegsvolk erst, als sie noch weitere Forderungen durchgesetzt hatten; darin lag aber schon der Keim zum künftigen Kampfe zwischen Kaiser und Katholiken einerseits und den protest. Ständen andererseits.

1909, 1. Heft. Paulus, „Die ältesten Ablässe für Almosen und Kirchenbesuch", 1 ff. Solche allgemein erteilte Ablässe vor dem 11. Jahrh. nicht nachweisbar. Autor gibt eine Zusammenstellung und kritische Sichtung der von da an bis zum 4. Lateran-Konzil bezeugten, von Bischöfen und Päpsten erteilten Ablässe, unter Ausschluß der unechten oder zweifelhaften oder mißverstandenen Dokumente; die Päpste zeigen große Zurückhaltung, ja die ersten derartigen Ablässe stammen von Bischöfen Südfrankreichs und Nordspaniens her, und galten auch vor Gott als wirksam, aber keineswegs als Nachlaß der Schuld. — Michael nimmt (41 ff.) ablehnende Stellung zu der Behauptung A. Huyskens, daß die hl. Elisabeth nicht von der Wartburg, sondern von der Marburg vertrieben worden sei. — Baumgartner untersucht (50 ff.) den Text des Pliniusbriefes an Trajan, wonach die Christen cibum capere, promiscuum tamen et innoxium pflegten. Der Sinn: eine gemeinsame Mahlzeit, wobei bloß Fastenspeisen genossen wurden; dies entspricht insbesonders dem röm. gesetzlichen Sprachgebrauche; derselbe Sinn ergibt sich aus dem Edikt gegen die Hetärien; eine Verwahrung gegen thyestische Mahlzeiten liegt nicht vor; somit verstießen jene Mahlzeiten wohl infolge der Teilnehmerzahl gegen das Gesetz, aber sie waren in Ansehung ihrer Frugalität doch nicht eigentlich ungesetzlich. — H. Koch, „Die Entwicklung des Arbeitsverhältnisses unter dem Einfluß des Christentums", 67 ff. Das Verhältnis des Kapitalisten zum Besitzer der Arbeitskraft im heidnischen Altertum grundverschieden, man kannte kein eigentliches Rechtsverhältnis; das Christentum brachte mit der Aner-

kennung des Arbeiters als gleichwertigen Menschen zunächst die Milderung
der Sklaverei zum Hörigkeitsverhältnis, dem im Gewerbe das patriarchalische
Arbeitsverhältnis entsprach; der Großbetrieb sowie die Ideen der Zeit führten
seit Ende des 18. Jahrh. zu einem noch freieren Verhältnis, dem freien Lohn=
vertrag; dieser Zustand im allgemeinen den Zeitbedürfnissen entsprechend, nur
muß die Freiheit sowohl im Interesse der Arbeiter wie der Arbeitgeber gesetz=
liche Schranken finden. —

Tübinger Quartalschrift, 1909, 1. Heft. Eberharter zeigt (1 ff.)
in Vergleichung verschiedener babylonischer Bußgebete mit biblischen Psalmen
eine große Verwandtschaft in der Form der religiösen Poesie; dieselbe ist zu
erklären aus der religiösen Naturanlage des Menschen, auch Entlehnung könnte
unbeschadet der Inspiration vorliegen, doch genügt zur Erklärung der allge=
meine kulturelle Einfluß Babyloniens und die nationale Verwandtschaft. —
Ernst schließt (20 ff.) seine Studie über Zeit und Heimat des liber de rebaptismate: Cyprians ep. 73 nehme auf die Schrift Bezug, die somit zu=
vor, d. h. nach dem zweiten karthag. Konzil und nach ep. 72 und vor der
Entscheidung Papst Stephans anzusetzen sei; Erwiderung auf die Gegenargu=
mente Kochs. Die Heimat der Schrift nicht Italien, eher Sizilien, wahrschein=
lich Nordafrika; wenn aber in Afrika entstanden, dann nur in Mauretanien.
— Hugger nimmt (66 ff.) Stellung zu der von der traditionellen Anordnung
abweichenden chronol. Reihenfolge, welche Rogala den wichtigen drei Briefen
Alexanders von Alex. zuweist; aus den Briefen selbst sowie aus Epiphanius
und Sozomenos ergibt sich die Berechtigung der bisherigen Auffassung. —
Adam, „Notizen zur Echtheitsfrage der Augustin zugesprochenen Schrift De
unitate Ecclesiae“, 86 ff. Die Mauriner bezweifelten die Echtheit, andere,
bes. Ceillier fanden keine Bedenken. Trotzdem sprechen ernste äußere und innere
Gründe für die Unechtheit; die Schrift, etwa 402 entstanden, ist eine popu=
lärer gehaltene Polemik gegen die Donatisten, und dürfte von einem Schüler
Augustins stammen. — Rießler versucht (114 ff.) die ursprüngliche Text=
gestalt von Ps. 109 herzustellen.

2. Heft. Zeller, „Die Zeit Kommodians‘, 161 ff. Kritik der ver=
schiedenen Ansichten; des Gennadius Angaben ohne selbständigen Wert, eine
Abhängigkeit Kommodians von Laktanz nicht zu erweisen; Kommodian schrieb
vor 313. — Kresser, „Das Haus der hl. Familie in Nazareth“, 212 ff.
Autor verteidigt seine in dem Buche von 1908 vertretene These, daß die Ge=
schichte von Nazareth eine historische Stütze für die Geschichte Loretos bietet,
gegen Zellers Kritik: der Fortbestand des hl. Hauses zu Nazareth bis 1291
(als Vorbau der Felsenhöhle und Teil der Unterkirche) erscheint nach den
Quellen gesichert. — Ath. Buturas gibt (248 ff.) das Resultat einer Unter=
suchung des Kod. IX. der Münchener Bibliothek (11. Jahrh.), welcher eine
wichtige Katene zu Gen. und Exod. enthält; Bedeutung dieser Katene für die
Entstehungsgeschichte der Katenen überhaupt; Verzeichnis der neuen Stücke
die in der bisher bekannten Oktoteuchkatene (Lipsiensis) fehlen.

Revue Bénédictine, 1908, 4. Heft. De Bruyne bietet (423 ff.)
einen Beitrag zu den kritisch viel umstrittenen zwei letzten Kapiteln des
Römerbriefes: der Verfasser des alten Summariums (welches sich z. B. im

·Amiatinus findet) hat offenbar in seinem Texte Röm. 15 und 16, 1—23 nicht gelesen; von diesem Texte existiert übrigens noch ein Manuskript zu Monza. Die Konkordanz Priscillians kennt wiederum die Verse 26, 25—27 nicht. Im Anschlusse publiziert Autor den bisher unedierten Text des sogen. dritten Korintherbriefes nach einer Pariser Handschrift des 10./11. Jahrh. — P. Lejay faßt (435 ff.) die Argumente zusammen, mittels welcher P. Wilmart die Vermutung P. Morins zur Gewißheit erhob, daß die 1900 publizierten sogen. Tractatus Origenis, ebenso De fide und der „libellus" Eigentum Gregors von Elvira sind. — Wilmart gibt (458 ff.) eine Ueberlieferungsgeschichte der „Peregrinatio Silviae", die nunmehr als Itinerarium einer spanischen Pilgerin namens Egeria oder besser Eucheria nachgewiesen ist. — Morin setzt (468 ff.) seine Studie über die alte Topographie von Monte-Cassino fort: der heutige Turm des hl. Benedikt dürfte wohl erst dem 11./12. Jahrh. angehören, während der ursprüngliche wahrscheinlich sich an das seit dem 11. Jahrh. stehende Belvedere anschloß. — De Meester gibt eine Darlegung (498 ff.) der Lehre der orthodoxen Theologie über den Zustand des Menschen vor dem Sündenfalle.

1909, 1. Heft. Wilmart publiziert (1 ff.) den nunmehr als Eigentum Gregors von Elvira erkannten Traktat über die Arche Noes nach Handschriften des 11. bis 13. Jahrh.; der Traktat dürfte vor 360/62 geschrieben sein. — Chapman, „Donatus the Great and Donatus of Casae Nigrae", 13 ff. Nach den Akten des großen Religionsgespräches zu Karthago 411 gewinnt es den Anschein, als ob es zwei Bischöfe namens Donatus gegeben und als ob der eigentliche Gründer des donatistischen Schismas nicht Donatus der Große (Gegenbischof von Karthago), sondern ein Donatus von Casae Nigrae gewesen. Zur Erklärung: es gab nur einen Donatus, nämlich den bekannten, der aber auch den Beinamen „von Casae Nigrae" führte; als Bischof von C. N. wurde er unbegründeter Weise in der Disputation bezeichnet. — Morin, „La formation des légendes provençales", 24 ff. Neue Belege für die 1906 vertretene Ansicht, daß der Kult des hl. Lazarus zu Marseille wahrscheinlich auf einer Verwechslung mit einem Bischof Lazarus von Aix beruht, und daß der Kult der Heiligen von S. Maximin in der Auvergne entstanden sein dürfte. Auch beim Kult der hl. Martha scheint eine Verwechslung mit einer Lokalheiligen vorzuliegen. Ueberhaupt scheinen fast alle diese provenzalischen Legenden auf die Uebertragung von Reliquien orientalischer Märtyrer zurückzugehen, die später mit hervorragenden urchristlichen Heiligen identifiziert wurden. — De Puniet bespricht und publiziert (34 ff.) ein neuaufgefundenes liturgisches Papyrusfragment, enthaltend das Symbolum und den Hauptteil des Meßkanons; es ist altägyptischen Charakters und stammt aus dem Ende des 6. oder Anfang des 7. Jahrh. — Ancel setzt (52 ff.) seine Arbeit über den Prozeß der Carafa fort: das insbesondere den Kardinal Carlo und den Herzog von Paliano schwer belastende Ergebnis der Untersuchung; die Anklagen und das Beweismaterial; speziell hinsichtlich der Ermordung der Herzogin vermochten die Angeklagten sich nicht zu rechtfertigen. — De Meester: Die Lehre der orthodoxen Theologie von der Erbsünde (81 ff.).

Katholik, 1908, 9. Heft. Bellesheim würdigt (16 ff.) die vom
Hl. Vater im Jubiläumsjahre vorgenommene Selig- und Heiligsprechungen.
— Bludau, „Die Libelli aus der Verfolgung des Decius", 173 ff. Be-
schreibung und Text der fünf neuestens in Aegypten aufgefundenen Papyri-
Dokumente; die aus denselben sich ergebenden Folgerungen für die Lage der
Christen gegenüber den Verfolgungsedikten des Kaisers Decius im Zusammen-
halte mit den patristischen Quellen. (Schluß, 10. Heft, 258 ff.) — Hontheim,
„Die Konjunktur des Jupiter und Saturn im Jahre 7 v. Chr.", 187 ff.
Man vermutet, daß der Stern der Weisen in einer solchen Konjunktion bestand;
tatsächlich wies das Jahr 7 v. Chr. eine ganz merkwürdige Himmelserscheinung
auf, nämlich Jupiter und Saturn standen fast das ganze Jahr eng beieinander,
zogen vereint am Himmel hin und her und bildeten gleichsam ein großes
Doppelgestirn. — Veit, „Zur Geschichte des Caput Tametsi in der alten
Erzdiözese Mainz", 196 ff. Es gelang erst nach und nach, den Konzilsdekreten
in der Erzdiözese offizielle Geltung zu verschaffen. Quellenmäßige Darstellung
der im oberen Stifte erfolgten Verkündigung des Ehedekretes durch den
Aschaffenburger Kommissär A. Dietz und der Einführung des neuen Eherechtes
im ganzen Erzstifte durch Edikt des Erzbischofes Dan. Brendel i. J. 1582;
doch war dieses Edikt, weil im Namen des Erzbischofes verkündet, rechtlich ungültig; der Rechtsirrtum wurde erst 1664 unter Joh. Philipp von Schönborn
durch eine neue Promulgation beseitigt. — Selbst, „Kirchliche Zeitfragen",
221 ff.: Für und gegen die Modernismus-Enzyklika in Deutschland; der
Modernismus im Auslande.

10. Heft (f. o.). Metzler, „Das Wunder vor dem Forum der modernen
Geschichtswissenschaft", 241 ff. Gegenüber der geradezu prinzipiellen Bekämpfung des Wunders führt Autor den Nachweis der Möglichkeit, wunderbare Tatsachen unzweifelhaft festzustellen. (Schluß, 11. Heft, 358 ff.: Gewisse
wunderbare Tatsachen stehen auch wirklich unzweifelhaft fest; so z. B. die
Wunder des hl. Bernhard.) — Pfättisch, „Der Stammbaum Christi beim
hl. Lukas", 269 ff. Nachprüfung der Interpretation von Luk. 3. (woselbst
jedenfalls der eigentliche Stammbaum Christi, d. i. der seligsten Jungfrau
gegeben ist), welche jüngst Vogt vorgelegt hat; Autor tritt dafür ein, daß
Luk. 3, 23 die Abstammung Christi von Heli ausgesprochen ist. — Döller,
„Das Gilgameschepos und die Bibel", 277 ff. Jensen erklärt die ganze
evangelische Geschichte einschließlich der Existenz Jesu für einen Reflex der
babylonischen Gilgameschsage; Inhalt dieses Epos, Hervorhebung einiger besonders charakteristischer Beispiele aus dem Alten und Neuen Testamente,
worin angeblich ein bloßer Reflex der babylonischen Sage vorliegen soll;
Kritik der „wissenschaftlichen" Methode Jensens. — Bellesheim berichtet
(289 ff.) über den eucharistischen Kongreß zu London 1908. (Derf. „Nach-
lese zum euchar. Kongreß, 11. Heft, 374 ff.: Zur Geschichte der verbotenen
theophorischen Prozession.) —

11. Heft (f. o.). Lübeck, „Kosmas und Damianus", 321 ff. Nach
dem neuesten Herausgeber der Akten, Deubner, haben diese Heiligen niemals
existiert, sondern wurden als Ersatz der heidnischen Dioskuren in Konstantinopel erfunden; der Kult galt ursprünglich einem angeblich asiatischen Brüder-

paar, im 6. Jahrh. schuf man ein zweites angeblich zu Rom gemartertes Paar, während ein im 5. Jahrh. in Rom fabriziertes arabisches Martyrium im Oriente zur Annahme eines dritten Paares führte. Kritik: die Existenz eines Bruderpaares und zwar des (ursprünglichsten) arabischen ist durch Deubner keineswegs erschüttert; die (auch sonst vorkommende) Vervielfältigung erklärt sich daraus, daß die arabischen Brüder im Orient in römische umgemodelt und dann separat verehrt wurden, und daß später die im Abendlande fortbestandene Verehrung samt der abweichenden Biographie vom Oriente übernommen zur Annahme eines dritten Brüderpaares führte. — Selbst, „Kirchliche Zeitfragen", 379 ff.: Der zweite deutsche Hochschullehrertag zu Jena. — „Die Wunderheilungen von Lourdes und ihre Erklärungen", 385 ff.: Zurückweisung des jüngsten vom Monistenbunde und auch von modernistischer Seite unternommenen Sturmlaufes.

12. Heft. Becker, „Der Entwicklungsgedanke in seiner Anwendung auf die Religion", 401 ff. Moderne Ausdehnung des darwinistisch gefaßten Entwicklungsgedankens auf alle Gebiete, besonders auch auf die Religionsgeschichte, zur Zertrümmerung jeder absoluten Wahrheit: dies das Wesen des Modernismus. Kritische Prüfung des Entwicklungsgedankens: wahre Entwicklung ist weder mechanisch, noch völlige Neubildung, noch wesentliche Umwandlung von außen, noch zielloses Werden aus unbestimmten Anfängen; dieser moderne Entwicklungsbegriff ist keineswegs auf den Tatsachen aufgebaut, sondern durchwegs willkürlich konstruiert. Dagegen die wahre Entwicklung, als Fortschritt und Vervollkommnung von innen heraus durchaus katholisch. — Gillmann führt (417 ff.) zur Ergänzung Denifles eine Reihe hervorragender Glossatoren des 12. Jahrh. vor, welche den Ausdruck transsubstantiare und transsubstantiatio gebrauchen. — Schmidlin widmet (424 ff.) der Schrift Ehrhards über die kirchliche Entwicklung des Mittelalters ein kritisches Referat. — Weber, „Zum Evangelium des Palmsonntages", 446 ff. Matth. 21, 3 b und Marc. 11, 3 b sollen sich widersprechen, indem Matthäus von der Hersendung, Markus von der Rücksendung des Reittieres redet. Feststellung der richtigen Lesart; der Sinn bei beiden Evangelisten: „nach dem Gebrauch zurückschicken"; die falsche Auffassung des Matthäustextes hat sich erst in neuerer Zeit festgesetzt. — Bellesheim gibt (455 ff.) einen Bericht über die Hundertjahrfeier des Kollegs von Ushaw bei Durham, einer hochverdienten Anstalt, woraus Wiseman hervorgegangen.

1909, 1. Heft. Grabmann, „Die hl. Eucharistie als Gegenstand des priesterlichen Studiums", 1 ff. Gründe, warum der Priester die hl. Eucharistie zum Gegenstande seines besonderen Studiums machen soll; Winke für dieses Studium. — Büreck, „Die Lehre vom Gewissen nach dem hl. Antonin", 17 ff. Vergleich seiner Lehre mit der allgemeinen scholastischen Doktrin und der Lehre des hl. Thomas: der Vorbegriff der Syntheresis; Wesen, Ursprung, Eigenart und Funktionen des Gewissens; das irrende Gewissen; die Auktorität des Gewissens. (Schluß, 2. Heft, 81 ff.: der Lohn des guten, die Strafe des bösen Gewissens; Pflege und Ausbildung des Gewissens; das scrupulose Gewissen; in der Probabilitätsfrage ist S. Antonin anscheinend einfacher Probabilist.) — Falk erörtert (37 ff.) die neuesten Funde von S. Alban und deren Ergebniſſe für die älteſte Geſchichte des Chriſtentums in Mainz und am Mittelrhein. — Eberharter beſpricht (57 ff.) das Vertragsrecht des moſaiſchen Geſetzes (Verſprechen, Schenkung, Verwahrungsvertrag, Leihvertrag, Darlehensvertrag, Kaufvertrag, Lohnvertrag); Vergleich mit den Beſtimmungen Hammurabis. — Zimmermann übt (67 ff.) Kritik an der altproteſtantiſchen Anſchauung Köhlers über das Verhältnis des Staates zur Kirche.

2. Heft (ſ. o.). Metzler, „Die Marien-Maianbacht in ihrer hiſtoriſchen Entwicklung und Ausbreitung“, 100 ff. Quellenmäßige Darſtellung, zunächſt der Vorgeſchichte. (Fortſ., 3. Heft, 177 ff.: Die erſten Anfänge der eigentlichen Maianbacht in Italien; Schluß, 4. Heft. 262 ff.: Die Ausbreitung der An-bacht ſeit dem 19. Jahrh. in den verſchiedenen Ländern.) — Huppertz nimmt (125 ff.) Stellung zu der zwiſchen Wieland und Dorſch geführten Kontroverſe in Sachen des frühchriſtlichen Opferbegriffes, und zwar gegen Wieland. (Schluß, 3. Heft, 188 ff.: Kritik der patriſtiſchen Argumente Wielands.)

3. Heft (ſ. o.). Bierbaum, „Ein moderner Heiliger“, 161 ff. Neueſtens wird dem hl. Franz v. Aſſiſi ein ungemein großes Intereſſe zugewendet; man findet in ihm Züge, die den modernen Bedürfniſſen und Beſtrebungen in Kritik, ſozialer Frage und Kunſt entſprechen. — Kiefl, „Die Enzyklika ‚Pascendi‘ und der moderne Begriff vom Unterbewußtſein“, 167 ff. Erwiderung auf den Artikel von Schips im 8. Hefte. — Schmid zeigt (200 ff.) die Wichtigkeit liturgiſcher Kenntniſſe für Predigt, Katecheſe, Beichtſtuhl, kirchl. Kunſt und für die perſönliche Bildung des Prieſters. — Steinmann kritiſiert (207 ff.) Maders Auslegung von Gal. 1, 19, wonach der daſ. lbſt erwähnte Jakobus Bruder des Herrn ein Apoſtel und nicht identiſch wäre mit dem Jakobus von Act. capp. 12. 15. und 21. — Schmid berichtet (210 ff.) über Denifles zweiten Hauptband, herausgegeben von P. Weiß. — Heiner, „Kirchliche Zeit-fragen“, 216 ff.: der auch von manchen Katholiken befürwortete Interkonfeſ-ſionalismus und deſſen notwendige Ablehnung durch die Kirche.

4. Heft (ſ. o.). Lawicki, „Das religiöſe Erkennen nach moderner Auf-faſſung“, 241 ff. Nach dem Modernen iſt die Erkenntnis nicht weſentlich für die Religion, denn dieſe iſt weſentlich Gefühl und Erlebnis; auch nicht Vor-bedingung der Religion, ſondern eine Folge derſelben; die innere Gewißheit der religiöſen Ueberzeugung nicht von der Erkenntnis abhängig. Gründe dieſer Theorie, Aufſtellung der Gegentheſen. Schips, „Zur Geſchichte und Charak-teriſtik der Lehre vom Unterbewußtſein“, 282 ff. Replik gegen Kiefl: die moderniſtiſchen Ideen, beſonders die Theorie vom Unterbewußtſein bilden tat-ſächlich in Deutſchland eine ernſte Gefahr. — Margreth würdigt (301 ff.) die zweite Auflage von Willmanns Geſchichte des Idealismus. — Zimmermann berichtet (308 ff.) über die ſteigende Prieſternot in der anglikaniſchen Kirche und deren Urſachen.

Aus der Civiltà Cattolica ſeien hervorgehoben die Artikel über den hl. Anſelm (1. Jan.-Heft, 3 ff.; 1. Febr.-Heft, 271 ff.; 2. März-Heft, 673 ff.); über die Methode des Katechismus (2. Jan.-Heft, 129 ff.); über Johanna d'Arc (1. März-Heft, 513 ff.; 2. April-Heft, 129 ff.); über das jugendliche Verbrecher-tum (1. April-Heft, 3 ff.); über den gegenwärtigen Stand der darwiniſtiſchen Theorie (eb. 18 ff.); über die Reordinationen (2. April-Heft, 197 ff.).

Redaktionsſchluß: 16. Juni 1909. — Ausgabe: 2.—10. Juli 1909.

Herdersche Verlagshandlung, Freiburg i. Br. — B. Herder Verlag, Wien I., Wollzeile 33.

Soeben sind erschienen und können durch alle Buchhandlungen bezogen werden:

Helfert, J. A. Freiherr von, Geschichte der österreichischen Revolution
im Zusammenhange mit der mitteleuropäischen Bewegung der Jahre 1848 bis 1849. Drei
Bände. Lex.-8°.
Zweiter Band: Bis zur Flucht der kaiserlichen Familie aus Wien. Mit zwei
in den Text gedruckten Kärtchen. (XVI u. 382) M. 9.— = K 10.80; geb. in Halbfranz
M. 11.50 = K 13.80.
Früher ist erschienen:
I: Bis zur österreichischen Verfassung vom 25. April 1848. (XX u. 536) M. 10.—
= K 12.—; geb. M. 12.50 = K 15.—.
„... Manches von dem, was der Verfasser erzählt, hat er als unmittelbarer, mitunter
selbst mittätiger Zeuge erlebt. Um so höher ist deswegen die Ruhe seiner auch vornehmen
Darstellung einzuschätzen.“ (Prof. Turba im Histor. Jahrbuch 1908, 2. Heft.)

Holl, Dr. K., Rektor des erzb. Gymnasialkonvikts zu Rastatt, **Wahn und Wahrheit.**
Ein Führer auf des Glaubens Sonnenberg für gebildete Jünglinge. 12°. (VIII u. 366) M. 2.20
= K 2.64; geb. in Leinw. M. 2.80 = K 3.36.
In seinem weitverbreiteten Büchlein „Sturm und Steuer“ bot sich der Verfasser,
der wie ein zweiter P. von Doß die Jugend kennt und liebt, als treuer Mentor an im Kampf
gegen die niedern Triebe und Leidenschaften. In „Wahn und Wahrheit“ weist er dem
Jüngling Pfad und Richtung durch die düstern Nebel der Glaubenszweifel hinauf zu „des
Glaubens Sonnenberg“.

**Holzapfel, P. Dr. H., O. F. M., Handbuch der Geschichte des
Franziskanerordens.** gr. 8°. (XXII u. 732) M. 9.50 = K 11.40; geb. in
Halbfranz M. 11.50 = K 13.80.
Das auf ausgedehnten Quellenstudien aufgebaute Werk bildet die erste Gesamt-
geschichte des nunmehr 700jährigen Ordens des Heiligen von Assisi. Bei dem weittragenden Einfluss, den der Orden von Anfang an auf die äussern und innern Verhältnisse der Kirche ausgeübt hat, bei der Fülle des verarbeiteten Stoffes wird das Werk
gewiss in weiten Kreisen Interesse finden. — Eine lateinische Ausgabe erscheint in
kurzem in demselben Verlage.

Mausbach, Dr. J., Professor an der Universität Münster, **Die Ethik des
hl. Augustinus.** 2 Bände. gr. 8°. (XX u. 844) M. 15.— = K 18.—; geb. in
Kunstleder M. 17.40 = K 20.88.
I: Die sittliche Ordnung und ihre Grundlagen. II: Die sittliche Befähigung
des Menschen und ihre Verwirklichung.
Mausbach versucht zum ersten Male, die sittlichen Grundgedanken Augustins in
einem ausführlichen wissenschaftlichen Gesamtbilde darzustellen und für die Aufgaben
der modernen Ethik fruchtbar zu machen. Das Werk ermöglicht den Lesern einen
unmittelbaren Einblick in das spannungsreiche Geistesleben Augustins.

Meyer, R. J., S. J., Die Welt, in der wir leben. Aus dem Englischen übersetzt von J. Jansen S. J. (Erste Unterweisungen in der Wissenschaft der Heiligen. II.) 12°.
(XVI u. 460) M. 3.— = K 3.60; geb. in Kunstleder M. 3.80 = K 4.56.
Wie hat ein Katholik die moderne Welt zu beurteilen? Auf diese Frage gibt das Büchlein
erschöpfende Antwort. — Früher erschien von demselben Verfasser: **Der Mensch, so wie
er ist.** M. 2.20 = K 2.64; geb. M. 2.80 = K 3.36.

Ler, P. S. v., O. S. B., Erzabt Plazidus Wolter. Ein Lebensbild. Mit 10 Bildern.
8°. (X u. 158) M. 2.— = K 2.40; geb. in Leinw. M. 2.80 = K 3.36.
Erzabt Plazidus Wolter war in so weiten Kreisen bekannt und beliebt, daß diese Schrift,
die zugleich ein intim gehaltenes Bild katholischen Ordenslebens der Gegenwart zeichnet, wohl
ein freundliches Interesse erwarten darf.

Prümmer, P. Fr. Dom. M., O. Pr., Manuale iuris ecclesiastici.
In usum clericorum praesertim illorum, qui ad ordines religiosos pertinent. 2 Bde.
I: De personis et rebus ecclesiasticis in genere. In usum scholarum. 8°.
(XXII u. 506) M. 6.40 = K 7.68; geb. in Leinwand M. 7.20 = K 8.64. — Früher ist
erschienen:
II: Ius regularium speciale. In usum scholarum 8°. (XXVIII u. 358) M. 4.40 =
K 5.28; geb. M. 5.90 = K 6.24.

Reinstadler, Dr. S.. Elementa philosophiae scholasticae.
Editio quarta ab auctore recognita. Zwei Bände. 12°. (XLVI u. 950)
M. 6 = K 7.20; geb. in Leinwand M. 7.40 = K 8.88. — Vol. I. continens Logicam,
Criticam, Ontologiam, Cosmologiam. (XXVII u. 482). — Vol. II. continens Anthro-
pologiam, Theologiam, Ethicam. (XVIII u. 468).

Schmid, Dr. A, Direktor des Georgianums, Universitätsprofessor in München, **Christliche
Symbole** aus alter und neuer Zeit nebst kurzer Erklärung für Priester und kirchliche
Künstler. Zweite, verbesserte und vermehrte Auflage. Mit 200 Bildern.
8°. (VIII u. 112) M. 2,— = K 2.40; geb. in Leinw. M. 2.50 = K 3.—.
Eine Sammlung reichen Materials zur Ausschmückung von Kirchen ꝛc.

Herdersche Verlagshandlung, Freiburg i. Br. — B. Herder Verlag, Wien I., Wollzeile 33.

Soeben sind erschienen und können durch alle Buchhandlungen bezogen werden:

Belser, Dr., Joh. Ev., Professor an der Universität Tübingen, **Die Epistel des hl. Jakobus** übersetzt und erklärt. gr. 8⁰ (VIII u. 216) M. 4.50 = K 5.40; geb. in Leinw. M. 5.80 = K 6.36.

B. legt Wert sowohl auf philologische Genauigkeit der Uebersetzung und Erklärung als auch auf Erschliessung der Schätze der Heiligen Schrift für die Praxis. Die gerade heute so wertvollen sozial-ethischen Perlen des Jakobus-Briefes bieten eine besonders reiche Fundgrube.

Hagen, M., S. J., **Die göttlichen Tugenden.** Geistliche Erwägungen. (Aszetische Bibliothek.) 12⁰. (XIV u. 222) M. 1.60 = K 1.92; geb. in Leinw. M. 2.20 = K 2.64.

Zur Wahrung, Befestigung und Verteidigung des übernatürlichen Standpunktes der göttlichen Tugenden nach Kräften mitzuwirken, ist das Ziel dieser geistlichen Erwägungen.

Kostanecki, Dr. A. V., Universitäts-Prof. in Freiburg i. d. Schw., **Arbeit und Armut.** Ein Beitrag zur Entwicklungsgeschichte sozialer Ideen. gr. 8⁰ (VI u. 210) M. 3.50 = K 4.20; geb. in Leinw. M. 4 30 = K 5.16.

Der Verfasser erblickt in dem Wandel der Anschauungen über Arbeit und Armut bezw. Armenpflege die grosse Entwicklungslinie der sozialen Ideen. Die Genesis des Proletarierbegriffs aufdeckend, glaubt er zugleich in sein tiefstes Wesen hineinzuleuchten und seine epochemachende Bedeutung zu erweisen.

Müller, A, S. J., Direktor der Sternwarte auf dem Janiculum zu Rom, **Galileo Galilei** und das kopernikanische Weltsystem. (Auch 101. Ergänzungsheft zu den „Stimmen aus Maria Laach".) gr. 8⁰. (XII u. 184 S. mit Titelbild.) M. 3.40 = K 4.08.

Der „Fall Galilei" erfährt hier auf Grund der jüngst veröffentlichten Prozessakten aufgebaute Monographie neue Beleuchtung. Als Fortführung befindet sich unter der Presse: „Der Galilei-Prozeß (1631—1632) nach Ursprung, Verlauf und Folgen."

Pesch, H., S. J., **Lehrbuch der Nationalökonomie.** Lex. 8⁰ Zweiter Band: Allgemeine Volkswirtschaftslehre. I: Wesen und Ursachen des Volkswohlstandes. (X u. 808) M. 16.— = K 19.20; geb. in Leinw. M. 17.60 = K 21.12.

Früher ist erschienen: Erster Band: Grundlegung. (XIV u. 486) M. 10.— = K 12.—; geb. M. 11.50 = K 13.80.

Unterstaatssekretar a. D. Prof. Dr. Georg v. Mayr in seinem Werke „Begriff und Gliederung der Staatswissenschaften", 2. Aufl., S. 70 nennt den I. Band „eine wohlausgebaute Grundlegung" und rechnet ihn zu den „heute für das Studium der Wirtschaftswissenschaften in erster Linie in Betracht kommenden Hauptwerken der deutschen Literatur".

Der III. Band wird „den volkswirtschaftlichen Lebensprozess" behandeln. Die besondere Volkswirtschaftslehre wird im Anschluss an Peschs allgemeine Volkswirtschaftslehre von Ordensbrüdern des Verfassers bearbeitet. Es werden als Band IV ff erscheinen: Das Agrarwesen; das Gewerbewesen; Handel und Verkehr, das Armenwesen; Finanzwirtschaft und Statistik.

Red, Dr. F. X., Direktor des Wilhelmstifts zu Tübingen, **Das Missale als Betrachtungsbuch.** Vorträge über die Meßformularien. I: Vom 1. Adventssonntag bis zum 6. Sonntag nach Ostern. gr. 8⁰. (X u. 516) M. 6.— = K 7.20; geb. in Leinw. M. 7.20 = K 8.64.

Das Werk will den tiefen religiösen Gehalt, die formalen und sachlichen Schönheiten des Missale und seiner Liturgiestücke aufzeigen und für die persönliche Heiligung und das Predigtamt nutzbar machen. Der hochw. Herr Bischof Dr. P. W. von Keppler hat dem Buche eine warme Empfehlung mitgegeben. — Der II. u. III. Band werden rasch folgen.

Sägmüller, Dr. J. B., Professor an der Universität Tübingen, **Lehrbuch des katholischen Kirchenrechts.** Zweite, vermehrte und verbesserte Auflage. gr. 8⁰. (XVI u. 932) M. 12.60 = K 15.12; geb. in Halbfranz M. 15.— = K 18.—.

Das Werk hat in seiner 1. Auflage schon infolge seiner Reichhaltigkeit, Klarheit und weitgehenden Behandlung der geschichtlichen Entwicklung und der sorgfältigen Literaturangaben grossen Beifall gefunden. Die 2. Auflage berücksichtigt die neuesten römischen Erlasse.

Dr. Rudolph Hittmair,
Bischof von Linz.

Der Josefinische Klostersturm im Land ob der Enns. gr. 8⁰. (XXX u. 576) M. 10.— = K 12.—; geb. in Halbfranz M. 12.50 = K 15.—.

„. . . . . Der Verfasser hat sich nicht damit begnügt, die Klosteraufhebungen zu beschreiben. Er suchte vielmehr die ganze Klostergesetzgebung Josefs II. in Zusammenhang darzustellen. Als besonderes Verdienst muß ihm das sichtbare Streben nach Objektivität angerechnet werden, trat dessen er sich auch, wo er sachlich zu tadeln hat, persönlich wohlwollend verhält. Dies kommt besonders in seiner Beurteilung des Kaisers zum Ausdruck. Das Werk macht den Eindruck einer so gründlichen Materialiensammlung, daß kaum mehr etwas nachzutragen sein dürfte . . . . ." (Jahrbuch der Zeit- und Kulturgeschichte 1907.)

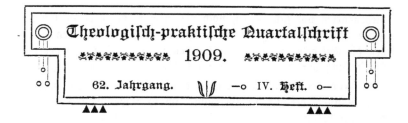

Theologisch-praktische Quartalschrift 1909.

62. Jahrgang. —o IV. Heft. o—

Die historisch-kritische Methode in der Theologie als Gegensatz zur scholastischen Methode.

(Zeitbetrachtungen zum Verständnis des Modernismus IV.)

Von Universitäts-Professor P. Albert M. Weiß O. Pr. in Freiburg (Schweiz).

Wo immer ein nur halbwegs modernistisch Denkender seiner Unzufriedenheit mit den Zuständen innerhalb der Kirche Ausdruck leiht, da kann man sicher sein, daß er seinen Unwillen auf die Scholastik abladet und als das sicherste Heilmittel deren Verdrängung durch die historische Methode vorschlägt.[1] „Die Wahrheit, der Sieg und die Zukunft", sagt Professor Kennerknecht mit Berufung auf Ehrhard,[2] „gehören jener Richtung, welche die empirisch-psychologische und die historisch-kritische Methode anerkennt."[3] Die scholastische Theologie und Philosophie aber, wird uns versichert, trage die Schuld an dem Bruch der führenden Gesellschaftskreise in Frankreich und in Italien mit dem Katholizismus, an der „geistigen Unternährung" des Klerus, an dessen „völliger Unkenntnis der modernen Philosophie" und an vielen, vielen anderen Uebeln.[4] Diese beiden Behauptungen kehren so oft wieder, daß man in ihnen geradezu den Ausdruck der sogenannten fortschrittlichen Richtung erkennen muß. Es ist deshalb wohl am Platz, den wahren Sinn davon etwas näher ins Auge zu fassen. Dabei wird sich herausstellen, daß hier weit mehr in Frage kommt als eine rein wissenschaftliche Untersuchung über die theologische Methode. Weder die einen, die so leicht mit den genannten

---

[1] Wir können nicht sagen, ob der Ausdruck „Ersetzung der scholastischen Methode durch die historische" von Renau stamme oder nicht, jedenfalls wendet ihn dieser an (Averroès et l'Averroisme ³ S. VI.) — [2] Am Webstuhl der Zeit 1908, 198. — [3] Internationale Wochenschrift 1907, 277. — [4] Internationale Wochenschrift 1908, 80.

Redensarten um sich werfen, noch die anderen, die über sie hinweg=
gehen, in der Meinung, es handle sich da um einen müßigen Streit,
den die Gelehrten unter sich ausfechten mögen, haben eine deutliche
Vorstellung von der Gefahr, die sich hinter diesem Gegensatz birgt.

Für den ersten Augenblick verwundert sich mancher darüber,
daß Männer, die mit der Geschichte auf so gespanntem Fuß leben,
den Mut haben, die historische Methode als ihre besondere Waffe zu
rühmen. „Ich bin kein Theologe“, sagte uns vor etlichen Jahren ein
bekannter Akademiker, „und mische mich nicht in die Theologie. Aber
gerade als Historiker verstehe ich nicht, wie diese Herren der scho=
lastischen Theologie die historische gegenüberstellen, und eben damit wie
auf einen Strich sechs Jahrhunderte aus der Kirchengeschichte tilgen.
Die Geschichte der Theologie und der Lehrentwicklung hat doch auch
in den scholastischen Zeiten, und da wahrhaftig nicht zum wenigsten,
ihren Faden fortgesponnen. Diesen Faden abzuschneiden, mag der
Moira erlaubt sein, aber nicht der Geschichtswissenschaft.“ Mit diesen
Worten hat der gedachte Gelehrte die Frage ganz richtig beurteilt,
freilich nur zum Teil und nur von der Außenseite. Der Kampf
gegen die Scholastik ist ein Kampf gegen die Annahme, daß die
ununterbrochene Fortdauer der kirchlichen Lehre und Lehrentwicklung
durch die spätere Theologie ebenso gut wie durch die Väter hindurch=
führe. Also schon von diesem Gesichtspunkte aus erscheint er höchst
bedenklich. Er ist in Wirklichkeit ein Kampf gegen die Tradi=
tion und zugleich ein Kampf gegen die Autorität der Kirche,
nicht bloß weil diese so oft und so entschieden die Scholastik empfohlen
hat, sondern auch deshalb, weil er der Kirche den Vorwurf macht,
sie habe ihre Pflicht versäumt und durch so lange Jahrhunderte eine
Lehrrichtung gefördert, die zum mindesten kein Segen gewesen sei,
wenn sie nicht vollends großes Unheil gestiftet habe. Es mag zur
Entschuldigung zugegeben werden, daß die Feinde der Scholastik nicht
von ferne an das denken, was sie im Grunde tun. Um so mehr kann
es die Scholastik zu ihren Ruhmestiteln rechnen, daß sich der Kampf
immer zuerst gegen sie richtet und daß sie die Pfeile auffangen muß,
die doch eigentlich der Kirche gelten.

Jedoch damit sind wir noch ferne vom vollen Verständnis der
Streitfrage. Auch der Theologe, der die Geschichte seiner Wissenschaft
kennt, kann sich die Frage vorlegen, warum denn zwischen den beiden
Methoden ein so großer Gegensatz bestehen soll? Haben denn nicht

die größten Theologen, Melchior Canus, Bellarmin, Estius, die ent=
artete Scholastik des ausgehenden Mittelalters durch die Herbeiziehung
der geschichtlichen Behandlung zu neuer Blüte gebracht? Haben sich
die unerreichten Meister der historischen Theologie, Petavius und
Thomassin, als Feinde der Scholastik gezeigt? Sucht nicht die Scho=
lastik nach ihnen von Tournely und von Gotti an bis herab auf unsere
Tage bald mehr, bald minder die geschichtliche Behandlungsweise
mit der scholastischen zusammen zu betreiben? Schwebt nicht selbst
den Gegnern der Scholastik eine „harmonische Verbindung des Alten
mit dem Neuen", der spekulativen und der historisch=kritischen Be=
trachtungsweise, als das anzustrebende Ziel vor Augen?[1] Warum
erklären sie dann diese als zwei miteinander kämpfende feindliche
Theologien,[2] und erklären es als „Sünde wider den heiligen Geist",[3]
wenn der katholische Theologe sich weigert, „den Ruf Gottes zu ver=
nehmen, der uns zur Revision der theologischen Wissenschaft der Ver=
gangenheit und ihrer vielen einseitigen Begriffe und Spekulationen
mit eindringlicher Stimme ermahnt?"[4] Hier muß etwas im Hinter=
grund lauern, was entweder nicht ausgesprochen oder vielleicht auch
nicht einmal klar erkannt wird. Jedenfalls sind diese Angriffe ge=
eignet, wenn nicht das Mißtrauen, so doch die Wachsamkeit aufzu=
rufen und der ganzen Angelegenheit bis auf den Grund nachzugehen.

Manche aus unserer Mitte werden sich noch der großen Be=
wegung erinnern, die von der Münchener Gelehrtenversammlung aus=
ging, als Döllinger zum erstenmal öffentlich den Grundsatz aussprach,
die Theologie nach hergebrachtem Begriff müsse durch den geschicht=
lichen Betrieb ersetzt werden. Wahrscheinlich faßte damals niemand,
auch Döllinger selber nicht, die volle Bedeutung seines Wortes. Es
bedurfte noch geraumer Zeit, bis diese ganz klar geworden war. Aber
der gesunde Sinn, man möchte fast sagen, der religiöse Instinkt des
katholischen Volkes, immer einer der treuesten Wächter über das, was
recht und was schädlich ist, war aufs höchste beunruhigt. Ob das
Grund hatte oder nicht, das mit Sicherheit festzustellen, ist jetzt eine
leichte Sache. Das Mißtrauen war nur zu sehr berechtigt, wie sich
heute mit vollster Klarheit herausgestellt hat.

Den Wegweiser zum Eindringen in den Sinn der ganzen
Frage bildet die Tatsache, die jedem auffallen muß, ob er nun einen

---

[1] Internationale Wochenschrift 1908, 78. — [2] Ebenda 79. —
[3] Ebenda 76. — [4] Ebenda 82 f.

modernen Historifer oder einen Philosophen oder einen protestantischen
Theologen liest, die merkwürdige Erscheinung nämlich, daß immer
und überall die zwei Begriffe „historisch=kritische und empirisch=
psychologische Methode" miteinander wie unzertrennlich verbunden
erscheinen. Auch die katholischen Schriftsteller, die der scholastischen
Methode die historische gegenüberstellen, tun das nicht leicht, ohne mit
der historischen die psychologische zu verbinden,¹) gerade als wären
diese beiden Ausdrücke zwei Teilbegriffe, deren Einheit erst den
ganzen Begriff wiedergibt. Und so ist es in der Tat. Die Berufung
auf die Geschichte hat in diesem System nicht bloß einen ganz an=
deren Sinn als ehemals, sondern den vollständig entgegengesetzten.
So lang das alte katholische Glaubensprinzip galt, war eine Lehr=
frage entschieden für immer, und für immer im gleichen und unver=
änderlichen Sinn, wenn geschichtlich nachgewiesen war, daß sie einmal
war entschieden worden. Nach der neuen historischen Methode be=
deutet das gar nichts für uns, sondern es sagt es uns lediglich, daß
zu einer gewissen Zeit jene Entscheidung geschehen ist. Nun ist es
an uns, mit Hilfe der Psychologie herauszudeuten, wie sie damals
auf jene Entscheidung gekommen sind. Wir müssen uns also in die
Denkweise jener Zeit hineinversetzen und müssen alle geschichtlichen,
philosophischen und allgemein wissenschaftlichen Ansichten, und dazu
den Charakter, das Gefühlsleben und den Seelenzustand der dama=
ligen Menschen nachzubilden und nachzufühlen suchen. Das Ergebnis
davon ist, daß wir nun begreifen lernen, wie für damals, unter
den damaligen psychischen und sozialen Verhältnissen, der in Frage
stehende Ausdruck ganz der richtige war. Aber gerade deshalb, weil
er als Ausfluß der damaligen Denkweise für jenes Geschlecht
passend war, ist er es heute nicht mehr. Unsere ganze Weise zu denken
und zu fühlen ist von jener früheren so verschieden, daß das, was sich
einmal wie natürlich und selbstverständlich als Ergebnis einer ganz
anderen Anschauungsweise aufgedrängt hat, nunmehr schlechterdings
weder verständlich noch annehmbar ist. Deshalb tritt zuletzt, nachdem
die Psychologie, d. h. die Erklärung des damaligen Dogmas aus den
damaligen geistigen Zuständen heraus ihre Dienste getan hat, an
dritter Stelle die Kritik in ihre Rechte ein. Sie untersucht jetzt, ob
und inwieweit die uns überlieferte Formel den heutigen geistigen und

¹) Internationale Wochenschrift 1907, 277; 1908, 76. 77. Am Webstuhl
der Zeit 1908, 178.

moralischen Zuständen, unserer Philosophie, unserer Weltanschauung,
unserer Psychologie, mit anderen Worten, unserer seelischen Stimmung
noch entspricht, und findet sie, daß das nicht der Fall ist, dann er=
klärt sie, daß unsere Zeit ebensogut ein Recht hat wie jede ver=
gangene, sich einen ihr entsprechenden Ausdruck für ihre Denkweise
zu schaffen.

Die Anwendung dieser Darstellung auf die Behandlung der
Theologie führt begreiflich zu einer völligen Erschütterung der her=
gebrachten Lehren über die Grundlagen der Theologie. Die Lehre
von den loci theologici, die gesamte Fundamentaltheologie, wird
dadurch hinfällig gemacht. Bisher sagte die Theologie, wenn eine
Lehre als consensus Patrum et Theologorum nachgewiesen sei, so
sei dies genügend, um uns auf sie zu verpflichten. Und die Kirche
selber verurteilte einen Verstoß dagegen als sententia temeraria
oder auch als error in fide. Wo die neue Methode herrscht, dient
der historische Nachweis für jene Uebereinstimmung zu weiter gar
nichts, als dazu, daß es uns Material für psychologische und kritische
Untersuchungen liefert. Seit Vinzenz von Lerinum galt in der Kirche
der Satz: Quod ubique, quod semper, quod ab omnibus creditum
est, hoc est vere proprieque catholicum.[1]) Nach dem modernen
System kann man eigentlich nur sagen: Was immer, was überall,
was von allen geglaubt worden ist, das ist so lange katholische Lehre
gewesen, als es von allen geglaubt wurde, und überall, wo es ge=
glaubt wurde; wird es jedoch einmal nicht mehr überall und nicht
von allen geglaubt, dann ist es nicht mehr katholische Lehre. Weder
die Entscheidung des Konzils von Nicäa über die Wesensgleichheit
des Sohnes noch die des vierten Laterankonzils über die Transsub=
stantion sind für uns bindende Glaubensgesetze. Die Väter in Nicäa
dachten eben ganz in den Worten und in den Begriffen der dama=
ligen griechischen Philosophie, und die Bischöfe im Lateran standen
alle unter dem Bann des aristotelischen Scholastizismus. Für sie
ergaben sich darum jene Formeln als die Frucht ihrer Zeitphi=
losophie. Da aber die moderne Philosophie in ganz anderen Denk=
formen vorgeht und den Begriffen οὐσία und substantia von damals
völlig ferne steht, ist es nun an uns, statt jener veralteten dogma=
tischen Ausdrücke, denen das moderne Denken keinen Sinn mehr ab=
gewinnen kann, andere zeitgemäßere zu suchen, und somit die ganze

---

[1]) Vincent. Lerin. Commonitorium c. 2. no. 6.

hierauf bezügliche dogmatische Lehre dementsprechend umzuarbeiten. Dies nur ein paar Beispiele zur Erleichterung des Verständnisses für das, um was es sich hier handelt.

Ehe wir weiter gehen, wollen wir hier einen Augenblick inne= halten, um uns klar zu machen, auf welcher Voraussetzung diese historische Auffassung ruht. Sie erklärt uns, wie aus den oben an= geführten Beispielen erhellt, die Entstehung der kirchlichen Glaubens= entscheidungen und der theologischen Lehren aus der jeweiligen Zeit= philosophie. Die Väter, die auf den Konzilien versammelten Bischöfe seien dermaßen unter ihrem Einfluß gestanden, daß die von ihnen als Dogma ausgesprochene Auffassung von der betreffenden Frage nur als das Ergebnis aus der allgemeinen Denkweise ihrer Zeit aufgefaßt werden könne. Es ist leicht einzusehen, daß diese Erklärung die volle Umkehrung der Sachlage ist. Nicht deshalb hat das Konzil von Nicäa den Sohn als ὁμο ούσιος mit dem Vater erklärt, weil die Lehre der griechischen Philosophie von der ούσία sie zu dieser Formel getrieben hat, sondern darum hat die Kirche im Jahre 325 aus der griechischen Philosophie den Ausdruck ούσία entlehnt, und darum im Jahre 1215 aus dem Aristotelismus den Ausdruck substantia, weil sie diese Worte geeignet gefunden hat, ihre Lehre wiederzugeben. Nicht die philosophischen Ausdrücke haben die kirchliche Lehre ge= staltet, sondern die kirchliche Lehre hat nach Ausdrücken gegriffen, oft auch deren erst geschaffen, um deren Inhalt zu verkörpern. Da= durch sind aber diese Ausdrücke, selbst wenn sie aus der Zeitphilo= sophie genommen waren, der vorübergehenden Zeitbedeutung entrückt und, mit dem unveränderlichen Dogma verbunden, wie der Leib mit der Seele, wie das Wort mit dem Begriff, selber unveränderlich ge= worden. Weit entfernt davon, daß mit der Form das Dogma wan= kend wurde, ist gerade dadurch die Form ebenso wie der Inhalt ewig geltend geworden. Hieraus ersieht man erst, daß diese ganze Erklä= rungsweise — man nennt sie die zeitgeschichtliche — die jetzt die Dogmengeschichte beherrscht, einen noch viel tieferen Irrtum voraus= setzt. Sie wäre gar nicht denkbar, gingen ihre Vertreter nicht, ob nun bewußt oder unbewußt, darum handelt es sich nicht, von der Vor= stellung aus, daß die Dogmen von den Menschen mit mensch= lichen Mitteln gemacht seien oder mit Naturnotwendigkeit von selbst aus menschlichen Voraussetzungen hervorwuchsen. Katholiken, die der historischen Methode das Wort reden, werden sich

dagegen natürlich verwahren. Wir zweifeln auch gar nicht daran,
daß sie diesen Gedanken von ganzem Herzen verabscheuen. Dessen=
ungeachtet hat das ganze Erklärungsverfahren keinen anderen Sinn,
wenn sie schon selber dessen letzte Wurzel nicht sehen. Es geht ihnen
hier ebenso, wie manchen katholischen Exegeten, die aus der liberalen
Bibelkritik als gesichertes Ergebnis den Satz herübernehmen, das Buch
Daniel könne nicht vor dem Jahre 168, also nicht von Daniel ge=
schrieben sein. Nach den Grundsätzen der ungläubigen Wissenschaft
hat diese Behauptung Sinn. Eine positive göttliche Offenbarung, eine
übernatürliche Mitteilung unzugänglicher künftiger Dinge ist ein Ding
der Unmöglichkeit. Hier werden Ereignisse geschildert, die erst im
Jahre 168 geschehen sind. Also usw. Hier hängt alles zusammen.
Wie aber ein Katholik Prophetie und Inspiration festhalten und doch
die Folgerung hinnehmen kann, das ist schwer zu begreifen. Man
kann einem solchen nur ebenfalls zugestehen, daß man gern annimmt,
er denke nicht daran, die positive göttliche Offenbarung zu leugnen;
er greift sie aber dennoch an, wenn er es schon nicht so meint.

Was wir disher betrachtet haben, das zeigt uns zur Genüge,
welche Gefahr die neue historische Methode in sich dirgt. Wir sind
aber nicht am Ende. Es bedarf nicht langen Nachdenkens, um darüber
ins klare zu kommen, daß die enge Verbindung von historischer und
psychologischer Methode in jenem Sinn, in dem sie jetzt angewendet
wird, eine völlige Umänderung in der Auffassung von Ge=
schichte selbst zur Folge haben mußte. Mit vollstem Recht sagt Loisy,
daß sich ein Abgrund aufgetan habe zwischen der Geschichte, wenn sie
richtig, d. h. nach modernen Begriffen verstanden werde, und zwischen
den buchstäblich genommenen, d. h. den disher geltenden geschichtlichen
Grundsätzen und den hiernach ausgelegten theologischen Lehren.[1]) Ge=
schichte nach altem Verständnis, wie man sagt, pragmatische Geschichte,
und Geschichte nach der heutigen Bedeutung verhalten sich zueinander
wie Kalksinter und die Sprudelquelle. Ehemals meinte man, wenn
man sich auf die Geschichte berief, das Geschehene, heute gibt es nur
ein Geschehendes. Für uns, sagt Eucken, ist die Geschichte ein Problem,
nicht die Lösung eines Problems.[2]) Geschichte, sagt man uns, ist das
ewige Werden, Vergehen und Aendern, keine vollendete Tatsache, kein
abgeschlossenes Werk, noch eine für immer gewonnene Wahrheit. Wir

---

[1]) Loisy, Autour d'un petit livre, 258. — [2]) Eucken, Der Wahr=
heitsgehalt der Religion, 87.

find wieder .zu Heraklit und zu den griechischen Skeptikern zurück=
gekehrt, wir sehen alle Dinge im Fluß und im unsicheren Zwielicht,
für uns ist die Geschichte „die ewige Entwicklung der Weltgeschichte".[1]

Gilt das schon von der Geschichte im objektiven Sinn, d. h. von
dem, was sich ereignet, so erst recht von der Geschichte im subjektiven
Sinn, mit anderen Worten von der Geschichtschreibung. Hier
fassen wir erst vollständig, warum die Worte „geschichtliche und psy=
chologische Behandlungsweise" unzertrennlich Hand in Hand gehen.
Ein geschichtliches Dokument hat auf diesem Standpunkt keinen Wert
für sich als materielles Dokument, sondern es ist nur ein „Zeichen
psychologischer Tätigkeit". Wir erfahren aus ihm nie, wie die Sache
vor sich gegangen ist, sondern nur, wie sie sich im Geist des Be=
obachters und des Darstellers ausgestaltet hat, wie sie durch den Kopf
und durch die Seele des Vermittlers hindurch gegangen ist. Die ganze
Spur, die sie hinterlassen hat, gehört also der psychologischen Ordnung
an.[2] Demzufolge kann man aber auch kein Dokument ohneweiters
gelten lassen, sondern man muß es nun ebenfalls psychologisch durch=
arbeiten. Ist die Darstellung des Ereignisses durch eine kürzere oder
längere Reihe von Mittelgliedern auf uns herabgekommen, von Mittel=
gliedern, deren jedes wieder das Ueberkommene in seiner Weise „per=
sönlich" gemacht hat, so muß nun die Kritik diesen ganzen langen
Weg von rückwärts her in umgekehrter Ordnung durchlaufen, um
alles, was sich psychologisch angesetzt oder geändert hat, mit Hilfe
derselben Psychologie auszuscheiden und so den ursprünglichen Kern
zu rekonstruieren. Das ist der Gang der historischen Kritik.[3]

Und nun denken wir uns diese Grundsätze angewendet auf das
religiöse Gebiet, auf die Theorie von der Offenbarung, auf die Ent=
stehung des Christentums und der Evangelien, auf die Dogmen=
geschichte, auf die Geschichte der Heiligen und der Legenden. Kaum
war Jesus von Nazareth tot, so lesen wir nunmehr hundertmal, da
begann die Legendenbildung schon ihr Werk, nicht etwa, weil man
absichtlich hätte Betrug treiben wollen, sondern unvermeidlich, nach
dem allgemeinen Gesetz der menschlichen Psychologie. Dankbarkeit,
Verehrung und ein Stück jüdischen Nationalstolzes wirkten ineinander.

---

[1] Siebeck, Lehrbuch der Religionsphilosophie, 408. — [2] Langlois
et Seignobos, Introduction aux études historiques, 45. f. Vgl. Bernheim,
Lehrbuch der histor. Methode ³, 166. f. 299. f. 605. ff. — [3] Langlois et
Seignobos, 46.

Schon die drei ersten Evangelien sind eingesponnen in ein Netz von Wundererzählungen und wunderlichen Anwendungen der alten Messias= ideen, aus dem nur schwer der einfache Kern herauszuschälen ist. Noch ein paar Generationen, und Phantasie, Spekulation und die Zeitideen haben aus dem schlichten Zimmermann den ewigen Sohn Gottes und aus seiner Lehre voll naiven Idealismus einen philo= sophischen Roman gemacht, so daß man das vierte Evangelium aus den Geschichtsquellen völlig ausscheiden muß. Worte und Taten des Herrn sind allenthalben vergrößert, idealisiert, durch die „Kollektiv= tätigkeit der christlichen Gemeinschaften überarbeitet", in die Perspektive der messianischen Herrlichkeit hineinversetzt und mit dem übernatür= lichen Glorienschein der eschatologischen Erwartungen verklärt. Wir erfahren nichts mehr von dem zweifellos höchst einfachen wirklichen Leben Jesu, sondern nur die Vorstellungen, die sich „in der Atmosphäre des Glaubens" bei den begeisterten Jüngern bildeten. Die Worte, die wir in den Evangelien lesen, sind so nicht aus dem Munde des „göttlichen Propheten" gekommen; sie sind nur das Echo, das sie weitergetragen und ihnen einen viel lauteren Schall beigelegt hat. Die Erzählungen über die Kindheit und über das Leiden sind Legenden, mit denen von der Auferstehung kann man gar nichts anfangen. Am ehesten kommen noch die Parabeln der ursprünglichen Wahrheit nahe, und da muß man vorsichtig sein. „Ueberall Entwickelungen, Korrek= turen, Zusätze, Ausdeutungen, Glossen jeder Art, womit die Redakteure unsere jetzigen Evangelien die ursprünglichen Fabeln ungeschickt genug umwickelt haben" (ont enveloppé assez gauchement les fables pri= mitives). Die sogenannte evangelische Geschichte steht tief unter dem, was man sonst Geschichte nennt. Man kann sie nicht wohl Fälschung nennen, aber sie ist eine Ueberlieferung voll Falschheit, sie ist eben eine „erbauliche Geschichte".[1])

Und noch nicht genug. Man kann in der Geschichte, wenn sie nur die ewige Entwicklung des Weltgeistes ist, nicht ein Stück herausschneiden, als wäre dies eine Geschichte für sich oder eine Ge= schichte besonderer Art. Deshalb jener Grundsatz, der nun als Aus= gangspunkt für jede Untersuchung über die Entstehung des Christen= tums obenan gestellt wird, man dürfe daran keinen anderen Maßstab legen als an jede andere geschichtliche Erscheinung. Nun sei aber jede geschichtliche Persönlichkeit und jeder geschichtliche Vorgang nicht vom

---

[1]) „Catholici". Lendemains d'Encyclique 90. ff.

Himmel gefallen und nicht aus dem Boden gestampft, sondern immer nur das doppelte Erzeugnis, einmal aus der Vergangenheit, und zweitens aus der ganzen Umgebung. Somit könne man auch das Christentum, wie jede sogenannte Offenbarung, auf keinem anderen Wege als auf diesem zweifachen Weg, dem sogenannten religionsgeschichtlichen, und dem zeitgeschichtlichen Weg, erklären. Das Christentum ist die Vollendung der israelitischen Religion, es ist aber auch die Aneignung der griechisch-römischen Kultur. Das alles hat sich in ihm vereinigt und so vervollkommnet. Darum ist es eben die vollkommenste aller Religionen, weil in ihm der lange, allmähliche Abschluß alles dessen zustande gekommen ist, was von Anfang in den niedersten Religionen geahnt und angestrebt wurde.[1]) Mit anderen Worten: Eine Betrachtung des Christentums nach der geschichtlichen Methode zeigt uns, daß es, wie es einerseits seine besondere Form durch die psychologischen Zustände seiner ersten Verbreiter erhalten hat, so seine Entstehung und sein eigentliches Wesen der natürlichen Entwicklung aus den früheren und den gleichzeitigen religiösen Vorbedingungen verdankt. Die geschichtliche Methode ist, nüchtern gesagt, einfach die Lehre von der Evolution.

Ist sie aber dies, dann schließt sie auch die Lehre von der Weiterentwicklung, wie man meist sagt, von der Fortbildung des Christentums in sich. Steht einmal fest, daß das Christentum nicht als fertiges System vom Himmel herabgefallen ist, sondern daß es sich langsam und schrittweise aus den vorhandenen Voraussetzungen entwickelt hat, dann wird niemand glauben, es könne sich in einem gegebenen Augenblick den Gesetzen der Geschichte entziehen, denen es seine Entstehung verdankt. Geschichte ist Bewegung und Veränderung. Unterliegt das Christentum ihren Gesetzen, so kann es sich auch dem Gesetz der beständig fortdauernden Entwicklung nicht entziehen. „Daraus fließt als unabwendbare Konsequenz die ernste Pflicht, den tatsächlichen Dogmenbildungsprozeß mit allen Mitteln der heutigen historischen Forschung klarzulegen."[2]) Dies nach rückwärts. Nach vorwärts aber ergibt sich daraus, daß es ein vergebliches Bemühen ist, wenn der starre Konservativismus den Gang der Geschichte aufhalten zu können meint. Die Vorstellung von einer unveränderlichen Wahrheit, die nur Gott selber ist, „entspricht nicht der historisch-psychologischen Wirklichkeit".[3]) Um zu leben, muß sich jeder die Zivilisation der

---

[1]) A Pio X, 12. — [2]) Internationale Wochenschrift 1908, 78. —
[3]) A Pio X, 13.

Umgebung aneignen. Diese ist aber in beständiger Umgestaltung.
Wer also glaubt, es gebe definitive Formen des Christentums, die
es sich zu irgend einer bestimmten Zeit aus der damaligen Zivili=
sation angeeignet hat, der arbeitet naturgemäß zu dessen Untergang
mit.[1]) Schon im Alten Testament sehen wir tatsächlich eine beständige
Evolution. Und so kann es nie anders bleiben, als daß sich mit dem
Fortschritt des Menschen die äußeren Formen und Hüllen ändern,
in die der Kern der Offenbarung eingebettet ist. Die Offenbarung
ist ja auf die Fähigkeit der menschlichen Taten berechnet. Deshalb
muß auch die Evolution des Glaubens (l'evoluzione della fede!)
entsprechend der intellektuellen und der moralischen Evolution des
Menschen vor sich gehen.[2]) Es ist nur der Unbekanntschaft der scho=
lastischen Theologen mit der historischen Kritik zuzuschreiben, wenn
sie Gott, den Menschen und deren gegenseitiges Verhältnis unter dem
ontologischen, dem absoluten Standpunkt betrachten.[3])

Wir sind mit Hilfe dieser historischen Methode nun schon
ziemlich weit gekommen, aber noch immer nicht bis ans Ende. Wenn
das Christentum eine aus den geschichtlichen Voraussetzungen und
aus der psychologischen Anlage des Menschen naturnotwendig
erfolgende Entwicklung ist, so wäre es zweifellos ungerecht, den übrigen
Religionen, die ja alle aus denselben Voraussetzungen erklärt werden
müssen, wie uns bereits gesagt wurde, die nämliche Kritik zu ver=
sagen. Deshalb, sagen uns die Modernisten, „unterziehen wir ohne Be=
denken alle übrigen Religionen unseren kritischen Untersuchungen;
auch sie sind Offenbarungen Gottes an die menschliche Seele,
unvollkommen im Vergleich mit der unsrigen auf Grund der ver=
schiedenen moralischen, physischen und geographischen Bedingungen der
verschiedenen Völker, aber nichtsdestoweniger auch Offenbarungen, wie
St. Paulus gut gesagt hat".[4]) Demgemäß ist nur ein Unterschied
des Grades zwischen dem Christentum und den übrigen Religionen
zugegeben, aber kein wesentlicher Unterschied. Die ehemalige
Unterscheidung zwischen geoffenbarten und natürlichen
Religionen, sagt Bousset, ist fortan ein Ding der Unmöglich=
keit.[5]) Die historische Methode hat diese unmöglich gemacht, und uns
dafür ein neues Geschenk gebracht, statt einer absoluten Religion die
Anerkennung vieler, ja aller Religionen, von denen jede relativ be=

---

[1]) A. Pio X, 10. — [2]) Ebenda, 14. — [3]) Ebenda, 13. — [4]) Ebenda, 13.
— [5]) Bousset, Das Wesen der Religion, 6. f.

rechtigt ist. Somit haben wir nach dem Evolutionismus den Relativismus als das Ergebnis der historisch-psychologischen Kritik.

Nach all diesen Errungenschaften wird es jedermann verstehen,
daß Bernoulli behaupten kann, die kurzen drei Worte von Duhm
„Religion ist Geschichte" seien die bedeutendste Errungenschaft
der neueren Theologie, der Anfang zu einer selbständigen Wissenschaft, die sich weder von der Philosophie noch von der Kirche
vorschreiben lasse, was sie von der Religion halten müsse.[1] Diese
Worte sind richtig. Man mag diese historische Methode billigen
oder verwerfen, darüber werden alle einig sein, daß sie in theologischen Fragen die größte Umwälzung hervorgebracht hat oder
hervorbringen muß.

Und abermals wird jedermann einsehen, mit welchem Recht
der Kampf des Modernismus auf den Gegensatz zwischen
der historischen und der scholastischen Methode zurückgeführt wird. Wo diese historisch-kritische Methode im Bunde mit
der psychologischen zur Anwendung gekommen ist, da hat es freilich
mit der Scholastik ein Ende, aber auch mit dem Glauben an eine
übernatürliche geoffenbarte Religion und an ein bleibendes, allgemein
giltiges Dogma. „Die geschichtliche Weltansicht", sagt Paulsen, „hat
allenthalben die gewaltigsten Aenderungen hervorgerufen. Man darf
diese Revolution neben die Revolution stellen, die das 16. und das
17. Jahrhundert in der physischen Weltansicht hervorgebracht haben.
Der enge Horizont der alten biblisch-klassizistischen Weltgeschichte ist
wie ein Nebelschleier zerrissen und der Blick sinkt in unermeßliche
Tiefen. Damit steht eine weitere, höchst bedeutsame Wendung im Zusammenhang: die Verdrängung der dogmatischen und absolu-
tistischen Denkweise durch eine historische und relativistische. Eine
frühere Zeit glaubt an die Möglichkeit, überall, in der Theologie,
in der Metaphysik, in der Ethik, im Naturrecht, bis herab zur Rhe-
torik und Grammatik, zu absoluten und ewigen Wahrheiten zu kommen.
Der Gegenwart stellen sich alle menschlichen Dinge als geschichtlich
gewordene und im Fluß des Werdens befindlich dar, wie die Sprache,
so das Recht und die Religion. Und damit schwinden die ewigen
Wahrheiten. So wenig unsere historische Sprachwissenschaft gram-
matische Gesetze von absoluter Giltigkeit kennt, so wenig gibt es für

---

[1] Bernoulli, Die wissenschaftliche und die kirchliche Methode in der
Theologie, VII. 90.

die historische Rechts- oder Religionswissenschaft die ewigen Wahrheiten des alten Naturrechts oder der alten Dogmatik. Wie die
Sprachen, so sind Religion und Recht ein ewig Werdendes, ein zeitlich
Bedingtes, und darum nicht durch absolute Formeln zu Erfassendes
oder zu Bindendes. Alle Formeln sind ein bloß Provisorisches,
es gibt kein Definitivum .... Eine Umkehr zum Dogma-
tismus ist unmöglich."[1]

Wir zweifeln nicht, wie schon gesagt, daß viele unter denen,
die der Durchführung dieses historischen Gedankens das Wort reden,
von den zuletzt ausgesprochenen Behauptungen schwerlich etwas wissen
wollen. Wir müssen ihnen aber nochmals sagen, daß sie dann selber
nicht wissen, was sie sagen, und auch nicht, was sie tun. Wenn sie
mithelfen, eine Bergwand zum Einsturz zu bringen, hat es wenig
zu bedeuten, daß sie ihr mit gütigen Worten zureden, sie möge nicht
zu weit rollen. Jedermann wird sie verantwortlich machen für alles
Unheil, das aus ihrem Anstoß erfolgt. Sie möchten die Schreckens-
kinder, die mutig und folgerichtig bis zu den letzten Ergebnissen
weiterschreiten, als „Extreme" von sich abschütteln und glauben ihre
Seele gerettet zu haben, wenn sie feierlich erklären, sie wollten nur
„gemäßigt fortschrittlich" sein. Nun gut, auch Paulsen ist kein
Extremer, sondern verhältnismäßig maßvoll, einer von denen, auf die
sie sich mit der größten Ehrfurcht berufen. Dieser selbe Paulsen weist
aber ihre Ausflucht zurück, indem er seine Ausführungen mit den
Worten schließt: „Es ist der historische Sinn, auf dessen Ausbildung
das 19. Jahrhundert stolz ist, der so spricht; er relativiert mit
Notwendigkeit alle Wahrheiten auf diesem Gebiet; die Bedingt-
heit oder Zufälligkeit alles Geltenden ist sein Grundprinzip."[2]

Gewiß, das katholische Volk hat sein zartes Gefühl für das,
was dem Glauben Gefahr bringt, damals schon bewiesen, als es sich
zu Anfang der Wirren vor dem Vatikanum so unruhig zeigte über
die ersten, damals noch sehr unklaren Versuche, die Scholastik durch
die geschichtliche Theologie zu verdrängen. Es ahnte, daß hier ganz
andere Dinge auf dem Spiele standen als die Frage um eine wissenschaftliche Systematik so oder so. Es fühlte, daß hier die Geltung
der Tradition und der kirchlichen Autorität, die Zuverlässigkeit der

---

[1] Paulsen, Kultur der Gegenwart „Die allgemeinen Grundlagen der
Kultur." I, I, 300. f. 305 — [2] Ebenda, 301.

Dogmen, die Sicherheit aller Wahrheit, der natürlichen sogar, nicht
bloß der übernatürlichen, kurz alle Grundlagen des Glaubens, ins
Wanken zu geraten drohten. Die Entwicklung der Dinge hat seinen
Befürchtungen recht gegeben.

Das Weihwasser im Totenkulte.

Von Dr. Andreas Schmid, Universitätsprofessor in München.

1. Es ist eine eigentümliche Erscheinung, daß selbst die Heiden
das Gefühl hatten, die Berührung eines Toten mache die Menschen
unrein. Woher dieses Gefühl? Es ist noch eine Erinnerung an das
furchtbare Wort des Herrn im Paradiese: „Von dem Baume der
Erkenntnis des Guten und Bösen sollst du nicht essen; denn an
welchem Tage du davon issest, wirst du des Todes sterben."[1]
Wenn bei den Griechen ein Todesfall eingetreten war, traf Unrein=
heit alle Personen im Trauerhause und selbst das Haus. Um diese
Unreinheit zu heben, wurde Wasser aus einem Nachbarhause geholt
und in einem ardanion (Kübel) vor die Haustüre gestellt, damit
die Angehörigen sich reinigen konnten, wenn sie mit anderen Personen
verkehren wollten.[2] Wurde die Leiche nicht verbrannt, sondern im
Schoße der Erde beigesetzt, so schüttete man aus einem Henkelgefäß
(lekythos) noch Honig, Oel oder Wasser auf den Grabhügel.

Aehnliche Gebräuche bestanden auch bei den Römern. Milch,
Honig, Oel, Wasser sollten die aufgeschüttete Erde weich erhalten
und waren von dem Wunsche begleitet: Have anima candida,
terra tibi levis sit.[3]

Für die Juden hatte Jehovah eigens die Vorschrift erlassen,
eine rote Kuh auszuwählen, außerhalb des Lagers zu schlachten
und den Finger in ihr Blut zu tauchen und siebenmal gegen das
Zelt zu sprengen. Die Kuh wurde verbrannt und die Asche mit
Wasser zum Sprengen gemischt. Wer den Leichnam eines Menschen
berührt, bleibt sieben Tage unrein und soll am dritten und siebten
Tage mit diesem Wasser besprengt werden, damit er wieder rein
werde;[4] sonst wird er umkommen in Israel.

2. Ein direkter Beweis, daß die Christen von Apostelszeiten
an Wasser oder gar Weihwasser in den Totenkult aufnahmen, kann
bei Mangel betreffender Väterstellen nicht geführt werden; wohl
aber legt sich die Wahrscheinlichkeit nahe. Wie die Synode von
Elvira 305 c. 34 andeutet, hatten die Heiden den Glauben, daß
böse Geister die Gräber der Verstorbenen umschwärmten und die
Seelen der Dahingeschiedenen beunruhigten. Die Synode verbot
daher, während des Tages Lichter auf den Gräbern anzuzünden.

---

[1] Gen. 2, 17. — [2] Näh. J. Müller, Griechische Privataltertümer. Nörd=
lingen 1887, S. 462. — [3] L Ruland, Geschichte der kirchlichen Leichenfeier.
Regensburg 1901, S. 16. — [4] Num. 19, 1—13.

Dieser Glaube an die Nachstellungen der Dämonen bestand auch im Christentum, weil im Briefe Judä erzählt wird, der Erzengel Michael sei mit dem Satan in Streit geraten wegen des Leichnams Moses. Ein Mittel gegen solche satanische Einflüsse war schon im vierten Jahrhundert das Weihwasser; denn die apostolischen Konstitutionen erwähnen, es würde Wasser und Oel gesegnet zur Erhaltung der Gesundheit, zur Heilung der Krankheiten, zur Vertreibung der Dämonen, zur Abhaltung aller Nachstellungen.[1]) Vergleicht man diese Stelle mit dem römischen Formular der Wasserweihe, so fällt die große Aehnlichkeit auf. Es dürfte daher mit Grund angenommen werden, daß Weihwasser schon im vierten Jahrhundert im Totenkult Verwendung fand.

3. Es legt sich nun die Frage nahe, welche sakramentale Bedeutung der Besprengung mit Weihwasser zuzumessen ist. Die Wirkungen des Weihwassers sind aus dem Weiheformular zu erschließen und lassen sich kurz dahin zusammenfassen, daß man sagt, sie seien negative: Effugiat phantasia . . careat immunditia — ad effugandam omnem potestatem inimici — ad abigendos daemones — non resideat spiritus pestilens — abigatur infestatio immundi spiritus . . und positive: Sanitas animae et corporis . . incolumitas habitantium — pietatis rore sanctifices — praesentia S. Spiritus.

Findet die Besprengung mit Weihwasser durch einen Priester statt, so schließt sie ein dreifaches Sakramentale in sich; denn

a) ein Sakramentale (Exorzismus und Benediktion) ist sie, weil des Ministers und Liturgen Hände geweiht und gesalbt sind, ut quaecumque benedixerint, benedicantur.

b) Ein zweites Sakramentale liegt vor abgesehen von dem Liturgen, weil die erwähnten negativen und positiven Wirkungen dem Wasser mitgeteilt sind und demselben inhärieren. Es kann daher auch ein Laie, welcher sich selbst mit Weihwasser besprengt, der erwähnten Gnaden teilhaft werden.

c) Werden mit der Besprengung Gebete verbunden, so treten nicht bloß bei Würdigkeit des Empfängers die sub b genannten Wirkungen ein, sondern auch die in den Gebeten enthaltenen, z. B. bei den liturgischen Gebeten Asperges, Vidi aquam sollen die Zerstreuungen im Gebete ferne bleiben und dafür die Andacht gehoben werden. Ein anderesmal kann ein Ablaß von 100 Tagen gewonnen werden z. B. wenn man sich mit Weihwasser besprengt und dazu unter Kreuzzeichen betet: Im Namen . . . Pius X. 23. März 1866.

4. Noch näher kann die Frage gestellt werden: Welche Bedeutung hat das Weihwasser im Totenkulte? Die Antwort ist im obigen teilweise schon gegeben. Es ruft

a) dem Satan ein recede a me — noli me tangere zu; denn er hat das Weihwasser geradeso zu fürchten wie das Kreuz,

---

[1]) Ap. Const. VIII. 29.

da es ja ad abigendos daemones geweiht wurde und eine infestatio
immundi spiritus ist.

b) Für den Verstorbenen ist das Weihwasser eine lustratio;
denn es ist geweiht, damit „Alles, was mit demselben berührt oder
besprengt wird, von jeder Unreinheit befreit wird“. Der Körper des
Verstorbenen ist zwar durch Empfang der heiligen Taufe und der
übrigen Sakramente ein „membrum Christi“ geworden;[1] allein
er stammt aus der maledicta terra und ist vielleicht auch im Leben
nicht jeder Befleckung entgangen. Nun soll durch das geheiligte Wasser
jede Unreinheit von Leib und Seele hinweggenommen werden —
ja noch mehr, es soll das Weihwasser positiv zu salus mentis et
corporis werden und mit einem Tau des göttlichen Wohlgefallens
(pietatis tuae rore) sie bedecken. Daher lautet die Formel bei Be=
sprengung der Leiche nach Diözesanritualien, wenn der Sarg einge=
senkt ist: Rore coelesti reficiat animam tuam Deus Pater et Filius et
Spiritus Sanctus. Gerade zu dieser Erquickung paßt das Wasser
als symbolisches Mittel sehr gut; denn als der reiche Prasser in
der Qual war, rief er zu Vater Abraham: Erbarme dich meiner
und sende den Lazarus, daß er seine Fingerspitze ins Wasser tauche
und meine Zunge abkühle.[2]

Weil das Weihwasser für die armen Seelen ein so treffliches
Kühlungsmittel ist, so aspergiert der Priester den Sterbenden vor
der commendatio animae, nach der exspiratio, im Ritus elationis,
elevationis, beim Libera und beim Weggang von dem Grabe; nach
einzelnen Diözesanritualien hält er alle Sonntag (Samstag) zu
Gunsten der Verstorbenen eine Prozession zum Ossuarium oder zum
Friedhof, weil auch Christus am Ostersonntag in den Scheol hinab=
stieg und den Gerechten die Erlösung ankündigte.

c) Für die Hinterbliebenen ist das Weihwasser ein billiges,
leichtes, tröstliches und wirksames Mittel, um den Verstorbenen
Hilfe zu leisten, wenn sie uns zurufen: Miseremini, miseremini
mei, saltem vos amici mei.[3] Es ist daher ein schöner Gebrauch,
Weihwasser auf den Gräbern aufzustellen oder bei der Selbstbe=
sprengung einen Teil auf den Boden zu spritzen in der Absicht,
es möge der Segen den armen Seelen zukommen.

Nach dem Gesagten ist gar nicht einmal nötig, das Weih=
wasser, sei es durch einen Priester oder auch durch Laienhand, auf
den Leichnam oder auf das Grab zu sprengen; schon das Weih=
wasser allein ohne Spender und ohne Gebet ist res sacra und
macht den Ort für den Satan zu einem locus terribilis und für
den Verstorbenen zu einer Segensstätte. Es ergibt sich die Wirkung
aus den Segnungen und Exorzismen der Weihe. Wie der Kruzifixus
hoch oben auf der Bergesspitze seine Arme schützend und segnend
bei Tag und in dunkler Nacht über die ganze Gegend ausbreitet,

---

[1] Trid 25 de purgat. — [2] Luk. 16, 23. — [3] Job. 19, 21.

so schützt und segnet das Weihwasser an der Zimmertüre das Gemach (habitaculum) und alle Bewohner und auf den Grabes= hügel den vermodernden Leichnam und die etwa im Fegfeuer lodernde Seele.

In den Zeiten unserer religiösen Aufklärung und Los von Rom=Bewegung gehört in den Städten schon Glaubensstärke dazu, dem Grabdenkmal noch eine Weihwasserschale beizufügen; es dürfte daher Seelsorgern anzuraten sein, sei es in Leichenreden oder im katechetischen Unterricht darzulegen, welchen Wert das Weihwasser nicht bloß für die Lebenden, sondern auch für die Verstorbenen hat.

Das Evangelium vom Gottessohn.

Referat über Dr. Anton Seitz' gleichnamiges Werk von Anton Jelen, Mitglied des k. u. k. höheren Weltpriester=Bildungsinstitutes zum heiligen Augustin in Wien.

„Omnia instaurare in Christo." Dies ist das erhabene Ziel, welches sich Pius X. als Lebensaufgabe gesteckt hat. Diesem Streben des Statthalters Christi auf Erden wirken im Namen einer falsch so genannten Wissenschaft direkt entgegen ein pseudochristlicher und ein antichristlicher Zeitgeist. Beide verfolgen das nämliche naturalistische Ziel. Der erste wahrt Christus zum Scheine den Nimbus des Gottes= sohnes, in Wirklichkeit aber entleert er den Begriff „Gottessohn" seines eigentlichen, inneren Gehaltes, der zweite hingegen sucht ganz offen die historische Persönlichkeit Christi ihrer zentralen Bedeutung im Kultus= wie im Kulturleben der Menschheit völlig zu entkleiden und die Christusreligion durch eine Geistesreligion der Moderne zu verdrängen. Deshalb tritt an die Verteidiger der echten Religion Christi die heiligste Pflicht heran, dieses Trugbild als solches vor aller Welt zu enthüllen und die ganze mit nachahmenswertem Eifer betriebene Entstellungsarbeit bloßzulegen. Diese Aufgabe hat der Münchener Universitäts=Professor Dr. Anton Seitz in seinem Werke „Das Evangelium vom Gottessohn" (Freiburg i. B., 1908) auf sich genommen. Der Autor teilt sein Werk außer der Einleitung und dem Schlusse in fünf Kapitel, die folgenderweise betitelt sind:

1. Kapitel: Christentum ohne Christologie.

2. Kapitel: Ideale Selbstbezeugung Christi als metaphysischer Gottessohn.

3. Kapitel: Praktische Selbstbezeugung Christi als metaphysischer Gottessohn.

4. Kapitel: Indirekte Selbstaussagen Jesu von seinem gött= lichen Charakter.

5. Kapitel: Bezeugung der göttlichen Persönlichkeit Jesu durch seine Glaubensboten.

In der Einleitung führt der Autor die Grundprinzipien der modernen Theologie und Christologie an, nämlich den Empirismus und den mit ihm verknüpften Subjektivismus, dann den Naturalis=

mus, der jedes Eingreifen Gottes, jedes Wunder ausschließt, und den mit ihm aufs innigste zusammenhängenden Evolutionismus, wo kein Platz für das Uebernatürliche gelassen wird. Darauf macht er uns ganz allgemein mit der der positiven Offenbarungsüberlieferung des historischen Christentums widerstrebenden rationalistischen Zeitströmung bekannt.

Im ersten Kapitel — Christentum ohne Christologie — spricht der Verfasser zuerst über die evangelische Freiheit, die von Luther als Prinzip aufgestellt zu einem Christentum ohne Christologie, d. h. ohne oder wider die dogmatische Lehre vom Christus als dem wirklichen und wesenhaften Gottessohn geführt hat. Die vollendete Selbstzersetzung des Christentums tritt uns im modernen Protestantismus entgegen, wenn wir bei Wolfgang Kirchbach[1] lesen: „Christus war in der Weltanschauung ein moderner Spinozist, in der Moral Kantianer, in seinem Glauben Buddhist."

Wenn wir jene immer noch tonangebende Schule Harnacks, deren Hauptcharakteristikon, wie Hartmann[2] sagt, der Agnostizismus bildet, näher ins Auge fassen, so sehen wir, daß die christliche Religion nach ihr ganz subjektiv ist. Sie besteht nämlich einzig in dem Worte Gottes und in dem inneren Erlebnisse, welches diesem Worte entspricht. Jenes Wort und Erlebnis läßt sich in den einen Satz zusammenfassen: „Der zuversichtliche Glaube einen gnädigen Gott zu haden und diesen Gott zu finden, das ist das einzige Ziel der christlichen Religion." Aehnlich hat auch seine Moral keine feste Basis, denn das einzige Harnacksche moralische Gebot: „Den Willen Gottes tun mit der Gewißheit, daß er der Vater und der Vergelter ist", hat keinen Wert, weil der Lehre Harnacks entsprechend sehr verschiedene Ansichten darüber herrschen können, was eigentlich der Wille Gottes sei. Ja — dieses Christentum Harnacks ist eigentlich kein Christentum, denn Harnack schließt von dem spezifischen Christentum alles Uebernatürliche aus, und es bleibt bei ihm nur die auch in anderen Religionen zu findende Trias: Gott, Tugend, Unsterblichkeit. Sein Jesus ist so elastisch, daß er konservative und liberale Theologen unter seiner Fahne vereinigen könnte. Er ist nach Harnack kein Wundertäter, kein Messias, um so weniger der Gottessohn im eigentlichen Sinne. Er gehört sogar nicht in das Evangelium, sondern nur Gott der Vater gehört hinein.

Nicht anders verhält es sich mit dem spekulativen Protestantismus. Dieser ist monistisch im Hegelschen Sinne und der pantheistische Gottesprozeß verschlingt in seinen Strom alle positiven Gedanken der christlichen Religion. „Alles," sagt Seeberg,[3] „scheint christlich zu sein und nichts ist wirklich christlich." Was die Leugnung der heiligen Trinität und der Gottheit Christi betrifft, so beruft sich

[1] W. Kirchbach, Was lehrte Jesus? Berlin 1902. — [2] Ed. v. Hartmann: Das Wesen des Christentums in neuester Beleuchtung, in: Die Gegenwart, Berlin 1901. — [3] R. Seeberg, Die Kirche Deutschlands im 19. Jahrh. S. 114.

mit Unrecht sowohl der spekulative, als auch der liberale Protestan=
tismus auf das alttestamentliche Gesetz, denn die dort stark betonte
monotheistische Auffassung richtet sich nicht gegen die Trinität, welche
bei den Heiden unbekannt war, sondern gegen den heidnischen Poly=
theismus.

Eine solche Entleerung jedes tieferen christlichen Gehaltes, wie
man es beim Protestantismus findet, ist möglich nur durch die will=
kürliche, gewalttätigste Behandlung der Quellen, durch die sogenannte
negative Evangelienkritik. Grundprinzip dieser radikalen Kritik ist:
Es kann in Wirklichkeit keine Wunder und Weissagungen geben.
Deshalb fällt das Urwunder der Menschwerdung Gottes und wird
ein allmählicher Vergöttlichungsprozeß des Menschen Jesu angenommen,
der seinen Höhepunkt beim Evangelisten Johannes erreicht hat. Des=
halb wird auch der geschichtliche Charakter des Johannes=Evangeliums
von der freisinnigen protestantischen Bibelkritik seit Ende der Siebziger=
jahre fast allgemein in Abrede gestellt und besonders der Prolog, obwohl
Holtzmann[1]) ebenso wie Grützmacher[2]) anerkennen, daß es unmöglich
ist, noch zu Lebzeiten der meisten Augenzeugen um die Person und
das Wirken Christi einen Mythenkranz zu bilden. Kurz alles was die
Zirkel des wunderscheuen und messiasscheuen Rationalismus Störende
wird als spätere Zutat erklärt. Harnack[3]) zwar sagt: „Die Quellen
für die Verkündigung Jesu — einige wichtige Nachrichten bei Paulus
abgerechnet — sind die drei ersten Evangelien", jedoch auch sie werden
nur scheinbar gerettet. Denn nach der protestantischen Kritik liegen
auch ihnen zum großen Teil die exstatischen Visionen des heiligen
Paulus vor Damaskus zu Grunde — also sind sie rein subjektiv.
So würde schließlich das ganze Neue Testament (soweit es überhaupt
Harnack anerkennt) auf das „subjektive Erlebnis" eines Visionärs
zurückgehen. Nun aber ist, wie wir später sehen werden, diese Voraus=
setzung von der Vision Pauli falsch, somit ist auch die Schluß=
folgerung falsch.

Im Gegensatze zu dieser falschen, negativen Hyperkritik steht
die wahre, positive Kritik. Diese, geleitet vom Grundprinzip, daß bei
der Beurteilung des Evangeliums in erster Linie der Zweck und die
Eigenart des Schriftstellers entscheidet, führt zur besten, positiven
Evangelienharmonie, und in ihrem Lichte erscheinen die Widersprüche
bloß als scheinbar. Nach dieser Kritik ergänzen sich die vier Evan=
gelien als vier lebendige Reproduktionen des Bildes Jesu je nach
der Eigentümlichkeit der Verfasser, im wesentlichen aber ist das große
Gemälde vom Erlöser immer auf den gleichen Ton abgestimmt:
Jesus ist kein bloß geschöpflicher Gottessohn, sondern eines Wesens
mit Gott und zugleich im Besitze einer menschlichen Natur.

---

[1]) H. J. Holtzmann, Die synoptischen Evangelien, Leipzig 1863, 504. 509.
— [2]) Grützmacher, Bibl. Zeit= und Streitfragen 1907, 39 f. — [3]) Harnack,
Das Wesen des Christentums, Leipzig 1900.

Weil Christus die Glaubwürdigkeit seines Selbstzeugnisses durch Wunder beziehungsweise Prophetien bestätigen mußte, deshalb spricht Seitz im zweiten Kapitel seines Werkes zuerst über die Wunder. Die Behauptung, daß erst die paulinische Spekulation und die apokalyptische Prophetie zur Ausbildung der farbenreichen Wundersagen der Evangelien geführt haben, ist ganz aprioristisch. Wenn Christus den Glauben und die volle Hingabe von denjenigen, die von ihm geheilt worden sind, verlangte und durch teilweise Entziehung des Wunderwirkens die Verweigerung des Glaubens strafte, beweist das nicht, daß Christus kein besonderes Gewicht auf das Wunderzeugnis gelegt hätte, sondern im Gegenteil beweist er desto klarer seine göttlichen Vollkommenheiten der Weisheit, Heiligkeit und Liebe. Es war bloß Christi Demut, besonders aber der göttliche Beschluß, Christus solle durch Erniedrigung und Leiden zur Herrlichkeit gelangen, die Ursache des Verbotes der Bekanntmachung der Wunder; deshalb, wo diese Gefahr der Schädigung des Erlösungsplanes nicht bestand, wünschte Christus die Bekanntmachung des Wunders, so z. B. bei der Heilung der Besessenen in der Gegend von Gadara.

Nachdem der Autor die Glaubwürdigkeit der Selbstzeugnisse Jesu durch dessen Wunder bewiesen hat, führt er dieselben an und zwar zuerst das Selbstzeugnis Jesu als 12jährigen Knaben im Tempel und dann bei seinem Gespräche mit Nikodem. Was das erste Selbstzeugnis Jesu betrifft, so lassen sich die Worte Jesus „Wußtet ihr nicht, daß ich in dem sein muß, was meines Vaters ist" nur von einer göttlichen, nie aber von einer charismatischen Gottessohnschaft oder Gottesgesandtschaft erklären. Denn kein Evangelist faßt die Lehrtätigkeit des Jesusknaben im Tempel als messianische Berufstätigkeit und auch sonst nirgends in der Heilsgeschichte wird ein Kind zum Gottesgesandten bestellt. Durch dieses göttliche Selbstbewußtsein des 12jährigen Jesusknaben wird ein= für allemal die Ausrede abgeschnitten, daß Jesu gottmenschliches Selbstbewußtsein das Produkt erworbener menschlicher Weisheit und Ueberlegung sei und daß es sich in gleichem Schritte mit dem Selbstbewußtsein seiner menschlichen Natur innerlich entwickelt habe. Bloß der menschlichen Seite nach ist ein Fortschritt bei Christus zu konstatieren.

Aehnlich schreibt sich Jesus die göttliche Natur zu in seinem Gespräche mit Nikodem, indem er sich „den eingedorenen Gottessohn" nennt. Dieser Ausdruck bedeutet zwar auch den theokratischen Gottessohn, jedoch hier zwingen uns die wegen ihrer Wichtigkeit zweimal ausgesprochenen Worte: „damit jeder, der an ihn glaubet, nicht zu Grunde gehe, sondern ewiges Leben habe" den metaphysischen Gottessohn anzunehmen.

Diese Selbstoffenbarungen Jesu werden durch die unmittelbare Bezeugung durch die Stimme seines himmlischen Vaters bei der Taufe, bei der Verklärung Jesu und vor seinem Leiden — also durch Theophanien bekräftigt. Die Theophanien sind keine prophetische Vision Jesu infolge einer stark, wenn auch nicht krankhaft erregten Phantasie, wie Holtzmann[1]) und Pfleiderer[2]) behaupten, denn auch andere Leute, wie die Evangelisten ausdrücklich berichten, waren Zeugen derselben. Sie sollten die Menschen zum Nachdenken anregen und ihnen wenigstens den dunklen Begriff eines höheren in diesem „Sohn des himmlischen Vaters" verborgenen Wesens beidringen.

Nebst diesen Bekräftigungen der Selbstzeugnisse Jesu von Seite des Vaters treffen wir bei den Synoptikern auch die unverhüllte Offenbarung Jesu als wesenhaften Gottessohnes auch in seinen Sprüchen an, wenngleich in bescheidenem Umfang.

So versichert Jesus nach (Mt. 11, 27) und (Lk. 10, 22), daß ihm alles übergeben sei, und zwar nicht bloß das Lehramt, wie Harnack[3]) meint, sondern auch das Richteramt (Mt. 11, 21—24; Lk. 10, 19) über die ganze Welt — kurz alles ohne jede Beschränkung (Mt. 28, 18). Dann aber ist Jesus kein bloßer theokratischer Gottes= gesandter, welcher nur gewisse göttliche Vollmachten übertragen erhält, sondern er ist der wesenhafte Gottessohn.

Noch klarer drücken dasselbe die Worte Christi aus: „Niemand kennt den Sohn, außer der Vater; und auch den Vater kennt niemand, außer der Sohn, und wem es der Sohn allenfalls offenbaren will." Wenn man auch ganz davon absieht, daß ein menschlicher Gottes= gesandter den Vater nicht offenbaren würde, wem er will, sondern wem er soll, so kann man doch nicht Schürer[4]) beipflichten, der sagt, es handle sich hier nicht um „ein naturhaftes, physisches oder metaphysisches", sondern um ein bloß ethisches Verhältnis des Sohnes zum Vater „in Analogie mit dem Verhältnis aller Gotteskinder zu ihrem himmlischen Vater, und doch von einzigartiger Autorität", d. i. „der Sohn ist im Besitz einer einzigartigen Gotteserkenntnis, weshalb ihm ein einzigartiger Offenbarungsberuf übertragen worden ist." Diese wechselseitige Erkenntnis zwischen Vater und Sohn läßt sich ohne Gewalt nur dann erklären, wenn wir dem Sohne dasselbe göttliche Wesen mit dem Vater zuschreiben. Das erkennt auch H. J. Holtzmann[5]) an, indem er sagt, daß nach dem Kanon: „Nur das Gleiche wird vom Gleichen erkannt" die einzigartige, wechsel= seitige Erkenntnis von Vater und Sohn „wie ein Ansatz zum christologischen Dogma aussieht."

Dem göttlichen Selbstbewußtsein Jesu widersprechen nicht seine Worte, er kenne nicht den Gerichtstag, denn es handelt sich hier nicht um theoretisches, sondern um praktisches Nichtwissen, nämlich um Offenbarung dieser Wahrheit an die Menschen. So ist denn

---

[1]) Osk. Holtzmann, Leben Jesu 105 — [2]) Pfleiderer, Das Urchristentum, Berlin 1902. — [3]) Harnack, Das Wesen des Christentums, Leipzig 1900, 81 f. — [4]) Schürer, Das messianische Selbstbewußtsein Jesu, Göttingen 1903, 10 ff. — [5]) Holtzmann, Neutestamentliche Theologie I, 273 f.

dieses Zurücktreten der metaphysischen Gottessohnschaft nicht mit einem inneren, wirklichen Nichtvorhandensein derselben zu verwechseln.

Ebenso leugnet Christus seine wesenhafte Gottessohnschaft nicht, wenn er den Juden, die ihn steinigen wollten, gesagt hat: „Götter seid ihr." Dies beweisen seine Worte: „Ich und der Vater sind eins." Es handelt sich hier nicht um bloße Wirkensgemeinschaft, wie B. Weiß haben will, sondern um die Wesensgemeinschaft wie man aus den Worten Christi: „Wer mich gesehen, hat den Vater gesehen" entnimmt. Daß auch die Juden die Worte Christi gut verstanden haben, beweist uns ihr abermaliger Versuch Jesum fest= zunehmen, und zwar aus dem Grunde, den Johannes mit den Worten anführt: „Die Juden trachteten deshalb um so mehr danach, Jesum zu töten, weil er nicht bloß den Sabbat brach, sondern auch Gott seinen eigenen Vater nannte, indem er sich Gott gleichstellte" (Joh. 5, 18).

Im dritten Kapitel wird die praktische Selbstbezeugung Jesu als wesenhaften Gottessohnes, d. h. die von Jesus bestätigten Zeugnisse anderer behandelt, und zwar zuerst die Zeugnisse der Freunde Jesu und dann die seiner Feinde. Was die Freunde Jesu betrifft, so führt Seitz zuerst die ferner stehenden Anhänger Jesu an, nämlich den Blindgeborenen, den Aussätzigen und die Jünger im allgemeinen, welche alle Jesum anbeteten, und Jesus wies diese göttliche Ehre nicht zurück; dann die engeren Vertrauten Jesu, nämlich den ungläubigen Thomas, die gläubige Martha, den Anfänger im Glauben Nathanael und das Apostelhaupt Petrus. Des letzteren Zeugnis ist besonders wichtig.

Was dieses Petrusbekenntnis: „Du bist Christus, der Sohn des Lebendigen Gottes" (Mt. 16, 16) anbelangt, so soll man sich da vor zwei Extremen hüten. Einige nämlich, wie z. B. Pfleiderer,[1] berufen sich auf das Verbot Christi: „sie sollten niemand sagen, daß er Christus, d. h. der Messias sei" (Mt. 16, 20), und behaupten, daß Christo seine messianische Bestimmung bisher ganz unbekannt war, deshalb — sagt Wrede[2] — die scharfe Abweisung und der strikte Befehl strengsten Schweigens, damit das Mißverständnis, das selbst seine Vertrauten teilten, nicht noch mehr um sich greife und seine ganze Wirksamkeit in Frage stelle. Christus hat jedoch dieses Verbot gegeben, damit das Volk, welches die wahre Bedeutung des Messias bisher nicht erfaßte und von einem irdischen Messias träumte, nicht die Revolution gegen die Römer hervorrufe. Christus wies hier mit den Worten: „Hinweg von mir, Satan, du bist mir zum Aerger= nisse" (Mt. 16, 23) den Petrus zurück nur in Betreff des messianischen Leidens. Dadurch, daß er dies in einer so schroffen Weise gemacht hat, hat er nur die Bedeutung der Seligpreisung Petri wegen seiner

---

[1] Pfleiderer, Das Urchristentum, Berlin 1902. 664. — [2] Wrede, Das Messiasgeheimnis in den Evangelien, Göttigen 1901, 115 ff.

Erkenntnis des echten, übermenschlichen Messiasbegriffes im höchsten
Maße verstärkt.

Jedoch das entscheidenste, praktische Selbstzeugnis legt Jesus
ab vor dem Hohenpriester Kaiphas. Daß Jesus sich für den
Messias erklärte und sich ganz der Meinung des Fragestellers anschloß,
beweist die Betonung der Personalpronomina „du": „Du bist also
der Sohn Gottes" und „ihr": „Ihr saget es" (Lk. 22, 70), was auch
die neueste protestantische Kritik anerkennt. Hier kommt es aber nicht
darauf an, welche persönliche Ueberzeugung der ihn verurteilende
Hohepriester nebst den übrigen Gegnern Jesu von der Messianität
und Gottessohnschaft Jesu hatte, sondern ob er eine den Gesetzes-
glauben der jüdischen Hierarchie verletzende Anschauung beim Angeklagten auf Grund seines gerichtlichen Geständnisses konstatierte oder
nicht. Die bejahende Antwort bestätigt das Zerreißen der Kleider.
Jedoch dieses Zerreißen der Kleider hätte keinen Sinn, wenn sich
Christus bloß für den Messias als solchen erklärte, denn die Juden
erwarteten zu jener Zeit den Messias, und als solchen hat sich Christus
durch Auferweckung des Lazarus genügend bewiesen. Weil aber der
Messias auch von jüdischem Standpunkte aus an der göttlichen Ehre
und Herrschaft teilnahm, deshalb konnte Christus im Sinne seiner
Richter, wie auch Wrede[1]) anerkennt, nur dadurch eine Lästerung
begehen, daß er sich die metaphysische Gottessohnschaft zugeschrieben
hat. Deshalb führen auch alle drei Synoptiker als Ursache der Verurteilung Jesu die nähere Formulierung der Messianität an. Es hilft
nichts nach dem Beispiele Brandts[2]) auf eine Bestimmung der Mischna
sich zu berufen, wonach das Verbrechen der Gotteslästerung erst erwiesen
und das Leben verwirkt ist, wenn der Angeklagte bei seiner Lästerung
den allerheiligsten Namen Gottes ausdrücklich ausgesprochen hat; denn
die Mischna ist eine erst gegen Ende des zweiten Jahrhunderts nach
Christi offiziell veranstaltete Sammlung jüdischer Schultraditionen
und überdies teilweise bestritten, läßt also keinen sicheren Rückschluß
zu. Der Behauptung, daß Christus wegen der Gotteslästerung verurteilt worden ist, widerspricht nicht der Umstand, daß die Juden
anfangs vor Pilatus als Ursache der Anklage bloß den Anspruch
„der König der Juden zu sein" angeführt haben, denn sie formulierten
ihre Anklage nur deshalb so, weil sie merkten, daß Pilatus sich auf
einen religiösen, jüdischen Gesetzeshandel unter keinen Umständen
einlassen würde, während sie doch die Verantwortung für ihren
Justizmord von sich auf den Statthalter Roms abwälzen wollten,
welcher nur für politische Anklagen zugänglich und verantwortlich
war. Und Pilatus hat nur, um sich an den Juden zu rächen, daß
sie ihn gegen seinen Willen zur Verurteilung Christi gezwungen, den
Titel ihrer Anklage — König der Juden — zu ihrer Verhöhnung
gebraucht.

---

[1]) Wrede, Das Messiasgeheimnis in den Evangelien, Göttingen 1901, 74 f.
— [2]) Brandt, Trakt. Sanhedrin VII. 5

Daß Christus sich vor Kaiphas wirklich für den wesenhaften Gottessohn erklärt hat, geht auch daraus hervor, daß er sich, anspielend an die Danielsche Prophetie, Menschensohn nennt, welcher Ausdruck auch nach der protestantischen Forschung in allen vier Evangelien häufig und in durchaus gleichartiger Weise als Bezeichnung des Gottmenschen gebraucht wird. Dieser Danielsche Menschensohn ist Gott selbst, denn er kommt in den Wolken des Himmels, d. i. in göttlicher Majestät zum Gerichte, aber zugleich kommt er in menschlicher Natur — also — als Gottmensch und nicht als Gottesvolk, wie einige Protestanten meinen. Dagegen sprechen die Prädikate, die dem Menschensohn zugeschrieben werden, wie auch der Umstand, daß Daniel diesen Menschensohn als den unmittelbaren Empfänger der ewigen Weltherrschaft vorführt. Er ist auch nicht, wie Grill[1] meint, gottverwandtes Mittelwesen wie z. B. Elias, Johann der Täufer, noch hat er einen scheinbaren Körper, denn das „wie“ drückt nicht, wie Wellhausen[2] erklären möchte, die Unbestimmtheit des Gesehenen, sondern die Unbestimmtheit der Vision, des Gesichtes aus. Durch diesen Danielschen „Menschensohn“ in seiner objektiven Bedeutung wird zugleich der verschrobene Messiasbegriff der jüdischen Zeitanschauung wieder ins richtige Geleise geschoben. Der Ausdruck „Menschensohn“ kann nämlich die leidensfähige oder die verherrlichte Menschheit oder ihren göttlichen Träger bedeuten. Von dieser dreifachen Bedeutung ist die erste in den jüdischen Vorstellungskreis vom Menschensohn nicht aufgenommen worden, obwohl sie gerade für den Hauptzweck seiner Herabkunft auf die Erde: die Vollbringung des Erlösungsopfers, die größte Rolle spielt. Sie ist bei Daniel nur leise angedeutet und muß durch den leidenden Gottesknecht aus Isaias und den gottverlassenen messianischen Davidssprossen im 21. Psalm ergänzt werden. Die Idee von einem erhöhten Menschen: dem messianischen Propheten und König und eine etwas verschwommene Idee vom Kommen Gottes selbst, ja sogar von der Sendung des Sohnes Gottes als einer von Gott verschiedenen göttlichen Persönlichkeit durch fortwährende Hinweisung Christi auf sich als auf den Messias und wesenhaften Gottessohn ist lebendig geworden.

Die Bedeutung dieses Ausdruckes „Menschensohn“, der zum Schibboleth geworden ist, an dem die Kinder Gottes und des Lichtes von den Kindern der Welt und der Finsternis sich scheiden sollen, pflegte Christus vom Anfang seines öffentlichen Auftretens an den Aposteln und den Pharisäern zu erklären — den Pharisäern, als den gegenwärtigen, den Aposteln als den künftigen Lehrern des Volkes. Auf das Vorhandensein solcher Belehrung kann man schließen sowohl aus der Betonung des Wortes „Menschensohn“ bei Cäsarea Philippi, als auch aus jenem Umstande, daß, wie Tillmann[3] sagt, bei den

---

[1] Jak. Grill, Die Entstehung des vierten Evangeliums I., Tübingen und Leipzig 1902. 62 f. — [2] Wellhausen, Skizzen und Vorarbeiten VI. 198. Berlin 1899 — [3] Tillmann, Der Menschensohn, Freiburg 1907. 177 ff.

Synoptikern eine Reihe vorausgehender „Menschensohnstellen" in ihrem zusammenhängenden Gedankengang erst dann in ihrer ganzen Tiefe erfaßt werden, wenn statt „Menschensohn" Messias gesetzt wird. Die Pharisäer sind durch eigene Schuld im Unglauben geblieben, die Apostel haben sich allmählich zum Begreifen des „Menschensohnes" durchgearbeitet, obwohl vollkommen erst nach der Sendung des heiligen Geistes, denn selbst Petrus hat gerade die Haupteigentümlichkeit des „Menschensohnes", nämlich das gottmenschliche Erlösungsleiden über= sehen, indem er vor dem Gedanken, Christus müsse leiden, zurück= scheute. Weil Christus schon vom Anfang seines öffentlichen Auf= tretens an mit einem fertigen Messiasbewußtsein vor die Seinen hingetreten ist, und weil er schon als 12jähriger Knabe im Tempel sein göttliches Bewußtsein nach außen kundgegeben hat, deshalb fallen alle Konstruktionen von einer allmählichen Entwicklung des messianischen Bewußtseins in Jesu. Falsch ist also die Ansicht Harnacks,[1] daß Christus erst, als er öffentlich auftrat, in seinem messianischen Selbstbewußtsein abgeschlossen war, um so unrichtiger ist die Behauptung Wredes, der die Messianität von der Auferstehung an datiert, wonach die „Auferstehungserlebnisse" die Jünger auf den Gedanken bringen, Jesus, der gekreuzigte Lehrer, sei der Messias; denn in gewissen Kreisen glaubte man sogar an die Auferstehung des Täufers, und dennoch war er deshalb nicht Messias. Weil also Christus sich vor dem Hohenpriester Kaiphas als wesenhaften Gottessohn und als Messias erklärt und für dieses Zeugnis den schmählichsten Tod erlitten hat, muß dieses Selbstzeugnis Christi objektiv im vollsten Ernste genommen werden. Sonst wäre Jesus entweder der nieder= trächtigste und gemeingefährlichste Betrüger oder der armseligste Narr. Dagegen aber spricht die Heiligkeit seines Lebens und die Genialität seiner Lehre. Christus hat sich auch nicht den falschen volkstümlichen Anschauungen akkommodiert, im Gegenteil, er hat sie immer bekämpft. Dieses Selbstzeugnis Jesu besitzt deshalb eine noch höhere Bedeutung, weil von sämtlichen großen Religionsstiftern der Welt sich kein einziger für einen Gottessohn oder für Gott selbst im Sinne Christi sich ausgegeben hat, mag er auch später ohne eigene Schuld von seinen Anhängern vergöttlicht worden sein, nur Christus, der sein ganzes Leben lang die tiefste Demut nicht bloß gepredigt, sondern geübt und das besonnenste Urteil gehabt hat, hat dies getan.

Noch anders hat Jesus von seiner wesenhaften Gottessohnschaft Zeugnis gegeben, nämlich durch die von ihm inhaltlich nicht wider= rufenen Zeugnisse der Dämonen in den Leibern der Besessenen in Kapharnaum und zu Gerasa. Diese Besessenheit kann nicht als Ausbruch melancholischer Geistesverstimmung infolge der Erregung durch die machtvolle Predigt Christi, noch als Alterierung des Selbst= bewußtseins aufgefaßt werden. Aehnlich haben Christus und die Apostel

---

[1] Harnack, Das Wesen des Christentums, Leipzig 1900, 82 f, 88 ff.

nicht der damaligen Zeitanschauung gemäß gewisse nervöse Krankheits=
erscheinungen wie Epilepsie und Hysterie mit der Besessenheit ver=
wechselt, sondern sie haben dieselben ausdrücklich von der Besessenheit
unterschieden.

Im vierten Kapitel, das sich betitelt: indirekte Selbst=
äußerungen Jesu von seinem göttlichen Charakter, begründet
Seitz die wesenhafte Gottessohnschaft Christi aus dessen Worten: „Ich
bin der Weg, die Wahrheit und das Leben." Daß Christus wirklich
der Weg, die Wahrheit und das Leben im absoluten Sinne ist, geht
auch aus den göttlichen Attributen hervor, die Christo an den ver=
schiedenen Stellen der Heiligen Schrift, sowohl bei den Synoptikern,
als auch bei Johannes zugeschrieben werden. Dadurch ist übrigens
die schlagendste Widerlegung der willkürlichen Behauptung von einem
grundverschiedenen Charakter der einzelnen Evangelien in Betreff der
Gottheit Christi gegeben.

Jesus — das Wort — war „im Anfang", d. h. im Grund=
prinzip alles Seienden, er war bei Gott von Ewigkeit, er war Gott
selbst, er ist auf Erden erschienen, um für die Menschen das Heil zu
bringen, um für sie „der Weg" zu werden, der Heilweg, der in der
Vereinigung mit Gott sein Ziel findet. Dieser Gedanke klingt uns
aus dem ganzen johanneischen Evangelium, besonders aber aus seinem
Prolog entgegen. Ganz ausgeschlossen ist die Annahme eines geschöpf=
lichen, vorweltlichen Mittelwesens zwischen Gottheit und Menschheit
schon durch die Anfangsworte des Prologs: „Im Anfang war das
Wort und das Wort war bei Gott und Gott war das Wort", welche
ganz präzis die wesenhafte, göttliche Persönlichkeit des Wortes aus=
drücken. Denn die Worte „im Anfang" hat man nicht im zeitlichen,
sondern im metaphysischen Sinn zu nehmen. Dafür spricht sowohl
die philosophische Terminologie, wo ἀρχή Urgrund bedeutet, als auch
die ähnlich klingenden Stellen der Heiligen Schrift, wo sich Gott
„das Alpha und Omega" (Apok. 1, 8), „den ersten und den letzten"
(Js. 41, 4) nennt, besonders aber der Umstand, daß der tiefsinnige
Johannes sich vornehmlich gegen die jüdisch=alexandrische Logoslehre
des Philo, eines älteren Zeitgenossen Christi, wendet, welcher die
Persönlichkeit, wie das göttliche Wesen des Logos unbestimmt gelassen
hat. Und Christus selbst antwortet auf die wegwerfende Frage der
Juden „Wer bist du" (Joh. 8, 25) — „Der Urgrund (bin ich), der
ich auch rede zu euch".

In diesem Urgrundprinzip war Jesus — das Wort — von
Ewigkeit her, wie das schon das griechische Imperfekt ἦν besagt,
welches die unbestimmte Zeit bedeutet. Christus spricht dies noch
klarer mit den Worten aus: „Wahrlich, wahrlich sage ich euch: Ehe
Abraham ward, bin ich." Denn an eine bloß ideelle Präexistenz Jesu
im Geiste Gottes hier mit H. Wendt[1]) zu denken, verbietet uns der

---

[1]) H. Wendt, Die Lehre Jesu II, Göttingen 1890, 470; System der christ=
lichen Lehre II, Göttingen 1907, 348 f.

Umstand, daß die Pharisäer das reelle durch Geburt und Tod begrenzte
Sein Abrahams dem reellen Sein Jesu als noch nicht fünfzigjährigen
Mannes entgegenstellten, deshalb mußte auch Jesus, um die Einwen=
dung der Pharisäer zu widerlegen, nur seine wirkliche, reelle, ewige
Existenz der reellen Existenz Abrahams entgegenstellen. Daß Christo
wirklich sein reelles, ewiges Sein vor Augen schwebte, beweist folgendes:
Jesus verheißt seinen getreuen Jüngern von sich aus ewiges Leben,
muß deshalb zuvor in sich selbst ewiges Leben haben.

Jedoch Jesus — das Wort — war im Urprinzip alles Seienden
von Ewigkeit her nicht als ein Mittelwesen, sondern als eine selbst=
ständige — „es war bei Gott" — göttliche Hypostase, denn es war
zugleich „Gott". Jesus hat mit der von außen angenommenen sicht=
baren Menschennatur zugleich verborgen in sich getragen „eine Herr=
lichkeit wie (die) eines Eingeborenen vom Vater her", d. h. den Licht=
glanz der göttlichen Natur als wesenhafter Gottessohn. Diese wesen=
hafte Gottessohnschaft ist auch der innere Grund jener Verherrlichung,
um welche Jesus im Namen seiner menschlichen Natur den Vater
mit den Worten: „Verherrliche du mich, Vater, bei dir mit der
Herrlichkeit, die ich, ehe die Welt war, bei dir hatte" (Jo. 17, 5)
bittet. Falsch ist also die Ansicht Wendts,[1] daß die Quelle jener
Herrlichkeit ein von Ewigkeit her Jesu bestimmter Lohn bei Gott im
Himmel für die Vollbringung seines messianischen Werkes sei. Sie
wird schon dadurch ausgeschlossen, daß Jesus in realer Vollendung
(vgl. „die Herrlichkeit, die du mir gegeben" [Joa 17, 24], nicht
„bestimmt" oder „zugedacht hast) „geliebt" und mit göttlicher Herr=
lichkeit sozusagen überflutet wird bereits vor Grundlegung der Welt,
um so mehr vor der Erschaffung seiner heiligsten Menschheit. Und
um jeden Zweifel über seine wahre Gottheit auszuschließen, setzt
Jesus die beseligende Anschauung der Herrlichkeit Gottes und die
seiner eigenen, überweltlichen und überzeitlichen Herrlichkeit gleich —
daß sie schauen meine Herrlichkeit.. (Jo. 17, 24) — stellt also sich
selbst dem Wesen nach Gott gleich. — Ja, Christus verfügt sogar
über die göttliche Person des heiligen Geistes. Mag er auch als
Träger der Menschennatur den Vater um die Sendung des heiligen
Geistes gebeten haben, als Mitträger der göttlichen Natur sendet
er Ihn ebenso eigenmächtig, wie der Vater; der heilige Geist wird
vom Seinigen nehmen und den Aposteln verkünden. Das kann jedoch
nur Gott tun.

Wie Christus nur des Menschenheiles willen den heiligen Geist
gesendet hat, so ließ er auch nur aus Liebe zu den Menschen seine
göttliche Herrlichkeit in die von ihm angenommene Menschennatur
überströmen, um von da aus nicht dem Wesen nach, sondern dem
Wirken nach die Gottesgemeinschaft weiter zu verbreiten in den ge=
schaffenen Menschenseelen, indem sie sich von Ihm vollständig durch=

---

[1] H. Wendt, Die Lehre Jesu II, Göttingen 1890, 466.

dringen laſſen, damit ſie durch Liebe untereinander und mit
Gott verbunden werden, und in dieſer Verbindung ihr Ziel, ihre
Seligkeit erreichen. So iſt Chriſtus für die Menſchen wirklich „der
Weg“ oder der dem Vater weſensgleiche Urgrund und das Heils=
prinzip geworden.

Für ſolch kunſtvolle johanneiſche Theologie von Chriſtus bieten
uns die ſchlichten Synoptiker einen gleichwertigen Erſatz in einer
ihrer volkstümlichen Darſtellungsweiſe entſprechenderen Form dar:
nämlich das direkte Selbſtzeugnis Jeſu als des (göttlichen) Herrn und
(menſchlichen) Sohnes Davids, ſowie des zur Rechten Gottes thronen=
den und zum Weltgericht wiederkommenden „Menſchenſohnes“.

Nicht weniger klar findet man in den Evangelien ausgedrückt,
daß Chriſtus die Wahrheit im abſoluten Sinne oder die Quelle des
Lichtes, und dadurch wahrer Gott iſt. So nennt ihn Johannes „das
wahre Licht“, welches ſeinen Daſeinsbeſtand im göttlichen Weſen
hat, und zwar deshalb, weil es „in dem Lichte iſt“, das direkt Gott
genannt wird (I. Jo. 2, 8). Chriſtus ſelbſt erklärt ſich für den leben=
ſpendenden göttlichen Lichtherd der Heilswahrheit, für den wirkſamen
Vermittler licht= und lebensvoller Gottesgemeinſchaft, indem er ſagt:
„Ich bin das Licht der Welt. Wer mir nachfolgt, wird nimmermehr
in der Finſternis wandeln, ſondern das Licht des Lebens haben.“
(Jo. 8, 12). Die Wahrheit dieſer ſeiner Worte beweiſt er durch das
ſymboliſche Wunder der Heilung des Blindgeborenen im Teich Siloe.
Jedoch jeden Schatten des Zweifels an der Gottheit Chriſti müſſen
die Worte vertreiben, durch die er ſich ſogar mit dem Vater identifiziert,
indem er ſagt: „Glaubet an das Licht, damit ihr Kinder des Lichtes
werdet, — damit jeder, der an mich glaubt, nicht in der Finſternis
bleibt“ (Jo. 12, 36, 46). Ein bloß menſchlicher Gottesgeſandter wird
die Menſchen auf Gott hinweiſen, nie aber auf ſich ſelbſt als das
Licht der Welt, von welchem die Kraft zu einem lichtvollen Lebens=
wandel ausgeht.

Jedoch nicht bloß bei Johannes, ſondern auch bei den Synop=
tikern bekundet ſich Chriſtus zwar nicht dem Buchſtaben, aber dem
Geiſte nach als die Wahrheit oder das Licht, d. i. als Urquell gött=
licher Erleuchtung, indem er Propheten, Weiſe und Schriftgelehrte
an die Juden ſendet (Mt. 23, 34), den Apoſteln die Weisheit ver=
ſpricht, welcher alle ihre Widerſacher nicht werden widerſtehen können
(Lk. 21, 15), und erklärt, daß ſeine Worte nie vergehen werden
(Mt. 24, 35). So kann nur Gott ſprechen. Deshalb iſt es ein arges
Mißverſtändnis, wenn man behauptet, Chriſtus habe die Bezeichnung
„guter Meiſter“ und dadurch auch die Gottheit von ſich abgelehnt.
Wenn dem wirklich ſo wäre, dann könnte er nie und nimmer un=
bedingte Nachfolge für ſeine Perſon verlangen, ſondern höchſtens
durch ſeine Perſon für den einen guten Gott. Chriſtus wollte viel=
mehr aus dem fragenden Jünglinge, der in Jeſu etwas Höheres ſah,
indem er vor Ihm nach Markus das Knie beugte, das theoretiſch

und praktisch zu vollendende Bekenntnis des göttlichen Meisters
herauslocken.

Wie hier Jesus das Prädikat „gut“ im vollen Sinne nimmt
vom Urquell alles Guten, so versteht er anderwärts die Bezeichnung
„Meister“ oder „Rabbi“ im nämlichen prägnanten Sinn als Urgrund aller Offenbarungsweisheit. Wenn er deshalb diesen Titel für
sich, und zwar ausschließlich in Anspruch nimmt, so folgt daraus
unwiderleglich, daß er göttliche, dem himmlischen Vater durchaus
ebenbürtige Hypostase, himmlischer Urgrund aller Lehrweisheit, „die
Wahrheit“ κατ᾽ ἐξοχήν ist.

Jesus weiß sich aber auch praktisch als göttlichen Gesetzgeber
und Lichtträger der ewigen Wahrheit, indem er sich als Herrn des
Sabbats und der vorbildlichen theokratischen Gesetzgebung des Alten
Bundes bezeugt.

Zahlreiche Stellen treten uns in den Evangelien entgegen,
deren Widerhall ist: Jesus ist Gott, denn er hat das Leben in sich
selber (Jo. 5, 21), er ist Urquell alles Lebens, sowohl des natürlichen — denn er erweckt die Toten — als des übernatürlichen, wie
man aus den Stellen entnehmen kann, wo er sich als den Weinstock
bezeichnet, von dem die Lebenskraft und der Lebenssaft in die mit
ihm organisch verbundenen Reden übergeht, wo er sich vom Vater
dargebotenes Brot des Lebens und lebendiges Wasser, welches ins
ewige Leben quillt, nennt. Ja, Christus stellt sogar direkt den Glauben
an seine Gottheit als erste und notwendigste Bedingung des Heilslebens auf, indem er in seinem hohenpriesterlichen Abschiedsgebet
unter anderem sagt: „Dies aber ist das ewige Leben, daß sie dich
erkennen, den einzigen, wahrhaftigen Gott, und den du gesandt hast,
Jesus Christus“ (Jo. 17, 3). So bei Johannes.

Mit nicht minderer Klarheit und Kraft leuchtet die Gottheit
Christi aus den Synoptikern hervor. Denn nie kann ein bloßer, noch
so hochgestellter Mensch anderen die Nachfolge seiner eigenen Person
unter Verzicht selbst auf das zeitliche Leben als Bedingung für die
Erlangung des ewigen Lebens aufstellen, nie kann er die Verweigerung
des lebendigen und standhaften Glaubens an seine eigene Persönlichkeit
mit der ewigen Verwerfung im Weltgericht bedrohen, nie kann er,
wie das Christus getan hat, dem reumütigen Verbrecher so ganz bestimmt das Paradies verheißen, worin niemand Herr ist als Gott
selbst. Ja noch mehr — Christus schreibt sich die Gewalt der Sündennachlassung, die den Menschen nicht eignet, zu, und überträgt dieselbe
nach seiner Auferstehung auf die Apostel. Die Unrichtigkeit der Behauptung des Johannes Weiß,[1] daß „an der Pforte der messianischen
Zeit allen Menschen, die im Besitze der Gotteskindschaft und voll
Glauben an Gottes Liebe sind, die Gewalt zukommt, dem Sünder

---

[1] Joh. Weiß, Die Predigt Jesu vom Reiche Gottes, 1900 56—58, 207 ff.;
Die Nachfolge Christi, Göttingen 1895, 33*).

die verzeihende Gnade Gottes verkünden können, ohne damit die Blasphemie zu begehen", beweist folgendes: 1. Die Gewalt, die von solchen Bedingungen abhängt und in bloßer Verkündigung der Sünden= nachlassung besteht, ist eigentlich keine Gewalt, noch kann man daraus den Vorwurf einer Gotteslästerung ableiten, wie es die Pharisäer z. B. im Falle der Sündennachlassung beim Gichtbrüchigen in Kapharnaum getan haben. 2. Weil Christus hier die Wunderkraft in die Parallele mit der Gewalt der Sündennachlassung setzt, deshalb müßte jene „an der Pforte der messianischen Zeit" ebenso allgemein jedem Menschen ohne Ausnahme zufallen wie die Gewalt der Sünden= nachlassung. Das war aber nicht der Fall, denn vereinzelte Dämonen= austreibungen durch die Jünger Jesu, wie der Pharisäer, waren nur Ausnahme, keine Regel, sonst könnten sie nicht mehr allgemeines Staunen im Volke hervorrufen, wie das in unserem Falle ausdrücklich bezeugt ist.

Ebenso wie die Gewalt der Sündennachlassung, verspricht Christus in seinem Namen die göttliche Erhörung von Gebeten und die Verleihung jener Wundermacht, die er zeitlebens aus eigener Kraft betätigt hat; er sagt den Aposteln, daß ihm alle Gewalt im Himmel und auf Erden gegeben ist, und überträgt dieselbe auf die Apostel mit der Verheißung seines immerwährenden Beistandes „bis zur Vollendung der Weltzeit" (Lk. 24, 49), wodurch er sich am meisten als göttliches Prinzip des übernatürlichen Heilslebens offenbart.

Jedoch Christus bekundet sich als Herr des Lebens auch dadurch, daß er die Menschen im Weltgerichte zur ewigen Verdammnis ver= urteilen kann. Dieses Gericht, welches im eigentlichen Sinne als ein Ausfluß der absoluten Herrschaft Gottes ein ausschließlich göttliches Hoheitsrecht ist, und in diesem Sinne nie dem Menschen übertragen werden kann, hat Gott der Vater ganz und ausschließlich dem Sohne überlassen, denn „nicht der Vater richtet jemand, sondern das Gericht hat er ganz dem Sohne gegeben" (Jo. 5, 22 f. 27). Somit ist sonnenklar bewiesen, daß Christus das Prinzip alles Lebens, das Leben selbst, und dadurch wahrer Gott ist.

Darüber, welcher Sinn mit dem Bekenntnis des Glaubens an den messianischen Gottessohn zu verbinden ist, geben uns auch die Zeugnisse der Glaubensboten Jesu, nämlich Johann des Täufers, der Evangelisten und des heiligen Paulus Aufschluß, wo= über im V. Kapitel gesprochen wird. Johannes der Täufer — dessen Zeugnis formell noch gesteigert wird durch das Ansehen seiner Per= sönlichkeit bei Freund und Feind, und durch dessen authentische An= erkennung seitens Christi, der es so gewissermaßen auf die Stufe eines Selbstzeugnisses erhebt — bezeugt aus der Inspiration die Gottheit Christi, sowohl direkt, als auch indirekt. Direkt, indem er ihn ausdrücklich den „Sohn Gottes" nennt, und zwar im wahren Sinne des Wortes, wie man sowohl aus dem Zusammenhange, als auch aus der feierlichen und umständlichen Vorbereitung der Ankunft

Christi und aus der Erklärung des Täufers, daß er nur ein Vor=
läufer und Wegbereiter des Messias sei, erkennen kann. Indirekt,
indem er Christus für den Weltrichter, für denjenigen, der früher
war als er, der mit dem heiligen Geiste tauft und die Sünden der
Welt hinwegnimmt, erklärt. Es ist also die Behauptung der un=
gläubigen Kritik, Johann der Täufer kannte Jesum nicht als gött=
lichen Erlöser, eine durchaus willkürliche.

Was die Evangelisten betrifft, so ist im allgemeinen zu sagen,
daß bei allen im wesentlichen das nämliche volle Bewußtsein von
der Gottheit Christi anzutreffen ist. Außer den schon früher ange=
führten Texten kann man hier die Einleitungsworte des Markus=
evangeliums, das Bekenntnis des Hauptmanns unter dem Kreuze,
besonders aber viele Zeugnisse aus der Kindheitsgeschichte Jesu bei
Matthäus und Lukas für seine wesenhafte Gottessohnschaft anführen.

Ebenso wie die Synoptiker und Johannes drückt auch der heilige
Paulus in seinen allgemein anerkannten Hauptbriefen die wesenhafte
Gottessohnschaft Christi deutlich aus. Seine Briefe sind gewissermaßen
ein deutlicher Kommentar zum Johannes=Evangelium, und wir finden
bei ihm sämtliche Grundideen des johanneischen Christus, und zwar
nicht bloß nach seiner soteriologischen, sondern auch nach seiner meta=
physischen Bedeutung. Somit fällt die Behauptung Pfleiderers,[1] daß
Paulus die Logosidee ganz in subordinatianischem Sinne gefaßt habe.
Diese paulinische Logos=, Christusidee leitet Pfleiderer[2] aus der Vision
Pauli vor Damaskus ab. Für eine solche rein subjektive, patologische
Vision fehlt jedoch jede ideale und reale Basis, sie ist ganz unpsycho=
logisch. Gegen dieselbe sprechen alle Umstände dieser Begebenheit vor
Damaskus, gegen sie spricht das, was in den primären Quellen
darüber erzählt wird, gegen sie spricht der heilige Paulus
selbst, der diese wirkliche Erscheinung des auferstandenen und ver=
klärten Christus direkt von den bloßen Gesichten unterscheidet, gegen
sie spricht auch der Umstand, daß diese Erscheinung vor Damaskus
auch von den Begleitern des Saulus — wenn auch nicht in vollem
Umfang — miterlebt wurde.

Im Schlußworte weist der Autor auf die Unvereinbarkeit dog=
matischer und modernistischer Christologie hin. Der moderne Kultur=
mensch kann nicht vom nichtigen Phantasiegötzen des Pantheismus,
sondern nur vom historischen Gottmenschen und wirklichen Heiland
Christus das Heil der Welt erwarten. Deshalb wird der nach Wahrheit
sich sehnende, verlorene Sohn gewiß noch einmal zur Kirche als seiner
Mutter zurückkehren.

Aus dem Angeführten ist es ersichtlich, welch reiches und zeit=
gemäßes Material der Autor gesammelt hat. Obwohl in einigen
Punkten nicht alle dem Autor werden beistimmen können, so zum

---

[1] Pfleiderer, Das Urchristentum, Berlin 1902. I¹, 70, 73, 227. —
[2] Pfleiderer, Die Entstehung des Christentums, München 1907. 112; vgl. 132 ff.

Beispiel wo er über die Lösung der Widersprüche in der heiligen
Schrift redet, oder wo er sagt, daß Petrus im Namen aller Apostel
die Gottheit Christi bekannt habe, so wird niemand anstehen anzu=
erkennen, daß sein Buch ausgezeichnet ist. Die Menge von Zitaten
spricht von seiner großen Kenntnis der gegnerischen Literatur, die
Leichtigkeit und Fertigkeit, mit der er die Einwendungen der Feinde
löst und ihre Spitze gegen sie selbst richtet, sind Zeichen seiner tiefen
und gründlichen wissenschaftlichen Bildung. Das Studium dieses
Werkes lohnt sich reich und mancher, dessen Glaube an die Gottheit
Christi einer erlöschenden Flamme ähnlich ist, ruft, erliegend der Kraft
der Beweise, mit dem ungläubigen Thomas Christo zu: „Mein
Herr und mein Gott!"

Pastoral=Anleitungen aus dem 16. und 17. Jahr= hundert.

Ein Beitrag zur Entwicklungsgeschichte der Pastoraltheologie.

Von Dr. Karl Fruhstorfer in Linz.

(Erster Artikel.)

Wie es einen eigenen Reiz hat, die Bildungsfasen eines her=
vorragenden Geistes zu verfolgen, sein stufenweises Hinaufsteigen zur
Höhe klarer Erkenntnis oder vollendeter Tugend, ebenso ist es von
Interesse, den Werde= und Entwicklungsgang einer bestimmten Wissen=
schaft zu beobachten und den Wegen nachzusinnen, die sie forschen=
den Auges im Laufe der Jahrhunderte eingeschlagen. Denn Fort=
schritt, Weiterbildung ist der Lebensnerv jeder Wissenschaft. Auch die
Wissenschaft der Pastoraltheologie hat verschiedene Wandlungen er=
fahren. Ihre Grundprinzipien freilich waren immer die gleichen und
müssen es stets bleiben — denn sie stammen von demjenigen, bei
dem es kein Gestern und Heute, nicht den leisesten Schatten von
Veränderlichkeit gibt — aber verschieden in den verschiedenen Zeiten
war deren Ausgestaltung, Ausbau und Darstellungsweise.

Der Entwicklungsgang der Pastoraltheologie spiegelt sich ab in
ihrer Literatur. Wir wollen eine Reihe hervorstechender pastoralistischer
Anweisungen des 16. und 17. Jahrhunderts, die in Deutschland nach
Abhaltung des Konzils von Trient erschienen sind, einer eingehenden
Besprechung unterziehen, um an der Hand derselben den Charakter
der Pastoraltheologie in der genannten Zeit kennen zu lernen. Wir
wählten die auf das Tridentinum folgenden Jahre zum Ausgangs=
punkt, weil gerade diese Synode zahlreiche, das seelsorgliche Leben
regelnde und in die seelsorgliche Tätigkeit tief einschneidende Bestim=
mungen getroffen hat und so neue, kräftige Antriebe zur eifrigen
Pflege der Pastoraltheologie gab. Mußten nicht in jener Periode, in
der der Protestantismus mit voller Kraft gegen die Mutterkirche
anstürmte, treu ergebene Gelehrte sich mächtig angespornt fühlen, die

von dem großen Reformkonzil in seelsorglicher Hinsicht gebotenen Ideen in pastoraltheologischen Schriften zu verarbeiten und auf diese Art beim Klerus immer mehr und mehr einzubürgern?

I. Der Anfang sei mit einem Werke gemacht, das offen an seiner Stirne den Namen Pastoraltheologie trägt, mit dem Enchiridion theologiae pastoralis des Weihbischofs von Trier Petrus Binsfeld, das zuerst 1591 ebendort herausgegeben wurde.[1] Was Binsfeld zur Abfassung des Enchiridion veranlaßte, erfahren wir aus der an der Spitze des Buches stehenden Widmung an den damaligen Erzbischof von Trier Johannes VII. von Schönenberg. Durch das Tridentinum war verordnet worden, ne ulli aditus ad curatorum (Sess. 24, c. 18 de ref.) et confessorum (Sess. 23, c. 15 de ref.) officium pateat sine praevio examine et approbatione. Zu der infolgedessen in der Diözese Trier eingesetzten Prüfungskommission zählte auch Binsfeld. Als Examinator nun hörte derselbe oft von den Kandidaten die Klage: quod ignorent, quibus studiis instructi comparere debeant; atque formam aliquam praescribendam iudicarunt, cum nec omnibus contingat adire Corinthum, ut doctores aut in theologia excellentes esse possint, nec cunctis sit ea ingeniorum ubertas, ut profundam theologiam intelligere queant. Da beschloß denn Binsfeld, für diejenigen, qui ob ingenii sterilitatem, rerum inopiam aut aliam honestam causam studia non possunt prosequi nec librorum supellectilem comparare, in einem Opusculum das für den Seelenhirten unumgänglich Notwendige in klarer Kürze ex auctoribus probatis ac gravibus zusammenzutragen.[2]

Binsfelds Enchiridion theologiae pastoralis war demnach jenes Buch, aus dem bei den Pfarrkonkurs- und Jurisdiktionsprüfungen jener Zeit in Trier die Fragen gestellt wurden. Es zerfällt in fünf Teile; der 1. handelt de sacramentis, der 2. de peccatis in genere, capitalibus et eorum filiabus, der 3. de decem praeceptis decalogi et quinque ecclesiae,[3] der 4. de iustitia et iniustitia

---

[1] Binsfelds Biographie findet sich im Kirchenlexikon[2], 2. Bd., Sp. 846—48. — Unserer Besprechung liegt die Ausgabe von 1609 zugrunde: Enchiridion theologiae pastoralis et doctrinae necessariae sacerdotibus curam animarum administrantibus, conscriptum a R. P. Petro Binsfeldio Suffraganeo Trevirensi Doctore theologo in gratiam examinandorum pro cura pastorali. Nunc secundo recognitum et in multis locis utiliter auctum. Augustae Trevirorum 1609. — [2] Damit jedoch dasselbe auch von solchen, die ein reicheres und tieferes Wissen anstrebten, mit Frucht gebraucht werden konnte, hat Binsfeld den meisten Partien ein Verzeichnis der einschlägigen, sich eingehender mit den betreffenden Materien befassenden Literatur beigefügt. Für die rudiores hinwieder sollte dieses Verweisen auf berühmte Theologen den Zweck haben, ut auctoritate confirmentur ad quiescendum in doctrina. — [3] Als solche werden aufgezählt: 1. Statutos ecclesiae festos dies celebrato. 2. Sacrum missae officium diebus festis reverenter audito. 3. Jeiunia certis diebus temporibusque indicta observato 4. Peccata tua sacerdoti proprio annis singulis confitetor. 5. Sacrosanctam eucharistiam ad minimum semel in anno idque circa festum Paschae sumito (S. 472).

clericorum in ordine ad beneficia,[1]) der 5. endlich verbreitet sich
de censuris ecclesiasticis et irregularitate. Letzterer ist im großen
und ganzen eine Ergänzung zu dem im 1. Teil behandelten Buß=
sakrament. Schon aus dieser kurzen Inhaltsangabe ist ersichtlich, daß
wir es nicht mit einer Pastoraltheologie im strengen Sinne des
Wortes zu tun haben, sondern mit einer theologia pastoralis, die
stark vermengt ist mit Moraltheologie und Kirchenrecht. Denn der
2. und 3. Teil gehören der Moral an, während der 4. der Haupt=
sache nach kirchenrechtlichen Inhaltes ist. Binsfeld war nämlich vor=
züglich Kanonist und dies erkennt man auch sofort aus unserm Buch,
das zahlreiche Hinweise auf das corpus iuris canonici enthält. Uebrigens
machte der Zweck, den sich der Autor gesetzt hatte, für die Kandidaten
der Pfarrkonkurs= und Jurisdiktionsprüfungen zu schreiben, die Ein=
schaltung moraltheologischen und kirchenrechtlichen Stoffes notwendig.
Doch trägt Binsfeld bei Behandlung mancher fremder Materien dem
pastoraltheologischen Momente Rechnung durch Rücksichtnahme auf
den Beichtstuhl. Ein Beleg hiefür sind die Worte, mit denen er den ins
Jus gehörenden Abschnitt über die Ehehindernisse einleitet: Impedi-
mentorum (matrimonialium) materia canonica est . . ., necessaria
tamen est aliqua eius cognitio confessario: quare breviter de
his impedimentis agemus (S. 139). Die Rücksichtnahme auf den
Beichtvater zeigen auch folgende Worte aus dem 2. Teil: De actionibus
humanis bonis i. e. virtutibus parum in hac introductione agemus,
remittimus enim ad morales . . . Nos confessarios instruimus,
quibus poenitentes ratione peccatorum subiiciuntur (S. 179) wie
der Schlußsatz des Kapitels über das kanonische Stundengebet: Haec
de horis canonicis pro confessariis (S. 582).[2])

Es liegt also im Enchiridion theologiae pastoralis Binsfelds
noch keine strenge Trennung der Materien vor. Die Gewässer sind
noch nicht geschieden, über denen der Geist schwebt — der Geist des
Tridentinum, der da auf die Schaffung eines sowohl frommen und
pflichteifrigen wie auch wissenschaftlich gebildeten Seelsorgklerus ab=
zielt. „Labia sacerdotis custodient scientiam et legem requirent
ex ore eius, quia angelus Domini exercituum est" prangt darum
als Motto an der Spitze des Binsfeldschen Enchiridion.

Wie kraftvoll, mit welch apostolischem Freimut tritt nicht Bins=
feld für die genaue Beobachtung der Residenzpflicht ein, die damals
so manche vernachlässigten! Residentia episcoporum et curatorum,
schreibt er, iure divino indicta est pro salute animarum et cura
populi, ut patet ex officiis et muneribus angelicis, quae si non

---

[1]) D. i. de ingressu ad beneficia ecclesiastica; de acceptatione personarum, quae committitur in beneficiorum acquisitione; de pluralitate beneficiorum; de simonia; de residentia annexa quibusdam beneficiis; de horis
canonicis; de distributione fructuum ecclesiasticorum. — [2]) Daher wird das
Enchiridion von der Mechelner Synode des Jahres 1607 den Beichtvätern zum
Studium warm empfohlen. Vgl. H. Hurter, Nomenclator Literarius³, tom. III
(Oeniponte 1907), S. 255.

praestent, ad quid terram occupant et de lacte ovium vivunt?
Qui enim altari inservit, de altari vivet et participabit iuxta
apostolicam doctrinam, ergo a contrario sensu, qui altari et
ecclesiae non inservit aut male inservit cum scandalo, ut multi
faciunt (Zeitbild!), non participabit de altari (S. 543). Im besondern erinnert er jene Prälaten, die unter Hinweis darauf, daß
sie zugleich principes, duces oder comites seien, der Residenzpflicht
sich ledig erachteten, an das Axiom, quod dignius trahat ad se
indignius, woran er folgende Argumentation knüpft: Dignius autem
est spirituale; quare si talis episcopus, abbas aut primas ob
negligentiam animarum ibit ad infernum, trahet secum principem,
ducem aut comitem (S. 531).

Nicht minder energisch wendet sich Binsfeld gegen eine den
Canones zuwiderlaufende Verwendung der kirchlichen Einkünfte wie
gegen jede schleuderhafte, den Vorschriften der Kirche nicht entsprechende Rezitation des Breviers. Tibi o sacerdos, sagt er in
ersterer Beziehung mit Hieronymus, de altari vivere, non luxuriari
permittitur und mit Bernhard: Non conceditur tibi, ut ... de
altario superbias, ut inde compares tibi fraena aurea, sellas
depictas, calcaria deargentata, varia griseaque pellicea[1]) a collo
et manibus ornatu purpureo diversificata (S. 591).[2]) In letzterer
Beziehung seien folgende zwei Stellen hervorgehoben: Peccant graviter,
qui transcurrunt in cantu aut lectione syncopando dictiones aut
syllabas deglutiendo in principio aut fine absorbendo vel ita
celeriter expediunt, ut articulatae voces non percipiantur, vel
suos versus incipiunt, antequam chorus aut respondens finiat:
quales abusus multi committuntur in collegiis et monasteriis,[3])
ubi nihil aliud attenditur quam ut finis acquiratur et hora transeat,
sed an bene vel male non curatur (S. 564). — Dicere nunc
officium secundum antiquum breviarium Romanum cardinalis
sanctae crucis[4]) non licet, quamvis quidam ob brevitatem idem
amplectantur (S. 555; vgl. S. 558 u. 566).

Welch großes Gewicht aber Binsfeld auf die wissenschaftliche
Bildung des Klerus legt, davon gibt glänzendes Zeugnis die Beantwortung der an Stelle eines Proëmium stehenden Frage: an et

---

[1]) Hermelinpelz. — [2]) Hiemit steht im Einklang, wenn Binsfeld von demjenigen, der ein geistliches Amt antritt, fordert: In suscipiente beneficium
requiritur recta intentio, ut quis nimirum velit fideliter inservire Domino Deo
in sanctitate et iustitia ... Hinc praepostera veniunt intentione ad ecclesiastica munia, qui honores, luxum, divitias aut aliquid temporale quaerunt
(S. 482). — [3]) Binsfeld mochte hiebei besonders an die Abtei Prüm gedacht
haben, die ihm der Kurfürst und Erzbischof von Trier Jakob von Eltz zur
sittlich-religiösen Reformation übergeben hatte. Vgl. Kirchenlexikon a. a. O
— [4]) Das auf Wunsch Klemens VII. von Quinquez, der als Kardinal in
Rom die Titularkirche vom heiligen Kreuz in Jerusalem innehatte, bearbeitete
und 1535 herausgegebene breviarium Romanum ex sacra potissimum scriptura
et probatis sanctorum historiis collectum et concinnatum.

quae scientia requiratur in sacerdotibus suscipientibus curam animarum.

Am meisten Interesse vom pastoraltheologischen Standpunkt aus bietet der erste von den Sakramenten handelnde Traktat. Ueber den Ritus bei der Sakramentenspendung freilich vernehmen wir nicht viel, da sich Binsfeld diesbezüglich fast immer damit begnügt, auf die Agende, den Catechismus Romanus, Bellarmin und andere hinzuweisen. Wir wollen im nachstehenden nach der Reihenfolge der Sakramente dasjenige verzeichnen, was wir der Aufmerksamkeit des Lesers besonders wert erachteten.

De sacramento baptismi. Die mit der Form: Fgo te baptizo in nomine Christi gespendete Taufe wird von Binsfeld unter Berufung auf Act. apost. 2, 38; 8, 12; 19, 5 nur für zweifelhaft gültig gehalten, daher in einem solchen Fall die Taufe bedingungsweise zu wiederholen wäre (S. 17). In Bezug auf die materia proxima lesen wir: In quibusdam locis infantes merguntur in aquam, in aliis aqua super eos funditur; und zwar hat die infusio, beziehungsweise immersio ein- oder dreimal zu geschehen je nach der Gewohnheit und dem Ritus der Kirche, in der das Sakrament gespendet wird (S. 18). Streng zurückgewiesen wird die Unsitte, bei der dreimaligen immersio oder infusio jedesmal die ganze Taufformel zu sprechen: Quando trina fit ablutio sive immersio, id ante omnia cavendum, ne ad unamquamque ablutionem tota forma repetatur, ut factum ab indoctis animadverti (S. 19).

De sacramento confirmationis. Den Empfang dieses Sakramentes vor dem 7. Lebensjahr, auch wenn für denselben in so frühem Alter kein besonderer Grund wie z. B. todesgefährliche Krankheit vorhanden ist, hält unser Autor nicht gerade für unerlaubt (S. 26).

De sacramento eucharistiae. Als forma sanguinis wird angegeben: Hic est calix sanguinis mei, novi et aeterni testamenti, qui pro vobis et pro multis effundetur in remissionem peccatorum (S. 31). Die Frage, quae aetas requiratur, ut parvuli possint communicare, beantwortet Binsfeld pastoralklug also: Certa regula ad hoc nulla est, parentes et confessarii debent ex conversatione et moribus dignoscere, an possint discernere inter bonum et malum et diiudicare corpus Domini, quod ut plurimum a 10. anno usque ad 12. solet accidere. Daran schließt sich folgende die erste Beichte betreffende Bemerkung: Citius antem pueri obligentur ad confessionem, nempe cum primum noverint inter honestum et inhonestum distinguere, quod saepe 7. aut 8. anno contingit (S. 43; vgl. S. 74). Der geistlichen Kommunion geschieht mit den Worten Erwähnung: Secundus modus sumendi eucharistiam est eorum, qui spiritualiter tantum sumunt eucharistiam ut sunt ii, qui desiderio et voto, viva fide incensi, panem illum coelestem praegustant (S. 44). — Den Namen missa leitet Binsfeld aus dem Hebräischen ab: Missa nomen hebraeum est, latine oblationem significat (S. 48).[1]

De sacramento poenitentiae. Der Satz: Manus impositio in absolutione potest adhiberi vel omitti pro consuetudine et usu ecclesiae (S. 61) bezeugt, daß die Handauflegung bei der sakramentalen Absolution in manchen Kirchen noch in Gebrauch war. Die Beichte mußte dem proprius sacerdos (Pfarrer) abgelegt werden: Confessio facta simplici sacerdoti vel non de licentia curati proprii alii curato est nulla et reiteranda (S. 92; vgl. S. 73). Doch mahnt Binsfeld zweimal, der proprius sacerdos möge sich in der Gewährung der Lizenz, bei einem anderen beichten zu dürfen, nicht spröde zeigen (S. 74 u. 83). Von dem Beichtvater fordert unser Verfasser folgende

---

[1] Binsfeld dachte wohl an מִסָּה, welches Wort Deut. 16, 10 und nur hier vorkommt. Es bedeutet aber nicht „Opfer", sondern: nach Maßgabe, je nachdem. Vgl. Fr. Buhl, Gesenius' Hebräisches Handwörterbuch[14], Leipzig 1905, S. 398.

Trias von Eigenschaften: scientia, prudentia, bonitas (= Besitz der heiligmachen= den Gnade, S. 98). Bei der Behandlung der prudentia wird recht gut bemerkt: Debet confessarius cum patientia sine ullo signo perturbationis aut horroris, etiamsi poenitens gravissima peccata confiteatur, permittere, ut sua peccata vel ordine vel confuse prius confiteatur, antequam interroget, nisi fortasse breviter in discursu alicuius admonendus sit propter oblivionem. In der Fragestellung sodann hat sich die prudentia darin zu zeigen, 1. ut confessarius interroget de peccatis eorumque circumstantiis necessariis et non de fabulis seu aliis impertinentibus ex curiositate; 2. ut fiat interrogatio nisi de peccatis consuetis et eis. quae communiter committuntur et cognoscuntur a poeni- tentibus; 3. ut interrogando circa peccata luxuriae et carnalia non nimis ad particulares circumstantias descendat (S. 99 ff.).

De sacramento extremae unctionis. Die Salbung der Füße war nicht allwärts üblich: Unctio fieri debet necessitate in quinque locis: oculis, auribus, manibus, naribus et labiis; secundum consuetudinem aliquarum ecclesiarum etiam in pedibus et renibus (S. 128). Mit Nachdruck macht Binsfeld auf folgendes aufmerksam: Cavendus in administratione huius sacramenti error quorundam indoctorum, qui tempore pestis existimant sufficere unctionem fieri in una aut altera partibus, cum tamen secundum veritatem necessarius sit ad sacramenti essentiam quinque dictas partes ungi (S. 128).

De sacramento ordinis Dasselbe wird wie das vorausgehende sehr kurz abgetan. Auffallend ist, daß bei der Angabe der Materie des Presbyterates und Diakonates der Handauflegung seitens des Bischofs nicht die leiseste Er- wähnung geschieht (S. 131).

De sacramento matrimonii. Hier verdient hervorgehoben zu werden, daß sich Binsfeld alle Mühe gibt, den Entscheidungen des Tridentinums bezüg= lich der Ehe Anerkennung zu verschaffen. Wir verweisen allein darauf, daß er eine dem genannten Konzil hinsichtlich der geistlichen Verwandtschaft zuwider- laufende Bestimmung der Trierschen Agende richtig stellt. (S. 142). Als ministri sacramenti matrimonii werden die personae contrahentes bezeichnet (S. 136).

Aus dem Abschnitt de horis canonicis sei noch folgendes angemerkt. Die Siebenzahl der Horen sehen wir (S. 546) in Beziehung zum Leiden Christi gesetzt:

Haec sunt septenis propter quae psallimus horis.
Matutina ligat Christum, qui crimina purgat.
Prima replet sputis, causam dat Tertia mortis.
Sexta cruci nectit, latus eius Nona bipartit.
Vespera deponit, tumulo Completa reponit.

Die Antizipation der Matutin und der Laudes erklärt Binsfeld, wenn sie ex rationabili causa geschieht, für zulässig: Non est peccatum, imo meritum ... propter honestas occupationes matutinas horas vespere praecedenti recitare et mane usque ad vesperas exclusive reliquas absolvere. Si quis tamen hoc sine rationabili causa faceret, ut diutius dormiret et voluptati indulgeret, venialiter peccaret. Quando autem matutinae dicuntur vespere praecedenti, parum refert, an fiat post vel ante coenam ... Et hoc observandum licitum esse vespere praecedenti matutinas legere usque ad laudes exclusive et sequenti die incipere a laudibus: Deus in adiutorium etc. (S. 557.) Die Rezitation der Matutin und Laudes vor der Messe ist strenge Pflicht! (S. 559.)

Die Homiletik wird von Binsfeld nur gestreift, während die Katechetik ganz leer ausgeht. In der bereits erwähnten, die Vor= rede ersetzenden quaestio nämlich, an et quae scientia requiratur in sacerdotibus suscipientibus curam animarum, werden einige Werke angeführt, denen der Seelsorger den Stoff zu seinen Predigten entnehmen soll; es sind dies: Homiliae sanctorum patrum et con- ciones doctorum, Catechismus maior Petri Canisii, Catechismus

Concilii Tridentini wie das Concilium Tridentinum selbst, quod
articulos fidei circa mysteria in canones clarissime reducit. Indes
auch im Buche selbst nimmt Binsfeld bei einzelnen Fragen, z. B.
de effectibus et fructibus eucharistiae (S. 47 f.) oder quis modus
acquirendi contritionem? (S. 72) Gelegenheit, zum Behufe der Be=
handlung derselben auf der Kanzel eine Reihe von Autoren anzugeben.

II. Noch klarer und augenfälliger als bei Binsfeld tritt die plan=
mäßige Berücksichtigung des Bußsakramentes in dem bereits 1585
in Köln erschienenen Buche des Johannes Molanus (Vermeulen)
hervor, das den Titel „Theologiae practicae compendium“[1])
führt. Denn dieses Kompendium beginnt sofort mit dem Traktat de
poenitentia ac censuris, dem sich gleichsam ergänzend die beiden
Traktate de decalogo und de virtutibus ac peccatis — eine voll=
ständige Moral — anschließen. Diese drei Abhandlungen füllen den
bei weitem größten Teil des Buches aus. Dann folgt ein kurz ge=
haltener Traktat über die anderen sechs Sakramente. Den Schluß
bildet der Traktat de re publica christiana, d. i. über die Aufgaben
und Pflichten der geistlichen und weltlichen Obrigkeit, des gemeinen
Volkes und einzelner Stände. Hier findet sich auch ein drei Seiten
umfassendes Kapitel de praedicatoribus. Es ist aber der gerade
erwähnte Abschnitt nicht, wie man vermuten möchte, eine Hodegetif.
Denn es wird in ihm der moraltheologische, nicht der pastoral=
theologische Standpunkt eingenommen: Molanus' Pastoraltheologie
ist ebenso wie die Binsfelds stark mit Moraltheologie durchsetzt.

Einen Fortschritt dagegen bedeutet Molanus' Kompendium in
liturgischer Hinsicht. Ein guter Kenner der Kirchengeschichte und
berühmter Archäologe begnügt sich Molanus nicht damit, nur die
zu seiner Zeit gebräuchlichen Arten der Spendung der Sakramente
anzugeben, sondern er greift auch in die Vergangenheit zurück. So
gedenkt er bei Besprechung der üblichen Taufzeremonien, nachdem
er erwähnt, daß die erste Zeremonie bei der Taufe die statio ante
fores sei, des alten Katechuminats, indem er sagt: Dicebantur autem
catechumeni, postquam nomina suo episcopo dedissent, compe-
tentes et electi ac delecti. Ji autem diligenter catechizabantur
(Bl. 129, n. 3—5). Betreff des Tauferzorismus bemerkt er: Hanc
autem ceremoniam iam Optatus et Augustinus vocant antiquissi-
mam et toto orbe notam (Bl. 129, n. 8) und zum Schlusse des
Kapitels über die Taufzeremonien lesen wir: Fuerunt etiam particulares ceremoniae. Quales erant apud Mediolanenses, quod pastor

---

[1]) Es ist aus den pastoraltheologischen Vorlesungen entstanden, die Molanus
den Alumnen des 1579 von Philipp II. gegründeten Regium Seminarium
Lovaniense zu halten hatte, dessen erster Rektor er war. Weiteres über Molanus
im Kirchenlexikon, Bd. 8, Sp. 1729 f. — Henricus Costerius, Kanonikus und
Scholaster bei St. Gudula in Brüssel (vgl. über ihn Chr. Jöcher, Allgemeines
Gelehrten=Lexikon. Leipzig 1750, 1. T. S. 2141), spendet in einem carmen dem
Kompendium das Lob: Si relegam, merito summistis praefero cunctis (Bl. 3 des
Kompendium, wo jenes carmen sich abgedruckt findet).

oculos baptizati luto illiniebat et lotio pedum, item degustatio
lactis et mellis, donatio novorum calceamentorum, osculum sacerdotis et similia nonnulla (Bl. 130, n. 24—29). In dem Abschnitte
über die Firmung wird nicht bloß die bekannte Form Eugens IV.
angegeben, sondern auch die in alter Zeit in Rom angewandte:
De forma (confirmationis) non mirum est pauca apud veteres
legi, cum ab Innocentio I. scriptum sit: verba dicere non possum,
ne prodere videar. Primi formam publicasse videntur magistri
Romanae ecclesiae in ordine Romano, ubi legitur: confirmo te
in nomine Patris et Filii et Spiritus sancti amen (Bl. 131, n. 12).
Ferner werden die verschiedenen Namen aufgezählt, mit denen dieses
Sakrament (Bl. 131) wie die Eucharistie (Bl. 132) von den Vätern
bezeichnet werden.

Molanus' Ausführungen über die Verwaltung und Spendung
der Sakramente zeichnen sich weiter aus durch manche praktische
und pastoralkluge den Titel des Buches „Theologiae practicae
compendium" ehrende Bemerkungen. Hieher gehört unter anderen die
an die Beantwortung der Frage, wann die Kinder zur ersten Beicht
und Kommunion zu führen sind, geknüpfte Aeußerung: Haec autem
sicut et alia quaedam confessionem concernentia magis ex
prudentia quam ex disputatione theologica sunt definienda (Bl. 14,
n. 13); ferner was wir über das Aufschreiben der Sünden vernehmen: Contra oblivionem peccata scribere neque necessarium
est neque expedit (Bl. 16, n. 6.). Dann muß hieher gerechnet werden
der die Aufrichtigkeit der Beichte betreffende Satz: Docendi sunt
rudiores, ne utantur formula quadam confessionis, quae certorum
peccatorum enumeratione constet — monendi vero eruditi, ut
simplicissime absque ullo ornatu peccata sua confiteantur (Bl. 16,
n. 33 f.). Wie pastoralklug ist nicht auch die Art und Weise, wie
Molanus die Pfarrer vor jeder Säumigkeit in der Spendung der
letzten Oelung warnt! Er bescheidet sich nämlich damit, dieselben an
folgende, vom heiligen Bernhard im Leben des heiligen Erzbischofs
Malachias erzählte Episode zu erinnern: Meminerint parochi sententiae Malachiae: „Obsecro, Domine, insipienter egi. Ego peccavi,
qui distuli, non illa, quae voluit." Unde consolari noluit nisi
postquam illa defuncta revixit et eam cum gratiarum actione
inunxit (Bl. 136, n. 30 f.). — Bloß zwei Fragen, die übrigens
nur flüchtig hingeworfen sind, ohne beantwortet zu werden, passen
wenig in ein Compendium theologiae practicae, die beiden
quaestiones: an agnosci debeant aliqui baptizati a spiritu aut
angelo? et quando daemoniacus rate conferat baptismum? (Bl. 129,
n. 60 f.).

Im besonderen sei noch auf folgende nicht uninteressante Einzelheiten in
der Sakramentenlehre des Molanus hingewiesen. Unser Autor ist ein heftiger
Gegner der absolutio conditionata: Grande committit sacrilegium, qui addita
aliqua conditione absolutionem dubie pronuntiat, quae veluti sententia iudicis
clare est pronuntianda (Bl. 4, n. 16). Der Handauflegung bei der Lossprechung

wird mit den Worten gedacht: Tametsi haec cerimonia (impositio manus) quibusdam in locis sit usu abolita, retinenda tamen aliis in locis, ubi eius usus remanet (Bl. 4, n. 18 f.). Der im Mittelalter bei Ermanglung eines Priesters öfter angewendeten „Laienbeichte" geschieht in verurteilender Weise Erwähnung: Si sacerdotis copia desit, numquam laico seu laicis quantumcunque bonis et devotis facienda est confessio (Bl 18, n. 25). In der Abhandlung über die letzte Oelung werden unter den zu salbenden Teilen auch aufgezählt: renes aut cor propter delectationem (Bl. 135, n. 10). Die Salbung bloß an der Stirne wird ex iusta causa für erlaubt erklärt unter der Voraussetzung, daß der Kranke schon gefirmt ist: Infirmum autem non confirmatum ungere in fronte illicitum est (Bl. 135, n. 13).

Auch eine den Bilderkult betreffende Bemerkung, die gleichfalls im vierten Traktat vorkommt, sei angeführt: Ad sacros etiam ritus referendum est, quod Pauli imago in Apostolicarum litterarum sigillis ad dexteram Petri collocetur (Bl. 127, n. 18).[1] Diese gewiß auffällige Darstellungsweise erlangte damals er- höhtes Interesse dadurch, daß die Magdeburger Centuriatoren selbe zu einem Angriff auf den Primat Petri ausbeuteten.

Wie schon angeführt, treffen wir bei Molanus ein eigenes kurzes Kapitel de praedicatoribus (Bl. 167 ff.) Auch hierin weist die praktische Theologie des Molanus einen Fortschritt der Binsfeldschen gegenüber auf. Nachdem unser Autor im Anschlusse an das Tridentinum dargetan, wer das Predigtamt ausüben soll oder darf, behandelt er die Frage, wie sich der Verkünder des gött- lichen Wortes auf die Predigt vorzubereiten hat. Dieselbe wird folgendermaßen beantwortet: 1. durch Studium: Debet divini verbi praedicator diligenti studio discere omnia, quae docenda sunt, ut veritatem et ipse intelligat et probe cognitam populo sic sub- ministret, ut non intellectum tantum illustret, sed et affectum et voluntatem ad id quod hauserit prosequendum et amandum sollicitet atque inflammet (Bl. 167, n. 13); 2. durch Gebet (n. 14); 3. nicht zuletzt durch musterhaften Wandel: Maxime vita bona auctoritatem verbis addat (n. 15)! Wohl nicht ohne Seitenblick auf den gärungsvollen und derben Charakter der Zeit, in der Molanus lebte, sind folgende Mahnungen an die Prediger nieder- geschrieben: Peccant graviter, qui ridicula, incerta, fabulosa, apocrypha aut alias quoquo modo frivola e suggestu effutiunt. Vitanda est quoque manifesta reprehensio utriusque tam eccle- siasticae quam civilis potestatis. Neque invehendum est in ordinem aliquem aut aliquod ab ecclesia approbatum vivendi genus neque cuiusvis quantumvis scelerati persona nominanda est, nisi bonum commune et gravis id exigat causa (Bl. 168, n. 21—24). Rühmend muß weiter angemerkt werden, daß Molanus' praktische Theologie gemäß den Weisungen des Tridentinums darauf bringt, im Volke mittels liturgischer Predigten ein durch keinen

---

[1] Vgl. das von demselben Verfasser stammende Werk: De historia SS. Imaginum et Picturarum pro vero earum usu contra abusus (Lovanii 1594), wo Bl. 135 ff. mehrere, aber wohl kaum befriedigende Erklärungsgründe der obenerwähnten Darstellungsweise angeführt werden. Wollte man so Paulus die dem Gaste gebührende Ehre bezeugen?

Irrtum getrübtes Verständnis des heiligen Meßopfers hervorzu=
rufen (Bl. 164, n. 2 f. Bl. 165, n. 18).

In einem Punkte aber gleichen sich die pastoraltheologischen
Schriften des Molanus und Binsfeld vollständig: wie Binsfelds
Enchiridion, so atmet auch das Kompendium des Molanus den Reform=
geist der Trienter Synode. Dies bezeugen manche bisher gebrachte
Stellen des Kompendiums. Als weitere Belege mögen dienen die
Ermahnung, der Priester solle die Seelsorge in der Absicht antreten,
ut ovibus Christi prosit, non ut praesit (Bl. 166, n. 3), das ganz
an das Tridentinum sich anschließende Kapitel de celebratione
missarum (Bl. 164 f.) und der Ernst, mit dem Molanus von der
castitas sacerdotalis spricht, zu deren Bewahrung er folgende Mittel
angibt: Ut a sacerdote castitas custodiatur, vitet mulieres, quae
apostatare faciunt sapientes, sobrietatem et abstinentiam colat.
Numquam enim ego, ait Hieronymus, ebrium castum putabo.
Semper faciat aliquid operis, ut eum semper diabolus inveniat
occupatum. Pravas cogitationes elidat in semine: dum parvus
hostis est, eum interficiat; fervide et frequenter oret. humiliter
et devote corpus virgineum Christi sumat, quod exsiccat fontes
libidinis (Bl. 163, n. 6—11).

III. Wir gehen nun sofort über zu der 1674 in Bamberg
gedruckten Medulla theologiae pastoralis practicae des
Benediktiners und Salzburger Professors Heinrich Heinlein.[1]) Was
die Medulla von den beiden vorhergehenden Schriften unterscheidet,
ist das in der Behandlung der Sakramente sich offenbarende Streben,
die Pastoraltheologie geflissentlich auf dogmatische Grundlage zu
stellen. So richtig aber und billigenswert dieser Gedanke an sich ist,
Heinleins dogmatische Erörterungen nehmen einen allzu breiten
Raum ein: sie drängen das pastoraltheologische Moment in den
Hintergrund. Wir begegnen nämlich einem ausführlichen Beweis
der wirklichen Gegenwart Christi im Altarssakrament (S. 94 ff.),
der Frage, quis sit sensus (dogmaticus) absolutionis sacramentalis sive illorum verborum: ego te absolvo a peccatis tuis
(S. 245), einer dogmatischen Abhandlung über die heiligmachende
Gnade (S. 34 ff.) u. s. w. Im übrigen bezeichnet die Medulla keinen
Wendepunkt in der Entwicklung unserer Disziplin. Denn der nächst
umfangreichste Teil des in Rede stehenden Werkes ist eine Moral

---

[1]) Uns lag die Ausgabe von 1707 vor. Ueber Heinlein (Heinlin) aus
dem ostfränkischen Kloster Theres berichtet die Historia almae et archiepis-
copalis Universitatis Salisburgensis sub cura P. P. Benedictinorum (lib. II.
c. 7. n. 310): Vix cursum philosophicum, quem a. 1673 coeperat, a. 1675 ad
optatum finem perduxerat Henricus, eundem denuo anno eodem reassumpsit.
Iteratos hosce labores, ut aliqua i praemio remuneraret universitas (Salisburgensis), cathedram theologiae moralis eidem concredidit ab a. 1677
usque 1680. Heinlein war spekulativ veranlagt. Dies lassen schon die Titel
seiner in der eben zitierten Geschichte der Universität Salzburg aufgezählten
philosophischen Werke erkennen.

in Form einer Kasuistik. Im ganzen zerfällt Heinleins Medulla in vier Artikel und einen Anhang: In primo articulo agitur de sacramentis in genere et gratia sanctificante; in secundo de sacramentis in specie, horis canonicis et indulgentiis; in tertio de censuris, in quarto proponuntur casus conscientiae et quaestiones selectissimae numero plures quam 150 de diversissimis materiis. Der Anhang besteht aus einer theologia erronea (= propositiones a variis hucusque Pontificibus damnatae).

Aus Heinlein sei ebenfalls eine kleine Auslese gebracht. Der Forderung, der Opferwein müsse vinum de vite sein, hält Heinlein den müßigen Einwurf entgegen: Dices: vinum miraculose a Christo factum erat materia idonea huius sacramenti et tamen non erat de vite. Rsp. Etsi illud vinum non erat de vite secundum originem, fuit tamen tale secundum speciei similitudinem: item fuit vinum de vite aequivalenter, etsi non formaliter (S. 105). Hingegen wird man folgende Bemerkung unseres Autors nicht als überflüssig betrachten dürfen: Cave renovans hostiam in remonstrantia eandem sumas et unicam tuam hoc sacrificio consecratam illius loco reponas; sic enim mutilares sacrificium (S. 113). In der im Zustande der Todsünde unternommenen Austeilung der heiligen Kommunion erblickt Heinlein bloß eine läßliche Sünde (S. 279). Hinsichtlich der Applikationspflicht der Pfarrer können wir entnehmen, daß dem freien Ermessen der Seelsorger ein weiter Spielraum gelassen ward (S. 171 f.). Die Einsetzung der letzten Oelung anlangend versicht Heinlein die Sentenz, dieselbe sei quoad designationem materiae et formae ritumque servandum (!) zugleich mit jener des Viatikums beim letzten Abendmahl, quoad potestatem ministrandi aber nach der Auferstehung erfolgt, da der Herr den Aposteln die Gewalt verlieh, die Sünden nachzulassen (S. 258). Nach Heinlein genügt allein die Ueberreichung des Evangelienbuches zur Diakonatsweihe. Der Einwand, als die ersten Diakone geweiht wurden, habe noch kein Evangelienbuch existiert, wird in folgender Weise gelöst: Etsi eo tempore non fuerit impressus aliquis liber, erat tamen scriptum evangelium, unde Sotus ait Apostolos et alios usos fuisse carta, in qua scriptum erat evangelium (S. 276)! Die Rezitation der Matutin und Laudes vor der Messe hält unser Gewährsmann nicht als sub gravi verpflichtend (S. 290). Bezüglich deren Antizipation wird bemerkt: Tempus a iure aut consuetudine praefixum nunc obtinuit, ut matutinum et laudes diei sequentis vesperi hora 4. aut etiam 3. et secundum Thomam Sanctium ab hora 2. usque ad mediam noctem sequentis diei licite recitentur (S. 288).

IV. Mehr pastoraltheologischen Stoff dietet das durch Klarheit und Milde des Urteils sich auszeichnende **Manuale Parochorum** des aus Oberösterreich stammenden Melker-Benediktiners **Ludwig Engel,** der, wie Heinlein, an der Salzburger Universität wirkte.[1]

---

[1] Er wurde auf Schloß Wagrein bei Vöcklabruck geboren. Näheres über sein Leben und Wirken im Kirchenlexikon, Bd. 4, Sp. 523. Engels Manuale Parochorum und Collegium universi iuris, schreibt M. Sattler, betrachtete man über ein Jahrhundert lang als unentbehrliche Bestandteile in der Büchersammlung eines jeden Seelsorgers. (Kollektaneen-Blätter zur Geschichte der ehemaligen Benediktiner-Universität Salzburg. Kempten 1890, S. 208.) — Nachfolgende Zitationen richten sich nach der 5. Auflage vom Jahre 1688, die den Titel führt: Manuale Parochorum de plerisque functionibus et obligationibus ad parochias, parochos et parochianos attinentibus, ut de administratione sacramentorum, de decimis, oblationibus, sepulturis et bonis parochorum; item de votis, iuramentis et usuris, materiis scitu utilissimis non tam curam exercentibus quam iuris canon. et civ. cultoribus, simul et omnibus in foro versantibus advocatis et consultoribus apprime necessarium. Salisburgi, anno 1688.

Denn Engel zog nicht nur gleich allen bisher genannten Autoren die Sakramente in den Kreis seiner pastoraltheologischen Erwägungen; sein zum erstenmal 1661 in Salzburg erschienenes Manuale bringt auch das Notwendigste über die Kirchenkonsekration, über altare portatile et fixum und deren Exsekration, über Kelch und Patene sowie die Paramente (S. 12—22). In diesem plus ist sicherlich ein beachtenswertes Moment gelegen. Selbst eine der Pastoralmedizin angehörende Frage wird aufgeworfen, die Frage, welche Mittel der Seelsorger zum Schutz wider die Pest anwenden soll (S. 137—139), deren Beantwortung im großen und ganzen auch die moderne Hygiene zustimmt. Eigenartig mutet allein der Rat an, zwischen dem Priester und Kranken ein Feuer anzuzünden. Daß im Manuale nebstdem viele kirchenrechtliche Materien erörtert sind, kann bei Engel, dem gefeierten Kanonisten, nicht auffallen. So begegnen wir einem Abschnitt de decimis, de primitiis et oblationibus; auch das ius sepulturae gelangt zur Besprechung.

Engels Manuale Parochorum beginnt mit der Definition des Begriffes Parochia, um sich dann der Pfarrkirche zuzuwenden. Der 2. Teil verbreitet sich über die Einsetzung, die erforderlichen Eigenschaften und die Verpflichtungen der Hirten. Hier kommt auch das Lehramt zur Sprache; doch besteht das betreffende Kapitel aus einer bloßen Aufzählung der Bestimmungen des Tridentinums über die Verkündigung des Wortes Gottes. Während demnach der 1. Teil vom locus sacer und der 2. von den personae sacrae handelt, befaßt sich der 3. mit den res sacrae: den Sakramenten unter Ausschluß der Firmung und Priesterweihe. Als 4. Teil folgt eine Abhandlung de iuribus et reditibus parochorum. Zuletzt (5. Teil) ist die Rede de votis, iuramentis et usuris tanquam materiis practicis parochis scitu quoque utilissimis.

Nun wieder einige Details. Die in manchen Orten vorgefundene Gewohnheit, alle von Hebammen getauften Kinder unterschiedslos in der Kirche abermals zu taufen, wird von unserm Autor getadelt (S. 180). Ebenso rügt er den Mißbrauch, die Eucharistie ohne Licht und Begleiter zum Kranken zu tragen (S. 249). Bezüglich der täglichen Kommunion findet sich mit Berufung auf 1. Reg. 21, 4 die Bemerkung: In coniugatis quidem personis, qui carnali commercio inserviunt, non immerito quotidiana communio denegatur, illo maxime die, in cuius nocte praecedente copula coniugali usi sunt, ad maiorem tanti Sacramenti reverentiam servandam et distractionem mentis evitandam (S. 248). Die Gestalten sollen wenigstens alle acht Tage erneuert werden (S. 252). Das gebräuchliche Meßstipendium betrug einen halben Gulden (S. 159).

Die Salbung der einzelnen Sinne bei der letzten Oelung gehört nach Engel non ad substantiam Sacramenti, sed tantum ad pleniorem eius perfectionem, daher würde z. B. tempore pestis die Salbung eines einzigen Sinnes genügen (S. 255). Was die oben berührte Frage aus der Pastoralmedizin anlangt, empfiehlt Engel im Anschluß an H. Manigart, dem Verfasser des Büchleins „Flores selecti". keine langen, aus rauhem Stoff hergestellte Kleider zu tragen. Krankenbesuche am Morgen sind womöglich zu vermeiden. Muß aber der Seelsorger mit nüchternem Magen sich zum Kranken begeben, so möge er ein Präservativ gebrauchen: Apponatur ad nares parum Theriacae, strophiolum aceto tinctum; das beste Abwehrmittel jedoch sei cauterium a chirurgo factum. Der Priester soll sodann nicht mehr als notwendig dem Kranken sich nähern: Pastor stet quinque aut sex pedibus a lecto aegri retro caput ipsius, iubeat ut aeger vertat faciem versus aliam partem nec moveantur tegumenta lecti; ferner wird hiebei noch angeraten: curet (pastor seu confessarius) super lateres vel lapides accensos in igne in medio cubiculo positos infundi acetum ad fumandum et inter ipsum et aegrotum sit aliquis ignis vel carbones accensi; caveat autem ut numquam stet inter ignem et aegrotum. Der Besuch sei kurz: die Gefahr der Ansteckung entschuldigt von der materiellen Vollständigkeit der Beichte. Nach der Heimkehr hat der Priester sich und seine Kleider zu reinigen: Confessarius recedeus a pestiferis purget se et vestimenta sua, albam quoque et stolam et corporale per ignem et fumum aliquem vel per aspersionem et lotionem aquae frigidae, quae veneno plurimum inimica dicitur (S. 137—139).

Die in diesem Artikel besprochenen Anleitungen bergen verschiedene Disziplinen in ihrem Schoß ohne strenge Sichtung des pastoraltheologischen Materials. Insoferne können wir auf sie die Worte des Terentius anwenden: Non ita dissimili sunt argumento et tamen dissimili oratione sunt factae ac stilo (Andria, Prolg.)

Eherecht und Ehegesetzgebung in den Vereinigten Staaten Nordamerikas.

Von Rev. F. Schulze, St. Francis, Wis.

Amerika ist das Land der unbegrenzten Möglichkeiten und Unmöglichkeiten. Nicht bloß in Handel und Politik kommen Sachen vor, die auf den ersten Blick unglaublich erscheinen, sondern auch auf dem Gebiete der Religion und des sozialen Lebens spielen sich nicht selten Vorgänge ab, welche ein Fernstehender, der mit den Verhältnissen wenig vertraut ist, nur schwer zu begreifen vermag. Wie ist es möglich, frägt man, daß die sonst so praktisch angelegten und nüchternen Amerikaner sich von Kerlen wie Joe Smith, Brigham Young und in neuester Zeit Alexander Dowie, die doch die reinsten Schwärmer oder, sagen wir lieber, Schwindler sind, betören lassen? Des Rätsels Lösung gipfelt in dem Satze: „There is some money in it", d. h. es steckt Geld darin oder es läßt sich ein Geschäft dabei machen. Alles, selbst die Religion, wird im Lande des allmächtigen Dollars nach dem Gelde beurteilt. Soll es uns deshalb wundern, wenn auch Ehe und Familie demselben Maßstab unterliegen? Mit jener Leichtigkeit und Waghalsigkeit, mit der man Handelsprojekte abschließt, geht man auch Ehebündnisse ein und löst sie wieder auf. Es gibt kaum ein anderes Land, woselbst eine solche Zügellosigkeit und Zerfahrenheit auf ehelichem Gebiete herrscht, wie in den Vereinigten Staaten. Aeußerlich freilich wird der Anstand gewahrt. Polygamie und Bigamie sind gesetzlich verpönt und mit schweren Strafen belegt. Doch das Gesetz selbst kommt hier den Leuten zu Hilfe, indem es Mittel und Wege an die Hand gibt, um einerseits leicht unter das Joch der Ehe sich zu beugen, und anderseits, nachdem es zur Last geworden, dasselbe wieder abzuschütteln. Die Nationalgesetzgebung (Kongreß), welche in der

Bundesstadt Washington tagt und welche von allen Gegenden der Union beschickt wird, hat sich bisher nicht bemüßigt gefunden, ein gemeinschaft= liches und einheitliches Eherecht zu schaffen und wird auch für die nächste Zukunft kaum einen derartigen Schritt unternehmen. Man überläßt die Sache den einzelnen Staaten. Weil diese aber bereits sechsundvierzig an der Zahl sind und die verschiedenen Legislaturen unabhängig von einander vorgehen, so ergibt sich daraus ein solches Konglomerat von Statuten, daß selbst Richter und Advokaten oft irre werden und nicht wissen, wie sie einen konkreten Fall behandeln sollen. Indem wir es versuchen, den Lesern der Quartalschrift ein annäherndes Bild von der Sachlage zu geben, wollen wir die bedeutendsten Staaten herausheben und die wesentlichen Punkte des daselbst geltenden Eherechtes erörtern.

I.

Zunächst muß bemerkt werden, daß in den meisten Staaten als vorbereitender Schritt für die Eingehung der Ehe eine Ehelizenz (marriage license) gesetzlich vorgeschrieben ist. Dieselbe wird gegen Zahlung einer mäßigen Gebühr von dem Munizipalbeamten jenes Distrikts (County) ausgestellt, woselbst die Ehekandidaten ihr Domizil haben. Nur in zwei Staaten, soviel wir wissen, besteht keine solche Verordnung, nämlich in New=York und Süd=Carolina, ebenso nicht in den Territorien Alaska und New=Mexiko. In vier Staaten, in Delaware, Georgia, Ohio, Maryland, gilt das kirchliche Aufgebot als Ersatz für die Lizenz, so daß es den Leuten freisteht, entweder den einen oder den anderen Modus zu wählen.

Der Beamte, welcher die Heiratslizenz ausstellt, hat das Recht und die Pflicht, sich darüber zu vergewissern, ob die Bedingungen, die zu einer rechtmäßigen Lizenz erfordert werden, im gegebenen Falle statt= haben. Meistens geschieht das aber in recht oberflächlicher Weise. An die Kandidaten werden höchstens ein paar Fragen gestellt. Fällt die Antwort befriedigend aus, so wird ohneweiters die erbetene Lizenz eingehändigt. Zweifelt der betreffende Beamte an der Wahrheit der Aussage, dann läßt er unter Umständen die Leute schwören. Doch da der Akt des Schwörens in höchst einfacher und unzeremonieller Art vorgenommen wird, so kann ein Meineid leicht mitunterlaufen. Man weiß ja schon im voraus, daß später selten eine Klage wegen ungerechtfertigter Heiratslizenz erhoben wird, und deshalb nimmt man die Sache nicht so genau.

Was das Heiratsalter anbelangt, so bestimmt das sogenannte „common law"[1], daß die Pubertät die Grenze bildet. Mädchen mit 12 und männ= liche Personen mit 14 Jahren werden als reif zur Eingehung einer Ehe betrachtet. In den meisten Staaten indes haben die Legislaturen die Grenzen weiter ausgedehnt. •

---

[1] Das common law ist das von Großbritannien zuerst in die Kolonien und dann in die ursprünglichen Staaten herübergetragene alte englische Recht. Dasselbe ist seiner Natur nach ein ungeschriebenes Gesetz. Es fußt auf Tradition, hauptsächlich auf den Entscheidungen der verschiedenen Gerichtshöfe. Dasselbe bildet noch heute in den meisten Staaten der Union das sogenannte Grund= recht. Durch die Gesetzgebungen eben dieser Staaten jedoch ist es im Laufe der Zeit nicht wenig modifiziert und umgewandelt worden.

Soweit es sich um männliche Personen handelt, sind als Minimal=
grenze 18 Jahre angesetzt in California, Delaware, Idaho, Indiana,
Michigan, Minnesota, Montana, Nebraska, Nevada, New=Mexiko, New=
York, Ohio, Oklahoma, Oregon, Süd=Dakota, West=Virginia, Wisconsin,
Wyoming; 17 Jahre in Alabama, Arkansas, Georgia, Illinois; 16 Jahre
im Distrikt Columbia, Jowa, Nord=Carolina, Nord=Dakota, Texas, Utah;
15 Jahre in Kansas.

Für weibliche Personen gelten 18 Jahre als Grenze in New=York
und Washington; 16 Jahre in Delaware, Indiana, Michigan, Montana,
Nebraska, Nevada, Ohio, West=Virginia, Wyoming; 15 Jahre in California,
Minnesota, New=Mexiko, Oklahoma, Oregon, Süd=Dakota, Wisconsin;
14 Jahre in Alabama, Arkansas, Distrikt Columbia, Georgia, Illinois,
Jowa, Nord=Carolina, Texas, Utah; 13 Jahre in New=Hampshire, Nord=
Dakota; 12 Jahre in Kansas, Kentucky, Louisiana, Virginia.

So lange als junge Personen noch nicht zur Selbständigkeit gelangt
sind, müssen die Eltern bezw. Vormünder ihre Erlaubnis erteilen. Fand
die Ehe ohne oder gegen ihre Zustimmung statt, so ist sie zwar gültig,
doch kann, wenn Betrug vorlag oder sonstige verkehrte Mittel in An=
wendung gebracht wurden, um die Lizenz zu erhalten, von Seiten der
Eltern oder Vormünder gerichtlich gegen die Betreffenden vorgegangen
werden. Die Strafen sind natürlich verschieden in den einzelnen Gegenden.
Einige Gemeinwesen haben gesetzliche Schritte getan zur Verhütung von
Mißbrauch bei der Eheschließung von Minderjährigen. In Massachusets
besteht ein Statut aus dem Jahre 1899, welches bestimmt, daß keine
Lizenz vom Stadtbeamten (town or city clerk) ausgefüllt werde an
Minorenne, es sei denn, daß vorher der Untersuchungsrichter (Probate
Judge) eine Dispens zu diesem Behufe erteilt habe.

Die Altersgrenze, von welcher an jemand als sui juris (of age)
zur Abschließung einer Ehe ohneweiters berechtigt ist, ist in den einzelnen
Landesteilen in verschiedener Weise geregelt.

Für männliche Personen wird ein Alter von 21 Jahren verlangt
in Alabama, Arizona, Arkansas, California, Colorado, Connecticut, Delaware,
Distrikt of Columbia, Florida, Illinois, Indiana, Indian=Territory, Jowa,
Kentucky, Louisiana, Maryland, Massachusets, Maine, Minnesota, Missississippi,
Missouri, Montana, Nebraska, Nevada, New=Jersey, New=Mexiko, Nord=
Dakota, Ohio, Oklahoma, Oregon, Pensylvania, Rhode Island, Süd=Dakota,
Texas, Utah, Vermont, Virginia, Washington, West=Virginia, Wisconsin,
Wyoming; 18 Jahre in Idaho und Nord=Carolina; 16 Jahre in Tennessee.

Für weibliche Personen sind 21 Jahre vorgeschrieben in Connecticut,
Florida, Kentucky, Louisiana, Pensylvania, Rhode, Island, Virginia, West=
Virginia, Wyoming; 18 Jahre in Alabama, Arkansas, California, Colorado,
Delaware, Illinois, Indiana, Indian=Territory, Jowa, Massachusets, Maine,
Minnesota, Mississippi, Missouri, Montana, Nebraska, Nevada, New=Jersey,
New=Mexiko, Nord=Carolina, Nord=Dakota, Ohio, Oklahoma, Oregon, Süd=
Dakota, Texas, Utah, Vermont, Washington, Wisconsin, 16 Jahre in
Arizona, Distrikt of Columbia, Idaho, Maryland, Tennessee.

In einigen Staaten unterliegt das Gesetz, welches verbietet, an Minorenne eine Heiratslizenz auszustellen, wiederum gewissen Modifikationen teils erleich= ternden, teils erschwerenden Charakters. So wird in Maine und Massachusets nur dann die Zustimmung der Eltern oder des Vormundes verlangt, wenn die letzteren innerhalb des Gemeinwesens (common wealth) seßhaft sind. In Süd=Carolina darf niemand eine weibliche Person unter 16 Jahren heiraten ohne elterliche Zustimmung, für männliche Personen dagegen ist eine solche nicht vorgeschrieben. In Kentucky bestimmt das Gesetz, daß, wenn ein Mädchen unter 16 Jahren geheiratet hat ohne elterlichen Konsens, das Gericht befugt ist, ihr Vermögen einem Sachwalter (receiver) zu übergeben, der dasselbe unter seiner Kontrolle behält, bis die Person das 21. Jahr erreicht hat.

Wie nun steht es mit der Eingehung der Ehe selbst? Werden be= sondere Formalitäten verlangt oder genügt der bloße Konsens? Das gemeine Recht (common law) lehnt sich dem Naturgesetz an, d. h. es ist zufrieden damit, daß die ehechließenden Paare einfach ihre Zustimmung zum Kontrakt geben. Doch da ein solches Verfahren die größten Miß= bräuche erzeugt und tatsächlich geradezu dem Konkubinat Vorschub leistet, so hat man, durch die Erfahrung belehrt, vielerorts sich genötigt gesehen, diese Klausel des gemeinen Rechtes abzuändern und zwar so, daß eine nullifizierende Bestimmung in das Statut aufgenommen wurde. Die Staaten, in welchen zur Zeit eine Ehe, die nach dem gemeinen Recht sonst gültig wäre, ungültig ist oder jedenfalls von den Gerichten für ungültig erklärt werden kann, weil sie den im besonderen Staatsrecht vorgesehenen Formali= täten nicht entspricht, sind: California, Connecticut, Delaware, Kentucky, Maine, Maryland, Massachusets, Mississippi, New=Hampshire, New= York, North=Carolina, Oregon, Utah, Vermont, Washington, West= Virginia. In den anderen Staaten gilt die sogenannte „Common law marriage", wenn auch als illegal, dennoch als gültig; wenigstens scheinen die Gerichtshöfe sie bislang nicht als ungültig betrachtet zu haben. Nur muß derjenige, welcher entgegen dem Staatsgesetz die von letzterem ver= langten Solemnitäten unterläßt, die durch ebendasselbe Gesetz verhängten Geld= oder Freiheitsstrafen auf sich nehmen, nachdem er durch die Gerichte verurteilt ist.

Die Mißwirtschaft, welche ein solcher Zustand der Dinge, ein solches „laissez faire" von Seiten der berufenen Gesetzgeber erzeugt, wird treffend geschildert in dem vor einigen Jahren erschienenen klassi= schen Werk von Dr. Howard „Die Geschichte der ehelichen Verhältnisse" (History of matrimonial institutions). Die betreffende Stelle läßt sich dem Sinne nach ungefähr so wiedergeben:

„Ein Mann und eine Frau, die sonst fähig sind, zu heiraten, dürfen in ein Verhältnis von Gatte und Gattin treten und Pflichten gegen sich selbst, gegen den Staat und die Gesellschaft auf sich nehmen ohne Mitwirkung von Seiten eines Religionsdieners (minister) oder öffentlichen Beamten (magistrate), ohne irgendwelche Zeugen, ohne vor= herige Kundgebung, ohne alle Form oder Zeremonie, ohne irgend ein schriftliches Beweisstück, das sich auf den Akt bezieht, einfach durch einen mündlichen Vertrag. Das heißt in der Tat einem schrankenlosen Individualismus das Wort reden. Man wendet ein, daß die Kinder, welche einer solchen Ehe entsprießen, doch nicht unschuldig leiden sollten, indem man ihnen das Brandmal der Illegitimität aufdrückt, weil ihre Eltern die vom Staatsgesetz vorgeschriebenen Formalitäten unterließen. Wahrlich es ist Zeit, daß das amerikanische Volk sich eines Besseren besinnt. Lieber lasse man doch diese Kinder einmal die Makel der Illegitimität tragen, da ihrer verhältnismäßig wenige sind, als daß die ganze soziale Gesellschaft in Gefahr gerate. Der absurde und entsittlichende Konflikt zwischen der nach dem gemeinen Recht gültigen und nach dem Staatsrecht schlechthin gesetzmäßigen Ehe sollte zuerst beseitigt werden. Bevor solches geschieht, kann an ein einheitliches System ehelicher Beziehungen in den Vereinigten Staaten nicht gedacht werden. Verschiedenheit, ja selbst Widerspruch in jedem Zweig gesetzgeberischer Tätigkeit der Einzelstaaten ruht wie eine Last auf unserem Föderativsystem, und nirgendswo macht sich das Uebel furchtbarer geltend, als auf dem Gebiete der Ehe und Ehetrennung. Wir brauchen zwar nicht zu verzweifeln, aber es dürfte noch viele Jahre dauern, bevor ein wirksames Heilmittel zur Geltung gelangen kann.“

Haben die Staatsgewalten auch sonst noch Ehehindernisse aufgestellt, und zwar so, daß dadurch die Gültigkeit des Ehebundes berührt wird? Diese Frage ist zu bejahen. Leider aber greift auch hier wieder eine heillose Konfusion Platz, nicht bloß deshalb, weil die einzelnen Legislaturen unabhängig voneinander zuwege gehen, sondern auch weil über die Tragweite und Bedeutung dieser Hindernisse in den betreffenden Statuten keine Klarheit herrscht und unter Umständen erst eine richterliche Entscheidung in einem bestimmten Falle (test case) abgewartet werden muß. Abgesehen von dem auf dem Naturrecht fußenden Ehehindernis zwischen Aszendenten und Deszendenten in direkter Linie sowie zwischen leiblichen Geschwistern, ist in allen Staaten die Ehe zwischen Onkel und Nichte verboten. Nur Tennessee läßt dieselbe zu. Geschwisterkinder (first cousins) können einander nicht heiraten in: Arizona, Arkansas, Colorado, Illinois, Indiana, Indian-Territory, Kansas, Louisiana, Michigan, Missouri, Nevada, New-Hampshire, Nord- und Süd-Dakota, Washington, Wyoming.[1]) In den Neu-England-Staaten (mit Ausnahme von New-Hampshire) bildet sogar der dritte Grad der Blutsverwandtschaft in der Seitenlinie ein Ehehindernis.

Was Schwägerschaft anbelangt, so werden fast überall die weitesten Zugeständnisse gemacht. Die Ehe mit Schwiegervater oder Schwiegermutter (d. h. nach dem Tode des früheren Ehegatten, beziehungsweise nach der gerichtlichen Scheidung von diesem) und ebenso mit Stiefeltern ist untersagt in allen Neu-England-Staaten (ausgenommen Connecticut) sowie in: Ala-

---

[1]) Gerade während wir dieses schreiben, bringen die Zeitungen die Nachricht, daß die Legislatur von Jowa in ihrer gegenwärtigen Sitzung ein Gesetz adoptiert hat, wodurch in jenem Staate die Heiraten zwischen Vettern und Basen (first cousins) ebenfalls verboten sind.

bama, Delaware, Distrikt of Columbia, Georgia, Iowa, Kentucky, Mary=
land, Michigan, Mississippi, New=Jersey, Pensylvania (?), Süd=Carolina,
Tennessee, Texas, Virginia, Washington, West=Virginia.

In allen anderen Staaten, soweit wir in Erfahrung bringen konnten,
zählen die Statuten Schwägerschaft nicht zu den verbotenen Graden (for-
bidden degrees). Nirgendswo besteht ein Gesetz, welches Ehen in den
Seitenlinien der Affinität (selbst nicht im ersten Grade, d. i. zwischen
Schwager und Schwägerin) untersagt. In früheren Jahrzehnten, unmittelbar
nach der Kolonialzeit, war es allerdings nicht gestattet, eine eheliche Ver=
bindung mit der Schwester, beziehungsweise dem Bruder des verstorbenen
Gatten anzuknüpfen. Aber diese Verbote sind längst von den Legislaturen
förmlich widerrufen oder doch durch Gewohnheit außer Kraft gesetzt.

Einige andere Impedimente, welche Erwähnung verdienen, sind die
folgenden:

Auf Grund des Mangels des gesetzlichen Alters (want of legal
age) werden als ungültig angesehen oder können wenigstens als solche von
den Gerichten erklärt werden (void or voidable) die Ehen in:

Alabama, Arkansas, Georgia, Kentucky, Maine, Massachusets, Mi=
chigan, New=Mexiko, Nevada, North= & South=Carolina, Tennessee, Ver=
mont, Virginia, California, Idaho, Iowa, Kansas, Ohio, Montana,
Nebraska, New=Jersey, New=York, North= & South=Dakota, Utah, Wis=
consin, Wyoming.

In den übrigen Staaten, obgleich die Gesetze eine Altersgrenze fest=
setzen, sieht man dennoch die ehelichen Kontrakte auch unter dieser Grenze
als gültig an, nur unterliegen die Delinquenten verschiedenen Strafen.

Ganz eigen und einzig in ihrer Art nimmt sich die Bestimmung
aus, welche ein Gesetz vom Jahre 1899 im Staate Michigan aufweist:
„Keine Person, die an Syphilis leidet, ist berechtigt oder befähigt, eine
Ehe zu kontrahieren. Jeder Versuch dieser Richtung gilt als Verbrechen
(felony) und zieht schwere Folgen nach sich, wie die Bezahlung von 500
bis 1000 Dollar in Geld oder Gefängnis bis zu fünf Jahren.“

Aehnlich, aber doch etwas milder, sind die Statuten in Kansas
und Minnesota, woselbst es heißt: „Kein Weib unter dem fünfundvier=
zigsten Lebensjahre und überhaupt kein Mann, außer er heirate eine Person,
die das fünfundvierzigste Jahr überschritten, wenn selbige mit Epilepsie
behaftet oder schwachsinnig (imbecille or feeble minded) oder mit Wahn=
sinn belastet sind, dürfen innerhalb des Staates zur Ehe zugelassen werden.“

Betrug und Gewalt sind gesetzlich invalidierende Impedimente in:
California, Idaho, Michigan, Minnesota, Nebraska, North= & South=
Dakota, Oregon, Utah, Washington, Wisconsin, Wyoming.

In mehr wie in einem Staate hat man sich auch gegen sogenannte
Mesalliances zu schützen gesucht, die aus der Vermischung der Rassen ent=
stehen. Die Ehen zwischen Weißen und Schwarzen sind illegal in allen
südlichen und südwestlichen Staaten mit Ausnahme von New=Mexiko. Doch
lassen die Statuten hier zuweilen etwas Spielraum. In Alabama, Maryland
und Tennessee ist als Grenze für Neger die dritte Generation angesetzt. In

Arkansas und Kentucky heißt es einfach: Weiße und Neger oder Mulatten können sich nicht ehelichen; in Georgia: keine Weiße und Personen afrikanischer Abstammung; in Oklahoma: keine Weiße und solche, die der Negerrasse angehören; in Texas: keine Personen europäischen Geblütes und Afrikaner oder deren Abkömmlinge; in Missouri und Mississippi; keine Weiße und solche, in denen noch ein Achtel Negerblut vorhanden ist. Auch Colorado, Delaware, Idaho und Maine, obgleich sie zu den nördlichen Staaten gehören, haben die Ehen zwischen Weißen und Negern untersagt; Indiana (8) und Nebraska (14) bis zu einer gewissen Grenze.

Die Ehen zwischen Weißen und Indianern sind ungesetzmäßig in North- & South-Dakota sowie in Maine und Oregon.

Dort, wo die mongolische Rasse (Chinesen) stark vertreten ist, hat man dieser gegenüber nicht minder Abwehr getroffen. In Arizona, Mississippi und Utah können Mongolen keine Ehe mit Weißen eingehen. In Oregon nicht, so lange als noch ein Viertel chinesisches Blut in ihren Adern rollt. In Californien ist den Munizipalbeamten (county clerks) verboten, eine diesbezügliche Lizenz zwischen Weißen und Chinesen auszustellen.

Wer darf die Heirat vornehmen? Die englische Sprache hat für diesen Akt einen kurzen technischen Ausdruck, nämlich: „Solemnization of marriages". Also wer ist hiezu berechtigt? (Who is allowed to solemnize marriages?)

Bevor wir der Frage nähertreten, wird es angezeigt sein, zu untersuchen, welche Ansicht das bürgerliche Gesetz als solches von der Ehe hegt oder welche Stellung es der Ehe in der sozialen Ordnung anweist. Die Gesetzbücher der Neu-Englandstaaten enthalten unseres Wissens keinen Satz, worin die Ehe nach Natur und Wesen beschrieben oder definiert wird. Im Süden weist bloß das Gesetzbuch von Louisiana eine Erklärung auf, welche besagt: Die Ehe wird als ein bürgerlicher Kontrakt angesehen, und nur solche Ehen werden anerkannt als rechtsgültig, die nach dem vom Gesetz vorgeschriebenen Normen eingegangen sind. Auch die westlichen Staaten halten fest an diesem Prinzip. In Ohio, Iowa, Michigan, Minnesota, Wisconsin gilt die Ehe als ein rechtlicher Vertrag, der durch das Staatsgesetz sanktioniert wird und deshalb auch nach den von diesem erlassenen Bestimmungen zustande kommen muß. In Nord-Dakota kann die Ehe eingegangen werden (entered into), aufrecht erhalten (maintained), aufgelöst (annulled or dissolved) werden nur nach dem Strafgesetz.

Abweichend hievon ist die in den Statuten des kleinen Staates Delaware enthaltene Erklärung. Sie stammt allerdings aus dem Jahre 1790, ist aber niemals widerrufen oder modifiziert worden. Sie lautet: „Weil die Ehe eine ehrsame Einrichtung des allmächtigen Gottes ist, bestimmt zur gegenseitigen Nützlichkeit und Glückseligkeit der Menschheit, und weil eine weise, überlegte und geratsame eheliche Verbindung von Personen zu den Pflichten eines jeden guten Bürgers gehört, und weil ungeratene, heimliche, lose und ungeziemende Machenschaften bei Eingehung der Ehe zur Folge haben, daß diese heilige Institution mit Verachtung behandelt

wird und bei gedankenlofen Leuten laxe Sitten emporkommen, weil ferner
Uebel entstehen, wenn Personen heimlich und in ungehöriger Weise, ohne
Wissen der Eltern, Vormünder, Bekannten sich vereinigen, darum sei es
hiermit bestimmt, daß Ehen zwischen Weißen nur eingegangen werden können
unter Zuhilfenahme von Dienern der Religion, die nach den Riten ihres
Bekenntnisses ernannt sind." Die strenge Maßregel wurde freilich später
etwas abgeändert, indem die Zivilehe gestattet ward, aber nur in ganz
beschränkter Form.

Abgesehen von dieser nur für Delaware geltenden Erklärung, ist sonst
nirgendswo der Ehe ein ethischer oder gar religiöser Charakter zuerkannt.
Daraus folgt aber nicht, daß man ihr im gewöhnlichen Leben und in der
öffentlichen Meinung alle höhere Weihe abspricht. Ja, selbst das Gesetz
trägt wenigstens indirekt der Volksstimmung Rechnung, wenn es sich um
die Frage handelt: Wer ist berechtigt, den Ehekonsens entgegenzunehmen?
Eine obligatorische Zivilehe, wie sie zur Zeit in verschiedenen Ländern
Europas besteht, gibt es in Amerika nicht. Fußend auf der durch die Kon=
stitution der Vereinigten Staaten gewährten Gewissensfreiheit erlaubt man
den Ehekandidaten zu wählen zwischen dem rein bürgerlichen Akt oder der
kirchlichen Trauung. Beide sind gesetzlich gleichgestellt. Selbst in Kreisen,
die sonst um Religion sich wenig kümmern, gehört es zum guten gesell=
schaftlichen Ton, bei Eingehung der Ehe einen Religionsdiener (minister)
heranzuziehen.

Was die einzelnen Landesteile anbelangt, so ist folgendes zu bemerken.

In den Neu=Englandstaaten sind durchgehends die Friedensrichter
(Justices of the peace) und die Geistlichen (ministers) irgend einer
Konfession gesetzlich autorisiert zur Entgegennahme des ehelichen Konsenses.
In Massachusets jedoch muß der Betreffende englisch lesen und schreiben
können. In früheren Jahrzehnten gab es auch noch andere Bestimmungen,
wie z. B., daß der Geistliche, welcher den Akt vornimmt, im Distrikt
(County, town etc.) wohnen müsse, oder daß doch die Nupturienten
daselbst ein Domizil hätten. Jetzt aber sind derartige Beschränkungen auf=
gehoben. Es genügt, daß jemand überhaupt nach dem Ritus seiner Reli=
gion als Diener eines besonderen Bekenntnisses fungiert, sei es im Staate
oder auch außerhalb desselben. Um Betrug zu verhüten, indem vielleicht
ein Unberufener sich als Minister oder Friedensrichter ausspielt, der es in
keiner Weise ist, sind Strafen für unautorisierte Vornahme des Aktes fest=
gesetzt. Das Strafmaß variiert von hundert bis tausend Dollar oder ent=
sprechender Gefängnishaft. Der Akt selbst aber verliert nicht seine Validität,
wenigstens nicht so lange als die Kontrahenten selbst im guten Glauben
handelten.

Virginia, der Heimatstaat Georg Washingtons, des Gründers der
Union, war in der Kolonialzeit fast ganz unter dem religiösen Einflusse
des Anglikanismus. Nur die Geistlichen der „Established Church"
hatten das Recht, Leute zu verheiraten. Da jedoch mit der zunehmenden
Einwanderung dieser Zustand sich als haltlos erwies, so fühlte man sich
gedrungen, das alte Gewohnheitsrecht zu modifizieren. Der erste Schritt

dieser Art war das Gesetz von 1780, wodurch auch den Geistlichen anderer christlichen Bekenntnisse (any society or congregation of Christians) die Befugnis zugestanden wurde, Heiraten vorzunehmen, vorausgesetzt, daß sie im Staate ansässig wären. Später, nach den Freiheitskriegen, etwa um 1819, wurde den Juden dieselbe Bewilligung gemacht. In Bezug auf die Zivilehe waren die Gesetzgeber zurückhaltender. Man erlaubte nur den Gerichtshöfen in den betreffenden Distrikten, eine Anzahl Personen aus dem Laienstand zu ernennen, die die Befugnis haben sollten, den Ehekonsens jener Leute entgegenzunehmen, welche sich mit bürgerlicher Kopulation begnügen wollten. Dieser Gesetzesparagraph ist noch heute in Kraft. Was die Geistlichen anbelangt, so bestimmt das zur Zeit geltende Staatsrecht wie folgt: „Nachdem der Diener (minister) irgend eines religiösen Bekenntnisses (of any religious denomination) vor dem Gerichtshof sich ausgewiesen hat über seine Weihe und Anstellung und eine Bürgschaft (bond) von fünfhundert Dollar gestellt hat, darf der vorsitzende Richter ihn zur Vornahme von Heiraten autorisieren. Wenn der so autorisierte Geistliche gewisse Bestimmungen des Gesetzes (Lizenz, Registrierung usw.) verletzt, so gilt die Bürgschaft als verfallen."

Eine spezielle Klausel (Sec. 2232) fügt hinzu, daß Leute, die einem Religionsbekenntnis angehören, welches keine geistlichen Amtsträger zuläßt, sich einfach nach dem Ritus ihres Bekenntnisses verheiraten dürfen.

Eine andere, etwas sonderbare, aber doch wohl gerechtfertigte Bestimmung lautet: „Derjenige, welcher die Kopulation vornimmt, Geistlicher oder weltlicher Beamter, darf von dem Ehemann nur einen Dollar Gebühren verlangen. Fordert er mehr, so muß er fünfzig Dollar als Strafe zahlen und zwar an den, welchen er durch seine Forderung übervorteilt hat."

West-Virginia hat sich an sein Muttergebiet (es wurde im Jahre 1863 von Virginia abgetrennt und als selbständiges Gemeinwesen etabliert) angelehnt. Obgleich während einer kurzen Periode (1873 bis 1877) die bürgerliche Ehe gestattet war, wurde sie doch später aufgehoben, und heute hat nur der durch einen kirchlichen Amtsträger entgegengenommene oder wenigstens nach dem Ritus eines bestimmten religiösen Bekenntnisses vollzogene Ehekonsens gesetzliche Gültigkeit. „The lay ceremony is not there recognized by statute", sagt Howard (l. c.).

Kentucky läßt den Kandidaten die Wahl. Sie können sich ehelich verbinden lassen entweder durch einen kirchlichen Funktionär (minister of the gospel or priests of any denomination), oder durch die County- und Friedensrichter, soweit die letzteren von der County-Gerichtsbehörde eigens autorisiert sind.

Maryland hält strenge fest an der alten Tradition. Nur die kirchlichen Amtsträger (ministers & priests) sind befugt, Brautpaare zu kopulieren.

In allen anderen Staaten des Südens oder Südwestens herrscht gesetzlich volle Freiheit. Die Leute mögen entweder sich kirchlich trauen lassen oder vor den bürgerlichen Beamten verschiedener Ordnung, so wie sie das Statut bezeichnet, einen Vertrag eingehen. Im Staate Missouri

wird seit 1897 verlangt, daß der Geistliche, welcher den Ehekonsens ent=
gegennimmt, amerikanischer Bürger sei.

Betrachten wir jetzt noch das mittlere und westliche Gebiet.[1]) Ueberall
in dieser ganzen Region figuriert neben der kirchlichen, d. i. nach einem
bestimmten religiösen Ritus eingegangenen ehelichen Verbindung die bürger=
liche oder Zivilehe (Squire marriage). Beide sind gesetzlich gültig. Im
einzelnen ist folgendes zu bemerken:

Die Legislatur des Staates New=York hat im Jahre 1901 ein
neues Statut verfaßt. Demgemäß sind zur Entgegennahme des Ehekon=
senses berechtigt: 1. Irgend ein Kirchendiener (clergyman or minister
of religion); 2. Friedensrichter und die Richter des Urkunden= oder
städtischen Gerichtshofes (court of record or municipal court); 3. der
Bürgermeister (Mayor), Registrar (recorder), Stadtverordneter (alder-
man), Polizeirichter oder Polizeibeamter irgend einer Stadt; 4. wenn
keine dieser hier angeführten Personen zugegen ist, so genügt ein schrift=
liches Dokument, das von den Ehekandidaten selbst und zwei Zeugen unter=
zeichnet ward, worin sich eine genaue Angabe findet über den Wohnort
(residence) der ersteren und letzteren, das Datum, wann, und Platz, wo
der Ehevertrag zustande kam, doch muß dieses Dokument innerhalb sechs
Monaten beim Stadtbeamten (town clerk) des Ortes, wo der Akt voll=
zogen wurde, hinterlegt werden. Eine besondere Klausel fügt hinzu, daß
nach dem 1. Jänner 1902 keine Ehe, die in anderer, als in der im
Statut vorgesehenen Form zuwege kam, gesetzliche Gültigkeit besitzt.

In New=Jersey wurde im Jahre 1882 eine Eheverordnung erlassen,
die sich im wesentlichen mit der von New=York deckt.

Pensylvania gewährt den Kandidaten ziemlich große Freiheit. Ein
Statut aus dem Jahre 1885 besagt bloß, daß dieselben in Gegenwart
vor Zeugen sich ihr Jawort geben. Gewöhnlich wird jedoch ein öffentlicher
Amtsträger, kirchlicher oder bürgerlicher, herangezogen.

In Ohio, nach dem Statut von 1897, darf irgend ein kirchlicher
Amts= oder Würdenträger die Kopulation vornehmen. Nur soll derselbe
sich vorher eine dahin lautende Lizenz oder Autorisation vom Kreis=
(county) oder Untersuchungsrichter (probate) holen. Auch der Friedens=
richter, der Mayor irgend einer Stadt oder inkorporierten Ortschaft
(Village) können innerhalb der ihnen unterstehenden Territorien Leute
kopulieren.

Aehnlich ist das Statut von Indiana.

In Illinois sind folgende Personen gesetzlich berechtigt zur Ent=
gegennahme des Ehekonsenses: 1. Irgend ein kirchlicher Amtsträger, der in
und nach seinem Bekenntnis eine regelrechte Stellung einnimmt (minister
of the gospel in regular standing with the Church or society

---

[1]) Dieses Gebiet umfaßt die folgenden Staaten: California, Colorado,
Delaware, Idaho, Illinois, Indiana, Jowa, Kansas, Michigan, Minnesota,
Montana, Nebraska, Nevada, New=Jersey, New=York, North=Dakota, Ohio,
Oregon, Pensylvania, South=Dakota, Utah, Washington, Wisconsin, Wyoming.

to which he belongs); 2. Urkunden= und Friedensrichter; 3. der Vor=
steher (superintendent) einer öffentlichen Taubstummenanstalt.

In Michigan erwähnt das Statut die Geistlichen (ordained ministers) der verschiedenen Konfessionen und die Friedensrichter als die
gesetzlich bevollmächtigten Beamten zur Vornahme von Kopulationen.

Wisconsin und Minnesota führen ähnliche Bestimmungen auf. Nur
muß in letzterem Staate der Geistliche, um Brautpaare kopulieren zu
können, sich ein Zertifikat vom County Clerk verschaffen.

In den noch übrigen Gemeinwesen dieses Landesteiles, d. i. den
mittleren und westlichen Staaten, sind die Unterschiede nicht groß. Bürger=
liche Konsenserklärung und kirchliche Trauung genießen dieselbe Rechtskraft.
Die Zivilbeamten sind genau angegeben in den Statuten. Die kirchlichen
Amtsträger sind nicht besonders spezifiziert. Es genügt, daß sie innerhalb
der betreffenden religiösen Gemeinschaft, zu welcher sie sich bekennen, eine
nach den selbstgeschaffenen Regeln dieser Gemeinschaft erfolgte Anstellung
haben (all ordained ministers, priests or preachers of the gospel
duly authorized byt the usages of their respective churches or
societies).

Was die Anwesenheit der Zeugen betrifft, so genügt ein Zeuge in
Süd=Dakota, zwei werden verlangt in Michigan, Montana, Minnesota,
Nebraska, Nord=Dakota, Oregon, Washington, Wisconsin, Wyoming. Ein
altes Statut in Pensylvania spricht von zwölf Zeugen, aber es scheint
bloß direktiven Charakter zu besitzen, gewöhnlich werden nur
zwei Zeugen herangezogen.

Im Staate New=York sind zwei Zeugen notwendig im Falle, daß
kein öffentlicher Beamter (bürgerlicher oder kirchlicher) den Akt vornimmt;
sonst wird neben letzterem nur ein Zeuge erfordert.

Eine große Anzahl (14) der westlichen und mittleren Staaten haben
noch eine besondere Klausel in ihren Statuten, dahinlautend, daß eine Ehe,
welche ohne die gesetzliche Form (solemnization) eingegangen wurde, den=
noch gültig ist, solange überhaupt ein öffentlicher Akt stattfand. Nur müssen
die Gesetzesübertreter sich gewisse Strafen gefallen lassen; in Wisconsin
beispielsweise Gefängnis bis zu einem Jahr oder eine Summe von fünf=
hundert Dollar in Gold.

In den weitaus meisten Gemeinwesen bestehen spezielle Verordnungen
behufs der öffentlichen Registrierung der geschlossenen Ehebündnisse. Sie
laufen im allgemeinen darauf hinaus, daß, wer immer den Ehekonsens
entgegennimmt, verpflichtet ist, den Verwaltungsbeamten (town clerk,
County clerk etc.) Bericht zu erstatten in nach Vorschrift gedruckten
Formularien über die durch ihn vollzogenen Akte mit den begleitenden Um=
ständen, wie Namen der Kontrahenten, Alter, Geburts= oder Stammland,
Rasse, Namen der Eltern usw. Die Zeit, innerhalb welcher die Berichte
einzuliefern sind, variiert von etwa zehn Tagen bis zu sechs Monaten.
Einige Gesetzgebungen haben außerdem Vorsorge getroffen für eine um=
fangreiche Statistik. Zu diesem Behufe sind die Verwaltungsorgane in den
Städten oder Counties angewiesen, einen gesonderten Report zu verfassen,

welcher dem Staatssekretär oder der Gesundheitsbehörde (Board of health) in bestimmten Perioden übermittelt werden muß. Sehr strenge ist das Gesetz in Missouri. Ihm zufolge soll der Urkundenhalter (recorder of deeds) den Großgeschworenen (Grand Jury), so oft diese in Sitzung sind, ein Verzeichnis aller Ehelizenzen einhändigen, welche bis dahin ausgegeben wurden, und die nicht in rechtmäßiger Weise (neunzig Tage nach Abschluß der Ehe) zurückkamen. Sowohl Zivilbeamte, als auch Geistliche, welche sich ein Versäumnis dieser Art zuschulden kommen lassen, trifft eine Geld= strafe von fünf bis fünfundzwanzig Dollar. Auch verlangt das Statut von Missouri, daß den Eheleuten selbst ein Zertifikat übergeben werde. Sonst besteht gewöhnlich keine absolute Vorschrift dieser Art. Nur, wenn die Leute darum anhalten, darf ihnen das Zertifikat nicht vorenthalten werden.

Merkwürdig und weit entgegenkommend ist eine Bestimmung in den Statuten von Californien, welche besagt, daß, wenn ein bis dahin unver= heiratetes Paar (von Minderjährigen abgesehen) als Mann und Frau zu= sammengelebt hat, sie ohne Ehelizenz durch einen Geistlichen (clergyman) verheiratet werden können. Der letztere aber ist gehalten, den Leuten ein Zertifikat auszustellen und in den Kirchenbüchern die Sache einzutragen. Dieser Eintrag hat alsdann zugleich staatliche Geltung. Ueberhaupt, wenn Leute zu einer kirchlichen Gemeinschaft gehören, dürfen sie in gewissen Fällen ohne Lizenz nach den Gebräuchen ihrer Religion sich verehelichen. Doch verlangt das Gesetz, daß sie eine schriftliche Erklärung über den Akt machen, die von drei Zeugen unterzeichnet ist. Innerhalb dreißig Tagen nach der Hochzeit soll alsdann der Ehemann diese Erklärung beim County= Recorder niederlegen, woraufhin letzterer sie zu registrieren gehalten ist, gerade wie die Uebertragung unbeweglichen Eigentums. Zwei Staaten, Wisconsin und Michigan, haben eine Art Ausnahmegesetzes erlassen für Notfälle, nämlich wenn es sich darum handelt, den guten Ruf der Ehe= leute, beziehungsweise ihrer Nachkommenschaft zu sichern.

In Wisconsin muß die Ehelizenz wenigstens fünf Tage vor der beabsichtigten Hochzeit herausgenommen werden. Sollte dies aber zu großen Unerträglichkeiten führen, weil die Sache drängt, so kann der County= richter, wenn ein dahingehender Antrag gestellt wird, nach seinem per= sönlichen Ermessen eine Ordre erlassen, wodurch von der fünftägigen Klausel oder auch von der Lizenz überhaupt dispensiert wird. Diese Ordre muß aber jener Persönlichkeit übermittelt werden, welche die Kopulation vor= nimmt, die alsdann verpflichtet ist, dieselbe mit dem Bericht über die ein= gegangene Ehe an den Urkundenregistrator (register of deeds) zu senden.

Noch genauer und ausführlicher lautet das Ausnahmegesetz (emer- gency law) fuer Michigan (1899):

„Der Untersuchungsrichter (judge of probate) ist bevollmächtigt, eine geheime Lizenz (license without publicity) auszustellen an irgend eine weibliche Person, sobald diese unter Eid erklärt, daß sie schon mit einem Manne zusammengelebt hat oder, daß sie bereits schwanger ist und mit Recht befürchtet, es möchte das zu erwartende Kind, wenn es vor der Ehe geboren wurde, als Bastard angesehen werden. Ja, es genügt an und

für sich das Verlangen der betreffenden Person, das Datum ihrer Ehe
verborgen zu halten, damit nicht ihr guter Name oder der ihrer Familie
darunter leide. Nach der Hochzeit sollen alle Papiere, die sich auf eine
derartig eingegangene Ehe beziehen, vom obengenannten Beamten (judge
of probate) in einem geheimen Fach aufbewahrt und innerhalb zehn Tagen
ein Duplikat derselben an den Staatssekretär gesandt werden. Dieser hin=
wiederum muß solch ein Duplikat in ein gesondertes Register eintragen
und an einem gesonderten Platze niederlegen. Die geheimen Dokumente
können später nur auf einen speziellen Befehl des Gerichtshofes (circuit
or supreme court) nachgesehen werden. Ein derartiger Befehl soll nicht
erfolgen, außer die bei der Sache interessierten Personen stellen dieserhalb
einen schriftlichen Antrag oder es liege die Notwendigkeit vor, die aus der
geheimen Ehe entstandenen Eigentumsrechte zu konstatieren.

II.

Nachdem der Staat einmal die Regulierung der ehelichen Ver=
hältnisse in seine Hand genommen hatte und die Ehe selbst als ein bürger=
licher Kontrakt hingestellt war, dessen Sanktion durch das Gesetz bestimmt
und von letzterem abhängig gemacht wurde, konnte es nicht ausbleiben,
daß in derselben Weise die Auflösung des früher geschlossenen Ehebundes
Eingang fand. Die Nachteile, die aus diesem Stand der Dinge sich er=
geben, wären nun freilich nicht so schlimm geworden, wenn man unter
Berücksichtigung des sozialen Charakters der Ehe (von ihrer religiösen Natur
abgesehen) Maß gehalten und nur für die äußerste Notlage auf Trennung
erkannt hätte. Indes die moderne Geistesrichtung, die aufs Irdische be=
schränkte materialistische Genußsucht, der in Amerika stark ausgeprägte
ungebundene Individualismus, und last but not least der religiöse
Skeptizismus drängten unwillkürlich zu den weitgehendsten Konzessionen.
Gegenwärtig hat das Uebel solche Dimensionen angenommen, daß ein
allgemeiner Ruf nach Reform immer lauter wird, nicht nur bei den
Katholiken und gläubigen Protestanten, sondern selbst bei Leuten, die sonst
auf dem Gebiete der Moral keineswegs ein ängstliches Gewissen haben.
Man fühlt instinktiv das Elend, welches aus der Leichtfertigkeit, mit der
die Ehen getrennt werden, sich ergibt. Der Ruin der Familie und der
Gesellschaft steht zu deutlich vor den Augen aller, die auf das Glück und
die Wohlfahrt des Landes und Volkes bedacht sind. Aber die Frage ist,
wie soll hier Abhilfe geschafft werden? Bis jetzt ist man über theoretische
Erörterungen und platonische Diskussionen nicht hinausgekommen. Prak=
tisch ist erst wenig oder gar nichts geschehen. Wir werden später noch
darauf zu sprechen kommen. Zunächst wollen wir versuchen, unsern Lesern
ein Uebersichtsbild von dem tatsächlichen Zustand der Dinge zu geben.

Die verschiedenen Scheidungsgründe, wie sie augenblicklich hierzu=
lande an der Tagesordnung sind, lassen sich ungefähr in folgender Weise
klassifizieren:

1. Ehebruch (adultery); 2. Grausamkeit und Mißhandlung (extreme
cruelty); 3. Böswilliges Verlassen (malicious desertion); 4. Gewohn=

heitsmäßiges Trinken (habitual drunkenness); 5. Absichtliche und grobe Vernachläffigung (willful and gross neglect); 6. Gewaltfames und unge= zügeltes Temperament (violent and ungorvernable temper); 7. Kriminelle Verurteilung und Gefängnis (conviction for crime and imprisonment); 8. Längere Abwefenheit (absent and not heard of); 9. Oeffentliche Verun= glimpfung (public defamation).

Ueber die Tragweite diefer Ausdrücke, die ziemlich allgemein ge= halten find, herrfcht keineswegs Uebereinftimmung weder in den Gefetzen felbft, noch in deren Auslegung und Anwendung auf praktifche Fälle. Richter, Advokaten und Gefchworene können wenigftens bis zu einem gewiffen Grade nach eigenem Ermeffen handeln und bald diefe, bald jene Inter= pretation machen. Frühere Entfcheidungen bilden zwar einen juridifchen Maßftab, an welchen man fich anzulehnen pflegt, aber doch keinen folchen, der eine abfolut bindende Kraft befitzt.

J. P. Bifhop in feinem klaffifchen Werke „Marriage and Divorce“ macht, indem er die Scheidungsgründe befpricht, folgende Bemerkungen:

1. Ehebruch. Derfelbe befteht darin, daß ein Eheteil fleifchliche und außereheliche Verbindung mit einer dritten Perfon hat. Name des Mit= fchuldigen, Zeit und Ort des Verbrechens follten womöglich in der Anklage= fchrift angegeben werden. Weil aber die Tat meiftens heimlich gefchieht, fo kann der Richter hiervon abfehen und auf Umftandsbeweife (circumstantial evidence) fich ftützen. Darum, wenn ein verheirateter Mann wiederholt ein fchlechtes Haus befucht hat, oder wenn eine Ehefrau in der Wohnung eines fremden Mannes mit diefem allein zur Nachtzeit, während Türen und Fenfter verfchloffen waren, fich aufgehalten hat, fo mag diefes als genügend gelten, um auf Ehebruch und infolgedeffen auf Scheidung zu erkennen. „Brothel visiting is an illustration of the wider doctrine that circumstances inconsistent with innocence establish adultery. For further example, proof, that the wife visited a single man at his lodgings and there the windows were shut and there were letters which could not be otherwise explained, will be adequate against her.“

2. Graufamkeit (cruelty) umfaßt nicht bloß körperliche Mißhand= lung, fondern alle Akte, welche das Zufammenleben der Eheleute für den leidenden Teil zur Qual machen und ihn großer phyfifcher Gefahr aus= fetzen. Dahin gehören Drohungen, Einfperrung, wiederholte Schimpfworte mit der ausgefprochenen Abficht zu beleidigen, falfche und unbegründete Anklagen von Verbrechen, kurz ein Benehmen, das den Umftänden gemäß dazu angetan ift, Körper und Geift zu fchaden, das Gemüt zu vergiften und dauernden Haß und Zwietracht zu fäen.

„Cruelty is any conduct in one of the married parties, which, to the reasonable apprehension of the other or in fact, renders cohabitation physically unsafe to a degree justifying a withdrawal therefrom.“

3. Böswilliges Verlaffen. Hier wird vorausgefetzt, daß der handelnde Teil ohne vernünftigen Grund oder berechtigte Urfache fich von dem anderen,

feiner Perſon, Wohnung u. ſ. w. entfernt mit der Abſicht, die eheliche
Gemeinſchaft aufzuheben. Die Geſetze beſtimmen den näheren Termin,
bis zu welchem der unſchuldige Gatte warten muß, ehe er auf Scheidung
klagen kann. Die Bezeichnung „böswillig“ hat nicht immer dieſelbe Aus=
legung in den verſchiedenen Gerichtshöfen gefunden. Meiſtens verſteht man
darunter die durch keinen vernünftigen Grund zu rechtfertigende Handlung,
nämlich das Verlaſſen von Seiten des einen Ehegatten. Es gibt aber auch
richterliche Entſcheidungen, die den Begriff enger faſſen. Demzufolge muß
zugleich eine Art Feindſchaft und Haß (unprovoked malignity) zwiſchen
den beiden Ehegatten herrſchen.

„In the nature of matrimony and in harmony with the
established principles of our jurisprudence, desertion as a matrimonial offence is the voluntary separation of one of the parties
from the other or the voluntary refusal to renew a suspended
cohabitation without justification either in the consent or the
wrongful conduct of the other“.

4. Gewohnheitsmäßiges Trinken. Das Beiwort „gewohnheitsmäßig“
läßt erkennen, daß keineswegs ein zufälliges, vielleicht durch unglückliche Um=
ſtände herbeigeführtes oder doch ſelten auftretendes Berauſchtwerden Anlaß
bieten kann für Trennung der Eheleute. Anderſeits jedoch muß die böſe
Handlung oder der ſchlimme Zuſtand nicht gerade permanent ſein. Ein
Mann mag längere Zeit emſig und treu ſeinen Geſchäften nachgehen,
läßt er ſich aber dennoch öfters und zu gewiſſen Zeiten zum unmäßigen
Trunk verleiten, ſo daß eine Leidenſchaft, ein verkehrter Hang zu Tage
tritt, dann hat die Frau das Recht auf Scheidung anzutragen, und dieſelbe
wird ihr auch meiſtens bewilligt werden.

„The divorce may be had, though the husband is always
competent for buisiness, when abroad trancsating it, if he is
habitually drunk at home. And it may be the same, though
he is oftener sober than drunk.“

5. Freiwillige und grobe Nachläſſigkeit. Dieſe kann ſtatthaben auf
beiden Seiten. Der Mann iſt zu tadeln, wenn er ſeiner Gattin die not=
wendigen Mittel vorenthält, trotzdem, daß er deren hat oder haben könnte,
ſo daß die letztere gezwungen iſt, die Hilfe anderer in Anſpruch zu nehmen.

„The neglect must be such as leaves the wife destitute
of the common necessaries of life, or such as would leave her
destitute but for the charity of others.“

Auch die Frau trifft nach dem Geſetz ſchwerer Vorwurf, wenn ſie
ihre Hauspflichten hintanſetzt, den Gatten, falls er krank und unfähig iſt,
der Sorge und Obhut fremder Perſonen überläßt u. ſ. w. Der ganze
Begriff „Nachläſſigkeit“ oder „Vernachläſſigung“ (neglect) iſt ziemlich
unbeſtimmt. Die einzelnen Umſtände müſſen dabei in Erwägung gezogen
werden. Der Richter, ſo wird wenigſtens präſumiert, ſoll nach Billigkeit
ſeinen Urteilsſpruch treffen.

6. Gewaltſames und ungezügeltes Temperament. Der Ausdruck iſt
recht vag und ungenau. Zum Teil deckt er ſich mit dem oben (unter n. 2)

angeführten Vergehen der grausamen Behandlung, aber er geht doch auch wieder weiter. Im allgemeinen versteht das Gesetz darunter solch böse Charaktereigenschaft, beispielsweise unmäßigen Jähzorn, die es für den unschuldigen Teil unmöglich macht in Frieden und Ruhe zu leben.

„Under the statutory words „habitual indulgence of violent and ungovernable temper" it is inadequate to aver that the defendant habitually indulges in a willful temper to such an extent that complainant cannot live with him in peace."

7. Kriminelle Verurteilung und Gefängnis. Hier wird vorausgesetzt, daß das Verbrechen nicht bloß begangen wurde, sondern daß der Delinquent auch zugleich vor die Gerichte gezogen und in regulärer Form verurteilt wurde. Im Einzelfall muß natürlich Rücksicht genommen werden auf die Natur des Verbrechens, die Größe des Strafmaßes, die Dauer der Gefängnishaft u. s. w.

„Ordinarily the word conviction denotes simply that the person has pleaded guilty or been found guilty by the jury. But commonly in the States wherein this legislation prevails, the effect of the provision is to authorize divorce whenever one of the married parties has been convicted of crime, and sentenced to imprisonment for a specified number of years".

8. Längere Abwesenheit. Die Statuten bestimmen die Zeit, innerhalb welcher ein Eheteil nach unbekannten Regionen verzogen sein muß, um dem zurückgebliebenen Gatten das Recht zu verleihen, auf Scheidung zu klagen. Das Prinzip, welches dabei zugrunde liegt, ist das Prinzip der Präsumption. Das Gesetz nimmt unter solchen Verhältnissen an, daß der verschollene Teil tot ist, und gestattet deshalb dem Kläger eine neue Ehe. Sollte später dennoch der verschwundene Gatte auftauchen, so bleibt diese zweite unter den Auspizien des Gesetzes geschlossene Ehe gewöhnlich intakt.

„If a marriage partner has been absent and unheard of and the other marries, the law has no unyielding result, but in a general way favors the presumption of innocence, making the second marriage good."

9. Oeffentliche Verunglimpfung. Dieses umfaßt jede ungerechtfertigte Unbilde, welche ein Gatte dem anderen zufügt in einer Weise, daß dadurch dessen Menschenwürde verletzt wird und allgemeine Achtung verloren geht, und von Friede, Glück oder gegenseitigem Vertrauen keine Rede mehr sein kann. Ziemlich dasselbe wird durch einen anderen Ausdruck bezeichnet, der hie und da sich findet, nämlich „offering indignities" und der am besten sich wiedergeben läßt durch das deutsche Wort „Schmähung."

„A public defamation is a species of cruelty. Frequently in the presence of visitors and servants to charge the wife with adultery is a public defamation within the statute".

Außer den soweit aufgezählten Scheidungsgründen gibt es natürlich noch manche andere. Aber alle lassen sich mehr oder weniger auf die genannten zurückführen. Es ist kaum notwendig zu erwähnen, daß

Dinge, welche eine Ehe nach dem Naturgesetz ungültig machen, wie beständiger Wahnsinn, Impotenz u. s. w., auch durch das bürgerliche Gesetz als genügend betrachtet werden, um eine Scheidung zuzulassen.

Werfen wir nach dieser allgemeinen Darlegung noch einen Blick auf die einzelnen Staaten. Hier möchte ich zunächst zwei Bemerkungen vorausschicken.

Die partielle Scheidung, d. i. die Trennung von Tisch und Bett (bed and board), ist nicht überall gang und gäbe. Einige Gemeinwesen haben sie in ihre Statuten aufgenommen.[1]) Meistens macht das Gesetz keinen Unterschied, sondern spricht bloß von der Auflösung der Ehe. (Dissolution i. e. solution of the bond of marriage.)

In früheren Jahrzehnten haben die Gesetzgebungen nicht selten die Sache der Ehescheidungen selbst in die Hände genommen, so daß es in jedem einzelnen Falle einer besonderen Vorlage (bill) bedurfte. Diese Praxis ist gegenwärtig ziemlich überall aufgegeben. Die Gewalt, Ehen zu trennen, ist den Gerichtshöfen (circuit and supreme court) übertragen worden, gerade so wie alle anderen Zwistigkeiten und Prozesse, welche Private miteinander haben.

Unter den Neu-Englandstaaten hat Massachusets stets eine führende Rolle ausgeübt. So auch auf dem Gebiete des Eherechts. Die Scheidungsgründe nach den zur Zeit dort geltenden Bestimmungen sind: 1. Ehebruch; 2. Impotenz; 3. vollständiges Imstichlassen während drei Jahren; 4. festgewurzelte Gewohnheit (confirmed habits) im Gebrauch von berauschenden Getränken oder Medikamenten (liquors, opium or other drugs); 5. grausame Mißhandlung; 6. grobe und ruchlose (cruel and wanton) Vernachlässigung von Seiten des Mannes, indem dieser seiner Frau die Mittel zum standesmäßigen Unterhalt vorenthält; 7. lebenslängliche oder doch auf wenigstens fünf Jahre sich erstreckende Gefängnishaft bei harter Arbeit.

Eine besondere Verfügung lautet, daß in der ersten Instanz der Scheidungsspruch als vorbehaltend angesehen werden muß (decree nisi), der später, nach weiteren sechs Monaten, auf erneuerten Antrag definitive Rechtskraft erlangt (decree absolute). Dann soll es dem klagenden Eheteil gestattet sein, eine neue Verbindung einzugehen. Der andere Teil indes, gegen welchen das Urteil erlassen ward und von dem die Trennung stattfand, muß volle zwei Jahre warten, bevor er zur Wiederverheiratung schreitet.

In New-Hampshire gelten ziemlich dieselben Scheidungsgründe wie in Massachusets.

Auch Connecticut gewährt eine Trennung auf derselben Basis und außerdem, wenn ein Eheteil sieben Jahre lang verschollen ist.

---

[1]) Es sind die folgenden: Alabama, Arkansas, Delaware, Distrikt of Columbia, Georgia, Indiana, Indian-Territory, Kentucky, Louisiana, Maryland, Michigan, Minnesota, Montana (seit 1907), Nebraska, New-Jersey, New-York, North-Carolina, Pensylvania, Rhode-Island, Tennessee, Vermont, Virginia, West-Virginia, Wisconsin.

Rhode=Island, Vermont und Maine haben in ihren Bestimmungen über Ehetrennung ebenfalls den Kodex von Massachusets zur Richtschnur genommen.

In allen Neu=Englandstaaten bestehen ferner Verordnungen in Bezug auf das zur Berechtigung einer Scheidungsklage erforderliche Domizil. Wer nicht wenigstens ein ganzes Jahr in dem betreffenden Staatsgebiet gewohnt hat, kann nicht als Kläger gegen den anderen Eheteil auftreten. In Massachusets sind drei bis fünf Jahre. In Rhode=Island zwei Jahre vorgeschrieben.

Was die südlichen und südwestlichen Staaten anbelangt, so hat sich dort ein größerer Konservatismus geltend gemacht, als in den übrigen Landesteilen. Bis etwa um die Mitte des vorigen Jahrhunderts kamen Ehescheidungen verhältnismäßig selten vor und dann meistens in der Form von legislativen Erlässen, weniger als juridische Akte. Weil indes die gesetzgebenden Körperschaften die einzelnen Fälle nicht mit jener Schärfe und technischen Genauigkeit untersuchen konnten, wie es Richter und Geschworene zu tun pflegen, so mehrten sich natürlich die an diese Körper=schaften gestellten Gesuche und damit auch die wirklichen Scheidungen. Der Uebelstand machte sich besonders in Maryland und Virginia bemerkbar. Beide Staaten waren deshalb genötigt, Schritte zu tun, um verderbliche Folgen zu verhüten. Im Jahre 1851 wurde eine Konstitution angenommen, welche der Gesetzgebung das Recht entzog, Ehescheidungen zu gewähren und die Sache an die Gerichte verwies. Andere Gemeinwesen folgten dem Beispiel, so daß zur Zeit fast überall auf prozessualem Wege eine Ehescheidung ange=strebt werden muß.

Die Gründe, welche bei der gerichtlichen Untersuchung bezw. Ent=scheidung als ausschlaggebend gelten, sind fast allerorts dieselben, wie Ehe=bruch, grausame Behandlung, böswilliges Verlassen u. s. w. In Arizona, Georgia, Maryland, Missisippi, Missouri, North=Carolina, New=Mexiko, Tennessee wird noch eigens erwähnt, daß der Mann auf Scheidung an=tragen dürfe, wenn er nach der Heirat ausfindet, daß seine Frau vorher von einem Dritten schwanger war. In Kentucky gilt als genügender Grund sogar ekelhafte Krankheit, vorausgesetzt, daß diese früher verheimlicht worden, und in Florida unheilbarer Wahnsinn.

Eine rühmliche Ausnahme macht Süd=Carolina. Es ist der einzige Staat in der ganzen Union, woselbst Ehescheidung, d. h. Trennung des Ehebandes, in keiner Weise gestattet ist. Nur für Scheidung von Tisch Bett hat das Gesetz Vorsorge in beschränktem Maße getroffen. „No divorce", heißt es in den sogenannten „Equity Reports", „has ever taken place within the state. The legislature has uniformly refused to grant divorces, on the ground, that it was improper for the legislative body to exercise judicial powers. And it has as steadily refused to enact any law to authorize the courts of justice to grant divorces a vinculo matrimonii, on the broad principle that it was a wise policy to shut the door to domestic discord and to gross immorality in the community."

Auch der Distrikt Columbia hat in neuester Zeit eine sehr strenge Klausel in seinen Gesetzeskodex aufgenommen. Gemäß einer Kongreßakte aus dem Jahre 1901 kann bloß auf Grund von Ehebruch eine absolute Scheidung gestattet werden, und auch dann darf höchstens der unschuldige Teil sich wiederverheiraten, während dem schuldigen Teil die Wiederverheiratung mit anderen vollständig untersagt ist. Trennung von Tisch und Bett wird gestattet ob dreier Ursachen willen Trunksucht, grausame Behandlung, böswilliges Verlassen.

In den übrigen Staaten des Südens und Südwestens wird, wenn eine absolute Scheidung stattgefunden, beiden Teilen, dem unschuldigen sowohl als dem schuldigen, das Recht zu einer neuen Ehe eingeräumt. Nur Tennessee und Louisiana machen eine Einschränkung, welche dahin lautet, daß, falls eheliche Untreue zugrunde lag bei der Scheidung, der treulose Eheteil zu Lebzeiten des ersten und rechtmäßigen Gatten, sich nicht verheiraten kann mit jener Person, mit der das Verbrechen des Ehebruchs begangen war. In Mississippi und einigen anderen Gemeinwesen ist es den Gerichten überlassen, eine derartige Beschränkung aufzuerlegen. In Oklahoma müssen beide Teile wenigstens sechs Monate warten, nachdem das Urteil gefällt, bevor sie zu einer neuen Ehe schreiten dürfen.

Die Bestimmungen über das gesetzlich erforderliche Domizil, d. h. die Länge der Zeit, während welcher die Leute innerhalb des Bezirkes wohnen müssen, um auf Ehescheidung klagen zu können, sind verschieden in den einzelnen Staaten. Meistens wird ein Aufenthalt von einem Jahr verlangt. Die Statuten von Maryland und Tennessee schreiben zwei Jahre vor und im Distrikt Columbia sind sogar drei Jahre festgesetzt.

Betrachten wir jetzt noch kurz die mittleren und westlichen Staaten. Weil diese Landesteile durch Einwanderung und beständige Verschiebung der Bevölkerung in fortwährender Entwicklung sich befunden haben und stellenweise sich noch befinden, so darf es nicht auffallen, wenn daselbst sowohl auf politischem Gebiet als auch in den sozialen Verhältnissen viel Wechsel und Veränderung vorkam. Speziell was Ehesachen anbelangt, hat man an einigen Orten erst lange herumexperimentiert, bevor etwas Stabiles zutage gefördert ward. Augenblicklich allerdings ist ziemlich überall ein fester Boden gewonnen. Ehescheidungen auf legislativem Wege, die früher nicht selten waren, sind nunmehr fallen gelassen. Gerichtliche Auflösung oder Trennung (judicial divorce) hat allein Geltung.

Recht enge sind die Grenzen gezogen im Staate New-York. Ehebruch bildet den einzigen genügenden Grund für absolute Scheidung. Frauen können auf partielle Scheidung (from bed and board) antragen, wenn der Mann sie unmenschlich behandelt (cruel and inhuman treatment) oder sich weigert für ihren Unterhalt aufzukommen.

New-Jersey geht etwas weiter. Außer Ehebruch gilt auch böswilliges, zwei Jahre anhaltendes Verlassen (obstinate desertion) als ausreichend, um das Band der Ehe zu lösen.

Das Gesetzbuch von Pensylvania, wie es zur Zeit in Kraft ist, enthält nicht weniger als elf Scheidungsgründe. Außer den üblichen, früher bereits aufgezählten, auch noch Betrug bei Eingehung der Ehe, sowie grausame und barbarische Handlungsweise (cruel and barbarous treatment) von Seiten der Frau, wodurch diese dem Manne das Leben an ihrer Seite unerträglich und hart macht. Eigentümlich und locker ist die Bestimmung, daß, wenn nach zweijähriger Abwesenheit der zurückgebliebene Eheteil anderweitig heiratet, diese Verbindung nicht als Ehebruch gelten soll. Im Falle, daß der verschollene Gatte wieder auftaucht, steht ihm das Recht zu, seinen früheren Genossen zurückzufordern oder auf vollständige Scheidung zu klagen.

Es würde zu weit führen, jeden einzelnen Staat in dieser Gruppe eigens für sich zu behandeln. Es genüge die Bemerkung, daß überall die gewöhnlichen Scheidungsgründe gesetzlich sanktioniert sind.

Nur die besonderen Momente oder näheren Bestimmungen mögen hier kurz ihren Platz finden.

Für böswilliges Verlassen oder doch freiwilliges Sichentfernen (willful absence or abandonment) sind fünf Jahre als Grenze angesetzt in Ohio, drei Jahre in Delaware, zwei Jahre in Indiana, Illinois, Jowa, Nebraska, Michigan, je ein Jahr in California, Colorado, Idaho, Kansas, Minnesota, North= & South=Dakota, Nevada, Montana, Oregon, Washington, Wisconsin, Utah.

Trunksucht muß, um als Scheidungsgrund gelten zu können, sich erstreckt haben auf drei Jahre in Ohio, zwei in Illinois, je ein Jahr in California, Colorado, Idaho, Minnesota, Montana, Nevada, North= & South=Dakota. In den übrigen Staaten sind keine näheren Bestimmungen hinzugefügt.

Unterlassung von Seiten des Mannes, Frau oder Familie mit den notwendigen Subsistenzmitteln zu versehen (failure of husband to provide for wife or family) ist als besonderer Scheidungsgrund erwähnt in den Gesetzen von Delaware (3 years), Indiana (2 years), Colorado, Nebraska, Utah, Washington, Wyoming (1 year).

Der Umstand, daß die Frau zur Zeit, als die Ehe eingegangen wurde, schwanger war durch Vergehen mit einem Dritten, gibt dem rechtmäßigen Gatten die Befugnis, auf Scheidung zu klagen in Jowa, Kansas, Wyoming. In den anderen Staaten wird dieser Scheidungsgrund nicht besonders aufgeführt. Doch da in deren Gesetzbüchern verschiedentlich die Rede ist von Betrug und Gewalt, so dürfte derselbe mit letzteren zusammenfallen.

Spezielle Eigentümlichkeiten sind ferner noch die folgenden: In Illinois, dessen Gesetzeskodex zur Zeit neun Scheidungsgründe (die sonst üblichen) enthält, ist den Gerichtshöfen eine bedeutende und leicht zum Mißbrauch führende Vollmacht eingeräumt, die dahin lautet, daß aus irgendeiner Ursache, welche sonst im Gesetz keine Erwähnung gefunden, der betreffende Richter auf Auflösung der Ehe erkennen kann. Es genügt, daß nach seinem persönlichen Urteil das friedliche Zusammenleben der Eheleute gestört ist. In Utah und Dakota bestanden früher ähnliche Konzessionen, sie sind aber durch spätere Verordnungen abgeschafft. Nur der Staat Washington behält bis dato diese sogenannte Omnibus-Klausel bei.

In Wisconsin, woselbst die partielle Scheidung (von Tisch und Bett) gestattet ist, können die Ehegatten, nachdem sie freiwillig fünf Jahre lang getrennt gelebt haben, auf vollständige Lösung des ehelichen Bandes antragen, ohne daß eine weitere Ursache vorliegt.

In Utah wird außer sieben anderen Gründen auch vollständiger Wahnsinn (permanent insanity) und in Washington unheilbare chronische Manie als zulässig zur Scheidung anerkannt.

Selbstverständlich spielt bei der Ehescheidung die Domizilfrage eine Rolle. Wie lange also muß jemand innerhalb der Grenzen des bestimmten Gemeinwesens seßhaft gewesen sein, damit die Gerichtshöfe Jurisdiktion ausüben und den Eheprozeß in ihre Hände nehmen können? Die hier geltenden Normen sind verschieden. Die gesetzlich fixierte Dauer variiert zwischen sechs Monaten und drei Jahren. Es hat Gebiete gegeben, woselbst der Termin so kurz war, daß Mißbräuche der allerschlimmsten Art sich einstellten. In Utah waren von 1852 bis 1878 eigentlich gar keine Bestimmungen bezüglich des Domizils. Es genügte, daß jemand überhaupt sich daselbst aufgehalten, ja einfach den Wunsch ausgesprochen hatte, sich innerhalb des Territoriums anzusiedeln. Daraufhin allein schon konnte ein Gesuch um Scheidung bei den lokalen Gerichtshöfen anhängig gemacht und von letzteren die Scheidung selbst verfügt werden, und zwar aus irgend einem Grunde, welcher nach Ansicht der Richter es wahrscheinlich machte, daß der häusliche Friede gestört sei. Es läßt sich leicht denken, mit welcher Gier und Raffiniertheit gewissenlose Advokaten sowie ehemüde Gatten diese Gelegenheit ergriffen, um die lästigen Fesseln zu entfernen.[1]) Solch ein Zustand konnte natürlich nicht länger geduldet werden. Das Gesetz vom Jahre 1878 verlangt nunmehr eine „bona fide" Residenz von wenigstens zwölf Monaten.

Süd-Dakota war vordem ebenfalls das Eldorado aller jener, die gerne das Ehejoch abschütteln wollten und solches in ihrem Heimatstaate ob der dort waltenden strengen Gesetze nicht vermochten. Ein Aufenthalt von nur neunzig Tagen wurde erfordert. Jetzt ist die Sache doch etwas mehr erschwert, indem seit 1899 sechs Monate gesetzlich vorgeschrieben sind.

Doch wie steht es mit der Wiederverheiratung nach der gerichtlichen Scheidungssentenz? Einige, aber lange nicht alle Staaten, haben es für nötig gehalten, Beschränkungen aufzuerlegen. Soweit die mittlere und westliche Gruppe in Betracht kommt (Neu-England und die südlichen Gebiete wurden schon früher besprochen), sind es deren fünfzehn.

---

[1]) „Under the blanket provision anything might be alleged in the petition as a ground for action. The natural result was that certain sharp lawyers in eastern cities zeized the opportunity to promote clandestine divorce on a large scale. Through their skilful plans and the connivance of local judges, the courts of several counties were converted into verita le divorce bureaus, so that between 1875 and 1877 there was a surpriping increase in the annual crop of divorce decrees." (Howard, Matrim. Instit. vol. III p. 132).

In Pensylvania kann der auf Grund von Ehebruch verurteilte Gatte mit dem schuldigen Genossen während der Lebzeit des unschuldigen von ihm geschiedenen Partners keine neue Ehe eingehen.

Die Gesetzesbestimmung von Delaware ist noch strenger. Sie untersagt die Ehe mit dem schuldigen Genossen für immer und mit anderen Personen so lange, bis der frühere, rechtmäßige Eheteil gestorben ist.

In Indiana wird durch die Scheidung der Verklagte des Ehebandes nicht ledig, es sei denn, daß das Gericht eigens dies ausspricht.

In Michigan ist es dem Richter überlassen, die Wiederverheiratung des schuldigen Teiles auf zwei Jahre zu suspendieren.

Der Gesetzeskodex von Kansas verordnet, daß, wenn zwei Gatten geschieden sind, beide sechs Monate warten müssen, bevor sie zu einer neuen Ehe schreiten.

In Minnesotta, Nebraska, Oregon und Washington herrscht dieselbe Regel, d. h. keine neue eheliche Verbindung innerhalb sechs Monate nach Scheidung, in Idaho nicht, bis mehr als sechs Monate verflossen sind.

Colorado und Wisconsin haben ein ganzes Jahr als Wartezeit festgesetzt.

In Nord-Dakota sind bloß drei Monate vorgeschrieben. „Süd-Dakota dagegen geht strenger vor. Hier ist, falls Ehebruch den Scheidungsgrund bildet, dem schuldigen Teil die Wiederverheiratung während der Lebzeit des unschuldigen untersagt.

Das Statut von Montana bestimmt ohne Rücksicht auf den Scheidungsgrund, daß der unschuldige Teil zwei Jahre, der schuldige aber drei Jahre sich gedulden müsse, ehe eine anderweitige Verheiratung erfolgen könne.

Aus der kurzen Darstellung, die wir hier geboten haben, läßt sich deutlich ersehen, welch laxe Anschauungen über die Ehe in vielen Kreisen hierzulande Platz gegriffen. Die Scheidungen haben in den letzten Jahrzehnten rapiden Fortschritt gemacht, der in keinem Verhältnis steht zum Wachstum der Bevölkerung. Genaue und offizielle Daten fehlen allerdings. Aber es dürfte nicht übertrieben sein, was kürzlich eine Zeitung (The Ohio law journal, Oktober 1906) schrieb: „The divorce evil can be stated in no stronger terms than that annually there are now granted in the United States more than 70.000 divorces, increasing from 25.335 in 1886 and from 9937 in 1867." Ein anderes Blatt („Der Milwaukee Exzelsior", 3. Dezember 1908) bemerkt: „Aus einem vorläufigen Bericht des Bundes-Zensusbureaus über die Ergebnisse der von der Regierung angestellten Erhebungen über die Eheschließungen und Ehescheidungen in diesem Lande geht klar hervor, daß in den Vereinigten Staaten die Scheidungsrate enorm hoch und weit höher ist, als in irgend einem anderen Lande der Welt, aus welchem Scheidungsstatistiken erhältlich sind. Während z. B. in Deutschland eine Scheidung auf 85 Ehen kommt, in Frankreich eine auf 53, in England eine auf 92, kommt in den Vereinigten Staaten auf fast jede 12. Ehe eine Scheidung. Der Bericht umfaßt eine Statistik über die letzten 20 Jahre. Während dieses Zeitraumes wurden in den Vereinigten Staaten 12,832.044 Ehen abgeschlossen, aber

hievon wurden nicht weniger als 945.625 Ehen wieder geschieden. Und
die Zahl der Ehescheidungen ist keineswegs im Verhältnis zur Volksver=
mehrung angewachsen, sondern sie hat sowohl im Vergleich mit dieser, wie
mit der Zahl der Eheschließungen ganz unverhältnismäßig zugenommen.
Auf eine Bevölkerungszunahme um 30 Prozent in dem Jahrzehnt von
1870 bis 1880 kam eine Zunahme der Ehescheidungen um 79 Prozent;
in den zehn Jahren von 1880 bis 1890 betrug der Volkszuwachs
25 Prozent, die Scheidungen aber nahmen um 70 Prozent zu; im nächsten
Jahrzehnt von 1890 bis 1900 war eine Zunahme der Bevölkerung um
21 Prozent, dagegen eine solche der Scheidungen um 66 Prozent zu ver=
zeichnen, während die Ziffern von 1900 bis 1906 sich wie 10·5 zu
29·3 Prozent stellen. Die Ehescheidungen haben also fast dreimal so schnell
zugenommen, wie die Bevölkerung. Das sind geradezu erschreckende Ziffern,
denn sie begreifen in sich eine Unsumme sittlichen und sozialen Elends.
Man denke nur einmal an die Hunderttausende von Kindern, die durch
dieses stetig anwachsende Uebel der Segnungen des Familienlebens und
einer christlichen Erziehung verlustig gehen, um später ihrerseits wieder in
die Fußstapfen der Eltern zu treten. Sie enthüllen einen Zersetzungsprozeß,
der gleich einem fressenden Krebsschaden immer weiter um sich greift und
die Grundlage des Staates und der Gesellschaft gefährdet."

Ehegesetzgebung und Ehescheidung sind in der Tat eine der bren=
nendsten Fragen in Amerika geworden. Man merkt, daß der gegenwärtige
Zustand auf die Dauer unhaltbar ist, und daß etwas geschehen müsse,
um den verheerenden Strom, welcher das Familienleben vergiftet und die
Gesellschaft untergräbt, zu dämmen. Zunächst wäre es eigentlich angezeigt,
die Religion zur Hilfe zu rufen. Indes der Protestantismus ist in zu
viele Sekten gespalten und hat überhaupt beim Volke alles Vertrauen ver=
loren, als daß von dieser Seite eine Aufbesserung der Sitten und Re=
generation der Massen sich erhoffen ließe. Von der katholischen Kirche aber
will die große Mehrheit nichts wissen. Der moderne Staat hat nun ein=
mal unter Zustimmung der wählenden Parteien seine Hand auf das Gebiet
der Ehe ausgestreckt, und es bestätigt sich das Wort des Dichters: „Die
Geister, welche ich rief, werde ich nicht mehr los." Man macht nicht mit
Unrecht die Regierungen für den Schaden, welcher durch die laxe Gesetz=
gebung herbeigeführt wurde, verantwortlich. Von ihnen, denkt man, soll
deshalb auch die Abhilfe kommen.

Der erste einleitende Schritt dieser Art war eine Kongreßakte vom
16. März 1905. Durch sie wurde der damalige Präsident Roosevelt, der,
nebenbei bemerkt, persönlich gesunde Ansichten in Bezug auf die Pflichten
der Eheleute vertritt und mehr als einmal dem Publikum in derben Worten
die Wahrheit gesagt hat, autorisiert, eine Kommission zu ernennen, um
das zur Zeit geltende Scheidungsrecht zu kodifizieren. Die nächste Folge
war ein Aufruf an die Gouverneure aller Staaten der Union, worin diese
ersucht wurden, Delegaten zu ernennen für einen gemeinsamen beratenden
Kongreß. Der Kongreß kam am 13. Februar 1906 in Washington zu=
stande. Nur zwei Staaten, Mississippi und Nevada, waren nicht vertreten.

Süd=Carolina hatte die Einladung abgelehnt, weil es dort keine Ehe=
scheidung gibt. Unter den Delegaten befand sich auch ein katholischer Bischof,
Msgr. J. Shanley von Nord=Dakota. Die Versammlung, das ist lobend
anzuerkennen, war sich des Ernstes ihrer Aufgabe bewußt. Leider sind
jedoch praktische Resultate bis jetzt wenig erzielt worden. Man einigte sich
auf achtzehn Resolutionen.

Die erste und wichtigste dieser Resolutionen lautete dahin, daß unter
den gegenwärtigen Umständen ein einheitliches, von der Bundesregierung
ausgehendes und das ganze Land umfassendes Gesetz nicht erlangt werden
könne, weil dem Kongreß dazu die Vollmacht fehle, indem erst die Kon=
stitution der Vereinigten Staaten amendiert werden müsse, wozu keine
Aussicht vorhanden sei.[1]) Darum sei ein anderer Modus zu wählen, um
die wünschenswerte Gleichförmigkeit, wenn auch nicht vollständig, so doch
bis zu einem gewissen Grade zu erzielen. Der Modus, wie die Versamm=
lung sich ausdrückte, besteht darin, daß eine Vorlage (bill) auf gemein=
samer Plattform ausgearbeitet werde, um sie den Gouverneuren der Einzel=
staaten zuzusenden mit dem Ersuchen, sie den Legislaturen zu empfehlen.

In einer anderen Resolution wurde befürwortet, überall, soweit es
noch nicht geschehen ist, neben der absoluten Scheidung die partielle, die
Trennung von Tisch und Bett, einzuführen, damit nicht, wenn eine wirk=
liche Notlage vorliegt, sogleich zu einer völligen Auflösung des Ehebandes
geschritten zu werden braucht.

Ferner heißt es: Der Termin zur Berechtigung der Ehescheidung
sollte so weit wie möglich hinausgeschoben werden.

So gut diese und andere Vorschläge, die bei der Gelegenheit ge=
macht wurden, gemeint sind, tatsächlich ist nicht gerade viel damit gewonnen.
Das einzige, was erreicht wurde, ist, daß die öffentliche Meinung geweckt
und Anregung geboten ward, in juridischen Kreisen auf größere Uniformität
zu dringen. Es dürfte aber noch eine Reihe von Jahren vergehen, ehe ein
wirklicher Wandel zum Besseren sich vollzieht. Während man auf anderen
Gebieten sozialer Reform sehr rührig ist, ja teilweise, z. B. in der Pro=
hibitionsfrage zur Verhütung der Trunksucht, weit über das Ziel hinaus=
schießt, wird Ehe und Familie noch sehr stiefmütterlich behandelt.

In einem Punkte hat allerdings die Nationalregierung der Bewegung
zur Besserung der ehelichen Verhältnisse nicht unwesentlichen Vorschub ge=
leistet. Der oberste Gerichtshof (National Supreme Court) in Washington
hat vor etwa Jahresfrist den Satz aufgestellt, daß eine Ehescheidung un=
gültig ist, wenn nicht beide Parteien in dem betreffenden Staate ansässig
sind.[2]) Weil diese Entscheidung keine weitere Appellation zuläßt und für
das ganze Land Rechtskraft hat, nicht bloß soweit die Zukunft, sondern
auch soweit die Vergangenheit in Betracht kommt, so ist damit ein großer

---

[1]) Eine Amendierung der Bundeskonstitution ist mit einem so schwerfälligen
technischen und juridischen Apparat verknüpft, daß nur selten, unseres Wissens
bloß einmal in hundert Jahren, ein Zusatz gemacht wurde. — [2]) Einige Staaten
hatten sich schon früher ein solches Recht reserviert, aber das Recht konnte nur
in den betreffenden Staaten geltend gemacht werden, wo die Verordnung bestand.

Unfug beseitigt. Leichtfertige und bemittelte Leute, die vordem in ihrem Heimatstaate keine Auflösung der Ehe erwirken konnten, wandten sich einfach an die Gerichte eines anderen Staates, und diese, ohne sich um den anderen Eheteil zu kümmern, sprachen die Scheidung aus. Das wird jetzt wohl nicht mehr gehen. Der „Milwaukee Herold", eine tägliche politische Zeitung, brachte damals einen Leitartikel über diese Angelegenheit, den wir seiner Trefflichkeit wegen wörtlich hierhersetzen.

„Ein gewisser Haddock war im Jahre 1868 von einer Frau zur Ehe genötigt worden im Staate New York, hatte sie bald darauf verlassen, überhaupt nicht mit ihr zusammengelebt, war nach Connecticut verzogen, hatte dort im Jahre 1881 eine Scheidung erwirkt und darnach eine andere Frau genommen. Die geschiedene Frau ist jetzt in New-York als Klägerin aufgetreten und das Obergericht des Staates hat ihr hohe Alimente zugesprochen, da ihre Ehe rechtlich nicht geschieden sei. Das stempelt den Mann zum Bigamisten, die zweite Frau als Ehebrecherin, und wenn Kinder vorhanden wären, würden sie als außerehelich zu gelten haben. Und das Bundesgericht hat das bestätigt. Der Bundesverfassung gemäß, hat ein Staat die gesetzlichen Handlungen eines anderen Staates anzuerkennen. Die in Connecticut unter den Gesetzen dieses Staates erfolgte Scheidung würde als solche zu betrachten sein und dieser Meinung ist auch die Minorität des Oberbundesgerichtes, die Mehrheit aber, mit Richter White an der Spitze, entschied dagegen, weil die geschiedene Frau, als in New-York wohnhaft, nicht unter der Jurisdiktion des Staates Connecticut gestanden habe. Der Richter stellte die Frage so: Hatte der Gerichtshof auf Grund des alleinigen Domizils des Gatten in jenem Staate Befugnis, ein Erkenntnis gegen die Frau zu erlassen, und kann der Staat die Anerkennung von dessen Gültigkeit verlangen, wo die andere Person doch nicht unter seiner Jurisdiktion stand? Ist ein Scheidungsprozeß so ausnahmsweiser Art, daß er nicht unter die Bestimmung fiele, derzufolge die Autorität eines Staates auf die seiner Jurisdiktion unterstehenden Personen beschränkt ist? Er führte dann weiter aus, daß die bezügliche Verfassungsbestimmung nur dann herangezogen werden könne, wenn über die autoritative Befugnis eines Staates kein Zweifel sei. Das treffe aber hier nicht zu, wie auch schon daraus zu ersehen, daß die Staaten selbst untereinander betreffs der Ehescheidungen Unterschiede machten, der eine Gründe zuläßt, die der andere verwirft, einige beiderseitiges Domizil erfordern, andere nicht. Die Erklärung des Richters gipfelte in dem Satze, daß es zur Erhaltung der gesetzlichen Autorität aller Staaten über die Ehe nötig wird, festzustellen, daß alle Staaten diese Autorität nur mit Zustimmung der anderen ausüben können.

Die Majoritätsentscheidung wird vielen Kopfschmerzen machen, besonders solchen Leuten, die von der Gewissenlosigkeit der Gesetzgeber profitiert haben, um der Ehefesseln, mitunter sogar heimlich und hinterrücks, los und ledig zu werden. Sie vertritt aber, abgesehen von ihren Wirkungen, eine gesunde Ansicht. Es ist nur gerecht, wenn in einem so wichtigen Verfahren, wie die gesetzliche Lösung einer Ehe, beide Parteien vor demselben

Tribunal zu erscheinen haben, daß sie derselben Rechtsprechung unterliegen. Zugleich weist die Entscheidung darauf hin, wie notwendig einheitliche gleiche Ehegesetzgebung für die Staaten ist, die, wenn sie von Bundeswegen nicht erlangt werden kann, weil die Verfassung das Recht dazu nicht aus= drücklich vorschreibt, durch gemeinsame Uebereinstimmung der Staatsgesetz= gebungen erzielt werden sollte."

Wir wollen hoffen, daß die in den letzten Worten des „Milwaukee Herold" ausgesprochene Erwartung sich erfülle. Rom ist nicht in einem Tage erbaut worden, und jedes gute Ding will Weile haben. Das voll= kommene Ideal, absolutes Verbot der Eheauflösung, wird bei dem heutigen Stande der Gesellschaft sich unmöglich durchführen lassen. Wenn aber auch nur die schlimmsten Auswüchse beseitigt und die gröbsten Skandale aus dem Wege geschafft werden, so ist schon viel gewonnen.

Eine Frage noch drängt sich dem Leser am Schlusse sicher auf: Welche Stellung nimmt die katholische Kirche, die doch, soweit die ihr untergebenen Gläubigen in Betracht kommen, auch ein Wort in Ehesachen mitzusprechen hat, und zwar kein geringes, gegenüber der vielgestaltigen bürgerlichen Ehegesetzgebung in Amerika, ein? Die Antwort auf diese Frage erheischt eine eigene Abhandlung. Wir hoffen, dieselbe in einem späteren Artikel zu bringen.

Das Ende Voltaires.

Von Prof. Joh. B. Näf in Salzburg.

Im Jahre 1904 wurde in dieser Zeitschrift auf den 200jährigen Todestag der Geistesheroen Bossuet (gestorben den 12. April 1704, 76 Jahre alt) und Bourdaloue (gestorben den 13. Mai 1704, 72 Jahre alt) aufmerksam gemacht. Beide starben den Tod der Gerechten. Bossuet, einer der größten und geistreichsten Redner aller Zeiten, der Chrysostomus des 17. Jahrhunderts und Bourdaloue, der mit unwiderleglichem Scharfsinn für das Wahre und Edle eintrat, der die Demut, den Gehorsam, die Gottergebenheit eines Heiligen besaß.

Heute haben wir es mit dem Lebensende eines Mannes, den die Ungläubigen als einen der erleuchtetsten Geister preisen, mit dem Lebensende Voltaires zu tun. Es besteht über dasselbe eine große Literatur. Viele ließen ihn eines ruhigen, bußfertigen Todes, als mit der Kirche ausgesöhnt sterben. Viele behaupteten das Gegenteil. Diesem Streite will der Abbé Lachèvre, ein in Frankreich sehr geachteter Schriftsteller, durch die Veröffentlichung einer bisher unbekannten Handschrift ein Ende machen. Voltaire mourant; enquête faite en 1778 sur les circonstances de sa dernière maladie, publiée sur le manuscrit inédit et annotée par Frédéric Lachèvre. Paris, Henri Champion, 1908. (Voltaire sterbend; Untersuchung 1778 gemacht über die Umstände seiner letzten Krankheit, veröffentlicht nach einer unedierten Handschrift, und mit Anmerkungen versehen von Fr. Lachèvre, Paris, Champion 1908. Gr. 8°. XXXII, 268 S.

Fr. 7·50.) Die Schrift enthält genaue Untersuchungen über die letzte Krankheit und den Tod Voltaires. Wer die Untersuchungen gemacht habe, und wer somit der eigentliche Verfasser dieser entscheidenden Schrift sei, wird zwar nirgends gesagt, doch läßt alles darauf schließen, daß es ein hochgestellter Geistlicher war, dem jeder Gefragte bereitwillig Aufschluß erteilte. Dazu stimmt, daß die Untersuchung auf den Wunsch des Bischofes von Annecy stattfand, welcher sogleich, nachdem er den Tod Voltaires erfahren hatte, nach Paris eilte und den Verfasser ersuchte, Nachforschungen anzustellen. Seinem Wunsche wurde auch sogleich entsprochen. Am 30. Mai 1778 war Voltaire gestorben. Schon den darauffolgenden Monat Juni begann der Verfasser seine Nachforschungen und schloß sie ab im Monat Dezember. Dieselben waren somit möglichst gleichzeitig mit dem Ereignis selbst. Die Zeugen konnten sich daher noch ganz genau an alles erinnern. Die Zeugen, welche er vernahm, sind auch durchaus glaubwürdig. Sie konnten die Wahrheit sagen, weil sie nur von dem Zeugnis ablegen, was sie sahen und hörten. Sie hatten auch gar keinen Grund, nicht die Wahrheit zu sagen.

Der Verfasser zog Erkundigungen ein bei Abbé Gaultier, welcher Voltaire zum Beichten und zum Widerruf bewegen wollte, bei H. de Ferrac, dem Pfarrer von St. Sulpice, in welcher Pfarrei sich der kranke Voltaire befand, bei dem Chirurgen Try und dessen Schüler Bizard, welche dem Kranken täglich Beistand leisteten, bei dem Wächter (und Wärter) Roger und der Wärterin Bardy, der Gattin des Koches von Voltaire und bei noch einigen anderen Personen, welche während der Krankheit mit ihm in Berührung kamen. Man war schon seit einiger Zeit — Freunde wie Feinde — darauf gespannt, welches Ende wohl der erklärte Feind Christi nehmen werde. Sein Leibarzt Franchin schrieb im Jahre 1773 an einen Freund: „Wenn er (Voltaire) in einer freudigen Stimmung stirbt, wie er es Horaz versprochen hat, wäre ich sehr getäuscht. Ich glaube, sein bevorstehendes Ende mache ihm schwere Stunden. Ich bin überzeugt, daß er jetzt nicht mehr darüber scherzt. Das Ende ist für Voltaire ein fürchterlicher Augenblick, wenn er das Bewußtsein bis zum Ende behält."

Vernehmen wir nun das Nähere. Voltaire kam 1778 zum letzten Male nach Paris. Er kam unerwartet. Da ihm Paris noch polizeilich verboten war, zog er es vor, im Stillen einzuziehen. Als man ihn am Zollamt fragte, ob er nichts Mautbares habe, antwortete er scherzend: nichts als meine Person. Der Hof ignorierte jedoch seine Ankunft. Man mochte glauben, der 84jährige Mann habe seine Rolle ausgespielt. Zudem hatte er auch am Hofe selbst einen nicht unbedeutenden Anhang. In der Stadt verbreitete sich die Nachricht mit Blitzesschnelle. Welche Freude für seine Freunde! In der Comédie française wurde er als Dichter feierlich und jubelnd gekrönt. Andere Festlichkeiten zu seinen Ehren sollten nachfolgen.

Da machte der Bruch eines Gefäßes in der Brust dem Jubel ein
Ende, und die Aerzte waren um das Leben des Hochbetagten nicht
wenig besorgt. Diesen Anlaß benützte ein Priester, der sonst mit
Voltaire in keiner Verbindung stand, der seeleneifrige Kaplan der
Incurables (Unheilbaren), l'Abbé Gaultier, um in einem Briefe den
Philosophen ergebenst zu bitten, er möchte ihm einen Besuch gestatten.
Voltaire fürchtete, er möchte nach seinem Tode unwürdig (in der
sog. Schindergrube) verscharrt werden, was damals das Los aller
war, welche sich weigerten, religiösen Trost anzunehmen, und war
daher nicht abgeneigt, den Priester zu empfangen. Der Pfarrer von
St. Sulpice hatte ungefähr zu gleicher Zeit eben denselben Schritt
getan, der Abbé Gaultier wurde jedoch vorgezogen. Er begibt sich
unverzüglich zum Kranken. Dieser ist bereit zu beichten, er macht
das Kreuzzeichen und will die Beicht beginnen. Der Priester hält
ihn zurück und sagt, er müsse, bevor er beichte, die Retractation
(Widerruf) seiner Irrtümer und Aergernisse unterschreiben. Da Voltaire
mit dem Schriftstück, das ihm zum unterschreiben dargereicht wurde,
nicht einverstanden war, schrieb er selbst sogleich eine andere Re=
tractationsformel, aber eine so abgeschwächte, daß sie beinahe nichts=
sagend wurde, und daß der Priester erklärte, er müsse sie dem Erz=
bischof zeigen, bevor er sie als genügend annehmen könne.

Inzwischen war in der Krankheit eine entschiedene Besserung
eingetreten, sodaß vorderhand alle Gefahr beseitigt war und der
Genesende wieder große Pläne faßte. Er wollte eine neue Ausgabe
des Dictionnaire de l'Académie veranstalten und bei diesem Anlasse
die französische Orthographie reformieren. Das war zuviel. Die
Besserung konnte den Verheerungen, welche die Krankheit im Innern
des Körpers bewirkte, kaum vier Tage widerstehen. Der Kopf war
voll Hitze; der Schlaf floh ihn unerbittlich; nur durch künstliche
Mittel kam er ein wenig. Ein Freund gab ihm eine kleine Flasche
Opium, von ihm selbst zubereitet, was ihm selbst täglich gute Dienste
leistete. Voltaire nahm die Flasche an, allein statt in drei bis vier
Dosen den Inhalt einzunehmen, nahm der ungeduldige Kranke alles
auf einmal. Die Wirkung war eine fürchterliche; er wurde aufgeregt,
daß man besorgte, er verliere das Bewußtsein. Das geschah Mitte Mai,
und von da an beginnt eigentlich seine Todeskrankheit. Nach einigen
Tagen erkannten die Aerzte, da sich überall Eiter zeigte, daß der Hauptsitz
der Krankheit sich im Unterleib befinde. Die Eiterung machte rasche
Fortschritte, die Schmerzen wurden immer heftiger, die Anfälle immer
häufiger, sodaß die Aerzte bald alle Hoffnung aufgaben. Der Verfasser
der Handschrift bemerkt hier, der sterbende Voltaire habe einen Anblick
geboten, daß man es kaum wagt zu erzählen, was man aus sicheren
Quellen erfahren hat, aber selbst dieses kann man nicht alles wieder=
geben. Als die Krankheit ernster wurde, war auch der Zutritt zu
ihm schwerer. Man verlangte von der Umgebung strenges Still=
schweigen; sie hatte übrigens einigermaßen Interesse daran.

Daß Voltaire immer bei vollem Bewußtsein blieb, beweisen am besten die Briefe, welche der Kranke vom Bette aus an verschiedene hochstehende Personen schrieb. Das gleiche geht auch aus den Prozeßakten, die bei der Obduktion seiner Leiche niedergeschrieben wurden, hervor, laut welchen der Kopf vollkommen in Ordnung war, und der Unterleib der Herd der Krankheit war. Dort aber litt er Entsetzliches. Ein brennendes Feuer verzehrte alles. Die Hitze war so groß, daß man mit der Hand die Haut nicht berühren konnte.

Der unglückliche Voltaire ertrug diese großen Schmerzen weder wie ein Christ, noch wie ein Philosoph, ja kaum wie ein vernünftiger Mensch. Er konnte niemanden ertragen, auch sich selbst nicht. Von Zeit zu Zeit geriet er in eine Wut und eine Verzweiflung, die unbeschreiblich ist. „Ich brenne, ich brenne", rief er oft aus, dann schlug er nach allen Seiten, fluchte, schleuderte Schimpf- und Schmähworte nach allen Richtungen, sie galten gewöhnlich seiner Bedienung. Eines Tages verlangte er von Frau Roger einen Stock. Er schlug ihr damit so heftig auf die Hände und wo er konnte, daß sie noch lange darnach Schmerzen empfand. Ein anderes Mal warf er ihr ein kostbares Porzellangefäß an den Kopf, das natürlich in Stücke auf den Boden fiel. Er wünschte oft, daß man ihn auf einen mit Eis bedeckten Teich dringe. Um ihm so viel als möglich zu entsprechen, legte man ihn in ein kaltes Bad, was mit Schwierigkeiten verbunden war. Das zweitemal befiel ihn, als man ihn ins Bad legen wollte, ein so heftiger Wutanfall, daß alles floh, und aus dem Baden nichts wurde. Uebrigens konnten auch die kalten Bäder, wie alle Heilmittel, die man versuchte, den furchtbaren Brand nicht löschen, an dem er litt.

Unbegreiflicherweise nahm der Kranke, einst das Haupt der Ungläubigen, eine so verkehrte, ja wahnsinnige Geschmacksrichtung an, die man nicht näher beschreiben kann. Er führte die Urinflasche zum Munde. Da aber in derselben sich ebensoviel Eiter als Urin befand, konnte er nicht davon trinken. Er steckte seinen Finger in die Flasche und dann in den Mund. In seinen gesunden Tagen hatte er oft seine rohen Scherze über die Prophezeiungen Ezechiels gemacht. Der Prophet Ezechiel hatte von Gott den Auftrag erhalten, die großen Bedrängnisse und die fürchterliche Hungersnot, welche über Jerusalem kommen würden, dem Volke anzukündigen. Da heißt es cap. IV v. 12: Et quasi subcinericium hordeaceum comedes illud, et stercore quod egreditur de homine operies illud in oculis eorum. (cf. Albioli, Anm. 21.) Der Prophet wollte damit sagen, die Hungersnot werde so groß sein, daß es an Vieh mangeln werde, deren Kot sich sonst die Aermsten zuweilen bedienten, um durch dessen Verbrennen den Aschenkuchen zu bereiten. Darüber spottete gerne Voltaire mit dem Wunsche, daß alle, welche diese Prophezeiung glaubten, an dieser Mahlzeit teilnehmen müßten. Nun muß er, das Haupt der Ungläubigen, daran teilnehmen! Ja, die Feder sträubt sich, alles was Voltaire in den letzten 6 bis 7 Tagen puncto Reinlichkeit sich zuschulden kommen ließ, zu schreiben. Madame Denis, seine Nichte, war darüber ganz entsetzt; sie sagte: „M. de Voltaire war immmer reinlich bis zur Aengstlichkeit; er hätte eher drei=, vier= mal im Tage seine Kleider gewechselt, als die geringste Unreinlichkeit an sich geduldet. Wie sehr ist er herabgekommen. Und das alles bei vollem Bewußtsein. Es ist unerhört in der Geschichte der Menschheit."

Zu dieser Zeit wollten der Abbé Gaultier und der Pfarrer von St. Sulpice einen neuen Versuch machen, Voltaire die Sterbe= sakramente zu reichen. Der Pfarrer von St. Sulpice ging zuerst zum Kranken. Es wurde ihm gar sehr empfohlen, den armen Ster= benden zu schonen. Er fand den Kranken im Bette sitzend, den Ober= körper umhüllt, das Haupt unbedeckt. H. de Vilette, bei dem Voltaire wohnte, führte ihn ein und sagte: „Mein Oheim, da ist der Herr Pfarrer von St. Sulpice." Bei diesen Worten wendet sich der Kranke um und in größter Aufregung streckt er die Arme drei=, viermal so weit als möglich aus, gleichsam drohend gegen den Pfarrer, richtet gegen ihn Blicke voll Wut und stößt einige Worte aus, die man nicht verstehen kann, deren Sinn aber aus den Blicken und aus den Geberden leicht zu erraten ist. Der Pfarrer überläßt nun die Aufgabe dem Abbé Gaultier. Da dieser zu sprechen beginnt, scheint die Wut des Kranken sich zu legen; er nimmt ihn beim Arm und nachher bei den Händen, indem er sagt: „Herr Abbé Gaultier, melden Sie dem Herrn Abbé Gaultier meine Komplimente." Dem fügte er noch einige andere sinnlose Sätze hinzu. Abbé Gaultier, der in guten Treuen gekommen war, wußte nicht, woran er war und sagte zum Herrn Pfarrer: „Ist es Delirium, daß er so Unsinniges spricht oder ist es Bosheit?" Beide Priester zogen sich zurück, da sie sahen, daß ihre Bemühungen umsonst seien. Lorry, welcher damals Vor= gesetzter der medizinischen Fakultät von Paris war, kam immer zu= gleich mit M. Tronchin. Am Todestag Voltaires, es war ein Samstag, kam er noch um 10 Uhr abends in Begleitung eines dritten Arztes, M. Thierry. Einer nach dem anderen ging in das Krankenzimmer, wo sie niemand fanden. Sie fanden den Kranken ohne Pulsschlag und bewegungslos. Sie hielten ihn für tot. Da näherte sich ihm einer, die Kerze in der Hand, und rieb ihn an den Schläfen etwas kräftig. Da öffnete der Sterbende die Augen; sie waren funkelnder (sagten die Aerzte), als zwei Fackeln; er wirft auf die Aerzte einen zornigen Blick, während er mit einer furchterregenden Stimme ihnen zuruft: „Laissez-moi mourir!" (Lasset mich sterben!) Einige Augen= blicke vor dem letzten Atemzuge stieß er noch einen fürchterlichen Schrei aus. Darauf folgten Konvulsionen, welche alle Umstehenden mit Entsetzen erfüllten. Die Wärterin Roger, die schon vielen Ster= benden beigestanden und auch schon an diesen eigenartigen Kranken gewöhnt war, hatte vor Schrecken einen Ohnmachtsanfall, von dem sie sich lange nicht erholen konnte. Frau Bardy, die Gattin von

Voltaires Koch, welche besonders während der letzten vier Tage den
Kranken bediente, war durch alles, was sie gesehen und gehört (Aus=
brüche des Zornes, Verwünschungen, Raserei, Verzweiflung), so auf=
geregt, daß sie selbst schwer krank wurde und sich nur mühsam er=
holte. Ein Diener des M. de Vilette, in dessen Haus sich Voltaire
befand, der den Sterbenden in seinem unbeschreiblichen Zustande
beobachtete, sagte einige Tage später zu einem Geistlichen: „Wenn
der Teufel sterben könnte, würde er gewiß so sterben."

Schließlich wird erzählt, was seine Freunde in Paris alles
getan haben, um dem Verstorbenen eine kirchliche Beerdigung zu
erwirken. Es war umsonst; der Erzbischof blied fest. Weniger fest war
M. Mignet, der Titularabt von Scellières (in der Nähe von Paris),
ein Neffe des Toten. Der Leichnam erhielt seine Kleider, wurde
in eine Kutsche gebracht, dort sitzend angebunden (wohl um zu
täuschen), schnell und heimlich zur Abteikirche geführt, wo er also=
gleich beerdigt wurde.

Der Verfasser, Fr. Lachèvre, hat den Bericht, welchen der
Verfasser der Urkunden an den Bischof von Annecy richtete, mit
vielen erläuternden Anmerkungen versehen, wo er immer seine Quellen
genau angibt. Was durch diese von ihm aufgefundene Handschrift
neues hinzukommt, wird immer durch besonderen Druck erkenntlich
gemacht. Die Sprache des Herausgebers ist wie die des eigentlichen
Verfassers, eine sehr ruhige, keine feindliche. Kein harter Tadel oder
Vorwurf findet sich in der Schrift, obschon es an Anlässen dazu
nicht gefehlt hätte. Er will nur objektiv mitteilen, was er von glaub=
würdigen Zeugen vernommen hat; dadurch gewinnt er auch das
volle Vertrauen der Leser.[1]

Muß man sich nach solchen Reden wundern, daß ihm ein
solches Ende zuteil wurde?

---

[1] Beinahe zu gleicher Zeit, als Lachèvre diese Urkunde herausgab, er=
schien eine Schrift über Voltaire von G. Pélissier: Voltaire philosophe, Paris,
Cobin. 12°. 205 S Das Werk ist deshalb interessant, weil es eine größere
Anzahl Briefe Voltaires an seine Freunde enthält. In diesen spricht er noch
entschiedener seinen Haß gegen alles Christliche aus, als in den publizierten
Schriften. Der Ausdruck l'infame ist hier stereotyp. Seit 1760 ist Ecrasez
l'infame Voltaires Schlagwort. Da „infame" männlich und weiblich ist, ist dar=
unter bald die Kirche (vernichtet die Infame), bald Christus selbst zu verstehen.
— Nur einige Beispiele: Am 1. Jänner 1761 schrieb Voltaire an Helvetius:
„Man muß l'infame frisch zu den stinkenden Tieren jagen." Am 3. Oktober
des gleichen Jahres schrieb er an M. d'Argental: „O, Barbaren, ihr Christen=
hunde, wie sehr verachte ich euch!" Im Briefe an D. Camille (15. März 1765)
heißt es: „M. d'Argental muß in einigen Tagen zwei Pakete ‚Rattentod' (anti=
katholische Broschüren) erhalten, welche imstande wären, auch dem ‚infame' die
Kolik zu verschaffen. Nach Montesquien, sagt Voltaire, machen die Scythen ihre
Sklaven oft blind, nur damit sie gehorsamer werden So mache es auch die
katholische Kirche. Daher seien die Menschen in den meisten katholischen Ländern
blind." — Ferner schreibt Voltaire: „Christus wurde nach dem mosaischen
Gesetze beschnitten. Seine Religion war daher die jüdische; mit der sogenannten
katholischen hatte er nie etwas zu schaffen." Ferner: „Was seine (Christus) Person

Erzählungen für Kranke.

2. Für ganz reife Jugend und Erwachsene.

Von Johann Langthaler, reg. Chorherr und Stiftshofmeister in St. Florian
(Oberösterreich).

(Fortsetzung statt Schluß.)

Das Christtagskind. Eine Erzählung aus Irland. Von
Patrick Augustin Sheehan. Genehmigte Uebersetzung von Oskar
Jakob. Missionsdruckerei in Steyl, postlagernd Kaldenkirchen (Rhein-
land). 1906. 8°. 270 S. eleg. gbd. M. 2.50.

Der Verfasser hat mit seinen bisherigen Werken: **Mein neuer
Kaplan** (Bachem in Köln), **Lukas Delmege** (Verlagsgesellschaft in
München), **Der Erfolg des Mißerfolges** (Missionsdruckerei in
Steyl) einen ungeahnten Erfolg errungen. „Mein neuer Kaplan"
erlebte innerhalb der ersten 2 Monate nach seinem Erscheinen 4,
bis zum Jahre 1901 12 Auflagen; die genannten Erzählungen
wurden in mehrere fremde Sprachen übersetzt. Die uns vorliegende
Arbeit ist ein sehr verwickelter, spannender Roman. Mit dem leb-
haftesten Mitgefühl verfolgt der Leser die tragischen Geschicke der
Frau eines „Angebers" und ihres Kindes; unschuldig müssen sie
büßen, was der Mann verschuldet, der ganze Haß des empörten
Volkes entladet sich über sie, bis endlich eine glückliche Lösung eintritt.
Die Geschichte fällt in die Zeit der politischen Stürme in Irland
um das Jahr 1837.

Die Königin der Rugier. Erzählung aus den Zeiten der
Völkerwanderung. Von Jos. Cüppers. Mit 4 Kunstdruckbildern.
Bachem in Köln. Gr. 8°. 183 S. gbd. M. 3.—.

Eine spannende Erzählung, die uns in die Zeit der Völkerwanderung zurückversetzt. Hauptheldin ist Gisa, die letzte Königin der
Rugier, ein haßerfülltes, leidenschaftliches Weib voll Bosheit, List
und Tücke; unter Beihilfe ihres ebenso schlechten Schwagers richtet
sie überall Verderben an, bis sie, wie es ihr der Glaubensbote
Severin vorausgesagt, elend untergeht. Ein angenehmes Gegenstück
bilden die durch fast heroische Tugend ausgezeichneten Christen und
bekehrten Römer. Die Schilderungen sind voll Leben.

Für Herz und Haus. Familienbibliothek. J. Habbel in
Regensburg. 8°. Jeder Band zirka 240 Seiten. gbd. in Lwd. M. 1.—.
Monatlich erscheint 1 Band. Je 8 Bände bilden eine Serie. Jeder
Band ist auch einzeln zu haben. Es sind Namen von gutem Klange,
die an dieser Familienbibliothek arbeiten: Anton Schott, M. Herdert,

betrifft, war er ein unbedeutender Mensch (homme de rien), gemein, verächtlich,
ohne Talent, ohne Kenntnisse und ohne Geschicklichkeit, welcher, damit von ihm
gesprochen würde, den Extravaganten spielte, ein Betrüger (imposteur) seiner
Zeitgenossen. Daß er verspottet, gegeißelt, verfolgt und endlich ans Kreuz ge-
schlagen wurde, so ist das eben das Los aller, welche die gleiche Rolle spielen
wollten und nicht mehr Fähigkeiten hatten als er" usw. usw.

Freiin von Berlepsch, Freiin von Brackel, Antonie Jüngst, Sophie Christ u. f. w. In unserem Besitze sind 35 Bände. Größere Verstöße finden sich in keinem; manche Bände, wie Band 22 **„Verblutet"**, 23 und 24 **„Pars diaboli"**, 26. **„Der Klosterschatz"**, taugen nur für Erwachsene und Gebildete. Für Gebildete und das gewöhnliche Volk sind gut zu brauchen: 20. **Aus Dorf und Stadt.** 25. **Vom Strahle erreicht.** Erzählung aus der Zeit der ersten Christen in Alexandria. Nach dem Französischen frei bearbeitet von C. zur Haide. Aufs beste zu empfehlen. 27. **Gegen das Schicksal.** 28. **Der Mann mit dem Puppenspiel.** 29. **Ohne Plan und Ziel.** 35. **Der Spruchbauer.** 1—20 wurde ausführlicher schon besprochen. (Siehe Quartalschrift 1906, I. Heft, Seite 109 u. III. Heft, Seite 572.)

Wir haben schon in unserer Zusammenstellung von Erzählungen für junge Patienten auf die **Jugendschriften** des Münchner Volksschriften-Verlages hingewiesen — jetzt macht es uns ein Vergnügen, auf die **Volksschriften** aufmerksam zu machen, welche der gleiche Verlag herausgibt. Bis jetzt sind 50 Hefte erschienen à zirka 50 S. brosch. 15 Pf. Die Sammlung ist auch gebunden zu haben, je 5 Hefte in einem Ganzleinenbande zusammengebunden. Preis des Bandes M. 1.35. Der Preis ist ein sehr geringer und dabei ist der Inhalt der Erzählungen mit wenigen Ausnahmen ein gediegener; von einigen Derbheiten, z. B. in Nr. 31—33 abgesehen, findet sich durchaus nichts Anstößiges; weitaus die meisten können nur nützen. Für den guten Inhalt bürgen die Namen der Verfasser: A. Schott, B. Wörmer, Dr. H. Kardauns, A. Kolping, M. Buol, E. v. Handel-Mazetti, Silesia, H. Keiter, K. Kümmel, Em. Huch, H. Proschko, Dr. Al. Tenckhoff, Adalbert Stifter, Ch. Dickens u. f. w. (Siehe Quartalschrift Jahrg. 1906, I. Heft, Seite 113, III. Heft, Seite 571.)

Volksbücherei. Styria in Graz. 8⁰. Erscheint in Heften mit zirka 100 S. in guter Ausstattung. Die Absicht der „Volksbücherei" ist, allen Klassen, sowohl Gebildeten, als auch dem gewöhnlichen Volke, so eine Art Hausbibliothek einzustellen, in der sich Werke deutscher Dichter, selbstverständlich nach vorsichtiger Auswahl, Erzählungen der Gegenwart und Volksbücher, ferner Bücher aus fremder Literatur — übersetzt — (nordgermanisch, holländisch, skandinavisch, englisch, amerikanisch, slavisch, französisch, spanisch) finden. Deutsche Dichtungen sind aufgenommen von Annette Droste-Hülshoff, Eichendorff, Grillparzer, Kleist (Michael Kohlhaas), Hoffmann (Meister Martin und seine Gesellen), welche beide wir nur Gebildeten geben, Schiller (Wilhelm Tell), Adalbert Stifter. Unter den Erzählern der Gegenwart finden wir: A. Achleitner, Bulwer, Buol, Fleuriot, Flir, Forstner, Gerstäcker, E. Handel-Mazetti, Kümmel, B. May, Fr. Proschko, Reimmichel, Rosegger (Steirische Geschichten) Schrott-Fichtl, Schuppe, L. Smolle, Hans Wiesing, Zingeler. Die fremde Literatur weist auf: H. Conscience, Lady G. Fullerton, Gould, Selma Lagerlöf, Melati von Java, L. Wallace (Ben

Hur), Wisemann (Fabiola), Gorki M., Sienkiewiz, Tolstoi
Leo, (Die Kosaken, Russische Volkserzählungen), Bazin René,
Coloma L., Coppée Fr. (Die wahrhaft reich sind), Daudet Alf.
(Tartarin von Tarascon), Trueba (Baskische Volkserzählungen). Die
Zahl der Hefte ist schon weit über 200 gestiegen. Die Sammlung
ist billig und findet auch für Patienten eine gute Verwendung, nur
ist nicht alles für alle, ein richtige Auswahl nach Alter und Bildungs=
grad ist notwendig.

Steyler Unterhaltungs=Bibliothek für Jung und Alt.
Verlag der Missionsdruckerei in Steyl, postl. Kaldenkirchen, Rhein=
land. Jedes Heft 8° zirka 30 S. brosch. 10 Pfg. Diese Sammlung
sollte man sich überall anschaffen; sie ist wirklich gut für Jung und
Alt; die meisten Hefte enthalten lehrreiche Geschichten, einige berichten
vom Missionsleben, beschreiben Land und Leute in entfernten Welt=
teilen und Ländern, heilige Stätten (z. B. Jerusalem, Bethlehem,
Nazareth, Rom).

Der ungemein fleißigen Feder von Em. Huch verdanken wir
eine große Anzahl von Heften und Broschüren, geschrieben in der
edlen Absicht, Religion und Sitte zu verteidigen und zu fördern; es
geschieht durch kurze Erzählungen und auch durch Abhandlungen meist
apologetischen Inhaltes. Zu den ersteren zählen: 1. **Fata Morgana.**
Dichtung und Wahrheit. Zum besten der Mission Assam (Ostindien).
Herbesthal=Welkenraedt, Salvatorianische Druckerei 1903. 8°. 32 S.;
2. **Die Macht der Liebe.** Missionsdruckerei in Steyl. 8°. 29 S.
brosch. 10 Pfg.; 3. **Auf breitem Wege.** Missionsdruckerei in Steyl. 8°.
64 S. brosch. 20 Pfg.; 4. **Juttawa.** Erzählung aus der Zeit der Be=
kehrung Schlesiens zum Christentum. Missionsdruckerei Steyl. 8°.
40 S. brosch. 25 Pfg.; 5. **In stolzer Sphäre.** Missionsdruckerei Steyl.
8°. 79 S. brosch. 25 Pfg. (Siehe Quartalschrift Jahrg. 1905, 2. Heft,
S. 589).

Hausbrot. Märchen und Sagen, Ritter= und Räuber=, Hexen=
und Wildschützengeschichten, Familienerzählungen und Lebensbilder,
Lieder, Sprüche, Sitten und Gebräuche, vom Volke ersonnen, ge=
sammelt und dem Volke unverfälscht zurückgegeben vom Onkel Lud=
wig in Verbindung mit Dr. Richard von Kralik. L. Auer in Donau=
wörth 1907. 8°. 3 Bände à M. 1.— gbd. 206, 200 und 200 S.
Wie man in unserer Zeit die alte Volkskunst, die alten Volkstrachten,
die alte Volkssitte zu Ehren zu bringen sucht, so bestrebte sich unser
„Onkel Ludwig", die alten Volkslieder und Märchen, die Geschichten
und Sprüche der alten Zeit, die früher wie ein geistiger Schatz von
Geschlecht zu Geschlecht vererbt, in der neuen Kulturperiode aber
vielfach mißachtet und vergessen worden sind, zusammenzusuchen und
möglichst genau in der Form, in welcher sie vom Volke ersonnen
und erzählt wurden, zusammenzustellen. Hiebei leistete ihm Dr. Richard
von Kralik wichtige Dienste durch die Redaktion der Originalmanuskripte.
Wir müssen die drei bisher erschienenen Bändchen als eine gesunde,

von der Weisheit, dem sittlichen Ernste, „dem klaren Fühlen und starken Wollen" des Volkes zeugende Volkslektüre begrüßen und empfehlen.

Aus Vergangenheit und Gegenwart. Erzählungen, Novellen, Romane. Butzon und Berker in Kevelaer. Auslieferungsstelle: Franz Wagner in Leipzig. 8°. In Bändchen mit zirka 100 S. brosch. à 30 Pfg. Wir haben das 92. Bändchen vor uns; wie viele seit diesen ans Tageslicht gekommen sind, können wir nicht angeben, dank dem Mangel an Entgegenkommen von seiten des Verlegers. Wir müssen der Wahrheit Zeugnis geben: die Sammlung ist billig, Druck und Ausstattung verdient alles Lob, die gelesensten und besten Autoren haben mitgearbeitet, so Berthold, Cüppers, Jüngst, Schott, Laicus, Herbert, Kerner, E. von Pütz, Dircking, René Bazin, Hirschfeld, Kujawa besorgt den unterhaltenden Teil. Anstößiges ist vermieden. Mehr für lesegewandte Kreise. Man kann die Sammlung auch gebunden haben u. zw. 3 Bändchen in einem Bibliotheksband M. 1.50, in einem Salonband M. 1.75.

Der Frauenbichler. Eine Tiroler Geschichte von Reimmichl. Preßvereinsbuchhandlung in Brixen. 1905. 8°. 355 S. gbd. K 3.—. Reimmichl (Rieger) ist der Liebling der Tiroler; in der Gabe, volkstümlich zu erzählen, kommen ihm nur ganz wenige gleich, sodaß sein Ruf weit hinaus in die katholische Welt gedrungen ist. Die meisten von ihm herausgegebenen Bücher enthalten kürzere Erzählungen meist aus dem Tiroler Volksleben: das zu Besprechende bringt eine einzige Geschichte u. zw. eine recht zeitgemäße, die bezweckt: eine Warnung an die biederen Tiroler, sie sollen sich ja vor den Fangnetzen der Apostel der Los von Rom=Bewegung sorgfältig hüten — (am allerliebsten möchte man ja in die kernkatholische Tiroler Bevölkerung die Abfallbewegung dringen) — damit es ihnen nicht so ergehe, wie dem Frauenbichler, der zwei Verführern, einem lutherischen Pastor und einem hinterlistigen Advokaten gründlich aufgesessen ist. Diese zwei fädelten den Bauer auf die Weise ein, daß sie ihm reichen Gewinn in Aussicht stellten, wenn er sich auf Fremdenbeherbergung einrichte. Sie stürzten ihn in Schulden, veranlaßten ihn, Schritt für Schritt seine katholische Ueberzeugung aufzugeben, entfremdeten ihn mehr und mehr seinem treuen, herrlichen Weibe, das Unsägliches litt, er kam zur Verleugnung seines Glaubens. Verarmt, verlassen und verachtet von Nachbarn und Freunden, gestraft von Gott, gequält von seinen Verführern kommt er zur Einsicht; er besteht einen schrecklichen Seelenkampf. Sein Seelsorger erleichtert ihm den Weg zur Umkehr; bewundernswert ist die Großmut des treuen Weibes, das den Zurückgekehrten versöhnt aufnimmt. Eine sehr schöne Erzählung.

G'spaßige und b'sundere Leut. Erinnerungen aus dem Tiroler Volksleben. Von P. Lorenz Leitgeb C. SS. R. Alphonsus=Buchhandlung in Münster (Westfalen) 1907. 8°. 255 S. brosch.

M. 1.—. Kurze, mit angenehmem Humor gewürzte Lebensbilder origineller Tiroler beiderlei Geschlechtes, Bilder mit Licht und Schatten, ohne Sentimentalität und Fälschung. Für jedermann angenehm zu lesen.

Zeiten und Bräuche. Jugenderinnerungen aus dem Tiroler Volksleben. Von P. Lorenz Leitgeb C. SS. R. Alphonsus-Buchhandlung in Münster. 8°. 152 S. brosch. M. —.85. Die Bräuche, wie sie in Tirol zu Neujahr, im Fasching, bei Hochzeiten, in der Fastenzeit, von Ostern bis Pfingsten, bei der Maiandacht, zu Fronleichnam, Kirchweih und Almabfahrt, zu Allerheiligen, Allerseelen, St. Nikolaus und Weihnachten üblich sind, werden recht interessant geschildert.

Geschichten aus Tirol. Von Everilda von Pütz. Mit zahlreichen Illustrationen. Benziger in Einsiedeln und Waldshut 1906. 8°. 156 S. gbd. M. 3.—. Pütz erzählt ganz nach dem wirklichen Leben, ergreifend, lehrreich. Die im Buche enthaltenen fünf Geschichten sind nur für Erwachsene, für diese aber wertvoll: 1. Jakob hatte eine Frau und zwar eine sehr böse; das Geschick schien den armen Mann von seinem großen Ehekreuze befreit zu haben, denn das Schiff, mit dem Sufi hätte fahren sollen, ging mit Mann und Maus zugrunde — Sufi wurde ganz sicher für tot gehalten, Jakob tröstete sich leicht und heiratete die brave Waise Magdalena. Aber das ein Jahr lang genossene eheliche Glück sollte eine arge Störung erfahren: die Sufi kam wieder zum Vorschein, eine schreckliche Geschichte für den armen Jakob, schrecklich für Magdalena und ihr Kind! Magdalena ist großmütig genug, den Jakob seiner alten Sufi zu überlassen — sie harrt treu aus, bis Sufi „wieder" und diesmal wirklich stirbt. 2. Ein sonst tadelloser Bursche verläßt die sittenreine Geliebte und heiratet die reiche, stolze Bauerstochter Martina, dafür muß er schwer büßen, denn Martina keift, rast, schmäht und schimpft die ganze liebe Zeit, treibt ihren Mann zur Verzweiflung. Bei der Arbeit im Walde verunglückt findet er an der treulos verlassenen Rosel eine unermüdliche Pflegerin; jetzt kommt endlich auch Martina zu besserer Einsicht und schenkt dem Manne volle Liebe. 3. Einem Elternpaare sterben nacheinander alle Kinder; an ihrer Statt nehmen sie zwei fremde Kinder an und finden mit diesen ihr Lebensglück. 4. Ergreifend ist die treue Liebe einer Greisin für ihren früh hingeschiedenen Ehemann geschildert. 5. Eine geschenkte Bluse hätte ein eitles Mädchen bald um Ehre, Glück und Herzensfrieden gebracht; ihr edelgesinnter Bräutigam rettete sie von Schande und Schmach. Nur für Erwachsene.

Ein Opfer der Hottentotten. Dem Volke und der Jugend erzählt von Robert Streit O. M. J. Mit 7 Illustrationen. Laumann in Dülmen, Westfalen 1907. 8°. 124 S. gbd. M. 1.—. Ein Missionär, der in das Land der Betschuanen eine äußerst beschwerliche Reise machen mußte und gerade zu der Zeit dort lebte, als der schreckliche Aufstand und Einfall der Hottentotten ausbrach, beschreibt seine Erlebnisse, die Beschwerden des Missionslebens, die Schrecken und Ver=

wüstungen, welche die Hottentotten dort anrichteten; besonders tragisch ist das Geschick des Freundes, des P. Franz Jäger O. M. J., den die Feinde überfielen und grausam ermordeten. Ein Volksbuch.

Der letzte Franziskaner von Texas. Eine geschichtliche Erzählung von Robert Streit O. M. J. Mit 7 Illustrationen. Laumann in Dülmen 1907. 8°. 124 S. gbd. M. 1.—. Eine spannende Erzählung: sie berichtet die Geschicke des letzten der Franziskaner, die sich um die Mission in Texas außerordentliche Verdienste erworben haben. Leider ereilte ihre blühenden Niederlassungen ein trauriges Geschick: Im Jahre 1794 wurden die Indianer-Missionen in Texas säkularisiert, die Kirchen und Klöster wurden beraubt und zerstört; der damalige Obere der Franziskaner-Missionen, P. José Antonio Fiaz de Leoner war der letzte seines Ordens — wollte seine Indianer nicht verlassen, er suchte seine Schäflein überall auf, geriet dadurch in große Lebensgefahren und wurde im November 1834 ermordet.

Glaubenstaten. Erzählungen und Legenden für Jung und Alt aus der Kirchengeschichte. Von J. M. Neale. Aus dem Englischen. Alber in Ravensburg 1905. Kl. 8°. 117 S. brosch. 60 Pfg. Zweifellos dienen die kurzen Erzählungen zur Stärkung in Glauben und in Standhaftigkeit bei Bedrängnissen.

Die Familie Pratt. Porträtskizzen aus einer Vorstadt von Boston. Von Anna Fuller. Uebersetzt von H. Lobedan. Wehberg in Osnabrück. 1904. 8°. 200 S. brosch. M. 1.50. Charakterzeichnungen einzelner Glieder der zahlreichen und vortrefflichen Familie Pratt, alle edel, wenn auch grundverschieden. Geschrieben für Gebildete.

Novellenkranz. Von M. Ludolff-Huyn, Hauptmann in Bonn. 3 Bände. 8°. Jeder Band M. 3.— gbd. in Lwd. 450, 436, 506 S. Jeder Band ist auch einzeln käuflich. Die in den drei Bänden enthaltenen Novellen sind gut geschrieben, in jeder Beziehung korrekt, in katholischem Geiste gehalten, sittenrein und können der reifen Jugend unbedenklich überlassen werden.

Der Mutter Vermächtnis. Eine Novelle von Johannes Mayrhofer S. J. Heiligenstadt (Eichsfeld), F. W. Cordier. Gr. 8°. 176 S. eleg. gbd. M. 2.75. Ein sehr gutes Buch für Studierende — auch für das Volk: Eine junge Witwe übergibt auf ihrem Sterbebette ihrem studierenden Sohn als Vermächtnis ein Marienbild „janua coeli" nebst eindringlichen Lehren. Dies Vermächtnis bleibt für den Sohn der Rettungsanker in den kommenden Gefahren: Er kommt in die Hände eines freisinnigen Onkels, muß das Institut der Jesuiten verlassen; das Töchterchen des Onkels entflammt seine Liebe — er gerät durch Unvorsichtigkeit in Schwierigkeiten — aber das Gebet und das Opfer seines Lebens bringen ihm Rettung — er bewahrt seine Tugend; sein Tod in den Fluten veranlaßt die geliebte Nichte, den Ordensstand zu wählen.

Gesammelte Novellen von F. Riotte. Mainz. Verlag Lehrlingshaus. 1905. 8°. 3 Teile in 1 Bande. 184, 208, 192 S. geb. M. 3.50.

19 Novellen verschiedenen Inhaltes. Wohltuend ist die schöne Sprache und der sittenreine, von allem Anstößigen freie Inhalt. Volks= tümlich ist die Erzählung „Loder vom Lindhof", die anderen sind für gebildete Leser berechnet.

Laurentia. Eine Erzählung aus Japans Vergangenheit. Von G. Fullerton. Aus dem Englischen von J. X. Hahn. 4. Aufl. G. J. Manz in Regensburg. 1906. 8°. 232 S. brosch. M. 2.

Eigentlich eine Geschichte der katholischen Kirche in Japan im 16. Jahrhundert; mit apostolischem Eifer arbeiteten Jesuiten und Franzis= kaner an der Verbreitung des Glaubens, der in Japan empfänglichen und fruchtbaren Boden fand, die blutigsten Verfolgungen vermochten nicht alle Spuren der Tätigkeit der Missionäre zu vertilgen, sodaß die Glaubensboten der späteren Jahrhunderte noch Reste des katholischen Glaubens fanden.

Magna peccatrix. Roman aus der Zeit Christi. Von Anna Freiin von Krane. Bachem in Köln. 8°. 432 S. gbd. M. 6.

Wer weiß, wie wenig das Evangelium und die Legende über das Leben Magdalenas erzählt, und sieht, in welchem Umfange sich der von der „Großen Sünderin" handelnde Roman präsentiert, der errät sofort, daß eine lebhafte Phantasie für Erweiterung und Auf= putz gesorgt hat. Wir treffen Magdalena als Geliebte des römischen Legaten Prokulus in einer luxuriösen Villa am See Genesareth, aber schon zu einer Zeit, da die „öffentliche Sünderin", übersättigt von den sündhaften Genüssen und getroffen von einem Strahl der Gnade, Sehnsucht fühlte nach einer edleren Liebe, „stärker wie der Tod, reiner wie der Schnee" — sie stößt mit Entschiedenheit ihren Verführer von sich, wird auf die Straße gesetzt und flieht zu Maria und findet zu Füßen Jesu Barmherzigkeit. Nun hält sich die Erzählung so ziemlich an den Bericht des Evangeliums bis zum Leiden Christi. Von da an spielt die Dichtung eine große Rolle: sie läßt den Verräter Judas wie einen „Teufel aus dem Höllenpfuhl" in Verzweiflung dahin= eilen, Flämmchen unter seinen Tritten aufzucken; Maria ist wie geistes= abwesend auf die Erde hingesunken. Nach dem Begräbnis Christi wird Maria von einer Ohnmacht befallen, ihre Seele weilt bei der Seele Christi, auch Magdalenas Geist durfte, von Maria geleitet, hinabschweben in das Totenreich und sehen, wie Christus den Fürsten der Finsternis besiegend die Gerechten erlöste. In der Zeit, die Magda= lena im narbonnensischen Gallien bei Massilia verlebte, fiel sie von einer Verzückung in die andere, bis Christus selbst kam, und sie in sein Reich mitnahm.

Wir schwärmen nicht für Erzählungen, in denen biblische Stoffe, besonders wenn das Leben Jesu Christi mit hinein verflochten ist, behandelt, Wahrheit und Dichtung so vereinigt ist. Wer diese richtig zu unterscheiden vermag, kann das Buch ganz gut lesen — die Sprache und Darstellung ist schwungvoll — für unreife Jugend ist es nicht passend.

Bauer und Advokat. Novelle von Paul de Navery. Aus dem Französischen frei übersetzt von Amelie Godin. 4. Aufl. J. Habbel in Regensburg. 8°. 263 S. gbd. M. 2.

Diese Erzählung wird jeder mit Spannung lesen und mit großer Befriedigung. Wir möchten sie den besten Arb:iten beizählen. Ein stolzer, reicher Bauer will durchaus aus seinem Sohne einen großen Herrn machen. Der kleine Hubert mußte trotz der Einsprache der Mutter in die Studie, dann auf die hohe Schule; es ging „heidnisch viel" Geld auf; der junge Bruder Studio hielt sich eine Zeitlang gut, studierte eifrig — aber dann geriet er in schlechte Gesellschaft, vergeudete Zeit und Geld, benützte allerlei Studentenkniffe, um dem Vater das Geld aus dem schon bedenklich schwach gewordenen Geldbeutel herauszulocken. Indes ging im Elternhause die Wirtschaft schlecht; die Mutter kränkte sich fast zu Tode, von seiten des Mannes mußte sie ein wahres Martyrium bestehen und endlich das Haus ganz verlassen. Halbverhungert fand sie bei einem herzensguten, alten Herrn Aufnahme als Magd. Der Sohn wird endlich Advokat, macht aber ein erbärmliches Fiasko; total verkracht wendet er sich der Heimat zu; der Vater war indessen zum Oberknecht herabgesunken und in schwere Krankheit geraten. Da zeigte sich so recht das heroisch starke und liebevolle Herz des verstoßenen Weibes: sie kam sofort und übernahm seine Verpflegung und flößte ihm nach seiner Genesung die Lebensfreudigkeit ein; als das Unglück und Mißgeschick auch den Sohn reuig zurückgeführt und ein Wohltäter der wiedervereinigten Familie den Hof in Pacht gegeben, widmeten sich alle drei mit Liebe und Freude der Landwirtschaft. Die Charakterzeichnung ist durchaus gelungen, für alle zu empfehlen, für Studenten lehrreich.

Auf einsamen Wegen. Novelle von Maria Lenzen di Segrebondi. J. Haddel in Regensburg. 8°. 215 S. gbd. M. 2.

Das Buch enthält zwei Erzählungen: 1. **Auf einsamen Wegen** von M. Lenzen. Gutsbesitzer Stoberg und sein Nachbar Freiherr von Bilstein sind zwei edle Charaktere und doch leben sie wegen einer Brücke in Prozeß und Feindschaft. Der Freiherr kommt durch die Schurkerei eines Advokaten in Verdacht, einen Mord begangen zu haben; den Kindern des Herrn Stoberg gelingt es, ihn von diesem Verdachte zu reinigen, so kommt die Versöhnung und sogar eine Doppelhochzeit. 2. **Ein vergessenes Gebet** von Amelie Godin. Paul, ein junger Winzer, wird von einem leichtsinnigen Kameraden zum Müßiggang verführt und bereitet dadurch seiner Mutter schweren Kummer und bittere Tage, sogar mit Mißhandlung wird diese bedroht. Und doch opfert die Mutter alles für den Sohn, sogar den für Anfertigung eines Sterbehemdes bestimmten Flachs. Diese Liebe der Mutter rettet den Sohn vom Verderben, er bekehrt sich und lernt wieder beten. Nützlich und in christlichem Geiste geschrieben.

Eine mysteriöse Geschichte. Roman aus dem amerikanischen Leben. Dem Französischen nacherzählt von Edgar Braun. J. Habbel in Regensburg. 8°. 476 S. gbd. M. 2.

Wer sich hineindenken kann in die Tatsache, daß zwei Schwestern sich so an Gestalt, Gesichtsausdruck, Stimme, kurz im ganzen Wesen gleichen, daß weder die Eltern, noch der Bräutigam sie voneinander zu unterscheiden und Verwechslungen der einen mit der anderen zu erkennen vermögen, für den bietet der Roman viel Interesse. Die Spannung liegt eben in dem, daß die eine der beiden im Momente, wo sie heiraten soll, einen mysteriösen Tod findet und an ihre Stelle deren Schwester an den Altar tritt, welche Verwechslung erst nach langer Zeit, nach Ausforschung durch die geschicktesten Polizei-Agenten ans Tageslicht kommt. Ohne irgend zu schaden, bietet die Erzählung Zeitvertreib.

Die Gefangenen des Zaren. Historische Novelle von Armin Archier. **Ein verfehltes Leben.** Novellette von Ludwig Habicht. 4. Aufl. J. Habbel in Regensburg. 8°. 233 S. gbd. M. 2.

1. Raphael Ubinsky, ein junger, polnischer Edelmann, voll glühender Liebe zu seinem Vaterlande will sich ganz für Polen opfern, freilich nicht durch Empörung und Aufruhr gegen Rußland, wie Graf Bialowsky und deren Tochter Rosa, er wird jedoch von dieser mitgerissen in den Freiheitskampf, der für Polen so traurig endet. Durch schändlichen Verrat wird der Graf und dessen Tochter, die Ubinsky leidenschaftlich liebt, nach Sibirien verbannt. Mit ungeheurer Anstrengung und unter beständiger Todesgefahr rettet sie Ubinsky, sie fliehen über Asien nach Rom, wo sich der Befreier und Rosa ehelichen. 2. Einem schönen, lebenslustigen Mädchen sind zwei Brüder in heißer Liebe zugetan. Durch einen tollen Jugendstreich wird das Mädchen Schuld an dem Tode des einen: Vom überlebenden gehaßt, büßt es die Schuld durch ein „verfehltes" Leben in Verachtung und Mißkennung, in stillem Wohltun, für das es nur Undank erntet, stets gefoltert von den bittersten Gewissensvorwürfen. Tragisch, ergreifend, tief religiös.

In letzter Stunde. Novelle von Karoline Deutsch. J. Habbel in Regensburg. 8°. 292 S. gbd. M. 2.—.

Bankdirektor Reichert hatte ein ansehnliches Einkommen, lebte aber auf so vornehmem Fuße, daß das Geld nicht reichte; er ließ sich Malversationen zuschulden kommen und wurde wegen Brandstiftung zu langer Kerkerhaft verurteilt. Frau und Kind kamen dadurch ins tiefste Elend; die Mutter starb bald vor Kummer, die überaus edle Tochter verlor trotz des schweren Vergehens des Vaters nicht ihre kindliche Liebe zu ihm, nahm ihn voll Zartheit auf, als die Strafe verbüßt war, und suchte ihn dadurch, daß sie sich als Buchhalterin verdingte, zu erhalten. Aber der Schandfleck, den der Vater auf sich geladen, verfolgte die edle Tochter; mehrmals wurde sie auf Knall und Fall entlassen, und beide gerieten in die äußerste

Not; endlich kamen bessere Zeiten, als der menschenfreundliche Fabrik=
besitzer Kufstein an dem Mädchen Gefallen fand und sie sich zur
Frau wählte. Eine schöne Erzählung, die Ausdauer im Leiden lehrt.
Die Verfasserin spricht von einer Zuckerfabrik bei Linz, wo kaum
einmal eine existiert hat; Kufsteins urgemütliche Hausmeisterin spricht
einen Wiener Dialekt, den die Wiener kaum als echt anerkennen
werden; den Ausdruck „unser Kaiser, der Herr Franzl" dürfte man
kaum zu hören bekommen. Das sind aber kleine Verstöße, die das
Buch nicht entwerten.

Mein ist die Rache. Novelle. Frei nach dem Französischen
von P. Silvanus. 2. Aufl. J. Habbel in Regensburg. 1896. 8°.
255 S. gbd. M. 2.—.

Eine in jeder Hinsicht gute Erzählung. Eine in allen ihren
Gliedern ungemein edle, durch und durch christliche Familie gerät
durch die Schurkerei eines leichtsinnigen Sohnes eines reichen Bankiers
Hoffelmann, der einen Kasseneinbruch bei seinem Vater verübt und
den Verdacht auf den edlen Kassendirektor Clamor, das Haupt dieser
Familie, zu lenken wußte, in größtes Unglück auf Jahrzehnte, während
welcher Zeit Clamor mit seiner Familie unter verändertem Namen ver=
borgen lebt; der seines braven Vaters würdige Sohn Heinrich setzt
alles daran, die Unschuld des Vaters aufzudecken und dessen Namen
wieder zu Ehren zu bringen, was ihm auch gelingt. Der eigentliche
Täter Hoffelmann sieht sich entdeckt, will durch Selbstmord enden, ver=
wundet sich schwer und nun legt er selbst ein Bekenntnis ab. Clamor
vergißt großmütig, eine Verbindung der beiden Familien Hoffelmann
und Clamor bringt die Sache zu einem schönen Ausgang. Leider
kleiner Druck.

Kapitola. Roman aus dem Amerikanischen von V. Deutscher.
J. Habbel in Regensburg. 8°. 431 S. gbd. M. 2.—.

Nur für Erwachsene, für diese spannend, mitunter sogar auf=
regend. Kapitola, das Kind einer unschuldigerweise vom Manne ver=
stoßenen, edlen Frau, mußte schon als zartes Kind viel Mißgeschick
erdulden, was vielleicht beitrug zur Stärkung ihres Charakters und
zu der Entschlossenheit, mit der sie in späteren Jahren in momentan
großer Gefahr handelte. Ihre Schönheit, ihr Vermögen ist Ursache
vieler gefährlicher Nachstellungen; wie sie, mußte auch ihre Mutter
schwere Verfolgungen durchmachen, bis endlich die Schurken, deren
Opfer sie so lange waren, unschädlich gemacht wurden und das
Recht siegte.

Unter falscher Flagge. Roman von J. Hohenfeld. J. Habbel
in Regensburg. 8°. 683 S. gbd. M. 2.—.

Inhalt des umfangreichen Buches: Das erste Recht auf den
großen Besitz des alten Marquis de Vigny hatte gesetzlich Graf
Armand de Vigny; in zweiter Linie kam Graf von Lamartin in
Betracht. Der letztere, ein Schurke erster Qualität, wußte den er=
bitterten Haß des alten Marquis gegen Armand, seinen bisherigen

Liebling, dadurch zu erregen, daß er den alten schlafenden Herrn mit
einem Dolchstich verwundete, aber Armand als Täter hinstellte. Dieser
mußte ob der gegen ihn sprechenden Verdachtsgründe fliehen und
lange Jahre unter falschem Namen in strengster Verborgenheit leben,
während welcher Zeit Lamartin Haß und Rachsucht des Erbonkels
mehr und mehr zu schüren wußte, sodaß er sich schon sicher fühlte
als künftiger Herr von Vigny. Als künftige Gattin hatte er sich die
ebenso schöne, als reiche Tochter Gabriele des Grafen Chatrois aus=
ersehen; mit aller möglichen Zudringlichkeit suchte er deren endliche
Zusage zu erreichen, diese aber blieb kalt und unnahbar, sie war ja
insgeheim mit dem geflüchteten Grafen Armand nicht bloß verlobt,
sondern verehelicht. Niemand hatte davon eine Ahnung; einen vor=
geblichen, öfteren und längeren Landaufenthalt hatte sie zum Verkehre
mit Mann und Familie benützt; selbst ihren Kindern war der eigentliche
Stand und Name der Eltern unbekannt. Ein Zufall führte die engel=
gleiche Tochter der Gräfin auf das Schloß Vigny. Der alte Marquis
gewann sie lieb, daß er sie adoptierte, ohne zu ahnen, daß sie die
Tochter des vermeintlichen Attentäters Armand sei. Durch einen
Geheimpolizisten kam alles an den Tag; der Schurke Lamartin be=
gann den offenen Kampf gegen seinen Nebenbuhler; gewaltsame
Entführungen sollten zur Erreichung seiner Absichten dienen; er
unterlag und fand sein verdientes Geschick. Es kommen viele, recht
edle Charaktere vor. Die Tendenz ist gut, aber besonders gegen Ende
fehlt es nicht an aufregenden Szenen, welche für schwache Nerven
nicht zuträglich sein dürften.

Volksgeschichten. Erzählt von M. Herbert. J. Habbel in
Regensburg. 8°. 317 S. gbd. M. 3.—.

Ueder dieses Buch haben wir uns wirklich gefreut; es enthält
20 kurze Geschichten, gelungene Proben der Kunst, mit wenigen
Strichen lebenswahre Bilder aus dem Volksleben zu zeichnen, Volks=
charaktere treffend darzustellen, das Empfinden der Volksseele in
Freud und noch vielmehr in Leid, Armut und Erniedrigung zu
schildern. Auch der Schauplatz, meist Regensburg und Umgebung,
ist kurz und gut gezeichnet. Selbst tiefgläubig, weiß die Verfasserin
auch die feste Gläubigkeit, die fromme Ergebung und den religiösen
Sinn, wie er oft noch in den untersten Klassen zu finden ist, günstig
zu beleuchten.

Viel Lob haben auch geerntet: **Oberpfälzische Geschichten**
von Herbert. 2. Aufl. J. Habbel. 8°. 242 S. gbd. M. 2.—.

Uns scheinen die oben besprochenen „Volksgeschichten" wertvoller
zu sein, mit größerer Sorgfalt bearbeitet, von noch edlerem Gehalte,
wenngleich auch die „Oberpfälzischen Geschichten" viel Lobenswertes
an sich tragen. Manches werden gewöhnliche Leser nicht recht auf=
fassen, z. B. in der Geschichte „spina Christi", das Verhalten des
P. Ildefons, der infolge seiner aufreibenden Tätigkeit eine Zerrüttung
seiner Nerven davontrug und so verwirrt wurde, daß er glaubte, der

Glaube sei ihm verloren gegangen; immer hatte er das monotone Beten der Psalmen im Chore bitter empfunden, jetzt machte es ihn fast wahnsinnig. Er sah nur die Einfalt und Starrheit der Gesichter seiner Mitbrüder, erkannte den in Formelwesen versunkenen Geist mancher, sah im Refektorium die kaum gemäßigte Eßlust, sah zwischen den strengen Regeln das Aufwuchern von nicht völlig getöteter Hab= gier, Ehrgeiz und Stolz usw.

Melati von Java, ausgewählte Romane und Novellen. Melati von Java ist eine schon in den weitesten katholischen Kreisen bekannte Schriftstellerin. Ihr richtiger Name ist Marie Slott; ihr Vater war Schulinspektor in Batavia. Schon mit 17 Jahren schrieb sie den ersten Roman, und lieferte seitdem viele Beweise ihres Er= zählertalentes. Selbst eine überzeugte Katholikin, schreibt sie in durch= aus christlichem Sinne: Phantasie und Lebenserfahrung wirken in ihren Erzählungen zusammen. Anstoß ist durchaus nicht zu fürchten, im Gegenteile tragen sie zu sittlicher Veredlung bei. Die Uebersetzung aus dem Holländischen stammt von Leo Tepe van Heemstede. Verlag J. Habbel in Regensburg. Die Ausstattung der Bände ist schön, der Druck groß und deutlich. Uns liegen von den 20 er= schienenen Bänden die 4 ersten vor. (Jeder einzeln zu haben.)

1. Band: **Verschollen.** Roman. 8°. 490 S. gbd. M. 2.—.

Eine gediegene Arbeit. Die Hauptperson des Romans, Reyna, ist ein starker Charakter, ein Ideal an Pflichttreue und Hingebung. Ihrem Verlobten blieb sie treu, selbst dann, als dieser sich als über= aus schwach, leichtsinnig erwiesen, wegen eines begangenen Ver= brechens entflohen und jahrelang verschollen war, sie wäre bereit gewesen, ihr Wort zu halten auch dann, als er sich endlich brieflich anmeldete, seine Verkommenheit eingestand und erst, als dieser voll Reue über sein verlorenes Leben, sie losgebunden von ihrem Ver= sprechen, gab sie ihre Hand einem ihr in jeder Hinsicht ebenbürtigen Bewerber. Bewundernswert ist auch das Verhalten Reynas gegen ihre Stiefmutter und Altersgenossin. Die Erzählung ist fesselnd ge= schrieben und enthält viel Lehrreiches.

2. Band: **Eine einzige Tochter. Ein Opfer der Schuld.** 272 S. gbd. M. 2.—.

Das Schloß Doornburg und die Villa Florente lagen nahe beisammen. Dem Schlosse entstammten zwei junge Männer, grund= verschieden in ihrem Charakter. Der eine, Adalbert, ernst, strebsam, legte auf seinen Adel nicht viel Gewicht, widmete sich der Technik, wurde Ingenieur, Fabrikant, ein tüchtiger Geschäftsmann; der jüngere Bruder Fritz spielte mehr den Kavalier, huldigte der Kunst und kost= spieligen Passionen, verstand viel zu vergeuden, ohne etwas zu ge= winnen; Adalbert war mit Lilla, der Tochter des Herrn von Cloemertz in der Nachbarsvilla, verlobt; schon sollte es zur Hochzeit kommen, da sticht ihn sein Bruder Fritz aus, Lilla wählt und hei= ratet diesen. So entsteht eine tödliche Feindschaft zwischen den Brüdern;

Adalbert stattet den Bruder mit zeitlichen Gütern aus, will aber von
einer Versöhnung nichts wissen, selbst dann nicht, als Lilla nach
Hinterlassung eines lieben Mädchens starb und Fritz total verarmte,
sodaß seine Tochter, ein edles Wesen, reich an Herzensvorzügen, ihn
als Musiklehrerin erhalten mußte. Um die Brüder, die einander
lange Jahre nicht mehr gesehen, zu versöhnen, nimmt Lilla eine von
Adalbert ausgeschriebene Stelle an, unerkannt wirkt sie zu seiner
größten Zufriedenheit, dem Tode nahe offenbart sie ihr Geheimnis,
endlich erweicht sich das Herz des sonst so edlen Onkels, die Versöhnung wird gefeiert. Sehr gut in jeder Hinsicht. Die zweite Erzählung macht uns mit einem jungen Advokaten bekannt, den sein
Vater, ein verkrachter, sittlich und physisch herabgekommener Aristokrat,
in tiefstem Elende aufsucht und um Barmherzigkeit anfleht gerade
in dem Augenblicke, da sich der Sohn zur Verlobung mit einer
edlen, hochgestellten Dame begeben will. Der Vater wird hartherzig
abgewiesen, stirbt auf der Straße. Die Braut erfährt von dieser
Grausamkeit ihres Verlobten, löst deshalb die Verlobung auf und
weiht sich dem Klosterberufe.

3. Band: **Miliane.** 389 S. gbd. M. 2.

Miliane, ein sonst edel veranlagtes Mädchen, Malerin von
großem Rufe, verlobt sich mit einem reichen, kunstsinnigen Aristokraten
voll Großmut und Edelsinn. Ein Verwandter widerstrebt allen Unternehmungen dieses Edelmannes und will diesem nun auch die Braut
abwendig machen, was ihm leider nur zu schnell gelingt. Miliane
vergißt sich, will das Verhältnis zu ihrem Bräutigam lösen; ohne
daß dieser hievon eine Ahnung hat, verliert er das Leben in dem
Augenblicke, wo er seinen Nebenbuhler aus großer Lebensgefahr rettet.
Das Testament des so unerwartet Verstorbenen und die von ihm
hinterlassenen Schriften geben Zeugnis von Edelsinn des so schnöde
Betrogenen. Miliane und ihr Verführer kommen zur Einsicht, beide
bereuen und büßen schmerzlich und finden in der Religion Trost und
Hoffnung. Die ersten 100 Seiten füllen Gespräche über Kunst und
dergleichen aus, die manchem Leser langweilig sein werden. Für
Gebildete.

4. Band: **Die neue Mutter.** Eine Stiefmutter findet bei
ihrem Eintritte in die Familie die widerlichsten Verhältnisse, Unordnung aller Art, Ungezogenheit, Widerwillen der Kinder, Trotz und
Widerspenstigkeit, besonders von seiten der ältesten Tochter — mit wirklich
heroischer Geduld und Mäßigung besiegt sie alles. — **Genesen.** Der
Sohn eines reichen Fabriksherrn, verwöhnt vom Vater, fühlt, nachdem er die Welt bis zum Ekel genossen, Lebensüberdruß — eine
im Hause des Vaters angestellte Gouvernante wird sein rettender
Engel, sie leitet ihn an zur Arbeit, zu selbständigem Schaffen. Dadurch
gewinnt er Freude am Leben, der bisherige Taugenichts wird ein
tüchtiger Geschäftsmann; daß die Gouvernante seine Frau wird,
denkt sich der Leser ohnehin. Mit guter Tendenz erfundene Geschichten.

Guckkaftenbilder. Von Floridus Blümlinger. Mit dem Porträt des Verfaſſers, zwei Vollbildern und viele Originalilluſtrationen von Bertrand Zellinger. Kath. Preßverein in Linz. 8º. 244 S. gbd. in Lwd. *K* 2.50.

35 Nummern — teils Erzählungen, teils Schilderungen aus dem Leben und Treiben unſeres guten oberöſterreichiſchen Volkes, ſowie aus dem Kinderleben, wahre Kabinettſtücke; aus ihnen ſpricht ein edles Herz, menſchenfreundlicher Sinn, große Menſchenkenntnis; manche ſind ernſt und ergreifend, viele mit köſtlichem Humor gewürzt — es iſt ein wahres Vergnügen, ſich dieſer Lektüre hinzugeben — ſie paßt für Geſunde und Kranke. Ausſtattung und Druck ſchön.

Der Arbeit Segen. Eine einfache Erzählung für unſere Mädchen. Von F. M. Glaſſen. L. Auer in Donauwörth. 8º. 192 S. Kart. M. 1.

Maria, die Tochter eines Kommerzienrates, hat in früher Jugend Vater und Vermögen verloren, mit letzterem auch den Bräutigam. Voll Mut und Tatkraft lebt ſie nun der ſchwergeprüften Mutter, in unausgeſetzter Arbeit und nebſtbei in unermüdlicher Barmherzig= keit für die Armen; als Lehrmeiſterin ihrer Jugendgenoſſinnen in verſchiedenen Kunſtfertigkeiten und Arbeiten gewinnt ſie Einfluß auch auf deren Herzens= und Charakterbildung, die ihr dankbar ergeben ſind. In dieſem Wirkungskreiſe findet ſie ihre Glückſeligkeit. Ein Knabe, der verwaiſt iſt, findet in Maria eine edle, mütterliche Freundin, mit ihrer Hilfe ſtudiert er, wird Prieſter und eifriger Seelſorger. Chriſtlich, veredelnd, beſonders für Mädchen.

Der Brandſtifter nebſt anderen Erzählungen aus dem Volks= leben. Von Ad. Joh. Süppers. Mit zahlreichen Illuſtrationen. Benziger & Komp. in Einſiedeln=Waldshut. 1906. 8º. 181 S. gbd. M. 3.20.

3 Erzählungen. 1. **Der Brandſtifter.** Der Kleinbauer Jakob Bergmann, früher ſtets rechtſchaffen, wird von ſeinen Kindern ge= drängt zur Uebergabe ſeines Beſitzes. Kaum hat er ihn abgetreten, wird er von den Kindern ſo ſchlecht behandelt, daß er, von Wut hingeriſſen, zum Brandſtifter wird und im Kerker ſtirbt. 2. **Der Prozeßbauer** zeigt die traurigen Folgen der Prozeßſucht. 3. **Ein Glückstraum.** Ein Schuſter, der hoch hinaus will, macht einen großen Gewinn in der Lotterie, macht eine Erfindung, bei deren Probe er ver= unglückt: im Spitale lernt er Zufriedenheit und findet in der Arbeit ſein Glück.

Ein gutes Wort. Erzählung von M. Buol. Separatabdruck aus dem „Tiroler Volksblatt". Alois Auer in Bozen. 1905. 8º. 83 S. Broſch. 40 *h*.

Felix, der Sohn herumziehender Eltern, beſaß ganz gute geiſtige Fähigkeiten, aber die verkehrte Behandlung in der Schule war Urſache, daß er auf Abwege geriet und deinahe verloren gegangen wäre, wenn ſein Katechet ihn nicht aufgefunden und die in der Erziehung des Felix begangenen Fehler gut gemacht hätte; so wurde dieser noch ein tüchtiger und glücklicher Mann.

Goldregen. Roman von Emma von Brandis-Zelion. Ferd. Schöningh in Paderborn. 8°. 281 S. gbd. M. 4.

Eines der besten Erzeugnisse der Romanliteratur, tiefreligiös, voll Poesie, spannend, nach Sprache und Inhalt gediegen. Es werden drei Familien vorgeführt mit grundverschiedenen Eigenschaften. Der Jäger Konrad Krug lebt mit seinem heißgeliebten Weibe Annamarie und dem lebensfrischen Kinde Gretchen in stiller Waldeinsamkeit einfach und glücklich, bis der Eigensinn des Jägers eine schwere Krankheit des Weibes verursacht, die es bis an den Rand des Grabes bringt; werktätige Nächstenliebe reicher Leute rettet der Kranken das Leben, es erblüht dem Ehepaare neues Glück. Irma, die liebenswürdige Tochter des Fabrikbesitzers Güldenpforten, verlebte in sorgloser Heiterkeit ihre schöne Jugend — bald wäre sie — dank der Habsucht ihrer Tante, die nur in Reichtümern das Glück suchte, eines wohl sehr reichen, aber herzlosen Prinzen Opfer geworden — noch zu rechter Zeit löste sie die Bande und fand dafür durch einen charaktervollen Edelmann ihr wahres Glück. Prinz Landeros, ein stolzer, reicher Lebemann, hat seine Braut, eine treue und starke Seele, schmählich verlassen, durch herzlose Behandlung seiner Untergebenen hat er diese zu furchtbarer Rache aufgereizt; nachdem er alles verloren, findet er an der verschmähten Braut eine Trösterin und Retterin.

Fabrikluft und Klosterluft. Volksroman aus Oberschlesien von Paul Nieborowski. Aderholz in Breslau. 1905. 8°. 153 S. Brosch. 90 Pf.

Ein Fabrikarbeiter ist dem Trunke stark ergeben zum größten Kummer seiner engelgleichen Tochter, die Tag und Nacht betet und opfert um die Bekehrung ihres Vaters. Endlich findet das Gebet Erhörung, der alte Trinker entsagt seinem Laster. Schon war Gefahr des Rückfalles, als der kaum Bekehrte bei einem Grubenbrand zugrunde ging. Ein Jugendfreund der Tochter sucht den Verunglückten zu retten, beschädigte sich aber selbst derart, daß er zum Krüppel wurde. Aus Dankbarkeit heiratet ihn das brave Mädchen, um sich ganz seiner Pflege widmen zu können. Wohin ein Leben ohne Gott führt, zeigt die besonders für die Arbeiterbevölkerung nützliche Geschichte.

Frühling im Palazzo Caccialupi und andere Geschichten. Von Ansgar Albing. 2 Bände. Herder in Freiburg. 1907. 8°. 193 und 213 S. gbd. M. 6.

Wer die Erzählungen des hervorragenden Verfassers: „Moribus paternis" und „Der Pessimist" (beide bei Herder) kennt, greift mit Freuden nach jeder neuen Arbeit desselben. Die vorliegenden zwei Bände bringen wieder eine wertvolle Bereicherung der Literatur (gewidmet dem Meister der großen Geschichte, Hofrat Professor Dr. Ludwig Pastor). — Im 1. Bande finden wir die köstliche Geschichte **„Frühling im Palazzo Caccialupi."** Marchese Filippo Caccialupi ist wie so viele andere Repräsentanten alter Adelsgeschlechter finanziell nicht mehr auf der Höhe der Zeit, im Palazzo hat manches im Inneren und Aeußeren vom Zahne der Zeit stark gelitten; eines hat sich in alter Kraft erhalten, der tiefgläubige Sinn der alten Herrschaft und das besonders beim Marchese stark ausgeprägte Standesbewußtsein. Dieses wurde schmerzlich getroffen, als der Sohn aus Amerika eine Frau holte, die wohl kein blaues Blut, aber desto größeren Reichtum mitbrachte und mit diesem amerikanisches Wesen, in das sich der alte Marchese lange nicht finden konnte; zwischen den beiden gab es manch hitziges Wortgefecht; als das erste Enkelkind in Sicht kam, kam dauernder Friede. Recht unterhaltend. Jon O'Callagan. Erzählt von einem Studenten-Ulk. Das Toleranzedikt. Zu der Familie des Regierungsrates Wegner kam Onkel Fritz; da dieser stark freisinnig „angehaucht", Familie Wegner aber streng katholisch war, so gab es bei solchen Besuchen gern „Meinungsverschiedenheiten", Verstimmungen. Deshalb wurde für den diesmaligen Besuch ein Toleranzedikt in der Familie beschlossen zugunsten des Erbonkels. Bei der aggressiven Art des Onkels war die Beobachtung des Ediktes schwer, besonders der so gutgesinnte junge Werner Ferdinand fiel deinahe aus der Rolle und als er sein Vorhaben kundgab, Priester werden zu wollen, wäre es bald zum Bruche gekommen. Als Vater Werner wegen seiner gut katholischen Gesinnung in die Pension geschickt, aber dafür durch eine einträgliche Privatstellung entschädigt wurde, willigte selbst Onkel Fritz ein, daß Ferdinand den geistlichen Beruf wählte. 2. Band: **Die neuen Schuhe.** Ein Theologe findet den Tod, da er ein Selbstmörder-Paar retten will. Frau Fama. Es darf nur einer auf Freiersfüße sich stellen, so braucht er für Mißgunst, Verleumdung, üble Nachrede nicht zu sorgen; das erfuhr ein edelgesinnter Mann Kuno von Hortenau: eine zungenfertige Baronin Zwingern warf böswillig in großer Gesellschaft einige Verdächtigungen gegen Kuno hin, sie fand Gehör, die Lügen wurden verbreitet, vergrößert, die Verlobung Kunos mit der Herzogstochter Maria wurde rückgängig, fast wäre es um sein Lebensglück geschehen gewesen. Zum Schlusse wurde alles gut, die Verleumderin kam in Not und Verlegenheit, die Großmut Kunos rettete sie. Drei kurze Erzählungen schließen sich an. Für Gebildete eine interessante Lektüre.

Consolatrix afflictorum. Erzählung aus dem 14. Jahrhundert von Antonie Jüngst. 2. Aufl. 1908. Alphonsus-Buchhandlung in Münster (Westfalen). 8°. 131 S. gbd. Lwd. M. 2.

Ein Kind armer Eltern, Ludger Eskens, kam als Kind gern zum Klausner Bruder Meinwerk und erhielt von diesem manch nützliche Unterweisung; durch die Pest verlor der arme Knabe die Eltern und seinen Freund Meinwerk; er floh und geriet in die Hände des edelgesinnten Ritters Bruno von Warendorp, der ihn in sein Haus aufnahm wie sein eigen Kind und für seine Ausbildung sorgte. Bald zeigte der Knabe außerordentliche Anlagen für die Bildhauer- und

Schnitzkunst. Er kam nach Italien, brachte es zu seltener Kunstfertig-
keit und konnte es wagen, mit den gottbegnadeten Meistern Italiens
in einen Wettkampf sich einzulassen: nämlich einen Entwurf zu
einer Siegesgöttin auszuführen; als Preis hiefür sollte er die Hand
Giulittas gewinnen. Ein Nebenbuhler will Ludger durch einen Dolchstich aus dem Wege räumen, schwer verwundet schwebt der Künstler
lange Zeit zwischen Leben und Tod, sein Feind hat ihm das Kunstwerk entwendet und als seine Arbeit ausgegeben, um so den Preis
für sich zu erringen. Genesen schlich sich Ludger in die Werkstatt
seines Feindes, fand dort das preisgekrönte Modell der Siegesgöttin,
zerschlug es, entsagte seiner Kunst, mit gebrochenem Herzen kehrte
er in die Heimat zurück, nur einmal noch nahm er seinen Werkzeug zur Hand und sein letztes Kunstwerk war das Bild der Mutter
Gottes, der Trösterin der Betrübten.

Für Kranke aus dem gewöhnlichen Volke empfehlen wir die
Erzählungen von Adolf Kolping. Kolping, der berühmte Vater
der katholischen Gesellenvereine, schrieb seine populären Erzählungen
zuerst in seine Volkskalender und in sein Sonntagsblatt, für das er
30.000 eifrige Leser gewann; sie behandeln wahre Begebenheiten
und haben ausnahmslos eine moralische Grundlage. Sie sind im
Verlage Naffe in Münster erschienen in fünf Bänden.

Eine billige Bereicherung der Spitalsbibliothek bildet die
katholische Volksbibliothek, herausgegeben bei C. & A. Seyfried
in München. Es sind 160 Bändchen erschienen, jedes zirka 60 Seiten,
brosch. 10 Pf.

Gern und mit Nutzen werden vom Volke gelesen die Erzählungen des Missionärs J. A. Stelzig (G. J. Manz in Regensburg). Der Verfasser sucht mit Hilfe seiner lehrreichen Erzählungen
zum Besten seiner Leser einzuwirken. Die einen sollen über die Wahrheit des heiligen Glaubens, über die göttliche Mission der Kirche, über
die Erhabenheit der kirchlichen Institutionen Aufschluß und Belehrung
empfangen, andere sollen zur Uebung christlicher Tugenden auf-
gemuntert werden.

Dieser Art sind: **Aus der Fremde in die Heimat.** Jugend-
geschichte einer amerikanischen Waise. 8°. 241 S. brosch. 75 Pf.
Führungen zur Wahrheit. Erlebnisse auf dem Wege zur Bekehrung.
8°. 222 S. brosch. 75 Pf. **Bilder vom Leben und Sterben** aus
verschiedenen Sprachen. 35 Nummern mit Beispielen heldenmäßiger
Tugend, auffallender Bekehrung verhärteter Lasterhaftigkeit. 8°. 286 S.
80 Pf. **Bild und Wort.** Erzählungen zur Belehrung und Unterhaltung. 8°. 334 S. brosch. 60 Pf. **Der Student.** Ein Zeit-
gemälde. 8°. 327 S. brosch. M. 1·—.

Eine Anleitung zur Sparsamkeit, zu vernünftiger Wirtschaftlich-
keit, zur Zufriedenheit geben: **Der Trunkenbold.** 8°. 60 Pf. Ein
Bild aus dem Leben für das liebe Volk. 8". 60 Pf. **Der Zeiselmatz
von Oberndorf** oder: So kommt man vom Stroh auf die Federn.

Eine Geschichte für das liebe Landvolk. 70 Pf. **Der Grenzbauer und der Kohlentoni** in Amerika. M. 1.20. Gegen die Auswander= lust. Alle diese Stelzigschen Geschichten lesen sich angenehm, nur sollen nicht so viele Fremdwörter sein. Die Ausstattung veraltet, Preis sehr ermäßigt.

Erzählungen von L. Wöhler. 1. Auf dem Sillberge. Dorfgeschichte. Vorrede von P. Franz Hattler S. J. Mit Appro= bation des Ordinariates Brixen. Vereinsbuchhandlung in Innsbruck. 8°. 235 S. brosch. 40 *h*. 2. **Ein Stücklein Volksleben aus den Tiroler Bergen**, in Prosa und Poesie erzählt. Vereinsbuchhandlung in Innsbruck. 1887. 8°. 176 S. brosch. 40 *h*. Zeigt das Glück der Unschuld, die Gefahren des Tanzbodens; die bitteren Leiden einer Gefallenen kommen in ergreifender Weise zur Darstellung. 3. **Anna** oder: Gottes Reich dauet Hauses Glück. L. Auer in Donauwörth. 12°. 124 S. brosch. 50 Pf., karton. 60 Pf. Zeigt, daß nur Gottes= furcht und Christentum wahres Glück bringt. Ganz ausgezeichnet.

Valentin und Gertraud von P. Aegid Jais. Otto Manz. 1879. 8°. 130 S. karton. M. 1.—. Eine Mustererzählung, die unter dem katholischen Volke nur Segen bringen kann und Erbau= liches dietet für alle Lagen des Lebens, eine anziehende Unterweisung über die Standespflichten in Form einer Geschichte. Wirklich schade, daß solche Perlen, wie diese und die obigen so wenig ästimiert werden und vergebens auf bessere Auflagen warten.

Aehnlichen Wert hat: **Isidor, Bauer von Ried.** Eine Ge= schichte für das Landvolk von Josef Huder, Pfarrer. Mit einer Vorrede von Bischof Sailer. Ein vorzügliches Volksbuch, welches dem Leser das Bild einer vom Geiste des Christentums durchdrun= genen Familie vorzeichnet. In neuer Bearbeitung bei C. & A. Seyfried in München. gbd. M. 1.

Einige Erzählungen aus den ersten Zeiten des Christen= tums: Johannes, der Liebesjünger. Ein Geschichtsbild aus den apostolischen Zeiten. Entworfen von Magnus M. Perzager, Servit. Approb. vom Ordinariate Brixen. Vereinsbuchhandlung in Innsbruck. 1872. 8°. 531 S. brosch. 60 *h*.

Das gut geschriebene Buch macht den Leser nicht bloß mit dem Leben und apostolischen Wirken des heiligen Johannes vertraut, sondern führt uns in angenehmer Erzählungsart die Geschichte der Kirche im ersten Jahrhundert vor, und die Geschicke der dem heiligen Liebesjünger anvertrauten Mutter Jesu.

Die heiligen Apostel Jesu Christi. Erwägungen, Lebens= beschreibungen und Andachten, sowie Reden der heiligen Kirchenväter. Von einem Priester der Diözese Leitmeritz. Approb. vom Ordinariate Brixen. Vereinsbuchhandlung in Innsbruck. 1880. 8°. 315 S. brosch. 60 *h*.

Handelt von den Aposteln im allgemeinen, ihrem Lebensberufe von der Erwählung zum Apostolate, von der Macht, Ehre und Würde der Apostel, ihrem vertrauten Umgange mit dem göttlichen Meister, ihrem Geschicke nach dem Tode Jesu Christi; von Seite 64 bis 245 wird jedem Apostel ein eigenes Kapitel gewidmet, den Schluß bilden Andachten. Ein lehrreiches und angenehm zu lesendes Buch für das Volk.

Simon Petrus und Simon Magus. Legenden von Pater J. J. Franko S. J. Ins Deutsche übersetzt von F. H. Schuhmacher. Kirchheim in Mainz. 1869. 8°. 165 S. M. 1.20.

Die letzten Lebensgeschicke der beiden Apostelfürsten, deren Martyrium, das Auftreten und der schmachvolle Sturz des Simon Magus, die Verhältnisse der heidnischen Welt und der frisch auf= blühenden Kirche werden in Form einer lebensfrischen Erzählung geschildert. Für Leser mit einigem Verständnisse bestens zu empfehlen.

Nekodas. Eine Erzählung aus der Zeit der Zerstörung Je= rusalems. Von Maria Lengen di Segrebondi. 2. Aufl. G. J. Manz in Regensburg. 8°. 388 S. gbd. M. 2.50.

Die Erfüllung der schrecklichen Weissagung des Herrn über Jerusalems Untergang in allen ihren furchtbaren Einzelheiten, ist Gegenstand der Erzählung.

Lydia. Ein Bild aus der Zeit des Kaisers Mark Aurel. Von Monsignore Hermann Geiger. 4. Aufl. G. J. Manz in Regensburg. 1890. 8°. 128 S. gbd. M. 3.—.

Der Verfasser will uns die hervorragendsten Zierden der Kirche, welche während der 20jährigen Regierung des Kaisers Mark Aurel gelebt und gewirkt haben (Polykarp von Smyrna, Justinus von Rom, Bischof Pothinus aus dem südlichen Gallien, Irenäus, Papst Soter, Dionysius von Korinth usw.) vorführen, und bediente sich, um sie alle in den Rahmen einer Erzählung zu bringen, der Ge= schichte der morgenländischen Sklavin Lydia. Wir lernen zugleich ein schönes Stück Kirchengeschichte kennen.

Als billiges Materiale können wir auch anführen die **Regens= burger 10 Pfennig-Bibliothek.** G. J. Manz in Regensburg. Jede Nummer mit zirka 60 Seiten kostet brosch. 10 Pf.

Kaiser Maximilian, der letzte Ritter. Eine kulturgeschicht= liche Erzählung für Jugend und Volk von Paul Weber. G. J. Manz in Regensburg. 1893. 8°. 295 S. gbd. Ein Bild voll Gottvertrauen, Mannesmut, Vaterlandsliebe, voll der rührendsten Züge.

Die Opfer der Revolution oder: Der Bauernkrieg Ein geschichtliches Gemälde aus der Zeit der ersten französischen Revo= lution von Heinrich Conscience. Bearbeitet von Dr. D. Heinrichs. Mit 7 Vollbildern in Farbendruck. Aschendorff in Münster. Gr. 8'. 248 S. gbd. M. 3.75. Die Darstellung ist lebendig, die Sprache einfach. Die Bezeichnung der katholischen Priester mit „Pastore" ist dem österreichischen Volke ungewohnt.

(Schluß folgt.)

Pastoral-Fragen und -Fälle.

I. (Beichtjurisdiktion.) Facundus erhält die Jurisdiktion für Klosterfrauen auf drei Jahre. Nach einem Jahre aber wird er in einer entfernten Pfarrei Pfarrer und an seine Stelle kommt ein anderer Beichtvater für die Klosterfrauen. Nun wird der Pfarrer von mehreren seiner früheren Beichtkinder auf seinem neuen Posten besucht und eines derselben verlangt bei dieser Gelegenheit bei ihm zu beichten. Facundus hört die Beicht in der Ueberzeugung, daß er die Jurisdiktion auf drei Jahre erhalten habe und diese Frist noch nicht abgelaufen sei.

Frage. Hat er recht gehandelt? Hat die Klosterfrau recht gehandelt, da sie ohne Vorwissen ihrer Obern zu beichten verlangte? Wie steht es überhaupt mit der Beichtjurisdiktion der Nonnen?

Lösung. Augenscheinlich handelt es sich hier um nicht päpstlich klausurierte Klosterfrauen, weil mehrere derselben einen Besuch zu ihrem früheren Beichtvater antreten konnten: bei Klosterfrauen päpstlicher Klausur ist das kaum angängig.

Die Jurisdiktionsgewalt zur Entgegennahme der Beicht päpstlich klausurierter Nonnen ist durch päpstliches Gesetz an die Bedingung spezieller Approbation seitens des Bischofs geknüpft, so daß die allgemeine Jurisdiktionsgewalt zum Beichthören der Gläubigen nicht genügt, um die Beicht der genannten Nonnen entgegenzunehmen, sondern eine spezielle Approbation für die Nonnen oder für ein bestimmtes Kloster erforderlich ist.

Für nicht päpstlich klausurierte Nonnen besteht ein diesbezügliches päpstliches Gesetz nicht, sondern die Beschränkung oder Erweiterung der Jurisdiktionsgewalt der für das katholische Volk aufgestellten Beichtväter hängt schließlich vom Diözesanbischof ab. Will er nicht, daß alle Beichtväter der Diözese die Beichten der Nonnen in weiterem Sinne entgegennehmen können, dann muß er diese Beschränkung beim Erteilen der Beichtvaterbefugnis ausdrücken. Daß das geschehe und daß nur eigens approbierte Beichtväter die Beichten auch der Nonnen im weiteren Sinne in deren Häusern entgegennehmen, schreibt Rom nicht gerade vor, wünscht es aber.

Der Diözesanbischof des Facundus scheint, wie es heutzutage meistens geschieht, diesem Wunsche Roms nachgekommen zu sein, und alle Klosterfrauen, auch die es im weiteren Sinne sind, von der gewöhnlichen Approbation zum Beichthören ausgenommen zu haben; sonst hätte es keinen Grund, daß dem Facundus auf drei Jahre speziell die Jurisdiktion für Klosterfrauen erteilt wurde.

In der Auslegung und Ausdehnung dieser Jurisdiktionsbefugnis ist nun auch durchaus der irgendwie zum Ausdrucke gekommene Wille des Oberhirten maßgebend. Gewöhnlich geschieht die Jurisdiktionserteilung durch Anstellung und Einführung in das Amt des gewöhnlichen Beichtvaters für ein bestimmtes Kloster oder für mehrere

Klöster. Alsdann ist die Befugnis zum Beichthören beschränkt auf die betreffenden Häuser der Klosterfrauen und auf die Zeit des Beicht= vateramtes. Sie würde also erlöschen mit dem Amte, selbst wenn die ursprünglich gedachte Zeitdauer des Amtes noch nicht abgelaufen wäre. In diesem Falle hätte Facundus durch seine Versetzung in eine entfernte Pfarrei die spezielle Approbation zum Beichthören der betreffenden Klosterfrauen verloren.

Allein es ist nicht nötig, daß die spezielle Approbation für Klosterfrauen so erteilt wird; tatsächlich wird sie nicht selten anders erteilt. Der Oberhirt kann sehr wohl gewissen Priestern die spezielle Approbation für Klosterfrauen im allgemeinen erteilen, für alle Kloster= frauen seiner Diözese, oder für bestimmte Kongregationen oder Häuser. Dann dauert diese Approbation und die Befugnis zum Beichthören jedenfalls bis zum Ablauf der bestimmten Zeit oder bis zu etwaigem Widerruf von seiten des Oberhirten. Sie ist dann unabhängig von der Amts= oder Wohnsitzveränderung des so approbierten Priesters; ob demselben das Amt des gewöhnlichen Beichtvaters eines bestimmten Klosters übertragen ist und bleibt, oder nicht, ist in diesem Falle gleichgültig. Hat also Facundus in dieser Weise die Jurisdiktion er= halten: dann urteilte er richtig, daß seine Befugnis zum Beichthören der Ordensfrauen noch nicht erloschen sei.

Es kommt aber noch ein anderer Umstand in Betracht, nach welchem, ohne Rücksicht auf die habituelle Jurisdiktion für Nonnen, Facundus zur Entgegennahme der Beichte der ihn besuchenden Ordens= schwestern berechtigt sein konnte.

Der Ausschluß der Klosterfrauen von der allgemeinen Juris= diktionsbefugnis für die Gläubigen geschieht in erster Linie bezüglich der Beichten, welche im Kloster selber von den Nonnen abgelegt werden, so daß ein speziell approbierter Priester nur erfordert wird, um die Beichten der Nonnen in deren Klöstern entgegenzunehmen. Weilen die Klosterfrauen rechtmäßig außerhalb ihres Klosters, dann gelten sie als den übrigen Gläubigen gleichgestellt, falls nicht der Diözesanbischof klar und deutlich von der Jurisdiktion des betreffenden Priesters die Klosterfrauen so ausgenommen hat, daß er sie weder im Kloster, noch wenn sie sich sonst irgendwo aufhalten, absolvieren könne. Möglich ist diese Beschränkung; sie ist aber ohne klaren Beweis nicht zu unterstellen.

Diesbezügliche Entscheidungen liegen schon vor aus den Jahren 1852 und 1872. Ich zitiere sie aus Gennari, Questioni teologico-morali. Ed. 2. 1907. Dort wird Nr. 193 ein Dekret der S. C. Episc. et Reg. vom 27. Aug. 1852 angeführt, welches sich auf päpstlich klausurierte Nonnen bezieht: „Aliquando moniales aut ratione sanitatis, aut alia causa obtinent veniam egrediendi ad breve tempus ex earum monasterio, retento habitu. Quaeritur. an in tali casu possint exomologesim suam facere apud confessarios approbatos pro utroque sexu, quamvis non approbatos pro

Monialibus? Resp.: Affirmative, durante mora extra monasterium.“

Diesem schließt sich eine andere Antwort derselben Congregatio vom 22. April 1872 bezüglich der Klosterfrauen mit einfachen Gelübben und ohne päpstliche Klausur an. Von diesen heißt es: „Sorores, de quibus agitur, posse peragere extra piam propriam domum sacramentalem confessi nem penes quemcumque confessarium ab Ordinario approb tum.“

Also zur Rechtmäßigkeit und Gültigkeit der Beichten solcher Klosterfrauen bei einem gewöhnlichen, nicht speziell approbierten Beichtvater wird nur das legitime Verweilen außerhalb des Klosters verlangt: falls nicht, wie gesagt, der Diözesanbischof deutlich eine größere Beschränkung auferlegt hat.

Wenden wir dies auf den vorgelegten Fall an, so dürfte der Umstand, daß die betreffende Schwester ohne Vorwissen der Oberin bei Jacundus ihre Beichte ablegte, nicht ins Gewicht fallen. Ohne Vorwissen und Gutheißung der Oberin konnten die Schwestern keinenfalls jene Reise unternehmen oder außerhalb des Klosters sich aufhalten. Es stand also nichts mehr im Wege, daß eine Schwester, auch ohne Vorwissen der Oberin, die Gelegenheit zu einer auswärts abzulegenden Beichte benützte. Es konnte das aus äußeren Gründen vielleicht eine Unvollkommenheit sein, brauchte aber aus sich noch keine Sünde auszumachen. Jacundus mußte daher auf Begehr der Schwester die Beicht ruhig entgegennehmen und je nach Befund genügender Disposition die Lossprechung erteilen.

Valkenburg (Holland).   Aug. Lehmkuhl S. J.

II. (Restitutionspflicht.) Philo, jagdberechtigt auf einem bestimmten Gebiete, erlegt von der Grenze dieses Gebietes aus 10 Gemsen, welche unterdessen von seinem Jagdgebiet auf das nachbarliche geflüchtet waren. Die so erlegte Beute holt er herüber und eignet sie sich an. Der Beichtvater verpflichtet ihn, die Hälfte des Wertes an die Armen zu geben. Hat derselbe recht entschieden?

Lösung. Auf Grund der Gerechtigkeit so zu entscheiden, wie der Beichtvater hier getan hat, ist jedenfalls verkehrt: denn sollte ein Unrecht geschehen sein, so richtet sich dies gegen den Jagdberechtigten des Nachbargebietes; an Stelle dessen die Armen zu setzen, liegt ein Grund nicht vor.

Aber ist tatsächlich eine ungerechte Schädigung jenes Jagdberechtigten durch Philo erfolgt, und zwar eine Schädigung, deren Höhe bis auf den halben Wert der erlegten Beute zu schätzen ist? Das dürfte mehr als zweifelhaft sein. Das Jagdrecht gab dem betreffenden Nachbar vom naturrechtlichen Standpunkte aus noch kein unmittelbares Recht auf jene zehn Gemsen, zumal da diese von einem Gebiete zum anderen flohen, sondern nur das Recht sie zu erschießen, falls er sie auf seinem Gebiete traf und die Tiere so gutmütig waren, bis auf den Trefferschuß zu warten. Vom naturrechtlichen Stand-

punkte aus wurden die Tiere durch das Erschießen Eigentum des
Philo, der vor dem Schusse genau dasselbe Anrecht hatte, wie der
Nachbar. Das Betreten des fremden Jagdgebietes wird allerdings
polizeilich oder landesgesetzlich verboten sein; doch wird diese Vor=
schrift schwerlich unter Sünde im Gewissen binden, falls nicht durch
das Betreten fremden Gebietes ein positiver Schaden angerichtet
wird. Ein solcher Schaden wäre eventuell, auch nach Gewissens=
vorschrift, zu vergüten. Außerdem besteht in einigen Gegenden die
landesgesetzliche Bestimmung, daß der Berechtigte desjenigen Gebietes,
auf dem die Beute erjagt wurde, die Auslieferung derselben fordern
kann. Auch diese Bestimmung wird, besonders in unserem Falle,
erst dann als im Gewissen bindend anzusehen sein, wenn der Be=
rechtigte von dem durch das Gesetz ihm zugebilligten Rechte Ge=
brauch machen kann und Gebrauch macht. Da dies aber nicht der
Fall gewesen ist, so konnte Philo ganz unbehelligt bleiben, und
der Beichtvater tat nicht recht, ihn zu irgend einem Ersatze zu
verpflichten.

Höchstens könnte noch in Frage kommen, ob nicht der Beicht=
vater berechtigt gewesen sei, den Ersatz der Hälfte des Wertes an
die Armen als sakramentale Buße aufzulegen. Doch auch das ist zu
verneinen, falls nicht Philo mit anderen und weit schwereren Sünden
belastet war, als mit jener Uebertretung der Jagdvorschriften. Denn
jene Uebertretung war aus sich gewiß keine Todsünde, vielleicht
überhaupt gar nicht eigentliche Sünde; die Almosenauflage in der
Höhe des Wertes von fünf Gemsen ist aber eine Buße von mehr
als gewöhnlicher Schwere, wie sie nach heutiger Kirchenzucht nur
bei Todsünden, und zwar bei einer Reihe von Todsünden, dem Beicht=
kinde zur Pflicht gemacht werden kann.

Mithin war die Handlungsweise des Beichtvaters nach allen
Richtungen hin verfehlt.

Valkenburg (Holland). Aug. Lehmkuhl S. J.

**III. (Causa aut occasio: Ursache oder Anlaß zu
einem fremden Schaden?)** Cäsar, der Obmann eines politischen
Vereines, hielt eine Versammlung ab, um für den Verein neue Mit=
glieder zu gewinnen. Konstanz, Korrespondent eines Blattes der Gegen=
partei, schrieb für dasselbe nach einer höchst oberflächlichen Erkundigung
über Verlauf und Erfolg dieser Versammlung einen Bericht, in
welchem er unter anderen behauptete, Cäsar hätte durch Verabreichung
von Freibier an die Teilnehmer der Versammlung und durch Ver=
teilung von Geldgeschenken an die Kinder auf der Gasse seine Sache
zu unterstützen gesucht. Durch diese wenigstens zum Teile unrichtige
Behauptung gereizt, klagte Cäsar den Berichterstatter Konstanz auf
Ehrenbeleidigung; dieser wurde aber freigesprochen, und Cäsar mußte
die nicht unbedeutenden Gerichtskosten selbst bezahlen. Justus, ein
gebildeter Freund des Konstanz, erteilt nun diesem die brüderliche
Ermahnung, er möge dem Cäsar den durch seinen so leichtfertig ge=

machten falschen Bericht an Ehre und Vermögen zugefügten Schaden gutmachen; denn er sei im Gewissen hiezu verpflichtet.

Frage: Ist Konstanz dazu wirklich im Gewissen ver=pflichtet?

An erster Stelle fassen wir die Geldentschädigung ins Auge. Cäsar hat durch die leichtfertige, falsche Behauptung des Konstanz einen Schaden erlitten, indem er die Prozeßkosten bezahlen mußte. Es ist nun die Frage, ob er dafür an Konstanz ein Recht auf Entschädigung hat.

Im allgemeinen ist nach der einstimmigen Lehre der Theologen derjenige zum Schadenersatz in seinem Gewissen verpflichtet, welcher einem anderen durch eine ungerechte, sündhafte Handlung einen Schaden zugefügt hat, den er saltem in confuso vorausgesehen hat. Der Kern dieser Bedingungen liegt in der causa damni. Goepfert drückt sich hierüber ganz kurz also aus: „Die Handlung des ungerechten Beschädigers muß wirksame Ursache des Schadens sein, causa efficax damni per se, d. h. der Schaden muß auf die Handlung als auf seine eigentliche Ursache zurückzuführen sein. Es genügt also nicht, wenn die Handlung bloßer Anlaß (occasio) des zugefügten Schadens ist." Band II § 89, 2.

In demselben Sinne sagt Marc n. 949, 2: „Requiritur, ut actio damnificativa sit effective injusta i. e. vera atque efficax causa damni. Ratio liquet: solus enim auctor damni tenetur illud reparare. Non sufficit causa occasionalis damni, quia non est causa efficax, sed tactum efficacis causae occasio."

Der Unterschied zwischen causa und occasio damni ist, wie Lehmkuhl n. 963 mit Recht bemerkt, in manchen Fällen leicht, in anderen aber schwer zu bestimmen. Daher auch in manchen Fällen die Meinungsverschiedenheiten der Theologen. Nach der Philosophie kann die Ursache folgendermaßen definiert werden: „Causa est principium, quod influit esse in aliud." Die Occasio wird da=gegen bei den Philosophen nicht eindeutig genommen. Im strengsten Sinne, als der causa gegenübergestellt, wäre sie zu definieren: „Occasio est id, quod non influit esse in aliud, sed dat causae ansam ad influendum esse in aliud." Manchmal wird occasio als causa per accidens genommen, quae non ex se determinata est ad hunc effectum producendum. Wie bei vielen anderen Ter=mini muß es sich im einzelnen Falle aus dem Zusammenhange er=geben, in welchem Sinne der terminus „occasio" zu nehmen ist, wenn auch immer im Gegensatz zur causa primaria.

Für unseren Fall geht nun aus dem Gesagten klar hervor, daß die bezeichnete Handlung des Konstanz nicht als causa, sondern bloß als Occasio des von Cäsar erlittenen Schadens zu betrachten ist, und daß für jenen durchaus keine Restitutionspflicht vorhanden ist, wenn auch das leichtfertige Vorgehen bei seiner Berichterstattung an das öffentliche Blatt nicht als korrekt bezeichnet werden kann.

Im übrigen führt Konstanz noch einen anderen Grund an, der zu seinen Gunsten spricht, er sagt, daß er bei Abfassung und Einsendung seines Berichtes keine Ahnung davon hatte, daß Cäsar ihn dafür klagen werde; denn sonst hätte er die fragliche Bemerkung sicher nicht gemacht, da ihm eine solche Klage selbst höchst unangenehm war, und dieser Umstand würde vollkommen genügen, um selbst denjenigen, der nicht bloß eine occasio, sondern sogar eine causa damni gesetzt hätte, von der Restitutionspflicht freizusprechen, da nach der einstimmigen Lehre der Theologen niemand für jene bösen Folgen seiner Handlung, die er bei Setzung der Handlung nicht einmal in confuso, d. h. als wahrscheinlich vorausgesehen hat, im Gewissen verantwortlich sein kann. Bei einer bloßen occasio damni ist der Schädiger aber sogar dann vom Schadenersatze frei, wenn er den Schaden des anderen als wahrscheinlich oder sogar als sicher erfolgend vorausgesehen, ja sogar, wenn er denselben ausdrücklich intendiert hätte, da eine solche Handlung, wenn auch affective, doch nicht als effective injusta causa damni betrachtet werden kann, außer sie wäre von einem Umstande begleitet, der proxime in damnum influit. Vergl. S. Alph. l. III. n. 635 und 636.

Was endlich den öffentlichen Widerruf, den Justus von Konstanz verlangt, betrifft, so kann er denselben schon durch Berufung auf den richterlichen Freispruch zurückweisen und noch mehr durch die Tatsache, daß die Verabreichung von Freibier bei solchen Gelegenheiten auch in der öffentlichen Meinung nicht als ein unehrliches Agitationsmittel angesehen wird.

Wien.   P. Johann Schwienbacher C. Ss. R.

IV. (Eine Stipendienfrage.) Kaplan Lullus lebt bei einem Pfarrer, dessen Benefiz sehr gut dotiert ist; auch an größeren Stipendien, z. B. für Aemter hat es keinen Mangel. Der Pfarrer überläßt dem Kaplan alle Arbeit, besonders die Aemter, behält sich aber (usuell) die Stipendien pro communi mensa. Lullus findet nach gewissenhafter Rechnung, daß die Stipendiengelder, die der Pfarrer bezieht, weit mehr ausmachen, als der Pfarrer für die Verpflegung des Kooperators Auslagen hat und glaubt sich daher zur geheimen Kompensation berechtigt z. B. durch Verheimlichung mancher Einkünfte. Ist er im Rechte?

Salvo meliori iudicio glauben wir nun zwar, daß der Pfarrer nicht recht handelt. Wer eine heilige Messe liest, dem gehört das ganze Stipendium, das dafür gezahlt wird, mag es noch so hoch sein; ausgenommen sind hievon die Ordensleute, die auf Privaterwerb kein Recht haben, wegen der vita communis. Aber der Weltklerus lebt nicht in der vita communis, sondern hat höchstens mensa communis; die vita communis wurde von kirchlicher Seite wohl einst dem Weltklerus wiederholt ans Herz gelegt, besteht aber heute nicht und kann darum hier nicht als Beweis angesprochen werden; auch wäre dieselbe nicht als Bereicherung des Pfarrers durch die

Arbeiten feiner Hilfspriefter zu verftehen, fondern in diefem Falle
müßten alle gleichviel erhalten. Man kann darum fchon gar nicht
fagen, die Leute zahlen ihre Stipendien einfach „bei der Pfarre"
(in die fabrica ecclesiae) ein und es ift Sache des Pfarrers zu
beftimmen, wer die Aemter lefe; denn die Fabrik der Kirche ift
wiederum nicht die Privatkaffe des Pfarrers. Auch ift eine Berufung
auf etwaige Diözefanftatuten hinfällig, auch wenn diefe von Rom
approbiert find; denn diefe Statuten können den fehr zahlreichen
römifchen Erläffen aus alter und jüngfter Zeit nicht derogieren und
fetzen nur voraus, daß der Ertrag der vom Kaplan gelefenen Meffen
die Bedürfniffe feiner Menfa nicht überfteige; im Gegenteil, meiftens
find fie geringer. Der Pfarrer ift unferer befcheidenen Anficht nach
im Unrecht, alfo reftitutionspflichtig. Er hat aus den Meffen des
Kaplans Vorteil gezogen; das ift — pro quantitate materiae —
graviter illicitum. Denn fobald die mensa beglichen ift, Kleider,
Wäfche muß der Kaplan ohnedies felbft begleichen, die Wohnung
koftet dem Pfarrer felbft nichts, fo hat er höchftens noch das Recht,
für die Bedienung durch die Haushälterin noch eine Quote in An-
fchlag zu bringen, wenn fie der Kaplan nicht felbft zahlt; der allfällige Reft aber gehört dem Kaplan.

Der Kaplan aber hatte nicht das Recht, fich kurzerhand felbft
zu kompenfieren; denn felbft wenn er feines Rechtes ficher war,
hätte er vor allem den Pfarrer interpellieren und wenn ohne Erfolg erft durch eine höhere Inftanz fein Recht zur Geltung bringen
follen: durch den Ordinarius, eventuell die S. C. Ep. Schwere Gründe
konnten ihn freilich davon entfchuldigen; fonft aber hat er an fich wenigftens läßlich gefündigt. Da indes eine offenkundige iniustitia feitens
des Kaplans nicht vorliegt, kann man ihm keine Reftitution auferlegen.

Wien.   P. H.

V. **(Absolutio complicis nach einer Taufe sub
conditione.)** In der franzöfifchen Priefterzeitfchrift L'ami du
clergé ftand einmal ein Kafus zu lefen mit der obigen materia.
Ich will denfelben variiert bringen.

Irgendwo in einem Methodiftendorf hatten fich zwei Jünglinge
invicem fchwer contra castitatem verfehlt. Der eine von ihnen,
namens Kosmas, kam bald vom Dorf fort in eine große Stadt und
trat dort zum katholifchen Glauben über. Ja noch mehr! Er fühlte
den Beruf in fich, Priefter zu werden, vollendete mit Fleiß und zäher
Ausdauer feine Studien und wurde zum Priefter geweiht. Nach
etlichen Jahren fügte es das Schickfal, daß ihn der Bifchof in fein
ehemaliges Heimatdorf als Miffionär fchickte.

Der andere Jüngling, namens Pachomius, hatte eine große
Freude, als er feinen ehemaligen Jugendfreund nach langer Trennung
wieder fah. Im Laufe der Zeit gelang es unferem Miffionär und
der Gnade Gottes, auch den Pachomius für den katholifchen Glauben

zu gewinnen. Weil ein zweiter, anwesender Priester sich mit ihm nicht verständigen kann, und zur nächsten Mission zwei Tagreisen sind, so unterrichtet Kosmas den Pachomius, seinen ehemaligen complex. tauft ihn bedingungsweise, da er in die Gültigkeit der ersten Taufe gewichtige Zweifel setzt, nimmt ihn in die Kirche auf und absolviert ihn sub conditione. Später kommen dem Priester Be= denken, ob er sich nicht der absolutio complicis schuldig gemacht und in die Exkommunikation verfallen sei. Was ist ihm zu erwidern?[1])

Nach der Fassung, in welcher der Fall hier steht, kann nur von einer Lösung nach seiner objektiven Seite hin die Rede sein. Denn es heißt „später kommen dem Priester Bedenken". Er hat also in absolutione complicis keine Bedenken gehabt, er hat entweder absolut nicht daran gedacht, daß er durch die absolutio complicis in peccato turpi die Exkommunikation inkurriere oder er hat durch die zwei angegebenen Nebenumstände, daß nur ein anderer Priester anwesend sei ohne Kenntnis des Idioms des Pönitenten, während die nächste Mission zwei Tagreisen entfernt war, und ex baptismo et absolutione sub conditione sein Gewissen informiert.

Eine Zensur latae sententiae setzt nun aber unbedingt ein peccatum grave voraus, die Kirche verhängt keine poena spiritualis wegen einer läßlichen Sünde. Ein peccatum grave ist in unserem Fall nicht vorhanden: „Später kommen ihm Bedenken", ergo kann subjektiv von einer Exkommunikation keine Rede sein.

Wie verhält sich nun die Sache nach der objektiven Seite?

Wer einen complex in peccato turpi gravi (seien es nun auch nur aspectus, oscula, tactus oder sermones obscoeni, dummodo ad mortale pertingunt), externo, mutuo absolviert, in= kurriert die Exkommunikation, die seit 1869 dem Papst speciali modo reserviert ist, ja man könnte füglich sagen specialissimo modo. Bischof Dr. Müller sagt in seiner Moral, daß jedesmal, so oft Bischöfen die Fakultät gegeben wird, von Exkommunikationen etiam speciali modo reservatis, gerade die absolutio complicis in peccato turpi ausgenommen wird.

Unser Missionär tauft den Pachomius sub conditione und absolviert ihn nachher sub conditione. Das war vollständig korrekt gehandelt, bei einer Konversion, wo sub conditione getauft wird, muß jedesmal sub conditione auch absolviert werden.

Wenn die erste Taufe des Methodisten ungültig war, so wurden selbstverständlich durch die Taufe sub conditione die Erbsünde und alle vor der Taufe begangenen Sünden nachgelassen, also auch das peccatum turpe cum missionario und es blieb keine Materie mehr ad incurrendam excommunicationem.

Ich meine aber, daß selbst dann, wenn die erste Taufe gültig war, Kosmas von der Exkommunikation frei zu sprechen ist. Er

---

[1]) Die Lösung habe ich im L'ami de clergé nicht gelesen, darum opus proprium.

konnte mit vollem Recht in die Gültigkeit der ersten Taufe ein dubium prudens setzen, also war auch die absolutio â peccato turpi
eine dubia absolutio, kein peccatum mortale, consummatum opere,
conjunctum cum contumacia, welche triplex conditio nebst dem
externum und non mere praeteritum vom heiligen Alfons ad censuram verlangt wird. (lib. V. n. 30 sqq.). — Zur Stützung der
Probabilität, daß unser Missionär die Exkommunifation nicht inkurriert habe, sei noch verwiesen darauf, daß er den Pachomius,
den er im katholischen Glauben unterrichtet und getauft hatte, ad
missionarium lingua ignarum oder zu einem dritten Missionär,
der zwei Tagreisen entfernt ist, hätte schicken müssen, um zu beichten.
Das wäre sehr auffallend und eventuell für Kosmas sehr beschämend
gewesen.

Es ist ja wahr, die Moraltheologen kennen keine andere causa
für eine absolutio complicis in peccato turpi als den articulus
mortis. Aber schließlich ist das Verbot, einen solchen complex zu
absolvieren, doch nur eine lex humana und alles zusammen: a) die
absolutio dubia; b) das grave incommodum für den Pönitenten;
c) das grave incommodum für den Missionär — dürfte doch ausreichen, um diesen von der Exkommunifation freizusprechen. Für eine
lex poenalis, wie eine excommunicatio latae sententiae sie darstellt, gilt ja speziell das Axiom: „Odia restringi, favores ampliari
convenit.“

Stift St. Florian.   Prof. Dr. Gspann.

**VI. (Verhalten bei nicht zu vermeidender, akatho-
lischer Patenschaft.)** Zum katholischen Pfarrer von X. kommt
der Protestant Titius, der mit einer Katholikin in Mischehe lebt,
und bittet denselben, die Taufe seines ersten Sprößlings vornehmen
zu wollen; zugleich macht er die Bemerkung, daß der Pate des
Kindes protestantischer Konfession ist. Vom Pfarrer darauf aufmerksam gemacht, daß eine protestantische Patenschaft nach den Bestimmungen der katholischen Kirche nicht zulässig sei, entgegnete Titius,
daß er von einer solchen leider nicht abgehen könne und auch nicht
abgehen werde. N. N. habe dieselbe schon zugesagt; ihm sie jetzt wieder
wegnehmen, würde er vielleicht sehr übel aufnehmen, was er, Titius
nämlich, um jeden Preis vermeiden wolle, umsomehr als der „Pate“
ziemlich vermöglich wäre, und darum zu hoffen sei, daß später auch
für das Patenkind einmal etwas „abfallen“ werde. Der Herr Pfarrer
möge also den N. N. als Paten zulassen, sonst ... Da der Pfarrer
weiß, was dieses „sonst“ im Munde des protestantischen Kindes-
vaters zu bedeuten hat, und daß es auch keine leere Drohung ist,
sagt nun die Taufe, um das Schlimmste zu verhüten, mit der akatholischen Patenschaft zu, was seinerseits sicher korrekt gehandelt war.

Wie wird sich aber nun unser Seelsorger zu verhalten haben,
um trotz dieser aufgedrängten, kirchlicherseits unerlaubten Patenschaft
gegen die kanonischen Bestimmungen nicht zu verstoßen?

Der Ausweg, den er hier einzuschlagen haben wird, wird einfach der sein, daß er den protestantischen Taufpaten nur als „Taufzeugen", als „Ehrenpaten", also nur als Taufpaten im uneigentlichen Sinne zuläßt. (Cfr. Dr. Vering: Kirchenrecht 1881, pag. 829 VII.) Dies ist in unserem Falle sicher und gewiß erlaubt und ist durchaus nicht gegen das Dekret des heiligen Offiziums vom 3. Mai 1893, welches bekanntlich bestimmte, es solle die Taufe lieber ganz ohne Paten vorgenommen werden, wenn sich anders eine akatholische Patenschaft nicht vermeiden lasse, womit jedoch nur eine Patenschaft in streng katholischem Sinne gemeint ist, das heißt, einer solchen, mit der auch die Uebernahme aller Pflichten gegen das Patenkind verbunden ist. Da aber eine bloße „Ehrenpatenschaft" nur ein rein äußerliches Amt ohne irgendwelche Verpflichtung gegen das Patenkind ist, so ist eine solche, wenn sie auch akatholisch ist, in einem Notfalle, wie hier, sicher gestattet. Selbstverständlich darf der protestantische „Pate" während der heiligen Zeremonien nicht die Funktionen eines katholischen Taufpaten ausüben, also weder das Glaubensbekenntnis im Namen des Täuflings ablegen noch auch den Täufling bei Spendung der heiligen Taufe halten; man läßt dies am besten durch eine Person, welche bei der Taufe anwesend ist, z. B. durch die Hebamme oder durch einen Kirchendiener usw., besorgen. Zum protestantischen Taufzeugen, um ihn nicht zu kränken, kann man ja sagen, man könne und wolle von ihm als Protestanten nicht verlangen, daß er das katholische Glaubensbekenntnis ablege, wie dies der Pate tun müsse. Selbstverständlich darf der akatholische „Ehrenpate" nicht als wirklicher Pate, sondern nur als „Taufzeuge" in die Matriken eingetragen werden.   D. G.

VII. (Lex orandi — lex credendi.) In Beantwortung einer Anfrage über den Sinn und die Bedeutung dieses Denkspruches teilt L'ami du clérge (Nr. 11, 18. März 1909, S. 253—54) nach Angade des Fundortes und der ursprünglichen Bedeutung auch dessen heutige Erklärung von seiten der Modernisten mit, aus welcher, wie aus einem klassischen Beispiele ersichtlich ist, in welcher Weise von den Modernen die „Umwertung" der Werte und Begriffe vollzogen wird.

Das Adagium findet sich in einer etwas längeren Form nachweislich zum ersten Male in einem von einem unbekannten Verfasser herrührenden Schriftstück, welches unter dem Titel: „praeteritorum Sedis apostolicae episcoporum auctoritates de gratia Dei" seit dem 5. Jahrhundert dem Mahnschreiben „Apostolici verba praecepti" des Papstes Coelestin I. an die Bischöfe Galliens als Anhang beigegeben zu werden pflegt (vgl. Bardenhewer, Patrologie², S. 453; Denzinger-Bannwart, Enchiridion¹⁰, S. 57—63: Migne P. L. T. L. p. 531—537; T. LI. p. 202—211). Nachdem der Verfasser der Schrift zum Beweis der Notwendigkeit der Gnade Stellen aus den Briefen des heiligen Innozenz I. an das Konzil von

Karthago und des heiligen Zosimus an die Bischöfe des Erdkreises gegen den Pelagianismus und drei Canones der Synode von Karthago (418) angeführt hat, fährt er, um ein anderes Argument aus der Tradition beizubringen, also fort: Praeter has autem beatissimae et Apostolicae Sedis inviolabiles sanctiones, quibus nos piissimi Patres, pestiferae novitatis elatione dejecta, et bonae voluntatis exordia et incrementa probabilium studiorum, et in eis usque in finem perseverantiam ad Christi gratiam referre docuerunt, **obsecrationum quoque sacerdotalium sacramenta respiciamus**, quae ab Apostolis tradita in toto mundo atque in omni Ecclesia catholica uniformiter celebrantur, **ut legem credendi lex statuat supplicandi.**

Die Bischöfe mitsamt der ganzen Kirche — so heißt es weiter — bitten nämlich und flehen zu Gott für die Ungläubigen, Götzendiener, Juden und Ketzer um den Glauben, für die Schismatiker um den Geist der Liebe, für die Gefallenen um das Heilmittel der Buße, für die Katechumenen um das Sakrament der Wiedergeburt, und zwar, wie die Erfahrung beweist, mit reichem Erfolge. Daß aber dieser Erfolg ganz und gar Gottes Werk ist, ist man so sehr überzeugt, daß man für die Erleuchtung oder Besserung solcher Leute Gott, der sie bewirkt, immerdar Danksagung und Lobpreis darbringt. „His ergo ecclesiasticis regulis“, so schließt dann der Autor, „et ex divina sumptis auctoritate documentis, ita adjuvante Domino confirmati sumus, ut omnium bonorum affectuum atque operum et omnium studiorum omniumque virtutum, quibus ab initio fidei ad Deum tenditur, **Deum profiteamur auctorem . . .“.** —

Aus diesem Zusammenhange ergibt sich mit voller Klarheit der Sinn der Sentenz, der ungeachtet der Verkürzung des Wortlautes bis zur heutigen lakonischen Form bei den katholischen Theologen stets der gleiche geblieben ist, nämlich wie folgt: Nach katholischer Lehre ist der Gesamtinhalt der göttlichen Offenbarung der Kirche zur Obhut, Ausbreitung und Fortpflanzung anvertraut (Depositum fidei). Die öffentlichen Gebete der Gesamtkirche schöpfen aber ihren Inhalt aus dem Glauben der Kirche. Sie sind demnach, wie überhaupt die kirchliche Liturgie, eine sichere Erkenntnisquelle des Glaubens der Kirche zu einer bestimmten Zeit. Nun aber bildet, wie die Dogmatik lehrt, die allgemeine Glaubensübereinstimmung (consensus communis) der Kirche vom göttlich geoffenbarten Charakter einer Lehre vermöge der göttlichen Sendung und der Unfehlbarkeit der Kirche einen vollgültigen Beweis, daß die betreffende Lehre wirklich von Gott geoffenbart und im Depositum fidei enthalten sei. Daraus folgt, daß auch den öffentlichen Gebeten der Kirche, eben weil sie Ausdruck des allgemeinen Kirchenglaubens sind, dieselbe Beweiskraft innewohne und daß in weiterer Folge den Gläubigen aus ihnen die Verpflichtung erwächst, die also verbürgten Wahrheiten zu glauben (lex credendi).

In neuester Zeit hat die Formel erhöhte Bedeutung erlangt, seit der bekannte Modernist P. Tyrrel[1] sie als Titel zweier Werke (Lex orandi, or prayer and creed, London 1904; und lex credendi, a sequel to lex orandi, London 1906) verwendet und ihr einen bis jetzt unbekannten Sinn untergelegt hat. Für Tyrrel hat die Offenbarung nicht mit den Aposteln ihren Abschluß gefunden, sondern sie erneuert sich fortwährend in der Seele eines jeden von uns. Nach ihm fühlt nämlich der Gläubige in sich eine nach Gerechtigkeit strebende Kraft. Gibt er sich ihr hin, so tritt er in persönliche Berührung mit Gott. Dieses Gefühl eines direkten, persönlichen und intimen Verkehrs zwischen Gott und der Seele bildet die Wurzel und das Wesen der Religion; in ihm besteht die Frömmigkeit (Pietät), welche sich in mystischen Ergüssen, in Gebet und Flehen entfaltet und betätigt. Aber das Hochgefühl dieser glücklichen Stunden der empfundenen Vereinigung mit Gott legt sich bald wieder. Um nun die Erinnerung daran dauernd zu machen und vom neuen ein Erleben davon wachzurufen, fühlt sich der Mensch bestimmt, das, was bisher nur ein Fühlen oder Empfinden war, zum Gegenstande des Nachdenkens zu machen und den reichen Inhalt seines religiösen Lebens in feste, allerdings unadäquate Begriffe zu fassen. Das nun, was jeder Mensch mit seinen eigenen religiösen Erlebnissen tun kann, hat die Kirche mit den religiösen Erlebnissen der vergangenen Jahrhunderte getan; ihre Theologen haben das, was die christlichen Seelen erlebt haben, in die Sprache des Verstandes übertragen. Diese Uebertragungen bilden die Dogmen, welche die Kirche in den authentischen Symbolen und Glaubensentscheidungen ihren Kindern zum Glauben vorschreibt. Indem nun diese Dogmen dem religiösen Erlebnis entsprossen sind, von dem sie beinahe ebensosehr Entstellung wie Ausdruck sind, haben sie keinen anderen Zweck, als bei den Christen, die sie bekennen, ein persönliches religiöses Erlebnis wachzurufen; sie sind weniger Wahrheiten, welche der Verstand glauben muß, als Mittel um den Aufschwung der religiösen Gefühle zu wecken, zu leiten und zu erhalten. Daher kommt es also, daß die Dogmen (lex credendi) vermöge ihres bekannten Ursprunges und Zweckes ganz und gar vom religiösen Erlebnis und seinen psychologischen Gesetzen (lex orandi) abhängen (Tyrrel, lex credendi a sequel to credendi p. 252 bei l'ami du clergé S. 254).

Der große Unterschied zwischen der ursprünglichen, katholischen und der modernistischen Auffassung springt sofort in die Augen. Im Sinne der letzteren ist das Gebet, welches Glaubensnorm sein soll, ganz subjektiv, Wirkung und Aeußerung einer unbestimmten, vagen Kraft in der Seele des Gläubigen. Das Gebet hingegen, von welchem der Verfasser der „Autoritates" redet, ist das öffentliche, offizielle Gebet der Kirche in der Versammlung der Gläubigen, dessen Formeln

---

[1] Am 16. Juli d. J. gestorben.

von den Aposteln herstammen und durch den langjährigen und gleich=
mäßigen Gebrauch in der Gesamtkirche die Weihe eines Gesetzes er=
halten haben: „Obsecrationum sacerdotalium sacramenta, quae
ab Apostolis tradita in toto mundo atque in omni Ecclesia
catholica uniformiter celebrantur. Seine Beweis= und Ge=
setzeskraft schöpft dieses Gebet nicht, wie Tyrrel will, daraus, daß
es Aeußerung einer von Gott mit einer Offenbarung begnadeten
Seele, sondern weil es Widerhall der apostolischen Tradition (ab
Apostolis tradita) ist, welche uns den göttlichen Offenbarungs=
charakter einer betreffenden Wahrheit verbürgt (. . . ex divina
sumptis auctoritate documentis). Endlich ist das Gebet nicht Grund=
lage, erste Quelle und einzige Norm des Glaubens; im Gegenteil
waltet das umgekehrte Verhältnis ob: die Glaubenswahrheiten sind
Grundlage und Norm für das Gebet; und wenn schließlich das Gebet
Glaubensnorm und =regel werden kann, so geschieht es nur kraft
eines Rückschlusses, weil zu allererst der Glaube Norm und Regel
für das Gebet war. So im Wesentlichen l'ami du clergé l. c.

St. Florian.   Dr. Jos. Moisl.

VIII. (Nochmals die „Fixierung des Osterfestes".)
Zu meinem diesbezüglichen Artikel in dem Heft IV, Jahrgang 1906,
dieser Zeitschrift hat die Kritik in mehrfacher Weise sich geäußert
und nicht immer zustimmend. Das ist ihr gutes Recht und ich, der
ich auch immer meine Meinung ohne Rückhalt äußere, werde ihr
dies Recht zu allerletzt verkümmern. Aber dagegen verwahre ich mich,
daß man mir Aussagen unterschiebt, die ich nicht getan habe. So
weist Direktor Dr. Bach=Straßburg in einem Artikel der „Kölnischen
Volksztg." vom 13. April 1908 darauf hin, ich hätte besonders scharf
den Standpunkt vertreten, den auch Prof. Plaßmann einnimmt, daß
in dem Wechsel der Feste, wie ihn der wechselnde Fallpunkt des
Osterfestes bedingt, ein besonderer Reiz der Schönheit liege. Das ist
richtig; allein was in dem erwähnten Artikel ferner gesagt wird,
kann ich nicht mehr als mit meinen Darlegungen übereinstimmend
anerkennen. Dort heißt es: „Demgegenüber glauben wir, daß der
Schönheit der kirchlichen Liturgie durch Festlegung der bis=
herigen beweglichen Feste kein Eintrag geschieht." Das ist denn doch
etwas ganz anderes, als was ich gesagt habe. Ich redete nicht von
der „Schönheit der kirchlichen Liturgie", sondern von der Schönheit,
die gerade in dem reichen Wechsel des Kirchenjahres liege, der so
groß ist, daß kaum einmal in einem Menschenalter ganz genau dieselbe
Ordnung aller einzelnen Tage und Feste wiederkehrt. Ich bete jetzt
29 Jahre das Brevier und doch ist mir dieses Jahr am 15. Februar
vorgekommen, daß ich ein Offizium zu beten hatte, was ich in der
diesmaligen Zusammensetzung in keinem früheren Jahre zu beten
gehabt hatte: es war die Anticipatio des 6. Sonntags nach Epiphanie
mit der Kommemoration eines fest. simp. Ich las am Samstag
eine Messe in grüner Farbe; das hatte ich vorher nie getan und

auch nie gesehen. Dieser reiche Wechsel, von dem der erwähnte Fall nur ein Beispiel ist, fiele mit der Fixierung des Osterfestes ganz hinweg. Von diesem Wechsel hatte ich geredet und daß dieser einen großen Reiz der Schönheit in sich schließt wegen der fast unermeß= lichen Mannigfaltigkeit, die trotzdem wieder in wohlgeordneter Einheit zusammengefaßt wird, das dürfte nicht „persönlicher Geschmack und subjektive Liebhaberei" sein, sondern ist etwas sehr Objektives. Von diesem Wechsel war es, von dem ich in meinem Artikel sagte: „Mit welchem Interesse fragt bereits das Kind beim Erscheinen des neuen Kalenders: Wann ist nächstes Jahr Ostern? Zeugnis für den Reiz der Schönheit, der gerade in diesem Wechsel liegt, war der früher geübte Gebrauch (meines Wissens besteht er sogar jetzt noch in manchen Kirchen), daß am Feste Epiphanie während der Messe mit großer Feierlich= keit, in einer besonderen Melodie von dem Diakon gesungen wurde: „Annuntio charitati vestrae gaudium magnum, quod erit omni populo, quia septuagesima erit (tali die) et Pascha (tali die)." Die Schönheit der Liturgie im allgemeinen würde freilich durch die Fixierung des Osterfestes nicht aufgehoben, allein wenn man wegen so nichtssagender Gründe, wie sie die Anhänger der Fixierungstheorie vorbringen, die Schönheit im Einzelnen als persönliche Geschmack= sache und subjektive Liebhaberei zu beschneiden anfängt, dann weiß man nicht, wo man Halt macht.

Die zweite Bemerkung, die ich zu machen hätte, bezieht sich auf ein von P. Cyrillus Welte=Beuron über das Buch des vorher erwähnten Direktor Bach „Immerwährender Kalender" in den „Studien und Mitteilungen aus dem Benediktiner= und Zisterzienser= orden" 1908, S. 244 und 245 veröffentliches Referat. Der Schluß= satz desselben lautet: „Bezüglich der Schrift ‚Osterfestberechnung' sei noch bemerkt, daß Bach in ihr (S. 60) die berühmte Gauß'sche Oster= formel so zu erklären vermochte, daß zu ihrem Verständnis, wie Bach selber sagt (S. 51) das arithmetische Rüstzeug eines Tertianers hin= reicht und kein ‚mathematisches Genie' mehr dazu gehört, um sie als richtig zu erkennen, wie Praxmarer in der Linzer Theol. Quartal= schrift meinte." Das ist nun eine vollständige Mißdeutung eines von mir gebrauchten Ausdruckes. Die Einsicht in die Gauß'sche Formel ist jedenfalls etwas Leichtes, wenn sie einmal aufgestellt ist; das soll auch durch den von mir gebrauchten Ausdruck nicht geleugnet werden. Aber jene Einsicht, die erfordert wird, um sie von vorn= herein aufzustellen, die dürfte doch nicht jedermanns Sache sein und dazu reicht das arithmetische Rüstzeug eines Tertianers nicht aus. Es ist die alte Geschichte vom Ei des Kolumbus! „Auch der Laie wird bald merken", sagte ich in meinem Artikel nach der inkrimi= nierten Stelle, „daß die für die Aufstellung der Ostertabellen wich= tige Zahlen 30, 28 und 19 in der Gauß'schen Formel eine wichtige Rolle spielen." Daß sie aber in die richtige Rolle hereingestellt wurden, dazu reicht das Verständnis eines Tertianers nicht aus, auch selbst nicht einmal das Verständnis anderer Leute hätte dazu ausgereicht. Oder wollte vielleicht einer von meinen Kritikern behaupten, daß er die Formel erfunden hätte, wenn der „große" Gauß sie nicht vorher aufgestellt hätte? Nachdem sie aufgestellt ist, muß ein Fach=mann sie auch so erklären können, daß sie ein Tertianer durchschauen kann, aber ohne diese Erklärung wird das der letztere auch nicht können. Auch der pythagoräische Lehrsatz gehört jetzt zum Rüstzeug eines Tertianers, allein seine erste Aufstellung und seine erste Beweis=führung hat trotzdem ein mathematisches Genie beschäftigt!

Was übrigens in der ganzen Frage der Osterfixierung die Hauptsache ist, daran haben alle Kritiken meines Artikels nichts geändert, daß nämlich seitens der kirchlichen Autorität absolut nicht an eine Aenderung des jetzigen Ostertermins gedacht wird; wenn man vielleicht einmal daran gedacht habe, ist das jetzt wieder vorbei. Ich von meinem Standpunkt aus bin auch froh, daß dem so ist. Mag ein anderer einen anderen Standpunkt einnehmen, dann wäre es aber trotzdem verfehlt, die Kirche gewissermaßen schieben zu wollen. Eine einheitliche Regelung der Sache ist ohne die Kirche nicht mög=lich und eine Ausschaltung der Kirche durch eine einseitige Regelung von staatswegen oder von Seiten der Sekten würde erst recht Ver=wirrung schaffen. Der erwähnte Versuch, die Kirche zu schieben, wird hinsichtlich der Kirche selbst erfolglos bleiben, denn namentlich der Papst läßt sich nicht schieben; es könnte aber dieser Versuch die Versuchung zu einer einseitigen Regelung durch den Staat gegen und ohne die Kirche herdeiführen. Dazu sollten katholische Gelehrte doch nicht beitragen.

Friedberg, Hessen.   Dr. Praxmarer.

Literatur.

A) Neue Werke.

1) **Absolute oder relative Wahrheit der heiligen Schrift?** Dogmatisch=kritische Untersuchung einer neuen Theorie von Dr. Franz Egger, Weihbischof von Brixen, Generalvikar in Vorarlberg. Brixen. 1909. A. Weger. 8°. VIII u. 394 S. *K* 8.—.

Es ist ein überzeugter Verteidiger der alten Schule, der hier das Wort ergreift, ein Gelehrter, dem seine vorzüglichen dogmatischen Handbücher nicht minder wie seine hohe kirchliche Würde eine besondere Legitimation geben, auf einem Gebiete gehört zu werden, auf dem er sich schon vor einem Dezennium versucht hat. Sein Buch zeichnet sich zudem aus durch eine große Klarheit der Sprache und der noble Ton, den der Verfasser seinen Gegnern gegenüber an=schlägt, soweit es sich um deren Person und guten Willen handelt, verdient ebenso alles Lob. Sachlich allerdings ist diese Abhandlung eine unbarmherzige Kritik der neuen biblischen Richtung. Im ersten Teile (S. 1—110) wird „die neue Lehre" ausführlich dargestellt in ausgedehnten Zitaten, die schon hier mit scharfen Randglossen eingefaßt erscheinen. Im größeren 2. Teile („Kritik der neuen Lehre" S. 111—388) wird der Beweis erbracht, daß die moderne Exegese faktisch 1. die volle Wahrhaftigkeit der heiligen Schrift leugnet, 2. die Inspiration der Hagiographen negiert, 3. mit der auch in profanen Schrifttexten maßgebenden Autorität der Kirche, der Väter, der Scholastik und des sensus fidelium, mit der Auffassung Christi, der Apostel und heiligen Schrift selbst in Widerspruch steht. Es ist sehr zu wünschen, daß diese Ausführungen, besonders rücksichtlich der „Geschichte nach dem Augenschein", der gewagten Aufstellungen Holzheys, der Unterscheidung von Belehrung und einfacher Aussage u. a. m. auf Seite der fortschrittlichen Gelehrten ernstlich beherzigt werden und daß man sich durch die den Wert der Argumentation leider fast durchgehends arg beeinträchtigenden Uebertreibungen nicht verleiten lasse, kurzerhand über das ganze Buch den Stab zu brechen. Die Widerlegung der einzelnen Argumente können wir ruhig den jeweiligen Gegnern überlassen; mögen sie jedoch sich bemühen, das Berechtigte derselben ehrlich anzuerkennen.

Nur an zwei Beispielen erlaube ich mir den Vorwurf der Uebertreibung zu illustrieren. S. 18 lesen wir: „Man darf schließen: Dieser Text ist inspiriert; also ist er für das Heil förderlich." Das ist mutig gesprochen! Ist es wirklich „für das Heil förderlich", daß wir wissen, daß Paulus mit dem „Kastor und Pollux" in Puteoli gelandet? Unter der Aufsicht des Hauptmannes Julius? Daß Karpus die Bücher und den Mantel des Apostels verwahrt hat? Daß er einst Samothrake passierte? Daß die Purpurhändlerin Lydia aus Thyatira stammte? Daß wir alle Zwischenstationen der letzten Jerusalemreise Pauli von Korinth bis zum Hause des Zypriers Mnason wissen? Wie ist es da noch möglich, zu behaupten, es gebe in der Schrift ‚rein physische, historische und andere profane Bibelstellen?" (cf. S. 301 ff.¹.

Wenn Egger S. 210 n. 147 β bei einem inspirierten Buche spätere Ueber= arbeitungen und Zusätze abgelehnt wissen möchte, so steht er wohl hier allein! Siehe Z. f. f. Th. 1909 S. 339.

Sehr mißverständlich ist jedenfalls Eggers eigenes biblisches Glaubens= bekenntnis: „Solange hat der Katholik am Glauben an die historische Wahr= heit nicht bloß der biblischen Geschichte im allgemeinen, sondern auch im ein= zelnen festzuhalten, bis konstatiert ist, daß die Kirche sie freigegeben." (S. 387.) Mir kommt vor: Wenn ich jede einzelne Detailangabe als geschichtlich glauben muß, ich und jeder Katholik, dann ist es ab initio klar, daß das Gegenteil niemals konstatiert werden kann. Ferner spricht denn die Bibel= kommission mit ihrem stets wiederkehrenden ‚excepto casu" nur von „absoluten Möglichkeiten" und „unvernünftigen Zweifeln?" Sonst pflegen doch vernünftige Menschen von solchen Eventualitäten überhaupt nicht zu reden! Oder müssen frühere glauben, was spätere verwerfen müssen? Ist das ein progressus in eodem genere ac in eodem sensu?

Noch eine Bemerkung über die Auslegungsnorm nichtdogmatischer Texte! Vor Jahren äußerte sich Egger in einer Weise darüber, daß Christ. Pesch (Theol. Zeitfragen 3. Folge S. 43) sagte: „Das ist gewiß eine sehr zuversicht= liche Sprache." Andere Theologen sind aber durchaus verschiedener Ansicht." Heute ist Verfasser etwas vorsichtiger geworden, weil er mißverstanden worden war (Vorwort). Er behauptet: Der Väterkonsens sei in profanen Dingen nicht positiv, sondern negativ maßgebend (S. 301 ff.). Wenn Egger dabei an die jeweilige Exegese einer derartigen Stelle denkt, dann hat diese Unterscheidung kaum einen Sinn. Denn entweder ist die betreffende Auslegung anzunehmen oder nicht. Wie aber diese Auffassung der Väter, soweit sie profanwissenschaft= licher Natur ist, noch negativ maßgebend sein könnte, ist nicht einzusehen. Meint Egger aber die Väterlehre, so ist nicht nur die etwa gerade an dieser Stelle vorgetragene, sondern die analogia fidei überhaupt maßgebend. Daher ist es wohl am einfachsten mit Bischof Gasser zu sagen: Ueber die Väterexegese nicht= dogmatischer Texte kann der Exeget „frei disputieren", solange er mit keinem Dogma in Widerspruch kommt. Daß die Inspiration und Wahrheit der heiligen Schrift dazu gehören, ist klar; ebenso die übereinstimmende Lehre der Kirche und Väter. Uebrigens sieht sich Egger selbst im Verlaufe der Argumentation ver= anlaßt, statt „Vätererklärung" einfach „Dogma" scl. im weiteren Sinne zu substituieren (n. 216 a). Wenn aber der Exeget frei ist, dann darf dies wohl auch der Laie wissen (S. 361 ff.). S. 143 n. 1 wird noch Heft I des Jahrganges 1908 dieser Zeitschrift als „letztes" bezeichnet, n. 247 ff., dagegen schon Heft 3 und 4 herangezogen und der Anschluß der nn. 252 ff. ist wohl auch nicht ganz zufällig. Wir müssen schließen. Möge das Buch beitragen, daß die Wahrheit immer mehr erkannt und anerkannt werde; mögen die vielen beherzigenswerten Bedenken gute Aufnahme finden!

St. Florian. Dr. Vinzenz Hartl.

2) **Aequiprobabilismus ab ultimo fundamento discussus.** Auctore Quil. Arendt, Soc. J. sacerdote. Romae. Ex officina Polygraphica. MCMIX. 8°. 128 S. Lire 2.50.

Die Schrift richtet sich besonders gegen die Broschüre von L. Wouters C. SS. R. „De minusprobabilismo." in welcher, zumal in deren zweiter Auflage, Amsterdam 1908, ihr Verfasser glaubt, alle Bedenken gegen seinen Aequiprobabilismus gehoben und den Probabilismus siegreich zu Boden geworfen zu haben.

Der erste Teil der hier angezeigten Schrift zerpflückt das Hauptargument Wouters gegen den Probabilismus, welches derselbe entnimmt aus der sogenannten Pflicht, nach möglichst vollkommener und allseitiger Uebereinstimmung unserer Handlungen mit dem ewigen Gesetz zu streben, sowohl in dem was nach dem ewigen Gesetz gestattet, als auch in dem, was nach ihm nicht gestattet sei. Gegen dieses Argument wurden schon von mehreren Seiten viele Unterscheidungen und Klauseln gemacht, welche Wouters mit der Bemerkung abweisen zu können geglaubt hat, daß man durch die Unterscheidungen etwas hereintrage, was er nicht gesagt habe, und daß man ihn mißverstehe. Arendt legt nun von neuem all die unbewiesenen und unrichtigen Unterstellungen bloß, welche sich in diesem sogenannten Beweise des Gegners verstecken. Wouters wird einen schweren Stand haben, auf all diese Ausstellungen eine genügende Antwort zu geben, zumal auf den Satz Arendts Verpflichtung hätten wir nur dem gebietenden Willen Gottes gegenüber; das ewige Gesetz als solches sei noch nicht jener gebietende Wille, sondern dessen Fundament.

Der zweite Teil beschäftigt sich mit dem Nachweis, daß der rigorose Aequiprobabilismus Wouters durchaus verschieden sei vom Aequiprobabilismus des heiligen Alphons. Bekanntlich handelt es sich darum, ob und inwiefern die mehr probable Meinung zugunsten des Gesetzes verpflichtende Handlungsnorm sei; und ob und inwiefern die minder probable Meinung zugunsten der Freiheit unberücksichtigt bleiben müsse. Wouters behauptet, die mehr probable Meinung sei verpflichtende Norm, weil sie mehr probabel sei; die minder probable müsse unberücksichtigt bleiben, weil sie minder probabel sei. Der heilige Alphons lehrt, wie Arendt dartut, die mehr probable Meinung sei insofern als verpflichtende Norm aufzufassen, inwiefern durch sie die entgegenstehende minder probable Meinung als nicht mehr solid probabel sich herausstelle; die minder probable Meinung könne aber dann befolgt werden, wenn sie solid probabel bleibe, und die entgegenstehende etwa mehr probable Meinung sei dann nicht sicher erheblich probabler, noch auch verpflichtende Norm. Arendt stimmt dem letzteren zu, stellt aber fest, daß damit prinzipiell eben der Probabilismus anerkannt werde, daß somit zwischen dem Aequiprobabilismus des heiligen Alphons und dem eigentlichen Probabilismus kein prinzipieller Gegensatz bestehe.

Wouters und die Anhänger seines Systems führen es als einen bedeutsamen Beweis zugunsten des Probabilismus an, daß der Aequiprobabilismus von der Kirche positiv approbiert, der Probabilismus höchstens geduldet sei. Dieser Beweis ist allerdings hinfällig, wenn der von der Kirche approbierte Aequiprobabilismus im Prinzip mit dem Probabilismus identisch ist. Er wird aber noch hinfälliger durch den Hinweis auf die Praxis der Kirche, welche nicht ein bloßes Dulden, sondern eine positive Begünstigung des Probabilismus deutlich an der Stirne trägt. Von anderen Seiten wurde schon hingewiesen auf die vielen kirchlichen Lehranstalten zur Heranbildung des Klerus, an welchen unter den Augen der höchsten kirchlichen Autorität seit unvordenklichen Zeiten der Probabilismus gelehrt wird. Arendt fügt ein noch wichtigeres Moment hinzu. Der Probabilismus hat besonders seine Anwendung im Bußgericht: der höchsten kirchlichen Bußgericht, der heiligen Pönitentiarie, hat aber als theologus, der bei den schwierigen Fragen beraten wird und den Ausschlag zu geben pflegt, seit mehreren Jahrhunderten fast nur ein Probabilist fungiert, d. h. von der Zeit an, als der Probabilismus als eigenes System auftrat. Arendt gibt seit dem Jahre 1569 bis auf den heutigen Tag die Namen all der theologi S. Poenitentiariae an. Wenn unter diesen Umständen von der Pönitentiarie nicht selten die Antwort gegeben wird: „Consulat probatos auctores, praecipue S. Alphonsum", so liegt darin ein deutlicher Fingerzeig, daß auch das höchste kirchliche Bußtribunal zwischen den Lehren des heiligen Alphons und dem Probabilismus keinen wesentlichen Unterschied findet. — Ob der unfruchtbare Streit um Aequiprobabilismus oder Probabilismus bald ein Ende haben wird, wagen wir nicht in Aussicht zu stellen. Zu wünschen wäre es allerdings.

3. Harmonie der sieben vorzüglichsten Meßopfer-Theorien. Von P. Michael Ord. Cap. Mainz. 1907. Druckerei Lehrlingshaus. 70 S. M. 1.50 = K 1.80.

Die vorliegende Schrift macht in origineller Form und lebendiger Darstellung den Versuch, die zahlreichen von den katholischen Theologen aufgestellten Theorien über den Opfercharakter der heiligen Messe harmonisch zu vereinigen. Nach der Lehre des Tridentinums ist das Meßopfer nicht eine bloße Erinnerung (nuda commemoratio) an das Kreuzesopfer, sondern selbst ein wahres und eigentliches, und zwar nicht nur Lob- und Dank-, sondern auch Sühnopfer, und es ist mit dem Kreuzesopfer insofern identisch, als bei demselben Opfernde und dieselbe Opfergabe vorhanden ist, während sie sich nur durch die Weise der Opferung unterscheiden (una eademque hostia, idem offerens, . . . sola offerendi ratione diversa). Die Identität des sich opfernden ewigen Hohenpriesters und seiner Opfergabe, d. h. seines Leibes und Blutes, und die verschiedene Art der Opferung (am Kreuze in eigener Person und unter qualvollen Leiden und Blutvergießung, bei der heiligen Messe durch den Dienst der Priester und ohne Leiden) sind leicht verständlich, wohl aber entsteht eine Schwierigkeit durch die Tridentinische Lehre, daß auch das Meßopfer, trotz des verschiedenen Opferweisen und trotz des durch den Verklärungszustand des eucharistischen Heilandes bedingten vollkommenen Ausschlusses jeglichen Leidens, dennoch ein wahres und eigentliches Sühnopfer sei.

Die verschiedenen Theorien, welche die katholischen Dogmatiker (Suarez, Vasquez, Lessius, De Lugo, Cienfuego, Thalhofer und Billot) über diesen Gegenstand aufstellten, sucht der Verfasser in folgender Weise zu harmonisieren. Die Opferhandlung Christi am Kreuze bestand ihrem Wesen nach in dem vollkommenen Liebesakte, durch welchen er (nach Joan 10, 17) selbstmächtig seine Seele aushauchte, beziehungsweise ihre Trennung vom Leibe nicht hinderte. Die Blutvergießung unter qualvollen Schmerzen gehörte nicht zum Wesen des Opferaktes, sondern bildete nur die Weise des Opfers (ratio offerendi). Mit dieser substantiellen Zerstörung (destructio) der menschlichen Natur Christi waren naturgemäß gewisse afzidentelle Zerstörungen verbunden, nämlich die Außerkraftsetzung des sinnlichen Lebens, das Aufhören der äußeren Tätigkeit und der äußeren Schönheit des Leibes des Herrn, sowie der Lebendigkeit seines Blutes. Die beiden ersten dieser afzidentellen Nebenwirkungen finden sich auch beim Meßopfer, nämlich die Außerkraftsetzung des sinnlichen Lebens und die Unsichtbarkeit des Leibes des Herrn, insofern der eucharistische Heiland durch die Konsefration auf eine Weise gegenwärtig wird, welche die natürliche Tätigkeit der niederen Seelenkräfte (der sinnlichen Wahrnehmung und Empfindung) und die sinnliche Wahrnehmungsfähigkeit durch andere ausschließt. Diese afzidentelle Destruktion oder besser Inaktualität ist nach P. Michael genügend, um der Messe den wahren

Opfercharakter zu verleihen, während eine substantielle Destruktion der menschlichen Natur Christi mit seinem Verklärungszustand unvereinbar ist.

Wir haben also hier der Hauptsache nach eine Verbindung der Theorie Thalhofers mit der des De Lugo, wobei der Haupteinwand, den man gegen die letztere erhebt, daß nämlich der „status declivior" der eucharistischen Opfergabe ein vom Kreuzesopfer verschiedenes Opfer bedeuten würde, dadurch abgeschwächt wird, daß dieser status declivior oder die Selbstentäußerung des Herrn auch beim Kreuzesopfer vorhanden war. Die mit Geschick und nicht ohne Scharfsinn aufgebaute Harmonisierungstheorie, von der übrigens der Verfasser selbst sagt, daß sie bereits von Gutberlet in genialer Weise aufgestellt wurde und hier nur weiter fortgeführt wird, dürfte allerdings noch nicht alle Dogmatiker beruhigen, da die mit dem eucharistischen Opfer verbundene Inaktualität des Leibes Christi gegenüber der äußeren Sinneswelt nicht als leidensvoller Zustand aufgefaßt werden kann, welcher einer destructio der Opfergabe gleichkäme, und immer noch der wesentliche Unterschied bestehen bleibt, daß am Kreuze eine substantielle Zerstörung der menschlichen Natur Christi stattfand, während das Meßopfer nur gewisse akzidentelle Nebenwirkungen mit dem Kreuzesopfer gemeinsam hat. Dem Referenten erscheint immer noch die Thalhofersche Theorie als die einfachste, der zufolge das Wesen sowohl des Kreuzesopfers als auch des Meßopfers in der unveränderlich gleich bleibenden Opfergesinnung besteht, mit der Christus dereinst am Kreuze in blutiger Weise sein Leben hingab und mit welcher er bei jedem Meßopfer in unblutiger Weise gegenwärtig wird.

Wien.   Dr. Reinhold.

4) Der Entwicklungsgedanke und das Christentum. Von Dr. Karl Beth. Groß-Lichterfelde-Berlin. 1909. Verlag von Edwin Runge. 272 S. brosch. M. 3.75 = K 4.50, geb. M. 4.75 = K 5.70.

Der Verfasser, ein protestantischer Theologe, versucht im vorliegenden Werke zu zeigen, daß die Abstammungslehre dem Christentum nicht feindlich gegenübersteht, vielmehr für eine tiefere Erfassung der christlichen Glaubenslehre von großer Bedeutung ist. In ersterer Hinsicht kann man dem Verfasser unbedenklich beipflichten; schon im christlichen Altertum hat ja ein heiliger Augustin selbst einer Entwicklung des Lebenden aus leblosem Stoff, allerdings in einer diskutablen Form, das Wort geredet (De gen. ad litt. l. 5. c. 20—23. M. l. 34, 336—338), und auch der Fürst der mittelalterlichen Theologie, der heilige Thomas von Aquin, schließt die Entstehung neuer Arten nicht grundsätzlich aus (S. Th. 1. q. 73. a. 1. ad 3). Es ist daher eine historische Ungenauigkeit, wenn der Verfasser bei der Skizzierung der Geschichte des Entwicklungsgedankens von Aristoteles kurzweg auf das Ende des 18. Jahrhunderts überspringt und bemerkt (S. 12): „Es war eine wundersame große Zeit, die diesen Begriff wieder entdeckte." Die großen Gedanken des Aristoteles wurden von der scholastischen Philosophie wieder aufgenommen und ohne Unterbrechung der Schultradition bis auf den heutigen Tag treu gehütet. Was die Darlegung der positiven Bedeutung der Entwicklungslehre für die Erfassung des christlichen Glaubensinhaltes anbelangt, so berührt zunächst wohltuend des Verfassers Entschluß, sich ganz und entschieden auf den Boden der christlichen Lehre zu stellen; „eine Halbstellung zu anderen Weltanschauungen, ein Schielen nach ihnen und Liebäugeln mit einigen ihrer Ideen ist ein Grundschaden für das Ansehen der christlichen Religion" (S. 31). Leider ist der Verfasser diesem so treffenden Satze nicht treu geblieben, und hat sich durch die Wertschätzung der Entwicklungslehre zu Aufstellungen verleiten lassen, zu deren Ablehnung sich nicht etwa bloß der katholische Theologe, sondern auch der philosophisch denkende Kritiker genötigt sieht. Ich habe hier zunächst die Ausdehnung der Entwicklungslehre auf den Menschen auch nach der geistigen Seite seines Wesens im Sinne. Von der Deszendenztheorie im allgemeinen wird zugestanden, daß sie sich „auf einen möglichst ausgedehnten Indizienbeweis beschränken muß" (S. 88); sie ist also höchstens eine begründete Hypothese; von dieser Hypothese erfahren wir dann (S. 102), daß es in der Konsequenz der Abstammungstheorie liegt, vor dem Menschen nicht halt zu machen, und endlich wird es klar herausgesagt (S. 149), „daß die zwar zu einem Beweise nicht ausreichenden Dokumente für die tierische Deszendenz des Menschen schon um der Konsequenz willen doch im Sinne der Deszendenz zu verstehen sind". Der gewaltige Abstand von Mensch und Tier wird dabei nicht übersehen (S. 148 u. a. a. O.) und sogar ausdrücklich als Artunterschied und nicht bloß als gradmäßiger bezeichnet (S. 149); da aber der Verfasser überhaupt eine sprungweise Entwicklung annimmt, macht ihm auch dieser Abstand nicht viele Bedenken: „Sind überhaupt in der Entwicklung Sprünge zu verzeichnen, so kommt nicht viel darauf an, ob sie größer oder kleiner sind. Die Weite des Sprunges ist noch kein Beweis für die Andersartigkeit des Sprunges respektive des Entstehungsprozesses." (S. 127.) Zur Kennzeichnung des theologischen Standpunktes des Verfassers sei hervorgehoben, daß er den Entwicklungsgedanken auch auf die Person Jesu Christi anwendet (S. 220—248); die Phrasen, in denen er sich über diesen Gegenstand ergeht, besagen, aus dem Harnackschen ins Deutsche übersetzt, eine Leugnung der Gottheit Jesu. Ebenso wird Sünde, Urzustand, Tod, Unsterblichkeit und Auferstehung in einer Weise durchgenommen, für die der katholische Theologe nur das Wort „Mißhandlung" hat. Die obligate Unkenntnis katholischer Dinge, durch die sich die protestantische Polemik auszeichnet, fehlt auch hier nicht. So bekämpft der Verfasser (S. 45 ff.) den „Dualismus" des „überlieferten christlichen Weltbildes", der „seinen wissenschaftlichen theologischen Ausdruck im scholastischen System gefunden hat", lediglich deswegen, weil er die Lehre vom Verhältnis der causa prima zu den causae secundae nicht richtig versteht; hätte er sich die Mühe genommen, hierüber beispielsweise den heiligen Thomas nachzustudieren, den ja Harnack als „römischen Normaldogmatiker" bezeichnet, so hätte er in dessen praesentia per potentiam unschwer das wiedererkannt, was er selbst (S. 49) als adessentia actuosa fordert. Daß Beth diese Auffassung des Gott-Welt-Verhältnisses im Gegensatz zu dem vorher charakterisierten „Dualismus" als „Monismus" bezeichnet, ist Geschmacksache; man kann es niemanden verwehren, seinen Hund Katze zu nennen. Die Monistenbündler werden sich aber für einen solchen Monismus bedanken, und der wissenschaftlichen Klarheit ist nichts damit gedient, wenn die widersprechendsten Auffassungen und Systeme mit derselben Etikette beklebt werden. Ein Satz endlich, wie der folgende: „In den Anfängen des Christentums lag nicht ein Glaube wie der, daß die Mutter Gottes von Lourdes oder von Maria-Zell mächtiger und zuverlässiger sei als die von Maria-Schutz oder von Maria-Pein" (S. 212), mag sich für Agitationspamphlete à la Wahrmund schicken, in eine wissenschaftliche Arbeit gehört er nicht hinein.

Mautern (Steiermark).   Dr. Heinrich Kirfel C. Ss. R.

5) Die jüngste Phase des Schell-Streites. Eine Antwort auf die Verteidigung Schells durch Herrn Prof. Dr. Kiefl und Herrn Dr. Hennemann. Von Dr. Ernst Commer. Wien 1909. Verlag von Heinrich Kirsch. VIII u. 414 S. K 5.—.

Die neue Schellschrift des Prälaten Commer führt sich im Vorwort als Verteidigung ihres Verfassers gegen die Angriffe Prof. Dr. Fr. X. Kiefls ein; sie ist aber mehr als das. Wer sich davon überzeugen will, dem sei gleich im vorhinein das VIII. Kapitel des Buches „Die Bedeutung der Schell-Frage" zur Lesung empfohlen; dort wird gezeigt, daß es sich im Schell-Streit um mehr handelt, als um ein Gelehrtengezänk; der Schellianismus erscheint als ein Stück des deutschen Modernismus, dessen Existenz man doch in Abrede stellen zu können meinte. Prälat Commer bespricht zunächst (I.) „Kiefls Standpunkt": Das Fazit der Untersuchung ist, daß Kiefls Schell-Verteidigung eigentlich ganz unverständlich erscheint, da er ja selber so ziemlich alles zugibt, was Commer an Schell auszusetzen hat. An „Kiefls Methode" (II.) wird getadelt, daß sie den Fragepunkt fortwährend verschiebe: Commers Angriffe richteten sich gegen die Lehren Schells und Kiefl will dessen gute Intention verteidigen; zudem wird dem Gegner hier der Vorwurf gemacht, daß er es zur Rechtfertigung Schells für hinreichend halte, wenn dieser mit dem definierten Dogma nicht in Widerstreit gerate. Letzteren Tadel hätte Referent allerdings auf Grund des von Commer beigebrachten Materials nicht so kategorisch zu fassen gewagt, als es in vorliegender Schrift geschieht: Kiefl hat allerdings Wendungen, welche eine solche Auffassung zulassen, diesen stehen aber auch andere gegenüber, und gerade sein verunglücktes „Freiland der theologischen Spekulation", gegen das Prälat Commer sich so energisch verwahrt, begründet Kiefl nicht bloß mit dem Mangel formeller Glaubensdefinitionen, auch nicht bloß mit dem Mangel bereits vorliegender oder doch zu erwartender kirchlicher Entscheidungen im allgemeinen, sondern auch mit „einer unleugbaren Differenz zwischen der Patristik und Scholastik". Gerade weil ein Fehler in diesem Punkte, wie Prof. Commer selbst hervorhebt, nicht bloß ein methodischer, sondern auch ein dogmatischer wäre, ist meines Erachtens bei der Konstatierung eines solchen doppelte Vorsicht geboten Die Besprechung von „Kiefls Polemik" (III.) zeigt, daß der Würzburger Professor in seiner Streitschrift dem wissenschaftlichen Rufe seines Gegners in einer Weise umgesprungen ist, für die „leichtfertig" noch das mildeste Prädikat ist. Die folgende Kapitelüberschrift „Schells Gottesbegriff und Kiefls Verteidigung" (IV.) ist offenbar nur der Kürze wegen gewählt, da Prälat Commer selbst (S. 93) bemerkt, daß Kiefl Schells Gottesbegriff preisgibt, daß er aber auch die gegnerischen Argumente in einer Weise kritisiert, „die einer Verteidigung, wenn nicht gleich, doch sehr nahe kommt". Nachdem noch „Kiefls Kommentar zum päpstlichen Schreiben ‚Summa Nos voluptate'" (V.) unter die kritische Lupe genommen wurde, ist Kiefl abgetan und Commer wendet sich im folgenden Abschnitt (VI.) der Besprechung von „Hennemanns Schrift über Schells ‚Widerrufe'" zu. Daran schließen sich eine geschichtliche Darstellung der „Phasen des Schell-Streites" (VII.), das bereits erwähnte (VIII.) Kapitel über „die Bedeutung der Schell-Frage" und eine Anzahl von „Beilagen" (IX.). Mißverständlich erschien es mir, daß in der Polemik gegen die von Schell behauptete absolute Gültigkeit des Kausalprinzips dieses als „Erfahrungssatz bezeichnet wird (S. 25); daß dem Herrn Verfasser persönlich eine irrige Auffassung dieses Ausdruckes fern liegt, ist Kennern seines „Systems der Philosophie" (1. Abt. S. 173) selbstverständlich. Wie weit Prälat Commer sich mit dem französischen Theologen, auf welchen er sich S. 250—251 beruft, auch bezüglich des Ausdruckes identifiziert, ist dem Referenten nicht bekannt; es klingt verletzend und könnte leicht Anlaß zu neuen Gehässigkeiten gegen den Verfasser bieten, daß in diesem Zitat von „jenem germanischen Stolze" geredet wird, „mit dem kein anderer Stolz zu vergleichen ist und der . . . . etwas von dem Stolze Luzifers, des Vaters aller Lüge, besitzt". Die gegenwärtige Lage der Dinge zeichnet Prälat Commer S. 231 mit den Worten: „So ist der Streit noch im Gange und scheinbar triumphieren diejenigen, welche für die Lehren und Bestrebungen des verstorbenen Theologen Partei ergriffen haben." Sollte dem wirklich so sein — und der verehrte Herr Verfasser, der mitten im Kampfgetümmel steht, muß es ja wissen — dann wäre das gewiß sehr traurig. Referent wagt indes in aller Bescheidenheit die Hoffnung auszusprechen, daß Prälat Commer zu düster gesehen hat, weil eben diejenigen, welche ihm zustimmen und ihm für sein mutvolles Auftreten dankbar sind, keinen solchen „Korybantenlärm" verbringen wie seine Gegner. Möge die neue Schrift des greisen Kämpen recht viel beitragen zur Klärung der Lage und zur Beseitigung der optimistischen Anschauung, daß es in deutschen Landen keinen Modernismus gebe!

Mautern i. St.   Dr. Heinrich Kirfel C. SS. R.

6) **Inwiefern ist der Begnadigte ein übernatürliches Ebenbild Gottes?** Von G. Birkl. Regensburg 1908. Verlagsanstalt vormals G. J. Manz. 8⁰. (IV u. 208 S.) M. 3.— = K 3.60.

Das Ergebnis seiner Arbeit resümiert der Herr Verfasser selbst in folgenden Schlußsätzen seiner Schrift: „Im Stande der heiligmachenden Gnade erfaßt der Mensch Gott selber unmittelbar und in ihm alles Sein: er erfaßt das reale Sein konkret. Dieses übernatürlich konkrete Erfassen Gottes wird habituell mit dem Gesamtleben des Menschen in Verbindung gesetzt durch die übernatürlichen Tugenden und Gaben. Durch diese wird für die einzelnen Lebensakte die Beistandsgnade vermittelt, welche diese Akte so erhebt, daß sie ein aktuelles konkretes Erfassen des realen Seins, Gottes selber, werden. Dadurch ist das Leben des Menschen ein Abbild des Lebens Gottes, welches ja ein aktuelles Erfassen seiner selbst ist. Ebendarum ist auch der Lebensgrund dieses gottähnlichen Lebens, der begnadigte Mensch, geworden: ein übernatürliches Ebenbild Gottes." Kraft der Spekulation, Tiefe der Schrifterklärung, Veranschaulichung der Resultate durch treffend gewählte Gleichnisse werfen in einzelnen manches helle Licht auf das Wesen und Wirken der Uebernatur im Menschen. Im ganzen aber hat mich das Buch als Antwort auf die im Titel aufgeworfene Frage nicht befriedigt. Ich bin gern geneigt, dies Mißverständnissen meinerseits zuzuschreiben, glaube aber selbst in diesem Falle sagen zu müssen, daß der Herr Verfasser an diesen Mißverständnissen nicht ganz unschuldig ist, indem er manche Worte in einem Sinne gebraucht, der ihnen in der herkömmlichen Ausdrucksweise der scholastischen Philosophie und Theologie fremd ist. Dunkel blieb mir schon der Zentralbegriff der ganzen Studie, „das konkrete Erfassen des realen Seins", und zwar deswegen, weil der Herr Verfasser in die Erläuterung dieses Begriffes eine Reihe von philosophischen Unrichtigkeiten hineinverwebt. Der Verfasser schreibt für „konkret erfassen" auch „Real erfassen" und „Intuitiv erfassen" und stellt es dem „abstrakten Erfassen" entgegen. Dieses ist nach ihm unter den natürlichen Erkenntniskräften des Menschen dem Verstande eigen, jenes dem Sinn; dieses erfaßt nur ein Bild der Dinge (S. 9), abstrakte Ideen (S. 16), jenes das wirkliche Wesen, die konkrete Wirklichkeit (ll. cc.); das menschliche Verstandeserkennen hat ein abstraktes Phantasma vor sich, das Auge einen konkreten Gegenstand (S. 69); das geistige Erkennen ist nur mittelbar, das sinnliche direkt (S. 193). Es ist nun durchaus unrichtig, daß das natürliche Verstandeserkennen nur ein Bild des Erkannten erfaßt und nicht das Objekt selbst: das intelligible Erkenntnisbild ist nicht das, was erkannt wird, sondern das, wodurch erkannt wird. Unrichtig ist es ferner, das geistige und das sinnliche Erkennen als mittelbares und unmittelbares gegenüberzustellen: beide sind in ihrer Art gleich mittelbar oder gleich unmittelbar, der Vermittlung durch die intelligible Erkenntnisform entspricht bei jeder sinnlichen Wahrnehmung eine Vermittlung durch ein sensibles Erkenntnisbild. Zeigt also schon die verunglückte Gegenüberstellung eine schiefe Auffassung des Abstraktionsbegriffes, so offenbart sich dieselbe noch mehr in Behauptungen wie „Der Mensch kann auch Falsches abstrahieren" (S. 87), das Abstrahieren kann dem Verstande „schon hie und da schwer fallen", „dann (nämlich nach dem Abstrahieren) soll er zu den Ideen vordringen durch Schlußfolgerungen aus dem Bekannten" (l. c.). Kopfschüttelnd liest man darum trotz aller Erklärungsversuche des Herrn Verfassers, daß der begnadigte Mensch schon in diesem Leben eine intuitive Gotteserkenntnis besitze. Den Begriff des konkreten Erfassens überträgt der Verfasser weiterhin auch auf den Willen: das geistige Streben ist abstrakt und deswegen an sich schwächer als das sinnliche, das „konkret ist, d. i. Wirkliches, nicht Abstraktes (vom Verfasser unterstrichen) erstrebt" (S. 88 f.). Diese Ausdehnung des „konkreten Erfassens" auf den Willen begegnet aber noch größeren Bedenken. Der Strebeakt besteht ja im Gegensatz zum Erkenntnisakt darin, daß nicht ein Objekt in das Strebevermögen aufgenommen wird, sondern daß dieses vielmehr einem äußeren Objekt sich zuneigt, er hat also immer, sei er nun sinnlicher oder geistiger Strebeakt, etwas Wirkliches, Konkretes zum Gegenstande. Unzutreffend ist weiter die Behauptung, daß das geistige Streben an sich schwächer ist als das sinnliche; sie dürfte auf einer Verwechselung des sinnlichen Strebens mit dem Streben nach Sinnlichem beruhen. Völlig rätselhaft bleibt es, wie der Verfasser S. 110 schreiben kann, die natürlichen Regungen des Begehrungsvermögens seien bedingt durch das Phantasma, das der Intellekt (!) gebildet hat. Daß der übernatürliche Akt seinen Anfang von den übernatürlichen Willensaffekten nimmt, während beim natürlichen Akt die Erkenntnis das erste ist (S. 110), scheint dem Wesen des Willens zu widerstreiten, das doch durch die Uebernatur nicht beseitigt wird. Wenn S. 114 die objektive Einwirkung und damit eine gewisse Erkenntnis, aber nur als Bedingung, nicht als Grund zum ersten Moment des übernatürlichen Aktes gemacht wird, so scheint das ungenügend zu sein; denn die Erkenntnis ist nicht bloß Bedingung, sondern geradezu Prinzip des Willensstrebens. Das Beispiel für die läßliche Sünde (S. 120. „Es schädigt ein Kind um der Eltern willen einen Dritten) ist unglücklich gewählt: ist die Schädigung eine erhebliche, so bleibt die Tat schwere Sünde, ob sie nun der Eltern wegen geschieht oder aus Eigennutz. Unrichtig ist (S. 192) die Behauptung, daß nach dem heiligen Thomas (1. 2. q. 56. a. 4) das irascible und konkupiscible Strebevermögen nicht Subjekt der Tugend seien; der heilige Lehrer behauptet vielmehr an der zitierten Stelle gerade das Gegenteil; hat er recht, dann brechen alle Schlußfolgerungen zusammen, die der Verfasser aus jener angeblichen Lehre des Heiligen zieht. Wenigstens sonderbar ist die Definition, welche (S. 193) von der Tugend gegeben wird, sie sei „ein Habitus, durch welchen der Wille so vervollkommnet wird, daß er die Ideen leicht und richtig ergreift“. Verschiedene Indizien legten mir den Gedanken nahe, daß der Herr Verfasser in der Literaturverwertung ziemlich sparsam gewesen ist; sollte diese Vermutung richtig sein, dann ist das Buch gewiß ein schöner Beweis großer Eigenkraft seines Urhebers; ob indessen mit einer solchen Arbeitsweise dem Ausbau der Wissenschaft gedient ist, ist eine andere Frage.

Mautern i. St.   Dr. Heinrich Kirfel C. SS. R.

7) **Albert Ehrhards Schrift: „Katholisches Christentum und moderne Kultur“.** Ein Beitrag zur Klärung der religiösen Frage in der Gegenwart. Von P. Sadoc Szabo O. Pr. Graz 1909, Verlag von Ulr. Moser (J. Meyerhoff). VI u. 208 S. K 2.20.

In seiner Schrift „Katholisches Christentum und moderne Kultur“ will Prof. Albert Ehrhard die Frage beantworten: Widerspricht der Katholizismus der modernen Kultur? Ehrhard hat bekanntlich vor mehreren Jahren in seiner Schrift „Der Katholizismus und das 20. Jahrhundert“ diese Frage verneint und steht trotz der scharfen Bekämpfung, heute noch auf demselben Standpunkt. P. Sadoc Szabo O. P. unterzieht nun diese neuere Schrift Ehrhards einer eingehenden Kritik. Sehr zutreffend betont er gleich im Vorwort, daß die von Ehrhard aufgeworfene Frage in erster Linie eine theologische und dogmatische, nicht aber eine historische sei. Damit wahrt er von vornherein das wissenschaftliche Ansehen Ehrhards, dessen eigentliche Bedeutung auf dem Gebiete der Kirchengeschichte liegt, benimmt aber auch dessen Ausführungen das Bestrickende, welches sie als Kundgebungen eines Fachmannes hätten. P. Szabo folgt seinem Gegner Seite für Seite, ich möchte sagen, Satz für Satz, prüft seine Behauptungen, unterscheidet sie, berichtigt sie, fordert zur Ersetzung allgemein gehaltener Anklagen und Angaben durch konkrete Fälle und Beispiele auf. Bezeichnenderweise sieht sich der Vertreter der „apriorisierenden“ Scholastik gegenüber dem modernen „exakten“ Forscher gerade zu diesem letzten Mittel der Kritik ziemlich oft genötigt (S. 56, 64, 109, 125, 132, 138, 152, 203 u. a. a. O.). Die vielen unter dem Strich angeführten kirchlichen Verurteilungen irriger Lehren weisen in der Regel eine unheimliche Aehnlichkeit mit den über dem Strich gegebenen Ausführungen Ehrhards auf. Das Ergebnis seiner Kritik faßt P. Szabo (S. 203) in das scharfe, aber wohlbegründete Urteil zusammen: „Ehrhard hat die von ihm aufgeworfene ‚Lebensfrage‘: Widerspricht der Katholizismus der modernen Kultur? wissenschaftlich nicht gelöst, ja er hat nicht einmal den Standpunkt der Frage fixiert.“

Mautern i. St.   Dr. Heinrich Kirfel C. SS. R.

8) **Des Apostels Paulus' Brief an die Epheser.** Uebersetzt und erklärt von Dr. Karl Josef Müller, Geistl. Rat, Professor in Breslau. Graz. 1909. Styria. 8°. 123 S. M. 2.— = K 2.40.

Was Aneignung und Verarbeitung des Gesamt= und Einzelinhaltes des Epheserbriefes anbelangt, was Originalität und Tiefsinnigkeit der Auffassung, Wissen und exegetische Schulung des Verfassers betrifft, verdient dieser in seiner gedrängten Kürze kaum erreichbare Kommentar die beste Qualifikation. Da aber der Verfasser durchwegs nur seine eigene Erklärung vorlegt, andere oft besser begründete Ansichten ganz beiseite läßt, infolge übermäßigen Strebens nach Kürze nur jenen vollkommen verständlich ist, welche mit den übrigen Kommentaren des Briefes vertraut sind, so hat dieser relativ äußerst reichhaltige Kommentar für den Nicht=Exegeten wohl nur geringen Wert. Jeder Nichtfachmann würde ihn bald mit Mißbehagen weglegen; Theologen, die nach ihm studieren wollten, bedürften für den Kommentar wieder eines Kommentars.

Die Uebersetzung ist sehr gefeilt und glatt, aber vielfach paraphrastisch und meist so dunkel, daß es sehr schwierig wäre, diesen Text zu kommentieren, hätten wir nicht das griechische Original. Der paulinische Sprach= charakter ist arg verwischt. Sowohl in der Disposition des Briefes wie in der Erklärung einzelner Texte verläßt Müller die Spuren seiner Vorgänger. Be= achtenswert ist sicherlich die starke Betonung des sittlichen Momentes auch im dogmatischen Teil des Briefes. Die Verteidigung der Echtheit ist trotz der Kürze vortrefflich gelungen. Der Kuriosität halber sei mitgeteilt, daß der Teufel nach Müller nur dadurch den Titel eines ἄρχων τῆς ἐξουσίας τοῦ ἀέρος (2, 2) verdient, daß er die „organische Ernährung und Erhaltung" (ἐξουσία!) „des individuellen Sündenherdes (σάρξ!) mißbraucht, indem er sie (die σάρξ?) zur Ueppigkeit ver= leitet" (ἄρχων) (S. 31 f.).

Der Brief ist an „die Christengemeinden der rechten Seite des Mäander" unter ihrer Führerin Ephesus gerichtet (S. 11) und vor dem Kolosserbriefe ab= gefaßt (S 6). Das strittige ἐν Ἐφέσῳ (1, 1) ist unecht und die Adresse so über= setzen: „Den Heiligen, welche auch treu ausharren in der Gemeinschaft Christi Jesu" (τοῖς ἁγίοις τοῖς οὖσιν καὶ πιστοῖς ἐν X. I.).

Alles in allem eine sehr tüchtige Arbeit, die sicherlich ab und zu die Exegese zu neuen Resultaten führen wird.

St. Florian.   Dr. Vinzenz Hartl.

9) **Die Heilige Schrift des Alten und Neuen Testa= mentes.** Aus der Vulgata mit Rücksichtnahme auf den Grundtext übersetzt und mit Anmerkungen erläutert von Augustin Arndt S. J. Mit Approbation des Apostolischen Stuhles und Empfehlungen vieler Bischöfe. Drei Bände. Druck und Verlag Friedrich Pustet, Regensburg. brosch. M. 10. — = K 12.—; geb. M. 14.— = K 18.80.

Nicht kritisieren, sondern bloß anzeigen wollen wir diese herrliche Aus= gabe der Heiligen Schrift. Sie gehört in die Bibliothek eines jeden Geistlichen, selbst wenn der gute, alte Allioli und die lateinische Ausgabe oder eine in der Originalsprache derselben daneben längst Platz darin haben. Ist es doch selbst= verständlich, daß man zu dieser Quelle göttlicher Offenbarung und Wahrheit immer und immer wieder geht, um Licht und Trost für sich und andere zu holen. Die Ausstattung ist sehr gut und der Preis mäßig.   M. H.

10) **Der heilige Paulus und der christliche Staat.** Von Abbé Charles Calippe, Doktor der Theologie. Autorisierte deutsche Ausgabe von Emil Prinz zu Oettingen=Spielberg. Ravensburg. Friedrich Alber. 8°. VIII u. 248 S. M. 2.40 = K 2.88.

Der Titel des Buches entspricht nicht ganz genau dem Inhalte. Denn dieser bietet nicht eine systematisch gegliederte, erschöpfende Theorie des christlichen Staates, sondern „der Verfasser will die Gedanken, welche sich beim heiligen

Paulus über dieses Thema zerstreut finden, herausschälen und beleuchten" (S. V Vorw. des Uebersetzers). Andererseits werden in den siebzehn Kapiteln des Buches Fragen behandelt, die nicht sosehr ins staatliche als vielmehr ins religiöse und soziale Gebiet gehören, so z. B. im 3., 4., 5. Kapitel die Theologie des heiligen Paulus, im 6., 7., 11. dessen Stellung zur Familie, zum Arbeiterstand und zum Evangelium u. a. — Richtiger dürfte daher der Titel lauten: Paulus und die christliche Gesellschaftsordnung, und der Grundgedanke des Buches in dem Satze seinen Ausdruck finden: die katholische Kirche, nach Paulus der mystische Leib Christi, dessen Haupt Christus und dessen Glieder die einzelnen Gläubigen sind, ist Muster und Vorbild für jede christliche Gesellschaft, also auch für den Staat, der sich wie nach Plato und Aristoteles, auch nach Paulus aufbauen soll auf dem Gesetze der Einheit, Gegenseitigkeit und Autorität.

Die Schrift kann auch in der Uebersetzung ihren französischen Ursprung nicht verleugnen; sie ist mit großer Lebendigkeit und Begeisterung geschrieben, atmet hohe Verehrung und Liebe zum heiligen Paulus, ist reich an geist- und lebensvollen Gedanken, eröffnet nicht selten überraschende Um- und Ausblicke; sie ist aber hinwieder nicht ganz frei von Ueberschwenglichkeit, es mangelt den häufig ohne streng logische Gliederung in aphoristischer Form hingestellten Sätzen manchmal an der nötigen Klarheit, so daß es beim ersten, flüchtigen Lesen nicht immer möglich ist, ihre Wahrheit und Folgerichtigkeit und ihren gegenseitigen Zusammenhang sofort zu erkennen und zu durchschauen.

Mit Ausnahme einiger minder gut deutschen oder unklaren Sätze ist die Uebersetzung im ganzen gut. Unangenehm berühren uns ungewohnte (die französische) Interpunktion und eine erkleckliche Anzahl zum Teil sinnstörender Druckfehler.

Der Gefertigte hat das ganze Buch mit Interesse, einzelne Partien mit lebhafter Befriedigung gelesen, und glaubt mit dem Urteile nicht ganz fehl zu gehen, daß wohl weder der Sozialpolitiker eine erschöpfende Behandlung des in Rede stehenden Themas, noch der Kanzel- oder Vereinsredner fertige, dem deutschen Ohre und Geschmacke ganz zusagende Vorträge, beide jedoch einen Reichtum wertvoller und brauchbarer Gedanken und Ideen in vorliegender Schrift finden werden.

St. Florian.   Dr. Moisl.

11) Dominus autem Spiritus est. (2. Cor. 3, 17.) Eine exegetische Untersuchung mit einer Uebersicht über die Geschichte der Erklärung dieser Stelle. Von Urban Holzmeister S. J. Innsbruck. 1908. Fel. Rauch. 8°. X u. 104 S. *K* 1.50 = M. 1.50.

Der von Heinrici 1900 geäußerte Wunsch, eine Geschichte der Auslegung dieses locus classicus (2. Cor. 3, 17), den die rationalistische Exegese zu einem Fremdling unter lauter Bekannten gestempelt hat, zu geben, ist in vorliegender Schrift erfüllt worden. Von dem Schwanken des Origenes in der Auslegung dieser Stelle bis in die Gegenwart, die auch katholischerseits diesbezüglich größere Meinungsverschiedenheiten aufweist als irgend eine Periode der Vergangenheit, hat der Verfasser alle irgendwie bemerkenswerten Exegesen vorgeführt. Die hiebei hervortretende Beherrschung der umfangreichen Literatur allein würde genügen, die Studie als einen wertvollen Beitrag zur Exegese zu bezeichnen. Größeren Wert jedoch erhält die ausgezeichnete Schrift dadurch, daß sie geeignet ist, der nicht gerade erfreulichen Differenz unter den Exegeten ein Ende zu machen und die Dogmatiker zu veranlassen, die klassische Stelle mehr wie bisher zum Beweise für die Gottheit des Heiligen Geistes zu verwerten.

Durch eine peinlich genaue Wort- und Sacherklärung, entsprechend den Regeln der Hermeneutik, erweist nämlich P. Holzmeister die von den hervorragendsten griechischen Vätern vertretene Erklärung, wonach der Apostel hier feierlich die Gottheit der dritten trinitarischen Person verkündigt, als allein richtig. Bescheiden stellt er das Urteil darüber, ob der Beweis für diese These gelungen sei, dem Urteil des Lesers anheim; er kann es mit der Zuversicht tun, daß kein Leser seinen Beweis entkräften wird. Abgesehen hievon kann die Schrift als mustergültig für die wissenschaftlich exegetische Methode nach den Forderungen der Gegenwart bezeichnet werden; sie läßt von dem neuen Dozenten an der Innsbrucker Universität große Leistungen erwarten.

Mautern (Steiermark). Aug. Rösler C. Ss. R.

12) **Carmina scripturarum scilicet antiphonas et responsoria** ex sacro scripturae fonte in libros liturgicos sanctae ecclesiae Romanae derivata collegit et edidit Carolus Marbach episcopus titularis Paphiensis. Argentorati typis Le Roux. 1907. M. 8.— = K 9.60.

Dieses Buch bietet eine Sammlung der Texte jener Antiphonen, Responsorien und Versikel, die aus der Heiligen Schrift gezogen und in den liturgischen Büchern zerstreut sind. Die Verteilung der biblischen Bücher durch das Kirchenjahr wird auf sehr passende Weise durch folgende alte Verse bezeichnet. Was du zu lesen und wann, das lerne aus diesem Gedichte. Füglich verlangt der Advent Isaias prophetische Reden. Nach der Geburt des Herrn ist zur Lesung Paulus verordnet. Septuagesima bringt uns den Anfang der Bücher des Moses; die Passionszeit hierauf Jeremias Schriften und Klagen; diesen folgt, wenn Ostern vorbei, die Apostelgeschichte; dann die Apokalypse und die katholischen Briefe. Pfingsten kam; nun ziehen ins Feld die Bücher der Könige, bis im August mit Schwert und Schild sich die Weisheit erhebt; Salomo herrscht mit ihr bis zu des Monates Ende. Singe September von Job, von Tobias, Judith und Esther. Dem Oktober fällt es zu, der Makkabäer Triumphe zu schildern, während der November den Lauf mit Ezechiel und Daniel beginnt und mit den kleinen Propheten, den zwölf, dann feierlich abschließt. Von den 72 Büchern der Heiligen Schrift sind nur acht bis jetzt in der Liturgie unverwertet geblieben; im Alten Testament das Buch des Predigers (Ecclesiastes) und die Prophezeiungen von Abdias und Nahum; dazu kommen noch die Psalmen 81 und 100. Im Neuen Testament der zweite Brief des heiligen Paulus an die Thessalonicenser und dessen Brief an Philemon; der zweite und dritte Brief des heiligen Johannes und der Brief des heiligen Apostels Judas Thaddäus. Die Bibel lag bei den Katholiken nicht unter der Bank, wie Luther die Kirche beschuldigte; sie lag auf dem Altare im Missale und auf dem Chorpult im Antiphonarium. Die erste Stelle nehmen die Psalmen ein, nicht nur weil sie Gebete sind von hoher Schönheit, sondern auch wegen ihres theologischen Inhaltes. Die Kirche betrachtete mit dem heiligen Blasius die Psalmen als den kurzen Inbegriff der Heiligen Schrift. Von den apokryphen Büchern werden „Das Gebet des Manasses" und das dritte und vierte Buch des Esdras verwendet. Den älteren Gesängen liegt die Itala zugrunde. Wir besitzen die Itala wohl noch in jenen deuterokanonischen Büchern, die der heilige Hieronymus nicht übersetzt hat. Es sind das Buch der Weisheit, Ecclesiasticus, Baruch und die Makkabäerbücher. Den alten Gesängen, die den Psalmen entnommen sind, ist nicht die ursprüngliche Itala, das Psalterium vetus zugrunde gelegt, sondern das psalterium Romanum, jene erste Emendation des Psalters, die der heilige Hieronymus im Jahre 383 vornahm. Eine zweite Revision des Psalters trägt den Namen psalterium Gallicanum, weil sie zuerst in Gallien Aufnahme fand. Sie ist uns in der Vulgata erhalten. Das Neue Testament bietet uns einen vom heiligen Hieronymus emendierten Text der Itala. Klemens VIII. widersetzte sich der Beseitigung der Itala und sicherte uns daher den weiteren Gebrauch der Psalmen nach dem Psalterium Romanum in den alten Gesängen. Freilich geschah es, daß Texte, die man zuerst der Itala entnahm, zu späteren Gesängen der Vulgata gezogen wurden. Die Aufgabe der Itala ist aber, daß sie dem Gebet des Psalierenden eine bestimmte Richtung gibt. Das Responsorium ist die Antwort des Chorus auf die Lektion und drückt den Anschluß der Seelen an den Inhalt derselben aus. Das kirchliche Responsorium übertrifft die griechischen Chöre durch die Erhabenheit seines Inhaltes und durch seine schöne Mannigfaltigkeit. Der Autor untersucht sodann mit großer Sorgfalt den Ursprung aller Gesänge im Missale und Brevier und bietet so einem jeden Priester eine ausgezeichnete Anleitung zu einem tieferen Verständnis des Missale und des Breviers. Franz Hübner S. J.

13) **Kirchliches Handbuch.** In Verbindung mit P. Weber, Dr. Liese und Dr. K. Mayer, herausgegeben von H. A. Krose S. J. I. Bd. 1907/08. Freiburg und Wien. 1908. B. Herder. 8⁰. XV u. 472 S. Geb. M. 6.— = K 7.20.

Den wertvollen Herderschen Jahrbüchern tritt nun auch ein „kirchliches Handbuch" an die Seite, ein Nachschlagewerk über das Gesamtgebiet des kirchlichen Lebens, in erster Linie in Deutschland, aber auch darüber hinaus. Gleich bei Betrachtung der Kirchenorganisation wird vorerst die Gesamtkirche in Betracht gezogen. Ausführliche Tabellen geben Einblick in die Kirchenstatistik und die konfessionellen Verschiebungen; aber nicht etwa bloß trockene Ziffern werden da geboten, sondern überall auch die Tatsachen gewertet, die Förderungen und Hemmnisse aufgespürt, Ursachen und letzte Folgen erwogen; insbesondere den Mischehen wird dabei die Aufmerksamkeit zugewendet. Erhebend ist die Darstellung der charitativ-sozialen Tätigkeit der Katholiken Deutschlands; es erweist sich als unleugbar, daß die katholische Kirche immer noch am meisten Herz gehabt hat für des Volkes Leid und Weh, sei es geistig, sei es leiblich; die mannigfaltigen Vereine, Verbindungen und Anstalten geben beredtes Zeugnis für die trefflich organisierte Kulturarbeit der Kirche auch noch in unsern Tagen. Bei Besprechung der kirchlichen Lage im Ausland kommen besonders Oesterreich und Frankreich in Behandlung. Ein besonderer Abschnitt ist noch der katholischen Heidenmission gewidmet und dieselbe auch mit der protestantischen Missionstätigkeit in Zusammenhalt gebracht. Die Abteilung über die kirchliche und kirchenpolitische Gesetzgebung enthält die wichtigsten Aktenstücke von Pius X. und den römischen Kongregationen, ferner eine Uebersicht über die wichtigsten Verhandlungen zur Regelung kirchlicher Verhältnisse aus dem letzten Jahrhundert und über die deutsche Gesetzgebung in Bezug auf Religion und Kirche. Ein Lexikon der Seelsorgsstationen beschließt das Ganze. Aus Oesterreich ist besonders die Tätigkeit des katholischen Zentralkomitees, des Piusvereines und des katholischen Schulvereines eingehend geschildert und gewürdigt, sowie auch die Ehereform-Bewegung und der „Los von Rom"-Rummel.

Das mit ungeheurem Fleiß hergestellte Orientierungsmittel bietet eine Fülle wichtigen Materials aus amtlichen Quellenwerken und wird besonders Journalisten und Parlamentariern, Predigern und allen, die apologetisch tätig sein müssen, unvergleichliche Dienste leisten.

Dr. Sebastian Pletzer, Pfarrer.

14) **Die Glaubensspaltung im Gebiete der Markgrafschaft Ansbach-Kulmbach in den Jahren 1520—1535.** Auf Grund archivalischer Forschungen von Johann B. Götz, Stadtpfarrer in Freystadt. Mit urkundlichen Beilagen. (Erläuterungen und Ergänzungen zu Janssens Geschichte des deutschen Volkes. V. Band, 3. u. 4. Heft.) Freiburg i. B. Herder. Gr. 8⁰. XX u. 292 S. M. 5.50 = K 6.60.

Diese Schrift ist eine auf wirklicher Quellenforschung beruhende Darstellung, wie unter den Hohenzollern Kasimir und Georg in der Markgrafschaft Ansbach-Kulmbach die Glaubensspaltung durchgeführt wurde. Die angeführten archivalischen und literarischen Quellen lassen Herrn Götz als einen gründlichen Historiker erkennen. Einen klaren Einblick in die staatlich-kirchlichen Verhältnisse gewähren die religiösen Zustände des

Landes vor dem Beginn der Neuerung sowie die Intrigen und Gewalt=
akte, welche dann den religiösen Umsturz bewerkstelligten.

Die Ursachen und treibenden Faktoren zum Abfall sind hier ähnliche
wie in anderen deutschen Gebieten, sie weisen nur eine lokale Farbe auf.
Die Hohenzollerfürsten, die ehemaligen Burggrafen von Nürnberg, waren
wenig begütert. Die bedeutenden kirchlichen Besitzungen, welche „das reine
Evangelium" ihnen in Aussicht stellte, waren sehr einladend zur Annahme
des Protestantismus. Unter Markgraf Kasimir war wohl die Einführung
der sogenannten Reformation vorbereitet, dieser starb aber noch zu Ofen
1527 mit den katholischen Sterbesakramenten versehen. Die von seinem
Vorgänger schon vorbereitete „evangelische Kirchenordnung" führte Mark=
graf Georg vollends durch in den Jahren 1528—1535. Die Schilderung
dieser Ereignisse bestätigten von neuem die Darstellungen eines Janssen,
wie der Protestantismus den deutschen Stämmen aufgedrängt worden ist.

Es wäre sehr wünschenswert, daß in ähnlicher Weise die einzelnen
Ländergebiete und Gaue Deutschlands und Oesterreichs von Spezial=
forschern nochmals bearbeitet würden, wozu diese Götzsche Schrift geradezu
als Muster dienen könnte.

Inhalt. I. Buch: Die Regierungszeit des Markgrafen Kasimir: 1. Die
religiösen Zustände des Landes vor dem Beginn der neuen Bewegung. 2. Das
erste Auftreten der neuen Ideen im Lande. 3. Der Ansbachsche Religions=
landtag 1524. 4. Der Bauernkrieg und seine Folgen. 5. Umschwung in Kasimirs
Religionspolitik und Tod. II. Buch: Die Regierungszeit des Markgrafen Georg
bis zur vollendeten Einführung der lutherischen Kirchenordnung (1528—1535):
1. Der Regierungsantritt und die ersten Religionserlasse Georgs. 2. Die Branden=
burg-Nürnbergische Kirchenvisitation (1528). 3. Die Einziehung der Kirchengüter.
4. Die Brandenburg=Nürnbergische Kirchenordnung. 5. Einführung der neuen
Lehre in die Klöster des Landes; Widerstand derselben, Aufhebung und Güter=
einziehung. 6. Verhalten der Bischöfe und der Reichsregierung. 7. Bündnis=
verhandlungen des Markgrafen.

Das Hofleben dieses Fürsten war ein leichtes: Trunksucht und Un=
zucht sowie Eigennutz der Räte herrschte. Die theologische Bildung der
Prediger · und deren sittliches Verhalten ließ viel zu wünschen übrig; sie
waren in finanzieller Notlage. Verfall der Kirchendisziplin, Niedergang
der Schulen, Verfall des sittlichen Lebens beim Volke, welches sich das neue
Evangelium nur widerwillig aufnötigen ließ: ein echtes Bild dieser Re=
formation im 16. Jahrhundert.

Klagenfurt.   J. E. Danner S. J.

15) **Kleine katholische Schulbibel.** Von Dr. Jakob Ecker.
Trier. Verlag Schaar & Dathe. 8°. 62 S. geb. 35 Pf. = 42 h.
Handbüchlein zur Kleinen katholischen Schulbibel.
Von Dr. Jakob Ecker. Trier. Verlag Schaar & Dathe. 8°. 102 S.
geb. 80 Pf. = 96 h.

Hatte der Verfasser für seine Volksschulbibel das Prinzip aufgestellt:
„Im Satzbau kann und muß man dem kindlichen Fassungsvermögen tunlichst
entgegenkommen; der sprachliche Ausdruck muß aber Gotteswort bleiben",
so hat er dasselbe für seine Kleine katholische Schulbibel, welche den biblischen
Lehrstoff für die zwei ersten Schuljahre enthält, dahin eingeschränkt: „Für die
Kleinsten muß der Ausdruck an manchen Stellen vereinfacht werden." Man muß

gestehen, daß Ecker das Kunststück fertiggebracht hat, eine Bibel für die Kleinen zu schreiben, welche für diese gut verständlich ist und dabei sich doch zumeist an den Schrifttext hält. Bei den zehn Geboten würde sich die Abweichung vom Schrifttext in die allgemein gebräuchliche Textierung jedenfalls empfehlen. Die Illustrationen (von Schumacher) sind zahlreich (36 auf 60 S. Text) und sehr schön; einige derselben sind aus der Volksschulbibel herübergenommen, jedoch vergrößert, andere sind neu. — Das Handbüchlein bietet durch kurze, aber markante Zusätze zum Texte der Kleinen Schulbibel sowie durch Illustrations= erklärungen dem Katecheten willkommene Hilfe für den Bibelunterricht. — Beide Büchlein sind bei ihrer guten Ausstattung überaus billig.

Wien. W. Jaksch, Katechet.

16) **Vom „Welträtsel Mensch!"** Eine populäre Studie. Von Dr. med. F. Sexauer, Frankf. a. M. Stuttgart. 1909. M. Kielmann. gr. 8°. 111 S. M. 1.50 = K 1.80.

Vorliegende Schrift richtet sich gegen den modernen atheistischen Monis= mus. Der Verfasser führt unter anderem aus, daß nicht in der Anpassung der Organismen als solcher das größte Rätsel liegt, sondern darin, daß „die An= passung immer im Sinne der höchsten Zweckmäßigkeit vor sich geht".

In Bezug auf einen Schöpfer der Welt bemerkt er: „Es führen uns durchaus naturwissenschaftliche und logische Betrachtungen allgemeiner Art und ganz speziell der Erscheinung Mensch zunächst einmal zu der Notwendigkeit der Annahme eines Schöpfers. Und für mich ist die ganze Ueberlegung . . . so zwingend, daß ich gar nicht mehr sagen kann, ich will an diesen Schöpfer glauben, sondern für mich liegt die Sache so, daß ich gezwungen bin zu sagen: Ich kann auf Grund meiner wissenschaftlichen Betrachtung gar nicht anders als einen Schöpfer als Wirklichkeit unbedingt anzunehmen."

Die Abstammung des Menschen vom Affen ist ihm zufolge „absolut unhaltbar und unwissenschaftlich". Dieses Zeugnis eines erfahrenen Mediziners und Anatomen ist von nicht geringem Wert. In allen diesen Fragen nimmt der Verfasser, wie man ersieht, einen korrekten Standpunkt ein.

Nicht überall jedoch zeigt er eine volle Klärung der Begriffe, wohl aus Mangel einer nötigen philosophischen Vorschulung. Dem Verfasser gemäß gibt es z. B. nichts „Uebernatürliches", man müsse besser „übersinnlich" sagen; die Begriffe „materiell" und „immateriell" könnten nicht als direkte Gegen= sätze betrachtet werden. Frage man, welche von diesen Eigenschaften der Seele zukommen, so können wir nur antworten: „Die Seele ist etwas über= sinnliches, für unsere fünf Sinne nicht direkt zugängliches, sie muß aber deshalb nicht etwas immaterielles, unstoffliches sein, ja es ist gar nicht unwahrscheinlich, daß sie bis zu einem gewissen Grad materiell, stofflich ist, weil sie auf den Stoff wirkt und aus ihm Organe ent= wickelt." Der Verfasser scheint mit dieser seiner Ansicht die Geistigkeit der mensch= lichen Seele in Frage zu stellen; er sieht wohl auch nicht ein, daß letztere Be= gründung seiner Ansicht eine ganz irrtümliche ist. Wenn er bemerkt: „Die Theologie, die so viel über Seele und Seelenheil predigt und schreibt, weicht der Definition dieses Begriffes mit einer nicht ganz begreiflichen scheuen Aengst= lichkeit aus", so dürfte er hier wohl nur protestantische Pastoren im Auge haben, aber es scheinen ihm überhaupt die philosophischen und theologischen Traktate über die Seele und ihre Eigenschaften ganz unbekannt zu sein. Doch der Ver= fasser will durch seine Schrift denjenigen helfen, die noch im Kampfe um die „Weltanschauung" stehen. Sie konnte diesen wohl einige Dienste leisten; für Katholiken scheint sie uns jedoch nicht geeignet zu sein, weil zur Aufklärung sind schon entsprechendere Werke erschienen. P. Handmann S. J.

17) **Die Litanei vom heiligsten Herzen Jesu.** Sonette von Paul Lenaerts, Priester der Erzdiözese Köln. Paderborn. 1907. Junfermannsche Buchdruckerei. M. 1.50 = K 1.80.

In der Einleitung zu dem bekannten Werke der heiligen Gertrud der Großen „Gesandter der göttlichen Liebe" schreibt J. Weißbrodt in der zweiten gekürzten Auflage dieses Buches, daß der göttliche Heiland sein heiligstes Herz der heiligen Gertrud in verschiedenen Bildern und Darstellungen schauen ließ; so unter anderem auch als eine Zither, die der Heilige Geist berührt und an deren süßem Tone der dreieinige Gott und der ganze himmlische Hof sich ergötzen.

Die vom Heiligen Stuhle approbierte Herz Jesu=Litanei führt nun den frommen Verehrern des heiligsten Herzens, fast möchte ich sagen, in melodramatischer Weise das wundervolle Zitherspiel des göttlichen Erlösers, das aus seinem hochheiligen Herzen ertönt, so mächtig vor, daß der arme sündige Mensch reue= und hoffnungs= und wonnevoll zugleich nur ein bittflehendes „Erbarme Dich unser" zu stammeln vermag.

Doch nein, in mancher Menschenbrust, die ein zartes besaitetes Herz in sich birgt, bringt das göttliche Zitherspiel ein lieblich klingendes Echo hervor, das sich in Dank und Liebe in ein Jubellied ausgestaltet.

Ein solch fromm und edel besaitetes Herz muß wohl Paul Lenaerts, Priester der Erzdiözese Köln, besitzen; denn sonst würde nie und nimmer ein so wahrhaft schönes Saitenspiel, wie dies seine in bald zart lauschigen, bald kraftvoll bündigen und stets inhaltsvollen Sonetten paraphrasierte Herz Jesu=Litanei es ist, zustande gekommen sein.

Für alle weiteren Empfehlungen dieses herrlichen Liederkranzes sei nur das eine Wort gesagt: „Nimm und lies!" und es wird dich nicht gereuen. Die zierliche Ausstattung des schönen Büchleins lockt einerseits zur Lesung desselben und macht anderseits der Junfermannschen Buchdruckerei in Paderborn alle Ehre.

Linz. H. W.

18) Der heilige Augustinus als Pädagoge und seine Bedeutung für die Geschichte der Bildung. Von Franz X. Eggersdorfer. (Straßburger theologische Studien VIII. Bd. 3. und 4. Heft.) Freiburg i. B. 1907. Herder. gr. 8°. XIV u. 238 S. M. 5.— = K 6.—.

Herr Eggersdorfer zitiert Augustins Werke, soweit nicht bereits das Corp. script. eccl. lat. der Wiener Akademie benützt werden konnte, nach der Maurin. Ausg. (Venedig 1833—1866). Es soll hier mehr „Augustin als Pädagoge", denn eine Pädagogik auf den Grundsätzen Augustins zur Darstellung gelangen; demnach hält der Verfasser an der historischen Entwicklung seines Themas. Gleichwohl kommt auch Augustins Pädagogik zur Geltung. Der große Lehrer Augustin steht an der Grenze zweier Welten, der heidnischen und der christlichen im 4. und 5. Jahrhundert.

In der Einleitung wird nun „das römische Bildungsideal", welches in dieser spätrömischen Zeit einseitig das Rhetorische handhabte, vorgeführt. Es wird dann die öffentliche Erziehung der Kaiserzeit an Augustins Jugendleben, welcher diese Bildung mit all ihren Schwächen in sich aufnimmt, eingehend erörtert.

In den manichäischen Materialismus versunken, kommt er allmählich über den Skeptizismus hinweg zum Neuplatonismus, bis Augustinus endlich durch des heiligen Ambrosius' Predigten den Weg zum katholischen Glauben finden konnte; die neuplatonische Philosophie und die Autorität der Kirche führten in Augustin den Umschwung herbei. In der ersten Periode wird demnach die Pädagogik des afrikanischen Philosophen und neuplatonischen Mystikers dargelegt, besonders nach dem Werke De ordine, welches die Studienordnung gibt. Dazu kommen seine Versuche in der Erziehungstätigkeit auf Cassiciacum.

Der „Professor" Augustin hatte nach den heidnisch=philosophischen Grundsätzen Erziehungsversuche unternommen, wobei er sich schon als ein ausgezeich=

neter Lehrer nicht bloß der Zunge wie die Rhetoren in ihren Hörsälen, sondern auch als solcher des Geistes und Charakters erwies (96).

Aber der „Theologe und Bischof" Augustin erstieg eine ganz andere Höhe. Augustin trat jetzt gegenüber den pädagogischen Problemen seiner Zeit: vom Philosophen zum Theologen, vom beschaulichen Leben des Mystikers zum tätigen des Bischofs übergehend, beschäftigten ihn drei Probleme: heidnische und christliche Bildung, Erziehung des Klerus, Katechumenat und Katechese.

Eingehend wird da an der Hand diesbezüglicher Schriften des großen Kirchenlehrers nachgewiesen, wie der Theologe Augustin als ein so feinfühliger Katechet sich betätigte. Ja gerade er wurde nach dem Untergange der alten Rhetorenschule der eigentliche Schöpfer eines echt christlichen Erziehungssystems. Denn mit seinem Werke Doctrina christiana wird er der Gesetzgeber für die Klosterschulen im Mittelalter. Da die alte Rhetorenschule der heidnischen Bildung sich ausgelebt hatte, kam ein neues Bildungsideal durch Augustin zum Durchbruch: Die Hochschätzung vor der Bildung als solcher, aber auch die Ueberzeugung von dem Unwerte der früher herrschenden Gestalt derselben (209).

Nicht wenig Interesse bietet: „Schluß" (201—238). Da wird „der Einfluß des heiligen Augustin auf die Pädagogik der Folgezeit" nachgewiesen. Das Werk De catechizandis rudibus hat seine Bedeutung bis zur Gegenwart behauptet, sowie denn die Gedanken und weisen Anleitungen des großen Katecheten Augustin auch beim neuesten Methodenstreite volle Aufmerksamkeit verdienten. Erzbischof Augustin Gruber von Salzburg hat, eben gestützt auf des heiligen Augustin Theorie, einen entscheidenden Schlag gegen die geraume Zeit herrschende rationalistische Pädagogik geführt und die neuere Katechese gegründet (335—336). Gerade das Werk De catechizandis rudibus diente diesem tüchtigen Schulmanne als Grundlage seiner Abhandlungen. Weniger Bedeutung hatte wohl Prof. Dr. J. B. Hirscher. Sonst hat uns diese Arbeit recht befriedigt; sie bietet ebenso für die Patristik wie für die Pädagogik Interesse.

Klagenfurt.   Prof. J. E. Danner.

19) Die Steuer in der Rechtsphilosophie der Scholastiker.

Ein Beitrag zur Beurteilung der Scholastiker in ihren Beziehungen zum Rechts= und Wirtschaftsleben ihrer Zeit von Dr. jur. Rudolf Amberg. XVI, 127; Beiheft zu Bd. II, Heft 3 des „Archiv für Rechts= und Wirtschaftsphilosophie". Berlin und Leipzig. 1909. Dr. Walther Rothschild. Ladenpreis bei apartem Bezug M. 5.— = K 6—.

Eine wenig umfangreiche, aber sehr beachtenswerte Arbeit, nicht nur wegen der Aktualität der Steuerfrage, sondern auch als Beitrag zur Ehrenrettung der wenig gekannten und viel geschmähten Scholastik. Als Hauptvertreter der scholastischen Steuermoral führt Amberg den heiligen Thomas von Aquin, de Lugo, Sanchez, Molina und Lessius an, doch kommen auch Suarez und andere ausreichend zur Geltung. Die Ergebnisse der Untersuchung Ambergs sind in mehrfacher Hinsicht sehr interessant. Schon die Definition der Steuer als „eines zwangsweise zu entrichtenden finanziellen Bedarfdeckungsmittels für öffentliche Zwecke" beweist, daß die Scholastik in ihren Hauptvertretern die vorzüglichsten Merkmale der Steuer richtig erkannt hat. Selbst der Unterschied zwischen Steuern und Gebühren, direkten und indirekten Steuern wurde erkannt, wenn auch erst aus der Ferne. Bei der theoretischen Begründung des Steuerrechtes nennt der Verfasser die Resultate mit Recht überraschend. Es stellt sich nämlich heraus, daß der konsequente Ausbau der scholastischen Theorie zu der heute als allein richtig geltenden Opfertheorie[1] führt. Der eigentliche Rechtsgrund für die Steuer ist die Staatsnotwendigkeit; die Steuerpflicht ergibt sich aus der bloßen Zugehörigkeit zum Staatsverbande. So sagten die Scholastiker, so sagt die heutige Finanzwissenschaft, nachdem sie die lange vertretene Ver-

---

[1] Richtiger noch „Jurisdiktionstheorie", weil der nächste Rechtsgrund die auctoritas publica ist.

geltungs= und Affekuranztheorie überwunden hat. Es bedurfte also nur einer vorurteilslosen Würdigung der Scholastik, und auch hier hätte man sich lange Irrwege erspart. Dasselbe gilt vom Besteuerungsgrundsatze der Gleichmäßigkeit bei den Scholastikern und bei A. Smith. Man muß, sagt der Verfasser, wirklich staunen, wie es möglich war, daß jene so vollständig der Vergessenheit verfiel, während diese mit geradezu sklavischem Pythagoräismus bewahrt wurde. (p.125.) Doppelt segensreich wäre heute, wo die Steuerpolitik meist plutokratische Züge trägt und dem Parteiinteresse mehr und mehr dienstbar wird, die Rückkehr zu den allgemeinen Prinzipien der Gerechtigkeit und des Gemeinwohles, die für die scholastische Steuerlehre charakteristisch sind.

Für die katholische Philosophie aber ist Ambergs Schrift wiederum ein lauter Mahnruf, die eigenen alten Schätze nicht zu verachten, sondern das alte, feine Gold sorgfältig zu heben und kursfähig umzumünzen.

Discite moniti. Saedler.

20) Josefs=Büchlein zur Vorbereitung auf einen guten Tod. Von P. A. F. Mariani S. J. In neuer deutscher Bearbeitung von P. Georg Kolb S. J. Graz und Wien. 1908. Styria. 16⁰. (156 S.). 60 *h* = 50 Pf., gbd. 85 *h* = 75 Pf.

In zehn kurzen, kernigen Betrachtungen bietet das Büchlein die wich= tigsten Trostgründe, die nach dem Vorbild des heiligen Josef die Todesstunde eines frommen Christen zu einer glücklichen gestalten; jeder Betrachtung, die ein entsprechendes Jugendbeispiel aus dem Leben des heiligen Josef zur Grund= lage hat, schließt sich ein passendes Gebet in Form eines „Gespräches" an, sowie ein erbauliches Beispiel der mächtigen Fürbitte des Heiligen in der Sterbe= stunde. Zum Schlusse folgt eine Auswahl kurzer Andachtsübungen und Ablaß= gebete zum heiligen Josef. Das Büchlein bedeutet eine willkommene Bereicherung der aszetischen Literatur, besonders für jene, die es vielleicht in Verbindung mit der beliebten monatlichen Vorbereitung zum Tode gebrauchen.

Lies: S. 56 Z. 4 v. o. Pf. 30, 2; S. 92 Z. 2. v. o. 2. Mos. 23, 14; S. 138 Z. 3 v. o. 300 Tage Ablaß; S. 139 Z. 13 v. o. anvertraut u. (Z. 14) teuere u. (Z. 20) 100 Tage Ablaß.

Linz. Dr. J. Gföllner.

21) Passionsbilder. Betrachtungen über das Leiden Jesu Christi. Von Martin Hagen S. J. Freiburg und Wien. 1909. Herder. 8⁰. X u. 162 S. M. 1.80 = *K* 2.16.

Die Nachfolge Christi ist unsere Lebensaufgabe; somit muß das Ein= dringen in die Lehre und das Beispiel Christi, namentlich als des Gekreuzigten, eine der vorzüglichsten Beschäftigungen aller sein, die nach Heiligung streben. Man wird daher ungeachtet der zahlreichen Literatur, die wir zu Betrachtungen hiefür besitzen, auch gern nach diesem neuesten Hilfsbuch greifen, um Abwechslung zu gewinnen. Es hat dieses den Vorzug, daß die Punkte sehr übersichtlich im engen Anschluß an die Evangelien gegeben sind, deren entsprechender Text vorausgedruckt ist. In 33 Bildern werden die Szenen vom Palmsonntag bis zur Grablegung des Herrn vorgeführt; jede Betrachtung enthält drei Hauptpunkte mit mehreren Unterteilungen, so daß für eine kürzere Betrachtung auch ein Hauptpunkt genügen kann. Für Erweckung von Affekten und Fassung von Vor= sätzen werden nur kurze Andeutungen gegeben, da sie nach der verschiedenen subjektiven Seelenstimmung auch verschieden sein müssen. Die Mutter Christi beim Kreuze ist jedoch als Vorbild der Liebe und Born der Liebe nach der Reihenfolge der Strophen des Stabat Mater eingehender dargestellt (S. 130—140). Wegen der Reichhaltigkeit der Gedanken und anziehenden Darstellung können diese Passionsbilder auch für Vorträge benützt werden.

Linz=Freinberg. P. Georg Kolb S. J.

22) **Nazareth und die Gottesfamilie in der Mensch-
heit.** Unterweisungen über die Gotteskindschaft und christliche Vollkommenheit. Von Anton Dechevrens S. J. Deutsche Bearbeitung von
Joh. Mayrhofer. (Aszetische Bibliothek.) Freiburg und Wien. 1909.
Herder. 8°. XXXII u 410 S. M. 2.80 = K 3.36.

Der Zweck dieses Buches ist nicht für Theorie, sondern für Praxis
berechnet, vollkommene Christen, „wahre Gotteskinder" zu bilden. Es ist zunächst für Priester geeignet, welche die eingestreuten lateinischen Texte verwerten
und die ganze Fülle der Wahrheiten auch für andere erschließen können. Es
hält mehr den Ton von Exhorten als von Betrachtungen ein. Im ersten Teil
wird der Plan Gottes in der Menschwerdung des Sohnes Gottes, in der heiligen
Familie und in unserer Gotteskindschaft gezeigt. Im zweiten Teil wird die
christliche Vollkommenheit im allgemeinen und in den besonderen Graden erklärt, zum Teil angereiht an die ersten Bitten des Pater noster.

Linz-Freinberg.   P. Georg Kolb S. J.

23) **Aus dem kirchlichen Leben.** Gesammelte Kleinere Schriften
von Moritz Meschler S. J. Drittes Heft. Freiburg und Wien. 1909.
Herder. 8°. IV u. 180 S. M. 2.60 = K 3.12.

Wie alle Schriften Meschlers, ist auch dieses Sammelwerk durch klare
und kräftige Darstellung ausgezeichnet. Es umfaßt das dritte Heft sechs Abschnitte,
scheinbar ohne inneren Zusammenhang, aber durch die Mannigfaltigkeit der
originellen Ideen um so mehr anregend; doch machen es schon die Titel klar, daß die
ersten vier Abschnitte sich auf den Altar, die zwei folgenden auf das Jubiläum am
Schluß des 19. und Beginn des 20. Jahrhunderts beziehen. Sie lauten: 1. Der
Opferbegriff. 2. Die Schönheit der eucharistischen Opferfeier. 3. Christlicher
Frühling. Brotvermehrung und Kommunion. 4. Die fortwährende Gegenwart
Christi im heiligsten Sakramente. 5. Zum Jubiläum. Die katholische Lehre vom
Ablaß. 6. Die Fahrt zu den sieben Kirchen in Rom. Der Verfasser spricht
hierin nicht zu den Gelehrten, sondern zu dem gläubigen Volk und bietet sehr
anziehende Schilderungen, wie in seinem Leben Jesu, auch interessante Beschreibungen über die alten Gebräuche und Heiligtümer Roms, mit verschiedenen
religiösen Reflexionen. Auf Seite 149 wäre der geschichtlichen Vollständigkeit
halber bei den Worten: „In der ... Kapelle links (in Maria maggiore) wird
das wunderbare Muttergottesbild verehrt, das dem heiligen Lukas zugeschrieben
wird", der Zusatz wünschenswert: Nach Wilperts genauer Untersuchung und
Photographie stammt es von einem byzantinischen Künstler des 11. Jahrhunderts.

Linz-Freinberg.   P. Georg Kolb S. J.

24) **Die heilige Theresia von Spanien,** oder Gedanken über
die Zeit und die Heiligen. Von B. Kreuz, Kooperator. Freiburg und
Wien. 1909. Herder. 8°. 24 S. 30 Pf. = 36 h.

Der religiöse Vortrag, vom Verfasser am Theresienfest 1908 in der
Karmelitinnenkirche zu Mariental in Unterelsaß gehalten, wurde wegen der
geistreichen Ideen und der blühenden Sprache auch im Drucke niedergelegt.
Nachdem im Eingange die Sehnsucht und das Bedürfnis unserer Zeit nach
Idealen dargestellt wurde, ist im ersten Teil „der natürliche Tiefgang der Seele
eines Heiligen im Glauben, Vertrauen und der Liebe" geschildert, im zweiten
Teil „das Emporsteigen der Seele zu den Höhen der Betrachtung Gottes" und
hinwieder im dritten Teil „das Hinabsteigen der Seele in die Ebenen apostolischer Wirksamkeit". Im Schlußteile wird der Geist der seraphischen Jungfrau
aus ihren geistlichen Schriften und Töchtern gekennzeichnet.   G. K.

25) **Geschichte der Verehrung Marias in Deutschland
während des Mittelalters.** Ein Beitrag zur Religionswissenschaft und Kunstgeschichte. Mit 292 Abbildungen. Von Stephan

Beiffel S. J. Freiburg und Wien. 1909. Herder. gr. 8°. XII u. 678 S.
M. 15.— = K 18.—; geb. i. Leinw. M. 17.50 = K 21.—.

Was der bereits durch verschiedene und gediegene Leistungen auf dem
Gebiete der Kirchen- und Kunstgeschichte bewährte Autor im Jahre 1896 in
dem 66. Ergänzungshefte der Laacher Stimmen zu veröffentlichen begonnen
hat, wird in diesem inhaltreichen und für jeden Forscher auf dem Gebiete
der Marienverehrung unentbehrlichen Werke allseitig vervollständigt. Man findet
hierin die in deutschen Ländern bis auf die Zeit der Reformation geübte
Marienverehrung in all ihren Formen aus den alten Dokumenten und Monu-
menten dargelegt, so daß jedermann über deren Bedeutung, Ausdehnung
und Wirksamkeit die richtigen Begriffe fassen kann; zugleich werden über die
Literatur und Kunst, zumal in Bauten, Skulpturen und Gemälden, deren
Wiedergabe in den Bildern sorgfältig ausgeführt und eingereiht ist, interessante
Proben gegeben. Erst bei einem eingehenderen Studium der getreu gegebenen
Schriftproben von Predigten, Gebeten, Liedern usf. und der in die Anmerkungen
verwiesenen kritischen Bemerkungen und Zitate ermißt man, welch immenser
Sammelfleiß und umfassende Kenntnis aller einschlägigen Wissenszweige zu
einer solchen Leistung erfordert war. Dabei ist die Beurteilung der oft über-
schwenglichen und geschichtlich unbegründeten Gebräuche, ausdrucksweisen Legenden
und Privatoffenbarungen eine sehr milde und wird aus dem frommen und
schlichten Sinn des Volkes entschuldigt, wie auch anderseits die Anschuldigungen
der Gegner über Marienanbetung gehörig zurückgewiesen werden.

Als besonders lehrreich heben wir folgende Abschnitte hervor: Die marianische
Literatur der karolingischen Zeit und der späteren Jahrhunderte, die marianische
Liturgie, die Marienverehrung in den Orden der Zisterzienser, Prämonstratenser, Dominikaner, Franziskaner, Karmeliter 2c. Die allmählich fortschreitende
Vervollständigung des jetzigen Ave Maria und des Rosenkranzgebetes wird eingehend dargestellt. Namentlich untersucht das 25. Kap. die Geheimnisse des Rosenkranzgebetes, wann und wie sie eingefügt wurden; die unechten Legenden werden
zurückgewiesen (S. 513 ff) und die geschichtliche Unterscheidung wird sorgfältig
geführt. Das folgende 26. Kap. handelt über die Entstehung der Rosenkranz-
bruderschaften, wobei auf die Schwierigkeiten und die Alanus Behauptungen
geantwortet wird; der gelehrte Redemptorist Kronenburg (S. 542) gibt hierüber
wohl die richtige Lösung. Das eben gleichzeitig entstandene Werk von Rektor
Schütz in Köln über Rosenkranz und Marien-Litaneien hat wohl der Verfasser
noch nicht benützen können (J. 1909), sowie umgekehrt es dem ersteren auch
nicht möglich war. Recht Interessantes erfahren wir über die Marienmesse des
7. Jahrhunderts, über die goldene Messe, über die Armenbibel, über die Anna-
Selbdrittbilder (d. i Anna mit Jesus und Maria "selbst [die] dritte") mit
mehrfachen Abbildungen.

Bei so umfassendem Material und eingehender Quellenangabe ist es
nicht zu verwundern, wenn Einzelheiten der genaueren Korrektur entgangen
sind; so besonders bei den Wallfahrtsorten. Ueber Entferntere kann der Rezensent
nicht urteilen. Ueber die ihm Naheliegenden sei folgendes bemerkt: S. 26 soll
über die Marienkirche in Lorch der Text lauten: Sie hieß "Maria
Anger", während die andere "Maria am Markt" genannt wurde; denn beide
sind längst abgerissen und dürfen nicht mit der jetzigen Stadtpfarrkirche Maria-
Schnee verwechselt werden. Die folgende Nachricht über den heiligen Korbinian
in Lorch ist wohl eine Verwechslung mit seinem Aufenthalt in Maja (Mais)
in Südtirol, wie es auch die Bollandisten (8. Sept. pg. 290 u. 293) angeben.
Ueber Lanzendorf in N.-Oesterr. [S. 24] soll es heißen: "Die Erzeugnisse der
Legendendichtung wurden (statt "unlängst") im J. 1746 auf den Außenwänden
der Gnadenkapelle in Bildern dargestellt. In der Wallfahrtsbroschüre wurde
versichert" 2c. Desgleichen (S. 146.) "Dem heiligen Thiemo von Salzburg wird
vielleicht (statt freilich) mit Unrecht das Vesperbild aus Stuck in Adlwang
zugeschrieben"; denn daß er in der Kunst des Steingusses (besser Erzgusses,
mit Eisenocker 2c.) erfahren war wie der fast gleichzeitige heilige Bernward,

läßt sich kaum bezweifeln. Im 8. Kap. (Wallfahrtsorte) wären in Bezug auf Oesterreich noch manche Berichtigungen und Ergänzungen vorzunehmen; doch scheinen dem Verfasser nur die Artikel der Linzer Quartalschrift und nicht die späteren vervollständigten zwei Bücher über das mar. Ober= und Niederösterreich bekannt gewesen zu sein.

Linz=Freinberg. P. Georg Kolb S. J

26) **Die Geschichte des Rosenkranzes** unter Berücksichtigung der Rosenkranz=Geheimnisse und der Marien=Litaneien, dargestellt von Rektor Jakob Hubert Schütz zu Köln. Paderborn 1909. Junfermann. Gr. 8°. XXIV u. 304 S. M. 6.— = K 7.20.

Der Verfasser der inhaltreichen, auf 6 Bände berechneten Summa Mariana, von der bereits 2 erschienen und der 3. bald erwartet wird, bietet uns in diesem Werke eine separate Behandlung des im Titel angegebenen Stoffes, da das einschlägige Material so reichhaltig ist und so viele Dokumente wort= getreu und vollständig angeführt werden müssen. Es ist ein interessantes Sammel= werk, das ebensosehr von dem großen Fleiß, als auch von der außerordentlichen Gewissenhaftigkeit des Verfassers Zeugnis gibt, mit der er die verschiedenen Behauptungen über Entstehung und Entwicklung des Rosenkranzes und der Litaneien wiedergibt, und wo er durch fortgesetzte Forschung zu anderer Ansicht kommt, in aller Demut und Offenheit die frühere zurücknimmt. So ist dies na= mentlich der Fall mit der Ueberschrift des 1. Kapitels: „Der heilige Dominikus hat das Rosenkranzgebet nicht zuerst eingeführt", worüber er sowohl in der Ein= leitung S. XIX als auch am Schluß des Werkes als dessen Corrigendum dazu= gefügt, „daß der heilige Dominikus einer der Hauptvertreter des zu seiner Zeit üblichen Rosenkranzes war und durch diese Gebetsart hauptsächlich die Bekehrung der Albigenser erreichte. Sein abwechselndes Predigen und Pater Noster= und Ave Maria=Beten kann getrost als Betrachtung der Rosenkranzgeheimnisse mit nachfolgendem Ave Maria gelten".

Um auf den Inhalt näher einzugehen, heben wir besonders die alten Drucke der Kölner Rosenkranzbruderschaft (S. 20 ff.) hervor. Im 2. Teil folgt die Entwicklung der Rosenkranzgeheimnisse laut den vorhandenen Urkunden in 26 Kapiteln, so die des Kölner Dichters Langen, der Psalter Mariae, das Crinale B. V. M., der goldene R., St Anna = R. u. a. — Im 3. Teil (S. 249 ff.) werden die alten Marien=Litaneien angeführt, die altirische, lateinische, niederdeutsche, Trierer und Kölner Litanei, die älteste Kongregations= und Wochen=Litanei, die Litaneien vom guten Rat, heiligsten Herzen Mariä, der immerwährenden Hilfe, die der Schmerzhaften und die von Maria=Lourdes. Am Schlusse folgen „5 Exkurse" über die Allerheiligen=Litanei — Alles ist sehr fromm und warm geschrieben; für die Kanzel sind besonders die Kapitel I. 4: „Das Rosenkranzgebet ist ein Gott wohlgefälliges und uns nützliches Gebet", ferner 15: „Freunde des Rosenkranzgebetes" zu verwerten.

Linz=Freinberg. P. Georg Kolb S. J.

26) **Gottes Wille geschehe!** Vorbereitungen auf kritische Tage für Alte, Kranke und Gesunde. Von P. Karl Hünner S. J. Herausge= geben von P. Wenzel Lerch S. J. Mit 4 Chromobildern, 5 Stahl= stichen, 9 ganzseitigen Bildern in Typographie, 15 Rosenkranzbildern, Kreuzwegbildern nach Feuerstein, zahlreichen Kopfleisten und Schluß= vignetten. 656 Seiten. Format XV b. 111×170 mm. Gebunden in schwarz Leinwand mit Blind= und Goldpressung, Hohlrotschnitt K 5.75. — Einsiedeln, Waldshut, Köln a. Rh. Verlagsanstalt Benziger & Co. A. G.

Wenn P. Lerch ein Buch schreibt, so weiß man, daß es ein sehr prakti= sches, nützliches und populäres sein werde. Diese schätzenswerten Eigenschaften

finden sich in hohem Grade in dem vorliegenden Krankenbuche. Mit Recht kann
es daher jedermann empfohlen werden. Der beigegebene Gebetsanhang mit den
kurzen, kräftigen, zumeist den liturgischen Büchern entnommenen Andachts=
übungen für kranke Tage, die Stunde des Todes und nach dem Verscheiden
machen ein weiteres Andachtsbuch für das Krankenzimmer entbehrlich. In Alter
und Krankheit ein liebevoller Tröster, in gesunden Tagen ein trefflicher Führer,
um sich auf eine glückselige Sterbestunde vorzubereiten, möchten wir Lerchs
Krankenbuch in jeder Familienbibliothek, vor allem aber in allen Krankenhäu=
fern, Spitälern und Altersasylen 2c. wissen. Die überaus reiche Illustration,
sowie der große deutliche Druck dienen dem Buche nicht nur zur äußeren Zierde,
sondern tragen auch dem praktischen Momente möglichste Rechnung. M. H.

28) **Tu es nicht!** Ein ernstes Wort in einer wichtigen Sache. Von
    Josef **Könn**. Köln. Benziger. 112 S. 30 Pf. = 36 h.

    Die gemischte Ehe, eine gefährliche Frucht und ein fruchtbarer Same der
religiösen Gleichgültigkeit, der Totengräber des Familienglückes, wird von einem
erfahrenen Großstadtseelsorger zum Gegenstand einer ruhigen und vornehmen
Besprechung gemacht. Viel ist über die „verbotene Frucht" schon geschrieben
worden, doch wenige verstehen es, mit so überzeugenden und warmen Worten
Vernunft und Wille des jungen Lesers in den Bannkreis der unerbittlichen Wahr=
heit zu ziehen, wie Könn. Das Schriftchen bietet mehr, als der Titel vermuten
läßt, nicht nur Warnung, sondern auch positive Belehrungen in edler Sprache.
Sinnig und dogmatisch korrekt, weiß der Verfasser aus Christi unauflöslicher,
gnadenreicher Verbindung mit seiner einziggeliebten Braut, der Kirche, das wahre
und schöne Bild der christlichen Ehe erstehen zu lassen, einer terra sancta, die
heiligen Schauer weckt und nicht ungestraft sich entweihen läßt. Treffend zeigt
er, wie die Stellung der Katholiken zur Mischehe grundverschieden ist von der
Anschauung des Protestanten, der keineswegs in seiner Kirche die geistige Mutter
ehrt, die allein ihn zum Himmel zu führen vermag. Kein Einwand bleibt un=
erörtert, auch versäumt der Verfasser es nicht, auf die gesetzlichen Bestimmungen
über die religiöse Erziehung der Kinder hinzuweisen, die in ihrer Tragweite
leider nur zu wenig bekannt sind. Klassisch schön wird im IV. Kapitel des
großen Augustinus' Wort illustriert: „Es gibt keinen größeren Reichtum, keinen
größeren Schatz, als den katholischen Glauben." Möge das treffliche Schriftchen,
das zur Massenverbreitung billig genug ist (bei 20 St. 25 Pf., bei 50 Stück
20 Pf.), möglichst vielen Jünglingen und Jungfrauen ein Schutzengel werden.
Priester und Erzieher — auch in rein katholischen Gegenden — werden reichen
Segen stiften, wenn sie es der schulentlassenen Jugend, Kongreganisten und Pen=
sionärinnen in die Hand geben.

29) **Aufwärts!** Ein Gebetbuch für junge Leute mit einem besonderen
    Abschnitt für Kongregationen. Von Josef **Könn**. Doppelausgabe: A. für
    Jünglinge; B. für Jungfrauen. Köln. Benziger. Gbd. in Lwd. mit
    Hohlrotschnitt M. 1.30 = K 1.56, 20 St. à M. 1.— = K 1.20,
    100 St. à M. —.95 = K 1.14.

    Hier schreibt kein Gebetbuchfabrikant, der mit einem neuen, billigen Opus
die schon allzureiche Erbauungsliteratur vermehren möchte. Könn reicht auf
goldenen Schüsseln kräftige und solide Nahrung unserer heranwachsenden Jugend.
Der Erzieher und Religionslehrer, der „Aufwärts" unter der Jugend verbreitet,
kann ruhig auf die von den Modernen geforderte sexuelle Aufklärung und andere
Allheilmittel für die gefährdete Moral verzichten; hier ist mehr. Könn kennt
aus Erfahrung die jugendliche Seele mit ihren Schwächen und Vorzügen und
weiß, was ihr zumal in unserer Zeit nottut. Er hat Förstersche Ideen mit
katholischem Geiste durchtränkt; mit Geschick und pädagogischem Takt versteht
er es, dem der Jugend eigenen Rittersinn ideale Ziele zu stecken. In den ker=
nigen Gebeten des 1. Teiles kommen in edler, teilweise in gebundener Sprache
die Heilige Schrift und die Kirchenlehrer reichlich zur Geltung; der Kölner

Diözesan wird mit Freuden die Perlen seines anerkannt vorzüglichen Diözesan=
buches hier wiederfinden.

Die Andacht der Aloisianischen Sonntage (auch separat
erschienen, 20 Pf. = 24 *h*, bei 20 Expl. 16 Pf. = 19 *h*, 16. bis
50. Tausend!) sowie die „Erwägungen" des 3. Teiles (größtenteils ent=
halten in der früher erschienenen Schrift **„Sei stark"**, brosch. 30 Pf.
= 36 *h*, eleg. geb. 60 Pf. = 72 *h*) sind auf denselben Ton gestimmt:
Selbsterziehung zu Selbstbeherrschung und Keuschheit macht frei und
glücklich.

Den Glanzpunkt des Werkes bilden ohne Zweifel die ergreifend schönen
Darlegungen über Keuschheit, Bekanntschaft und Ehe; sie reißen hin zu der Er=
kenntnis, daß des besorgten Priesters Mund nicht nur schön, sondern auch wahr
spricht. In dem Abschnitt über die Marianische Kongregation findet der Kon=
greganist treffliche Belehrungen und die herkömmlichen Kongregationsgebete mit
Ausscheidung alles überflüssigen Beiwerkes. Sicherlich werden die H. H. Präsides
es nicht bereuen, wenn sie „Aufwärts" in ihren Kongregationen einführen (Ben=
zigers Verlag ist bereit, die bei ihm verlegten Kongregationsbüchlein gegen
„Aufwärts" einzutauschen). Dem Jugendseelsorger, Präses und Konfessarius ersteht
in Könns „Aufwärts" ein treuer Bundesgenosse. Möge es seinen Weg finden
in die Hände und zum Herzen unserer Jugend.

30) **Auf Höhenpfaden.** Aloisiusgedanken für die (gebildete) moderne
Welt. Von Jos. Könn. 1. Folge. M. 1.— = *K* 1.20.

Vorstehend genanntes Werk läßt eher einen Berufsethiker als den viel=
beschäftigten Seelsorger als Verfasser vermuten. Der Grundgedanke von desselben
Autors Schriften „Aufwärts" und „Sei stark" wird hier plastisch gestaltet auf
dem Goldgrunde der Vita des Helden Aloisius. An dem wundervollen Grabmal
des liebenswürdigen Heiligen in St. Ignazio zu Rom verkünden je eine Krone
zu beiden Seiten des Altares seine fürstliche Abkunft, aber ein Engel am kost=
baren Sarkophag tritt mit Füßen die irdische Krone, um ihm die himmlische
zu reichen. So schildert der Verfasser mit historischer Treue den Heiligen als
Fürsten im Reiche der Tugend, der auch dem modernen Menschen zeigt, was
sein durch die Gnade gehobener Wille vermag, siegverheißend ladet er zur Nach=
folge ein. Jedem der 6 Kapitel, die in ihrer Gesamtheit den Stoff zu einer
Jugendmission bieten, merkt der Gebildete ein gründliches Studium und große
Vertrautheit mit den ethischen Strömungen der Gegenwart an. Wenn die
12 weiteren „Skizzen", die der Verfasser in Aussicht stellt, mit derselben Gründ=
lichkeit gearbeitet werden, verdient das Werk als eine erfreuliche, im besten
Sinne moderne Bereicherung der Aloisiusliteratur die Beachtung der gebildeten
Kreise. Diesen werden die geistreichen Essays eine ansprechende Lektüre, dem
Prediger Grundlage für gediegene Vorträge bieten — zum Segen für die liebe
Jugend.

31) **Johanna d'Arc,** die von Gott erleuchtete Heldin Frankreichs.
Anläßlich der am 18. April 1909 erfolgten feierlichen Seligsprechung
nach dem Original des Msgr. Heinrich Débout frei bearbeitet und
herausgegeben von Msgr. Max Freiherrn v. Gagern. Wien. Georg
Eichinger. kl. 8°. 204 S. *K* 1.80.

Es war ein glücklicher Gedanke, dem deutschen Lesepublikum ein Buch
über die Jungfrau von Orleans in die Hand zu geben. Wir haben es durch=
gelesen und dabei große Freude, aber auch großen Zorn empfunden. Freude
über die auffallenden Fügungen Gottes und die reinen Tugenden einer Helden=
jungfrau, Zorn und Ingrimm über die Bosheit der Menschen, besonders der
Engländer und eines Bischofs, über den Undank der Welt, besonders des
französischen Hofes. Dem Verfasser ist es gelungen, die uns Deutschen nicht

zusagenden Eigenschaften des französischen Stils mit seiner Breitspurigkeit und seinem Pathos zu vermeiden und die Lektüre genußreich zu gestalten. Möge ein reicher Absatz seine Arbeit und Mühe lohnen.

Linz. M. H.

32) **Die „Los von Rom"-Broschüre** des abgefallenen Religions-professors Mach. Ein Beitrag zur Geschichte der Pamphletliteratur unserer Tage. Von Dr. Alois Schrattenholzer. Wien. Mechitaristen-druckerei. 40 *h*.

Es ist keine angenehme Arbeit, die Schriften von Apostaten zu lesen und zu widerlegen. Diese Schriften sind in der Regel nicht leidenschaftslose, gründliche Verstandesprodukte, sondern das gerade Gegenteil. Der Abfall von Priestertum und Kirche kommt aus der Quelle, aus welcher nach des Heilandes Worten (Matth. 15, 19) böse Gedanken, Todschläge, Hurereien, Diebstähle, falsche Zeugnisse, Gotteslästerungen kommen. Wer also diesen Abfall rechtfertigen will, muß zu Mitteln greifen, die ähnlichen Geruch verbreiten. Das ist auch bei Mach der Fall. Schrattenholzer zeigt nun zunächst, wer Mach ist, wie er zum Abfall kam, ob er recht getan. Dann bespricht er Machs Buch: „Religions- und Weltproblem", Einige Quellen der Broschüre Machs, Ungenannte Quellen, Graßmann redivivus, Beitrag zur Liguorimoral, Zwei Moralkasus in Machs Beleuchtung, Mach als Historiker, Machsche Geschichtsdarstellung.

Da die ungebildeten und halbgebildeten Kirchenfeinde aus Machs Büchern Waffen holen, hat Schrattenholzer der Wahrheit einen Dienst erwiesen, indem er eine kurze, aber gediegene Widerlegung der Machschen Aufstellungen bietet, und zur Abwehr Gelegenheit gibt. Die Broschüre sei bestens empfohlen.

Linz. Dr. M. H.

33) **Mehr Freude.** Ein Ostergruß von Dr. Paul Wilhelm von Keppler, Bischof von Rottenburg. Freiburg. Herder. gebd. M. 2.60 = K 3.12.

Der wesentliche Inhalt dieses originellen Buches ist im siebten Abschnitt „Aus Kunst und Leben" von demselben Verfasser enthalten. Hier ist der Gegenstand erweitert und vertieft. Wahrlich ein genialer Gedanke, über die Freude ein Buch zu schreiben! Wie der Herr Verfasser das tut, erhellt aus dem Inhalte: Das Recht auf Freude — Freude und Neuzeit — Moderne Freudenmörder — Zuviel Freuden und zu wenig Freude — Freude und Kunst — Freude und Volkslied — Freude und Jugend — Freude und Christentum — Des Christen Freude — Die Freude und die heilige Schrift im Alten und im Neuen Testament — Freude und Heiligkeit — Galerie fröhlicher Menschen — Mehr Freude — Kleine Freuden — Freude und Dankbarkeit — Freude und Erziehung — Freude durch Freude — Kunst und Freude — Freude und Seelsorge — Freude und Naturgefühl — Freu' Dich.

Es dürfte schwer sein, noch andere und bessere Quellen der Freude zu finden, als der Herr Verfasser hier gefunden und geöffnet hat. Zudem sind sie reine, heilige Quellen. Es sprudelt Wahrheit, natürliche und übernatürliche Wahrheit aus ihnen, aqua sapientiae salutaris. Und der Herr Verfasser versteht es meisterhaft, diesen heilsamen Urquell dem Leser in goldenem, elegant geformtem Becher zu reichen. Das Buch eignet sich somit auch für Gebildete zur Lektüre, die auf die Form etwas geben. Man verbreite und lese also dieses prächtige Büchlein.

Linz. Dr. M. Hiptmair.

34) **Das Gehirn und seine Tätigkeit.** Von P. Martin Gander O. S. B. Einsiedeln. Benziger. geb. M. 1.50 = K 1.80.

Der Verfasser gibt in der Vorrede den Zweck dieses naturwissenschaftlichen (12.) Bändchens an: dem Laien die anatomisch-physiologischen Geheimnisse des Gehirns wenigstens so weit zu erschließen, daß er einen verständigen

Einblick in dieses tausend- und millionenfache Räderwerk erhält. In fünf Teilen werden behandelt: 1. Das Nervensystem; 2. Nervenelemente; 3. die Lokalisation im Großhirn; 4. die Nervenleitungen; 5. Nervenleben und Seelenleben. Auch dieses Bändchen hat den Vorzug, mit aller wissenschaftlichen Zuverlässigkeit eine gemeinverständliche Darstellung zu verbinden. 46 vortrefflich gelungene Illustrationen erhöhen den Wert des Bändchens. Von besonderem Interesse ist der fünfte Teil, welcher überzeugend die Lehre vom Menschen als einer Wesenseinheit von Leib und Seele darlegt

Linz. P. F.

35) **Die Beichte, ihr Recht und ihre Geschichte.** Von Dr. P. A. Kirsch. München. Münchener Volksschriften-Verlag. M. 0.50 = 60 h.

Ist die Beichte Christi Vermächtnis oder Menschenwerk? Ist die Beichte von den Zeiten der Apostel her oder später eingeführt worden? Hat die Beichte immer die gleiche Gestalt gehabt wie jetzt oder hat sie im Laufe der Jahrhunderte wesentliche Veränderungen erlitten? Gibt es einen Unterschied zwischen Pflichtbeicht und Andachtsbeicht? Ist sie eine Quelle des Trostes oder ein Irrtum? Darf für etwaige Fehler oder Mißbräuche die Beichte oder gar die Kirche verantwortlich gemacht werden? Diese und ähnliche auf die Beichte bezügliche Fragen werden in dieser Schrift gründlich behandelt. Zum Schlusse folgen noch einige Kapitel über „Lossprechung", „Rückfällige" und „Nutzen der Beichte".

Linz. P. F.

36) **Glückssternlein auf der Himmelsbahn.** Von P. Philibert Seeböck O. F. M. Innsbruck. Felician Rauch. K 2.—, gbd. K 2.70.

1. Was Gott will, ist mein Ziel! 2. Herr, lehre uns beten! 3. Alles für Jesus! 4. Meine Liebe ist gekreuziget! 5. Maria, mein Morgen- und Abendstern! 6. Mit Jesu Herz im treuen Bund', steht meine Seel' zur Prüfungsstund'! 7. Die Liebe Christi drängt uns! 8. Vertraulicher Umgang mit Gott! 9. Wo dein Schatz ist, da soll auch dein Herz sein! 10. Du bist meine Geduld, o Herr! 11. Mein Gott, meine Barmherzigkeit! 12. Sterben im Kusse des Herrn! Das sind die Glückssternlein, geistliche Lesungen und Betrachtungen, verteilt auf die einzelnen Monate, welche den Pilgern nach dem himmlischen Jerusalem voranleuchten. Um es kurz zu sagen: Das Buch bietet eine „Anleitung zum geistlichen Leben" in neuer, anziehender Form, wie wir solche von Pater Philibert Seeböck schon gewohnt sind. P. F.

37) **Form der Ehekonsens-Erklärung und Verlöbnisse** nach dem römischen Dekrete „Ne temere" vom 2. August 1907. Von Dr. Alois Schmöger. Wien. Karl Fromme. 90 h.

Diese Arbeit stellt sich wegen ihrer Kürze und doch Klarheit sehr gut an die Seite der Arbeiten des P. Noldin S. J., Dr. Haring u. a. Wegen der Reichhaltigkeit der „Fälle" und besonders auch wegen ihrer Rücksichtnahme auf das österreichische weltliche Gesetz hat sie noch einen besonderen, erwähnenswerten Vorzug.

Linz. P. F.

38) **Wunder und Christentum.** Konferenzen, gehalten in der Hof- und Domkirche zu Graz, von P. Reginald M. Schultes O. Pr., S. Theol. Lector. Mit Approbation der Oberen und des fb. Seckauer Ordinariats. Graz 1909. Verlag von Ulrich Mosers Buchhandlung. 128 S. K 1.60.

Höchst aktuelle Fragen sind es, die der Verfasser in zehn Konferenzen der gebildeten Laienwelt vorlegt. Gerade in unserer Zeit wird ja der Kampf gegen die Möglichkeit und Erkennbarkeit des Wunders erbitterter denn je geführt, was seinen tiefsten Grund in der großen Bedeutung hat, die dem Wunder zukommt. Das Werk, das tiefe philosophische Bildung verrät, wird dem Seelforger der Großstadt, der in die Lage kommt, Konferenzreden zu halten, gute Dienste leisten.

Schwarzau.   C. Gall.

39) **Das Handwerk.** Soziale Vorträge. 5. Heft. Herausgegeben vom Volksverein für das katholische Deutschland. M.=Gladbach. 1909. 204 S. 80 Pfg. = 96 *h.*

Die „Sozialen Vorträge" haben von ihrem Erscheinen an in den weitesten Kreisen dankbare Aufnahme gefunden; findet doch in ihnen so mancher mit Arbeiten überhäufte Vereinsvorstand schnell gut gesichtetes Material zu seinen Vorträgen. Mit besonderem Dank aber wird das 5. Heft „Das Handwerk" von allen, welche mit dem Handwerke in irgend welcher Beziehung stehen, begrüßt werden. Dieses Heft schildert durchaus objektiv, in schöner gewählter Sprache die geschichtliche Entwicklung des Handwerkes; daran anschließend nimmt es Stellung zur Handwerker-Gesetzgebung und zum Befähigungsnachweis im Handwerk. In äußerst lehrreicher Weise wird sodann gezeigt, daß es notwendig ist, daß auch die Handwerker in Genossenschaften und Innungen sich neuorganisieren, um sich dem Großbetrieb gegenüber lebenskräftig zu erhalten. Unter den 27 gediegenen Abhandlungen seien noch ganz besonders erwähnt: Gewerbliche Förderung des Handwerkes; Was muß ein Handwerker heute wissen und können?; Was muß der Handwerksgeselle in der Meisterprüfung wissen?; Die religiösen, sittlichen und wirtschaftlichen Aufgaben der Gesellenvereine; In welchem Geiste haben wir in den Gesellenvereinen die Handwerkerjugend zu erziehen? — Möge dieses Heft in jeder Vereinsbibliothek Aufstellung finden, es wird dies zum Besten des Vereines sowie zum Segen des Handwerkes gereichen!

Oberstaufen.   P. Balleis.

40) **Die Moral in ihren Beziehungen zur Medizin und Hygiene.** Von Dr. Surbled=Sleumer. Bd. 1. Das organische Leben. Hildesheim. 1909. Borgmeyer. M. 2.50 = *K* 3.—; geb. M. 3.— = *K* 3.60.

Es behandelt moraltheologische, philosophische, medizinische und hygienische Fragen gemeinverständlich und doch wissenschaftlich. Priestern und gebildeten Laien kann dieses Werk nur dringend empfohlen werden. Selbst der christliche Arzt wird davon profitieren können. Zwei Kardinäle und vier Bischöfe haben es warm empfohlen. Das spricht genug für den Wert dieses Werkes.

Linz.   P. F.

41) **Satan bei der Arbeit.** Von Konrad von Bolanden. Heiligenstadt. Cordier. M. 1.50 = *K* 1.80; geb. M. 2.50 = *K* 3.—.

Waldemar macht seinen Freund Notker auf das Treiben der Freimaurer aufmerksam, was aber dieser nicht glauben will. Sie machen eine Reise, kommen in einige Städte Frankreichs, wo sie geschlossene Kirchen, aufgehobene Klöster, dem Elende preisgegebene Priester finden. Sie machen auch eine Reise in deutsche Städte, wo sie die Hetzereien des „Evangelischen Bundes" und die sittenlosen Ausstellungen in den Schaufenstern sehen. Freund Notker hat nun genug gesehen, um zu begreifen, wie „Satan an der Arbeit" sei. Weil ein Roman, muß doch die Geschichte mit einer unschuldigen Liebschaft und einer Heirat abschließen.

Linz.   P. F.

42) **Geistig minderwertige Kinder** auf dem Lande und in kleinen Städten. Eine Darstellung ihrer unterrichtlichen und erziehlichen Behandlung. Von Franz Weigl, Hilfsschullehrer in München. Donauwörth. 1908. Verlag Auer. M. 1.50 = *K* 1.80.

Vorliegendes Buch bietet eine sehr instruktive Aufklärung über die Er=
scheinungsformen und Ursachen des Schwachsinns im Kindesalter. Das statistische
Material ist mit lebenswarmen Schilderungen solch armer Geschöpfe, deren
Heimat und Abkunft mit zarter Diskretion verschwiegen ist, geschmückt. Der
ruhige Leser kommt hier naturnotwendig zur Erkenntnis: hier bedarf das
Urteil der Gesellschaft einer Korrektur und die Fürsorge für diese Verlassenen
energischer Arbeit. Wie vielfach die Eltern mitschuldig sind am Unglück ihrer
Kinder durch Ausschweifung und Genußsucht, tritt uns in nackten Zahlen vor
Augen. Für den Pädagogen besonders interessant ist die Betonung der Wechsel=
wirkung zwischen körperlichen und geistigen Abnormitäten. Das hübsch aus=
gestattete Buch ist in Wahrheit eine Gedenkschrift für alle Eltern, Lehrer und
Seelsorger, deren Lektüre bestens empfohlen wird.

Linz.   Heinrich Rechberger, Taubstummenlehrer.

43) **Jesus Christus.** Vorträge auf dem Hochschulkurs zu Freiburg i. Br.
1908, gehalten von Dr. K. Braig, Dr. G. Hoberg, Dr. C. Krieg,
Dr. S. Weber, Prof. in Freiburg und Dr. G. Esser, Prof. in
Bonn. Freiburg und Wien. 1908. Herder. 8⁰. VIII u. 440 S.
M. 4.80 = K 5.76, geb. M. 6.— = K 7.20.

Die Hauptfragen, welche in der religiösen Bewegung der Gegenwart eine
besondere Vorherrschaft errungen haben, die Lieblingsideen der radikalen Kritiker,
werden einer streng wissenschaftlichen Prüfung unterworfen. Auf diesem Wege
wird der geschichtliche Charakter der Evangelien, der synoptischen und des
johanneischen insbesondere, nachgewiesen, das Zeugnis von der Gottheit Jesu in
der Heiligen Schrift: des Alten Bundes, bei Paulus und in den Evangelien,
beleuchtet. Drei Vorträge beantworten die Frage: Was sagen die Leute von der
Person, von der Lehre, von der Stiftung Jesu Christi? und betrachten dabei
die Aufstellungen der außerkatholischen Theologie im 19. Jahrhundert. Noch tiefer
wird darauf eingegangen in den Ausführungen über das christologische Dogma
unter Berücksichtigung der dogmengeschichtlichen Entwicklung, wobei Protestanten
und Modernisten eingehend vernommen werden und das Dogma von der hypo=
statischen Union in seiner göttlichen Größe vorgeführt wird. Lebensvolle Schluß=
ausführungen zeichnen die erhabene Gestalt Jesu und zeigen ihn uns als den
Lehrer der Wahrheit, dem Erzieher zur Sittlichkeit und als Spender des Lebens.
Im Anhang folgen zwei Vorträge über die Modernismusfrage, die ja mit den
behandelten Themen in engstem Zusammenhange steht, und worin das Ein=
greifen der obersten kirchlichen Stelle den gefährlichen Fluten der negativen
Theologie einen Damm gesetzt hat. Durch alle Vorträge sind die Ansichten dieser
Richtung kritisch beleuchtet, wobei es oft nicht schwer wird, ihre große Ober=
flächlichkeit nachzuweisen und manche Widersprüche aufzudecken. Im großen
Geisteskampf der Jetztzeit bietet die Schrift eine reiche Waffenrüstung der ge=
diegensten Art und erweist sich als verläßlicher Führer und Ratgeber. Das
äußerst zeitgemäße Werk empfiehlt sich die sorgfältigste Beachtung nicht bloß der
Berufsapologeten, sondern aller Gebildeten. Für eine Neuausgabe sei der Wunsch
ausgedrückt, daß die verwendeten Quellenstellen anmerkungsweise ausführlich bei=
gegeben werden.   Dr. Seb. Pletzer.

44) **Die Wanderarmenfürsorge in Deutschland.** Von
J. Weydmann, Armensekretär in Straßburg. M.=Gladbach. 1908.
Volksverein. 104 S. M. —.85 = K 1.02.

Das 12. Heft der „Sozialen Tagesfragen", herausgegeben vom rührigen
Volksvereinsverlag in M.=Gladbach, gibt zuerst Auskunft über die bisherigen
gesetzlichen Institutionen zur Unterdrückung der vagabundierenden Bettelei und
zur Linderung des Loses der Heimatlosen durch die Reichsgesetzgebung und durch
die Landesgesetze. Dann untersucht es kurz die soziale und wirtschaftliche Be=
deutung des Wanderns; besonders ausführlich werden darauf die praktischen
Versuche privater Fürsorge zur Abhilfe gegen Landstreicherei besprochen: Die

Antibettelvereine, Verpflegsstationen, Arbeitsstätten, Kolonien, Asyle, Gesellen=
vereine usw., die freilich fast alle als noch lange nicht zum Ziele führend be=
funden werden. Dieses Kapitel ist in gleicher Weise interessant und lehrreich.
Einige Schlußfolgerungen geben praktische Winke und planmäßige Vorschläge
für bessere Ausgestaltung und fordern mit Recht besonders eine individuelle
Behandlung jedes Hilfsbedürftigen. Ein Anhang bringt verschiedene Dokumente,
wie: Ordnungen, Statuten, Wanderregeln und statistische Nachweisungen. Läßt
sich viel daraus lernen und heilsame Anregung schöpfen.   Dr. Seb. Pletzer.

45) **The Catholic Encyclopedia.** An international work
of reference on the constitution, doctrine, discipline and
history of the Catholic church. Edited by Charles G. Herbermann, Ph. D. LL D., Edward A. Pace, Ph. D. D. D., Condé
B. Pallen, Ph. D. LL. D., Thomas J. Shahan, D. D., John
J. Wynne S. J. etc. New-York, Robert Appleton Company
(1907 ff.).

Nordamerika hat uns mit einem katholischen, in jeder Beziehung groß=
artig angelegten Werk, — einer „Katholischen Enzyklopädie" überrascht. Diese
Enzyklopädie soll uns über die Verfassung, Lehre, Disziplin und Geschichte der
katholischen Kirche, sowie auch über die gesamte religiöse Kultur der Gegenwart
und Vergangenheit in Wort und Bild belehren.

Bis jetzt liegen vier stattliche Quartbände vor; das Werk ist im ganzen
auf fünfzehn Bände in einer Stärke von je zirka 800 Seiten berechnet und
soll bei 2000 Karten und Abbildungen enthalten. Das monumentale Werk ist
in englischer Sprache geschrieben und zunächst auch für das große englische
Sprachgebiet bestimmt; in ihm werden daher auch vorwiegend englische, bezw.
angloamerikanische Verhältnisse berücksichtigt. Für das große Unternehmen sind
vorzügliche Kräfte, meist aus England und Amerika, einige auch aus Deutsch=
land, Italien, Frankreich und -Spanien, gewonnen worden und es schreitet bei
vereinten Kräften die Arbeit rüstig fort.

Berücksichtigt die Enzyklopädie, wie bemerkt, mehr englische Verhältnisse, so
werden doch auch die anderen Länder nicht vernachlässigt, wenn auch in letzterer Be=
ziehung manches vielleicht noch eingehender und genauer behandelt werden könnte.

Einige Titel zeigen eine besonders ausgezeichnete Bearbeitung und brin=
gen Einzelheiten, die kaum in anderen Werten ähnlichen Inhalts eine kurze
Besprechung erfahren oder gar nicht erwähnt werden. Das Erscheinen dieser
vortrefflichen Enzyklopädie wurde daher auch schon gleich anfangs mit großer
Freude begrüßt und es haben sich für die ersteren Bände schon bei 12.000 Ab=
nehmer, — besonders Universitäten und Bibliotheken, unterzeichnet. Dieses
literarische Unternehmen wurde auch von akatholischer Seite seiner Reichhaltig=
keit, Wissenschaftlichkeit und Unparteilichkeit wegen gebührend anerkannt und
das Werk als ein epochemachendes bezeichnet; in Deutschland sieht man es als
eine „Großtat des amerikanischen Katholizismus" an und als ein Zeichen von
Mut und unbestreitbarer Leistungsfähigkeit. Für den Katholiken ist es ein apo=
logetisches Nachschlagewerk ersten Ranges und von bleibendem Wert.

Es hat deshalb auch die Herdersche Verlagshandlung in Freiburg den
Alleinvertrieb des Werkes für Deutschland und Oesterreich übernommen. Ein
jeder Band erscheint in drei verschiedenen Ausgaben zu M. 65.—, M. 35.—
und M. 27.—. Der Preis ist bei der prachtvollen Ausstattung, dem schönen
Druck und der Beigabe von vielen, zum Teil kolorierten Bildern ein äußerst
billiger zu nennen.

Linz.   R. H.

46) **Des Königs Werk.** Historischer Roman v. Robert Hugh Benson.
Autorifierte Uebersetzung von E. und R. Ettlinger, eingeleitet durch
eine biographisch=literarische Skizze. Mit dem Bildnis des Autors und

7 Einschaltbildern. 512 S. 8°. Einsiedeln, Waldshut, Köln a. Rh., Verlagsanstalt Benziger & Co. A. G. Brosch. *K* 7.20, in Orig.-Einband *K* 8.40.

Wir haben das interessante Buch mit großem Vergnügen gelesen und
glauben es bestens empfehlen zu dürfen. Uns Deutschen sagen ja die englischen
Romane besser als die anderer Nationen zu. Robert Hugh Benson, der am
18. November 1871 geborene Sohn des anglikanischen Erzbischofs von Canterbury, trat 1903 zur katholischen Konfession über und widmet sich jetzt als Pfarr-
assistent an der katholischen Kirche zu Cambridge der Seelsorge und seinem
dichterischen Schaffen. — „Des Königs Werk" ist der erste Teil seiner historischen
Trilogie aus dem Zeitalter der englischen Glaubensspaltung. In machtvollen
Linien zeichnet der Autor in diesem Buche die schreckhaft ungeheuerliche Kraft-
gestalt König Heinrichs VIII., das dunkle Charakterbild des gewissenlosen Ministers
Thomas Cromwell, die tragischen Helden des alten Glaubens, Kardinal Fisher
und Thomas Morus. Nichts wäre indessen irriger als die Annahme, daß in
diesem Romane der Geschichtsforscher das große Wort rede und den Dichter in
den Schatten stelle. Die geschichtlichen Ereignisse bilden nur den Hintergrund zur
fesselnden Geschichte einer Liebe, zu einer an intimen Episoden und erschütternden
Kontrasten reichen Familientragödie. Mit der völligen Beherrschung des prag-
matischen Stoffes geht in Bensons geschichtlichen Romanen Hand in Hand ein
intuitives Verständnis für das Seelenleben seiner Helden. Sein scharfes Auge
durchdringt die Nacht des Abgrundes und die Lichtfülle des Tages. Nicht im
Staube der Niederungen, nicht im Banne des Gewöhnlichen wandeln seine Gestalten, sondern in Sturmesbeben auf der Menschheit Höhen. Gute und Böse!
aber alle sind sie wirkliche Menschen, glaubhaft und wahr, wie das Leben selber.
Die Uebersetzung aus der Feder von E. und R. Ettlinger ist vortrefflich, die
Ausstattung des Buches vornehm und gediegen, der Bilderschmuck, zumeist nach
Bildnissen von Hans Holbein, sehr interessant und wertvoll.   M. H.

47) Rotes Banner und weißes Kreuz. Erzählung aus der Zeit
des Johanniterordens von Heinrich von Hähling. Mit 16 Einschaltbildern nach geschichtlichen Vorlagen und nach Originalkompositionen von
M. Annen. 182 S. 8°. Einsiedeln, Waldshut, Köln a. Rh., Verlagsanstalt Benziger & Co., A. G. In Orig.-Einband *K* 4.35.

Der Held dieser historischen Erzählung ist Johann de la Valette, einer
der hervorragendsten Großmeister des Johanniterordens. Zunächst als junger
Ordensritter, dann als Adjutant des Großmeisters Villiers de l'Isle kämpft er
auf Rhodus die letzten furchtbaren Verteidigungskämpfe gegen die anstürmende
Kriegsmacht des Sultans Soliman mit, ficht später als Seeheld vor Tunis und
Tripolis und steigt von Stufe zu Stufe im Orden, bis er 1557 die höchste Würde,
die des Großmeisters erreicht. Jung und alt, besonders aber die für kriegerische
Ereignisse so begeisterte Knaben- und Jünglingswelt wird das flott geschriebene
Buch mit großem Genusse lesen. Rühmlich hervorzuheben sind auch die geschmack-
vollen Illustrationen: 16 ganzseitige Einschaltbilder mit den wichtigsten Szenen
der Erzählung, Porträts berühmter Großmeister, sowie eine Karte und geographisch-
geschichtliche Abbildungen. Der schmucke Einband fällt vorteilhaft in die Augen.
                                                                     M. H.

48) Katechismus für Hilfsschulen und Anstalten. Von Josef
Pemsel, Wallfahrtspriester in Wending (Schwaben). 1908. Selbstverlag
des Verfassers. 4°. 80 S. M. 1.— = *K* 1.20, 10 Exemplare M. 7.—
Kleinkinder-Katechismus. Von demselben. Selbstverlag. 1908. 4°.
29 S. M. —.75, = *K* —.90, 10 Exemplare M. 5.— = *K* 6.—.

Schwachbefähigte bedürfen eines anderen Unterrichts und anderer Lehrbücher als Normalbefähigte. Pemsel hat die dankenswerte Aufgabe auf sich
genommen, einen Katechismus zu schreiben, der Schwachbefähigten als Lernbuch
in die Hand gegeben werden könnte. Er hat zu diesem Zweck nicht etwa einfach

den Normalkatechismus auf ein Mindeſtmaß zuſammengeſtrichen, ſondern er hat ein ganz neues Buch geſchrieben, in welchem nicht bloß der Umfang, ſondern auch der ſprachliche Ausdruck der Auffaſſungskraft ſchwacher Kinder angepaßt werden ſollte. In ſprachlicher und methodiſcher Beziehung iſt Pemſels Arbeit eine ziemlich gut gelungene. In Frage 7 findet ſich eine etwas merkwürdige Interpunktion: „Ich glaube an Gott, Vater den allmächtigen, Schöpfer . . .", auch ſollte „Nachlaß" (im lateiniſchen Text ſteht remiſſionem, nicht indulgentiam) ſtatt „Ablaß der Sünden" geſagt ſein. S. 6 könnte die Formulierung „Er (Gott) gibt uns die Milch" denn doch etwas mißverſtändlich ſein. Das Schutzengelgebet (zehnzeilig) ſcheint mir für Schwachſinnige zu lang; ein kürzeres läßt ſich leichter memorieren. Jedem Kapitel geht eine ſchöne, meiſt an die Bibel anknüpfende Erklärung voraus; in Frage 32 findet ſich „Gnade Gottes" jedoch leider nicht erklärt. Auf Frage 104: „Was will der liebe Gott von dir im zweiten Gebote?" folgen als Antwort drei Forderungen, wovon eine lautet: „Ich ſoll anderen nichts Böſes wünſchen." In ſolcher Textierung gehört dieſe Antwort offenbar zum 5. Gebot Gottes. — Stellt man in neuerer Zeit ſelbſt für den Normalkatechismus die Forderung nach Illuſtrierung, dann muß ſie um ſo mehr für einen Katechismus der Schwachen geſtellt werden. Ueber die Katechismusilluſtrierung ſcheint aber ein eigenartiges Verhängnis zu walten; ſie hat noch zu keinem befriedigenden Reſultate geführt. Auch die Pemſelſchen Katechismen haben in den Illuſtrationen ihren ſchwächſten Teil. „Eine einfache, markante Illuſtration in Farben" wurde angeſtrebt; ſie macht aber durch ihre grobe Technik den Eindruck, als hätte der Grundſatz gegolten: für Schwachbegabte iſt bald etwas gut. Das Bild „Jeſus in der Krippe" iſt gar nicht würdig genug, in der Darſtellung der Mutter Gottes würde man am eheſten die Büßerin Magdalena vermuten. Als Muſter eines betenden Kindes iſt S. 42 der knieende Jeſusknabe geboten; indem er aber auf den Ferſen ſitzt, iſt er ein Muſter dafür, wie man nicht beten ſoll. Zum 4. Gebot ſteht über den Worten: „Ich darf gegen meine Eltern und Vorgeſetzten nicht grob und nicht trotzig ſein" als Veranſchaulichung Satans Sturz durch St. Michael. (War Luzifer gegen Eltern und Vorgeſetzte grob und trotzig?). Auch die Illuſtrierung des 7. Gebotes durch Judas mit dem Strick und die Worte: „So ſtarb der diebiſche Judas" ſcheint mir nicht glücklich. — Für ſolche Kinder, die von der Summe der Heilswahrheiten nur ein Mindeſtmaß ſich aneignen können, knapp ſoviel, als zur Erlangung des Heiles erforderlich iſt, hat Pemſel den „Kleinkinder-Katechismus" herausgegeben, der in Bezug auf Text und Bild einen Auszug aus dem erſtgenannten Katechismus darſtellt.

Wien.   W. Jakſch.

49) **Handbuch zur Katholiſchen Volksſchulbibel.** Von Dr. Jakob Ecker. Trier. 1908. Verlag Schaar u. Dathe. 8⁰. 576 S. Broſch. M. 4.20 = K 5.04; geb. M. 5.— = K 6.—.

Ecker hat ſein Schulbibelwerk nunmehr vollendet, ein großes Werk, welches ihm Lorbeeren brachte. In erſtaunlich raſcher Folge erſchienen Schulbibel und Volksſchulbibel, das zweibändige Handbuch zur erſteren und nun auch ein einbändiges Handbuch zur letzteren. Wie die Volksſchulbibel eine verkürzte Ausgabe der Schulbibel iſt, ſo ſtellt ſich das Handbuch zu jener als eine Verkürzung dieſer dar. Da das erſterſchienene „Handbuch" in der „Quartalſchrift" (1908, Heft 2, S. 371) bereits gewürdigt wurde, bedarf es für das vorliegende Buch nicht erſt einer neuerlichen Empfehlung. Es macht ſich ſelbſt Reklame.

Wien.   W. Jakſch.

50) **Das 700jährige Jubiläum** der Gründung des ſeraphiſchen Ordens des Heiligen Vaters Franziskus 1209—1909. Feſtſchrift für das katholiſche Volk von P. Philibert Seeböck O. F. M. Innsbruck. 1909. Fel. Rauch. 8⁰. 58 S. Broſch. K —.50.

Vorliegende Schrift ist wegen ihrer gefälligen Kürze und des geringen Preises so recht für das Volk geschrieben, um dasselbe mit dem seraphischen Heiligen und seiner Ordensstiftung bekannt zu machen. Es existieren zwar eine Reihe von Werken und Monographien über das Leben des heiligen Franziskus; die meisten jedoch sind wegen ihres Umfanges nicht so geeignet, in die untersten Schichten des Volkes zu dringen. Hier ist auf 57 Seiten alles kurz beisammen, was den Heiligen von Assisi und sein Lebenswerk betrifft. Die Schrift handelt von der Jugend, dem Leben und Tod des Heiligen, seinen drei Ordensstiftungen und den reformierten Ordenszweigen (Observanten, Kapuziner, regulierte Terziaren). Im Anhang ist eine Belehrung für Terziaren über den Geist des dritten Ordens, die seraphischen Tugenden und Andachten, sowie über den sogenannten Franziskaner-Rosenkranz angefügt. Die Schrift dürfte vielleicht auch manchen Seelsorger dazu aneifern, das Volk mit dem dritten Orden bekanntzumachen. „Der dritte Orden", sagt der hochwürdige Herr Verfasser im Schlußwort, „in einer Gemeinde gut gepflegt und pastoriert, ist wie ein Treibhaus in einem Garten. Er liefert die schönsten Blumen für den Altar wie fürs Herz, wahre Anbeter des heiligsten Sakramentes, eifrige Verehrer Mariens und geduldige, schweigsame, arbeitsame, abgetötete Seelen, die ihr Leben mit Christo in Gott verborgen haben." Möge die Schrift, die ein recht geeignetes Jubiläumsgeschenk für Terziaren ist, recht große Verbreitung finden!

Schwarzau. C. Gall.

51) Kirchenmusikalisches Jahrbuch. Begründet von Dr. Franz X. Haberl. Herausgegeben von Dr. Karl Weinmann. 22. Jahrgang. Regensburg. 1909. Friedrich Pustet. (IV u. 172 S.) Lex.=8°. Brosch. M. 3.40 = K 4.08, geb. M. 4.— = K 4.80.

In kleinerem Format, aber — fast möchte man sagen — mit um so reicherem Inhalt ist diesmal das Kirchenmusikalische Jahrbuch erschienen. In der Tat fängt man darin zu lesen an, so wächst von Aufsatz zu Aufsatz, von Studie zu Studie das Interesse an dem ebenso abwechslungsvollen, als guten und fein ausgearbeiteten Inhalte. Die Einteilung dieses Inhaltes schon ist praktisch: Theorie der Kirchenmusik, wozu Aesthetik gehört; Praxis der Kirchenmusik; sodann die Quellen beider, Bücher, Handschriften, Kompositionen und deren kritische Behandlung. Setzen wir gleich den Inhalt hieher: O Roma nobilis, Rheinbergers Messen, Ruggiero Giovannelli, des heiligen Augustinus 6 Bücher de musica, die Universalität der katholischen Kirchenmusik. — Ferner: Musikalische Aufgabe des Priesterseminars; Schule und Volkslied; Illuminierte Choralhandschriften zu Neustift; die Anfänge der kirchenmusikalischen Reform; die Orgel der Zukunft; das Einspielen zu Choralgesängen; Abt Benedikt Sauter und Erzabt Plazidus Wolter; zur Geschichte des deutschen Kirchengesanges; Konzil von Clovenstahl; alte Praktiker; zäzilianische Pflege der Musikwissenschaft; die katholische Kirchenmusik auf dem Irrwege? — Dazu 5 Kritiken und Referate und 26 Rezensionen und Besprechungen verschiedener Werke und Bücher. Wahrhaftig eine Unmasse von Stoff und zwar nur über Musik und Kirchenmusik. Dr. Alfred Schnerich, welcher in dem Aufsatze „Die katholische Kirchenmusik auf dem Irrwege" über sein Buch: „Messe und Requiem seit Haydn und Mozart" eines Besseren belehrt wird, scheint sich in der jüngst im Wiener „Vaterland" erschienenen Rezension des Kirchenmusikalischen Jahrbuches aus seiner Feder mit dem Satze rächen zu wollen: „Es ist zwar herzlich wenig vom Kirchenmusik im Jahrbuche enthalten . . . ." Demgegenüber urteile der Leser selbst! Sogar protestantische (2) Blätter haben volles Lob unserem Jahrbuch gespendet, indem sie selbst hinzufügten, daß ihre religiöse Vereinigung nichts dergleichen zu bieten hätte.[1]

Nehmen wir als Musterproben drei Abhandlungen heraus: St. Augustin 6 libri de Musica, „Die Orgel der Zukunft" und „Schule und Volkslied". In

---

[1] Monatschrift für kirchliche Kunst und Liturgie; Kirchenzeitung, evangelische, Monat Februar.

der erſten ſind die höchſten philoſophiſchen und theologiſchen Prinzipien der Muſik, ſowie die weſentlichen Beziehungen zwiſchen geſchaffener und ungeſchaffener Harmonie, mittelſt Uebertragung eines Strahles der urbildlichen Schönheit in den Geiſt des Abbildes Gottes, dargelegt. Zweck der Muſik iſt Erhebung des Geiſtes und Willens zur ewigen Harmonie, woraus das music vivere, d. h. das Leben im Einklang mit dem Willen Gottes folgt.

Die Orgel der Zukunft iſt die ſogenannte Translationsorgel, eine Orgel, auf welcher alle Regiſter von einem Manual zum anderen und alle Koppelungen auf alle Regiſter übertragen werden können. Bei freier Regiſtrierung läßt ſich jedes einzelne Regiſter frei und unabhängig auf jedem Manuale ſpielen; es ſind deshalb die Regiſterzüge doppelt vorhanden, für das 1. und 2. Manual; eine Unterſcheidung zwiſchen Regiſtern des 1. und des 2. Manuals findet nicht mehr ſtatt und ſind auch ſämtliche Regiſter auf eine Windlade geſtellt.

Im Aufſatz „Schule und Vorbild“ iſt ſehr klar die Bedeutung des Geſangsunterrichtes der Kinder für Ton-, Stimm- und Sprechbildung dargetan, aber nur wenn Solo-Geſang (jedes Kind einzeln) gegenüber dem gebräuchlichen Zuſammenſingen oder Zuſammenſchreien geübt wird.

Linz.   J. Weidinger.

52) Niceta, Biſchof von Remeſiana, als Schriftſteller und Theologe. Von Dr. Wilhelm Auguſt Patin, Hofſtiftsvikar am K. Hof- und Kollegiatſtift St. Cajetan in München. München. 1909. J. Lindauerſche Buchhandlung (Schoepping.) XII u. 137 S. Gr. 8°. M. 2·— = K 2.40.

Angezogen durch die vom Dunkel der Jahrhunderte umgebene und eigentlich ſo wenig bekannte Erſcheinung Nicetas und den edlen Geiſt, der aus ſeinen Schriften ſpricht, gelockt von einer Fülle wertvoller Anregungen in Burns trefflichem, mit Begeiſterung geſchriebenem Buche, habe er, ſagt der Verfaſſer obengenannter Schrift (S. 3), auch einen kleinen Beitrag zur Nicetafrage liefern wollen und dieſe Studie über die ſchriftſtelleriſche Tätigkeit und Theologie des heiligen Biſchofs verſucht. Es iſt gewiß freudigſt zu begrüßen, daß Niceta, der daciſche Miſſionsbiſchof und wackere Verteidiger des wahren Glaubens, der vermutlich zwiſchen 346 und 420 lebte, einen ſo begeiſterten Lobredner gefunden, als welchen der Verfaſſer vorliegender Studie ſich erweiſt. Mit größtem Fleiße ſammelte und ſichtete der Verfaſſer das bereits reichlich vorhandene diesbezügliche Material und ſchuf ein lichtvolles, anziehendes Bild jenes Mannes, über den Jahrhunderte den Schleier geworfen. In klarer und überſichtlicher Weiſe behandelt er folgende Punkte:

1. Leben und Schriften Nicetas; 2. Niceta ein abendländiſcher Theologe; 3. Quellen der Theologie Nicetas oder ſeine Beziehungen zu anderen Autoren; 4. Nicetas Theologie; 5. Nicetas Stil und Sprache.

Dem Verfaſſer leiſteten zwar die trefflichen Vorarbeiten von Burn, Turner, Morin, Weyman, Hümpel u. a. weſentliche Dienſte, er bekundet aber gleichwohl neben vollſtändiger Beherrſchung der einſchlägigen Materie ein klares, ſelbſtſtändiges Urteil, ein Vorzug, den beſonders der vierte und fünfte Teil der Abhandlung beanſpruchen kann. Im Gegenſatz zu Lagin („Te Deum ou Illatio? Contribution à l'histoire de l'Euchologie latine à propos des Origines du Te Deum“, Abbaye de Solesmes 1906, 594 p.) tritt der Verfaſſer (in liebereinſtimmung mit Morin, Weyman, Burn, Turner und Kattenbuſch mit Ueberzeugung dafür ein, daß Niceta der Verfaſſer des Hymnus „Te Deum“ iſt und bringt für dieſe ſeine Anſchauung auch einige neue Beweisgründe vor.

Keiner dürfte wohl vorliegende klar und mit ſichtlicher Wärme geſchriebene Arbeit ohne Befriedigung und geiſtigen Gewinn leſen.

Regensburg.   Dr. Joſef Schmid.

53) **Erzieher und moderner Nacktkultus.** Von Franz Weigl. (Pädagogische Zeitfragen, Band V, Heft 25). München. 1909. Verlag von Val. Höfling. 33 S. 60 Pfg. = 72 h.

Die mit Geschick abgefaßte Broschüre will die pädagogischen Kreise aufmerksam machen auf Inhalt und Umfang der Schmutzproduktion mit ihrer immer mehr hervortretenden Propaganda der Nacktheit. Sie bespricht zuerst das Aktbilder- und Modellunwesen und empfiehlt nach Beibringung wahrhaft skandalöser Vorfälle die Anwendung der freilich spärlichen gesetzlichen Mittel und die Arbeit in der Schule selbst. „Bezüglich all der Dinge, die das sexuelle Leben berühren, soll der Lehrer besonders die sogenannten besseren Elemente in jeder Klasse zur vollen Aufrichtigkeit erziehen. Selbstverständlich muß die Warnung des Lehrers vorsichtig gemacht werden, damit er nicht auf diese Dinge verweist, wo kein Schüler eine Ahnung von der Existenz derselben hat." (S. 19). Dann bespricht die Broschüre die Nacktheit auf öffentlicher Bühne. Hier ist die Schule eigentlich machtlos, wenn die Eltern nicht selbst eingreifen. Aber gerade diese sind in Theatersachen oft merkwürdig „vorurteilslos". So lese ich in der Wiener „Reichspost" vom 6. Februar 1909, daß an drei Bürgerschulklassen in Wien Untersuchungen in dieser Richtung angestellt wurden. Dabei ergab sich: Von 153 Schülern hatten nur 19 nie ein Theater besucht, die anderen hatten 639 Stücke gesehen; davon waren Tendenzstücke 7 Prozent, Operetten 7 Prozent, französische Ware 7 Prozent (!), Schundstücke 22 Prozent (!). Das Blatt fügt bei: „Diese Kinder sind zu bedauern und die Eltern — zu prügeln." Der dritte Teil handelt vom Nacktkultus in Schulen; dieser Passus, der sich an meine vorjährigen Ausführungen in dieser Zeitschrift anschließt, tönt aus in einen ergreifenden Appell an die deutsche Lehrerschaft aller Schulgattungen, in diesem Kampfe festzustehen. „Christlicher Sinn und deutsche Stammestugend sind die Hoffnungssterne, auf die wir bei allen Erziehern bauen." (S. 33.) Des Kampfes bedarf es, denn es scheinen sich gewisse Mächte der Bewegung angenommen zu haben. So lese ich in einer Stuttgarter Publikation: „Es ist eine Loge des aufsteigenden Lebens begründet worden, die einen Zusammenschluß von Freunden nackter Wahrheit erstrebt. Dieselbe umfaßt drei Grade. Der erste Grad der L. D. A. L. nimmt reife Persönlichkeiten jeden Geschlechtes auf, die unsere moralischen Grundsätze anerkennen und in die Tat umzusetzen sich bemühen. Der zweite Grad vertritt ästhetische und biologische Lebensgrundsätze Nur Mitglieder des ersten Grades erfahren Näheres über denselben. Der dritte Grad basiert auf rassenhygienischer Grundlage. Nur Mitglieder des zweiten Grades erfahren Näheres darüber." Solche Dinge geben doch zu denken, umsomehr, da auch in Berlin die betreffenden Vereinigungen „Nacktlogen" genannt werden.

Um aber auf unsere Broschüre zurückzukommen: sie ist allen Erziehern aufs Beste zu empfehlen, denn es ist noch immer zu wenig bekannt, welch gräßliche Gefahren unsere Jugend bedrohen.

Urfahr.   Dr. Johann Ilg.

54) **St. Johannes, der Täufer.** Fastenvorträge von P. Johannes Polikka C. Ss. R. Münster i. W. 1907. Alphonsus-Buchhandlung. Kl. 8⁰. 340 S. Brosch. M. 2.—, gbd. M. 3. — = K 2.24, gbd. K 3.36.

Diese Fastenvorträge sind, wie der Verfasser in der Vorrede bemerkt, für die gebildete Welt berechnet. In denselben werden sehr aktuelle Themate behandelt. In etwas geänderter Form passen sie aber auch für das Volk. Selbst für das Land werden diese Vorträge von Nutzen sein, denn die moderne Aufklärung hat sich auch auf demselben verbreitet, wenn zum Glücke auch nur strichweise.

Es würde zu weit führen, eine genaue Inhaltsangabe zu bieten. Daher wollen wir die behandelten Themate angeben und uns nur bei einem etwas länger aufhalten. 1. St. Johannes, der Mann der Gnade: Erbsünde in allseitiger Beleuchtung; 2. St. Johannes, der Mann der Wüste: Selbstzucht; 3. Sankt

Johannes, der Mann des Gebetes: das Gebet; 4. St. Johannes, der Mahner zur Treue: Feinde und Freunde des katholischen Ehestandes; 5. St. Johannes, der Mahner zur Buße: Bedeutung, Betätigung und Belohnung der Buße; 6. St Johannes, der Märtyrer der Pflicht: Pflichtbewußtsein, =eifer und =treue.

Nehmen wir nun eine Predigt, Nr. 3, näher in Augenschein, so erkennen wir die Reichhaltigkeit derselben. (Einleitung: St. Johannes in der Wüsten= einsamkeit. Seine Innerlichkeit. Sein Geistesflug. Sein Gebet. Thema: die katho= lische Lehre vom Gebet.

1. Einwendungen gegen dasselbe: Schmach für Gott, Selbstentwürdigung des Menschen, Beförderung der Weltflucht; 2. Erhabenheit des Gebetes: Gebets= lehre der Heiligen Schrift. Gebetsleben der heiligen Kirche (Gebetswohltat, Gebetsweihe des Lebens und der Natur). Gebetsliebe der Heiligen; 3. Einfluß im sozialen Leben: das Gebet und das Geistesleben der Menschheit. Das Gebet und das Genußleben der Gesellschaft. Das Gebet und das Gewerbsleben der modernen Zeit (Arbeitsgeist, Arbeitslust und Arbeitssegen!).

In ähnlicher Weise werden die anderen Themate behandelt. Den Glanz= punkt bildet jedoch die Abhandlung über das Gebet. Polißka zeigt sich dadurch als ein würdiger Sohn des heiligen Alphons, des Apostel des Gebetes. Möge dies Büchlein große Verbreitung finden. Es wird gewiß beitragen, die große Weltmacht, das Gebet in seiner ganzen Bedeutung kennen zu lernen, wie auch die anderen, so aktuellen Themate.

Neumarkt (Südtirol).   P. Camill Bröll O. Cap.

55) **Der Kosmos.** Sein Ursprung und seine Entwicklung. Von Dr. Konstantin Gutberlet, Paderborn 1908. F. Schöningh. Gr. 8°. VIII und 625 S. M. 10 = K 12.

Vorliegendes Werk soll der Absicht des Verfassers zufolge sich an das 1903 in zweiter Auflage erschienene: „Der Mensch, sein Ursprung und seine Entwicklung" anschließen und besonders dem modernen Monismus gegenüber den theistisch=christlichen Standpunkt verteidigen.

Die gegenwärtige Schrift ist zum großen Teil aus früheren Abhandlungen entstanden, in denen der Verfasser „im Laufe der Jahre jeweilig auftauchende naturphilosophische Spekulationen und neue Forschungen in ihrer Beziehung zur christlichen Weltauffassung dargestellt, beurteilt und, wenn gut begründet, auch verwendet hat".

In dieser Zusammenfassung bespricht der Verfasser, der sich auch tiefere naturwissenschaftliche Kenntnisse angeeignet hat, sehr wichtige Zeitfragen und behandelt dieselben in der schon bekannten gründlichen Weise. Die behandelten Hauptfragen sind: Der Ursprung der Welt, der Ursprung des Weltlaufes, die Bildung des Kosmos, der Ursprung des Lebens, die Differenzierung der Orga= nismen, die Pflanzen, das Tier. Von weiterem Interesse erscheinen dabei die Einzelfragen: Die räumliche Begrenztheit des Weltalls, das Entropiegesetz, die Weltbildungstheorien, die Teleologie und Kausalität, die Beseeltheit der Materie, die flüssigen Kristalle, der wesentliche Unterschied zwischen Pflanze und Tier, die Intelligenz der Ameisen, der Hund und sein Verstand u. a. m.

In Bezug auf einige Punkte erlaubt sich hier der Rezensent einige Gegen= bemerkungen zu machen. Im dritten Kapitel S. 185 ff. wird die „Kant=Lap= lacesche Weltbildungshypothese" auseinandergesetzt. Dieser beide Theorien zu= sammenfassende Ausdruck sollte unseres Erachtens, weil nicht entsprechend, ver= mieden werden. Die Weltbildungstheorien von Kant und Laplace sind nicht identisch, wie dies schon von Ebert, Hoppe, Ratzel und besonders Gockel („Schöpfungsgeschichtliche Theorien", Köln 1907) hervorgehoben worden ist.

Auf S. 89 hält der Verfasser eine Reflexion der Wärmestrahlen an den Grenzen des interstellaren Aethers für unmöglich, weil hier der glatte Spiegel fehle, an dem die Aetherteilchen anprallen und von dem sie zurückgeworfen werden könnten. Diese Erklärung steht mit der Wellentheorie nicht im Einklange, da den Physikern zufolge auch dort ein Rückgang der Wellen möglich ist und dies auch tatsächlich z. B. in Bezug auf die Schallwellen bei offenen Röhren stattfindet.

S. 390 f. legt der Verfasser über die Erhaltung der Tierseele eine Ansicht dar, die wir nicht teilen können. Es läßt sich, bemerkt hier der Verfasser, „nicht evident die Behauptung widerlegen, daß die einfache Seele der Tiere Substanz, also unsterblich sei. Ist sie aber unsterblich, so kann ihr für die gegenwärtigen Schmerzen Ersatz geboten werden. . . . Wenn die Eigenschaften Gottes das Fortleben der Tierseele verlangen, so muß er . . . sie in ihrem Bestande erhalten . . . . . er braucht dessen Seele bloß einen anderen Körper zu verschaffen." Die Tierseele, glauben wir hier erwidern zu können, ist zwar substantiell, aber nur eine Teilsubstanz, die in ihrer Existenz unmittelbar und ganz vom materiellen Körper abhängig ist, und somit bei der Auflösung des Organismus (Tod) natürlicherweise nicht fortbestehen kann; einen solchen schlecht= hin materiellen Naturkörper, wie man das Tier nennen muß, hat wohl auf irgend einen Ersatz keinen Anspruch, noch viel weniger auf ein unsterbliches Leben oder auf eine Erhaltung. Die Tierseele geht daher ihrer Natur nach mit Auflösung des Organismus zu Grunde. Eine andere Frage ist hier, ob nicht etwa im künftigen glorreichen Leben außer den anorganischen Körpern auch noch Organismen, wie unsere Pflanzen und Tiere existieren werden? Würde dies der Fall sein, so dürfte wohl schwer anzugeben sein, wie dies ge= schehen und mit dem glorreichen Leben in Einklang zu bringen ist. Vielleicht würde es hier genügen, wenn der betreffende Organismus so vollkommene Ein= richtungen besitzt und auch in der Weise geschützt ist, daß er einerseits stets ohne Abnützung weiter funktioniert und andererseits auch keine äußeren Störungen erleidet. Die Organismen wären auf diese Weise nicht „unsterblich" wie die Menschenseele, die schon ihrer geistigen Natur nach unsterblich ist, sondern sie würden in Rücksicht auf die Menschen und die Ausschmückung der körperlichen Welt von Gott vollkommener als die auf unserer Erde erschaffen und in ihrer Weise erhalten werden. Dieser Fortbestand der Organismen scheint mit der endlichen Verherrlichung der ganzen Natur, die wir nach den Worten des Apostelfürsten (2. Petr. 3, 13: novos coelos et novam terram exspectamus) unseres Erachtens im Einklange zu stehen. Bekanntlich war auch der heilige Anselm der Ansicht, daß die Organismen auch im verklärten Zustande der Welt fortbestehen werden.

Der Verfasser, wie aus dem reichen Inhalte des Werkes zu ersehen, bringt allen Forschungen der Neuzeit großes Interesse entgegen und führt auch viele Beobachtungen von großem Interesse an; es würde deshalb der Wert vor= liegender Schrift sehr erhöht worden sein, wäre ihm ein Sachregister bei= gefügt worden. Diese ausgezeichnete Schrift kann aufs wärmste besonders jenen empfohlen werden, welche in Bezug auf die wichtigsten naturphilosophischen Fragen der Gegenwart eine gründliche Aufklärung zu erhalten wünschen.

Es ist, können wir schließlich noch bemerken, ein Genuß, hier wieder ein Werk zu finden, das von gesunden philosophischen Ideen durchdrungen ist — besonders den so vielen seichten sogenannten naturwissenschaftlichen Werken der Neuzeit gegenüber, mit ihren falschen Voraussetzungen, den fast beständigen Sophismen und unkritischen Folgerungen.

Möge uns der Verfasser bald mit einem ähnlichen neuen Werke erfreuen!

R. Handmann S. J.

56) **Die Zeit= und Erstrechnung der Juden unter be= sonderer Berücksichtigung der Gauß'schen Osterformel, nebst einem immerwährenden Kalender.** Von Dr. Josef Bach, Direktor des bischöfl. Gymnasiums zu Straßburg i. E. Freiburg i. Br. 1908. Herder. Gr. 4°. 47 S. M. 2.— = K 2.40.

Der Verfasser hat schon vor zwei Jahren seine „Osterberechnung in alter und neuer Zeit" (Freiburg 1907, Herder) erscheinen lassen und daselbst u. a. eine eigene Begründung der Gauß'schen Osterformel des Gregorianischen und

Julianiſchen Kalenders gegeben; in vorliegender Zuſammenſtellung behandelt der Verfaſſer in ähnlicher Weiſe den jüdiſchen Kalender und wird von ihm auch hier für die Beſtimmung des jüdiſchen Paſſahfeſtes eine von Gauß (vgl. v. Zach, Monatl. Korreſp. Bd V, S. 435 ff.; Gotha 1802; Gauß' Werke, VI, S. 80) aufgeſtellte Oſterformel zu Grunde gelegt.[1] Dieſe Formel (vgl. die untenſt. Anmerkung) erſcheint jedoch ſo kompliziert, daß, wie Dr. Bach bemerkt, bisher nur drei Gelehrte (Cisa de Gréſy, Knobloch und Hamburger) ſich mit dem diesbezüglichen Beweis befaßt haben, wenn auch von ihnen der Beweis= gang zu weitſchichtig und zum Teil, wenigſtens für Laien, unverſtändlich ge= geben worden iſt. Dr. Bach verſuchte es daher, dieſen Beweisgang durchſichtiger und für den praktiſchen Gebrauch handlicher zu geſtalten; er erklärt auch die Gauß'ſche Oſterformel ſelbſt für „erſtaunlich einfach", wie denn überhaupt ihm zufolge die ganze Einrichtung des jüdiſchen Kalenders „ein ganz natürliches, auf der genauen Beobachtung der Bewegungen des Mondes und der Erde und der Einführung der Woche aufgebautes Gebilde" iſt. Dieſe allgemeine Ein= richtung des jüdiſchen Kalenders behandelt der Verfaſſer im 1. Teile ſeiner Arbeit (S. 7—16); im 2. Teile wird die Ableitung der Gauß'ſchen Formel ge= geben mit Beifügung einiger praktiſchen Verwertungen und Vereinfachungen einiger Rechnungen. Daran ſchließt ſich der 3. Teil, — der „Immerwährende Kalender" mit ſeinen Oſterdaten und praktiſchen Tabellen. Im Anhange ſind noch fünf Tabellen beigefügt worden. Der Verfaſſer hat unſeres Erachtens durch dieſe neue Schrift wieder einen ſchönen Beitrag für unſere Chronologie geliefert. Die genaue Kenntnis des jüdiſchen Kalenders iſt abgeſehen von praktiſchen Verwendungen beſonders wegen der vielen Stellen des Alten und Neuen Teſta= mentes von nicht geringer Bedeutung. Der Verfaſſer weiſt hier namentlich auf die Frage hin, an welchem Tage der Heiland geſtorben iſt. Der Gegenſtand dieſer Frage wird jedoch ſpäter nicht näher erörtert, was dies erwünſcht geweſen wäre; vielleicht geſchieht dies noch in einer beſonderen Arbeit. Die Auseinander= ſetzungen Dr. Bachs werden ohne Zweifel für die Berechnung jüdiſcher Kalender= daten weſentliche Dienſte leiſten, insbeſondere von jener Zeit an, ſeit welcher (erſte Hälfte des 3. Jahrhunderts nach Chriſti) der „konſtante Kalender" einge= führt worden iſt. In Bezug auf die Feſtfeier von Neujahr und Paſſah können nach Dr. Bach (S. 22 ff.), wie noch in beſonderen bemerkt werden ſoll, folgende Regel aufgeſtellt werden: Tritt der Neujahrsmolad am Sonntag, Mittwoch oder Freitag ein, ſo wird Neujahr (1. Tischri) auf den folgenden Tag verlegt. In ähnlicher Weiſe wird Paſſah (15. Niſan) nie an einem Montag, Mittwoch oder Freitag gefeiert, ſondern ebenfalls auf den folgenden Tag verlegt. Dieſe Feſtverlegung wird „Adu" genannt.

Linz=Freinberg. R. Handmann S. J.

---

[1] Dieſe Formel lautet:

„Der 15. Niſan des jüdiſchen Jahres A, an welchem die Juden ihr Oſterfeſt feiern, fällt in das Jahr A — 3760 = B der chriſtlichen Zeitrechnung. Zur Beſtimmung des entſprechenden Monatstages dient folgende rein ma= thematiſche Regel: Man dividiere 12 A + 17, oder, was hier einerlei iſt, 12 B + 12 mit 19 und nenne den Reſt a; ferner dividiere man A oder B mit 4 und ſetze den Reſt = b. Man berechne den Wert von: 32·0955877 + 1·554242418 a + 0·25 b — 0·003177794 A, oder von: 20·0955877 + 1·554242418 a + 0·25 b — 0·003177794 B — und ſetze ihn = M + m, ſo daß M die ganze Zahl und m den Dezimalbruch bedeute. Endlich dividiere man M + 3 + 5 b + 5, oder M + 3 B + 5 b + 1 mit 7 und ſetze den Reſt = c. — Nun hat man folgende Fälle zu unterſcheiden: 1. Iſt c = 2, 4 oder 6, ſo fällt Oſtern auf den (M + 1)ten März alten Stils, wofür man den (M + 30)ten April ſchreibt, wenn M > 30 (wegen Adu). 2. Iſt c = 1, zugleich a > b und außerdem m ≥ 0·63287037, ſo fällt Oſtern auf den (M + 2)ten März alten Stils (wegen Gatrad). 3. Iſt c = 0, zugleich a > 11 und noch m ≥ 0·89772376, ſo iſt Oſtern den (M + 1)ten März alten Stils (wegen Betuthakpat). 4. In allen übrigen Fällen iſt Oſtern den Mten März alten Stils.

57) **Die Wahrheit über Ernst Haeckel und seine „Welt=**
rätsel". Nach dem Urteile seiner Fachgenossen beleuchtet von Prof.
Dr. E. Dennert. Anhang: Die Affäre Braß=Haeckel. Volksausgabe.
Halle a. S. 1909. Rich. Mühlmanns Verlag (Max Grosse). 8⁰.
180 S. 75 Pfg.

. Der durch seine apologetischen Schriften rühmlichst bekannte Verfasser,
Professor Dr. Dennert in Godesberg, hat sich die Aufgabe gestellt, durch vor=
liegendes Werk, besonders den „Welträtseln" Haeckels entgegenzutreten, der seine
„Welträtsel" in einer „Volksausgabe" in 10.000 Exemplaren (neben 16.000
der ersten Ausgabe) erscheinen ließ. Dr. Dennert entschuldigt die Schärfe seiner
Ausdrücke durch die Handelsweise Haeckels selbst, der bekanntlich im Widerlegen
seiner Gegner (mehrere derselben, wie Semper, Hensen, Hamann u. a. sind
ausgezeichnete Fachgenossen) sich keineswegs auf denselben wissenschaftlichen
Standpunkt stellt, sondern vielfach mit Invektiven antwortet. Haeckel wird hier
von Dennert geschildert, wie er sich zeigt; seine unhaltbaren Ansichten werden
vom Verfasser energisch zurückgewiesen, wie dies eben das unwissenschaftliche
Vorgehen Haeckels verdient. Unerbittliche Abwehr ist hier auch nötig, und dies um=
somehr, als der Jenaer Professor seinen monistisch=darwinistischen „Köhler=
glauben" durch seine populären Schriften auch unter das Volk zu verbreiten
sucht, zum nicht geringen Nachteil nicht nur der wahren Wissenschaft, sondern
auch der Kultur und der sittlichen Begriffe. Wer die Kampfesweise Haeckels
kennen lernen will, dem ist die vorliegende Schrift Dr. Dennerts auf das Beste
zu empfehlen. Sie soll aber auch der Absicht des Verfassers gemäß unter das
Volk kommen und Haeckels „Welträtsel" in ihrem wahren Lichte erscheinen
lassen. Es wäre daher angezeigt, Dennerts Schrift besonders dort zu verbreiten,
wo Haeckels „Welträtsel" bereits Eingang gefunden haben; auch für populäre
Vorträge dürfte sie vielfach Verwendung finden können. Im Schlußwort, wie
noch erwähnt zu werden verdient, hat der Verfasser einen „Offenen Brief" an
Professor Dr. Ladenburg in Breslau (der gelegentlich der 75. Versammlung
deutscher Naturforscher und Aerzte in einem Vortrage die Behauptung aufstellte,
daß die moderne Naturforschung den Glauben an einen persönlichen Gott, Seele
und Unsterblichkeit nicht zulasse) — gerichtet und seine irrtümlichen Ansichten
zurückgewiesen. Im Anhange besprach der Verfasser eingehender die bekannte
Affäre „Braß=Haeckel". Dr. Braß hatte gegen Haeckel ein Wert veröffentlicht:
„Das Affenproblem, Prof. Ernst Haeckels neueste gefälschte Embryonenbilder"
(Leipzig 1908). Haeckel antwortete darauf in der „Berliner Volkszeitung" des
24. Dezember 1908 und gestand, daß einige der gebrachten Embryonenbilder
„gefälscht", d. h. nur schematische Bilder seien. „Es sind also", wie Dr.
Dennert (S. 172) hieraus folgert, — von Haeckel „direkte Bilder von Dingen
völlig erfunden worden, die noch kein Mensch gesehen hat." .. „Er hat Bilder
anderer Forscher willkürlich abgeändert und mit anderen Namen versehen", —
nach Haeckels Auffassung „durch vergleichende Synthese rekonstruiert". Dies in
Kürze die Affäre „Braß=Haeckel". Der sachlich denkende Leser wird sich hieraus
selbst sein Urteil über die „Wissenschaftlichkeit" und „Zuverlässigkeit" des Jenaer
Professors bilden. Das ganze Buch Dennerts kennzeichnet die auch hier wieder
ausgesprochene Kampfesweise des unverbesserlichen Monisten.

Linz=Freinberg.   R. Handmann S. J.

58) **Die vollkommene Reue.** Belehrung und Anleitung mit Bild.
4 S. Verlag „Kinderfreund=Anstalt", Innsbruck. 4 h per Stück.

Um die so überaus wichtige Lehre über die vollkommene Reue allgemein
zu verbreiten und jedermann zu ihrer praktischen Uebung einfach und leichtfaßlich,
anzuleiten, eignet sich dieses Blatt ganz vorzüglich, weshalb es sich zur weiten
Verbreitung unter dem Volk und zur Verteilung an die Schulkinder empfiehlt.

Innsbruck.   Otto E. Drinkwelder S. J.

59) **Mitteilungen über das Wirken der Patres Jesuiten und der marianischen Kongregationen in Linz während des 17. und 18. Jahrhunderts.** Aus alten Berichten gesammelt von P. Georg Kolb S. J. Mit dem Ueberblick der Xenia oder Jahres=andenken der Kongregationen in Linz vom Jahre 1678—1783. Linz. 1908. Kath. Preßverein. Kl. 8°. 232 S. mit Illustrationen. K 1.70.

Das Büchlein verdient nicht bloß wegen des interessanten Inhaltes für Stadt und Land seine Empfehlung, sondern auch jetzt wegen der noch von dem hochseligen Bischof Franz Maria Doppelbauer und der Regierung ausgefertigten Rückgabe der alten Domkirche in die Administration der Gesellschaft Jesu, welche in diesem Jahre erfolgt ist.

60) **Was muß der Mensch tun, um sich der Erlösung Jesu Christi teilhaftig zu machen?** Kanzelvorträge von Sr. Kgl. Hoheit Prinz Max von Sachsen, Dr. theol. et iur., Professor an der Universität zu Freiburg. 8°. 93 S. Regensburg 1908. Verlagsanstalt vorm. G. J. Manz. Brosch. M. 1.60 = K 1.92.

Vorliegende Predigten sind ein zweiter Zyklus von Fastenpredigten und behandeln die Themen: 1. Was war der Mensch vor dem Sündenfall? Was ist er nach dem Sündenfall? 2. Der Glaube als erste Bedingung des Heiles: 3. Die Haltung der göttlichen Gebote; 4. Das Gebet; 5. Von der Tugend und den guten Werken; 6. Ueber die griechische Zeremonie des Epitaphios oder die Grablegung Christi. Prinz Max von Sachsen, der gelehrte Professor und gefeierte Kanzelredner, bietet uns hier Predigten voll hoher Ideen und heiliger Begeisterung, die in natürlicher, ungezwungener Disposition klar und einfach ausgearbeitet sind, ebenso instruktiv als erbauend wirken und zum Herzen sprechen.

Innsbruck.   P. Franz Tischler O. Cap.

61) **Die Kirchenbauten der deutschen Jesuiten.** Ein Beitrag zur Kultur= und Kunstgeschichte des 17. und 18. Jahrhunderts. Von Josef Braun S. J. Erster Teil: Die Kirchen der ungeteilten rheinischen und der niederrheinischen Ordensprovinz. Mit 13 Tafeln und 22 Ab=bildungen im Text. Freiburg i. Br. 1908, Herdersche Verlagshandlung. Berlin, Karlsruhe, München, Straßburg, Wien u. St. Louis, Mo. Gr. 8°. XII u. 276 S. M. 4.80 = K 5.76.

Bei uns hört und liest man oft von einem sogenannten Jesuitenstil und versteht darunter Barockkirchen mit einem breiten Schiffe, rechts und links anschließenden Kapellen für Nebenaltäre und Beichtstühle und mit Galerien oberhalb. Das alles trifft ja z. B. zu bei der ehemaligen Jesuitenkirche zu Passau oder in der Vorstadtpfarrkirche zu Steyr und beim alten Dome in Linz: die beiden letzteren wurden ebenfalls von Jesuiten für die betreffenden Kollegien gebaut. Indessen haben wir auch Stifts= und Klosterkirchen derselben Anlage und Stilart aus dem 17. Jahrhundert, wie zu St. Florian, Schlierbach, Steyr-Garsten, die ehemalige Dominikanerkirche zu Steyr u. a. Somit bauten die Jesuiten auch bei uns, wie andere Bauherren des 17. Jahrhunderts und hatten sie keinen eigentümlichen Baustil. Gerade in Oberösterreich besitzen wir auch eine ganz anders geartete, ehemalige Jesuitenkirche, nämlich zu Traunkirchen. Diese bildet durchaus eine dreischiffige Halle mit wenig erhöhtem Mittelschiff. Die Schiffe sind durch Säulen voneinander geschieden; über das Hauptschiff spannt sich eine runde Gewölbtonne mit tief einschneidenden Stichkappen, über die Nebenschiffe runde Kreuzgewölbe. Das Presbyterium schließt mit fünf Seiten des Achteckes und baut sich über diesem Hauptverschluß eine achtseitige Kuppel auf; die Nebenschiffe schließen gegen Osten mit zwei Seiten und entstehen so neben der Hauptabside zwei Nebenchöre. Die Anlage erinnert noch an eine gotische Hallenkirche, aber die Stilsprache ist eine jüngere; denn nicht nur sind alle Gewölbe im Rundbogen geführt, sondern auch die unteren Fenster schließen in diesem und leuchten über selben noch kleine Rundfenster herein. An der Süd=westecke des Langhauses steht ein kleiner Glockenturm. Das hier bestandene Nonnenkloster wurde 1622 eine Residenz der Jesuiten von Passau und verblieb ihnen bis zu deren Aufhebung 1773; sie bauten die gegenwärtige Kirche, die hierzulande allerdings ganz eigenartig dasteht. So ähnlich muten auch die meisten Jesuitenkirchen an, die im vorliegenden Buche in Wort und Bild geschildert werden und ungefähr aus derselben Zeit stammen. Der erste Abschnitt behandelt 13 der Hauptsache nach noch gotische Kirchen, der zweite 5 nichtgotische, der dritte die stilistischen und architektonischen Eigentümlichkeiten derselben und das gegenseitige Verhältnis derselben und ihre Stellung zur zeitgenössischen Architektur.

Im ersten Abschnitt findet man Kirchen, die dem Bau nach noch ganz der Gotik angehören, nur wurden die Portale in Renaissanceform aufgeführt und umso gewisser die Altäre. Die Schiffe wurden meist durch Säulen, seltener durch Pfeiler geschieden. Ueber den Nebenschiffen wurden in der Regel Galerien angelegt oder solche in die hohen Seitenschiffe eingeführt. Sie reichen oft nicht bis zur Schlußwand, sondern nur bis zum letzten Joche, damit sich die Neben=altaraufsätze zu beiden Seiten des Frohnbogens höher entwickeln konnten. In einzelnen Fällen scheute man auch vor hölzernen Galerien und solchen Stützen für selbe nicht zurück, ja man ließ sie selbst ohne sichtbare Stützen frei aus der Wand herausragen und brachte vorne statt der Säulen oder Pfeiler sogenannte Hängkonsolen an. Man fertigte mitunter auch Scheingewölbe aus Holzlatten an und schnitt Holzrippen dazu, wie man bei uns im Rokokostil oft solche hölzerne Gewölbe machte und in neuerer Zeit auch bei notdürftigen Bauten der Gotik. Anderseits fügte man diesen spätgotischen Bauten an den Fenstergewänden oder an den Arkadenbögen ungeniert auch barocke Stuckornamente an. Die Gotik dieser Bauten war selbstverständlich im Maßwerke oder an den Konsolen oft bedeutend eigenartig. Die Balustraden der Emporen und Galerien wurden meistens schon von sogenannten Krügen oder bauchigen Säulchen gebildet.

Ein ähnliches Beispiel von Stilmischung haben wir an der Kirche im Markte Waldhausen im unteren Mühlviertel. Sie ist im ganzen, obwohl erst im 17. Jahrhundert aufgeführt, noch gotisch, bei den Portalen mischen sich gotische Elemente mit solchen der Renaissance; diesen gehören aber ganz an das Sakramentshäuschen und die Kanzel.

Zweiter Abschnitt. An der Maria Himmelfahrtskirche zu Siegen erinnert nur noch die Einziehung der Streben und der spitzbogige Querschnitt des Ge=wölbes an die Gotik; die folgenden Kirchen gehören schon gänzlich den neueren Stilarten an, nur haben sie gern Kreuzgewölbe mit Quergurten, jedoch ganz moderner Form oder auch sogenannte Spiegelgewölbe oder eine fast flache Decke.

Der dritte Abschnitt ist natürlich nur eine „zusammenfassende Wieder=holung" des in den vorigen Gesagten. Dort schon wurde aufmerksam gemacht, daß eine Kirche der anderen zum Vorbild diente und wurde Unterscheidendes hervorgehoben. — Nach geliefertem Beweis kann mit Fug und Recht behauptet werden, daß die Jesuiten die Gotik nicht gehaßt haben und nicht etwa den Barockstil nach Deutschland gebracht und als den allein kirchlichen Stil erklärt haben. Das ist ein in diesem Buche bewiesener Aberglaube. Es stützt sich auf ein gründliches Studium der betreffenden Kirchen und fleißige Benützung der noch vorhandenen Archivalien und ist somit eine gründliche, sehr verdienstvolle und lehrreiche Arbeit.

Steinerkirchen a. d. Traun. P. Joh. Geistberger, Pfarrvikar.

62) **Erlebtes und Erlauschtes.** Skizzen v. P. Heinrich Opitz S. J. Graz und Wien. 1908. Verlagsbuchhandlung „Styria". Kl. 8°. 220 S. Kart. K 1.50.

Es wurde schon viel über die Bedeutung der marianischen Kongregationen geschrieben. Aber auch hier gelten die Worte: Longum iter per praecepta, breve per exempla.

Das letztere führt P. Opitz in meisterhafter Weise durch. In kurzen und packenden Beispielen aus dem Leben werden uns Sodalen und Sodalinnen in den verschiedensten Lebenslagen vor Augen geführt. An Beispielen, in anmutigen, kurzen Erzählungen wird uns gezeigt, wie der Geist der marianischen Kongregation das tägliche Leben durchdringen soll. Wie lieblich erscheint nicht die wahre Frömmigkeit im „Triumph einer Sodalin" (S. 50). Die verschiedenen Erzählungen sind aus dem Leben und für das Leben, z. B. „Der moderne Herkules" (Piusverein) (S. 45), „Frucht der guten Erziehung" (S. 182). Zum Schlusse wird uns ein Prachtkerl in einem Studenten namens Hans vor Augen geführt. Das ganze Büchlein zeigt uns, wie die Marienverehrung im täglichen Leben geübt werden kann und soll. Möge es daher große Verbreitung finden, besonders unter den Sodalen und Sodalinnen. Es wird auch für Leiter marianischer Kongregationen von großem Nutzen sein, ebenso für Prediger.

Neumarkt (Südtirol). P. Camill Bröll O. C.

63) De Congregationibus Marianis statuta et leges.

Von P. Franz Beringer S. J. Graz. „Styria". 215 S. Brosch. K 2.80.

Der jüngst verstorbene P. Beringer hat in diesem kleinen Buch allen Präsides marianischer Kongregationen, denen die statutengemäße Ausbildung ihrer Kongregation am Herzen liegt, ein wertvolles Andenken hinterlassen. Fast möchte ich sagen ein unschätzbares Andenken. Ebenso wertvoll für den Leiter einer Kongregation, als für den, der sie gründen möchte. Auf dem verhältnismäßig engen Raum von 215 Seiten findet er hier alle Erlasse des heiligen Stuhles und alle wichtigen Reskripte der Congr. Indulgentiarum, die auf die marianischen Kongregationen Bezug haben, von der Errichtung der Prima Primaria bis auf den heutigen Tag.

Linz. J. W.

64) Praktischer Führer auf dem Gebiete christlicher Kunst in Oesterreich samt einer Auswahl neuerer Werke. Mit

Unterstützung des k. k. Ministeriums für Kultus und Unterricht herausgegeben von der Oesterreichischen Leo-Gesellschaft. Wien. 1908. In Kommission bei Gerlach & Wiedling. Wien I.

Unter diesem Titel erscheint ein Lieferungswerk „für alle jene, welche mit der kirchlichen Kunst zu tun haben". Die Erfahrung hat gezeigt, daß bei solchen Gegenständen von der Bestellung an bis zur endlichen Aufstellung mehr gesündigt wird als billig werden kann. Gesündigt aber sowohl aus mangelnder Sachkenntnis als aus mangelnder Geschäftserfahrung. Die erstere bewirkt, daß Unpassendes an unpassender Stelle zur Anwendung kommt, die letztere, daß Ungeeigneten unrichtige Aufträge erteilt werden. Zuweilen vereinigen sich beide Ursachen und erzeugen dann die Wirkung, vor der wir schaudernd stehen. Die mangelnde Sachkenntnis einzelner wurde in den letzten Jahren vielfach paralysiert durch die nicht genug anzuerkennende Tätigkeit der Diözesan-Kunstvereine sowie der Zentralkommission zur Erhaltung und Erforschung der Kunst- und historischen Denkmale und nicht zuletzt der Oesterreichischen Leo-Gesellschaft. Aber das Uebel ist dadurch nur gemildert, nicht ausgerottet worden, weil Mißgriffe in der Auswahl der ausführenden Personen nicht verhindert werden konnten. (Einleitung S. 3 u. 4.) Um aber an jemanden herantreten, sich ihm nähern zu können, muß man ihn kennen lernen. Und dieses Kennenlernen will dieses Buch vermitteln. Das Buch will sein der Zeremonienmeister, der die österreichische katholische Künstlerschaft dem Klerus vorstellt . . . Im nachfolgenden lernt der Leser Künstler aller Kunstgebiete kennen: Architekten, Maler, Bildhauer, Medailleure. Und nicht nur mit Namen stellen sie sich vor, sie bringen auch gleich Proben ihres Wirkens und Könnens mit. Diese Proben bietet der reiche beigefügte Bilderschmuck. So erhält jeder Leser ein übersichtliches und klares Bild des Kunstschaffens unserer Tage auf dem religiösen Gebiete in Oesterreich. Und er erhält eine Liste von Personen, die seiner Aufträge harren. S. 48 (letzte

des 1. Heftes) sind die Adressen den Namen beigefügt . . . Eine Organisation
katholischer Künstler, die gleichzeitig geschaffen wird, soll den Verkehr zwischen
Künstler und Besteller vermitteln, erleichtern und, was die Hauptsache
ist, die Ausführung der Arbeiten nach allen Richtungen über=
wachen." (Einl. S. 7, 10 u. 11.) So klärt sich das schöne Unternehmen selbst
auf. Sehen wir nun das 1. Heft näher an. Die erste Illustration S. 3 bringt
einen Mosaik=Entwurf, heilige Elisabeth, von Josef Reich; ein schönes Brust=
bild, etwa über einer Tür. S. 4 sehen wir zwei Querbilder: Die Pietà von
Jos. Straka zeigt eine ganz ungewöhnliche Auffassung; Christus im Grabe von
Jos. Kleinert ist sehr schön. Das Innere der Kirche in Unterthemenau von Karl
Kleinbrenner als Vollbild S. 5 ist sehr klar. S. 6 sehen wir das Innere und
S. 7 das Aeußere einer hübschen Friedhofkirche von Max Hegele. Desgleichen
der romanische Turm und das Portal der Herz Jesu=Kirche von Gustav R. v.
Neumann. S. 8 ist ein origineller Weihwasserkessel von Artur Kran: Veronika
hält über der Muschel das Schweißtuch mit dem ernsten Antlitz Christi. S. 9
heilige Cäcilia von Ed. Veith. Die zwei folgenden Bilder, Katakombenmesse und
Verspottung Christi, von Jos. Reich dürften weniger zusagen. Hingegen gefallen
S. 12 Kirche in Schaan von Gustav R. v. Neumann und ein romanisches
Ziborium von Karl Haas, wie auch auf S. 13 Kirche und Gruftkapelle von
Max Freih. v. Ferstel und der Entwurf zu einer Jubiläumskirche von L. Bauer,
desgleichen der Marienhochaltar (S. 14) von Max Freih. v. Ferstel, weniger
der „Bittgang" von Albert Egger=Lienz (S. 15), wohl aber der Salvator (Mosaik)
von Jos. Reich. Anerkannt schön ist die Kanisiuskirche (S. 16) von G. R. v.
Neumann und originell der Altar mit Abendmahlbild (S. 17) von Hans
Prutscher. Sehr nett ist das Relief „Marias Besuch bei Elisabeth" von Hans
Bernard S. 18, ebenda Altarkreuz mit zwei verschiedenen Leuchtern von Ferd.
Andri sind annehmbar, der spindeldürre Crucifixus nicht, wohl aber das Brust=
bild St. Joh. Bapt. als Aufsatz zu einem Taufbecken (S. 19) von Andri.
S. 20 können die wohl in Säcken steckenden Engel nicht befriedigen, dagegen
sehr der romanische Altar in der Botschafterkapelle zu Petersburg (S. 21) von
G. R. v. Neumann, ebenso St. Elisabeth (Rosenwunder, S. 22) von Max Lieden=
wein und Geburt Christi (S. 23) von Rudolf Bacher, ebenso die romanischen
Engelsfiguren (S. 24) von Ludwig Schadler und das Pietà=„Fragment" von
Wilhelm Seib. Dasselbe gilt von den Reliefen (S. 25) von Hans Schwathe,
weniger vom Christuskopf ebenda, wohl nur Modell von Franz Zelezny. „Der
Glaube" (S. 26) von C. R. Liška ist gut, wie auch Reig (S. 27) und Madonna
von Eduard Veith als Zimmerbilder. S. 28: „Maria mit Johannes" in Trauer,
von Franz Tomaschu; erstere kann schwerlich gefallen. S. 29: „Grablegung
Christi" von Raimund Wolf als Kirchenbild nicht brauchbar, viel zu viel Land=
schaft zeigend, auch nicht die „Geburt Christi" (S. 30) von Alb. Egger=Lienz,
wohl aber die Büste St. Urban als Reliquiar (S. 31) von Franz Zelezny. Die
sezessionistische Kirche am Steinhof (S. 32) von Otto Wagner dürfte nicht allen
behagen, namentlich das Portale (S. 33). Nicht übel gefällt die romanische
Monstranz (S. 34) von Richard Jordan, weniger ebenda „Ave Maria" von
Ferd. Staeger. Bekanntlich schön ist das Relief „Karl der Große" (S. 35) bei
St. Peter in Wien von Rudolf Weyr; lieblich ist (auch S. 35) die Madonna
von Eduard Veith, nur ist das Christkindlein unnötigerweise fast ganz unbe=
deckt. Schöne Köpfe haben St. Hieronymus von Andreas Strickner und Sankt
Theodul von Jos. Reich auf S. 36. Eine kraftvolle Gruppe bilden St. Martin
zu Pferd und der Bettler (S. 37) von Wilhelm Seib. Mitleid erweckend ist der
Christuskopf (S. 38) von Weirich=Rom; gut baut sich auf die Kreuzesgruppe,
Pietà genannt, (S. 36) von Joh. Benk; ruhig und vorräthaft ist da die Bischofs=
statue von Weirich=Rom. S. 39 ist ein guter Mosaikentwurf, St. Leopold, von
Jos. Reich. S. 40: „Grabmal" (Entwurf) von Fr. Zelezny; die Christusfigur
ist noch zu verschwommen; der Crucifixus von Jak. Zuider ist sehr gut, auch
Mariä Verkündigung von Rud. Jettmar S. 41. S. 42 u. 43 sehen wir schöne
gotische Kirchendetails von Anton Weber, S. 44 erbauliche Madonnen von

Weirich=Rom, S. 45 eine schöne zweitürmige Kirche der Gotif von August
Kirstein, S. 46 eine reiche Tabernakeltür von Richard Jordan und zum Schlusse
S. 47 ein Wappen von Weber.

Steinerkirchen a. d. Traun.   P. Joh. Geistberger, Pfarrvikar.

65) **Des Studenten Ave-Gebet** nebst Anhang: Jüngling, betest
du noch! Von Matth. Weiler, Pfarrer. Trier, Paulinusdruckerei. 89 S.
Brosch. M. —.60, gbd. M. —.90 = K —.72, gbd. K 1.08.

Das Büchlein spricht mild und doch eindringlich zum jungen Herzen. Es
erscheint recht geeignet, in Studenten und anderen Jünglingen die Liebe zu
Maria und zum Gebete zu wecken, zu erhalten und zu fördern.

Linz.   J. W.

66) **Eine moderne Gefahr und ihre Abwehr.** Erläutert
durch hundert Beispiele aus dem Leben. Von Bernhard Dür. Trier. 1908.
Druck und Verlag der Paulinusdruckerei. Kl. 8°. VII. u. 127 S. M. 1.20
= K 1.44.

Der unermüdliche Kämpfer der Antialkoholbewegung, Bernhard Dür,
schildert im angegebenen Büchlein die moderne Gefahr. Wie er selber sagt, will
er diesmal mehr durch Belehrung das Ziel erstreben. Zu diesem Zwecke erzählt
er hundert Geschichten, die sich über verschiedene Gebiete erstrecken: 1. Trinker=
familien; 2. Elend und Tod des Trinkers; 3. Das einzige Rettungsmittel;
4. Frauen als rettende Engel; 5. Wunderbare Bekehrungen; 6. Vorbilder für
Wirte; 7. Sparsamkeit, ein Mittel gegen die Trunksucht; 8. Heitere Geschichten,
9. Bunte Geschichten.

An kritischem Werte würde das Büchlein viel gewonnen haben, wenn die
Quellen, aus denen der Verfasser geschöpft hat, durchwegs genau angegeben worden
wären. Erzählung Nr. 62 zeigt uns den Einfluß, den die Marienverehrung auf
die Bekehrung eines Trinkers ausübte. Schade, daß nicht mehrere derartige
Geschichten aufgeführt werden. Die beste und anhaltende Bekämpfung des
Alkoholismus dürfte wohl die Verbreitung der Marienverehrung sein. Wer
einen Trinker dazu bringt, Maria zu verehren, der hat denselben auch schon
bekehrt.

Für Redner und Prediger wird dieses Büchlein von großem Nutzen sein.
Wird dasselbe unter dem Volke verbreitet, so wird es gewiß manches zur Abwehr
der modernen Gefahr beitragen.

Neumarkt (Südtirol).   P. Camill Bröll O. Cap.

67) **Ein offenes Beherzigungswort über Masturbation**
für Gebildete aller Stände, besonders Eltern, Erzieher, Seelsorger und
Aerzte. Von Dr. Ludwig Kannamüller. Berlin. 1908. H. Bermüller.
M. 3.— = K 3.60.

Nur mit Mißtrauen nimmt der Theologe ein neues Buch über sexuelle
Fragen in die Hand. Wir sind im letzten Jahrzehnt einer wahren Sturmflut
derartiger Preßerzeugnisse ausgesetzt worden und leiden noch darunter. Die
meisten verdanken ihr Dasein gewissenlosester Spekulation und stiften ungeheuren
Schaden. Um dem Verderben einigermaßen entgegenzuwirken, ergab sich die
traurige Notwendigkeit, viel offener und freier die einschlägigen Fragen zu
behandeln als unter normalen Verhältnissen erlaubt gewesen wäre. Die vorliegende
Schrift entstammt der Feder des den Priestern wohlbekannten Herausgebers der
Pastoralmedizin von Stöhr. Dieser Umstand bürgt dafür, daß wir es hier mit
einem guten Buch zu tun haben. Das große Elend, das die geheime Sünde
anrichtet und das der Arzt noch mehr als der Seelsorger kennt, veranlaßte ihn,
seine mahnende Stimme zu erheben. In drei Hauptabschnitten wird über die
Ursachen, die Folgen, die Heilmittel gehandelt — alles mit ruhiger Besonnenheit
und souveräner Sachkenntnis. Das eingehende Studium der Ursachen des Uebels
ist für Priester von der allergrößten Wichtigkeit. Die an verschiedenen Stellen

dargelegte Seelenverfaffung des Masturbanten muß der Beichtvater kennen; sonst wird er den „verstockten" Sünder schelten und selten das rechte Wort finden, den Aermsten aufzurichten. Die religiösen Mittel sind nur nebenbei erwähnt, da der Verfasser sich an ein weiteres Publikum wendet und seine Ausführungen nur auf die gesunde Vernunft aufbauen wollte. Diesem Umstand können einige vom katholischen Standpunkt aus verwaschen klingende Wendungen zugute gehalten werden, die der unterrichtete Katholik leicht richtig stellen wird. Davon abgesehen, werden Eltern und Erzieher reiche Anregung in dem Buche finden. Die aus besorgtem Herzen stammenden kernigen Ratschläge und Mahnungen können ihre Wirkung nicht verfehlen und die manchmal durchbrechende ehrliche Entrüstung über die Sorglosigkeit, mit der so viele Eltern ihre Kinder sexuellen Gefahren aussetzen, wird jeder Leser nachempfinden. Vor Kindern ist die Schrift freilich sorgsam zu behüten; denn trotz der Vorsicht, die da und dort noch hätte gesteigert werden können, müßte der Schaden groß sein.

Einige Bemerkungen zur Kritik: Der treffliche pädagogische Gedanke, daß das Interesse der Jugend auf die Naturschönheiten gerichtet werden solle, um sie vom Sexuellen abzulenken, hat zu übertrieben schwungvollen Schilderungen geführt, welche auch nicht immer konsequent dem Gegenstand angepaßt sind. Körperliche Bußübungen werden auch als Ursache sexueller Erregung angeführt; da die moderne Welt nicht in Gefahr steht, sich durch übertriebene Mortifikation zugrunde zu richten, konnte diese Sache ruhig den Aszeten überlassen werden. Die Bemerkung über den Sündenfall hätte wegbleiben müssen; die vorgetragene Ansicht ist weder „wahrscheinlich", „noch war" jedenfalls eine Probezeit der Enthaltsamkeit gesetzt. Die gute Wirkung der Aufklärung wird wohl etwas überschätzt. Meiner Ueberzeugung nach muß die Frage in jedem einzelnen Fall aufs neue gelöst werden. In den vielen kühnen, teilweise wohl allzu kühnen Bildern muß man, wenn sie beabsichtigt sind, einen trefflichen psychologischen Kunstgriff sehen.

Valkenburg (Holland). Josef Franz S. J.

68) Ave Maria=Kalender 1910. Verlag Preßverein Linz. 60 *h*, mit Post 70 *h*.

Dieser vom geistlichen Rat Friedrich Pesendorfer herausgegebene und redigierte Kalender erscheint im 5. Jahrgang. Er ist mit nahezu **70** Illustrationen, darunter neun Vollbildern, welche vielfach in zwei und drei Farben gedruckt sind, auf das prächtigste geschmückt und hat außerdem noch eine farbige Kunstbeilage: Maria, die Königin des Frauengeschlechtes, nach einem Gemälde von Rosa Wichtl. Vom Inhalt heben wir hervor außer allen kalendarischen Behelfen das prächtige Gemälde Die Himmelskönigin von Boticelli, den Neujahrsartikel Greis und Knabe von Dr. Verus, den Artikel über den Turm des neuen Domes in Linz von Domkapitular Scherndl (mit drei Bildern), prächtig illustrierte Gedichte von Anna Esser und Antonie Tippner, Die Wallfahrt Heilig=Wasser in Tirol von Liensberger (mit zwei Illustrationen), den Aufsatz Interessante Marienbilder von Pesendorfer, Die Beschreibung des Markus=Domes in Venedig von Gheri, packende Erzählungen von Therese Rak und Elsbeth Dücker, Unsere liebe Frau im Liede der drei berühmtesten Minnesinger von Dr. Holly, Eine Heilung in Lourdes, die Lebensskizze P. Leo Fischer als Mariensänger von Liensberger, Die Lourdeskapellen im Salzburgischen von Anna Fasching, Der heilige Antonius predigt den Fischen von Professor Hans Strigl, Darstellungen von Hölle und Teufel von Pesendorfer, Die Wallfahrt Altötting, Ein Muttergottes=Mesner, Stimmen über die Unschuld von Propst Bergmann, das lustige Gedicht Wie die Schneider=Zenz ihren 50. Geburtstag gefeiert und eine reichillustrierte Jahresrundschau. Der Kalender ist ein ausgezeichnetes katholisches Jahrbuch und in 20.000 Exemplaren verbreitet.

B) Neue Auflagen.

1) **Die Parabeln des Herrn im Evangelium.** Exegetisch und praktisch erläutert von Leopold Fonck S. J. Dritte, vielfach verbesserte und vermehrte Auflage (5.—7. Tausend). Innsbruck. 1909. Fel. Rauch (K. Pustet). 8⁰. XXXIV u. 927 S. brosch. *K* 7.20, geb. *K* 10.—.

Der gelehrte Verfasser verdankt es wohl nicht nur der Gediegenheit seiner Arbeit, sondern auch der Geschicklichkeit, mit der er wissenschaftliche Erklärung und angenehme Darstellung miteinander verbindet, daß sein vorzüglicher Parabelkommentar einen so weiten Leserkreis erobert hat. Eine mächtige Anziehungskraft hat aber sein Buch sicherlich auch dadurch gewonnen, daß er es verstanden hat, die Wissenschaft in den Dienst der Praxis zu stellen und die Bedürfnisse des Seelsorgers weitgehend zu berücksichtigen. Wir begrüßen es daher sowohl vom Standpunkte der Fachmänner als der Seelsorger auf das freudigste, daß Fonck in dieser neuen Auflage einen weitausschauenden Plan verrät, den er realisieren will: Unter dem Titel „Christus Lux mundi" soll ein großangelegtes „exegetisch-praktisches Erklärungswerk über den Inhalt der Evangelien" (XII) dargeboten werden, deren 1. Teil „Land, Leute und Leben in Palästina zur Zeit Jesu", deren 2. Teil „Die Geschichte des Herrn", deren 3. Teil „Die Reden des Herrn" und deren 4. Teil „Die Wunder des Herrn" behandeln soll. Möge es dem verdienstvollen Exegeten gegönnt sein, diesen Plan Deo favente zu verwirklichen! Die vorliegende 3. Auflage der Parabeln bildet den ersten Band des 3. Teiles.

Ueber den Wert dieser Parabelerklärung hat die Oeffentlichkeit längst entschieden; die Neuauflage kann das günstige Urteil nur befestigen. Kleine Verbesserungen und abermalige Ausbeute der neueren Erscheinungen sind so zahlreich hinzugekommen, daß man es bei dem geringen Zuwachs an Umfang kaum ahnen würde.

Wenn wir uns einen Wunsch erlauben, so ist es der: Die ganz neu hinzugefügten „Predigt- und Betrachtungspunkte" gründlich umzugestalten In dieser trockenen Kürze haben sie wohl kaum einen Wert.

St. Florian. Dr. Vinz. Hartl

2) **Medicina pastoralis** in usum confessariorum et curiarum ecclesiasticarum. Auctore Antonelli Jos. Ed. tertia. III vol. VIII + 255, 590, 209 pag. cum 102 figuris et 17 tab. color. Romae (Ratisbonae) F. Pustet. Lire 24.— = M. 19.20 = *K* 21.—.

Wenn auch dem deutschen Klerus bereits mehrere Bücher über Pastoralmedizin, so besonders die Neubearbeitungen von Stöhr und Capellmann zur Verfügung stehen, so sei doch auch auf das bezeichnete Werk eines bekannten italienischen Priesters empfehlend verwiesen. Im ersten Bande gibt Antonelli das Wissenswerteste aus der Anatomie und Physiologie des Menschen. Die Darlegungen werden unterstützt durch Bilder und Tafeln, welch letztere freilich nicht immer am gehörigen Platze eingefügt sind. Meines Erachtens ist hier wie auch im zweiten Bande manches Ueberflüssige enthalten, manches zu ausgedehnt erörtert. Daß z B. zwar die Hypothese von L. Schenk von dem Einflusse auf das Geschlechtsverhältnis der Kinder eine ausführliche Erwähnung und Widerlegung gefunden (S. 176—178), ist sicherlich nicht notwendig. Der zweite Band behandelt physiologische Fragen in Bezugnahme auf das 1., 5. und 6. Gebot Gottes, die Sakramente der Taufe und der Ehe, ferner in Beziehung auf das kirchliche Fastengebot, über schwere Erkrankung, Tod und Scheintod. Dieser Band ist jedenfalls für den Seelsorger der praktischste und interessanteste: Fragen, zu deren Beantwortung moraltheologisches, aber auch medizinisches Wissen notwendig ist werden hier durchgenommen. Ob jedoch die medizinischen Angaben alle auf der Höhe der modernen Wissenschaft stehen, läßt ein Vergleich mit anderen medizinischen Werken etwas zweifelhaft erscheinen. Manches Interessante sucht man vergebens, z. B. ob Frauen mit 50 Jahren vom Abbruchfasten frei= zusprechen seien, weil sie angeblich früher altern. Dagegen finden sich bei der Abhandlung über das Fasten hygienische Anweisungen über Kirchenluft, Reinhal= tung des Weihwassers und die Beichtstuhlgitter. Der dritte Band enthält die Konstitution Benedikt XIV. „Dei miseratione" und Instruktionen von der Cong. Concilii und s. Officii über Eheangelegenheiten. Den Schluß bildet ein reich= haltiger Index über alle drei Bände.

St. Florian. Prof. Asenstorfer.

3) **Die Basilika** zur heiligen Maria, Mutter der Barmherzigkeit, in der Grazervorstadt zu Marburg. Von Dr. Michael Napotnik, Fürst= bischof von Lavant. Zweite, verbesserte und vermehrte Auflage mit vielen und originellen Abbildungen ausgestattet. Marburg. 1909. Im Selbstverlage des Verfassers. St. Cyrillus=Buchdruckerei. gr. 8°. 538 S.

Seine Exzellenz der hochwürdigste Herr Dr. Michael Napotnik, Fürstbischof von Lavant, der jedem seiner hochwürdigen Seelsorgspriester an Erzeugnissen seiner überfruchtbaren Feder bereits eine kleine Bibliothek zugeschanzt hat, läßt als Pfingstgabe denselben die Krone seiner bisherigen Druckwerke, „die Basilika zur heiligen Maria, Mutter der Barmherzigkeit, in der Grazervorstadt zu Marburg" betitelt, unentgeltlich zusenden.

Dieses Buch enthält viel mehr als dessen zweifarbiger Titel vermuten läßt, denn außer der genauen Geschichte dieses Gnadenbildes und der Erbauung, der Einweihung und der Ausschmückung dieser von Papst Pius mit den Privilegien einer Basilica minor ausgezeichneten Kirche enthält das Buch noch drei in der alten, abgetragenen Marienkirche gehaltene Predigten, dann drei während des Baues bei verschiedenen feierlichen Anlässen gleichfalls vom hochwürdigsten Herrn Verfasser dieses Buches gehaltene Ansprachen, dazu ein halbes Dutzend Predigten, gehalten von ebendemselben hochwürdigsten und hochgefeierten Kanzelredner in der neuen Basilika.

Der letzte, aber nicht minder interessante Teil des Buches ist dem be= rühmten Karthäusermönche Bruder Philipp, dem Lobsänger Mariä in der steirischen Karthause Seiz bei Gonobiz, gewidmet und mit zahlreichen Bildern von Seiz= kloster, wie es war und noch ist, geschmückt.

Da dieses Buch im Buchhandel gar nicht erhältlich ist, wird demselben seinerzeit in den Nachlässen von Lavanter Priestern noch eifriger nachgeforscht werden als in den bereits vergriffenen Bänden des Ignaz Orozenschen Werkes: „Das Bistum und die Diözese Lavant."

Marburg. Barthol. Voh, Domherr.

4) **Die Andacht zum heiligsten Herzen Jesu.** Ein Beleh= rungs= und Erbauungsbüchlein für das christliche Volk nebst 31 Be= trachtungen für den Herz Jesu=Monat und einem kleinen Gebetbüchlein im Anhange. Verfaßt von Dr. Josef Walter, Stiftspropst in In= nichen. Zweite Auflage. Brixen. Preßverein.

Das hier zur Anzeige gebrachte Buch verdient als ein sehr nützliches und erbauliches Buch die beste Empfehlung und Verbreitung. Der Autor ist in der literarischen Welt bestens bekannt, er versteht es, Gediegenes in leicht verständ= licher Sprache zu bieten. Auch ein zweites Buch: Die Beicht mein Trost, von demselben Verfasser und in derselben Auflage, ist ein gutes, verbreitens= wertes Buch.

5) **Die Andacht zum heiligen Josef durch Tatsachen begründet.** Von P. Joseph Patrignani S. J. Neue Auflage, besorgt von einem Priester der Gesellschaft Jesu. Regensburg. Pustet. M. 1.20 = K 1.44, geb. M. 1.60 = K 1.92.

Es werden dargelegt: Beweggründe der Andacht zum heiligen Joseph; Gnaden und Wohltaten, die man dem heiligen Joseph verdankt; Andachts= übungen zu Ehren des heiligen Joseph. Ferner: Das Skapulier und einige Bruderschaften zu Ehren des heiligen Joseph; Gebete und Gesänge zu Ehren des heiligen Joseph. Im Anschlusse noch für Priester: Benedictio cingulorum in hon. S. Joseph und Formula benedicendi scapulare in honorem s. Joseph. Ein nicht großes, handliches Büchlein, dem Inhalte nach sehr reichhaltig, für Priester zu Vorträgen, für Novene oder für den Monat des heiligen Joseph sehr brauchbar.

Linz.   P. F.

6) Neue Betrachtungen für alle Tage des Jahres für Ordensleute. Von P. Vercruysse S. J. Neu bearbeitet von Pater Lahmann S. J. Siebente, verbesserte Auflage. Paderborn. Junfer= mann. 1908.

Diese Betrachtungen, denen eine „Anleitung zur Anhörung der heiligen Messe" und eine „Anleitung zur täglichen Gewissenserforschung" vorausgeschickt wird, bedürfen wohl keiner besonderen Empfehlung mehr, da sie sich wegen ihrer streng durchgeführten Methode: „Erwägung", „Anwendung", „An= mutungen", „Vorsatz" vorzüglich für Anfänger im betrachtenden Gebete als durchaus praktisch erprobt haben. Aber auch die „Fortgeschrittenen" nehmen sie mit Vorliebe und großem Nutzen zur Hand. Wenn auch zunächst für Ordens= leute geschrieben, können sie Gläubigen in der Welt, welche nach Vollkommenheit streben, nicht genug empfohlen werden.

Linz.   P. F.

7) Der Fuß des Kreuzes oder die Schmerzen Mariens. Von P. Frederik William Faber, Dr. der Theologie. Nach dem englischen Originale deutsch bearbeitet von Karl B. Reiching. Sechste, verbesserte Auflage. Regensburg. 1904. Verlagsanstalt vorm. Manz. 8°. X und 531 S. Brosch. M. 3. — = K 3.60.

Es wurde schon viel über die Schmerzen Mariens geschrieben, aber selten wurde dies Thema so anziehend und praktisch behandelt wie im genannten Werke. Das 1. Kapitel: Das Martyrtum Mariens bildet gewissermaßen die Einleitung und enthält § 1: Die Unermeßlichkeit der Schmerzen unserer gött= lichen Mutter; § 2: Warum Gott die Schmerzen Mariens zuließ; § 3: Die Quellen; § 4: Die Kennzeichen der Schmerzen Mariens; § 5: Warum Maria sich an ihren Schmerzen freuen konnte; § 6: Die Art, wie die Kirche uns die Schmerzen Mariens vorstellt; § 7: Geist der Andacht zu den Schmerzen Mariens. 2. Kapitel: Der erste Schmerz. Die Weissagung des Simeon. 3. Kapitel: Der zweite Schmerz usw. Den Schluß bildet das 9. Kapitel: Das Mitleiden Mariens; § 1: Die göttliche Absicht; § 2: Die Natur; § 3: Die Wirkungen ihres Mit= leidens ꝛc.

Bei den einzelnen Schmerzen Mariens bespricht Faber: 1. Die Umstände des Geheimnisses selbst. 2. Die Eigentümlichkeiten. 3. Die Gemütsstimmung Mariens in demselben. 4. Die Lehren, die sich daraus ergeben.

Die Sprache ist sehr schwungvoll. Auszustellen haben wir den öfter wiederkehrenden Ausdruck: „Maria mit gebrochenem Herzen" und den anderen „mit blutbefleckten Händen". Seite 260 sollte es statt „Auferstehung" des Lazarus „Auferweckung" heißen. Seite 341 lesen wir: Maria wurde „unter dem Kreuz" unsere Mutter. Das ist nicht genau gesprochen, denn Maria wurde unsere Mutter durch ihre Einwilligung in das Geheimnis der Menschwerdung. Seite 349 steht geschrieben: „Die Apostel, namentlich der feurige, leidenschaftliche Thomas, wünschte hinzugehen und mit Lazarus zu sterben, bloß deshalb, weil Jesus ihn so liebt." Das ist eine sehr kühn gewagte und willkürliche Auslegung. Die Worte: „Eamus et nos, ut moriamur cum eo" (Joa 11, 16) beziehen sich auf

Jesus Christus, nicht aber auf Lazarus. Der Schluß des Werkes ist sehr trocken ausgefallen. Man würde einen ganz anderen erwarten.

Trotz dieser Ausstellungen ist das genannte Werk sehr zu empfehlen. Schon mancher hat sich mit dem Problem des Leidens befaßt. Selten ist aber jemand der so schwierigen Lösung desselben so nahe gekommen wie Faber. Er zeigt uns das „Woher" und „Warum" des Leidens. Es geschieht dies nicht in rein theoretischer, sondern in sehr praktischer Weise. Zugleich bieten die einzelnen Kapitel sehr nützliche Lehren für das tägliche Leben, besonders für Stunden des Leidens.

Der Fuß des Kreuzes ist daher besonders jenen zu empfehlen, die von Leiden der verschiedensten Art heimgesucht sind. An der Hand dieses Buches lernen wir mit Maria unter dem Kreuze zu stehen. Jene große, aber so seltene Kunst des richtigen Kreuztragens lehrt uns Faber in meisterhafter Weise. Er bietet allen Leidenden, die guten Willens sind, das beste Heilmittel. Dieses, mit Verständnis angewandt, wird uns derartig stärken, daß wir den Schmerz nach seinem wahren Werte schätzen und lieben lernen, nämlich als einen der größten Wohltäter.

Neumarkt (Südtirol).   P. Camill Bröll, ord. Cap.

8) Die wahre Andacht zur seligsten Jungfrau Maria.

Von dem heiligen Diener Gottes Ludwig Maria de Montfort. Mit einer Vorrede von Fr. W. Faber. Regensburg. Neue Ausgabe 1888. Verlagsanstalt vorm. Manz. 8°. S. XVIII u. 247, mit einem Titelkupfer. Früher M. 2.25; jetzt M. 1.50 = K 1.80.

Wahre Andacht zu Maria! Beim Lesen dieses Titels dürfte mancher den Kopf schütteln und sich denken: Ich hoffe, Maria in aller Aufrichtigkeit zu verehren. Aber die wahre Andacht vom genannten Autor war mir bisher unbekannt. Zugegeben. Diese Art der Marienverehrung ist noch vielen verborgen. Sie gleicht der Perle, die im Acker vergraben ist. Glücklich, wer dieselbe findet. Durch die „wahre Andacht" werden wir in das rechte Verhältnis zu Maria gesetzt. Diese Frucht allein wäre hinreichend, genannte Andacht zu üben. Die Früchte derselben sind noch viel großartiger, die infolge Raummangels hier nicht angeführt werden können.

Das Wesen der „wahren Andacht" besteht nun darin, daß man „den Wert und die Wirksamkeit seiner guten Werke der allerseligsten Jungfrau übergibt, damit sie ganz nach Wohlgefallen darüber verfüge" und daß man alle seine Werke „in, mit, durch und für Maria verrichte, um dieselben um so besser in, mit, durch und für Jesus verrichten zu können."

Dieser wesentliche Teil der „wahren Andacht" wird vom seligen Grignon etwas kurz behandelt. Er geht vom Grundsatze aus, daß der Heilige Geist selbst jene, die guten Willens sind, in diese Andacht einführen werde.

Der Selige behandelt im ersten Abschnitt: Die Andacht zu Unserer Lieben Frau im allgemeinen. I. Vortrefflichkeit und Notwendigkeit der Andacht zu Unserer Lieben Frau. II. Unterscheidung der wahren Andacht zu Unserer Lieben Frau 1. von den falschen Andachten: Die kritischen, skrupulosen, äußerlichen, eingebildeten, unbeständigen, heuchlerischen und eigennützigen Andächtigen. 2. Von den Merkmalen der wahren Andacht zu Unserer Lieben Frau: innerlich, zärtlich, heilig, beständig und uneigennützig. Zweiter Abschnitt: I. In was besteht die vollkommene Hingabe an Jesus Christus? II. Beweggründe dieser Hingabe. III. Wunderbare Wirkungen derselben. IV. Besondere Uebungen. V. Art und Weise, diese Andacht zu üben vor, bei und nach der heiligen Kommunion. VI. Hingabe unser selbst an Jesus Christus durch die Hände Mariens.

Die einzelnen Abhandlungen sind sehr klar und sachlich. Auszustellen haben wir den öfter wiederkehrenden Ausdruck: göttliche Maria. Ferner wird der Gegensatz zwischen Vorherbestimmtem und Verworfenem nicht hinreichend erläutert. S. 90 heißt es: „Indessen sind diese beiden letzten Klassen falsche

Andächtige und keine derselben gilt etwas vor Gott und seiner heiligen Mutter." Dieser Satz ist in seiner Allgemeinheit zu streng.

Die „wahre Andacht", die uns der selige Grignon lehrt, ist keine neue, sondern eine sehr alte. Sie wurde von ihm nur aufgefrischt und nach Kräften verbreitet. Berühmte Theologen unserer Zeit, z. B. Lehmkuhl S. J., haben dieselbe empfohlen.

Wem es nun darum zu tun, Maria in aller Aufrichtigkeit zu verehren; wem daran gelegen ist, Maria nicht nur mit Gebeten, sondern auch durch seine Werke zu verehren und in dieser Verehrung zu erstarken, dem muß „die wahre Andacht" sehr willkommen sein.

Mögen diese Worte dazu beitragen, daß diese kostbare Perle die wahre Andacht, die im Acker der katholischen Kirche verborgen ist, von dem einen oder anderen gehoben werde.

Neumarkt (Südtirol). P. Camill Bröll ord. Cap.

9) **Gedichte von Ferdinanda Freiin v. Brackel.** Sechste Auflage. Bachem. Köln. geb. M. 4.— = K 4.80.

Die Verfasserin des beliebten Romanes „Die Tochter des Kunstreiters" dürfte auch für ihre Gedichte Interesse erwarten. In den Gedichten zeigt sich eine gewisse Vorliebe für das Epische. Die Lyrik ist teilweise Gedankenlyrik edler Art. Die Gedanken sind erhebend, die Empfindung ist tief und rein. Die Sprache ist meist kraftvoll, oft herb, stellenweise etwas hart. Doch gelangen ihr auch Lieder von weichem, zartem Ton, wie „Herzeleid", „Volkslied", „Herbstgedanken" und andere. In den kriegerischen Liedern brennt ein edles Feuer. Das Buch ist preiswert. J. W.

C) Ausländische Literatur.

Ueber die französische Literatur im Jahre 1908.

Fillion (L. prêtre de Saint Sulpice). Saint Jean l'Evangéliste, sa vie et ses écrits. (Der heilige Johann, der Evangelist, sein Leben und seine Schriften.) Paris, Beauchesne. 8⁰. V. 304 S.

Es gehört für einen Franzosen in diesen schwierigen Zeiten viel Mut dazu, ein theologisches Werk zu schreiben. Diesen Mut hat unter anderen der Verfasser dieses Werkes. Sein Thema ist ein schon oft behandeltes. Sogar vor nicht langer Zeit haben Msgr. Bernard und Abbé Fonard über den heiligen Evangelisten Johannes geschrieben, jeder jedoch von einem anderen Gesichtspunkte aus. Herr Fillion seinerseits will ganz besonders in den Geist des Liebesjüngers eindringen. Alle Streitfragen werden deshalb möglichst vermieden. Bei aller Friedensliebe ist die Arbeit dennoch wissenschaftlich, besonders jedoch erbaulich. In einfacher, ruhiger Sprache erzählt der Verfasser die Lebensgeschichte des Heiligen und gibt er Kommentare zu dessen Schriften. Bei Kontroversen, welche er übrigens, wie bemerkt, so viel als möglich vermeidet, nennt er keine Namen; er bespricht nur die Ansichten, wie es für eine irenische Schrift angezeigt ist. Von den Schriftstellen und Kommentaren werden vorzüglich die gleichzeitigen berücksichtigt. Das Ganze macht einen sehr guten Eindruck. Die übrigen Schriften des heiligen Johannes werden mit seinem Evangelium sehr gut in Verbindung gebracht. Während andere zuweilen eher Zweifel und Unsicherheit erregen, löst er die Schwierigkeiten in einfacher, klarer Weise und beruhigt den Leser. Er kann das, weil er seinen Stoff vollkommen beherrscht und ganz in den Geist des heiligen Johannes eingedrungen ist.

Villard (P. A. P. Dominicain). L'Incarnation d'après Saint Thomas d'Aquin. (Die Menschwerdung nach dem heiligen Thomas von Aquin.) Paris, Cubak. 8⁰. XVI. 438 S.

P. Villard wollte keine Kontroversschrift schreiben, sondern nur eine klare Auseinandersetzung über diesen so wichtigen Teil der Dogmatik des englischen Lehrers. Die Abhandlung zerfällt in drei Teile. Die Incarnatio, die Theologie Christi im engen Sinne, die Uebereinstimmung mit den anderen großen Werken Gottes. Das Buch, sagen die Rezensenten, ist eine vortreffliche und interessante Einleitung in einen der schwierigsten Teile der scholastischen Theologie.

Frémont (l'abbé Georges). **Les principes ou essais sur le problème des destinées de l'homme.** (Die Prinzipien oder Versuche zur Lösung der Frage der Bestimmung des Menschen.) Paris, Plond. 8⁰. 4. Bd. XXXVII. 187 S.

L'abbé Frémont setzt seine Arbeit rüstig fort, und nicht bloß die Zahl der Bände nimmt immer zu, sondern auch die Zahl der Anerkennungsschreiben. insbesondere von Seiten der Bischöfe Frankreichs. Vielsagend sind z. B. die Worte: „Durch die ganze Schrift weht der Geist der innigsten Ueberzeugung und der aufrichtigsten Wahrheitsliebe." Die 37 ersten Seiten dieses Bandes enthalten solche Schreiben.

Den Inhalt des 1. Bandes bilden: die Inspiration der Heiligen Schrift, die Erschaffung des Weltalls, die Erschaffung des Menschen nach dem Buche der Genesis von Moses und nach der Naturwissenschaft. Diese so wichtigen und aktuellen Themata werden eben so gründlich und gelehrt als klar und gemeinverständlich besprochen. Auch die neuesten Forschungen und die neuesten päpstlichen Erlässe werden benützt und verwertet.

Laridon (l'abbé J.). **Les Ursulines de Valencienne avant et pendant la terreur.** (Die Ursulinerinnen vor und während der Schreckensherrschaft.) Paris et Lille, Desclée. 4⁰. 306 S. Mit vielen Illustrationen.

Ab uno disce omnes! Dieser Spruch gilt ganz besonders hier. Von dem, was in Valencienne geschah, kann man auf das Schicksal der anderen Klöster schließen. Eine der größten Wohltaten, mit welchen der Konvent Frankreich beglücken wollte, war, daß er die Klosterpforten öffnen und allen Ordenspersonen, welche sich in denselben zufolge alter Vorurteile befanden, die volle Freiheit geben wollte, wie einst die Reformatoren. Die armen Klosterfrauen waren in ihren Augen noch mehr als die Mönche Märtyrinnen eines blinden Fanatismus. In Valencienne erhielten die Freiheitsapostel, wie überall, die Antwort: „Wir wünschen zu leben und zu sterben in dem Hause, in welchem wir uns Gott geweiht haben." Diese Antwort gefiel natürlich ihnen nicht. Man griff zu verschiedenen Schikanen, dann zu Drohungen, Gefängnis, endlich zur Guillotine. Herr Laridon schildert in der Einleitung, auf Urkunden gestützt, ausführlich den Zustand des Klosters vor der Revolutionszeit. Da weiß er viel Schönes und Erbauliches zu erzählen. Sodann kommt die Leidensgeschichte, die Flucht aus dem Kloster, dann Kerker und Banden und endlich die Richtstätte! Aus diesem Kloster erlitten elf Klosterfrauen den Märtyrtod! — Daß die Erzählung höchst interessant, spannend, ergreifend sei, braucht wohl nicht erst gesagt zu werden.

Voyage de deux Bénédictins aux monastères du mont Athos par D. Placide Meestre O. S. B. de l'abbaye de Maredsous (Belgique), professeur au collège grec du Saint Athanase à Rome. (Reise zweier Benediktiner zu den Klöstern auf dem Berge Athos von D. Placide Meestre O. S. B. aus der Abtei Maredsous, Professor am griechischen Kolleg des heiligen Athanasius in Rom. Paris et Lille, Desclée. 8⁰. VI. 321 S.

Wir wollen diese höchst interessante Schrift wenigstens zur Anzeige bringen. Es war im Jahre 1905, als die zwei Mönche des Abendlandes sich aufmachten, um die Mönche des Morgenlandes auf dem Berge Athos zu besuchen. Sie kamen nicht als gewöhnliche Touristen dorthin, und auch nicht so sehr aus wissenschaftlichen Gründen. Ihr Hauptzweck war, die innere Einrichtung, das Leben, die Hausordnung, die Regeln und Statuten usw. kennen zu lernen, sowie um mit ihnen Anknüpfungspunkte zu finden. Der Rezensent in den Études (20. August 1908) lobt die Arbeit sehr. Er findet jedoch, daß die beiden Reisenden in Beurteilung der Fehler und Mängel der Mönche auf dem Athos etwas zu milde, zu brüderlich gewesen seien.

Claraz (l'abbé Jules). La Séparation de l'Eglise et de l'Etat d'après l'Encyclique, Vehementer Nos. (Die Trennung von Kirche und Staat nach der Enzyklika Vehementer Nos.) Paris, Poussulgue. 8°. 180 S.

Es ist wohl zeitgemäß, dem Volke klar und deutlich zu zeigen, was die Trennung von Kirche und Staat eigentlich sei. Das hat der Abbe J. Claraz, gestützt auf die Worte des Oberhauptes der Kirche in fünf Konferenzreden getan. Er sagt, die Trennung beruhe auf einem durchaus falschen Grundsatze; sie sei übrigens eine Utopie und ein soziales Unglück. Am meisten Gewicht legt der Verfasser aus begreiflichen Gründen auf den Umstand, die Trennung sei eine Apostasie, ein Abfall (nicht bloß Trennung) von der Kirche und dadurch zugleich ein Staatsverbrechen. Für diesen beklagenswerten Schritt sei vor allem verantwortlich die gesetzgebenden Behörden, aber auch alle, welche diese Behörden wählten oder auf irgend eine Weise ihre Wahl möglich machten. Zu diesen zählt der Verfasser auch alle, die sich um die Religion wenig oder gar nicht kümmern und die an dem öffentlichen Gottesdienst nicht teilnehmen usw. Der Rezensent in den Études (5. Juli 1908) sagt, man habe dieses Thema noch nirgends so ruhig, klar, gemeinverständlich behandelt gefunden, wie dies in diesen fünf Konferenzen geschieht.

Lassaure (Jean). La persécution depuis vingt cinque ans. (Die Verfolgung seit 25 Jahren.) Paris, Maison de la bonne presse. 12°. 150 S.

Da die Verfolgung der Kirche in Frankreich bereits 25 Jahre dauert, ist es wohl angezeigt, die Hauptfakta derselben während dieser Zeit in Zusammenhang darzustellen. Daß es in der Tat eine Verfolgung sei und als solche vom Oberhaupte der Kirche angesehen werde, geht aus der Enzyklika vom 6. Jänner 1907 hervor, wo Pius X. es selbst so nennt. In demselben Aktenstück beteuert der Heilige Vater, daß die Kirche nie etwas Feindliches gegen Frankreich unternommen, nie auf die Kränkungen reagiert habe, sondern die Verfolgung ruhig über sich ergehen ließ. Worin nun diese Kränkungen und feindlichen Akte bestanden, setzt der Verfasser deutlich und unwiderlegbar auseinander, indem er alle kirchenfeindlichen Dekrete, Gesetze, Handlungen mit genauer Angabe des Datums und aller Umstände uns vorführt. Jeder, welcher nur noch einigermaßen ohne Vorurteil, voraussetzungslos ist, wird zugeben, daß das Vorgehen der Regierung den Namen Verfolgung verdiene, mag die Partei es auch bestreiten und dem Kinde andere Namen geben.

Diese Schrift wird allen Publizisten, Konferenz- und Vereinsrednern große Dienste leisten. Dies um so mehr, als gute Register die Verwendung derselben erleichtern.

Salzburg.   J. Näf, Prof.

D) Predigtwerke.

1) Sonntagspredigten für das katholische Kirchenjahr.
Von P. Philibert Seeböck O. F. M. Einsiedeln. Benziger. M. 3.20 = K 3.84; geb. M. 4.40 = K 5.28.

Diese Predigten sind teils vom Verfasser, teils von dem auch als Prediger berühmten P. Xaver Zagler O. F. M., einst Sonntagprediger in Bozen, durch beinahe 40 Jahre gehalten worden. Um sie so zu halten, wie sie vorliegen, müßte man der P. Philibert oder der P. Xaver sein. Aber trotzdem sind sie wegen der Gedankenfülle und der Mannigfaltigkeit der Themata und besonders noch wegen ihrer vielseitigen Anwendbarkeit — sie sind sehr praktisch — wärmstens zu empfehlen.

Linz.   P. F.

2) **Sonntags= und Festtagspredigten** von Konrad Sicking. Mit Approbation des Hchw. Bischöflichen Generalvikariats von Paderborn. 572 S. gr. 8°. Preis broschiert M. 6 — = K 7.20, in Leinwand gebunden M. 7.— = K 8.40. Verlag von Breer & Thiemann, Hamm (Westf.).

3) **Bausteine** zu Standes=Unterweisungen für Verehelichte und Unverehelichte. Von Josef Schuen, weiland Kurat zu Wattens und fürstbischöfl. geistl. Rat von Brixen. Zweite Auflage, verbessert und vermehrt von P. Philibert Seeböck O. F. M., Lektor der Theologie. Mit kirchl. Druckgenehmigung. gr. 8°. (VIII, 626 S.) Regensburg. 1909. Verlagsanstalt vorm. G. J. Manz. Preis brosch. M. 6.75 = K 8.10.

Das in zweiter, verbesserter und vermehrter Auflage erscheinende bekannte Werk Schuens enthält 40 Standesunterweisungen für Verehelichte und 60 für Jünglinge und Jungfrauen.

4) **Ueber die Leiden Mariä, der Königin der Märtyrer. Dreißig Predigten.** Von P. G. Patiß, Priester der Gesellschaft Jesu. Zweite, verbesserte Auflage, besorgt von Rupert Lottenmoser S. J. Mit kirchl. Druckgenehmigung. gr. 8°. (XI, 573 S.) Regensburg 1908. Verlagsanstalt vorm. G. J. Manz. Preis broschiert M. 5.40 = K 6.48.

5) **Einfache und kurze Predigten auf alle Sonntage des Kirchenjahres.** Von Dr. Robert Breitschopf O. S. B., Professor und Redakteur. Mit kirchlicher Druckgenehmigung. 8°. (XII, 504 S.) Regensburg. 1909. Verlagsanstalt vorm. G. J. Manz. Preis M. 5.60 = K 6.72.

6) **Jesus für uns.** Predigten über das heilige Meßopfer. Von Dr. P. Bernhard M. Lierheimer O. S. B., Kapitular des Stiftes Muri=Gries bei Bozen. Dritte, verbesserte Auflage. Mit kirchl. Druckgenehmigung. gr. 8°. (XII, 288 S.) Regensburg. 1909. Verlagsanstalt vorm. G. J. Manz. Preis M. 3.60 = K 4.32.

7) **Die Sonntagsevangelien** homiletisch erklärt, thematisch skizziert und in Homilien bearbeitet von Dr. Josef Ries. I. Band. Die Sonntage vom Advent bis Pfingsten. Paderborn. Verlag F. Schöningh. Preis M. 5.40 = K 6.48.

8) **Predigten auf die Festtage des Kirchenjahres.** Von P. Heinrich Benedien S. J., herausgegeben und durch einige Gelegenheitspredigten erweitert von Hermann Dechsler, Pfarrer in Ebringen. Herderscher Verlag. Freiburg. M. 3.— = K 3.60.

9) **Predigten für die Tertiaren des heiligen Franziskus** an der Hand der Ordensregel von P. Arsenius Bölling O. S. F. I. Teil. II. Auflage. Paderborn. Verlag Junfermann. Preis M. 3.— = K 3.60.

10) **Predigten auf die Sonntage des Kirchenjahres** von Dr. Philipp Hammer, Dechant. II. Auflage. Paderborn. Verlag Bonifazius=Druckerei. M. 3.20 = K 3.84.

11) **Marien=Predigten** von Dr. Philipp Hammer, Dechant. III. Auflage. Paderborn. Verlag Bonifazius=Druckerei. M. 2.70 = K 3.24.

Neueste Bewilligungen oder Entscheidungen in Sachen der Ablässe.

Von P. Josef Hilgers S. J. in Rom.

1. Drei Stoßgebete. a) Jesu Christe, Fili Dei vivi, lux mundi, Te adoro, Tibi vivo, Tibi morior. Amen.[1]

Jesus Christus, Sohn des lebendigen Gottes, Licht der Welt, ich bete dich an, dir lebe ich, dir sterbe ich. Amen.

Ablaß zuwendbar: 100 Tage einmal im Tage. Pius X. 1. Juli 1909. — Acta Ap. Sedis I, 575.

b) Zum heiligsten Sakramente des Altares. O Jesu in sanctissimo Sacramento miserere nobis!

O Jesus im heiligsten Sakramente, erbarme dich unser!

Ablaß zuwendbar: 100 Tage jedesmal. Pius X. Breve 6. Juli 1909. — Acta Ap. Sedis I, 574.

c) Für die armen Seelen. Pie Jesu Domine, dona eis (ei) requiem sempiternam.

Milder Herr Jesus, gib ihnen (ihm, ihr) die ewige Ruhe.

Ablaß nur den armen Seelen zuwendbar: 300 Tage, so oft man reumütig dieses Gebetchen verrichtet. Pius X. 18. März 1909. — Acta Ap. Sedis I, 513.

2. Gebet für die Bekehrung Japans. O Maria, hellstrahlender Morgenstern, als du zuerst der Welt erschienest, hast du den nahen Aufgang der Sonne der Gerechtigkeit und Wahrheit angekündet, o leuchte milde den Bewohnern des japanischen Reiches, damit die Finsternis des Geistes bald verscheucht werde und sie den Glanz des ewigen Lichtes, Jesus Christus, deinen Sohn unsern Herrn gläubig erkennen. Amen.

Ablaß zuwendbar: 300 Tage einmal im Tage. Pius X. 8. Juli 1909. — Acta Ap. Sedis I, 576.

---

[1] Das obige Gebetchen bildet die Unterschrift eines neuen prächtigen Bildes, das unter dem Titel „lux mundi" im Kunstverlage von Oskar Kühlen in München=Gladbach erschien. Nachdem der Heilige Vater das Bild selbst gutgeheißen und belobt hatte, verlieh er auch dem vorstehenden Stoßgebete für alle Christgläubigen den genannten Ablaß.

3. Gebet für China und die Mongolei. Herr Jesus Christus, einziger Erlöser des ganzen Menschengeschlechtes, der du schon herrschest von Meer zu Meer und vom Strome bis an die Grenzen des Erdkreises, öffne gnädigst dein heiligstes Herz auch den armen Bewohnern Chinas und der Mongolei, die noch in der Finsternis und im Schatten des Todes sitzen, damit sie durch die Fürbitte der gütigsten Jungfrau Maria, deiner unbefleckten Mutter und des heiligen Franz Xaver ihren Götzen den Rücken kehren und anbetend vor dir niederfallen, um deiner heiligen Kirche beigesellt zu werden, der du lebst und regierst von Ewigkeit zu Ewigkeit. Amen. — Vater unser. — Gegrüßet seist du, Maria. — Ehre sei dem Vater.

Ablässe zuwendbar: 300 Tage jedesmal. — Vollkommener Ablaß einmal im Monat, wenn man das Gebet einen Monat lang täglich verrichtet. Bedingung: Beichte, Kommunion, Kirchenbesuch und dabei Gebet nach der Meinung des Papstes. — Wer das Gebet nicht zur Hand hat oder nicht zu lesen versteht, gewinnt dieselben Ablässe, wenn er anstatt der obigen Gebete für die Bekehrung Chinas und der Mongolei zweimal Vater unser, Gegrüßet seist du, Maria, und Ehre sei dem Vater betet. — Pius X. 27. Mai 1909. — Acta Ap. Sedis I, 513.

4. Gebet um Bewahrung vor dem Abfall vom Glauben. O Jesus, mein Heiland und Erlöser, Sohn des lebendigen Gottes usw. (Beringer, die Ablässe, 13. Aufl. S. 256; Hilgers, Kl. Ablaßbuch, 2. Aufl., Anhang S. 13; diese Zeitschrift [1902] S. 911, [1903] 967).

Ablaß zuwendbar: Vollkommener Ablaß einmal täglich für die Mitglieder des „Gebets-Kreuzzuges", wenn dieselben nach Beichte und Kommunion das obige Gebet verrichten und in einer öffentlichen Kirche nach der Meinung des Heiligen Vaters beten.

Dieser neue Ablaß für das bekannte Gebet gilt nur für die Mitglieder des Gebets-Kreuzzuges. Derselbe wurde von Pius X. verliehen durch Breve vom 31. Oktober 1908. Das Breve wurde am 18. März 1909 dem heiligen Offizium vorgelegt. — Acta Ap. Sedis I, 203 f., 507.

Dasselbe Gebet war schon früher mit Ablaß versehen worden für alle. Vergleiche die oben angegebenen Stellen dieser Zeitschrift.

5. Spendung des Sterbeablasses für Ordensfrauen. Bis jetzt hatte nur der gewöhnliche Beichtvater von Ordensfrauen die Vollmacht, diesen in Todesgefahr den päpstlichen Segen mit dem vollkommenen Ablaß zu spenden. Unter dem 1. April 1909 hat nunmehr der Heilige Vater Pius X. jedem Priester, der einer Ordensfrau rechtmäßig die Sterbesakramente spenden kann, zugleich die Vollmacht verliehen, bei Todesgefahr derselben Ordensfrau auch den Sterbeablaß zu verleihen mittels der allgemein vorgeschriebenen Formel Benedikts XIV. — Acta Ap. Sedis I, 490.

6. Medaillen anstatt der großen Körner im Rosenkranz? Auf die Frage: „Ob man die Ablässe beim Rosenkranzgebet nicht gewinne, wenn anstatt der großen Perlen oder Körner (beim Vater unser) Medaillen eingefügt seien" antwortete das heilige Offizium am 13. März 1909: es solle keine Neuerung eingeführt werden. (Nihil esse innovandum). — Acta Ap. Sedis I, 465.

7. Der heroiſche Liebesakt. Im vorigen Hefte dieſer Zeitſchrift S. 688 f. wurde geſagt, daß es denen, welche den heroiſchen Liebesakt gemacht haben, frei ſtehe, den vollkommenen Ablaß für die Sterbeſtunde entweder den armen Seelen zu ſchenken oder aber für ſich ſelbſt zu behalten. Und zwar wurde dieſes als die Entſcheidung der Ablaßkongregation in einer Antwort vom 23. Januar 1901 hingeſtellt. In Wirklichkeit antwortete die Kongregation an dem genannten Tage auf die Frage: „Ob diejenigen, welche den heroiſchen Liebesakt gemacht haben, den vollkommenen Ablaß für die Sterbeſtunde den armen Seelen zuwenden können oder gar, wofern ſie den heroiſchen Liebesakt nicht widerrufen wollen, zuwenden müſſen“ — non esse interloquendum. Der Sinn dieſer Antwort iſt der, die Kongregation will ſich mit der Frage nicht weiter befaſſen. Der Sinn und Geiſt des heroiſchen Liebesaktes aber, ſo wie er von der Kirche gutgeheißen iſt, ſcheint es jedoch zu verlangen, daß auch der Ablaß für die Sterbeſtunde großmütig den armen Seelen zugewendet werde.

8. Der Kreuzwegroſenkranz. Dieſer Roſenkranz verdankt ſeinen Urſprung der Dienerin Gottes Luiſe Borgiotti (1802—1873), einer der Stifterinnen der „Schweſtern von Nazareth“ zu Turin. Derſelbe wurde ſchon 1864 von Pius IX. zuerſt gutgeheißen und dem Kardinal De Angelis damals vom Papſte die Vollmacht erteilt, denſelben zu weihen und mit den Abläſſen des Kreuzweges zu verſehen. Gleiche Vollmacht erhielt von Pius X. im Jahre 1906 der Kardinal Richelmy und der Obere der Lazariſten zu Turin. Zuletzt gewährte der Heilige Vater am 2. November 1906 dieſelbe Vollmacht allen Lazariſtenpatres und allen Prieſtern, die Direktoren und Eiferer ſind der ſogenannten „Heiligen Stunde“, einer Bruderſchaft, welche ſeit 1907 in Toulouſe beſteht (vergl. Acta Ap. Sedis I, 483 ff.). Schließlich bewilligte Pius X. am 1. Dezember 1907, daß es beim gemeinſamen Gebet zur Gewinnung der Abläſſe genüge, wenn nur einer von den Mitbetenden einen geweihten Kreuzwegroſenkranz in der Hand hält. Andere Prieſter können die Vollmacht zur Weihe des Roſenkranzes nur vom Heiligen Vater ſelber erlangen. — Acta S. Sedis XLI, 350 f. — Vergl. Il Monitore ecclesiastico (1908) 164 f.

. Die Abläſſe, welche man mit dieſem Roſenkranze gewinnt, ſind keine anderen, als die eigentlichen Kreuzwegabläſſe. Doch kann man den Roſenkranz dazu nur dann benutzen, wenn man aus irgendeinem vernünftigen Grunde verhindert iſt, den Kreuzweg in der Kirche, oder wo immer er errichtet iſt, zu beten.

Beim Beten des Roſenkranzes ſind 20 Vater unſer, Gegrüßet ſeiſt du und Ehre ſei dem Vater vorgeſchrieben. Ein Vater unſer, Gegrüßet ſeiſt du und Ehre ſei dem Vater bei jeder Station, fünf Vater unſer, Gegrüßet ſeiſt du und Ehre ſei dem Vater zu den fünf Wunden und ein Vater unſer, Gegrüßet ſeiſt du und Ehre ſei dem Vater nach der Meinung des Heiligen Vaters.

Seiner jetzigen Geſtalt nach hat der Roſenkranz nicht 14, ſondern 15 Geſetze mit je drei Körnern oder Perlen, die voneinander getrennt ſind durch Medaillen, in welche eine Darſtellung der 14 Stationen eingeprägt ist. Beim ersten Gesetze vor der Medaille der ersten Station betet man nach dem Kreuzzeichen an den drei Körnern drei Vater unser, Gegrüßet seist du und Ehre sei dem Vater zur Verehrung der Todesangst Christi am Oelberge, bei den 14 folgenden Gesetzen jedoch am ersten Korn das Vater unser, am zweiten das Gegrüßet seist du und am dritten das Ehre sei dem Vater. Nach den Gesetzen betet man die sechs übrigen Vater unser, Gegrüßet seist du und Ehre sei dem Vater an den sechs abschließenden Körnern. Es ist jedenfalls erlaubt, beim Worte Jesus im Gegrüßet seist du, Maria, jeder Station entsprechend einen kurzen Zusatz einzuschalten, z. B. . . . . Jesus, der für uns zum Tode verurteilt wurde; . . . . Jesus, der für uns das schwere Kreuz auf sich geladen hat usw.

Aus der obigen Erklärung und Beschreibung des Kreuzwegrosen= kranzes geht hervor, daß derselbe nichts anderes ist, als eine andere um= ständlichere Form der Kruzifixe mit den Kreuzwegablässen, der sogenannten Stationskruzifixe, welche schon älteren Datums sind. Die Vollmacht zur Weihe dieser Kruzifixe mit den Kreuzwegablässen kann jeder Priester vom Pater General des Franziskanerordens erhalten. Siehe über diese Kruzifixe Beringer, Die Ablässe, 13. Auflage, S. 376 ff.; Hilgers Kleines Ablaß= buch, 1. u. 2. Ausgabe, S. 175 f.

Erlässe und Bestimmungen römischer Kongregationen.

Zusammengestellt von D. Bruno Albers O. S. B. in Monte Cassino (Italien).

Eheschließung und Sponsalien. Die S. Congregatio de Sacra- mentis hatte am 18. Juni 1909 folgende Fragen zu beantworten:

1. Ob die Antwort der Konzilskongregation vom 28. März 1908 ad 2: Eine Ausnahme gelte nur für die in Deutschland (Ger= mania) geborenen und dort die Ehe schließenden Personen, so zu verstehen sei, daß in jedem Falle beide Ehegatten in Deutschland oder in Ungarn geboren sein müßten?

2. Ob nach Ausdehnung der Constitutio „Provida" auf das Königreich Ungarn, zwischen Deutschland und Ungarn (Germaniam inter et Ungariam), was die Gültigkeit der klandestinen gemischten Ehen anbetrifft, ein solch gegenseitiges Verhältnis bestehe, daß die beiden in Deutschland geborenen Ehegatten eine klandestine gemischte Ehe gültig in Ungarn, und umgekehrt zwei Ungarn gültigerweise in Deutschland eine klandestine Ehe eingehen könnten?

3. Ob wenigstens ein deutscher Ehegatte mit einem in Ungarn geborenen eine klandestine gemischte Ehe gültig eingehen könne, sei es in Deutschland, sei es in Ungarn?

Auf diese Fragen gaben die der Kongregation angehörigen Kardinäle folgende Antworten: Ad 1 Ja. Ad 2 Nein. Ad 3 Nein.

Säkularisierung von Ordenspersonen. Für die säkularisierten Ordenspersonen mit feierlichen Gelübden, sei es, daß sie eine zeitweilige, sei es, eine dauernde Säkularisation erlangt haben, hat Pius X. folgende Bestimmungen erlassen, die, auch wenn selbige dem Säkularisationsdekret nicht beigefügt sind, doch immer Gültigkeit haben.

Es ist solchen säkularisierten Ordenspersonen in Zukunft verboten:

1. Jedes Offizium, und solchen, denen gestattet ist, ein Benefizium zu erlangen, jedes Benefizium in einer Basilica maior oder minor oder in einer Kathedralkirche.

2. Jeder Unterricht oder jedes Offizium in den großen oder kleinen Klerikalseminaren, in denen Kleriker erzogen werden, oder an Universitäten oder Studienanstalten, welche das Apostolische Privileg besitzen, die akademischen Grade in der Philosophie, Theologie oder im Kirchenrecht zu erteilen.

3. Jegliches Amt oder Stellung an der Diözesan-Kurie.

4. Das Offizium eines Visitators oder Moderators von religiösen Häusern beiderlei Geschlechtes, selbst wenn es sich um einfache Diözesan-Kongregationen handelt.

5. Das ständige Wohnen an Orten, wo ein Konvent oder eine religiöse Niederlassung der Provinz oder der Mission besteht, welcher der säkularisierte oder von seinen Gelübden entbundene Priester oder Kleriker angehört hat.

Von diesen obenstehenden Verboten kann nur der Heilige Stuhl mit einem neuen und speziellen Dekret dispensieren. (S. Congr. de Religiosis d. d. 15 Junii 1909.)

Päpstlicher Segen in der Todesstunde für Nonnen. Den Nonnen, sei es mit einfachen, sei es mit feierlichen Gelübden, konnte bislang nur der ordentliche Beichtvater in der Todesstunde den päpstlichen Segen erteilen. Damit nun die Nonnen dieses Trostes in der Todesstunde nicht durch einen Zufall beraubt würden, hat der Heilige Vater Papst Pius X. am 1. April 1909 gestattet, daß künftighin jeder Priester, der zu einer Nonne rechtlich gerufen wird, um ihr die Sterbesakramente zu erteilen, derselben auch den päpstlichen Segen, wie es in der Konstitution Benedikt XIV. „Pia mater“ vorgeschrieben ist, erteilen kann.

Liturgische Zweifel. 1. Kann eine Partikel des heiligen Kreuzes mit anderen Reliquien in dieselbe Theke eingeschlossen und zur Verehrung ausgesetzt werden?

Antwort: Nein. Die Kreuzesreliquie soll, in einer eigenen Theke eingeschlossen, ausgestellt werden.

2. Muß das Kredo in der Messe gebetet werden, auch wenn die Reliquia insignis des Heiligen, dessen Fest gefeiert wird, nicht ausgestellt wird?

Antwort: Ja. (S. Rit. Congreg. d. d. 25 Maii 1906. cf. Acta Apost. Sedis Junii 1909, pg. 506.)

Matrimonia mixta. 1. Fällt unter Artikel IX § 2 des Dekretes Ne temere bei der Ausnahme, „wenn nicht für einen besonderen Ort oder Region anders vom Heiligen Stuhl bestimmt worden ist“, die

Instruktion der S Congregatio pro Negotiis ecclesiasticis extraordinariis aus dem Jahre 1844 für das Kaiserreich Rußland und Königreich Polen: Mündlich ist zu antworten, daß die Matrimonia mixta, welche im Kaiserreich Rußland oder im Königreich Polen nicht in der von dem Konzil von Trient vorgeschriebenen Form geschlossen worden sind, klugerweiser nicht zu beachten seien, und obwohl unerlaubt, so doch gültig seien, wofern nicht ein anderes kanonisches trennendes Ehehindernis denselben entgegenstünde oder die Ausdehnung der Declaratio Benedictina auf das Königreich Polen von Pius VI. am 2. März 1780 erlassen?

2. Ob unter Beachtung der angeführten Instruktion vom Jahre 1844 und der Ausdehnung der Declaratio Benedictina auf das Königreich Polen vom Jahre 1780, nach Erlaß des Dekretes „Ne temere" von Ostern 1908 an, die vor dem akatholischen Minister im russischen Reiche geschlossenen gemischten Ehen als gültig anzusehen seien?

Die S. Congregatio Concilii antwortete darauf:

Ad 1 Negative. Ad 2 Provisum in primo. Der Heilige Vater Pius X. hat den Entscheid gebilligt. (Acta Apost. Sedis Junii 1909, pg. 506.)

Ehehindernisse auf dem Todbette. Durch Leo XIII. war mittels Dekret vom 20. Februar 1882 und 9. Januar 1889 den Ordinarien die Fakultät erteilt worden, die Pfarrer zu subdelegieren, für die Dispens auf dem Todbette auch für die trennenden öffentlichen Ehehindernisse, ausgenommen die Ehehindernisse des Presbyterats und der Affinität in linea recta ex copula licita proveniente. Nun ist im Artikel VII des Dekretes „Ne temere" festgesetzt, daß in Todesgefahr, wenn der Pfarrer, der Ordinarius des Ortes oder ein von diesen delegierter Priester nicht zur Stelle sein kann, zur Beruhigung des Gewissens und, falls notwendig, zur Legitimation der Nachkommenschaft die Ehe gültig und erlaubterweise vor jedem Priester und zwei Zeugen geschlossen werden kann. Eine Reihe von Bischöfen hat nun den Heiligen Stuhl gebeten, daß auch in diesem Falle von einem öffentlichen trennenden Ehehindernisse dispensiert werden könne, damit die Ehe rechtsgültig geschlossen werde. Der Heilige Vater hat diese Fakultät erteilt, künftighin kann also jeder Priester im Notfalle, wenn der Pfarrer oder der Ordinarius loci oder ein von diesen bestellter Delegat nicht da ist, vor zwei Zeugen die Ehe gültig schließen, nachdem er vorher von allen öffentlichen Ehehindernissen die Dispens erteilt hat, ausgenommen bleiben nur die beiden Ehehindernisse des Presbyterats und der Affinität lineae rectae ex copula licita provenientis. (S. Congreg. de Sacramentis d. d. 14 Maii 1909.)

Officium Defunctorum. Auf Befehl des Heiligen Vaters hat die Ritenkongregation die neue vatikanische Ausgabe des Officium Defunctorum für die authentische und typische erklärt; in der Folge ist diese von allen, welche den römischen Ritus haben, zu gebrauchen, ebenso müssen alle anderen Neuausgaben mit dieser ganz genau übereinstimmen. (S. Rit. Congreg. d. d. 12 Maii 1909.)

Kirchliche Zeitläufe

Von Professor Dr. M. Hiptmair.

Pius X. und P. Weiß. — Schulfrage und Reform des Religionsunterrichtes. — Nach 10 Jahren der Los von Rom=Bewegung. — Tyrrell und Murri. — Unionistenkongreß in Velehrad.

Im zweiten Hefte dieses Jahrganges haben wir den Inhalt des Buches „Luther und Luthertum" von P. A. M. Weiß als Zeitläufe des 16. Jahrhundertes auszüglich mitgeteilt. Nun erhielt auch der Heilige Vater Kenntnis von dem Buche und ließ durch den Kardinal= Staatssekretär dem Verfasser folgendes Schreiben zukommen:

Staatssekretariat Sr. Heiligkeit

Nr. 38260.   Vatikan, 1. Juli 1909.

Hochw. Pater! Gern erfülle ich den mir von Sr. Heiligkeit erteilten Auftrag, indem ich Dir und den Herren Verlegern Kirch= heim und Ko. in Mainz besten Dank sage für das Sr. Heiligkeit ehrerbietigst übersandte Werk, das von dem berühmten Pater Heinrich Suso Denifle, seligen Andenkens, begonnen und von Dir so glücklich fortgesetzt worden ist. Der Heilige Vater hat sich sehr gefreut nicht bloß über den kindlich ergebenen Gehorsam, sondern auch über den großen Fleiß, die hervorragende Wissenschaft und den löblichen Eifer, den der obengenannte Pater Denifle und Deine eigene Person bei Ausarbeitung dieses Werkes aufgewandt haben, um Luther und andere Irrlehrer zu widerlegen und die reine und wohlverbürgte Lehre der Heiligen Schrift zu verteidigen.

Deshalb erteilt der Heilige Vater zum Beweis seiner dankbaren und wohlwollenden Gesinnung und als Unterpfand der ewigen Güter Dir, hochw. Pater, sowie den obengenannten Verlegern von ganzem Herzen den Apostolischen Segen. — Mit größter Hochachtung bin und verbleibe ich Deiner Hochwürden ergebenster

R. Kard. Merry del Val.

An den hochw. Pater Magister

Albert Maria Weiß,

Professor an der katholischen Universität Freiburg (Schweiz).

Obwohl dieses Anerkennungsschreiben Sr. Heiligkeit gleich nach dessen Erlaß in vielen katholischen Zeitungen veröffentlicht worden und so zur Kenntnis unserer Leser gekommen ist, halten wir es doch für unsere Pflicht, dasselbe auch hier niederzulegen. Vielleicht wird dadurch so mancher zum Studium des auch für unsere Zeit bedeutungs= vollen Buches angeregt. Wir sagen mit Bedacht auch für unsere Zeit; denn die Prinzipien, welche im Luthertum zur Herrschaft gekommen sind, wirken auch in unseren Tagen noch fort. Der Bruch mit der alten Theologie, mit der kirchlichen Autorität und mit der Philosophie der Vorzeit brachte damals eine völlige Anarchie im Denken und

Reden und Handeln hervor. Und wenn wir unfere Zeit betrachten, so fehen wir ja auch Anarchie auf fo vielen Gebieten, die aus der= felben Quelle fließt! Wer foll nun dieser Anarchie steuern, wenn nicht der Klerus? Wird er aber es tun, wenn er fie nicht vollständig kennt, ihren Ursprung und ihre Ziele nicht klar durchschaut? Er wird vielmehr felbst vom Strome der Zeit fortgeriffen, wenn er nicht festhält an den Prinzipien der Kirche und nicht ganz und gar durch= drungen ist von ihrem Geiste. Wie die Neuerer des 16. Jahrhunderts dem damals herrschenden Zeitgeiste un erlegen sind, so find ihm heutzutage gar manche schon zum Opfer gefallen und die Gefahr, das gleiche Schickfal zu erfahren, besteht für jene besonders, die der Zeitströmung Konzessionen zu machen geneigt sind. P. Weiß tritt dieser Zeitströmung auch in den Artikeln unserer Zeitschrift feit einer Reihe von Jahren entgegen. Die Literatur, in welcher sie zutage tritt, ist ihm vollständig bekannt und so war diese Zeitschrift eine der allererften, welche den Modernismus signalisierte und beharrlich bekämpfte. Wer nicht Zeit und Gelegenheit hat, diese Literatur kennen zu lernen, der wird die Wichtigkeit und Tragweite seiner Darlegungen vielleicht nicht ganz ermessen. Das ist begreiflich. Wer dagegen in das Getriebe hineinsieht, das in der Geisterwelt herrscht, der zweifelt nicht im mindesten, daß sie zeitgemäß, richtig und nützlich sind.

Schulfrage und Reform des Religionsunterrichtes. Seit einer Reihe von Jahren steht das Thema über die Reform des Religionsunterrichtes auf der Tagesordnung des öffentlichen Lebens fowohl bei Katholiken als auch bei Protestanten. Bei den Katholiken handelt es fich um die Katechismusfrage, um die Methode des Unterrichtes, um die konfessionelle Schule, um Unterricht und Erzie= hung, um die geistliche Schulaufsicht, endlich dort und da auch wie in Preußisch=Polen und in Ungarn um den Unterricht in der Mutter= sprache. Bei den Protestanten gefellen fich dazu noch radikalere Fragen, z. B. Beseitigung des Katechismus und jedweder Konfession aus der Schule, d. i. Religion ohne positives Bekenntnis. Hier stellen fich die letzten Konsequenzen ein, die fich aus dem protestantischen Subjek= tivismus sowie aus der Theorie des modernen Staates, der inter= konfessionell oder konfessionslos, aber Herr des ganzen Schulwesens fein will, naturnotwendig ergeben.

Schon auf dem Vatikanischen Konzil beschäftigten fich die Bischöfe mit der Katechismusfrage, ohne fie jedoch zum Abschluß gebracht zu haben. Seither arbeitet man mit wachsendem Eifer an ihrer Lösung in den einzelnen Ländern und kann schon auf schöne Resultate hinweisen. Ein Endziel ist aber noch nicht erreicht, wenn überhaupt eines erreichbar ist; wir stehen vielmehr mitten in der Bewegung. Außer den katechetischen Fachzeitschriften beteiligen fich an der Arbeit hervorragende Pädagogen und Katecheten wie beispiels= weise Dr. Friedrich Justus Knecht, Weihbischof von Freiburg, in feiner Broschüre: „Zur Katechismusfrage mit besonderem Hinblick auf die

Bearbeitung des Deharbeschen Katechismus von P. Linden." Die Münchener Katechetenschule sowie die katechetische Sektion der Leogesellschaft in Wien entfalten eine sehr rege Tätigkeit, besonders über die Frage der Methode. Die katechetischen Kurse, wovon der dritte Ende August in München abgehalten wurde, sorgen dafür, daß die beteiligten Kreise in dieser Tätigkeit nicht nachlassen und erlahmen. Den Prinzipien, welche diesbezüglich in der Münchenerschule herrschen, tritt Pfarrer Johann Schraml in Burglengenfeld (Bayern) energisch entgegen in den „Historisch-politischen Blättern" (III. Heft 1909), wie er es schon in dieser Zeitschrift 1904 (Heft II u. III) getan hat. Ihm erscheint das katholische Glaubensprinzip gefährdet zu sein. „Die Ausschaltung des wahren Prinzips, sagt er, hat einen allmählich unheimlichen Wirrwarr erzeugt, der unsere Katechese in das Schicksal der modernen Pädagogik zu treiben droht, welche ohne festen Grund ist, immer von hohen Zielen redet, aber kein systematisch befestigtes besitzt, Subjektivismus und methodische Wichtigtuerei züchtet." Deshalb ruft er ein „Zurück für unsere Katechese zur Autorität Gottes, ihrem Grund und Leben" zu. Die katechetische Sektion der Leogesellschaft regte den Gedanken eines Katecheten-Kongresses an. Auf demselben sollen schwebende Fragen, an denen es der Katechetik bei ihrer wachsenden wissenschaftlichen Selbständigkeit nicht fehlt, zum Austrag gebracht werden und erhofft man als Frucht dieser Bewegung das Zustandekommen einer katechetischen Enzyklopädie. Die Münchener Versammlung nahm diesen Gedanken mit Sympathie auf, sprach aber den sehr beachtenswerten Wunsch aus, auf das eventuell vorzulegende Programm des Kongresses nicht zu vielerlei und zu allgemeine Themen zu setzen. Sehr richtig. Es ist gewiß mit Freuden zu begrüßen, daß die Religionslehrer so viel als möglich sich ausbilden und einem vernünftigen Fortschritt huldigen, unerläßlich aber bleibt es dabei, auch die Schüler mit ihren Anlagen und Fähigkeiten, mit ihren Altersstufen, mit ihren Lebensverhältnissen und sozialen Zuständen nicht aus dem Auge zu verlieren, sonst fährt der Fuhrmann mit dem Roß ohne den Wagen.

Ueber die Schulfrage wurde auch auf dem Breslauer Katholikentag verhandelt und es war Oberlandesgerichtsrat Marx aus Düsseldorf, der die Prinzipien, an welchen die Katholiken festhalten müssen, in öffentlicher Versammlung darlegte. Die Schule, sagte der Redner, ist Bildungsanstalt, aber auch Erziehungsanstalt, sie soll den Verstand schulen, aber auch Herz und Charakter bilden, sie soll die Jugend zu Menschen im edelsten Sinne des Wortes machen für Welt und Himmel. Von diesen Grundsätzen ausgehend erheben die Katholiken einmütig die Forderung, daß der Unterricht in der Religion diejenige Stelle eingeräumt bekomme, welche ihm bei seiner Bedeutung für das Endziel jeglichen Unterrichtes zukommt. Wir mißachten nicht, sagt Redner, die Kenntnisse in weltlichen Dingen, aber wir werden uns stets auf das entschiedenste dem Streben weiter Kreise, leider auch von Lehrern und Verwaltungsorganen, entgegenstemmen, den Religionsunterricht zu einem nebensächlichen Unterrichtsgegenstand zu erniedrigen oder sogar ganz aus der Schule zu entfernen. Der Religions= unterricht muß den Kindern in ihrer Muttersprache erteilt werden. Deshalb können die polnischen Glaubensgenossen versichert sein, daß bei ihrem Kampfe um diese naturgemäße Forderung, so weit er sich auf dem Boden der staatlichen Ordnung und innerhalb der ver= fassungs= und gesetzmäßigen Grenzen bewegt, die Katholiken Deutsch= lands insgesamt Seite an Seite mit ihnen stehen. Ferners, da das Ziel der Schule hauptsächlich in der Erziehung der Jugend zu sittlich= religiösen Charakteren besteht, muß die Kirche auch in der Lage sein, darüber zu wachen, daß die gesamte Erziehung der Jugend von religiös=sittlichem Geiste getragen und geleitet werde. Dieses unan= tastbare Recht muß gesetzlich klar anerkannt und festgelegt werden. Dieses Erziehungsideal kann aber nur in streng konfessionell geschie= denen Schulen erreicht werden, worin auch die positiven Protestanten mit den Katholiken übereinstimmen. Der Kampf zwischen Konfessions= schule und Simultanschule ist noch nicht ausgekämpft, er erfordert die angestrengte Wachsamkeit der Katholiken, wenn nicht auf die Dauer großer Schaden dem ganzen Schulwesen zugefügt werden soll. Von der Erreichung unseres Zieles sind wir noch sehr weit entfernt. Wahrhaft erschreckend war die Mitteilung eines Redners auf dem Eucharistischen Kongreß zu Köln, daß 55.000 katholische Kinder ohne jeden katholischen Religionsunterricht aufwachsen. Die amtliche Statistik belehrt uns, daß in Preußen rund 70.000 katho= lische Kinder evangelische Schulen und 167.000 Kinder Simultan= schulen besuchen, während nur 17.000 evangelische Kinder katholische Schulen besuchen und 159.000 evangelische Kinder Simultanschulen. Gegen 1901 vermehrten sich die Simultanschulen in Preußen um 97, von 803 auf 900, und nahmen zu um 21.884 evangelische, 26.776 katholische Schüler. Die Zahl der evangelischen Lehrkräfte an Simultan= schulen stieg von 1901 bis 1906 um 707, die der katholischen von 1910 Lehrern auf 2319, also nur um 419, so daß auf 46 evan= gelische Schüler schon ein Lehrer dieses Bekenntnisses kommt, ein katholischer Lehrer aber erst auf 72 katholische Schüler. Mit Klagen über solche Verhältnisse allein ist es nicht getan. Wir müssen uns vielmehr die Pflichten vorlegen, die uns aus ihnen entspringen.

Diese Pflichten schärfte nun Redner den Eltern, Lehrern und Behörden mit hohem Ernste ein, und dann zeichnete er das grauen= volle Bild der Zerfahrenheit und Religionslosigkeit, das der Protestan= tismus in der Gegenwart auch bezüglich der Schule gewährt. Wir können hier den ganzen Wortlaut nicht mitteilen.

Um jedoch dem Leser einen genügenden Einblick in die trost= lose Lage, die im protestantischen Deutschland bezüglich unserer Frage herrscht, zu ermöglichen, wollen wir die Thesen hersetzen, welche die Vertreter der sächsischen Lehrerschaft in Zwickau aufgestellt haben.

Diese Thesen enthalten so ziemlich alles, was Nationalismus und Irrglaube anstrebt, sie lauten:

1. Religion ist ein wesentlicher Unterrichtsgegenstand und der Religions-unterricht eine selbständige Veranstaltung der Volksschule.

2. Er hat die Aufgabe, die Gesinnung Jesu im Kinde lebendig zu machen.

3. Lehrplan und Unterrichtsform müssen dem Wesen der Kindesseele entsprechen, und Festsetzungen darüber sind ausschließlich Sache der Schule. Die kirchliche Aufsicht über den Religionsunterricht ist aufzuheben.

4. Nur solche Bildungsstoffe kommen in Betracht, in denen dem Kinde religiöses und sittliches Leben anschaulich entgegentritt. Der Religionsunterricht ist im Wesentlichen Geschichtsunterricht. Im Mittelpunkte hat die Person Jesu zu stehen. Besondere Beachtung verdienen außer den entsprechenden biblischen Stoffen auch Lebensbilder von Förderern religiöser und sittlicher Kultur auf dem Boden unseres Volkstums mit Berücksichtigung der Neuzeit. In ausgiebiger Weise sind auch die Erlebnisse des Kindes zu verwerten.

5. Die Volksschule hat systematischen und dogmatischen Religionsunterricht abzulehnen. Für die Oberstufe können als geeignete Grundlage für eine Zusammen-fassung der in der christlichen Religion enthaltenen sittlichen Gedanken die Zehn Gebote, die Bergpredigt und das Vaterunser bezeichnet werden. Der Katechis-mus Luthers kann nicht Grundlage und Ausgangspunkt der religiösen Jugend-unterweisung sein. Er ist als religionsgeschichtliche Urkunde und evangelisch-lutherische Bekenntnisschrift zu würdigen.

6. Der religiöse Lernstoff ist nach psychologisch-pädagogischen Grund-sätzen neuzugestalten und wesentlich zu kürzen, der Lernzwang zu mildern.

7. Der Religionsunterricht soll vor dem dritten Schuljahre nicht als selbständiges Unterrichtsfach auftreten. Die Zahl der Stunden ist, damit das kindliche Interesse nicht erlahme, auf allen Unterrichtsstufen zu vermindern. Die bisher übliche Zweiteilung des Religionsunterrichtes in Biblische Geschichte (Bibelerklärung) und Katechismuslehre, sowie die Anordnung des Stoffes nach konzentrischen Kreisen ist abzulehnen. Ebenso müssen Religionsprüfungen und Religionszensuren wegfallen.

8. Der gesamte Religionsunterricht muß im Einklange stehen mit den gesicherten Ergebnissen der wissenschaftlichen Forschung und dem geläuterten sittlichen Empfinden unserer Zeit.

9. Neben der Reform des Religionsunterrichtes in der Volksschule ist eine entsprechende Umgestaltung des Religionsunterrichtes im Seminare not-wendig.

Diese Thesen haben protestantische Lehrer aufgestellt, die von einer Kirche, von einem positiven Bekenntnis, von Dogmen und den Geheimnissen des Christentums nichts mehr wissen wollen. Wir haben da eine vom wirklichen Christentum gänzlich verschiedene Weltanschauung vor uns, die nur fälschlich noch christlich genannt wird. Es ist modernes Heidentum. Aber das nimmt überhand. Das wollte auch bei uns die „Freie Schule" einführen, die jüngst von der Regierung geschlossen wurde. Eine protestantische Zeitschrift sagt angesichts der obigen Thesen, es möge die evangelische Kirche Deutschlands sich nicht beiseite schieben lassen, sondern die Führung der religiösen Ent-wicklung in die Hand nehmen. Sie hätte das längst tun müssen, aber sie hat die Zeichen der Zeit nicht erkannt und wiegt sich immer noch in einem unbegreiflichen Optimismus! Es ist dringende Gefahr da, daß die Weltgeschichte über die evangelische Kirche hinweggeht,

und daß die Reste zu Sekten zusammenschrumpfen! Habeat sibi.
Die katholische Kirche wird einer solchen Mahnung nicht bedürfen.

Nach zehn Jahren der Los von Rom-Bewegung. In
Wien ist kürzlich eine Broschüre erschienen, welche die Resultate der
zehnjährigen Abfallshetze in Oesterreich darlegt.[1]) Die Ernte der
politisch protestantischen Aussaat ist keine geringe. Mit Recht sagt
der Verfasser: „Eine so planmäßig angelegte Agitation vom Erz-
gebirge bis zur Adria und vom Bodensee bis zur russischen Grenze
muß, so lange Menschen handeln, einen Erfolg haben. Und Erfolge
hatte diese antikirchliche und antiösterreichische Agitation. „Es sind in
zehn Jahren — so wird gezeigt — 33 neue Pfarrgemeinden, 52 neue
Vikariate, 65 neue Kirchen, 10 neue Bethäuser errichtet, 108 neue
Prediger eingesetzt worden.“ „Man lasse nur — sagt zwar der Verfasser — 200 Jesuiten in den überwiegend evangelischen Provinzen:
Ostpreußen, Berlin, Brandenburg, Pommern, Sachsen mit der Hälfte
des Geldes Kirchen bauen und in denselben, ohne jede Agitation in
den Wirtshäusern, schlicht die katholische Lehre predigen, die von den
Predigern absichtlich immer entstellt wird: wir wollen sehen, ob der
Erfolg nicht größer sein wird. Und doch könnte ein katholischer
Missionär seine Konvertiten nicht mit einfachem Handschlag aufnehmen und sagen: Ein Bekenntnis nehme ich von euch nicht ab;
ihr könnt glauben, was ihr wollt, wenn ihr nur der katholischen
Kirche beitretet.“ Aber trotzdem läßt sich nicht leugnen, daß wir es
mit sehr betrübenden Erscheinungen zu tun haben. Die Abgefallenen
waren sicherlich dürre Aeste am Baume der Kirche; ihr Verlust ist
also sicherlich kein wirklicher Verlust, und doch ist dieses schon traurig
genug, aber noch trauriger ist, daß auch ihre Nachkommen für die

---

[1]) Treu zu Rom. Heft 7. „Nach zehn Jahren der Los von Rom-Bewegung“
von G. David. Norbertus-Verlag, Wien III., Seidlgasse 8. — 128 Seiten, 30 Heller.
— Während Nr. 5 der Broschürenreihe den Werdegang, Nr. 6 die Entwickelung der Los von Rom-Bewegung schilderten, gibt die jetzige dreifache
Nummer den Zustand, wie er in den zehn Jahren sich gestaltet hat. — Den
Hauptteil bilden die Neugründungen, d. h. die Aufzählung aller jener Orte
in ganz Oesterreich, an welchen der „Evangelische Bund“ seine Prediger hin-
gesetzt hat: Böhmen (S. 4—29), Mähren und Schlesien (S. 30—40), Niederösterreich (S. 41—50), Steiermark (S. 51—74), Kärnten (S. 75—81), das
Küstenland (S. 82—86), Oberösterreich (S. 87—89), Salzburg (S. 89—92),
Tirol (S. 93—96), Krain (S. 97—99), Vorarlberg (S. 99—101). — Die beiden
anderen Teile behandeln die Geldquellen zu dieser ausgedehnten Propaganda
(S. 104—112), und die Erfolge derselben (S. 113—124). — Ein Verzeichnis
der hauptsächlichsten Agitationspunkte beschließt das Broschürchen. Das Heft ist
von aktueller Bedeutung und bietet einen belehrenden Ueberblick über die
ganze Werbearbeit der Importprediger. Die sicher mühevolle Arbeit und Sammlung aus den verschiedenen Berichten der Abfallprediger ist allen Geistlichen zu
empfehlen, die von der Propaganda betroffen sind oder sich um diese einzig
dastehende Invasion der Prediger interessieren. Es ist auch an der Zeit, die
Aufmerksamkeit der Katholiken auf diesen beständig fortdauernden Aufmarsch
der Invasionstruppen des „Evangelischen Bundes“ zu lenken. Mögen alle die
Broschüre lesen, die zur Abwehr berufen sind und daraus nach Mitteln umsehen, um dem Treiben mit neuer Kraft entgegenzutreten.

Kirche unrettbar verloren bleiben. Sehr bedenklich erscheinen nebstdem die Geldquellen, welche zur Förderung der Apostasie flüssig gemacht sind. Wir lernen sie in der Broschüre kennen. Zu diesen zählt der „Hilfsausschuß des Evangelischen Bundes für Oesterreich", dann der „Lutherische Gotteskasten", der „Gustav Adolf-Verein", die Kirchen= kassen der evangelischen Pfarrgemeinden in Preußen und der „Schwei= zerische Verein für die Evangelischen in Oesterreich" endlich, und das ist unter allen Quellen die unbegreiflichste — die „österreichischen Staatspauschale". Unsere Staatsmänner und unsere Abgeordneten sollten darüber nachdenken. Da hilft der Staat, gegen dessen Existenz die ganze Agitation unbestreitbar gerichtet ist, selbst mit, seine Funda= mente zu erschüttern. Der Verfasser schließt seine mit großer Mühe und Genauigkeit zusammengestellten Darlegungen mit den Worten: „Mit dem auswärtigen Gelde sind viele neuen Zentren der Abfalls= agitation geschaffen, die nicht zu unterschätzen sind, die gemischten Ehen werden infolge dieser Agitation zunehmen und meist in einer der katholischen Kirche ungünstigen Weise geschlossen werden, es werden immerhin noch viele, die schon innerlich morsch sind, die evangelische Kirche als Uebergangsstadium zum vollen Unglauben wählen; der evangelischen Kirche in Oesterreich hat diese Bewegung im Aeußeren an Ansehen viel geschadet und sie im Innern nicht gestärkt. Was wird die Zukunft bringen? Ohne den Propheten= mantel umzulegen, glauben wir sagen zu können: solange diese liberalen Prediger weiter arbeiten, wird es mit dem ganzen inneren und äußeren Kirchtum ständig bergab gehen. Mit solchen Leuten und solchen Mitteln baut man keine religiösen Bauten, die standhalten können. Für uns Katholiken aber ist es eine ernste Mahnung, den Bonifazius=Verein zu unterstützen, daß für je 10.000 Katholiken so viel geschehe, als der „Evangelische Bund" für je 100 Apostaten seit zehn Jahren opfert und weiter opfern wird.[1])

---

[1]) Eine Bilanz der Los von Rom=Bewegung zieht in dem soeben erschienenen zweiten Bande des „Kirchlichen Handbuches für das katholische Deutschland", herausgegeben von H. A. Krose S. J. (Freiburg 1909, Herder; geb. in Leinwand M. 6.—) G. Reinhold in seinem Bericht über die Lage der katholischen Kirche im Ausland. Wir fügen noch bei, was über diesen Gegen= stand das „Kirchliche Handbuch" Nr. 2 schreibt: „Seit ungefähr zehn Jahren wird im katholischen Oesterreich unter dem Schlagwort Los von Rom ein mit allen Mitteln vom protestantischen Deutschland unterstützter Kampf geführt, dessen Ungeheuerlichkeit nur derjenige einigermaßen abschätzen kann, der das unmögliche und unsinnige Gegenstück dazu, eine von Oesterreich gegen Deutsch= land geführte Los von Wittenberg=Bewegung, bis zu Ende auszudenken vermag. Legen wir nun einmal auf Treu und Glauben die Angaben Pfarrer Fischers aus Eger auf der XXI. Generalversammlung des „Evangelischen Bundes" in Braunschweig am 6. Oktober 1908 zu Grunde, dann ergibt sich als Resultat des zehnjährigen erbitterten Kampfes für die protestantische Kirche ein Zuwachs von 46.000 Seelen; nach Abzug von zirka 9000 Rücktritten zur katholischen Kirche verbleibt den Protestanten ein Nettogewinn von 37.000 Seelen. Bürgermeister Lueger hat für die Abgefallenen den Ausdruck Pöfelware geprägt; wir machen uns das Urteil nicht zu eigen, aber die katholischen Berichte wenigstens stimmen

Tyrrell und Murri. Der republikanische „Stagione" ver=
breitete die unwahrscheinliche Nachricht, daß Romolo Murri sein
Abgeordneten=Mandat zurücklegen wolle. Murri wurde seinerzeit in
Montegiorgio mit Hilfe der Sozialisten gewählt. In den Wahlreden
nannte er sich democratico e cristiano, im Parlament nahm er
Platz auf der äußersten Linken, trug aber nach wie vor den Talar.
Da er sowohl die Mahnung seines Erzbischofes von Fermo und den
Wahlprotest der Kardinäle von Mailand, Turin und Venedig ver=
achtet und der Exkommunikation, die am 22. März über ihn verhängt
worden, Trotz bot, hofften viele, er werde ein vollendeter Streit=
genosse der Sozialisten werden und formell einer religiösen Sekte sich
anschließen. Allein in dieser Hoffnung sind sie bis jetzt wenigstens
getäuscht worden. Murri kümmert sich zwar nicht um die kirchliche
Autorität, in seinem Kopfe scheint eine große Begriffsverwirrung zu
herrschen — meinten selbst Anhänger von ihm von Anfang an, er
sei eben doch kein religiöses, sondern ein politisches Genie —, aber
er zeigt sich im Verlauf der Zeit auch nicht als der Politiker, für
den man ihn hielt. Hatte schon seine Abstimmung zu Gunsten der
religiösen Genossenschaften Mißfallen erregt, so hat er sich vollends
den Zorn der Sozialisten dadurch zugezogen, daß er zu Gunsten der
Regierung für die erhöhten Heeresausgaben seine Stimme abgab.
Murri wird sicherlich dasselbe Schicksal erleben, das noch alle erlebt
haben, die ihre Stellung zwischen Kirche und Welt genommen haben:
spiacente a Dio e ai nemici suoi. Er verdient es nicht, daß man
ihn in Schutz nehme und seine kulturschwärmerische Haltung verteidige.

darin überein, daß der Abfall sich mit verschwindenden Ausnahmen auf jene
Kreise beschränkt, die dem kirchlichen Leben bereits längst entfremdet waren, so
daß die protestantische Kirche doch nur in seltenen Fällen einen wirklichen
Gewinn, einen Zuwachs nämlich an überzeugten und bekenntnistreuen Gläubigen,
zu verzeichnen hatte. Und nun hat allein der Gustav Adolf=Verein bis 1907
einschließlich 15,661.553·30 Kronen an Beiträgen für die österreichisch=ungarische
Monarchie gesteuert. Hiezu kommen die Summen des Evangelischen Bundes,
des Lutherischen Gotteskastens, des sächsischen Luther=Vereines, die Beiträge der
preußischen Landesbehörde für die kirchliche Versorgung der evangelischen Deutschen
im Ausland und ungezählte Sonderspenden. Da sich diese einzelnen Posten auch
nicht entfernt genau ermitteln lassen, müssen wir es uns leider versagen, eine
zahlenmäßige Berechnung darüber anzustellen, wie teuer im Durchschnitt den
Protestanten der Gewinn einer Seele zu stehen kam. Dabei setzen wir nicht
einmal in Rechnung, was durch die Abfallshetze an rein destruktiver Arbeit
geleistet, was an positiven Werten vernichtet wurde: Friede und Eintracht, die
dem Volke geraubt, Haß und Verleumdung, die dafür gesät wurden. Ein wie
viel dankbareres Feld hätten die Protestanten mit diesen riesigen Summen, mit
so viel Aufwand an propagandistischer Arbeit gefunden, wenn sie das alles im
Dienste der religiösen Volksbedürfnisse ihrer eigenen Heimat aufgewendet, wenn sie
die reichen Mittel dazu benützt hätten, der namentlich seit 1905 wegen der Kirchen=
steuer erschreckenden Zunahme der Austritte aus ihren eigenen Reihen, besonders
in Berlin und der Mark, nach Kräften zu steuern; sind doch nach dem Bericht
des Professors Dr. Drews auf dem XX. Evangelisch=sozialen Kongreß (Anfang
Juni 1909 in Heilbronn) allein in Berlin 1907 an 7000 und 1908 zirka
10.000 Arbeiter aus der Landeskirche ausgetreten".

Tyrrell, der englische Modernist, ist am 15. Juli in Storrington gestorben, ohne sich mit der Kirche formell ausgesöhnt zu haben. Sein Freund Priester Brémond erzählt im „Journal des Débats", daß er ihm die Absolution bedingungsweise erteilt habe; da aber der Bischof von Southwark das kirchliche Begräbnis verweigerte, suchte er für den Verstorbenen ein Grab auf dem anglikanischen Friedhof, was er auch erhielt. Dann erzählt er weiter:

„Als die Stunde des Begräbnisses gekommen war, vereinigte ich die zahlreichen Freunde des Verstorbenen bei dem Sarge, indem ich ihnen mitteilte, daß ich ohne den geringsten Gedanken an eine Aufwiegelung die Leiche meines Freundes begleiten werde, daß ich sein Grab weihen und die letzten Gebete sprechen wolle. Um jegliche antirömische Manifestation zu vermeiden, bat ich die Anwesenden, allein mich sprechen zu lassen. Ohne priesterliche Gewänder bekleidet, nur im gewöhnlichen Straßenkleide, setzte ich mich an die Spitze des Zuges. Auf dem Friedhof angekommen, sprach ich die gewöhnlichen Gebete, auf welche die Anwesenden antworteten, dann segnete ich den Sarg und das Grab. Dann sprach ich einige Worte. Wir befanden uns auf englischer Erde; der Pfarrer der Gemeinde hatte uns Proben seines größten Taktgefühles gegeben; ich hatte um mich viele ausgezeichnete Katholiken sowie viele anglikanische Geistliche. Vor ihnen machte ich im Namen des verstorbenen Tyrrell Akt des Glaubens zur katholischen Kirche."

Es ist unglaublich, daß Brémond diese seine Handlung für richtig und erlaubt gehalten habe, wenn aber doch, dann hat er Proben einer großen, nicht mehr entschuldbaren Unwissenheit im Kirchenrechte gegeben. Und solche Leute wollen der Kirche zu Ansehen verhelfen!

Ueber den zweiten allgemeinen Unionistenkongreß in Velehrad (31. Juli bis 4. August) schreibt uns Ott. Žídek S. J.: „In den ersten Tagen des August weilte in Velehrad eine glänzende Versammlung, die gewiß das lebhafteste Interesse aller Katholiken verdient. Es war dies der zweite allgemeine Unionistentag, der die Vereinigung des getrennten Ostens mit Rom zum Ziele hat. Seit dem traurigen Schisma des Photius, das Millionen Seelen der wahren Kirche entfremdete, haben die Päpste nichts versäumt, die verirrten Schäflein zum Schafstall Petri zurückzuführen. Wer die nach neuesten Quellen gearbeiteten Berichte P. Pierlings über die diplomatischen Verhandlungen Roms mit dem Zarenreiche liest, wird diese Wahrheit sattsam bestätigt finden. Auch die theologische Kontroverse hat sich der Fehde bemächtigt und eine ganze Literatur gezeigt, ohne die Einheit zu erzielen. Mit neuem Eifer wurden seit den letzten etwa zehn Jahren die bereits schwachen Beziehungen zum Orient wieder aufgenommen, um den ersehnten Zeitpunkt der Einigung zu beschleunigen. Schon seit einigen Jahren verfolgt diese Absicht die bekannte theologische Zeitschrift: „Slavorum litterae theologicae." Vor zwei

Jahren wurde der erste allgemeine Unionistenkongreß in Velehrad mit bestem Erfolge abgehalten. Im gleichen Sinne der Annäherung arbeitet die seit einem Jahre in russischer Sprache erscheinende Zeitschrift: „Velegradskij věstnik." Neues Leben in die Bewegung brachte gewiß der so gut gelungene diesjährige Unionistenkongreß. Was eine seltene Versammlung von 200 Priestern und Gelehrten, darunter viele Theologieprofessoren zusammenführte, war das klare Bewußtsein, daß die Gnade das menschliche Mitwirken erfordere, und daß die traurige Spaltung, welche durch menschliche Gründe entstand, nur durch menschliches Zutun wieder beseitigt werden kann. Gewiß nicht Panslavismus war es, der zwei Metropoliten, vier Kanonifer und eine ganze Reihe hervorragender Gelehrter zu gemeinsamer Arbeit verband. Erzbischof von Olmütz, Se. Exzellenz Dr. Bauer, verlieh gleich anfangs der Versammlung den übernatürlichen Charakter, indem er so ergreifend die Sehnsucht aller nach der Einheit in den Worten des scheidenden Erlösers schilderte: „Ut sint omnes unum." Ebenso bezeichnete auch der Metropolit von Lemberg, der durchlauchtigste Erzbischof Graf Dr. Szeptycki, den Zweck des Kongresses als rein übernatürlichen gegenüber den Angriffen der jüdisch-liberalen Presse, deren Führerrolle wiederum die „Neue Freie Presse" bezeichnend genug übernommen hatte. Der ganze Verlauf des Kongresses bestätigte die Wahrheit dieser Worte. Ebenso legt lautes Zeugnis ab für den Geist der Versammlung die Anwesenheit von vier Kanonikern, der hochwürdigen Herren Ehrmann, Pospišil, Tumpach, Stojan, welch letzterer den Kongreß leitete. Am Festtage des heiligen Ignatius wurde, nicht ohne besondere Fügung Gottes, wie der hochwürdige Erzbischof von Lemberg so schön ausführte, die Versammlung eröffnet. Am 1. August traten als Hauptredner auf: Ein berufener Vertreter der russischen Kirche, der Dompropst Al. Malzev, als Schriftsteller bereits berühmt, besonders als tüchtiger Liturgist. Er sprach in friedlicher Weise über die Spuren der Epiclesis (Anrufung des Heiligen Geistes) in dem Gebete der römischen Messe: „Jube haec perferri." Einer der bekanntesten und fruchtbarsten Schriftsteller auf dem Gebiete des Schismas, P. Aur. Palmieri O. S. A. (Krakau), sprach nach ihm. Seine auf Quellenstudien beruhende Darstellung der Lehre über die unbefleckte Empfängnis, wie sie an der Kiewer Akademie in der ersten Hälfte des 18. Jahrhunderts vorgetragen wurde, fesselte durch die Wahl des Stoffes und Frische des Vortrages. Nach dem gelehrten Italiener sprach der als Schriftsteller bekannte Assumptionist P. M. Jugie, ein Franzose, über dasselbe Thema. Aus Konstantinopel gekommen, war es ihm möglich, die Lehre über die unbefleckt empfangene Gottesmutter aus dem Schrifttum des alten Byzanz nach der Zeit des Schismas darzulegen.

Am 2. Tag des Kongresses verdient hervorgehoben zu werden der sachlich gediegene Vortrag des aus Innsbruck bekannten Universitätsprofessors P. A. Straub S. J. Er befaßte sich mit dem römischen

Primat als notwendigem, weil von Christus gewollten Prinzip der
dreifachen Einheit der Kirche Christi. Sein Vortrag zeichnete sich
aus durch klare, sichere, gründliche Kenntnis in der Dogmatik. In
gleichem Sinne sprach der Theologieprofessor von Sarajevo, Pater
Mat. Končar S. J., über die Hindernisse der Union und die Mittel
zu deren Beseitigung. Dann sprach der in der russischen theologischen
Literatur gut bewanderte Theologieprofessor von Châlons jur Marne,
P. A. Gratieur, über Chomjakovs moralische Auffassung der Theologie.
Dieser berühmte Theologe der russischen Kirche betont durchwegs die
Liebe und baut die Kirche vornehmlich auf rein interne Prinzipien
mit Vernachlässigung der sichtbaren Autorität. Ein Bild der Ent=
wicklung der slavischen Liturgie bot der treffliche Vortrag des Pater
Josef Bocian. Der verdienstvolle Archivar von Kremsier, Fr. Snopek,
auch ein Fachgelehrter, sprach über das Verhältnis der Schüler des
heiligen Method zu Rom. Theologieprofessor Al. Buleowski S. J. be=
faßte sich mit der Lehre über Wesen und Wirkung der Epitimien,
Auflegung der Buße bei den Russen. Solovev in seinen Beziehungen
zu den Kroaten und der katholischen Kirche besprach Dr. Svetoza
Rittig, Theologieprofessor in Djakovo. Endlich seien noch erwähnt
die Ausführungen des Universitätsprofessors in Krakau, M. Zdziechowski,
über den Wert der russisch=theologischen Literatur für den Westen.
Der dritte Tag reifte eine kostbare Frucht; es wurde die Errichtung
einer wissenschaftlichen Akademie (Academia Velehradensis) be=
schlossen, damit durch sie die Einheit beider Kirchen in gemeinsamer
Arbeit angebahnt werde. Als letzten Redner nennen wir den Pater
Severin Sallaville, Assumptionist aus Konstantinopel, welcher den
römischen Primat aus der Lehre des heiligen Theodor Studites
entwickelte. Den übrigen Teil des Tages, etwa von 7—9 in der
Früh und von 2—3 nachmittags, nahmen die Sektionen in Anspruch,
von denen je zwei, die eine dogmatisch, die andere theologisch praktisch,
für den Orient und Okzident errichtet waren. Alle Teilnehmer des
Kongresses hatten zu ihnen Zutritt und konnten hier ihre Fragen
und Forderungen anbringen oder über verschiedene liturgische, dog=
matische Fragen, über Andachten (z. B. Herz Jesu), Gebräuche usw.
von berufener Seite Aufschluß erhalten. Während in den gediegenen
Vorträgen bald ein einzelner Streitpunkt dargelegt war, bald wieder
ein Ueberblick über die ganze Weite einer Kontroversfrage geboten
wurde, mit Vorliebe auch das Gemeinsame in der Lehre beider
Kirchen von den Rednern hervorgekehrt wurde, bewegten sich die
Debatten, welche die übrige Zeit ausfüllten, in freiem Gesprächston.
Bei dieser Gelegenheit sagte der Dompropst Al. Malzev das bemerkens=
werte Wort, er wünsche beide Kirchen unter einem Haupte vereint
zu sehen. Mit großer Freude läßt sich behaupten, daß der Kongreß
jein Ziel vollauf erreicht und sogar die gehegten Erwartungen über=
troffen habe. Slaven aus allen Teilen Oesterreichs und weit darüber
hinaus, Franzosen, Deutsche, Italiener, alle arbeiteten in größter

Eintracht und Liebe am Werke der Union und suchen nun bereits
heimgekehrt, die große Idee mehr und mehr zu verwirklichen. Ist es
doch eine Riesenarbeit, eine Kluft zu überbrücken, die bereits seit
mehr als 1000 Jahren den Osten Europas vom Westen kirchlich
trennt und zur Quelle unsäglichen Unheils geworden ist für Millionen
unsterblicher Seelen. Und wenn es auch nur einen Teil der getrennten
Herde zur Einheit zurückzuführen gelänge, dürfte kein Opfer und
keine Anstrengung zu gering erscheinen. Gewiß wird es als erster
Erfolg zu bezeichnen sein, daß die Orthodoxen Gebete verrichten und
das Opfer darbringen wollen in der Meinung, Gott möge ihnen die
Einheit mit uns verleihen. Möge also die große Idee einen immer
größeren und allgemeineren Anklang und Verständnis finden! Dann
wird der nach zwei Jahren stattfindende dritte allgemeine Unionisten=
kongreß noch herrlicher ausfallen und ein noch glänzender Meilen=
stein sein in der Geschichte auf dem Wege zur Union."

Bericht über die Erfolge der katholischen Missionen.

Von Joh. G. Huber, Dechant und Stadtpfarrer in Schwanenstadt.

Im Breviere hatten wir in den ersten Septemberwochen die Lek=
tionen aus dem Buche Job. Dem Inhalte und der Darstellung nach
sind sie gewiß so, daß sie dem Priester viel zu denken geben.

Für die Einleitung dieses Missionsberichtes kamen sie mir auch in
den Sinn, sie legten mir einige Gedanken nahe, die für mich und andere
brauchbar sein mögen. Es tritt mir mancherlei Aehnlichkeit mit der Ge=
schichte des guten Herrn Job vor die Augen.

Als ehrsamer Patriot denke ich gerade an unser Vaterland Oester=
reich und es erscheint mir als ein zweiter Job.

Wie von Job geschrieben ist, daß er „ein Mann war ohne Falsch, auf=
richtig und gottesfürchtig, ein glücklicher Vater einer großen Familie und als
ein Großer dastand unter allen Morgenländern", so steht auch unser Oester=
reich seit einer Reihe von Jahrhunderten in Macht und Ansehen, ehrwürdig
durch sein Alter und seine Geschichte. Seine Familie sind die Völker verschiedener
Nationen und Sprachen. Wie Jobs Söhne und Töchter allzeit guter Dinge
waren und fröhlich bei den Gastmälern, die sie einander lieferten, bis der
Wüstensturm das Haus, wo sie zechten, wie ein Kartenhaus niederfegte und sie
alle erschlug, so vertrugen sich Oesterreichs Völker gut durch Jahrhunderte und
hielten in Freud und Leid treu zu ihrem Vaterlande, und nun hat sich ein
Sturm erhoben und rast seit Jahren einher; der Nationalitätenhader so
wild, daß es in allen Fugen kracht und alles über den Köpfen zusammenzu=
brechen droht.

Es brachen in Jobs Besitz mit Mord und Raub die Sabäer und
Chaldäer ein, so auch gegen Oesterreich im Laufe der Zeiten Feinde von
allen Seiten, um es zu plündern und zu vernichten; es wird kaum ein
Reich geben, welches soviel Feindeseinfälle und blutige Kriege zu ertragen
hatte, daß es oft auch wie Job sagen mußte: „Der Herr hat gegeben, der
Herr hat genommen."

Uebrigens, wie es die Weltgeschichte aufweist, haben andere Vater=
länder und Reiche in Gottes weiter Welt Aehnliches erduldet und mußten
den Job nachahmen.

Wie im Buche Job weiter erzählt wird, hatte es der Satan erreicht,
daß ihm Gewalt gelassen ward über den Leib des Job. „Und er ging
hin und schlug den Job ulcere pessimo, mit überbösem Geschwüre von
der Fußsohle bis zum Scheitel"; Job ward aussätzig und all dem Elende
dieser scheußlichen Krankheit preisgegeben und sein wenig frumbes Weib
spottete seiner und seine Freunde waren zwar von ferne gekommen, ließen
sich sehr viel Zeit zum Anblicke seiner Miselsucht, sprachen viel und lang,
aber des Trostes wenig. Und Job hat auch all dieses tapfer überstanden.

So ist über unser Vaterland, aber auch über viele andere einst christ=
liche Reiche dieses ulcus pessimum gekommen: Der überhandnehmende Un=
glaube, der wie Aussatz um sich greifende Haß der Gottes= und Kirchenfeinde,
der, solange die Welt steht, nie so giftig, so rücksichtslos teuflisch sich gezeigt
hat, wie er es in unseren Tagen aufführt.

All das Vorstoßen um Entchristlichung der Schule, Untergraben des
christlichen Ehe= und Familienlebens, die Pornographie und =typie und das
Brüllen der geistig Syphilitischen um „Los von Rom" — alles dieses, und
was drum und dran hängt, arbeitet wie Pestbeulen und wie die fressenden
Geschwüre des Aussatzes am Körper der Menschheit in allen Reichen der Welt.

Ein weiterer Ausblick führt uns noch einen anderen Job vor die
Augen: unsere heilige katholische Kirche.

Sie, welche der Heiland selbst zu seinem Reiche auf Erden bestellt hat,
sie muß am meisten das Schicksal des Job teilen. Was an ihr im Laufe ihres
bald zweitausendjährigen Bestehens geschehen ist, jede Seite der Kirchengeschichte
führt vor, wie man ihr Tausende und Millionen ihrer Kinder entrissen hat,
hat zu berichten eine unabsehbare Reihe an Bosheit und Gewalt, die man ihr
angetan, und ihr gilt vor allem auch jetzt der giftigste Haß und der Herr
Teufel kann daran mehr Vergnügen finden und mit seinem Werke prahlen,
als er es einst an dem aussätzigen Job haben konnte.

Und das Ehrenwerk der Kirche, ihre katholische Mission, ihr
Schmerzenskind, ist auch ein echter Sohn Job. Die von Anfang her an
ihr arbeiteten und die ihr angehörten, sie lernten nichts besser kennen,
als Marter und Leiden, unter denen sich das Missionswerk durch alle
Zeiten fortschleppte —, es gab Zeiten, wo man sie zu den Verschwun=
denen, Abgestorbenen zählte, von denen man kaum mehr etwas wußte.
Und, die jetzt an ihr arbeiten, sie sitzen fernab von ihren Angehörigen
und Genossen und seufzen an dem Kampfe gegen das ulcus pessimum
des Heidentumes und all der sonstigen Gegnerschaft, wie einst Job, als
er das Eiter von den Wunden schabte.

Aber Job ist an all dem, was über ihn gekommen, nicht zu Grunde ge=
gangen, seine Lebenskraft brach nicht zusammen und sein gläubiger Sinn hielt
Stand und Gottes Macht und Liebe verhalf ihm zum Siege und zu herrlicher Be=
lohnung. Und unsere heilige katholische Kirche steht noch unbesiegt da und ihre
Mission, und unser Oesterreich steht aufrecht noch und so manche andere Reiche und
Hüter der von Gott bestellten Weltordnung bestehen noch und werden bestehen!

Noch darf es kein Verzagen geben! Es hat die katholische Kirche
noch frische Lebenskraft in Millionen der Ihrigen; es gibt in Oesterreich

und anderen christlichen Ländern und Völkern auch viel lebenskräftig gläubiges Volk.

Tatsache ist ja, daß, je ärger die Feinde toben, desto kräftiger auch die gläubige Ueberzeugung sich ihrer Kraft bewußt wird und das Gefühl der Einigkeit, der Zusammengehörigkeit aller, die es noch mit Gott halten wollen.

Beweise dafür sind z. B. die in christlichen Ländern zutage tretenden Ergebnisse der Wahlen in die Vertretungskörper, die geradezu herrlichen Veranstaltungen und Arbeiten der Katholikentage, das Zusammenscharen der verschiedenen Stände in christlichen und kirchlichen Vereinen und Genossenschaften usw. Solange es in den Reichen und Völkern noch solche Scharen gibt, ist noch Lebenskraft da, die Gott erhalten wird, solange die heilige katholische Kirche unerschütterlich festhält an der Aufgabe, die der Heiland Jesus ihr zuteilte, wird auch sein Gutstehen für sie aufrecht bleiben: „Ich bin bei Euch alle Tage bis ans Ende der Welt!" Solange die Mission so lebenskräftig arbeitet, wie immer und besonders in unserer Zeit, wird sie nicht verfallen.

Job und seine Nachfolger, sie bleiben aufrecht und Sieger!

Nur müssen wir es auch so halten, wie es am Schlusse der Geschichte Job heißt: „Es kamen all seine Brüder und Schwestern und alle, die ihn ehedem gekannt hatten, und aßen mit ihm und trösteten ihn, und sie gaben ihm ein Jeglicher ein Schaf und einen goldenen Ohrring. Und der Herr segnete Job zuletzt mehr als vom Anfange und er bekam noch sieben Söhne und drei Töchter und er ward reicher als vorher und lebte noch 140 Jahre und sah seine Nachkommen bis ins vierte Geschlecht." So muß es auch für uns gelten: So wahr wir den Job der Heiligen Schrift schätzen und lieben, ebenso muß unsere Liebe auch dessen Nachfolgern gehören und dabei müssen wir opferwillig bleiben, opferwillig als treue Patrioten unserem Vaterlande, als Katholiken unserer heiligen Kirche und liebe Freunde der katholischen Mission aller Weltteile.

I. Asien.

Kleinasien und Syrien. Was durch die Missionäre schon öfter als Befürchtung ausgesprochen worden war: daß die politische Umwälzung im türkischen Reiche und das dadurch aufgestachelte Gefühl der Freiheit und Kraft der Moslim zu Gewalttätigkeit gegen die Christen führen werde, hat sich leider bald bewahrheitet.

Der erste Ausbruch geschah in den Provinzen Kleinasien und Syrien in furchtbaren Metzeleien, Plünderung und Brandlegung, welche sich zunächst gegen die den Türken von jeher verhaßten Armenier, aber auch gegen alle Christen richteten. Wochenlang waren die Spalten der Zeitungen gefüllt mit den Schilderungen der greulichen Schandtaten, welche die entfesselte Volksbestie und die Soldateska an diesen schutzlosen Leuten verübt haben; — es ist nicht möglich, hier auch nur einen Auszug darüber zu bringen.

Die katholische Mission hat darunter auch schwer gelitten und viel Martyrium ausgestanden, obwohl sie noch am glimpflichsten weggekommen ist; aber im türkischen Vulkan brodelt und rumort es noch immer gewaltig, so daß noch Aergeres zu befürchten ist. Gott schütze die Seinen!

Border=Indien. Die dorthin berufenen Salesianer=Missionäre übernahmen zunächst in Meliapor die Leitung einer Waisenanstalt, welche seit 19 Jahren der nun in hohem Greisenalter stehende P. Da Costa geleitet hatte. Dort sind Kinder europäischer Abkunft, während das Waisen= haus in Tanjore von denselben Missionären übernommen, eine viel größere Zahl indischer Kinder beherbergt; beide Anstalten stehen in Hin= sicht auf Unterricht und Erziehung auf hoher Stufe und gereichen der Mission sehr zum Vorteile, weil aus ihnen jährlich eine Anzahl christlich erzogener junger Leute ins praktische Leben hinausgeht. (Sal. Nachr.)

Assam. Die Mission bleibt immer regsam und ist ihre Arbeit nicht vergeblich. Sie gründete wieder eine Station in Dibrugarh, am oberen Ende des Assam=Tales, wohin man schon lange ein Augenmerk gerichtet hatte. — Der Anfang zeigt sich erfreulich und läßt viel gutes hoffen.

In Rangthong, einer Außenstation von Laitkynsew ergibt sich immer mehr Arbeit, so daß es schon notwendig wird, dorthin für ständig einen Priester zu stellen. (Salv. Mttlg.)

Kurdistan. Das Bekehrungswerk unter den Berg=Nestorianern kommt tatsächlich seinem Ziele immer näher.

Die Visitationsreise des Bischofs von Wan, Msgr. Manna, war ein völliger Triumphzug; überall fand er die große Mehrzahl der Bevöl= kerung schon zur katholischen Kirche zurückgekehrt und voll freudiger Be= geisterung für das, was die katholische Mission überall im Lande geleistet und an Gotteshäusern und Schulen den Leuten zur Verfügung gestellt hat; ihre Missionäre und Lehrer genießen überall Vertrauen.

Die Stadt Aschita, der ehemalige Hauptsitz des Nestorianismus, ist derzeit mit ihren 8000 Bewohnern fast ganz katholisch. In Baz und Dere sind Patriarchal=Vikare, denen in Verbindung mit den Dominikaner=Missionären die weitere Durchführung und Erhaltung der kirchlichen Neuordnung über= tragen ist. (Frb. k. B.)

China. Im ganzen Reiche zählt die katholische Mission derzeit über 1,141.700 Katholiken. Das vergangene Jahr brachte allein einen Zuwachs von 127.450 Getauften.

An Missionskräften stehen insgesamt in Verwendung: unter 43 Bischöfen 2000 Priester, davon 600 einheimische. In den Seminarien sind über 1200 Alumnen. Zur Mitarbeit hat die Mission 229 europäische und 130 chinesische Brüder, 558 europäische und 1300 chinesische Ordensschwestern. Es zeigt sich un= leugbar ein großer Fortschritt der katholischen Mission. (Frb. k. M.)

Japan. Die Steyler Missionäre bringen in altgewohnter Weise auch dort es vorwärts.

In Nijigata eröffneten sie am 19. März d. J. die erste Katechisten= schule, deren Zöglinge bis jetzt Eifer und Frömmigkeit entwickeln, daß sich guter Erfolg erhoffen läßt, wenn es auch längere Zeit brauchen wird, bis die Anstalt ihr Ziel erreichen kann. Auf der Insel Sado wurde eine Station in Ebisu eröffnet und in Kanazawa ein Studentenheim, worin durch Sprachunterricht und Vorträge eine Verbindung mit den gebildeten Kreisen hergestellt werden soll. Auch geht man an die Errichtung einer Druckerei und Herausgabe einer Zeitschrift in mehreren Sprachen. (Stl. M. B.)

Japan. In Hakodate konnten die Trappisten wieder den Neubau ihres durch die Feuersbrunst zerstörten Klosters durchführen. Bei der feier= lichen Einweihung durch Bischof Msgr. Berioz war auch der japanische

Regierungs=Gouverneur zugegen; er tat dieses, wie er selber offen aussprach, „um den Trappisten einen Beweis seiner Hochachtung zu geben und ihnen zu danken für die Dienste, welche sie dem Lande durch ihr Beispiel und besonders auch durch ihre landwirtschaftlichen Musterleistungen erwiesen haben".

In Tokio gab P. Rockliff S. J. in St. Josef=Kollege der Maristen den Zöglingen Exerzitien, wobei es vorkam, daß auch eine große Zahl andersgläubiger Zöglinge, Protestanten, Schismatiker, Mohamedaner und Heiden ohne jede Einladung als freiwillige Teilnehmer erschienen, die Vorträge aufmerksam anhörten und sich dafür dankbar zeigten.

Der letzte Jahresbericht des Pariser Seminars bringt aus der Japan=Mission manches Erfreuliche, aber auch Bitteres zur Kenntnis.

In den alten Christengemeinden im Süden zeigt sich musterhafter Eifer der Christen; so ist in Urakami bei Nagasaki fast in allen Familien täglich gemeinsames lautes Gebet, besonders der Rosenkranz, gebräuchlich, der Empfang der heiligen Sakramente ist ungemein rege, Bruderschaften und Vereine für die einzelnen Stände sind zahlreich an Mitgliedern, der Stand der Sittlichkeit ein sehr guter.

Aehnlich steht es in den Christengemeinden auf den Goto=Inseln, wo über 13.000 Katholiken sind, unter denen sich auch häufig Priester= und Ordens=Berufe zeigen. Auch das Wirken der Maristen in deren Kollegien zu Tokio, Osaka, Nagasaki und Yokohama gestaltet sich immer günstiger. Es finden in diesen Kollegien derzeit bei 2000 Studenten aus den besten Familien des Landes ihre wissenschaftliche Ausbildung; sind auch bis jetzt unter diesen jungen Leuten Bekehrungen noch sehr selten, so tragen die gewonnenen Eindrücke doch unstreitig dazu bei, daß die Vorurteile gegen die katholische Kirche mehr und mehr schwinden, sowie auch, daß die Ordensleute, die an den Anstalten so tüchtig wirken, auch vielfach in freundliche Beziehungen zn den Behörden und dem Publikum kommen.

Andererseits gibt es auch in dem Missionsbezirke nicht wenig Bedauerliches.

So hat auch Neu=Japan ein neues Schulgesetz sich geleistet, laut welchem aller Unterricht dem Staate zugewiesen ist, wonach also die Mission ihre Schulen wird schließen müssen und auch die katholischen Kinder in die konfessionslosen Schulen werden gezwungen werden. Das ist ein Schlag für die Mission, dessen Härte und Nachwirkung erst in Zukunft fühlbar sein wird.

Das Bekehrungswerk unter den erwachsenen Heiden brachte im letzten Jahre weit weniger Erfolge, in vier Diözesen zusammen kaum über 900 Bekehrungen.

Gründe für diese Tatsache wissen die Missionäre mancherlei: so die schon seit langer Zeit in den Familien anerzogene Gleichgültigkeit gegenüber jeder Religion, das fieberhafte Hasten nach Reichtum und Genuß, der hochgewachsene Nationalstolz und dazu der zähe Widerstand der unsittlichen Leidenschaften gegen die Anforderungen des christlichen Sittengesetzes usw. Leider ist auch großer Mangel an einheimischen Katechisten.

Gott allein weiß, welche Wege sein Werk noch zu gehen haben wird, bis es auch dort zum Siege kommen mag! (Frb. k. M.)

Borneo. Dort gibt es, wie überall im malaischen Archipel, an den Küsten chinesische Ansiedler in Menge, teils als Handelsleute, teils als Arbeiter aller Arten. Die Mission sieht sie nicht ungern; fleißige Leute sind ja auch für das Gute zu haben. So sind auch diese Chinesen für allen Unterricht voll Empfänglichkeit, weil sie auch den zeitlichen Nutzen desselben einsehen; aber auch für Unterricht in der Religion und zur Bekehrung sind sie in der Regel weit leichter zu haben und empfänglicher, als das einheimische Volk. Die katholische Mission gewann schon viele aus ihnen für die katholische Kirche. (Stl. M. B.)

Ceylon. Laut Bericht des Missionärs P. Peruffel O. M. J. besteht im Dorfe Bankalai an der Nordwestküste eine katholische Gemeinde mit etwa 1000 Bewohnern, sämtliche katholisch, mit Ausnahme von zwei heidnischen Familien. Das Volk vom Stamme und Kaste der Paraver soll schon vom heiligen Franz Xaver bekehrt worden sein und ist die Jahrhunderte her das Licht des Glaubens nie erloschen, obwohl durch Ungunst der Zeiten das Volk oft lange verlassen blieb.

Es sind brave Leute, die ihren Erwerb durchwegs im Fischfange suchen müssen. Zur Zeit sind sie durch Unergiebigkeit ihres Gewerbes sehr in Not geraten. Der Missionär weiß sich und anderen nicht mehr zu helfen; noch dazu ist seine Missionsschule, worin er 120 Kinder zu unterrichten hat, dem Einsturze nahe und das Verweilen darin von Tag zu Tag mehr lebensgefährlich, also ein Neubau nicht mehr zu verschieben, nur „kein Knopf Geld" vorhanden!

Wer hätte eines, um ihm zu helfen?

Aehnlich schwierig liegen auch die Verhältnisse in dem Manar-Gebiete, wo die Stationen Sayakaratheru, Naltymunay, Thalwepadu und Thottawally von einem einzigen Missionär P. Francis versehen werden müssen.

Dort ist das Volk ebenso in tiefster Armut und nicht imstande, etwas zu einem notwendigen Kirchenbaue zu leisten. (M. Imm.)

II. Afrika.

Apostolisches Vikariat Ober-Nil. Im Usoga-Lande, wo es schwere Hungersnot gab, mit all den schrecklichen Folgen, ist für die Mission seither eine fruchtbare Zeit gekommen; es ist, als seien die Leute aufgerüttelt und von einer allgemeinen Bewegung zur christlichen Mission ergriffen.

So schreibt P. Schuhmacher aus der Station Kamuli, daß er im ganzen vorigen Jahre nur 30 Personen beim Unterricht hatte, heuer aber schon bis Ende Februar 500 (davon 200 Männer, 100 Frauen und 200 Kinder und junge Leute); seither mehrt sich jede Woche die Zahl der Katechumenen, so daß den zwei Missionären ein dritter zu Hilfe geschickt werden mußte und doch die Arbeit kaum zu bewältigen ist.

Auch von anderen Stationen wird Aehnliches gemeldet. Die Bekehrungen geschehen nicht etwa in Erwartung irdischer Vorteile, im Gegenteile haben die Bekehrten allerlei Nachteile und Belästigung zu ertragen, was sie aber nicht hindert, dem Zuge des Herzens und der Gnade zu folgen. (S. Jos. M. B.)

In Südafrika vollzieht sich jetzt ein Umschwung, welchen man zur Zeit des Krieges zwischen England und den Buren durchaus für unmöglich gehalten hätte, er vollzieht sich vorerst auf dem politischen Gebiete, wird aber sicher auch für das Missionsgebiet große Bedeutung erlangen.

Einst hatte man für die Idee eines holländischen Südafrika gekämpft, dann wollten es die Engländer mit aller Macht zu einer britischen Provinz machen und brachten es, obwohl Sieger, nur dazu, daß der Haß jener Völker wilder als je aufflammte und immer noch einen grauenhaften Raffenkampf befürchten ließ. Jetzt aber spricht man nicht mehr von einem holländischen oder englischen Südafrika, sondern es steht die Idee von einem „ver=einigten" Südafrika obenan.

Die allzeit praktische englische Regierung will nun die Lösung aller Schwierigkeiten suchen in einer Einigung der kampfbereiten europäischen Nationen, in einer Union sämtlicher südafrikanischen Kolonien, für welche auch die Stämme der Eingeborenen gewonnen werden sollen und sich dem Anscheine nach schon gewinnen ließen. Die bisherigen Provinzen Kapland, Natal, Transvaal und Oranje=Freistaat erklärten sich zu solcher Union bereit und wird ihnen eine Verfassung geboten auch ein Parlament mit gesetzgeberischer Gewalt, in welchem alle Bewohner ohne Unterschied der Nation und Farbe ihre Vertreter haben sollen. Oberherr soll aber der König von England sein.

Sollte dieses alles zustande kommen, so würde damit, wie man in Missionskreisen glaubt, auch der Mission eine Fessel abgenommen, die durch die bisherige Gesetzgebung, besonders seiner Zeit unter Hollands Herrschaft, ihre freie Entfaltung ungemein erschwerte und oft unmöglich machte. (Mar. Im.)

Apostolisches Vikariat Natal. Zu dem so eingreifenden Wirken der Trappisten in Mission und Bodenkultur trägt auch die Arbeit der Ordenschwestern sehr viel bei. Diese konnten heuer dort ihr 25jähriges Dienstjubiläum feiern. In ihren vielen Anstalten, voran in Umtata, Höck=Stadt, Mont=Frere, S. George, Farm S. Antonius usw. zählten die Schüler und Zöglinge nach vielen hunderten, die nebst dem Schul=unterricht auch zu Feld= und Gartenbau und häuslichen Arbeiten angeleitet werden, so dem ganzen Volke Verdienst und Nutzen schaffen lernen und auch zur Erhaltung der Mission viel beitragen. Gott segne diese Arbeit! (Mar. Im.)

In der Station Maria=Linden fand am 9. November 1908 die feierliche Einweihung des neuen Schulhauses statt. Die Gründung dieser Schule hat eine lange Sorge= und Leidensgeschichte hinter sich.

Schon 1906 wurde dort mit einer Tagesschule begonnen, die aber, als im Jahre darauf die Station längere Zeit unbesetzt blieb, fast wieder einging. Als 1907 die Station wieder besetzt werden konnte und zugleich eine neue Mission in einem benachbarten Basuto=Dorfe eröffnet wurde, konnte man die Schule bedeutend erweitern und seither gut herhalten, mit einer Schülerzahl von bald 80 Kindern; es gab noch mancherlei lokale Schwierigkeiten, auch mit den Andersgläubigen; um so größer ist die Freude über das gute Gelingen des Werkes. (Vergsm.)

Basuto=Land, bisher Apostolische Präfektur, wurde zum Apostolischen Vikariate erhoben und der bisherige Präfekt P. Cenez zum Apostolischen Vikar ernannt und am 6. Mai 1909 zum Bischofe geweiht zu Metz in Elsaß. Er ist ein geborener Lothringer, seit 1887 Mitglied der Obl. M. J., seit 1890 in der Basuto=Mission tätig, seit 1896 Präfekt. Gottes Segen möge, wie bisher, auch über seinem Hirtenamte walten! (Mar. Im.)

Namaqua=Land. Die neue Station der Obl. S. Franc. Sal. in Warmbad ist unter unsäglichen Schwierigkeiten entstanden, besitzt aber schon eine ansehnliche katholische Gemeinde, die sich bis jetzt ganz dankbar erweist. Mühen und Sorgen werden wohl noch lange nicht schwinden, ist doch die Station noch ohne Kirche.

Für den Gottesdienst muß ein leeres Zimmer von 4 Meter Breite und 5 Meter Länge dienen, buchstäblich leer, ohne Altar, Bilder und Sitze; der schwarzen und weißen Leute sind aber so viele, daß die Mehrzahl draußen vor der Türe im Sonnenbrande aushalten muß, — oder auch wegbleibt. Als Glocke muß eine alte Benzinflasche dienen. Diese Armseligkeit ließe sich leichter ertragen, wenn sie nicht auch der Mission zu großem Nachteile wäre. Es haben nämlich die Protestanten dort eine anständige Kirche mit Glockengeläute, was für das Volk eine große Versuchung bildet, dort Zuflucht und Befriedigung der religiösen Bedürfnisse zu suchen. Ein baldiger Kirchenbau ist demnach eine Existenzfrage für die katholische Mission. Hiefür streckt der Missionär P. Gineiger die Hände um Hilfe flehend uns entgegen.

Es geschieht dort viel und gute Arbeit, auch sind Schwestern im Unterrichte eifrig tätig. (Luz.)

Belgisch-Kongo. Im Gesamtgebiete wirken 233 Missionäre teils Welt-, teils Ordenspriester, außerdem Schulbrüder in großer Zahl und 102 Schwestern. Es bestehen 104 Missionsschulen, 24 Waisenhäuser, 21 Spitäler, 20 Armen-Apotheken.

Die Zahl der bis jetzt getauften Neger ist über 26.000, derzeit sind 60.000 Katechumenen in Vorbereitung.

Dem Staate Belgien, der dieses Gebiet nun in eigene Verwaltung übernommen hat, ist jedenfalls zu dem, was seine Missionäre dort bisher geleistet haben, zu gratulieren. (Frb. N. M.)

Apostolisches Vikariat Senegambien. An die Stelle des bei einer Missionsfahrt im Meere verunglückten Apostolischen Vikars Monsignore Kunemann ernannte der Heilige Vater den bisherigen Generalvikar P. Hyazinth Jalabert zu dessen Nachfolger, der auch schon im Kolonial-Seminar zu Paris die Bischofweihe erhielt. Er ist 1859 zu Chambery in Savoyen geboren, wurde als neugeweihter Priester in die Mission Südamerika geschickt, wo er in französisch Guyana besonders bei den Aussätzigen und Sträflingen eine Reihe von Jahren angestrengt arbeitete. 1893 nach Frankreich zurückgerufen, war er Direktor der Missionsschule Cellule, wurde auf seine Bitte wieder in die Mission geschickt und zwar nach Senegambien, wo er nach 15jähriger Arbeit jetzt das Hirtenamt übernimmt. Möge sein Wahlspruch: „Pinquescent speciosa deserti." Pf. 64. 13 kräftig sich erfüllen. (E. a. Kn.)

III. Amerika.

Vereinigte Staaten. Der Vorschlag, welchen Erzbischof Monsignore Quigley auf dem Missionskongresse in Chicago in Anregung gebracht und entschieden vertreten hatte, daß auch die dortigen Katholiken für das Missionswerk ebenso tatkräftig eintreten sollen, wie es die Europäer tun, nähert sich der Verwirklichung. Vorerst wurde der bestbekannten Steyler-Missionsgesellschaft ein hiefür grundlegendes Werk übertragen: die Gründung und Leitung einer Anstalt in Techny zur Heranbildung von Missionären für die Heiden-Mission. Vivat, floreat, crescat! (Stl. M. B.)

Die wohlbekannte Indianer-Missionsanstalt Qu'Apelle feiert heuer ihr silbernes Jubiläum. Sie besteht nun 25 Jahre und leistete der Mission gute Dienste.

900 Zöglinge sind aus ihr ins praktische Leben hinausgegangen, mit ganz wenigen Ausnahmen katholisch getauft und unterrichtet. Die Zöglinge kehrten

zumeist in ihre Familie oder Stämme zurück, und konnten bisher schon vielfach Familien-Angehörige oder Stammesgenossen der katholischen Kirche zuführen; dagegen sind Abfälle nur ganz wenige zu bedauern. Ihre in der Anstalt erworbene Tüchtigkeit in Landwirtschaft und Handwerken verschafft ihnen gutes Fortkommen; viele sind schon selbständig und holen sich ihre Bräute gerne aus Anstaltszöglingen und gründen katholische Familien. Die genannte Anstalt versieht auch 17 Indianer-Reservationen mit Seelsorge und Unterricht. (Mar. Jm.)

Der allwegs praktische Sinn der Amerikaner verfiel auf ein neuartiges Mittel zur Förderung der Mission und Seelsorge. In Ansehung der Tatsache, daß wegen Priestermangels in manchen Gegenden viele Katholiken der Kirche verloren gehen, faßte die rührige Catholic-Society den Beschluß, eine Eisenbahn-Kapelle, ein auf Bahnschienen laufendes Gotteshaus herzustellen, welches den Bahnzügen angefügt und an Stationen stehen gelassen wird, wo man der umliegenden Bevölkerung Gelegenheit zum Gottesdienst verschaffen will. Diese Ambulanzkirche ist 22 Meter lang und hat auch Räumlichkeit für den reisenden Bischof oder Missionär und führt alles mit, was zur heiligen Messe und Spendung der heiligen Sakramente nötig ist.

Das Ding, worüber man auch dort im Lande aller Möglichkeiten den Kopf schüttelte, bewährt sich sehr gut. Die Ankunft wird vorher rechtzeitig avisiert und in geeigneter Weise in der Umgebung bekannt gegeben und zahlreich kommt das Volk herbei. Hin und wieder ergab sich daraus, daß die Katholiken in der Freude darüber, wieder einmal Gelegenheit zur Erfüllung ihrer religiösen Pflichten zu finden, sich entschlossen, kräftig zusammenzuhelfen, daß sie Kirchen und Schulen bauten und ständige Anstellung von Priestern und Lehrern sich erwarben. Das ist praktisches Christentum und echt christlicher Fortschritt. (E. a. Kn.)

Kanada. Nach dem Catholic-Directory 1909 zählt das Gesamtgebiet unter einer Bevölkerung von nahezu sieben Millionen derzeit 2,508.800 Katholiken; deren Zahl ist also in den letzten Jahren bedeutend gewachsen. Es bestehen 13 Priesterseminarien mit 1600 Theologiestudierenden. Die indianischen Urbewohner mögen noch über 110.000 sein, davon sind 44.000 katholisch, 31.000 Protestanten, die übrigen noch Heiden.

In der Apostolischen Präfektur Yukon wurde die Missionszentrale nach Prince Rupert verlegt, Endstation der neuen transkontinentalen Eisenbahn, wodurch der Mission eine schnellere Entwicklung gesichert erscheint.

Von dort aus gelang es, den Stamm der Atlin-Indianer, bisher teils heidnisch, teils protestantisch, in die katholische Kirche aufzunehmen. Sie waren einst durch russisch-schismatische Priester christianisiert, dann von diesen vernachlässigt wieder ins Heidentum zurückgefallen; dem Missionär P. Allard O. M. J. gelang es, das ganze Volk für die katholische Kirche zu gewinnen, und zwar die Erwachsenen durch seine Predigten, die Kinder in seiner Missionsschule, für welche er jetzt Ordensschwestern erwerben will, wenn sich die Mittel aufbringen lassen. (Mar. Jmm.)

Südamerika. Aus Zentral-Patagonien bringen die „Don Bosco-Salesianae" erfreuliche Meldungen aus ihrer Mission Chubut. Dieses ist der südlichste Landstrich von Argentinien, umfaßt 250.000 Quadratkilometer, ist bewohnt von einer großen Zahl Europäern aller Nationen und zahlreichen einheimischen Stämmen. Die Mission wurde 1885 gegründet, litt lange Zeit unter sehr widrigen Verhältnissen, besonders durch die Staatsschulen, deren Lehrer meist der atheistischen Richtung angehören.

Die Mission mußte eigene Missionsschulen errichten, bis jetzt vier, die aber schon einen vorzüglichen Ruf genießen und einen wohltuenden Einfluß auch auf die Erwachsenen ausüben. Auch die Verbreitung guter Zeitungen und Zeitschriften gelingt immer mehr, so der von den Missionären herausgegebenen Zeitschrift „Cruz del Sud", welche auch von Protestanten häufig gelesen wird. Die Mission besitzt auch eine Reihe von Wohltätigkeitsanstalten, Spitäler, in denen nebst der leiblichen Pflege auch viel Seelsorgearbeit getan wird. In Trelew, einem früher ganz protestantischen Orte, wo aber jetzt schon die Katholiken in der Mehrzahl sind, wurde ein katholisches Gotteshaus gebaut. In Rawson ist die Zentralstation und sind dort alle Missionsanstalten in bestem Zustande. (Sal. Nchr.)

IV. Australien und Ozeanien.

Deutsch=Neuguinea. Die Steyler Mission vollbringt dort ein mühevolles, aber gesegnetes Werk. An Missionskräften hat sie dort 21 Priester, 17 Brüder, 29 Schwestern: freilich mußten wieder ihrer 6 Priester und Brüder in die Heimat zurück zur Herstellung der durch das Tropenklima zerrütteten Gesundheit.

Es bestehen 10 Haupt= und 2 Nebenstationen mit 1250 Getauften, in 14 Schulen sind 600 Kinder.

Die zu Beginn 1908 gegründeten Stationen Juo und Beukin entwickeln sich ganz gut, auf Juo hat die Schule schon 70 Kinder und lassen sich auch die Erwachsenen gerne unterrichten. Heuer wurde eine neue Station Matuta errichtet und arbeitet man schon daran, auch bei den Malol= und Arop=Stämmen die Mission einzuführen, dasselbe plant man auch für die kräftigen Waropu, mit denen schon einige Verbindung angeknüpft ist. Bei den Malol ist schon der Bauplatz angekauft, die Leute machten sich selber zur Rodung desselben anheischig sowie zur Mithilfe beim Bau. (Stdt. Gt.)

Aber auch an Kreuz mangelt es nicht: In Beukin sind die neuen Missionsbauten, kaum fertiggestellt, durch Brandlegung niedergebrannt und hat man wieder am Neuaufbau zu arbeiten, ist aber die Missionskasse erschöpft, wird daher um Brandsteuer inständig gebeten.

Noch größeres Leidwesen verursachte der Tod des Missionärs P. Schlüter, der 1879 in Koblenz geboren, 1894 in Steyl eingetreten, 1902 als neugeweihter Priester in die Neuguinea=Mission geschickt außergewöhnlich verwendbar sich erwies, so z. B. bei den Walman an der Lemingküste, die er allein fast insgesamt für die Bekehrung gewann, dann bei der Gründung der Station Dalmanshafen, die er trotz großer Schwierigkeiten schnell zustande brachte. Dabei war die Ueberanstrengung zu viel geworden, er erkrankte, ward zur Erholung nach Tumleo gebracht, wo er aber an Erschöpfung der Kräfte, versehen mit den heiligen Sakramenten, am 11. September 1908 starb. Alles ist noch voll Trauer um ihn. R. I. P. (Stl. M.=B.)

Apostolisches Vikariat Tahiti. Auf den zu diesem Gebiete gehörigen Gambier= und Mangarewa=Inselgruppen arbeiten die Missionäre der Picpus=Gesellschaft. Der Beginn der Mission reicht bis 1834 zurück, wo die ersten Missionäre durch die Wildheit der Insulaner in größte Lebensgefahr kamen, schließlich aber deren Vertrauen gewannen und in den ersten drei Jahren schon 1900 derselben zur heiligen Taufe brachten, deren Leben sich musterhaft gestaltete.

In unſerer Zeit ſteht es nicht mehr ſo gut; durch den Verkehr mit den eingewanderten Fremden iſt viel Schlimmes unter das einheimiſche Volk ge= kommen, viel Leichtſinn und Gleichgültigkeit; jedoch den Miſſionären zeigen ſie ſich doch anhänglich und für die Belehrung empfänglich. (Frb. k. M.)

Apoſtoliſches Vikariat Samoa. In dem deutſchen und amerikaniſchen Anteile dieſer Inſelgruppen hat die katholiſche Miſſion laut Jahresbericht der Mariſten 17 Stationen, an welchen 23 Prieſter (davon 3 ein= heimiſche) arbeiten, dazu 16 Brüder und 27 Schweſtern (zur Hälfte ein= heimiſche), auch bei 100 Katechiſten. Die Zahl der Katholiken iſt zur Zeit 7500. Die Mariſten=Brüder halten 3 Schulen, die Schweſtern 9 Schulen beſetzt mit 600 Schülern, in den 90 der Katechiſten geleiteten Schulen ſind 1600 Schüler. (Frb. k. M.)

Apoſtoliſches Vikariat Marſhall=Inſeln. Auf Attoll Arno, welches 1500 Bewohner zählt, gründeten die Miſſionäre vom heiligſten Herzen vor 2½ Jahren die Station im Dorfe Ine, wo ſie Miſſions= haus und Schule bauten und anfangs alles ſich gut anließ. Miſſionäre und Ordensſchweſtern hatten viel und gute Arbeit.

Seit aber die dort ſchon länger beſtehende proteſtantiſche Boſton=Miſſion alle Hebel gegen die Römiſchen in Bewegung ſetzte, alle Mittel zur Verhetzung des Volkes in Anwendung brachte, hat die katholiſche Miſſion einen ſo ſchweren Stand, daß nur großer Opfermut ihr Ausharren begreiflich macht.

Sehr gut geht es dafür auf Jaluit und Ligiel, wo beſonders der Schul= unterricht in floribus iſt. (Mon. Hft.)

V. Europa.

Island. Dort walten die Mariſten des Miſſionswerkes. Es iſt in den Anfangsſchwierigkeiten, aber durchaus nicht hoffnungslos. Es liegt in dem proteſtantiſchen Volke dort noch etwas, das der katholiſchen Miſſion zum Vorteile wird: die alten Traditionen!

Als die Reformation 1559 dieſes Land und Volk an ſich geriſſen hatte, da ließ man dem Volke, um es nicht zu arg vor den Kopf zu ſtoßen, noch die Gottesdienſtordnung der katholiſchen Kirche und ſo beſtand z. B der lateiniſche Choral, auch zu Weihnacht die Chriſtmette und Meſſe nach katholiſchem Ritus. Noch länger erhielt ſich beim Volke die Marien=Verehrung, die von altersher beſtens eingewurzelt war, — waren doch im einſtigen katholiſchen Island die meiſten Kirchen zu Ehren Mariä geweiht; — Marien=Lieder wurden noch in der erſten Hälfte des vorigen Jahrhunderts in den Familien häufig geſungen, waren noch volkstümlich.

Unſer alles nivellierende Zeitalter brachte allerdings auch dieſe Tra= ditionen zum Schwinden und ſetzte an deren Stelle die häßlichen Vor= urteile gegen die katholiſche Kirche, — allein es iſt doch nicht ganz ab= geſtorben, was einſt ſo ſorgfältig gepflegt worden war. Die Miſſion ſetzt ſich zur Aufgabe, den Schutt dieſer Vorurteile nach und nach wegzuräumen, und dieſes ſcheint mehr und mehr zu gelingen.

In Reykiawik wird der katholiſche Gottesdienſt auch von Proteſtanten viel beſucht, ſie wollen ſehen, was da geſchehe und hören, was geſagt werde. Das Spital, unter Leitung der St. Joſef=Schweſtern, iſt ein ſtiller Prediger der chriſtlichen Charitas, und die Miſſionsſchule, zwar noch klein und deshalb anfangs gering geſchätzt und verlacht, hat ſich durch ihre Unterrichts= und Erziehungs=Erfolge ſo herausgearbeitet, daß auch angeſehene Familien, ſelbſt von proteſtantiſchen Predigern, ihre Kinder dorthin ſchicken. Es geht das Werk einen langſamen aber ſicheren Gang. (Frb. k. M.)

Griechenland, woher man Missionsnachrichten selten vernimmt, scheint nach und nach zur katholischen Kirche sich besser zu verhalten, als man es seit jeher gewöhnt war.

Die Römisch-Katholischen sind zwar nur in kleiner Anzahl, jedoch zeigt sich von Jahr zu Jahr eine Zunahme dieser Zahl und ebenso des Ansehens der katholischen Kirche. Daß katholische Priester öffentlich insultiert würden, wie es vor nicht langer Zeit in Athen und anderen Städten Mode war, das kommt kaum mehr vor, im Gegenteil zeigt das schismatische Volk ihnen vielfach Sympathie und besucht scharenweise deren Gottesdienst und Predigt.

Die Haupt-Zentralen der katholischen Mission sind außer Athen die Hafenstadt Piräus, Patras, Laurion, Nauplion und Volo in Thessalien. (Frb. k. M.)

Das Missionshaus Steyl (Holland) konnte anfangs Mai wieder eine schöne Schar Missionskräfte ausschicken: 34 Priester, 10 Brüder und 33 Schwestern, welche an die Missionsgebiete der Steyler verteilt wurden. Die Abschiedfeier war in Programm und Durchführung geradezu herrlich, daß man bei Schilderung derselben begreift, welche Begeisterung den Missionären mit auf den Weg gegeben werde und wie das Volk immer mehr in das Verständnis des Missionswesens eingeführt werde. (Stl. M. B.)

Missions-Finanzen. Eine kurze Notiz in der amerikanischen Zeitschrift „Missionary of the World" führt als Tatsache vor, daß laut amtlichen Berichten der evangelischen Missionsgesellschaften die Einnahmen in einem einzigen Jahre aus Europa 95,726.000 Mark betragen, wozu noch aus den Missionsgebieten 20,295.000 Mark kamen. Das macht zusammen 116,018.000 Mark! eine Summe, wobei das Niederschreiben in Ziffern schon kein Spaß ist, der Inhalt aber geradezu verblüfft — wenn es wirklich wahr ist.

Der katholischen Mission mögen im selben Zeitraume 20 Millionen zugeflossen sein; — wäre es so, so wäre es auch ein schönes Stück Geld, und wäre doch für uns dieser Abstand beschämend.

Freilich hat unser Heiland auch nicht mit Geld hantiert, hat auch seinen Aposteln widerraten, mit Geldranzen sich auf den Weg zu machen. Diese Tatsache läßt hoffen, Er werde sein Missionswerk aufrechthalten, wenn es auch an Geld rückständig bleibt.

Aber in unserer Zeitlage ist doch für die katholische Mission, gegenüber den anderen, das Geld zu einer unabweisbaren Notwendigkeit geworden und wird es nach dem Wunsche unseres Heilandes sein, daß wir seine Mission nicht blos für notwendig halten und sie lieben, sondern sie auch mit Almosen unterstützen. „Date et dabitur vobis!" gilt auch für unsere Mission. (Stl. M. B.)

Sammelstelle:

Gaben-Verzeichnis:

Bisher ausgewiesen: 27.344 K 27 h. Neu eingelaufen: Für die bedürftigsten Missionen: a) G Hausen, Meran 100 K; b) Anonymus, Kärnten 200 K; c) hochw. Pf. Birgmann, Scharten 6 K; d) Frl. Forsthuber, Moosdorf 5 K; e) J. v. G., Friedland, Böhmen 30 K; f) hochw. Pf. Babik, Skalite, Ungarn 26 K; g) hochw. H. Bruno Schmid 40 K; Gesamtbetrag 407 K. Verteilt zu je 45 K an Missionen: Assam, Ceylon, Zentral-Afrika, Natal, Namaqualand, Kanada, Zentral-Patagonien,

Neuguinea, Neupommern. Mit angegebener Beſtimmung: Von P. H.,
F. H. und J. K. für die dürftigſten Miſſionen in China 240 *K*, an Nord=
und Süd=Schantung; hochw. Kreisdechant Monſchein in Hartberg, Steiermark,
für das Ausſätzigenheim in Bitwaſaki, Japan 50 *K*. Summe der neuen Ein=
läufe: 697 *K*. Geſamtſumme der bisherigen Spenden: 28.041 *K* 27 *h*.

Deo gratias ac fratrum benevolentiae!

De precibus in fine cujusvis Missae privatae dicendis.

De precibus, quae ad instar precum ex mandato s. m. Pii
PP. IX. peracto ss. Missae sacrificio recitandarum a fel. Leone
PP. XIII. a. 1884. et paululum immutatae a. 1886. praescriptae
et a praesenti S. P. Pio PP. X., causis perdurantibus, minime
sublatae sunt, cursu 25 fere annorum, quando et quomodo recitandae sint, varia dubia prolata sunt et differens praxis enata,
quae admirationem populi movet, devotionem minuit et fructum
indulgentiarum in periculum adducit. Non inutilem itaque putamus
suscepisse laborem, si quae praeprimis in „Ephemeribus liturgicis“ Romae editis et a. S. Sede iterum iterumque laudatis et
commendatis ad rem dicta inveniuntur, colligimus, in ordinem
redacta proponimus et observanda praescribimus.

I. Preces, de quibus agitur, dicendae sunt in toto orbe
catholico, etsi auctor earum p. m. Leo XIII. interim defunctus
sit, ubicumque sacerdos privatam Missam celebrat neque privatis
oratoriis exceptis, quia decretum S. Rituum Congregationis de
die 6. Januarii 1884, quo praescribuntur, decretum Urbis et
Orbis est.

II. Dicendae sunt ex decreto modo citato „in fine cujusque
Missae sine cantu“ sacerdotis „celebratae“ et jussu P. Leonis
XIII. a. 1886 „post privatae Missae celebrationem“. Missae con-
ventuales sine cantu quoad preces considerari possunt veluti
solemnes; item excipiuntur Missae exequiales, quia statim
sequitur absolutio et functionis ordo a rubricis praescriptus
precibus interjectis turbaretur; non autem aliae Missae de
Requiem. — In die Nativitatis Domini, si tres Missae privatae
immediate se excipiunt, preces dicendae sunt post ultimam
tantum; si vero diverso tempore celebrantur, post unamquamque.
— Ad preces omittendas non sufficit, ut Missa, etsi lecta tantum,
aequiparetur solemni, aliqua in ea solemnitas, uti est in paro-
chiali, neopresbyteri, jubilari et aliis, nisi fuerit conventualis,
neque ea circumstantia, quod plures sacerdotes eadem in ecclesia
eodem fere tempore Missam absolvant.

III. Dicendae sunt „in fine cujusque Missae sine cantu“
seu „privatae“, itaque finito ultimo evangelio, ita ut aliae preces,
licet indulgentiis ditatae, vel functiones sacrae, quae ultimum
evangelium hinc inde subsequi solent, e. gr. paraenesis, varii
generis promulgationes, s. communio, benedictio cum Sanctissimo

una cum praemittendis hymno, versiculo, responsorio et oratione, interponi nequeant, excepta lectione pericopae, epistolicae et evangelicae, paraenesi et promulgationibus, si ab altari fiunt et preces illae lingua vulgari (ut infra) recitandae sunt. — Si autem mense Octobri s. rosarium una cum litaniis lauretanis et oratione ad s. Joseph sub Missa privata recitatur a fidelibus et Missa finita recitatio fidelium nondum absoluta est, celebrans praeces, de quibus agitur, recitet cum ministro solus.

IV. Recitet autem eas non in reditu in sacristiam, sed flexis vel in suppedaneo vel in infimo gradu altaris genibus. Absoluto itaque ultimo evangelio sacerdos manibus junctis ad medium altaris redit et minima cruci inclinatione facta, quin calicem manu capiat, quod nimiae properantiae esset indicium sive in suppedaneo sive in gradu infimo, junctis manibus et neque ad orationem „Deus, refugium nostrum" surgens, preces peragit.

V. Peragit eas, „ut quod christianae reipublicae in commune expedit, id communi prece populus christianus a Deo contendat auctoque supplicantium numero divinae beneficia misericordiae facilius assequatur", itaque cum populo et per consequens lingua ejus vernacula; accedit, quod actus est extraliturgicus.

VI. Preces istae incipiunt et finiunt absque signo crucis et absque verbis signo huic addi solitis, quia decreta, quibus decernuntur, eo de signo nihil habent. Sacerdos, quam primum genua flexerit, statim solus idque alternatim cum populo ter dicat primam partem salutationis angelicae populo prosequente: „Sancta Maria" et rel., dein una cum populo integram antiphonam „Salve Regina", quia antiphonae hujus divisio in plures rythmicas partes nec in Breviario invenitur, nec Romae in istis precibus in usu est. Sequitur versiculus, quem dicit solus sacerdos, et responsorium, quod dicit solus populus. Orationem „Deus, refugium nostrum" solus dicit sacerdos, conclusionis autem vocabulum „Amen", ut ipsa rei natura ferre videtur, addat populus. — Conveniret quidem, ut una cum sacerdote etiam populus invocaret s. Michaëlem, quemadmodum in nonnullis collegiis Romanis revera fit; quia vero populus invocationem hanc memoria non tenet, consultius est, ut eam a sacerdote recitatam addito tantum „Amen" suam quoque faciat. — Ubi autem eodem tempore duae vel plures Missae praesente populo legi solent, recitatio in lingua vernacula, quod per se intelligitur, post unam tantum Missam quocunque sensu principaliorem locum habeat.

VII. Preces post Missam privatam rite peractae ter centum dierum indulgentia locupletatae sunt, quam precantes sibi acquirere possunt et ita digniores fieri, ut quascumque alias eorum preces Deus exaudiat.

VIII. Quam porro Sanctitas Sua Pius PP. X. decreto Urbis et Orbis diei 17. Juni praedictis precibus adjicere commendavit invocationem dicente sacerdote: „Cor Jesu sacratissimum" et populo prosequente: „miserere nobis!" ea ita cum istis precibus cohaeret, ut quae de illis supra dicta sunt, de his quoque valeant, excepta indulgentia, quae 7 annorum totidemque quadragenarum est et defunctis quoque applicari potest.

IX. Multum sane conducet ad preces supra dictas pie peragendas earundem opportuna interpretatio, ut fideles et finem earum sciant et cujus efficacissimam intercessionem et fortissimum praesidium ecclesiae et sibi acquirant et quos fructus ex iis habere possint.

Die Kurialreform Pius' X.

Der soeben erschienene zweite Band des „Kirchlichen Handbuches für das katholische Deutschland 1908—1909" (Herder, Freiburg; geb. in Leinw. M. 6.—) bringt in seiner zweiten Abteilung (Kirchenrechtliche Gesetzgebung und Rechtsprechung, bearbeitet von Professor Dr. N. Hilling in Bonn) auch die Gesetze über die Kurialreform Pius' X. Nach einer Uebersicht über die Rechtsquellen folgt die Aufzählung der wichtigsten Reformpunkte. Dort heißt es:

„Die wesentlichsten Verbesserungen der jüngsten Reformatio Curiae lassen sich in 7 Punkten zusammenfassen:

1) Die Zahl der Kongregationen ist von 21 selbständigen Behörden, die beim Regierungsantritte Pius' X. existierten, auf 11 reduziert worden. Dadurch ist die Einfachheit und Uebersichtlichkeit des Behördeorganismus, welcher durch die zahlreichen Umgestaltungen und Hinzufügungen seit der ersten Begründung durch Sixtus V. am 22. Januar 1588 sehr gelitten hatte, wieder hergestellt.

2) Der Geschäftskreis und die Kompetenzordnung der Kongregationen und Kurialbehörden haben eine wesentliche Verbesserung erfahren dadurch, daß a) jeder Behörde eine dem Umfange nach möglichst gleichmäßige und dem Inhalte nach gleichförmige Materie überwiesen wird, und b) die kumulative Zuständigkeit mehrerer Behörden bezüglich ein und desselben Gebietes aufgehoben worden ist. Für die Entscheidung von Kompetenzstreitigkeiten ist für alle Behörden (mit Ausnahme der Congr. S. Officii) die Congr. Consistorialis eingesetzt worden.

3) Von großer Bedeutung für die Rechtspflege ist ferner die Trennung der Justiz- und Verwaltungs-(Disziplinar-)gerichtsbarkeit, die Pius X. nach dem alten Muster wiederhergestellt hat. Für die Erledigung der Justizsachen, die in einem strengen Prozeßverfahren abgeurteilt werden, sind die beiden Gerichtshöfe der Römischen Rota und der Apostolischen Segnatura zuständig, während die Verwaltungs- und Disziplinarangelegenheiten von den Kongregationen entschieden werden.

4) Im Interesse des Ansehens und der Tüchtigkeit der kurialen Beamten hat Pius X. die bisherige Form der teilweisen Bezahlung der Gehälter durch Sporteln und Akzidenzien völlig aufgehoben und allen Beamten einen festen und auskömmlichen Gehalt bewilligt Durch die Anordnung von schriftlichen Examina vor der Anstellung und des späteren Aufrückens nach dem Dienstalter soll jeder Nepotismus von den Beamten der römischen Kurie ferngehalten werden.

5) Das Taxenwesen an der Kurie ist durch die Herabsetzung einiger übermäßig hoher Gebühren und der teilweisen oder gänzlichen Nachlassung für die Armen (mit Ausnahme der unmittelbaren Auslagen) erheblich verbessert worden. Die Taxen betragen in Zukunft für „die größeren Reskripte" 10 und für die „kleineren Reskripte" 5 Lire. Für die eventuelle Inanspruchnahme der „Agenten" sind außerdem im ersten Falle 6 und im zweiten 3 Lire zu entrichten.

6) Für die schnelle Erledigung dringender Angelegenheiten ist bei allen Kurialbehörden die Einrichtung der sog. Ferialsachen getroffen worden. Die Ferien dauern (abgesehen von einigen speziellen Feiertagen, wie Fastnacht, Karwoche) vom 10. September bis zum 31. Oktober.

7) Durch die Neuordnung ist künftighin allen Bischöfen und Privatpersonen auch der direkte Geschäftsverkehr mit den römischen Behörden gestattet. Damit ist das früher bestehende obligatorische Vermittlungsinstitut der sog. Apostolischen Speditionäre und Agenten (Prokuratoren) aufgehoben, wenngleich die Beihilfe der letzteren im Interesse der Bittsteller selbst noch gestattet ist."

Kurze Fragen und Mitteilungen.

I. **(Ein Eherechtsfall aus der Dogmatik.)** Nach dem Paulinischen Privilegium (1. Kor. 7, 10 ff.) kann bekanntlich eine Ehe, die von zwei Ungetauften eingegangen und auch vollzogen worden ist, dem Bande nach geschieden werden, wenn der eine Gatte sich taufen läßt und der andere unbekehrte Teil aber die Ehe nicht friedlich fortsetzen will. Um nun letzteres in Erfahrung zu bringen, liegt dem Konvertiten vor Eingehung einer neuen Ehe die Interpellationspflicht über zwei Punkte ob, nämlich: 1. Ob der ungläubige Teil sich nicht auch bekehren will, in welchem bejahenden Fall das Eheband ungelöst bleibt. 2. Ob er wenigstens friedlich, d. i. sine contumelia Creatoris die alte Ehe fortsetzen will. Erst wenn beide Fragen abschlägig beschieden sind, tritt das privilegium Paulinum in Kraft und berechtigt den Konvertiten zur Schließung einer neuen Ehe unter Auflösung des früheren Ehebandes, wodurch dann auch der unbekehrte Gatte frei wird

Wie aber, wenn die zum Genusse des privilegium Paulinum erforderliche Interpellation dem bekehrten Gatten entweder physisch oder moralisch unmöglich ist, wie bei Verschleppungen durch Krieg, Gefangenschaft, Sklavenraub, unbekanntem Aufenthalt? Ist hoc in casu der Neophyt zum ewigen Zölibat verpflichtet? Nein! Nach dem neueren Kirchenrecht besitzt der Apostolische Stuhl die Vollmacht, im Unvermögensfalle den Konvertiten von der Interpellationspflicht zu dispensieren und ihm ohne= weiters die Schließung einer neuen (christlichen) Ehe zu gestatten. (Const. Gregor. XIII. „Populis et nationibus" d. 25 Jan. 1585.)

Auf Grund dessen hat das III. Provinzialkonzil von Baltimore im Jahre 1884 die Bestimmung getroffen (concil. III. Baltim. § 129): „Conjux, qui jam matrimonium in infidelitate cam infideli con- traxit et conversus deinde ad fidem baptizatus fuit, nequit ma- trimonium inire, quin prius interpellet conjugem infidelem. Quodsi conjux infidelis nequit legitime interpellari, recurrendum est ad s. Sedem pro dispensatione.

Die mit päpstlicher Dispens geschlossene neue Ehe besteht auch dann als gültig fort, wenn sich nachträglich herausstellen sollte, daß der abwesende, unbefragte Gatte zur Zeit der Eheschließung entweder zur friedlichen Fortsetzung der Ehe bereit gewesen oder gar selbst ebenfalls schon zum Christentum übergetreten wäre. Nun deckt sich aber ein solcher Tatbestand nicht mehr mit den Bedingungen des Paulinischen Privilegs. Da sagen nun die einen, in diesem Falle interpretiere der Papst das göttliche Recht (Benedikt XIV., Perroue 2c.), die anderen, der Papst löse kraft seiner Vollgewalt wirklich die Ehe auf, die früher in infidelitate geschlossen worden sei.[1] (Hurter, Gury=Palmieri, Lehmkuhl, Bieder- lack, Pesch 2c.)

(Zum Ganzen vgl. Pohle, Josef, Lehrbuch der Dogmatik III², S. 627 und 629.)

Stift St. Florian.   Prof. Dr. Gspann.

II. **(Die Missionen des Franziskanerordens.)** Bekannt- lich feiert der Franziskanerorden in diesem Jahre das siebte Zentenarium seines Bestehens. Ueber die segensreiche Tätigkeit der Franziskaner auf dem Gebiete der Volksmissionen, Exerzitien, des Vereinslebens, der Literatur und Kunst brauchen wir kein Wort zu verlieren; sie ist männiglich bekannt. Weniger vertraut aber, besonders in deutschen Landen, sind die meisten mit der Missionstätigkeit in den überseeischen Ländern, was um so mehr zu ver- wundern ist, da sich auf diesem Gebiete kein einziger Orden, keine einzige Missionsgesellschaft mit den Franziskanern messen kann. Lassen wir einmal die Statistik sprechen. Danach haben die Franziskaner Missionsgebiete:

1. in Afrika, und zwar in: Aegypten: 24 Niederlassungen, 23 Gottes= häuser, 28 Schulen, 24 Pfarreien; Mozambique: 3 Niederlassungen, 8 Kirchen, 7 Schulen, 1 Pfarrei; Marokko: 9 Niederlassungen, 13 Gotteshäuser, 21 Schulen, 8 Pfarreien; Tripolis: 5 Niederlassungen, 10 Kirchen, 8 Schulen, 5 Pfarreien; Tunis: Nähere Angaben fehlen darüber.

In diesem Missionsgebiete wirken 2 Franziskaner=Erzbischöfe, 1 aposto= lischer Präfekt, 8 apostolische Missionsobere, 216 Franziskaner=Missionäre, 284 Missionsschwestern.

---

[1] Vgl. Hurter, Hugo, Compendium theologiae dogmaticae III¹¹. S. 580. Pohle unterscheidet (III³. S. 629) nicht genau, sondern konfundiert die beiden von Hurter scharf unterschiedenen Ansichten.

2. In Asien und zwar: Japan: 1 Niederlassung, 1 Kirche, 1 Schule; China: 3049 Kirchen (vielleicht ist's Druckfehler statt 349 D. K.), 12 Seminare, 15 Kollegien, 780 Schulen und Findelhäuser; Palästina, Phönizien, Syrien, Armenien: 50 Kirchen, 47 Schulen, 30 Pfarreien; Zypern: 3 Niederlassungen, 4 Kirchen, 5 Schulen, 3 Pfarreien; Rhodus: 2 Niederlassungen, 6 Kirchen, 4 Schulen, 1 Pfarrei.

In diesem Missionsgebiete wirken 12 Franziskaner-Bischöfe, 1 apostolischer Präfekt, 645 Franziskaner, 360 Missionsschwestern.

3. In Ozeanien, und zwar in: Neu-Südwales: 3 Niederlassungen, 7 Kirchen, 10 Schulen, 3 Pfarreien; auf den Philippinen: 23 Pfarreien, 24 Niederlassungen.

In diesem Missionsgebiet wirken 88 Franziskaner, 9 Missionsschwestern.

4. In Südamerika, und zwar in: Ecuador: 4 Niederlassungen, 4 Kirchen; Argentinien: 16 Niederlassungen, 19 Kirchen, 4 Schulen, 4 Pfarreien; Bolivien: 29 Niederlassungen, 32 Kirchen, 13 Schulen, 4 Pfarreien; Brasilien: 30 Niederlassungen, 196 Kirchen, 53 Schulen, 28 Pfarreien; Chile: 23 Niederlassungen, 21 Kirchen; Peru: 17 Niederlassungen, 21 Kirchen, 26 Schulen.

In diesem Missionsgebiete wirken 5 Franziskaner-Bischöfe, 1 apostolischer Präfekt, 10 Missionspräfekten, über 1700 Franziskaner, über 150 Missionsschwestern.

5. In Nordamerika und zwar in: Kanada: 3 Niederlassungen, 9 Kirchen, 2 Schulen, 2 Pfarreien; Vereinigten Staaten: 102 Niederlassungen, 366 Kirchen, 158 Schulen, 145 Pfarreien; Mexiko: 10 Niederlassungen, 15 Kirchen, 5 Schulen, 1 Pfarrei; Kuba: 3 Niederlassungen, 3 Kirchen, 18 Schulen.

In diesem Missionsgebiete wirken 3 Franziskaner-Bischöfe, über 1400 Franziskaner und über 5000 Schwestern.

6. In Europa, und zwar in: Konstantinopel: 7 Niederlassungen, 7 Kirchen, 7 Schulen; Balkanhalbinsel: 79 Niederlassungen, 193 Kirchen, 90 Schulen, 125 Pfarreien.

In diesem Missionsgebiete wirken 5 Franziskaner-Bischöfe, 426 Franziskaner und etwa 30 Schwestern.

Die Franziskaner wirken also in allen Erdteilen ... Sie arbeiten unter 93 Millionen Heiden und Akatholiken, taufen jährlich zirka 9700 Erwachsene und fast 77.000 Kinder, predigen 70.000mal vor den Heiden, nehmen 17.340 Trauungen vor, unterrichten zirka 69.000 Katechumenen und in ihren Schulen über 78.800 Kinder. Außerdem haben sie in ihren Waisen-, Kranken- und Findelhäusern noch für etwa 14.300 Arme, Kranke und Waisenkinder zu sorgen, die natürlich ganz auf Kosten der einzelnen Missionen unterhalten werden müssen.

Und überall, wo die Franziskaner wirken, wirken sie durchwegs seit Jahrhunderten und haben nicht selten ihre Missionstätigkeit mit dem Martyrium besiegelt; wir erinnern nur an die hochwürdigsten Franziskanermärtyrer von Marokko und Japan, an die 4000 Franziskaner, die allein in der Mission des heiligen Landes im Dienste der Pestkranken und im Kampfe mit den fanatischen Muselmanen ihr Leben gelassen haben, und an die Franziskaner und Franziskanerinnen, die noch in der letzten Verfolgung auf chinesischem Boden für den heiligen Glauben gemartert worden sind.

Angesichts dieser Tatsachen dürfen wir wohl den Wunsch aussprechen, daß die Riesenarbeit der Franziskaner auf dem Gebiete der auswärtigen Missionen auch beim deutschen Volke und Klerus die Würdigung finden möge, die sie vollauf verdient, und nicht minder auch die pekuniäre Unterstützung, ohne die es nun einmal unmöglich ist, Ersprießliches und Dauerndes in den Missionen zu leisten.

Athanasius Bierbaum O. F. M. im „Pastor bonus", XXL Jahrgang, 9. Heft, S. 448 f.

III. (Was bedeuten Sonne und Mond auf den Kreuzesbildern?) Zuweilen sieht man auf Bildern des gekreuzigten Heilandes Sonne und Mond abgebildet, erstere zur Rechten, letzteren zur Linken. So liegt vor Gefertigtem ein derartiges Leichenbildchen aus der Beuroner Schule, Verlag Kühlen, M.-Gladbach. Die Sonne ist gewöhnlich in der Gestalt einer glänzenden Scheibe oder eines leuchtenden Gesichtes, der Mond als Sichel oder zunehmender Halbmond dargestellt. Manchmal aber erscheinen sie als zwei menschliche Halbfiguren, die eine ein königliches Diadem, die andere den zunehmenden Mond auf dem Haupte, oder sie tragen in der einen Hand eine Fackel, indes sie die andere zum Zeichen der Trauer an die Wange gestützt hatten. Hie und da werden die zwei Gestirne von zwei Engeln getragen, denen die Tradition die Namen Michael und Gabriel beilegte.

Diese Darstellungen sind sehr alt; man findet sie nicht bloß auf den Kreuzbildern des Mittelalters, sondern schon in einem syrischen Evangeliar[1] und auf einer Freske des Coemeteriums des heiligen Papstes Julius (337—352), auf welcher Christus am Kreuze, mit einem ärmellosen Leibrock bekleidet, dargestellt ist, und welche eines der ältesten Bilder Christi am Kreuze sein soll.[2]

Ueber die Bedeutung der beiden Gestirne auf diesen Bildern sind die Ikonographen nicht einig.

1. Einige meinen, daß durch sie das Alte und Neue Testament figürlich ausgedrückt werden soll.

2. Die gewöhnliche Ansicht ist, daß sie an die Verfinsterung erinnern sollen, von der beide Gestirne während des Kreuzestodes Christi betroffen wurden. Dies sei wahrscheinlich Absicht jener Künstler, welche Sonne und Mond verhüllt darstellen, um so an den Aufruhr und die Bestürzung zu erinnern, welche die gesamte Natur beim Tode ihres Schöpfers ergriff.[3]

---

[1] Gemeint ist wahrscheinlich „das aus dem Jahre 586 stammende Kruzifixbild in der syrischen Evangelienhandschrift des Mönches Rabulas in Mesopotamien"; siehe Wetzer und Wettes Kirchenlexikon ² VII, 1072. Anm. d. Uebers. — [2] Martigny, dictionaire des Antiquités chrétiennes, art. Annif. V. 1°; Cloquet Elements d'Ikonographie chrétienne p. 73 u. 293. Barbier de Montault S. II. p. 153. — [3] Cloquet, l. c. p. 72.

3. Einige wollen in der Sonne das Symbol Jesu Christi, im Mond das der Kirche erblicken.[1]

4. Nach Martigny ist es wahrscheinlicher, daß man die beiden Naturen in Christo ausdrücken wollte, die Gottheit durch die Sonne, welche durch ihr eigenes Licht leuchtet, die menschliche Natur durch den Mond, welcher an sich ein dunkler Körper ist, nur durch wiederstrahlendes Licht leuchtet und verschiedenen Phasen der Verdunklung unterworfen ist, ganz so wie die menschliche Natur, welche in der Person Christi mit der göttlichen Natur vereinigt an dem Glanze dieser teilnimmt, ohne jedoch von den Mängeln frei zu sein, welche ihr eigen sind, insoweit sie eine endliche und beschränkte Natur ist. „Luna, sagt der heilige Gregor, in sacro eloquio pro defectu carnis ponitur, quia dum menstruis momentis decrescit, defectum nostrae mortalitatis designat."

Diese Auslegung erlangt nach Martigny ein großes Gewicht durch den Umstand, daß die beiden Gestirne häufig ganz unverhüllt dargestellt sind, einige Bilder, wie das im Coemeterium des heiligen Julius, sie sogar in ihrem vollen Glanze zeigen, indem sie ihre Strahlen gegen das Kreuz richten. Das gleiche scheint von jenen Abbildungen zu gelten, wo Sonne und Mond als menschliche Figuren mit einer Fackel in der Hand dargestellt sind. Entscheidender noch für diese Erklärung erscheint ihm der Umstand, daß die christlichen Denkmale den Herrn nicht bloß bei der Kreuzigung von Sonne und Mond begleitet darstellen, sondern auch in anderen Lagen, z. B. bei der Auferweckung des Lazarus. Endlich spricht für diese Auslegung, daß auf anderen Darstellungen der Kreuzigung diesen beiden Emblemen die Buchstaben A und Ω beigefügt sind.[2]

Auch nach Cloquet dürfte diese letztere Erklärung vorzuziehen sein.[3]
Aus und nach L'ami du clergé Nr. 44, 1908, S. 1009.

Moisl.

IV. (Wie die Predigtfrucht häufig zerstört wird.)

Welcher Prediger wünschte nicht, daß seine Verkündigung des Wortes Gottes Frucht bringe, wenn auch „in Geduld"! Und doch ist es gerade der Prediger selber, besonders der Pfarrprediger, welcher oft selber die guten, ja besten Eindrücke in den Herzen der Zuhörer wieder verwischt und vergessen macht durch die unmittelbar auf die Verkündigung des göttlichen Wortes folgenden landläufigen anderen Verkündigungen. Sehr gut schreibt hiezu Dr. Johann Ernst in der Passauer „Theologisch=praktischen Monatsschrift" (Februarheft 1909, S 303): „Im Schlusse soll die Predigt ihren Höhenpunkt erreichen. Geist und Gemüt sind, wenn die Predigt war was sie sein soll, in die Höhe, in das Reich höherer, himmlischer Gedanken und Anmutungen erhoben worden. Da kommen die Verkündigungen, manchmal von ziemlich irdischer Natur und ziehen den Geist der Zuhörer mit Gewalt in die Tiefe. Sie wirken wie ein Douchebad, die religiöse Wärme des Herzens abzukühlen, sie zerstreuen wieder, was die Predigt in Gott gesammelt."

---

[1] Revue de l'Art chrétien f. XXXIII p. 180—185. — [2] Martigny Dictionaire l'Archéologie chrétienne, art. Annif. p. 230. — [3] L. c. p. 72.

Wie dieser Nachteil durch unsicheres Vorlesen noch vergrößert werden kann, zeigt ein Beispiel, das Dr. Ernst nach den soeben zitierten Worten erzählt: „Vor einiger Zeit wohnte ich einer Predigt bei, die ein fremder Geistlicher in der Pfarrkirche zu X. hielt. Die Predigt war keine Glanz= leistung, aber sie war auch nicht gerade minderwertig, und ich meine, daß sie auf die Leute einen guten, ernsten Eindruck gemacht hat. Aber dann kommen die Verkündigungen! Der gute Herr hatte sich offenbar das Verkündigungsbuch vorher nicht angesehen, stockte nicht bloß beim Vorlesen, sondern brachte manches, namentlich die Namen, so schief und verkehrt vor, daß die versammelte Gemeinde ins Lachen kam. Natürlich wurde dadurch der gute Eindruck der vorausgegangenen Predigt wieder zum größten Teil verwischt und verdorben. Es ist nun allerdings nicht notwendig", so fährt Dr. Ernst fort, „daß man's beim Verkündigen so ungeschickt macht wie der erwähnte Prediger. Immerhin geschieht der Wirksamkeit der Predigt durch die nachfolgenden Verkündigungen nicht wenig Eintrag, und diese hätten darum ihren Platz besser nicht unmittelbar nach der Predigt."

Was der von Dr. Ernst zitierte P. Thill S. J. nach der Missions= predigt fordert, ist ebenso nach der gewöhnlichen Sonntagspredigt beachtens= wert. „Unmittelbar nach der Predigt ist alles zu unterlassen, was den Eindruck derselben stören könnte, wie Verkündigungen, langatmige Gebete usw." (Linzer „Theologisch=praktische Quartalschrift" 1892, S. 318.)

Wie aus dem Leben gegriffen ist, was Aegidius Jais, ebenfalls von Dr. Ernst angeführt, schreibt: „Wenn sogleich nach der Predigt ein Eheverlöbnis, besonders das erstemal . . . verkündigt wird, so wird da= durch wie vom Teufel der Same des göttlichen Wortes aus dem Herzen gerissen. Sie vergessen wieder alles und denken nur an das Brautpaar . . . oft noch während des ganzen noch folgenden Amtes."

Auch Alban Stolz ist eines Sinnes mit dem bisher Gesagten. So zitiert Dr. Ernst aus dessen „Homiletik" folgende Stelle auf Seite 239 f.: „Bei uns ist allgemein die Gewohnheit verbreitet, daß nach der Predigt, nach den kirchlichen Angelegenheiten, welche verlesen werden, auch die Ver= kündigung der zu schließenden Ehen stattfindet. Diese Gewohnheit scheint mir sehr ungeeignet, gar wenn unmittelbar nach dem Evangelium gepredigt und dann die heilige Messe fortgesetzt wird, in der doch die Anwesenden möglichst gesammelt und andächtig sein sollen. Die Predigt selbst und insbesondere der Schluß sollen zu Herzen genommen und geistig verdaut werden. Beides wird durch die ganz weltliche Neuigkeit einer verkündigten Ehe gestört und verdorben. Man denke sich z. B., der Prediger habe mit großem Nachdruck über die Höllenstrafen oder den Tod gepredigt; wenn er nun fertig ist, so liest er den erschütterten Zuhörern vor, wie die und die Personen in der Gemeinde sich zur Ehe entschlossen haben. Hier gilt auch das gemeine Sprichwort: Es paßt wie die Faust auf ein Auge. Dieser Ungehörigkeit läßt sich ganz einfach damit abhelfen, daß der Priester erst nach vollendetem Gottesdienste, nachdem er das Meßgewand in der Sakristei abgelegt hat, mit dem Verkündigungsbuch an die Kom=

munionbank geht und verliest, was er zu verkünden hat. Eine ältere Ver=
ordnung unserer Diözese (Freiburg) verlangt dieses Verfahren; sie scheint
jedoch vielfältig in Vergessenheit geraten zu sein."

Sehr recht hat Dr. Ernst, wenn er auch die gehäuften Gebete
nach der Predigt als den Eindruck und Erfolg der Predigt beeinträchtigend
bezeichnet, ferner die vielen Vaterunser für alle möglichen Anliegen, wie
in Tirol, das viele „Gedenken"= oder, wie man in Oesterreich sagt,
„Bitten"=Verlesen abgeschafft, reduziert oder doch wenigstens an eine
andere Stelle im Gottesdienste verwiesen wünscht.

Wann, an welcher Stelle des Gottesdienstes sollen derartige Ver=
kündigungen und Gebete vorgenommen werden?

Die richtigste und beste Reihenfolge bei Abhaltung des Gottes=
dienstes mag wohl die sein, welche Dr. Ernst in San Remo und Schruns
(Montafon=Vorarlberg) beobachtet hat: Nach der Predigt finden keine Ver=
kündigungen statt, auch keine Gebete, sondern es wird sofort mit dem
Kredo das Amt fortgesetzt. In Schruns werden die Verkündigungen am
Anfange des Gottesdienstes vorgenommen, daran reihen sich das
allgemeine Gebet und die anderen üblichen Gebete. Dann beginnt das
Amt. Nach dem Evangelium der Messe ist das Predigtlied, die Verlesung
des sonntäglichen Evangeliums in deutscher Sprache, es folgt die Predigt
ohne den Anhang von Verkündigungen und Gebeten. Mit dem
unmittelbar folgenden Kredo nimmt das Amt seinen Fortgang.

Möchten diese hier mitgeteilten, in mehrfacher Hinsicht förderlichen
Anregungen auf recht fruchtbaren Boden fallen und zur schnellen Tat
heranreifen!

Hamberg b. Schärding. P. Matthäus Rauscher S. D. S.

V. (Konsequenz im Unterricht), d. h. unablässiges Handeln
nach leitenden Grundsätzen, erheischt die ganze Charakterstärke des Unter=
richtenden und kostet gar manche Opfer; allein sie ist für die Schule
durchaus notwendig. „Die Konsequenz", sagt Kellner, „ist eine merk=
würdig einflußreiche Macht, ohne welche keine Erziehung gedeihen kann."
— Zunächst ist die Konsequenz unerläßlich in der Ausübung des guten
Beispiels. Man sei daher bedacht, den Schülern tagtäglich ein gutes Bild
im Handel und Wandel ohne Heuchelei vor Augen zu führen! Die kon=
sequente religiöse Begeisterung des Lehrers und Katecheten, seine aufopfernde
Liebe, sein steter Pflichteifer, seine unablässige Pünktlichkeit, Ordnungsliebe
und Nettigkeit müssen nach und nach die Schüler zur Nachahmung hinreißen.

Besonders ist Konsequenz notwendig bei Abgewöhnung und An=
gewöhnung und zur Erhaltung der Disziplin. Wenn der Lehrer heute etwas
verbietet, was er morgen unter gleichen Umständen erlaubt, heute etwas
bestraft, was er morgen hingehen läßt, so muß der Schüler die Richtung
verlieren. — Zur Konsequenz gehört auch die sichere Erfüllung von Ver=
sprechungen und Androhungen. Um nicht öfter widerrufen oder etwas
unerfüllt lassen zu müssen, sei man möglichst sparsam im Gebieten und
Verbieten, im Versprechen und Drohen und überlege vorher. Konsequenz
verlangt freilich vom Erzieher ein gutes Gedächtnis, aber auch Ruhe und

Befonnenheit, die nicht alles auf einmal über den Stab brechen will. —
Die Konfequenz forgt auch für ein befferes Gedeihen des Unterrichtes.
Weiß der Schüler, daß er jedesmal jeden Fehler unnachfichtig verbeffern
muß, daß nichts Nachläffiges und Schleuderifches durchgeht, fo wird er
fich mit der Zeit der Verhütung der Fehler und einer forgfältigeren
Arbeit befleißen.

Die gerechte und vernünftige Konfequenz verfchafft dem Lehrer und
Katecheten aber auch die gebührende Achtung bei den Schülern und
fchließlich auch bei deren Eltern.

Wenn auch diefe dazu gebracht werden, konfequent an der Erziehung
und Bildung ihrer Kinder im Vereine mit der Schule zu wirken, dann
kann ein dauernder günftiger Erfolg des fchönen und edlen Werkes der
Jugenderziehung nicht ausbleiben.   H. M.

VI. (Dotationsmeffen-Stiftungen), hinfichtlich der Nicht-
einrechnung der Erträgniffe derfelben unter die Einnahmspoften der Pfarr-
faffion. Die k. k. Statthalterei von Böhmen in Prag hatte mit Erlaß vom
3. Juli 1906, Nr. 84.758, dem Pfarrer N. in N. in Böhmen den Kataftral-
ertrag eines im Nutzgenuffe des genannten Pfarrers befindlichen Ackergrund-
ftückes, für deffen Nutzgenuß vom Pfarrer alljährlich fieben heilige Meffen zu
perfolvieren find, unter Poft-Nr. 2 unter die Einnahmen der Faffion einbezogen mit der Motivierung, „daß fich diefe Stiftung als eine mit der
Perfolvierung von heiligen Meffen belaftete Dotationsftiftung darftellt,
und auf folche Stiftungen die Beftimmung des § 5 des Gefetzes vom
19. September 1898 (R.-G.-Bl. Nr. 176) keine Anwendung finde; ebenfo
wurde demfelben Pfarrer das Erträgnis einer Meffenftiftung, deren Kapital
aus einer Zehentablöfung entftanden war, als Dotationsftiftung unter die
Einnahmen der Faffion Poft-Nr. 6 mit der Motivierung einbezogen, „weil
diefe Meffenftiftung ein Ablöfungskapital für den (i. J. 1634 entftandenen)
Zehent vom Meierhofe Sch. ift, und auf folche Bezüge, felbft wenn fie
mit der Verpflichtung, heilige Meffen zu lefen, belaftet wären, die Beftimmungen des § 5 des obenzitierten Gefetzes keine Anwendung finden".

Gegen diefe Einrechnung der beiden obengenannten Stiftungs-
erträgniffe und deren Einrechnungsmotivierung wurde nun vom betreffenden
Pfarrer unterm 23. September 1906 im Wege der k. k. Statthalterei
in Prag der Rekurs an das hohe k. k. Minifterium für Kultus und
Unterricht in Wien ergriffen. Das genannte k. k. Minifterium (für Kultus
und Unterricht) hat nun mit Erlaß vom 8. Februar 1909, Z. 47.478/ai 1908,
über den eingelegten Rekurs gegen das Erkenntnis der k. k. Statthalterei
in Prag vom 3. Juli 1906, Nr. 48.758, betreffend die Richtigftellung
der Faffion entfchieden: „Die Erträgniffe der J. K.fchen und der C. K. C.fchen
Stiftung find ebenfo wie die korrefpondierenden Ausgabspoften aus der
Faffion auszufcheiden, da beide Stiftungen zufolge der hierzutage tretenden
Intention der Stifter und des Verhältniffes zwifchen der Anftalt der ge-
ftifteten Meffen und dem Erträgniffe der Stiftungen fich als Meffen-
ftiftungen im Sinne des § 5 des Gefetzes vom 19. September 1898
(R.-G.-Bl. Nr. 176) darftellen.

„Der Umstand, daß bei der ersten Stiftung das Erträgnis eines Ackers, bei der zweiten zum Teil ein Zehent zur Sicherung der betreffenden Meßpersolvierungen bestimmt war, schließt die Annahme nicht aus, daß es sich um mit einem bestimmten Betrage errichtete Leistungen handle, denn nicht darauf kommt es an, daß das Bedeckungskapital in der jeweils geltenden Geldwährung ziffermäßig genannt ist, sondern darum, daß erkennbar ist, wie viel aus dem zu frommen Zwecken hinterlassenen Vermögen ausschließlich zur dauernden Sicherung von „Messen und anderen gottesdienstlichen Handlungen" zugewiesen ist. Wenn nun wie vorliegend — den Verhältnissen der damaligen Naturalwirtschaft gemäß — der ganze Ertrag eines Ackers lediglich zur Stipendierung einer bestimmten Anzahl Messen gewidmet ist, so entspricht dies allen Kriterien, die § 5 des Gesetzes vom 19. September 1898, R.-G.-Bl. Nr. 176, erwähnt. Auf Grund der vorangeführten Ministerialentscheidung wurde das mit dem angefochtenen Statthaltereierlasse readjustierte Einkommensbekenntnis des Pfarrers N. in N. mit Erlaß der k. k. Statthalterei in Prag vom 15. März 1909, Z. 36.499, in nachstehender Weise richtiggestellt.

„Der unter Fassionseinnahmspost Nr. 2 eingerechnet gewesene Katastralreinertrag des J. K.schen Stiftungsfeldes Katastral-Z. in H. per 62 K 92 h oder 31 fl. 46 kr. ö. W. wurde ausgeschieden.

„Der in der Fassionseinnahmspost Nr. 5 per x K mitenthaltene Jagdpachtzins von dem obenbezeichneten Stiftungsfelde per x K wurde gleichfalls ausgeschieden, wodurch die betreffende Post auf den Betrag per x K oder x fl. ö. W. herabgesunken ist.

c) Die unter Fassionseinnahmspost Nr. 6 mit x K oder x fl. o. W. eingerechnet gewesenen Interessen von dem die finanzielle Grundlage der C. K. C.schen Stiftung bildenden Anteile per 977 K 39 h an der Notenrentenobligation Nr. xxx vom 1. Mai 18.. über xxx K wurden ausgeschieden.

f) Schließlich wurden die unter der Fassionsausgabspost Nr. 10 mit xx K oder x fl. ö. W. passierten, auf dem Stiftungsfelde Kat.-Z. xx haftenden Gegenleistungen ausgeschieden."

Hostau (Diözese Budweis). Dechant Steinbach.

VII. (Interkalarrechnungs-Einnahmen von Grundstücken und Pachtzinsen.) M. L., Provisor der Pfarre L., vermeint, daß dem Religionsfond bloß der pro rata temporis entfallende Teil des in der Pfründenfassion angegebenen Katastral-Reinertrages von den Grundstücken, nicht aber von den Pachtzinsen zukomme. Diese Ansicht wurde schließlich vom Verwaltungs-Gerichtshofe laut Erkenntnis vom 4. Juli 1908 als gesetzlich nicht begründet bezeichnet. Die Bestimmungen des Kongruagesetzes, auf welche sich der Beschwerdeführer stützt, enthalten nur Normen, in welcher Weise bei solchen Abrechnungen solche Pfründenerträgnisse zu behandeln sind. Es besteht aber keine Bestimmung, daß der Katastral-Reinertrag auch bei Interkalarrechnungen zur Grundlage zu nehmen sei. Es muß daher festgehalten werden, daß der Religionsfonds, welcher hinsichtlich der Temporalien in die Rechte des ausgetretenen Pfründeninhabers tritt, jene Einkünfte zu verlangen, berechtigt ist, die dem Pfründeninhaber selbst zugeflossen sind, beziehungsweise bei Weiterbesitz der Pfründe zugeflossen wären. Die wirklichen Einnahmen sind aber die Pachtzinse und es mußten daher diese zur Grundlage der Verteilung genommen werden.

Linz.   Dompropst A. Pinzger.

VIII. (Zur Erteilung des Religionsunterrichtes durch den Schulleiter.) Bei der Ausschreibung der am 15. Jänner 1904 freigewordenen Schulleiterstelle in Krizlic wurde die Bedingung gestellt, daß der Bewerber die Befähigung zum katholischen Religionsunterrichte haben müsse, denn die öffentliche Volksschule und die am 1. Februar 1904 aufgelassene Privatschule hatten zusammen 102 katholische und 98 evangelische Kinder. Die Behörden erklärten nun, daß gemäß des Gesetzes vom 2. Mai 1883 in der kritischen Zeit von 1899 bis 1904 nur die Zahl der die öffentliche Volksschule frequentierenden Kinder mit Bezug auf die Religion maßgebend sei. Das evangelische Presbyterium, welches in die Zählung auch die evangelische Privatschule einbezogen wissen wollte, beschwerte sich beim Verwaltungs-Gerichtshofe, wurde aber mit Erkenntnis vom 26. September 1908, Z. 9038, von diesem abgewiesen; denn der hier allein maßgebende § 48 des Gesetzes vom 2. Mai 1883 erklärt für die Frage nach der Befähigung des Schulleiters zum Religionsunterricht als ausschlaggebend: die Mehrzahl der betreffenden Schule. Unter deren Schülern können jedoch nicht auch jene schulpflichtigen Kinder des Schulsprengels verstanden werden, welche nicht die Schule, für welche der Schulleiter zu bestellen ist, sondern eine andere (private) besuchen. Gegen diesen Schluß kann auch die Schul- und Unterrichtsordnung vom Jahre 1905 nicht ins Treffen geführt werden, weil eine Ministerial-Verordnung eine bestimmte Gesetzesvorschrift nicht aufheben oder ändern kann. Im übrigen spricht auch der angezogene § 111 der Schul- und Unterrichtsordnung nicht von den schulpflichtigen Kindern des S c h u l - s p r e n g e l s, sondern weist ebenfalls auf die Mehrheit der zum Besuche der betreffenden Schule verpflichteten Kinder hin und sieht von jenen im Schulsprengel ab, die eine Privatschule besuchen.   A. P.

IX. (Zur Entrichtung des Gebührenäquivalentes von zum Zwecke der Errichtung eines Benefizium gesammeltem Kapitale kann der exponierte Hilfspriester nicht herangezogen werden.) Dem Pfarrexpositus in G., einer Filiale von der Pfarre R., wurde von einem beim fürstbischöflichen Ordinariate in Krakau hinterlegten Kapitale per 20.000 K das Gebührenäquivalent mit 348 K vorgeschrieben. Der dagegen eingebrachten Beschwerde hat der V.-G.-H. mit Erkenntnis vom 28. September 1908, Z. 360, Folge gegeben. Die katholischen Insassen in G. streben die Ausscheidung aus der Pfarre in R. und die Errichtung einer eigenen Pfarre in G. an, und haben zu diesem Zweck das obige Kapital gesammelt und in Krakau hinterlegt, bis das Kapital die Kongrua per 1200 K ertragen und sonach das neue Benefizium in G. errichtet werden könnte. Inzwischen hat das Konsistorium einen exponierten Hilfspriester entsendet, dessen Besoldung aus den Zinsen des fraglichen Kapitales bestritten wird.

Es handelt sich sonach nicht um das Vermögen eines kirchlichen Benefiziums, das jetzt noch nicht errichtet ist, und von dem der Benefiziat das Gebührenäquivalent zu entrichten hätte, und war es daher ungesetzlich, dem Expositus in G. den Zahlungsauftrag zuzustellen. Dieser hätte vielmehr jener Person oder Behörde zugestellt werden sollen, welcher die Verwaltung und Vertretung dieses Vermögens nach dem Gesetze vom 7. Mai 1874 zusteht.   A. P.

X. (Auf Militärgeistliche kann das Kongruagesetz nicht angewendet werden.) Alois Lauc, pens. Militärseelsorger, hatte einen Tischtitel-Bezug per 420 K und beanspruchte nun den nach dem Kongruagesetze erhöhten Betrag mit 1000 K. Derselbe wurde aber mit seiner Beschwerde vom V.-G.-H. laut Erkenntnis vom 7. Oktober 1908, Z. 9377, abgewiesen. Denn das Kongruagesetz vom Jahre 1885, beziehungsweise 1898 hat nach § 1 den Zweck, die Dotationsverhältnisse der katholischen Seelsorgsgeistlichkeit zu regeln. Nach Absatz 2 und 3 dieses Paragraphen sind hier Geistliche zu verstehen, welche auf Grund kanonischer Einsetzung von Seite des Diözesanbischofes in einer bestimmten kirchlichen Gemeinde die Seelsorge ausüben.

Bei den Militärgeistlichen findet weder eine kanonische Einsetzung oder Bestellung als Hilfspriester in einer bestimmten kirchlichen Gemeinde durch den Diözesanbischof statt, noch kann von einer festen Seelsorgstation die Rede sein. Für den Ruhegehalt ist das Schema II geltend, wo von der systemisierten Kongrua der innegehabten Seelsorgstation gesprochen wird, was wieder nicht für Militärgeistliche angewendet werden kann. Auch daraus, daß die Allerhöchste Entschließung vom 18. Februar 1865 von dem Defizientenbezuge spricht und dessen Kumulierung mit der Militärpension eines Feldgeistlichen für zulässig erklärt, kann nur die Folge gezogen werden, daß unter „normalmäßigem Defizientenbezug" nur jener Bezug verstanden werden kann, der nach den im Jahre 1865 geltenden Gesetzesvorschriften mit dem Ausdruck „Defizientengehalt" bezeichnet erscheint. Nur dieser Gehalt per 420 K erscheint zulässig und nicht mehr.   A. P.

XL. (Ein bischöfliches Priesterhaus ist von der Gebäudesteuer nicht frei.) Der V.-G.-H. begründete mit Erkenntnis vom 11. September 1908, Z. 8387, seinen abweislichen Bescheid in Betreff des Priesterhauses in Salzburg wie folgt: Das fragliche Priesterhaus ist kein Alumnat, sondern lediglich Lehranstalt, in welcher regelmäßig in gewissen theologischen Fächern Unterricht erteilt wird. Hiedurch ist aber nicht festgestellt, daß es als eine öffentliche Lehranstalt zu qualifizieren ist. Schon das Studienhofkommissionsdekret vom 8. Februar 1811 unterscheidet genau zwischen öffentlichen theologischen Lehranstalten und den theologischen Hauslehranstalten. In gleicher Weise werden in der Ministerial-Verordnung vom 30. Juni 1850 die Diözesan- und Klosterlehranstalten als „Hauslehranstalten" gekennzeichnet, über deren Besetzung mit Lehrstellen sich der Staat nicht einmal jene Ingerenz vorbehalten hat, welche er bei Privatlehranstalten in Anspruch nimmt. Auch die neuere Gesetzgebung hat an diesem Stande nichts geändert. Dies ergibt sich aus der Ministerial=Verordnung vom 29. März 1858, mit welcher den Bischöfen die volle Freiheit bezüglich des Unterrichtes in den Seminarien gewährt wurde, dann aus Artikel 15 St.=G.=G. vom 21. Dezember 1867, zufolge welcher jede gesetzlich anerkannte Kirche im Genusse ihrer Kultus= und Unterrichtsanstalten bleibt. Auch § 30 des Gesetzes vom 7. Mai 1874 hat daran nichts geändert. Da nun das Priesterhaus in Salzburg kein Bestandteil der öffentlichen k. k. theologischen Fakultät ist, sondern nur zur Ergänzung des in der öffentlichen Lehranstalt erteilten Unterrichtes und zwar für die nur im Internate befindlichen Hörer der theologischen Lehranstalt dient, so konnte demselben die Freiheit von den Gebäudesteuern, welche laut Hofkanzleidekret vom 22. Juli 1821 nur den öffentlichen Lehranstalten gebührt, nicht zuerkannt werden.　　　　　A. P.

XII. (Ein als Asyl für dienstunfähige Priester gestiftetes Gebäude ist keine Wohltätigkeitsanstalt und daher von der Gebäudesteuer nicht befreit.)

Das bischöfliche Ordinariat Linz stützte ihr Begehren, daß das stiftungsgemäß als Priester= asyl gewidmetes Haus Nr. 32 in Urfahr, Rudolfstraße, von der Hauszinssteuer befreit werde darauf, daß das Haus als eine Wohltätigkeitsanstalt im Sinne der Allerhöchsten Entschließung anzusehen sei. Der V.=G.=H. fand aber laut Erkenntnis vom 10. Juni 1908, Z. 5705, dieses Begehren im Gesetze nicht begründet; denn laut Stiftbrief ist das Haus ein Asyl für Geistliche, welche ihres Alters halber ihren Dienst nicht mehr ver= richten können. Auch ist ein allerdings nicht hinreichendes Kapital für Steuer und Erhaltungskosten bestimmt. Nach den gepflogenen Erhebungen sind zwei pensionierte Pfarrer und ein Defizient mit je 1600 K Pension (alle drei sind derart unfähig, daß sie nicht einmal Messe lesen können und stets Pflege bedürfen) untergebracht. Hieraus gehe zweifellos hervor, daß das wesentliche Moment für eine Wohltätigkeitsanstalt, nämlich der menschlichen Bedürftigkeit abzuhelfen, fehlt, zudem wird auch ein Nach= weis der Dürftigkeit zur Aufnahme nicht verlangt. Der humanitäre Charakter aber, welcher dieser Stiftung innewohnt, genügt zur Steuer= befreiung, welche nur Spitälern, Armenhäusern oder anderen Wohltätig= keitsanstalten zukommt, nicht.　　　　　A. P.

XIII. (Die von einer Kultusgemeinde aus freien Vermögenschaften errichtete Stiftung ist eine Stiftung der Gemeinde und daher gebührenpflichtig.)

Die griechisch= orientalische Kirchengemeinde in Wien besitzt ein Kapital, welches zum Teile aus ihrem Armenfonds gemachten Schenkungen, zum Teile aus kapitalisierten Erträgnissen dieses Armenfonds herrührt. Es wurde über gestellte Anfrage von der Finanzbehörde bedeutet, daß eine Befreiung vom Gebühren= äquivalent von diesem Kapitale nur dann gewährt werden könne, wenn hierüber ein Stiftbrief errichtet werde. In diesem nun errichteten Stift=

briefe erklären die Vorsteher der Gemeinde auf Grund gefaßten Beschlusses, daß hiedurch, wie seit dem Anfalle dieser Vermögensteile, die Beteilung dürftiger Glaubensgenossen aus dem Erträgnisse derselben sichergestellt werde. Von diesem Stiftbriefe wurde nun die Gebühr nach T.-P. 96, b mit 8% samt Zuschlag der Gemeinde vorgeschrieben. Die dagegen er= hobene Beschwerde hat der V.-G.-H. mit Erkenntnis vom 10. Oktober 1908, Z. 9342, abgewiesen. Denn nicht die Personen, wie die Kultusgemeinde glaubt, welche der Gemeinde das gestiftete Vermögen zugewendet haben, erscheinen als die Stifter, sondern sie selbst ist die Stifterin. Nach dem Inhalte der Urkunde rührt dieses Vermögen aus Beiträgen her, die der Gemeinde ohne nähere Widmung geschenkt oder frei vermacht worden sind. Zu einer Stiftung ist es erst durch den Willen der betreffenden Gemeinde gekommen, welche erst ein bestimmtes Vermögen einem bestimmten Zweck dauernd gewidmet hat. Die Stiftung unterliegt daher nicht bloß der festen Gebühr über die Urkunde, sondern auch der Perzentualgebühr vom Vermögen. Wenn auch nach Meinung der Gemeinde ein Stiftbrief nur einen dekla= rativen Charakter hätte und nur den Zweck hatte, vom Gebührenäquivalente befreit zu werden, so ist dagegen zu bemerken, daß es für die Gebühren= pflicht einer Rechtsurkunde nur darauf ankommt, ob sie wirklich ausgefertigt und das Rechtsgeschäft wirklich geschlossen wurde, nicht aber darauf, welche Motive bei der Ausfertigung vorhanden waren. Vom Gebührenäquivalente für das sechste Dezennium war dann das Vermögen allerdings befreit und wird dies auch in Zukunft sein. A. P.

XIV. (Gebrauch des Birets.) Ueber die Benützung des Birets findet sich im „Ermländer Pastoralblatt" 1909 Nr. 4 eine sehr gute Zusammenstellung. Als Hauptregel wird der Satz aufgestellt: Das Biret wird aufgesetzt, so oft der Priester, mit der liturgischen Gewandung bekleidet, zur Vornahme einer geistlichen Handlung geht oder von derselben zurückkehrt. Der einfache Talar gehört nicht zur liturgischen Gewandung; wenn also der Priester im Talar durch die Kirche geht, darf er das Biret nicht am Haupte tragen. Das Biret im Hause, ja sogar im Zimmer zu benützen, ist zwar in einzelnen Gegenden, z. B. Italiens und in ein= zelnen Orden, z. B. bei den Jesuiten, aber nicht allgemein üblich. Bei der geistlichen Handlung selber, z. B. beim Spenden von Sakramenten oder Sakramentalien, darf das Biret nicht getragen werden. Hiebei gibt es zwei Ausnahmen. Bei der absolutio a censura schreibt das Rituale vor: Mox sedit et cooperto capite dicit. Bei der Verwaltung des Bußsakramentes kann der Priester während des Bekenntnisses und bei der Lossprechung, nicht aber bei den Gebeten das Biret aufsetzen. Es ist aber dies nicht vorgeschrieben, und aus praktischen Gründen wird es auch nie geschehen. Die zweite Ausnahme findet sich beim Begräbnis, wobei nur während des Pater noster das Haupt entblößt wird.

Bei der Predigt soll der Priester nach Vorschrift des allgemeinen Rechtes das Biret gebrauchen. Wo es aber rechtmäßige Gewohnheit ist (z. B. in Ermland), daß die Priester ohne Biret predigen, ist auch dieses zulässig. Bei jeder eucharistischen Prozession ist der Gebrauch des Birets verboten. Bei den anderen Prozeſſionen, z. B. bei Begräbniſſen, geht der Klerus entblößten Hauptes, das Biret in der rechten Hand vor der Bruſt haltend, durch die Kirche; erſt in der Vorhalle wird das Biret aufgeſetzt. Nur der Prieſter, der die Prozeſſion führt, ſowie der Diakon und der Subdiakon tragen bereits in der Kirche das Biret. Bei den Verſehgängen iſt natürlich der Gebrauch des Birets nicht ſtatthaft. Wo aber wegen der Rauheit der Witterung (daß die Sonnenſtrahlen oft viel unangenehmer ſind als die Kälte, werden beſonders jene beſtätigen, deren Haare bereits gezählt ſind), wegen Kopfleiden oder infolge allgemeiner Gewohnheit eine Kopfbedeckung erlaubt erſcheint, iſt wenigſtens vom liturgiſchen Stand= punkte aus das Biret die paſſendſte.

Beim Chorgebete wird das Biret getragen, ſolange die Teilnehmer ſitzen; beim Stehen und Knien wird es abgelegt, desgleichen hier wie bei anderen Funktionen, ſo oft eine Inklination oder ein Genuflex zu machen iſt. Iſt in einer Kirche das Allerheiligſte ausgeſetzt, ſo trägt der Prieſter beim Gange durch die Kirche das Biret in der Hand, ſolange das Allerheiligſte geſehen wird.

Beſondere Regeln gelten für den zelebrierenden Prieſter. Hat er die Meßkleider angelegt, ſo ſetzt er das Biret auf, nimmt den Kelch, macht bedeckten Hauptes eine Verneigung gegen das Sakriſteikreuz und geht dann zum Altar. Die Kniebeugung oder Verneigung vor und nach der heiligen Meſſe geſchieht entblößten Hauptes. Geht der Prieſter auf dem Wege zu ſeinem Altar am Sakramentsaltar vorbei oder unmittelbar an einem Altar, wo ein anderer Prieſter zwiſchen Wandlung und Kommunion iſt, ſo macht er eine Kniebeugung, ohne das Biret abzunehmen. Iſt an dem Altar das Allerheiligſte ausgeſetzt oder wird die heilige Kommunion aus= geteilt, ſo kniet er mit beiden Knien nieder, nimmt das Biret ab, in= kliniert, und bedeckt ſich wieder, bevor er ſich erhebt. Ebenſo macht er es, wenn an einem nahe gelegenen Altar gerade die Wandlung iſt. In die Sakriſtei zurückgekehrt, verneigt er ſich vor dem Kreuze, ſtellt den Kelch weg und nimmt erſt dann das Biret ab.

Iſt auch der Gebrauch des Birets nicht gerade von weſentlicher Bedeutung, ſo iſt es zum wenigſten im Intereſſe der Einheit und Gleich= förmigkeit geziemend, daß auch hierin die kirchlichen Vorſchriften von allen Prieſtern beobachtet werden. A.

XV. **(Beicht=Polyglotten.)** In dem Artikel „Die Gottes= dienſtanſchläge an den Kirchentüren" (Quartalſchrift 1909, II.) wird (S. 333) der Wunſch ausgeſprochen, daß ein „Sprachenführer für das Beichthören" in einer größeren Anzahl Sprachen herausgegeben würde. Abgeſehen von dem als Manuel polyglotte bezeichneten Sprachenhilfsbüchlein (vom Verf. S. 334, Anm. erwähnt) dürfte deswegen ein Hinweis auf folgende, ſeit einiger Zeit im Charitas=Verlag zu Freiburg i. B. erſchienene Beicht= ſpiegel willkommen ſein:

Comes Polonicus. Polniſcher Beichtſpiegel. Als Manuſkript ge= druckt. (84 S.) 16⁰. geb. M. 1.—, poſtfrei M. 1.05.

Dobra spoved. (Lehr= und Gebetbuch, mit kurzem Beichtſpiegel, in ſloven. Sprache.) 3. Aufl. (111 S.) 16⁰. geb. 60 Pf., poſtfrei 65 Pf.

Italienischer Beichtspiegel. Von Msgr. Dr. Werthmann. 2. Aufl. (103 S.) 8°. geb. 75 Pf., postfrei 85 Pf.

Manuel polyglotte. Beichtspiegel in fünf Sprachen (französisch, deutsch, engl., ital., span.) (67 S.) quer 8°. br. M. 1.50, postfrei M. 1.60.

Methodus excipiendi confessiones ordinarias variis in linguis. Beichtspiegel in sieben Sprachen (englisch, franz., deutsch, holländ., ital., span., dänisch). (155 S.) 8°. geb. M. 1.50, postfrei M. 1.60.

Polnisch-deutscher Beichtspiegel mit Anhang. Ein Hilfsbüchlein für Geistliche. Von P. Nazarius Saffe O. F. M (29 S.) 8°. br. 50 Pf., postfrei 55 Pf.　　　　　　　　　　　　　　　　P. D. Saul O. P.

XVI. (Kommunion-Tellerchen.) Auf den Philippinen und in Hongkong hat man die Gewohnheit, bei der heiligen Kommunion ein vergol= detes Tellerchen von ovaler Form anzuwenden, ähnlich wie in Oesterreich und Deutschland mancherorts wohl eine Palla gebraucht wird. In Manila be= gleitet der Ministrant zu diesem Zwecke den Priester mit dem Tellerchen (ist es dunkel, dann auch noch mit der Kerze). In Hongkong reicht jeder Kom= munikant das Tellerchen seinem Nachbar und am Ende der Reihe überbringt es der Priester dem Vordermann in der folgenden Reihe. Ist die Austeilung beendet, so geht das Tellerchen mit zum Altar, um dort von den etwa ab= gefallenen Partikelchen purifiziert zu werden. Zum Ueberflusse sei noch be= merkt, daß trotz dieses Tellerchens ein Kommuniontuch doch niemals fehlte.

Solch eine Gepflogenheit berührt uns Deutsche zuerst wohl etwas fremdartig. Allein wenn man nur wenige Male die heilige Kommunion gespendet hat, dann lernt man doch alsbald den großen Nutzen dieser Einrichtung kennen und schätzen. Denn es geschieht gar leicht selbst bei der größten Vorsicht, daß bei der Darreichung der heiligen Hostie eine kleine Partikel herabfällt. Es ist nun fast unmöglich, solche auf der weißen Leinwand des Kommuniontuches zu bemerken und wiederzufinden. Auf der Vergoldung des untergehaltenen Tellerchens dagegen springt das sofort in die Augen. Deshalb dürfte die Frage nahe liegen, ob sich für Oesterreich und Deutschland nicht wohl etwas ähnliches empfehlen würde. Omnia probate, quod bonum est tenete.

Bei entsprechender Erklärung würde eine derartige Einrichtung beim Volke wohl auch bald Anklang finden und zugleich die der heiligen Eu= charistie gebührende Ehrfurcht vermehren, was wieder reicheren Segen mit sich brächte.　　　　　　　　　　　　　　　　　　　　Peregrinus.

XVII. (Kirchenwäsche.) Es wird übereinstimmend als indezent erklärt, das Waschen der Korporalien, Pallen und Purifikatorien (wie überhaupt die Wäsche auch sonstiger Kirchenparamente, wie, Altartücher, Alben, Humeralien usw.) zusammen mit der Wäsche von profanen Gegen= ständen vornehmen zu lassen. Man sollte nun wohl meinen, daß wenigstens Klosterfrauen diese Forderung kennen und danach verfahren. Eine Wahr= nehmung jedoch, die wir in letzter Zeit zu machen die Gelegenheit hatten, überzeugte uns leider vom Gegenteil. Darum dürfte auch in diesem Punkte die Mahnung nicht unangebracht sein: Videant consules!

Diözese Augsburg.　　——————

Ueber Taufnamen.

> „Der Taufname ist das Bundeszeichen, das Zeichen, daß der Mensch durch die Taufe einverleibt sei der Gemeinschaft der Heiligen."[1]

Wer sollte glauben, daß auch ein Sprachverein sich feindlich gegen das Christentum erweisen würde. Und doch ist es so. Im Jahre 1885 wurde in Deutschland ein Verein ins Leben gerufen, der sich als Zweck setzte, die deutsche Sprache von den vielen Fremdwörtern zu reinigen, welche sich in dieselbe eingeschlichen haben. Um dieses Streben, das an und für sich löblich ist, auch unter das Volk zu bringen, gibt der Verein einen Kalender heraus. Der für das Jahr 1892 verfolgt offenbar eine dem Christentum abträgliche Richtung; denn der Aufforderung, das Deutschtum ja überall hoch zu halten, ist der Rat beigefügt, den Kindern „deutsche Namen" zu geben, und werden beispielsweise „Rudswind, Wanhild, Detlef, Sigmar, Folknand, Fasta, Turfried, Sisa" u. a. in Vorschlag gebracht.[2]

Aus ältester Zeit schreibt sich die Sitte, den Kindern bei der Taufe den Namen von Heiligen beizulegen, damit sie im Leben ein Vorbild und im Himmel einen Fürbitter haben. Dem handelt nun der obige Rat schnurstracks entgegen, da die in Vorschlag gebrachten Namen etwa im „Ossian" und der „Edda', aber in keinem Heiligenverzeichnisse vorkommen.[3]

Da schon seit langem besonders in den sogenannten „besseren Ständen" das Haschen nach schönen und seltenen Namen im Schwunge ist, so lohnt es sich wohl der Mühe, den richtigen Standpunkt in dieser Beziehung zu kennzeichnen.

Gewiß hieße es kirchlicher sein wollen als die Kirche, wenn man bei der Wahl der Taufnamen unbedingt auf Namen von Heiligen bestehen würde. Das in dieser Hinsicht maß- und ausschlaggebende Rituale romanum sagt: „Quoniam iis, qui baptizantur . . nomen imponitur, curet (Baptizans), ne obscoena, fabulosa aut ridicula, vel inanium deorum vel impiorum ethnicorum hominum nomina imponantur, sed potius, quatenus fieri potest, sanctorum, quorum exemplis fideles ad pie vivendum excitentur et patrociniis protegantur."[4] Soweit es also, ohne Anstoß zu erregen, angeht, kann und soll der taufende Priester für Heiligennamen bei den Täuflingen eintreten. Dringt er nicht durch, und gehört der von den Eltern oder Paten verlangte Name nicht zu den in der obigen Ritualvorschrift verpönten Namen, so darf ihrem Wunsche Raum gegeben werden.[5] So enthält unseres Wissens kein Heiligen-

---

[1] Ambergers Pastoral, 3. Bd., S. 401. — [2] „Seelsorger", 1892, S. 252. — [3] Gegen Ende des 18. Jahrhunderts war eine ähnliche Mode, aber im besseren Sinne vorhanden, in der man besonders griechische Namen ins Deutsche übertrug, z. B. aus „Theophilus" einen „Gottlieb", aus „Timotheus" einen „Fürchtegott", aus „Chrysostomus" einen „Goldmund" machte. So war auch schon früher aus dem lateinischen „Honorius" der deutsche „Ehrenreich" entstanden. — [4] Rituale romanum, Instructio pro administratione Baptismi. — [5] Siehe diese Quartalschrift, 1892, S. 381, und Korrespondenzblatt der „Perseverantia sacerdotalis", 1892, S. 75. Wenn ein ehr- und annehmbarer Name verlangt wird, der in keinem Martyrologium oder Menologium vorkommt, so füge man den Namen eines Heiligen hinzu. (Wiener Provinzial-Konzil Tit. III, cap. II.)

verzeichnis den Namen „Gustav", und doch trifft man denselben nicht bloß häufig in den Familien, sondern auch in Klöstern, und es läßt sich dagegen nichts sagen, da er zu den von der Kirche als unzulässig erklärten Namen nicht gehört.[1])

Man darf wohl noch weiter gehen. In den Heiligenverzeichnissen[2] finden sich auch Namen von Göttern und berüchtigten Heiden, deren Träger aber als Christen gelebt haben und gestorben sind. Da steht nun gewiß nichts im Wege, die Täuflinge damit zu belegen; denn solche Namen sind in unserem Sinne nicht mehr die von Göttern und berüchtigten Heiden, sondern von Heiligen, und haben durch sie das christliche Bürgerrecht erhalten. Ferner könnte es manchem, von alttestamentlichen Namen, die besonders der Haß der sogenannten Reformatoren gegen die katholische Heiligenverehrung in Schwung brachte, abgesehen, als etwas ganz Ab= sonderliches erscheinen, Namen von Irrlehrern, Völkern, Weltteilen, Städten, Bergen, Edelsteinen, Gestirnen, Monaten, Pflanzen, Tieren und Zahlen zu verlangen; und doch sind derlei namentlich unter der großen, großen Menge der heiligen Märtyrer vertreten — also kann dagegen keine Einsprache erhoben werden, weil auch diese bereits ihre Vertreter im Himmel haben.

Vielleicht dient die nachstehende Nomenklatur zur Vermeidung von Unannehmlichkeiten, oder doch zur Klarstellung der fraglichen Angelegen= heit, da, wie bemerkt, unsere Zeit so gern nach dem Ungewöhnlichen greift und auch bei der Namenwahl von dieser Sucht geleitet wird.[3]) Zur be= quemeren Benützung wurde das Ganze in die alphabetische Form gebracht.

A

Aaron (alttestamentlich), Märtyrer in Britannien, 1. Juli.[4])

Abel (alttestamentlich), Erzbischof von Reims, 5. August.[5])

Abraham (alttestamentlich), Einsiedler in Syrien, 16. März.

Absalon (alttestamentlich), Märtyrer zu Cäsarea in Cappadocien, 2. März.

Achilles (der Held der Iliade), Märtyrer zu Rom, 11. Mai.

Adam (alttestamentlich), Abt zu Fermo in Italien, 16. Mai.

Adela, Aebtissin zu Pfalzel bei Trier, 24. Dezember.

Adelgundis, Nonne im Kloster Drougen bei Gent, 20. Juni.

Adolf, Bischof von Osnabrück, 11. Februar.

Adria (eine Stadt im Königr. Neapel), Märtyrin zu Rom, 2. Dezember.

Advocatus, Märtyrer, 13. März.

---

[1]) Es heißt wohl, Gustav sei durch Buchstabenversetzung aus dem Namen „August" entstanden; aber ist es auch so? — [2]) Hier wurden in Betracht ge= zogen: Das römische Martyrologium, das allgemeine Martyrologium von Adalbert Müller und Alban Buttlers Heiligen=Legende. — [3]) Aus diesem Grunde sind überhaupt selten vorkommende Namen in das Verzeichnis aufge= nommen worden, das natürlich auf Vollständigkeit keinen Anspruch macht. — [4]) Der beigesetzte Monatstag bezeichnet immer die Festfeier der betreffenden Heiligen. — [5]) Wo zwei, wie hier, oder mehrere Heilige desselben Namens vorkommen, führen wir nur einen an, weil er für unseren Zweck genügt.

Aemilius (Emil),[1] Märtyrer in Sardinien, 28. Mai.

Aethiops (Name von einem Volksstamme), Märtyrer in Corcyra, 29. April.

Afer (der Afrikaner), Oheim der heiligen Afra, Märtyrer zu Augsburg, 5. August.

Africanus, Märtyrer in Afrika, 10. April.

Aggäus (alttestamentlich), Märtyrer zu Bologna, 4. Jänner.

Agrippa (römisch-heidnisch), Märtyrer zu Pollenza auf den Balearen, 13. Mai.

Alarich (König der Westgoten), der Selige, Benediktinermönch in Ein= siedeln, 29. September.

Alcuin, der Selige, Freund Karls des Großen und Abt zu Tours, 19. Mai.

Alpinus, Bischof von Chalons, 7. September.

Alruna (eine Weissagerin bei den alten Deutschen), die Selige verwitwete Gräfin von Hals und Chambe, wird zu Niederaltaich in Bayern verehrt, 27. Dezember.

Amaranth (Pflanzenname), Märtyrer zu Albi in Frankreich, 7. November.

Amelberga, Jungfrau zu Gent, 10. Juli.

Americus, der Selige, Franziskaner und Märtyrer in Frankreich, 20. Jänner.

Amethystus (ein Edelstein), Märtyrer zu Rom, 13. Februar.

Ammianus (Geschichtschreiber), Märtyrer unter Kaiser Maximian, 4. September.

Ammon (ägyptische Gottheit), Soldat und Märtyrer zu Alexandrien, 8. September.

Amon, Bischof von Worms, 24. Dezember.

Amor (der Liebesgott), Stifter und Abt des Benediktinerklosters Amor= bach, 17. August.

Amphilochius (mythisch), Bischof von Iconium in Lycaonien, 23. Nov.

Amphion (mythisch), Bischof in Cilicien und Bekenner, 12. Juni.

Ananias (alttestamentlich, berüchtigt in der Apostelgeschichte), Märtyrer zu Damaskus, 25. Februar.

Anatolia (Halbinsel), Jungfrau und Märtyrin, 9. Juli.

Andronicus (Tragödiendichter), Märtyrer zu Tarsus in Cilicien, 11. Oktober.

Angilbert, Abt des Benediktinerklosters St. Riquier in Frankreich, 18. Februar.

Ansbert, Bischof von Rouen in Frankreich, 9. Februar.

Anstrudis, Aebtissin zu Laon in Frankreich, 17. Oktober.

Anthelm, Bischof von Belley in Frankreich, 26. Juni.

Anthusa (mythisch), Jungfrau zu Konstantinopel, 27. Juli.

Antigonus (Feldherr Alexanders d. Gr.), Märtyrer zu Rom, 27. Febr.

Antiochus (syrischer König), Arzt und Märtyrer zu Sebaste, 15. Juli.

Antipas (Sohn des Herodes), Märtyrer zu Pergamus, 11. April.

---

[1] Die von Mannsnamen häufig genommenen weiblichen Namen — hier Aemilia (Emilie) — werden nicht besonders angeführt.

Antipater (Vater des Herodes), Bischof von Bostres in Arabien, 13. Juni.

Apelles (griechischer Maler), Schüler Christi und Bischof zu Smyrna, 22. April.

Aper (Tiername), ein Priester, zur Zeit als Genf katholisch war dort verehrt, 4. Dezember.

Aphraates, Einsiedler in Syrien, 7. April.

Aphrodisius (anklingend an Aphrodite = Venus), Märtyrer in Afrika, 14. März.

Apollo (der Sonnengott), Märtyrer zu Nikomedia, 21. April.

Apollonius (neupythagoräischer Philosoph), Märtyrer zu Terni, 14. Febr.

Aprilis (Monatsname), Märtyrer zu Nikomedia, 18. März.

Aquila (Vogelname), Gattin des heiligen Severian und Märtyrin zu Cäsarea in Mauretanien, 23. Jänner.

Arabia (Land), Märtyrin zu Nicäa, 13. März.

Arcadius (oströmischer Kaiser und Gegner des heiligen Chrysostomus), Märtyrer, 12. Jänner.

Archelaus (Sohn des Herodes), Märtyrer, 4. März.

Ariadne (mythisch. Faden der A. sprichwörtlich), Märtyrin in Phrygien, 17. September.

Arianus (Anhänger der Irrlehre des Arius), Märtyrer zu Antinous in Aegypten, 8. März.

Arion (mythischer Sänger), Märtyrer in Afrika, 23. Februar.

Aristides (athenensischer Feldherr), zu Athen geboren und christlicher Apologet, 31. August.

Aristobulus (Sohn des Herodes, der ihn hinrichten ließ), Apostelschüler und Märtyrer, 15. März.

Armenius (aus dem Lande Armenien), Märtyrer in Aegypten, 2. Juni.

Arnold, Bekenner, gestorben zu Arnsweiler, das von ihm den Namen hat, 18. Juli.

Arnulph, Bischof von Metz, 18. Juli.

Asclepiades (Asclepiadeae, eine Pflanzenfamilie), Bischof von Antiochia und Märtyrer, 18. Oktober.

Asella, Jungfrau zu Rom, 6. Dezember.

Attalus (König von Pergamus), Märtyrer zu Lyon, 2. Juni.

Atticus (Freund des Cicero), Bekenner in Phrygien, 6. November.

Aubert, Mönch zu Landevenne in der Bretagne, 1. Februar.

Augurius (anklingend an die röm. Auguren), Diakon und Märtyrer zu Tarracona, 21. Jänner.

Auremund, Abt eines Benediktinerklosters bei Poitiers, 9. Juli.

Ausonius (die Ausonier, ein italienisches Urvolk), Bischof von Angoulema und Märtyrer, 22. Mai.

Austreberta, Jungfrau und Aebtissin zu Pavilly, Diöz. Rouen, 10. Febr.

Authbert, Bischof von Cambrai, 13. Dezember.

Auxentius (arianischer Bischof), Märtyrer in Armenien, 13. Dezember.

Aventinus (einer der sieben Hügel Roms), Priester zu Troyes in Frankreich, 4. Februar.

B

Bacchus (Gott des Weines), Soldat und Märtyrer zu Rasaph in Syrien, 7. Oktober.

Balduin, Zisterzienserabt zu Rieti und Schüler des heiligen Bernhard, 21. August.

Balsamus, Märtyrer in Afrika, 6. November.

Baltram, der Ehrwürdige, Abt von Lurn in der Diözese Besancon, 15. August.

Bardo (keltischer Sänger), Märtyrer (zu Minden?) in Deutschland, 2. Februar.

Basiliscus (eine Eidechsengattung), Märtyrer zu Amasea im Pontus, 3. März.

Bathilde, Königin in Frankreich, 26. Jänner.

Begga, Aebtissin zu Anden an der Maas, 17. Dezember.

Bemba, Jungfrau und Märtyrin zu Rom, 28. März.

Benjamin (alttestamentlich), Diakon und Märtyrer in Persien, 31. März.

Berengar, Benediktiner zu St. Papoul in Languedoc, 26. Mai.

Bertha, die Selige, Aebtissin zu Cauriglia im Toskanischen, 24. März.

Bertin, Abt zu Sithiu in der Grafschaft Artois, 5. September.

Blanca, die Ehrwürdige, königliche Prinzessin und Nonne zu Longchamp bei Paris, 26. April.

Blonda, die Ehrwürdige, Witwe, aus dem 3. Orden der Serviten, 2. September.

Bogumil, Erzbischof von Gnesen, 10. Juni.

Bononius (aus Bologna stammend), Abt des Benediktinerklosters Lucedio in Piemont, 30. August.

Brictius, Bischof und Bekenner zu S. Maria de Pontons, 9. Juli.

C

Cäsar (römischer Staatsmann), Bischof von Durazzo, 15. Mai.

Cajus (römischer Vorname), Papst, 22. April.

Calpurnia (gens, ein altes plebejisches Geschlecht in Rom), Märtyrin zu Rom, 2. Juni.

Camerinus (aus Camerina stammend), Märtyrer in Sardinien, 21. Aug

Camilla, Jungfrau zu Auxerre in Frankreich, 3. März.

Capitolina (Beiname der Venus), Märtyrin in Cappadocien, 27. Okt.

Carlmann, der Ehrwürdige, König der Franken und Mönch in Monte Cassino, 17. August.

Cassia (ein Strauch der heißen Zone), Märtyrin zu Damaskus, 20. Juli.

Cassiope, eine Heilige, die nach den Bollandisten auf Corfu lebte, 29. Oktober.

Castor (und Pollux, die Dioskuren), Märtyrer zu Tarsus, 28. März.

Catus, Märtyrer in Afrika, 19. Jänner.

Ceslaus, Dominikaner, 16. Juli.

Chelidonia (Chelidonium, eine Pflanzengattung), Jungfrau zu Subiaco, 13. Oktober.

Chromatius, Bischof von Aquileja, 2. Dezember.

Citronius, Bekenner und in der französischen Landschaft Poitou verehrt, 19. November.

Classicus (ein römischer Bürger der sechs Klassen), Märtyrer in Afrika, 18. Februar.

Claudius (die Claudier, eine röm. Patriziergesellschaft), Märtyrer zu Ostia, 18. Februar.

Cleopatra (Buhlin des röm. Feldherrn Antonius), Nonne aus dem Orden des hl. Basilius, 20 Oktober.

Clodoald, Priester im Gebiete von Paris, 7. September.

Clodulf, Bischof von Metz, 8. Juni.

Columba, Nonne und Märtyrin zu Cordova, 17. September.

Columbus, Priester in Schottland, 9. Juni.

Comitissa, die Selige, Jungfrau in Venedig, 8. September.

Concordia (Göttin der Eintracht), Märtyrin zu Rom, 13. August.

Cornelia (gens, röm. Patriziergeschlecht), Märtyrin in Afrika, 31. März.

Corona, Märtyrin in Syrien, 14. Mai.

Ctesiphon (Hauptstadt des parthischen Reiches), Bischof von Bergio in Spanien, 15. Mai.

Cunibert, Bischof von Köln, 12. November.

Cuthbert, Bischof zu Lindisfarn in England, 20. März.

Cyrinus (Statthalter in Syrien), Märtyrer in Hellespont, 3. Jänner.

Cyrus (König der Perser), Märtyrer zu Rom, 31. Jänner.

D.

Dädalus (mythisch), Märtyrer zu Ostia, 18. Jänner.

Dagobert, Bischof von Bourges in Frankreich, 19. Jänner.

Dalmatius, Bischof und Märtyrer zu Pavia, 5. Dezember.

Daniel (alttestamentlich), Diakon und Märtyrer zu Padua, 3. Jänner.

Darius (König der Perser), Märtyrer zu Nicäa, 19. Dezember.

David (alttestamentlich), Einsiedler in Tessalonich, 26. Juni.

Decimus, Märtyrer, 12. April.

Degenhard, der Selige, Laienbruder zu Niederaltaich und Einsiedeln, 3. September.

Delphinus (fischartiges Säugetier), Bischof von Bordeaux, 24. Dezbr.

Democritus (griechischer Philosoph), Märtyrer zu Synnada in Phrygien, 31. Juli.

Diana (Göttin der Jagd), die Selige, Dominikanerin zu Bologna, 10. Juni.

Didymus (Zwilling), Märtyrer zu Alexandrien, 28. April.

Diocletian (Kaiser und Christenverfolger), Märtyrer, 16. Mai.

Diodorus (heidnischer Geschichtschreiber), Märtyrer in Carien, 3. Mai.

Diogenes (cynischer Philosoph), Märtyrer in Macedonien, 6. April.

Diomedes (mythisch), Arzt und Märtyrer zu Nicäa, 16. August.

Dioscorus (die Dioscuren Castor und Pollux, mythisch), Märtyrer in Aegypten, 25. Februar.

Domitian (röm. Kaiser und Tyrann), Abt des Klosters St. Ragenbert im Jura, 1. Juli.

Drusus (römischer Feldherr in Deutschland), Märtyrer zu Antiochien, 14. Dezember.

Dunstan, Bischof von Canterbury in England, 14 Mai.

E.

Eberard, der Selige, Abt des Cisterc.=Klosters Aldenberg in Deutsch= land, 20. März.

Edilbert, König von Kent in England, 24. Februar.

Editha, Benediktiner=Nonne zu Wilton in England, 16. September.

Edwin, König von Northumberland und Märtyrer, 12. Oktober.

Egbert, Priester in Irland, 24. April.

Egon = Egino, der Ehrwürdige, Benediktiner=Abt zu Augsburg, 15. Juli.

Eleazarus (alttestamentlich), Graf in Frankreich, 27. September.

Elias (alttestamentlich), Mönch und Märtyrer zu Cordova in Span., 17. April.

Eliud (alttestamentlich) Bischof zu Landaff in England, 9. Februar.

Elvira, Jungfrau, 15. Oktober.

Emma, Witwe, 19. April.

Emmelia, die Mutter des hl. Basilius, 30. Mai.

Engelmar, der Selige, Einsiedler und Märtyrer, 14. Jänner.

Enoch (alttestamentlich), Patriarch von Jerusalem, 12. August.

Epictetus (praktischer Philosoph der röm. Kaiserzeit), Märtyrer in Afrika, 9. Jänner.

Epimachus, Märtyrer zu Alexandrien, 12. Dezember.

Erconvald, Bischof von London, 30. April.

Erich, König von Schweden und Märtyrer, 18. Mai.

Ermelinda, Jungfrau und Einsiedlerin zu Meldaert in Brabant, 29. Oktober.

Esaias = Isaias (alttestamentlich), Märtyrer zu Cäsarea in Palästina, 16. Februar.

Ethelwold = Ethelwald, Bischof von Winchester in England, 1. August.

Eudämon, Märtyrer zu Philippopolis in Thracien, 24. August.

Eumenius, Eumenus, Eumenes (König von Pergamus), Bischof auf der Insel Kreta, 18. September.

Eunuchius (ein Verschnittener), Märtyrer zu Rom, 25. Mai.

Euphrata, Märtyrin zu Nicäa in Kleinasien, 25. März.

Eutropius (römischer Geschichtsschreiber), Märtyrer zu Konstantinopel. 12. Jänner.

Eutyches (Irrlehrer), Märtyrer zu Ferentino bei Rom, 15. April.

Ewald, Märtyrer in Deutschland, 3. Oktober.

F.

Fabiola, Matrone, dem altrömischen Geschlechte der Fabier angehörig, 27. Dezember.

Fabius (die Fabier, ein röm. Patriziergeschlecht), Märtyrer zu Rom, 11. Mai.

Febronia, Jungfrau und Märtyrin zu Sibapolis in Syrien, 25. Juni.

Festus (römischer Grammatiker), Diakon und Märtyrer zu Puteoli, 19. September.

Fiacrius (von welchem unsere Fiaker ihren Namen haben), Einsiedler in Frankreich, 30. August.

Fintan, Priester von Schottland, 17. Februar.

Flavius (die Flavier, ein röm. Geschlecht, aus dem mehrere Kaiser hervorgingen), Märtyrer zu Nicomedia, 7. Mai.

Flodoberta, Jungfrau zu Amilly in Frankreich, 2. April.

Flora (Göttin der Blume), Jungfrau u. Märtyrin zu Rom, 29. Juni.

Florentia (Name einer Stadt), Märtyrin zu Cesseron in Frankreich, 10. November.

Francus (einer aus dem Volksstamme der Franken), Einsiedler in Apulien, 7. Mai.

Fredeswinda, Aebtissin des Benediktinen-Frauenklosters zu Oxford in England. 19. Oktober.

Friedbert, Bischof in England, 23. Dezember.

Fulbert, der Selige, Bischof von Chartres in Frankreich, 10. April.

Fulco, der Selige, Bischof von Rheims und Märtyrer, 17. Juni.

Fulrad, Abt zu St. Denis in Frankreich, 16 Juli.

G.

Gallicanus, Märtyrer zu Alexandrien, 25. Juni.

Gamelbert, Pfarrer zu Michelsbuch in Niederbayern, 27. Jänner.

Gangulph, Märtyrer zu Varennes in Frankreich, 11. Mai.

Generalis, Märtyrer in Afrika, 14. September.

Gentianus, (die Gentianen — eine Pflanzenfamilie), Märtyrer zu Amiens, 11. September.

Gerlach, Prämonstratenser-Eremit in den Niederlanden, 5. Jänner.

Germanicus (Beiname des röm. Feldherrn Nero Claudius), Märtyrer zu Smyrna, 19. Jänner.

Gerold, Abt von Fontanelle, 14. Juni.

Glaphyra, Jungfrau zu Amasea im Pontus, 13. Jänner.

Glyceria, Jungfrau und Märtyrin zu Heraklea in Thracien, 13. Mai.

Godschalk, Fürst der Slaven an der Ostsee und Märtyrer, 7. Juni.

Gonzalez = Gonsalus, Bischof in Spanien, 26. Jänner.

Gosbert, Bischof von Osnabrück und Märtyrer, 2. Februar.

Gotthalm, der Selige, Dienstmann des Vaters des hl. Coloman, 26. Juli.

Grimoald, Priester zu Pontecorvo im Neapolitanischen, 29. September.

Gudula, Jungfrau und Schutzheilige von Brüssel, 8. Jänner.

Günther, Gunther, Einsiedler zu Rinchnach im bayr. Walde, 9. Oktober.

Guido, der Arme von Anderlecht, Einsiedler und Pilger, 12. September.

Gundolf, Bischof, gestorben als Einsiedler zu Berry in Frankreich, 17. Juni.

H

Hadrian (röm. Kaiser), Märtyrer zu Marseille, 1. März.

Harald, König von Dänemark, 1. November.

Harduin, Bischof von Mans in Frankreich, 20. August.

Hathumar, der Selige, Bischof von Paderborn, 9. August.

Hegesippus (Komödiendichter), Kirchenschriftsteller, 7. April.

Heli (alttestamentlich), Märtyrer in Kleinasien, 13. September.

Heliodorus (griech. Schriftsteller), Märtyrer in Afrika, 6. Mai.

Heraclides (ein Nachkomme des Herkules), Märtyrer zu Alexandria, 28. Juni.

Heribert, Bischof von Cöln, 18. März.

Herluin, der Ehrwürdige, Abt des Benediktinerklosters Bec in Frankreich, 26. August.

Hermes (mythisch), Märtyrer zu Bologna, 4. Jänner.

Hilda, Jungfrau und Aebtissin zu Streaneshalch, 17. November.

Hildebrand, Märtyrergenosse des heiligen Bonifazius, 5. Juni.

Hiltrudis, Jungfrau und Einsiedlerin zu Liessies im Hennegau, 27. Sept.

Hintmar, der Ehrwürdige, Abt von St. Remigius in Reims, 5. März.

Hugolin, Märtyrer in Mauretanien, 13. Oktober.

Humbert, Bischof der Ostangeln und Märtyrer, 20. November.

Hyacinthus (Name eines Edelsteines), Dominikaner zu Krakau, 16. Aug.

Hypatius, Märtyrer zu Konstantinopel, 3. Juni.

J

Imelda, Dominikanerin zu Bologna, 16. September.

Indicus, Märtyrer zu Tarsus in Cilicien, 10. Mai.

Iphigenia (mythisch), Jungfrau in Aethiopien, 21. September.

Irmengardis, die Selige, Aebtissin zu Frauenchiemsee, 16. Juli.

Irmina=Irma, Jungfrau zu Trier, 24. Dezember.

Isaak (alttestamentlich), Mönch zu Spalato, 11. April.

Isaurus (aus Isaurien, Landschaft in Kleinasien), Diakon und Märtyrer zu Apollonia, 17. Juni.

Ismael (alttestamentlich), Märtyrer zu Chalcedon, 17. Juni.

Israel (anderer Name des Patriarchen Jakob), Kantor bei den Chorherren zu Dorat in Frankreich, 22. Dezember.

Jaromir=Gerard[1]), Bischof von Potenza in Italien, 30. Oktober.

Jason (mythisch), Schüler Christi und auf der Insel Zypern tätig, 12. Juli.

Jeremias (alttestamentlich), Märtyrer zu Cäsarea, 16. Februar.

Jesse (alttestamentlich), Franziskaner und Märtyrer, 29. November.

Jodok, Jesuit und Märtyrer, 15. Februar.

Joël (alttestamentlich), der Selige, Abt zu Pulsano in Italien, 25. Jänner.

Jolanda (Jolantha), die Selige, Aebtissin zu Marienthal im Luxemburgischen, 17. Dezember.

Jonas (alttestamentlich), Priester und Märtyrer in Frankreich, 22. Sept.

Jordan, der Selige, General der Dominikaner, 13. Februar.

Jovinianus (Irrlehrer), Minorist und Märtyrer zu Auxerre in Frankreich, 5. Mai.

---

[1]) Dieser Name ist zum Beispiel angeführt, daß bei uns mitunter Namen gewählt werden, die bloße Uebertragungen in fremde Sprachen sind.

Judith (alttestamentlich), Märtyrin in Italien, 6. Mai.

Junius (Monatsname), Märtyrer, 2. September.

Jutta, Witwe und Einsiedlerin zu Culm in Preußen, 5. Mai.

Juvenalis (Satyriker), Bischof von Narni in Italien, 3. Mai.

K

Karlmann, s. Carlmann.

Kyneburga, Jungfrau und Nonne iu England, 6. März.

Kyneswida, Schwester der vorigen, gleichfalls Jungfrau und Nonne, 6. März.

L

Landelin, Benediktinerabt zu Crespin im Hemegau, 15. Juni.

Landulf, der Selige, Bischof zu Asti in Piemont, 7. Juni.

Laufrank, der Selige, Erzbischof von Canterbury, 28. Mai.

Latinus, Bischof von Brescia, 24. März.

Laurus (Lorbeerbaum), Märtyrer in Illyrien, 18. August.

Leodegar, Bischof von Autun in Frankreich, 2. Oktober.

Leonidas (spartanischer Held), Märtyrer in Aegypten, 5. Juni.

Leopardus (Tiername), Märtyrer zu Rom, 30. September.

Libhard, Abt zu Meun-sur-Loire, 3. Juni.

Libya, Märtyrin in Syrien, 15. Juni.

Licinius (röm. Kaiser), Märtyrer zu Como in Italien, 7. August.

Lothar, Abt, 14. Dezember.

Lucifer, Bischof zu Cagliari in Sardinien, 20. Mai.

Lucius (röm. Name), Papst und Märtyrer, 4. März.

Lucretia (heidn. Römerin), Jungfrau und Märtyrin zu Merida in Spanien, 23. November.

Lucullus (der sprichwörtliche röm. Prasser), Bischof von Verona, 31. Okt.

Lupus (Wolf), Bischof von Troyes in Frankreich, 29. Juli.

Lutgardis, Jungfrau und Nonne im Zisterzienserkloster zu Aviers in Brabant, 16. Juni.

Lydia (Landschaft), Märtyrin in Illyrien, 27. März.

M

Macedonius, Märtyrer zu Nicomedia, 13. März.

Macrobius (nachchristlicher Philolog), Märtyrer, 13. September.

Malachias (alttestamentlich) Erzbischof von Armagh in Irland, 3. Nov.

Malchus (Knecht des Hohenpriesters in der Leidensgeschichte des Herrn), Märtyrer zu Cäsarea in Palästina, 28. März.

Manegold, Abt des Klosters St. Georg zu Isny in Württemberg, 17. Februar.

Manfred (Sohn Kaiser Friedrich II. und Kirchenfeind), der Selige, Einsiedler in der Diözese Como, 28. Jänner.

Manilus (röm. Dichter) Märtyrer in Afrika, 28. April.

Marcellus (altröm. Familienname), Papst und Märtyrer, 16. Jänner.

Marculf, Abt von Nanteuil in Frankreich, 1. Mai.

Marius (röm. Feldherr), Märtyrer zu Rom, 19. Jänner.

Marquard, Bischof von Hildesheim und Märtyrer, 2. Februar.

Mars (Kriegsgott), Abt in der Auvergne in Frankreich, 13. April.

Maximian, Patriarch von Konstantinopel, 21. April.

Meginhard, der Selige, Abt zu Hersfeld in Hessen, 26. September.

Mainulph, Diakon zu Paderborn, 5. Oktober.

Memnon (mythisch), Hauptmann und Märtyrer zu Lizya in Thracien, 20. August.

Menander (griech. Komödiendichter), Märtyrer zu Prusa in Bithynien, 28. April.

Menelaus (König von Sparta), Märtyrer in Aegypten, 15. Jänner.

Merbod, der Selige, Priester u Märtyrer zu Albertschwend bei Bregenz, 11. September.

Mercurius (der Götterbote), Soldat und Märtyrer zu Cäsarea in Cappadozien, 25. November.

Metellus (altröm. Familienname), Märtyrer zu Neucäsarea, 24. Jänner.

Milburgis, Jungfrau in England, 23. Februar.

Millehard, Bischof zu Seez in Frankreich, 11. Mai.

Minervus (anklingend an Minerva, Göttin der Weisheit), Märtyrer zu Lyon, 23. August.

Montanus (Irrlehrer), Märtyrer in Afrika, 24. Februar.

Moyses (alttestamentlich), ein Aethiopier und Einsiedler, 28. August.

Mucius (altröm. Familienname), Diakon und Märtyrer in Persien, 22. April.

Musa (eine Muse, Göttin der Wissenschaft), röm. Jungfrau, 2. April.

N

Napoleon, auch Neapolis, Märtyrer zu Alexandria, 15. August.

Narcissus (Pflanzengattung), Märtyrer zu Tomi im Pontus, 2. Jänner.

Narses (berühmter oström. Feldherr), Märtyrer in Persien, 27. März.

Nestor (Held im trojanischen Kriege), Bischof und Märtyrer zu Perge in Pamphylien, 26. Februar.

Nestorius (Irrlehrer), Märtyrer zu Nicomedia in Bithynien, 12. März.

Nicamho, Märtyrer in Aegypten, 15. März.

Nicanor, einer von den ersten sieben Diakonen, gemartert in Zypern, 10. Jänner.

Nilus (der bekannte Strom in Aegypten), Bischof und Märtyrer in Phönizien, 20. Februar.

Nithard, Priester und Märtyrer in Schweden, 3. Februar.

Nonna, die Mutter des heiligen Gregor von Nazianz, 5. August.

Notker, der Ehrwürdige, Abt von St. Gallen in der Schweiz, 28. Juni.

Novatus (Irrlehrer), Priester zu Rom, 20. Juni.

Nympha (mythisch), Jungfrau, welche in Siena gestorben ist, 10. November.

O

Octavia, Märtyrin zu Antiochia in Syrien, 15. April.

October (Monatsname), Märtyrer zu Lyon, 2. Juni.

Odemar, Märtyrer in Afrika, 7. Mai.

Oderich, der Selige, Franziskaner und Missionär, gestorben zu Udine, 6. November.

Olaus, Olav, König von Norwegen und Märtyrer, 29. Juli.

Olga-Helena, Großfürstin von Rußland vor der Trennung von Rom, 21. Juli.

Oliva, Jungfrau und Nonne zu Anagni im Kirchenstaate, 3. Juni.

Olympius (Beiname des Jupiter), Bischof und Bekenner in Thracien, 12. Juni.

Orestes (mythisch), Märtyrer zu Tyana in Cappadocien, 9. November.

Orion (mythisch, Sternbild), Märtyrer in Aegypten, 18. Jänner.

Orlando, der Selige, Laienbruder zu Vallumbrosa im Toskanischen, 20. Mai.

Orontes (Fluß in Syrien), Märtyrer in Aethiopien, 3. September.

Osanna, die Selige, aus dem dritten Orden des heiligen Dominikus zu Mantua, 18. Juni.

Osmund, Bischof zu Salisbury in England, 4. Dezember.

P

Palladia (anklingend an die Göttin Pallas), Märtyrin in Galatien, 24. Mai.

Papa (Papst), Märtyrer in Lycaonien, 16. März.

Parasceves (Karfreitag), Märtyrin in Palästina, 20. März.

Paris (mythisch), Bischof zu Theano im Neapolitanischen, 5. August.

Parisius, Kamaldulenser in Bologna, 11. Juni.

Parmenius, Märtyrer in Persien, 22. April.

Pastor, Märtyrer in Nicomedien, 29. März.

Patroklus (Herzensfreund des Achilles), Märtyrer zu Troyes in Frankreich, 21. Jänner.

Pegasius (anklingend an Pegasus [Dichterpferd]), Märtyrer in Persien, 2. November.

Pelagius (Irrlehrer), Bischof von Laodicea, 25. März.

Phara-fara- (Burgundofara), Jungfrau und Aebtissin im Bistume Meaux in Frankreich, 7. Dezember.

Philadelphus, Märtyrer in Sizilien, 10. Mai.

Philemon (mythisch), Märtyrer zu Colossä, 20. November.

Philo (jüdischer Philosoph), Diakon zu Antiochia, 25. April.

Phoebe (mythisch), Armenpflegerin zu Kenchrea bei Corinth, 3. September.

Phokas (Kaiser und Tyrann), Bischof und Märtyrer zu Sinope in Paphlagonien, 14. Juli.

Photius (Schismatiker), Märtyrer in Palästina, 20. März.

Plato (griechischer Philosoph), Märtyrer zu Ancyra, 22. Juni.

Plautus (röm. Lustspieldichter), Märtyrer in Thracien, 29. September.

Plutarch (Geschichtschreiber), Märtyrer zu Alexandrien, 28. Juli.

Polyänus (griechischer Redner), Märtyrer zu Prusa in Bithynien, 28. April.

Polyrena (Tochter des trojan. Königs Priamus), Schülerin der Apostel, 23. September.

Pompejus (Name einer plebej. röm. Familie), Märtyrer in Afrika, 10. April.

Pontius (der bekannte Landpfleger in Palästina), Diakon des heiligen Cyprian von Carthago, 8. April.

Porphyrius (Neuplatoniker), Märtyrer zu Cäsarea in Palästina, 16. Februar.

Priamus (König von Troja), Märtyrer in Sardinien, 28. Mai.

Primus, Märtyrer in Hellespont, 3. Jänner.

Protus (griech., der Erste), Märtyrer zu Aquileja, 31. Mai.

Ptolomäus (Astronom), Bischof von Nepi im Kirchenstaate und Mär=
tyrer, 24. August.

Publius (röm. Vorname), Bischof von Athen und Märtyrer, 21. Jänner.

Q

Quadragesimus (der Vierzigste), Subdiakon zu Pavia, 26. Oktober.

Quadratus, Märtyrer im Oriente, 26. März.

Quartilla, Märtyrin zu Sorrent in Italien, 19. März.

Quartus und

Quintus, Märtyrer zu Rom, 10. Mai.

Quintilian, Märtyrer zu Silistria an der Donau, 13. April.

R

Radbod, Bischof von Utrecht, 29. November.

Radegundis, Königin von Frankreich und dann Nonne, 13. August.

Radulf, Abt des Bernhardinerklosters Baucelle in Flandern, 30. Dezember.

Rainald, Bischof zu Como in Italien, 28. Jänner.

Rainelde, Jungfrau und Märtyrin in Frankreich, 16. Juli.

Rainer, Bischof von Forconio in Italien, 30. Dezember.

Reginald, Einsiedler in Apulien, 7. Mai.

Reginbert, Abt zu Echternach im Luxemburgischen, 3. Dezember.

Regulus (röm. Feldherr), Bischof von Arelate, 30. März.

Reinhold, ein Karolinger, Laienbruder und Märtyrer, 7. Jänner.

Richildis, Jungfrau und Einsiedlerin, 23. August.

Rigobert, Bischof von Reims, 4. Jänner.

Rhodon, Märtyrer zu Tomi im Pontus, 3. Jänner.

Roger, der Selige, Erzbischof von Bourges, 1. März.

Roland, der Selige, Graf von Maine, 31. Mai.

Romulus (Gründer der Stadt Rom), Bischof von Fiesole und Märtyrer,
6. Juli.

Rosselina, Karthäuserin zu Salenbaud in der Provence, 11. Juni.

Ruderich, Priester und Märtyrer zu Cordova, 13. März.

Rufus, Bischof und Märtyrer zu Capua, 27. August.

Runold=Rumold, Bischof und Märtyrer, 1. Juli.

Rutilius (röm. Grammatiker), Märtyrer in Afrika, 2. August.

S

Salaberga, Aebtissin zu Laon in Frankreich, 22. September.

Salomon (alttestamentlich), Bischof von Genua, 28. September.

Samson (alttestamentlich), Priester in Konstantinopel, 27. Juni.

Samuel (alttestamentlich), Franziskaner und Märtyrer in Afrika, 13. Oktober.

Sapor (persischer Königsname), Bischof von Beth=Nictor in Persien,
30. November.

Sara. (alttestamentlich), Aebtissin in der Wüste Scete, 13. Juli.

Sarmata (von Sarmate, Volksstamm im jetz. südl. Rußland), Märtyrer
i. d. Thebais, 11. Oktober.

Saturnus (mythisch), Märtyrer, 7. Februar.

Satyrus (mythisch), Bruder des heiligen Ambrosius, 17. September.

Saula, Märtyrin zu Cöln, 20. Oktober.

Saulus (hieß der Apostel Paulus vor seiner Bekehrung), Märtyrer in Afrika, 16. Februar.

Saxo (der Sachse), Mönch im Kloster St. Benignus zu Dijon, 23. Februar.

Sebald, Einsiedler bei Nürnberg, 19. August.

Secundus, Märtyrer in Afrika, 9. Jänner.

Seleucus, (syrischer Königsname), Bekenner in Syrien, 24. März.

Sempronius (einer der Gracchen in Rom), Märtyrer zu Rom, 5. Dezember.

Senator (zum röm. Staatsrate gehörig), Bischof von Mailand, 28. Mai.

Septimius (röm. Name), Bischof und Märtyrer zu Jesi im Kirchenstaate, 22. September.

Septimus, Mönch und Märtyrer zu Carthago, 17. August.

Serapion (anklingend an die ägypt. Gottheit Serapis), Bischof v. Antiochia, 30. Oktober.

Servus, Subdiakon und Märtyrer zu Carthago, 17. August.

Sextus, Märtyrer zu Catania in Sizilien, 31. Dezember.

Sibylla (Weissagerin), die Selige, Zisterzienserin zu Aviers in Brabant, 9. Oktober.

Sigbald, Märtyrer zu Vicenza, 30. Dezember.

Sigbert, König in England, 29. Oktober.

Sigbold, Bischof zu Seez in der Normandie, 7. Juli.

Sindulf, Bekenner zu Reims, 20. Oktober.

Smaragdus (ein Edelstein), Märtyrer zu Rom, 16. März.

Socrates (griech. Philosoph), Märtyrer, 20. April.

Stachis, Bischof von Konstantinopel, 31. Oktober.

Styriacus, Märtyrer zu Sebaste in Armenien, 2. November.

Sulpitius (röm. Geschlechtsname), Erzbischof von Bourges in Frankreich, 17. Jänner.

Suitbert, Bischof und Apostel von Friesland, 1. März.

Syrus (ein Syrier), Bischof von Genua, 29. Juni.

T

Tatian (Irrlehrer), Diakon und Märtyrer zu Aquileja, 16. März.

Taurinus, Bischof zu Evreux in Frankreich, 11. August

Tassilo, Herzog, dann Mönch im Kloster Lauresheim, 13. Dezember.

Terentius (röm. Lustspieldichter), Märtyrer in Afrika, 10. April.

Tertius, Märtyrer in Afrika, 6. Dezember.

Tertullian (Irrlehrer), Bischof von Bologna, 27. April.

Tezelin, Mönch in Clairvaux, 3. November.

Thales (einer der 7 Weltweisen), Märtyrer zu Perge in Pamphilien. 20. September.

Themistocles (griech. Feldherr), Märtyrer in Lycien, 21. Dezember.

Thessalonica (griech. Stadt), Märtyrin zu Amphipolis in Mazedonien, 7. November.

Thiemo, Erzbischof von Salzburg und Märtyrer, 28. September.

Thyrsus (Feststab bei den Bachanalien), Märtyrer zu Foligno in Italien, 24. Jänner.

Tiberius (röm. Kaiser), Märtyrer zu Cessaron in Frankreich, 10. November.

Timoleon (griech. Feldherr), Märtyrer in Mauretanien, 19. Dezember.

Tobias (alttestamentlich), Märtyrer zu Sebaste in Armenien, 2. November.

Torquatus (mit diesem Beinamen ein röm. Feldherr), Bischof in Spanien, † in Guadix, 15. Mai.

Trajan (röm. Kaiser), Märtyrer zu Rom, 21. August.

Tripos (Beifuß), Märtyrer zu Rom, 10. Juni.

Trojanus (aus Troja stammend), Bischof von Saintes in Frankreich, 30. November.

Trudbert, Einsiedler und Märtyrer im Breisgau, 26. April.

Trudo, Priester und Bekenner zu Hasbain in Brabant, 23. November.

Tryphon, Märtyrer in Afrika, 4. Jänner.

Tullius (röm. Geschlecht, dem Cicero angehörte), Märtyrer in Afrika, 19. Februar.

U

Ugulin, Augustiner zu Cortona in Italien, 22. März.

Ulfard, Bekenner zu Tulle in Frankreich, 3. Juni.

Ulpian (röm. Rechtsgelehrter), Märtyrer zu Tyrus in Phönizien, 3. April.

Uranius, Märty er, 4. März.

Ursmar, Abt und Bischof zu Lobbe in den Niederlanden, 19. April.

Ursus, Bischof von Ravenna, 13. April.

Utho, Abt zu Metten in Bayern, 3. Oktober.

V

Valens (röm. Kaiser), Bischof und Märtyrer, 21. Mai.

Valentinian (Name von 3 röm. Kaisern), Märtyrer in Portugal, 22. Mai.

Valeria, Märtyrin zu Mailand, 28. April.

Varus (röm. Feldherr in Deutschland), Soldat und Märtyrer in Aegypten, 19. Oktober.

Vedast, Bischof von Arras in Frankreich, 6. Februar.

Verena, Jungfrau und Einsiedlerin zu Zurzach in der Schweiz, 1. September.

Vetula (eine alte Frau), Märtyrin in Griechenland, 15. Juni.

Vindemialis (zur Weinlese gehörig), Bischof und Märtyrer in Afrika, 2. Mai.

Viola, Jungfrau und Märtyrin, in Verona verehrt, 3. Mai.

Virgilius (röm. Dichter), Bischof von Salzburg, 27. November.

W

Waldetrudis, Benediktinerin zu Mons im Hennegau, 9. April.

Walfrid, Erzbischof von York in England, 12. Oktober.

Waldrada, Aebtissin zu Metz, 5. Mai.

Walter, Märtyrer in Deutschland, 5. Juni.

Wenefrida, Aebtissin und Märtyrin in England, 3. November.

Werner, Märtyrer zu Oberwesel im Rheinland, 19. April.

Wiborada, Jungfrau, Einsiedlerin und Märtyrin bei St. Gallen in der Schweiz, 2. Mai.

Wigbert, Abt zu Fritzlar in Deutschland, 13. August.

Wilburgis, Klausnerin, 11. Dezember.

Wilfrid, Erzbischof von York in England, 29. April.

Willehad, Bischof von Bremen, 8. November.

Willigis, Erzbischof von Mainz, 23. Februar.

Wladimir, russischer Herzog, 15. Juli.

Wolbert, Abt zu Deuz bei Cöln, 15. April.

Wolstan, Wulstan, Bischof von Worcester in England, 19. Jänner.

Wunibald, Bruder des heiligen Willibald und Abt zu Heidenheim, Diözese Eichstätt, 18. Dezember.

X

Xanthippe (Frau des Socrates), Apostelschülerin, 23. September.

Xenophon (griech. Geschichtschreiber), Bekenner zu Jerusalem, 26. Jänner.

Z

Zachäus, Märtyrer in Palästina, 17. November.

Zacharias, Papst, 15. März.

Zenobius, Priester und Märtyrer in Phönizien, 20. Februar.

Druckfehler-Berichtigungen.

Im 2. Hefte unserer Quartalschrift (Jahrgang 1909), S. 387, Z. 17 v. u. lies: Sozialismus=Katholizismus statt S.=Kapitalismus.

Im 3. Hefte dieses Jahrganges, S. 604, Z. 13 v. u. lies: akatholische Predigten, statt kathol. Predigten.

Pränumerations-Einladung
auf den Dreiundsechzigsten Jahrgang 1910.

Die Redaktion bittet um rechtzeitige Erneuerung der Pränumeration auf den Jahrgang 1910, sie bittet auch die Freunde der Zeitschrift, daß sie dieselbe in ihren Kreisen empfehlen und verbreiten. Je mehr Abonnenten, desto mehr kann geboten werden.

Für die Abonnenten des Inlandes liegt ein Postscheck bei, für die des Auslandes eine Postanweisung. Auch die Postämter nehmen Bestellungen an.

Der Preis beträgt:

7 Kronen;
6 Mark 48 Pfennig.

Wenn per Postauftrag:

7 Mark;
8 Francs 75 Centimes;
1³/₄ Dollar.

Adresse: Linz a. d. D., Herrenstraße Nr. 37.
Veränderung der Adresse wolle sofort bekannt gegeben werden.

Redaktionsschluß: 30. September 1909. — Ausgabe: 2.—10. Oktober 1909.

Inserate.

Verlag von Fel. Rauch's Buchhandlung in Innsbruck.

Zeitschrift für katholische Theologie.

XXXIII. Jahrgang.

Jährlich 4 Hefte. Preis 6 K.

Inhalt des soeben erschienenen 3. Heftes: